# DER NEUE PAULY

Altertum Band 7 Lef–Men

# DER NEUE PAULY

# (DNP)

# DER NEUE PAULY
# Enzyklopädie der Antike

Herausgegeben
von Hubert Cancik und
Helmuth Schneider

Altertum

Band 7 Lef–Men

Verlag J. B. Metzler
Stuttgart · Weimar

*Die Deutsche Bibliothek – CIP-Einheitsaufnahme*

*Der neue Pauly* : Enzyklopädie der Antike/hrsg. von Hubert Cancik und Helmuth Schneider. – Stuttgart ; Weimar : Metzler, 1999
ISBN 3-476-01470-3
NE: Cancik, Hubert [Hrsg.]

Bd. 7. Lef-Men – 1999
ISBN 3-476-01477-0

Gedruckt auf chlorfrei gebleichtem, säurefreiem und alterungsbeständigem Papier



ISBN 3-476-01470-3 (Gesamtwerk)
ISBN 3-476-01477-0 (Band 7 Lef-Men)



Typographie und Ausstattung:
Brigitte und Hans Peter Willberg
Grafik und Typographie der Karten:
Richard Szydlak
Abbildungen: Günter Müller
Satz: pagina GmbH, Tübingen
Gesamtfertigung: Franz Spiegel Buch GmbH, Ulm
Printed in Germany

Verlag J. B. Metzler Stuttgart · Weimar

## Inhaltsverzeichnis



Redaktion

Jochen Derlien
Dr. Brigitte Egger
Susanne Fischer
Dietrich Frauer
Dr. Ingrid Hitzl
Heike Kunz
Vera Sauer
Christiane Schmidt
Dorothea Sigel
Anne-Maria Wittke

# Hinweise für die Benutzung

## Anordnung der Stichwörter

Die Stichwörter sind in der Reihenfolge des deutschen Alphabetes angeordnet. I und J werden gleich behandelt; ä ist wie ae, ö wie oe, ü wie ue einsortiert. Wenn es zu einem Stichwort (Lemma) Varianten gibt, wird von der alternativen Schreibweise auf den gewählten Eintrag verwiesen. Bei zweigliedrigen Stichwörtern muß daher unter beiden Bestandteilen gesucht werden (z. B. *a commentariis* oder *commentariis, a*).

Informationen, die nicht als Lemma gefaßt worden sind, können mit Hilfe des Registerbandes aufgefunden werden.

Gleichlautende Stichworte sind durch Numerierung unterschieden. Gleichlautende griechische und orientalische Personennamen werden nach ihrer Chronologie angeordnet. Beinamen sind hier nicht berücksichtigt.

Römische Personennamen (auch Frauennamen) sind dem Alphabet entsprechend eingeordnet, und zwar nach dem *nomen gentile*, dem »Familiennamen«. Bei umfangreicheren Homonymen-Einträgen werden *Republik* und *Kaiserzeit* gesondert angeordnet. Für die Namensfolge bei Personen aus der Zeit der Republik ist – dem Beispiel der RE und der 3. Auflage des OCD folgend – das *nomen gentile* maßgeblich; auf dieses folgen *cognomen* und *praenomen* (z.B. erscheint *M. Aemilius Scaurus* unter dem Lemma *Aemilius* als *Ae. Scaurus, M.*). Die hohe politische Gestaltungskraft der *gentes* in der Republik macht diese Anfangsstellung des Gentilnomens sinnvoll.

Da die strikte Dreiteilung der Personennamen in der Kaiserzeit nicht mehr eingehalten wurde, ist eine Anordnung nach oben genanntem System problematisch. Kaiserzeitliche Personennamen (ab der Entstehung des Prinzipats unter Augustus) werden deshalb ab dem dritten Band in der Reihenfolge aufgeführt, die sich auch in der »Prosopographia Imperii Romani« (PIR) und in der »Prosopography of the Later Roman Empire« (PLRE) eingebürgert und allgemein durchgesetzt hat und die sich an der antik bezeugten Namenfolge orientiert (z.B. *L. Vibullius Hipparchus Ti. C. Atticus Herodes* unter dem Lemma *Claudius*). Die Methodik – eine zunächst am Gentilnomen orientierte Suche – ändert sich dabei nicht.

Nur antike Autoren und römische Kaiser sind ausnahmsweise nicht unter dem Gentilnomen zu finden: *Cicero*, nicht *Tullius*; *Catullus*, nicht *Valerius*.

## Schreibweise von Stichwörtern

Die Schreibweise antiker Wörter und Namen richtet sich im allgemeinen nach der vollständigen antiken Schreibweise.

Toponyme (Städte, Flüsse, Berge etc.), auch Länder- und Provinzbezeichnungen erscheinen in ihrer antiken Schreibung (*Asia, Bithynia*). Die entsprechenden modernen Namen sind im Registerband aufzufinden.

Orientalische Eigennamen werden in der Regel nach den Vorgaben des »Tübinger Atlas des Vorderen Orients« (TAVO) geschrieben. Daneben werden auch abweichende, aber im deutschen Sprachgebrauch übliche und bekannte Schreibweisen beibehalten, um das Auffinden zu erleichtern.

In den Karten sind topographische Bezeichnungen überwiegend in der vollständigen antiken Schreibung wiedergegeben.

Die Verschiedenheit der im Deutschen üblichen Schreibweisen für antike Worte und Namen (*Äschylus, Aeschylus, Aischylos*) kann gelegentlich zu erhöhtem Aufwand bei der Suche führen; dies gilt auch für *Ö / Oe / Oi* und *C / Z / K*.

## Transkriptionen

Zu den im NEUEN PAULY verwendeten Transkriptionen vgl. Bd. 3, S. VIIIf.

## Abkürzungen

Abkürzungen sind im erweiterten Abkürzungsverzeichnis am Anfang des dritten Bandes aufgelöst.

Sammlungen von Inschriften, Münzen, Papyri sind unter ihrer Sigle im zweiten Teil (Bibliographische Abkürzungen) des Abkürzungsverzeichnisses aufgeführt.

## Anmerkungen

Die Anmerkungen enthalten lediglich bibliographische Angaben. Im Text der Artikel wird auf sie unter Verwendung eckiger Klammern verwiesen (Beispiel: die Angabe [1. 5[23]] bezieht sich auf den ersten numerierten Titel der Bibliographie, Seite 5, Anmerkung 23).

## Verweise

Die Verbindung der Artikel untereinander wird durch Querverweise hergestellt. Dies geschieht im Text eines Artikels durch einen Pfeil (→) vor dem Wort / Lemma, auf das verwiesen wird; wird auf homonyme Lemmata verwiesen, ist meist auch die laufende Nummer beigefügt.

Querverweise auf verwandte Lemmata sind am Schluß eines Artikels, ggf. vor den bibliographischen Anmerkungen, angegeben.

Verweise auf Stichworte des zweiten, rezeptions- und wissenschaftsgeschichtlichen Teiles des NEUEN PAULY werden in Kapitälchen gegeben (→ ELEGIE).

## Karten und Abbildungen

Texte, Abbildungen und Karten stehen in der Regel in engem Konnex, erläutern sich gegenseitig. In einigen Fällen ergänzen Karten und Abbildungen die Texte durch die Behandlung von Fragestellungen, die im Text nicht angesprochen werden können. Die Autoren der Karten und Abbildungen werden im Verzeichnis auf S. VIff. genannt.

## Karten- und Abbildungsverzeichnis

NZ: Neuzeichnung, Angabe des Autors und/oder der zugrunde liegenden Vorlage/Literatur
RP: Reproduktion (mit kleinen Veränderungen) nach der angegebenen Vorlage

**Marmor**
Antike Marmorvorkommen von überregionaler Bedeutung (3. Jt. v. Chr.–6. Jh. n. Chr.)
NZ: R. SCHNEIDER

**Marzabotto**
Marzabotto: Plan der etruskischen Stadt (ca. E. 6. Jh. – ca. M. 4. Jh. v. Chr.)
NZ: M. MILLER

**Maske**
Griechische Theatermasken
NZ: CH. TSOCHOS (nach: L. BERNABÒ BREA, Menandro e il teatro greco nelle terracotte liparesi, 1981 · T. B. L. WEBSTER, Monuments Illustrating Old and Middle Comedy, [3]1978 · R. GREEN, E. HANDLEY, Images of the Greek Theatre, 1995).

**Massalia**
Massalia: Archäologische Fundplätze der archaischen, klassischen und hellenistischen Zeit (600–75 v. Chr.)
NZ: REDAKTION (nach: M. BATS u.a. (Hrsg.), Marseille grecque et la Gaule. Actes du colloque international d'histoire et d'archéologie et du V[e] congrès archéologique de Gaule méridionale, 18–23 novembre 1990, 1992, 71–88, bes. 73, 78, 84).

**Mastaba**
Isometrische Schemazeichnung eines Mastabagrabes (4. Dyn.)
NZ nach Vorlage von ST. J. SEIDLMAYER

**Mathematik**
*igûm-ibigûm*-Aufgabe
NZ: J. HØYRUP
Zweidimensionale geometrische Figuren und ihre Bezeichnungen nach den Definitionen Euklids
NZ: M. HAASE

**Mauerwerk**
Beispiele antiker Mauertechniken
NZ nach: W. MÜLLER-WIENER, Griech. Bauwesen in der Antike, 1988

1. Lehmziegelmauer mit Holzankern, 65, Abb. B.
2. Einreihiges-isodomes Quadermauerwerk, 68, Abb. 29,1.
3. Isodome Quadermauer mit wechselnden Läufer- und Binderschichten, 68, Abb. 29,2.
4. Isodome Quadermauer mit unregelmäßig verteilten Bindern, 68, Abb. 29,3.
5. Pseudo-isodome Quadermauer, 68, Abb. 29,4.
6. Polygonalmauer mit horizontalem Schichtausgleich, 70, Abb. 31,5.

7. Verbundkonstruktion (byz. Landmauer von Konstantinopel)
NZ nach: W. MÜLLER, G. VOGEL, dtv-Atlas zur Baukunst I, 1974, 30.

**Mauryas**
Die Entwicklung des Maurya-Reiches im 4.–3. Jh. v. Chr.
NZ: K. KARTTUNEN/REDAKTION

**Mausoleum Augusti**
Rom, Mausoleum Augusti (schematischer Aufriß)
NZ nach: J. GANZERT, Das Kenotaph für Gaius Caesar in Limyra, 1984, Beil. 22.

**Mausoleum Hadriani**
Mausoleum Hadriani (sog. Engelsburg), Grundriß der Südhälfte
NZ nach: F. COARELLI, Rom. Ein archäologischer Führer, 1975, 322.

**Maussolleion**
Maussolleion, hypothetische Rekonstruktion der Ostseite
NZ nach: W. HOEPFNER, Zum Maussolleion von Halikarnassos, in: AA 1996, Abb. 7.

**Medizinische Instrumente**
Medizinische Instrumente aus römischer Zeit
NZ nach Vorlage von E. KÜNZL.

**Menelaos [6] von Alexandreia**
NZ nach: J. MAU, s. v. Menelaos [6], KlP 3, 1211.

## Autoren

| | |
|---|---|
| Luciana **Aigner-Foresti** Wien | L. A.-F. |
| Maria Grazia **Albiani** Bologna | M. G. A. |
| Ruth **Albrecht** Hamburg | R. A. |
| José Miguel **Alonso-Núñez** Madrid | J. M. A.-N. |
| Annemarie **Ambühl** Basel | A. A. |
| Walter **Ameling** Jena | W. A. |
| Janine **Andrae** Bochum | JA. AND. |
| Jean **Andreau** Paris | J. A. |
| Maria Gabriella **Angeli Bertinelli** Genua | M. G. A. B. |
| Herbert **Arens** Aachen | H. AR. |
| Christoph **Auffarth** Stuttgart | C. A. |
| Ernst **Badian** Cambridge, Massachusetts | E. B. |
| Balbina **Bäbler** Bern | B. BÄ. |
| Matthias **Baltes** Münster | M. BA. |
| Iris **Banholzer** Tübingen | I. BAN. |
| Pedro **Barceló** Potsdam | P. B. |
| Dorothea **Baudy** Konstanz | D. B. |
| Gerhard **Baudy** Konstanz | G. B. |
| Manuel **Baumbach** Heidelberg | M. B. |
| Theofried **Baumeister** Mainz | TH. BA. |
| Hans **Beck** Köln | HA. BE. |
| Ralf **Behrwald** Chemnitz | RA. B. |
| Klaus **Belke** Wien | K. BE. |
| Andreas **Bendlin** Erfurt | A. BEN. |
| Marina **Benedetti Conti** Pisa | M. B. C. |
| Lore **Benz** Freiburg | LO. BE. |
| Albrecht **Berger** Berlin | AL. B. |
| Luigi **Bernabò Brea** Syrakus | L. B. B. |
| Vera **Binder** Tübingen | V. BI. |
| A. R. **Birley** Düsseldorf | A. B. |
| Jürgen **Blänsdorf** Mainz | JÜ. BL. |
| Bruno **Bleckmann** Straßburg | B. BL. |
| Hanswulf **Bloedhorn** Jerusalem | H. BL. |
| Wolfgang **Blümel** Köln | W. BL. |
| Horst-Dieter **Blume** Münster | H.-D. B. |
| István **Bodnár** Budapest | I. B. |
| Barbara **Böck** Madrid | BA. BÖ. |
| Christfried **Böttrich** Leipzig | CHR. B. |
| Annalisa **Bove** Pisa | A. BO. |
| Ewen **Bowie** Oxford | E. BO. |
| Johannes **Brachtendorf** Tübingen | JO. BRA. |
| Jan N. **Bremmer** Groningen | J. B. |
| Burchard **Brentjes** Berlin | B. B. |
| Klaus **Bringmann** Frankfurt/Main | K. BR. |
| Luc **Brisson** Paris | L. BR. |
| Sebastian P. **Brock** Oxford | S. BR. |
| Kai **Brodersen** Mannheim | K. BRO. |
| Leonhard **Burckhardt** Basel | LE. BU. |
| Jan **Burian** Prag | J. BU. |
| Pierre **Cabanes** Clermont-Ferrand | PI. CA. |
| J. Brian **Campbell** Belfast | J. CA. |
| Giovannangelo **Camporeale** Florenz | GI. C. |
| Hubert **Cancik** Tübingen | HU. C. |
| Eva **Cancik-Kirschbaum** Berlin | E. C.-K. |
| Hildegard **Cancik-Lindemaier** Tübingen | H. C.-L. |
| Antoine **Cavigneaux** Genf | AN. CA. |
| Heinrich **Chantraine** Mannheim | HE. C. |
| Dominique **Charpin** Paris | D. CH. |
| Johannes **Christes** Berlin | J. C. |
| Justus **Cobet** Essen | J. CO. |
| Mireille **Corbier** Paris | MI. CO. |
| Edward **Courtney** Charlottesville | ED. C. |
| Gregor **Damschen** Heidelberg | GR. DA. |
| Giovanna **Daverio Rocchi** Mailand | G. D. R. |
| Giuliana **De Francesco** Rom | G. d. F. |
| Loretana **de Libero** Hamburg | L. d. L. |
| Stefania **de Vido** Pisa | S. d. V. |
| Wolfgang **Decker** Köln | W. D. |
| Marie-Luise **Deißmann-Merten** Freiburg | M. D. M. |
| Lavinio **Del Monaco** Rom | L. D. MO. |
| Jeanne-Marie **Demarolle** Nancy | J.-M. DE. |
| Albert **Dietrich** Göttingen | A. D. |
| Karlheinz **Dietz** Würzburg | K. DI. |
| Klaus **Döring** Bamberg | K. D. |
| Tiziano **Dorandi** Paris | T. D. |
| Paul **Dräger** Trier | P. D. |
| Thomas **Drew-Bear** Lyon | T. D.-B. |
| Boris **Dreyer** Göttingen | BO. D. |
| Hans-Peter **Drögemüller** Hamburg | H.-P. DRÖ. |
| Stella **Drougou** Thessaloniki | S. DR. |
| Ludmil **Duridanov** Freiburg | L. D. |
| Theodor **Ebert** Erlangen/Nürnberg | T. E. |
| Constanze **Ebner** Innsbruck | C. E. |
| Werner **Eck** Köln | W. E. |
| Walter **Eder** Bochum | W. ED. |
| Beate **Ego** Osnabrück | B. E. |
| Ulrich **Eigler** Freiburg | U. E. |
| Paolo **Eleuteri** Venedig | P. E. |
| Karl-Ludwig **Elvers** Bochum | K.-L. E. |
| Johannes **Engels** Köln | J. E. |
| R. Malcolm **Errington** Marburg/Lahn | MA. ER. |
| Marion **Euskirchen** Bonn | M. E. |
| Giulia **Falco** Athen | GI. F. |
| Hans-Jürgen **Feulner** Tübingen | H. J. F. |
| Susanne **Fischer** Tübingen | SU. FI. |
| Gudrun **Fischer Saglia** München | G. F. S. |
| Jaques **Flamant** Venelles | J. F. |
| Peter **Flury** München | P. FL. |
| Menso **Folkerts** München | M. F. |
| Nikolaus **Forgó** Wien | N. F. |
| Sotera **Fornaro** Heidelberg | S. FO. |
| Karl Suso **Frank** Freiburg | K.-S. F. |
| Thomas **Franke** Dortmund | T. F. |
| Christa **Frateantonio** Gießen | C. F. |
| Dorothea **Frede** Hamburg | D. FR. |
| Michael **Frede** Oxford | M. FR. |
| Klaus **Freitag** Münster | K. F. |
| Alexandra **Frey** Basel | AL. FR. |
| Gérard **Freyburger** Mulhouse | G. F. |
| Thomas **Frigo** Bonn | T. FR. |
| Jörg **Fündling** Bonn | JÖ. F. |
| Therese **Fuhrer** Zürich | T. FU. |
| Manfred **Fuhrmann** Konstanz | MA. FU. |
| Peter **Funke** Münster | P. F. |
| Massimo **Fusillo** L'Aquila | M. FU. |
| Hans Armin **Gärtner** Heidelberg | H. A. G. |
| Gianfranco **Gaggero** Genua | G. GA. |
| Lucia **Galli** Florenz | L. G. |
| Hartmut **Galsterer** Bonn | H. GA. |
| Richard **Gamauf** Wien | R. GA. |
| Peter **Garnsey** Cambridge | P. GA. |
| Bruno **Garozzo** Pisa | BR. G. |
| Paolo **Gatti** Trient | P. G. |
| Bardo Maria **Gauly** Kiel | B. GY. |

| | | | |
|---|---|---|---|
| Tomasz **Giaro** Frankfurt/Main | T. G. | Martin **Klöckener** Fribourg | M. KLÖ. |
| Jost **Gippert** Frankfurt/Main | J. G. | Dietrich **Klose** München | DI. K. |
| Christian **Gizewski** Berlin | C. G. | Ernst Axel **Knauf** Bern | E. A. K. |
| Reinhold F. **Glei** Bochum | R. GL. | Heiner **Knell** Darmstadt | H. KN. |
| Richard L. **Gordon** Ilmmünster | R. GOR. | Anne **Kolb** Frankfurt/Main | A. K. |
| Marie-Odile **Goulet-Cazé** Antony | M. G.-C. | Barbara **Kowalzig** Oxford | B. K. |
| Fritz **Graf** Princeton | F. G. | Fritz **Krafft** Marburg/Lahn | F. KR. |
| K. **Greschat** Mainz | K. GRE. | Herwig **Kramolisch** Eppelheim | HE. KR. |
| Kirsten **Groß-Albenhausen** Frankfurt/Main | K. G.-A. | Gernot **Krapinger** Graz | G. K. |
| Joachim **Gruber** Erlangen | J. GR. | Rolf **Krauss** Berlin | R. K. |
| Fritz **Gschnitzer** Heidelberg | F. GSCH. | Ludolf **Kuchenbuch** Hagen | LU. KU. |
| Linda-Marie **Günther** München | L.-M. G. | Ernst **Künzl** Mainz | E. KÜ. |
| Maria Ida **Gulletta** Pisa | M. I. G. | Hans-Peter **Kuhnen** Trier | H. KU. |
| Andreas **Gutsfeld** Berlin | A. G. | Lukas **Kundert** Basel | LUK. KU. |
| Volkert **Haas** Berlin | V. H. | Heike **Kunz** Tübingen | HE. K. |
| Mareile **Haase** Tübingen | M. HAA. | Ernst **Kutsch** Wien | ER. K. |
| Peter **Habermehl** Berlin | PE. HA. | Yves **Lafond** Bochum | Y. L. |
| Claus **Haebler** Münster | C. H. | Marie-Luise **Lakmann** Münster | M.-L. L. |
| Verena Tiziana **Halbwachs** Wien | V. T. H. | Jean-Luc **Lamboley** Grenoble | J.-L. L. |
| Judith **Hallett** College Park, Maryland | JU. HA. | Joachim **Latacz** Basel | J. L. |
| Rudolf **Hanslik** Wien | RU. HA. | Marion **Lausberg** Augsburg | MA. L. |
| Ruth E. **Harder** Zürich | R. HA. | Yann **Le Bohec** Lyon | Y. L. B. |
| Philip R. **Hardie** Cambridge | P. R. H. | M. **Leglay** Lyon | M. LE. |
| Joost **Hazenboz** Leipzig | JO. HA. | Thomas **Leisten** Princeton | T. L. |
| Manfred **Heim** München | MA. HE. | David **Leitao** San Francisco | D. LE. |
| Martin **Heimgartner** Basel | M. HE. | Hartmut **Leppin** Hannover | H. L. |
| Theodor **Heinze** Genf | T. H. | Silvia **Letsch-Brunner** Benglen/Zürich | S. L.-B. |
| Judith **Hendricks** Bochum | JU. HEN. | Anne **Ley** Xanten | A. L. |
| Peter **Herz** Regensburg | P. H. | Adrienne **Lezzi-Hafter** Kilchberg | A. L.-H. |
| Bernhard **Herzhoff** Trier | B. HE. | Cay **Lienau** Münster | C. L. |
| Clemens **Heucke** München | C. HEU. | Stefan **Link** Paderborn | S. L. |
| Friedrich **Hild** Wien | F. H. | Rüdiger **Liwak** Berlin | R. L. |
| Christoph **Höcker** Kissing | C. HÖ. | Hans **Lohmann** Bochum | H. LO. |
| Peter **Högemann** Tübingen | PE. HÖ. | Angelika **Lohwasser** Berlin | A. LO. |
| Karl-Joachim **Hölkeskamp** Köln | K.-J. H. | Mario **Lombardo** Lecce | M. L. |
| Nicola **Hoesch** München | N. H. | Richard **Lorch** München | RI. L. |
| Jens **Høyrup** Roskilde | JE. HØ. | Volker **Losemann** Marburg/Lahn | V. L. |
| Jens **Holzhausen** Berlin | J. HO. | Werner **Lütkenhaus** Marl | WE. LÜ. |
| Martin **Hose** München | MA. HO. | Ulrich **Luz** Göttingen | U. L. |
| Wolfgang **Hübner** Münster | W. H. | Wolfram-Aslan **Maharam** Berlin | W.-A. M. |
| Christian **Hünemörder** Hamburg | C. HÜ. | Giacomo **Manganaro** Sant' Agata li Battiata | GI. MA. |
| Richard **Hunter** Cambridge | R. HU. | Ulrich **Manthe** Passau | U. M. |
| Rolf **Hurschmann** Hamburg | R. H. | Christoph **Markschies** Berlin | C. M. |
| Werner **Huß** Bamberg | W. HU. | Wolfram **Martini** Gießen | W. MA. |
| Katerina **Ierodiakonou** Oxford | KA. HI | Attilio **Mastrocinque** Verona | A. MAS. |
| Brad **Inwood** Toronto | B. I. | Stefan **Maul** Heidelberg | S. M. |
| Kristina **Janje** Tübingen | K. JA. | Andreas **Mehl** Halle/Saale | A. ME. |
| Karl **Jansen-Winkeln** Berlin | K. J.-W. | Mischa **Meier** Bielefeld | M. MEI. |
| Klaus-Peter **Johne** Berlin | K. P. J. | Gerhard **Meiser** Halle/Saale | GE. ME. |
| Sarah Iles **Johnston** Princeton | S. I. J. | Franz-Stefan **Meissel** Wien | F. ME. |
| Reinhard **Jung** Berlin | R. J. | Burkhard **Meißner** Halle/Saale | B. M. |
| Lutz **Käppel** Kiel | L. K. | Klaus **Meister** Berlin | K. MEI. |
| Jochem **Kahl** Münster | J. KA. | Gert **Melville** Dresden | G. MEL. |
| Ted **Kaizer** Oxford | T. KAI. | Giovanna **Menci** Florenz | G. M. |
| Hansjörg **Kalcyk** Petershausen | H. KAL. | Aldo **Messina** Triest | AL. MES. |
| Hans **Kaletsch** Regensburg | H. KA. | Ernst **Meyer** Zürich | E. MEY. |
| Klaus **Karttunen** Espoo | K. K. | Stefan **Meyer-Schwelling** Tübingen | S. M.-S. |
| Peter **Kehne** Hannover | P. KE. | Raphael **Michel** Basel | RA. MI. |
| Karlheinz **Kessler** Erlangen | K. KE. | Martin **Miller** Berlin | M. M. |
| Wilhelm **Kierdorf** Köln | W. K. | Heide **Mommsen** Stuttgart | H. M. |
| Helen **King** Reading | H. K. | Franco **Montanari** Pisa | F. M. |
| Konrad **Kinzl** Peterborough | K. KI. | Ornella **Montanari** Bologna | O. M. |
| Claudia **Klodt** Hamburg | CL. K. | Fabio **Mora** Messina | F. MO. |

Christian **Müller** Hagen C. MÜ.
Walter W. **Müller** Marburg/Lahn W. W. M.
Anna **Muggia** Pavia A. MU.
Domenico **Musti** Rom DO. MU.
Peter C. **Nadig** Duisburg P. N.
Michel **Narcy** Paris MI. NA.
Claudia **Nauerth** Heidelberg CL. NA.
Heinz-Günther **Nesselrath** Bern H.-G. NE.
Richard **Neudecker** Rom R. N.
Günter **Neumann** Würzburg G. N.
Hans **Neumann** Berlin H. N.
Christoff **Neumeister** Frankfurt/Main CH. N.
Johannes **Niehoff** Freiburg J. N.
Inge **Nielsen** Kopenhagen I. N.
Hans Georg **Niemeyer** Hamburg H. G. N.
Hans Jörg **Nissen** Berlin H. J. N.
Johannes **Nollé** München JO. NO.
René **Nünlist** Basel RE. N.
Vivian **Nutton** London V. N.
John H. **Oakley** Williamsburg J. O.
Joachim **Oelsner** Leipzig J. OE.
Eckart **Olshausen** Stuttgart E. O.
Johannes **Pahlitzsch** Berlin J. P.
Robert **Parker** Oxford R. PA.
Barbara **Patzek** Wiesbaden B. P.
Thomas **Paulsen** Bochum TH. P.
Christoph Georg **Paulus** Berlin C. PA.
Anastasia **Pekridou-Gorecki** Frankfurt/Main A. P.-G.
Ulrike **Peter** Berlin U. P.
Silke **Petersen** Hamburg S. P.
Georg **Petzl** Köln G. PE.
C. Robert **Phillips III.** Bethlehem, Pennsylvania C. R. P.
Volker **Pingel** Bochum V. P.
Robert **Plath** Erlangen R. P.
Thomas **Podella** Lübeck TH. PO.
Michel **Polfer** Ettelbrück MI. PO.
Karla **Pollmann** St. Andrews K. P.
James I. **Porter** Ann Arbor J. I. P.
Werner **Portmann** Berlin W. P.
Friedhelm **Prayon** Tübingen F. PR.
Francesca **Prescendi** Basel FR. P.
Joachim **Quack** Berlin JO. QU.
Georges **Raepsaet** Brüssel G. R.
Michael **Rathmann** Bonn M. RA.
Johannes **Renger** Berlin J. RE.
Peter J. **Rhodes** Durham P. J. R.
John A. **Richmond** Blackrock J. A. R.
Christoph **Riedweg** Zürich C. RI.
Elisabeth **Rieken** Berlin E. RI.
Josef **Rist** Würzburg J. RI.
Helmut **Rix** Freiburg H. R.
Emmet **Robbins** Toronto E. R.
Michael **Roberts** Middletown M. RO.
Wolfgang **Röllig** Tübingen W. R.
Kurt **Rudolph** Marburg/Lahn KU. R.
Jörg **Rüpke** Erfurt J. R.
Kai **Ruffing** Münster K. RU.
Erwin Maria **Ruprechtsberger** Linz E. M. R
Henri D. **Saffrey** Paris H. SA.
Walther **Sallaberger** Leipzig WA. SA.
Klaus **Sallmann** Mainz KL. SA.
Eleonora **Salomone Gaggero** Genua E. S. G.
Deborah **Salsano** Catania D. SA.
Antonio **Sartori** Mailand A. SA.
Marjeta **Šašel Kos** Ljubljana M. Š. K.
Kyriakos **Savvidis** Bochum K. SA.
Mustafa H. **Sayar** Wien M. H. S.
Dietmar **Schanbacher** Dresden D. SCH.
Ingeborg **Scheibler** Krefeld I. S.
John **Scheid** Paris J. S.
Johannes **Scherf** Tübingen JO. S.
Gottfried **Schiemann** Tübingen G. S.
Alfred **Schindler** Heidelberg AL. SCHI.
Karin **Schlapbach** Zürich K. SCHL.
E. A. **Schmidt** Tübingen E. A. S.
Peter L. **Schmidt** Konstanz P. L. S.
Tassilo **Schmitt** Bielefeld TA. S.
Winfried **Schmitz** Bielefeld W. S.
Notker **Schneider** Köln NO. SCH.
Rolf Michael **Schneider** Cambridge R. M. S.
Franz **Schön** Regensburg F. SCH.
Hans-Peter **Schönbeck** Halle/Saale H.-P. S.
Hanne **Schönig** Beirut H. SCHÖ.
Martin **Schottky** Pretzfeld M. SCH.
Heinz-Joachim **Schulzki** Mannheim H.-J. S.
Daniel **Schwemer** Würzburg DA. SCH.
Elmar **Schwertheim** Münster E. SCH.
Stephan Johannes **Seidlmayer** Berlin S. S.
Reinhard **Senff** Bochum R. SE.
Robert **Sharples** London R. S.
Anne Viola **Siebert** Münster A. V. S.
Peter **Siewert** Wien P. SI.
Holger **Sonnabend** Stuttgart H. SO.
Wolfgang **Spickermann** Bochum W. SP.
Santo Daniele **Spina** Catania S. D. SP.
Karl-Heinz **Stanzel** Tübingen K.-H. S.
Frank **Starke** München/Tübingen F. S.
Wolfgang **Stegemann** Heidelberg W. STE.
Helena **Stegmann** Bonn H. S.
Elke **Stein-Hölkeskamp** Köln E. S.-H.
Jan **Stenger** Tübingen J. STE.
Eliane **Stoffel** Altkirch EL. STO.
Daniel **Strauch** Berlin D. S.
Karl **Strobel** Klagenfurt K. ST.
Wilfried **Stroh** München W. STR.
Meret **Strothmann** Bochum ME. STR.
Gerd **Stumpf** München GE. S.
Werner **Suerbaum** München W. SU.
Sarolta A. **Takacs** Cambridge, Massachusetts S. TA.
Hildegard **Temporini – Gräfin Vitzthum** Tübingen H. T.-V.
Gerhard **Thür** Graz G. T.
Franz **Tinnefeld** München F. T.
Malcolm **Todd** Durham M. TO.
Sergej R. **Tokhtas'ev** St. Petersburg S. R. T.
Yun Lee **Too** Liverpool Y. L. T.
Isabel **Toral-Niehoff** Freiburg I. T.-N.
Renzo **Tosi** Bologna R. T.
Alain **Touwaide** Madrid A. TO.
Michael **Trapp** London M. T.
Giovanni **Uggeri** Florenz G. U.
Jürgen **Untermann** Pulheim/Köln J. U.
Karl-Heinz **Uthemann** Amsterdam K. U.
David T. **Vessey** Huntingdon D. T. V.
Edzard **Visser** Basel E. V.
Artur **Völkl** Innsbruck A. VÖ.

| | |
|---|---|
| Gregor **Vogt-Spira** Greifswald | G.V.-S. |
| Hans **Volkmann** Köln | H.VO. |
| Iris **von Bredow** Bietigheim-Bissingen | I.v.B. |
| Hans **von Mangoldt** Tübingen | H.v.M. |
| Sitta **von Reden** Köln | S.v.R. |
| Kocku **von Stuckrad** Erfurt | K.v.S. |
| Jörg **Wagner** Tübingen | J.WA. |
| Christine **Walde** Basel | C.W. |
| Katharina **Waldner** Berlin | K.WA. |
| Gerold **Walser** Basel | G.W. |
| Irina **Wandrey** Berlin | I.WA. |
| Peter **Weiß** Kiel | P.W. |
| Michael **Weißenberger** Greifswald | M.W. |
| Karl-Wilhelm **Welwei** Bochum | K.-W.WEL. |
| Otto **Wermelinger** Fribourg | O.WER. |
| Peter **Wick** Basel | P.WI. |
| Rainer **Wiegels** Buchenbach | RA.WI. |
| Josef **Wiesehöfer** Kiel | J.W. |
| Frans **Wiggermann** Amsterdam | F.W. |
| Wolfgang **Will** Bonn | W.W. |
| Dietrich **Willers** Bern | DI.WI. |
| Gerhard **Wirth** Nürnberg | G.WI. |
| Michael **Zahrnt** Kiel | M.Z. |
| Sabine **Ziegler** Würzburg | S.ZI. |
| Konrat **Ziegler** † Göttingen | K.Z. |
| Bernhard **Zimmermann** Freiburg | B.Z. |
| Klaus **Zimmermann** Jena | KL.ZI. |
| Martin **Zimmermann** Tübingen | MA.ZI. |
| Reto **Zingg** Basel | RE.ZI. |
| Raimondo **Zucca** Rom | R.Z. |
| Bella **Zweig Vivante** Tucson | B.Z.V. |

## Übersetzer

| | |
|---|---|
| J. Derlien | J. DE. |
| H. Dietrich | H. D. |
| E. Dürr | E. D. |
| C. Eichmüller | C. EI. |
| S. Felkl | S. F. |
| Th. Gaiser | TH. G. |
| J. Hamm | J. HA. |
| A. Heckmann | A. H. |
| T. Heinze | T. H. |
| R. P. Lalli | R. P. L. |
| J. W. Mayer | J. W. M. |
| B. Onken | B. O. |
| S. Paulus | S. P. |
| P. Plieger | P. P. |
| C. Pöthig | C. P. |
| B. v. Reibnitz | B. v. R. |
| L. v. Reppert-Bismarck | L. v. R.-B. |
| U. Rüpke | U. R. |
| I. Sauer | I. S. |
| V. Sauer | V. S. |
| A. Schilling | A. SCH. |
| L. Strehl | L. S. |
| R. Struß-Höcker | R. S.-H. |
| S. Unteregge | S. U. |
| C. Walde | C. WA. |

## Mitarbeiter in den Fachgebietsredaktionen

| | |
|---|---|
| Alte Geschichte: | Anne Krahn<br>Dr. Thomas Franke<br>Christian Müller |
| Archäologie (Sachkultur und Kunstgeschichte): | Dr. Fulvia Ciliberto |
| Christentum: | Dr. Martin Heimgartner |
| Griechische Philologie: | Raphael Sobotta |
| Historische Geographie: | Vera Sauer M. A.<br>Christian Winkle |
| Kulturgeschichte: | Janine Andrae<br>Hartwig Heckel<br>Judith Hendricks |
| Lateinische Philologie, Rhetorik: | Martina Dürkop<br>Bärbel Geyer<br>Daniela Tonn |
| Philosophie: | Vanessa Kucinska |
| Mythologie: | Iris Banholzer<br>Jan Stenger |
| Sozial- und Wirtschaftsgeschichte: | Bettina Jarosch-von Schweder |
| Sprachwissenschaft: | Christel Kindermann<br>Dr. Robert Plath |

# L

**Lefkandi.** Nördlich des mod. Ortes Lefkandi an der SW-Küste → Euboias [1] gelegene brz. und eisenzeitl. Siedlung mit Nekropolen. Der Siedlungshügel mit dem heutigen Namen Xeropolis liegt auf halber Strecke zw. → Eretria [1] und → Chalkis [1] am Rande der lelantischen Ebene und weist eine fast kontinuierliche Besiedlung von der Frühbrz. (FH II) bis in das 10./9. Jh. v. Chr. (Spätprotogeom.) mit einer Blütezeit während der → »Dunklen Jahrhunderte« [1] auf. Die Grabungen der British School of Athens von 1964 bis 1970 ergaben u. a. Reste von Apsidenhäusern. Die älteste Siedlungsphase (L. I) weist einen starken ostägäisch-westkleinasiat. Kultureinfluß auf.

In der Umgebung der Siedlung sind bisher sechs voneinander getrennte Nekropolen bekannt, die von der submyken. bis zur spätprotogeom. Zeit datieren. Die bedeutendsten sind Skoubris, Palia Perivolia und Toumba mit meist ungeplünderten Kisten- und Schachtgräbern sowie *pyres* (Brandplätzen). Reiche Grabinventare mit Importen aus Zypern, Phönizien und Ägypten, die weite Handelskontakte belegen, und häufiges Fehlen von Knochenresten charakterisieren die meisten Gräber. Ausgrabungen von 1980 bis 1994 auf dem Toumba-Hügel erbrachten ein als »Heroon« (→ Grabbauten) gedeutetes mittelprotogeom. (ca. 1000–950 v. Chr.), dreiteiliges Apsidenhaus (10 × 47 m) mit umlaufender äußerer Pfostenreihe. Im Zentralraum fand man ein reiches Doppelgrab eines Kriegers(?) (Brandbestattung in Bronzeurne) und einer Frau sowie die separate Bestattung von vier Pferden. Nach der Verfüllung des Hauses und einer Hügelaufschüttung wurde vor der ehemaligen Ost-Front ein Friedhof mit Gräberreihen angelegt, die noch bis in spätprotogeom. Zeit Bezug auf das »Heroon« nahmen. Um 700 v. Chr. enden die Siedlungsspuren, wohl im Zusammenhang mit den Auseinandersetzungen zw. Eretria und Chalkis (→ Lelantischer Krieg).

→ Apsis

A. Bräuning, Unt. zur Darstellung und Ausstattung des Kriegers im Grabbrauch Griechenlands zw. dem 10. und 8. Jh. v. Chr., 1995, bes. 38–45 • J. Maran, Kulturwandel auf dem griech. Festland und auf den Kykladen im späten 3. Jt. v. Chr., 1998, bes. 97–100 • M. R. Popham u. a., L. I. The Iron Age. The Settlement. The Cemeteries (ABSA Suppl. 11), 1979 • Ders. u. a., The Hero of L., in: Antiquity 56, 1982, 169–174 • Ders. u. a., Further Excavation of the Toumba Cemetery at L., 1984 and 1986, in: Archaeological Reports 36, 1988–89, 117–129 • Ders. u. a., L. II, 1. The Protogeometric Building at Toumba. The Pottery (ABSA Suppl. 23), 1990 • Ders. u. a., L. II, 2. The Protogeometric Building at Toumba. The Excavation, Architecture and Finds (ABSA Suppl. 23), 1993 • Ders., I. S. Lemos, L. III. The Excavations 1981, 1984, 1986–92, 1994 (ABSA Suppl. 29), 1996.

K.JA.

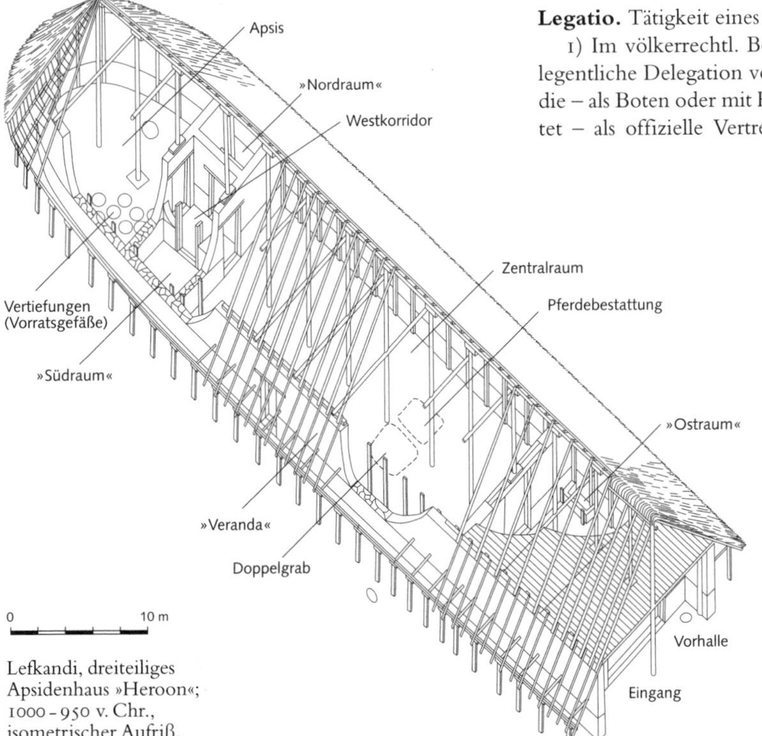


Lefkandi, dreiteiliges Apsidenhaus »Heroon«; 1000 - 950 v. Chr., isometrischer Aufriß.

**Legatio.** Tätigkeit eines → *legatus*.

1) Im völkerrechtl. Bereich die staatl. verfügte, gelegentliche Delegation von meist drei oder mehr *legati*, die – als Boten oder mit Handlungsvollmacht ausgestattet – als offizielle Vertreter Roms agierten und dem

Senat darüber berichteten (*legationem renuntiare*: Liv. 39,33,1). *Legationes* überbrachten u. a. die für ein *bellum iustum* (→ Völkerrecht) notwendige Genugtuungsforderung (*rerum repetitio*), die Kriegserklärung (*indictio belli*), Anweisungen an → *socii*, sondierten, schlichteten und schlossen Verträge. Nach dem Höhepunkt des röm. Gesandtschaftswesens (Lit.: [9. 99, Anm. 207]) im 3./2. Jh. v. Chr. führte die Erweiterung der röm. Macht zur Auflösung der hell.-röm. Völkerrechtsordnung und damit zum Rückgang der Rolle der *l.* Noch die für Constantinus [9] im 10. Jh. n. Chr. angefertigten *Excerpta de legationibus* (ed. BOISSEVAIN) zeigen das Ungleichgewicht von *l. gentium ad Romanos* zu *l. Romanorum ad gentes*. Erst die außenpolit. Konstellation der Spätant. nötigte Rom wieder zu verstärkten Aktivitäten (Fälle: [3. 346 ff.; 8. 458 ff.]), wobei strikte Weisungen des Hofes den Spielraum offener oder geheimer Verhandlungen einengten. Gegenstände waren u. a. Mitteilung von Thronbesteigungen, Kriegserklärungen, Friedensschlüsse, Werbung von Bundesgenossen, röm. Tribute oder subversive Ziele wie Attentate und Hinterhalte [3. 330 ff.].

2) Röm. t.t. für die Gesandtschaft auswärtiger Völker (*externae gentes*) gleich welcher Kulturstufe [1; 5], die in Rom beim Oberbeamten vorstellig, von ihm beschieden oder an den Senat verwiesen wurde. Das zum → Völkerrecht (*ius gentium*: Gai. inst. 1,1) gehörige *ius legationis* garantierte in Krieg und Frieden die Unverletzlichkeit der *l.* [10. 73]; aber Rom ahndete nicht alle Vergehen durch Strafrecht (Dig. 50,7,18) oder Auslieferung (Liv. 38,42,7)[2; 5]. Die *l.* des Kriegsgegners konnte mil. eskortiert, sofort abgewiesen oder nach Erledigung ihres Geschäfts ultimativ ausgewiesen werden (Liv. 23,6,7; 42,36,7). Die *legati* eines Volkes, das mit Rom *legationum commercium* (»Gesandtschaftsverkehr«; R. Gest. div. Aug. 32) pflegte, genossen das *hospitium publicum* [9. 86; 100]: Sie wurden auf Staatskosten verpflegt, beherbergt, nach festem Schema beschenkt (*munera ex formula*) [6], ggf. sogar bestattet [7. 548 ff.]. Als große Ehrung galten das Opfer auf dem Kapitol und der Sondersitz im Theater. Seit Augustus gingen *l.* direkt zum Kaiser, wobei man die *l.* ferner Völker als Reverenz an Roms »Größe« (*maiestas*; R. Gest. div. Aug. 26; 31–33) oder im Sinne röm. Weltherrschaftsideologie wertete [4. 279 ff.]. Im Kriege erbaten *l.* u. a. → *indutiae* oder → *pax* oder boten → *deditio* oder → *societas* an. Im Frieden baten sie u. a. um Streitschlichtung, Vertragsmodifikation, Militärhilfe [4. 452 ff.], Einsetzung oder Anerkennung von Herrschern [4. 349 ff.], Siedlungsland [4. 330 ff., 486 ff.] oder Geld, was später auch ultimativ erfolgte [5; 3. 330 ff.].

3) Eine *l. libera* ließen sich Senatoren per Senatsbeschluß bewilligen, um bei privaten Geschäften in den Provinzen Gesandtenrechte in Anspruch nehmen zu können; häufigen Mißbrauch versuchte die späte Republik gesetzlich einzuschränken.

4) Im Kaiserreich dominierte als untechn. Typ ohne *ius legationis* die von Provinzen und reichsangehörigen *civitates* (→ *civitas*) zwecks Gratulation, Danksagung, Beschwerde oder Bitte an den Kaiser gesandte *l.* [11].

1 M. AFFORTUNATI, Ambasciatori germanici in Italia, in: B. und P. SCARDIGLI (Hrsg.), Germani in Italia, 1994, 105–115 2 T. BROUGHTON, Mistreatment of Foreign Legates and the Fetial Priests, in: Phoenix 41, 1987, 50–62 3 R. HELM, Unt. über den auswärtigen diplomat. Verkehr des Röm. Reiches im Zeitalter der Spätant., in: E. OLSHAUSEN (Hrsg.), Ant. Diplomatie, 1979, 321–408 4 P. KEHNE, Formen röm. Außenpolitik in der Kaiserzeit, Diss. Hannover 1989 5 Ders., s. v. Gesandtschaft, RGA 11, 457–461 6 Ders., s. v. Geschenke (2), RGA 11, 470–474 7 D. KIENAST, s. v. Presbeia, RE Suppl. 13, 499–628 8 T. LOUNGHIS, Les ambassades byzantines en Occident, 1980 9 K.-H. ZIEGLER, Das Völkerrecht der röm. Republik, in: ANRW I 2, 1972, 68–114 10 Ders., Völkerrechtsgesch., 1994 11 G. ZIETHEN, Gesandte vor Kaiser und Senat, 1994.

P. KE.

**Legatum.** Im röm. Recht das Vermächtnis (von *legare*: »eine bindende Willenserklärung, → *lex*, aussprechen«). Die Möglichkeit, jemandem durch letztwillige Verfügung (→ Testament) Gegenstände zu Lasten des Erben zuzuwenden, wurde in den XII Tafeln (5,3) anerkannt. Es gab zwei Hauptarten:

1) Durch *l. per vindicationem* (angeordnet durch: *Titio hominem Stichum do lego*, ›dem Titius gebe und vermache ich den Sklaven Stichus‹) erwarb der Legatar das Eigentum an der vermachten Sache unmittelbar mit dem Erbfall und konnte diese vom Erben mit der Klage des Eigentümers (→ *vindicatio*) herausverlangen; Unterarten waren das »Vorwegvermächtnis« (*l. per praeceptionem*: *Titius hominem Stichum praecipito*), das dem Legatar das Recht gab, die Sache schon vor der Erbteilung auszusondern, und das »Wahlvermächtnis« (*optio legata*: *Titius hominem optato*), das dem Legatar die Wahl unter mehreren Sachen überließ.

2) Durch *l. per damnationem* (*heres meus Titio centum dare damnas esto*, ›mein Erbe soll dem Titius 100 zu geben verpflichtet sein‹) erwarb der Legatar eine Forderung gegen den Erben auf Übereignung des vermachten Gegenstandes, die er mit einer schuldrechtlichen Klage (*actio ex testamento*) durchsetzen konnte; Unterarten waren das »Duldungsvermächtnis« (*l. sinendi modo*: *heres meus damnas esto sinere Titium hominem Stichum sumere sibique habere*, ›... zu dulden, daß Titius den Sklaven Stichus an sich nimmt und behält‹), das den Erben verpflichtete, die Aneignung durch den Legatar zu dulden, und das Teilungsvermächtnis (*partitio legata*: *heres meus cum Titio hereditatem partito*, ›mein Erbe soll den Nachlaß mit Titius teilen‹), das den Erben verpflichtete, die Erbschaft mit dem Legatar zu teilen [2]. Das Teilungsvermächtnis wurde wahrscheinlich als Reaktion auf die → *lex Voconia* (169 v. Chr.) entwickelt, die es verbot, Frauen zu Erben einzusetzen und jemandem mehr als die Hälfte der Erbschaft zu vermachen; durch *partitio* (»Teilung«) konnte einer Frau der höchstmögliche Betrag zugewandt werden [3. 1040 f.].

Durch Vindikationslegat (1) konnten nur Sachen legiert werden, die beim Erbfall im quiritischen Eigentum des Erblassers standen, während das Damnationslegat (2) Gegenstände jeder Art umfassen konnte, vor allem Geldbeträge. Um die Wirksamkeit eines Vindikationslegates für jeden Fall zu sichern, fügte man häufig die Damnationsformel hinzu; das *SC Neronianum* (um 60 n. Chr.) hielt ein an sich unwirksames Vindikationslegat einer fremden Sache als Damnationslegat aufrecht, auch wenn die Damnationsformel fehlte [1. 745 f.]. Da die Legatstypen sich nun in der Praxis vermischten, hob Iustinian die Unterschiede endgültig auf (Cod. Iust. 6,43,1).

Legate konnten durch → *ademptio legati* (»Vermächtniswiderruf«) widerrufen werden.

Seit der mittleren Republik verhinderten Gesetze die übermäßige Beschwerung der Erben mit Legaten: Die *lex Furia* (um 200 v. Chr.) erlaubte nur Legate bis zum Wert von 1000 As, die → *lex Voconia* (169 v. Chr.) nur bis zur Hälfte der Erbschaft, die *lex Falcidia* (41 v. Chr. [2. 16]) bis zu drei Viertel der Erbschaft. Die *lex Papia* (9 n. Chr.) ließ Legate an Unverheiratete oder Kinderlose verfallen (→ *caducum*, → *Lex Iulia et Papia*).

Seit Mitte des 1. Jh. n. Chr. verschmolzen die Legatstypen mit dem → *fideicommissum*, das seit Vespasian den Legatsbeschränkungen unterfiel; Iustinian hob den nur noch formellen Unterschied auf (Cod. Iust. 6,43,2).

Als Mittel der nahezu unbeschränkten Freigebigkeit zu Lasten der Hinterbliebenen spielte das *l.* eine wichtige Rolle in der röm. Ges. Mit Legaten bedacht wurden vor allem der Ehepartner (der nur ein nachrangiges Intestaterbrecht besaß, → *intestatus*) sowie Verwandte und Freunde; nur röm. Bürgern (zugunsten von Nichtbürgern waren Fideikommisse möglich) und Sklaven röm. Herren (die für ihren Herrn erwarben) konnte legiert werden. Objekte eines *l.* konnten eigene Sachen des Erblassers, aber auch fremde (Verschaffungsvermächtnis) sein, Sachgesamtheiten (Landgüter, Hausrat), Forderungsrechte und Schuldbefreiungen, Mitgiften u. a. Ein großer Teil der überlieferten Juristentexte befaßt sich mit Legatsrecht, zumal die Vielfalt der Legatstypen und -gegenstände der Auslegungskunst ein reizvolles Betätigungsfeld bot.

→ Erbrecht III G; Fideicommissum

1 Kaser, RPR 1, 742 ff., 109 ff.; 2, 549 ff. 2 U. Manthe, Das senatus consultum Pegasianum, 1989, 80, 82 3 H. Stiegler, s. v. Partitio, RE Suppl. 9, 1033–1049.

G. Grosso, I legati nel diritto romano, [2]1962 • Honsell/Mayer-Maly/Selb, 484 ff. • P. Voci, Diritto ereditario romano 2, [2]1963, 223 ff. • A. Watson, The Law of Succession in the Later Roman Republic, 1971, 122 ff.

U.M.

**Legatus** (»aufgrund eines Gesetzes abgesandt« [6. 11]). 1) Gesandter im völkerrechtl. Verkehr Roms, der außerhalb Italiens Funktionen der → *fetiales* im Rahmen einer → *legatio* übernahm [3. 1133–1135; 2. Bd. 2, 675–690]. Er verfügte u. a. über → *apparitores* [1. 110 ff.], Reisegeld (*viaticum*) und Recht auf freie Beförderung (*evectio*), wozu der vom Senat ausgehändigte goldene Ring (Plin. nat. 33,11) legitimierte [2. Bd. 1, 301]. Gemäß des *ius gentium* (→ Völkerrecht) war er *sanctus inviolatusque* (»heilig und unverletzlich«; Caes. Gall. 3,9,3; Liv. 30,25,10); ungesühnte Übergriffe sah Rom als Kriegsgrund an [3. 1135].

2) »Hilfsgesandter«. Er wurde seit Ende des 3. Jh. v. Chr. vom Senat dem außerhalb It. tätigen Imperiumsträger mit dessen Billigung für die gesamte Amtszeit beigegeben. Seine Aufgabe bestand in der mil. oder polit. Beratung bzw. befehlsgebundenen Unterstützung (Varro ling. 5,87) [2. Bd. 2, 696–701; 4. 110 ff.; 6. 12 ff.; 1. 270 ff., 300 f.].

3) Mitglied einer vom Senat ad hoc bestellten Zehnerkommission (*decem legati*), deren *consilium* den Feldherrn beim Friedensschluß und der *lex provinciae* band [4. 9–100; 1. 303 f.].

4) Ständiger Vertreter des Promagistrats. Dieser Typus erscheint erst in der späten Republik in den *leges* über außerordentliche Imperien. Pompeius und Caesar hatten für mil. oder administrative Aufgaben zehn oder mehr senator. *legati* mit → *imperium pro praetore* [3. 1143 f.; 4. 196 ff.; 6. 17 ff., 22 ff.]. Im Kaiserreich verwaltete ein *l. Augusti pro praetore* von consular. oder praetor. Rang anstelle des mit *imperium proconsulare* ausgestatteten Kaisers dessen Prov. oder führte Krieg [3. 1144–7; 6. 26 ff.]. In senator. Prov. standen dem Proconsul mit praetor. Rang ein *l.*, dem mit consular. Rang drei selbsternannte, aber vom Kaiser bestätigte *l. pro praetore* bzw. *l. proconsulis* zur Seite [6. 55 ff.].

5) *L. legionis*. Im mil. Bereich vollzog sich bis zur späten Republik der Wandel vom → *tribunus militum* über das Hilfsorgan der Imperiumsträger (s.o. 2) zum regulären Offiziersposten des *l. legionis* [4. 101 ff., 201 ff.; 3. 1147 f.]. Der Kaiser vergab dieses seit flavischer Zeit (2. Hälfte 1. Jh. n. Chr.) meist praetor. Legionskommando selbst [6. 54, 98 ff.].

6) *L. iuridicus*. Er unterstützte in kaiserl. Prov. den Statthalter bei der Rechtsprechung oder Diözesenverwaltung. Daneben gab es noch weitere Sonderfunktionen wie die → *correctores* und *censitores* [3. 1149; 6. 76–96].

→ Legatio; Provincia; Magistratus

1 W. Kunkel, Staatsordnung und Staatspraxis der röm. Republik 2, 1995 2 Mommsen, Staatsrecht 3 A. v. Premerstein, s. v. l., RE 12, 1133–49 4 B. Schleussner, Die Legaten der röm. Republik, 1978 5 Thomasson 6 B. E. Thomasson, L., 1991.

P.KE.

**Legende** s. Mythos

**Leges Homeritarum.** »Gesetz der (eher: für die) Himjariten« (lat. *Homeritae*, einen arab. Stamm, der zw. dem 3. und 6. Jh. den Jemen beherrschte), dem Bischof Gregentios von Ẓafar fälschlich zugeschriebene Slg.; allerdings kein echtes südarab. Gesetzesbuch, sondern ein byz. lit. Werk aus dem 6. Jh. n. Chr., das unter gewisser Berücksichtigung der Besonderheiten Himjars Verwaltung und städtisches Leben des Reiches widerspiegelt [1. 567–620]. Es gehört zusammen mit dem ›Martyrium

des Arethas‹ [2], der *Vita* des Gregentios [3] und dem ›Streitgespräch mit dem Juden Herban‹ (*Sancti Gregentii disputatio cum Herbano Iudaeo* [1. 621–784]) zu den Schriften, die in Zusammenhang mit den kirchen- und handelspolit. Interessen von Byzanz in Südarabien entstanden. Histor. Hintergrund ist der Kampf des jüd. südarab. Königs Ḏū Nuwās gegen die christl. Stadt Naǧrān und die Wiederherstellung der äthiop. Macht mit byz. Unterstützung.
→ Adulis; Arabia; Altsüdarabisch; Axum, Axomis

1 PG 86,1, 1860 2 Martyrium Sancti Arethae et sociorum, in: Acta Sanctorum, Bd. 10, 10 (Octobris X), 1861, 721–760 3 A. A. Vasili'ev, Žitie sv. Grigentija, in: Vizantijskij-Vremennik 14, 1907, 23–67.

N. Pigulewskaja, Byzanz auf den Wegen nach Indien, 1969, bes. 197–210 • I. Shahid, Byzantium in South Arabia, in: Dumbarton Oaks Papers 33, 1979, 23–94. I. T.-N.

**Leges regiae** s. Lex, Leges

**Leges sacrae** s. Sakralrecht

**Legio** A. Republik B. Prinzipat
C. Die einzelnen Legionen

A. Republik

In der Frühzeit bestand das Heeresaufgebot Roms wahrscheinlich aus insgesamt 3000 Soldaten, wobei jede der drei → *tribus* der Königszeit 1000 Mann stellte (Varro ling. 5,89) – eine als »die Aushebung« (*legio*) bezeichnete Streitkraft. Die Servius → Tullius von der historiographischen Überl. zugeschriebene Einteilung des röm. Volkes in sechs Vermögensklassen (Liv. 1,42,4–43,13; Dion. Hal. ant. 4,15–18) hatte auch einen mil. Zweck: Es hing vom Besitz eines Bürgers ab, mit welchen Waffen er sich ausstatten konnte. Die Besitzlosen (*capite censi*) waren vom Militärdienst ausgeschlossen; der Dienst im röm. Heer war daher sowohl ein Privileg als auch eine bürgerliche Pflicht. Das röm. Heer kämpfte zunächst wie eine griech. → Phalanx; bis zum späten 4. Jh. v. Chr. schufen die Römer jedoch eine flexiblere Heeresstruktur mit kleineren Einheiten, den Manipeln (→ *manipulus*), die unabhängig voneinander operieren konnten. Der Begriff *legio* (Legion) beschrieb nun einen Truppenverband, der im allgemeinen aus etwa 6000 Mann bestand, die mit einem ovalen Schild, einem Wurfspeer (→ *pilum*) oder einer Lanze (→ *hasta* [1]) ausgerüstet waren.

Polybios bietet – wohl für die Zeit nach dem 2. → Punischen Krieg – die beste Beschreibung der röm. *l.* (Pol. 6,19–25). Eine *l.* zählte in dieser Zeit zw. 4200 und 5000 Mann und bestand aus 30 Manipeln. Hinter den leichtbewaffneten Truppen (→ *velites*) nahm die *l.* in drei Reihen Aufstellung: Die *hastati* (Speerträger) bildeten die erste Schlachtreihe, dann folgten die *principes* (führenden Männer) und schließlich die → *triarii* (Männer der dritten Reihe), die die größte Kampferfahrung besaßen. Jede Schlachtreihe bestand aus zehn Manipeln, zw. denen jeweils ein Abstand gelassen wurde. Die zweite Reihe deckte die Abstände der ersten Schlachtreihe, die dritte Reihe die der zweiten ab. Die *hastati* und *principes* waren mit einem ovalen Schild, einem Wurfspeer (*pilum*) und einem zweischneidigen »Spanischen Schwert« bewaffnet, die *triarii* waren ebenso ausgerüstet, hatten aber statt des *pilum* eine Lanze (*hasta*). Bei der Errichtung eines Legionslagers (→ *castra*) folgte man einem genau festgelegten Plan; der Lagerdienst selbst war in allen Einzelheiten geregelt (Pol. 6,27–36).

Die Bezeichnungen für die drei Schlachtreihen spiegeln die frühere Aufstellung der Legion wider und wurden vermutlich aus Traditionsbewußtsein beibehalten. Zu jeder *l.* gehörten 300 Reiter, die von Roms italischen Bundesgenossen gestellt wurden. Die Soldaten der *legiones* waren röm. Bürger im wehrfähigen Alter (17–46 J.), oft Bauern, und hatten urspr. nur für die Dauer einzelner Feldzüge im Heer gedient. Seit den → Punischen Kriegen wurde von ihnen verlangt, daß sie bis zu sechs Jahre ununterbrochen Militärdienst leisteten und insgesamt 16 Jahre im röm. Heer kämpften. Wie der Lebenslauf eines röm. Soldaten aussehen konnte, beschreibt eindrucksvoll Liv. 42,34. Als durch die röm. Expansion eine kontinuierliche mil. Präsenz in den Prov. notwendig wurde, wurden die *legiones* nicht mehr nur für die Zeit einzelner Feldzüge rekrutiert, sondern wurden zunehmend zu stehenden Truppenverbänden; da die Soldaten nun Sold erhielten (die Soldaten täglich 2, die Centurionen 4 Obolen; Pol. 6,39), konnten sie über einen längeren Zeitraum Militärdienst leisten. Sechs Militärtribunen aus dem *ordo equester* waren die höheren Offiziere der Legion; sie mußten mindestens 5 Dienstjahre im röm. Heer nachweisen können. Den Oberbefehl übten normalerweise die Consuln aus.

Als C. Marius (*cos.* 107 v. Chr.) Rekruten für den Krieg gegen Iugurtha in Afrika benötigte, akzeptierte er auch Männer ohne Eigentum als Freiwillige (Sall. Iug. 86,2 ff.). Anstelle des Manipels wurde wahrscheinlich in der Zeit des Marius die → *cohors* (Cohorte) die wichtigste Einheit der Legionen. Jede Legion hatte zehn Cohorten mit jeweils 480 Mann; die Cohorte wiederum war in sechs Centurien (→ *centuria*) mit je einem → *centurio* als Befehlshaber unterteilt. Obwohl der Manipel – wohl für administrative Zwecke – als Einheit bestehen blieb, war die Cohorte bis zur Zeit Caesars zur einzigen Kampfeinheit der röm. Armee geworden. Die Legion wurde noch immer in drei Schlachtreihen aufgestellt, mit vier Cohorten in der ersten und drei Cohorten in den beiden hinteren Reihen; alle Soldaten waren nun mit *pilum* und Schwert ausgerüstet. Unter Marius wurde der Adler (*aquila*) zum wichtigsten → Feldzeichen, das die dauerhafte Identität einer Legion symbolisierte.

B. Prinzipat

Augustus reorganisierte das röm. Heer, wobei er seine traditionelle Struktur und Ausrüstung beibehielt. Mit gewaltigem finanziellen Aufwand stellte er ein Berufsheer auf, dessen Soldaten langfristig dienten und das allen mil. Anforderungen zu entsprechen vermochte, ohne daß bes. Aushebungen notwendig waren. Die *l.*, die ihm und seiner Familie loyal ergeben waren, schützten nicht allein das Imperium Romanum vor Angriffen von außen, sondern auch die Machtstellung des Princeps. Für die Vergütungen (*praemia*), die die Soldaten nach ihrer zwanzigjährigen Dienstzeit erhielten, wurde das → *aerarium militare* geschaffen (R. Gest. div. Aug. 16f.). Einen Überblick über die *l.* des Augustus gibt Cass. Dio 55,23. Bis 14 n. Chr. befanden sich 25 *l.* im Dienst, bis zum frühen 3. Jh. waren es 33. Die *l.*, die jeweils einen eigenen Namen und eine Nummer sowie bestimmte Feldzeichen besaßen, waren auf Dauer in bestimmten Prov. stationiert (vgl. das Verzeichnis der Legionen ILS 2288; spätes 2. Jh. n. Chr.). Eine *l.* bestand aus ungefähr 5000 Mann sowie 120 als Leibwache und Boten dienenden Reitern und wurde von einem Senator von praetorischem Rang (*legatus legionis*) kommandiert; daneben gab es sechs Militärtribunen, einen von senatorischem Rang (*tribunus laticlavius*; ILS 1078; 1087; 1093; 1102; 1118; 1126; 1196) sowie fünf aus den Reihen der *equites* (*tribuni angusticlavii*; → *equites Romani*).

Im 1. und 2. Jh. n. Chr. wurden die *l.* durch Aushebungen rekrutiert, obwohl es auch immer Freiwillige gab. Die Soldaten mußten röm. Bürger sein, kamen aber in zunehmendem Maße aus den Prov. anstatt aus Italien; seit dem frühen 2. Jh. n. Chr. wurde die Rekrutierung in der Umgebung der Legionslager üblich. Das röm. Heer der Prinzipatszeit wird ausführlich von Flavios Iosephos beschrieben; auch die Marschordnung der *l.* war genau festgelegt (Ios. bell. Iud. 3,70–109; 3,115–126).

Die von Augustus geschaffene mil. Struktur blieb fast so lange bestehen wie die röm. Macht im Westen. Unter Diocletianus (284–305) wurde jedoch die Zahl der *l.* auf mindestens 67 erhöht, wobei wohl gleichzeitig die Legionsstärke reduziert wurde. Es ist wahrscheinlich, daß zur Zeit des Constantinus (306–337) eine Legion nur noch 1000 Mann zählte. Eine wichtige Unterscheidung bestand nun zw. Feldheer (→ *comitatenses*), das keiner bestimmten Prov. mehr zugeteilt war, sowie den territorialen Truppen (→ *limitanei*), die weiterhin dauerhaft an einem Standort stationiert waren.

C. Die einzelnen Legionen

Legio I: Wahrscheinlich 48 v. Chr. von Caesar oder 43 von C. Vibius Pansa aufgestellt, war die *l.* nach Actium in Spanien (30 – ca. 16 v. Chr.), darauf in Germania inferior, seit 9 n. Chr. in Ara Ubiorum (h. Köln), später in Bonna (h. Bonn) stationiert. Ein Teil der *l.* nahm an dem Marsch des Vitellius auf Rom teil. 70 n. Chr. wurde die *l.* wegen ihres Verhaltens während des → Bataveraufstandes (Tac. hist. 4,19f.; 4,25ff.) aufgelöst, wobei einige Soldaten wohl in die *l. VII Gemina* aufgenommen wurden. Die *l.* erscheint mit dem Titel *Germanica* (ILS 2342).

Legio I Adiutrix (»die Helferin«): Von Nero rekrutierte Flottensoldaten aus Misenum wurden 68 n. Chr. von Galba als *l.* aufgestellt, die für Otho in Bedriacum kämpfte (Tac. hist. 2,43,1); sie wurde darauf von Vitellius nach Spanien geschickt (Tac. hist. 3,44), kämpfte unter Petillius Cerialis gegen Iulius Civilis, wurde anschließend in Mogontiacum (Germania superior; h. Mainz) stationiert und 86 n. Chr. von Domitianus wahrscheinlich nach Pannonia verlegt, worauf sie 87 am Krieg gegen die Daker teilnahm. Seit 97 n. Chr. war sie in Brigetio (Pannonia; h. Szöny) stationiert. Traianus zeichnete sie mit dem Titel *Pia Fidelis* (»die Loyale Treue«) aus (ILS 1029; 1061 etc.); nach der Teilnahme an den Dakerkriegen des Traianus und an dem Feldzug gegen die Parther kehrte die *l.* unter Hadrianus nach Brigetio (Pannonia superior) zurück.

Legio I Italica (»die Italische«): Die *l.* wurde 66 oder 67 n. Chr. von Nero für seinen geplanten Feldzug im Osten aufgestellt; sie war 68 in Lugdunum (h. Lyon) stationiert, kämpfte für Vitellius in der zweiten Schlacht bei Bedriacum (Tac. hist. 3,14; 3,18,1; 3,22,2) und wurde ca. 69–70 von Vespasianus nach Moesia geschickt, wahrscheinlich um der Bedrohung durch die Sarmaten entgegenzutreten; sie war in Novae (Moesia) stationiert. Ihr Titel deutet auf ihre Rekrutierung in Italien hin.

Legio I Macriana Liberatrix (»Macers Befreiende«): Die *l.* wurde 68 n. Chr. von L. Clodius Macer, der als Statthalter Africas gegen Nero revoltierte und sich Galba nicht anschloß, ausgehoben und kurz danach durch Galba aufgelöst (Tac. hist. 2,97,2).

Legio I Minervia (»Minervas«): 83 n. Chr. wurde die *l.* von Domitianus wahrscheinlich für den Krieg gegen die Chatten ausgehoben; sie war in Bonna (Germania inferior; h. Bonn) stationiert. Für ihre Loyalität während der Revolte des Statthalters von Germania superior, L. Antonius Saturninus, erhielt sie 89 n. Chr. die Titel *Pia Fidelis Domitiana* (»die Loyale Treue Domitianische«; ILS 2279). Sie kämpfte unter Traianus gegen die Daker (ILS 308) und unter Lucius Verus gegen die Parther (162–66); anschließend war sie in Bonna stationiert.

Legio I Parthica (»die Parthische«): Sie wurde vor 197 n. Chr. von Septimius Severus aufgestellt und ist nach seinem Feldzug gegen die Parther benannt; sie war in Singara in der neu geschaffenen Prov. Mesopotamia stationiert.

Legio II Adiutrix (»die Helferin«): 69 n. Chr. während des flavischen Vormarsches nach Italien in Ravenna rekrutierte Flottensoldaten (Tac. hist. 3,50,3) wurden von Vespasianus vor dem 7. März 70 offiziell als *l.* aufgestellt; zu dieser Zeit trug sie die zusätzlichen Titel *Pia Fidelis* (»die Loyale Treue«; ILS 308; 1989). Sie kämpfte gegen die Bataver, begleitete 71 Petillius Cerialis nach Britannia, wo sie zuerst in Lindum (h. Lincoln), dann zur Zeit Agricolas in Deva (h. Chester) stationiert war. Um 87 wurde sie an die Donau verlegt. Nach der Teilnahme an den Dakerkriegen des Traianus war sie in Aquincum (Pannonia inferior; h. Budapest) stationiert; sie kämpfte unter Lucius Verus gegen die Parther (162–166 n. Chr.).

Legio II Augusta (»die Augusteische«): Wahrscheinlich von C. Vibius Pansa 43 v. Chr. aufgestellt und seit

I Germanica
V Alaudae
XX Valeria Victrix
XXI Rapax
Germania Inferior
Noviomagus Batavorum
Vetera Castra
Novaesium
Ara Ubiorum
Mogontiacum
II Augusta
XIII Gemina
Castra Regina
Argentorate
Vindonissa
Germ. Superior
XIV Gemina
XVI Gallica
Belgica
Lugdunensis
Aquitania
Narbonensis
Raetia
Alpes Poeninae
Alpes Cottiae
Alpes Maritimae
Corsica
Sardinia
IV Macedonica
VI Victrix
X Gemina
Iuliobriga
Legio
Petauonium
Hispania
Lusitania
Baetica
III Augusta
Numidia
Theveste
Africa Proconsularis
Sicilia
Carnuntum
VIII Augusta
IX Hispana
XV Apollinaris
Poetovio
Emona
Pannonia
VII Claudia
XI Claudia
Burnum
Dalmatia
Tilurium
Salonae
IV Scythica
V Macedonica
Moesia
Macedonia
Achaia
Creta et Cyren(a)e
Asia
Pontus et Bithynia
Galatia
Cilicia
Cyprus
Commagene
Kyrrhos
Antiocheia
Rhaphaneai
III Gallica
VI Ferrata
X Fretensis
XII Fulminata
Syria
Phoenice
Iudaea
Babylon
Alexandreia/ Nikopolis
III Cyrenaica
XXII Deiotariana
Aegyptus
0 150 300 450 600 750 km
Verteilung der (25) Legionen im Römischen Reich (um 14 n.Chr.)
Legion(en) unter Augustus und Tiberius
III Augusta Bezeichnung der Legion
saisonales Marschlager/Winterlager, arch. und/oder lit. nachgewiesen
Römisches Reich (um 14 n.Chr.)
Provinzgrenze
Macedonia Provinzname

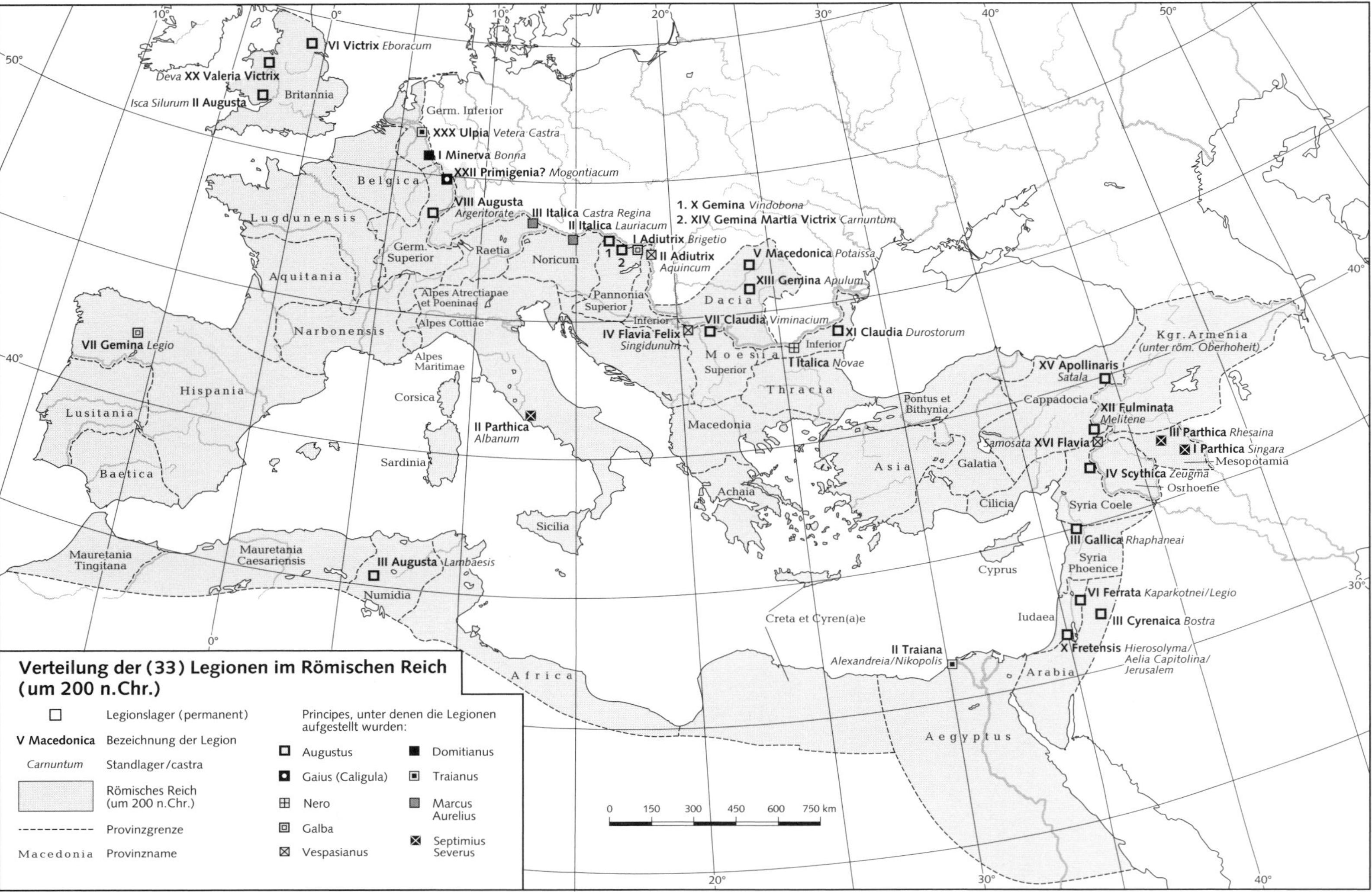


Verteilung der (33) Legionen im Römischen Reich (um 200 n.Chr.)

30 v. Chr. in Spanien stationiert, wurde die *l.* um 9 n. Chr. oder früher an den Rhein verlegt; seit 17 war sie in Argentorate (h. Straßburg) in Germania superior stationiert. Sie nahm unter dem Kommando des Vespasianus an der Invasion Britanniens im Jahre 43 teil (Tac. hist. 3,44) und baute in den Jahren 74–75 ihr Legionslager in Isca (h. Caerleon bei Newport, Wales). Ihr Titel weist auf einen Sieg oder eine Reorganisation unter Augustus hin.

Legio II Italica (»die Italische«): 165 oder 166 n. Chr. von Marcus Aurelius in Italien ausgehoben, wurde die *l.* um 171 nach Noricum verlegt und noch unter Commodus in Lauriacum stationiert. Ihren Titel *Pia* (»die Loyale«) trug sie seit ihrer Gründung; zw. 192–200 erwarb sie den Titel *Fidelis* (»die Treue«; ILS 2419a).

Legio II Parthica (»die Parthische«): Von Septimius Severus vor 197 n. Chr. aufgestellt, erhielt die *l.* ihren Titel nach dem Partherkrieg des Septimius Severus; seit ca. 202 war sie als erste *l.* ständig in Italien stationiert (in Albanum, südl. von Rom). Sie nahm an Caracallas Feldzug gegen die Parther teil und trug unter Elagabalus den Titel *Pia Fidelis Felix Aeterna* (»die Loyale Treue Glückliche Ewige«; ILS 2420; 9014).

Legio II Traiana Fortis (»die Traianische Tapfere«): Die *l.* wurde von Traianus ca. 105 n. Chr. geschaffen und war nach ihm benannt; sie kämpfte im Partherkrieg 114–116 und war um 117 wohl in Iudaea stationiert, bevor sie um 125 nach Ägypten verlegt wurde; sie war in Nicopolis bei Alexandria stationiert (ILS 373; 1038).

Legio III Augusta (»die Augusteische«): Wahrscheinlich 43 v. Chr. von C. Vibius Pansa oder 41–40 v. Chr. von Caesar (C. Octavius, dem späteren → Augustus) aufgestellt, war die *l.* seit 30 v. Chr. ständig in Afrika stationiert, zunächst in Ammaedara, dann unter Vespasianus in Theveste und spätestens seit 98 n. Chr. in Lambaesis. Weil die *l.* den Statthalter von Numidia, Capellianus, gegen Gordianus I. und II. unterstützt hatte, wurde sie 238 von Gordianus III. aufgelöst; Valerianus stellte sie 253 neu auf. Ihr Titel (ILS 6285) weist auf einen Sieg oder eine Reorganisation unter Augustus hin.

Legio III Cyrenaica (»die Cyrenäische«): Vor 30 v. Chr. vielleicht von M. Aemilius Lepidus in Afrika oder von Antonius aufgestellt, war die *l.* seit 30 v. Chr. in Ägypten stationiert; sie wurde 106 n. Chr. jedoch als erste *l.* in die neue Prov. Arabia verlegt und nahm am Partherkrieg des Traianus teil; für kurze Zeit kehrte die *l.* nach Ägypten zurück und war dann dauerhaft in Bostra (Arabia) stationiert (ILS 1071; 1102).

Legio III Gallica (»die Gallische«): Wahrscheinlich 48 v. Chr. von Caesar aufgestellt, diente die *l.* dann unter Antonius, wurde aber nach Actium von Caesar (C. Octavius, → Augustus) übernommen und in Syria stationiert; unter Corbulo kämpfte sie gegen die Parther (Tac. ann. 13,40,2; ILS 232). 67/68 n. Chr. wurde sie von Nero nach Moesia verlegt; sie kämpfte bei Bedriacum für Vespasianus (Tac. hist. 3,21,2; 3,24,2); sie kehrte in den Osten zurück, möglicherweise wurde sie im Norden Syriens stationiert; sie half wahrscheinlich, den jüdischen Aufstand unter Bar Kochba (132–135) niederzuschlagen. Nach der Teilung Syriens durch Septimius Severus war sie in Syria Phoenice stationiert. Die *l.* wurde 218/219 von Elagabalus aufgelöst, von Severus Alexander wiederum neu aufgestellt und in Danaba an der Straße von Damaskos nach Palmyra stationiert.

Legio III Italica (»die Italische«): Die *l.* wurde 165 oder 166 n. Chr. von Marcus Aurelius in Italien ausgehoben und war in Raetia (Castra Regina; h. Regensburg) stationiert; sie trug zunächst den Titel *Concors* (»Einmütige«).

Legio III Parthica (»die Parthische«): Von Septimius Severus vor 197 n. Chr. aufgestellt und nach seinem Feldzug gegen die Parther benannt, war die *l.* in Mesopotamia, wahrscheinlich in Rhesaena, stationiert.

Legio IV Flavia Felix (»die Flavische Glückliche«): Die ehemalige *l. IV Macedonica* wurde als *IV Flavia Felix* (ILS 2084; 2085) 70 n. Chr. von Vespasianus neu aufgestellt; die *l.* war zunächst in Burnum (Dalmatia) stationiert, wurde ca. 85 nach Moesia superior verlegt, wo wahrscheinlich Singidunum (h. Belgrad) bis 101/2 ihr Standort war. Die *l.* nahm an den Dakerkriegen des Traianus teil und war kurze Zeit in Sarmizegetusa Ulpia Traiana (Dacia) stationiert, bevor sie unter Hadrianus nach Singidunum zurückkehrte.

Legio IV Macedonica (»die Makedonische«): 48 v. Chr. von Caesar aufgestellt, diente die *l.* in Macedonia (47–44 v. Chr.) und war nach Actium in Spanien stationiert (bis etwa 43 n. Chr.); 43 ist die *l.* in Germania superior (Mogontiacum; h. Mainz) belegt. Einheiten der *l.* kämpften für Vitellius in der zweiten Schlacht bei Bedriacum (Tac. hist. 3,22,2); die übrigen Einheiten ergaben sich Iulius Civilis, weswegen die *l.* von Vespasianus aufgelöst wurde.

Legio IV Scythica (»die Skythische«): Vor 30 v. Chr. – wohl von Antonius – aufgestellt, war die *l.* seit 30 v. Chr. in Macedonia, seit 9 n. Chr. in Moesia stationiert; sie wurde nach Syrien verlegt; sie gehörte zu den Truppen Corbulos (Tac. ann. 15,7,1; ILS 1005) und war ab 66 in Zeugma stationiert. Ihr Titel weist möglicherweise auf Siege über die Skythen (29–27 v. Chr.) unter M. Licinius Crassus (*cos.* 30 v. Chr.) hin.

Legio V Alaudae (»die Lerchen«): 52 v. Chr. von Caesar in Gallia Transalpina rekrutiert, wurde die *l.* von Antonius erneut aufgestellt und nach Actium von Caesar (C. Octavius) übernommen. Nach der Stationierung in Spanien (etwa 30–19 v. Chr.) wurde sie an den Rhein verlegt und verlor 17 v. Chr. in Gallien im Kampf gegen german. Stämme ihren Adler (Vell. 2,97,1). Einige Einheiten nahmen an dem Feldzug des Vitellius nach Italien teil, andere ergaben sich Iulius Civilis; wahrscheinlich wurde die *l.* deswegen 70 von Vespasianus aufgelöst oder möglicherweise 85–86(?) an der Donau vernichtet. Ihr Titel deutet auf den kelt. Brauch hin, die Haube eines Vogels oder dessen Federn auf dem Helm zu tragen (Plin. nat. 11,121).

Legio V Macedonica (»die Makedonische«): Die *l.* ist vielleicht identisch mit der *l. V Urbana*, die entweder 43 v. Chr. von C. Vibius Pansa oder aber 41–40 von Caesar (C. Octavius) aufgestellt worden war. Sie war 30 v. Chr. – 6 n. Chr. in Macedonia stationiert und wurde dann nach Moesia verlegt, wo sie ihr Lager in Oescus (h. Gigen) hatte. 61/62 wurde die *l.* nach Armenien verlegt und diente unter Vespasianus im Jüdischen Krieg (Tac. hist. 5,1,2), bevor sie 71 nach Oescus zurückkehrte; als die Prov. 86 geteilt wurde, gehörte sie zu den in Moesia inferior stationierten Truppen. Nach dem Einsatz in den Dakerkriegen des Traianus war ihr Standort Troesmis. Sie nahm unter Lucius Verus am Partherkrieg teil (162–166) und wurde 167 oder 168 nach Potaissa (h. Turda) in Dacia verlegt. Als Dacia nördl. der Donau 274/75 aufgegeben wurde, kehrte die *l.* nach Oescus in die neu geschaffene Prov. Dacia Ripensis zurück.

Legio VI Ferrata (»die in Eisen Gekleidete«): 52 v. Chr. von Caesar in Gallia Cisalpina aufgestellt und von M. Aemilius Lepidus 44 v. Chr. erneut in den Dienst gestellt, diente die *l.* zunächst unter Antonius und wurde nach Actium von Caesar (C. Octavius) übernommen; seit 30 v. Chr. war sie in Syria stationiert (vielleicht in Raphaneae). Sie kämpfte für Vespasianus in Italien, war aber bald zurück im Osten und wurde wahrscheinlich in Raphaneae oder Samosata stationiert; bis spätestens 119 wurde sie nach Arabia und dann um 123 nach Iudaea verlegt (Caparcotna). Für ihre Unterstützung des Septimius Severus gegen C. Pescennius Niger wurde ihr der Titel *Fidelis Constans* (»die Treue Standhafte«; ILS 2103) verliehen.

Legio VI Victrix (»die Siegreiche«): Vermutlich von Caesar (C. Octavius) um 40 v. Chr. aufgestellt, war die *l.* nach Actium bis 69 n. Chr. in Spanien stationiert; sie rief Galba zum Princeps aus. Ihr urspr. Titel *Hispaniensis* weist auf ihren Dienst in Spanien hin; der Titel *Victrix* ist zuerst unter Nero bezeugt (ILS 233). 69/70 kämpfte sie unter Cerialis gegen die Bataver. Sie hatte ihr Legionslager in Novaesium (h. Neuss; Germania inferior); für ihre Loyalität während der Revolte des L. Antonius Saturninus 89 wurde ihr der Titel *Pia Fidelis* (»die Loyale Treue«; ILS 1047) verliehen. Vor 105 wurde sie nach Vetera (h. Xanten) und dann wahrscheinlich 122 nach Britannien (ILS 1100) verlegt, wo Eburacum (h. York) ihr Standort war.

Legio VII: 59 v. Chr. oder früher aufgestellt und erneut von Caesar (C. Octavius) 44 v. Chr. in den Dienst gestellt, war die *l.* nach Actium vielleicht in Galatia und dann seit 9 n. Chr. in Dalmatia (Tilurium) stationiert. Nachdem sie 56/57 nach Moesia verlegt worden war, hatte sie ihr Lager spätestens seit flavischer Zeit in Viminacium (h. Kostolac); sie unterstützte 69 Vespasianus und nahm an der Schlacht bei Bedriacum (Tac. hist. 3,21,2) teil. Zunächst trug die *l.* den Titel *Paterna*, der von dem Ehrentitel *pater patriae* abgeleitet war, dann den Titel *Macedonica*; 42 n. Chr. wurde ihr der Titel *Claudia Pia Fidelis* (»die Claudische Loyale Treue«; ILS 2461) für ihre Loyalität gegenüber Claudius während der Revolte des L. Arruntius Scribonianus in Dalmatien verliehen.

Legio VII Hispana (»die Spanische«): 68 n. Chr. von Ser. Sulpicius Galba in Spanien aufgestellt, begleitete die *l.* Galba nach Rom, wurde aber bald nach Carnuntum in Pannonia verlegt. Sie kämpfte 69 für Vespasianus (Tac. hist. 3,10,1; 3,21,2; die Bezeichnung *Galbiana* ist wahrscheinlich kein offizieller Titel) und wurde als *l. VII Gemina* (»der Zwilling«), die wohl auch Soldaten der aufgelösten *l. I* aufnahm, neu formiert. Sie kehrte nach Pannonia zurück und erhielt schließlich – vielleicht für ihre hervorragenden Dienste in Germania superior – den Titel *Felix* (»die Glückliche«; ILS 1076). Ende 74 kehrte sie nach Spanien zurück, wo sie ihr Legionslager wahrscheinlich in Legio (h. León) hatte. Unter Septimius Severus ist sie als *Gemina Pia Felix* (»der Loyale Glückliche Zwilling«; ILS 1155) belegt.

Legio VIII Augusta: 59 v. Chr. oder früher aufgestellt und von Caesar (C. Octavius) 44 erneut in den Dienst gestellt, war die *l.* nach Actium auf dem Balkan stationiert; nach 9 n. Chr. hatte sie ihr Lager in Poetovio (h. Ptuj) in Pannonia, seit etwa 45 in Novae (Moesia). Die *l.* unterstützte 69 Vespasianus (Tac. hist. 3,21,2) und kämpfte unter Cerialis gegen die Bataver; in der Folgezeit war sie in Argentorate (h. Straßburg) stationiert. Ihr urspr. Titel *Gallica* deutet auf ihren Dienst unter Caesar in Gallien hin; der Titel *Augusta* (ILS 967; 1076) läßt auf einen unter Augustus errungenen Sieg schließen.

Legio IX Hispana (»die Spanische«): Wahrscheinlich handelt es sich um Caesars *l. IX*; 41/40 v. Chr. stellte Caesar (C. Octavius) eine neue *l.* auf, die nach Actium bis ca. 19 v. Chr. in Spanien stationiert war. Sie wurde nach Pannonia verlegt (9–43 n. Chr.); 20–24 n. Chr. kämpfte sie in Afrika gegen numidische Stämme unter Tacfarinas (Tac. ann. 4,23,2). 43 war die *l.* an der Eroberung Britanniens beteiligt, wo sie dann in Lindum (h. Lincoln) stationiert war, während der Rebellion der Boudicca unter Cerialis schwere Verluste erlitt und 71 nach Eburacum (h. York) verlegt wurde. Zuletzt ist die *l.* in Britannia für 107/8 bezeugt; wahrscheinlich wurde sie in eine andere Prov. verlegt und blieb vielleicht bis etwa 125 bestehen. Im frühen Prinzipat trug sie den Titel *Macedonica*, später den Titel *Hispana* (ILS 940; 1025; 9485).

Legio X Fretensis (»Meerengen«): Von Caesar (C. Octavius) 41–40 v. Chr. (?) aufgestellt und nach Actium in Macedonia stationiert, wurde die *l.* spätestens 14 n. Chr. nach Syria verlegt; um 17–18 befand sich ihr Lager in Cyrrhus. 66 kämpfte die *l.* im Jüdischen Krieg (Tac. hist. 5,1,2) und nahm an den Belagerungen Jerusalems sowie Masadas teil; danach war sie in Jerusalem stationiert. Im späten 3. Jh. wurde sie nach Aela am Roten Meer verlegt. Ihr Titel *Fretensis* (ILS 987; 1057) deutet auf Seeschlachten in der Meerenge zw. Italien und Sizilien (*Fretum Siculum*) hin.

Legio X Gemina (»der Zwilling«): 59 v. Chr. oder früher aufgestellt und von M. Aemilius Lepidus 44 neu formiert, diente die *l.* dann unter Antonius und wurde nach Actium von Caesar (C. Octavius) übernommen. In der Folgezeit war die *l.* in Spanien stationiert (in Petavonium; h. Rosinos de Vidriales). Um 63 n. Chr. wurde sie nach Carnuntum (Pannonia) verlegt; kurze Zeit später kehrte sie nach Spanien zurück und kämpfte dann unter Cerialis gegen die Bataver (Tac. hist. 5,19,1); sie war in Noviomagus (h. Nijmegen) in Germania inferior stationiert. Für ihre Loyalität während der Revolte des L. Antonius Saturninus wurde ihr der Titel *Pia Fidelis* (»die Loyale Treue«; ILS 1352) verliehen. Um 103 wurde sie nach Pannonia verlegt, wo sie in Aquincum (h. Budapest) und darauf in Vindobona (h. Wien) stationiert war. Urspr. war ihr Titel *Equestris* (»die Berittene«); der Titel *Gemina*, zuerst unter Augustus belegt (CIL II 1176), deutet auf die Aufnahme von Truppen aus einer anderen Legion hin.

Legio XI: Die Entstehung der *l.* ist ungewiß; vielleicht handelt es sich um die *l. XI* Caesars 58 v. Chr., oder sie wurde 41–40 von Caesar (C. Octavius) aufgestellt. Nach Actium war die *l.* bis 9 n. Chr. auf dem Balkan stationiert, darauf in Dalmatia (Burnum). Für ihre Loyalität 42 n. Chr. während der Revolte des L. Arruntius Scribonianus in Dalmatia wurde ihr der Titel *Claudia Pia Fidelis* (»die Claudische Loyale Treue«; ILS 1026; 1054) verliehen. Sie kämpfte 69 für Vespasianus (Tac. hist. 4,68,4) und nahm anschließend am Feldzug gegen die Bataver teil; sie war in Vindonissa (Germania superior; h. Windisch) stationiert. Um 101 wurde sie nach Brigetio (h. Szöny) in Pannonia verlegt, später nach Durostorum in Moesia inferior.

Legio XII Fulminata (»die Blitze Schleudernde«): Wahrscheinlich die von Caesar 58 v. Chr. rekrutierte *l. XII*, die 44–43 neu aufgestellt wurde und dann unter Antonius diente. Nach Actium wurde sie von Caesar (C. Octavius) übernommen und in Ägypten stationiert; vor 14 n. Chr. wurde sie nach Syria verlegt; später war Raphaneae ihr Standort. Die *l.* gehörte zu den Truppen des L. Caesennius Paetus, der im Kampf gegen die Parther »schimpflich kapitulierte« (Tac. ann. 15,10–16). 66 nahm die *l.* am gescheiterten Angriff des Statthalters von Syria, Cestius Gallus, auf Jerusalem (Ios. bell. Iud. 2,499–555) und unter dem Kommando des Titus an der Belagerung Jerusalems (Tac. hist. 5,1,2) teil; danach wurde sie von Vespasianus nach Cappadocia verlegt, wo sie in Melitene stationiert war. Für ihre Loyalität während der Revolte des Avidius Cassius 175 erhielt sie von Marcus Aurelius den Titel *Certa Constans* (»die Entschlossene Standhafte«; ILS 2748). Ihr urspr. Titel war *Paterna*, was auf Caesars Ehrentitel *pater patriae* zurückgeht.

Legio XIII Gemina (»der Zwilling«): Der Ursprung der *l.* ist ungewiß; vielleicht handelt es sich um die von Caesar im Jahre 57 v. Chr. aufgestellte *l. XIII*; sie kann aber auch erst von Caesar (C. Octavius) 41–40 v. Chr. aufgestellt worden sein. Nach Actium war sie im Illyricum stationiert; nach 9 n. Chr. wurde sie an den Rhein verlegt und schließlich in Vindonissa (Germania superior; h. Windisch) stationiert. Unter Claudius kam sie nach Pannonia und hatte ihren Standort in Poetovio (h. Ptuj; Tac. hist. 3,1,1); sie nahm am Feldzug gegen Iulius Civilis teil, bevor sie nach Pannonia zurückkehrte; von Domitianus wurde sie nach Vindobona (h. Wien) verlegt; vielleicht am Ersten Dakerkrieg des Traianus, ohne Zweifel aber am Zweiten Feldzug beteiligt, blieb sie in der neuen Prov. Dacia, wo sie in Apulum stationiert war. Nach der Aufgabe Dacias 274/275 wurde sie nach Ratiaria in der neuen Prov. Dacia Ripensis verlegt. Ihr Titel (ILS 996; 1002) deutet auf eine Zusammenlegung von Truppen nach Actium hin.

Legio XIV Gemina (»der Zwilling«): Der Ursprung dieser *l.* ist ungewiß; vielleicht ist sie mit Caesars 53 v. Chr. aufgestellter *l. XIV* identisch oder aber eine von Caesar (C. Octavius) 41–40 neu aufgestellte *l.* Nach Actium war sie im Illyricum stationiert; 9 n. Chr. wurde sie nach Mogontiacum (h. Mainz) verlegt. Sie nahm an der Eroberung Britanniens 43 teil und hatte ihren Standort schließlich in Viroconium (h. Wroxeter). Für den Sieg über Boudicca erhielt sie den Titel *Martia Victrix* (»die Kriegerische Siegreiche«; Tac. ann. 14,34,1; ILS 1061). 66 wurde sie für den von Nero geplanten Feldzug im Osten aus Britannia abgezogen, kehrte 69 für kurze Zeit zurück und wurde 70 nach Germania geschickt, um gegen die Bataver zu kämpfen (Tac. hist. 4,68,4); in Mogontiacum stationiert, unterstützte sie 89 den Aufstand des L. Antonius Saturninus. 92/93 wurde sie nach Pannonia verlegt; ihr Standort war vielleicht Mursa (h. Osijek), später Vindobona (h. Wien). Sie nahm an den Dakerkriegen des Traianus teil; spätestens seit 114 war sie in Carnuntum (Pannonia superior) stationiert.

Legio XV Apollinaris (»die des Apollo«): Von Caesar (C. Octavius) vielleicht 41–40 v. Chr. aufgestellt, war die *l.* nach Actium im Illyricum, seit 9 n. Chr. in Pannonia, möglicherweise in Emona, stationiert. Seit 14 n. Chr. war ihr Standort vermutlich in Carnuntum. 62/63 wurde sie nach Syria verlegt; später kämpfte sie im Jüdischen Krieg (66–70; Tac. hist. 5,1,2); daraufhin kehrte sie an die Donau zurück. Abteilungen der *l.* kämpften in den Dakerkriegen des Traianus, bevor die gesamte *l.* für den Partherkrieg in den Osten verlegt wurde; schließlich war sie in Cappadocia (Satala) stationiert. Ihr Titel (ILS 1072) deutet an, daß sie dem von Augustus verehrten Apollo geweiht war.

Legio XV Primigenia (»die Erstgeborene«): Wahrscheinlich von Gaius im Jahre 39 n. Chr. für die geplanten Feldzüge gegen die Germanen und in Britannia aufgestellt. Die *l.* war zunächst in Mogontiacum (Germania superior; h. Mainz), später in Germania inferior (Bonna, h. Bonn; dann Vetera, h. Xanten) stationiert (ILS 2275). Ein Teil der *l.* nahm am Marsch des Vitellius nach Italien teil, die restliche Truppe ergab sich Iulius Civilis in Vetera, worauf die *l.* aufgelöst wurde. Ihr Titel läßt darauf schließen, daß sie die erste einer neuen Gruppe von *l.* war.

Legio XVI: Von Caesar (C. Octavius) vielleicht 41–40 v. Chr. aufgestellt, diente die *l.* nach Actium am Rhein; seit 9 n. Chr. war sie in Mogontiacum (h. Mainz) stationiert; von Claudius wurde sie nach Novaesium (Germania inferior; h. Neuss) verlegt (Tac. hist. 1,55,2). Einheiten der *l.* marschierten unter Vitellius nach Italien, während die restliche Truppe sich Iulius Civilis ergab (Tac. hist. 4,26,3). 70 n. Chr. wurde die *l.* von Vespasianus aufgelöst, jedoch erneut als *l. XVI Flavia Firma* in Dienst gestellt (ILS 1066; 2655). Ihr urspr. Titel *Gallica* (ILS 2034) verweist auf ihren Dienst in Gallien.

Legio XVI Flavia Firma (»die Flavische Standhafte«): Ihr Titel (ILS 1066; 2655) deutet auf ihre Verbindung mit dem Haus der Flavier hin. Sie wurde 70 in den Osten entsandt und diente 75 in Syria; später war sie in Cappadocia (Satala) und nach den Partherkriegen des Traianus in Syria (Samosata) stationiert.

Legiones XVII, XVIII, XIX: Die *l.*, die von Caesar (C. Octavius) vielleicht 41–40 v. Chr. aufgestellt worden waren, hatten nach Actium ihren Standort am Rhein. Sie wurden 9 n. Chr. unter P. Quinctilius Varus durch Arminius im freien Germanien vernichtet (Vell. 2,118f.; Cass. Dio 56,18–22; Tac. ann. 1,60–62). Diese Legionsziffern wurden nie wieder verwendet.

Legio XX Valeria Victrix: Von Caesar (C. Octavius) 41–40 v. Chr. oder vielleicht erst nach Actium aufgestellt, war die *l.* 30–20(?) v. Chr. in Spanien und dann im Illyricum (Burnum) stationiert; 9 n. Chr. an den Rhein verlegt, war ihr Standort zunächst Ara Ubiorum (h. Köln) und später – unter Tiberius – Novaesium (h. Neuss). Die *l.* nahm an der Eroberung Britanniens 43 teil; erst war sie in Camulodunum (h. Colchester), darauf bei Glevum (h. Gloucester), später in Viroconium (h. Wroxeter) stationiert. In den Feldzügen des Iulius Agricola spielte sie eine führende Rolle; sie half vielleicht beim Bau der Festung Inchtuthil im nördl. Schottland; später lag ihr Stützpunkt in Deva (h. Chester). Ihr Titel (ILS 2764) sollte vielleicht als »die Tapfere Siegreiche« interpretiert werden; er bezieht sich wohl auf den Sieg über Boudicca (61 n. Chr.; Tac. ann. 14,34,1).

Legio XXI Rapax (»die Räuberische«): Von Caesar (C. Octavius) 41–40 v. Chr. oder vielleicht erst nach Actium aufgestellt, war die *l.* zuerst in Raetia, seit 9 n. Chr. in Germania inferior (Vetera, h. Xanten) stationiert. Um 46 wurde sie nach Vindonissa (Germania superior; h. Windisch) verlegt. Sie nahm an der Invasion in Italien unter Vitellius (Tac. hist. 1,61,2; 2,43,1; 2,100,1; 3,18,1) teil und kämpfte kurze Zeit später gegen die Bataver (Tac. hist. 4,68,4; 4,70,2); ihr Standort war Bonna (h. Bonn). 83 wurde sie nach Mogontiacum (Germania superior; h. Mainz) verlegt. Sie war an der Revolte des L. Antonius Saturninus 89 beteiligt. Domitianus schickte sie an die Donau; wahrscheinlich wurde sie im Krieg gegen die Sarmaten um 92 vernichtet. Ihr Titel (ILS 1038; 2705) läßt an einen Raubvogel denken.

Legio XXII Deiotariana (»die Deiotarische«): Bis spätestens 25 v. Chr. durch die Verlegung von Truppen aus dem Königreich Galatia formiert und in Ägypten (Nicopolis) stationiert. Ihre spätere Gesch. bleibt unklar; zuletzt ist die *l.* in Ägypten für 119 belegt. Ihr Titel (ILS 1434) erinnert an den König Deiotaros von Galatia, der 40 v. Chr. gestorben war.

Legio XXII Primigenia (»die Erstgeborene«): Wahrscheinlich von Gaius 39 n. Chr. für seine geplanten Feldzüge gegen die Germanen und in Britannien aufgestellt, war die *l.* in Mogontiacum (Germania superior; h. Mainz) stationiert; sie gehörte 69 zu den Truppen des Vitellius (Tac. hist. 2,100,1). Für kurze Zeit in Carnuntum stationiert, war ihr Standort spätestens seit 71 n. Chr. Vetera (Germania inferior). Für ihre Loyalität während der Revolte des L. Antonius Saturninus 89 wurde ihr der Titel *Pia Fidelis Domitiana* (»die Loyale Treue Domitianische«; ILS 419; 428; 3914) verliehen. 92/93 wurde sie wiederum nach Mogontiacum verlegt.

Legio XXX Ulpia Victrix (»Ulpia, die Siegreiche«): Wahrscheinlich um 105 n. Chr. von Traianus aufgestellt und nach ihm selbst benannt, deutet ihre Numerierung darauf hin, daß sie zu diesem Zeitpunkt die 30. Legion des röm. Heeres war. Die *l.* war zunächst in Brigetio (Pannonia superior; h. Szöny) stationiert; Einheiten der *l.* nahmen am Zweiten Dakerkrieg des Traianus teil; wahrscheinlich 122 wurde die *l.* nach Vetera (Germania inferior; h. Xanten) verlegt.

**1** G. Forni, Il reclutamento delle legioni da Augusto a Diocleziano, 1953 **2** A. K. Goldsworthy, The Roman Army at War 100 BC – AD 200, 1996 **3** J. Harmand, L'Armée et le soldat à Rome de 107 à 50 avant notre ère, 1967 **4** D. L. Kennedy, L. VI Ferrata, in: HSPh 84, 1980, 283–309 **5** L. Keppie, The Making of the Roman Army, 1984 **6** Y. Le Bohec, La III[e] Légion Auguste, 1989 **7** J. C. Mann, Legionary Recruitment and Veteran Settlement During the Principate, 1983 **8** E. Ritterling, s. v. L., RE 12, 1186–1829 **9** P. Southern, K. R. Dixon, The Late Roman Army, 1996 **10** G. Webster, The Roman Imperial Army, [3]1985.

J. CA./Ü: A. H.

Karten-Lit.: Verteilung der 25 Legionen im Römischen Reich (um 14 n. Chr.): B. Campbell, The Roman Army, 31 BC – AD 337: A Sourcebook, 1994 • M. Junkelmann, Die Legionen des Augustus, 1986 • L. Keppie, The Making of the Roman Army, 1984, 205–215.
Verteilung der 33 Legionen im Römischen Reich (um 200 n. Chr.): B. Campbell, The Roman Army, 31 BC – AD 337: A Sourcebook, 1994 • CIL VI 3492 = ILS 2288 (2. Jh. n. Chr.) • J. Kromayer, G. Veith, Heerwesen und Kriegsführung der Griechen und Römer, 1928 (HdbA) • J. C. Mann, Legionary Recruitment and Veteran Settlement During the Principate, 1983.

**Legis actio.** Das Verfahren der *l.a.* war der Prozeßtyp der altröm. Zeit und zeichnet sich dementsprechend durch große Förmlichkeit aus. Seinen Namen verdankt es einer bereits Gaius (inst. 4,11) nicht mehr recht erklärlichen Ausrichtung auf ein Gesetz, von dem die Klage ihre Unveränderlichkeit übernahm. Die Förmlichkeiten, die bei der Durchführung eines derartigen, röm. Bürgern vorbehaltenen Verfahrens zu beachten waren – u. a. präzises Aufsagen bestimmter Sprüche sowie korrekter Vollzug der gebotenen Handlungen (Gai. inst. 4,30) –, zeigen Parallelen mit der Tätigkeit der → Auguren und ihren altehrwürdigen Ritualen. Die Ablösung dieses Prozeßtyps durch das Formularverfahren

(→ *formula*) erfolgte nicht abrupt, sondern anscheinend über Jh.; so kam der jüngere Typus vermutlich schon im 4. oder 3. Jh. v. Chr. in Übung – ausgelöst wohl durch die erhöhte Bedeutung der Fremden und des für sie zuständigen *praetor peregrinus* –, bevor eine *lex Aebutia* aus dem 2. Jh. v. Chr. sowie schließlich zwei weitere *leges Iuliae* (*iudiciorum privatorum, publicorum*) aus dem J. 17 v. Chr. den Anwendungsbereich der *l.a.* erheblich einschränkten.

Das Verfahren der *l.a.* war bereits z.Z. der Zwölftafeln (5. Jh. v. Chr.) zweigeteilt: Im ersten Abschnitt (*in iure*) legten die Parteien vor dem Gerichtsmagistrat (*consul*, ab 367 v. Chr. *praetor*) das Streitprogramm fest und wählten einen Richter aus. Der Beklagte war verpflichtet, der privaten Aufforderung des Klägers nachzukommen, zu diesem Termin zu erscheinen (Taf. 1,1). Im anschließenden zweiten Abschnitt (*apud iudicem*) erfolgte sodann die Tatsachenerforschung vor dem vereinbarten Richter, einer Privatperson (→ *iudex*).

Die wohl älteste, von Gaius (inst. 4,13) als ›generelle‹ bezeichnete Klage ist die *l.a. sacramento*. Sie diente nicht der Klärung des eigentlichen Streites, sondern der Rechtfertigung (*iustum*) der von den beiden Parteien dargereichten Prozeßwette (*sacramentum*). Durch die Ausrichtung auf das *sacramentum* konnte dem Prozeß jeglicher Tatsachenvorgang zugrundegelegt werden. Das Urteil wirkte dann für diesen Vorgang nur indirekt als feststellende Entscheidung einer Vorfrage.

Weitere *legis actiones* waren: Die *l.a. per iudicis arbitrive postulationem* (mit dem Antrag [auf Einsetzung] eines → *iudex* oder → *arbiter*) – sie diente insbes. für Klagen aus einer → *stipulatio* sowie für Erbteilungsklagen, Gai. inst. 4,17a; hier wurde also nicht mehr indirekt, sondern unmittelbar über den Parteienstreit entschieden. Die *l.a. per condictionem* (»auf Ansage«) diente ebenfalls der Herbeiführung einer direkten richterlichen Aussage über eine Rechtsfolge – nämlich auf die Leistung von *certa pecunia* (Geld in bestimmter Höhe, mittels einer *lex Silia*) bzw. einer sonstigen *certa res* (einer bestimmten Sache, mittels einer *lex Calpurnia*); da in der *condictio* nur die Rechtsfolge genannt ist, nicht aber der zugrundeliegende Rechtsgrund, kann sie für eine Vielzahl von Ansprüchen eingesetzt werden. Die *l.a. per manus iniectionem* (»zur Handanlegung«) schließlich diente der Vollstreckung von Urteilen (Gai. inst. 4,21 ff.); das Handanlegen des erfolgreichen Klägers konnte ausweislich der Zwölftafeln, Taf. III, Vorstufe der (zu Unrecht oft angezweifelten) Tötung des beklagten Schuldners sein, aber auch die Schuldknechtschaft oder den Verkauf *trans Tiberim* (Gell. 20,1,46 f.) umfassen. Die *l.a. per pignoris capionem* (zur Pfandnahme) schließlich war ebenfalls eine Vollstreckungsklage, die jedoch nur für eng begrenzte Spezialfälle (Ansprüche des öffentlichen – mil. – oder sakralen Rechts) vorgesehen war (Gai. inst. 4,26 ff.).

M. Kaser, K. Hackl, Das röm. Zivilprozeßrecht, 25–148 • O. Behrends, Die röm. Geschworenenverfassung, 1970 • U. Manthe, Stilistische Gemeinsamkeiten in den Fachsprachen der Juristen und Auguren der Röm. Republik, in: K. Zimmermann (Hrsg.), Der Stilbegriff in den Altertumswiss., 1993, 69 ff.

C. PA.

**Lehnwort.** In der sprachwiss. Terminologie Bezeichnung für solche Wörter, die aus einer Sprache in eine andere (»entlehnende«) übernommen werden. Der Terminus überlappt sich mit demjenigen des Fremdworts; die Unterscheidung zw. beiden wird meist daran geknüpft, daß L. im Gegensatz zu Fremdwörtern eine weitergehende Anpassung an das System der übernehmenden Sprache zeigen, die zumeist mit einer länger andauernden Benutzung in der letzteren einhergeht. Die Existenz von L. setzt einen bestimmten Grad von → Sprachkontakt zw. der gebenden und der nehmenden Sprache voraus. Auslösendes Moment kann die Bekanntschaft mit neuen Realien sein, deren Benennung mitübernommen wird; diese Bedingung dürfte z. B. für die als L. aus einer nicht näher spezifizierbaren ägäischen Substratsprache aufgefaßten griech. Termini des Typs λαβύρινθος/*labýrinthos* »Labyrinth« (seinerseits bis ins h. Dt. weitergedrungen) gelten, aber auch für lat. *ampulla*, das als Diminutivum neben *amphora* letztlich auf griech. ἀμφορεύς/*amphoreús* »beidseitig getragenes Gefäß (mit zwei Henkeln)« beruht. L.-Schichten sind umso umfangreicher, je intensiver der Kontakt zw. den beteiligten Sprachen und je stärker der kulturelle Einfluß der gebenden auf die nehmende Sprache ist; der Anteil von L. am Wortschatz einer Sprache kann denjenigen der nicht entlehnten sog. Erbwörter um ein Vielfaches übersteigen wie im Falle des → Albanischen, dessen entlehnte Bestandteile ca. 90 % ausmachen dürften (aus dem Griech., Lat., slav. Sprachen und dem Türk.).

L. als Resultate eines fremdsprachigen Einflusses finden sich schon in den Sprachen des klass. Alt. in nennenswerter Zahl. Im Griech. kommen, neben den bereits erwähnten »Ägäismen«, zunächst v. a. L. aus anatol. und semit. Sprachen in Betracht, mit denen die Griechen schon im 2. Jt. v. Chr. in Berührung kamen. Mit der einsetzenden röm. Herrschaft nimmt der L. gebende Einfluß des Lat. zu, das seinerseits seit Anfang seiner Überl. ganz erheblichen Einflüssen seitens des Griech. unterliegt, wobei die Bed.-Sphären weit gespannt sind; die Beispiele reichen von Bezeichnungen für Lebensmittel wie *olīua* »Olive« oder *placenta* »Kuchen« über handwerkliche Termini wie *māchina* »Werkzeug, Maschine« bis hin zu der Bezeichnung *glaucūma* für den »Star« (als Augenkrankheit). Schichten bilden die Gräzismen im Lat. zunächst im Hinblick auf ihre dialektale Provenienz innerhalb des Griech.; so sind ältere griech. L. im Lat. wie z. B. *māchina* wegen des langen *ā* als dor. zu bestimmen (μᾱχανᾱ́ gegenüber klass.-griech. μηχανή), und auch *olīua* dürfte wegen des inlautenden -*u̯*- eine dor. Form mit erhaltenem → Digamma (*ἐλαίϝα anstelle von klass. ἐλαία) reflektieren, während ein L. wie *balineum* »Badestube« (aus griech. βαλανεῖον) keine derartige Zuweisung gestattet. Unterschiede ergeben sich darüber hinaus im Hinblick auf den Anpassungsgrad der L., der sich an phonologischen (lautlichen) wie morphologischen (die Formenlehre betreffenden) Charakteristika zeigen kann. Dies betrifft z.B. die zw. dem Griech. und dem Lat. zu notierende Divergenz im Kons.-System; das Lat., das über keine aspirierten Verschlußlaute (*kh, th, ph*) verfügte, substituierte diese zuerst durch die nächstähnlichen Okklusive (*k, t, p*; vgl. *ampulla*), bevor die »gelehrten« Schreibungen *ch, th, ph* (vgl. *amphora, māchina*) benutzt wurden, die dann auch für spätere Entlehnungen zur Verfügung standen (z.B. *philosophus*). Andererseits unterlagen ältere griech. L. im Lat. Prozessen des innerlat. → Sprachwandels, wodurch z.B. der Vokalismus von *olīua* (< **elaiu̯ā*) verändert wurde. Ein morphologischer Anpassungsvorgang zeigt sich z.B. bei *glaucūma*, das, obwohl im Griech. Ntr. (γλαύκωμα), ins Lat. wegen der *a*-Endung als Fem. integriert wurde, oder bei *placenta*, dessen lat. (fem.) Nom.-Form offenbar der griech. (mask.) Akk. πλακοῦντα (< *πλακόεντα) zugrundeliegt. In bestimmten Fällen dürften auch vermittelnde Sprachen ihre Spuren in L. hinterlassen haben (so möglicherweise in *lacrima* »Träne«, falls aus griech. δάκρῦμα über einen sabell. Dial., → Oskisch-Umbrisch).

Unter gleichen Bedingungen wie die L. sind im Lat. auch zahlreiche sog. Lehnbildungen (oder -prägungen, auch Calques) nach griech. Vorbild entstanden, d.h. Wörter, die griech. Muster mit innerlat. Wortbildungsmitteln nachahmen. Dies betrifft z.B. gramm. Termini wie *accentus* (nach griech. προσ-ῳδία/*pros-ōidía*, von **ad-canere* »dazu-singen«); dagegen ist lat. *cāsus* in gramm. Sinn ein »Bed.-L.« (nach griech. πτῶσις/*ptō̃sis*). Eine Calque ist auch *con-scientia*, das griech. συν-είδησις/*syn-eídēsis* nachahmt (und seinerseits in dt. *Ge-wissen* nachgebildet wurde).

Während L. aus anderen Sprachen (Etr., ital. Dial., kelt. Sprachen, andere Mittelmeersprachen) im Lat. nicht zahlreich sind, hat das Lat. seinerseits starken Einfluß auf alle west- und mitteleurop. Sprachen ausgeübt und dabei auch als Vermittler von griech. L. gewirkt. Der L. gebende Einfluß des Griech. selbst blieb ebenfalls nicht auf das Lat. beschränkt, sondern hat in weitem Umfang Sprachen Osteuropas und des Vorderen Orients betroffen, wofür v.a. die Ausbreitung des Christentums der Ostkirche (ab 2. Jh. n. Chr.) verantwortlich war.

→ Lehnwörter

F. Biville, Les emprunts du latin au grec. Approche phonétique, 2 Bde., 1990, 1995 · G. Devoto, Gesch. der Sprache Roms, 1968, 76–90 · A. Ernout, Aspects du vocabulaire latin, 1954, 17–92 · R. Hiersche, Grundzüge der griech. Sprachgesch., 1970, 33–38 · H. Hofmann, Die lat. Wörter im Griech. bis 600 n. Chr., Diss. Erlangen 1989 · Hofmann/Szantyr, 31*–39* · Schwyzer, Gramm., 38–41.

J.G.

**Lehrbuch** s. Enzyklopädie; Fachliteratur; Institutiones; Isagoge; Rhetoriklehrbücher

**Lehrgedicht**

I. Alter Orient
s. Weisheitsliteratur

II. Griechisch-Lateinisch
A. Definitionsprobleme, Merkmale
B. Intention, Typologie C. Geschichte
1. Griechisch 2. Lateinisch

A. Definitionsprobleme, Merkmale

Die für das L. charakteristische Problematik der Beziehung von Form und Inhalt zeigt sich bereits in der Schwierigkeit einer Definition: Die formal orientierte Poetik ordnet das L. als Sonderform dem Epos zu (Sach-Epos), bei inhaltlicher Bestimmung wird dem L. der poetische Charakter ganz abgesprochen. Da beide Ansätze von nicht-konsensualen normativen Prämissen ausgehen, kann hier nur eine Phänomenologie des L. sinnvoll sein. Formales Hauptmerkmal ist die Anlehnung an Metrik, Sprache und Stil des → Epos, wobei sich letzterer gegenstandsbedingt zw. erhabenem und mittlerem Niveau bewegt; als weitere epische Elemente können Musenanrufe, Gleichnisse und narrative Exkurse hinzukommen; auch Götterhymnen, die in späterer Zeit panegyrische Funktion übernehmen, gehören als fester Bestandteil zu den meisten L. Im Gegensatz zum narrativ-dramatischen Heldenepos handelt es sich beim L. um einen zusammenhängenden Lehrvortrag vor einem Adressaten, der nicht oder nur durch fingierte Fragen oder Einwände in Erscheinung tritt. Den Inhalt des L. bildet ein im Prinzip beliebiger Gegenstand, meist eine praktische Disziplin oder eine Wiss., wobei seit hell. Zeit in der Regel ein Prosatraktat zugrundeliegt. Dementsprechend muß sich die Frage nach der Einlösung sowohl des didaktischen als auch des poetischen Anspruchs ergeben.

B. Intention, Typologie

Dem L. wurden schon von der ant. Lit.-Kritik wechselweise Poetizität oder Didaktizität abgesprochen: Aristoteles' Verdikt, Empedokles sei kein Dichter, sondern ein Naturforscher (poet. 1447b 17–20), war einflußreich, wirkte aber auf die → hellenistische Dichtung gerade anregend, da sie die Versifizierung eines möglichst »unpoetischen« Stoffes als Herausforderung ansah. Komplementär dazu verhält sich Ciceros Verdikt, → Aratos [4] verstehe nichts von Astronomie, habe aber bestens darüber gedichtet (de orat. 1,69). Das L. wurde also je nach Rezeptionsperspektive als unpoetisch oder unwiss. kritisiert. Das Dilemma löst sich durch die Aufhebung der Alternative – *aut prodesse aut delectare* (»entweder nützen oder erfreuen«) – in einer Synthese (Hor. ars 333f.); das L. wird so aus der unpoetischsten aller Gattungen in paradoxer Umkehrung zur poetischsten, insofern es die didaktisch-ästhetische Doppelintention der Poesie exemplarisch realisiert.

Für die Interpretation einzelner L. und der Gattungsgesch. insgesamt ist die von B. Effe entwickelte Typologie hilfreich; danach ist zunächst zwischen einem formalen und konträr dazu einem sachbezogenen Typ zu unterscheiden. Beim formalen Typ steht die virtuose Handhabung der poetischen Form im Vordergrund, der Lehrgegenstand ist beliebig, unverbindlich, ja möglichst gesucht und »unpoetisch«; beim sachbezogenen Typ kommt es auf wiss. Wahrheit bzw. sachliche Richtigkeit an, die Form dient nur als Mittel zur besseren Vermittlung des Stoffes. Zw. beiden steht der transparente Typ, bei dem die nur selektive poetische Behandlung des Gegenstands diesen als zweitrangig (wenn auch nicht als beliebig oder »oberflächlich« im Sinne einer Allegorie oder Mystifikation) erscheinen läßt, die ostentative philos. bzw. moralische Ernsthaftigkeit aber auf einen dahinterliegenden, wichtigeren Gegenstand verweist. Dieser Typ ist daher auch in gewissem Sinn als ideale, »synthetische« Form des L. anzusehen, insofern sich in ihm weder bloß artistische, den Lehrgegenstand ins Kuriose rückende, noch ideologische oder missionarische, die Form zum Vehikel der Indoktrination (BRECHTS »List beim Schreiben der Wahrheit«) degradierende Tendenzen ausdrücken, sondern der Versuch, der Dignität des Gegenstands durch die Erhabenheit der ep. Form zu entsprechen.

C. GESCHICHTE 1. GRIECHISCH

Die drei hier zu unterscheidenden Phasen lassen sich auf die drei o.g. Typen abbilden: Das L. der archa. Zeit (→ Hesiodos) ist dem transparenten, das L. der klass. Zeit (→ Vorsokratiker) dem sachbezogenen, das L. der hell. Zeit (→ Aratos [4], → Nikandros) dem formalen Typ zuzuordnen. Hesiodos behandelt in den ›Werken und Tagen‹ (Ἔργα καὶ ἡμέραι) die Landwirtschaft, jedoch nicht im Sinn eines praktischen Hdb. (trotz mancher technischer Partien), sondern einer moralischen Unterweisung des Adressaten, seines habgierigen und skrupellosen Bruders Perses: Hesiod will ihm mit seinem paränetischen Gedicht das Ideal »ehrlicher Arbeit« vor Augen stellen. Die Transparenz des hesiodeischen L. ist keine konstruierte, raffiniert elaborierte Kunstform, sondern der für die archa. Zeit erwartbare Aussagemodus: Praktische landwirtschaftl. Unterweisung vor einem theologisch-philos. reflektierten Hintergrund mit dem Ziel einer moralischen Erziehung der Ges. konnte sich nur im Medium der epischen (Lehr-)Dichtung artikulieren. Die übrige Dichtung der archa. Zeit, die mehr oder weniger zahlreiche didaktische Elemente bzw. eine didaktische Intention aufweist (→ Epos: Bestand, II.B.), bleibt hier (bis auf die philos. L.) außer Betracht, da sie im Horizont der oben gegebenen phänomenologischen Bestimmung nicht zu den L. zu rechnen ist.

Der Rhapsode → Xenophanes aus Kolophon (ca. 540–470 v. Chr.) begründete die Trad. der sachbezogenen philos. L. ›Über die Natur‹ (Περὶ φύσεως/*Perí phýseōs*) und damit die zweite Phase in der Gesch. des L. Während er in seinen ›Sillen‹ und ›Parodien‹ die anthropomorphe Göttervorstellung Homers und Hesiods satirisch angriff, scheint er in seinem L. die Vorstellung einer transzendenten Gottheit sowie eine rationale Naturerklärung propagiert zu haben. Daß er nicht die gleichzeitig entstehende wiss. Prosa benutzte, sondern an der epischen Form festhielt, liegt in seiner vorwiegend polemischen Intention begründet, die »unwiss.« Dichtung Homers und Hesiods im selben Medium zu ersetzen.

→ Parmenides aus Elea (6./5. Jh. v. Chr.) setzte die esoterische Tendenz seines (angeblichen) Lehrers radikal fort. Den falschen Meinungen (*dóxai*) der Menschen stellte er die ›wohlgerundete Wahrheit‹ (*alētheíē eukyklḗs*) gegenüber, die alles Werden ontologisch »nichtet« und nur noch dem einen, unveränderlichen Seienden selbst Existenz zubilligt. Parmenides geht in seiner extremen, Nichtsein für denkunmöglich erklärenden Ontologie (28 B 3 DK) so weit, den Erkenntniswert der Sinneswahrnehmung vollständig zu leugnen. In letzter Konsequenz wird das Seiende damit auch nicht mitteilbar und nur noch in poetischen Metaphern umschreibbar: Das L. erhält so erstmals auch die Funktion, das den alltäglichen Diskurs Übersteigende bildhaft anzudeuten.

Dagegen verkörpert das L. des → Empedokles [1] (5. Jh. v. Chr.) den sachbezogenen Typ in seiner reinsten Form. In dem an einen Pausanias gerichteten L. wird eine rationale Welterklärung mit Hilfe zahlreicher didaktischer Strategien vorgetragen: Der Adressat ist zu einem Stellvertreter des generellen Lesers verblaßt, der immer wieder angeredet und zur Aufmerksamkeit ermahnt wird; wichtige Lehrsätze werden öfters wiederholt und durch Gleichnisse und Beispiele aus dem alltäglichen Erfahrungsbereich illustriert. Die Argumentation einschließlich der Mythendeutung ist rationalistisch und damit auf Überzeugung ausgerichtet.

Nach Empedokles versiegte die Trad. des L. für fast 200 Jahre. Die *Hedypátheia* des → Archestratos [2] von Gela (um 330 v. Chr.), von → Ennius [1] ins Lat. übertragen, waren wohl kein L. im engeren Sinn, sondern ein kulinarischer Reiseführer durch die ant. Welt. Die Wiederbelebung des L. erfolgte im frühen Hell. mit den *Phainómena* des → Aratos [4] von Soloi. Dieser knüpfte freilich nicht an die philos. L. der → Vorsokratiker, sondern direkt an Hesiod an, was ihm die Anerkennung der Lit.-Kritik (Kall. epigr. 27) einbrachte. Letzteres zeigt bereits, daß die Qualität der *Phainómena* v. a. in der virtuosen formalen Darbietung des schwierigen Stoffes (in Teilen nach Eudoxos [1] von Knidos) zu sehen ist. Der Inhalt (Astronomie und Meteorologie) ist zwar eine thematische Ergänzung bzw. Präzisierung der Bauernregeln in den ›Werken und Tagen‹ Hesiods, dessen moraldidaktischer Anspruch fehlt jedoch gänzlich; auch die bei einem derartigen Gedicht naheliegende stoische Einfärbung bleibt bestenfalls oberflächlich, da es nicht um die Darlegung stoischer Kosmozoologie oder Astrologie, sondern um praktische Himmels- und Wetterkunde geht. Aratos' L. ist daher nicht dem transparenten, sondern dem formalen Typ zuzuordnen: Der Lehrgegenstand wurde nicht gewählt, um eine bestimmte philos. Lehre zu verbreiten, sondern ist Ausdruck des Bestrebens, im Rahmen der kallimacheischen Poetologie (→ Kallimachos [3]) eine obsolete Gattung zu erneuern.

Unstrittig ist der formale Charakter der L. des → Nikandros von Kolophon (etwa 2. Jh. v. Chr.). Die *Thēriaká* (über giftige Tiere und Heilmittel) sowie die *Alexiphármaka* (über Gifte und Gegengifte aller Art) zeigen freilich noch deutlicher als Aratos' *Phainómena* die gelehrte Gesuchtheit und angestrebte Virtuosität in der Poetisierung entlegener Stoffe. Von den übrigen hell. L. kennen wir meist nur den Titel: Nikandros' *Geōrgiká* waren sicherlich ebenso formale L. wie → Numenios' und → Pankrates' Gedichte ›Über Fischfang‹ (*Halieutiká*); die *Ornithogonía* der Dichterin → Boio (oder des Boios?) war wohl kein echtes L., sondern enthielt Verwandlungssagen. Andere dichteten in der Nachfolge des Aratos ›Über Himmelserscheinungen‹, und auch in Rom war Aratos' Nachwirkung enorm (s.u.).

In der Kaiserzeit ist eine Rückkehr zu sachbezogenen, praktisch relevanteren Stoffen zu beobachten: Das bedeutendste L. ist die *Oikuménēs Perihḗgēsis* (›Erdbeschreibung‹) des → Dionysios [27] von Alexandria (unter Hadrian), eine Geogr. der gesamten bekannten Welt in knapp 1200 Versen, sprachlich und metrisch an Kallimachos [3] und Apollonios [2] orientiert. Das Werk avancierte zur beliebtesten und meistgelesenen Erdkunde in Ant., MA und Neuzeit, der Verf. zu *der* geogr. Autorität (Beiname »der Periheget«). Ebenfalls von hohem poetischem Niveau, allerdings eher dem formalen Typ zuneigend, sind die *Halieutiká* (›Über Fischfang‹) des → Oppianos (unter Caracalla, nach anderem Ansatz unter Marc Aurel); in 5 B. werden Arten, Lebensweise und Fang von Fischen beschrieben. Dagegen fallen die ebenfalls einem Oppianos zugeschriebenen *Kynēgetiká* (unter Caracalla) sprachlich und metrisch ab; der Autor behandelt in 4 B. die Jagdgeräte, die Jagdtiere und die Technik des Jagens selbst. Aus dem 4. Jh. schließlich sind im ps.-orphischen Corpus (→ Orphik) → *Lithiká* erh. (knapp 800 Verse), das einzige poetische unter den in der Ant. verbreiteten, zunächst vorwiegend mineralogisch, später zunehmend magisch orientierten Steinbüchern. Der Autor will die Menschen im Auftrag des Hermes über die geheimnisvollen Kräfte der Steine »aufklären« und verkündet neuplatonisch gefärbten Volksaberglauben.

2. Lateinisch

In Rom erfolgt im 1. Jh. v. Chr. eine produktive Rezeption aller drei Typen des griech. L. in umgekehrter chronologischer Reihenfolge. Den Beginn markiert → Ciceros Aratos-Übertragung (*Aratea*), ein Jugendwerk, das zu Stilübungszwecken verfaßt wurde und somit dem formalen Typ angehört. Die *Aratea* bemühen sich um formale Ausgefeiltheit, aber auch um eine sach- und adressatengerechte Umsetzung ins Lat.: Dem Leser werden ausführlichere Informationen und Erläuterungen geboten, so daß der Umfang des Werkes den des Originals nicht unerheblich übertroffen haben dürfte.

Nach der Rezeption des hell.-formalen Typs durch Cicero folgt der Rückgriff auf den vorsokratisch-sachbezogenen Typ (v. a. auf Empedokles) durch → Lucretius' philos. L. *De rerum natura*. Die poetische Form ist für den Dichter der Honig, mit dem die bittere Medizin der epikureischen Lehre versüßt werden soll (4,11–25); sie dient der Überlistung (nicht Täuschung!, vgl. 4,16) des Lesers. Auch andere didaktische Instrumente wie Wiederholungen, Ermahnungen, Gleichnisse und Beweishäufungen werden als Überzeugungsmittel eingesetzt; die Argumentation bleibt jedoch immer rational, d. h. intersubjektiv nachvollziehbar, so daß es verfehlt ist, von Fanatismus oder quasi-rel. Eifer zu sprechen. Die formale Gestaltung von *De rerum natura* ist trotz (oder gerade wegen) ihrer dienenden Funktion äußerst elaboriert, worauf der Dichter selbst (1,136–145), aber auch kritische Leser (Cic. ad Q. fr. 2,9,3; Ov. am. 1,15,23 f.) hingewiesen haben.

Mit → Vergilius' L. vom ›Landbau‹ (*Georgica*) erreicht die Rezeption des griech. L. in Rom ihren Höhepunkt. Vergil stellt sich mit der Wahl des Themas und der transparenten Ausrichtung des Werkes bewußt in die Tradition Hesiods (vgl. *Ascraeum carmen* 2,176) – wie Hesiod dient auch Vergil die Landwirtschaft als moralisches Paradigma. Die poetische Form ist bei Vergil weder Selbstzweck noch bloß didaktisches Vehikel, sondern notwendiger Bestandteil der transparenten Konzeption: Was bei Hesiod eine zwangsläufige Einheit bildete, wird bei Vergil in bewußter Neuschöpfung zu einer klass. Synthese von Form und Inhalt, die von den zahlreichen L. der späteren Zeit nicht mehr erreicht wird.

Auf die *Georgica* folgt bezeichnenderweise ein die Gattung sprengendes L., → Ovidius' *Ars amatoria*: In diesem Werk löst Ovid die Gattung formal und inhaltlich auf, indem er das traditionelle Metrum des Hexameters durch das elegische Distichon ersetzt und einen unlehrbaren Gegenstand (die Liebe) zu lehren vorgibt. Ovid diagnostiziert und demonstriert damit die Unmöglichkeit einer weiteren schöpferischen Gattungsentwicklung; schon deshalb ist es ganz unwahrscheinlich, daß er in der Verbannung noch *Halieutica* gedichtet hat (Plin. nat. 32,11) – zumindest nicht das dürftige Machwerk, das uns unter Ovids Namen überliefert ist.

Dennoch reißt die Trad. des L. natürlich jetzt nicht ab; ein klares typologisches Profil zeigen die nachvergilischen bzw. nachovidischen L. jedoch ebensowenig wie eine thematische Schwerpunktbildung. Neben durchaus originellen Werken finden sich epigonale Vergilnachahmungen ebenso wie mehr oder weniger erfolgreiche Versuche, bisher unbearbeitete (und daher bisweilen entlegene) Gegenstände durch eine poetische Bearbeitung aufzuwerten. Das L. des Augusteers Grattius (Zeitgenosse Ovids: Ov. Pont. 4,16,34) über die Jagd (*Cynegetica*) z. B. will in Anlehnung an die lukrezische und vergilische Kulturtheorie die Jagd durch eine gesuchte tiefere Sinngebung zu einer Zivilisationserrungenschaft von herkulischen Ausmaßen hochstilisieren; die vorgebliche Transparenz entpuppt sich jedoch als der »durchsichtige« Versuch der Aufwertung eines an sich trivialen Stoffs. Germanicus' [2] Aratos-Übers. verbindet formale Gewandtheit mit panegyrischer Tendenz: Wie Iuppiter im Himmel, so herrscht der Kaiser (Tiberius) auf Erden, die irdische *Pax Augusta* ist ein Abbild der himmlischen Ordnung. Die so intendierte Transparenz ist freilich eine scheinbare, da durch höfische Konvention, nicht innere Notwendigkeit veranlaßt: War schon bei Aratos [4] die stoische Zeustheologie eher Ornament denn ernsthafter philos. Hintergrund, so verblaßt diese bei Germanicus zum adulatorischen Gestus.

Anders steht es mit → Manilius' *Astronomica* (wohl ebenfalls unter Tiberius). Sie sind das erste eigenständige lat. Sterngedicht (von Aratos nur im 1. B. abhängig) und verfolgen eine dezidiert stoische, bisweilen anti-lukrezische Tendenz. Manilius gibt eine nach ant. Maßstäben wiss., auf der von Poseidonios formulierten Sympatheia-Lehre basierende Darstellung der Astrologie; die poetische Form dient wie bei Lukrez didaktisch-persuasiven Zwecken. Naive Vergilverehrung zeigt dagegen der Fachschriftsteller → Columella: Das 10. Buch seines Lehrbuchs *Res Rusticae* (unter Nero) handelt vom Gartenbau und ist unter Berufung auf Vergils ausdrückliche Überlassung des Themas an einen Nachfolger (Verg. georg. 4,147f.) in Verse gesetzt – eine formale Spielerei und Reverenz an den großen Vorgänger ohne tiefsinnige Ambitionen. In neronische Zeit gehört wohl auch die ps.-vergilische → *Aetna*, ein L. über Vulkanismus mit durchaus wiss. Anspruch.

Aus der späteren Kaiserzeit sind einige originelle Exemplare des sachbezogenen Typs erhalten: Die drei »linguistischen« L. des → Terentianus Maurus (3. Jh.), *De litteris*, *De syllabis* und *De metris*, behandeln virtuos in verschiedenen Metren die genannten sprachlichen Phänomene und dienen in erster Linie mnemotechnischen Zwecken. Auch der *Liber medicinalis* des → Serenus (4. Jh.?), das einzige erh. medizinische L. der Ant., sucht eine Fachwiss. (Hauptquelle ist Plinius d. Ä.) durch Poetisierung einem breiteren Publikum zu vermitteln, indem es eine einprägsame »Rezeptsammlung« für ca. 80 populäre Gebrechen (von Kopfschmerzen über Hämorrhoiden bis zur Fußgicht) bietet. Eher epigonal dagegen wirken die *Cynegetica* des → Nemesianus (3./4. Jh.), der Grattius allerdings nicht gekannt zu haben scheint (Übereinstimmungen erklären sich aus der Natur der Sache und aus der Vergilnachahmung).

Einen letzten Höhepunkt bilden die Bearbeitungen griech. L. durch → Avienus (4. Jh.). Nach den früheren, weniger bed. Arat-Bearbeitungen durch Cicero und Germanicus sind die *Phaenomena* des Avienus eine imposante Überbietung des Aratos sowohl durch ihre synkretistische, stoisch-orphisch-hermetisch-neuplatonische Iuppiter-»Theologie« als auch durch die gewaltige, aus der Arat-Kommentierung geschöpfte Vermehrung des Stoffes. Von Avienus stammen auch eine lat. Bearbeitung der Perihegese des Dionysios (*Descriptio orbis terrae*) und ein fragmentarisch erhaltener → Periplus (*De ora maritima*; ›Über die Meeresküste‹) nach einer unbekannten griech. Quelle. So wird die Einheit des griech.-röm. L. am Ende der Ant. noch einmal eindrucksvoll demonstriert.

Das intensive und noch in vieler Hinsicht unerforschte Nachleben insbes. des lat. L. in MA und Neuzeit kann hier nicht einmal ansatzweise skizziert werden; die Palette der Themen erstreckt sich auf nahezu alle praktischen, technischen, wiss. und philos. Bereiche.
→ LEHRGEDICHT

L. L. ALBERTSEN, Das L. – eine Gesch. der antikisierenden Sachepik, 1967 • B. EFFE, Dichtung und Lehre, 1977 • B. FABIAN, Das L. als Problem der Poetik, in: H. R. JAUSS (Hrsg.), Die nicht mehr schönen Künste, 1968, 67–89 • T. HAYE, Das lat. L. im MA, 1997 • W. LUDWIG, Neulat. L. und Vergils Georgica, in: Ders., Litterae Neolatinae, 1989, 100–127 • C. MEIER, Pascua, rura, duces, in: FMS 28, 1994, 1–50 • F. OUDIN, Poemata didascalica (3 Bde.), 1749, 1813 • E. PÖHLMANN, Charakteristika des röm. L., in: ANRW I 3, 813–901 • G. ROELLENBLECK, Das ep. L. Italiens, 1975.

R. GL.

**Leib** s. Anatomie; Körperpflege; Medizin

**Leibethra** (Λείβεθρα). Maked. Stadt zw. → Dion [II 2] und → Herakleion [2] beim h. Leptokarya (vgl. Strab. 7, fr. 18); ihr Territorium grenzte an → Gonnoi [1. Nr. 2]. Im 3. Jh. v. Chr. galt L. als autonom, da es delph. *theōroí* (»Gesandte«) empfing [2. 17 Z. 52], ging aber offenbar in der röm. Kolonie Dion [II 2] auf (CIL III 591). Nach Strab. 9,2,25 war L. den Musen heilig; Pausanias hörte in Larisa die Gesch., daß → Orpheus in L. begraben worden sei, doch seien nach einer schweren Überschwemmung seine Knochen nach Dion gebracht worden (Paus. 9,30,9–11). Nach Plut. Alexandros 14,5 gab es in L. ein aus Zypressenholz geschnitztes Bildnis des Orpheus.

1 B. HELLY, Gonnoi 2, 1973 2 A. PLASSART, Inscriptions de Delphes. La liste des théodoroques, in: BCH 45, 1921, 1–85.

F. PAPAZOGLOU, Les villes de Macédoine, 1988, 113f.

MA. ER.

**Leibethrion** (Λειβήθριον, Λιβήθριον). Boiot. Gebirgszug mit Kulthöhle und Quellheiligtum der Musen und der »l(e)ibethridischen« Nymphen ca. 7 km von → Koroneia entfernt; entweder der im SW zw. den Bergen Megali Lutsa (1548 m) und Paliovuna (1747 m) gelegener Teil des → Helikon oder der sich vom h. Koroneia nach Osten bis zum h. Petra erstreckende Gebirgszug. Quellen: Paus. 9,34,4; Strab. 9,2,25; 10,3,17; Verg. ecl. 7,21 mit Serv. ecl. 7,21.

C. BURSIAN, Geogr. von Griechenland 1, 1862, 236 • N. D. PAPACHATZIS, Παυσανίου Ελλάδος Περιήγεσις 5, [2]1981, 219 • PHILIPPSON/KIRSTEN 1,2, 450f. • SCHACHTER 3, 146, 187f. • P. W. WALLACE, Strabo's Description of Boiotia, 1979, 105.

P. F.

**Leichenbestatter** s. Libitinarii

**Leichenfeier** s. Bestattung; Totenkult

**Leichenrede** s. Epitaphios [2]; Laudatio funebris

**Leidener Klammersystem.** Übereinkunft von 1931 über den Gebrauch textkritischer Zeichen bei der Publikation von griech. und lat. Texten, Papyri, Inschr. usw. Die wichtigsten unter ihnen sind eckige Klammern [ ] zur Kennzeichnung der Ergänzung früher erh. Buchstaben, runde Klammern ( ) zur Auflösung ant. Abkürzungen, Schweifklammern { } zur Beseitigung vom Schreiber irrtümlich gesetzter Buchstaben und Doppelklammern [[ ]] zur Kennzeichnung schon in der Ant. getilgter Zeichen. Punkte unter Buchstaben ạ ḅ bedeuten unsichere Lesung, Punkte in eckigen Klammern [... 6 ...] die Zahl der in der Lücke zu ergänzenden Buchstaben. Ein Schrägstrich / bedeutet Zeilentrennung, nach je fünf Zeilen wird die Zeilenzahl hochgestellt angegeben: /[5].

H. Krummrey, S. Panciera, Criteri di edizione e segni diacritici, in: Tituli 2, 1980, 205–215. H.GA.

**Leihe.** Die unentgeltliche Überlassung einer Sache zum Gebrauch kommt wohl in allen Gesellschaften alltäglich vor. Rechtliche Konflikte ergeben sich daraus kaum. Daher kommen viele Rechtsordnungen ohne eine bes. Regelung dieses Verhältnisses aus. Ebenso dürfte es im allg. in der Ant. gewesen sein. Das röm. Recht hingegen enthält gleich zwei Institute für das soziale Phänomen der L.: das → *precarium* (L. auf Bitten) und das *commodatum*, einen bindenden Vertrag, durch den der Verleiher zur Überlassung der Sache bis zur Beendigung des Gebrauchs oder zum Ablauf der vereinbarten Frist verpflichtet ist. Dafür ist der Prekarist gegenüber Dritten, die seinen Besitz stören oder ihm die Sache wegnehmen, durch → *interdictum* geschützt, während der Entleiher beim *commodatum* im rechtlichen Sinne überhaupt keinen Besitz hat, sondern nur *detentor* (Inhaber eines faktischen Gewahrsams) ist.

Die rechtliche Erfassung des *commodatum* im Edikt des → Praetors (Dig. 13,6,1 pr.) mag damit zusammenhängen, daß die Römer ein ausgeprägtes Interesse an der rechtlichen Verbindlichkeit »freundschaftlicher« Verhältnisse (→ *amicitia*) hatten, wie es noch deutlicher in der differenzierten Behandlung des unentgeltlichen Auftrages (→ *mandatum*) zum Ausdruck kommt [3]. Die wichtigste Klage aus der L., die *actio commodati* des Verleihers, wenn der Entleiher die Sache nicht fristgemäß herausgab, hat passend zu diesem Zusammenhang vermutlich im Formular des Praetors den Zusatz *ex fide bona* (nach Treu und Glauben) enthalten (→ *fides*). Diese Klage war zunächst auf den Wert der Sache und der Vorteile aus ihrem Gebrauch gerichtet, in späterer Zeit (ab 2. Jh. n. Chr.) auch auf Schadensersatz. Der Haftungsmaßstab beim Entleiher war streng: Er hatte nicht nur für Verschulden (→ *culpa*) einzustehen, sondern auch für die noch weitergehende Aufsicht und Überwachung (→ *custodia*). Gegen einen Verleiher, der vorsätzlich eine mangelhafte Sache zur Verfügung stellte, stand dem Entleiher eine *actio commodati contraria* auf Aufwendungs- und Schadensersatz zu.

1 Honsell/Mayer-Maly/Selb, 300f. 2 Kaser, RPR I, 533f. 3 D. Nörr, Mandatum, fides, amicitia, in: D. Nörr, S. Nishimura (Hrsg.), Mandatum und Verwandtes, 1993, 13–37. G.S.

**Leimone.** Tochter des → Hippomenes [2]. C.W.

**Lein, Flachs** I. Allgemeines II. Alter Orient III. Der antike Anbau und Verarbeitungsprozess IV. Verwendungsarten in der klassischen Antike

I. Allgemeines

L. (λίνον/*línon*, lat. *linum*) oder Flachs gehört der Gattung der Storchschnabelgewächse an. Als Stammpflanze des kultivierten L. gilt das *linum angustifolium*. Der Gebrauch dieser wildwachsenden, perennierenden Pflanze ist schon für die neolithische Zeit in Europa arch. nachgewiesen.

Der echte L. (*linum usitatissimum*), eine einjährige Pflanze, hat einen feinen Stengel mit länglichen ungestielten Blättern und erreicht eine Höhe von 60–90 cm. Die Stengel bilden den Rohstoff, aus dem das nach der Wolle wichtigste Spinngut gewonnen werden konnte. Die wertvollen Fasern liegen bündelweise um einen Kern aus Holz und Mark unter der Epidermis des Stengels. Alle diese Bestandteile sind durch den Pflanzenleim fest miteinander verbunden. Aus den Samen ließen sich Öle, Lebens-, Genuß- oder Arzneimittel herstellen. Plinius berichtet ausführlich über den Anbau und den Verarbeitungsprozeß von L. (Plin. nat. 19,2–25), der für Ägypten, Gallien, Italien und Spanien belegt ist (Plin. nat. 19,7–11; zu Gallien vgl. Strab. 4,2,2). A.P.-G.

II. Alter Orient

Flachs als textiler Rohstoff ist arch. seit dem Neolithikum (6./5. Jt.) in Äg., Anatolien und Nordsyrien, in Texten seit dem 3. Jt. in Mesopot. und Äg., im 2. Jt. v. Chr. in Kleinasien und Nordsyrien bezeugt. Gewänder waren in Äg. fast durchweg, in Mesopot. in geringerem Maße (ca. 90% aus Wolle) aus L. Die L.-Herstellung (Rösten, Bleuen, Brechen, Hecheln) ist in Äg. bildlich seit dem 3. Jt. dargestellt. Zum Herstellen eines L.-Stoffes von 6 × 2 m benötigte man 375 (je mit einer Hand zu haltende) Bündel Flachs (Mesopot., vgl. [1. 473]). Die Qualität von L.-Stoffen reichte von grober bis zu seidenartiger Textur (Äg., arch. nachgewiesen). L.-Gewebe spielten in Äg. und Mesopot. v.a. im Kult (Kleidung von Priestern, Göttergewänder) sowie als Mumifizierungsmaterial in Äg. eine wichtige Rolle. L.-Samen wurde in Mesopot. zu medizinischen Zwekken (zerstoßen, gemahlen, geröstet) sowie als Räuchermaterie gebraucht. Kontrovers diskutiert wird, ob das hauptsächlich zur Herstellung von → Öl in Mesopot. benutzte *šamaššammū* Leinsaat oder Sesam bezeichnete [3. 588; 2. 306f.]

1 Chicago Assyrian Dictionary K, 1972, s.v. *kitû*, 473–475
2 Chicago Assyrian Dictionary Š/1, 1989, s.v. *šamaššammū*, 306f. 3 H. WAETZOLDT, s.v. L., RLA 6, 583–94
4 W. GUGLIELMI, s.v. L., LÄ 3, 999. J.RE.

III. DER ANTIKE ANBAU UND VERARBEITUNGSPROZESS

Der L. benötigt nährstoffreichen Boden, sollte dicht ausgesät und schon vor der Samenreife geerntet werden. Mit der Ernte begann eine Reihe von mühevollen und zeitaufwendigen Arbeiten, die viel Erfahrung und manuelle Geschicklichkeit erforderten. Ziel war es, die Fasern möglichst unbeschädigt von den übrigen Pflanzenteilen zu trennen.

Nach Plinius wurde der L. im Frühjahr gesät und im Sommer geerntet, bevor die Samen angeschwollen waren und die Pflanze gelb wurde. Die Stengel wurden ausgerauft, d.h. mit der Wurzel aus dem Erdreich herausgerissen und die Halme zu handlichen Bündeln zusammengebunden. Mehrere Tage verblieben sie auf den Feldern zum Trocknen (Plin. nat. 19,7; 19,16). Befreit (geriffelt) von den Samenkapseln und den Blättern erfolgte dann das Rösten des L. Die Stengelbündel wurden im Wasser (Wasserröste) versenkt und mit Gewichten beschwert. Während des Röstvorgangs fand ein Gärungsprozeß statt, der den Pflanzenleim zersetzte und die Faserschicht von der Rinde und dem Holzkern löste. Art und Dauer des Röstens nahmen Einfluß auf Qualität, Farbe und Glanz des L. Waren die Stengel getrocknet (gedörrt), erfolgte das Bleuen des L. Die durch das Trocknen steif gewordenen Stengel wurden mit einem Holzhammer (*stupparius malleus*) solange auf hartem Untergrund gebrochen, bis sich die Holzteile von den Fasern ablösten. Sodann erfolgte das Hecheln mit einem eisernen Kamm (κτείς/*kteís*, lat. *ferreus hamus*). Dabei wurde büschelweise solange gekämmt, bis die unbrauchbaren Fasern entfernt und die kürzeren Fasern von den längeren getrennt waren (Plin. nat. 19,17). Der Abfall, der dabei entstand, das Werg (στύπη/*stýpē*, lat. *stuppa*), wurde zur Herstellung von groben Geweben, zum Polstern sowie für Seile und Schnüre verwendet. Die gesponnenen Fasern schlug man auf Steine im Wasser (*polire*) und klopfte die gewebte Leinwand mit Stöcken. Diese Verfahren verbesserten die Qualität der Stoffe.

IV. VERWENDUNGSARTEN IN DER KLASSISCHEN ANTIKE

Es gab höchst unterschiedliche Qualitäten von groben bis äußerst feinen L. Zahlreich sind die lit. Hinweise auf die Produktion von L.-Stoffen und deren Gebrauch für die Kleidung. Die besonderen Eigenschaften – leicht, luftig, schmutz- und sogar läuseabweisend – prädestinierten das Material für die Textilherstellung. L.-Stoffe sind in Gräbern von Eretria (spätgeom.) und Eleusis (Mitte des 5. Jh. v. Chr.) entdeckt worden. Selbst Brustpanzer wurden aus diesem Material gefertigt (Hom. Il. 2,529; 2,830; Hdt. 3,47; vgl. zum Panzer des Amasis Plin. nat. 19,12). Die Schiffahrt benötigte L. für die Segelherstellung; auch für Jagd- und Fischernetze erwies er sich als gut geeignet (Xen. kyn. 2,4; Plin. nat. 19,10f.). Bei röm. Theateraufführungen dienten Zeltdächer (*velum*) als Sonnenschutz (Plin. nat. 19,23f.). Als Bildträger in der Malerei (Plin. nat. 35,51) fand L. genauso Verwendung wie bei der Herstellung von Büchern (→ *liber linteus*).

Einige Städte wie Tarsos (Dion Chrys. 34,21ff.), Panopolis in Ägypten (Strab. 17,1,41) und Kolchis am Schwarzen Meer (Strab. 11,2,17) waren für die L.-Weberei berühmt. Preisregulierungen für L.-Samen und L.-Stoffe überliefert das → *Edictum Diocletiani* (1,22; 26,1ff.); hier sind auch die wichtigsten Produktionsorte der Ant. genannt.

→ Baumwolle; Textilherstellung

1 E.J.W. BARBER, Prehistoric Textiles, 1991 2 BLÜMNER, Techn. 1, 191–199 3 R.J. FORBES, Studies in Ancient Technology 4, 1964, 27–43 4 V. HEHN, Kulturpflanzen und Haustiere, [8]1911 5 G. LOSFELD, Essai sur le costume grec, 1991 6 J.P. WILD, Textile Manufacture in the Northern Roman Provinces, 1970, 13–15. A.P.-G.

**Leinie.** Etr. Gentiliz aus → Volsinii/Orvieto, in der dortigen Tomba Golini I (4. Jh. v. Chr.) inschr. und bildlich über mehrere Generationen überliefert.

J. HEURGON, Un *legatus* à Volsinii, in: MEFRA 86, 1974, 707–721 · S. STEINGRÄBER (Hrsg.), Etr. Wandmalerei, 1985, 286. F.PR.

**Le(i)odes** (Ληώδης, Λειώδης). Sohn des Oinops, Priester; obwohl selbst unter den Freiern der → Penelope, sind ihm diese verhaßt, und er ist unter ihnen isoliert. L. versucht sich als erster Freier erfolglos bei der Bogenprobe und wird anschließend von → Antinoos [1] für seinen angeblich defätistischen Ratschlag getadelt (Hom. Od. 21,144ff.). Bei der Tötung der Freier durch → Odysseus beruft sich L. vergeblich auf sein distanziertes Verhältnis zu den anderen Freiern (ebd. 22,310–329). RE.N.

**Le(i)okritos** (Ληόκριτος, Λειώκριτος).

**[1]** Sohn des Arisbas, nimmt auf griech. Seite am Troiafeldzug teil, wird von → Aineias [1] getötet (Hom. Il. 17,344).

**[2]** Freier der → Penelope, tritt in der Volksversammlung Telemachos' Fürsprecher Mentor entgegen, befürwortet sarkastisch dessen Reisepläne und bezweifelt, daß eine Rückkehr des Odysseus eine Gefahr für die Freier darstelle (Hom. Od. 2,242ff.). Er stirbt bei der Tötung der Freier von Telemachos' Hand (ebd. 22,294). RE.N.

**Leipsydrion** (Λειψύδριον). Platz am → Parnes im att. Demos Paionidai [2], von den → Alkmaionidai kurz vor [3] oder nach der Ermordung des Hipparchos 514 v. Chr. in den Kämpfen mit den → Peisistratidai befestigt. Identifizierung unsicher. Die für L. beanspruchte Feste beim h. Karagufolesa datiert ins 4./3. Jh. v. Chr.

[1]. Quellen: Hdt. 5,62,2; Aristoph. Lys. 665 mit schol.; Aristot. Ath. Pol. 19,3.

1 J. R. McCredie, Fortified Military Camps in Attica (Hesperia Suppl. 11), 1966, 58 ff. Abb. 11 Taf. 12d 2 P. J. Rhodes, A Commentary on the Aristotelian Ath. Pol., 1981, 235 3 K.-W. Welwei, Athen, 1992, 249, 256.

H. LO.

**Leitos** (Λήϊτος). Sohn des → Alektor [4], ein boiot. Heros; Grab und Kult hat er in Plataiai (Paus. 9,4,3). Er ist in mehrere panhellenische Erzählzyklen eingebunden: Er ist einer der Führer der Boioter vor Troia, tut sich gelegentlich hervor und wird beim Kampf um die Leiche des → Patroklos von → Hektor leicht verwundet, kehrt zurück in die Heimat; er freit um → Helene [1] und nimmt am → Argonauten-Zug teil (Hom. Il. 2,494; 17,601; Eur. Iph. A. 259; Kataloge Apollod. 1,113; 3,130).

W. Kullmann, Die Quellen der Ilias, 1960, 120. F. G.

**Leiturgia** s. Liturgie

**Lekane, Lekanis** s. Gefäße, Gefäßformen

**Lekanomanteia** s. Divination

**Lekton** (Λεκτόν, Λεκτός, Kap Lekton). Westl. Ausläufer des troischen Ida, der bis in die Agäis reicht (Hom. Il. 14,283; Hdt. 9,114; Thuk. 8,101; v. a. Strab. im 13. B.). Die Quellen lassen nur darauf schließen, daß Kap Lekton oder ein Ort L. in der Nähe des h. Babakale lag, Genaueres läßt sich nicht ausmachen. In der Nähe stand ein arch. nicht nachweisbarer Altar für die → Zwölfgötter (Strab. 13,1,48), der Sage nach von Agamemnon errichtet.

W. Leaf, Strabo on the Troad, 1923, 227 • L. Bürchner, s. v. L., RE 12, 1889 • J. M. Cook, The Troad, 1973, 228, 236 ff. E. SCH.

**Lekythos**

**[1]** (ἡ λήκυθος). Griech. Oberbegriff für Salb- und Ölgefäße unterschiedlicher Form und Größe mit enger Mündung, auch → Alabastron und → Aryballos umfassend; h. nach schol. Plat. Hipp. min. 368C insbes. Bezeichnung att. Grabgefäße des 6. und 5. Jh. v. Chr., die Duftölspenden enthielten und eine beliebte Totengabe waren (→ Gefäßformen Abb. E 3). Mit zunehmender Größe der wgr. Lekythoi wurden im 5. Jh. Spareinsätze für das Öl üblich. Um 400 v. Chr. bildete eine Gruppe att. monumentaler Ton-L. offenbar die Vorstufe der im 4. Jh. verbreiteten massiven Marmor-L. auf Gräbern. Einen profanen Gebrauch von Ton-L. bezeugen bildliche Darstellungen sowie Besitzergraffiti auf kleineren Exemplaren; ein in klass. Zeit übliches Toilettegefäß der Frau war speziell die Bauch-L. (→ Gefäßformen Abb. E 4). Die Formgesch. der L. setzt im 9. Jh. v. Chr. auf Zypern unter phoinikischem Einfluß mit kleinen Kugelgefäßen ein, die in der protokorinth. Keramik des 7. Jh. v. Chr. Ei- und Birnenform annehmen (Abb. E 1). In Attika entsteht im frühen 6. Jh. eine höhere Sackform mit abgeschnürter trichterförmiger Mündung (sog. Deianeira-Typus, Abb. E 2), wenig später, in Anlehnung an die ostion. L. der att. Standardtypus mit flacher Schulter und zylindrischem Körper, der zunächst sf., dann rf. und wgr. verziert wurde (sog. Schulter-L., Abb. E 3). Eine späte Sonderform stellt die sog. Eichel-L. dar. Im großgriech.-rf. Stil des 4. Jh. überlebt die Bauch-L., vgl. auch große Alabastra mit Fuß.

H. Nachod, s. v. L., RE Suppl. 5, 1931, 546–548 • C. H. E. Haspels, Attic Black-Figured Lekythoi, 1936 • B. A. Sparkes, L. Talcott, Black and Plain Pottery (Agora 12), 1970, 7, 150–155 • B. Schmaltz, Unt. zu den att. Marmor-L., 1970 • W. W. Rudolph, Die Bauch-L., 1971 • D. C. Kurtz, Athenian White Lekythoi, 1975 • A. Greifenhagen, »Eichellekythen«, in: RA 1982, 151–162 • J. de La Genière, »Parfumés comme Crésus«. De l'origine du lécythe attique, in: BCH 108, 1984, 91–98 • I. Wehgartner, CVA Berlin 8, 1991 (att. rf. und wgr. L.) • K. Gex, Eretria IX: Rf. und wgr. Keramik, 1993, 51–62.

I. S.

**[2]** (Λήκυθος). 423 v. Chr. eroberte der spartanische Feldherr Brasidas das nur bei Thuk. 4,113–116 gen. Kastell L. im Gebiet der Stadt → Torone auf der chalkidischen Halbinsel. M. Z.

**Lelante** (Ληλάντη). Ehefrau des myth. Molosserkönigs → Munichos und Mutter u. a. des Alkandros. Die gottesfürchtige Familie wird, als Räuber sie überfallen und ihr Haus in Brand stecken, von Zeus zur Rettung in Vögel verwandelt (Antoninus Liberalis 14). AL. FR.

**Lelantion pedion** (Λέλαντον, Ληλάντιον oder Ληλάντου πεδίον). Fruchtbare Ebene zw. Chalkis und Eretria, um deren Besitz der → »Lelantische Krieg« Anf. 6. Jh. v. Chr. zw. diesen beiden Städten und ihren Verbündeten ausgefochten wurde. Strab. 1,3,16; 10,1,9; 3,6; 10,3,6; Hom. h. 2,220; Kall. h. 4,289; Plut. mor. 153f; Theophr. h. plant. 8,8,5; 8,10,4; Ail. var. 6,1; SEG XIII, 178; 312. Noch im MA hieß L.p. Lilanto.

H. KAL. u. E. MEY.

**Lelantischer Krieg.** Moderne Bezeichnung für eine militärische Auseinandersetzung der euboiischen Städte → Chalkis [1] und → Eretria [1] um die zw. ihren jeweiligen Territorien liegende lelantische Ebene (→ *Lēlántion pedíon*). Der Konflikt wird heute allg. in die Zeit um 700 v. Chr. datiert. Der L. K. zog sich offenbar über mehrere Dekaden hin. Die Aufgabe der Stadt → Lefkandi am östl. Rand der Ebene, die auf Grund des arch. Befundes auf ca. 700 datiert wird, war wohl eine Folge des Krieges. Erstmals erwähnt wird der L. K. bei → Archilochos. Dort heißt es, daß die »speerberühmten« Herren → Euboias in der Schlacht nicht Bogen und Schleuder, sondern das Schwert gebrauchten (fr. 3 West; vgl. Strab. 10,1,11 f.). Von der Kampfweise her gehört der L. K. also offenbar noch in ein frühes Stadium der Entwicklung der Hoplitenphalanx (→ *hoplítai*; → Phalanx). Einer der Anführer der Chalkidier in diesen Kämpfen war wohl jener Amphidamas [5], zu dessen Ehren dann die Leichenspiele ausgerichtet wurden, an denen → Hesiodos teilnahm (Hes. erg. 654–6; vgl. Plut. mor. 153F).

Die Autoren des 5. Jh. sahen im L. K. dann weit mehr als einen lokalen Konflikt um ein fruchtbares Stück Land. So ist der L. K. für Thukydides die einzige große Auseinandersetzung zw. dem Troianischen Krieg (→ Troia) und dem → Perserkrieg: Ganz Hellas habe in diesem Krieg Partei ergriffen (Thuk. 1,15). Auch Herodots Erwähnung eines weit zurückliegenden Krieges, bei dem Milet Eretria Unterstützung gewährte, wird auf den L. K. bezogen (Hdt. 5,99,1). Plutarch schließlich führt den Sieg der Chalkidier auf das Eingreifen des Kleomachos von Pharsalos und der thessal. Reiterei zurück (mor. 760E–761B).

Ausgehend von diesen Zeugnissen hat die Forschung den L. K. häufig als gesamtgriech. Krieg interpretiert, bei dem zwei komplexe Bündnissysteme miteinander um die Durchsetzung ihrer wirtschaftl. und kolonialpolit. Interessen gerungen hätten. Diese Deutung wird neuerdings jedoch als anachronistische Rückprojizierung von Konstellationen des 5. Jh. auf das 8./7. Jh. zurückgewiesen. Denn auswärtige Hilfe in derartigen lokalen Konflikten resultierte in dieser Epoche üblicherweise aus informellen aristokratisch-panhellen. Freundschaftsbeziehungen zw. einzelnen Führungspersönlichkeiten.

J. Boardman, in: CAH 3,1, 1982, 760–63 • V. Parker, Unt. zum L. K. und verwandten Problemen der griech. Gesch., 1997 • K. Tausend, Der L. K. – ein Mythos?, in: Klio 69, 1987, 499–514. E. S.-H.

**Leleges** (Λέλεγες). Name eines nichtgriech. Volkes der Frühgesch. Griechenlands und Kleinasiens, belegt seit Homer, Hesiod und Alkaios, v. a. aber in der histor. und myth. Lit. seit klass. Zeit. Am Anf. standen Erinnerungen an ein histor. Volk mit bestimmten Siedlungsgebieten; die griech. Gelehrten versetzten es dann, weil nichtgriech. (= vorgriech.), in graue Vorzeit jenseits aller Überl., so daß nun die L. und ihr Eponym Lelex in die verschiedensten Stammbäume und Ortsgesch. eingebaut wurden. Von diesen sekundären Konstruktionen ist abzusehen, wenn man die gesch. L. fassen will.

Sicher histor. sind die L., die nach Hom. Il. 20,89 ff.; 21,86 f. in der südl. Troas um Pedasos und Lyrnessos siedelten; Alk. fr. 337 Lobel-Page fügt Antandros, das Etym. m. 221,26 ff. (s. v. Γάργαρος) Alt-Gargara hinzu. L. saßen einst wohl auch im westl. Mittelgriechenland. Nach einer früh bezeugten Trad. hätten die Lokroi früher L. geheißen (Hes. cat. fr. 234 Merkelbach-West; Aristot. fr. 473 R.; Skymn. 590 f.; Dionysios Kalliphontos GGM 1, 240,70 f.; Dion., Hal. ant. 1,17,3; Steph. Byz. s. v. Φύσκος). Verstreute, späte Angaben über L. in anderen Teilen Mittelgriechenlands von Leukas bis Euboia, Boiotia und Megara mögen hier anzuschließen sein.

Weiter galten L. als Vorbevölkerung von Karia (Pherekydes von Athen FGrH 3 F 155; Philippos von Theangela FGrH 741 F 3; Strab. 7,7,2; 13,1,58 f.; Steph. Byz. s. v. Νινόη und Μεγάλη πόλις; vgl. Hdt. 1,171); man schrieb ihnen vorgesch. Siedlungen, Befestigungen und Gräber zu (Strab. a.O.) und nannte die unfreien Bauern in Karia L. (Philippos von Theangela FGrH 741 F 2; Plut. qu. Gr. 46). Auch in benachbarten Gebieten (Ionia, ägäische Inseln, Pisidia) sollten einst L. gewohnt haben.

Damit dürften die histor. brauchbaren Zeugnisse erschöpft sein. Ihnen folgend wird man die L. am ehesten für ein Volk balkanischen Ursprungs halten, das wohl im Lauf der letzten großen Wanderungen um die Wende vom 2. zum 1. Jt. einerseits in die Troas und in das südwestl. Kleinasien, andererseits ins westl. Mittelgriechenland verschlagen wurde.

A. Aly, Karer und L.; in: Philologus 68, 1909, 428–444 • F. Geyer, s. v. Leleger, RE 12, 1925, 1890–1893. F. GSCH.

**Lembus** s. Schiffahrt

**Lemnisch.** Auf → Lemnos in der nordöstl. Ägäis ist aus der Zeit vor der att. → Kolonisation (500 v. Chr.) eine nichtgriech. Sprache bezeugt (zwei Texte – aus 32 Wörtern – auf einer Grabstele, neun Texte/Frg. auf Gefäßen). Das L. ist dem → Etruskischen in Lautsystem, Morphologie und Syntax ähnlich (z. B. in der Datierungsformel: lemn. *holaie-s-i φokias-ial-e serona-iθ* »im S.-Amt des H. Ph.« wie etr. *larθ-ial-e hulχnie-s-i munsl-e* »im M.-Amt des L. H.«, mit Lok. zur Gen.-Form; lemn. und etr. *-m* »aber«), doch nicht mit ihm identisch (z. B. lemn. *avis σialχvis* ≠ etr. *avils σealχls* »annorum LX«). Beide Sprachen (dazu das → Rätische) sind offenbar aus einem Ur-Tyrsenisch des ausgehenden 2. Jt. v. Chr. hervorgegangen; der histor. Hintergrund ist noch ungeklärt.

H. Rix, Eine morphosynt. Übereinstimmung zw. Etr. und L.: die Datierungsformel, in: M. Mayrhofer (Hrsg.), Stud. zur Sprachwiss. und Kulturkunde. GS W. Brandenstein, 1968, 213–222 • L. Agostiniani, Sull'etrusco della stele di Lemno e su alcuni aspetti del consonantismo etrusco, in: Archivio Glottologico Italiano 71, 1986, 15–46 • C. de Simone, I Tirreni a Lemnos. Evidenza linguistica e tradizioni storiche, 1996. H. R.

**Lemnische Frauen, Hypsipyle** (Ὑψιπύλη, -λεια). Der urspr. vielleicht selbständige [1. 235 f.], dann in die Fahrt der → Argonautai und den theban. Sagenkreis verflochtene Mythos lautet nach Apollod. 1,114 f. (vgl. Apoll. Rhod. 1,609 ff.; Ov. Pont. 6; Val. Fl. 2,82 ff.; Stat. Theb. 5,28 ff.; schol. Pind. N. hypothesis b): Wegen Vernachlässigung ihres Kultes behaftet Aphrodite die l. F. mit üblem Geruch [2; 3], worauf die Männer von → Lemnos mit erbeuteten Thrakerinnen zusammenleben. Die Lemnierinnen töten deshalb alle Männer und errichten einen Frauenstaat, den H., die Tochter des Dionysossohnes und Königs von Lemnos, → Thoas, regiert; sie hat als einzige ihren Vater verschont, indem sie ihn in einer Kiste verbirgt bzw. übers Meer schickt. Die Argonauten erfahren die Liebe der Lemnierinnen; H. wird durch → Iason [1] Mutter des → Euneos [1] (Hom. Il. 7,468; 23,747) und Nebrophonos (→ Thoas). H. veranstaltet Spiele mit Beteiligung der Argonauten: Sim. fr. 547 PMG; Pind. O. 4,19–27; P. 4,252–256 (wo Lemnos auf dem Rückweg liegt, so daß wegen → Medeia die Beziehung Iason-H. unmöglich wird [4. 246ff.]).

Fortsetzung des Mythos (nach der → ›Thebais‹) Apollod. 3,65f. (vgl. Eur. Hypsipyle [5; 6]; Hyg. fab. 74; Stat. Theb. 4,646ff.; 716ff.; 5,486ff.; schol. Pind. N. hypothesis b): Nach Entdeckung und Tötung des Thoas verkaufen die Frauen H. als Sklavin an → Lykurgos nach Nemea, wo sie dessen Sohn → Opheltes hütet, den, während H. den als → Sieben gegen Theben ziehenden Feldherrn eine Quelle zeigt, eine Schlange tötet; zu Ehren des Archemoros genannten Kindes veranstalten die Sieben die ersten Nemeischen Spiele [7. 384ff.].

Hieran schließt Euripides' ›Hypsipyle‹: H., von den Eltern mit dem Tod bedroht, wird befreit durch → Amphiaraos und ihre Söhne Thoas und Euneos, die Iason mit nach Kolchis, → Orpheus nach Thrakien gebracht und ihr von Dionysos geretteter Großvater Thoas nach Lemnos geholt hatte, von wo sie auf Suche nach der Mutter gegangen waren. H. in der Kunst: [8. 51; 9].

1 U. v. Wilamowitz, Hell. Dichtung, Bd. 2, 1924 ([2]1962)
2 G. Dumézil, Le Crime des Lemniennes, 1924
3 W. Burkert, Jason, Hypsipyle, and New Fire at Lemnos, in: CQ 20, 1970, 1–16 4 P. Dräger, Argo pasimelousa, 1, 1993 5 G. W. Bond (ed.), Euripides, Hypsipyle, 1963
6 W. E. H. Cockle (ed.), Euripides, Hypsipyle, 1987
7 Wilamowitz, Bd. 1 8 M. Vojatzi, Frühe Argonautenbilder, 1982 9 Ch. Boulotis, s. v. Hypsipyle (1), LIMC 8.1, 645–650.

P.D.

**Lemniscus** s. Kritische Zeichen

**Lemnos** (Λῆμνος).
A. Lage B. Mythentradition
C. Geschichte D. Heiligtümer

A. Lage

Das fruchtbare, h. aber nahezu baumlose L. ist mit 477 km$^2$ eine der größeren ägäischen Inseln. Hauptsächlich aus Schiefern mit eingelagerten vulkanischen Gesteinen bestehend, erreicht das niedrige Hügelland mit der Skopia mit 470 m seine höchste Erhebung. Die stark gegliederte Küste weist tief eingreifende Buchten auf. Die ant. Hauptorte waren Myrina an der Westküste (Reste klass. Befestigung, archa. und klass. Nekropolen, Inschr.: Heiligtum der Artemis) und Hephaistia im NO der Insel.

B. Mythentradition

Reich ist die Mythentradition für L. In den Sagenkreisen der Argonautenfahrt (→ Argonautai, mit Karte) und des Troianischen Krieges (→ Homeros, → Troia) spielt L. eine wichtige Rolle. L. galt als bevorzugter Aufenthaltsort des → Hephaistos, der hier, von Zeus aus dem Olymp geworfen, aufgeschlagen sein soll und dessen Schmiede auf dem Hügel Mosychlos lokalisiert wurde. Dort wurde auch die »lemnische Erde«, die als bes. heilkräftig galt, bis in die Neuzeit abgebaut und exportiert.

C. Geschichte

Schon in prähistor. Zeit war L. dicht besiedelt, was bes. die Ausgrabungen bei → Poliochni an der Ostküste und bei Hephaistia an der Nordküste belegen. Als frühe Bewohner gelten bei Homer (Hom. Il. 1,594; Hom. Od. 8,294) thrak. *Síntíes*, doch kennt der Dichter L. auch als griech. Insel (Hom. Il. 7,467f.; 21,40f.; 23,753). Bei Autoren des 5. Jh. v. Chr. werden *Pelasgoí* oder *Tyrsenoí* als Bewohner gen., die den Griechen die sprichwörtlichen *Lḗmnia kaká* (»Lemnischen Übel«) zufügten (Hdt. 6,137ff.; Aischyl. Choeph. 631ff.; vgl. den Grabstein in einer dem Etr. verwandten Sprache, IG XII 8,1). Nach 510 v. Chr. eroberte Miltiades die strategisch bedeutsame Insel für Athen (Hdt. 6,137ff.), in dessen Besitz sie mit Unterbrechungen bis 200 n. Chr. verblieb. L. sicherte nicht nur den Kornimport aus der Nordägäis, sondern galt zudem auch selbst als Getreidelieferant. Im → Attisch-Delischen Seebund war L. zunächst mit 9 Talenten, nach Ansiedlung von att. Kleruchen um 450 v. Chr. waren die beiden Städte Hephaistia mit 3, Myrina mit 1 ½ Talenten veranlagt [1]. 267 n. Chr. verwüsteten Goti und Heruli die Insel (Synkellos, Chronographia 382 D). Im 4. Jh. n. Chr. war Hephaistia Bischofssitz.

D. Heiligtümer

L. galt als Hauptkultstätte für Hephaistos [2; 3], die wohl an das oft gen. Erdfeuer auf dem Hügel Mosychlos etwa 4 km südl. von Hephaistia anschloß. Etwa 3 km nördl. von Hephaistia beim h. Chloë lag das Kabeirion mit Bauresten und bes. vielen Inschr. vom 5. Jh. v. Chr. bis zum 3. Jh. n. Chr. [4. 160ff.]. Belegstellen: Skyl. 67; Strab. 5,2,4; 7,331 fr. 46; Ptol. 3,13,47; Plin. nat. 4,73; Mela 2,106; Hierokles, Synekdemos 649,1; Val. Fl. 2,82ff. Inschr.: IG XII,8, Nr. 1–44; Suppl. Nr. 337–343; SEG 12, 399; 13, 456; 16, 504–517; [5; 6; 7; 8]. Mz.: HN, 262.

→ Kabeiroi (C.4.); Lemnisch

1 ATL 1, 330, 280f., 348f., 447; 3, 289ff. und 199
2 L. Malten, s. v. Hephaistos, in: RE 8, 325f.
3 K. Fredrich, s. v. L., RE 12, 1928–1930 4 B. Hemberg, Die Kabiren, 1950, 160ff. 5 P. Lemerle, Chronique des fouilles 1938, in: BCH 62, 1938, 478f. 6 B. D. Meritt, Excavations in the Athenian Agora. The Inscriptions, in: Hesperia 3, 1934, 67f. Nr. 62 7 J. H. Oliver-St. Dow, Greek Inscriptions, in: Hesperia 4, 1935, 57 Nr. 19
8 B. D. Meritt, Two Third-Century Inscriptions, in: Hesperia 10, 1941, 338f.

L. Bernabò Brea, Poliochni, Città preistorica nell'isola di L., 2 Bde., 1964 • L. Beschi, Il Telestrio ellenistico del santuario dei Cabiri a L., in: Dt. Arch. Inst. (Hrsg.), Akten 13. Intern. Kongress für Klass. Arch. Berlin 1988, 1990, 555ff. • C. Fredrich, L., in: MDAI(A) 31, 1906, 60ff., 241ff. • F. W. Hasluck, Terra Lemnia, in: ABSA 16, 1909/1910, 220ff. • B. Hemmerdinger, Thucydide IV 109,4 et les inscriptions étrusques de L., in: Bollettino dei classici 16, 1995, 13–16 • R. HENNIG, Altgriech. Sagengestalten als Personifikation von Erdfeuern und vulkanischen Vorgängen, in: JDAI 54, 1939, 230f. • W. GÜNTHER, s.v. L., in: LAUFFER, Griechenland, 377–380 • D. MUSTILLI, L'occupazione ateniese di L. e gli scavi di Hephaistia. Stud. di antichità classiche a E. Ciaceri, 1940, 149ff. • D. MUSTILLI, La necropoli tirrena di Efestia, in: ASAA 15/6, 1932/3 (1942), 1ff. • C. NEUMANN, J. PARTSCH, Physikalische Geogr. von Griechenland, 1885, 314ff. • S. SHEBELEW, Zur Gesch. von L., in: Klio 2, 1902, 36–44 • C. DE SIMONE, I Tirreni a L., 1996. H. KAL. u. E. MEY.

**Lemonum** (Limonum). Kelt. *oppidum* der Pictones bzw. Pictavi (Caes. Gall. 8,26) am Zusammenfluß von Clain und Boivre an der Kreuzung der Straßen Bordeaux – Tours und Nantes – Lyon (Itin. Anton. 459), h. Poitiers. Seit Augustus Hauptort der *civitas Pictonum* [1] mit orthogonalem Stadtplan [2], Forum, Thermen, Aquädukten, Amphitheater [3]. Evtl. löste L. im 2. Jh. n. Chr. Mediolanum Santonum (h. Saintes) als Hauptstadt der → Aquitania II ab. Der erste bezeugte Bischof in L. war → Hilarius [1] (um 350 n. Chr.).

1 D. BARRAUD u.a., Origine et développement topographique des agglomérations, in: 6e suppl. Aquitania 1992, 199–209 2 H. GALINIÉ (Hrsg.), Actes du colloque international d'archéologie urbaine de Tours, 1982, s.v. Poitiers, 623–633 3 G. CH. PICARD, La république des Pictons, in: CRAI 1981, 532–559. J.-M. DE.

**Lemovices.** Kelt. Volk in Zentralgallien [1], einer an Gold, Zinn und Eisen reichen Region (Strab. 4,2,2). Sedullus, ein Anführer der L., fiel bei → Alesia (Caes. Gall. 7,88,4). Nach Eingliederung in die Prov. → Aquitania war → Augustoritum Hauptort der *civitas Lemovicum* [2], noch im 1. Jh. n. Chr. von einem sog. → *vergobretus* [3], später von *duumviri* verwaltet. Als *vici* (»Dörfer«) sind bekannt Brive [4], Blotomago und Carovicus. Unter Diocletianus wurden die L. der Aquitania I zugeschlagen [5]. Um 300 n. Chr. bekehrte Martialis, der Bischof von Limoges, die L. zum Christentum.

1 J.-M. DESBORDES, Les limites des L., in: Aquitania 1, 1983, 37–48 2 J. PERRIER, Carte archéologique de la Gaule, La Haute Vienne 87, 1989 3 J. PERRIER, Un vergobret à Limoges sous le Haut-Empire romain, in: Travaux d'Archéologie Limousine 10, 1990, 27–32 4 G. LINTZ, Carte archéologique de la Gaule, La Corrèze 19, 1992 5 A. CHASTAGNOL, Le diocèse civil d'Aquitaine au Bas-Empire, in: Bull. de la Soc. nationale des antiquaires de France 1970, 272–290. J.-M. DE.

**Lemovii.** Stamm an der Ostsee zw. Oder und Weichsel (Tac. Germ. 44,1), den Rugii benachbart. Die Lesart des Namens ist unsicher, Gleichsetzung mit anderen, etwa bei Ptolemaios überlieferten Stammesnamen hypothetisch.

A. FRANKE, s.v. L., RE Suppl. 5, 549 • G. PERL, in: J. HERRMANN (Hrsg.), Griech. und lat. Quellen zur Frühgesch. Mitteleuropas bis zur Mitte des 1. Jt. u.Z., Teil 2, 1990, 249. RA. WI.

**Lemures, Lemuria.** *L.* ist ein röm. Begriff, der die während der Nacht erscheinenden Gespenster bezeichnet (Hor. epist. 2,2,209; Non. 1, 197 L.). Die *l.* werden mit den *dii* → *manes* (Ov. fast. 5,422; schol. in Pers. 8,185) oder den → *larvae* (Varro bei Non. 1, 197 L.) gleichgesetzt. Von späteren Kommentatoren werden sie als Seelen der früh (Porph. ad Hor. epist. 2,2,209) oder der durch Gewalt Gestorbenen (Acro ad Hor. epist. 2,2,209) aufgefaßt. Ihnen war das Fest der Lemuria (oder Lemuralia) am 9., 11. und 13. Mai gewidmet. An diesen Tagen – glaubte man – würden die *l.* während der Nacht auf die Erde zurückkommen und in die Wohnungen eintreten. Der → *pater familias* vollzieht ein Ritual – er wirft Bohnen hinter seinen Rücken auf den Boden und spricht dabei eine Abschiedsformel –, mit dem er die *l.* aus dem Haus (Ov. fast. 5,431–444) drängt. Die Existenz zweier den Verstorbenen gewidmeter Feste, der Lemuria und der → Parentalia, im röm. Kalender hat verschiedene Interpretationen gefunden [1; 2]. Obwohl der Unterschied nicht ganz klar ist, scheint der Sinn der Lemuria zu sein, die Familie aus der Rache böser Gespenster freizusprechen. Der Ritus kann als ein Mahl begriffen werden, das die Lebenden diesen Gespenstern anbieten. Dabei kümmert sich der Ausführende darum, daß kein Kontakt mit den Adressaten des Ritus hergestellt wird [3. 135f.].

1 R. SCHILLING, Ovide interprète de la rel. romaine, in: REL 46, 1969, 222–235 2 I. R. DANKA, De Feralium et Lemuriorum consimili natura, in: EOS 64, 1976, 257–268 3 J. SCHEID, Contraria Facere: renversements et déplacements dans les rites funéraires, in: AION 6, 1984, 117–138.

G. THANIEL, L. und larvae, in: AJPh 94, 1973, 182–187 • G. WISSOWA, Rel. und Kultus der Römer, [2]1912, 235–236. FR. P.

**Lenaeus, Pompeius.** Suet. gramm. 15 berichtet neben einigen romantischen und unwahrscheinlichen Ereignissen aus dem Leben des jungen L., daß er ein Freigelassener des → Pompeius Magnus war, ihn auf fast allen seinen Feldzügen begleitete und nach dessen und seiner Söhne Tod (der letzte starb 35 v. Chr.) seinen eigenen Lebensunterhalt als Schullehrer in Rom verdient habe. Er blieb Pompeius so treu, daß er auf die Kritik gegen ihn in → Sallustius' *Historiae* mit einer *acerbissima satura*, einer äußerst scharfen Satire, reagierte, wobei er Sallust ein Ungeheuer in seinem Leben und Werk und einen unkundigen Plagiator von Catos archa. Sprachstil nannte. Eine Kette beleidigender Epitheta in lucilischem Stil aus diesem Werk wurde mit einiger Ungewißheit als Hexameter rekonstruiert; Sueton (gramm. 2,2) berichtet von L.' Behauptung (wohl aus jenem Werk), er habe → Lucilius [I 6] bei dem Grammatiker Laelius Archelaus studiert. All dies deutet auf eine Lebensspanne von etwa 95–25 v. Chr. Plin. nat. 25,5–7 (wahrscheinlich die Quelle von Gell. 17,16) berichtet, daß Pompeius P. L. beauftragte, die Schriften über den medizinischen Gebrauch von Pflanzen, die sich unter

Mithradates' Dokumenten befanden, ins Lat. zu übersetzen, und zit. dieses Werk einige Male.

COURTNEY, 145 • R. A. KASTER, Suetonius, De Grammaticis et Rhetoribus, 1995, 176–182, 339–341.

ED. C./Ü: TH. G.

**Lenaia** (Λήναια, die Lenäen). Name eines Dionysosfestes, das nach Ausweis des damit verbundenden Monatsnamens Lenaion in ganz Ionien verbreitet gewesen sein muß. Genauere Kenntnis des Festes haben wir jedoch nur aus Athen, wo die L. zusammen mit den → Anthesteria und den beiden → Dionysia Teil des winterlichen Festzyklus für → Dionysos waren. Sie fanden im Monat Gamelion (Jan./Feb.) statt und heißen in den Texten Dionysia ›am Lenaion‹ (ἐπὶ Ληναίωι), einem Ort im unteren Teil der Athener Agora. Sie umfaßten eine *pompḗ* (Prozession) und (seit dem 5. Jh.) Agone von → Tragödien und → Komödien (Gesetz bei Demosth. or. 21,10). Auffallend ist die Beteiligung des eleusinischen *dadúchos* (→ Mysteria), der eine Anrufung des → Iakchos leitet (schol. Aristoph. Ran. 479).

Der Name des Festes leitet sich, entgegen früherer Meinungen, nicht von der Weinpresse (ληνός/*lēnós*) her, sondern von den → Mänaden (auch λῆναι/*lḗnai* gen., Hesych. s. v.). Deswegen wurde eine Reihe von rf. Vasenbildern, welche Frauen vor einer Dionysosmaske, die an einem Pfahl aufgehängt ist, bei ekstatischem Tanz und Darbringung von Wein darstellen, auf die L. bezogen (»Lenäenvasen«); doch weil verwandte Bilder auf sog. Choenkrügen vorkommen, bleibt die Frage umstritten und kaum lösbar.

PICKARD-CAMBRIDGE/GOULD/LEWIS, 25–42 • A. FRICKENHAUS, Lenäenvasen, 1912 • F. FRONTISI-DUCROUX, Le dieu-masque. Une figure du Dionysos d'Athènes, 1991 • S. PEIRCE, Visual Language and Concepts of Cult on the »Lenaia Vases«, in: Classical Antiquity 17, 1998, 59–95.

F. G.

**Lenaios** (Ληναῖος). L. stammte aus → Koile Syria, war wohl ptolem. → *dioikētḗs* und fungierte nach dem Tod Kleopatras [II 4] I. zusammen mit Eulaios [2] als Regent für Ptolemaios VI. (von 176–169 v. Chr.). Als der Versuch einer Wiedereroberung Syriens im 6. Syr. Krieg (→ Syrische Kriege) gescheitert war, wurden die Regenten für das Desaster verantwortlich gemacht, weshalb ihr Bild in der Lit. bis zur Unkenntlichkeit verzeichnet ist (Diod. 30,15 f.).

F. WALBANK, A Historical Commentary on Polybius III, 1979, 355 f.

W. A.

**Lenocinium.** Ulpian (Dig. 3,2,4,2) definiert *l.* als gewerbsmäßige Verkuppelung von Sklavinnen und Freien, auch neben einer Tätigkeit als *balneator* (Bademeister), *caupo* (Gastwirt) u. a., und betont, daß häufig Frauen als *lenae* (Kupplerinnen) tätig seien (Dig. 23,2,43,9). *L.* löst zunächst nur → *infamia* aus und fällt unter die augusteischen Eheverbote (Ulp. 13,1 und 2). Die *lex Iulia de adulteriis coercendis* normiert *l.* als Straftatbestand (Dig. 48,5,2,2), der u. a. die Verkuppelung der Ehefrau, das Behalten der beim → *adulterium* (Ehebruch) ertappten Gattin, das Nichterheben oder Fallenlassen der Anklage wegen *adulterium* und auch die (Wieder-)Heirat mit der Verurteilten umfaßt. Spätere Gesetze bestätigen und verschärfen die Regelungen; bes. bestraft wird Prostitution eigener Kinder und Sklaven (Cod. Theod. 15,8,2; Cod. Iust. 11,41,6,1). Justinian setzt für jede Form der Mittäterschaft beim Ehebruch (Nov. 134,10; 556 n. Chr.) die Todesstrafe fest, gestattet aber die Wiederaufnahme der Ehebrecherin durch den Mann innerhalb von zwei Jahren.

→ Adulterium; Prostitution; Scheidung; Stuprum

A. M. RIGGSBY, L.: Scope and Consequences, in: ZRG 112, 1995, 423–427 • G. RIZZELLI, Il crimen lenocinii, in: Archivio Giuridico 210, 1990, 457–495.

C. E.

**Lentia.** Hauptort der Traunebene, verkehrsgeogr. am Kreuzungspunkt der Donau mit der Salzstraße nach Böhmen günstig gelegen, mit wohl urspr. kelt. Namen (vielleicht »die Krümmung, die Windung«), h. Linz an der Donau. Mit dem frühestens aus tiberischer Zeit stammenden Holz-Erde-Lager (0,66 ha, *ala I Thracum*?) schloß Noricum an die claudische Kastellreihe in Raetia westl. von Oberstimm an (dazw. nur Kleinkastelle); vor 160 n. Chr. zu einem viel größeres Steinkastell ausgebaut (*ala I Pannoniorum Tampiana Victrix*, um 200), beherbergte L. in der Spätzeit einen Teil der *legio II Italica* (Not. dign. occ. 34,38 *praefectus ... partis inferioris*) und berittene Bogenschützen (Not. dign. occ. 34,32 *equites sagittarii*). L. erlebte Zerstörungen in den Markomannenkriegen und im 3. Jh., Reorganisation unter Valentinianus I.; in der *vita Severini* des Eugippius wird L. nicht mehr erwähnt. Zu den Lagern gehörten eine reiche Zivilsiedlung, u. a. mit einem gallo-röm. Umgangstempel in der Altstadt (Hahnengasse) und einem Mithräum (→ Mithras), ferner ein großes, beigabenreiches Brandgräberfeld im Süden (h. Wurmstraße).

TIR M 33, 52 • E. M. RUPRECHTSBERGER, Zum römerzeitlichen Gräberfeld von L.-Linz, 1983 • K. GENSER, Der österreichische Donaulimes in der Römerzeit, 1986, 99–125.

K. DI.

**Lentienses.** Teilstamm (*pagus*) der → Alamanni nördl. des Bodensees (vgl. den späteren Linzgau). Gegen sie richtete sich 355 n. Chr. eine Strafaktion des *magister equitum* Arbetio und ein siegreicher Feldzug des Gratianus 378 (Amm. 15,4; 31,10,1–17).

R. ROLLINGER, Zum Alamannenfeldzug Constantius' II. an Bodensee und Rhein im J. 355 n. Chr., in: Klio 80, 1998, 163–194.

K. DI.

**Lentiscus** s. Mastix

**Lentulus.** Röm. Cognomen, volksetym. von *lens*, »Linse« abgeleitet (Plin. nat. 18,10), tatsächlich Diminutivform von *lentus*, »träge« [1. 249] in freundlich-spöttischer Bedeutung; nicht etr. Herkunft [so 2. 313;

3. 783]; nur in der Familie der Cornelier vorkommend: Cornelius [I 31–56]; [II 24–33].

1 KAJANTO, Cognomina 2 SCHULZE 3 WALDE/HOFMANN, 1. K.-L.E.

[1] In die frühe Kaiserzeit zu datieren ist der *mimographus* L.; ihm gehörte der verlorene → Mimus *Catinenses* (Tert. de pallio 4,1). Tert. apol. 15,1 stellt L. und den Mimographen Hostilius zusammen und weist ihnen eine Reihe skurriler Göttermimen zu. Fraglich muß bleiben, ob der Mimograph mit dem bei Iuv. 8,187f. genannten L. identisch ist, der in dem beliebten Laureolus-Mimus auftrat und sich mimisch kreuzigen ließ. Noch zur Zeit des Hieronymus waren L.' Mimen beliebt (Hier. epist. 147,3; Hier. adversus Rufinum 2,20).

M. BONARIA, Romani mimi, 1965, 82f., 137 • SCHANZ/HOSIUS, Bd. 3, 45–47. LO.BE.

## Leo

[1] *Praefectus urbi* unter Elagabal; s. → Domitius [II 17] Leo. W.E.

**[2] Leo Narbonensis.** Hochrangiger gallischer Senator (*vir spectabilis*), Nachkomme des Fronto [6], Dichter, Redner und Jurist. L. war als *consiliarius* (»Ratgeber«) der Könige → Euricus und → Alaricus [3] II. zw. ca. 475 und 484 n. Chr. (als Römer) der wichtigste Beamte im Westgotenreich. Er verfaßte Euricus' Reden, empfing für ihn Gesandte (so 474/475 die des Bischofs Epiphanios [2]), wirkte mit an der Kodifizierung des Westgotenrechts und war in fast alle Reichsangelegenheiten involviert. 477 erwirkte er bei Euricus die Rückkehr seines Freundes → Sidonius Apollinaris aus dem Exil und schlug diesem die Abfassung eines Geschichtswerks vor. L.s Stellung entsprach der des → Cassiodorus im Ostgotenreich. Hauptquellen: Sidon. epist. 4,22; 8,3; Sidon. carm. 23,446–454; Ennod. vita Epiphanii 85.

PLRE 2, 662f. • P. HEATHER, Goths and Romans, 1991, 64f. • H. WOLFRAM, Die Goten, [3]1990, 199; 224; 445 Anm. 9 (Lit.). M.MEI.

**[3] L. I., der Große.** Papst vom 29.9.440 bis 10.11.461. Tusk. Herkunft. Er beauftragte um 430 als Archidiakon → Cassianus mit der Widerlegung des → Nestorios und unterstützte die antipelagianische Haltung Roms. Als Papst war er bemüht um die Unverfälschtheit des Glaubens – gegen pelagianische, arianische, manichäische (443 in Rom) und (447 in Spanien) priscillianistische Strömungen – und um die kirchl. Ordnung im gesamten Reich: Wiederherstellung der hierarch. Ordnung in Mauretanien und Gallien (Arles, Vienne); Aufforderung an die Bischöfe Siziliens, 3 Vertreter zur jährl. röm. Provinzialsynode am 29. Sept. zu entsenden; 444 Bestellung eines Apostolischen Vikars für den Osten. Auf den christologischen Streit (→ Monophysitismus) mit → Eutyches [3] antwortete er im sog. Tomus vom 13.6.449 an den Patriarchen Flavianus von Konstantinopel: ›eine Person in zwei Naturen‹. Nach dem Scheitern der → Synode in Ephesos 449 (L.: »Räubersynode«, *latrocinium*) stimmte das Konzil von Chalkedon 451 dem röm. Lehrschreiben zu. L. erkannte 453 das Konzil an mit Ausnahme des Canon 28 (Konstantinopel mit gleichem kirchl. Rang wie Rom). Der Widerstand einer Minderheit führte 452/3 zu Tumulten in Palaestina und 457 zu Unruhen in Alexandreia, die L. zu weiteren Lehrschreiben veranlaßten. Als Führungspersönlichkeit mit dem Bewußtsein von der Kirche als Erbin des Imperium Romanum trat L. auch in polit. Mission auf: 440 Wahl zum Bischof von Rom während einer Gesandtschaft bei → Aetius [2] in Gallien; 452 bei Mantua erfolgreiche Verhandlung mit → Attila zum Abzug der Hunnen aus Italien; 455 Verhinderung von Brand und Mord bei der Plünderung Roms durch die Vandalen (→ Geisericus).

In L.s Denken spielt die Menschwerdung Christi die Hauptrolle; im Verständnis des Petrusamtes setzt er neue Akzente. Insgesamt ist er Bewahrer und Tradent der Entwicklung vor ihm. Lit. Werke: 97 Predigten (bahnbrechende textkrit. Ausgabe [2]; Übersetzungen [7]); 173 (erh.) Briefe zur kirchl. Lehre (davon 30 an ihn gerichtet), zu Disziplin und Organisation (Textausgaben [3; 4; 5; 6]; eine krit. Gesamtausgabe steht noch aus; Übersetzungen [8]); die Autorschaft von liturg. Texten ist im einzelnen strittig. L.s Werke sind von der päpstl. Kanzlei unter → Prosper Tiro in einer lat. Kunstsprache (*cursus leoninus*) redigiert.

1 PL 54 2 A. CHAVASSE (ed.) Sancti Leonis ... tractatus septem et nonaginta (CCL 138/138A), 1973
3 E. SCHWARTZ, Acta Conciliorum Oecumenicorum 2,1–4, 1932–1937 4 C. SILVA-TAROUCA, Textus et documenta, ser. theol. 9; 15; 20; 23, 1932–37 5 O. GUENTHER, CSEL 35, 1895–98 (Ndr. 1979) 6 W. GUNDLACH, MGH, Epp. 3, 1892
7 TH. STEEGER, L.s d. Gr. sämtl. Predigten, 2 Bde (BKV 54–55), 1927 8 S. WENZLOWSKY, Die Briefe der Päpste, Bd. 4–5 (BKV 51,53), 1878 9 H. ARENS, Die christolog. Sprache L.s d. Gr., 1982 (mit Lit.) 10 F. DI CAPUA, Il ritmo prosaico nelle lettere dei papi, Bd. 1, 1937, 3–204 11 H. R. DROBNER, Lehrbuch der Patrologie, 1994, 384–395
12 CHR. FRAISSE-COUÉ, s. v. Léon 1er, in: PH. LEVILLAIN et al. (Hrsg.), Dictionnaire historique de la papauté, 1014–1020
13 H.-J. SIEBEN, L. der Gr. über Konzilien und Lehrprimat des röm. Stuhles, in: Theologie und Philos. 47, 1972, 358–401 14 TH. STEEGER, Die Klauseltechnik L.s des Gr. in seinen Sermonen, 1908 15 B. STUDER, s. v. L. I., TRE 20, 737–741 (Lit.). H.AR.

### Oströmisch-byzantinische Kaiser

**[4] Leo(n) I.,** oström. Kaiser (457–474 n. Chr.), geb. um 400 im illyr. Dakien, aus dem thrak. Stamm der → Bessi, verheiratet mit → Verina (Βηρίνη), gest. am 18.1.474. Als Offizier niederen Ranges im Dienst des *magister militum* und Anführers der ostgotischen Föderaten Aspar (→ Ardabur [2]) wurde L. auf dessen Betreiben am 7.2.457 zum Kaiser erhoben. Aspar, der als Arianer (→ Arianismus) selbst den Kaiserthron nicht erlangen konnte, hoffte, sich durch Förderung L.', eines Anhängers der »orthodoxen« Lehre von Chalkedon, auf Dauer polit. Einfluß zu sichern. Die Kaiserkrönung vollzog erstmals ein Patriarch von Konstantinopel, Anatolios.

L. versuchte jedoch bald, sich aus der Bevormundung durch Aspar zu befreien. 459 schränkte er die Besoldung der von diesem angeführten ostgot. Föderaten ein, forderte aber dadurch ihren kriegerischen Widerstand heraus und mußte schließlich ihre Soldforderung erfüllen. Auch in der Folgezeit gingen von dieser mächtigen Truppe Unruhen aus. Unter der Protektion Aspars gewannen auch die monophysit. Kreise (→ Monophysitismus) in Äg. und Syrien erheblich an Einfluß. Doch schließlich gelang es L., mit Hilfe der Isaurier und ihres Anführers → Zenon Tarasikodissa, Aspars Macht zu brechen. Ca. 467 gab L. Zenon seine Tochter Ariadne, bis dahin verheiratet mit Aspars Sohn Patricius, zur Frau und erhob den Isaurier 469 zum *consul* und *magister militum*. 471 ließ er Aspar und seinen Sohn Ardaburius ermorden, was ihm den Beinamen *Makéllēs* (»Metzger«) eintrug.

Bereits zu Anf. seiner Regierung versuchte L., seine Macht auch auf den durch innere Unruhen geschwächten westl. Teil des röm. Reiches auszudehnen. Er ernannte den dort einflußreichen *magister militum* → Ricimer zum *patricius* und setzte im Einverständnis mit ihm im April 457 die Erhebung des → Maiorianus und 467 die des Anthemius [2] zu Kaisern durch.

Außenpolit. verzeichnete L. einige Erfolge. Die Hunnen, welche wiederholt in die Diözese Thrakien einfielen, wurden 468 geschlagen. Die innere Schwäche des Sasanidenreiches nutzte der Kaiser, um die zuletzt 442 vereinbarten alljährl. Zahlungen an die Perser einzustellen, aber auch, um mit Arabern im Grenzgebiet ein → *foedus* abzuschließen: Er ernannte Amrulkaïs, einen arabischen Fürsten auf der Insel Jotabe im Roten Meer, zum Phylarchen (Herrscher über mehrere Araberstämme), die er damit dem pers. Einflußbereich entzog. Ein großes Seeunternehmen 468 gegen den Vandalenkönig → Geisericus, dessen Leitung er → Basiliskos, einem Bruder seiner Gattin Verina, anvertraute, scheiterte jedoch völlig. Vergebens bemühte sich L., die Staatsfinanzen, die v.a. durch die hohen Kosten des Seekrieges zerrüttet waren, zu sanieren, insbes. durch Anhebung der Steuern, aber auch durch Gesetze gegen Steuerflucht unter dem Schutz sog. Patronate (Cod. Iust. 11,54,1 und 11,56).

ODB 2,1206f. • PLRE 2,663f. (L. 6) • Stein, Spätröm. R. 1, 524–535 • F. Tinnefeld, Die frühbyz. Ges., 1977.

**[5] Leo(n) II.**, oström. Kaiser (474 n. Chr.), Sohn des Isauriers → Zenon und der Tochter Leo(n)s I., Ariadne, geb. 467, gest. im Nov. 474. Er wurde von Kaiser Leon [4] I., seinem Großvater, der keinen Sohn hatte, im Okt. 473 zum Caesar (→ Hoftitel) und im Jan. 474 zum Augustus erhoben. Nach dessen Tod (18.1.474) wurde L. alleiniger Kaiser. Am 9. Febr. 474 ließ sich sein Vater Zenon von ihm zum Mitkaiser krönen und wurde nach L.' frühem Tod noch im gleichen J. sein Nachfolger.

ODB 2, 1207f.; PLRE 2, 664f. (L. 7).

**[6] Leo(n) III.** (Taufname: Konon?), byz. Kaiser (717–741 n. Chr.), geb. in Germanikeia/Syrien um 685, Begründer der Dynastie der → Isaurischen Kaiser, gest. am 18.6.741. Seit → Iustinianus [3] II. Offizier in byz. Diensten, kämpfte L. zunächst gegen die Abchasen, wurde unter → Anastasios [2] II. *stratēgós* und gewann am 25.3.717 den byz. Thron als Usurpator gegen → Theodosius III. Noch im gleichen J. gelang ihm die siegreiche Abwehr einer arab. Flotte von Konstantinopel. L. gilt als erster Ikonoklastenkaiser (→ Syrische Dynastie), doch beurteilt die neuere Forsch. sein offizielles Vorgehen (ab 730) gegen die Verehrung von Kultbildern eher als gemäßigt und erst die Politik seines Sohnes → Constantinus [7] V. als konsequent ikonoklastisch. Vielleicht war L. es, der das sog. Illyricum (byz. Territorien auf der westl. Balkanhalbinsel und in Süditalien) der Autorität des Papstes entzog und der Kirche von Konstantinopel unterstellte. Jedenfalls erhob er auch in diesen Gebieten – wie andernorts im Reich – zur Finanzierung des Krieges gegen die Araber und zum Ausbau der Mauern von Konstantinopel hohe Steuern. 740 gelang L. bei Akroinon in Phrygien ein weiterer entscheidender Sieg über die Araber. Er baute das seit dem 7. Jh. allmählich entstehende Verwaltungssystem der *thémata* (Militärprovinzen; → *théma*) weiter aus und veröffentlichte 741 ein der Situation seiner Zeit gemäßes Gesetzbuch, die *Ecloga* (griech.: → *Eklogḗ*).
→ Byzantion (mit Karte)

ODB 2,1208f. • D. Stein, Der Beginn des byz. Bilderstreites, 1980.

**[7] Leo(n) IV.** Byz. Kaiser (775–780 n. Chr.; → Isaurische Kaiser), geb. 25.1.750, Sohn → Constantinus' [7] V. und seiner chazarischen Gattin Irene, Mitkaiser seit 6.6.751, heiratete am 17.12.769 die Athenerin → Irene. Als er starb, war der Sohn aus dieser Ehe, Constantinus [8] VI. noch minderjährig. L.' kurze Regierungszeit prägten vor allem Kämpfe und Verhandlungen mit dem arab. Kalifat von Bagdad.

I. Rochow, Leon IV., in: R.-J. Lilie, Byzanz unter Eirene und Konstantin VI., 1996, 1–34.

**[8] Leo(n) V.** Byz. Kaiser (813–820 n. Chr.), gest. 25.12.820, Armenier, seit → Nikephoros I. Offizier in byz. Diensten, wurde *stratēgós* unter → Michael I., der ihm nach einer Niederlage gegen die Bulgaren am 11.7.813 die Herrschaft abtrat. L. leitete mit einer Synode in der → Hagia Sophia von Konstantinopel 815 die zweite Phase des byz. Ikonoklasmus (→ Syrische Dynastie) ein. Als fähiger Heerführer kämpfte er erfolgreich gegen Bulgaren und Araber. Er förderte seinen ehemaligen Kampfgefährten → Michael II., der ihm aber seine Gunst nicht dankte, sondern ihn ermordete und als sein Nachfolger die → Amorische Dynastie begründete. ODB 2, 1209f.

**[9] Leo(n) VI.** Byz. Kaiser (886–912 n. Chr.), geb. 19.9.866, Mitkaiser seit 870, gest. 11.5.912, wurde wegen vorzeitigen Todes seines älteren Bruders Constantinus als zweiter Sohn (Abkunft umstritten) → Basileios [5] I. dessen Nachfolger. Wegen seiner umfassenden Bildung erhielt L. den Beinamen »der Weise«. L. verfaßte u.a. kirchl. und profane Gedichte (Hymnen und Epigramme), Predigten und ein strateg. Handbuch. v.a. aber war er maßgeblich an der Abfassung von Gesetzes-Slgg. beteiligt: an der überarbeiteten Form der sog. *Basiliká*, einem auf justinian. Recht fußenden Rechtskodex seines Vaters, an einer großen Novellen-Slg. mit Korrekturen an den Novellen → Iustinianus' I., gemäß neuerer Forschung beide Dez. 888 abgeschlossen, sowie am sog. *Prócheiron* (einem kürzer gefaßten Handbuch des Rechts von 907). Da L.s drei erste Frauen nacheinander starben, ohne einen Sohn zu gebären, heiratete er 906 gegen das kanonische Verbot die Frau, die ihm bereits 905 → Constantinus [9] VII. geboren hatte. Damit brach ein länger andauernder Kirchenstreit um diese vierte Ehe aus (Tetragamiestreit).

Als Herrscher war L. eher glücklos. Innenpolit. war er zu nachgiebig gegenüber mächtigen Günstlingen, außenpolit. konnte er größere mil. Erfolge sowohl der Araber, die 904 sogar die bedeutende Stadt Thessalonike verheerten, wie auch der Bulgaren nicht verhindern.

LMA 5, 1891 • ODB 2,1210f. • J. H. A. Lokin u. a. (Hrsg.), Subseciva Groningana 3, Proceedings Symposium Groningen, 1989 (hier grundlegend zur Gesetzgebung des Kaisers: M. Th. Fögen, 23–36 und A. Schminck, 79–94). F. T.

**[10]** s. Löwe; Sternbilder

**Leobotes**

**[1]** s. Labotas

**[2]** (Λεωβώτης). Athener aus der Familie der → Alkmaionidai, erhob um das Jahr 467/6 v. Chr. gegen den bereits verbannten → Themistokles eine Eisangelie-Klage (→ *eisangelía*) auf Hochverrat und erreichte seine Verurteilung (Plut. Themistokles 23; Plut. mor. 605E; Krateros FGrH 342 F 11). Davies 9688,XII. HA.BE.

**Leochares** (Λεωχάρης). Griech. Bildhauer; die überl. Werke datieren vom mittleren 4. Jh. v. Chr. bis 320 v. Chr.; die Hauptschaffenszeit 372–369 v. Chr. bei Plinius ist daher zu früh. Der Ruhm des L. gründete sich auf Götterbilder und Porträts und führte zu korrupten Überl. Als lit. Erfindung gilt die Apollon-Statue eines noch jungen L., die Platon an Dionysios II. (um 365 v. Chr.) gesandt habe. Spätestens 354 v. Chr. (Tod des Auftraggebers Timotheos) schuf L. in Eleusis eine Bronzestatue des Isokrates. Um 352–349 v. Chr. arbeitete er mit → Bryaxis, → Skopas und → Timotheos am → Maussolleion in Halikarnassos; ebenda schuf er den kolossalen Akrolith des Ares, der auch Timotheos zugewiesen wurde. 338–336 v. Chr. entstand seine Familiengruppe des Philippos II. aus Goldelfenbein in Olympia. Mit → Lysippos arbeitete er noch 320 v. Chr. an der Bronzegruppe einer Alexanderjagd, die Krateros in Delphi weihte. Neun erh. Basisinschr. aus Athen reichen von der Mitte bis ins späte 4. Jh. v. Chr., so von einer mit → Sthennis angefertigten Familiengruppe. An Götterbildern von L. werden ein später in Rom als Iuppiter Tonans aufgestellter Zeus, ein weiterer auf der Akropolis, ein Apollon Anadumenos von der Agora sowie Zeus und Demos im Peiraieus gen. Problematisch ist die Überl. zur Statue des Pankratiasten Autolykos, der bereits 404 v. Chr. hingerichtet wurde; eine postume Weihung oder eine Verwechslung des Dargestellten ist möglich. Auch Korrektur des Bildhauernamens zu → Lykios oder Lykiskos wurde vorgeschlagen, denn Plinius nennt als Werk des L. den *Lyciscum mangonem puerum*, sonst als Darstellung eines Sklaven Mango bekannt. Als einziges Werk des L. läßt sich sein von Plinius beschriebener Ganymed in Umbildungen erkennen (Typus Vatikan). Nicht gesichert ist die Zuweisung des Amazonenfrieses vom Maussolleion an die von L. gearbeitete Westseite. Somit bleibt der Stil des L. weitgehend unbekannt, und Zuschreibungen weiterer Meisterwerke (Apoll von Belvedere, Artemis Louvre, Alexander Rondanini) sind spekulativ.

Overbeck Nr. 508; 1177; 1178; 1301–1313; 1491 • Loewy Nr. 77–83; 320–321; 505 • Lippold 257; 268–272 • G. Richter, The Sculpture and Sculptors of the Greeks, 1950, 284–286 • P. Arias, EAA 4, 565f. Nr. 1 • K. Jeppesen, The Maussolleion at Halikarnassos, 2, 1986 • Stewart 282–284 • B. S. Ridgway, Hellenistic Sculpture, 1, 1990, 93–95; 113–114; • L. Todisco, Scultura greca del IV secolo, 1993, 103–107; 123–125 • P. Moreno, Scultura ellenistica, 1994, 71; 74; 86; 117f. R. N.

**Leodamas** (Λεωδάμας).

**[1]** Der Athener L. aus Acharnai, ein geschickter Redner (Aristot. rhet. 2,23,25 1400a 31–35), wurde 382 v. Chr. in der → *dokimasía* als Kandidat für das eponyme Archontat (→ *árchontes*) wegen seiner polit. Rolle vor 403 zurückgewiesen (Lys. 26,13f.).

PA 9076 • Davies 13921, S. 523 • LGPN 2, s. v. Leodamas (2) • Traill, PAA 605085.

**[2]** Sohn des Erasistratos aus Acharnai, hervorragender athen. Rhetor, Schüler des → Isokrates (Plut. mor. 837D) aus begüterter Familie; Gesandter nach Theben 378/7 oder 371 (Aischin. Ctes. 138f.) und Anhänger einer thebenfreundlichen Politik (Aischin. Tim. 69; 111). L. bekämpfte erfolglos die Ehrenbeschlüsse für → Chabrias nach dessen Sieg bei Naxos 376 (Demosth. or. 20,146); 366/5 einer der Ankläger des Kallistratos und des Chabrias (Aristot. rhet. 1,7,13 1364a 19–20). 355 war L. → *sýndikos* im Streit um das Gesetz des → Leptines und Gegner des Demosthenes (Demosth. or. 20,146).

PA 9077 • Davies 13921, S. 523 • Develin 1781 • LGPN 2, s. v. Leodamas (3). J. E.

**[3] L. von Thasos**, Zeitgenosse Platons. Er soll (nach Diog. Laert. 3,24 und Proklos in Eukl. elem. 1,211,19–23) von → Platon die analytische Methode erlernt und mit ihr viele neue mathematische Sätze bewiesen haben.

T. L. HEATH, History of Greek Mathematics, 1921, Bd. 1, 213, 291 • K. VON FRITZ, s. v. L. (3), RE, Suppl. 7, 371–373.
M. F.

**Leogoras** (Λεωγόρας).
**[1]** Vater des Redners → Andokides [1], Mitglied einer altadeligen athen. Familie, die sich auf Telemachos und Hermes zurückführte und mit den → Alkmaionidai in Heiratsverbindungen stand (Hellanikos FGrH 323a F 24a-c; schol. Aristoph. Nub. 109). L. wurde von Aristophanes [3] wegen seines ausschweifenden und bes. verschwenderischen Lebenswandels verspottet. 426/5 v. Chr. leitete er eine Gesandtschaft zum Makedonenkönig Perdikkas II. (IG I³ 61, Z. 51; [1. 30; 2. 1 f.]). Von dem Vorwurf, an der Profanation der Mysterien beteiligt gewesen zu sein, konnte sich L. 415 durch eine erfolgreiche → *paránomōn graphḗ* befreien (And. 1,17). Die Beschuldigung, er habe seinen eigenen Vater denunziert, wies Andokides später zurück (And. 1,19–24). Von Diokleides wurde L. dann wegen der Verstümmelung der Hermen (→ Hermokopidenfrevel) denunziert und in Haft genommen, nach dem Geständnis des Andokides aber wieder freigelassen (And. 1,41; 47; 68) [2; 3. 537–550; 4. 66–68].

1 DAVIES 2 D. M. MACDOWELL, Andocides. On the Mysteries, 1962 3 M. OSTWALD, From Popular Sovereignty to the Sovereignty of Law, 1986 4 W. D. FURLEY, Andokides and the Herms, 1996.
W. S.

**[2]** L. von Syrakus. Griech. Grammatiker des 2. Jh. v. Chr. Eine fragwürdige Nachricht (im Grammatikerexzerpt des sog. *Anecdotum Parisinum* [1; 3. 280]; vgl. Isid. orig. 1,21,14) teilt mit, daß L. der erste gewesen sei, der das kritische Zeichen der → *diplḗ* benutzt habe, um die Homerverse, in denen *Ólympos* den Himmel als Sitz der Götter bezeichnet, von jenen zu unterscheiden, in denen der Berg gemeint ist. In diesem Fall hätte L., ein älterer Zeitgenosse des Aristarchos [4], einen bedeutenden persönlichen Beitrag zum System der → kritischen Zeichen geleistet. Doch kann es sich in Wirklichkeit um einen Schüler des Aristarchos und Verf. einer bes. Unt. zu diesem Problem handeln, woraus die obige Nachricht erwuchs [1].

1 A. GUDEMAN, s. v. Kritische Zeichen, RE 11, 1919
2 Ders., L. (3), RE 12, 2000 3 A. NAUCK (ed.), Lexicon Vindobonense, 1867 4 H. USENER, L. von Syrakus, in: RhM 20, 1865, 131–133.
F. M./Ü: T. H.

**Leokorion** s. Athenai [1]

**Leokrates** (Λεωκράτης).
**[1]** Sohn des Stroibos, einer der athen. *stratēgoí* in der Schlacht von Plataiai im J. 479 v. Chr., soll danach den Kampf zwischen Athenern und Spartanern um die Aufstellung des → Tropaion verhindert haben (Plut. Aristeides 20,1). Im Anschluß stiftete er in Athen ein Weihgeschenk (Epigramm des Simonides [1. Nr. 312]; IG I³ 983). Im J. 459/8 erneut zum *stratēgós* gewählt, schlug L. die Aigineten in einer Seeschlacht und legte einen Belagerungsring um die Insel (Thuk. 1,105,2–3; Diod. 11,78,3–4) [2].

1 P. A. HANSEN, Carmina Epigraphica Graeca, 1983
2 T. FIGUEIRA, Athens and Aigina, 1991, 106–109
3 DEVELIN 1785.
HA. BE.

**[2]** Vermögender Athener (Schmiedewerkstatt; Beteiligung an Zollpacht), floh unmittelbar nach der Niederlage der Griechen gegen Philippos II. bei Chaironeia 338 v. Chr. nach Rhodos; dort erzählte er von der angeblichen Belagerung des Piräus und der bevorstehenden Eroberung Athens durch die Makedonen. Danach betrieb er einige J. in Megara Handel mit Getreide, kehrte dann nach Athen zurück und wurde dort 331/30 von → Lykurgos aufgrund der Notstandsdekrete von 338 mit einer → *eisangelía* wegen Verrates angeklagt (Lykurg. 19 und 78; Plut. mor. 843E). Nur Stimmengleichheit unter den Richtern führte zum Freispruch (Aischin. Ctes. 252). Die Leokratesrede ist ein wichtiges Zeugnis für den fanatischen Patriotismus des Lykurgos.

PA 9083 • DAVIES 9173, S. 344 • LGPN 2, s. v. Leokrates (3).
J. E.

**Leon** (Λέων). Vgl. auch → Leo.
Byz. Kaiser → Leo [4–9]. Sizil. Ort L. [13].
**[1]** Spartan. König, Agiade (→ Agiadai), Großvater des → Kleomenes [3] I. (Hdt. 5,39); soll mit seinem Mitkönig Agasikles im frühen 6. Jh. v. Chr. erfolgreich Krieg geführt haben, aber gegen Tegea gescheitert sein (Hdt. 1,65). Vor seiner Zeit soll in Sparta bereits *eunomía* (»gute Ordnung«) erreicht worden sein [1. 45 ff.].

1 M. MEIER, Aristokraten und Damoden, 1998.
K.-W. WEL.

**[2]** Tyrann von → Phleius. Alle Überl. kommt von Herakleides Pontikos (fr. 87 WEHRLI = Diog. Laert. 1,12; fr. 88 = Cic. Tusc. 5,3 f./8 f.; Sosikrates fr. 17 FHG 4,503 = Diog. Laert. 8,8). Pythagoras, 532 v. Chr. (Cic. rep. 2,28) auf dem Weg von Samos nach Kroton, habe sich im Gespräch mit dem vornehmen (*princeps*: ebd.) L., Tyrann von Sikyon oder Phleius (Diog. Laert.), als erster mit dem Wort Philosoph bezeichnet. Ausgangspunkt der platon. gefärbten Legende wird die bei Diogenes Laertios (8,46; vgl. Plat. Phaid. 57a) und Iamblichos (Iambl. v.P. 251) für Phleius bezeugte Pythagoreergemeinde sein [1. 553 f.].
→ Tyrannis

1 O. GIGON, Cicero. Tusculanae Disputationes, ²1970.

H. BERVE, Die Tyrannis bei den Griechen, 1967, 35, 536 f. • L. DE LIBERO, Die archa. Tyrannis, 1996, 219, 407.
J. CO.

**[3]** Spartiat, Vater des → Antalkidas (Plut. Artaxerxes 21) und des → Pedaritos (Thuk. 8,28,5); zusammen mit Alkidas und Damagon Stadtgründer (*oikistḗs*) von Herakleia [1] Trachinia (Thuk. 3,92,5); mit → Endios und Philocharidas als Gesandter Spartas 420 v. Chr. in Athen von Alkibiades [3] mit weitreichenden polit. Auswirkungen getäuscht und brüskiert (Thuk. 5,44–46); 419/8 eponymer Ephor (Xen. hell. 2,3,10 ; → *éphoroi*).
K.-W. WEL.

[4] Athener, einer der Gesandten, die 422/1 v. Chr. in Sparta den Nikiasfrieden und die athen.-spartanische Symmachie beschworen (Thuk. 5,19,2; 24,1). Als *stratēgós* 412/1 leitete L. mit → Diomedon [2] Unternehmungen gegen Lesbos, Chios und Rhodos (Thuk. 8,23 f.; 54 f.). 411 unterstützten beide die Samier bei der Wiederherstellung der Demokratie (Thuk. 8,73,4 f.). Trotzdem wurde L. nach dem oligarch. Putsch in Athen 411 von den Athenern auf Samos mit den anderen *stratēgoí* abgesetzt (Thuk. 8,76,2), war aber nach Wiederherstellung der Demokratie offenbar wieder *stratēgós* (Lys. 20,29). 406 wurde L., erneut als *stratēgós*, mit → Konon [1] von der peloponnes. Flotte unter → Kallikratidas im Hafen von Mytilene eingeschlossen (Xen. hell. 1,5,16; 6,16). Während der Blockade ist L. offenbar gefallen oder in Gefangenschaft geraten (vgl. Xen. hell. 1,6,29 f.; 7,1 f.). TRAILL, PAA 605445.
→ Peloponnesischer Krieg W.S.

[5] L. war 367 v. Chr. athen. Gesandter zu König → Artaxerxes [1] I. zusammen mit Timagoras, den er nach der Rückkehr aus Susa in Athen erfolgreich wegen Bestechung und Verrat anklagte (Xen. hell. 7,1,33–38; Demosth. or. 19,191 und schol. Demosth. or. 19,137 = 297 DILTS; TOD 139,1–4).

PA 9101 • TRAILL, PAA 605430 • J. HOFSTETTER, Die Griechen in Persien, 1978, Nr. 193. J.E.

[6] Griech. Mathematiker, um 400 v. Chr. Er hat, ebenso wie → Hippokrates [5] von Chios, schon vor → Eukleides [3] ›Elemente‹ (Στοιχεῖα/*Stoicheía*) der Mathematik verfaßt (Proklos in Eukl. elem. 1,66,18–67,1).

T. L. HEATH, The Thirteen Books of Euclid's Elements, 1925, Bd. 1, 116. M.F.

[7] Sohn des Leon, aus Byzantion, war Schüler → Platons in Athen, Freund → Phokions, wegen seiner Schlagfertigkeit als *sophistḗs* berühmt (Plut. Nikias 22,3; Plut. Phokion 14,7.; Philostr. soph. 1,2; Suda s. v. L.). In Byzantion hatte er eine führende Stellung und ging als Gesandter nach Athen, um dessen Bündnis mit Byzantion gegen Philippos II. von Makedonien zu festigen. Als dieser 340 v. Chr. Byzantion belagerte, nahm L. Phokion und die athen. Flotte in die Stadt auf und leitete mit Erfolg den Widerstand. Philipp rächte sich mit der Verleumdung, L. habe Phokion in die Stadt gelassen, weil dieser mehr Geld als er selbst geboten habe. Darauf strömte das Volk vor das Haus des L., und er erhängte sich aus Furcht vor der Steinigung (Suda l.c.). Da sein Tod spätestens 336 erfolgt sein muß, sind die in der Suda genannten Schriften L.s über den Heiligen Krieg (→ Heilige Kriege) und zur Gesch. Philipps und Alexandros' [4] d.Gr. einem gleichnamigen Historiker zuzuweisen, einem Schüler des Aristoteles, der mit L. verwechselt wurde. FGrH 132 mit Komm. [1. 235, 468] bezweifelt den Selbstmord des L. und identifiziert daher L. mit dem Verf. der histor. Schriften; so auch [2. 97–100].

1 BERVE 2 2 K. TRAMPEDACH, Platon, die Akademie und die zeitgenöss. Politik, 1994. W. ED. u. H. VO.

[8] L. von Pella (?). Griech. Autor eines Werkes über die äg. Götter in Form eines apokryphen Briefes Alexanders d. Gr. an seine Mutter Olympias: danach waren die Götter urspr. Menschen und Kulturbringer, Hephaistos aber der erste König des äg. Urvolkes; nach diesem bildeten sich die Götterdynastien heraus u. a. L. ist zeitlich nach → Hekataios [4] und → Euhemeros, vermutlich ins 3. oder auch 2. Jh. v. Chr. einzuordnen. Über sein Leben ist nichts bekannt, sicher war er kein äg. Priester. Fr.: FGrH 659.

J. S. RUSTEN, Pellaeus Leo, in: AJPh 101, 1980, 197–201. HE. K.

[9] Niedriger Beamter in ptolem. Diensten, dessen Laufbahn durch verschiedene Papyri eines eigenen Archivs von 251/48 bis 232/29 v. Chr. verfolgt werden kann; er ist zuletzt Toparch in Philadelphia und wird mehrfach im Zenon-Archiv (→ Zenon-Papyri) erwähnt. L. ist vielleicht auch identisch mit einem Begleiter Zenons in Palaestina (259). PP I 1110/VIII 556 a; VI 16424.

P. W. PESTMAN, A Guide to the Zenon Archive, 1981, 72. W.A.

[10] Byz. Philosoph, Mathematiker und Astronom, 9. Jh. n. Chr., Neubegründer der Madaura-Universität (Konstantinopel, 855/6). Ihm verdanken wir eine Rezension platonischer Texte und die wichtigen Hss. des → Eukleides [3] und des → Archimedes [1]. Ferner sind Vorlesungsaufzeichnungen seines Schülers → Arethas erh. L. verwendete Buchstaben als Variable für Zahlen. Die Identität mit dem Iatrosophisten L. ist umstritten.

H. GERICKE, Mathematik im Abendland, 1990, 55 f., 333 • HUNGER, Literatur 1, 18 f.; 2, 237–239, passim. H. A. G.

[11] **L. Diakonos.** Historiker und Diakon im Kaiserpalast von Konstantinopel, lebte von ca. 950 bis nach 992 n. Chr. Sein Geschichtswerk schildert die Ereignisse der J. 959–976 mit gelegentlichen Exkursen in spätere Zeiten. Das Werk ist in archaisierendem Griech. abgefaßt und verherrlicht insbes. die Taten des Kaisers → Nikephoros II. Phokas.

C. B. HASE (ed.), Leonis Diaconi Caloënsis Historiae libri X, 1829 • F. LORETTO, Nikephoros Phokas, »Der bleiche Tod der Sarazenen«, 1961 (dt. Übers.). AL. B.

[12] **L. Grammatikos** s. Symeon Logothetes

[13] Ort an der sizil. Ostküste im Norden von Syrakusai, ›6 oder 7 Stadien von Epipolai‹ (Thuk. 6,97,1; [1. 827 f. Karte]) oder ›5 Meilen von Hexapylon‹ entfernt (Liv. 24,39,13 [1. 833 f. Karte]). Thuk. berichtet von der Landung der Athener 414 v. Chr. bei L. (→ Peloponnesischer Krieg); nach Liv. schlug Marcellus 214 sein Winterlager hier auf. Da sich die zwei überl. Distanzangaben widersprechen, ist die Lokalisierung von L. bei Casa delle Finanze [2. 385 f.] nur unter Annahme eines Irrtums oder der Verderbnis in einem dieser Quellentexte denkbar.

1 H.-P. DRÖGEMÜLLER, s. v. Syrakusai, RE Suppl. 13, 815–836 2 A. HOLM, Gesch. Siziliens 2, 1874. E.O.

**Leonidas** (Λεωνίδας). Vgl. auch → Leonides.

**[1]** Spartan. König, Agiade (→ Agiadai), Sohn des Anaxandridas, etwa 490/89 v. Chr. Nachfolger seines Stiefbruders Kleomenes [3] I. L. erhielt 480 nach der Räumung der Tempe-Stellung den Auftrag, die → Thermopylen gegen das Heer des → Xerxes zu verteidigen, während die griech. Flotte bei → Artemision (Nordeuboia) die Weiterfahrt der pers. Geschwader vereiteln sollte (Hdt. 7,175). L. verfügte allenfalls über 8000 Mann (darunter 1000 → Perioiken und 300 Spartiaten), doch vertraute man der Stärke des von L. errichteten Riegels und glaubte, daß L. den Abfall griech. Gemeinwesen an die Perser entlang ihrer Marschroute verhindern können würde, bis Verstärkungen einträfen (Hdt. 7,206). L. konnte vorerst auch die Stellung halten, ließ indes den Anopeia-Paß nicht ausreichend sichern. In der Nacht vor dem 3. Kampftag umgingen die Perser die Stellung des L., das Gros seiner Streitmacht konnte sich zurückziehen, die Thebaner im Heer des L. kapitulierten, 300 → Spartiaten und etwa 700 Thespier leisteten Widerstand, wurden jedoch durch Fernwaffen aufgerieben (Massenfund von Pfeilspitzen).

Der Bericht Herodots (7,205–239) läßt viele Fragen offen, doch kann man weder L. Unfähigkeit vorwerfen noch von einem sinnvollen Opfertod des L. zur Rettung der griech. Flotte sprechen, denn diese hatte sich noch längst nicht abgesetzt, als der Widerstand in den Thermopylen erloschen war. Entscheidende strateg. Fehler waren schon im griech. Kriegsrat gemacht worden, der weder für eine ausreichende Logistik noch für Eingreifreserven gesorgt hatte. Die Glorifizierung des L. erfolgte erst nach den griech. Siegen bei Salamis und Plataiai. Etwa 40 J. später wurden L.' Gebeine nach Sparta überführt und dort kult. Ehren mit jährl. Agon und Epitaphios eingeführt (Paus. 3,14,1; IG V 1,660).

Kampf und Tod des L. und seiner 300 Spartiaten gewannen bei der Nachwelt eine Art Eigenleben, das von schwärmerischer Apotheose bis zu scharfer Kritik reichte. Der bisher schändlichste Mißbrauch des von → Simonides verfaßten Grabepigramms (»Wanderer, kommst Du nach Sparta...«; Hdt. 7,228; Cic. Tusc. 1,101) findet sich in einer Rundfunkrede GÖRINGS (30.1.1943) anläßlich des Untergangs der 6. Armee (»... du habest uns in Stalingrad liegen gesehen ...«).
→ Perserkrieg; SPARTA

N. G. L. HAMMOND, Sparta at Thermopylae, in: Historia 45, 1996, 1–20 · J. F. LAZENBY, The Defence of Greece 490–479 B. C., 1993, 117–150 · G. B. PHILIPP, Wie das Gesetz es befahl?, in: Gymnasium 75, 1968, 1–45 · G. J. SZEMLER, W. J. CHERF, J. C. KRAFT, Thermopylai, 1996.

**[2] L. II.** Spartan. König, Agiade (→ Agiadai), Vater des Kleomenes [6] III., nach seiner Rückkehr vom Seleukidenhof etwa 262 v. Chr. Vormund seines Großneffen Areus [2] II. und »Regent«, König etwa 254. Als Gegner der Reformpläne des Agis [4] IV. wurde L. 243 zur Flucht nach Tegea gezwungen, aber 241 von den → *ephoroi* und Feinden des Agis zurückgeholt, den L. hinrichten ließ. L. starb 235 (Pol. 4,35,11; Plut. Agis 3; 11; 16ff.; Paus. 3,6,7–9.).

P. CARTLEDGE, A. SPAWFORTH, Hellenistic and Roman Sparta, 1989, 44ff. K.-W. WEL.

**[3] L. von Tarent.** Hauptschaffenszeit zw. Ende des 4. und Mitte des 3. Jh. v. Chr. [1]. Bed. Epigrammdichter des »Kranzes« des Meleagros (vgl. Anth. Pal. 4,1,15), wichtigster Vertreter der peloponnesischen Schule (→ Epigramm E.). Mehr als 100 Gedichte sind erh., zumindest 92 sicher zugewiesen (eines davon auf Papyrus überl., POxy. 662), die auch einige biographische Informationen enthalten. Auf die Geburtsstadt des Dichters verweisen die Gedichte über die Waffen, die den Lucanern abgenommen wurden (Anth. Pal. 6,129 und 131; vgl. auch 7,715), während die Verbindung mit Epeiros, wohin L. sich vor der Eroberung von Tarent durch Rom (272 v. Chr.) begab, in den Epigrammen zum Preis des Neoptolemos (6,334), des Mitregenten des Pyrrhos (der ihn 295 umbringen ließ), und des → Pyrrhos selbst dokumentiert ist (6,130 feiert dessen Sieg über Antigonos Gonatas von 273). In der Folgezeit zog L. wahrscheinlich auf der Peloponnes (Arkadien, Sparta) umher, dann nach Athen, Thespiai, Kos und Kleinasien: darauf scheint das Epigramm anzuspielen, das einen Weltenbummler auffordert, seine unsteten Wanderungen zu beenden, um sich mit einer einfachen Hütte und einem Stück Brot zu begnügen (7,736). Kynisches Gedankengut zeigt sich hier als eines der Leitmotive des L.: die Glorifizierung der Genügsamkeit und der einfachen Lebensweise, die den einzigen Fixpunkt einer pessimistischen Weltanschauung darzustellen scheint, welche die Verlockungen der Metaphysik ablehnt und jede Wiss. für zwecklos erklärt (7,472).

Die Werke des L., zum größten Teil Grab- und Weiheepigramme (ein einziges erotisches Epigramm: 5,188, vgl. jedoch 9,563), weisen eine große Vielfalt und Originalität der Themen auf, was zur Erklärung seiner starken Wirkung auf die spätere Epigrammdichtung und seines Ruhmes in der lat. Welt beiträgt (zahlreiche Reprisen bes. bei Properz, Ovid und Cicero; eines seiner Epigramme findet sich sogar auf einer pompeijanischen Wand wieder: 6,13 = EpGr 1104). Hervorstechend ist die Vorliebe für Abenteuerliches (7,504 usw.) und überraschende Situationen, durchaus mit makabren Momenten (7,472; 478; 506 usw.). Hinzu treten auch scherzhafte Akzente (6,302: eine Aufforderung an die Mäuse, sich bessere Aufenthaltsorte zu suchen, als er selbst einen hat) sowie offen satirische (6,293; 298; 305; 7,455; 648 usw.), priapeische (10,1; 16,236; 261) und symposiastische (7,452) Töne; daneben stehen Landschafts- und bukolische Motive (6,334; 7,657; 9,326 usw.), Gedichte auf Tiere (6,120; 7,198), aber vor allem Epitymbien auf Dichter der Vergangenheit (von Homer bis Aratos). Typisch für L. sind bes. die Weihungen von Gebrauchsgegenständen durch arme Leute, die zum ersten Mal mit ihren Problemen und ihrem Elend in den Vordergrund gestellt werden. Als eigenartiger Kontrapunkt zu dieser Tendenz, die unteren Schichten der Ges. zu porträtieren – die in der bildenden Kunst von Zeitgenossen wie → Apelles und → Lysippos ein Pendant hat –, fungiert der prunkvolle, barocke Stil (der reich an geschraubten Spielen mit Gleichklang, Reim und Antithesen, an kühnen Komposita, Neubildungen und *hapax legomena* ist), mit dem der »gelehrte Dichter« einem so einfachen Gegenstand lit. Würde verleihen will. Eine herzliche Zuneigung zur Welt des einfachen Volkes tritt hervor, die seinen »Realismus« in gewissem Maß von dem gewollt ironischen und gewitzten Realismus einiger seiner Zeitgenossen unterscheidet.

1 M. GIGANTE, L'edera di Leonida, 1971, 37–42.

P. LÉVÊQUE, Pyrrhos, 1957, 566f., 675f. • GA I 1, 107–139; 2,307–398. M.G.A./Ü: T.H.

**[4]** Verwandter der → Olympias, ein Mann von strengem Charakter, überwachte bis zur Bestellung von → Aristoteles [6] die Erziehung des jungen → Alexandros [4]. Alexandros soll ihm aus Asien großartige Gaben geschickt haben.

BERVE, Nr. 469.

**[5]** Offizier des → Antigonos [1], half diesem 319 v. Chr., eine Meuterei maked. Soldaten friedlich beizulegen (Polyain. 4,6,6). L. könnte mit einem um 330 bezeugten Offizier Alexandros' [4] d.Gr. identisch sein (Curt. 7,2,35). E.B.

**[6]** L. aus Sparta. Vom Achaierbund um 173/2 v. Chr. wegen mißliebiger Kontakte zu → Perseus verbannt, führte L. im 3. Maked. Krieg (171) eine Schar von 500 griech. Soldaten auf Seiten des Königs an (Liv. 42,51,8).

J. DEININGER, Der polit. Widerstand gegen Rom in Griechenland, 1971, 145[16]. L.-M.G.

**[7]** L. von Alexandreia (Dichter) → Leonides [3]; (Arzt) → Leonides [4].

FGE 503, Anm. 3.

**[8]** Der auch als *Leonides* überl. Architekt aus Naxos gilt nach einer in Olympia gefundenen Inschr. (IvOl 5, Nr. 651) als Erbauer und zugleich Stifter des von Paus. (5,15,2) erstmals nach dessen Namen benannten *Leonodeion*, einem großflächigen Gästehaus außerhalb der Altis des Heiligtums; laut Pausanias befand sich in dem Gebäude z.Z. seiner Beschreibung der Baulichkeiten das Quartier der röm. Statthalter bzw. die repräsentative Wohnung röm. Offizieller. Eine Ehrenstatue des L. soll in der Nähe des Gebäudes gestanden haben.
→ Olympia; Versammlungsbauten

H. SVENSON-EVERS, Die griech. Architekten der archa. und klass. Zeit, 1996, 380–387 (Quellen und Sek.-Lit.). C.HÖ.

**Leonides** (Λεωνίδης). Vgl. auch → Leonidas.

**[1]** General Ptolemaios' I., 310/309 v. Chr. *stratēgós* in Kilikia (Diod. 20,19,4). L. weihte wohl 309/308 einen Helm in Delos (IG XI 2, 161 B 77), und wurde 308 von Ptolemaios als Kommandant seines griech. Besitzes eingesetzt. 307/306 fungierte L. als *stratēgós* in Sikyon und Korinth; nach 301 kommandierte er zusammen mit → Philokles (?) ptolem. Söldner in Pamphylien (SEG 17, 639; Aspendos). Es ist unklar, ob er mit BERVE, Bd. 2, Nr. 470 zu identifizieren ist.

R. BAGNALL, The Administration of the Ptolemaic Possessions Outside Egypt, 1976, 111f. • H. HAUBEN, Het Vlootbevelhebberschap in de vroege Diadochentijd, 1975, 51ff. Nr. 19.

**[2]** Sohn des Philotas, Makedone, *tōn prṓtōn phílōn* und Gymnasiarch in Alexandreia, wohl 88/87 v. Chr., geehrt von seinem Sohn L., ebenfalls *tōn prṓtōn phílōn* und Gymnasiarch (→ Hoftitel B. 2.).

L. MOOREN, The Aulic Titulature in Ptolemaic Egypt, 1975, 183 Nr. 0339. W.A.

**[3]** (oder Leonidas), spätes 1. Jh. n. Chr., griech. Arzt in Alexandreia. Der Verf. einer ps.-galenischen *Introductio* (14.684 K.) bezeichnete sich selbst als »Episynthetiker«. Unklar ist, ob damit gemeint ist, daß L. ein medizinisches Denken vertrat, das Lehrmeinungen unterschiedlichster medizinischer Richtungen einschließlich der methodischen und pneumatischen amalgamierte, oder daß er dem Beispiel eines anderen Episynthetikers namens → Agathinos folgte (vgl. Ps.-Galen, Definitiones medicae, 19,353 K.) und sich daher sein Epitheton Episynthetiker erklärt. Einige seiner chirurgischen Verfahren bei Schädeloperationen wurden zur Nachahmung empfohlen, so von dem im späten 1. Jh. n. Chr. wirkenden Ophthalmologen Severus, von Aetios [3] (*De medicina* oder *Libri medicinales* 7,93) oder von Paulos von Aigina (*De medicina* 6,8). Gleiches gilt für seine Empfehlungen zum Umgang mit komplizierten Krankheiten wie z. B. Fistelbildungen und Krebserkrankungen. → Caelius [II 11] Aurelianus (De morbis acutis 2,1,7) schloß sich seiner Definition der Lethargie zwar an, lehnte jedoch seine Erklärung ab, die Krankheit sei Folge einer Blockade der Kanäle im Gehirn.
→ Methodiker, Pneumatiker V.N./Ü: L.v.R.-B.

**[4] L. von Alexandreia**. Verf. von zumindest drei Epigramm-B., urspr. Astronom (vgl. Anth. Pal. 9,344), im 1. Jh. n. Chr. in Rom tätig. Erh. sind 42 glänzende Gedichte, fast alle isopsephisch (der Zahlenwert der Buchstaben in den beiden Distichen oder in den beiden Versen eines Distichon ist gleich). Den traditionellen Themen fügt L. das Epigramm als Geburtstagsgeschenk hinzu: Die Adressaten sind zum größten Teil Mitglieder der kaiserlichen Familie (von Agrippina bis zu Poppaea, von Nero bis Vespasian).

FGE 503–541. M.G.A./Ü: T.H.

**Leonnatos** (Λεόννατος). L., geb. um 356 v. Chr., aus dem Königshaus von Lynkestis (→ Lynkos), vielleicht Sohn eines Anteas, nahm 336 an der Verfolgung des Mörders von → Philippos II. teil. Als einer seiner

→ Hetairoi wurde L. von Alexandros [4] d.Gr. mit einer Trostbotschaft zur Familie des → Dareios [3] geschickt (Arr. an. 2,12,5; ebenso Curt.; Diod.). Unter die → *sōmatophýlakes* (»Leibwächter«) aufgenommen (Arr. an. 3,5,5), nahm L. am Staatsstreich gegen → Philotas teil (Curt. 6,8,17) und versuchte, die Tötung von → Kleitos [6] zu verhindern. Den Plan, die → *proskýnēsis* einzuführen, vereitelte L. durch sein Gelächter (Arr. an. 4,12,2). Das beleidigte den König, der ihm in Ostiran und Indien nur kleinere, nie selbständige Aufträge anvertraute. Bei den → Malloi rettete L. zusammen mit → Peukestas Alexander das Leben (Curt. 9,10,19; Arr. an. 6,10) und führte dann bei → Patala das Kommando über die Truppen zu Lande. L. kämpfte erfolgreich gegen die → Oreitai und gründete dort eine Kolonie (Arr. an. 6,22,3). Bei der »Siegesfeier« in Susa wurde L. vom König hoch geehrt (Arr. Ind. 23,5). Nach dessen Tod (323) unterstützte L. → Perdikkas, der ihm die Satrapie → Daskyleion [2] übertrug (Arr. succ. 6; Curt. 10,10,2). Als aber → Kleopatra [II 3] ihm ihre Hand anbot, begann L., auf den Thron abzuzielen (Plut. Eumenes 3), umgab sich mit pers. Luxus (Arr. succ. 12) und verbündete sich mit Perdikkas' Feinden. 322 gelang es ihm, Antipatros [1] in der Schlacht von → Lamia zu entsetzen, doch fiel er in der Schlacht (Diod. 18,14f.).
→ Alexandros [4]

Heckel, 91–106. E.B.

**Leonnorios** (Λεωννώριος; Λεωννόριος; lat. Lonorius). Galatischer Stammesfürst mit kelt. Namen. L. befehligte als Führer der → Tolistobogioi zusammen mit → Lutarios eine ca. 20000 Personen starke Wandergruppe, die sich 279/278 v. Chr. vom Heer des Brennus [2] getrennt hatte, durch Thrakien und die → Propontis zog und → Byzantion bedrängte. Die Kelten konnten einen großen Teil der Städte der Propontis sowie der thrak. Chersonesos [1] zur Zahlung von Tributen zwingen, wurden dann aber von → Nikomedes I. von Bithynien als Söldner angeworben. Der mit 17 Häuptlingen und ihren beiden Führern geschlossene Vertrag ist bei Memnon von Herakleia überliefert (FGrH 434 F 11,2 = StV 3, Nr. 469). Dieser sicherte den Kelten für ihre immerwährende Bündnistreue v.a. Land zu. Nach ihrem Übergang nach Kleinasien 278 wurde der aufrührerische Bruder des Nikomedes, → Zipoites, 277 geschlagen. Die Kelten wurden dann gegen Antiochos [2] I. in Einsatz gebracht und zogen unter dem Oberbefehl des L. selbständig operierend durch die Küstenzone Ioniens nach Süden. Nach Abschluß des Feldzuges nahmen sie 274–271 das ihnen von Nikomedes in Nordphrygien zugeteilte Land in Besitz (Memnon FGrH 434 F 11,1–4; Liv. 38,16,1–15; Strab. 12,5,1). L. ist dann um 271 (?) noch einmal inschr. auf einem Dekret aus Erythrai erwähnt (Syll.[3] 410).
→ Galatia; Kelten (mit Karte)

K. Strobel, Die Galater, 1, 1996, 236–257. W.SP.

**Leonteus** (Λεοντεύς, »Löwe«).
**[1]** Sohn des → Koronos. Er führt zusammen mit → Polypoites vor Troia das Kontingent der → Lapithai an. Sie verteidigen zusammen auch das Lager der Griechen und nehmen an den Leichenspielen für Patroklos teil (Hom. Il. 2,745 ff.; 12,128 ff.; 23,837 ff.).

H. W. Stoll, s. v. L., Roscher 2, 1944–1945. RA.MI.

**[2]** L. von Lampsakos, einer der bedeutendsten Schüler des → Epikuros. L. und seine Frau → Themista lernten Epikur während dessen Aufenthalts in Lampsakos kennen. Erhalten sind Reste von Briefen des letzteren an L., die nach der Rückkehr nach Athen verfaßt wurden (307/6 v. Chr.). Von L.' Leben oder seinem Denken wissen wir fast nichts. Weitere Einzelheiten über L. könnte man gewinnen, wenn man die Hypothese von [1] akzeptiert, daß ein größerer Abschnitt aus den *Pragmateíai* des Philodemos (PHercul. 1418, col. VII-XVIII) Reste einer L.-Biographie enthält (dagegen [2]). Wahrscheinlich wich L. von der kanonischen Lehrmeinung des Meisters nicht sonderlich ab.

1 A. Angeli, Verso un' edizione dei frammenti di Leonteo di Lampsaco, in: M. Capasso, G. Messeri, R. Pintaudi (Hrsg.), Miscellanea Papyrologica, 1990, 59–69
2 C. Militello (ed.), Memorie epicuree (PHerc. 1418 e 310), 1997, 47–49. T.D./Ü: J.DE.

**Leontiades** (Λεοντιάδης).
**[1]** Thebaner, Anführer des Aufgebots, das auf Befehl des → Leonidas [1] an der Schlacht um die → Thermopylen (480 v. Chr.) teilnehmen mußte. Die Thebaner standen im Verdacht einer propersischen Gesinnung und liefen während des Kampfes tatsächlich zu den Persern über (Hdt. 7,205; 233). E.S.-H.
**[2]** (Plut.: Λεωντίδης), theban. Politiker, Anführer prospartan. gesinnter Besitzender (Hell. Oxyrh. 15 Bartoletti; Xen. hell. 5,2,25f.). L. hatte im Dekeleischen Krieg (→ Dekeleia) maßgeblichen Einfluß (Hell. Oxyrh. 15), verlor ihn aber 404 v. Chr. sukzessive an → Ismenias [1]. L. beseitigte durch Verrat seine Gegner, indem er für Sparta die Besetzung der Kadmeia ermöglichte (→ Phoibidas) und Ismenias' Hinrichtung betrieb (Xen. hell. 5,2,25–36; vgl. Plut. Agesilaos 23; Plut. Pelopidas 5; Plut. mor. 575F; Diod. 15,20). Bei der Befreiung Thebens 379 wurde L. umgebracht (Xen. hell. 5,4,2–12 und 19; vgl. Plut. Agesilaos 24; Plut. Pelopidas 11; Plut. mor. 575F; 597D-F; 1099; s. auch Diod. 15,25).

P. Funke, Homonoia und Arche, 1980, 46f. • S. Perlman, The Causes and the Outbreak of the Corinthian War, in: CQ 14, 1964, 64–81, bes. 65f. BO.D.

**Leontichos** s. Rhadine

**Leontinoi** (Λεοντῖνοι, lat. *Leontini*). Griech. Stadt im Osten von Sizilien (Λεόντιον, Ptol. 3,4,13), h. Lentini. Xuthos, ein Sohn des Aiolos, soll König von → Xuthia gewesen sein, die L. umgab (Diod. 5,8,2). Herakles soll die »Leontin. Ebene«, Sitz der → Laistrygonen (Theop. FGrH 115 F 225a), durchquert haben (Diod. 4,24,1). Sie erstreckte sich bis zum → Symaithos (Thuk. 6,65,1). 729 v. Chr. gründeten chalkidische Kolonisten aus Naxos unter der Führung des Theokles die Stadt (Thuk. 6,3,3); nach Vertreibung der Siculi (Thuk. 6,3,3) besetzten sie den Hügel von Metapiccola (Polyain. 5,5,1), 20 Stadien vom Meer entfernt (Ps.-Skyl. 13) am Teiras (Diod. 14,14,3), h. S. Leonardo. Die bei Pol. 7,6 beschriebene Top. der Stadt wurde in wesentlichen Punkten durch Grabungen gesichert (Mauer aus dem 6./5. Jh. v. Chr., »Syrakuser Tor«, das Nordtor am Ausgang des S. Mauro-Tals, ein terrassenförmig angelegtes Haus vom Beginn des Hell., Reste von zwei Tempeln auf den Höhen an der Agora, Votivgaben vom Hügel von Metapiccola, Nekropole [1; 2; 3; 4]). Ein *Neápolis* gen. Stadtviertel erwähnt Diod. 16,72,2.

Nach Strab. 10,1,15 war Euboia [2] (= Licodia Eubea? Monte S. Mauro?) eine Gründung von L. Im 6. Jh. v. Chr. wurde die Oligarchie durch den Tyrannen Panaitios beseitigt (Aristot. pol. 1310b,29; 1316a,37; Polyain. 5,47). Anf. 5. Jh. v. Chr. wurde unter → Hippokrates [4] von Gela (Hdt. 7,154) Ainesidemos Tyrann in L. In den letzten J. der → Deinomeniden und nach deren Untergang erlebte L. eine Blüte; reiche Mz.-Prägung (*Damareteion* [5; 6], einige Tetradrachmen-Serien [7]). 433/2 v. Chr. wurde ein Bündnis zw. Athen und L. erneuert (StV 2, 163; [8]). In einer Auseinandersetzung mit → Syrakusai baten die L. 427 v. Chr. Athen um Hilfe und schickten eine von → Gorgias [2] geführte Gesandtschaft dorthin (Thuk. 3,86,3; Plat. Hipp. mai. 282b; Diod. 12,53). Nach dem Kongreß von Gela 424 v. Chr. wurde L. eine syrakusische Festung (φρούριον, Thuk. 5,4,3; Diod. 12,54,7). 415–413 v. Chr. unternahmen die Athener eine mil. Expedition nach Sizilien (→ Peloponnesischer Krieg; vgl. Thuk. 6,8,2; 6,50,4; Plut. Nikias 14,5), in deren Verlauf sie Syrakusai belagerten, aber scheiterten. L. blieb unter der Kontrolle von Syrakusai und nahm 406/405 v. Chr. Flüchtlinge aus → Akragas, → Gela und → Kamarina auf (Diod. 13,89,4; 113,4). 403 v. Chr. wurde L. für wenige J. unabhängig; → Dionysios [1] I. siedelte die Bevölkerung nach Syrakusai um. Angesichts der Gefahr eines Kriegs mit Karthago und den Siculi befestigte er um 396 v. Chr. L., wo er Söldner ansiedelte (Diod. 14,58,1; 78,2). Mit der Erhebung → Dions [I 1] wandte sich L. von → Dionysios [2] II. ab (Diod. 16,20,1; Plut. Dion 39f.; 42). Nach der Beseitigung der Tyrannis siedelte → Timoleon die Bevölkerung von L. nach Syrakusai um (Diod. 16,82,7). 311 v. Chr. unterdrückte → Agathokles [2] einen Aufstand gegen Syrakusai (Polyain. 5,3,2). Unter dem Tyrannen Herakleidas 278 v. Chr. Stützpunkt des → Pyrrhos (Diod. 22,8,5; Plut. Pyrrhos 22). 214 v. Chr. wurde L. von den Römern erobert (Liv. 24,30,1 ff.; Plut. Marcellus 14,1 f.). Das Gebiet von L. wurde teilweise *ager publicus*. Als *civitas decumana* (Cic. Verr. 2,3,104) war L. in den → Sklavenaufstand verwickelt (Diod. 36,7,1 zum J. 104 v. Chr.). Strab. 6,2,6 beschreibt die verfallende Stadt. Im 7. Jh. n. Chr. Bischofssitz. 846/7 n. Chr. von den Arabern erobert.
→ Sicilia

1 G. Rizza, Leontini. Campagne di Scavi ..., in: NSA 1955, 281–376 2 Ders., Stipe votiva sul colle di Metapiccola a Leontini, in: Bollettino d'Arte 48, 1963, 342–347 3 Ders., Leontini nell'VIII e nel VI secolo a.C., in: Cronache di Archeologia 17, 1980, 26 ff. 4 Ders., Lentini, in: EAA Suppl. 1971–1994, 332 ff. 5 G. Manganaro, La caduta dei Dinomenidi, in: Annali dell'Istituto Italiano di Numismatica 21–22, 1974/5, 28 ff. 6 Ders., Dall'obolo alla litra e il problema del »Damareteion«, in: Mél. G. Le Rider, 1999, 15 ff. 7 Ch. Böhringer, Zur Münzgesch. von L., in: R. Ashton (Hrsg.), Stud. in Memory of M. J. Price, 1998, 43 ff. 8 E. Ruschenbusch, Die Verträge Athens mit L. und Rhegion vom J. 433/2 v. Chr., in: ZPE 19, 1975, 225 ff.

P. Orsi, in: Atti e Memorie della Società Magna Grecia, 1930, 7 ff. • M. Frasca, La necropoli di Cugno Carrubbe in territorio di Carlenlini, in: Cronache di Archeologia (= CdA) 21, 1982, 11 ff. • Ders., Leontini. Necropoli di Piscitello, in: CdA 21, 1982, 37 ff. • D. Palermo, Leontini. Scavi nella necropoli di Pozzanghera, in: CdA 21, 1982, 67 ff. • M. Frasca, F. Sgalambro, Un trentennio di indagini nel territorio di L. antica, 1987 • L. Grasso u. a., Caracausi. Un insediamento rupestre nel territorio di Lentini, in: CdA 28, 1989, 1–174 • Ph. Bruneau, Recherches sur les cultes de Délos a l'époque hellénistique et a l'époque impériale, 1970, 112. S. D. SP./Ü: H. D.

**Leontion** (Λεόντιον). Stadt im Innern der Landschaft Achaia auf der Peloponnesos, beherrschte den Durchgang zw. Olonos (Erymanthos) und dem Kalliphoni-Gebirge sowie die WO-Straße durch das Peiros-Tal zw. der achaiischen Küste im Süden von Patra und Kalavryta (ant. Kynaitha). Vermutlich nicht mit Hagios Andreas bei Gurzumitsa (h. L.) [1], sondern mit h. Kastritsi bei Hagios Vlassis [2] in 750–800 m Meereshöhe zu identifizieren. Reste von Mauerring und Theater des 4. und 3. Jh. v. Chr. Nach Strab. 8,7,5 von → Antigonos [2] Gonatas neu besiedelt. Belege: Pol. 2,41,8; 5,94,4; 24,8.

1 N. Kyparissis, Ἀνασκαφαὶ ἐν Γουρζουμίσῃ, in: Praktika 1931, 71–73; 1932, 57–61 2 F. Bölte, L. in Achaia, in: MDAI(A) 50, 1925, 71–76. 3 N. Yalouris, s. v. L., PE, 498.
Y. L.

**Leontios** (Λεόντιος).

**[1]** Ptolem. Kommandant von → Seleukeia Pieria; 219 v. Chr. übergab er die Stadt – nach anfänglichem Widerstand in aussichtsloser Position – an Antiochos [5] III. W. A.

**[2]** Makedone, von → Antigonos [3] Doson testamentarisch zum Peltastengeneral berufen. L. widersetzte sich mit → Megaleas der proachaiischen Politik → Philippos' V. und dessen Mentor → Aratos [2]; nach der Aufwiegelung der Elitetruppen gegen den König wurde L. als Mitverschwörer des → Apelles [1] ohne Prozeß 218 v. Chr. hingerichtet (Pol. 4,87,8; 5,14,10–12; 16,6–9; 25–27).

Errington 170. L.-M. G.

[3] Oström. Usurpator (484–488 n. Chr.), Isaurier, *magister militum*, auf Betreiben des → Illos 484 in Tarsos gegen → Zenon zum Kaiser erhoben. 484 von Zenon besiegt, rettete L. sich in die isaur. Festung Papyrios. 488 geriet er durch Verrat in Gefangenschaft und wurde hingerichtet. PLRE 2, 670f. F.T.

[4] Der im Einführungsgesetz zu den → Digesta (Const. Tanta § 9) als Sohn des Eudoxios und Vater des → Anatolios [3] erwähnte L. war Rechtsprofessor in Berytos seit den achtziger Jahren des 5. Jh. n. Chr.

PLRE II, 672 (Leontius 20) • A. Berger, One or Two Leontii, Legal Scholars in Beirut?, in: Boll. dell' Istituto di diritto romano, 55–56, 1951, 270f.

[5] Rechtsprofessor im 6. Jh. n. Chr., wohl in Berytos, Sohn des → Patrikios, war Praetorianerpraefekt und Mitglied der Kommission für die Kompilation des Codex vetus (Const. Haec § 1; Const. Summa § 2).

PLRE II, 673f. (Leontius 23) • A. Berger, One or Two Leontii, Legal Scholars in Beirut?, in: Boll. dell' Istituto di diritto romano, 55–56, 1951, 271ff. T.G.

**[6] L. von Byzanz.** Prochalkedonischer (Konzil von → Kalchedon, 451 n. Chr.) Theologe z.Z. des Kaisers → Iustinianus († um 543). Gewöhnlich wird er mit dem um 520 in Palaestina auftretenden origenistischen Mönch L. identifiziert. Dieser bildete, seit Sommer 531 in Konstantinopel, den Mittelpunkt der dortigen origenistisch-chalkedonischen Partei (wohl Teilnahme am Religionsgespräch von 532 und der Synode von 536). Zur Verteidigung des Glaubens von Chalkedon verfaßte L. 531–543 mehrere Werke, u.a. die Sammelschrift *Contra Nestorianos et Eutychianos* (CPG 6813: PG 86, 1268–1396), gegliedert in drei separate Traktate, gefolgt von je einem längeren Florilegium (→ Nestorianismus; Eutyches [3]). Beeinflußt durch die Kappadokier (Gregorios [2] und [3] sowie Basileios [1]) sowie die Neuplatoniker → Porphyrios und → Nemesios von Emesa beschreibt L. mit Hilfe der Seele-Leib-Analogie die Beziehung des Logos zum Vater (zur häufig fehlgedeuteten Enhypostasie vgl. [3. 204–208]).

Ed.: **1** PG 86, 1268–1396; 1901–1976 **2** CPG 6813–6820 **3** CPG Suppl. 6813f.
Lit.: **4** B.E. Daley, A Richer Union: L. and the Relationship of Human and Divine in Christ, in: Studia Patristica 24, 1993, 239–265 **5** D.B. Evans, s.v. L., TRE 21, 5–10 **6** A. Grillmeier, Jesus der Christus im Glauben der Kirche 2/2, 1989, 194–241. J.RI.

**[7] L. Scholastikos.** Epigrammdichter des »Kyklos« des Agathias, mit dem Spitznamen »Minotauros«, dessen Lebensmitte in justinianische Zeit fällt, vgl. Anth. Plan. 32 (über ein den *praef. urbi* von 543 n. Chr., → Gabriel [2], darstellendes Gemälde), sowie ebd. 33 (nach 554) und 37 (nach 556). Kurz und von großer formaler Sorgfalt sind die erh. Gedichte: ein erotisches (Anth. Pal. 5,295, vgl. Meleagros, ebd. 5,171), sechs Grabgedichte (wahrscheinlich echte Inschr.: 7,573; 575; 579 = GVI 110; 640; 821; von lit. Charakter jedoch 7,149f., über den Selbstmord des Aias) und siebzehn epideiktische, die aus Beschreibungen von Kunstwerken (bes. enkomiastische Porträts von Zeitgenossen) oder öffentlichen Gebäuden (Bäder, Thermen, sogar eine Herberge, vgl. Anth. Pal. 9,650) bestehen.

B. Baldwin, Leontius Scholasticus and His Poetry, in: Byzantinoslavica 40, 1979, 1–12 • I.G. Galli Calderini, Un epigrammista del »Ciclo« di Agazia: Leonzio Scolastico, in: Ταλαρίσκος. Studia Graeca Antonio Garzya ... oblata, 1987, 253–281. M.G.A./Ü: T.H.

**[8] L. von Neapolis/Kypros** (ca. 590–ca. 650 n. Chr.), Bischof. Als Vertrauter des alexandrinischen Patriarchen Iohannes [32] Eleemon (Ἐλεήμων) verfaßte er dessen Vita, die als sein Hauptwerk gilt und die von bes. kulturhistor. Interesse ist. L. will damit die von → Iohannes [29] Moschos und → Sophronios von Jerusalem verfaßten Viten ergänzen. Mit der Vita des Symeon von Edessa (→ Symeon Stylites) begründet er die hagiographische Trad. dieses Asketentypus. Sein Λόγος κατὰ Ἰουδαίων (›Rede gegen die Juden‹) ist nur fragmentarisch erhalten. Die Zuweisung seines homiletischen Werkes ist nicht gesichert.

V. Déroche, L'apologie contre les juifs de L. de Néapolis, in: Travaux et Mémoires 12, 1994, 45–104 • Ders., Études sur L. de Néapolis, 1995. K.SA.

[9] Byz. Kaiser (695–698 n. Chr.), gest. 706. Isaurier, kämpfte als *stratēgós* unter → Iustinianus [3] II. gegen die Araber, wurde aber, wohl zur Strafe für eine Niederlage, von diesem vorübergehend eingekerkert. Nach seiner Freilassung ließ er sich für eine Revolte gegen seinen unbeliebten Herrn gewinnen, die ihm das Kaisertum, diesem aber die Verbannung einbrachte. 697 entsandte L. eine Flotte zur Rückeroberung Karthagos von den Arabern. Doch bald wurde er seinerseits von → Tiberius II. (III.) gestürzt. Als Iustinianus II. 705 die Kaisermacht wiedererlangt hatte, ließ er L. hinrichten. ODB 2,1212f. F.T.

**Leontis** (Λεωντίς, inschr. Λεοντίς). Seit der Phylenreform des Kleisthenes von 508/7 v. Chr. die vierte der zehn → Phylen Attikas (IG II² 417, 478, 1742, 1744, 1752, 1926, 2409, 2818); eponymer Heros Leos (Λεώς) bei Paus. 1,5,2. Im 4. Jh. v. Chr. umfaßte die L. 20 Demoi, davon sieben in der Asty-Trittys Skambonidai, vier in der Paralia-Trittys Phrearrhioi und neun in der Mesogaia Trittys Hekale(?). Fünf Demoi wechselten von 307/6 bis 201/20 v. Chr. in die maked. Phylen Antigonis und Demetrias. Hekale wurde 224/3 v. Chr. der Ptolemaïs, Sunion 201/0 v. Chr. der Attalis und Skambonidai 126/7 n. Chr. der Hadrianis zugeschlagen. Die Buleutenquoten der Demoi änderten sich entsprechend. – L. in Priene: [1].
→ Attika (mit Karte)

**1** IPriene, 150 Nr. 248.

TRAILL, Attica 5 f., 8, 18 f., 23 Nr. 7, 43 ff., 55, 57, 71, 102, 105, Tab. 4 • J. S. TRAILL, Demos and Trittys, 1986, 14 f., 67 ff., 81 f., 90, 107, 130 ff. H.LO.

**Leontiskos** (Λεοντίσκος).
**[1]** aus Messana (Sizilien). Zweifacher Olympiasieger im Ringen (456, 452 v. Chr.) [1]. Seine Kämpfe gewann er (ähnlich wie der Pankratiast Sostratos) durch Fingerbrechen (Paus. 6,4,3). Seine Siegerstatue in Olympia stammt von Pythagoras aus Rhegion [2].

**1** L. MORETTI, Olympionikai, 1957, Nr. 271, 285 **2** H.-V. HERRMANN, Die Siegerstatuen von Olympia, in: Nikephoros 1, 1988, 154, Nr. 40. W.D.

**[2]** Sohn Ptolemaios' I. und der Thais, Bruder des Lagos [2] und der Eirene [2]; 306 v. Chr. wurde er in der Schlacht bei Salamis auf Zypern von Demetrios [2] gefangen, aber nach Äg. entlassen.

H. HAUBEN, Het Vlootbevelhebberschap in de vroege Diadochentijd, 1975, 55 f. Nr. 20. W.A.

**Leontius** (Flavius Domitius L.). → *Praefectus praetorio Orientis* 340–344, Consul 344 n. Chr. L. wurde wahrscheinlich in → Berytos (Phönikien) geb. Nach einer längeren Laufbahn, die 338 vermutlich ein Vikariat einschloß (Cod. Theod. 9,1,7), stieg L. zum *praef. praet. Orientis* auf (ILS 1234). In diesem Amt ist er sicher vom 11.10.340 (Cod. Theod. 7,9,2 = Cod. Iust. 12,41,1) bis zum 6.7.344 (Cod. Theod. 13,4,3 = Cod. Iust. 10,66,2) bezeugt. L., dessen Amtsführung bei → Libanios gelobt wird (Lib. epist. 353), bekleidete im letzten J. seiner Praetorianerpraefektur zugleich das Konsulat.

BAGNALL, 222 f. • W. ENSSLIN, s. v. L. (6), RE Suppl. 8, 935 f. • J.-R. PALANQUE, Essai sur la préfecture du prétoire du Bas-Empire, 1933, 19 f. • PLRE 1, 502 (L. 20). A.G.

**Leontopolis**
**[1]** Stadt im östl. Nildelta, östl. des Nilarms von Damiette, äg. *Tꜣ-rmw*, h. Tell Moqdam; einer der größten Ruinenhügel des Deltas. L. ist zwar seit dem MR bezeugt, aber der Großteil der Funde und Erwähnungen stammt aus der Zeit nach dem NR. Von großer Bed. war L. in der 3. Zwischenzeit (1080–714 v. Chr.), als es Residenz eines Lokalkönigs war. In ptolem. Zeit war L. die Hauptstadt des 11. unteräg. Gaus. Zumindest seit der Spätzeit war der Löwengott Miysis (*Mꜣ-ḥsꜣ*) Hauptgott von L.

J. YOYTTE, La ville de »Taremou«, in: BIAO 52, 1953, 179–92 • F. GOMAÀ, s. v. Tell el-Moqdam, LÄ 6, 352–3.

**[2]** Ort am SO-Rand des Nildeltas, im Gau von → Heliopolis [1], heute Tell el-Jahudija, äg. *Nꜣj(–)-tꜣ*, assyr. *Natḫu*, griech. Νάθω, bei Ios. auch Λεοντόπολις (τοῦ Ἡλιοπολίτου)/»Löwenstadt«, obwohl es nur wenige Hinweise auf einen Löwenkult in L. gibt. Bedeutend war L. seit dem späten MR und der 2. Zwischenzeit (1785–1551 v. Chr.); aus dieser Epoche stammt eine große Umwallung, die früher als Festung der → Hyksos gedeutet wurde. Aus dem NR gibt es Hinweise auf bedeutende Tempelanlagen und einen Palast Ramses' III. In assyr. Zeit wird ein Fürst (*šarru*) von L. erwähnt [2. 36]. Um 160 v. Chr. gestattete Ptolemaios VI. dem jüd. Hohenpriester → Onias IV., sich mit seiner Gefolgschaft in L. anzusiedeln und dort eine Festung und einen → Jahwe-Tempel zu errichten (Ios. ant. Iud. 12,387; 13,65–68; 70 f.), der erst im Jahre 71 n. Chr. durch den röm Gouverneur von Alexandreia geschlossen wurde (Ios. bell. Iud. 7,421–36).

**1** A.-P. ZIVIE, s. v. Tell el-Jahudija, LÄ 6, 331–335 **2** H.-U. ONASCH, Die assyr. Eroberung Ägyptens, 1994 **3** G. HÖLBL, Gesch. des Ptolemäerreiches, 1994, 167. K.J.-W.

**Leopard** (πάρδαλις/*párdalis* oder πόρδαλις/*pórdalis*; *lat.* panthera). Diese Großkatze kommt nicht nur in Afrika, sondern auch in Asien vor. Im Festzug des Ptolemaios II. (3. Jh. v. Chr.) wurden dreißig L. (*pardáleis*) und Geparde (*pánthēroi*) mitgeführt (Athen. 5,201c). Plin. nat. 8,62 f. beschreibt die augenähnliche Fellfleckung der *panthera* und behauptet, sie locke durch ihren angenehmen Geruch andere Vierfüßer als Beute an. Der zweite Name für die männlichen Tiere sei *pardus* (vgl. Lucan. 6,183). Isid. orig. 12,2,11 läßt aus zoolog. Unkenntnis den *leopardus* aus der Kreuzung zwischen einer Löwin und einem *pardus* hervorgehen. Die Verwandtschaft mit dem → Löwen wird durch das Einziehen der Krallen beim Laufen deutlich (Plin. nat. 8,41). Nach Aristot. hist. an. 8(9),608a 33–35 und Plin. nat. 11,263 sind die Weibchen des L. stärker als die Männchen. Die Einfuhr von L. nach Rom aus Afrika war durch einen alten Senatsbeschluß verboten (Plin. nat. 8,64), doch schon seit 170 v. Chr. erwirkte Gn. Aufidius vom Volk einen Gegenbeschluß. Laut Ambr. hexaemeron 6,4,28 vertreibe zwischen den Händen zerriebener Knoblauch (*allium*) einen wütenden L. Weiter behauptet Ambr. ebd. 6,4,26, daß ein kranker L. sich selber durch das Trinken des Blutes einer Wildziege heile.

Ein L. ist u. a. das Reittier des → Dionysos auf einem Mosaik aus Zliten (Tripolitanien) [1. Abb. 26]. Eine Wandmalerei aus den sog. Jagd-Thermen in Leptis Magna zeigt Jäger mit langen Speeren beim Angriff auf L. [1. Abb. 27]. Das Einfangen von L. mit Ködern in Transportkäfigen ist u. a. auf der »großen Jagd« von → Piazza Armerina auf Sizilien dargestellt [1. 70]. Der Gepard (Felis guttata) wurde oft mit dem L. verwechselt. Im 13. Jh. werden bei Thomas von Cantimpré [2] *leopardus* (4,55), *pardus* (4,86) und *panthera* (4,87) jeweils in eigenen Kapiteln behandelt. Darstellungen auf Mz. und Gemmen sind recht häufig [3].
→ Panther

**1** TOYNBEE **2** H. BOESE (ed.), Thomas Cantimpratensis, Liber de natura rerum, 1973 **3** F. IMHOOF-BLUMER, O. KELLER, Tier- und Pflanzenbilder auf Mz. und Gemmen des klass. Alt., 1889, Ndr. 1972.

F. WOTKE, s. v. Panther, RE 18, 747–767 • KELLER Bd. 1, 62–64 und 86 f. C.HÜ.

**Leosthenes** (Λεωσθένης).

**[1]** Hervorragender athen. Rhetor aus dem Demos Kephale (Aischin. leg. 124), Vater des Leosthenes [2]. Als *stratēgós* 362/1 oder 361/60 v. Chr. gegen Alexandros [15] von Pherai gesandt, wurde L., nachdem Peparethos und Panormos an Alexandros gefallen waren und der Piräus bedroht war (Polyain. 6,2,1 f.), in Athen wegen Verrates angeklagt und zum Tode verurteilt. L. ging ins Exil an den maked. Hof, wo er bei Philippos II. in hohen Ehren stand (Diod. 15,95,2f.; Aischin. leg. 124; Hyp. 3,1 JENSEN).

PA 9141 · DAVIES, 342–344 · DEVELIN Nr. 1801 · LGPN 2, s. v. Leosthenes (5) · TRAILL, PAA 606780.

**[2]** Sohn des Leosthenes [1], Gegner Makedoniens, einflußreicher athen. Rhetor, *triḗrarchos* 325/4 v. Chr. (IG II[2] 1631d 500, 606e, 682), 324/3 athen. *stratēgós epí tēi chṓrāi* (›*stratēgós* für das Landgebiet‹, Diod. 17,111,2f.; 18,9,1–5; [5 Nr. 15]) und erneut Hopliten-*stratēgós* 323/2 (Hyp. 6,10f. J; Diod. 18,9,1–5; 18,11,3–5; 18,12,4; Plut. Demosthenes 27,1; Plut. Pyrrhos 1,6f.; Plut. mor. 486D; 546A; 849F; Arrianos FGrH 156 F 1,9; Paus. 1,1,3). L. bereitete durch geheime Verhandlungen mit Söldnern am Kap Tainaron (Paus. 1,25,5; 8,52,5; Diod. 17,11,2f.; 18,9,1) sowie mit den Aitolern, Lokrern und Phokern (Diod. 18,9,5 und 18,11,1) den mil. Widerstand Athens gegen das Verbanntendekret schon vor Alexandros' [4] Tod vor; danach drängte er zusammen mit → Hypereides und gegen → Phokions Rat (Plut. Phokion 23,1–4; Plut. Timoleon 6,5) offen auf den athen. Kriegsbeschluß gegen Makedonien mit dem Ziel eines neuen antimaked. Hellenenbundes. Im folgenden → Lamischen Krieg 323/2 war L. Befehlshaber der athen. Landtruppen und der gesamten Landstreitkräfte des Bundes; nach ersten Erfolgen erlag er während der Belagerung → Antipatros' [1] einer Verwundung vor Lamia im Winter 323/2 (Diod. 18,13,1–5; Strab. 9,5,10; Paus. 3,6,1; Iust. 13,5,12).

PA 9142 = 9144 · DAVIES S. 342–344 · DEVELIN Nr. 1802 · J. ENGELS, Studien zur polit. Biographie des Hypereides, [2]1993, 257–384 · LGPN 2, s. v. Leosthenes (6) · O. W. REINMUTH, The Ephebic Inscriptions of the Fourth Century B. C., 1971. J. E.

**Leotrophides** (Λεωτροφίδης). Athenischer *stratēgós*, der 409 v. Chr. gemeinsam mit Timarchos die Megarer beim attisch-megarischen Grenzgebirge Kerata besiegte (Diod. 13,65,1 f.); wohl ident. mit dem bei Aristophanes (Av. 1406), Theopomp. Com. fr. 25 und Hermippos fr. 36 PCG wegen seiner Magerkeit verspotteten Choregen (→ *chorēgós*). L. TRAILL, PAA 607065. W. S.

**Leotychidas** (Λεωτυχίδας).

**[1]** Eurypontide (Hdt. 8,131; → Eurypontidai), galt als Vorfahr des L. [2].

**[2]** Eurypontide; wurde nach Absetzung des → Damaratos König in Sparta; beteiligte sich 491 v. Chr. an den Aktionen des → Kleomenes [3] I. in Aigina (Hdt. 6,73) und wurde deswegen fast an die Aigineten ausgeliefert (Hdt. 6,85 f.). L. befehligte 479 die Hellenenflotte, folgte wohl mit Zustimmung seines Kriegsrates einem Hilfegesuch der Samier (Hdt. 9,90f.), stieß bis zum kleinasiat. Festland vor und schlug bei Mykale pers. Land- und Seestreitkräfte (Hdt. 9,97–106,1) [1. 55 ff.]. Auf der anschließenden Konferenz in Samos tolerierte L. den Vorschlag der Befehlshaber peloponnes. Kontingente, die Ionier nach Griechenland zu evakuieren, doch scheiterte dieser Plan am Widerstand der Athener (Hdt. 9,106; Diod. 11,37,1–4 mit falscher Darstellung der athen. Haltung) [2. 431 f.]. Chier, Lesbier und Samier wurden in den »Hellenenbund« von 481 aufgenommen (→ Perserkrieg). Danach stieß L. mit seiner durch Ionier verstärkten Flotte zum Hellespont vor, zog sich aber mit den peloponnes. Kontingenten zurück und überließ den Athenern die Belagerung von Sestos (Hdt. 9,114). Einige J. später sollte L. die propers. → Aleuadai von Larisa entmachten, hatte aber keinen Erfolg. Wegen Bestechlichkeit angeklagt [3. 143 f.] floh L. nach Tegea (Hdt. 6,72; Diod. 11,48,2; Plut. mor. 859D; Paus. 3,7,9f.).

1 J. HEINRICHS, Ionien nach Salamis, 1989 2 K.-E. PETZOLD, Die Gründung des Delisch-Att. Seebundes, in: Historia 42, 1993, 418–443 3 K. L. NOETHLICHS, Bestechung, in: Historia 36, 1987, 129–170.

**[3]** Eurypontide (→ Eurypontidai), von Agis [2] II. erst kurz vor seinem Tode anerkannter Sohn seiner Frau Timaia, die angeblich von dem Athener Alkibiades [3] verführt worden war. L., der als dessen Sohn galt, war 400 v. Chr. von der Thronfolge zugunsten des Agesilaos [2] II. ausgeschlossen worden (Duris FGrH 76 F 69; Plut. Lysandros 22; Plut. Agesilaos 3; Plut. Alkibiades 23,6–9; Plut. mor. 467F; Xen. hell. 3,3,1–3; Xen. Ag. 1,5).

K.-W. WEL.

**Leowigild.** Westgotenkönig 568–86 n. Chr. Nach dem Tod Athanagilds (568) von dessen Nachfolger, seinem Bruder Liuwa, 569 zum König für die Gebiete in Spanien erhoben. L. heiratete in zweiter Ehe Athanagilds Witwe Goisuntha. Er vereinigte nach der seit ca. 550 herrschenden Krise bis 579 den größten Teil Spaniens wieder unter got. Herrschaft. Nach Liuwas Tod 573 [3. 40] regierte L. allein und setzte seine Söhne aus erster Ehe, Hermenegild und Reccared, als Mitregenten ein. 579 verheiratete L. Hermenegild mit Ingundis (Tochter Childeberts II.). Noch im selben J. entzog sich Hermenegild (unter Ingundis' Einfluß?) der Oberherrschaft L.s und konvertierte 582 vom → Arianismus zur kathol. Kirche [3. 46ff.]. Erst 583/4 zog L., unterstützt vom verbündeten Suebenkönig Miro († 583), gegen seinen Sohn und besiegte ihn 584. 585 fügte L. das Gebiet der Sueben seinem Reich hinzu. L. führte als erster Westgotenkönig den Thron ein [2. 61]. L. starb 586, sein Nachfolger wurde Reccared.

→ Westgoten

1 PLRE 3, 782–785 2 D. Claude, Adel, Kirche und Königtum im Westgotenreich, 1971 3 R. Collins, Early Medieval Spain, 1983, 41–58 4 Ders., Merida and Toledo: 550–585, in: E. James (Hrsg.), Visigothic Spain, 1980, 189–219.
WE. LÜ.

**Lepcis Magna** s. Leptis Magna

**Lepidotonpolis** (Λεπιδότων πόλις). Ort in Oberäg., das h. Nag' el-Mescheich gegenüber Girga, äg. wohl *Bḥdt-jȝtt*, mit Resten eines Tempels Ramses' II. und dem Felsgrab eines Hohenpriesters. Hauptgott war die Löwin *Mḥjt*; aber auch der Lepidotosfisch wurde hier verehrt (vgl. Hdt. 2,72; Strab. 17,812; bestätigt durch den Fund eines mit Fischbronzen gefüllten Naos).

F. Gomaà, s. v. Mescheich, LÄ 4, 107 • H. Kees, s. v. L., RE 12, 2066f.
K.J.-W.

**Lepidus.** Röm. Cognomen, in republikan. Zeit bei den Aemilii [I 7–17; II 7–9] und anderen Familien belegt.

Degrassi, FC, 256.
K.-L. E.

**Lepontii.** Kelt. Stamm in den Zentralalpen, wo nach Caes. Gall. 4,10,3 der Rhein entspringt. Die meisten halten diese Stelle für späte Interpolation, da erst der Alpenkrieg des Augustus (zw. 25 und 15 v. Chr.) die Kenntnis der Zentralalpen brachte: Inschr. von La Turbie ([1. 80ff.]; später Strab. 4,6,6; 8; Plin. nat. 3,134; 136f.). Zur unrichtigen Beschreibung des Rheinlaufes [2. 303, 440]. Auf Namensgut der L. werden viele ON der schweizerischen Kantone Tessin, Graubünden und Wallis zurückgeführt, z. B. Valle Leventina (= Livinental, das obere Tessin zw. Airolo und Biasca), Lugnez (Bergtal, das von Süden nach Ilanz am Oberrhein entwässert, Graubünden), Lionza (Dorf bei der Siedlung Borgnone, im obersten Teil des Centovalli, Tessin). Die EN der L. sind kelt., aber mit ligurischen und etr. Bestandteilen, vgl. → Lepontisch.

1 E. Meyer, E. Howald, Die röm. Schweiz, 1940
2 F. Kraner, W. Dittenberger et al. (Hrsg.), C. Iulii Caesaris Commentarii de bello Gallico 1, [20]1964.

F. Staehelin, Die Schweiz in röm. Zeit, [3]1948, 35ff. • E. Howald, E. Meyer, Die röm. Schweiz, 1940, 183ff.
G. W.

**Lepontisch.** Das L., von einigen auch → Ligurisch gen. [1. 43], ist eine in einem kleinen Gebiet um den Lago Maggiore und den Lago di Como bezeugte → keltische Sprache. Sie wird mit der → Golaseccakultur in Verbindung gebracht [2. 224; 3. 30; 6. 312]. Die ca. 60 bekannten lep. Sprachdenkmäler [1. 44f.; 4; 5] sind im nordetr. Alphabet (→ Italien, Alphabetschriften) abgefaßt und stammen aus einem Zeitraum vom 6./5. bis etwa zum 3.–1. Jh. v. Chr. Es handelt sich hauptsächlich um Grabinschr. sowie einige wenige Weihinschr. und Münzlegenden. Die sprachliche Einordnung entweder als eigenständige keltische Sprache oder als Dial. des Gall. [1. 43] ist wegen der geringen Textmenge noch nicht geklärt, ebenso wenig die Abgrenzung gegenüber dem cisalpinen Gall. [7]. Kontakte bestehen zur röm. und griech. Kultur, wie man z. B. aus der Inschr. einer Vase als Grabbeigabe (FO: Ornavasso) ersehen kann: *Latumarui Sapsutai-pe uinom naśom*, d. h. »für Latumaros und Sapsuta: Wein aus Naxos« (*uinom* ist lat. Lw.).
→ Keltische Sprachen (mit Karte)

1 J. Eska, D. E. Evans, Continental Celtic, in: M. Ball, J. Fife (Hrsg.), The Celtic Languages, 1993, 43–63
2 J. de Hoz, Lepontic, Celt-Iberian, Gaulish and the Archaeological Evidence, in: Ét. Celtiques 29, 1992, 223–240 3 W. Kimmig, Die griech. Kolonisation im westl. Mittelmeergebiet und ihre Wirkung auf die Landschaften des westl. Mitteleuropa, in: JRGZ 30, 1983, 5–78
4 M. Lejeune, Lepontica, 1971 5 Ders., RIG 2,1, 1988
6 F. Motta, Vues présentes sur le Celtique Cisalpin, in: Ét. Celtiques 29, 1992, 311–318 7 M. G. Tibiletti Bruno, Le iscrizioni celtiche d'Italia, in: E. Campanile (Hrsg.), I Celti d'Italia, 1981, 157–204.
S. ZI.

**Leporarium** s. Tiergarten

**Lepra,** auch »Hansen-Krankheit«. Eine chronische, durch das Mycobacterium *leprae* hervorgerufene Erkrankung mit Befall der peripheren Nerven, zumeist auch der Haut. Paläopathologische Funde belegen ihr Vorkommen im mediterranen Raum erst für die hell. Zeit [1], doch enthalten Texte aus Babylon, Ägypten und Israel schon seit etwa 800 v. Chr. Beschreibungen entstellender Hautkrankheiten, zu denen man, wenn sich solche Beschreibungen auch eher auf die Psoriasis beziehen, auch die L. zählen könnte. Mit dem in der Bibel vorkommenden Krankheitsnamen ṣara'at, der im MA fälschlich mit L. übersetzt wurde, war eine Krankheit gemeint, die nicht nur die Haut, sondern auch Hauswände befallen konnte und die v. a. durch Schuppenbildung (als Pilzerkrankung?) charakterisiert war. »Lepra« (λέπρα, ion. λέπρη) im Sinne einer schuppigen Erkrankung kommt in den hippokratischen Schriften vor. Eine Abh. über »Elephantiasis« – ein Krankheitsname, der die Hautverdickungen und Knochenveränderungen bei der L. hervorhebt, – wird → Demokritos [1] zugeschrieben (fr. 300,10f. = 2,215f. DK), stammt aber wahrscheinlich aus hell. Zeit [2]. Straton, ein um 250 v. Chr. wirkender Arzt, erwähnt die Krankheit, → Aretaios (De morbis chronicis, CMG 2,168f.) und der Methodiker → Caelius [II 11] Aurelianus (De morbis chronicis 4,13) beschreiben sie im Detail, wobei alle Autoren ihre Seltenheit betonen. Auf die entsetzlichen Entstellungen, die mit zahlreichen Hautkrankheiten einhergingen, reagierte man mit Abscheu und versuchte, die Betroffenen aus der Gemeinschaft auszugrenzen. Als Legitimation für eine solche Praxis diente die v. a. in jüd. Quellen anzutreffende Überzeugung, L. sei Ausdruck göttlicher Strafe. Ähnlich wurde übrigens die → Epilepsie in ägypt. und griech. Pap. eingestuft.

Das Thema der Aussätzigenheilung, wie sie in den Evangelien beschrieben wird, erfreute sich in der Kir-

chenväter-Lit. großer Beliebtheit; der Legende von Zotikos und der leprösen Tochter des → Constantinus [2] II. zufolge wurde das erste *leprosorium* (»L.-Krankenhaus«) um 335 n. Chr. eingerichtet. Eindeutige Hinweise auf eine solche Einrichtung datieren jedoch rund 200 Jahre später.
→ Krankheiten

1 T. Dzierzykray-Rogalski, Palaeopathology of the Ptolemaic Inhabitants of Dakleh Oasis (Egypt), in: Journal of Human Evolution, 1980, 71–74 2 F. Kudlien, L. in der Ant., in: J. H. Wolf (Hrsg.), Aussatz, L., Hansen-Krankheit, 1986, 39–44.

A. M. Carmichael, Leprosy, in: K. F. Kiple (Hrsg.), The Cambridge World History of Human Disease, 1993, 834–839 • H. M. Koelbing (Hrsg.), Beitr. zur Gesch. der L., 1972 • J. H. Wolf (Hrsg.), Aussatz, L., Hansen-Krankheit, 1986. V. N./Ü: L. v. R.-B.

**Lepreon** (Λέπρεον). Die bedeutendste, südlichste Stadt von → Triphylia. Erh. Reste der Akropolis im Norden des h. Lepreon (früher Strovitsi) mit Teilen der Ringmauer und anderen Bauresten: kleiner dor. Tempel (Demeter? [1]) des 4. Jh. v. Chr. und Altar; im Gebiet von L. an der Straße zw. Perivolia und Bassai dor. Tempel des 4./3. Jh. v. Chr. [2]; im SW, beim h. Prasidaki, dor. Tempel hell. Zeit. Minysche Gründung nach Vertreibung der → Kaukones (Hdt. 4,148; Strab. 8,3,19), daher bei Kall. h. 1,39 »kaukonisch« (vgl. Strab. 8,3,11; 16). An der Schlacht bei Plataiai (479 v. Chr.) beteiligt (Hdt. 9,28,4; Paus. 5,23,2; Syll.³ 31; 34). 459 v. Chr. Übergabe des triphylischen Pylos an L. durch Elis (Strab. 8,3,30). Zwistigkeiten mit Elis brachten L. in polit. Abhängigkeit (Thuk. 5,31; 34; 49,1; Aristoph. Av. 149; Xen. hell. 3,2,25) [3. 241–247]. Im Krieg mit Elis 402–400 wurde L. von Sparta befreit und an Sparta angeschlossen (Xen. l.c. und 6,5,11). Nach der Schlacht von Leuktra 371 v. Chr. Anschluß an den Arkad. Bund. Erst 245 v. Chr. kam L. mit aitolischer Hilfe wieder an Elis, wurde aber 219/8 an Philippos V. angeschlossen und war seitdem maked. (Pol. 4,77,10; 80). 196 v. Chr. dem Achaiischen Bund zugesprochen (Pol. 18,47,10; Liv. 33,34,9) und seit 146 v. Chr. dauernd zu Elis geschlagen (Strab. 8,3,30). Zu Pausanias' Zeit zerfallen. Belege: Skyl. 44; Strab. 8,3,18; 21; Paus. 5,5,3–6; Plin. nat. 4,14; Ptol. 3,16,18.

1 H. Knell, L. Der Tempel der Demeter, in: MDAI(A) 98, 1983, 113–147 2 N. Yalouris, Κλασσικὸς ναὸς εἰς περιοχὴν Λεπρέον, in: AAA 4, 1971, 245–251 3 Z. Bultrighini, Pausania e le tradizioni democratiche, 1990.

F. Carinci, s. v. Elide (1), EAA², 450 f. • Pritchett 6, 1989, 58–60 • F. E. Winter, s. v. L., PE, 498 f. Y. L.

**Lepreos** (Λεπρέος, Λεπρεύς). Der Sohn von Pyrgeus oder → Kaukon, ist Gründer und Eponym von → Lepreon (→ Triphylia). Sein Grab lag angeblich in → Phigaleia (darin spiegeln sich die Ansprüche von Lepreon, arkad. zu sein). L. gab → Augeias den Rat, → Herakles gefangenzunehmen, doch versöhnt sich Herakles wieder mit ihm. Er tritt mit Herakles in einen sportlichen Wettkampf (u. a. darüber, wer schneller einen Stier verschlingen könne), verliert aber; im anschließenden bewaffneten Kampf wird er getötet. Diese lokale Sage, hinter der u. a. das geläufige Motiv von Herakles' Freßlust steht, wird von Zenodotos (bei Athen. 10,412ab und Ail. var. 1,24) und, abweichend, bei Paus. 5,5,4 f. erzählt. F. G.

**Lepta** s. Paconius

**Leptines** (Λεπτίνης).

**[1]** Athenischer Politiker, schlug 369 v. Chr. ein Bündnis mit Sparta vor. 356 hatte L. ein Gesetz durchgebracht, wonach alle gewährten Befreiungen von → Liturgien aufgehoben seien und künftig auch keine mehr gewährt werden dürften (Demosth. or. 20 hypoth. 2,2; 20,18). Bathippos erhob dagegen eine Klage wegen Gesetzwidrigkeit, starb aber kurz darauf (Demosth. or. 20,144 f.). 355 wurde erneut Klage gegen das Gesetz erhoben, wofür Demosthenes [2] die 20. Rede schrieb. L. mußte 374 Steuerrückstände zahlen (Demosth. or. 22,60). Er übergab 363/2 den Schatzmeistern der anderen Götter in Eleusis Wertobjekte (IG II² 1541). Sein Erbschaftsverwalter (κληρονόμος) wird 342/1 erwähnt (IG II² 1622, Z. 361; 375). Traill, PAA 603480; 603485. W. S.

**[2]** Bruder des Tyrannen → Dionysios [1] I. von Syrakus, als dessen Admiral und Feldherr er tätig war: L. belagerte 397 v. Chr. als Nauarch (Flottenkommandant) → Motya, verhinderte 396 die Landung Himilkons [1] in Panormos nicht und erlitt im selben J. vor Katane durch → Mago eine Niederlage. In Syrakus eingeschlossen, führte er mit der Flotte einen erfolgreichen Ausfall durch (Diod. 14,48,4–72,1). In einem athen. Dekret von 393 wurde neben Dionysios und Thearidas auch L. belobigt (Syll.³ 128). Im J. 390 den Lukanern (→ Lucani) gegen die unterital. Griechenstädte zu Hilfe gesandt, vermittelte L. eigenmächtig den Frieden mit dem besiegten Italiotenbund (Diod. 14,102,2 f.) und wurde ca. 386 von Dionysios nach Thurioi verbannt, aber bald wieder nach Syrakus zurückberufen (Diod. 15,7,3). L. nahm an dem neuen Karthagerkrieg (seit ca. 382) teil und fiel um 375 in der Schlacht von Kronion (Diod. 15,17,1). In zweiter Ehe war L. mit einer Tochter seines Bruders verheiratet (Diod. 15,7,4).

H. Berve, Die Tyrannis bei den Griechen, 1967, 230 ff. • B. M. Caven, Dionysius I, 1990 • D. M. Lewis, in: CAH 6, ²1994, Kap. 5 • Ch. Sabattini, Leptine di Siracusa, in: Rivista Storica dell' Antichità 19, 1989, 7–65.

**[3]** L. befreite zusammen mit Kallippos [1] 351 v. Chr. → Rhegion von der Herrschaft Dionysios' [2] II. Nach der Ermordung des Kallippos wurde L. Tyrann von Engyon und Apollonia [4], doch ca. 344 vertrieb ihn → Timoleon und verbannte ihn nach Korinth (Diod. 16,45,9; 72,3–5; Plut. Dion 58,6).

[4] Feldherr des Agathokles [2], der im J. 307 v. Chr. zwei Siege über Xenodikos von Akragas errang (Diod. 20,56,2; 62,3–5).

K. Meister, in: CAH 7.1, ²1984, 402 f.

[5] Einflußreicher Syrakusaner, dessen Tochter Philistis seit ca. 270 v. Chr. mit → Hieron [2] II. verheiratet war (Syll.³ 429; Pol. 1,9,2); vielleicht Sohn von L. [4].

G. de Sensi Sestito, Gerone II, 1977, 183; 185; 188.
K. MEI.

[6] Als 163/162 v. Chr. eine Delegation des röm. Senats gemäß dem Frieden von Apameia (188 v. Chr.) die Verbrennung der seleukid. Kriegsflotte und die Verstümmelung der Kriegselefanten betrieb, ermordete L. in Laodikeia deren Leiter Cn. Octavius. Mit einer Gesandtschaft Demetrios' [7] I. ging L., der seine Tat vor dem Senat rechtfertigen wollte, nach Rom. Aus polit. Kalkül bestraften die Römer L. nicht (Pol. 32,2(6)–3(7); Diod. 31,29; App. Syr. 46,239–47,243).

Will 2, 306 ff.
A. ME.

**Leptis Magna** (Λέπτις μεγάλη, *Léptis megálē*, pun. *Lpqj*) ([1. 39–48]).
A. Geschichte B. Archäologie

A. Geschichte

Phoinik. Gründung, h. Lebda/Libyen ([2. 36 f., 74]; Sall. Iug. 78,1; 4; Sil. 3,256; Plin. nat. 5,76?). Vielfach gab man dem Ort das Beiwort *Megálē/Magna* (»groß«), das ihn von Leptis Minor unterschied (Plin. nat. 5,27; Ptol. 4,3,13; Stadiasmus maris magni 93; Sol. 27,8; Tab. Peut. 7,4; Prok. aed. 6,4; Prok. BV 2,21,2; 13; 15; [5. Nr. 284]). Mehrere griech. und röm. Autoren nennen ihn Neapolis (Ps.-Skyl. 109 f.; Strab. 17,3,18; Plin. nat. 5,27; Dion. Per. 205; Ptol. 4,3,13). Hieß er daher urspr. *Qrtḥdšt* (»Neu-Stadt«)?

L. M. entwickelte sich zur bedeutendsten Stadt in Tripolitanien, nicht zuletzt aufgrund der Handelsverbindungen, die weit ins Innere Afrikas reichten. → Karthago verpflichtete die Stadt zur Zahlung direkter Steuern ([2. 468[13]]; Liv. 34,62,3). Etwa in der Mitte der 60er J. des 2. Jh. v. Chr. griff → Massinissa Städte und Gegenden an der Kleinen Syrte sowie die Emporia (»Handelsplätze«) und damit auch L. M. an. Rom entschied schließlich zugunsten von L. M. ([2. 431]; Pol. 31,21). 111 v. Chr. erhielt die Stadt die *amicitia societasque populi Romani* und 108 v. Chr. den Schutz einer Garnison (Sall. Iug. 77). Während der Auseinandersetzungen zw. Pompeianern und Caesarianern (→ Caesar) stand L. M. auf der Seite der Pompeianer (Caes. civ. 2,38?; Bell. Afr. 97,3; Lucan. 9,948 f.). Traianus erhob sie zur *colonia*, Septimius Severus, der hier geb. war, gab ihr das *ius Italicum* ([5. Nr. 284, 353]; Dig. 50,15,8,11. Die severische Zeit war die Blütezeit von L. M. Unter Diocletianus wurde L. M. Hauptstadt der neuen Prov. Africa Tripolitana (→ Afrika mit Karte). 455 wurde L. M. von den Vandalen erobert. Iustinianus bestellte nach der Rückeroberung der Stadt einen *dux limitis Tripolitanae provinciae* (Cod. Iust. 1,27,21). Die Stadt bewahrte lange Zeit ihre punische Kultur. Inschr.: [5. Nr. 263–847]; AE 1969–1970, 633; AE 1985, 850; AE 1986, 700; 708; SEG XXXVII 1463; [3; 4].

1 P. Romanelli, in: Ders. (Hrsg.), In Africa e a Roma, 1981 (Überlegungen zum Namen) 2 Huss 3 Iscrizioni puniche della Tripolitana, 9–75; 84; 91–96 4 W. Huss, in: Gnomon 61, 1989, 300–304 5 J. M. Reynolds (ed.), The Inscriptions of Roman Tripolitania, 1952.

R. Bianchi Bandinelli u. a., L. M., 1964 • E. De Miro, G. Fiorentini, L. M. La necropoli greco-punica sotto il teatro, in: Quaderni di Archeologia della Libia 9, 1977, 5–75 • M. Floriani Squarciapino, L. M., 1966 • C. Lepelley, Les cités de l'Afrique romaine 2, 1981, 335–368 • R. Rebuffat, s. v. L. M., DCPP, 257 f. • P. Romanelli, L. M., 1925 • E. Salza Prina Ricotti, Le ville marittime di Silin (L. M.), in: RPAA 43, 1970/1, 135–163 • M. Torelli, Le Curiae di L. M., in: Quaderni di Archeologia della Libia 6, 1971, 105–111 • J. B. Ward-Perkins, A. Di Vita, Town Planning in North Africa, in: MDAI(R) Ergh. 25, 1982, 28–49 und Taf. 12 (L. M. und Sabratha).
W. HU.

B. Archäologie

Während bislang nur wenige Spuren der phöniz. und pun.-karthag. Siedlung bekannt sind [1], ist von der geradezu verschwenderischen baulichen Ausstattung der Stadt in der röm. Kaiserzeit viel erh. Die Hafenanlagen (s. Abb. Sp. 79/80) wurden unter → Septimius Severus ausgebaut.

Das großartige, unter Septimius Severus errichtete Ensemble von Forum, → Basilika (Abb.), Säulenstraße mit Ehrenbogen und Nymphaeum (s. Lageplan Nr. 15, 14, 26, 27, 25) steht ganz in der Trad. der Kaiserfora von Rom und gehört zu den Höhepunkten imperialer Architektur. Zur Bewältigung des ehrgeizigen Programms wurden Werkstätten aus Kleinasien (u. a. → Aphrodisias) herangezogen, die in L. M. eigene Schulen ausbildeten und den späteren Reichsstil in der monumentalen Architekturdekoration (u. a. Akanthuskapitelle, Rankenfriese) wesentlich geprägt haben. Stilmerkmale und Prinzipien der figürlichen Darstellung der Spätant. sind in den Attikareliefs des severischen *arcus quadrifrons* zum ersten Mal prägnant verwirklicht [2].

1 T. H. Carter, Western Phoenicians at Lepcis Magna, in: AJA 69, 1965, 123–132 2 V. M. Strocka, Beobachtungen an den Attikareliefs des severischen Quadrifrons von Lepcis Magna, in: AntAfr 6, 1972, 147–172.

R. Bartoccini, Il porto romano di L. M., 1958 • M. Floriani Squarciapino, L. M., 1966 • J. B. Ward-Perkins u. a., The Severan Buildings of Lepcis Magna. An Architectural Survey, 1993 • A. Di Vita, L. M. Die Heimatstadt des Septimius Severus in Nordafrika, in: Antike Welt 27, 1996, 173–190.
H. G. N.

Karten-Lit.: M. Floriani Squarciapino, L. M., 1966, 138f, • S. Raven, Rome in Africa, ³1993 • J. B. Ward-Perkins, A. Di Vita, Town Planning in North Africa, in: MDAI(R) Ergh. 25, 1982, 29–49 mit Taf. 12.

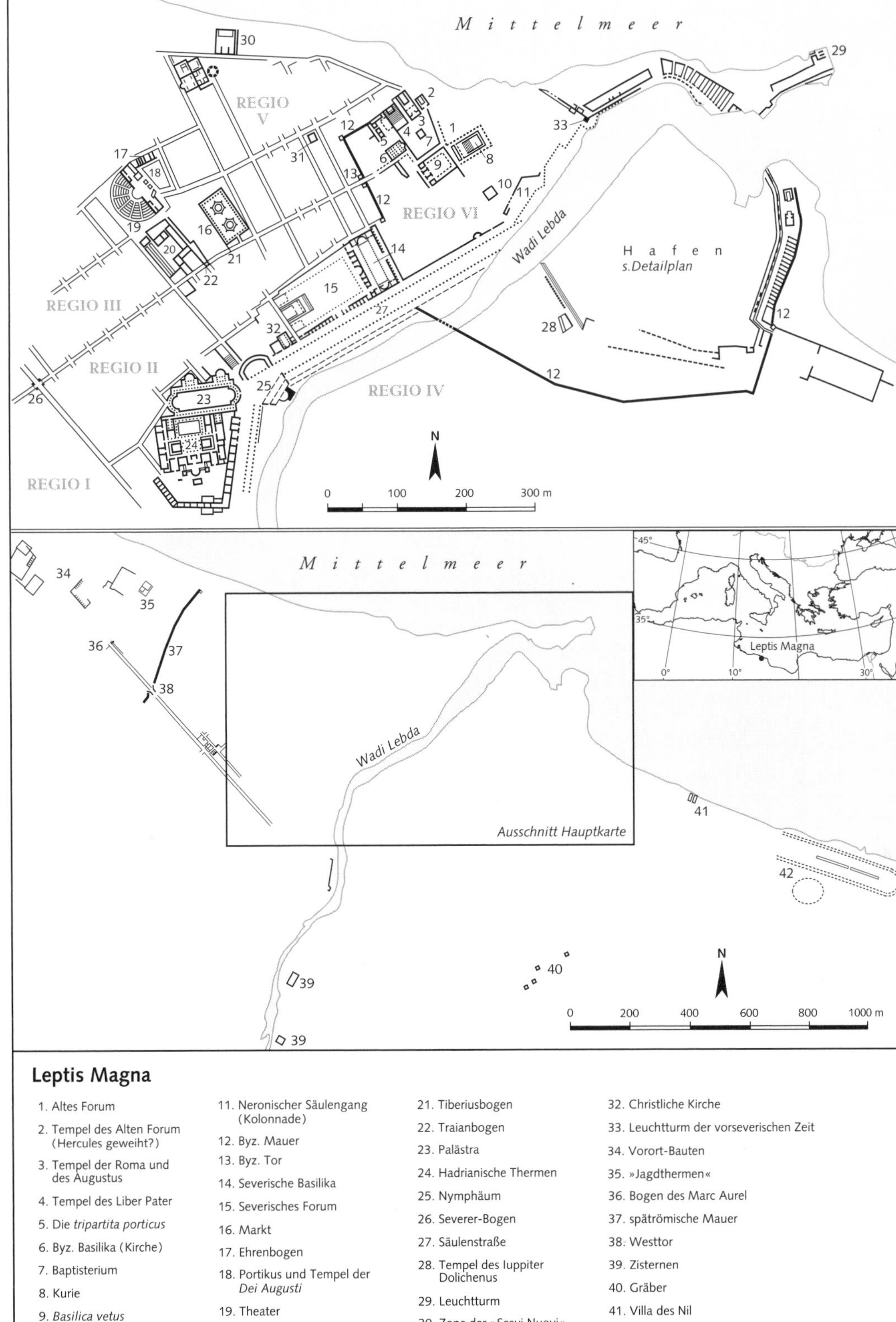


## Leptis Magna

1. Altes Forum
2. Tempel des Alten Forum (Hercules geweiht?)
3. Tempel der Roma und des Augustus
4. Tempel des Liber Pater
5. Die *tripartita porticus*
6. Byz. Basilika (Kirche)
7. Baptisterium
8. Kurie
9. *Basilica vetus*
10. Tempel des Flavius
11. Neronischer Säulengang (Kolonnade)
12. Byz. Mauer
13. Byz. Tor
14. Severische Basilika
15. Severisches Forum
16. Markt
17. Ehrenbogen
18. Portikus und Tempel der *Dei Augusti*
19. Theater
20. Chalcidicum
21. Tiberiusbogen
22. Traianbogen
23. Palästra
24. Hadrianische Thermen
25. Nymphäum
26. Severer-Bogen
27. Säulenstraße
28. Tempel des Iuppiter Dolichenus
29. Leuchtturm
30. Zone der »Scavi Nuovi«
31. Serapis-Tempel
32. Christliche Kirche
33. Leuchtturm der vorseverischen Zeit
34. Vorort-Bauten
35. »Jagdthermen«
36. Bogen des Marc Aurel
37. spätrömische Mauer
38. Westtor
39. Zisternen
40. Gräber
41. Villa des Nil
42. Circus, Amphitheater

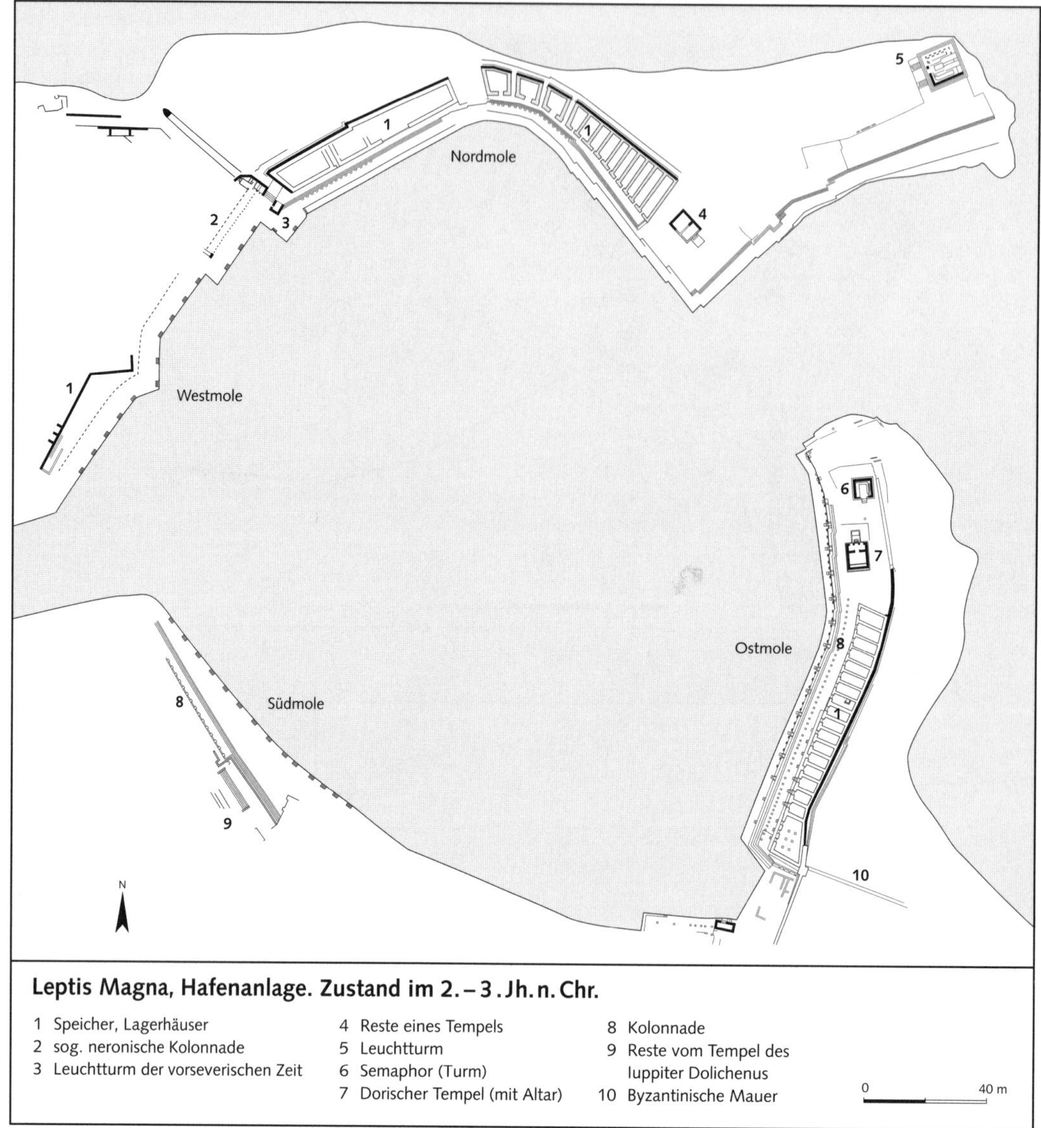


**Leptis Magna, Hafenanlage. Zustand im 2.–3. Jh. n. Chr.**

1 Speicher, Lagerhäuser
2 sog. neronische Kolonnade
3 Leuchtturm der vorseverischen Zeit
4 Reste eines Tempels
5 Leuchtturm
6 Semaphor (Turm)
7 Dorischer Tempel (mit Altar)
8 Kolonnade
9 Reste vom Tempel des Iuppiter Dolichenus
10 Byzantinische Mauer

**Leptis Minor** (pun. *Lpqj*; [1]). Phoinik. Gründung an der tunes. Ostküste, h. Lamta (*Leptis*, Sall. Iug. 19,1; *Leptis*, Mela 1,34, Plin. nat. 5,25; 76; Λέπτις μικρά, Ptol. 4,3,10; Λέπτις ἡ μικρά, Stadiasmus maris magni 113; *Lepti minus civitas*, Itin. Anton. 58,6; *Lepteminus*, Tab. Peut. 6,3; *Leptis minus*, Geogr. Rav. 37,45; *Tempu minus*, Geogr. Rav. 88,44; *Lepti minus*, Guido 132,72; *Lepti minus*, CIL III Suppl. 2, 13582).

Im Libyschen Krieg (241–238 v. Chr.) verlor der Rebell → Mathos ein Gefecht bei L. M. (Pol. 1,87,7). → Hannibal [4] landete dort im J. 203 v. Chr. (Liv. 30,25,11 f.). Im 3. → Punischen Krieg (149–146 v. Chr.) ging L. M. »rechtzeitig« auf die röm. Seite über (App. Lib. 94,446) und wird daher in der *lex agraria* vom J. 111 (Z. 79) zu den *populi leiberi* gezählt. Während der Auseinandersetzung zw. → Caesar und den Pompeianern (vgl. Caes. Bell. Afr. 7; 9; 10; 29; 61; 62; 63; 67) spielte der Hafen der Stadt eine gewisse Rolle (ebd. 62,5; 63,1). Wegen der Parteinahme für Caesar zählte L. M. auch in der Kaiserzeit zu den *oppida libera* (Plin. nat. 5,25). Ein in L. M. residierender Procurator war Chef einer großen Domänenverwaltung. Aus pun., neupun., röm. und byz. Zeit sind arch. Reste vorhanden. Inschr.: CIL VIII 1,58; Suppl. 1,11105; 11114–11132; 16543; Suppl. 4,22898–22905; AE 1970, 633; AE 1989, 882.

1 P. Romanelli, in: Ders. (Hrsg.), In Africa e a Roma. Scripta minora selecta, 1981, 39–48 (Überlegungen zum Namen).

AATun 050, Bl. 66, Nr. 7 • N. Ben Lazreg, D. J. Mattingly, Leptiminus (Lamta). Report no. 1, 1992 • H. Dessau, s. v. L. M., RE 12, 2076 f. W. HU.

**Lepton** bezeichnet ebenso wie das Adj. λεπτός, »geschält, dünn, klein«, eine Kleinmz. oder ein kleines Nominal [1]. Möglicherweise ist L. identisch mit dem aus dem NT bekannten → Kodrantes bzw. den *prutot* [2] gen. Kleinmz. der röm. Procuratoren iulisch-claudischer Zeit in Iudaea mit dem Namen des Kaisers oder Statthalters, aber ohne dessen Bild. Spätere Metrologen haben das L. mit 1/6000 Talent = 1 → Solidus gleichgesetzt.

1 LSJ s. v. λεπτός 6; III 2 2 B. OVERBECK, Das Heilige Land. Ant. Mz. und Siegel aus einem Jt. jüd. Gesch., 1993, 89; Nr. 207–240. 3 SCHRÖTTER, s. v. L., 350f. GE. S.

**Lepus** s. Hase; Sternbilder

**Lerche.** Aus der Familie der Alaudidae kannte das klass. Alt. von zwei Gattungen nur je eine Art: Die Hauben-L. (Galerida cristata L.), ἡ κόρυδος/*kórydos*, κορύδαλος/*korýdalos*, lat. *corydalus* (Marcellus, De medicamentis 29,30), *galerita* (Plin. nat. 10,137), *cassita* (Gell. 2,29,3), kelt. *alauda* (Plin. nat. 11,121; Marcellus, ebd. 28,50), unterscheidet sich von der in Griechenland nur als Wintergast auftretenden Feld-L. (Alauda arvensis L.) nach Aristot. hist. an. 8(9),25,617b 19–23 durch die Federhaube. Die Hauben-L. hat die Größe des Grünlings (χλωρίς/*chlōrís*; Aristot. hist. an. 8(9),13,615b 32f.), ist ein Bodenbrüter (Aristot. hist. an. 6,1,559a 1f.), ruht in der Mittagshitze (Theokr. 7,23) und verbirgt sich im Winter (Aristot. hist. an. 7(8),16,600a 19f.). Den wohltönenden Gesang der Feld-L. erwähnen nur der in Gallien lebende Marcellus (ebd. 29,30), und dann erst wieder Alexander Neckam nat. rer. 1,68 [1. 115] zu Beginn des 13. Jh. Das Fleisch der Hauben-L. wurde gerühmt (Epicharmos p. 237 L.) und nach Plin. nat. 30,62 (vgl. Dioskurides 2,54 WELLMANN = 2,59 BERENDES) gebraten gegen Darmkolik empfohlen. In der Fabel (Aisop. 210 H., vgl. Babr. 88; Avianus 21, zit. bei Gell. 2,29; vgl. Aristoph. Av. 471 ff.) evakuiert die L.-Mutter ihre noch flugunfähigen Jungen erst dann aus dem Nest im erntereifen Getreidefeld, wenn der von den Freunden verlassene Bauer selber mit dem Mähen beginnt. Das griech. Sprichwort (Sim. fr. 68 B) ›Keine L. ohne Haube‹ bedeutet dasselbe wie ›Keine Rose ohne Dornen‹ (Anth. Pal. 5,306; 9,280; 11,195).

1 TH. WRIGHT (ed.), Alexander Neckam, De naturis rerum, 1863, Ndr. 1967.

KELLER, Bd. 2, 85f. • H. GOSSEN, H. STEIER, s. v. L., RE 12, 2082ff. C. HÜ.

**Lernaia** (Λερναῖα). Eine lit. und durch Inschr. [2. 290] bezeugte Mysterienfeier der → Demeter und des → Dionysos Bugenes im argiv. → Lerne, wo beide Gottheiten in Kultgemeinschaft verehrt wurden (Paus. 2,36,7; 37,1). Myth. Stifter der L. war Philammon (Paus. 2,37,2). An dem Fest erfolgte eine → Epiphanie des tauromorphen Dionysos aus dem beim heiligen Hain gelegenen See; sie wurde ausgelöst von Trompetensignalen und dem Versenkungsopfer eines Lammes für den Unterweltsgott, der hier Pylaochos hieß. Die Trompeten waren in Thyrsos-Stengeln verborgen (Plut. Is. 35; mor. 364f). Da die Feier den Titanenmythos und den Zerreißungstod des → Osiris evozierte (ebd.), wurde Dionysos vermutlich vorher in Gestalt eines Stiers geopfert. Einem aitiologischen Mythos nach tötete → Perseus den Dionysos und warf ihn in den See von Lerne (Schol. Il. T. 14,319). Das Opferfeuer für die L. holten die Argiver aus dem Heiligtum der → Artemis Pyronia im Krathisgebirge Achaias (Paus. 8,15,9). Die Epiphanie des mit → Semele aus dem See emporsteigenden Stiergottes (schol. Lykophr. 212) inszenierten offenbar maskierte Initianden, die bei einem rituellen Tauchbad im See symbolisch starben und sich ihre Gesichter anschließend mit Gips bestrichen. Gemischtgeschlechtliche Reigentänze maskierter Festteilnehmer um die Altäre schildert Nonnos, der den aitiologischen Mythos dieses Brauchs überliefert (Nonn. Dion. 47,732ff.).

Die in Lerne verehrte Demeter trug den Beinamen Prosymnia (Paus. 2,37,1). Das Epitheton kehrt wieder in der Figur des Heros Prosymnos (bzw. Polymnos), der Dionysos den Weg in die Unterwelt zeigte, als dieser durch den alkyonischen See in den Hades stieg, um seine Mutter Semele emporzuführen (Paus. 2,37,5). Im Mythos gelobte der Gott dem Prosymnos, sich ihm nach seiner Rückkehr sexuell hinzugeben, erfüllte sein Versprechen aber dann mittels eines Feigenastes nur zeichenhaft (Clem. Al. Protreptikos 34,3–4; vgl. schol. Lykophr. 212). Das läßt sich als Reflex einer ritualisierten päderastischen Handlung deuten: Jünglinge vollzogen in der Rolle des Dionysos nach ihrem Bad im See einen imaginären Geschlechtswechsel, koitierten sodann mit einem künstlichen Phallos und erlangten nach solch symbol. Selbsterniedrigung den Erwachsenenstatus. Das simultane Opfer des Dionysos-Stiers war ein stellvertretender Akt, der der Taufe bzw. dem sozialen Statuswechsel der Initianden die symbol. Geltung des Todes verlieh. Der Ritus wurde in der myth. Vorgesch. des Kultorts zusätzlich präfiguriert durch die kollektive Enthauptung der fünfzig Aigyptos-Söhne, deren Köpfe → Danaos in den lernäischen See schleuderte (Zenob. cent. 4,86; Apost. cent. 10,57; Apollod. 2,1,5). Ihre myth. Reinterpretation waren die Köpfe der im See lebenden → Hydra (Strab. 8,6,8), die → Herakles abgeschlagen hatte (Diod. 4,11,5; Apollod. 2,5,2; Paus. 2,37,4). Nach Paus. 2,24,2 lagen nur die kopflosen Leichen der Aigyptiden in Lerne bestattet.

Im kult. Kontext der L. war auf Semele die Rolle der aus der Unterwelt zurückkehrenden Kore übertragen [2. 287], welche die erwachsen werdenden Mädchen repräsentierte (→ Persephone). Denn Kores Entführung in den → Hades wurde in der Nähe lokalisiert (Paus. 2,36,7). Daraus läßt sich folgern, daß die Initiation der Epheben an den L. mit einem gleichzeitigen Statuswechsel der adoleszenten Mädchen rituell verzahnt war. Deren mythische Projektion waren die fünfzig Töchter des → Danaos, denen die Argiver die Einführung der Mysterienriten der Demeter → Thesmo-

phoros zuschrieben (Hdt. 2,171). Der Danaide → Amymone zeigte Poseidon die Quellen von Lerne (Aischyl. Amymone, TrGF 3, p. 131 RADT). Dieses Gründungs-Aition setzt eine sommerliche Trockenperiode voraus (Paus. 2,15,5). Demnach fand das gemeinsame Fest der Demeter und des Dionysos wahrscheinlich nicht im Herbst, sondern im Hochsommer statt, und zwar beim Frühaufgang des Sirius, wenn die von Demeter repräsentierte Getreideerntesaison endete und mit der beginnenden Opora der Advent des Dionysos erfolgte.
→ Argolis; Mysterien

1 K. MEULI, s. v. L., RE 24, 2089–2093 2 NILSSON, Feste, 287–290 3 M. PIÉRART, La mort de Dionysos à Argos, in: R. HÄGG (Hrsg.), The Role of Rel. in the Early Greek Polis, 1996, 141–51. G.B.

**Lerne** (Λέρνη, h. Myli). Ortschaft 40 Stadien (ca. 7 km) südl. von Argos mit hl. Hain, durch die Flüsse Pontinos im Norden und Amymone im Süden begrenzt, mit etwa einem Dutzend starker Quellen, die in der Sage von der lernäischen → Hydra [1] personifiziert sind. Der See im Westen der argiv. Ebene (der »Halkyonische Teich«, der als unergründlich und als Eingang in die Unterwelt galt) bestand schon seit neolith. Zeit; er vergrößerte sich in hell. und röm. Zeit, versumpfte jedoch. Auf einem Hügel an der Südseite des Sumpfes ist eine bed. Siedlung seit neolith. Zeit nachgewiesen (Befestigung aus FH), mit großem palastartigem Gebäude. Dieser Küstenstreifen stand in direktem Kontakt mit den weiter entwickelten Kulturen der Kykladen und des min. Kreta. Heiligtum der Demeter Prosymna und des Dionysos Saotes mit dem Mysterienkult der → Lernaia, nach Apoll. Rhod. 3,1241 f. auch Kult des Poseidon. Belege: Paus. 2,15,5; 24,2; 36,6–37,6; 8,15,9; Strab. 8,6,2; 8; Plin. nat. 4,17; Ptol. 3,16,22; Plut. Kleomenes 15,2; Aratos 39,2. Inschr.: IG II[2] 3674; IV, 664–667; SEG 38, 312 f.; 39, 353; 41, 293bis; 42, 238; 286.

G. CASADIO, Storia del culto di Dionisio in Argolide, 1994, 223–325 • S. DIETZ, The Argolid at the Transition to the Mycenaean Age, 1991, 285 f. • A. FOLEY, The Argolid 800–600 B. C., 1988, 44, 65, 185 f. • N.-G. GEJVALL u. a., L. A Preclassical Site in the Argolid I-III, 1969–1995 • C. ZERNER, The Beginning of the Middle Helladic Period at L., 1986. Y.L.

**Lernos** (Λέρνος).
**[1]** Aitoler, Vater des Argonauten Palaimon(ios), als dessen wirklicher Vater Hephaistos galt (Apoll. Rhod. 1,202 ff.).
**[2]** Argeier, Sohn des Proitos, Vater des Naubolos, Argonaut (Apoll. Rhod. 1,135).
**[3]** In einer euhemerist. Deutung von Herakles' → Hydra-Abenteuer König in der Gegend von Lerna, dessen Kastell »Hydra« der Heros anzündet (Palaiphatos 38). C.W.

**Leros** (Λέρος). Der kleinasiat. Küste zw. Patmos und Kalymnos vorgelagerte Sporadeninsel, 53,5 km², deren Küste einige tief ins Landesinnere eingreifende Buchten und Küstenebenen aufweist. L. wurde nach Strab. 10,5,19 mit dem benachbarten → Kalymna zu den *Kalýdnai nḗsoi* (Hom. Il. 2,677) gerechnet. Die Insel, die ihren ant. Namen bis h. bewahrt hat, war bereits in der frühen Brz. besiedelt (Scherbenfunde bei Parthenion). Eine myk. Burg lag im Norden auf dem Kastro über der Bucht von Alinda. Spätestens seit Anf. 5. Jh. v. Chr. war L. milesisch, ein *dḗmos* von Miletos (Strab. 14,1,6; Hdt. 5,125). Die »Milesier von Leros« gehörten dem → Attisch-Delischen Seebund an mit einem Tribut von 3 Talenten [1]. Bei Parthenion im Norden von L. gibt es geringe Reste eines Heiligtums wohl der Artemis Parthenos. Der ant. Hauptort lag beim h. Kastro an der Ostseite der Insel, wo bei Hagia Marina Gebäudereste, Gräber und ein Aquädukt erh. sind. Eine dritte Ruinenstätte liegt im Süden bei Xirokambos, wo ein Turm aus dem 4. Jh. v. Chr. den Milesiern wohl zur Überwachung des Seeverkehrs diente. L. blieb auch in byz. Zeit besiedelt. Im Westen von L. liegt die kleine Insel Kinaros, in röm. Zeit Verbannungsort. Belegstellen: Strab. 10,5,12; Plin. nat. 5,133; Stadiasmus maris magni 273 ff.; Eust. in Dion. Per. 530; Inschr.: SEG 4,750–752.

1 ATL 1, 330 f.; 2, 81; 3, 253 f.

G. E. BEAN, J. M. COOK, The Carian Coast 3, in: ABSA 52, 1957, 58–146, bes. 134 f. • J. L. BENSON, Ancient L. (GRBS Monographs 3), 1963 • L. BÜRCHNER, Die Insel L., 1898 • Ders., s. v. L., RE 12, 2094–2098 • G. GEROLA, Monumenta medioevali delle tredici Sporadi, in: ASAA 2, 1916, 61 ff. • R. HOPE SIMPSON, J. F. LAZENBY, Notes from the Dodecanese, in: ABSA 65, 1970, 47–77 • H. KALETSCH, s. v. L., in: LAUFFER, Griechenland, 383–385 • PHILIPPSON/ KIRSTEN 4, 280 ff. • TH. WIEGAND u. a., Milet 2,1, 1921, 224 ff. H.KAL. u. E.MEY.

**Lesbonax** (Λεσβῶναξ).
**[1]** Griech. Grammatiker unsicherer Datier. (vielleicht vor dem E. des 2. Jh. n. Chr.). Verf. eines Werkes über rhet. Figuren (Περὶ σχημάτων), das in zwei verschiedenen Auszügen erh. ist (für eine Gleichsetzung mit dem Redner L. von Mytilene gibt es keine Anhaltspunkte). L. beschreibt darin eine Reihe gramm. Besonderheiten (*schḗmata*, »Figuren«), d. h. Änderungen der normalen Form der Rede, die mit Beispielen v. a. aus Homer belegt werden. Jeglicher attizistische Einfluß fehlt: Bei den Hauptquellen handelte es sich sicherlich um ant. Homer-Komm.; es lassen sich in der Tat regelmäßig Parallelen zu den erh. Scholien nachweisen.

ED.: D. L. BLANK, in: SGLG 7, 1988, 129–216 (mit Bibliogr.).
LIT.: K. AULITZKY, s. v. L. (2), RE 12, 2103–2104. F.M./Ü: T.H.

**[2]** Rhetor aus Mytilene, 2. Jh. n. Chr. (?), stammt wahrscheinlich von dem augusteischen Philosophen Lesbonax, dem Vater des → Potamon, ab; wohl kaum der Adressat der Briefe 22 und 61 des → Apollonios [14] von Tyana. L.' 16 ›Polit. Reden‹ (*Lógoi politikoí*), die von Photios gelesen wurden (cod. 74, 52a 22–23, unvollständig), umfaßten vielleicht die drei Reden, die im Cod. Crippsianus (BM Burneianus 95) aus dem 13. Jh. erh. sind. Eine davon gibt durch den Kontext eine Situierung im 5. Jh. v. Chr. (413?), eine zweite durch die Nachahmung der Sprache von Isokrates' *Plataïkós* (Isokr. or. 14) eine solche ins 4. Jh. v. Chr. vor. Von Liebesbriefen (*Erōtikaí epistolaí*) wußte noch Arethas (schol. Lukian. De saltatione 69).

F. Kiehr, Lesbonactis sophistae quae supersunt, 1907 • E. Richtsteig, Bericht über die Lit. zur sog. Zweiten Sophistik ... aus den Jahren 1915–1925, in: Bursians Jb. 211, 1927, 48. E. BO./Ü: T. H.

**Lesbos** (Λέσβος, lat. *Lesbus*; hethit. Lazba).
A. Geographie B. Archaische Zeit
C. Klassische und hellenistische Zeit
D. Römische Kaiserzeit
E. Kulturelle Bedeutung

A. Geographie

In der nordöstl. Ägäis gelegene, mit einer Gesamtfläche von 1630 km² nach Kreta und Euboia drittgrößte griech. Insel. Prägnante top. Merkmale sind zwei tief ins Land eingreifende Buchten: im Süden der Golf von Hiero, im Westen der Golf von Pyrrha. Die höchsten Erhebungen sind im Norden der Lepetymnos (838 m), im NW der Ordymnos (646 m), im SW der Olympos (968 m). Der SO der Insel ist wasserreich und fruchtbar, der Norden und Westen vulkanisch und karg. In der Landwirtschaft wurden neben Wein und Getreide v. a. Oliven produziert, und auch das h. Bild der Insel wird von Ölbäumen geprägt.

B. Archaische Zeit

L. (Lazba) gehörte im 14.–13. Jh. v. Chr. zum luwischen Staat → Sēḫa (umfaßte Kaikos- und Hermos-Tal). Bereits für die frühe Brz. lassen sich zahlreiche Siedlungsplätze nachweisen. Der wichtigste ist Thermi an der Ostküste nahe Mytilene mit fünf von ca. 3000 v. Chr. bis ins 13. Jh. v. Chr. reichenden Siedlungsplätzen. In dieser Zeit geriet L. zunehmend unter den Einfluß aiol., wahrscheinlich aus Mittelgriechenland (Thessalia, Boiotia) stammender Einwanderer. Mehrfach wird L. in den homer. Epen erwähnt (etwa Hom. Il. 9,129; 271; 664 f.: Frauen aus L.; Hom. Il. 24,543 ff.: L. zum Reich des Priamos gehörig). Die aiol. Einwanderer gründeten eine Reihe von Städten: → Antissa, → Eresos, → Pyrrha sowie → Mytilene und → Methymna. Die beiden letztgen. Städte spielten im Konzert der lesb. Städte eine Führungsrolle und befanden sich zugleich in einem Verhältnis der Rivalität. Mytilene und Methymna beteiligten sich denn auch an der Kolonisation in der Troas (Sigeion) und auf der thrak. Chersones (Ainos). Mytilene partizipierte zudem an der Installierung des Hellenion im ägypt. Naukratis (Hdt. 2,178). Das 7. und frühe 6. Jh. v. Chr. ist anscheinend auf ganz L. von sozialen Spannungen und inneren Auseinandersetzungen rivalisierender Adelsgruppen geprägt gewesen. Detaillierte Informationen liegen hier jedoch nur für Mytilene (v. a. über die Tyrannis des → Pittakos) vor (vgl. Alk. fr. 20; 21; 32; 37A; 37B; 49; 80 ff.; 92).

C. Klassische und hellenistische Zeit

Zeitweilig unter → Polykrates von Samos (Hdt. 3,39,4), stand L. nach etwa 545 v. Chr. unter pers. Kontrolle, von der es sich durch Teilnahme am → Ionischen Aufstand vergeblich zu befreien versuchte (Hdt. 6,8; 31,1). Nach Ende der → Perserkriege war L. Mitglied im → Attisch-Delischen Seebund mit dem Privileg, Schiffe stellen zu dürfen statt Tribut zahlen zu müssen (Thuk. 1,19; 2,9,5; 56,2; 7,57,5). Mit dem → Peloponnesischen Krieg begann eine wechselvolle Bündnispolitik der lesb. Städte. 428 v. Chr. initiierte Mytilene einen Aufstand gegen Athen, an dem sich außer Methymna alle lesb. Städte beteiligten und der von den Athenern mit einem harten Strafgericht geahndet wurde (Verlust der Autonomie, Ansiedlung att. → *klerúchoi*; Thuk. 3,2,1 ff.; 5,1; 18,1 f.; 3,50,2 f.). 412 v. Chr. kam es zu einem erneuten Abfallversuch (Thuk. 8,5,2; 22,1 ff.). 405 v. Chr. erfolgte der Anschluß an Sparta; 389 v. Chr. wurde K. auf Betreiben des → Thrasybulos wieder athenisch (Xen. hell. 4,8,28 ff.) und Mitglied im zweiten → Attischen Seebund (IG II² 40; 42).

Seit etwa 350 v. Chr. gab es in vielen lesb. Städten perserfreundliche Tyrannen-Herrschaften, die 334 v. Chr. durch Alexander d. Gr. beseitigt und nach erneutem pers. Intermezzo (Memnon) durch maked. Eingreifen definitiv beendet wurden (Arr. an. 2,1,1 ff.; 13,3; 3,2,4 ff.). Während der → Diadochenkriege gehörte L. nacheinander zum Reich des → Antigonos [1], des → Lysimachos und spätestens seit 221 v. Chr. den Ptolemaiern. Nach 200 v. Chr. unterstützten die lesb. Städte, insbes. Mytilene, die röm. Ostexpansion (Liv. 37,12,5) mit der Folge der Gründung eines bis in die Kaiserzeit existierenden lesb. → *koinón* mit Kultzentrum in Messon. Die Hilfe für → Perseus durch Antissa im dritten → Makedonischen Krieg führte 167 v. Chr. zur Zerstörung der Stadt und Umsiedlung der Bewohner nach Methymna (Liv. 45,31,14; Plin. nat. 5,139). Die Kooperation mit → Mithradates VI. (88 v. Chr., Diod. 37,37; Vell. 2,18,3; App. Mithr. 52) beantworteten die Römer mit der Eroberung von Mytilene (79 v. Chr., Liv. per. 89; Suet. Iul. 2). Aus Freundschaft zu Theophanes aus Mytilene verschaffte Pompeius der Stadt 62 v. Chr. wieder die Freiheit (Plut. Pompeius 42,4; Vell. 2,18,3; Strab. 13,2,3). Das danach geschlossene Bündnis wurde 45 v. Chr. von Caesar erneuert.

D. Römische Kaiserzeit

In der Kaiserzeit war L. beliebter Aufenthaltsort röm. Prominenz. Als Verbannungsort für zu angenehm gehalten wird die *insula nobilis et amoena* von Tacitus (ann. 6,3,3). Ca. 160 n. Chr. Zerstörungen durch ein Erdbeben (Aristeid. 49,38 ff.). Bischöfe residierten seit dem 5. Jh. n. Chr. in Mytilene, Methymna und Eresos.

E. Kulturelle Bedeutung

Bedeutsam sind die Impulse, die von L. für das ant. Geistesleben ausgingen: durch → Sappho und → Alkaios [4] für die Lyrik, → Hellanikos [1] und → Phainias für die Historiographie, → Theophrastos, den Aristoteles-Schüler, für die Philosophie. Lit. Berühmtheit erlangte auch → Longos mit seinem Liebesroman ›Daphnis und Chloe‹ (→ Roman), zudem eine für die kaiserzeitliche Top. von L. wichtige Quelle. Auf der gesamten Insel gibt es nur wenige ant. Überreste.
→ Aiolisch

P. Brun, Les Lagides à L., in: ZPE 85, 1991, 99–113 · H. G. Buchholz, Methymna, 1975 · P. M. Green, L. and the Cities of Asia Minor, 1984 · R. Koldewey, Die ant. Baureste der Insel L., 1890 · W. Günther, s. v. L., in: Lauffer, Griechenland, 385–388 · S. Mazzarino, Per la storia di L. nel VI secolo a.C., in: Athenaeum 21, 1943, 38 ff. · H. Pistorius, Beiträge zur Gesch. von L. im 4. Jh., 1913 · C. und W. Williams, Excavations at Mytilene 1990, in: Échos du monde classique 35, 1991, 175–191.

H. SO.

**Lesche** (λέσχη). Zu den griech. → Versammlungsbauten gehörige Architektur, in denen sich Bürger zu Verhandlungen, Geschäften oder Unterredungen zusammenfanden (der Begriff L. ist von griech. λέγω, »sprechen/reden«, abgeleitet); meist in der Nähe der → Agora oder – als Weihung – in Heiligtümern anzutreffen und bes. hier bisweilen auch als Herberge dienend. Die von Paus. 10,15 ff. beschriebene L. der Knidier in Delphi (→ Delphoi), ein langrechteckiger Saalbau mit acht Innensäulen, war berühmt wegen der darin befindlichen, h. verschollenen, aber durch die Beschreibung des Pausanias mindestens thematisch und in ihrer darstellerischen Struktur überl. Tafelbilder des → Polygnotos (→ Malerei).

M. Maass, Das ant. Delphi, 1993, 178–180.

C. HÖ.

**Lesches** (Λέσχης; bei Paus. auch Λέσχεως: wohl individueller Irrtum [5. 31[1]]). Vom Aristoteles-Schüler → Phainias von Eresos [8. 18 fr. 33] eingebrachter Name eines angeblichen aus Pyrrha (Lesbos) stammenden früh-epischen Dichters, der – vor → Terpandros lebend – mit → Arktinos einen Dichter-Wettkampf ausgefochten haben soll. Als Verf. der → *Iliás mikrá* erstmals genannt auf Homerischen Bechern ([9. MB 27 und 31]; 3./2. Jh. v. Chr.), danach häufig bei Scholiasten und Mythographen (bei Paus. als Verf. der → *Ilíu Pérsis*): Stellen bei [7. 2420 f.]. Der Name muß zwar nicht aus → *lésche* (λέσχη, »Gemeindehalle«) herausgesponnen sein [3. 254 f.] – auch ist eine Kurzform (wie z. B. Λέσχος, Λεσχεώς usw. für z. B. Λεσχαγόρας [6. 277 f.]) möglich –, aber die histor. Existenz des L. unterliegt seit Wilamowitz [4. 344–51] stärksten Zweifeln (vgl. Davies, → Epischer Zyklus).

Ed.: **1** PEG I **2** EpGr.
Lit.: **3** F. G. Welcker, Der ep. Cyclus, [2]I, 1865 **4** U. v. Wilamowitz-Moellendorff, Homer. Unt. (Der epische Cyclus), 1884, 328–380. **5** J. Wackernagel, Beiträge zur Lehre vom Griech. Akzent, 1893 **6** F. Bechtel, Die histor. PN des Griech. bis zur Kaiserzeit, 1917 **7** A. Rzach, s. v. Kyklos, RE 11, 2410–2422 **8** Wehrli, Schule 9, fr. 33 **9** U. Sinn, Die Homer. Becher, in: MDAI(A), 7. Beih., 1979 **10** M. Davies, Prolegomena and Paralegomena to a New Ed. (with Commentary) of the Fragments of Early Greek Epic, in: Nachr. der Akad. der Wiss. in Göttingen, Philol.-histor. Klasse, 2, 1986, 91–111. Weitere Lit. unter → Epischer Zyklus.

J. L.

**Leschides** (Λεσχίδης). Hell. Epiker, der an den Feldzügen des Königs → Eumenes [3] II. Soter (197–159 v. Chr.) teilnahm und vielleicht dessen Galaterkrieg pries. L. war ein »hochberühmter« Dichter und Zeitgenosse des Malers Pythias und des Arztes Menandros (Suda III, 254, 4–5 = SH 503).

K. Ziegler, Das hell. Epos, [2]1966, 17–18.

S. FO./Ü: T. H.

**Lesezeichen** I. Griechisch II. Lateinisch

I. Griechisch
A. Allgemein B. Worttrennung
C. Gliederungs- und Satzzeichen
D. Spiritus und Akzente

A. Allgemein

Die übliche Praxis der ant. griech. Kopisten, sowohl Prosa als auch Dichtung in *scriptio continua* zu schreiben, d. h. ohne die einzelnen Buchstaben als Wörter zu gruppieren und so Sinneinheiten abzugrenzen, muß zu erheblichen Lese- und Verständnisschwierigkeiten geführt haben. Als Abhilfe setzte man – sporadisch und ohne feste Regeln – L. ein. Auf einigen griech. Inschr. des 5./4. Jh. v. Chr. werden Wörter durch eine waagerechte Reihe von Punkten getrennt [4]. Punkte sind auch in Papyri des 3. Jh. v. Chr. zahlreich dokumentiert. Aus diesen stammen die folgenden wichtigsten Beispiele (detaillierter s. [5. 8–12])

B. Worttrennung

Normalerweise zeigte man gelegentlich die Zäsuren zw. den einzelnen Wörtern durch einen kleinen Zwischenraum, durch einen Punkt oder durch einen Schrägstrich an (POxy. 3533); manche Schreiber vermieden bewußt die *scriptio continua* zumindest für Teile des Textes (z. B. POxy. 2435 aus dem 1. Jh. v. Chr. und POxy. 473 aus den Jahren 138–160 n. Chr.). Individuelle Zeichensetzung einzelner Schreiber ist jedoch äußerst selten belegt; meist oblag dem Leser die korrekte Trennung der Buchstabengruppen.

In der *scriptio continua* wurde in Prosa und Dichtung meistens die Elision nicht geschrieben. Prosabeispiele fehlender Elision in *scriptio continua* dürfen daher nicht als Beweis dafür angeführt werden, daß der jeweilige Autor einen Hiat zuließ. Nachweislich ließen etliche Schreiber stillschweigend einen Vokal aus; manchmal tilgte auch ein Korrektor mit einem darübergesetzten

Punkt einen Vokal, der im Hiat stand. Vom 2. Jh. v. Chr. zeigen Apostrophe die Auslassung an (ältestes Beispiel: POxy. 1790).

Andere L. zur Erleichterung der Worttrennung, welche Schreiber oder Korrektoren benutzten, sind Interpunktion, Trema oder Dihärese, Apostrophe und *diastolḗ*, Akzente, Spiritus.

C. Gliederungs- und Satzzeichen

Die Begriffe στίζειν (*stízein*) im Griech. und *distinguere* im Lat. zeigen die Verwendung von Punkten (στιγμή, *stigmḗ*; lat. *punctum*) an.

1. Generelles

Für die L. gab es keine feste Regel, die Anwendung blieb uneinheitlich und der Entscheidung der einzelnen Schreiber überlassen; zudem ist die Herkunft der Zeichen in den meisten Fällen oft schwierig festzustellen (der Hauptschreiber oder erst nachträglich der Korrektor?). Ob die L. einer Abschrift den Willen und Gebrauch des urspr. Autors wiedergeben, ist wegen der unsicheren Überlieferung und der spärlichen Pap.-Zeugnisse ebenfalls kaum zu klären. Dies gilt ebenso für die Frage, ob L.-Varianten in verschiedenen Mss. desselben Textes auf der Willkür des Schreibers oder auf unterschiedliche Trad. zurückzuführen sind ([5. 10[41]]. Die Antwort ist nur im Einzelfall zu geben. Zumindest im röm. Ägypten (vor allem im 2. Jh. v. Chr.) scheinen es Schreiber für ihre bes. Aufgabe gehalten haben, auch die Zeichensetzung ihrer Vorlage zu kopieren, wenn eine solche vorhanden war (vgl. POxy. 1809; POxy. 454: Platon; 1182; PLitt. Lond. 127: Demosthenes). Älteres Beispiel dafür ist ein Alkmanpapyrus (POxy. 2387: 1. Jh. v.- 1. Jh. n. Chr.).

2. Ein- und Herausrückung

Der Beginn eines neuen Absatzes wird in den amtlichen Dokumenten (PMichigan II 121; POxy. 3593), Komm. (POxy. 2536) und Listen (POxy. 222) oft durch das Hinausschieben der ersten Zeile über den linken Rand hinaus angezeigt (*ékthesis*). Dies gilt auch für die Unterscheidung längerer Verse von kürzeren (Hexameter innerhalb eines elegischen Distichons oder in einer Folge von Hexametern und Trimetern, vgl. POxy. 852), oder zur Hervorhebung von Gedichtanfängen (→ Gedichttrennung). Das umgekehrte Verfahren, eine Zeile rechts einzurücken (*eísthesis*), hob den Übergang von einem längeren zu einem kürzeren Vers sowie von einer Folge von Trimetern zu einer Folge lyrischer Verse hervor (POxy. 1174).

3. Zwischenraum

Eine weitere Form der Interpunktion bei *scriptio continua* bestand darin, einen kleinen Zwischenraum zw. zwei Wörtern zu lassen, um ein Lemma vom dazugehörigen Komm. abzugrenzen (POxy. 1086; das Ende eines Satzes (PHamburg 646; PLitt. Lond. 108; gelegentlich statt Leerraum eine *parágraphos*, s.u.: POxy. 2399; 2435), oder den Personenwechsel in dramatischen Werken zu markieren (PSorbonne inv. 2272b; POxy. 2654). In amtlichen Texten konnte das Satzende auch durch die Verlängerung des Abschlußstriches des letzten Buchstaben angezeigt werden (z. B. Verlängerung des Mittelstriches beim E oder des oberen Striches beim Σ).

4. Paragraphos

Seit dem 4.–3. Jh. v. Chr. (PDerveni) bes. häufig bezeugt ist die *parágraphos*: ein horizontaler Strich, der zw. zwei Zeilen gesetzt wurde (— oder ⤚), und zwar unterhalb der Bezugslinie. In dramatischen Texten (Trag.: POxy. 2161; 2334; Kom.: POxy. 1373; 2656) und den platonischen Dialogen (POxy. 1809) wird die *parágraphos* regelmäßig zur Anzeige des → Sprecherwechsels verwendet. In Hexameterdichtung kann sie das Ende eines Abschnittes markieren, in lyrischen Versen das Ende einer Strophe oder die Teile einer triadischen Struktur (POxy. 2387; PLille 76). In Prosatexten wird sie – allein oder zusammen mit einem Zwischenraum oder einem Schrägstrich – zur Anzeige des Abschnittsendes verwendet (POxy. 2399; 2435). Mit der *parágraphos* trennte man auch zwei Teile einer Rechnung oder grenzte zwei Briefe oder eine Unterschrift vom restlichen Text ab.

5. Doppelpunkt

Auch der Doppelpunkt oder *díkolon* (:) ist ein schon für das 4. Jh. v. Chr. belegtes L. (SB 11963, PVindobonensis G 1); es kann als vereinfachte Form der drei vertikal übereinanderstehenden Punkte erklärt werden, die ab dem 3. Jh. v. Chr häufig in den Papyri zu finden sind. Der Doppelpunkt grenzt – zusammen mit einer *parágraphos* in dramatischen Texten (vor allem Komödien) oder in den Abschriften der platonischen Dialoge die einzelnen Sprecher voneinander ab. Gelegentlich kann ein *díkolon* durch einen Punkt (.) ersetzt werden. Gelegentlich beendet ein *díkolon* einen Satz (PBodemer 2) oder ein Kolon (PLille 76) oder grenzt ein Lemma vom Komm.-Text ab (hier oft von einem Querstrich begleitet (:–); POxy 2258).

6. Einfacher Punkt

Dionysios [17] Thrax (*Téchnē grammatikḗs* 4) unterscheidet drei Arten von Punkten: τελεία στιγμή, μέση στιγμή und ὑποστιγμή (der Text ist aber nicht sicher vgl. [5. 9[36]]. In den Papyri der Zeit vom 2. bis zum 1. Jh. v. Chr. findet man häufig hochgestellte Punkte (˙) oder solche in der Zeilenmitte (·), ohne deren Zweck sicher zu kennen. Vermutlich entspricht der hochgestellte Punkt der *teleía stigmḗ* und zeigt das Satzende an. Der Punkt in der Zeilenmitte dient zur Trennung im Satzinneren und entspricht dem heutigen Komma; seine Identifikation mit der *mésē stigmḗ* (wegen seiner Stellung in der Zeilenmitte) oder mit der *hypostigmḗ* (das Präfix *hypo-* würde die Bedeutung von »Hilfs«-Zeichen andeuten) ist nicht gesichert. Wahrscheinlich und durch die Papyri bestätigt ist die Annahme, daß bis zur Zeit Hadrians nur die ersten beiden Interpunktionsarten bekannt waren. Beispiele der dritten Möglichkeit, der tiefgestellte Punkt (.), sind überaus selten. Es fehlen auch Beispiele für das Fragezeichen.

7. TREMA UND DIHÄRESE

Ein weiteres L. ist das *tréma* bzw. die *dihaíresis*: zwei horizontal aufeinanderfolgende Punkte (¨) über einem Vokal (in der Regel ι oder υ); diese werden »organisch« gebraucht, um zwei Vokale, die in einer Gruppe nicht zusammengehören, zu trennen (αὐτουϋμας) und eine »unorganische«, um den Vokal am Anfang (ϊνα) oder am Ende (ουτωσϊ) hervorzuheben. Das älteste Beispiel für die »organische« Verwendung findet sich in Papyri des 2. Jh. v. Chr. (POxy. 1790). In röm. Zeit haben offenbar die Schreiber beim Kopieren eines Textes die L. beachtet und übernommen.

8. APOSTROPHE, DIASTOLE

Silben oder Wörter wurden manchmal durch eine *apostrophḗ* oder *diastolḗ* (') getrennt. Die *apostrophḗ* ist ein Auslassungszeichen zw. Wörtern (PLouvre E 3322), zw. Silben innerhalb eines einzelnen Wortes, vor allem in zusammengesetzten (POxy. 2458), oder zw. Konsonanten, vor allem bei Doppelmutae oder Doppelliquidae (PBodmer 2; POxy 1016). Die *diastolḗ* wurde zur Trennung einzelner Wörter voneinander verwendet (POxy. 852). Vom 3. Jh. n. Chr. an wird der Apostroph häufig am Ende eines Fremdwortes oder Eigennamens angefügt (vor allem bei jüd. Namen: PBodmer 2).

D. SPIRITUS UND AKZENTE

1. LÄNGEZEICHEN, SPIRITUS

In einigen dichterischen Texten und seltener in Prosatexten finden sich (nicht immer korrekt gesetzte) Zeichen für Lang- und Kurzvokale (POxy. 2387; 1231).

Komplexer ist die Sachlage bei den Spiritus und Akzenten, die beide nur selten und oft willkürlich geschrieben werden. Der Spiritus lenis wird weniger oft verwendet als der Spiritus asper. TURNER [5. 11–12] erkannte drei Formen des Spiritus: ⊦ ⊣ (1. Form), ∟ (2. Form) und ⊬ (3. Form), und stellte fest, daß die Formen 2 und 3 vermutlich schneller geschriebene Formen von 1 waren und daß die 2. Form leicht in die 3. Form übergehen konnte. 1 und 2 scheinen älter zu sein, 3 die jüngste; alle drei Formen können in einem einzigen Dokument vorkommen (BM Pap. 126). Die ältesten Zeugnisse für Spiritus gehen auf das 2. Jh. v. Chr. zurück (POxy. 1790; 659). Die Krasis hingegen wurden in der Regel nicht angezeigt. Äußerst selten sind auch die Beispiele für Prodelision (POxy. 2452,10: προcεθεδὴ 'γω; POxy. 2156 Fr. 1,II,12: ὢ' γεcιλαΐδᾱ).

2. AKZENTE

Auch für Akzente scheinen Beispiele vor dem 2. Jh. v. Chr. zu fehlen. Sie werden sporadisch (häufiger in poetischen Texten, seltener in Prosa und Briefen) und oft willkürlich dort gesetzt, wo man Mißverständnisse in der Lektüre und Zweifel in der Interpretation vermeiden wollte. Vereinzelt finden sich in einzelnen Dialekten eigene Akzente (dor.: POxy. 2387; aiol.: POxy. 1231). Neuere Arbeiten zum Gebrauch der Akzente in den Papyri [2; 3], überzeugend gegen LAUM [1] (zum alexandrinischen Akzentuationssystems).

Der Hauptunterscheid zw. Ant., MA und Neuzeit betrifft den Gebrauch des Gravis (`). Der ant. Leser eines Textes in *scriptio continua* konnte sich leicht irren; er konnte z. B. den Akzent auf die vorhergehende Silbe setzen und sich so das Verständnis erschweren. Diese Gefahr wurde vermieden, indem man Gravis auf die Silben vor dem Hauptton setzte. Gelegentlich, jedoch eher selten, wurde auch der Hauptton angezeigt (der Gravis reichte dazu aus). Zwei- oder mehrsilbige Oxytona tragen den Akzent in der Regel nicht auf der letzten Silbe, sie haben aber oft Gravis auf den vorhergehenden Silben. Vor einer Interpunktion trugen die Oxytona oft einen Akut (in diesem Fall konnte der Gravis auf den vorhergehenden Silben wegfallen). Noch häufiger setzte man auf die letzte Silbe eines Oxytonons einen Akut als Zeichen für Enklise.

Dieses Akzentuationssystem ist erst seit der Spätant. belegt, doch setzte sich offenbar schon im 3.–4. Jh. n. Chr. ein den ma. Mss. und dem neuzeitlichen Gebrauch ähnliches System durch: Der oben dargestellte Gebrauch des Gravis verschwindet und der Akzent wird, wenn überhaupt, auf dem Hauptton gesetzt; auf der letzten Silbe der mehrsilbigen Oxytona *en syntáxei* steht ein Gravis. Die Zielsetzung beider Systeme ist unterschiedlich: In den älteren Dokumenten sicherte man die richtige Worttrennung; im neueren System hingegen ging es darum, die Haupttonsilbe anzuzeigen. Erst seit dem späten 10. Jh. wurde die vollständige Akzentsetzung (Akzente und Spiritus) als unverzichtbar erachtet. Diese Praxis setzte sich in der Mitte des 8. Jh. durch. Die ältesten datierten Beispiele dafür sind der Cod. Barberinus Graecus 336 (Ende des 8. Jh.) und der Cod. Vaticanus Graecus 1666 (800 n. Chr.). Dieses System wurde vielleicht im Anschluß an die Initiative einer einflußreichen Grammatikerschule wirksam. Es gibt also in der Akzentsetzung keine Kontinuität zw. der Spätant. und dem byz. MA.

**1** B. LAUM, Das alexandrinische Akzentuationssystem, 1928 **2** C. M. MAZZUCCHI, Sul sistema di accentuazione dei testi greci in età romana e bizantina, in: Aegyptus 59, 1979, 145–167 **3** J. MOORE-BLUNT, Problems of Accentuations in Greek Papyri, in: Quaderni urbinati 29, 1978, 137–163 **4** L. THREATTE, The Grammar of Attic Inscriptions I, 1980, 13–98 **5** E. G. TURNER, Greek Manuscripts of the Ancient World, ²1987, 8–12.

T.D./Ü: P.P.

II. LATEINISCH

Im Unterschied zu der griech. Praxis wurden die lat. Texte mit einer elaborierten Zeichensetzung für Wort- und Satztrennung geschrieben, die mit der heutigen übereinstimmt (Punkt, Semikolon, Komma). Die Aussagen der späten röm. Grammatiker [1. 20–28], daß man in Rom die griech. L. verwendet habe (*teleía stigmḗ*, *mésē stigmḗ* und *hypostigmḗ*, s.o.), decken sich nicht mit dem Befund aus den erh. Inschr. und Papyri.

Für die archa. Zeit fehlt eine ausreichende Dokumentation. Seit Beginn des 1. Jh. v. Chr. wurden nicht nur einzelne Wörter, sondern auch Sätze und Klauseln innerhalb eines Abschnittes durch bes. *interpuncta* getrennt. In den lat. Texten sind 21 Interpunktionszeichen bezeugt: ein Leerzeichen und 20 Sonderzeichen. Deren Funktion ist nur innerhalb des jeweiligen Textzusammenhangs deutbar, da einzelne Zeichen eines bestimmten Systems in einem anderen konkurrierenden System eine abweichende Bedeutung haben. Jeder Text verwendet nur eine begrenzte Anzahl, höchstens zwei bis drei Zeichen, aber mit eigener Bedeutung innerhalb des spezifischen Zeichensystems eines Textes.

Nachfolgend eine Liste der L. nach WINGO [1. 93–131] (danach auch die Terminologie):
1. *apex* (ˇ): Funktion wie Punkt, Doppelpunkt oder Komma. Gleichzeitig auch Längezeichen über Vokal.
2. *diagonale breve* (kurzer Schrägstrich ´): Funktion wie Komma oder Doppelpunkt; auch Worttrennung.
3. *virgula* (langer Schrägstrich /): Absatzende; Funktion wie Punkt oder Komma; Abtrennung einer Erläuterung, Bezeichnung einer emphatischen Pause.
4. *virgula geminata* (doppelter Schrägstrich //): Wert zw. Punkt und *paragraphos*.
5. Umgekehrtes S (ꙅ): Funktion wie Punkt.
6. Nach rechts gebogener Haken (ſ): Funktion wie Fragezeichen; wie Punkt in antithetischen oder parallelen Sätzen.
7. Nach links gebogener Haken (ʔ): Ende eines Absatzes.
8. *virgula ansata* (˥): Funktion wie Punkt.
9. *dipla* (>): Absatzende; bei Sperrung Funktion wie Punkt oder eher Komma.
10. *sicilicus maior* (große Sichel ) ): Funktion wie das *diagonale breve* bei der Trennung von Namen und Begriffen.
11. *sicilicus minor* (kleine Sichel ˘): Funktion wie Punkt; Einleitung einer Antithese.
12. *sicilicus geminatus* (doppelte Sichel ʒ): scheint das Absatzende zu bezeichnen; Funktion wie Punkt; unterscheidet mehrere Elemente einer Aufzählung.
13. Umgekehrter *sicilicus geminatus* (Ɛ): Funktion wie Punkt.
14. Umgekehrter Bogen über der Linie (⌒): Wert vermutlich wie Punkt.
15. Zeichen in Form eines offenen Herzens (♡): Absatzende.
16. *paragraphos* (>–): gleiche Funktion wie im Griech. (s.o.).
17. K: Funktion wie Punkt.
18. J: emphatische Worttrennung.
19. *bina interpuncta* (zwei Punkte hintereinander): betonte Trennung zweier Namen.
20. *hederae* (Efeublatt ❦): urspr. Trennung von Wörtern, später Begriffen; auch Absatzende.
21. Leerzeichen: Absatztrennung, stärker als ein Punkt; Punkt; Parenthese; Trennung von Wörtern verschiedener Kasus, aber gleicher Endung. Auch Hervorhebung von Namen, Termini oder Begriffen.

Dieses komplexe System bestand bis zum Ende der konstantinisch-theodosianischen Zeit, als man – analog zum Griech. – auch das Lat. ohne Worttrennung zu schreiben begann und sich in der Zeichensetzung an das Griech. anlehnte.

**1** E.O. WINGO, Latin Punctuation in the Classical Age, 1972. T.D./Ü: J.DE.

**Lessa** (Λῆσσα). Dorf auf der argolischen Akte an der Grenze zu Epidauros, vermutlich beim h. Ligurio, mit Athena-Heiligtum. Lit. Belege: Paus. 2,25,10; 26,1. Inschr.: IG IV, 906–912; 1611.

A. FRICKENHAUS, W. MÜLLER, Aus der Argolis, in: MDAI(A) 36, 1911, 30 • R.L. SCRANTON, The Pottery from the Pyramids, in: Hesperia 7, 1938, 537. Y.L.

**Lesura.** Linker Nebenfluß der Mosel (Auson. Mos. 365), der nahe Bernkastel in die Mosel mündet, h. Lieser. L. bzw. Lesora heißt ein Berg in den Cevennen, h. Lozère (Sidon. carm. 24,44; vgl. Plin. nat. 11, 240), Lesuros (Hekat. FGrH 1 F 48) ein Fluß an der spanischen Ostküste. Eine Lieser gibt es auch in Kärnten.

F. CRAMER, s.v. L., RE 12, 2138 • L. WEISGERBER, Erläuterungen zur Karte der römerzeitlich bezeugten rheinischen Namen, in: Rheinische Vierteljahresblätter 23, 1958, 15. RA.WI.

**Lete** (Λητή). Strategisch günstig gelegene Stadt in → Makedonia/Mygdonia beim h. Liti, prägte schon Mz., bevor die Stadt im 5. Jh. v. Chr. maked. wurde [1. 67–72]. Im 4. Jh. v. Chr. als Stadt innerhalb von Makedonia anerkannt (SEG 36,331 Z. 19), pflegte L. einen Demeterkult [2. 44 Nr. 123]. Als autonome maked. Stadt empfing L. im 3. Jh. delph. *theōroí* (»Gesandte«) [3. 18 Z. 73], als Teil der röm. Prov. Macedonia ehrte L. 117 v. Chr. den *quaestor* M. Annius wegen einer Hilfeleistung gegen marodierende Kelten (Syll.[3] 700), war aber noch im 1. Jh. v. Chr. offenbar bedroht (Sall. hist. 1, fr. 133; fr. 134). In der röm. Kaiserzeit (Plin. nat. 4,36; Ptol. 3,12,33) genoß L. ausreichenden Wohlstand, um sich ein neues Stadttor [4. Nr. 678] und ein Gymnasion mit Ephebie leisten zu können (SEG 1, 276).

**1** H. GAEBLER, Die ant. Mz. Nordgriechenlands 3,2, 1935 **2** M.B. HATZOPOULOS, Cultes et rites de passage en Macédoine, 1994, 515 f. **3** A. PLASSART, La liste des théorodoques, in: BCH 45, 1921 **4** M.G. DIMITSAS, Ἡ Μακεδονία ἐν λίθοις φθεγγομένοις καὶ μνημείοις σωζομένοις, 1896.

F. PAPAZOGLOU, Les villes de Macédoine, 1988, 213 f. MA.ER.

**Lethaios** (Ληθαῖος).
**[1]** Linker Nebenfluß des → Peneios in NW-Thessalia, fließt durch → Trikka (Paus. 14,139), h. Trikkalinos.

F. STÄHLIN, Das hellenische Thessalien, 1924, 121. HE.KR.

**[2]** Fluß im Süden von Kreta, der → Gortyn in Nord-Süd-Richtung durchfließt (Strab. 10,4,11), h. Mitropolianos. H.SO.
**[3]** Rechter Zufluß des → Maiandros (Flußgott: Mz. von Magnesia), entspringt auf dem Paktyes bei Ephesos,

fließt an Magnesia vorbei (Strab. 12,3,27; 14,1,39; Athen. 15,683c [Nikandros]), hat als Derbent çayı die Ausgrabungen (Agora mit Zeus-Sosigenes-Tempel u.a.) teilweise zugeschwemmt.

J. Keil, s.v. Paktyes (1), RE 18, 2440 • C. Humann u.a., Magnesia am Mäander, 1904, Bl. I. H.KA.

**Lethe** s. Unterwelt

**Lethos** (Λῆθος). Pelasger, Sohn des Teutamos, Vater von → Hippothoos [2] (Hom. Il. 17,288) und Pylaios. Beide Söhne sind Führer der pelasgischen Truppen aus Larisa (Hom. Il. 2,840ff.). Da der Name L. an den unterirdischen Ort der Lethe erinnert, ist eine Beziehung zwischen dieser myth. Person und der Unterwelt zu vermuten.

1 P. Wathelet, Dictionnaire des Troyens de l'Iliade, Bd. 1, 1988, Nr. 170 und 207. FR.P.

**Leto** (Λητώ). Tochter der Titanen → Koios und → Phoibe (Hes. theog. 405). Sie gebiert Zeus die Zwillinge → Apollon und → Artemis, mit denen sie seit Homer (Il. 5,447; 20,39f.) engstens verbunden erscheint. Dabei ist die Geburt Apollons fest an → Delos gebunden, während diejenige der Artemis auch mit → Ephesos verknüpft ist; in beiden Fällen erzählt der Mythos von der Feindschaft der Hera, welche L. zu langer Irrfahrt zwingt und die Geburt hinauszögert; auf Delos, der schwimmenden Insel, die L. schließlich nach dem Versprechen aufnimmt, sie festzumachen, werden Palme und Ölbaum gezeigt, an denen sich die kreißende Göttin festhielt (Hom. h. Apoll. 25–126; Kall. h. 4); in Ephesos ist zudem noch vom Schutz der Neugeborenen durch die tanzenden → Kureten die Rede (Strab. 14,1,20). Nachdem das lyk. Xanthos mit einem Letoon (L.-Heiligtum) als Kultzentrum wichtig geworden war, wurde es in diesen Mythenkomplex dadurch einbezogen, daß L. mit den Neugeborenen dorthin geflohen sei (Antoninus Liberalis 35; Ov. met. 6,337f.). Auch ihre sonstigen Mythen verbinden L. immer mit ihren Kindern: Als der Riese → Tityos ihr auf dem Weg nach Delphi Gewalt antun will, wird er von den Geschwistern getötet (Pind. P. 4,90; Apollod. 1,23) und von Zeus in der Unterwelt bestraft (Hom. Od. 11,576–581); die Lokalisierung des Mythos auf Euboia hat aitiologische Gründe (Strab. 9,3,14). Ebenso rächen sich ihre Kinder an → Niobe, die sich mit ihren zweimal sieben Kindern L. gegenüber überlegen vorkommt; der Mythos, der Aition einer Felsformation am → Sipylos ist, wird (sekundär?) mit Theben verbunden (seit Hom. Il. 24,602–617, ausführlich Ov. met. 6,148–312).

Dieselbe Bindung an ihre Kinder belegt der Kult. Gewöhnlich ist L. in den Heiligtümern von Apollon und Artemis präsent (seit Hom. Il. 5,445–447; wenn L. hier ungewöhnlicherweise als Heilerin erscheint, mag dies mit ihrer Charakterisierung als »mild«, *meílichos*, und »sanft«, *ḗpios*, *aganṓtatos*, bei Hes. theog. 408 zusammengehen); bildlichen Ausdruck findet dies bereits in den Sphyrelata (→ Sphyrelaton) des früheren 7. Jh. v. Chr. aus dem Apollonheiligtum von Dreros [1]. Im archa. Griechenland scheint L. bedeutender zu sein als später; in homer. Texten steht sie beinahe wie eine Hauptfrau neben → Zeus (Hom. h. Apoll. 204–206; vgl. Hom. Il. 21,498; Od. 11,580), und auf Delos ist das Letoon wenigstens in vorklass. Zeit ein eindrücklicher, durch archa. Tempel und von Löwen gesäumter Prozessionsstraße herausgehobener heiliger Bezirk [2; 3]. Eigene Kulte verbinden sie mit der Initiation der jungen Männer (L. Phytia in Phaistos: Antoninus Liberalis 17 [4]) oder der jungen Mädchen (Agon auf Chios [5]); entsprechend ist sie → Kurotrophos und kann im Hochzeitslied um Kindersegen angerufen werden (Theokr. 18,50).

Eine größere Eigengestalt hat L. in Kleinasien, wo sie die → Interpretatio Graeca verschiedener anatolischer Göttinnen darstellt; als solche trägt sie in Lydien und Phrygien mehrfach die Epiklese Meter (»Mutter«). Ein Kultzentrum ist das karische → Kaunos, wo sie eng mit dem Roma- und → Kaiserkult verbunden ist, was auf ihre polit. Bed. weist [6]. Zentral ist aber das Letoon im lyk. → Xanthos. Hier heißt die indigene Göttin nach Ausweis der epichorischen Inschr. einfach »Herrin/ Mutter dieses Bezirks«; sie wird seit dem späten 6. Jh. von L. überlagert. Das Letoon ist als Bundesheiligtum der Lykier, in der Kaiserzeit gleichzeitig als Zentrum des Kaiserkults das polit.-rel. Zentrum Lykiens (→ Lykioi); entsprechend hat L. dem Volk den Namen gegeben, weil sie geführt von Wölfen (griech. *lýkos*) nach Xanthos kam (Antoninus Liberalis 35); ihre Verwandlung in eine Wölfin ist allerdings auch mit Delphi verbunden (Aristot. hist. an. 6,35,580a 18; Ail. nat. 10,26) und hat mit Apollons Epiklese Lykios zu tun [7; 8].

In Rom ist L. als → Latona bereits im 4. Jh. v. Chr. eng mit Apollo und Diana verbunden: diese Trias eröffnet das erste → Lectisternium von 399 v. Chr. (Liv. 5,13,6) und ist sowohl im ältesten Apollotempel beim Marcellustheater wie im augusteischen Tempel auf dem Palatin kultisch präsent [9]. Mehrfach steht Latona auch allein neben Apollo; so erhält sie bei den ersten *ludi Apollinares* ihr Opfer (Liv. 25,12,13) [10]. Die Namensform mit Vokalismus und ital. Suffix weist auf die frühe Übernahme der L. aus dem dor. Bereich Süditaliens, während die etr. Form *Letun* auf die att.-ion. Namensform zurückgeht.

1 V. Lambrinoudakis, s.v. Apollon, LIMC 2.1, 265, Nr. 658 2 H. Gallet de Santerre, La terrasse des lions, le Létôon et le monument de granit à Délos (Exploration archéologique de Délos 24) 1959, 37–72 3 Ph. Bruneau, Recherches sur les cultes de Délos à l'époque hellénistique et à l'époque impériale, 1970, 208–210 4 D. Leitao, The Perils of Leucippus. Initiatory Transvestism and Male Gender Ideology in the Ekdysia at Phaistos, in: Classical Antiquity 14, 1995, 130–163 5 Graf, 60–62 6 L. Robert, Etudes archéologiques et épigraphiques, 1966, 116 7 H. Metzger u.a., La stèle trilingue du Létôon (Fouilles de Xanthos 6), 1979 8 T. R. Pryce, The Arrival of the Goddess L. in Lycia, in: Historia 32, 1983, 1–13 9 G. Wissowa, Rel. und Kultus

der Römer, ²1912, 294f. 10 J. Gagé, Apollon Romain, 1955, 161f.

F. Wehrli, s. v. L., RE Suppl. 5, 55–576 • L. Kahil, N. Icard-Gianolio, s. v. L., LIMC 6.1, 256–264 • I. Krauskopf, s. v. Letun, LIMC 6.1, 264–267 • G. Berger-Doer, s. v. Latona, LIMC 6.1, 267–272. F. G.

**Letopolis** (Λητοῦς πόλις). Ort an der SW-Spitze des Nildeltas, äg. *(S)ḫm*, h. Ausim (nw von Kairo), Hauptort des 2. unteräg. Gaus. Hauptgott von L. war der falkengestaltige Himmelsgott *(M)ḫntj-jrtj*, der mit Anbruch von Tag bzw. Nacht seine Augen (Sonne bzw. Mond) verliert und wiedererlangt und damit den täglichen Kreislauf der Sonne symbolisiert. Später wurde er mit Haroeris gleichgesetzt. Hl. Tiere des Gottes von L. waren v. a. → Ichneumon und → Spitzmaus (erhalten sind zahlreiche Bronzefiguren, vgl. auch Hdt. 2,141). Daneben wurde eine Kultform der Göttin Hathor verehrt, die ihrerseits als Sonnenauge galt und daher mit dem der königlichen Stirnschlange (Uräus) und der schlangengestaltigen Kronengöttin Uto (griech. → Leto) gleichgesetzt wurde. L. war wohl zu allen Zeiten eher rel. als administrativ oder wirtschaftl. bedeutend. Trotz seiner häufigen Erwähnung in rel. Texten fanden sich nur sehr geringe arch. Reste, ausschließlich aus der äg. Spätzeit (ab 713 v. Chr.). In christl. Zeit war L. Bischofssitz. Die z. T. vertretene Gleichsetzung von L. mit → Papremis (Hdt. 2,59; 63; 71; 3,12) ist sehr zweifelhaft.

F. Gomaà, s. v. L., LÄ 3, 1009–11 • H. Kees, s. v. L., RE 12, 2146f. • A. B. Lloyd, Herodotus, Book II, Bd. 2: Commentary 1–98, 1976, 270–2. K. J.-W.

**Letrinoi** (Λετρῖνοι). Ortschaft an der Straße von Elis nach Olympia mit Heiligtum der Artemis Alpheiaia, im Norden des → Alpheios [1], beim h. Pirgos oder weiter westl. beim Dorf Hagios Ioannis zu lokalisieren; bestand zu Pausanias' Zeit nur noch aus wenigen Häusern. Belege: Paus. 6,22,8–11; Xen. hell. 3,2,25; 30; 4,2,16; Lykophr. Alexandra 54. Einheimische Namensform inschr. und bei Xen. hell. 4,2,16 in den Mss. Λεδρῖνοι (*Ledrínoi*).

F. Carinci, s. v. Elide 1, EAA², 447f. • E. Meyer, s. v. L., RE Suppl. 11, 876. Y. L.

**Leucetius** (Loucetius, »leuchtend«, »strahlend«). Durch *interpretatio Romana* dem → Mars gleichgesetzter kelt. Gott. Aus den im Gebiet von Mainz, in Worms und Wiesbaden konzentrierten sechs Inschr. für Mars L. geht hervor, daß es sich wahrscheinlich um den von dem treverischen Teilstamm der Aresaces verehrten Gott handelt [6]. Mars L., der mit Victoria oder Nemetona verehrt wird, wird sich auch hinter dem beinamenlosen mit Nemetona genannten Mars der Votive aus Trier und Altrip verbergen. L. verehren überwiegend Zivilpersonen; sein Charakter als Gott eines Stammes wird daher über den kriegerischen Aspekt hinausgangen sein.

1 G. Bauchhenss, s. v. Ares/Mars, LIMC 2.1, 573
2 G. Behrens, Mars-Weihungen im Mainzer Gebiet, in: Mainzer Zschr. 36, 1941, 14ff. 3 J. DeVries, Kelt. Rel., 1961, 58–60 4 F. Drexel, Götterverehrung im röm. Germanien, in: Ber. der Röm.-German. Komission 14, 1922, 27ff. 5 F. Haug, s. v. L., RE 12, 2150
6 H. Klumbach, Aresaces, in: Limes-Studien 14, 1959, 69ff. 7 E. Thevenot, Sur les traces des Mars celtiques 1955, 122f. M. E.

**Leuchtturm.** Das griech. φάρος/*pháros*, lat. *pharus* bezeichnete, architektonisch geformte Seezeichen hat seine Vorformen in den bereits bei Homer (Od. 10,30 u. ö.) gen., auf Säulen oder Streben erhöht plazierten offenen Feuern, die die Einfahrten von Häfen (Piräus, 5. Jh. v. Chr.; → Hafenanlagen) oder (selten) gefährliche Küstenpunkte markierten (wobei irreführende Küstenfeuer seit alters her zugleich ein bei Piraten gebräuchliches Mittel waren, Schiffe zwecks Ausplünderung stranden zu lassen; → Schiffahrt; → Seeraub). Der älteste architektonische L., der als → Weltwunder geltende L. von → Alexandreia, wurde von → Sostratos zw. 299 und 279 v. Chr. auf der Alexandreia vorgelagerten Insel Pharos erbaut (wonach in der Folge die gesamte Gattung benannt ist); er diente zunächst wohl ausschließlich als unbefeuertes Tagesseezeichen, erhielt dann aber im 1. Jh. v. Chr. eine Befeuerung (offenes Reisigfeuer) und blieb bis ins 12. Jh. hinein funktionstüchtig. Der Turm aus vier abgestuften Geschossen, der 1326 bei einem Erdbeben endgültig einstürzte und dessen Ruinenteile bei verschiedenen Unterwasserexplorationen wiedererkannt wurden, erreichte verm. eine H von über 100 m und galt wegen seines weithin sichtbaren Leuchtfeuers als wichtigster Markierungspunkt des östl. Mittelmeers. Weitere gut bezeugte L. standen nahe Ostia, bei Messina und am Hafen von Konstantinopel; der über 40 m hohe röm. L. bei La Coruña (NW-Spanien) ist noch h. in Betrieb. Verschiedentlich ist die Funktion erh. röm. Türme nicht eindeutig gesichert; die Türme bei den Tiberius-Villen auf Capri sind verm. als Bestandteile einer umfangreichen Signal- und Kommunikationsanlage, nicht jedoch als L. im Sinne eines Seezeichens zu deuten.

P. A. Clayton, The Pharos at Alexandria, in: P. A. Clayton (Hrsg.), The Seven Wonders of the Ancient World, 1988, 138–157 • S. Hutter, Der ant. L. von La Coruña, in: Ant. Welt 9, 1978/Nr. 2, 33–48 • T. G. Radan, Angaben zur Frage der sog. 'Leuchttürme', in: Alba Regia 13, 1972, 149–157. C. HÖ.

**Leuci.** Volk in Gallia Belgica zw. Matrona und Mosella, nordwestl. der → Sequani, südwestl. der → Mediomatrici; ihr Gebiet reichte im Osten und SO bis an die Vogesen (Caes. Gall. 2,14; Tac. hist. 1,64; Ptol. 2,9,13; Plin. nat. 4,106; Lucan. 1,242); *civitas*/Hauptort war Tullum. Bei den L. ist ein Quellen- und Heilkult belegt – entweder in Form der Verehrung des Apollo (Graux, Malaincourt) bzw. des kelt. Apollo → Grannus (Tullum, Nasium, Grand) [1] oder einer namenlosen Gottheit (Laneuveville) [2]. Nach Claudius Marius Victor, Alethia 3,204–209 (5. Jh.) soll der aus Delphoi vertriebene → Apollon bei den L. eine neue Heimat gefunden haben; überregionales rel. Zentrum war → Grand.

1 P.-M. Duval, Un texte du V<sup>e</sup> siècle relatif au sanctuaire apollinien des L., in: J. Bibauw (Hrsg.), Hommage à M. Renard, 2, 1969, 256–261 2 J.-M. Demarelle, D'Hygie à Saint Valdrée, in: Caesarodunum 26, 1992, 425–437. F.SCH.

**Leucosia.** Insel vor der lucanischen Küste (Mela 2,7,121; Plin. nat. 3,83: *Leucothea*) an der Punta della Licosa, h. Isola Piana.

G. Brugnoli, s. v. L., EV 3, 1987, 196f. • BTCGI 9, 1991, 5; 14, 1996, 505f. G.U./Ü: J.W.M.

**Leucrocota.** Möglichweise ist dieses → Mischwesen (Größe eines Esels, Beine eines Hirsches, Dachskopf mit einer bis zu den Ohren aufgesperrten Schnauze und einem durchgängigen Knochen an Stelle der Zähne, Löwenähnlichkeit an Hals, Brust und Schwanz, zweigeteilten Hufen, Imitationsfähigkeit der menschlichen Stimme) in Äthiopien bei Plin. nat. 8,72f. und Solin. 52,34 als Schabrackenhyäne (Hyaena brunnea) [1. 154] zu deuten. Wahrscheinlich ist es aber doch ein Fabeltier, das durch die gen. Quellen und Honorius Augustodunensis 1,12 (*Ceucocrota*) [2. 54] und Jakob von Vitry, Historia orientalis c. 88 [3. 181 f.] an Thomas von Cantimpré 4,62 [4. 146] und Albertus Magnus, De animalibus 22,112 [5. 1409] weitergegeben wurde.

1 Leitner 2 V. I. J. Flint (ed.), Honorius Augustodunensis, Imago mundi, 1983 (Archives d'histoire doctrinale et littéraire du moyen age, Bd. 49) 3 Fr. Moschus (ed.), Jacobus de Vitriaco, Historia orientalis et occidentalis, 1597 4 H. Boese (ed.), Thomas Cantimpratensis, Liber de natura rerum, 1973 5 H. Stadler (ed.), Albertus Magnus, De animalibus, Bd. 2, 1920. C.HÜ.

**Leuga.** Gallo-röm. Maßeinheit kelt. Ursprungs zur Messung und Anzeige von Entfernungen auf Straßen in der → Aquitania seit dem 2. Jh. n. Chr. und den übrigen gallischen sowie den beiden german. Prov. seit Anfang des 3. Jh. Eine L. ist äquivalent zu 1,5 röm. Meilen und entspricht ca. 2200 m. Während im 1. und 2. Jh. in diesen Prov. die Entfernungsangaben auf den Miliarien (→ Meilensteine) ausschließlich in röm. Meilen (Abk. M P = *milia passuum*) gemacht wurden, tauchten seit Septimius Severus die Angaben im allg. in L. (Abk. L) auf, wobei die Messung in röm. Meilen bis zum Beginn des 4. Jh. parallel in Gebrauch war. Die frühesten Belegstücke aus der Aquitania datieren in traianisch-hadrianische Zeit [2. 343, 378, 439, 426, 441]; in den gallisch-german. Prov. handelt es sich um einen Leugenstein von der Fernstraße Köln – Trier, der bei Zülpich gefunden wurde [2. 558], sowie zwei Steine aus der Umgebung von Avanches [2. 672f.], die aufgrund der Inschr. sämtlich ins Jahr 202 festzusetzen sind. Späteste Stücke sind Entfernungssteine von der Fernstraße nach Lyon, die aus den J. 317 bis 337 stammen [2. 338, 528]. Der weitaus größte Teil der im röm. Germanien gefundenen Steine wurde an der linksrheinischen Fernstraße nach Mainz [2. 593a–622] sowie im rechtsrheinischen Dekumatland [2. 623–656] gefunden. L. und röm. Meilen stehen auch im *Itinerarium provinciarum Antonini Augusti* in den Abschnitten über die gallischen und german. Prov. nebeneinander. Chevallier [1] geht neben der röm. L. zu 2200 m von der Existenz einer gallischen L. aus, die 2400 m maß und in den weniger romanisierten Gebieten in Gebrauch war.

→ Maße

1 R. Chevallier, Les voies romaines, 1972 2 O. Cuntz, Itineraria Romana 1, 1929, 54ff. 3 A. Grenier, Manuel d'archéologie gallo-romain II: L'archéologie du sol, 1934 4 G. Walser, Meilen und Leugen, in: Epigraphica 31, 1969, 84–103 5 Ders., Miliaria Imperii Romani Pars Secunda: Miliaria Provinciarum Narbonensis, Galliarum, Germaniarum (CIL XVII), 1986. H.-J.S.

**Leuka (ore)** (Λευκὰ ὄρη). Die »weißen Berge« im Westen von Kreta, mit einer H bis zu 2482 m (Strab. 10,4,4). Unkultiviert und unzugänglich, mit bemerkenswertem Bestand an Zypressen (Plin. nat. 16,142; vgl. Theophr. h. plant. 4,1,3), von Plin. nat. 31,43 auch erwähnt im Zusammenhang mit der Suche nach Wasserquellen.

J. Bowman, Kreta, 1965, 271ff. • P. Faure, Noms de montagnes crétoises, in: L'Association G. Budé. Lettres d'humanités 24, 1965, 426–446. H.SO.

**Leukai** (Λεῦκαι).

**[1]** Perioikenstadt (→ *períoikoi*) an der Ostküste des Lakonischen Golfs, Akriai benachbart (Pol. 5,19,8; Liv. 35,27,3), wohl am nordöstl. Rand der von Strab. 8,5,2 gen. Ebene Leuke.

Pritchett 7, 1991, 143–146; 8, 1992, 157–159 • A. J. B. Wace, F. W. Hasluck, South-Eastern Laconia, in: ABSA 14, 1907/8, 162f. Y.L.

**[2]** Stadt in Ionia, am Nordufer des Golfs von Smyrna auf einer erhöhten Landspitze mit zwei Hafenbecken (Plin. nat. 5,119: *oppidum Leuce in promunturio, quod insula fuit*, »die Stadt L. auf dem Vorgebirge, das eine Insel gewesen ist«; Ps.-Skyl. 98: *Leucae cum portubus*, »L. mit [zwei] Häfen«), von dem Ägypter Tachos, einem Achaimenidenadmiral, 383 v. Chr. im Krieg des Großkönigs gegen → Euagoras [1] gegr. (Diod. 15,18,1: Λεύκη; 19,1: Λεῦκαι). L. unterstützte 133 v. Chr. → Eumenes [4] III. gegen Rom (Strab. 14,1,38: αἱ Λεῦκαι πολίχνιον). L. war im 1. Jh. n. Chr. verödet (Mela 1,85,4: *litus Leuca*). Stadtmauerreste aus klass. Zeit am Üç Tepeler, infolge Verlandung von der See entfernt.

G. E. Bean, s. v. L., PE, 505f. • Ders., Aegean Turkey, 1966, 125–127. E.O.

**Leukarion** s. Deukalion

**Leukas, Leukadia**
(Λευκάς, Λευκαδία, lat. *Leucas, Leucadia*).
A. Geographie B. Geschichte
C. Archäologie

A. Geographie
Eine der mittleren Ion. Inseln mit gleichnamiger Stadt, nur durch eine seichte Meerenge von der akarnanischen Küste getrennt, ca. 295 $km^2$ groß und 31 km lang (→ Akarnanes, Karte). Das Innere von L. besteht aus einem zentralen Bergmassiv (am höchsten der Stavrotas, 1182 m). In unterschiedlichen Höhenlagen finden sich fruchtbare Ebenen (Livadi, Enkluvi) und Kesseltäler. Im Westen fällt die Kliffküste steil ab, während Ebenen und Buchten im Osten (Vlicho-Bucht mit Nidri-Ebene) und Süden (Vasiliki) das Landschaftsbild prägen. Die Küstenregion zum Festland hin, seit der Ant. durch Hebung des Meeresspiegels und neogene Ablagerungen verändert, besteht aus flachen Sümpfen und Lagunen. Beim h. Hauptort Lefkada (ehemals Amaxichi) und der venezianischen Festung St. Maura ist die Insel durch eine Brücke mit dem Festland verbunden. Im Süden endet die Insel in dem namengebenden leuchtend weißen und bei ant. Seefahrern gefürchteten Kap Leukates (h. Dukato), auf dem sich ein Heiligtum des Apollon befand; durch den Sturz vom Felsen wurden Verbrecher bestraft (Strab. 10,2,8f.; evtl. ein Hinweis auf frühere Menschenopfer [6]) oder – dem Mythos nach – unglücklich Verliebte von ihrer Liebe erlöst (→ Sappho, vgl. Ov. epist. 15; Stat. silv. 5,3,154f.; Lukian. dialogi mortuorum 9,2). L. bildet h. zusammen mit der östl. gelegenen Insel Meganisi einen eigenen Verwaltungsbezirk (*nomós*). Die gesamte Umgebung ist stark erdbebengefährdet.

B. Geschichte
Dörpfelds Ausgrabungen [3] in der Nidri-Ebene verdanken wir die Kenntnis von FH und MH Rundgräbern (3.–2. Jt.), die der Finder fälschlich einer »achäischen« Zeit zuordnete, um seine h. einhellig abgelehnte Identifizierung von L. mit dem homer. → Ithake zu begründen. Myk., geom. oder früharcha. Funde sind trotz intensiver Suche spärlich. Hom. Od. 24,11 erwähnt offenbar das Kap Leukates als Eingang in die Unterwelt, nennt L. aber nicht namentlich, so daß man seit der Ant. diskutiert, ob der Dichter L. zum Festland (ἀκτὴ ἠπείροιο, Od. 24,378) rechnete oder unter anderem Namen (Dulichion oder Ithake) besingt.

Die früheste Nachricht über L. berichtet von der Gründung der korinth. Kolonie durch Kypselos ca. 630 v. Chr. [8. 209–216]. Nach ant. Überl. wurde von den Kolonisten die Landverbindung zu Akarnania durchstochen (Strab. 10,2,8; Poseid. FGrH 87 F 87, 18) [4. 159] und durch den südöstl. geschaffenen Kanal (Dioryktos) die Schiffahrt entlang der Ostküste von L. ermöglicht. An den Perserkriegen war L. bei Salamis und Plataiai beteiligt (Hdt. 8,45; 9,28,5; 31,4). Im Konflikt um Epidamnos und im → Peloponnesischen Krieg nahm L. mit seinen Schiffen aktiv an der Seite Korinths teil und diente den Gegnern Athens als wichtiger Hafenplatz (Thuk. *passim*). 394 v. Chr. war L. im antispartanischen Bund (Diod. 14,82,3), aber spätestens 373 unterstützte L. Sparta (Xen. Hell. 6,2,3). L. war nicht im 2. → Attischen Seebund (unklar ist die Bed. des ca. 368 mit Athen geschlossenen Vertrages IG II-III$^2$ 104; StV 2, 278); Demosthenes (or. 18,237) gewann L. aber 342–340 für den Bund gegen Philippos II. Im → Lamischen Krieg 323 kämpfte L. gegen die Makedonen (Diod. 18,11,1), mit denen L. am Ende des Kriegs Frieden schloß (Diod. 17,17).

Es folgten turbulente Zeiten mit wechselnden Herren für L.: Kassandros und Lysandros, Agathokles (?), Pyrrhos, Demetrios Poliorketes, Kleonymos (?). Im Vertrag der Aitoloi und Akarnanes von 263 bildete L. einen der sieben Bundeskreise des Akarnanischen → Koinons (IG IX $1^2$ 1, 3 A Z. 24; StV 3,480), so daß der Beitritt einige Jahre vorher erfolgt sein muß. Während der Teilung von Akarnania gehörte L. zu Epeiros und wurde nach der Wiederherstellung des Koinons (230) dessen Hauptort.

Nach der Weigerung der Akarnanes, in die *amicitia* Roms einzutreten, wurde L. 197 von Flamininus [2] erobert (Liv. 33,17). L. diente fortan Rom als Flottenstation (z. B. Liv. 34,26,11) und mußte 167 als *civitas libera* das Koinon verlassen (Liv. 45,31,12). Überl. ist die Plünderung des Apollon-Heiligtums durch Seeräuber im 1. Jh. v. Chr. (Plut. Pompeius 24), ein Besuch Ciceros im J. 50 v. Chr. (Cic. fam. 16,3–5) und die Eroberung durch Agrippa vor der Schlacht von Aktion 31 v. Chr. (Cass. Dio 50,13,3). Bei der Gründung von → Nikopolis wurden die Bewohner von L. umgesiedelt und die Stadt als Gemeinwesen aufgelöst (Strab. 10,2,2; Anth. Pal. 9,553) [5; 9. 156f., 308–315]. L. gehörte zunächst zu → Achaia, dann zu der (unter Traianus?) gegr. Prov. Epirus [10. 201–204]. In der Spätant. lag am Schiffahrtskanal eine Straßenstation Perdioricto (Tab. Peut. 7,3). Aus frühbyz. Zeit gibt es keine Nachrichten, erst für 879 n. Chr. ist L. als Bistum bezeugt [9].

C. Archäologie
Der Hauptort lag im NO der Insel, 2 km südl. des h. Lefkada zw. Kaligoni und Karyotes an der schmalsten Stelle der Meerenge, an deren südl. Einfahrt bei Hagios Georgios die Kaimauern des Hafens ca. 3 m unter dem Meeresspiegel lokalisiert wurden [7]. Von der ant. Stadt ist wenig erforscht [4. 161–163]; auf dem nördl. Stadthügel befand sich die Akropolis, das Theater lag am Nordhang des südl. Stadthügels [3. 156, 267]. 3,5 km lange Mauern verliefen bis zur Fleva-Bucht nordwestl. der Stadt. Stadtgrabungen bestätigen die Besiedlung von der archa. Zeit bis E. 1. Jh. v. Chr. Seit klass. Zeit besaß die Stadt ein orthogonales Straßensystem [5]. Im Norden und Süden der Stadt wurden ausgedehnte Gräberfelder festgestellt. Mit der → Peraia auf dem akarnanischen Festland (Thuk. 3,94; h. Plagia-Halbinsel) war L. durch eine Steinbrücke verbunden (Strab. 1,3,18). In den fruchtbaren Ebenen bildeten sich zahlreiche Siedlungskammern aus mit weiteren Ortschaften und z. T.

lockerer Streubesiedlung: Nerikos (Thuk. 3,7, bei Hagios Georgios), Ellomenon (Thuk. 3,94; in der Nidri-Ebene?) und Phara (Skyl. 34, bei Vasiliki?) [4. 158–160]. Einzelne (Turm-)Gehöfte wurden bei amerikanisch-griech. Surveys erforscht [2; 4. 161, 168]. Die Stadt- und Bundes-Mz. bedürfen einer Bearbeitung [1]. Inschr.: [11. 240–244].

**1** BMC, Gr (Thess.-Aetolia), 174–187; Gr (Corinth), 113; 125–137 **2** A. DOUSOUGLI, S. MORRIS, Ancient Towers on L., in: P. N. DOUKELLIS u. a. (Hrsg.), Structures rurales et sociétés antiques, 1994, 215–225 **3** W. DÖRPFELD, Alt-Ithaka I.II, 1927 **4** M. FIEDLER, Zur Top. der Polis L., in: P. BERKTOLD u. a. (Hrsg.), Akarnanien, 1996, 157–168 **5** Ders., L. Wohn- und Alltagskultur in einer nordwestgriech. Stadt, in: W. HOEPFNER (Hrsg.), Gesch. des Wohnens 1, 1999 (im Druck) **6** D. D. HUGHES, Human Sacrification in Ancient Greece, 1991, 160–163 **7** W. M. MURRAY, The Ancient Harbour Mole at L., in: A. RABAN, Archaeology of Coastal Changes, 1988, 101–118 **8** J. B. SALMON, Wealthy Corinth, 1986 **9** SOUSTAL, Nikopolis, 195f., 216 **10** D. STRAUCH, Röm. Politik und griech. Trad., 1996 **11** Ders., Aus der Arbeit am Inschr.-Corpus der Ion. Inseln, in: Chiron 27, 1997, 209–254.

E. OBERHUMMER, Akarnanien, Ambrakia, Amphilochien, L. im Alt., 1887 • J. PARTSCH, Die Insel L. (Petermanns Mitt. Ergh. 95), 1889 • PHILIPPSON/KIRSTEN 2, 460–490. D. S.

**Leukaspis** (Λεύκασπις, »der mit dem weißen Schild«). Mehrfach verwendeter griech. Heroenname. Insbes. heißt L. einer der fünf Feldherren der Sikanoi, die Herakles tötet und die kult. Ehren genießen (Diod. 4,23,5); er ist auf syrakusanischen Mz. seit dem 5. Jh. dargestellt [1]. Kult eines Heros L. ist auch für den att. Demos Erchia belegt [2], während Vergil den Namen für einen ertrunkenen Troianer verwendet (Verg. Aen. 6,334).

**1** HN 175 **2** LSCG 18 G 50. F. G.

**Leuke** s. Leukai [1]

**Leuke Akte** (Λευκὴ ἀκτή). »Weißes Vorgebirge« an der libyschen Küste Äg. nahe des kleinen → Katabathmos, h. Ras al-Abja (am Ras al-Kanais, ca. 60 km östl. von Marsa Matruh), erwähnt u. a. bei Strab. 10,489; 17,799; Ptol. 4,5,3. Nach POxy. XI,1380,45 wurde in L. A. → Isis als Aphrodite, Muchis und Eseremphis verehrt. Ebenso gab es ein Orakelheiligtum des Apollon (→ Horus).

H. KEES, s. v. L. A., RE 12, 2261. K. J.-W.

**Leuke Kome** (Λευκὴ κώμη).
**[1]** Phöniz. Dorf an der Küste zw. Sidon und Berytos, Treffpunkt von M. Antonius und Kleopatra nach dem Partherfeldzug (Plut. Antonius 51,2 f.).
**[2]** Hafenstadt an der arab. Küste des Roten Meeres und nabatä. Grenzposten. Von hier aus trat Aelius Gallus 25 v. Chr. den Landweg nach der Sabäerhauptstadt Marib (Maryab) an (Strab. 16,780f). Unter dem Nabatäerkönig Malichos II. (40–70 n. Chr.) war in L. K. ein nabatä. Centurio stationiert, der den arab. Zoll überwachte (periplus maris Erythraei 19; Kosmas Indikopleustes 2,143). Die südlichste Lokalisierungsmöglichkeit bietet Yanbuʿ (→ Iambia), der Hafen von Medina, wofür die Angabe Strabons spricht, daß L. K. gegenüber von → Berenike [9] gelegen habe. Nach der Namenstrad. wäre al-Ḥaura »die Weißpappel«, ca. 100 km weiter nördl. an der gleichen Küste, vorzuziehen.

H. v. WISSMANN, s. v. Μαδιάμα, RE Suppl. 12, 540–543 • G. W. BOWERSOCK, Roman Arabia, 1983, 70f. m. Anm. 39. E. A. K.

**Leukimme** (Λευκίμμη, dor. Λευκίμμα). Nach Norden vorspringende, niedrige Landspitze (»weißes Kap«) an der SO-Küste von Korkyra, h. Lefkimi. Thuk. 1,30,1; 4,47,2; 51,4; 3,79,3; Strab. 7,7,5; Ptol. 3,17,11.

A. W. GOMME, A Historical Commentary on Thucydides 1, 1945, 183 • PHILIPPSON/KIRSTEN, Bd. 2, 445f. D. S.

**Leukios** (Λεύκιος).
**[1]** L. (= Lucius), Sohn des Gaius, Römer, ptolem. *phrúrarchos* auf Itanos (zw. 221–209 v. Chr.), damit der erste bisher bekannte Römer, der einen höheren Rang im ptolem. Heer bekleidete. PP VI 15117. W. A.
**[2] L. Charinos**. Vorgeblicher Verf. apokrypher Apostelgeschichten. Als solcher erscheint L. singulär mit Doppelnamen Mitte des 9. Jh. bei → Photios (Bibl. cod. 114), der ihm die Abfassung der fünf großen alten apokryphen Apostelakten (Akten des Petrus, Johannes, Andreas, Thomas und Paulus) zuschreibt. Diese bildeten wohl bereits Ende des 3. Jh. bei den Manichäern (→ Mani) ›eine fest umrissene und als solche tradierte Slg.‹ [1. 86]. Mit ihr verbindet sich, wohl von den Johannesakten auf die gesamte Slg. übergegangen [1. 92], der Name des L. als Verf. einzelner Akten bzw. des Corpus. Der bei Photios auftretende Doppelname steht u. U. in Verbindung mit den in der lat. Bearbeitung der Höllenfahrt Christi im 2. Teil der Pilatusakten als Leucius und Carinus bezeichneten Söhnen des greisen Symeon. Eine andere Trad. weiß von einem Johannesschüler L. (u. a. Epiphanios von Salamis, Panarion 51,6).
→ Apokryphe Literatur; Neutestamentliche Apokryphen

**1** E. HENNECKE, W. SCHNEEMELCHER (Hrsg.), Nt. Apokryphen in dt. Übers., [5]1987, 81–93 (K. Schäferdiek)
**2** E. JUNOD, J.-D. KAESTLI, L'histoire des Actes apocryphes des apôtres du III[e] au IX[e] siècle: Le cas des Actes du Jean, 1982, 133–145, bes. 137–143 (5 Thesen)
**3** O. WERMELINGER, s. v. L., LThK[3] 6, 1997, 861 f. J. RI.

**Leukippe** (Λευκίππη, »die mit dem weißen Pferd«) ist als Pendant zu → Leukippos mit seinen adligen Assoziationen ein typischer und fast beliebig verwendbarer Heroinenname. So trägt ihn eine Gefährtin der → Persephone (Hom. h. Cer. 418), die Mutter (Hyg. fab. 250) oder die Frau des → Laomedon (Apollod. 3,146), oder eine der → Minyades (Antoninus Liberalis 10), die Ov. met. 4,168 Leuconoe nennt. F. G.

**Leukippe und Kleitophon** s. Achilleus Tatios [1]

**Leukippiden** (Λευκιππίδες). Als L. werden die im lakon. Kult figurierenden Töchter des Leukippos (des Sohnes des Perieres oder seltener auch des Apollon (Kypria fr. 11 PEG I)), Hilaeira und Phoibe (oder Eriphyle auf einer Vase des Meidias), bezeichnet. Im Zentrum ihres Mythos steht ihre Entführung durch die → Dioskuroi.

Nach einer Version werden sie von diesen geraubt, als sie schon mit ihren Vettern, den Söhnen des → Aphareus [1], verlobt sind (Theokr. 22,137–151; Ov. fast. 5,699–720). Dies ist die Ursache für die berühmte Schlacht der Apharetiden und der Dioskuren. Der Mythos diente als Prototyp der Initiation spartan. Mädchen vor der Hochzeit, die, wie nicht selten in spartan. Mythos und Ritual (z.B. Paus. 4,16,9), als Entführung inszeniert wird. Die kult. Szenerie einiger bildlicher Darstellungen des Raubes auf rf. Vasen des 5./4. Jh. v. Chr. deutet in dieselbe Richtung.

Die L. wurden in Sparta als Göttinnen mit einem eigenen Tempel verehrt (Paus. 3,16,1). Ihre Priesterinnen nannten sich selbst sowohl L. als auch *pṓloi* (Fohlen) (Hesych. s. v. πῶλος) und beteiligten sich am spartan. Kult des Dionysos Kolonatas (Paus. 3,13,7); für das 2. Jh. ist ein Priester der L. und der Tyndaridai bezeugt (IG V 1, 305). Die Ursprünge der L. liegen im Dunkeln: es wurde vermutet, daß sie urspr. entweder als eine spartan. Neuerung oder als indeur. Erbe als weibl. Analogien der Zwillingsreiter zu sehen sind, doch gibt es Zeugnisse, daß die L. urspr. als lokale Figuren unabhängig von den Dioskuren auftraten.
→ Arsinoë [I 1]

C. Calame, Les choeurs des jeunes filles, 1977, 1, 323–333 • J. Larson, Greek Heroine Cults, 1995, 64–69 • Wide, 326–332. D.LE.

**Leukippos** (Λεύκιππος) ist der Name von mindestens 12 verschiedenen Personen des Mythos, die insbes. mit Geschichten über Kolonisationen und Erwachsenwerden verbunden sind. Die wichtigsten unter ihnen sind:
**[1]** Sohn des → Lampros. Obwohl als Mädchen geboren, wird L. durch → Leto in der Pubertät in einen Mann verwandelt. Zur Erinnerung daran unterzogen sich junge Männer in Phaistos während der *Ekdýsia* einem Kleidertauschritual, bei dem sie wahrscheinlich Frauenkleidung statt Männerrüstzeug anlegten. Bräute (und Bräutigamme?) legten sich neben einer Statue des L. nieder (Antoninus Liberalis 17; vgl. Ov. met. 9,666ff.).
**[2]** Sohn des Oinomaos, der sich in die jungfräuliche Jägerin → Daphne [2] verliebt und sich als Mädchen verkleidet, um sich in ihre Mädchengruppe einzuschleichen. Als L. sich eines Tages weigert, sich auszuziehen und an einem gemeinschaftlichen Bad im Fluß Ladon teilzunehmen, ziehen die Frauen ihn mit Gewalt aus und töten ihn, als sie entdecken, daß er ein Mann ist (Parthenios 15; Paus. 8,20).
**[3]** Sohn des Xanthios, eines Nachkommen des → Bellerophontes. Dieser lykische (oder karische) L. gründet zusammen mit einer Gruppe von Verwandten, den thessal. Magnesiern, Magnesia am Maiandros (IMagn. 17), wobei nach einer Version das Land von der Tochter des Königs verraten wird (Parthenios 5; 6). Vorher hatte sich L. in seine Schwester verliebt und aus Versehen seinen Vater getötet (Parthenios 5,1–5).
**[4]** Myth. achaiischer Gründer von Metapont, der das Land von den Tarentinern durch Betrug erwirbt (Strab. 6,1,15; vgl. Dion. Hal. ant. 19,3).

D. Nikitas, Zur Leukipposgesch., in: Hellenika 33, 1981, 19–24 • K. Dowden, Death and the Maiden, 1989, 58–67 • D. Leitao, The Perils of L., in: Classical Antiquity 14, 1995, 130–163. D.LE.

**[5] L. aus Milet, Elea** oder **Abdera** (alle Alternativen vorgebracht von Diog. Laert. 9,30 = 67 A 1 DK), 5. Jh. v. Chr., der schwer greifbare Begründer des → Atomismus und Lehrer des → Demokritos [1]. Seine Existenz wird von → Epikuros bezweifelt. Alle drei Geburtsorte sollen die Beziehung des L. zu bestimmten Philosophenschulen bezeugen (was nicht ausschließt, daß einer davon tatsächlich sein Herkunftsort ist): ein Milesier stünde für die Kontinuität der ion. → Naturphilosophie, ein Eleat (und Schüler des Zenon, 67 A 1 DK) verbände eleatische Metaphysik und Atomismus, ein Abderit wäre leicht der Lehrer und Kollege des Demokrit (auch aus Abdera), der unter seinen Zeitgenossen ebenfalls kaum bekannt war. Aristoteles hält L. eindeutig für den Begründer der atomistischen Philos. (gen. 325a 2ff.). Anderweitig nennen die Quellen L. und Demokrit des öfteren zusammen und erlauben keine Differenzierung ihrer Lehren – einzige Ausnahme ist die Wärmelehre (vgl. 67 A 17 DK; 68 A 135 DK). Nach üblicher Vermutung moderner Interpreten zeichnet L. für die Hauptgedanken des Atomismus verantwortlich (vielleicht in der ›Großen Weltordnung‹, die Thrasyllos' Werktitelliste Demokrit zuweist); Demokrit habe dann das Material weiter entwickelt. Eine ant. Ausgabe von L.' Werken ist nicht bekannt, nach üblicher Gelehrtenmeinung wurden zumindest einige unter Demokrits Werke eingegliedert.

Fr.: Diels/Kranz, Bd. 2, 81–230 • S. Luria, Demokrit, 1970.
Lit.: C. Bailey, The Greek Atomists and Epicurus, 1928 • H. Diels, Über Leukipp und Demokrit, in: Ders., KS zur Gesch. der ant. Philos., 1969, 185–198. I.B./Ü: J.DE.

**Leukoma** s. Schreibmaterial

**Leukon** (Λεύκων).
**[1]** Boiot. Heros, Sohn des → Athamas und der Themisto, einer Tochter des Lapithenkönigs Hypseus (Apollod. 1,9,2). Seine Tochter Euhippe heiratet Andreus von Orchomenos (Paus. 9,34,6f.). Eponym des Leukonis(=Kopais)-Sees (Steph. Byz.). C.W.

[2] Dichter der Alten Komödie, der an den Lenäen 422 v. Chr. mit dem Stück Πρέσβεις (›Gesandte‹) mit Aristophanes' ›Wespen‹, an den Dionysien 421 mit den Φράτερες mit dessen ›Friede‹ konkurrierte und beide Male Dritter wurde (1. test. 3a-b). Erhalten sind sieben Fr. und drei Stücktitel; der ὄνος ἀσκοφόρος (›Schlauchtragender Esel‹) ist nicht datiert; ein Dionysiensieg (1. test. 2) ist frühestens 410 anzusetzen. L. griff den Politiker → Hyperbolos und den Tragiker → Melanthios an.

1 PCG V, 1986, 611–614. B. BÄ.

[3] Archon von Bosporos [2] (IOSPE 2,343), 389–349 v. Chr.; Nachfolger von → Satyros I.; König des bosporan. Reichs. L. eroberte mit Hopliten und skyth. Reitern → Theodosia, aus der L. den Athenern 400 000 Medimnen Weizen jährlich (Demosth. or. 20,32), zur Zeit einer Getreideknappheit sogar 2 100 000 Medimnen geschickt haben soll (Strab. 7,4,6). L. kämpfte gegen → Herakleia [7] (Polyain. 6,9,4) und gliederte die → Sindoi in das Bosporan. Reich ein (vgl. Strab. 7,4,5 f.). L. trug den Titel »Archon von Bosporos und Theodosia und König der Sindoi, Toreteer, Dandarier und Psessier« (CIRB 6). L. schloß mehrere Verträge mit Athen und besaß athen. Bürgerrecht (Demosth. or. 20,29–32). Ehrendekrete der Arkader und Mytilener (Syll.$^{3}$ 212; CIRB 37). Unter L. erlebte das → Regnum Bosporanum einen großen wirtschaftl. und kulturellen Aufschwung. In der griech. Lit. ist L. mehrfach als listiger Feldherr und Finanzmann, aber auch als kluger Staatsmann dargestellt (Strab. 7,4,4; Polyain. 6,9,3; 5,44 u. a.).

V. F. Gaidukevič, Das Bosporan. Reich, 1971, 70–75, 82 f.

[4] Bosporan. König ca. 240–220 v. Chr., zweiter Sohn des → Pairisades II., soll seinen Bruder → Spartokos getötet haben (schol. Ov. Ib. 309 f.). Unter L. erste bosporan. Münzprägung im Namen eines Königs. L. ist identisch mit dem Priester Leukon. Er war schon vor Regierungsantritt Apollonpriester in → Pantikapaion (CIRB 25; auf dem Avers seiner Silbermz. ist der Kopf des Gottes abgebildet), Weihung einer Statue (IOSPE 2,15). Unter L. erlebte die Wirtschaft einen Aufschwung.

V. F. Gaidukevič, Das Bosporan. Reich, 1971, 90, 96 mit Anm. 90. I. v. B.

## Leukonoe

[1] (Λευκονόη). Tochter des → Phosphoros. Sie ist von Apollon Mutter des Philammon (Hyg. fab. 161), dessen Mutter sonst → Chione [2] oder Philonis ist (Hyg. fab. 200; Pherekydes FGrH 3 F 120; Konon FGrH 26 F 1,7).

M. C. van der Kolf, s. v. Philonis, RE 20, 74–75. RA. MI.

[2] (Λευκονόη, Phot. s. v.). Namensbelege: Suda s. v. Λευκόνιον, Harpokr. s. v. Λευκόνοιον [ἐγ Λ]ευκονοίο (500/480 v. Chr.) [3]. Die Demotika im 4. Jh. v. Chr. stets Λευκονοεύς oder Λευκονοιεύς. Im Prytanenkatalog IG II$^{2}$ 1742 sind drei *buleutaí* Λευκονοιῆς gen., der Nom. lautet demnach Λευκονόη. Att. Asty-Demos der Phyle → Leontis, mit drei *buleutaí*. Die Lage (bei Peristeri?) ist umstritten [1; 2; 4. 130]. Das Λευκό<ν>οιον IG II$^{2}$ 1582, Z. 134, ist eine Grube oder ein Heiligtum bei Anaphlystos [1. 78; 4. 130$^{22}$].

1 H. Lohmann, Atene, 1993, 78 Anm. 594 2 E. Maas, Die Lage des Demos L., in: MDAI(A) 35, 1910, 335–337 3 A. Raubitschek, Dedications from the Athenian Akropolis, 1949, 116 Nr. 112 4 J. S. Traill, Demos and Trittys, 1986, 15, 55, 67, 69, 77, 89, 130 mit Anm. 22.

Th. Kock, s. v. L., RE 12, 2284 • Traill, Attica 18, 44, 59, 63, 111 Nr. 85, 134, Tab. 4 • Whitehead, Index s. v. Leukonoion. H. LO.

**Leukonotos** s. Libs; Winde

**Leukopetra** (Λευκόπετρα, »weißer Felsen«). Vorgebirge an der Adria-Küste südl. von → Rhegion (Strab. 5,1,3; 6,1,7), h. Capo dell'Armi bei Motta S. Giovanni. Zusammen mit anderen »weißen Felsen« (Capo Leucata, Phalaron Akron, Leucopetrai Tarentinorum) kennzeichnet er die Seefahrtsroute von Griechenland nach Unteritalien und Sizilien. Der helle Felsen half den Seefahrern bei der Navigation.

C. Turano, Leucopetra, in: Calabria antica, 1977, 34–44 • BTCGI 4, 420 f. • M. Giangiulio, Tra mare e terra, in: F. Prontera (Hrsg.), La Magna Grecia e il mare, 1996, 261–263. A. MU./Ü: J. W. M.

**Leukophryene** (Λευκοφρυήνη). Epiklese der Artemis von → Magnesia am Maiandros, der Hauptgöttin der Stadt; nach einer Epiphanie wurde ihr im mittleren 2. Jh. v. Chr. ein eindrucksvoller Tempel gebaut (Vitr. 3,2,6), eine neue Kultstatue feierlich aufgestellt [1], ein überregionales Fest mit Agon eingerichtet [2] und das Heiligtum mit Asylrecht ausgestattet (Tac. ann. 3,62,1). Zugleich ist L. der Name der (davon hergeleiteten) Heroine, die (wie oft) im Heiligtum ihrer Göttin begraben ist (Clem. Al. Protreptikos 3,45,3); sie soll (in geläufigem Erzählmotiv [3]) ihre Vaterstadt aus Liebe an den Feldherrn der Belagerer verraten haben (Parthenios 5).

1 LSAM 33 2 Nilsson, Feste, 248–251 3 A. Krappe, Die Sage von Tarpeia, in: RhM 78, 1929, 249–267. F. G.

## Leukos

[1] (Λευκός, »der Weiße«). Beiname des → Hermes bei den Boiotern. Der Kult des Hermes L. wurde aufgrund eines Orakels eingerichtet, wonach die Tanagraier, um im Krieg gegen die Eretrier bestehen zu können, einen Knaben und ein Mädchen opfern mußten (schol. Lykophr. 680). RA. MI.

[2] (Λεῦκος). Gefährte des → Odysseus, vom Priamos-Sohn Antiphos getötet (Hom. Il. 4,491).

[3] (Λεῦκος). Sohn von Kretas ehernem Wächter → Talos. → Idomeneus [1] ist L.' Pflegevater. Als er sich dem Troiazug anschließt, vertraut er L. Haus und Herrschaft an. Von Nauplios läßt sich L. dazu verleiten, Meda, Ido-

meneus' Gattin, zu verführen. Dann tötet er sie samt seiner Braut Kleisithera und den beiden Idomeneus-Söhnen Iphiklos und Lykos. Vom Reich des Idomeneus trennt L. zehn Städte ab und setzt sich als König ein. Idomeneus blendet L. nach seiner Heimkehr (Apollod. epit. 6,10; Lykophr. Alexandra 1214–1224; schol. Lykophr. 1218). RE.ZI.

**Leukos Limen** (Λευκὸς λιμήν; nur bei Ptol. 4,5,8). Hafen am Roten Meer am Ost-Ausgang des Wadi Hammamat in der Höhe von → Koptos, h. Marsa Koseir el-qadim. L.L. war Ausgangspunkt der Fahrten nach Punt (Küste von Erythraea). Seit der Ptolemäerzeit haben die Häfen → Myos Hormos und → Berenike [9] L.L. überflügelt. Ant. Reste sind kaum erhalten. JO.QU.

**Leukosia** (Λευκωσία).

**[1]** Eine der drei nachhomer. → Sirenen, die jetzt nicht mehr – wie bei Homer – als Gruppe, sondern individualisiert auftreten: L. kommt durch die griech. Kolonisation nach SW-Italien. In der Folge wird ihr Selbstmord (sie stürzt sich ins Meer) auf einer Insel sw von Paestum lokalisiert, wo ihr Grab verehrt wird (Lykophr. 715 mit schol.; 728; Strab. 6,1,1). Als die Odysseus-Sage von der Aineias-Sage verdrängt wurde, wurde L. zu einer Nichte des → Aineias (Dion. Hal. ant. 1,53). AL.FR.

**[2]** Seit dem 4. Jh. n. Chr. gebräuchlicher ON für die ant. Stadt Ledrai (vgl. um 370 n. Chr.: Τριφύλλιον τὸν Λεδρῶν ἐπίσκοπον, Soz. 1,11,8), h. Nikosia/Zypern. Die Besiedlung reicht bis ins Neolithikum zurück, brz. Nekropole bei Hagia Paraskevi. Einzelfunde belegen Siedlungskontinuität von geom. bis frühchristl. Zeit.

S. F. KROMHOLZ, The Bronze Age Necropolis at Ayia Paraskevi (Nicosia) (Stud. in Mediterranean Archaeology and Literature, Pocket books 17), 1982 • MASSON, 229–232 • E. OBERHUMMER, s. v. Ledroi, RE 12, 1125–1127. R.SE.

**Leukosyroi** (Λευκόσυροι, »Weiße Syrer«; Bed. und Herkunft des Begriffs unklar). Von den Griechen als ethnische Einheit gesehene indigene Einwohnerschaft (App. Mithr. 292; Σύριοι, Hdt. 1,6,1; 2,104; Ἀσσύριοι, Dion. Per. 975) des anatolischen Nordens der Landschaft Assyria (Λευκοσυρία, schol. vetera ad Apoll. Rhod. 196,9; 198,10; 201,6; Λευκοσυριακή, 200,1; Λευκοσυρική, 198,3), die nach Ps.-Skyl. 89 vom Fluß Thermodon (h. Terme Çayı) im Osten bis zur Anlegestelle Armene (h. Ak Liman, 40 Stadien westl. von → Sinope, Strab. 12,3,10 f.) und nach Tetrakis (nicht lokalisiert, aber östl. von Stephane Limen (h. Gemiciler) reichte und außerdem die Städte Themiskyra (h. Terme), Lykastos (irgendwo am Merd Irmağı), Karusa (h. Gerze), Sinope (h. Sinop) und Kerasus (h. Karaköy?) sowie die Flüsse Lykastos (h. Merd Irmağı), Halys (h. Kızıl Irmak) und Ocherenos (h. Karasu?) umfaßte. Aber nicht nur diesen Küstenstreifen rechnete man den L. zu; Ptol. 5,6,2 nimmt das ganze Irisgebiet (→ Iris [3]) von den Quellen bis zur Mündung samt der Hafenstadt Ankon (nicht lokalisiert) als Siedlungsbereich der L. an, Strab. 12,3,9 das »Amazonenland« mit der → Themiskyra. Und nicht nur Kappadokia am Meer (»Pontos«), sondern auch Zentral-Kappadokia galt als Siedlungsbereich der L. (Hdt. 1,72; 7,72; Strab. 12,3,5; 9; Plin. nat. 6,9; Steph. Byz. s. v. Σύροι: κοινὸν ὄνομα πολλῶν ἐθνῶν, »gemeinsamer Name vieler Völker«).

W. RUGE, s. v. L., RE 12, 2291–2293 • D. R. WILSON, The Historical Geography of Bithynia, Paphlagonia, and Pontus in the Greek and Roman Periods, D. B. Thesis, Oxford 1960 (maschr.), 431 ff. E.O.

**Leukothea** (Λευκοθέα). Eine mit → Initiation und Umkehrriten verbundene Gottheit. Sie kommt schon bei Homer (Od. 5,333 f.) vor, wo eine Überblendung mit → Ino vorliegt. Beide treten aber in Mythos und Kult (Leukathea der L.) auch unabhängig voneinander auf. L. wurde ›in ganz Griechenland verehrt‹ (Cic. nat. deor. 3,39), doch ist es schwierig, eine deutliche Vorstellung von ihren Festen zu gewinnen, die oft Züge der Auflösung der sozialen Ordnung zeigen [1. 179; 2. 405–407]: Ihr Heiligtum in Delos war verbunden mit einer Phallagogie [1. 71], und in Chaironeia waren Sklaven und Aitoler davon ausgeschlossen (Plut. mor. 267d). In Teos wurden die Epheben während des Leukatheon – dort der erste Monat des Jahres – zu Erwachsenen [2. 406]. Dieser Aspekt der Initiation, der vielleicht noch in der ›Odyssee‹ sichtbar wird [3. 87], führte wohl zu einer Identifikation der L. mit der ebenfalls mit Initiation verbundenen Ino: L. stiftet in Milet einen Knabenagon (Konon, FGrH 26 F 1,33) und zieht in Euboia Dionysos in einer für Initiationen typischen Weise »als Mädchen« auf (Apollod. 3,28). Wahrscheinlich veranlaßte diese Verbindung mit dem Erwachsenwerden Aristoteles dazu, L. den berühmten Tempel in Pyrgoi zuzuschreiben (Aristot. oec. 1349b; anders Strab. 5,2,8, der ihn → Eileithyia zuweist).

1 W. BURKERT, Homo necans, 1972 2 GRAF 3 J. BREMMER, Why Did Medea Kill Her Brother Apsyrtus?, in: J. CLAUSS, S. I. JOHNSTON (Hrsg.), Medea, 1987, 83–100.

S. EITREM, s. v. L., RE 12, 2293–2293 • A. NERCESSIAN, s. v. Ino, LIMC, 5.1. J.B.

**Leukothoe** (Λευκοθόη; Leucothoe). Tochter des pers. Königs Orchamos und der Eurynome, von Sol vergewaltigt und von dessen eifersüchtiger Geliebten → Klytia an den Vater verraten, der sie lebendig begräbt; vom trauernden Gott in eine Weihrauchstaude verwandelt (Ov. met. 4,190–255). Bisweilen mit → Leukothea verwechselt.

L. C. CURRAN, Rape and Rape Victims in the Metamorphoses, in: Arethusa 11, 1978, 213–241. A.A.

**Leuktra** (Λεῦκτρα). Ort (τόπος, Strab. 9,2,39, vgl. Plut. mor. 773b) und Ebene (τὰ Λεῦκτρα) in Boiotia im Gebiet von Thespiai. Die genaue Lokalisierung bei Leuktra (ehemals Parapoúgia) ist unsicher. Berühmt wurde L. durch die Schlacht 371 v. Chr, in der die Boiotes unter Führung des → Epameinondas Sparta besiegten [3. 49–59]. Reste eines Tropaions [1] aus dem 3. Jh. v. Chr. sind erh. (h. wieder aufgebaut [2. 98–101]). Belege: Xen. hell. 6,4,3–5; Demosth. or. 9,23; Diod. 15,53,2; Plut. Pelopias 20; Plut. mor. 1098a-b; Paus. 4,32,5; Harpokr. s. v. Λ.; Suda s. v. Λ.; IG VII 1724; 2462.

1 H. Beister, Ein thebanisches Tropaion bereits vor Beginn der Schlacht bei L., in: Chiron 3, 1973, 65–84 2 N. D. Papachatzis, Παυσανίου Ελλάδος Περιήγησις 5, [2]1981 3 Pritchett I.

Fossey, 154–157. K. F.

**Leuthari.** Alamanne, Bruder des → Butilinus. L. zog zusammen mit diesem 553 n. Chr. vermutlich im Auftrag des Frankenkönigs → Theodebald I. nach Italien. Er trennte sich von Butilinus, zog nach Beutezügen in Südit. allein nach Norden zurück, wobei er nach einem Angriff byz. Truppen die Beute wieder verlor. L. und ein großer Teil seines Heeres starben 554 in der Nähe von Ceneta in Venetien infolge einer Seuche (Agathias 1,6; 22,1–3).

1 PLRE 3, 789f. 2 D. Geuenich, Gesch. der Alemannen, 1997, 93f.. WE. LÜ.

**Levaci.** Bei Caes. Gall. 5,39,1 im Zusammenhang mit den Ereignissen des Winters 54/53 v. Chr. gen. Volk der Gallia Belgica in unmittelbarer Nachbarschaft der → Nervii, zu denen es in einem Abhängigkeitsverhältnis stand; nicht genauer lokalisierbar. F. SCH.

**Levana.** Röm. Göttin der → *indigitamenta*, mit eindeutiger Lesart nur bei Aug. civ. 4,11. Ihr Name steht dort in Verbindung mit dem Schutz und der Fürsorge für neugeborene Kinder, die sie von der Erde (*terra*) »aufhebt« (wohl mit perfektischer Bed. des Suffixes *-na*, s. [1]). Eine Ansiedlung der L. unmittelbar nach der → Geburt, d. h. ihre Deutung als göttl. Hebamme, die die Neugeborenen erstversorgt, wird auch durch Varro bei Non. 848 L. nahegelegt.

1 Radke, 174. HE. K.

**Leviten.** Nach dem chronistischen Geschichtswerk (→ Bibel) bilden die L. – von den Priestern deutlich unterschieden – eine Art Klerus minor, der mit der Aufsicht über Tempelhöfe, Vorratskammern mit kultischen Gerät, Opfer und Abgaben betraut bzw. als Sänger, Musiker und Türhüter tätig ist und der die Priester beim Opferdienst unterstützt. Aus unterschiedlichen Genealogien gehen interne Streitigkeiten und Rivalitäten hervor. Die Gesch. der L. ist im einzelnen nur schwer und bedingt aufzuhellen. In den älteren Texten erscheint Levi, der innerhalb der Zwölfstämmeliste zur Leagruppe gehört, einerseits als Stamm, der versucht hatte, in Mittelpalaestina seßhaft zu werden, aber zerstreut wurde (Gn 34; 49,5–7; s.a. Nm 1,49; 3,6; 17,23 u.ö.). Andererseits dient der Begriff Levi – meist im Pl. – zur Bezeichnung einer Gruppe innerhalb der Priesterschaft, die wegen ihres Eifers für → Jahwe ihre verwandtschaftlichen Bindungen gelöst (Ex 32,29; Dtn 33,9) und auf Landbesitz verzichtet hat (Dtn 10,9). Daher sind sie zwar Schutzbürger in einem Status minderen sozialen Rechts (Ri 17f.; 19f.; s. auch Dtn 12,12 und 18; 14,27 und 29; 16,11 und 14 u.ö.), aber auch für das Priesteramt legitimiert: Nach Dtn 33,8ff. ist Aufgabe des L., das Losorakel zu handhaben, Opfer darzubringen und die Tora zu lehren. Eine dezidierte Gleichstellung von Priestern und L. erfolgt im Dtn (18,1–8; vgl. die sog. Identitätsformel Priester-L. Dtn 17,9 und 18; 24,8; Jos 3,3 u.ö.), wohingegen in den späteren Texten streng zw. Priestern und L. geschieden wird. Ez 44,10–14 wirft den L. die Beteiligung am Götzendienst vor und degradiert sie zu Torhütern, Schlächtern und Handlangern beim Opferdienst (zu einer Differenzierung zw. Priestern und L. vgl. auch Ez 40,46b). In der Priesterschrift, wo die Hilfsdienste der L. auf das Wüstenheiligtum bezogen sind, werden diese zu Dienern → Aarons und unter Androhung des Todes vom Priesterdienst ausgeschlossen (Nm 3,5–10). Diese seit der Exilszeit (587–538 v. Chr.) festzustellende Degradierung der L. könnte im Zusammenhang mit der Josianischen Reform stehen, bei der den Landpriestern der Dienst am Zentralheiligtum versagt blieb (2 Kg 23,9).

G. Schmitt, Der Ursprung des Levitums, in: ZATW 94, 1982, 575–599 • H. Seebass, s. v. Levi/L., TRE 21, 36–40 • H. Gese, in: Ders., Vom Sinai zum Zion. At. Beitr. zur biblischen Theologie (Beitr. zur evangelischen Theol. 64), [3]1990, 147–158. B. E.

**Lewis-Maler.** Att.-rf. Vasenmaler, zw. 470/460 und 450/440 v. Chr. tätig; war auf die Bemalung von Skyphoi (→ Skyphos; → Gefäßformen Abb. D.) spezialisiert: Mit Ausnahme eines Kantharos von der Athener Agora handelt es sich bei allen anderen ca. 45 von ihm bekannten Vasen um Gefäße dieser Form, wobei die meisten im Typus A, aber auch einige im korinth. Typ gehalten sind. Viele der Bilder zeigen selten dargestellte Themen, wobei Götter und Verfolgungsszenen zu seinen bevorzugten Sujets gehören. Beazley benannte den L.-M. nach dem urspr. Besitzer des Skyphos in Cambridge; später wurden jedoch zwei ihm zuzuordnende Vasen mit einer Signatur (*Polygnotos*) entdeckt. Der alte Not-Name wurde indessen beibehalten, um Verwechslungen mit dem anderen, jüngeren → Polygnotos zu vermeiden. Unter seinen Nachfolgern war bes. der Penelope-Maler in ähnlicher Weise auf die Bemalung von Skyphoi spezialisiert.

Beazley, ARV[2], 972–976, 1676 • Beazley, Paralipomena, 435f. • D. M. Robinson, S. E. Freeman, The Lewis Painter = Polygnotos II, in: AJA 40, 1936, 215–227 • H. R. W. Smith, Der L.-M., 1939. J. O./Ü: R. S.-H.

**Lex, leges** A. Begriff B. Typen C. Entwicklung der römischen Gesetzgebung D. Gegenstände wichtiger Leges

A. Begriff

L. (»Gesetz«, pl. *leges*) ist im röm. Recht die Festsetzung durch eine Privatperson, durch einen Amtsträger oder durch eine gesetzgebende Körperschaft. Die Etym. ist nicht geklärt. Die Annahme einer Herkunft von *legere* (»verlesen«) wegen der Festsetzung in Gestalt einer feierlichen Formel (vgl. unten B. zur *nuncupatio*) bleibt spekulativ. Entscheidendes Merkmal der *l.* ist ihr Gebotscharakter. Hingegen fehlt urspr. die »abstrakte« (allg. Geltung beanspruchende) und »generelle« (für eine Vielzahl von Personen bestimmte) Gestalt, die neuzeitliche Gesetze kennzeichnet. So erklärt sich die Vielfalt der Anwendungen dieses Anordnungsinstruments im röm. Recht: Darunter wird einerseits z.B. die vertragliche Abrede über den Verfall einer Sicherheit (→ *lex commissoria*) verstanden, andererseits die grundlegende Normierung der röm. Gesellschaft in der frühen Republik durch die XII Tafeln (ca. 450 v.Chr.; → Tabulae Duodecim). *L.* oder (vor allem) *leges* ohne weiteren Zusatz bezeichnet in den röm. Quellen in der Regel geradezu die XII Tafeln. Sie sind daher nicht nur ein bes. wichtiges Gesetz, sondern nach röm. Verständnis der Prototyp der *l.* (*l. publica*, »staatliches Gesetz«) überhaupt.

B. Typen

Innerhalb des weiten Anwendungsbereichs der *l.* haben die Römer unterschieden: *L. dicta* (bei Ulp. Dig. 8,4,13 pr. auch: *l. privata*) ist die einzelne Bestimmung oder auch der ganze Inhalt einer privatrechtl. Vereinbarung (*l. contractus*) oder einer sonstigen privatrechtl. Anordnung, z.B. eines Testamentes. Diese einseitig formulierte, bei zweiseitigen Geschäften aber vom Partner stillschweigend akzeptierte privatrechtl. Festsetzung wird innerhalb der förmlichen Geschäfte *per aes et libram* (»mit Kupfer und Waage«), deren wichtigstes die → *mancipatio* ist, in die zu sprechende Formel (→ *nuncupatio*) aufgenommen (daher *l. dicta in mancipio* oder *l. mancipio dicta*: »bei der Manzipation gesprochene Festsetzung«). Die XII Tafeln enthalten (Tab. 6,1) dazu die Regelung (Fest. 176, 5–6): *cum nexum faciet mancipiumque, uti lingua nuncupassit, ita ius esto* (›wenn jemand ein förmliches Haftungsgeschäft eingeht oder eine Manzipation vornimmt, soll, was er in feierlicher Form erklärt hat, rechtl. gelten‹). Vorbilder dieser privaten *l.* könnten im Sakralrecht und vor allem in den Geschäften des Staates zur Überlassung von staatl. Vermögensgütern oder Ansprüchen (z.B. Steuern an Steuerpächter, → *publicani*) oder zur Deckung des Verwaltungsbedarfs (z.B. Heeresausrüstung) liegen. Vielfach überl. sind Formulare solcher Geschäfte des Staates mit privatrechtl. Inhalt.

Als ein anderes Vorbild vertraglicher »Diktate« kommt die Regelungsbefugnis des → *pater familias* für seinen Hausverband in Betracht, so wie der bildhafte Zugriff auf Sklaven, Vieh und Grundstücke in der verbalen Formel der Manzipation (*meum esse aio*: ›Ich erkläre, daß es mein Eigentum ist‹) auf die Herrschafts- und Eigentümerbefugnisse eines Familienoberhauptes hinweist.

Die *l. publica* ist urspr. genauso »situationsbezogene« Einzelfallanordnung wie die private *l. dicta*. Sie wurde wohl zunächst von einem Amtsträger erlassen (daher *l. data*, »gegebene *l.*«). Um *leges datae* des *pontifex maximus* (Oberpriesters) wird es sich auch bei den von der späteren Überlieferung sog. *leges regiae* (»königliche Gesetze«) der Zeit vor Gründung der Republik handeln (auch: *ius Papirianum*, → *ius*). Seit der Mitwirkung von Volksversammlungen an der Gesetzgebung im allg. und bei der *l. de imperio* (Übertragung der Amtsgewalt) im bes. (s. auch → *lex de imperio Vespasiani*) konnten die *leges datae* nur entweder Rechtsverhältnisse außerhalb des für röm. Bürger geltenden Rechts (→ *ius*) regeln, oder sie bedurften auch einer inhaltlichen Ermächtigung ([1. 65 f.], teilweise anders noch [2. 125 f.]).

Im Mittelpunkt der Rechtsquellentheorie der röm. Rechtswiss. steht die *l. rogata* (»Antragsgesetz«). Sie ist das Ergebnis einer von einem Magistrat oder Volkstribun eingebrachten (und in der Regel nach ihm benannten), von einer Volksversammlung beschlossenen Gesetzesvorlage. Seit der *l. Hortensia* (287 v.Chr.) war das Plebiszit der Plebejerversammlungen (→ *plebiscita*) die häufigste Art der Gesetzgebung. Bereits ein Jahr später erging als Plebiszit eines der berühmtesten und folgenreichsten röm. Privatrechtsgesetze, die → *lex Aquilia*. Außer dem Antrag (→ *rogatio*) und der Abstimmung in der Volks- oder Plebejerversammlung war für das ordentliche Gesetzgebungsverfahren erforderlich, daß die Abstimmung über den Vorschlag von einem Herold verkündet wurde (*renuntiatio*) und daß das beschlossene Gesetz auf Tafeln bekanntgemacht wurde (*publicatio*).

C. Entwicklung der römischen Gesetzgebung

Das umfassendste röm. Gesetzgebungswerk der Republik, die XII Tafeln (→ Tabulae Duodecim), paßt der Überlieferung nach zu keinem der beiden Gesetzgebungsmuster: Die mit der Gesetzgebung beauftragten »Zehn Männer« (→ *decemviri*) waren offenbar als außerordentliche Magistrate gerade zum Zwecke der Gesetzgebung bestellt. Dies spricht für eine *l. data*. Nach Liv. 3,34,6 sind jedenfalls die ersten 10 Tafeln jedoch sogleich von den Centuriatkomitien angenommen worden, was eher auf eine *l. rogata* paßt. Die Glaubwürdigkeit der Verfahrensschilderungen ist daher umstritten. Inhaltlich ist die XII Tafel-Gesetzgebung nicht mehr situationsbezogen, sondern »normativ«, erhebt also einen allg.-gültigen Anspruch. So ist sie auch in der Folgezeit verstanden und als die wichtigste Quelle des *ius civile* (»Recht der röm. Bürger«, → *ius*) behandelt worden. Überhaupt wurde nun zunehmend das *ius civile* mit dem in Gesetzen niedergelegten Recht identifiziert, dem man das Amtsrecht, insbes. der Praetoren, gegenüberstellte. Die → *edicta* der Magistrate hatten in der Zeit der Republik und am Anfang des Prinzipates keinen Gesetzesrang.

Während unter Augustus noch eine Reihe von Gesetzen als Volksgesetze oder Plebiszite ergingen, traten an deren Stelle seitdem zunehmend Senatsbeschlüsse (→ *senatus consultum*). Nach anfänglichen Zweifeln hat man ihnen die Geltung einer *l.* zugebilligt (Gai. inst. 1,4), ohne sie ausdrücklich als solche zu bezeichnen. Ebenso bewertete man seit dem 2. Jh. n. Chr. die alsbald allein noch maßgeblichen Anordnungen des Kaisers (→ *constitutiones*, vgl. Gai. inst. 1,5). Obwohl sie nach ihrer Herkunft eher dem Amtsrecht entsprachen, das traditionell dem Recht der *leges* gegenübergestellt worden war, bezeichnete man in der Spätant. gerade die Kaisergesetze als *leges*. Die formale Brücke dorthin bildete schon seit dem 2. Jh. n. Chr. die *l. data* der Magistrate und die Begründung der Amtsgewalt des Kaisers mit der Vorstellung einer *l. de imperio*, also eines Ermächtigungsgesetzes. Die Kaisergesetze bildeten nunmehr den Gegensatz zum Juristenrecht (→ *ius*). Dieses wurde schließlich im 6. Jh. n. Chr. in den → *Digesta* gesammelt, die kaiserlichen *leges* hingegen waren im → *Codex* zusammengefaßt.

*Leges datae* im geschilderten Sinne waren auch die vom Kaiser erlassenen Munizipalgesetze: Verfassungen für Städte und Gemeinden, die zum Teil inschr. überliefert sind. Eine *l. Iulia municipalis* (45 v. Chr.) dürfte eine Art Musterverfassung enthalten haben. Die wichtigsten *leges* dieser Art stammen aus Spanien, so die → *lex Ursonensis* für Urso (h. Osuna), die → *lex Malacitana* für Malaca (h. Malaga), die → *lex Salpensa* für eine Stadt Südspaniens und die erst 1981 entdeckte → *lex Irnitana* für Irni.

## D. Gegenstände wichtiger leges

1. Die Sanktionen 2. Regelungen des politischen Lebens und der Gerichtsverfassung 3. Aufwands- und Schutzvorschriften 4. Gesamtcharakter

### 1. Die Sanktionen

Abgesehen von der relativ umfassenden Gesetzgebung der XII Tafeln sind die bekannten *leges* in der Regel recht punktuelle Anordnungen. Soweit sie Verbote mißbilligten Verhaltens vorsahen, enthielten sie zudem lange Zeit gar keine oder nur unvollkommene Sanktionen. Die Jurisprudenz unterschied daher seit dem 2. Jh. n. Chr.: Nur »vollständige« *leges perfectae* enthalten auch eine vollständige Rechtsfolge, z. B. die Nichtigkeit von Rechtsgeschäften, die gegen das Gesetz verstoßen. Bei »unvollständigen« *leges imperfectae* blieb diese Rechtsfolge oder z. B. die Gewährung einer Einrede mit dem Recht, die Leistung zu verweigern (→ *exceptio*), der Anordnung durch den Praetor überlassen. Die »nicht ganz vollständigen« *leges minus quam perfectae* ordneten nur indirekte Sanktionen, z. B. eine Privatstrafe, an. Diese geringe Regelungsstringenz dürfte darauf zurückzuführen sein, daß man die Geltung des älteren → *ius* als unveränderbar gegenüber neueren *leges* ansah. Erst in der Kaiserzeit wurde diese Anschauung ganz überwunden, so daß nunmehr das neuere Recht dem älteren vorging. Seit der späten Republik wurde die Effektivität der *l.* auch durch die Einbeziehung der *fraus legi facta* (»Gesetzesumgehung«) in das Verbot abgesichert.

### 2. Regelungen des politischen Lebens und der Gerichtsverfassung

Die meisten Gesetze aus den ersten Jh. der Republik, von denen wir wissen, betrafen das Verfassungsrecht, das vergleichsweise wenig umfangreiche Recht der staatl. verfolgten Straftaten einschließlich des dafür eingesetzten Verfahrens und den Zivilprozeß. So führte die röm. Tradition die Unverletzlichkeit der Volkstribunen auf die angeblichen *leges Valeriae Horatiae* zurück, die schon 449 v. Chr. verabschiedet worden sein sollten (→ Tribunus). Die oben erwähnte *l. Hortensia* von 287 v. Chr. bestimmte die Gesetzesqualität der Plebiszite. Die Zustimmung der Senatoren aus dem Patrizierstand zu der → *rogatio* einer *l.* war durch die *l. Publilia Philonis* festgelegt worden (wohl 339 v. Chr.). All diese verfassungsrechtl. *leges* spiegeln ebenso die Kompromisse im Ständekampf zw. Patriziat und Plebejern wider wie die *l. Ogulnia* (300 v. Chr.), die den Plebejern den Zugang zu den Priesterämtern verschaffte, oder die histor. nicht gesicherten *leges Liciniae Sextiae* von 367 v. Chr., die das Besetzungsverfahren für die Spitzenämter der Republik so festlegten, daß die Plebejer einen gebührenden Anteil daran hatten (u. a. sollte jeweils einer der beiden Consuln Plebejer sein). Andere Beispiele für solche im Grunde verfassungsgebenden Gesetze sind die *l. Villia annalis* von 180 v. Chr., vermutlich zur Festlegung der Reihenfolge der Ämterlaufbahn und jedenfalls zum jeweils erforderlichen Mindestalter (→ *cursus honorum*), ferner die *l. Ovinia* von 312 v. Chr. über die Auswahl der Senatoren (→ *lectio senatus*) durch den Censor (→ *censores*). Ein wichtiger Schritt zur bürgerlichen Gleichstellung der Plebejer mit den Patriziern und dadurch von verfassungsrechtl. Bedeutung war ferner die *l. Canuleia*, ca. 445 v. Chr., in der die Zulässigkeit von Ehen zw. Angehörigen der beiden Stände bestimmt wurde. Womöglich noch stärker betrafen die *leges agrariae* (→ Agrargesetze) die verfassungsrechtl. relevanten Grundlagen der Wirtschafts- und Ges.-Ordnung.

Eng mit den Verfassungsfragen verbunden war auch die Gesetzgebung, die zur Einführung großer Geschworenengerichte zur Verfolgung staatsgefährdender Delikte führte (→ *quaestio*), z. B. die *l. Calpurnia de repetundis* von 149 v. Chr. gegen Erpressungen durch Amtsträger und die Gesetzgebung Sullas, des Diktators der Jahre 82–79 v. Chr., zum selben Gegenstand (*l. Cornelia repetundarum*). Gerade Sulla ging durch weitere *leges Corneliae* (z. B. *de vi publica*, über öffentliche Gewalt, und *de sicariis et veneficiis*, gegen Gift- und Meuchelmord) gegen Gewaltverbrechen und Aufruhr vor. Zahlreich sind die Gesetze zur Strafverfolgung des gegen die

Amtsträger des Staates gerichteten »Majestätsverbrechens« (→ *crimen*; z. B. *l. Varia*, 103 v. Chr.; *l. Cornelia*, 81 v. Chr. *l. Iulia*, 46 v. Chr.).

Die ältesten für den Zivilprozeß maßgeblichen Klagen (→ *legis actiones*) werden schon in den XII Tafeln vorausgesetzt. Die späteren Klagen des *ius civile* (s. → *ius*) beruhten auf gesetzlichen Ermächtigungen des Praetors, bis durch die *l. Aebutia* (Mitte des 2. Jh. v. Chr.) bei der → *condictio* der Formularprozeß (→ *formula*) eingeführt wurde und hierdurch auch der Stadtpraetor die generelle Ermächtigung erhielt, neue Schriftformulare für den Zivilprozeß zu entwickeln. Freilich waren die Praetoren hierbei seit der *l. Cornelia de iurisdictione* (67 v. Chr.) an ihre eigenen Edikte gebunden (→ *edictum* [2]).

3. Aufwands- und Schutzvorschriften

Zu den Gegenständen republikanischer Gesetzgebung gehörten ferner zahlreiche Verbote gegen Luxus und Protzerei von Adel und Neureichen. Sie betrafen z. B. den Aufwand bei Kleidung und Schmuck von Frauen, die Zahl von Gästen und Gängen bei Einladungen und das Glücksspiel. In ihren Absichten ist mit diesen *leges sumptuariae* wahrscheinlich die *l. Cincia* (204 v. Chr.) verwandt, die Schenkungen (z. B. zur Wählerbestechung) über einen (unbekannten) Höchstwert hinaus verbot. Zugleich diente dieses Gesetz wohl der Beschränkung mehr oder weniger erpresserischer Forderungen der Mächtigen an ihre Klientel nach finanziellen Gegenleistungen für Schutz und Rat, auch in rechtlichen Angelegenheiten. Der Bewahrung einer standesgemäßen Lebensweise des Adels soll die *l. Claudia de nave senatorum* (über die Ausrüstung von Schiffen durch Senatoren, 218 v. Chr.) gedient haben, die Senatoren und ihren Söhnen ein Engagement im riskanten Geschäft der Schiffsfinanzierungen über einen bestimmten Umfang hinaus verbot (Liv. 21,63,3–4).

Einen weiteren Schwerpunkt der Gesetzgebung bildeten schließlich Erleichterungen für Schuldner und andere Schutzbedürftige. So scheint die *l. Poetelia* schon 326 v. Chr. die Schuldknechtschaft eingeschränkt zu haben. Ob eine *l. Genucia* ungefähr aus der selben Zeit (342 v. Chr.?) Zinsen generell verboten hat, läßt sich nicht mit Sicherheit sagen. Auch später sind jedenfalls immer wieder Höchstzinsen und Schuldenerlasse gesetzlich angeordnet worden. Dem stehen die zahlreichen Bürgschaftsgesetze nahe: Im 4. oder 3. Jh. v. Chr. bestimmte z. B. die *l. Publilia*, daß ein Bürger, der den Gläubiger befriedigt hatte, erst nach sechs Monaten Rückgriff beim Hauptschuldner, für den er sich verbürgt hatte, nehmen durfte. Weitere Bürgschaftsgesetze dienten eher dem Schutz der Bürgen selbst, z. B. durch Aufteilung der Haftung unter mehreren Mitbürgen oder durch eine Aufklärungspflicht des Gläubigers über die Hauptschuld und die Bürgenzahl. Den Schutz Minderjähriger bezweckte die *l. Laetoria* (zu Unrecht auch: *Plaetoria*), wohl 193 v. Chr. (→ *minores*).

→ Kodifikation

4. Gesamtcharakter

Eine systematische und konsequente Politik ist in diesen und weiteren röm. gesetzgeberischen Maßnahmen ebensowenig zu erkennen wie – in der Zeit nach den XII Tafeln – das Ziel umfassender Regulierung der Ges. oder auch nur eines ihrer Teilbereiche. Im ganzen ist die formale und inhaltliche Qualität der röm. Gesetzgebung erbärmlich schlecht. Ruhm und Nachwirkung des röm. Rechts knüpfen am wenigsten an die *leges* an. Eher kann man sagen, daß sich gerade wegen des fragmentarischen und teilweise geradezu willkürlich anmutenden Charakters der Gesetzgebung die Rechtsbildung durch den Praetor und die hinter ihm stehenden Juristen um so freier entfalten konnte.

**1** J. Bleicken, Lex publica. Gesetz und Recht in der röm. Republik, 1978 **2** Mommsen, Staatsrecht, Bd. 2.

Rotondi · Wenger, 372 ff. · Wieacker, RRG, 411–428 (mit Nachweisen). G. S.

**Lex Aquilia.** »Von Aquilius eingebrachtes Gesetz«. Die *l.A. de damno iniuria dato* (»über rechtswidrig zugefügten Schaden«) war ein → *plebiscitum*, das nach ant. Trad. 286 v. Chr., nach mod. wirtschaftsgesch. Unt. um die Wende vom 3. zum 2. Jh. v. Chr. zu datieren ist. Die Bezeichnung als → *lex* entspricht der gesetzesgleichen Wirkung von Plebisziten. Die *l.A.* hatte drei Kap.: Das erste und dritte regelten den deliktischen Schadenersatz (vgl. Dig. 9,2); das (bald außer Gebrauch gekommene) zweite gab einen Schadenersatzanspruch gegen einen → *adstipulator* (Nebengläubiger), der zur Benachteiligung des Hauptgläubigers eine → *acceptilatio* (förmlicher Schulderlaß) vorgenommen hatte (Gai. inst. 3,215).

Das erste Kap. sah bei Tötung (*occidere*) eines fremden Sklaven oder vierfüßigen Herdentieres (*quadrupes pecus*) den Ersatz des Höchstwertes des getöteten Sklaven/Tieres im letzten Jahr vor der Tötung vor. *Occidere* wurde restriktiv ausgelegt und auf Fälle eingeschränkt, in denen der Täter aktiv, gewaltsam und direkt auf den Körper des Opfers eingewirkt hatte (Iulianus Dig. 9,2,51 pr.). Bei indirekter Verursachung des Todes (*mortis causam praestare*) gab der Praetor an die *actio legis Aquiliae* angelehnte *actiones in factum* (auf den Sachverhalt zugeschnittene Klagen, Cels./Ulp. Dig. 9,2,7,6).

Nach dem dritten Kap. haftete der Täter für Sachbeschädigung durch unmittelbares Brennen, Brechen, Verletzen (*urere, frangere, rumpere*); bei nur mittelbarer Schädigung griffen *actiones in factum* ein. Die Höhe des Schadenersatzes orientierte sich am → Interesse des Geschädigten (Paul. Dig. 9,2,33 pr.; Ulp. Dig. 9,2,41 pr.).

Voraussetzung jeder Haftung war, daß die Tat → *iniuriā* erfolgt war. Keine *iniuria* lag vor, wenn die Tat gerechtfertigt war, z. B. durch Notwehr (Alfenus Varus Dig. 9,2,52,1) oder Notstand (Cels./Ulp. Dig. 9,2,49,1), oder dem Täter kein Verschulden (→ *dolus* oder → *culpa*) vorzuwerfen war, z. B. bei Geisteskrankheit (Pegasus/Ulp. Dig. 9,2,5,2) oder Mitverschulden des Geschädigten (Ulp. Dig. 9,2,11 pr.).

Die *actio legis Aquiliae* war eine sowohl sachverfolgende (d.h. auf Schadenersatz gerichtete) als auch pönale *actio mixta* (»gemischte Klage«, Gai. inst. 4,6; 9). Sie konnte deswegen mit deliktischen, nicht jedoch mit sachverfolgenden Klagen (z.B. Vertragsklagen) kumuliert werden. Bei erfolglosem Bestreiten haftete der Beklagte auf den doppelten Betrag (Litiskreszenz; Gai.inst. 4,9). Das Klagerecht stand dem Eigentümer zu; praetorische *actiones utiles* (»analoge Klagen«) wurden dinglich Berechtigten oder einem *pater familias* bei der fahrlässigen Verletzung eines freien Haussohns (Ulp. Dig. 9,2,5,3) gewährt.

→ Actio; Damnum; Delictum

H. HAUSMANINGER, Das Schadenersatzrecht der l.A., [5]1996.

R.GA.

**Lex commissoria,** eine röm. Verwirkungs- oder Verfallabrede, ist eine meist einseitig (daher: → *lex*) in einen Kaufvertrag (s. → *emptio venditio* D) oder eine Verpfändung (→ *fiducia*, → *pignus*) eingefügte Bestimmung. Beim Kauf gewährt die Klausel dem Verkäufer ein Rücktrittsrecht, wenn der Käufer den Kaufpreis – etwa bei einer Ratenvereinbarung oder einem Zahlungsziel – nicht bezahlte. Nach Ausübung des Rücktritts konnte der Verkäufer mit der *actio venditi* (so die Sabinianer) oder einer *actio in factum* (so die Proculianer) die verkaufte Sache zurückverlangen. Ohne die Klausel hätte er nur die wirtschaftlich wenig aussichtsreiche Möglichkeit gehabt, eine Geldverurteilung (→ *condemnatio*) des Käufers zu erreichen. Beim Pfand ermöglichte die *l.c.* dem Pfandgläubiger jedenfalls, den verpfändeten Gegenstand zu behalten, wenn der Verpfänder seine Schuld nicht beglich (»Pfandverfall«). Um Mißbräuche durch übermäßige Pfänder zu bekämpfen, verbot Constantinus die *l.c.* beim Pfand (Cod. Iust. 8,34,3).

→ Kaufrecht; Pfandrecht

HONSELL, MAYER-MALY, SELB, 198f., 320f. • F. PETERS, Die Rücktrittsvorbehalte des röm. Kaufrechts, 1973.

G.S.

**Lex curiata** s. Curiata lex

**Lex de imperio Vespasiani.** Eine Bronzetafel im Kapitolin. Museum in Rom enthält das Ende der *lex de imperio Vespasiani*, des sog. Bestallungsgesetzes für → Vespasianus, mit dem der Senat E. 69 n.Chr. – nach dem Tod des → Vitellius – dem Vespasian *cuncta principibus solita* (›alles, was für die Principes üblich ist‹, Tac. hist. 4,3,3) beschloß und das Anf. 70 den Comitien vorlag [1. 104f.].

Die Inschr. (aus dem Lateran?), die damals wegen ihrer klass. Majuskeln niemand lesen konnte, diente 1347 COLA DI RIENZO zur Begründung seiner Theorie von der Souveränität des röm. Volkes. COLA kannte sichtlich einen ausführlicheren Text als wir ihn haben. Da die erh., vollständige Tafel mitten in einem Satz beginnt, muß also mindestens eine weitere, h. verlorene Tafel existiert haben [2].

Der erh. Text umfaßt acht Paragraphen, die jeweils mit *utique* eingeleitet werden, und die → *sanctio*. Verliehen werden teils Einzelkompetenzen, wie die zur Erweiterung des → *pomerium* (§5), teils auch sehr umfassende Regelungen wie z.B. die »diskretionäre Klausel« in §6, die es dem Kaiser erlaubte, zu tun, »was er glaubt, im Interesse des Staates ... tun zu sollen« (Zweifel an der Reichweite bei [3. 549f.]).

Das Dokument ist in der Form eines → *senatus consultum* gehalten (*censuerunt uti...*), hat aber die *sanctio* eines Gesetzes und bezeichnet sich auch als *lex*. Vermutlich wurde das *s.c.* von E. Dezember 69 einige Wochen später in den Comitien, die die *tribunicia potestas* verliehen (*comitia tribunicia*), als Gesetz verabschiedet.

Das Gesetz verweist auf Augustus, Tiberius und Claudius, übergeht also die geächteten Kaiser. Umstritten ist, ob bereits für Tiberius oder erst für Caligula eine solche gebündelte Übertragung der Amtsvollmachten erlassen wurde.

1 P. BRUNT, Lex de imperio Vespasiani, in: JRS 67, 1977, 95–116 2 M. SORDI, Cola di Rienzo e le clausole mancanti della lex de imperio Vespasiani, in: Studi E. Volterra 2, 1971, 303–311 3 M.H. CRAWFORD, Roman Statutes, 1996
4 F. HURLET, La lex de imperio Vespasiani et la légitimité augustéenne, in: Latomus 52, 1993, 261–280.

ED.: CIL VI 930 • M.H. CRAWFORD, Roman Statutes, 1996, Nr. 39 • H. FREIS, Histor. Inschr. zur röm. Kaiserzeit, 1984, Nr.49 • L. SCHUMACHER, Röm. Inschr., 1988, Nr.20.

H.GA.

**Lex Irnitana.** Einziges zu großen Teilen erh. lat. Stadtgesetz, für ein latin. *municipium* aus der Zeit Domitians (E. 1.Jh.n.Chr.); gefunden bei illegalen Grabungen 1981 in El Saucejo im S der h. Prov. Sevilla in Südspanien und von den Behörden für das Arch. Nationalmuseum Sevilla aufgekauft (Erstveröffentlichung: [2], mit engl. Übers.; maßgeblicher Text: [4]). Von den urspr. zehn Br.-Tafeln (H 58 cm, B 91 cm) sind sechs (III, V, VII-X), wenn auch teilweise in Trümmern, fast vollständig erh. Zusammen mit einigen Fragmenten der verlorenen Tafeln und dem Paralleltext in der → *lex Malacitana* und der → *lex Salpensana* besitzen wir so insgesamt ca. 70% des Gesamttextes.

Weitere Frg. von anderen, identischen Gesetzen (bislang aus etwa 15 Gemeinden, vgl. [1]) und die Tatsache, daß sich die Gesetze nur im Ortsnamen, in lokalen Regelungen – wie der Zahl der Decurionen (§31; → *decurio* [1]) – und in offensichtlichen Schreibvarianten (Bezifferung der *rubricae*/»Rubriken« oder nicht) unterscheiden, führte eine Reihe von Forschern dazu, als Vorlage für alle Einzelgesetze eine hypothetische *lex Flavia municipalis* anzunehmen [2]. Dagegen spricht, daß ein Gesetz im technischen Sinn in domitian. Zeit höchst ungewöhnlich wäre und die Übereinstimmung auch anders erklärt werden kann [3].

Die *l.I.* besteht aus 97 Kap., von denen 19–31 und 51–97 sowie zwölf weitere, unbezifferte zwischen diesen beiden Blöcken erh. sind. In dem verlorenen Anf.

des Gesetzes fanden sich nach einer kurzen Einl. vermutlich Bestimmungen zur sakralen Ordnung (Priester usw.) und zur Definition der Bürgerschaft. Im folgenden werden die städtischen Beamten und ihre Aufgaben, der Rat (*ordo decurionum*) und die Volksversammlung, d. h. die Wahlen in jeweils etwa 15 Kap. behandelt. Bestimmungen über städt. Finanzen, allgemeine Verwaltung und Rechtsprechung schließen das Gesetz ab.

Aufgrund der *l. I.* war es zum ersten Mal möglich, sich ein Bild von Inhalt und Bedeutung des → latinischen Rechtes in der Kaiserzeit zu machen.

1 A. Caballos, Testimonios recientes con referencia a municipios, in: E. Ortiz de Urbina, J. Santos (Hrsg.), Teoría y práctica del ordenamiento municipal, 1996, 175–210 2 J. González, M. Crawford, The l.I., in: JRS 76, 1986, 147–243 3 H. Galsterer, La loi municipale des Romains, in: Revue d' Histoire du Droit, 65, 1987, 181–203 4 F. Fernández Gomez, M. del Amo y de la Hera, La l. I. y su contexto arqueológico, 1990 5 F. Lamberti, »Tabulae Irnitanae«, 1993 (mit ausführlichem Komm.) 6 H. Galsterer, Municipium Flavium Irnitanum: A Latin Town in Spain, in: JRS 78, 1988, 78–90. H. GA.

**Lex Iulia et Papia.** Zur Erhöhung der Ehemoral und Bekämpfung der Kinderlosigkeit verbot Augustus durch die *lex Iulia de maritandis ordinibus* (18 v. Chr.) standeswidrige Ehen und ordnete durch die *lex Papia Poppaea* (9 n. Chr.) Ehepflicht für Bürger im heiratsfähigen Alter an, wobei Unverheiratete mit dem Verfall (→ *caducum*) des ihnen testamentarisch Zugewandten, kinderlos Verheiratete mit dem Verfall der Hälfte bestraft wurden; wer hingegen Kinder hatte, wurde mit zahlreichen Privilegien versehen (*ius liberorum*, »Kinderprivileg«). Welche Regelungen welchem der beiden Gesetze zuzuordnen waren, war schon in der Ant. nicht mehr sicher bekannt; daher verschmolzen sie so miteinander, daß sie oft einheitlich als *lex I. et P.* (Gai. inst. 1,145; *l. Iulia miscella*: Cod. Iust. 6,40,2; Nov. Iust. 22,43) bezeichnet wurden. Die Gesetze verfehlten ihren Zweck (was schon Augustus erkannte: Tac. ann. 3,25), wurden aber erst 531/534 n. Chr. endgültig aufgehoben (Cod. Iust. 6,40,2.3; 6,51).

→ Caducum; Erbrecht

R. Astolfi, La lex I. et P., [3]1995 • Honsell/Mayer-Maly/Selb, 390ff. • Kaser, RPR 1, 318ff., 723ff. • A. Mette-Dittmann, Die Ehegesetze des Augustus, 1991. U. M.

**Lex Iulia Genetiva** s. Lex Ursonensis

**Lex Malacitana.** Stadtgesetz aus der Zeit Domitians (E. 1. Jh. n. Chr.) für das latinische *municipium Flavium Malacitanum*, heute Málaga in Südspanien, von dem eine Br.-Tafel mit den Kap. 51–69 im J. 1861 zusammen mit der → *lex Salpensana* gefunden wurde (h. im Arch. Nationalmuseum Madrid). Der Text der Kap. 59–69 ist mit einigen Abweichungen identisch mit dem der entsprechenden Kap. in der → *lex Irnitana*; dies dürfte auch für den Rest des Gesetzes gelten.

CIL II 1964 • ILS 6089 • H. Freis, Histor. Inschr. zur röm. Kaiserzeit, 1984, Nr. 60 • Th. Spitzl, Lex municipii Malacitani, 1984 (Text, Übers., Komm.). H. GA.

**Lex Romana Burgundionum** s. Volksrechte

**Lex Romana Visigothorum** s. Volksrechte

**Lex Salpensana.** Stadtgesetz aus der Zeit Domitians (E. 1. Jh. n. Chr.) für das latin. *municipium Flavium Salpensanum*, heute Facialcazar bei Utrera (Prov. Sevilla) in Südspanien, von dem eine Br.-Tafel mit den Kap. 21–29 im J. 1861 zusammen mit der → *lex Malacitana* gefunden wurde (h. im Arch. Nationalmuseum Madrid). Der Text ist mit einigen Abweichungen identisch mit dem der entsprechenden Kap. in der → *lex Irnitana.*

CIL II 1963 • ILS 6088 • H. Freis, Histor. Inschr. zur röm. Kaiserzeit, 1984, Nr. 59. H. GA.

**Lex Ursonensis.** Flavische Kopie des Stadtgesetzes der caesarischen *colonia Iulia Genetiva* in Urso, von der vier fast komplette Taf. 1870/71 und weitere 12 Frg. 1925 in und bei Osuna (Prov. Sevilla) in Südspanien gefunden wurden (h. im Arch. Nationalmuseum Madrid). Urspr. umfaßte das Gesetz wohl neun Taf. mit je drei bzw. fünf Textkolumnen und knapp über 140 Abschnitten (*rubricae*), von denen 61–82, 91–106 und 123–134 fast ganz, einige weitere in Frg. erh. sind.

Das Koloniegesetz wurde (vielleicht nach Caesars Tod von M. Antonius, vgl. §104) als Einzelgesetz vor die Comitien gebracht; es regelt deshalb die Einzelheiten der Stadtverwaltung viel ausführlicher als die flav. Stadtgesetze (→ *lex Irnitana*), die in vielen Städten galten.

Der Aufbau des Gesetzes ist nicht klar; verschiedene Materien, wie z. B. der Patronat über die Stadt, werden an verschiedenen Stellen behandelt (§§ 107, 130f.); nachcaesarische Einschübe sind deutlich (§§ 109, 122).

M. H. Crawford, Roman Statutes, 1996, Nr. 25 (mit Text, engl. Übers. und Komm.) • H. Freis, Histor. Inschr. zur röm. Kaiserzeit, 1984, Nr. 42 • J. González (Hrsg.), Estudios sobre Urso: La colonia Iulia Genetiva, 1989. H. GA.

**Lex Voconia.** Ein vom Volkstribun Q. Voconius Saxa 169 v. Chr. eingebrachtes Gesetz, das Erblassern der 1. Censusklasse (Mindestvermögen 100 000 As, Gai. inst. 2,274) verbot, eine Frau im Testament zur Erbin einzusetzen; das Intestaterbrecht der Frauen blieb unberührt, doch wurde im Anschluß an das Gesetz (*Voconiana ratione*) Frauen ab dem 3. Verwandtschaftsgrad auch das Intestaterbrecht entzogen (Paul. sent. 4,8,20). Zugleich beschränkte die *l. V.* den Höchstbetrag von Legaten auf die Hälfte der Erbschaft (Gai. inst. 2,226). Die Praxis entwickelte wahrscheinlich hierauf das Teilungsvermächtnis, durch welches vor allem Frauen ein Legat in Höhe der Hälfte der Erbschaft zugewandt werden konnte (→ *legatum*), so daß der *l. V.* gerade noch genügt wurde. Der Zweck der *l. V.* wird meist in der Beschränkung des »Frauenluxus« gesehen, wofür spricht, daß Cato [1] das Gesetz gerade mit diesem Argument befürwortete (Gell. 17,6) [4. 2426]; die Beschränkung der Rolle der Frauen im Totenkult (zu welchem die Erben verpflichtet waren), könnte auch eine Rolle gespielt haben [2]. Die Legatsgrenze der *l. V.* wurde durch die *l. Falcidia* (41 v. Chr., → *legatum*) geändert; ob das Einsetzungsverbot im 1. Jh. n. Chr. noch galt (Plin. paneg. 42,1), ist umstritten [1. 684; 3. 125 ff.; 4. 2428], spätestens im 2. Jh. n. Chr. wurde das Gesetz obsolet (Gell. 20,1,23).

→ Erbrecht III D; Intestatus; Legatum

1 Kaser, RPR 1, 684, 756 2 U. Manthe, in: Gnomon 66, 1994, 532 f. 3 J. A. J. M. van der Meer, Made for Men, 1996 4 A. Steinwenter, s. v. L. V., RE 12, 2418–2430.

Honsell/Mayer-Maly/Selb, 458, 495 • A. Watson, The Law of Succession in the Later Roman Republic, 1971, 35 ff., 167 ff. • A. Weishaupt, Die l.V. (im Erscheinen).

U. M.

## Lexikographie I. Griechisch II. Lateinisch

I. Griechisch
A. Alexandrinische Zeit B. Kaiserzeit
C. Byzantinische Lexikographie
D. Strukturen der Lexikographie

### A. Alexandrinische Zeit

Die griech. L. setzt in alexandrinischer Zeit (3. Jh. v. Chr.) ein und erweist sich als Weiterentwicklung der → Glossographie. Denn gerade in dieser Zeit werden Slgg. von »Glossen« (schwierigen Wörtern) kompiliert, wie etwa die Ἄτακτοι γλῶσσαι (*Ataktoí glṓssai*) des Philitas, die Γλῶσσαι (*Glṓssai*) des Simias von Rhodos und jene des Zenodotos von Ephesos (alle 3. Jh. v. Chr.). Solche Slgg. setzten den Willen voraus, bes. Ausdrücke lokaler Dialekte sowie andere außer Gebrauch gekommene, »fremdartige« oder für die Dichtersprache typische Wörter zu erklären. Parallel zum Interesse an Glossen regte sich ein Interesse an λέξεις (*léxeis*); mit diesem generischen Begriff wurden – unabhängig von ihrer Häufigkeit – Wörter von merkwürdiger Form und Bedeutung bezeichnet So entstanden die ersten »lexikographischen« Hilfsmittel, die zunächst nach semantischen Feldern, später alphabetisch angeordnet waren.

Einige davon verzeichneten ethnographische Glossen (z. B. Kallimachos, *Ethnikaí onomasíai*; Dionysios [15] Iambos, *Perí dialéktōn*, 3. Jh. v. Chr.) oder solche, die in spezifische dialektale Kontexte gehörten: Slg. phrygischer Glossen durch Neoptolemos von Parion, aiol. durch Antigonos [7] von Karystos, att. durch Philemon von Aixone (alle 3. Jh. v. Chr.), kret. von Hermonax [2], rhodischer von Moschos (2. Jh. v. Chr.), maked. von Amerias. Andere Slgg. bezogen sich dagegen auf das Lex. einzelner Autoren und benutzten Material aus den Komm., das in der Folge immer eigenständiger angeordnet wurde, z. B. bei den Slgg. zu Homer (Antidoros von Kyme, Neoptolemos von Parion). Bes. Bed. erlangten die Slgg. zu Hippokrates [6] bei den Auseinandersetzungen zw. den verschiedenen medizinischen Schulen (Philinos von Kos, Xenokritos von Kos, Bakcheios von Tanagra, Euphorion von Chalkis, der Empiriker Glaukias). Die Entwicklung der L. brachten insbes. die in mehrere Teile gegliederten *Léxeis* des → Aristophanes [4] von Byzanz (3. Jh. v. Chr.) voran (darin der erste Teil Περὶ τῶν ὑποπτευομένων μὴ εἰρῆσθαι τοῖς παλαιοῖς: ›Über Wörter, die von den Alten vermutlich nicht gesagt wurden‹): dieses Werk umfaßt keinen bestimmten Autor und keinen bes. Dialekt, sondern greift weiter aus und weist eine höhere Komplexität auf; es war jedoch noch nach semantischen Bereichen strukturiert.

### B. Kaiserzeit

Zu Beginn der Kaiserzeit (einer grundlegenden Epoche der L.) entstand eine Vielzahl gelehrter Werke, die das gesamte Material der vorangehenden Zeit in enzyklopädische Werke einzuarbeiten suchten (→ Enzyklopädie). In diesen Kontext sind vor allem die Werke des Dorotheos [3] und des Pamphilos einzuordnen; die umfangreiche Enzyklopädie des Pamphilos wurde später von Iulius → Vestinus und Diogenianos [2] (2. Jh. n. Chr.) epitomisiert, das Lex. des letztgenannten seinerseits mehrfach zu Kompendien gekürzt. In dieser Zeit setzt sich in der L. – wenn man einmal vom *Onomastikón* des Iulius [IV 17] Pollux als einer Ausnahme absieht – die alphabetische Anordnung durch: Auf jedes Lemma folgen ein oder mehrere Erklärungen; die Glossen werden mehr oder weniger streng alphabetisch angeordnet.

Andererseits ist die Gesch. der L. mit dem → Attizismus verbunden: Die ersten attizistischen Lexika (von Ailios Dionysios [21] und Pausanias, 1.–2. Jh. n. Chr.) sind deskriptiv, doch nimmt das Material seit der Zeit des Commodus (Ende 2. Jh. n. Chr.), nach der *Eklogḗ* und der *Sophistikḗ Paraskeuḗ* des Phrynichos, oft eine präskriptive Wertigkeit mit puristischem Ansatz an: Das Lex. soll nicht mehr nur bei der Lektüre der Klassiker helfen (→ Kanon) und ein »Archiv« schöner Wörter bieten, sondern auch lehren, korrektes Griech. zu schreiben. Markant attizistisch sind das Lex. des Moiris (2.–3. Jh.) und der *Philétairos* des → Herodianos, während das Lex. des Oros (5. Jh.) einen moderaten Attizismus aufweist und der *Antiattikistḗs* sich entschieden gegen puristischen Rigorismus wendet.

Daneben besteht die Trad. der Autoren-Lexika, von Slgg. zu Homer (bes. Apion und Apollonios [12] Sophistes, beide 1. Jh. n. Chr.) bis zu den Hippokrates-WB (Erotianos: 1. Jh. n. Chr.; Dioskurides [9] und Galenos: 2. Jh. n. Chr.). Eine weitere bedeutende lexikograph. Trad. besteht zu Platon (neben einem kleinen Werk, zu Unrecht Didymos [1] von Alexandreia zugewiesen, die Verzeichnisse des Harpokration [1] von Argos, 2. Jh. n. Chr., des Klemens und des Boëthos; erh. ist das WB des → Timaios Sophistes, 4. Jh. n. Chr.); eine dritte Trad. betrifft die kanonischen att. Redner (→ Kanon; bes. wertvoll Harpokration [2] von Alexandreia: 2. Jh. n. Chr.).

C. Byzantinische Lexikographie

Die umfangreichsten und wichtigsten Lex. stammen, soweit erh., aus byz. Zeit; sie bieten z. B. nicht nur klass., sondern auch biblisches Material. Die ältesten stammen von → Hesychios [4] (5.–6. Jh.), der die Trad. des Diogenianos fortführt, und Kyrillos [6] (wahrscheinlich 5. Jh.); eine verlorene *Synagōgḗ*, die in enger Verbindung zu dem letztgenannten Werk steht, bildet den Ausgangspunkt für die L. der nachfolgenden Jh.; wir besitzen davon zwei Kompendien (Sa, Sb) und Übernahmen in den nachfolgenden Lexika des Photios und der Suda. Aus dem 6. Jh. stammt ein spezifisch geogr. Lex. von → Stephanos von Byzanz. In der von → Photios eingeleiteten Renaissance entsteht, abgesehen vom ersten der großen → *Etymologica* (dem sog. *Etymologicum Genuinum*) ein lexikograph. Werk. In den nachfolgenden Jh. zeichnet sich die L. (mit den *Etymologica* vergleichbar) hauptsächlich durch ihren Enzyklopädismus aus (s. → Enzyklopädie). Das wichtigste Werk dieser Art ist die → Suda (10. Jh.), dazu zählen auch einige spätere Lexika wie (Ps.)→ Zonaras (13. Jh.) und das *Lexicon Vindobonense* des Andreas Lopadiotes (13.–14. Jh.). Zusammen mit den übrigen Gattungen byz. Gelehrsamkeit findet schließlich auch die L. eine Fortsetzung im westlichen Humanismus: Das *Dictionarium* und die *Eclogai* des Favorinus von Camers (ersteres, aus dem J. 1523, übernimmt zum großen Teil das *Lexicon Vindobonense*) und die »falschen« Lexika des Philemon und das *Violarium* der Eudokia, die kurz nach 1543 von Jakob Diassorinos bzw. Konstantinos Palaiokappas verfaßt wurden.

D. Strukturen der Lexikographie

In der L. hat man es normalerweise mit schwierigen Wörtern zu tun, die durch geläufigere Synonyme erklärt werden. Nicht alle Glossen lassen sich jedoch so interpretieren: Zuweilen machen die Erklärungen nur in einem bestimmten Kontext Sinn (wörtliche und begriffliche Improvisation, Paar von benachbarten Wörtern), leiten sich von einer gewöhnlichen Wortverbindung in einem Hendiadyoin ab (hendiadyadisches Paar), weisen auf eine syntaktische Verbindung hin (syntaktisch-kontextuell), ähneln einer onomastischen Reihe oder stellen grammatikalische oder etym. Besonderheiten heraus. Ein eigener Typus sucht schließlich semantische Unterschiede zwischen Synonymen oder phonetisch ähnlichen Wörtern herauszuarbeiten; dieser Art dürfte schon das alexandrinische Werk des Simaristos gewesen sein. Im 1./2. Jh. n. Chr. folgen die Lexika des → Herennios Philon, des → Ptolemaios von Askalon und des (Ps.)Ammonios [4]. Glossen dieser Art finden sich dann in allen Lexika und Etymologika.

II. Lateinisch

s. Glossographie.

→ Enzyklopädie; Glossographie; Lexikographie

I. Bekker, Anecdota Graeca, I–III, 1814–1821 • L. Bachmann, Anecdota Graeca e codd. ms. Bibl. Reg. Parisin. 1–2, 1828 • E. Degani, La lessicografia, in: G. Cambiano et al. (Hrsg.) Lo Spazio letterario della Grecia antica, 2, 1995, 505–528 • R. Pfeiffer, History of Classical Scholarship, 1968 • R. Tosi, in: Entretiens Hardt, 40, 1993, 143–209 • Ders., Studi sulla tradizione indiretta dei classici greci, 1988

H. Erbse, Unt. zu den attizistischen Lexika, 1950 • K. Alpers, Das attizistische Lexikon des Oros, 1981 • A. Kleinlogel, in: GGA 234, 1991, 185–204 • A. Guida, Il Dictionarium di Favorino e il Lexicon Vindobonense, in: Prometheus 8, 1982, 264–288 • K. Nickau (Hrsg.), Ammonii qui dicitur liber De adfinium vocabulorum differentia, 1966.

R.T./Ü: T.H.

**Lexikon** (Wortschatz einer Sprache).

I. Allgemeines II. Umfang

III. Zusammensetzung und Entwicklung

I. Allgemeines

Das L. umfaßt die gesamte Menge der Wörter einer Sprache, welche von ihren Sprechern/Schreibern verwendet werden können. Es kann geordnet und untersucht werden nach Sprachbereichen (z. B. Allg.-, Fach-, Berufssprache; Umgangs-, Lit.-, Dichtersprache), nach Herkunft der Wörter (Etym.; auch innersprachlich durch Bildung von Wortfamilien mit gemeinsamer etym. Wz.), nach gramm. Wortarten oder nach Wortbed. Hierbei kann man von der realen Welt, d. h. deren Sachverhalten und Begriffen ausgehen (onomasiologischer Ansatz) oder von den einzelnen sprachlichen Elementen ausgehend deren semantische Eigenschaften und Entwicklungen untersuchen (semasiologischer Ansatz). Beide Betrachtungsweisen spielen eine Rolle bei der Strukturierung des L. nach Wortfeldern (sinnverwandten Wörtern). Die diachronische Entwicklung geschieht innersprachlich v. a. durch Wortbildungen (mit Suffixen, Präfixen, durch Komposition) und Austausch zw. Sprachbereichen (z. B. Dial. – Schriftsprache), das Absterben von Wörtern und ihre Ersetzung, außerdem durch Kontakt mit anderen Sprachen (Fremd-, Lehnwörter; Lehnbed., -übers.). Treibende Kräfte sind u. a. Wandel von Zivilisation und Kultur, Stilrichtungen und sprachliche Moden (Archaisieren, Augenblicksbildungen).

II. Umfang

Während das Lat. nach dem Material des ThlL auf gut 50000 Lemmata kommen wird (dabei sind z. B. Motionsfeminina, Adv. zu Adj., adjektivierte Ptz. nicht als selbständige Lemmata gezählt), ergibt sich für das Griech. aus LSJ und Lampe [1] weit mehr als das Doppelte. Dieser Unterschied, der den Römern bewußt war (*patrii sermonis egestas*, Lucr. 1,832), beruht v. a. darauf, daß im Lat. Dial. kaum eine Rolle spielen und daß viel weniger Komposita gebildet werden. So gibt es z. B. von *lignum* (»Holz«) nur 5 Komposita, von ξύλον mehr als 70 (mit sekundären Bildungen). Auch das griech. L. ist deutlich kleiner als das moderner europ. Sprachen. Allerdings wissen wir nicht, wie viel durch Verluste der Überl. verloren gegangen ist (ein Symptom: allein die neuentdeckten Teile des diokletianischen Preisedikts (→ Edictum [3] Diocletiani) enthalten rund 50 bisher nicht belegte lat. Lexeme [2]). Zu den Frequenzen der einzelnen Lexeme: Im lat. L. sind nur ca. 10% mehr als hundertmal belegt, im griech. dürfte der Anteil eher noch kleiner sein.

III. Zusammensetzung und Entwicklung
A. Griechisch B. Latein

A. Griechisch

Seit der Entzifferung von → Linear B kennen wir einen Ausschnitt des »normalen« Griech. der Zeit um 1200 v. Chr., das im L. viele Übereinstimmungen mit dem späteren Griech., aber auch bemerkenswerte Unterschiede zeigt [3. 139 f.]. Schon hier kommen aus anderen Sprachen entlehnte Kulturwörter vor (*a-sa-mi-to*/ ἀσάμινθος »Badewanne« mit dem »ägäischen« Suffix -ινθος; *ku-ru-so*/χρυσός, akkad. *ḫurāṣu* »Gold«; *ki-to*/ χιτών, phöniz. *ktn* »Chiton« [3. 139]). Neben dem ererbten idg. Grundbestand und den vielen Ableitungen daraus bilden solche Lw. aus mediterranen und oriental. Sprachen eine wesentliche Erweiterung des L. Aus der Zeit vom 8. bis 5. Jh. v. Chr. sind fast nur poetische Texte überl. mit einem reichen Wortschatz, bes. im homer. Epos (→ Homerische Sprache), das zahlreiche künstliche, z. T. dunkle Bildungen enthält [4], andererseits manche »prosaischen« Bereiche ausspart, die später teilweise bei Lyrikern wie → Archilochos oder im Iambos (→ Iambographen) in Erscheinung treten. Charakteristisch für das Griech. ist ferner, daß sich für die einzelnen Genera der Poesie von verschiedenen Dial. geprägte Standardsprachen entwickelt haben, was die überregionale Verbreitung von Dialektwörtern und -formen förderte (→ Griechische Literatursprachen). Andererseits beeinflußte die epische Sprache gerade im Bereich des L. alle Genera; viele homer. Wörter wurden zu Elementen einer allg. Dichtersprache. In Nachahmung Homers wurden immer neue Komposita gebildet, bes. in der Chorlyrik mit einem ersten Höhepunkt bei → Pindaros, einem zweiten bei → Aischylos.

Im 5. Jh. v. Chr. entwickelte sich die lit. Prosa, die uns neben den Historikern v. a. im Corpus Hippocraticum (→ Hippokrates [6]) mit einer reichen wiss. Terminologie greifbar ist. Hingegen zeigt die att. Prosa des 4. Jh. die Tendenz, den Wortschatz zu beschränken (stärker z. B. bei Isokrates als bei Demosthenes). Im Hell. (→ Hellenisierung II. Sprache) wurde das L. enorm erweitert durch die differenzierten Fachsprachen der Wissenschaften und die Verwendung des Griech. als Verwaltungs-, Verkehrs- und Handelssprache im Alexanderreich (→ Alexandros [4], mit Karte; Ausbildung der → Koine). Seit dem 2. Jh. v. Chr. drangen lat. Lw. ein [5], v. a. Termini aus Militärwesen, Verwaltung, Recht; ihr Anteil blieb aber klein (ca. 1,5 % des L.). Viel größer war der Zuwachs in der christl. Lit., weniger durch Lw. aus dem Hebr. als durch neue Wortbildungen. Lampe [1] registriert etwa 11 000 vorher nicht belegte Lexeme.

B. Latein

Das Lat. besitzt dieselben Wortarten wie das Griech. mit Ausnahme des Artikels. Auch im Lat. bilden aus dem Idg. ererbte Lexeme und davon abgeleitete Bildungen den Kern; sie machen etwa in Ciceros Prosawerken rund zwei Drittel aller verwendeten Lexeme aus [6]. Hinzu kommen Entlehnungen aus mediterranen Substraten (direkt oder durch griech. Vermittlung wie *oleum, oliva*), bes. in Fauna, Flora oder im maritimen Vokabular [7. 17 ff.], ferner Übernahmen aus dem Etr. [8], Gall. (Wagenbau, Pferdezucht, Waffen, Kleidung), aus semit. Sprachen (Pun.; anderes meist durch griech. Vermittlung) und den osk.-umbr. Nachbarsprachen. Viel stärker ist der Einfluß des Griech., greifbar schon in den Zwölftafelgesetzen (z. B. *poena*) und in mehreren Wellen allmählich fast alle Bereiche der Sprache durchdringend, sehr deutlich etwa bei Plautus und Ennius, während Terenz oder später Cicero zurückhaltend sind. Die Entwicklung der Dichtersprache und der verschiedenen Fachsprachen (Medizin, Gramm., Rhet., Architektur, Philos.) brachte weitere Schübe, ebenso dann das Christentum, so daß schließlich mehr als 10% des lat. L. griech. Lehn- und Fremdwörter sind. Für die innere Weiterentwicklung ist bezeichnend, daß die im Altlat. noch verbreiteten Neubildungen von Komposita (oft nach griech. Vorbildern) in der Klassik viel seltener werden: Caesar lehnt Neologismen ausdrücklich ab (Gell. 1,10,4), Cicero ist außerhalb der Briefe sehr sparsam damit, so daß die lat. Schriftsprache z.Z. ›ihrer höchsten stilistischen Vollendung‹ (Norden) im Wortschatz am ärmsten war [9. 189]. Weniger restriktiv war die spätere Zeit, wobei für die Entwicklung des L. die zahlreichen Neubildungen etwa des Christentums wichtiger waren als individuelle Neigungen einzelner (z. B. Apuleius).

Griech. und lat. L. bilden zusammen ein wesentliches Fundament des Wortschatzes der europ. Zivilisation, nicht nur durch die darin vorhandenen Lexeme, sondern weit mehr noch als Reservoir von Elementen für international verwendbare Neubildungen.

→ Mittel- und Neulateinische Philologie

**1** G. W. H. Lampe, A Patristic Greek Lexicon, 1961
**2** J. André, Nouveautés lexicales dans le texte de l'édit de Dioclétien, in: RPh 50, 1976, 198–205 **3** K. Strunk, Gesch. der griech. Sprache: Vom Myk. bis zum klass. Griech., in: H.-G. Nesselrath, Einl. in die griech. Philol., 1997, 135–155 **4** M. Leumann, Homer. Wörter, 1950
**5** H. Hofmann, Die lat. Wörter im Griech. bis 600 n. Chr., 1989 **6** J. Safarewicz, Note sur le vocabulaire de Cicéron, in: Studia … A. Pagliaro oblata 3, 1969, 193–216
**7** A. Ernout, Aspects du vocabulaire latin, 1954
**8** G. Breyer, Etr. Sprachgut im Lat., 1993 **9** Norden, Kunstprosa.

L. R. Palmer, Die griech. Sprache, 1986 • Hofmann/Szantyr, Allg. Teil, bes. 31*–50* • LSJ • ThGL • ThlL.

P. FL.

**Lexovii.** Volksstamm am Westufer der unteren Sequana in der *Gallia Celtica*, nachmals in der *Gallia Lugdunensis*. Zur Zeit Caesars gehörten sie zu den *civitates Aremoricae*. Hauptort: Noviomagus, h. Lisieux. Belege: Caes. Gall. 3,9; 7,75; Strab. 4,1,14; 3,5; Plin. nat. 4,107; Ptol. 2,8,2; 5. Inschr.: CIL III 3177–3182.

C. LEMAITRE, Noviomagus Lexoviorum, in: R. BEDON (Hrsg.), Les villes de la Gaule lyonnaise (Caesarodunum 30), 1996, 133–166. Y.L.

**Libanios** A. LEBEN B. WERK
C. CHARAKTERISTIK UND NACHWIRKUNG

A. LEBEN

L. aus Antiocheia/Syrien, 314–393 n. Chr., ist der bedeutendste griech. Rhetor der späteren Kaiserzeit. Die wertvollsten biograph. Informationen bietet das Werk des L. selbst, bes. die Briefe, auch die Reden mit autobiograph. Thematik, v. a. or. 1 und 2. Dazu kommen Angaben aus zeitgenössischen Schriften (u. a. von → Iulianos [11] und → Iohannes [4] Chrysostomos), eine *Vita* des Eunapios und die wohl im wesentlichen aus letzterer schöpfende byz. Trad. (Zosimos, Zonaras, Suda u. a.).

L. wurde 314 als Sohn einer hochangesehenen, dem Stand der *decuriones* (also dem städtischen Amtsadel) angehörenden Familie in Antiocheia [1] geb. Der namentlich nicht bekannte Vater scheint früh gest. zu sein, L. verbrachte die Kindheit unter mütterlicher Obhut wohl vornehmlich auf dem Landgut der Familie. Im Alter von 15 J. wandte er sich aus eigenem Antrieb einem ungewöhnlich intensiven Studium der griech. Klassiker zu, deren Werke er zu großen Teilen auswendig lernte. Er vervollständigte seine Bildung durch 5 Studienjahre in Athen (336–340), an deren E. ihm im dafür unerhört jugendlichen Alter von 25 J. eine Rhet.-Professur angeboten wurde – eine erstaunliche Leistung, zumal L. von seinen Lehrern (Ulpianos von Askalon, Zenobios von Elusa in Antiocheia; Diophantos in Athen) nur wenig gefördert worden zu sein scheint. Nach seinem Weggang aus Athen lehrte L. zunächst bis 344 in Konstantinopel, dann, nach einer kurzen Zwischenstation in Nikaia/Bithynien, in der bithynischen Hauptstadt Nikomedeia (344/5–348/9), eine Zeit, die er später als die besten J. seines Lebens bezeichnet hat. Auf kaiserlichen Befehl mußte er dann seine Lehrtätigkeit wieder in die Hauptstadt verlegen, von wo er 354 nach Ablehnung eines Rufes nach Athen in seine Heimatstadt zurückkehren konnte; dort hat er bis zu seinem Tod gelehrt.

Einen Höhepunkt in dem Anf. der 60er Jahre durch den Tod enger Freunde, des Onkels und der Mutter verdüsterten Leben des L. bildete der Aufenthalt Kaiser → Iulianos' [11] in Antiocheia (Juli 362–März 363), den er seit der Zeit in Nikomedeia kannte und mit dem ihn gemeinsame Überzeugungen und tiefe Freundschaft verbanden. Um so schwerer traf ihn dessen Tod im Perserkrieg (Juni 363). Unter der Regierung des Valens (364–378) hatte L. mit Schwierigkeiten zu kämpfen, die mit seiner unerschütterlichen Ablehnung des Christentums zusammenhingen; Theodosios dagegen (Kaiser 379–395) hatte keine Vorbehalte gegen den Rhetor, bot ihm wahrscheinlich sogar den (allerdings ausgeschlagenen) Ehrentitel eines *praefectus praetorio* an und zeigte für von L. vertretene Anliegen Entgegenkommen (z. B. anläßlich der durch Steuererhöhung provozierten Revolte in Antiocheia im J. 387). In seinem letzten Brief (epist. 1097) spricht der zeit seines Lebens kränkliche, im Alter zunehmend schwer leidende L. davon, daß er wohl nur noch wenige Tage zu leben habe; im selben J. 393 dürfte er gestorben sein.

B. WERK

Die umfangreiche lit. Hinterlassenschaft des L. läßt sich in 6 Gruppen gliedern:

1. *Orationes*: In der Werkgruppe der »Reden« faßt man 64 Stücke zusammen, unter denen sich sowohl wirkliche, d. h. zum Vortrag durch den Autor bei einer bes. Gelegenheit bestimmte Reden befinden als auch Send- und Empfehlungsschreiben, polit. Denkschriften, Eingaben an kaiserliche Beamte bzw. den Kaiser selbst u. a. mehr. Die erst nach dem Tod des L. publizierte Slg. ist in den Hss. weder nach chronologischen noch nach sachlichen Prinzipien durchgängig geordnet, doch lassen sich Gruppen zusammengehöriger Reden erkennen, so or. 1–5 (Bezug auf die Person des L.), 12–18 und 24 (Kaiser Iulian), 19–23 (Aufstand in Antiocheia, s.o.). In dem Corpus finden sich neben ethischen → Diatriben (6–8; 25) auch Reden der Klage (z. B. 60 über den Brand des Apollontempels im Okt. 362 im antiochischen Vorort Daphne; 61 über das Erdbeben von Nikomedeia im Aug. 358), des leidenschaftlichen Appells (z. B. 30 gegen die Zerstörung nichtchristl. Heiligtümer durch fanatisierte Mönche; 53 gegen unmoralische Exzesse bei Festen), der Belobigung (z. B. 59 auf Constantius [2] II. und Constans [1], gehalten wohl 344/5 und damit die früheste der überl. Reden). Von bes. Quellenwert ist or. 11 (*Antiochikós*), die durch ihre zwar enkomiastische, aber detailgenaue Beschreibung der syr. Metropole Antiocheia bei den Ausgrabungen als zuverlässiger Führer benutzt werden kann.

2. *Declamationes* (*melétai*): Diese unterscheiden sich von den Reden dadurch, daß sie keinen weiteren Zweck verfolgen als die Demonstration sprachlich-rhetor. Meisterschaft. Das Corpus umfaßt 51 Stücke, darunter viele Fälschungen aus späterer Zeit. Auch die Deklamationen wurden erst postum gesammelt, ihre Anordnung schwankt in den Hss. Thematisch lassen sich zwei Gruppen unterscheiden, nämlich solche mit myth.-histor. Stoff (meist aus dem → Epischen Zyklus bzw. der att. Gesch.) sowie charakterologische Stud. (Redeweise bestimmter Menschentypen in bestimmten Situationen). Das berühmteste Stück der Slg. ist die als Antwort auf die Anklage des Polykrates verfaßte ›Verteidigung des Sokrates‹ (declamatio 1).

3. Die *Progymnásmata* umfassen sämtliche in der Rhetorenschule einzuübenden Darstellungsformen, z. B. Erzählung, Beschreibung, Beweis, Widerlegung,

Belobigung, Beschimpfung usw.; auch hier findet sich vieles, was nicht von L. stammt.

4. Die unvollständig überl. *Hypothéseis* zu den Reden des Demosthenes verfaßte L. zusammen mit einer Vita des Redners im J. 352 auf Bitten des Proconsuls Montios.

5. Von L. sind mehr als 1500 Briefe überl., mehr als von irgendeinem anderen Autor der Ant. Sie entstammen ausschließlich den Perioden zw. dem Anf. der 350er Jahre und 366 sowie 387 und 393. Unter den Adressaten finden sich neben Berühmtheiten der Zeit (z. B. den Kaisern Iulian und Theodosios, Themistios, Ammianos; auch christl. Bischöfen) auch ganz unbekannte Leute, oft Bewunderer des L., die einen Brief von der Hand des Meisters erbaten. Die Briefe geben authentische Information über persönliche und allg. Lebens- und Zeitumstände. Ob sie von vornherein mit Blick auf spätere Publikation geschrieben wurden, läßt sich nicht sagen; L. selbst hat sie jedenfalls nicht veröffentlicht. Auch in dieses Corpus ist manches Unechte eingedrungen, z. B. ein Briefwechsel mit Basileios.

6. Als unecht gilt allg. ein Werk mit dem Titel *Epistolimaíoi charaktē̃res*, eine Anweisung zum Schreiben von Briefen. Die Menge der unseres Wissens verlorenen Schriften des L. ist sehr groß und dürfte der des Erh. kaum nachstehen.

C. Charakteristik und Nachwirkung

L. ist durch und durch Literat und Klassizist, an Umfang und Gründlichkeit der Kenntnis der klass. griech. Lit. überragt er alle seine Zeitgenossen. → Demosthenes [2] ist für ihn das erste Vorbild, doch verrät sein Stil auch engste Vertrautheit mit Isokrates, Platon, Herodot sowie den Meistern des kaiserzeitlichen Klassizismus, von denen er Aelios Aristeides [3] am meisten bewundert. L. erweist sich auch als Kenner der archa. und klass. Dichtung (Homer, Hesiod, Pindar; Aristophanes, die Tragiker, bes. Euripides), hell. und spätere Poesie scheint er dagegen kaum gelesen zu haben. Die Fixierung von Sprache und Denken auf das Athen des 5. und 4. Jh. v. Chr. geht bei L. einher mit kühler Ablehnung alles Röm. und Lat., das er nicht oder nur unzulänglich beherrscht. Auch mit dem rhet. Bildungsentwurf konkurrierende Institutionen wie die Juristenschule von Berytos sind ihm zuwider. Das vordringende und von den Kaisern (mit Ausnahme Iulians) geförderte Christentum sagt dem auch rel. an der griech. Vergangenheit festhaltenden L. nichts, doch begegnet er dem neuen Glauben mit einer Toleranz, die ihn positiv von den Protagonisten der christl. Seite unterscheidet und die in Verbindung mit ausgeprägter Gerechtigkeitsliebe seine Persönlichkeit insgesamt sympathisch macht. Vetrautheit mit christl. Gedankengut zeigt die Tendenz des L. zur Übernahme christl. Terminologie (z. B. *cháris, sōtēría*) bzw. Uminterpretation von Begriffen in christl. Sinn (z. B. → *týchē* als eine Art von göttlicher Vorsehung).

L. verbindet die Verwurzelung im klass. Kulturerbe mit Offenheit für und reger Teilnahme an der eigenen Zeit, deren Größen er teils bewundert, ohne zu schmeicheln (Iulian), teils distanziert sieht (Themistios), teils offen ablehnt (Himerios, wegen seiner »modernistischen« Diktion), jedenfalls aber nahezu ausnahmslos persönlich kennt. Er war nicht nur der berühmteste Sprachmeister seiner Zeit, sondern auch ein erfolgreicher Lehrer, zu dessen Schülern fast sicher die großen christl. Autoren Iohannes [4] Chrysostomos und Basileios [1] gehörten, wahrscheinlich auch Theodoros von Mopsuestia und Ammianos. Seine oft gewunden–undeutliche, von Manierismen (z. B. übermäßigem Gebrauch des Dual, der figura ethymologica) nicht freie, aber technisch perfekte attizistische Kunstprosa (→ Attizismus) machte ihn zum Stilvorbild und zu einem der meistgelesenen Autoren im byz. Schulbetrieb. Es dauerte 1000 J., bis L. auch im Westen bekannt wurde; die Humanisten sammelten Hss. seiner Texte, schufen aber keine vollständige Gesamtausg.; diese entstand auf solider textkritischer Basis erst Anf. des 20. Jh. Trotz in den letzten Jahrzehnten wachsenden Interesses gehört L. noch immer zu den am wenigsten erschlossenen Autoren der Ant.

Ed.: R. Foerster, E. Richtsteig, 12 Bde., 1903–27 (Ndr. 1963) • Auswahl: A. F. Normann, 3 Bde. (bisher 1, 1969; 2, 1977) • Einzeled., z. T. mit Übers./Komm.: J. Martin, P. Petit, 1979 (or. 1) • A. F. Normann, 1992 (or. 1 und ausgewählte Briefe) • J. Martin, 1988 (or. 2–10) • B. Schouler, 1973 (or. 6–8; 25) • U. Criscuolo, 1996 (or. 13) • Ders., 1995 (or. 24) • R. Romano, 1982 (or. 30) • G. Fatouros, T. Krischer, 1980 (ausgewählte Briefe).
Übers., Komm.: Dies., 1992 (or. 11) • L. Mattera, in: Atti dell'Accademia Pontaniana 41, 1992, 129–143 (or. 17) • E. Bliembach, 1976 (or. 18) • R. Anastasi, in: La poesia tardoantica (Atti ... Centro di cultura scientifica »E. Majorana«), 1984 (or. 51) • R. M. Ratzan, G. B. Ferngren, in: JHM 48, 1993, 157–170 (progymn. 8).
Konkordanz: G. Fatouros, T. Krischer, D. Najock, 1987.
Bibliogr.: P. Petit, L. et la vie municipale à Antioche au IV[e] siècle après J.-C., 1955, 8–14 • G. Fatouros, T. Krischer, L., 1983, 275–280 (Lit. bis 1981).
Neuere Lit.: M. L. Benedetti, Studi sulla guerra Persiana nell' orazione funebre per Giuliano di L., 1990 • U. Criscuolo, L' orazione 13 (Foerster) di L. per Giuliano, in: Koinonia 18/2, 1994, 117–140 • P. N. Doukellis, L. et la terre, 1995 • G. Fatouros, Julian und Christus. Gegenapologetik bei L.?, in: Historia 45, 1996, 114–122 • P. Gainzarain, La lengua de L., in: Veleia 4, 1987, 229–253 • B. D. Herbert, Arch. Komm. zu den Ekphraseis des L. und Nikolaos, 1983 • A. López Eire, Reflexiones sobre los discursos de L. al emperador Teodosio, in: Fortunatae 1, 1991, 27–66 • W. Portmann, Die 59. Rede des L. und das Datum der Schlacht von Singara, in: ByzZ 82, 1989, 1–18 • R. Scholl, Histor. Beitr. zu den julianischen Reden des L., 1994 • B. Schouler, La tradition hellénique chez L., 1984 • H.-U. Wiemer, L. und Julian, 1995 • G. Wöhrle, L.' Religion, in: Études Classiques 7, 1995, 71–89.

M. W.

**Libanomanteia** s. Divination

**Libanos**
[1] s. Weihrauch
[2] (Λίβανος, lat. *Libanus*). Gebirgszug im Norden Syriens zw. der Mittelmeerküste und dem → Antilibanos im Landesinneren. Die Bezeichnung (hebr. *lᵉbānôn*, ugarit. *Lbnn*, akkad. *Labnāna*, arab. *Lubnān*) stammt von der semit. Wurzel **lbn* »weiß«, d.h. der »weiße Berg«. Sagenhaft ist der Bericht über die Abstammung des L. von einem Riesen bei Philon von Byblos (Eus. Pr. Ev. 1,10,9). Die ältesten Nachrichten stammen aus at. und assyr. Quellen.

Der L. erstreckt sich auf einer Länge von ca. 160 km nahezu parallel zur Küste mit einer höchsten Erhebung von 3126 m am Ǧebel Makmal. L. und Antilibanos umschließen die nördl. Fortsetzung des zum syr. Grabenbruch gehörenden Jordangrabens, die Talsenke der → Koile Syria, der h. Beqaʿ-Ebene. Im Norden der Senke entspringt der Leontes (*Nahr Līṭānī*), welcher als *Nahr el-Kāsimīje* nördl. von → Tyros ins Mittelmeer mündet. Die nördl. Begrenzung des L. bildet der Eleutheros (*Nahr el-Kebīr*). Das Klima ist in der Regenperiode von reichen Niederschlägen bestimmt, die oberhalb 2800 m als Schnee ergehen.

Der Westen des L. war im frühen 1. Jt. v. Chr. in der Hand der Phoiniker, der Osten gehörte als das biblische Aram-Zoba zu Syrien (Ptol. 5,14,6). Gerühmt wurde der L. aufgrund seines Wild- und Holzreichtums, bes. der Zedern (Jes 2,13; 40,16; 2 Kg 14,9; Ps 72,16 u.ö.). In den griech.-röm. Quellen erscheint der L. als Lieferant von Holz für Tempel und Schiffe (Curt. 4,2,8; 24; 10,1,19; Pol. 5,45,9). Beschreibungen des L. finden sich bei Plin. nat. 5,77; Tac. hist. 5,6,2; Strab. 16,755.

M. J. Mulder, s. v. lᵉbānôn, ThWAT 4, 1984, 461–471.
TH.PO.

**Libanotris** s. Weihrauch

**Libarna.** Ligur. Stadt der *regio IX* an der Via Postumia (*nobile oppidum*, Plin. nat. 3,49), h. Serravalle Scrivia. *Municipium*, dann wohl *colonia* (CIL V 7428), *tribus Maecia*. Evtl. von Constantinus [3] 410 n. Chr. erneuert ([1] zu Soz. 9,12,4). Überreste: Theater, Amphitheater, *insulae*, Thermen, Forum, Aquädukt, Gräber.

1 G. Chr. Hansen, in: J. Bidez (Hrsg.), Sozomenus, Kirchengesch. (GCS N. F. 4), ²1995, 545.

G. Forni (Hrsg.), Fontes Ligurum et Liguriae antiquae, 1976, s. v. L. • S. Finocchi (Hrsg.), L., 1996.
E. S. G./Ü: J. W. M.

**Libatio** s. Trankopfer

**Libella.** Diminutivum von → libra, »kleines Pfund«, »Pfündchen«, bezeichnet wie die sizilische → Litra ein Zehntel einer Silbereinheit, seit Anf. des 2. Jh. v. Chr. den → As als Zehntel des → Denarius und dann des → Sestertius. Der Begriff L. wurde lediglich in der Kleingeldrechnung verwendet. Im Sprachgebrauch bezeichnet L. eine beliebig kleine Mz. oder in der Wendung *heres ex libella* (Cic. Att. 7,2,3) den Erben eines Anteils von einem Zehntel.

M. Crawford, Coinage and Money under the Roman Republic. Italy and the Mediterranean Economy, 1985, 147 f. • Schrötter, s. v. L., 352.
GE.S.

**Libellis, a.** Zu den Offizien des kaiserl. Hofes gehört ein primär für justizielle Klagen zuständiges Büro, das – wohl neben Petitionsbescheiden und Reskripten (→ *epistulis, ab*) des Kaisers – eigens die an den Kaiser als Appellationsinstanz gerichteten Gerichtsklagen bearbeitet. In seinen Bereich gehören auch Verfahren, die am Kaiserhof erstinstanzlich entschieden werden, wenn der Kaiser sie an sich zieht, wie z. B. Verfahren wegen *crimen laesae maiestatis* (»Majestätsbeleidigung«) oder *maledictio Caesaris* (»üble Nachrede gegen den Caesar«; Cod. Iust. 9,8,4; 9,7,1). Das wohl seit der Zeit Neros (Tac. ann. 15,35) im öffentl. Verkehr hervortretende – also nicht mehr rein »hausinterne« – Büro des Kaisers heißt stets *a libellis*; es arbeitet den direkt vom Kaiser geleiteten Gerichtsverfahren, den im *consilium* (später *consistorium*) stattfindenden Gerichtstätigkeiten und den anderen justiziellen Verfahren vor bes. eingesetzten Gerichten des Kaisers zu und publiziert deren Urteile (*decreta*).
→ Libellus; Scrinium; Magistratus

Hirschfeld, 327 ff. • Jones, LRE, 504, 575 ff., 392 f., 397 • Jones, RGL, 69 ff., 167 ff. • Mommsen, Staatsrecht 2, 838 ff., 980 ff. • Wenger, 427 ff.
C.G.

**Libellus** A. Libellus im Zivilprozess
B. Libellus an den Kaiser und im sonstigen öffentlichen Recht
C. Libellus im Strafrecht

A. Libellus im Zivilprozess

*L.* (»kleine Schrift«) ist seit etwa der Mitte des 5. Jh. n. Chr. der t.t. für die Klageschrift im röm. Zivilprozeß, der jetzt weniger schwerfälig ausgestaltet war als das bis dahin gebräuchliche Verfahren der → *litis denuntiatio*. Der *l.* enthielt ohne genauere Begründung die der Klage zugrundeliegenden Tatsachen und einen Antrag zur Ladung des Prozeßgegners (→ *postulatio*). Über die Berechtigung des Ladungsbegehrens (»Schlüssigkeitsprüfung«) traf der Richter zunächst eine → *sententia* (»[Zwischen-]Entscheidung«), die entweder zur amtlichen Ladung des Beklagten durch einen Justizbeamten, den *exsecutor*, führte oder zur Abweisung der Klage als unzulässig. Unter Justinian (Nov. Iust. 96 pr., 1) mußte der Kläger außerdem eine Sicherheit leisten, damit die Zustellung des *l.* erfolgte. Vorbild für die im Vergleich zur *litis denuntiatio* wesentlich vereinfachte Ladung könnten die amtlichen Ladungen im Strafprozeß gewesen sein. Mit der Zustellung des *l.* an den Beklagten traten die nach dem Absterben des Formularpozesses noch verbliebenen Rechtsfolgen der → *litis contestatio* ein, insbes. verschärfte Haftung, Verzinsungspflicht, Unterbrechung der Verjährung. Der Beklagte mußte innerhalb einer vom Kläger bestimmten Frist – wiederum durch *l.* – seine Verteidigungsabsicht mitteilen und an den *exsecutor* Sicherheit für seine Anwesenheit beim gerichtlichen Verfahren leisten. Unterblieb die Sicherheitsleistung, nahm der *exsecutor* den Beklagten in Haft. Nach der durch *l.* erfolgenden Einleitung wird der Zivilprozeß der Zeit seit dem 5. Jh. als Libellprozeß bezeichnet; er ist eine spätant. Fortentwicklung der klass. → *cognitio*.

B. LIBELLUS AN DEN KAISER UND IM SONSTIGEN ÖFFENTLICHEN RECHT

*Libelli* heißen in der Kaiserzeit die Gesuche von Privatpersonen an den Kaiser selbst oder an Behörden. Sie konnten Rechts- und Verwaltungsfragen aller Art betreffen. Bearbeitet wurden die an den Kaiser gerichteten Gesuche in einer bes. Kanzlei *a* → *libellis*, deren Leiter um 200 n. Chr. → Papinianus und danach → Ulpianus waren. Die Anfrager erhielten keine persönliche Antwort. Vielmehr wurde durch einen Vermerk auf der Bittschrift (*subscriptio*) entschieden und die Entscheidung dann durch öffentlichen Anschlag (*propositio*) bekanntgemacht. Der *l.* nebst der darauf ergangenen Entscheidung wurde unter dem Namen des Kaisers und des Gesuchstellers mit dem Datum der Entscheidung oder ihrer Veröffentlichung archiviert. Vom *l.* zu unterscheiden ist die Anfrage eines Beamten, die *epistula* (→ *epistulis, ab*).

Besondere Bed. haben die *l.* von Prozeßparteien an den Kaiser. Schon im klass. Kognitionsverfahren ist der *l.* (*appellatorius*) die Form der Berufung gegen ein Urteil (s. → *appellatio*). Wie im *l.* des späteren Libellprozesses ist die Angabe von Berufungsgründen nicht erforderlich. Aber auch wenn noch kein Urteil vorlag, konnten sich Rechtsuchende durch einen dem Kaiser übergebenen *l.* (*principi datus*) an diesen mit der Bitte um rechtliche Entscheidung wenden. Die Antwort erfolgte dann durch *rescriptum* (→ Reskriptprozeß), das unter der Voraussetzung, daß der vorgetragene Sachverhalt der Wirklichkeit entsprach, für die den Rechtsfall zu entscheidenden Instanzen verbindlich war.

C. LIBELLUS IM STRAFRECHT

*L.* (auch *liber*) *famosus* ist der röm. Ausdruck für die Schmähschrift. Schon die Zwölftafelgesetze (Taf. 8,1) enthielten eine private Strafdrohung gegen ein → *carmen famosum* (Schmähgedicht), das aber wohl magische Elemente (Verwünschungen) enthielt. In der Kaiserzeit erfüllt der *l. famosus* einen strafrechtlichen Beleidigungstatbestand. Verfolgt wurde nicht nur der Verf., sondern auch, wer eine solche Schrift verbreitete. Freilich gab es in der Spätant. eine Art »Rechtfertigung durch die Wahrnehmung berechtigter Interessen«: Ein Gesetz der Kaiser Valentinian I. und Valens aus dem J. 365 (Cod. Iust. 9,36,2,2) versprach jemandem, der offen öffentliche Mißstände ans Licht brachte, Lob und Anerkennung. Im selben Gesetz (§ 1) wurde jedoch für den *l. famosus* – offenbar gegen den Kaiser und daher als Verwirklichung des → *crimen* (C) *laesae maiestatis* (s. auch → *maiestas*) – die Todesstrafe angedroht. Im allg. war das Delikt des *l. famosus* eine private Beleidigung und wurde daher auch nur als → *iniuria* privatrechtlich verfolgt. Der Beleidigte konnte dann eine Buße verlangen. Zusätzliche öffentliche Strafen in der Kaiserzeit waren z. B. der Verlust der Zeugnisfähigkeit (Ulp. Dig. 47,10,5,9) oder die Verbannung (→ *deportatio*) auf eine Insel (Paul. sent. 5,4,15).

1 M. KASER, K. HACKEL, Das röm. Zivilprozeßrecht, $^{2}$1996, 570–576, 634–636 2 DULCKEIT, SCHWARZ, WALDSTEIN, 242. G.S.

**Liber, Liberalia.** Liber Pater ist ein ital.-röm. Gott der Natur, der Fruchtbarkeit und des Weins. Arch. ist L. zuerst auf der Inschr. der Praenestinischen Ciste des 4. Jh. v. Chr. (CIL I 2, 563), dann auf einem Cippus von Pisaurum des 3.–2. Jh. v. Chr. (CIL I 2, 381) belegt. Die Historiker berichten, daß L. im J. 496 aus Griechenland nach Rom eingeführt wurde, als die Sibyllinischen Bücher empfohlen hatten, die Dreiheit von Demeter, Kore und Iakchos – die den röm. Gottheiten Ceres, → Libera und Liber entsprechen – aus Eleusis zu übertragen und ihr einen Kult zu widmen (Dion. Hal. ant. 6,17,3–4; Tac. ann. 2,49). Ihr Heiligtum auf dem Aventin [1] galt dann als Zentrum des plebeischen Kults, dessen Fest die *ludi Ceriales* sind (→ Ceres B.1.). Aus den Fasti Farnesiani ist zu erschließen, daß ein weiteres, jedoch nicht näher bekanntes Heiligtum des L. auf dem röm. Capitol existierte [3. 426]. Das andere mit L. verbundene Fest sind die Liberalia, die zusammen mit dem Agonium Martiale auf den 17. März fallen [2]. An diesem Tag opfern alte Frauen, mit Efeu bekränzt, die sich als Priesterinnen des L. ausgeben, auf der Straße Kuchen mit Honig (*liba*) für die Vorbeigehenden, die für das Opfer bezahlen (Varro ling. 6,14; Ov. fast. 3,725 ff.). Bei diesem Fest legen die siebzehnjährigen Jungen die für das Knabenalter typische *toga praetexta* ab und legen die *toga virilis* (oder *toga pura*) der Erwachsenen, auch *toga libera* genannt, an (Cic. Att. 6,1,12). Der ital. Ritus, der von Varro durch Augustinus (civ. 7,21) überl. wird und wegen seiner Schamlosigkeit den christl. Autor entsetzt, hebt den Fruchtbarkeitscharakter des L. hervor: Ein Phallus wird auf dem Land und in der Stadt auf einem Wagen gefahren, dann von einer Matrone bekränzt. Dem L. werden auch während anderer Weinfeste Opfer dargebracht [4]. Wegen seiner Verbindung mit dem Wein wird L. mit Dionysos gleichgesetzt und durch dessen Epiklese → Bacchus und übliche Attribute (→ Thyrsos und Efeukränze [5. 541]) gekennzeichnet.

Der Name L. wird durch Worte wie *loibḗ* (Libation) und *leíbein* (»Trankopfer darbringen«) erklärt, die auf das Weinopfer hinweisen (Paul. Fest. 108 L.; Plut. mor. 289a), oder in bezug auf *liberare* (»befreien«) verstanden, weil diejenigen, die Wein trinken, freier sprechen (Paul. Fest. 103 L.; Plut. mor. 289a). Nach einer anderen Erklärung werden die Namen L. und Libera durch ihre Beziehung zu → Ceres gedeutet, wobei diese die Mutter und die beiden anderen Götter ihre »Kinder« (lat.: *liberi*) darstellen (Cic. nat. 2,62). Die These, daß L. eine Entwicklung aus Iuppiter L. ist, wird heute abgelehnt:

Das Heiligtum des Iuppiter L. auf dem Aventin ist mit dem des Iuppiter → Libertas gleichzusetzen [4. 247; 6. 122ff.].

1 M. Andreussi, s. v. Aventinus Mons, LTUR 1, 149
2 Scullard, 91–92 3 InscrIt 13,2: Fasti et elogia, 1963 4 O. de Cazanove, Jupiter, L. et le vin latin, in: RHR 205, 1988, 245–265 5 C. Gasparri, s. v. Dionysos/Bacchus, LIMC 3.1, 540–566 6 R. Schilling, La rel. Romaine de Vénus, 1982.

A. Bruhl, L. Pater. Origine et expansion du culte dionysiaque à Rome et dans le monde romain, 1953 • J.-M. Pailler, Bacchanalia. La répression de 186 av. J.-C. à Rome et en Italie, 1988 • Ders., Bacchus. Figures et pouvoirs, 1995 • G. Wissowa, Rel. und Kultus der Römer, [2]1912, 297–304. FR. P.

**Liber Antiquitatum Biblicarum** (LAB oder *Ps.-Philon*). Jüd. Schrift, vermutlich zw. 70 n. und 132 n. Chr. in Palaestina entstanden. Deutlich wird die Position des Autors durch den Verlust des zweiten jüd. Tempels nach dessen Zerstörung durch Kaiser Titus bestimmt. Der Text ist nur in einer lat. Übers. (vor dem 5. Jh.) erh., die auf eine griech. Vorlage zurückgeht; Original hebr. Der *LAB* bietet eine interpretierende Nacherzählung der biblischen Gesch. (»rewritten bible«) von der Weltschöpfung bis zum Tod Sauls, wonach der Text abbricht; vermutlich war er bis zur Zerstörung des ersten Tempels 587 v. Chr. konzipiert. In seiner Darstellung ist der Autor dem deuteronomist. Geschichtsbild verpflichtet: Gehorsam und Ungehorsam gegenüber Gottes Geboten bestimmen unmittelbar das Geschick des Volkes Israel, wobei das Gesetz ganz in den Mittelpunkt seines Interesses rückt. Beziehungen bestehen zu *4 Esra* und *syrBar.* Einige erbauliche Trad., die den bibl. Text ausschmücken, kehren in späteren jüd. Midraschim wieder; die hebr. Chronik des Jerachmeel hat im 12. Jh. einige Passagen rückübersetzt. Die Überl. des *LAB* läßt sich allein im lat. Westen nachweisen, wo er auch von christl. Theologen rezipiert worden ist: erstmals bezeugt wird er bei Hrabanus Maurus (8./9. Jh.); auch Rupert von Deutz oder Petrus Comestor haben ihn benutzt.

D.J. Harrington et al. (ed.), Pseudo-Philon. Les Antiquités Bibliques, 2 Bde. (SChr 229f.), [2]1979 • C. Dietzfelbinger, Pseudo-Philo: Antiquitates Biblicae (Jüd. Schriften aus hell.-röm. Zeit II/2), [2]1979, 87–271 • E. Reinmuth, Pseudo-Philo und Lukas. Stud. zum Liber Antiquitatum Biblicarum und seiner Bed. für die Interpretation des lukanischen Doppelwerkes (WUNT 74), 1994. CHR. B.

**Liber glossarum.** Mod. Bezeichnung einer alphabetischen, von Sprachbed. bis Begriffserklärung reichenden lat. → Enzyklopädie des späten 8. Jh., des umfangreichsten und wichtigsten schulischen Arbeitsinstruments der karolingischen Epoche; Prototypen sind die Hss. Parisinus Lat. 11529/30 und Cambrai 693 (beide E. 8. Jh.; vgl. [4]). Zur Herkunft des Glossars (→ Glossographie) aus dem Umkreis von Corbie, Tours und der karolingischen Hofbibl. sowie zu Alcuin als terminus post quem vgl. [8. 270ff.]; hinfällig ist damit die Vermutung von [3. 66f.] (Spanien als Herkunftsort), wenngleich die verbreitete Benennung nach einem Goten-Bischof Ansileubus aus einer spanischen Benutzung des Textes zu stammen scheint [3. 64]. Quellen der gramm. und glossematischen, theologischen und geogr.-naturwiss. Einträge sind spätant. und zeitgenössische Grammatiker, Kirchenväter und zumal → Isidorus' [9] *Origines.* Die weite und bis zu Papias und dem *Catholicon* des Johannes Balbi von Genua (13. Jh.) andauernde Verbreitung der Enzyklopädie [7. 128f.] läuft einmal über Corbie, zum anderen in einer besseren Version über Tours (BM 850) und Lorsch (Vat. Pal. Lat. 1773), beide 9. Jh. Eine Kurzfassung (BL Harl. 2735, 9. Jh.) glossiert u. a. Heiric von Auxerre [6].

Ed.: G. Goetz, CGL 5, 1894, 159–255 (Exzerpte) • W. Lindsay u. a., Glossaria Latina 1, 1926.
Lit.: 1 G. Goetz, Der l.g., in: Abh. Kg. Sächsische Ges. der Wiss. 13, 1891, 211–289 2 Ders., CGL 1, 1923, 104–117
3 Ders., s. v. L.g., RE 13,1, 63–67 4 T. A. M. Bishop, The Prototype of the L.g., in: M. B. Parkes u. a. (Hrsg.), Medieval Scribes, Manuscripts and Libraries. FS N. R. Ker, 1978, 69–86 5 G. Barbero, Contributi allo studio del L.g., in: Aevum 64, 1990, 151–174 6 D. Ganz, Heiric d'Auxerre, glossateur du L.g., in: D. Iogna-Prat u. a. (Hrsg.), L'école carolingienne d'Auxerre, 1991, 297–305 7 Ders., The L.g., in: P. L. Butzer, Science in Western and Eastern Civilization in Carolingian Times, 1993, 127–135
8 G. Barbero, Per lo studio delle fonti del L.g., in: Aevum 67, 1993, 253–278. P. L. S.

**Liber Iubilaeorum** (in der Regel ›Jubiläenbuch‹ [Jub], gelegentlich auch *Leptogenesis*, ›Kleine Genesis‹). Jüd. Schrift, um die Mitte des 2. Jh. v. Chr. in Palaestina entstanden. Seine beiden Namen verdankt das Buch einerseits der eigentümlichen Einteilung des Geschichtsverlaufes in Jobelperioden (je 49 J. gemäß Lv 25), andererseits der Tatsache, daß im wesentlichen die biblische Gesch. von Gn 1 bis Ex 20 interpretierend wiedergegeben wird (»rewritten bible«). Vollständig erh. ist allein eine äthiop. Übers., die (wie auch einige syr. und lat. Fr.) auf eine griech. Vorlage zurückführt; die urspr. hebr. Abfassung ist durch Textfr. aus → Qumran nachgewiesen. Eine Rahmenerzählung stilisiert die Schrift als Offenbarungsrede Gottes an Mose, im Hauptteil durch Engel vermittelt. Ihr Inhalt wird durch Geschichtsoffenbarungen bestimmt. Obgleich Mose als zentrale Gestalt erscheint, nehmen die Vätergesch. (Gn 11–50) den breitesten Raum ein, aktualisierend gestaltet als identitätsstiftende Paradigmen gegen die Bedrohung durch den Hell.: Abraham etwa erscheint als Typus des Frommen, der sich von der paganen Gestirnverehrung abwendet und den Weg wahrer Gottesverehrung findet. Insgesamt beherrscht die Abgrenzung gegenüber den Völkern das Buch, dessen Tradenten wohl in den Kreisen der → Leviten zu suchen sind. Bedeutsam ist neben dem chronologischen System ein eigentümlicher 364-Tage-Kalender, den die Schrift mit der Henochastronomie und den Qumranschriften teilt. Sein Gebrauch verweist bereits auf die Bed. kult. Vollzüge, namentlich einer strengen Sabbatobservanz. Auch sonst ist eine Affinität zu den Schriften von Qumran (bes. zur ›Damaskusschrift‹) sowie zu den Henochschriften auffällig. Gesetzliche und erbauliche Sondertrad. kehren im späteren jüd. Schrifttum wieder. Griech. Zitate finden sich bei → Epiphanios [1] sowie bei einigen Chronographen (Synkellos, Kedrenos, Zonaras, Glykas). In der äthiop. Kirche erfreut sich das Buch bis h. kanonischer Geltung.

J. C. VanderKam, The Book of Jubilees, 2 Bde. (CSCO, Scriptores Aethiopici 87f.), 1989 • K. Berger, Das Buch der Jubiläen (Jüd. Schriften aus hell.-röm. Zeit II/3), 1981, 271–575 • M. Albani, J. Frey, A. Lange (Hrsg.), Studies in the Book of Jubilees (Texte und Stud. zum ant. Judentum 65), 1997 • F. Schubert, Trad. und Erneuerung. Stud. zum Jubiläenbuch und seinem Trägerkreis, 1998. CHR.B.

**Liber linteus.** Etr. Buchart in Form eines beschrifteten, nach festgelegtem System gefaltenen Stoffbandes aus Leinen. Als Original erhalten ist die sog. »Agramer Mumienbinde« (*l.l. Zagrabiensis*) von ursprünglich ca. 40 cm Höhe und 340 cm erhaltener Länge mit einem Ritualtext in kalendarischer Form (→ Kalender; frühestens 3. Jh. v. Chr.). Darüber hinaus gibt es bildliche und plastische Nachbildungen von *libri lintei* in etr. Gräbern, auf Sarkophagen und Urnen.
→ Divination

F. Roncalli (Hrsg.), Scrivere etrusco. Ausst.-Kat. Perugia, 1985. F.PR.

**Liber Pontificalis.** Seriell kompilierte Sammlung von Abrissen von Papstbiographien mit vorangestelltem fiktivem Briefwechsel zw. → Damasus und → Hieronymus, deren zeitweise offiziöser Charakter zur weiten Verbreitung (zumeist unter der Bezeichnung *Gesta* oder *Chronica pontificum*) führte [3]. Obgleich die frühesten Hss. (7./8. Jh.) die Papstreihe bis Conon I. († 687) umgreifen, dürfte das älteste Teilstück mit Felix III. (IV.) († 530) abgeschlossen worden sein. Dieses stützte sich auf chronographische Vorlagen wie den sog. »*Index*« und den *Catalogus Liberianus* (MGH AA 9,73–76), füllte deren Datengerüst mit Materialien aus zahlreichen Quellen (darunter Hier. vir. ill., und die sog. → Symmachianischen Fälschungen) auf und tradierte namentlich die frühe Gesch. der Dotationen und päpstlichen Bauten recht zuverlässig. Die nachfolgende Viten-Kette reicht bis ins 9. Jh. und setzt sich aus gruppenweise oder einzeln angefertigten Gliedern zusammen, deren zeitgenössische Autoren der Kurie (zum Teil vermutlich dem päpstlichen *vestiarium*) zuzurechnen sind. Nach einem Abbruch der Ergänzungen im 10. Jh. kommt es wieder ab dem 12. Jh. zu Neubearbeitungen und Fortsetzungen, die (vielfach versetzt mit Passagen aus anderen Chroniken) bis Martin V. († 1431) reichen. Anliegen schon des spätant. Teils war, mittels stereotypen Aufbaus der Abschnitte (Papstname, Herkunft, Pontifikatsdauer, Rechtsakte, Bautätigkeit, Ordinationen, wichtige Zeitereignisse, Tod, Begräbnis, Sedisvakanz) eine gleichförmige Amtsführung der Päpste in lückenloser Sukzession aufzuzeigen und damit den transpersonal-institutionellen Charakter der *cathedra S. Petri* hervorzuheben [6].

Ed.: 1 Th. Mommsen, MGH Gesta pontificum 1, 1898
2 L. Duchesne, C. Vogel, Le L. P., 3 Bde., ²1955–57.
Lit.: 3 A. Brackmann, Der L.p., in: Ders., Gesammelte Aufsätze, ²1967, 382–396 4 O. Bertolini, Il »L.p.«, in: La storiografia altomedievale (Settimane di studio del Centro italiano di studi sull'alto medioevo 17) 1970, 387–455
5 H. Zimmermann, Das Papsttum im MA, 1981
6 G. Melville, De gestis sive statutis Romanorum, in: Archivium Historiae Pontificiae 9, 1971, 377–400.
G.MEL.

**Libera.** Die Partnerin des → Liber; wie er Gott der männlichen Fruchtbarkeit ist, ist sie Göttin der weiblichen (Aug. civ. 6,9). Sie gehört zu der aventin. Dreiheit von Ceres, Liber und L. (Fast. Caeretani, CIL I 1, 212) und wird bei den Liberalia und bei Weinfesten [1. 256ff.] gemeinsam mit Liber verehrt. Gemäß der Gleichsetzung des Liber mit → Dionysos wird L. als → Ariadne gekennzeichnet (Ov. fast. 3,512). Zur Bibliogr. s. Liber.

1 O. de Cazanove, Jupiter, Liber et le vin latin, in: RHR 205, 1988, 245–265. FR.P.

**Liberalitas, largitio** A. Etymologie und Entwicklung der Wortbedeutung B. Inschriften der Prinzipatszeit C. Münzen D. Politisches Denken der späten Republik und Prinzipatszeit

A. Etymologie und Entwicklung der Wortbedeutung

Der Begriff *liberalitas* (= *li.*) bezeichnet auf der abstrakten Ebene eine Eigenschaft (vgl. Sen. dial. 7,24,3: ... *quia a libero animo proficiscitur, ita nominata est*), im bes. Fall einen Akt der Freigebigkeit. Der Terminus *largitio* (= *la.*) gehört ebenso wie *li.* zum Bereich der Gabe; abgeleitet von dem Adj. *largus* (urspr. Bed. von einer Quelle, die reichlich fließt, Cic. off. 2,52) bedeutet *la.* gewöhnlich die Austeilung von Geschenken.

Im polit. Vokabular der späten Republik wird *la.*, aufgefaßt als ein Geschenk, mit dem ein bestimmter Zweck erreicht werden soll, der *li.* als einer Geste absichtsloser Großzügigkeit gegenübergestellt (Cic. off. 2,52–55; Cic. Mur. 77). Die mit dem Begriff *la.* verbundene negative Konnotation wird bes. dann deutlich, wenn er in Verbindung mit → *ambitus* (Wahlbestechung) erscheint; so wird *la.* bei Cicero, mehr noch aber bei Seneca und Tacitus in der Bed. »Korruption« verwendet (Cic. de orat. 2,105; Sen. epist. 87,41; Tac. hist. 1,17,2). Auch die lat. Grammatiker differenzieren zw. *largitas*, die von Menschlichkeit (*humanitas*) motiviert ist, und *la.*, die von dem Wunsch nach Popularität (*ambitio*) bestimmt ist, wobei *largitas* auf eine Qualität, *la.* auf eine Quantität verweist (GL 1,101; 7,123; 7,278; 7,304).

B. Inschriften der Prinzipatszeit

*Li.* (Freigebigkeit) ist zunächst ein Verhalten, das von einem Freund, einem → *patronus* oder einem sozial Höhergestellten erwartet wird; sie kann damit zu einem zentralen Merkmal von Herrschaft werden. Aus dieser positiven Bewertung leiten sich die Geschenke des → *princeps* ab. Meistens wird der Begriff *li.* für Geldgeschenke (→ *donativum*, Alimentarstiftungen, → *alimenta*) oder für einen Nachlaß von Steuern und Steuerrückständen verwendet; im 2. Jh. n. Chr. beginnt *li.* den Terminus → *congiarium* für die Verteilung von Geld an die → *plebs urbana* zu ersetzen. Dieser Bedeutungswandel wurde als eine Hervorhebung dessen, der als Geber auftritt, interpretiert. Andererseits wird die Formel *ex liberalitate* (CIL XI 5956; 5395; ähnlich CIL VI 1492: *secundum liberalitatem eius*) seit Traianus häufiger verwendet; dies gilt ebenso für die Formel *ex indulgentia*, die eine großzügige Entscheidung des *princeps* bezeichnet.

Für die Freigebigkeit des *princeps* erscheint dasselbe Vokabular wie für die Großzügigkeit anderer Personen, etwa von Senatoren oder Angehörigen der munizipalen Oberschichten. In der Prinzipatszeit bestand die Tendenz, *li.* und *la.* (in der Bed. Geschenk, meist im Plur.) sowohl in lit. Texten als auch auf Inschr. zusammen zu verwenden; allerdings bleibt für *la.* auch die Konnotation eines korrupten Verhaltens erh., so etwa in der an Kaiser Commodus gerichteten Bittschrift der *coloni* des *saltus Burunitanus*, die nicht mit den Geschenken des *conductor* konkurrieren können, um sich die Gunst des Procurators des *princeps* zu sichern (CIL VIII 10570 = 14464 = ILS 6870 col. 3). Auf Inschr. aus It. erscheint das Wort *la.* – manchmal in Verbindung mit *li.* – erst relativ spät (gegen E. des 2. Jh. n. Chr.) und selten; *la.* hat hier keine pejorative Bed. mehr und bezieht sich wie *li.* auf ein großzügiges Geschenk eines Wohltäters (CIL V 1012 = ILS 6686; CIL V 3342 = ILS 1148; CIL V 5128 = ILS 6726; CIL X 482 = ILS 6449; CIL X 5968 = ILS 6272; CIL XI 6356; CIL XI 6357 = ILS 5057: *ob eximias liberalitates et abundantissimas in exemplum largitiones*). Dasselbe gilt für Africa, wo das Wort *la.* jedoch sehr selten gebraucht wird: So weisen die → *curiales* des *municipium Cincaritanum* darauf hin, daß die *largitio matris* die Aufstellung einer Statue ermöglicht habe (CIL VIII 14769).

Die Sprachentwicklung führte dazu, daß die Begriffe *la.* und *largitas* in lit. Texten, bes. in der christl. Lit. ebenso wie in kaiserlichen Edikten, immer häufiger verwendet wurden; v.a. für die Gaben des *princeps*, der ein Wohltäter par excellence ist, und für Geldgeschenke oder kostbare Gegenstände. So trägt ein silbernes *missorium* von Valentinianus II., das bei Genf gefunden wurde, die Inschr.: *largitas d(omini) n(ostri) Valentiniani Augusti* (CIL XII 5697,5 = ILS 767). Die kaiserliche Kasse selbst wird in der Spätant. mit dem t.t. *largitiones* bezeichnet, wobei zw. den *largitiones sacrae* und den *largitiones privatae* (Synonym für *res privata*) unterschieden wurde. Die kaiserlichen Finanzen wurden von dem *comes sacrarum largitionum* (CSL) und dem *comes rei privatae* oder *rerum privatarum* (CRP) verwaltet. Die → Notitia Dignitatum betont in den Einträgen zu beiden Ämtern ihre Rolle bei der Verteilung der kaiserlichen Gaben.

C. Münzen

Auf Mz. Neros erscheint die allegorische Figur (→ Personifikationen) der *Li.* zusammen mit Minerva im Hintergrund der Verteilung eines → *congiarium* (BMCRE 1, Nero 138, Taf. 42, 1; 308, Taf. 45, 20). In der Zeit von Hadrianus bis Commodus wird die Legende CONGIARIVM durch die Legende LIBERALITAS AVG zunehmend ersetzt, wobei die allegorische Figur der *Li.* immer größere Bed. erhält; die Legende LIBERALITAS AVG findet sich auf Rückseiten mit der Szene der Verteilung (*congiarium*) und mit dem Bildnis der *Li.* Seit Hadrianus ist *Li.* oft dargestellt als eine aufrecht stehende Frau in langem Gewand, die ein Füllhorn in der linken und ein Zählbrett in der rechten Hand hält. Die Mz. spielen damit auf die Verteilung von Geld an die stadtröm. Bevölkerung an. Die Verteilungen eines *princeps* werden auf Mz. sogar gezählt: LIBERALITAS AVG III (Hadrianus). Diese Praxis wurde von den folgenden *principes* beibehalten, und zwar sowohl für die Legende LIBERALITAS AVG als auch für die Legende CONG AVG. Das letzte Zeugnis für die Legende LIBERALITAS auf Mz. sind die *solidi* des Constantinus I., die 316/7 n. Chr. in Ticinum geprägt wurden und die Legende LIBERALITAS XI IMP IIII COS PPP mit der traditionellen Personifikation (RIC VII, S. 368, no. 53; Taf. 10, no. 53) aufweisen.

Für *la.* existiert kein Bildnis. Die Legende LARGITIO erscheint lediglich auf der Rückseite eines Medaillons aus Brz. von Constantius II. und von Magnentius, der hier auf einen bereits von Constantius verwendeten Münztypus zurückgreift: Der Kaiser wird mit Diadem und einer *mappa* (Tuch) in der linken Hand dargestellt, der einer halb knienden Frau, die ihrerseits gekrönt ist (Personifikation von Constantinopolis oder der *res publica*), eine Gabe überreicht; zu seiner Linken steht eine Göttin mit Helm, die sich auf eine *hasta* stützt (RIC VIII, Rome, S. 290, no 404–405, Taf. 12, no. 404). Die Verbindung dieser Prägungen mit Verteilungen in Rom bleibt unklar. MI.CO./Ü: B.O.

D. Politisches Denken der späten Republik Prinzipatszeit

In der Sozialphilosophie → Ciceros werden *li.* und *la.* eindeutig bewertet; Voraussetzung der *beneficentia* (Wohltätigkeit) ist es, weder dem Adressaten einer Wohltat noch anderen zu schaden. Nach Cicero darf nicht dem einen genommen werden, um dem anderen zu geben (Cic. off. 1,43: *qui eripiunt aliis, quod aliis largiantur*). Es gehört zum Wesen der *li.*, daß sie nützt und niemandem schadet; sie ist somit an das Recht gebunden (Cic. off. 1, 43: *nihil est enim liberale, quod non idem iustum*). Die Gefahr materieller Freigebigkeit ist darin zu sehen, daß sie ihre eigenen Voraussetzungen aufhebt, was gerade für die *la.* gilt, denn das Schenken aus eigenem Vermögen kann die Quellen der Wohltätigkeit erschöpfen: *ita benignitate benignitas tollitur* (›So wird durch Wohltätigkeit die Wohltätigkeit aufgehoben‹,

Cic. off. 2, 52; vgl. 2, 54). Zwei Verhaltensweisen werden differenzierend genannt: *alteri prodigi, alteri liberales* (›die einen sind verschwenderisch, die anderen großzügig‹; Cic. off. 2, 55); dabei wird nach Cicero Geld verschwendet für kurzfristige Vergnügungen wie Festessen, Spiele, Tierhetzen, während Großzügigkeit beim Loskauf von Freunden aus der Sklaverei oder bei der Verheiratung von Töchtern Unterstützung gewährt; indirekt wird so durch *benignitas* auch dem Gemeinwesen genützt (Cic. off. 2,63). Unter diesen Voraussetzungen konnte die *lex frumentaria* des C. → Sempronius Gracchus im Abschnitt über die *beneficia*, die der *res publica* gewährt werden, kritisch als *magna largitio* bezeichnet werden, weil sie die öffentlichen Finanzen erschöpft habe (Cic. off. 2,72; vgl. Cic. Tusc. 3,48: *largitiones maximas*).

In der Prinzipatszeit gehörte die *li.* zu den wichtigen Tugenden eines guten *princeps*; das Prinzipatsverständnis folgte damit älteren griech. Vorstellungen, die u. a. bei Xenophon Ausdruck fanden; so wird in dessen *Kyrupaideía*, die in Rom gelesen wurde (Suet. Iul. 87), die Freigebigkeit des Kyros [2] gerühmt (Xen. Kyr. 8,2,15ff.; 8,4,32ff.). Schon Caesar nennt in seinem Schreiben an Oppius und Cornelius Balbus Anfang 49 v. Chr. *li.* als Grundprinzip seiner Politik (Cic. Att. 9,7c, 1), und Plinius hebt im Zusammenhang mit Spenden an Soldaten und Bürger lobend die *li.* des Traianus hervor (Plin. paneg. 25,3; 25,5). Mangelnde *li.* wurde hingegen kritisch vermerkt, etwa im Fall des Tiberius (Suet. Tib. 48,2). Von den munizipalen Oberschichten wurde ebenfalls ein Verhalten erwartet, das der *li.* des *princeps* entsprach; die traditionellen Elemente der Sozialphilosophie Ciceros wurden in diesem Kontext noch durch das Engagement für die Ausbildung von Kindern und für Bibliotheken ergänzt (Plin. epist. 1,8,9).

→ Euergetismus; Munificentia H.SCHN.

**1** P. Bastien, Remploi et retouches de coins sous les règnes de Constance II, Magnence et Décene, in: Bulletin du Cercle d'études numismatiques 15, 1978, 48–57 **2** D. van Berchem, Les distributions de blé et d'argent à la plébe romaine sous l'Empire, 1939 **3** A. Blanchet, s. v. liberalitas, DS 3, 1192 **4** R. Delmaire, Largesses sacrées et res privata. L'aerarium impérial et son administration du IV$^{e}$ au VI$^{e}$ siècle, 1989 **5** Ernout/Meillet **6** E. Forbis, Liberalitas et Largitio, Terms From Private Munificence in Italian Honorary Inscriptions, in: Athenaeum 81, 1993, 483–498 **7** Dies., Municipal Virtues in the Roman Empire. The Evidence of Italian Inscriptions, 1996 **8** R. Goodburn, Ph. Bartholomew (Hrsg.), Aspects of the Notitia Dignitatum, 1976 **9** J. Hellegouarc'h, Le vocabulaire latin des relations et des partis politiques sous la République, 1963, 215–221 **10** H. Kloft, Liberalitas principis, 1970 **11** R. Mac Mullen, The Emperor's Largesses, in: Latomus 21, 1962, 159–166 **12** ThlL **13** G. Samonati, s. v. largitio, Ruggiero 4, 408–409 **14** Ders., s. v. liberalitas, Ruggiero 4, 838–886 **15** A. U. Stylow, Libertas und Liberalitas. Unt. zur innenpolit. Propaganda der Römer, 1972 **16** H. Thédenat, s. v. Largitio, DS 3, 949f. **17** P. Veyne, Le pain et le cirque, 1976 (dt.: Brot und Spiele, 1988 u.ö.) **18** R. Vollkommer, s. v. liberalitas, LIMC VI.1, 274–278; VI.2, 141–143 **19** G. Wesch-Klein, Liberalitas in rem publicam, 1990 **20** A. Yakobson, Petitio et largitio: Popular Participation in the Centuriate Assembly of the Late Republik, in: JRS 82, 1992, 32–52. MI.CO.

## Liberius

**[1]** Röm. Papst 352–366. L.' Pontifikat war belastet durch den schweren Konflikt um den → Arianismus. Kaiser Constantius II. verbannte L. 355 nach Beroia, als dieser seine Unterstützung für den verdammten arianerfeindlichen Bischof Athanasios von Alexandreia in Mailand nicht widerrief; daraufhin ließ sich Felix zum Gegen-Bischof (→ Felix [5] II.) bestellen und weihen. Die Qual des Exils, die vier bei Hilarius von Poitiers überlieferte Briefe vom Frühjahr 357 widerspiegeln, führte zu L.' Unterwerfung und Rückkehr nach Rom 358. Erst unter Kaiser Iulian (361–63) griff L. seine frühere, das Konzil von Nikaia (325) verfechtende Position wieder auf. Er veranlaßte den Bau der Basilica Liberiana in Rom; während seines Pontifikats entstand der → Chronograph von 354.

Ed.: Jaffé, 1, 32–36; 2, 691 • L. Duchesne (Hrsg.), Liber Pontificalis 1, 1886, 207–211 • PL 8, 1331–1410 • CSEL 65. Lit.: E. Caspar, Gesch. des Papsttums 1, 1933, 166–195, 588–592 • T. D. Barnes, The Capitulation of L. and Hilary of Poitiers, in: Ders., From Eusebius to Augustinus, 1994, 256–265. MA.HE.

**[2] Petrus Marcellinus Felix L.** Röm. Beamter unbekannter Herkunft, geb. ca. 465 n. Chr., gest. ca. 554. Anfänglich im Dienst → Odoacers, wurde L. nach dessen Ermordung 493 von → Theoderich zum *praef. praet. Italiae*, 500 zum *patricius* und 510 zum *praef. praet. Galliarum* ernannt. Als *praef. praesentalis* am Hof des Gotenkönigs → Athalaricus (seit 533) reiste L. als dessen Gesandter 534 nach Konstantinopel, wo er fortan im Dienst Kaiser → Iustinianus' [1] I. verblieb. Ca. 538 von diesem als *praef. augustalis* nach Alexandreia entsandt, wurde er 542 wegen einer Intrige gegen einen Kollegen vor Gericht gestellt und fiel vorübergehend in Ungnade. 550 leitete er ein Flottenunternehmen gegen die Ostgoten auf Sizilien und kämpfte 552 gegen die Westgoten in Spanien. L. starb, 89 J. alt, in Ariminum und erhielt dort sein Grab. PLRE 2,677–681. F.T.

## Libertas

**[1] (Religion).** Röm. Göttin der Freiheit; sie ist die Verkörperung der persönlichen → Freiheit der Bürger (Cic. nat. deor. 2,61). Ihr Tempel befand sich auf dem Aventin und wurde als *aedes Libertatis* (Liv. 24,16,19) oder als *aedes Iovis Libertatis* (R. Gest. div. Aug. 19) bezeichnet [1. 870; 2. 107, 227]. Er wurde von Ti. → Sempronius Gracchus 238 v. Chr. aus Strafgeldern gestiftet. Sein Sohn ließ dort nach seinem Sieg über die Karthager bei Beneventum im J. 214 ein Gemälde aufhängen, auf dem die nach der Schlacht befreiten röm. Sklaven dargestellt waren; diese tragen den → *pilleus* (die »Filzkappe«, die nachant. als phryg. Mütze verstanden wurde), das Kennzeichen der L., und feiern den Sieg (Liv. 24,16,19). Der Jahrestag des Tempels ist der 13. April. Ovid (Ov. fast. 4,623) gibt wohl aus Versehen dieses Datum als Jahrestag des Atrium Libertatis an [3. 138[6]], das das Amtslokal der → Censores in der Nähe des Forums war (Liv. 34,44,5; 43,16,13). Nachdem Cicero im J. 58 v. Chr. verbannt und sein Vermögen beschlagnahmt worden war, ließ → Clodius [I 4] dessen Haus niederreißen und beabsichtigte, auf einem Teil der Fläche einen neuen Tempel der L. zu errichten. Nach der Heimkehr Ciceros 57 v. Chr. wurden die angefangenen Teile wieder niedergerissen (Cic. dom., passim) [4. 5].

1 J. R. Fears, The Cult of Virtues and Roman Imperial Ideology, in: ANRW II 17.2, 869–875 2 A. Merlin, L'aventin dans l'antiquité, 1906 3 G. Wissowa, Rel. und Kultus der Römer, [2]1912, 138–139 4 G. Picard, L'aedes de Clodius au Palatin, in: REL 43, 1965, 229–237 5 E. Papi, s. v. L. (1), LTUR 3, 188–189.

Dumézil, 201 • Th. Kock, s. v. L., RE 13, 101–103 • H. H. Scullard, Festivals and Ceremonies of the Roman Republic, 1985, 198 • R. Vollkommer, s. v. L., LIMC 6.1, 287–284. EL. STO.

**[2] (Politik)** s. Freiheit

**Liberti, Libertini** s. Freigelassene; Freilassung (Rom)

**Libias** (Λιβιάς, *Livias*, auch *Iulias*). Ort im östl. Jordantal, dessen aram. Name *bet ramta* lautet, und der nach jüd. Überl. mit dem biblischen *bet haran* (oder *haram*; Nm 32,36; Jos 13,27) zu identifizieren ist (jTalmud Shevi 9,2 [38d]). Dem folgt die christl. Trad. bei Hier. und Eus. (Eus. On. 48,13 ff.; Βηθραμφθά, *Bēthramtha*). Bleibt diese Gleichsetzung auch unsicher, so ist *bet ramta* zweifellos mit dem bei Ios. (bell. Iud. 2,4,2, ant. Iud. 17,10,6) gen. Ort *Bētharámata* (Βηθαράματα), an dem → Herodes [1] d.Gr. einen Palast besaß, identisch. Unter → Herodes [4] Antipas wurde die Stadt erneuert und befestigt und nach Augustus' Gemahlin *Livias* (nach Augustus' Tod: *Iulias*) gen. (Ios. ant. Iud. 18,2,1, bell. Iud. 2,9,1) [2]. Ab 54 n. Chr. gehörte sie zum Herrschaftsbereich von Herodes [8] Agrippa II. 68 n. Chr. wurde sie im jüd.-röm. Krieg von Placidus, einem General des Vespasianus, eingenommen (Ios. bell. Iud. 4,7,6; 8,2). Ob L. die Rechte einer selbständigen Polis besaß, ist unklar [4. 93 f., 182]. Beschreibungen aus byz. Zeit stammen von Theodosius (CSEL 39, 145) und Gregor von Tours (De gloria martyrum 1,18).

1 Abel 2, 273 2 H. W. Hoehner, Herod Antipas, 1972, 87–91 3 Schürer 2, 85–97, 176–178, 182. I. WA.

**Libici.** Kelt.-ligur. Volk links des → Padus (Po), das mit anderen (ligur. Salluvii: Liv. 5,35,2, oder Sallii: Plin. nat. 3,124) Vercellae gründete (Pol. 2,17,4; Plin. nat. 4,5; Ptol. 3,1,36; Liv. 21,38,7; 33,37,6: Libui).

Nissen, Bd. 2, 174. A. SA./Ü: J. W. M.

**Libitina.** Röm. Göttin, die die Erfüllung der Begräbnispflichten überwacht (Plut. Numa 12,1). Der Name L., dessen Etym. umstritten ist [1], bezeichnet demnach metaphorisch in der Dichtung den »Tod« (Hor. carm. 3,30,7 L.). L. wurde mit → Venus Lubentina gleichgesetzt (Varro ling. 6,47). Plutarch (qu.R. 269b; Numa 12,1) begründet diese Identifizierung damit, daß zwei gegensätzliche Phänomene wie der Tod und die Geburt – diese ist als Folge der sexuellen Liebe mit L. verbunden –, zum Bereich einer einzigen Gottheit gehören müssen. Im Hain der L. (*lucus Libitinae*), wahrscheinlich auf dem Esquilin gelegen, befand sich ein Tempel der Venus Lubentina [2]. Nach der Bestimmung des Servius Tullius kam nach jedem Sterbefall eine Gebühr in die Kasse der L., so daß die genaue Anzahl der Gestorbenen berechnet werden konnte (Piso bei Dion Hal. ant. 4,15,5). Im Hain, in dem die Werkzeuge für die Bestattungen aufbewahrt wurden, hatten auch die → *libitinarii* (Begräbnisunternehmer) ihren Sitz (schol. Hor. sat. 2,6,19).

1 R. Schilling, La religion romaine de Vénus, 1982, 202–206 2 F. Coarelli, s. v. L., LTUR 3, 189–190.

G. Freyburger, Libitine et les funérailles, in : F. Hinard, La mort au quotidien dans le monde romain, 1995, 213–222 • Latte, 138; 185 Anm. 2 • Radke, 183–184 • G. Radke, Zur Entwicklung der Gottesvorstellung und der Gottesverehrung in Rom, 1987, 184–186. FR. P.

**Libitinarii** hießen in Rom wegen ihres Sitzes im hl. Hain der → Libitina die Leichenbestatter (*qui libitinam faciunt*, ILS 6085,94). Sie organisierten im Auftrag der betroffenen Familien (oder des Staates: Sen. dial. 9,11,10) → Bestattungen und stellten die dazu notwendigen Utensilien sowie das Personal (teilweise Sklaven: Ulp. Dig. 14,3,5,8) bereit, z. B. → *pollinctores*, Leichenträger, Musikanten (vgl. Petron. 78,6), Spezialisten für die Leichenverbrennung (*ustores*).

Das Bestattungswesen der röm. Städte Italiens war anscheinend ähnlich geordnet (ILS 6726 bezeugt für Bergamo eine Begräbnis-Abgabe, *lucar Libitinae*; die Bestattungsordnung von Puteoli erwähnt einen *lucus Libitinae*, AE 1971, 88 II 3). Die *l.* waren oft Freigelassene und recht wohlhabend (z. B. Habinnas in der *Cena* des C. → Petronius), der Beruf galt jedoch (wie der des → *praeco*) als niederes Gewerbe, so daß freie *l.*, solange sie als Leichenbestatter tätig waren, von den lokalen Ämtern und dem Dekurionat ausgeschlossen blieben (ILS 6085,94–96).

Blümner, PrAlt., 489 f. • G. Freyburger, Libitine et les funérailles, in: F. Hinard (Hrsg.), La mort au quotidien dans le monde romain, 1995, 213–222 • L. Wickert, s. v. L., RE 13, 114. W. K.

**Libius Severus** (Kaiser 461–465) s. Severus

**Libo.** Röm. Cognomen, in republikan. Zeit in den Familien der Iulii, Livii, Poetelii und Scribonii, in der Kaiserzeit bei den Anni, Flavii, Livii, Scribonii. K.-L. E.

**Libon.** Griech. → Architekt frühklass. Zeit aus Elis. Nach Paus. 5,10,3 baute er den um 472 v. Chr. begonnenen und vor 456 v. Chr. vollendeten Zeustempel in → Olympia. Mit einem Stylobat von 27,68 m x 64,12 m und einer Höhe von ca. 20 m war dies der damals größte Tempel Griechenlands. Die Ringhalle mit 6 x 13 Säulen und geregelter Jochabfolge umgreift die ausgegliche, mit der Ringhalle durch Fluchtbeziehungen vernetzte → Cella. Der Entwurf konzentriert sich auf den gleichmäßigen Rapport im Triglyphon (→ dorischer Eckkonflikt) und überträgt von hier aus die weiteren Entwurfsmaße auf den Bau. Eine rational und folgerichtig kalkulierte Disposition bestimmt Grund- und Aufriß, so daß die Kanonisierung der dor. Bauordnung als bes. Leistung des L. gelten kann (→ Tempel). Reiche Bauskulptur schmückte den Zeustempel. V.a. die Giebelkompositionen zeigen, daß sie deutlich in seinen Architekturrhythmus eingebunden sind und deshalb wohl gemeinsam mit dem Entwurf des L. konzipiert wurden. Erst ca. 25–30 Jahre nach Abschluß der Bauarbeiten schuf → Pheidias die monumentale Goldelfenbeinstatue des Zeus, die später zu den Sieben → Weltwundern zählte.

W. Dörpfeld, Olympia. Ergebnisse II, 1892, 4–22 • G. Gruben, Die Tempel der Griechen, [3] 1980, 55–61 • A. Mallwitz, Olympia und seine Bauten, 1972, 211–234 • H. Riemann, Hauptphasen in der Plangestaltung des dor. Peripteraltempels, in: G. E. Mylonas (Hrsg.), Studies Presented to D. M. Robinson 1, 1951, 295–308 • H. Svenson-Evers, Die griech. Architekten archa. und klass. Zeit, 1996, 373–379 (Quellen). H.KN.

**Libra**

**[1]** (auch *pondus*, »Pfund«, metonymisch »das Gewogene«; griech. Äquivalent: λίτρα/*lítra*). T.t. für die Grundeinheit des röm. Gewichtsystems zu 327,45 g; die L. entspricht dem → *as*, der nach dem Duodezimalsystem in 12 *unciae* zu 27,28 g unterteilt wurde [2. 706 Tab. XIII]. Der Standard dürfte nach Wägungen von Edelmetallmünzen sowie Silbergeschirr bis in die frühbyz. Zeit weitestgehend unverändert geblieben sein [3. 222].

Als Gewichtsstücke finden sich L. aus Br. und Blei sowie aus Stein, zur Unterscheidung von den in Kleinasien weit verbreiteten lokalen Marktlitren, deren Gewichtseinheit in der Regel auf regionalen Minenstandards beruhte [5. 371]; sie werden gelegentlich als λείτρα ἰταλική (*leítra italikḗ*) bezeichnet [4. 132 Nr. 1]. → Gewichte, Rom

1 H. Chantraine, H.-J. Schulzki, Bemerkungen zur kritischen Neuaufnahme ant. Maße und Gewichte, in: Saalburg-Jahrb. 48, 1995, 129–138 2 F. Hultsch, Griech. und röm. Metrologie, [2]1882 3 M. Martin, Zum Gewicht des röm. Pfundes, in: F. Baratte (Hrsg.), Argenterie Romaine et Byzantine – Actes de la Table Ronde Paris 1983, 1988, 211–225 4 P. de Palol, Ponderales y exagia romanobizantinos en España, in: Ampurias 11, 1949, 128–150 5 P. Weiss, Kaiser und Statthalter auf griech. Marktgewichten, in: R. Günther, S. Rebenich (Hrsg.), E fontibus haurire – Beitr. zur röm. Gesch. und zur ihren Hilfswissenschaften, 1994, 353–389. H.-J.S.

**[2]** s. Waage

**[3]** s. Sternbilder

**Librarius** s. Bibliothek (Rom)

**Librator.** *Libratores* waren röm. Soldaten, die mit Fernwaffen in den Kampf eingriffen und bei Tacitus neben den → *funditores* erwähnt werden (Tac. ann. 2,20,2; 13,39,3; vgl. Sil. 1,317); als Geschosse dienten aus Blei hergestellte Schleuderkugeln (*glandes*). Wie aus der Inschr. CIL VIII 2728 (= ILS 5795; vgl. CIL VIII 2934 = ILS 2422) hervorgeht, wurden auch Techniker der Legionen (wie Nonius Datus) als *l.* bezeichnet; bei Frontinus wird der Begriff *l.* für Leitungstechniker verwendet (Frontin. aqu. 105). S.L.

**Libri censuales** s. Censuales; Tabulae censoriae

**Libri Sibyllini** s. Sibyllini libri

**Libripens.** »Waagehalter«. Mehrere Formalakte des älteren röm. Rechts (→ *mancipatio*, → *nexum, solutio per aes et libram*) und diesen nachgeformte Rechtsgeschäfte (→ *coemptio*, → *emancipatio, testamentum per aes et libram* etc.) bedurften zu ihrer Gültigkeit der Mitwirkung eines *l.* und von fünf Zeugen. Diese mußten mündige röm. Bürger sein. Urspr. wog der *l.* beim Barkaufgeschäft (*mancipatio*) das als Zahlungmittel dienende ungemünzte Kupfer (→ *aes rude*) wohl real zu. Später wurde das Abwiegen symbolisch und schließlich auf eine Berührung der Waage mit einem kleinen Kupferstück (*raudusculum*) oder einer Mz. reduziert (*mancipatio nummo uno*); der *l.* fungierte dabei nur mehr als Geschäftszeuge.
→ Emptio venditio; Testament

A. Corbino, Il formalismo negoziale nell'esperienza romana, 1994, 20–28 • Kaser, RPR 1, 32–45. R.GA.

**Libs** (Λίψ/*Lips*). Der auf der zwölfstrichigen Windrose des Aristoteles vom Untergangspunkt der Sonne zur Wintersonnenwende her wehende WSW-Wind (Aristot. meteor. 2,6,363b 19f.; [1. 2347, Fig. 11]), den Aristoteles (de ventis 973b 11 f.) und die Römer etym. mit Libyen in Verbindung brachten und daher *Africus* nannten (Plin. nat. 2,119f. und 18,336). Er galt als feucht und dem *Aquilo* entgegengesetzt (Plin. nat. 2,125 f.), brachte Regen und Sturm und vernichtete durch seine Gluthitze die Triebe des Weinstocks [2]. Auf der Rose des → Timosthenes befindet sich zw. dem *L.-Africus* und dem reinen → *Notos* (vgl. Aristot. mund. 64 a 15 f.) dieser *Libónotos* (Aristot. mund. 4, 394 b 34) oder *Leukónotos* (Aristot. de ventis 973b 10f.; [4]). Bei Vitr. 1,6,10 ist ebenfalls nach Süden hin der *Libonotus* sein Nachbar.
→ Winde

1 R. Böker, s. v. Winde, RE 8A, 2347 2 A. Rehm, s. v. L., RE 13, 142 3 J. F. Masselink, De grieks-romeinse Windroos, 1956 4 A. Rehm, s. v. Leukonotos, RE 12, 2285. 5 K. Nielsen, Les noms grecs et latins des vents, in: CeM 7, 1945, 1–113. C. HÜ.

**Libum** (-us; griech. σποντίτης/*spontítēs* u. a.; kleines *l.*: *libacunculus*). (Honig-)Gebäck, Art *placenta* (Opferkuchen; Serv. Aen. 7,109). Arten: [1]; u. a. → *strues* (Fest. 407 L.); vgl. umbr. *strusla* (→ Tabulae Iguvinae: [2]). Rezept: Cato agr. 75. Eingeführt von → Numa laut Enn. ann. fr. 121 V. Herstellung, Verkauf durch Kuchenbäcker, *libarii*: Sen. epist. 56,2; CIL IV 1768, → *fictores*: Varro ling. 7,44. Bildliche Darstellungen sind nicht sicher zuordenbar [3]. Das *l.* ist Kultelement: Kombination mit flüssigen (*merum*, *lac*: Wein, Milch; *l.* von *libare* »ein Trankopfer bringen«: Varro ebd.; [4]) und festen Opfermaterien (u. a. *puls*, *primitiae*; *tus*: Getreidebrei, Erstlingsfrüchte, Weihrauch); nicht mit Fleisch. Handlungen: u. a. mit Schrot bestreuen (Non. 114,17); *ferre*; *secespita secare* (»darbringen«; »mit einem bes. Opfermesser zerteilen«: Fest. 202; 437 L.); Ausführende: *sacerdotes*. Adressaten: u. a. Priapus, Ianus und bes. Genius am → Geburtstag. Auch für die Feier des → *saeculum* ist das *l.* als Opfermaterie belegt.
→ Opfer (Rom)

1 J. André, Essen und Trinken im alten Rom, 1998, 181–184 2 A. L. Prosdocimi, L'Umbro, in: Ders., Popoli e civiltà dell'Italia antica 6, 1978, bes. 782–787 3 F. Fless, Opferdiener und Kultmusiker in stadtröm. histor. Reliefs, 1995, 21 f. mit Anm. 59 4 Walde/Hofmann, [4]1965, 796 f. M. HAA.

**Liburna** s. Schiffahrt

**Liburni, Liburnia.** Volk in Nord-Dalmatia zw. der histrischen Arsia (h. Raša) und dem Titius (h. Krka; Plin. nat. 3,139), einschließlich der Inseln vor der Küste und der von den → Dalmatae beanspruchten Stadt Promona jenseits des Titius (App. Ill. 34; vgl. Ps.-Skymn. 21). Die Bergketten Učka, Gorski Kotar und Velebit im östl. Hinterland trennten die L. von den → Iapodes, die im 3. Jh. v. Chr. auf Kosten der L. an der Bucht von Kvarner Zugang zur Adria gewannen. Die L., deren Ethnogenese evtl. in die Brz. zurückreicht, sind nur insofern zu den Illyrioi zu rechnen, als sie verwaltungsmäßig später zur Prov. → Illyricum gehörten.

Sie galten als erfahrene Seefahrer und Piraten (Liv. 10,2,4); ihr Schiffstyp, die *liburna*, wurde später von der röm. Flotte übernommen (App. Ill. 3,7). Onomastik, Rel. und Sozialstruktur der L. spiegeln sich in römerzeitlichen Inschr. wider. Wirtschaft: Kleinviehzucht (v. a. Schafe: Ps.-Skymn. 379; Varro rust. 2,10); Käseproduktion (Expositio totius mundi 53); Wolle (Lob der Qualität liburnischer Wolle, Plin. nat. 8,191; der liburnische Kapuzenmantel, Mart. 14,139); Fischfang und Jagd, auch Getreideanbau. Die Gesellschaft der L. stand unter dem beherrschenden Einfluß der Frauen (Ps.-Skyl. 21; vgl. Nikolaos von Damaskos, FGrH 90 F 103 d; Flor. epit. 1,21). Gottheiten: Latra, Sentona, Ica, Anzotica (Venus), Medaurus.

Für das 8. Jh. v. Chr. ist die Thalassokratie der L. in der Adria bezeugt (Hekat. FGrH 1 F 93; Strab. 6,2,4). Griechen konnten nie in L. Fuß fassen. Die L. hatten zur gegenüberliegenden ital. Küste Verbindungen (v. a. mit Apulia, Daunia, Picenum, wo möglicherweise einige liburn. Gruppen dauerhaft siedelten: *Truentum Liburnorum* bei Plin. nat. 3,110). Ihre Seeherrschaft dürfte 384 v. Chr. (Diod. 15,14,1 f.) ein Ende gehabt haben, als sie beim Versuch, die neue griech. Kolonie auf Pharos zu zerstören, von → Dionysios [1] I. geschlagen wurden.

Schrittweise kamen die L. unter röm. Herrschaft; ihre → Romanisierung wurde durch die Gründung von Aquileia 181 v. Chr. gefördert. Zur Zeit Caesars gab es einen *conventus civium Romanorum* in → Iader. In der Schlacht bei → Aktion 31 v. Chr. spielten *liburnae* eine wichtige Rolle. Die wichtigsten liburn. Städte waren auf dem Festland Iader, Scardona, Tarsatica, Senia, Aenona, Argyruntum, Nedinum, Asseria, Burnum, Varvaria, auf den Inseln Fulfinum und Curicum auf Curictae (h. Krk), Crexi und Apsorus auf Crepsa (h. Cres), Arba und Cissa auf den gleichnamigen Inseln (h. Rab und Pag; vgl. Plin. nat. 3,130; 139 f.).

L., seit den flavischen Kaisern (69–96 n. Chr.) meist Teil der Prov. Dalmatia, hatte evtl. gelegentlich innerhalb der Prov. einen unabhängigen Status und war enger an Italia gebunden, was durch die Existenz einer *ara Aug(usti) Lib(urniae/Liburnorum)* in Scardona (ILS 7157), dem Sitz des *conventus* der Region, und in Senia [1. 247] bezeugt wird. *Civitates Liburniae* erscheinen in einer Weihung für Nero in Scardona (ILS 7156).

1 A. Šašel (ed.), Inscriptiones Latinae quae in Iugoslavia inter annos MCMXL et MCMLX repertae et editae sunt, 1963.

Š. Batović, Liburnska grupa, in: Praistorija jugoslavenskih zemalja 6, 1987, 339–390 • J. Medini, Provincija Liburnija, in: Diadora 9, 1980, 363–441 • M. Zaninović, Liburnia militaris, in: Opuscula archaeologica 13, 1988, 43–67 • M. Fluss, s. v. L., RE Suppl. 5, 582–593. M. Š. K./Ü: V. S.

**Libyarches** (Λιβυάρχης). Titel des ptolem. Statthalters der Kyrenaika (→ Kyrenaia), in Inschr. ergänzt für PP VI 15064 (240/221 v. Chr.), PP VI 15776 (217/204), PP VI 15771 (unter Ptolemaios IV.). Um 203/202 kennt Polybios (15,25,12) den *L. tōn katá Kyrḗnēn tópōn* (›für die Gebiete bei Kyrene‹; PP VI 15082), womit sicher nicht die Aufsicht über die Chora, sondern über das Land mit den Städten gemeint ist. Der *L.* wird im 2. Jh. von einem *stratēgós* abgelöst. – Die in PRevenue Laws, c. 37, 5 genannten *L.* gehören in die Finanzverwaltung oder zur »Polizei« bestimmter Gebiete Äg. westl. des Nils (des »libyschen« Gaues?).

A. Laronde, Cyrène et la Libye hellénistique, 1987, 406, 417 f., 420 • K. Zimmermann, Libyen, 1999, 160–163; 168–171; 195. KL. ZI.

**Libyci montes** (Plin. nat. 3,3; λιβυκὸν ὄρος, Hdt. 2,8; λιβυκὰ ὄρη, Ptol. 4,5,10, Strab. 17,819). Bezeichnung der das Niltal westl. begrenzenden Berge im Gegensatz zum »arabischen« Bergzug des Ostufers. Nach den alten Geographen bildet das Niltal oft die Grenze zwischen Libyen und Arabien und damit zwischen Afrika und Asien.

H. KEES, s. v. L.m., RE 13, 148. K.J.-W.

**Libyes, Libye** (Λίβυες, Λιβύη, lat. *Libya*). So großzügig die Griechen im Lauf der Jh. mit dem Begriff *Libýē* umgingen [1], so unbekümmert bedienten sie sich auch des entsprechenden Ethnikons. Zwar ist dieses – im Gegensatz zum Toponym – in den homer. Epen noch nicht belegt, doch war der Name den Griechen spätestens seit der Besiedelung »Libyens« durch Kolonisten (→ Kolonisation) aus Thera im 7. Jh. v. Chr. (SEG IX, 3 = ML 5–9, Nr. 5) als Bezeichnung für deren einheimische Nachbarn vertraut. Bereits bei Hekataios (FGrH 1 F 346; 357) begegnen L. allerdings auch als Bewohner anderer nordafrikan. Regionen als der → Kyrenaia; auf Hekataios fußt Herodot, wenn er die L. in ihrer Gesamtheit in »fleischessende und milchtrinkende Nomaden« (νομάδες κρεοφάγοι τε καὶ γαλακτοπόται) östl. (Hdt. 4,186,1) und die »pflügende« (ἀροτῆρες) westl. des Tritonsees (→ Triton) bis über die »Säulen des Herakles« (Gibraltar) hinaus unterteilt (Hdt. 4,191,1–3). Am Ende des »libyschen Logos« unterscheidet Hdt. 4,197,2 zwei zugereiste – die Phoiniker und die Griechen – und zwei einheimische Bevölkerungsgruppen Libyens – die L. im Norden und die Aithiopes im Süden des Landes.

Toponym und Ethnikon haben sich in ihrem Bedeutungsspektrum voneinander getrennt: L. dient hier und in den folgenden Jh. überwiegend als Sammelbegriff für die einheimische Bevölkerung Nordafrikas, soweit sie sich durch hellere Hautfarbe und andere Merkmale eindeutig von den negroiden Aithiopes unterschied. Neben dieser Hauptbed. verwenden die Quellen L. indes gelegentlich auch rein geogr.: Als L. bezeichnet Soph. El. 701 f. (vgl. 727) zwei Rosselenker aus den griech. Städten der Kyrenaia, Paus. 6,19,10 spricht von einem Schatzhaus der »L. in Kyrene« in Olympia, und oft scheinen bloße Assoziationen für die Vergabe des Namens bzw. Beinamens *Líbys* genügt zu haben [2]. Darstellungen der → Punischen Kriege verwenden den Begriff meist als Terminus für die einheimischen Verbündeten der Karthager (vgl. neben den zahllosen lit. Belegen bes. die Mz.-Prägungen mit der Legende ΛΙΒΥΩΝ aus dem → Söldnerkrieg (241–238 v. Chr.) [3. 97–99], die den gemeinsamen Gebrauch des Namens durch die Aufständischen – Söldner wie Einheimische – zu implizieren scheint); bald begegnen aber auch diese selbst – etwa Hannibal – als L. (Strab. 1,1,17; Plut. Marcellus 31,8 f.; App. Ib. 73; Arr. Ind. 43,11; Zon. 8,12), wie schließlich noch der röm. Kaiser Septimius Severus aufgrund seiner Herkunft aus → Leptis Magna als *Líbys* bezeichnet werden konnte (Herodian. 3,10,6).

Zum Erdteil s. → Afrika [1]; zu den Provinzen s. → Kyrenaia, → Creta et Cyrenae, → Afrika [3]; zu den Sprachen s. → Berberisch, → Punisch.
→ Gaetuli; Garamantes; Makai; Masaesyli; Massyli; Musulamii; Nasamones; Numidia; Psylloi

1 K. ZIMMERMANN, Libyen, 1999 2 Ders., Zum Personennamen Λίβυς/Λίβυσσα, in: Chiron 26, 1996, 349–371 3 L. LORETO, La grande insurrezione libica contro Cartagine del 241–237 a.C., 1995.

J. DÉSANGES, Cat. des tribus africaines de l'antiquité classique à l'ouest du Nil, 1962, 172 f. und passim. KL. ZI.

**Libyon-Typ.** Zumeist auf Stücke karthagischen Typs überprägte Münzen der 241–238 v. Chr. gegen Karthago rebellierenden numidischen und libyschen Söldner (→ »Söldnerkrieg«, Pol. 1,65–88). Schatzfunde (Inv. of Greek Coin Hoards 2213, Sizilien; 2281–82, Tunesien) bestätigen die Zuweisung. Rv.-Legende ΛΙΒΥΩΝ, Typen: 1. Doppelshekel Av. Kopf des Zeus, Rv. Stoßender Stier; 2. Shekel (→ Siqlu); 3. Halbshekel, Av. Kopf des Herakles mit Löwenfell, Rv. Schreitender Löwe; 4. Bronze Herakles und Stier. Diesen Mz. ging wohl eine Prägung der Rebellen von karthagischem Typ voraus (in → Elektron, → Billon, Br.).

1 E. S. G. ROBINSON, The Coinage of the Libyans and Kindred Sardinian Issues, in: NC 1943, 1–13 2 Ders., A Hoard of Coins of the Libyans, in: NC 1953, 27–32 3 Ders., The Libyan Hoard, in: NC 1956, 9–14 4 W. HUSS, Die Libyer Mathos und Zarzas und der Kelte Autaritos als Prägeherrn, in: SM 38, 1988, 30–33 5 A. TUSA CUTRONI, I Libii e la Sicilia, in: Sicilia Archeologica 9, 32, 1976, 33–41. DI. K.

**Libys**

**[1]** Einer der tyrrhenischen Seeräuber, der mit diesen den als betrunkenen Knaben verkleideten → Dionysos entführt. Zur Strafe werden alle Seeräuber vom Weingott in Delphine verwandelt, außer dem Steuermann Acoetes (→ Akoites [1]), der sie vom Frevel abhalten will (Ov. met. 3,605–691; Hyg. fab. 134). AL. FR.

**[2]** Bruder des → Lysandros, blockierte als spartan. Nauarch 403 v. Chr. den Peiraieus, um die Erhebung des → Thrasybulos und seiner Anhänger gegen die »Dreißig« zu bekämpfen (Xen. hell. 2,4,28; Diod. 14,13,6). K.-W. WEL.

**Libyscher Krieg** s. Söldnerkrieg

**Libyssa** (Λίβυσσα, auch τὰ Βουτίου). Ort an der Nordküste des Golfs von Izmit am Fluß Libyssos (Λίβυσσος, h. Tavsançıl Deresi); in der Nähe lag das Grabmal Hannibals (Arr. FGrH 156 F 28; Plin. nat. 5,148; Tzetz. chil. 1,803 ff.).

TH. WIEGAND, Zur Lage des Hannibalgrabes, in: MDAI(A) 27, 1902, 321–326 • W. RUGE, s. v. L./Libyssos, RE 13, 203. K. ST.

**Licates** (Λικάττιοι, Strab. 4,6,8; Λικάτιοι, Ptol. 2,12,4; Plin. nat. 3,137). Vindelikischer Volksstamm, der wohl am Oberlauf des Lech (→ Licca) siedelte. Hauptort war Damasia. Noch um 160 n.Chr. dienten L. als Auxiliarsoldaten [1] im röm. Heer.

1 RMD, 119, 170.

TIR L 32, 84f. • H. WOLFF, Einige Probleme der Raumordnung im Imperium Romanum, in: Ostbairische Grenzmarken 28, 1986, 152–177, bes. 166. K.DI.

**Licca** (Λικίας). Rechter Nebenfluß der Donau (Ptol. 2,12,1; 4; Venantius Fortunatus carm. praef. 4, Vita Martini 4,642), h. Lech. K.DI.

**Licentius** aus Thagaste, Sohn des Romanianus, eines Gönners des → Augustinus, begleitete diesen wohl nach Karthago und Rom. Er ist Mitunterredner in dessen Dialog *Contra Academicos*. Erh. ist ein Gedicht in 154 Hexametern, in dem L. Augustinus um die Zusendung seiner Schrift *De musica* bittet, da er sich damit Hilfe für die Lektüre von Varros *Disciplinae* erhofft. Nach 395 n.Chr. liegen keine Zeugnisse mehr über ihn vor.

ED.: A. GOLDBACHER, CSEL 34,1, 89–95.
LIT.: F.W. LEVY, s.v. L., RE 13, 204–210. J.GR.

**Lichas** (Λίχας).
**[1]** Bote des → Herakles [1]; er überbringt diesem das Gewand, das → Deianeira aus Eifersucht auf → Iole mit dem Blut des Kentauren → Nessos bestrichen hat (Hes. cat. fr. 25,20–25 M-W; Soph. Trach.; Bakchyl. 16; zu möglichen Vorläufern und Varianten s. [1]). Der vermeintliche Liebeszauber verursacht den Tod des Herakles, der, von Qualen ergriffen, den unschuldigen L. gegen einen Felsen im Meer schmettert (Soph. Trach. 772ff.; Apollod. 2,7,7? Text korrupt). Spätere Quellen (Ov. met. 9,219ff.; Ps.-Sen. Hercules Oetaeus 822) berichten, wie L. sich im Flug in einen Felsen verwandelt habe. Aischylos (TrGF 3 F 25e) lokalisiert L.' Grab an der NW-Spitze von Euboia, und Strabon (9,4,4) zufolge ist die vorgelagerte Inselgruppe der »Lichades« nach L. benannt.

1 M. DAVIES, Sophocles' Trachiniae, 1991, xxii-xxxvii.

R. VOLLKOMMER, s.v. L., LIMC 6.1, 287–288. RE.N.

**[2]** Spartiat. L. soll Mitte des 6. Jh. v.Chr. die vermeintlichen Gebeine des → Orestes von Tegea nach Sparta gebracht haben (Hdt. 1,67f.; Paus. 3,3,5f.).
**[3]** Spartiat, Sohn des Arkesilaos, 421 v.Chr. spartan. Gesandter in Argos (Thuk. 5,22). L. wurde 420 in Olympia als Sieger im Viergespann bei der Bekränzung seines Lenkers mißhandelt, weil Spartanern damals Teilnahme an den Spielen verboten war (Thuk. 5,50; Xen. hell. 3,2,21). Er vermittelte 418 einen 50jährigen Frieden zwischen Sparta und Argos (Thuk. 5,76–79). L. wurde im Herbst/Winter 412/1 mit elf weiteren Spartanern als Berater des *naúarchos* Astyochos nach Kleinasien gesandt (Thuk. 8,39), opponierte dort gegen die beiden ersten spartan.-pers. Verträge (Thuk. 8,43; 52) und erreichte im Frühj. 411 den Abschluß eines dritten Vertrages, in dem aber gleichfalls der Anspruch des Großkönigs auf Ionien anerkannt wurde (Thuk. 8,58; StV II³ 202). Den Tod des L. in Milet erwähnt Thukydides (8,84,5) ohne Zeitangabe. Umstritten ist, ob der Spartiat L. mit dem in Thasos für 397 belegten *árchōn* L. identisch ist [1; 2. 324 [23]].

1 J. POUILLOUX, F. SALVIAT, Lichas, in: CRAI 1983, 376–403
2 B. BLECKMANN, Athens Weg in die Niederlage, 1998.
K.-W. WEL.

**[4]** Sohn des Pyrrhos, Akanarne, ist von 238 bis 234 v.Chr. als eponymer Offizier von Reitertruppen erwähnt und ist danach zweimal als *stratēgós* für Elefantenjagd eingesetzt worden, was das Kommando über die umliegenden Gebiete einschloß [1. 193ff., Nr. 77; 244, Nr. 84]. Strabon kennt noch eine nach ihm benannte Jagdstation, ferner einen Altar und eine Stele (Strab. 16,4,14f.). Die zweite Expedition fand nach 215/4 statt, also vielleicht als Folge von der Schlacht bei Raphia 217 v.Chr. PP II/VIII 1938; 4422.

1 A. BERNAND, Pan du Désert, 1977.

P. FRASER, Ptolemaic Alexandria, 1972, Bd. 2, 308 A. 370f. • J.P MAHAFFY, J.G. SMYLY (Hrsg.), The Flinders Petrie Papyri, 1891, p. 109. W.A.

**Lichtmetaphysik.** Die L. versteht den Grund des Seins (s. → Metaphysik) selbst als Licht. Von daher ist das Seiende lichthaft und intelligibel, das sinnenfällige Licht dagegen nur Abbild dieses wahren Lichtes.

Ihre Grundlegung erfährt die L. bei → Platon, der in seinem Sonnengleichnis (rep. 6,508a–509b) die Idee des Guten (→ Ideenlehre) mit der Sonne vergleicht: Wie die Sonne der Sinnenwelt Licht spendet, so ist die Idee des Guten Ursache der Ideen und Grund ihrer Erkennbarkeit. Bei → Plotinos ist das Eine Quelle und Zentrum des Lichts, umgeben vom durch → Emanation hervorgegangenen Geist als strahlendem Kreis, den wiederum ein zweiter, die Weltseele, ebenfalls durch Emanation, umgibt. Die Sinnenwelt, aus Mangel an eigenem Licht fremden Glanzes bedürftig, wird von der Seele erleuchtet (Plot. Enneades 4,3,17,13f.). Das sinnenfällige Licht, selbst unkörperlich (ebd. 1,6,3,18), geht aus dem wahren Licht hervor.

Für → Augustinus ist Gott ungeschaffenes geistiges Licht, das leuchtet und durch das alles erleuchtet wird (Aug. soliloq. 1,1,3) und das trotz der Dreiheit der Personen eines bleibt. Er betont stark den Unterschied zw. geschaffenem und ungeschaffenem Licht sowie zw. sinnlichem und intelligiblem Licht (Aug. contra Faustum 20,7). Ps.-Dionysios [54] Areopagites verbindet die Philos. des Proklos mit Aussagen des NT (1 Tim 6,16; Jak 1,17): das göttliche Licht wird als Dunkel erfahren (Ps.-Dionysios, epist. 5). Entsprechend der Dreiheit von Verharren, Hervorgehen und Umkehr bleibt es unbeweglich in sich, tritt hervor und kehrt zurück, dabei führt es, wen es trifft, zur Einheit mit dem Ursprung zurück (Ps.-Dionysios, De caelesti hierarchia 1,1). Darauf, aber auch auf arab. und jüd. Quellen fußend, griffen im 13. Jh. ROBERT GROSSETESTE, ROGER BACON, WITELO und BONAVENTURA die L. wieder auf.

1 C. BAEUMKER, Witelo, 1908, 358–422
2 W. BEIERWALTES, Lux intelligibilis, 1957 3 Ders., Plotins Metaphysik des Lichtes, in: C. ZINTZEN (Hrsg.), Die Philos. des Neuplatonismus, 1977, 75–117 4 H. BLUMENBERG, Licht als Metapher der Wahrheit, in: Studium Generale 10, 1957, 432–447 5 D. BREMER, Hinweise zum griech. Ursprung und zur europ. Gesch. der L., in: ABG 17, 1973, 7–35 6 Ders., Licht als universales Darstellungsmedium, in: ABG 18, 1974, 185–206 (Bibliogr.) 7 C. COLPE, Von der Lichtdeutung im Alten Orient zur Lichtontologie im ma. Europa, in: G. SFAMENI GASPARRO (Hrsg.), Agathe elpis. FS U. Bianchi, 1994, 79–102. S. M.-S.

**Licinia**

**[1]** Frau vornehmer Herkunft; durch die Ehe mit ihr 192 oder 191 v. Chr. stieg M. Porcius → Cato [1] in die Aristokratie auf [1. 54] (Plut. Cato 20,1). Ihr Sohn war M. → Porcius Cato Licinianus. Sie starb wahrscheinlich 155.

1 A. ASTIN, Cato the Censor, 1978, 67; 105; 263.

**[2]** 153 v. Chr. ([1. 12]: 154 v. Chr.) zusammen mit einer Publicia des Giftmordes an ihren Ehemännern angeklagt, nach Entscheidung durch ein Familiengericht durch Familienangehörige erdrosselt (Liv. per. 48,25–28 WEISSENBORN/MÜLLER; Val. Max. 6,3,8).

1 J. F. GARDNER, Frauen im antiken Rom, 1986, dt. 1995.

**[3]** Jüngere Tochter des P. Licinius [I 19] Crassus Dives Mucianus, seit vor 133 v. Chr. Ehefrau des C. → Sempronius Gracchus (Plut. Tib. Gracchus 21,1), den sie am Tag seines Todes daran hindern wollte, das Haus zu verlassen (Plut. C. Gracchus 15,2). Nach seinem Tod (Plut. C. Gracchus 17,6) sollte ihr die Mitgift entzogen werden, was durch den Onkel Q. Mucius Scaevola verhindert wurde (Dig. 24,3,66 pr.).

CAH 9, ²1994, 555.

**[4]** Tochter des C. Licinius [I 9] Crassus (Cic. dom. 130f.), Vestalin. 123 v. Chr. wurde ihr verweigert, ein von ihr gestiftetes Heiligtum der → Bona Dea auf dem Aventin zu weihen (Cic. dom. 136f.; Liv. per. 63).
**[5]** Ältere Tochter des Redners L. Licinius [I 10] Crassus, Frau des P. Cornelius [I 82] Scipio Nasica. Ihr gleichnamiger Sohn wurde von Q. Caecilius [I 31] Metellus, der andere in die Familie der Licinii Crassi adoptiert (Cic. Brut. 211).
**[6]** Jüngere Tochter des Redners L. Licinius [I 10] Crassus, heiratete 95 v. Chr. (oder 94/3, Diskussion: [1. 150]) den jüngeren C. Marius [I 2]. Wie ihre Schwester L. [5] war sie rhetorisch begabt (Cic. Brut. 211).

1 R. J. EVANS, G. Marius, 1994, 150–152.

**[7]** Vestalin, angeklagt wegen verbotenen Umgangs mit M. Licinius [I 11] Crassus, dem sie günstig ein Landgut überließ; im J. 73 v. Chr. freigesprochen (Plut. Crassus 1,4ff.). 64 trat sie bei einem Priestergelage hervor (Macr. Sat. 3,13,11), 63 überließ sie aus Gründen der Wahlunterstützung ihrem Verwandten Murena ihren Platz bei den Gladiatorenspielen (Cic. Mur. 73).
**[8]** s. Eudoxia [2]
**[9] L. Magna.** Tochter des M. Licinius [II 9] Crassus Frugi (*cos.* 27 n. Chr.) und der Scribonia, Frau des L. Calpurnius [II 21] Piso. Eine Tochter heiratete Calpurnius Galerianus (Tac. hist. 4,49; ILS 956).

PIR² L 269 • RAEPSAET-CHARLIER, 494 • VOGEL-WEIDEMANN, 124.

**[10] L. Praetextata.** Vestalin, Tochter des M. Licinius [II 10] Crassus Frugi (*cos.* 64 n. Chr.) und der Sulpicia Praetextata (ILS 4924).

PIR² L 275 • RAEPSAET-CHARLIER, 495. ME. STR.

**Licinianus**

**[1] [– – – ] L.** Senator, dessen Grabinschrift in CIL VI 1441 = XIV 2927 = VI Suppl. VIII Add. ad 1441 erhalten ist. Nach dem Legionskommando und einem weiteren Amt wurde er Statthalter von Aquitania und *consul suffectus* unter Antoninus Pius, etwa zw. 149 und 160 n. Chr.

ALFÖLDY, Konsulat, 193 • PIR² L 169.

**[2] Lucius L.** Aus Bilbilis stammend wie der Dichter Martial, mit dem er befreundet war; ebenso befreundet mit Licinius [II 25] Sura. Er war literarisch tätig, wohl auch als Rhetor. Doch kehrte er nach Bilbilis zurück (Mart. 1,49; 61; 4,55).

SYME, RP 4, 93; 109 • PIR² L 170. W. E.

**[3] Iulius Valens L.** Eventuell ein Sohn des Ti. Iulius Licinianus, Senator im J. 223 n. Chr. In der 2. H. des J. 250 in Rom zum Gegenkaiser des → Decius [II 1] erhoben, bald darauf ermordet (Aur. Vict. Caes. 29,3; Aur. Vict. epit. Caes. 29,5).

PIR² I 610 • G. BARBIERI, L'Albo senatorio da Settimio Severo a Carino, 1952, 406f.; App. 19. K. G.-A.

**Licinius.** Name der wohl bedeutendsten plebeischen Familie Roms. Die etr. Namensparallele *lecne* und die Verbindung der Gens nach Etrurien in histor. Zeit (L. [I 7]) deuten auf eine Herkunft aus dieser Region [1. 108, Anm. 3]; der Name kann aber auch lat. Ursprungs sein (→ Licinus). Schreibung mit n-Verdoppelung nicht nur in der griech Form Λικίννιος, sondern auch in lat. Inschr. [1. 108, Anm. 1].

In der annalist. Überl. zur Gesch. der frühen Republik erscheinen die Angehörigen unter den ersten Volkstribunen und erreichen mit dem Initiator der Licinisch-Sextischen Gesetze, L. [I 43], 367 v. Chr. einen polit. Höhepunkt; dabei hat wahrscheinlich der spätrepublikan. Annalist L. [I 30] Macer die Bed. der Familie in der Frühzeit bes. herausgestellt. Der Aufstieg begann am E. des 3. Jh. v. Chr. Den wichtigsten Zweig bildeten zunächst die Crassi (L. [I 8–20]; s. Stemma, in Einzelheiten unsicher; zum Cognomen s. → Crassus); das weitere Cognomen Dives (»der Reiche«) trug nur deren ältere Linie (also nicht der »Triumvir« L. [I 11]), die im 1. Jh. v. Chr. aber polit. bedeutungslos war. Im 2. Jh. v. Chr. treten die Luculli (L. [I 23–29]) hinzu, im 1. Jh. die Murenae (L. [I 32–35]). – L. ist Namensbestandteil bei den Kaisern → Valerianus und → Gallienus. Eine Olivenart hieß *olea Liciniana* (Cato agr. 6,2), die Straßenstation Forum Licinii beim h. Como nach L. [I 10].

Wichtigste Namensträger: L. L. [I 10] Crassus (cos. 95), der Redner; M. L. [I 11] Crassus (cos. 70, 55), der »Triumvir«; L. L. [I 26] Lucullus (cos. 74); C. L. [I 30] Macer, der Historiker; C. L. [I 43] Stolo (Licinisch-Sextische Gesetze); Licinius [II 4], Kaiser 308–324 n. Chr.

1 SCHULZE. K.-L. E.

I. REPUBLIKANISCHE ZEIT

**[I 1] L., S.** Volkstribun 138 v. Chr. Ließ zusammen mit seinem Kollegen C. Curiatius die Consuln wegen Zwangsrekrutierungen ins Gefängnis abführen (Liv. per. Oxyrhynchia 55; vgl. Cic. leg. 3,20). P. N.

**[I 2]** Vor 63 v. Chr. Urheber einer *lex Licinia*, die bei Bildung außerordentlicher Kommissionen den Antragsteller sowie dessen Kollegen, nahe Verwandte und Vertraute von allen Funktionen ausgeschloß; ergänzt von einer *lex Aebutia* (Cic. leg. agr. 2,21; Cic. dom. 51).

**[I 3]** Aus Griechenland stammender, nach 121 v. Chr. freigelassener Sklave und Sekretär des C. → Sempronius Gracchus, hinter dem er angeblich auch bei öffentlichen Reden stand, leise auf einer Flöte blasend, sobald Gracchus von einer moderaten Tonlage abwich (Cic. orat. 3,225; Plut. Ti. Gracchus 2,6). T. FR.

**[I 4]** Als Bruder der Vestalin Licinia [4] 114 v. Chr. in deren Inzestprozeß verwickelt (Cass. Dio 26, fr. 87,4; [1]).

1 ALEXANDER, 20. P. N.

**[I 5] L., Sp.** Nach Livius (2,43,3) brachte L. als Volkstribun 481 v. Chr. zur Durchsetzung eines Ackergesetzes die *plebs* dazu, den Kriegsdienst zu verweigern. Möglicherweise führte erst L. [II 30] Macer, der als Volkstribun 73 ähnlich agierte, L. in die Überl. ein.

**[I 6] L. Calvus, C.** Enkel von L. [I 7]. Consulartribun 378 v. Chr. (Diod. 15,57,7; anders Liv. 6,31,1, gefolgt von MRR 1, 107, der einen Licinus Menenius Lanatus anführt). 368 war L. der erste plebeische → *magister equitum* (MRR 1,112 f.), 364 bekleidete er das Konsulat (InscrIt 13,1,400 f.; bei Liv. 7,9,1; 3–5 durch Vertauschung mit dem des C. L. [I 43] Stolo ins J. 361 datiert). In diesem J. wurden erstmals etr. Bühnenspiele aufgeführt (Liv. 7,2,3–5), was gut zur etr. Herkunft der *gens Licinia* paßt.

**[I 7] L. Calvus Esquilinus, P.** Consulartribun 400 und 396 v. Chr. (MRR 1, 84 f.; 87 f.), aber nicht als erster Plebeier in diesem Amt (so Liv. 5,12,12; 6,37,8). Daß 396 nicht er, sondern sein Sohn das Amt bekleidet haben soll, geht wohl ebenso auf die Darstellung des L. [I 30] Macer zurück wie L.' Auftreten in der Frage der Beuteverteilung nach dem Sieg über Veii (Liv. 5,20,4–10). 398 war er möglicherweise Mitglied einer Gesandtschaft nach Delphi (Plut. Camillus 4,4). C. MÜ.

LICINII CRASSI

**[I 8] L. Crassus, C.** Bruder von L. [I 14]. Verschleppte als *praetor urbanus* 172 v. Chr. die Untersuchung wegen rechtswidrigen Verhaltens gegen M. Popillius Laenas (*cos.* 173) (MRR 1, 411). 171 Legat seines Bruders im Krieg gegen → Perseus (Liv. 42,58,12). Consul 168 mit L. Aemilius [I 32] Paullus. Erhielt Italien als Prov., um Truppen auszuheben, entließ diese aber nach dem Sieg über Makedonia (MRR 1, 427). 167 Proconsul in Gallia, danach Mitglied der Zehnerkommission zur Neuordnung Makedonias (MRR 1, 434).
→ Makedonische Kriege

**[I 9] L. Crassus, C.** Seit L.' Volkstribunat im J. 145 v. Chr. wurde es Brauch, daß der Redner auf der Rostra sich dem Forum, d. h. dem Volk, zuwandte. Sein Vorschlag, die Priesterämter statt durch → *cooptatio* durch Volkswahl zu besetzen, scheiterte (Cic. Lael. 96; MRR 1, 469 f.). P. N.

**[I 10] L. Crassus, L.** 140–20. Sept. 91 v. Chr. Röm. Politiker und Redner (Cic. de orat., bes. 1,39; 1,47; 2,8; 2,54; 2,220 ff.; 3,1 ff.; Cic. Brut. 102 f.; 155 ff.; 195 ff.). L.' Lehrer waren u. a. → Coelius [I 1] Antipater und → Charmadas. Er trat früh als Gerichtsredner auf (z. B. für die Vestalin Licinia [4] ca. 114: Plut. qu.R. 83), doch erlangte er erst Berühmtheit 119 mit dem polit. Prozeß gegen C. → Papirius Carbo. L. gründete als *IIvir coloniae deducendae* 118 Narbo; ca. 109 Quaestor in Asien, es folgten Studienreisen nach Athen. Das Tribunat von 107 war unauffällig. L. wechselte wohl mit dem epochemachenden Plädoyer für die *lex iudicaria* des Q. → Servilius Caepio 106 ins optimatische Lager (vgl. seine Rechtfertigung 91 in der Rede *Pro Planco*: Cic. Cluent. 140 ff.); um 100 war er Aedil (zu den großzügigen Spielen: Plin. nat. 17,6), um 98 Praetor; Mitglied des Augurenkollegs. 95 Consul mit Q. → Mucius Scaevola (*lex Licinia Mucia de civibus redigendis*); 94 Proconsul beider Gallien (Val. Max. 3,7,6); Opponent des Scaevola in der *causa Curiana* 93. Als Censor (92 mit Cn. Domitius Ahenobarbus, der ihn der *luxuria* anklagte: Val. Max. 9,1,4) erließ er ein Edikt gegen die *Rhetores Latini* (Suet. de rhetoribus 25; [1]). L. starb kurz nach der fulminanten Invektive gegen L. → Marcius [I 13] Philippus an Erschöpfung. Aus der Ehe mit Mucia, Tochter von Q. Mucius Scaevola Augur und Laelia, hatte er zwei Töchter (Schwiegersöhne P. → Cornelius [I 82] Scipio Nasica und → Marius minor). Neben M. → Antonius [I 7] war L. der beste Redner der Epoche. Exzerpte der dem asianischen Stil (→ Asianismus) verpflichteten Reden,

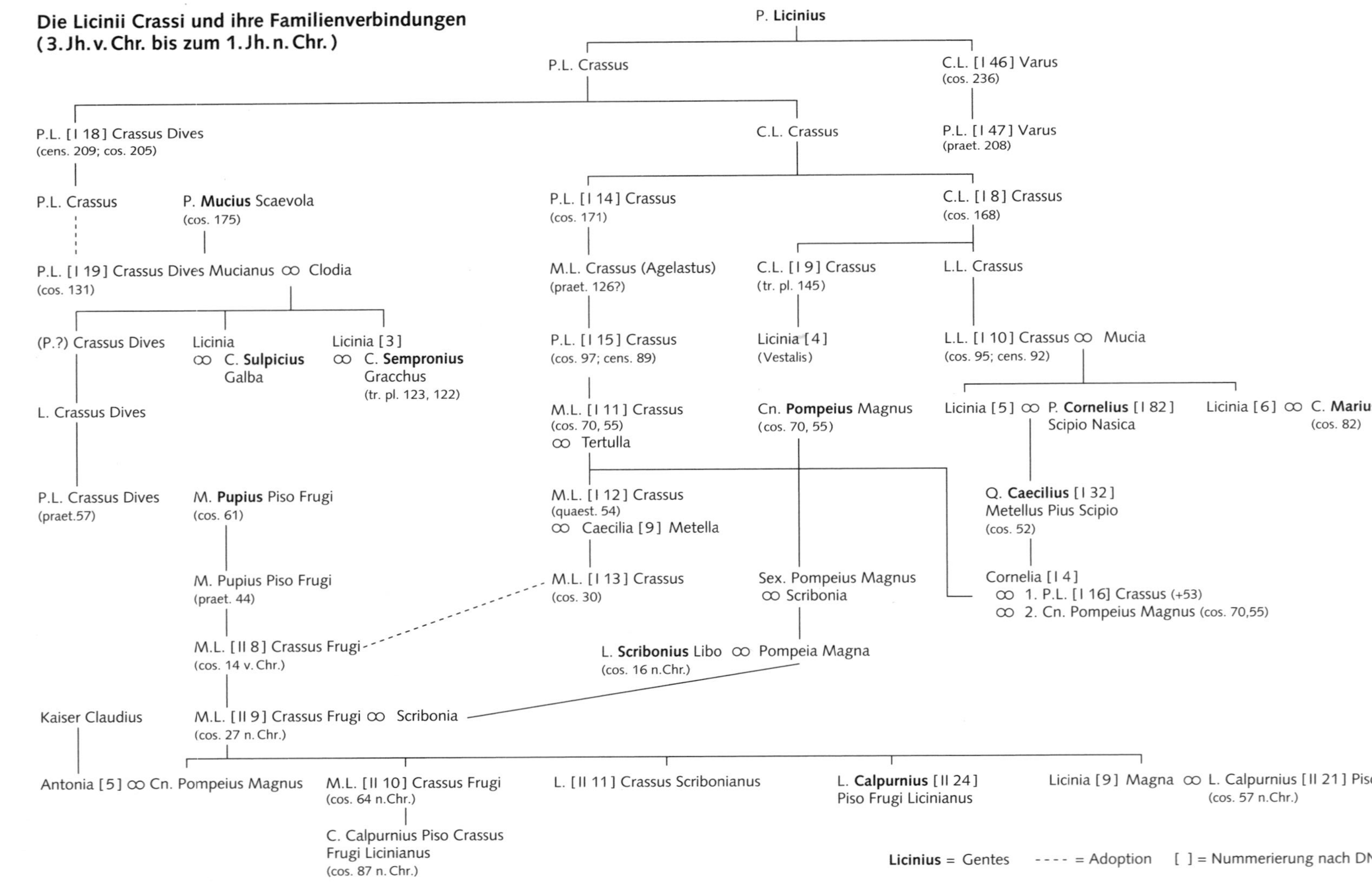
Die Licinii Crassi und ihre Familienverbindungen
(3. Jh. v. Chr. bis zum 1. Jh. n. Chr.)
P. Licinius
P.L. Crassus
C.L. [I 46] Varus
(cos. 236)
P.L. [I 18] Crassus Dives
(cens. 209; cos. 205)
C.L. Crassus
P.L. [I 47] Varus
(praet. 208)
P.L. Crassus
P. Mucius Scaevola
(cos. 175)
P.L. [I 14] Crassus
(cos. 171)
C.L. [I 8] Crassus
(cos. 168)
P.L. [I 19] Crassus Dives Mucianus ∞ Clodia
(cos. 131)
M.L. Crassus (Agelastus)
(praet. 126?)
C.L. [I 9] Crassus
(tr. pl. 145)
L.L. Crassus
(P.?) Crassus Dives
Licinia
∞ C. Sulpicius
Galba
Licinia [3]
∞ C. Sempronius
Gracchus
(tr. pl. 123, 122)
P.L. [I 15] Crassus
(cos. 97; cens. 89)
Licinia [4]
(Vestalis)
L.L. [I 10] Crassus ∞ Mucia
(cos. 95; cens. 92)
L. Crassus Dives
M.L. [I 11] Crassus
(cos. 70, 55)
∞ Tertulla
Cn. Pompeius Magnus
(cos. 70, 55)
Licinia [5] ∞ P. Cornelius [I 82]
Scipio Nasica
Licinia [6] ∞ C. Marius
(cos. 82)
P.L. Crassus Dives
(praet.57)
M. Pupius Piso Frugi
(cos. 61)
M.L. [I 12] Crassus
(quaest. 54)
∞ Caecilia [9] Metella
Q. Caecilius [I 32]
Metellus Pius Scipio
(cos. 52)
M. Pupius Piso Frugi
(praet. 44)
M.L. [I 13] Crassus
(cos. 30)
Sex. Pompeius Magnus
∞ Scribonia
Cornelia [I 4]
∞ 1. P.L. [I 16] Crassus (+53)
∞ 2. Cn. Pompeius Magnus (cos. 70,55)
M.L. [II 8] Crassus Frugi
(cos. 14 v. Chr.)
L. Scribonius Libo ∞ Pompeia Magna
(cos. 16 n.Chr.)
Kaiser Claudius
M.L. [II 9] Crassus Frugi ∞ Scribonia
(cos. 27 n. Chr.)
Antonia [5] ∞ Cn. Pompeius Magnus
M.L. [II 10] Crassus Frugi
(cos. 64 n.Chr.)
L. [II 11] Crassus Scribonianus
L. Calpurnius [II 24]
Piso Frugi Licinianus
Licinia [9] Magna ∞ L. Calpurnius [II 21] Piso
(cos. 57 n.Chr.)
C. Calpurnius Piso Crassus
Frugi Licinianus
(cos. 87 n. Chr.)
Licinius = Gentes
---- = Adoption
[ ] = Nummerierung nach DNP

die er nur widerwillig veröffentlichte (Cic. orat. 132), kursierten noch z.Z. des Tacitus (dial. 34).

1 P.L. Schmidt, Die Anf. der institutionellen Rhet. in Rom, in: E. Lefèvre (Hrsg.), Monumentum Chiloniense, FS E. Burck, 1975, 183–216 2 N. Häpke, s.v. L. (55), RE 13, 252–257. C.W.

**[I 11] L. Crassus, M.** Geb. 115 v.Chr. als Sohn des L. [I 15]. Erste mil. Erfahrung im → Bundesgenossenkrieg [3] (91–89). Nach der Machtübernahme durch L. Cornelius [I 18] Cinna floh L. Crassus (= C.) – ein Bruder war zuvor getötet worden, der Vater hatte den Freitod gesucht (Liv. per. 80; aber Plut. Crassus 4: Hinrichtung) – 85 nach Spanien. Er bildete dort ein Freikorps, setzte nach Africa über und schloß sich 83 L. Cornelius [I 90] Sulla an, den er in der Schlacht an der Porta Collina (1.11.82) aus prekärer Situation rettete (Plut. Crassus 6). Den Grundstein für sein sprichwörtlich (Cic. Att. 1,4,3) großes Vermögen (aus einem Erbe von 300 machte er, so Plut. Crassus 2, eine Hinterlassenschaft von 7100 Talenten = 42600000 Denare; nach Plin. nat. 33,134 hatte allein der Grundbesitz einen Wert von 50 Millionen Denaren) legte er in den anschließenden Proskriptionen (→ *proscriptio*). Er bereicherte sich trotz der ihm von Sulla ohnehin eingeräumten Sonderbedingungen (Sall. hist. 1,55,18f. M.) derart schamlos (u.a. proskribierte er in Bruttium auf eigene Rechnung; vgl. Cic. Att. 1,16,5; zur Anspielung s. [1; 2]), daß selbst der Dictator ihn fallen ließ. Hohe Mietgewinne erzielte C., indem er an Stelle billigst erworbener abgebrannter Häuser in Rom neue Mietskasernen durch eigene Bauhandwerker errichten ließ. ›Mit Feuer und Krieg‹ habe C. sein Vermögen zusammengerafft, formuliert Plutarch (Crassus 2).

Zwischen Optimaten und Popularen lavierend (Sall. hist. 3,48,8 M.: *factio media*), konnte er sich durch Patronatstätigkeit aus der polit. Isolierung lösen, zwischen 77 und 73 bekleidete er Quaestur, Aedilität und Praetur. 72 erhielt er ein proconsularisches Imperium, um den 73 ausgebrochen Sklavenaufstand (→ Sklavenaufstände) niederzuschlagen. Im Frühjahr 71 konnte er → Spartacus in Lukanien besiegen, 6000 Sklaven wurden entlang der Via Appia gekreuzigt (Plut. Crassus 8–11; [3]). Der mühevolle Sieg brachte C. eine → *ovatio* und 70 zusammen mit Pompeius das Konsulat (Wiederherstellung des Volkstribunats, Wiedereinsetzung der *equites* in die Gerichtshöfe).

Gegenüber seinem Kollegen vermochte er sich nicht durchzusetzen, und trotz der Censur von 65 blieb er ohne großen Einfluß. Er näherte sich Caesar, in dem er offenbar früh den kommenden Mann erkannte, verwickelte sich 65 in die sog. erste Catilinarische Verschwörung und unterstützte zusammen mit Caesar → Catilina (gegen Cicero) bei den Wahlen von 64 [4]. Die gemeinsame Kompromittierung nach dem Scheitern der »Verschwörung« intensivierte 62 die Zweckfreundschaft mit dem hoch verschuldeten Caesar, den er auch als Verbündeten gegen Pompeius benötigte und deshalb mit Geld und Bürgschaft unterstützte.

E. 60/Anf. 59 (vgl. Cic. Att. 2,9,2) verständigten sich Pompeius, Caesar und C. in einem Geheimbund, der später irreführend als »(erstes) Triumvirat« bezeichnet wurde, darauf, ihre widerstreitenden Interessen gemeinsam gegen die Senatsmehrheit durchzusetzen (Suet. Iul. 19,2). C. versuchte dabei, sich als Fürsprecher der → *equites*, und unter ihnen insbesondere der → *publicani*, zu profilieren. Ein mit Hilfe des Consuls Caesar verwirklichtes Gesetz (*lex Iulia de publicanis*) brachte denjenigen von ihnen, die sich bei der Ersteigerung der asiatischen Pacht verspekuliert hatten, einen Pachtnachlaß von einem Drittel [5. 100ff.], C. aber neben hohem Ansehen bei seiner Klientel enorme Gewinne, denn er besaß zahlreiche (»stimmrechtlose«) Anteile (*partes*) an den Pachtgesellschaften (*societates*). Spätestens 58 brachen die alten Zwistigkeiten zwischen Pompeius und C. (sowie Clodius [I 4]) wieder aus; erst 56 konnte Caesar vermitteln [6. 330ff.; 7. 115ff.]. In Luca einigte sich das »dreiköpfige Ungeheuer« (App. civ. 2,33) auf eine Erneuerung des Bündnisses und verteilte Ämter und Provinzen. Durch Wahlmanipulation brachten Pompeius und C. das Konsulat des J. 55 an sich; letzterer erhielt die Provinz Syria auf fünf J. Um sein Ansehen (*dignitas*) zu mehren und sich gegen die anderen Triumvirn zu behaupten, plante C. einen Feldzug gegen die Parther (Ermächtigung zur Kriegserklärung durch die *lex Trebonia*). Im Winter 55/4 brach er in den Osten auf, rüstete 54 in Syrien, überschritt im April 53 mit sieben Legionen den Euphrat und wurde im Mai von den Parthern südlich von Carrhae geschlagen [8]. Die Sieger stellten den zunächst geflohenen C. und hieben ihm Kopf und Hand ab. Auch das Urteil der Nachwelt über den Militär, Politiker und Menschen C. fiel vernichtend aus.

1 I. Trencsenyi-Waldapfel, »Calvus ex Nanneianis«, in: Athenaeum n.s. 42, 1964, 42–51 2 R.Y. Hathorn, »Calvum ex Nanneianis«, in: CJ 50, 1954/1955, 33f. 3 B.A. Marshall, Crassus and the Command against Spartacus, in: Athenaeum n.s. 51, 1973, 109–121 4 F.L. Jones, Crassus, Caesar and Catiline, in: CW 29, 1936, 89–93. 5 E. Badian, Publicans and Sinners, 1972 6 Ch. Meier, Caesar, 1982 7 W. Will, Caesar, 1992 8 D. Timpe, Die Bed. der Schlacht von Carrhae, in: MH 19, 1962, 104–129.

B.A. Marshall, Crassus. A Political Biography, 1976 • A.M. Ward, Marcus Crassus and the Late Roman Republic, 1977.

**[I 12] L. Crassus, M.** Älterer Sohn von L. [I 11], dem Consul von 70 v.Chr. 54 bekleidete er die Quaestur und nahm wohl an Caesars Britannienfeldzug teil. 53 war er Führer eines Armeekorps im Kampf gegen die Menapier (Caes. Gall. 6,1,1) und erhielt im April 49 das Kommando über die Gallia Cisalpina (App. civ. 2,165) – offenbar seine letzte Amtstätigkeit. Die Reliefs am Grabmal seiner Gattin → Caecilia [9] Metella (*Caeciliae/ Q. Cretici f./ Metellae Crassi*; ILS 881) an der Via Appia erinnern an L.' Verdienste in Gallien.

Syme, RP 4, 1220–1225. W.W.

**[I 13] L. Crassus, M.** Sohn von L. [I 12] und Caecilia [9] Metella, geb. ca. 60 v. Chr. [1. 1224f.]. *Cos. ord.* 30. Zunächst Anhänger des Sex. Pompeius, wechselte L. wohl 36 ins Lager des Antonius (Cass. Dio 51,4,3). Er war vielleicht *quaestor pro praetore* von Cyrenae (→ Kyrenaia; MRR 2,397), aber niemals Praetor (Cass. Dio 51,4,3). Vor der Schlacht von Actium (31) lief er zu Octavian über; der Lohn war das Konsulat 30 (InscrIt 13,1,170f. u.ö.), darauf das Prokonsulat von Macedonia und Achaia, das L. 29 und 28 zu spektakulären Feldzügen nutzte. So bekämpfte er die Daker, vernichtete große Teile der → Bastarner und tötete eigenhändig ihren König Deldo, unterwarf Moesien, führte Strafaktionen in Thrakien durch und besiegte die Geten, wobei er einige Feldzeichen wiedergewann (Cass. Dio 51,23–27). Schon im Winter 29/28 beschloß der Senat → *supplicationes* und einen Triumph für L. und Octavian (Cass. Dio 51,25,2); der Princeps schlug jedoch die Ehre aus und war bei L.' Triumph *ex Thraecia et Geteis* am 4. Juli 27 (InscrIt 13,1,344f.) abwesend. L.' Imperatorentitel wurde angeblich nicht anerkannt (Cass. Dio 51,25,2, doch vgl. ILS 8810; AE 1928,44 und [2. 38–41]), sein Dakersieg heruntergespielt [3]; die Darbringung der *spolia opima* (s. → Kriegsbeute III.) für Deldos Tod verhinderte Octavian – gestützt durch eine historische Fälschung (gespiegelt in Liv. 4,20,5–11; [4; 5]) – durch den Einwand, L. habe kein volles → *imperium* besessen (Cass. Dio 51,24,4). L. war fortan ins Privatleben verdrängt. PIR² L 186.

→ Augustus

1 SYME, RP 3, 1984, 1220–1225 2 E. BADIAN, »Crisis Theories« and the Beginning of the Principate, in: G. WIRTH (Hrsg.), Romanitas – Christianitas. FS J. Straub, 1982, 18–41 3 A. MOCSY, Der vertuschte Dakerkrieg des M. Licinius Crassus, in: Historia 15, 1966, 511–514 4 H. DESSAU, Livius und Augustus, in: Hermes 41, 1906, 142–151 5 J. W. RICH, Augustus and the *spolia opima*, in: Chiron 26, 1996, 85 – 127. JÖ.F.

**[I 14] L. Crassus, P.** L. lehnte als Praetor 176 v. Chr. die Statthalterschaft von Hispania citerior aus religiösen Rücksichten ab. 171 Consul mit C. Cassius [I 6] Longinus (das zweite rein plebeische Consulnpaar); erhielt Makedonia und den Oberbefehl gegen → Perseus zugewiesen (Liv. 42,32,1–5). L. erlitt am Kallikinos eine verlustreiche Niederlage, verlangte aber dennoch die bedingungslose Kapitulation des Königs (Pol. 27,8,7–10; Liv. 42,62,8–12). Als Proconsul 170 duldete er Übergriffe gegen einzelne griech. Städte und Versklavungen (Liv. per. 43), wofür ihn der Senat mit einer Geldstrafe belegte (Zon. 9,22). 167 vermittelte er als Gesandter zwischen Pergamon und den Galatern (Liv. 45,34,10–14). P.N.

**[I 15] L. Crassus, P.** Wohl vor 103 v. Chr. Urheber eines Gesetzes zur Aufwandsbeschränkung bei Festmählern (Gell. 2,24,7–10; Macr. Sat. 3,17,9), Aedil 102 (?). Als Consul 97 ging L. nach Hispania Ulterior, das er als Proconsul bis 93 verwaltete (Triumph über die Lusitaner: InscrIt 13,1,85). Als Legat des L. Iulius [I 5] Caesar im Bundesgenossenkrieg [3] wurde er 90 von L. → Lamponius in Lucanien geschlagen (MRR 2, 29). 89 war L. Censor zusammen mit Caesar und sollte die Aufnahme der Bundesgenossen in das röm. Bürgerrecht durchführen (Cic. Arch. 11). Als Gegner des C. → Marius [I 1] beging L. 87 bei der Einnahme Roms durch die Marianer als eines der prominentesten Opfer des Bürgerkrieges Selbstmord, nachdem sein älterer Sohn getötet worden war (Liv. per. 80; Cic. Sest. 48; Cic. Scaur. 1f.); nur sein dritter Sohn, M. L. [I 11], der spätere Consul 70 und 55, konnte entkommen. K.-L.E.

**[I 16] L. Crassus, P.** Jüngerer Sohn von L. [I 11] (vgl. MRR 3,119). 58 v. Chr. *praefectus equitum* unter Caesar im Kampf gegen → Ariovistus (Caes. Gall. 1,52,7), unterwarf 57 (als *legatus*?) die Veneter und andere Völker der Normandie und Bretagne (Caes. Gall. 2,34), 56 die Sotiaten in Aquitania (Caes. Gall. 3, 21). 55 weilte er wieder in Rom, wo er zum *quaestor* gewählt wurde (? MRR 2,217; 3,119) und Cornelia, die Tochter des Q. Caecilius [I 32] Metellus Scipio, heiratete. E. 54 folgte er seinem Vater mit frischen Truppen nach Syrien und fiel am 9. Juni 53 im Kampf gegen die Parther (Plut. Crassus 23–29). Pompeius heiratete seine Witwe, Cicero nahm seinen Platz im Augurenkollegium ein (Plut. Cicero 36,1).

**[I 17] L. Crassus Damasippus, L.** Grundstücksspekulant, Kunsthändler und Bankrotteur mit Hinwendung zur Stoa. Erscheint 46 und 45 v. Chr. in drei Briefen Ciceros (fam. 7,23,2f.; Att. 12,29,3; 33,1); noch 33 von Horaz (sat. 2,3) karikiert.

D. R. SHACKLETON BAILEY, Omomasticon to Cicero's Letters, 1995, 45 (zur Identität). W.W.

**[I 18] L. Crassus Dives, P.** (erster Träger des Cognomens *Dives*). L. war bekannt für seinen Reichtum und seine Anbindung an die Familie der Cornelii Scipiones. *Pontifex* 216 v. Chr., 212 *aedilis curulis*. Noch im gleichen J. als dritter Plebeier zum *pontifex maximus* gewählt (Liv. 25,5,2–4, längste überl. Amtszeit). 210 wurde L. durch Plebiszit (→ *plebiscitum*) zum → *magister equitum* des → Dictators Q. Fulvius [I 10] Flaccus bestimmt, dann Censor mit L. Veturius Philo (MRR 1, 278). 209 *praetor peregrinus*, 205 *consul* zusammen mit P. Cornelius [I 71] Scipio. Da er als *pontifex maximus* Italien nicht verlassen durfte, wurde ihm Bruttium als Prov. zugewiesen (Liv. 28,38,12), wo er bis 203 blieb. Über seine mil. Leistungen dort gibt es keine genauen Angaben. Er starb 183 und erhielt eine besonders prachtvolle Leichenfeier (Liv. 39,46,1–4).

**[I 19] L. Crassus Dives Mucianus, P.** Leiblicher Sohn des P. Mucius Scaevola (*cos.* 175 v. Chr.), adoptiert von einem Sohn von L. [I 18]; *quaestor* 152, *aedilis curulis* um 142 (MRR 1, 475), *praetor* spätestens 134. 133 unterstützte er, wie auch sein Bruder, der Consul P. Mucius Scaevola, den Volkstribun Ti. → Sempronius Gracchus und galt teilweise als Ideengeber der Reformen (Cic. rep. 1.32; Cic. ac., praef. 2,13; Plut. Gracchus 21,1); seine

Tochter Licinia [3] war bereits mit dem Bruder des Ti. Gracchus, C. Gracchus, verheiratet. Nach dem Tod des Ti. Gracchus wurde L. an dessen Stelle in die Ackerkommission gewählt (Grenzsteine: ILLRP 467–475). 132 als Nachfolger seines Gegners P. Cornelius [I 84] Scipio Nasica *pontifex maximus*. Als *consul* 131 suchte er das Kommando gegen → Aristonikos [4] zu erlangen, obwohl er als *pontifex maximus* Italien nicht verlassen durfte. Deshalb verbot er seinerseits seinem Kollegen L. Valerius Flaccus, der *flamen Martialis* war, die Stadt Rom zu verlassen, bis ein Volksbeschluß L. zum Krieg autorisierte (Cic. Phil. 11,18; MRR 1, 500). 130 unterlag er jedoch gegen Aristonikos bei Leukai, wurde gefangengenommen und provozierte seine eigene Tötung, um der Sklaverei zu entgehen (MRR 1, 503). L. war auch ein bedeutender Redner und Jurist (Cic. de orat. 1, 170, 216, 240). P.N.

**[I 20] L. Crassus Iunianus, P.** Von einem unbestimmten P. Crassus adoptiertes Mitglied der *gens Iunia*. 53 v. Chr. Volkstribun (Cic. ad Q. fr. 3,6,4); im Bürgerkrieg als Legat des Pompeius in Karien. Nach 48 in Africa, wo er das Debakel von Thapsos überlebte, war L. 47/46 (als *legatus pro praetore*) der letzte Römer im Umfeld des M. Porcius Cato (Plut. Cato min. 70,3; Mz.: RRC 460); identisch mit L. Crassus Damasippus, der bald darauf vor Hippo Regius umkam (Bell. Afr. 96,1 f.).

MRR 3,119 • D. R. Shackleton Bailey, Two Studies in Roman Nomenclature, [2]1991, 29 f. T.FR.

**[I 21] L. Geta, L.** Consul 116 v. Chr.; im folgenden J. von den Censoren aus dem Senat ausgeschlossen. Dennoch war er 108 selbst Censor (MRR 1,548). P.N.

**[I 22] L. Imbrex.** Gehört verm. in die Zeit des Plautus (*vetus comoediarum scriptor*, Gell. 13,23,16; Festus Paulus p. 109 M.) und rangiert bei → Volcacius Sedigitus (FPL fr. 1) im Kanon der röm. Komödiendichter nach Caecilius [III 6], Plautus, Naevius an vierter Stelle. Er schrieb Komödien, von denen nur die *Neaera* (CRF 39) bekannt ist; derselbe Komödientitel findet sich schon bei Timokles und Philemon. In ihr vergleicht ein prahlerischer Soldat seine Geliebte mit der Frau des Kriegsgottes. Wie Plautus spielt L. im Rahmen der → Palliata auf Römisches an. – L. ist von L. [I 45] Tegula, dem Verf. eines Prozessionsliedes für Iuno Regina (200 v. Chr., Liv. 31,12,9) gerade wegen seines synonymen Cognomens zu unterscheiden (vgl. [4; 6]); beider Cognomina werden von [6] wenig überzeugend aus dem Beifallklatschen (*imbrices*, Suet. Nero 20,3) erklärt.

**1** E. Diehl, s. v. L. (92), RE 13, 371 **2** Schanz/Hosius, 1, 124 f. **3** Bardon, 1,35 f. **4** A. Traina (Hrsg.), Comoedia, [3]1966, 150 **5** G. Monaco, P. L. Tegula-Imbrex, in: Studi di poesia Latina in onore di A. Traglia, 1979, 93–97 **6** A. Dubourdieu, Ph. Moreau, Imbrex et Tegula, in: Latomus 45, 1986, 717–730. JÜ.BL.

Licinii Luculli

**[I 23] L. Lucullus, C.** Schuf als Volkstribun 196 v. Chr. durch ein Gesetz die *tresviri epulones* (s. → *septemviri*) zur Entlastung der *pontifices* und gehörte als einer der ersten diesem Collegium an (Liv. 33,42,1). Er weihte 191 den Tempel der → Iuventas im Circus Maximus (Liv. 36,36,5).

**[I 24] L. Lucullus, L.** Führte mit Erlangung des Konsulats 151 v. Chr. seine Familie zur Nobilität. Er hob Truppen für den Krieg in Spanien aus und erhielt die Prov. Hispania citerior (MRR 1, 454 f.). Obwohl dort der Konflikt durch seinen Vorgänger beendet worden war, nahm L. aus Ruhmsucht und Habgier den Kampf mit einem grausamen Feldzug gegen die → Vaccaei wieder auf (App. Ib. 215; 226) und überfiel im folgenden J. mit Einverständnis des Statthalters von Hispania ulterior die Lusitanier (App. Ib. 247–259), wodurch der Krieg in Spanien wieder aufflammte (der junge P. Cornelius [I 70] Scipio Aemilianus diente unter ihm.). In Rom errichtete L. der Felicitas im → Velabrum einen Tempel (geweiht 142), den er mit griech. Statuen aus der Griechenland-Beute des L. → Mummius schmückte (Cass. Dio fr. 76,2; Strab. 8,6,23).

H. Simon, Roms Kriege in Spanien, 1962, 46–58.

**[I 25] L. Lucullus, L.** Sohn von L. [I 24], Vater von L. [I 26], verheiratet mit Caecilia [6] Metella. *Praetor urbanus* 104 v. Chr., im folgenden J. als Propraetor in Sizilien mit einem großem Heer als nur teilweise gegen den 2. → Sklavenaufstand erfolgreich (Diod. 36,8,1–5). Um 102 von dem Augur Servilius wegen Unterschlagung angeklagt. Nach dem Schuldspruch ging er ins Exil.

Alexander, 35 f. P.N.

**[I 26] L. Lucullus, L.** Geb. 117 v. Chr., Sohn von L. [I 25], älterer Bruder von L. [I 27]. Von Beginn seiner Laufbahn Anhänger des L. Cornelius [I 90] Sulla, dessen Erfolg er auch seine Karriere verdankte. Bereits im → Bundesgenossenkrieg [3] (91–89) diente L. unter diesem (Plut. Lucullus 2,1); als Quaestor des J. 88 beteiligte er sich als einziger von dessen Offizieren am Marsch auf Rom (App. civ. 1,253; [1. 153, 220]) und als Proquaestor (87–80) in Griechenland und Asia übernahm er vielfältige diplomatische, organisatorische und mil. Aufgaben für den Dictator (MRR 2,55; 58; 81; 3,121). 79 wurde L. Aedil (mit glänzend ausgerichteten Spielen), 78 Praetor, 77–76 ging er als Propraetor nach Africa und übernahm 74 (zusammen mit M. → Aurelius [I 11] Cotta) das Konsulat (MRR 2,101). Er bekam die Provinzen Cilicia und Asia und wurde mit dem Oberbefehl im Krieg gegen den pontischen König → Mithradates VI. betraut (74–67: 3. Mithradatischer Krieg). 73/2 befreite L. das belagerte Kyzikos (zur Datier. vgl. [2. 463]) und drängte Mithradates zurück, der nach Armenien zu König Tigranes floh. 70 eroberte L. Sinope, die pontische Hauptstadt, eröffnete 69 den Krieg gegen Armenien, nachdem Tigranes die Auslieferung des (Schwiegervaters) Mithradates verweigert hatte, und eroberte Tigranokerta (MRR 2,129; 133).

Mit dem Angriff auf Artaxata im armen. Hochland gelang L. 68 ein letzter Erfolg, doch die überforderten Truppen begannen zu meutern, in Rom formierten sich die inneren Gegner, L.' Machtstellung wurde Schritt für Schritt demontiert. Der Widerstand ging namentlich von den → *publicani* aus. Sie konnten sich der Unterstützung der Senatoren versichern, die wie sie größere finanzielle Verluste hatten hinnehmen müssen, seit L. im J. 70 bei seiner Neuordnung in Asia die dortigen Städte durch maßvolle Schuldenpolitik (u.a. Zinssenkungen und -annullierungen) vor dem Kollaps bewahrte hatte (Plut. Lucullus 20; [3. 131 f.]). 69 entzog man ihm Asia, 68 Cilicia, 67 endete seine Promagistratur in Bithynia und Pontos (MRR 2,133; 139f.; 146). Im selben J. erlitt L.' Legat Valerius Triarius eine schwere Niederlage gegen Mithradates (Liv. per. 98, Plut. Lucullus 35), die Unruhe in den röm. Legionen setzte sich fort. Anf. 66 wurde Pompeius durch die *lex Manilia* der Oberbefehl im Osten übertragen, und dieser löste L. ab (MRR 2,153).

Zurück in Rom blieb L. weiter in der Defensive. Der Volkstribun Memmius suchte (in Absprache mit Pompeius) den geplanten Triumphzug zu verhindern, der schließlich nach langen Querelen erst 63 stattfand. Politisch schloß sich der Consular nun Cato und Cicero an, den er auch in der »Catilinarischen Verschwörung« unterstützte (Cic. Att. 12,21,1). Im Bona Dea-Prozeß von 61 sagte er gegen seinen ehemaligen Schwager P. Clodius [I 4] Pulcher aus, der 68 während der Überwinterung bei Nisibis unter den Soldaten Stimmung gegen ihn gemacht hatte (tendenziös: Plut. Lucullus 34), und versuchte durch Klatschgeschichten (Inzestvorwürfe) dessen Verurteilung zu forcieren (Cic. Mil. 73). An Pompeius rächte er sich, indem er 60 v.Chr. die Bestätigung der von diesem im Osten getroffenen Anordnungen bekämpfte (Plut. Pompeius 46). Seine Obstruktionspolitik gegen den Consul Caesar im J. 59 scheiterte kläglich (Suet. Iul. 20,4). L. zog sich zurück und starb, geistig verwirrt, um 57/56.

Sein Niedergang nach 70 hängt mit dem des Sullanischen Systems zusammen, hat aber auch eine Ursache in L.' mangelnder Psychologie im Umgang mit Untergebenen und im Verkehr mit Standesgenossen. L.' Verdienst bleibt die moderate Behandlung der Provinzialen in Asia. Er galt als ›beinahe reichster Mann Roms‹ (Diod. 4,21,4), trat als großzügiger Bauherr, als Sammler von Kunstwerken und Büchern in Erscheinung. Ein verschwenderisch geführtes Leben, das nicht allzu sehr die Grenzen des sog. guten Geschmacks übertrat, begründete seinen Ruf in der Nachwelt. Aus dem Pontos importierte L. die Kirsche, die sich dann innerhalb von 120 J. bis Britannien ausbreitete (Plin. nat. 15,102). In der mod. Lit. nahm sich v.a. B. Brecht des Lucullus-Stoffes an.

1 E. Badian, Studies in Greek and Roman History, 1964
2 W. H. Bennett, The Death of Sertorius and the Coin, in: Historia 10, 1961, 459–469 3 E. Badian, Zöllner und Sünder, 1997 (Publicans and Sinners, 1972).

A. Keaveney, Lucullus. A Life, 1992 • G. Schütz, L. Licinius Lucullus (117–75 v.Chr.), Diss. Regensburg 1994.
W.W.

**[I 27] L. Lucullus, M.** Geb. 116 v.Chr., Sohn von L. [I 25] Lucullus, wenig jüngerer Bruder von L. [I 26]; von einem Terentier adoptiert, offiziell daher: M. Terentius Varro Lucullus (den frühen Austritt aus seiner *gens* wollte L. späterhin gerne übersehen wissen). L. betrieb 100 v.Chr. mit seinem Bruder die Verurteilung des Augurs C. Servilius Vatia aus Rache für dessen Klage gegen den Vater (Cic. off. 2,50; Plut. Lucullus 1,2); 99 Eintreten für die Rückkehr des exilierten Onkels Q. Caecilius [I 30] Metellus Numidicus. 82 als Legat Sullas in der Cispadana (bei Fidentia glanzvoller Sieg über Cn. Papirius Carbos Legaten Quinctius, Plut. Sulla 27,7; App. civ. 1,424; Vell. 2,28); 79 curul. Aedil (zusammen mit dem Bruder; erstmals in Rom *venationes* mit aufeinandergehetzten Elefanten und Stieren, Plin. nat. 8,19); 76 *praetor peregrinus* (Erlaß gegen Umtriebe von Sklavenbanden); 73 Consul (*lex Terentia et Cassia frumentaria*, Cic. Verr. 2,3,163; 5,52). Ab 72 Proconsul in Makedonien (Feldzüge in Thrakien und Moesien bis zum Schwarzen Meer, Oros. 6,3,4), 71 Triumphzug in Rom (spektakuläre Beutekunst, Plin. nat. 34,36; 34,39). 67 *decemvir* in der Kommission zur Neuorganisation von Pontus (Cic. Att. 13,6,4); um 66 Freispruch in einem Prozeß aufgrund der Verstrickungen in Sullas Herrschaftsapparat (Plut. Lucullus 37,1). L. unterstützte 63 Ciceros Kampf gegen Catilina (Cic. Att. 12,21,1), 62 dessen Verteidigung des – mit L. seit langem befreundeten – Dichters A. Licinius → Archias [7] (Cic. Arch. 5; 26; 31) und stand auch 58/7 Cicero in den Kontroversen um dessen Verbannung und Hausbau bei. L. starb um 56, bald nach seinem Bruder L. [I 26], während dessen Geisteskrankheit er Vormund war (Plut. Lucullus 43,2f.). Diesem bekannteren Lucullus ›an Lebensalter und Ruhm wie auch in der Zeit des Todes nahe‹ (Plut. ebd.), hat er dessen Erfolge in der Fischzucht allerdings nicht erreichen können (Varro rust. 3,17,8f.).

**[I 28] L. Lucullus, M.** Etwa 64 v.Chr. geborener Sohn des L. [I 26] Lucullus aus dessen zweiter Ehe; reiches Erbe und testamentarische Anweisung des Vaters ließen L. zu einem wohlgehüteten Mündel werden (Cic. Att. 13,6,2; Cic. fin. 3,8f.), das der Vormund M. Porcius Cato zu Beginn des Bürgerkriegs nach Rhodos evakuierte. 44 Anschluß an die Caesarmörder, die L. auf seinem Privatanwesen empfing (Insel Nisida im Golf von Pozzuoli, Cic. Att. 14,20,1). 42 Tod bei Philippi (Vell. 2,71,2). T.FR.

**[I 29] L. Lucullus, L.** Volkstribun 110 v.Chr., versuchte vergeblich, seine Wiederwahl für 109 durchzusetzen (Sall. Iug. 37,2). K.-L.E.

**[I 30] L. Macer, C.** Röm. Senator und Historiker aus vornehmer plebeiischer Familie, geb. um 110 v.Chr., war 84 *triumvir monetalis* (RRC 354). Als Volkstribun tat er sich 73 mit popularen Reden hervor (z.B. gegen C. → Rabirius); Sallust (hist. 3,48 M.) gibt einen exemplarischen Eindruck. Wahrscheinlich 68 Praetor, wurde L.

wegen Verfehlungen bei der anschließenden Provinzialverwaltung 66 in einem Repetunden-Prozeß unter Ciceros Vorsitz verurteilt und starb bald danach (Plut. Cicero 9,2; Cic. Att. 1,4,2; anders Val. Max. 9,12,7). L. galt als → *patronus* von ungewöhnlicher Sorgfalt, bes. tüchtig in Zivilprozessen; Cicero tadelt allerdings seinen Stil und seine Vortragsweise (Cic. Brut. 238).

L. verfaßte ein Geschichtswerk (*Annales*; skeptisch allerdings [4. 119]) in mindestens 16 B. (fr. 22), das ausführlich die röm. Frühzeit behandelte, aber wohl kaum über das 3. Jh. v. Chr. hinausgelangte (von → Livius [III 2] in B. 4–10, aber nicht in der 3. Dekade zitiert). Es enthielt Reden (fr. 20; 22; darauf zielt die Kritik in Cic. leg. 1,7) und zeigt rationalistische Mythenumdeutung [4. 150–165] und antiquarisches Interesse. L. benutzte die umfangreichen Annalen des Cn. → Gellius [2] als Quelle und berief sich für die Chronologie der frühen Obermagistrate auf die *libri lintei*, Magistratsverzeichnisse auf Leinentüchern im Tempel der → Iuno Moneta, deren Beurteilung umstritten ist (aktueller Überblick: [4. 75–85]). Livius (7,9,5) kritisiert L.' Bevorzugung der *gens Licinia*; wahrscheinlich projizierte L. auch populare Themen in die ältere Gesch. Roms.

Das Werk wurde von Q. Aelius [I 17] Tubero, Dionysios [18] von Halikarnassos und Livius [III 2] benutzt; wörtliche Zitate sind nur bei Grammatikern erhalten. Fr.: HRR 1,298–307; vollständiger [4. 196–210].

→ Annalistik

1 Bardon 1, 258–260 2 Frier, PontMax, 153–159 3 R. M. Ogilvie, A Commentary on Livy: Books 1–5, 1965, 7–12 4 S. Walt, Der Historiker C. L. Macer, 1997. W.K.

**[I 31] L. Macer Calvus, C.** Röm. Redner und Dichter der ausgehenden Republik, Sohn des gleichnamigen Historikers L. [I 30]. Geb. 82 v. Chr. (Plin. nat. 7,165), trat er schon früh als Gerichtsredner hervor (Quint. inst. 12,6,1). Die bezeugten Reden, von denen noch das 2. Jh. n. Chr. eine Ausgabe in 21 B. las (Tac. dial. 21,1), fallen in die Jahre 56–54; noch bis in die Spätant. berühmt waren die Reden gegen Vatinius (Tac. dial. 21,2; 34,7; vgl. auch Catull. 14,1–5; 53). Das plötzliche Verstummen der Zeitzeugen spricht für L.' Tod bald nach 54 (vgl. Cic. Brut. 279 f.; Quint. inst. 10,1,115).

L. galt als jüngerer Konkurrent → Ciceros (Sen. contr. 7,4,6, vgl. auch Tac. dial. 17,1; 18,1 u.ö.), auf den er mehrfach als Prozeßgegner traf. Auch in der rhet. Theorie gehörte er als Hauptvertreter des sog. → Attizismus zu dessen Antipoden (vgl. Cic. Brut. 283 f.); er setzte sich auch in einem Briefwechsel (mindestens 2 B.; Tac. dial. 18,5) mit diesem auseinander, ohne daß all dies die gegenseitige persönliche Wertschätzung beeinträchtigt hätte [1].

Nicht minder berühmt war L. als lyrischer Dichter; er bildet bes. als Freund und Kunstgenosse des → Catullus, der ihm carm. 14, 50 und 96 widmete, in der Rezeption mit ihm ein Paar (Hor. sat. 1,10,19; Ov. am. 3,9,61 f. u.ö.). Ähnlich Catull fanden sich auch in seiner Gedichtslg. neben Spottversen (Hinkjamben, Phaläzeen, Distichen) auf Pompeius, Caesar (Suet. Iul. 73) und dessen Günstlinge (etwa M. Tigellius, Cic. fam. 7,24,1 f.) mindestens ein Epithalamium und ein → Epikedeion auf die geliebte Quintilia (Prop. 2,34,89 f.) sowie weitere Liebesgedichte (Ov. trist. 2,431 f.). Selbständig dürfte das → Epyllion *Io* publiziert und umgelaufen sein; generisch schwer zuzuordnen ist die Schrift *De aquae frigidae usu* (Mart. 14,196). Die augusteische Dichtung nimmt direkt bzw. indirekt mehrfach auf L. Macer Bezug [3; 4], der jüngere Plinius, angeregt wohl durch Suetons *De viris illustribus* (Plin. epist. 5,3,5), rezipiert ihn als Redner (ebd. 1,2,2) und Dichter (ebd. 4,27,4; vgl. 1,16,5), und selbst im griech. Kulturkreis scheint L. Anerkennung gefunden zu haben (Gell. 19,9,7).

Fr.: Reden: ORF 1, ³1967, 492–500 · Briefwechsel mit Cicero: W. S. Watt, M. Tulli Ciceronis epistulae, Bd. 3, 1958, 167–170 · Carmina: FPL³ (Blänsdorf), 206–216 (mit Bibl.) · A. Traglia, Poetae novi, ²1974, 17 f.; 73–78; 142–147 · Courtney, 201–211.

Lit.: 1 E. S. Gruen, Cicero and L. C., in: HSPh 71, 1966, 215–233 2 G. W. Bowersock, in: Th. Gelzer (Hrsg.), Le classicisme a Rome, 1979, 59–65 3 R. F. Thomas, Cinna, Calvus and the Ciris, in: CQ 31, 1981, 371–374 4 L. Alfonsi, Virgilio e Calvo, in: PdP 37, 1982, 108–113 5 L. Landolfi, I lusus simposiali di Catullo e Calvo o dell'improvvisazione conviviale neoterica, in: Quaderni urbinati di cultura classica 53, 1986, 77–89 6 P. del Prete, Analecta critica, 1990, 27–41. P.L.S.

Licinii Murenae

**[I 32] L. Murena, C.** Ab 64 v. Chr. in Gallia Transalpina Legat seines älteren Bruders L. [I 35], den er ab 62 auch als Statthalter ebendort vertrat; er unterdrückte die Umtriebe der Catilinarier in der Narbonensis (Cic. Mur. 89; Sall. Catil. 42,3). Während seiner Aedilität (59?) ließ L. holzgerahmte Fresken (*opus tectorium*) aus Sparta zur Dekoration des *comitium* nach Rom überführen (Vitr. 2,8,9; Plin. nat. 35,173). MRR 3,123. T.FR.

**[I 33] L. Murena, L.** Stammvater der Murenae. Münzmeister ca. 169–158 v. Chr. (RRC 186). Praetor vor 146. Mitglied der Kommission zur Einrichtung der Provinz Achaia 146/5 (MRR 1, 467 f.). P.N.

**[I 34] L. Murena, L.** Vielleicht Praetor 88 v. Chr., dann 87 Legat des P. Cornelius [I 90] Sulla in Griechenland, wo er den linken Flügel in der Schlacht bei Chaironeia (86) führte. 84–81 wohl mit propraetor. Imperium als Statthalter in Asia. L. führte ab 83 erfolglos Krieg gegen Mithradates VI., bis ihm Sulla dies untersagte, durfte aber trotzdem 81 triumphieren (Cic. Mur. 15; MRR 2, 61; 64; 77). K.-L.E.

**[I 35] L. Murena, L.** Consul 62 v. Chr. (einer seiner gescheiterten Mitbewerber: Catilina). Zuvor 83–81 mit seinem Vater L. [I 34] im 2. Mithradatischen Krieg; 75 Quaestor; ab 73 Legat des L. [I 26] Lucullus im großen Feldzug gegen das Pontische Reich (72 Einschließung von Amisos, 69 Siege in Armenien: Plut. Lucullus 15,1; 19,8; 25,6; 27,2); 67 *Xvir* für die Neuordnung der Eroberungen (Cic. Att. 13,6,4); 65 *praetor urbanus* (aufwendige Gestaltung der *ludi Apollinares*: Cic. Mur. 35–37; Plin. nat. 33,53); 64 Propraetor in Gallia Transalpina. 63 als designierter Consul von M. Porcius Cato und dem durchgefallenen Konkurrenten Ser. Sulpicius Rufus wegen Amtserschleichung angeklagt, wurde L. mit Cicero als prominentestem Verteidiger (Rede *Pro Murena*) freigesprochen. L. hieß den harten Kurs gegen die Catilinarier gut (Cic. Att. 12,21,1). Im Konsulat mit Dec. Iunius [I 30] Silanus eine *lex Licinia Iunia* (zur Promulgation von Gesetzesanträgen; Cic. Phil. 5,8; Cic. Sest. 135). Sein weiteres Leben ist unbekannt.

J. Adamietz (Ed.), Cicero, Pro Murena, 1989, 16–20 • MRR 3,123f. T.FR.

LICINII NERVAE

**[I 36] L. Nerva.** Volkstribun 178 v.Chr., wollte den Proconsul A. Manlius Vulso wegen seines Vorgehens in Istrien anklagen (Liv. 41,6,1–3; 7,4–10). P.N.

**[I 37] L. Nerva.** Praetor 143 und Propraetor 142 v.Chr. in Macedonia, wo sein Quaestor L. Tremellius Scrofa den Aufstand des Pseudophilippos niederschlug, worauf L. den Imperatorentitel annahm (Varr. rust. 2,4,1f.; MRR 1,472). K.-L.E.

**[I 38] L. Nerva, A.** L. war 171 v.Chr. mit einer Senatskommission auf Kreta, sowie 169 in Makedonien. 167 wohl als Praetor in Hispania ulterior (Liv. 45,44,2). P.N.

**[I 39] L. Nerva, C.** Volkstribun ca. 120 v.Chr., vielleicht 115 aus dem Senat ausgestoßen (Cic. Brut. 123; MRR 3, 124). K.-L.E.

**[I 40] L. Nerva, P.** Praetor 105 v.Chr. (?); als Propraetor 104 in Sicilia löste er den 2. → Sklavenkrieg aus (Cass. Dio fr. 93,1–3; MRR 1, 559 Anm. 3). Wohl identisch mit dem gleichnamigen Münzmeister des J. 113 oder 112 (RRC 292; MRR 3,124). P.N.

**[I 41] L. Sacerdos, C.** Als *praetor urbanus* 75 v.Chr. und Propraetor von Sizilien im folgenden J. ein untadeliger Funktionär – ein Urteil, das bes. im Kontrast zu seinem jeweiligen Amtsnachfolger, C. → Verres, entstand (Cic. Verr. 2, 119; 3, 119 u.ö.). Ab 69 Legat des Q. Caecilius [I 23] Metellus auf Kreta (Cic. Planc. 27). L.' Versuch, 64 v.Chr. als *homo novus* zum Consul zu avancieren, scheiterte.

**[I 42] L. Squillus, L.** 48 v.Chr. einer der erfolglosen Verschwörer gegen Caesars Parteigänger und Propraetor in Hispania ulterior, Q. Cassius [I 16] Longinus (Bell. Alex. 52,4; 55,4f.). T.FR.

**[I 43] L. Stolo, C.** Consul 361 v.Chr. (Fast. Capitolini; 364 v.Chr.: Liv. 7,2,1). Mit L.' Namen verbinden sich die *leges Liciniae Sextiae*, deren Zustandekommen Livius (6,34,5–42) ausführlich darlegt: Sie wurden erstmalig 376 vom Volkstribunen L. und seinem Kollegen L. Sextius Lateranus (bis 367 beide jährlich wiedergewählt) ein-, erst 367 nach langem Widerstand der Patrizier durchgebracht und umfaßten ein Gesetz zur Schuldentilgung (Abzug bereits gezahlter Zinsen von der Darlehenssumme, Tilgung der Restschuld innerhalb von drei J.), ein Gesetz zur Begrenzung des aus dem → *ager publicus* okkupierten Landes auf 500 *iugera* (ca. 125 ha) und ein Gesetz, nach dem künftig nur noch Consuln, unter ihnen jeweils ein Plebeier, gewählt werden sollten. Dafür wurde den Patriziern die alleinige Besetzung der neu geschaffenen Ämter der Praetur und curul. Aedilität zugestanden.

Gegen die Historizität dieser Darstellung sprechen neben allgemeinen Erwägungen – erst die *lex Hortensia* von 287 v.Chr. (→ Hortensius [I 4]) verlieh den von einem Volkstribunen erwirkten Plebisziten verbindliche Gesetzeskraft für das gesamte Volk – auch inhaltliche Bedenken: Die Obergrenze von 500 *iugera* wird, obwohl auch von anderen Quellen diesem Gesetz zugeschrieben (u.a. Varro rust. 1,2,9; Val. Max. 8,6,3; Colum. 1,3,11; Plut. Camillus 39,5–6), vielfach für diese Zeit als zu hoch angesehen und daher erst auf ein von Cato (Gell. 6,3,37 = ORF⁴ Nr. 8, fr. 167) im J. 167 v.Chr. erwähntes, wahrscheinlich kurz zuvor erlassenes Gesetz bezogen, das vermutlich identisch ist mit der bei Appian (civ. 1,33) ohne nähere Datier. angeführten *lex*, die noch weitere Bestimmungen enthielt. Zweifelhaft sind auch die Regelungen über die Besetzung des Oberamtes, da noch bis mindestens 343 rein patrizische Consulnpaare belegt sind. Dennoch spiegelt die livianische Darstellung neben der Entwicklung, die zur Zulassung der Plebeier zum Konsulat führte, auch administrative Veränderungen jener Zeit wider, bei denen nach Abschaffung des Consulartribunats (→ *tribunus*) neben das Konsulat weitere funktional differenzierte Magistraturen traten. 357 v.Chr. wurde L. nach annalistischer Trad. wegen Verstoßes gegen sein eigenes Ackergesetz verurteilt (Liv. 7,16,9).

→ Ständekampf

K. BRINGMANN, Das 'Licinisch-Sextische' Ackergesetz und die gracchische Agrarreform, in: J. BLEICKEN (Hrsg.), Symposion für A. Heuss, 1986, 51–66 • T.J. CORNELL, The Beginnings of Rome, 1995, 327–340 • D. FLACH, Die Gesetze der frühen röm. Republik, 1994, 280–297 • B. FORSÉN, Lex Licinia Sextia de modo agrorum – Fiction or Reality?, 1991 • K. VON FRITZ, The Reorganisation of the Roman Government in 366 B.C. and the So-called Licinio-Sextian Laws, in: Historia 1, 1950, 1–44. C.MÜ.

**[I 44] L. Stolo, C.** Einer der Wortführer in Varros Lehrdialog *Res rusticae*. Da der Zweig der Licinii Stolones mit dem berühmten L. [I 43] abbricht, mag der Auftritt eines jüngeren L. Stolo als Kenner der Baumkultur bei Varro zusammenhängen mit der botan. Bed. des Cogn. (*stolo*, »wildwüchsiger Trieb«, den der kluge Pflanzer ausmerzt, Varro rust. 1,2,9; Plin. nat. 17,7). T.FR.

**[I 45] L. Tegula, P.** Wohl Klient von L. [I 18], dichtete 200 v.Chr. den Text für einen Sühnechor (Liv. 31,12, 10); zu unterscheiden von L. [I 22] Imbrex. K.-L.E.

**[I 46] L. Varus, C.** Consul 236 v.Chr. Wurde mit seinem Kollegen P. Cornelius [I 46] Lentulus Caudinus zur Abwehr der Gallier nach Ariminum geschickt. Nahm bald darauf Kämpfe in Corsica auf (MRR 1, 222). Nach über 100jähriger Unterbrechung begann mit ihm ein neuer Aufschwung seiner *gens*. P.N.

**[I 47] L. Varus, P.** Sohn von L. [I 46]. 210 v. Chr. veranstaltete er als curul. Aedil die → *ludi Romani* (Liv. 27,6,19). Während einer Seuche erwirkte L. als *praetor urbanus* 208 ein Gesetz, das die jährliche Feier der *ludi Apollinares* festlegte (Liv. 27,23,7; Anspielungen hierauf auf den Mz. des Münzmeisters A. L. Nerva, ca. 47 v. Chr., RRC 454). 207 unter den Gesandten, die den Sieg über Hasdrubal [5] nach Rom meldeten (Liv. 27,51,1–6). C.MÜ.

II. Kaiserzeit

**[II 1] L. L. [...].** Senator; Mitglied der → *quindecimviri sacris faciundis*; von Claudius vielleicht unter die Patrizier aufgenommen; verwandt mit L. [II 2], vermutlich dessen Sohn. CIL VI 1442 = 41070; PIR² L 171.

**[II 2] L. L. C[...].** Verwandt mit L. [II 1], vielleicht sein Vater. Senator der augusteisch-tiberischen Zeit. *Comes* des Caius Iulius [II 32] Caesar im Osten ca. 1 n. Chr.; im Verlauf seines *cursus* u. a. Proconsul von Pontus-Bithynia und Legat einer kaiserlichen Provinz noch unter Augustus. CIL VI 1442 = 41070; PIR² L 177.

**[II 3] M. L. Celer Nepos.** *Consul suffectus* von Mai bis August 127 n. Chr.; als *frater Arvalis* bezeugt; [1. 336ff.]; PIR² L 222.

1 W. Eck, E. Paunov, in: Chiron 27, 1997, 335–353. W.E.

**[II 4] Valerius Licinianus L.** Röm. Kaiser 308–324 n. Chr., geb. ca. 250 [1. 92f.]. L. stammte aus der illyrischen Prov. Dacia Nova und diente als Offizier im Stab des → Galerius [5] (Lact. mort. pers. 20,3). In der Konferenz von Carnuntum wurde L. am 11. 11. 308 auf Initiative des Galerius durch → Diocletianus zum Kaiser erhoben und in die fiktive Familie der Iovier aufgenommen (→ Tetrarchie) [2]. Als neuer West-Augustus sollte er die Stelle des Fl. → Valerius Severus einnehmen und → Maxentius aus Italien vertreiben (Lact. mort. pers. 29,2; Anon. Vales. 13). Galerius überließ ihm bis zur Durchsetzung dieses Ziels das westliche Illyricum, doch hat dieser von seinem Reichsteil nicht mehr als Istrien und Raetien in Besitz genommen. Seine Machtbasis konnte L. erst durch den Tod des Galerius im Mai 311 erweitern, als er den gesamten Balkan für sich einnahm, während er Kleinasien dem → Maximinus [1] Daia überlassen mußte.

Aufgrund des Streites um das Erbe des Galerius blieben L. allerdings die Hände gebunden, als → Constantinus [1] Ende 312 Italien einnahm. Constantinus sicherte ihm freilich bei einem Treffen in Mailand Anf. 313 Unterstützung gegen Maximinus zu und gab ihm seine Schwester Constantia zur Frau. Dabei legten Constantinus und L. auch die neuen Prinzipien einer toleranten und wohlwollenden Christenpolitik fest. Nach dem angeblich mit göttlicher Hilfe (Lact. mort. pers. 46,1–47,6) errungenen Sieg des L. über Maximinus Daia bei Tzirallum (30.4.313) übernahm L. die östlichen Prov. und ließ dort die in Mailand getroffenen Vereinbarungen als Edikt bekannt machen (sog. Mailänder Toleranzedikt). [3] hat aus diesem Grund in L. den Motor der neuen Christenpolitik gesehen, sicher zu Unrecht, da L. zu diesem Zeitpunkt noch als Juniorpartner des Constantinus agierte. Diese Rolle akzeptierte L. aber bald nicht mehr.

316 kam es zu Unstimmigkeiten in der Auffassung über die durch die Eliminierung des Maximinus notwendig gewordene Neuorganisation der Samtherrschaft, insbesondere was die Herrschaft über It. betraf. Einen Kompromiß, der die Beteiligung von Caesares an der Herrschaft vorsah, vereitelte Constantinus durch die Hinrichtung des zum Caesar Italiens vorgesehenen → Bassianus [3]. Als L. sich weigerte, den am angeblichen Putsch des Bassianus beteiligten Senecio an Constantinus auszuliefern, brach der erste Krieg zwischen Constantinus und L. aus, in dem L. den → Valens zu seinem Mitregenten erhob. Nach den Niederlagen von Cibalae und vom Campus Ardiensis konnte L. einen Teilerfolg bei Beroia [2] erzielen. Diesem Erfolg und weniger der Verschwägerung mit Constantinus verdankte er es, daß er weiter Augustus blieb, wenn er auch den gesamten Balkan mit Ausnahme der thrak. Diözese räumen mußte und (seit dem 1.3.317) mit nur einem Caesar, seinem Sohn Licinianus L. [II 5], in der Neuorganisation der Samtherrschaft gegenüber Constantinus (mit zwei Caesares) als deutlich rangniedriger ausgewiesen wurde. L. regierte von da an den Orient fast ohne Austausch mit Constantinus, 321 wurde schließlich das letzte Zeichen der Eintracht, die gemeinsam anerkannten Konsulate, aufgegeben.

Daß L. in dieser Zeit zum Christenverfolger geworden ist, ist Legende, wie etwa die engen Kontakte des Kaisers zum Bischof seiner Residenz Nikomedeia, Eusebios [8], nahelegen (Sokr. 1,6; [4. Nr. 27,9]). Doch privilegierte L. eindeutig Formen des Juppiterkults und des Polytheismus (RIC VII, Nr. 18; ILS 8940; Suda s. v. Αὐξέντιος), die ihn als Iovius im Sinne des tetrarchischen Religionsideals legitimierten. Dementsprechend ist der zweite Krieg gegen L., der im Sommer 324 wegen Differenzen in der Barbarenpolitik an der Donaugrenze ausbrach, in der constantinischen Propaganda als Religionskrieg gedeutet worden. Er wurde durch die Schlachten von Hadrianopolis [3] (3.7.324) und Chrysopolis (18.9.324) entschieden. L., der den → Martinianus zu seinem Mitregenten erhoben hatte, wurde in Nikomedeia eingeschlossen und mußte kapitulieren, wobei ihm durch die Vermittlung der Constantia das Leben zugesichert wurde (Zos. 2,28,2; [Aur. Vict.] epit. Caes. 41,7; Anon. Vales. 28; Zon. 13,1,23). 325 wurde L. in Thessalonike umgebracht, angeblich weil er hochverräterische Verbindungen mit den Goten aufgenommen hatte (Sokr. 1,4,4).

1 I. König, Origo Constantini: Anonymus Valesianus, Bd. 1, 1987 2 H. Chantraine, Die Erhebung des L. zum Augustus, in: Hermes 110, 1982, 477–487 3 H. Grégoire, La »conversion« de Constantin, in: Revue de l'université de Bruxelles 36, 1930/31, 231–272 4 H. G. Opitz, Urkunden zur Gesch. des arianischen Streites 318–328, 1934.

R. ANDREOTTI, s. v. L., Dizionario epigrafico 4, 1959, 979–1041 • T. D. BARNES, The New Empire of Diocletianus and Constantine, 1982 • B. BLECKMANN, Konstantin der Große, 1996 • H. FELD, Der Kaiser L., Diss. Saarbrücken 1960 • KIENAST, 290f.

**[II 5] Valerius Licinianus L.** Sohn des L. [II 4] und der Constantia (Eutr. 10,6,3), geb. im Juli 315 (Zos. 2,20,2; [Aur. Vict.] epit. Caes. 41,4), vom 1.3. 317 bis 324 n. Chr. Caesar. Die auf dem Codex Theodosianus (4,6,2 und 3) fußende Annahme, L. sei aus einer Verbindung des L. [II 4] mit einer Sklavin hervorgegangen, ist unbegründet. Constantinus [1] ließ L., seinen Neffen, 326 umbringen, gleichzeitig mit seinem eigenen Sohn Crispus (Eutr. 10,6,3).

A. CHASTAGNOL, Quelques mises au point autour de l'empereur L., in: F. FUSCO, G. BONAMENTE (Hrsg.), Costantino il Grande dall' antichità all' umanesimo, 1992, 317–323. B. BL.

**[II 6] P. L. Cornelius Saloninus Valerianus.** Zweiter Sohn des → Gallienus und der → Salonina, Enkel des Kaisers → Valerianus (SHA Gall. 21,3; CIL III 184; XI 826; XII 57). 258 n. Chr. wurde er zum Caesar und *princeps iuventutis* erhoben ([Aur. Vict.] epit. Caes. 32,2; [1. CXIII]), im Herbst 260 n. Chr. erhielt er den Augustus-Titel (auf Mz. bereits früher als Aug(ustus) bezeichnet: RIC V 1, S. 123ff.; [2. 516ff.; 3. Bd. 1, 202f., Bd. 2, 152ff.]; CIL VIII 8473). Während der Rebellion des → Postumus (260 n. Chr.) befand L. sich in Köln, wurde ausgeliefert und hingerichtet; darauf konsekriert (SHA trig. tyr. 3,3; [Aur. Vict.] epit. Caes. 32,3).

1 G. HARTEL, Cyprianus (CSEL 3, 3), 1871 2 H. COHEN, Description historique des monnaies frappées sous l'empire romain, Bd. 5, [2]1955 3 J. VOGT, Die alexandrin. Münzen, 1924.

PIR[2] L 183 • KIENAST, 221 • M. PEACHIN, Roman Imperial Titulature and Chronology, 1990, 38f. T. F.

**[II 7]** s. Valerianus

**[II 8] M. L. Crassus Frugi.** Vielleicht adoptiert durch M. L. [I 13] Crassus, *cos.* 30 v. Chr., natürlicher Sohn eines Piso Frugi [1. 276f.] *Consul ordinarius* 14 v. Chr.; 10 v. Chr. Legat von Hispania citerior; 9/8 Proconsul von Africa; Augur (IRT 319; CIL VI 41052: Ehrung durch den *populus Damascenorum*; vgl. [2. 77ff.; 3. 233]. PIR[2] L 189.

1 SYME, AA 2 G. ALFÖLDY, Studi sull' epigrafia augustea e tiberiana di Roma, 1992 3 W. ECK, s. v. L. (59), RE Suppl. 14, 233.

**[II 9] M. L. Crassus Frugi.** Sohn von L. [II 8]. L. heiratete Scribonia, die sich auf Pompeius Magnus zurückführte. Mitglied im *collegium* der *curatores operum locorumque publicorum*; *praetor urbanus* im J. 24 n. Chr. (InscrIt 13,1,298). *Consul ordinarius* 27. Vielleicht von Caligula nach Mauretanien gesandt, dort sicher Legat von Claudius (CIL VI 31721); wegen seiner dortigen Erfolge mit *ornamenta triumphalia* ausgezeichnet. Beim Triumph des Claudius über Britannien, wohin er ihn als *comes* begleitet hatte, erneut mit den Triumphalabzeichen geehrt. M. hatte zahlreiche Kinder, darunter L. und Cn. Pompeius Magnus, der die Tochter von Kaiser Claudius heiratete. Dieser wurde auf Betreiben Messalinas zusammen mit den Eltern hingerichtet. Zum Grundbesitz der Familie [1. 320ff.; 2. 277f.]. PIR[2] L 190.

1 A. ANDERMAHR, Totus in praediis, 1998 • SYME, AA.

**[II 10] M. L. Crassus Frugi.** Sohn von L. [II 9]. Warum er der Katastrophe seiner Familie unter Claudius entkam, ist unsicher. *Cos. ordinarius* 64 n. Chr. In der Spätzeit Neros von Aquilius [II 5] Regulus angeklagt und hingerichtet. Von einer Sulpicia Praetexta hatte er vier Kinder. PIR[2] L 191.

**[II 11] (L.) Crassus Scribonianus.** Sohn von L. [II 9], Bruder von L. [II 10] und des Calpurnius [II 24] Piso, den Galba adoptierte. Ein Schiedsspruch des späteren Kaisers Vespasian zwischen L. und einem Calpurnius Piso ist in CIL VI 1268 bezeugt. 69 n. Chr. soll Antonius Primus versucht haben, ihn zur Kaiserproklamation zu bewegen; das wurde jedoch von ihm abgelehnt (Tac. hist. 4,39,3). Dennoch wurde er später getötet, wohl auf Befehl von L. [II 14] Mucianus. CIL VI 31755 = 41114 bezieht sich nicht auf ihn. PIR[2] L 192.

**[II 12] T. L. Hierocles.** Ritter, der im 1. Drittel des 3. Jh. n. Chr. eine lange mil. und procuratorische Laufbahn absolvierte; Statthalter von Mauretania Caesariensis im J. 227 [1. 214f.] Im J. 229 *praefectus classis Misenatis*. RMD II 133; PIR[2] L 202.

1 THOMASSON, Fasti Africani.

**[II 13] Q. L. Modestinus S. Attius Labeo.** Senator, dessen Laufbahn vom Vigintivirat bis zum Konsulat im J. 146 n. Chr. bekannt ist; vor dem Konsulat war er *praefectus aerarii [militaris]* und Proconsul von Achaia (CIL XIV 2405 = AE 1967, 72).

W. ECK, s. v. L., RE Suppl. 14, 233 • PIR[2] L 213.

**[II 14] C. L. Mucianus.** Senator. Stammte vielleicht von der iberischen Halbinsel [1. 785; 791]; Aufnahme in den Senat wohl unter → Claudius [III 1]; doch kam es zu Schwierigkeiten mit dem Kaiser, weshalb L. sich nach Asia zurückzog. Möglicherweise Legionslegat unter Cn. → Domitius [II 11] Corbulo im Osten, unter → Nero, wohl Anf. der 60er J. Statthalter von Lycia-Pamphylia; *cos. suff.* vielleicht 64 n. Chr. Noch von Nero nach Syrien gesandt, dessen Truppen er auf Galba, Otho und Vitellius vereidigte. Doch kam es mit Vespasian im Sommer 69 nach langen Verhandlungen zu einer polit. Übereinkunft, daß dieser das Kaisertum gegen → Vitellius erkämpfen solle. L. wurde zum entschiedensten und wichtigsten Helfer des → Vespasianus. Er zog mit den Truppen Syriens durch Kleinasien, bekämpfte auf seinem Marsch einen Einfall der Daker im Donauraum. Doch gelang es ihm nicht, → Antonius [II 13] Primus abzuhalten, vor ihm in Italien gegen die Vitellianer zu kämpfen.

Nach der Einnahme Roms durch die Flavier im Dez. 69 faßte L. bis zur Ankunft Vespasians alle Macht in Rom in seiner Hand zusammen; der junge Domitian spielte lediglich eine demonstrative Rolle als Sohn des noch abwesenden Kaisers. Er sicherte die Herrschaft Vespasians, indem er politisch angeblich gefährliche Personen beseitigen ließ. Seine Bedeutung für die flavische Partei beweisen die *ornamenta triumphalia*, die er faktisch wegen des Bürgerkriegs erhielt (Tac. hist. 4,4,1 f.), sowie ein zweites Konsulat im J. 70 n. Chr., ein drittes im J. 72. Tacitus beschreibt seine Person als ambivalent, als ehrgeizig und doch zu hedonistisch, als daß er die volle Macht erringen wollte. Kurz nach 75 ist er gestorben.

In seinen letzten Lebensjahren verfaßte er mehrere Werke, v. a. Denkwürdigkeiten aus dem Osten des Reiches, auf die sich → Plinius d. Ä. in seiner *Naturalis historia* häufig stützte. Ferner legte er Slgg. von Reden an und publizierte drei B. *Epistulae*.

1 SYME, Tacitus, Bd. 2.

CABALLOS, Bd. 2, 401 f. • PIR² L 216 • K. SALLMANN, Die Geogr. des älteren Plinius, 1971, 45 ff. • SCHANZ/HOSIUS 2, 783 • SYME, RP 3, 998 ff.

**[II 15] T. L. Mucianus.** Senator. Statthalter von Galatien ca. 174–177 n. Chr. *Consul suffectus* ca. 177/8. Stammte aus → Side in Pamphylien, wo L. Wettkämpfe eingerichtet hatte.

PIR² L 217 • H. HALFMANN, in: EOS 2, 643.

**[II 16] L. Nepos.** Senator. Praetor im J. 105 n. Chr.; er erwarb sich den Ruf eines strengen Gerichtsherren (Plin. epist. 4,29,2 f.; 5,4; 9); am Prozeß gegen Varenus Rufus beteiligt (Plin. epist. 6,5; 13); sein Sohn ist L. [II 3]. PIR² L 220.

**[II 17] Q. L. Nepos.** Sohn oder Enkel von L. [II 3]. Als Mitglied bei den *fratres Arvales* in den J. 183, 186, 193 n. Chr. bezeugt. Suffektconsul; Proconsul von Asia zwischen 198 und 212, vielleicht 204/5 [1. 323 ff.].

1 S. DEMOUGIN, Proconsuls d'Asie sous Septime Sévère, in: Bulletin de la Societé nationale des antiquaires de France 1994, 323–333.

PIR² L 223 • SCHEID, Collège, 99.

**[II 18] A. L. Nerva Silianus.** Natürlicher Sohn von P. Silius Nerva, *cos.* 20 v. Chr.; L. führt den Namen des A. L. Nerva, des *triumvir monetalis* unter Augustus; von ihm wohl adoptiert. *Cos. ord.* 7 n. Chr. Mit Augustus befreundet, starb er noch vor diesem. PIR² L 224.

**[II 19] A. L. Nerva Silianus.** *Cos. ord.* im J. 65 n. Chr., zunächst mit M. Vestinus Atticus, nach dessen Tod mit P. Pasidienus Firmus ([1. 461 ff.] = RMD II 79). Wohl Enkel von L. [II 18]. PIR² L 225.

1 S. DUŠANIC, A Military Diploma of A. D. 55, in: Germania 56, 1978, 461–475.

**[II 20] L. Priscus.** Praetorischer kaiserlicher Statthalter von Lycia-Pamphylia im J. 178 n. Chr. CIL XVI 128; [1. 429 ff.].

1 W. ECK, in: Chiron 2, 1972, 429–436.

**[II 21] L. Proculus.** Freund des → Otho, der ihn nach Galbas Ermordung zum Praetorianerpraefekten machte. Obwohl nach Tacitus' Urteil mil. nicht fähig, wurde L. mit dem Kommando gegen → Vitellius betraut. Nach der Niederlage bei Bedriacum von Vitellius geschont, da L. vorgab, die Niederlage Othos absichtlich herbeigeführt zu haben. PIR² L 233.

**[II 22] M. Cn. L. Rufinus.** Ritter, aus → Thyateira in Asia stammend. L.' ritterliche Laufbahn, die unter Septimius Severus begann, umfaßte nach einer neuen Inschr. aus Thyateira die Funktionen: *consiliarius* des Kaisers, *ab epistulis Graecis*, *a studiis*, *a rationibus*, *a responsis* oder *a libellis*; danach Aufnahme in den Senat, wobei die Art der Aufnahme unklar ist, da er nach dem Text aus Thyateira *praetor* gewesen sein soll, was angesichts seines damals schon höheren Alters sehr ungewöhnlich wäre; danach praetorischer Statthalter von Noricum; *cos. suff.* oder *adlectus inter consulares*. Schließlich Mitglied der 20 Männer, denen im J. 238 n. Chr. der Kampf gegen → Maximinus [2] Thrax anvertraut wurde. TAM V 2, 984–988.

P. HERRMANN, Die Karriere eines prominenten Juristen aus Thyateira, in: Tyche 12, 1997, 111–123 • F. MILLAR, in: JRS 89, 1999 (im Druck). W. E.

L. Rufinus war Schüler des Juristen → Iulius [IV 16] Paulus (Dig. 40,13,4). In Anlehnung an diesen schrieb er 12 oder 13 Bücher *Regulae* [2], von denen die Digesten Justinians 17 Fragmente enthalten [1].

1 O. LENEL, Palingenesia iuris civilis 1, 559 ff. 2 D. LIEBS, in: HLL Bd. 4, 205 f. T. G.

**[II 23] Q. L. Silvanus Granianus.** Senator, der aus → Tarraco stammte. Verbunden mit L. Minicius Natalis, der aus Barcino kam. Mit ihm zusammen Suffektconsul von Juni bis August 106 n. Chr. Als Proconsul von Asia 121/2 fragte L. bei Hadrian an, wie Christen in Prozessen zu behandeln seien; die Antwort Hadrians erhielt sein Nachfolger, Minicius Fundanus (Iust. Mart. apol. 1,68). Sein Sohn war Q. L. Silvanus Granianus Quadronius Proculus (PIR² L 249).

CABALLOS, Bd. 1, 180 ff. • PIR² L 247.

**[II 24] P. L. Stolo.** *Triumvir monetalis* unter Augustus, wohl 18/7 v. Chr. Sein gleichnamiger Sohn war unter Tiberius Mitglied der *curatores locorum publicorum iudicandorum ex s. c.* PIR² L 251; 252.

**[II 25] L. L. Sura.** Senator der flavisch-traianischen Zeit. Wichtigster polit. Berater → Traianus'. Die Familie stammt aus der Prov. Hispania Tarraconensis, vielleicht aus Celsa; doch hatte L. Sura auch enge Beziehungen zu Barcino, wo sein wichtiger Freigelassener Licinius Secundus nach dem J. 107 n. Chr. mit mindestens 22 Statuen geehrt wurde [1. Bd. 4, 83–104; vgl. Bd.

1, 125]. Unter Domitian ist L. als Gönner des → Martialis [1] bezeugt; er war auch selbst lit. tätig.

Von seiner senator. Laufbahn ist wenig bekannt. Suffektconsul wohl unter Domitianus, vielleicht 93; doch auch 97 ist nicht völlig ausgeschlossen. In Germania inferior amtierte L. entweder als Legionslegat oder als Statthalter (AE 1923, 33). Doch kann er Anf. 98 kaum die Prov. geleitet haben (so zuletzt [2. 155 f.]), da das Heer der Prov. im Februar 98 nach einem neuen Militärdiplom direkt Traian unterstand. L. hat aber ohne Zweifel die Adoption Traians und dessen Herrschaftsübernahme ganz wesentlich unterstützt. Auch deshalb wurde er *cos. II* im J. 102, *cos. III* im J. 107. *Comes* Traians in den Dakerkriegen; Verhandlungen mit → Decebalus; auf der Traianssäule (→ Säulenmonumente) häufig neben Traian abgebildet. Traian vertraute L. völlig. L. soll Hadrians Verhältnis zu diesem wesentlich beeinflußt haben. In Rom besaß er ein Haus auf dem Aventin, wo Traian zu seinen Ehren auch das *balneum Surae* errichtete (vgl. LTUR II 129 f.). L. starb um 108; er erhielt ein staatliches Begräbnis und wurde von Traian mit einer Statue in Rom geehrt. Der Bogen von Bará bei Tarraco wurde *ex testamento L. Licini L. f. Serg. Surae* errichtet (CIL II 4282 = Röm. Inschr. Tarraco 930); möglicherweise ist damit einer seiner Vorfahren gemeint [3. 158 ff.; 4. 183–193]. PIR² L 253.

1 G. Fabre, M. Mayer, J. Rodà (ed.), Inscriptions romains de Catalogne, 1984 2 Eck 3 G. Alföldy, Der röm. Bogen über der Via Augusta bei Tarraco, in: Klio 78, 1996, 158–170 4 Caballos, Bd. 1. W.E.

**[II 26] (L.) Valerianus.** Sohn des Kaisers → Valerianus und Bruder des → Gallienus (SHA Gall. 12,1; 14,9). PIR² L 257; PLRE 1, 939 (L. 14). T.F.

**[II 27]** s. Valerianus (Kaiser)

**Licinus.** Ursprünglich seltenes Praenomen entweder etr. Herkunft oder vom lat. Adjektiv *licinus* (»rückwärts gekrümmt«, Serv. georg. 3,55); davon der Gentilname → Licinius. Später Cognomen evtl. in der Bed. »nach hinten gekämmtes Haar« [1. 236; 2. 33] in republikan. Zeit in den Familien der Fabii und Porcii, in der Kaiserzeit bei den Clodii (C. [II 6]), Larcii und Passieni. Auch Sklavenname; der prominenteste Träger ist der Freigelassene Caesars (C. Iulius) L., der bis in die Zeit des Augustus die Finanzverwaltung von Gallien leitete und wohl als Vorbild für die Figur des Trimalchio bei → Petronius diente (Cass. Dio 54,21,2–8; schol. Iuv. 1,109). PIR² I 381.

1 Kajanto, Cognomina 2 O. Salomies, Die röm. Vornamen, 1987. K.-L.E.

**Licitatio.** Der lat. Begriff *l.*, der ein Preisgebot bei einem Verkauf bezeichnet, bezieht sich generell nur auf Auktionen; der Bieter wird dementsprechend *licitator* genannt. Geboten wurde durch das Heben des Fingers (*digito licitus sit*: Cic. Verr. 2,3,27; vgl. 2,1,141). Darüber hinaus kann unter *l.* allgemein der Verkauf bei Auktionen verstanden werden; in übertragenem Sinn bezeichnet das Wort *l.* einen illegalen Handel oder korruptes Verhalten (Cic. Verr. 2,2,133; Suet. Nero 26,2).
→ Auctiones; Kauf

1 M. Talamanca, Contributi allo studio delle vendite all'asta nel mondo antico, in: Memorie dell'Academia dei Lincei 8,6, 1954, 35–251. J.A.

**Licium** (eigentlich »Faden«, »Schnur«, »Band«). In röm. kult.-magischer Verwendung obliegt dem *l.* zweierlei Wirkung: es (ver-)bindet und (um-)schließt eine Sache oder Person. In seiner (ver-)bindenden Funktion wird es hauptsächlich im Liebeszauber verwendet (vgl. Verg. ecl. 8,73 ff.). Mit dem *l.* wird aber auch der Abstimmungsbezirk bei Einberufungen des Volkes umschlossen (Varro ling. 6,86–88, 93 und 95; Paul. Fest. 100,11 L.). Geläufiger oder wichtiger ist es freilich in der (um-)schließenden Funktion, in der es apotropäischen Charakter (Amulette) besitzt: durch das Einbinden oder Umschließen hält es üble Einflüsse von außen ab (z. B. Ov. fast. 571–582).

Bekannter ist das *l.* durch eine Handlung des altröm. Rechts, wie es in den Zwölftafelgesetzen (Tabula 8,15 FIRBruns = 1,20 Crawford) festgehalten ist: in Verbindung mit der Haussuchung (*quaestio lance et licio*), bei der der Haussuchende (in der Regel der Bestohlene) mit dem *l.* und einer *lanx* (Platte, Schale), dagegen wohl kaum nackt, nur mit dem *l.* bekleidet (*licio cinctus*: Gai. inst. 3,191–193; Paul. Fest. 104 L.), das Haus des vermeintlichen Diebes betritt. Zur Bed. des *l.* in diesem Zusammenhang gibt es unterschiedliche Interpretationsansätze, die sich aber nicht durchgesetzt haben: *lanx* (Mittel zur Wegnahme der gestohlenen Sache) und *l.* (Mittel zur Fesselung des Diebes) als Symbole für tatsächliche Geräte; *l.* als tatsächliche Fessel, die der Haussuchende bei sich trägt, *lanx* als Opferschale; *l.* als Strick, mit dem das gestohlene Tier abgeführt wird, *lanx* zum Forttragen anderer beweglicher Gegenstände; *lanx* und *l.*, um das Diebesgut nach Menge und Länge abzumessen (Forschungsmeinungen referiert bei: [1]). Nach [1] war das *l.* eher die rituelle Kopfbinde, die eine ähnliche Funktion hatte wie das *filum* der → *flamines*.

1 J. G. Wolf, Lanx und l., in: D. Liebs (Hrsg.), Sympotica F. Wieacker, 1970, 61.

M. H. Crawford (Hrsg.), Roman Statutes, Bd. 2, 1996, 615–617 • D. Flach, Die Gesetze der frühen Röm. Republik, 1994, 176–178. A.V.S.

**Lictor.** Die *lictores* (von *ligare* = binden; griech. *rabdúchos, rabdophóros* = Rutenträger) gehören in Rom zu den Amtsdienern (→ *apparitores*) der höheren Magistrate und einiger Priester (Liv. 1,8.; Lucr. 3,996; 5,1234), deren Amtsgewalt sie mit dem Tragen der *fasces* (Rutenbündel mit Richtbeil) symbolisieren. Sie können für die Amtsdauer der Magistrate bestellt sein oder auf Dauer. Ihre Zahl richtet sich nach dem Rang des Beamten (Consul 12, Praetor 6, in der Kaiserzeit mehr). Die *l.* sind Freie oder Freigelassene; Sklaven kommen für ihre Aufgabe nicht in Frage (Liv. 2,55). Sie bilden in der Stadt Rom eine Korporation mit Decurien (zu 24 Mann: CIL II 1878; 32294) und erhalten ein J.-Gehalt (in der frühen Kaiserzeit von 600 Sesterzen). Bekleidet ist ein *l.* in der Stadt mit der Toga (Plut. Romulus 26), im Militärlager mit dem Kriegsmantel (Cic. Pis. 23; Varro ling. 7,37; Liv. 31,14; 41,10; 45,39), bei öffentl. Trauer mit schwarzer Kleidung und mit umgekehrten *fasces* (Hor. epist. 1,7,6; Tac. ann. 3,2) [1].

Die *l.* haben folgende Aufgaben: 1) Sie begleiten den Magistrat (→ *magistratus*) bei Dienstgängen, um ihm in der Öffentlichkeit Platz zu machen (*plebem summovere*: Liv. 3,45; Mart. 8,66; Plut. Pompeius 22; App. civ. 1,78; App. Mithr. 20; Plin. paneg. 23,3), ihm bei einer Rede zur Seite zu stehen (Liv. 23,23; Cic. Cluent. 53), vor Eintritt in ein Haus anzuklopfen (Liv. 6,34; Plin. nat. 7,112; Petron. 65); Begleitung auch bei Privatwegen (Iuv. 3,128), so ins Bad (Liv. 25,17), ins Theater (Suet. Iul. 80), in den Tempel (App. civ. 4,134). Der Magistrat zeigt sich nie ohne *l.* (Liv. 39,12; 32), muß aber bei einem höheren Beamten ohne *l.* eintreten (Liv. 22,11; Cic. Planc. 41; Plut. Fabius Maximus 4), so ebenfalls beim Besuch einer freien Stadt (Tac. ann. 2,53: Germanicus betritt Athen mit nur einem *l.*). Demjenigen, der Fest- oder Leichenspiele gibt, stehen ebenfalls *l.* zu.

2) Im Auftrag der Magistrate haben *l.* Festnahmen und Verhaftungen (Dion. Hal. ant. 10,31; Liv. 2,29; Tac. ann. 6,40.; Gell. 13,12), Bestrafungen und v.a. Geißelungen auszuführen (Cic. Verr. 5,54; Liv. 2,5,8; Val. Max. 3,8,1; Sen. contr. 9,2,22).

3) Die schon in früher Zeit in kult. Dienst eingesetzten *l. curiati* berufen die vom → *pontifex maximus* geleiteten → *comitia curiata* ein (Gell. 15,27). Sie helfen beim Opferdienst (CIL VI 1846; 1847; 1852; 1885–1892; XIV 296) und sind Diener der → *flamines* (Plut. mor. 291b; Ov. fast. 2,21 ff.; CIL XII 6038) wie auch der Vestalinnen (→ Vesta; Plut. Numa 10; Sen. contr. 1,2; 6,8; Cass. Dio 47,19).


**1** P. Grimal, Röm. Kulturgesch., 1961, Abb. 38 (von *l.* auf der Ara Pietatis Augustae).

Mommsen, Staatsrecht, 1, 355, 374–392 • U. von Lübtow, Das röm. Volk, 1955, 193.


C.G.

**Lieblingsinschriften.** Die griech. Sitte, mit dem Epitheton *kalós* (καλός, mask. = »schön«), seltener *kalḗ* (καλή, fem.), die Schönheit einer Person öffentlich zu preisen, ist v.a. in – bereits vor dem Brand der Gefäße aufgebrachten – attischen Vaseninschr. des 6. und 5. Jh. v.Chr. faßbar [1; 5]; daneben gab es spontane Graffiti auf Vasen [3] und andere öffentliche L. [4. 22, 46–65] (schol. Aristoph. Vesp. 98). Sie wurzeln in einem auch aus der frühgriech. Lyrik sprechenden Interesse an der schönen Jugend und in den päderastischen Konventionen der Zeit, aber darüber hinaus auch im Ideal der *kalokagathía*, also dem allg. Standesideal der → *hippeís*. Die Tatsache, daß L. auf att. Vasen mit den Palaistraszenen zeitlich parallell laufen, bestärkt die Annahme, daß sich das Lob bes. auf Körperschönheit und athletische Tüchtigkeit von Knaben und Jünglingen bezog [11]. L. nennen in der Regel Zeitgenossen, bezeugen also die aktuelle Popularität der Gefeierten. Nur selten beziehen sie sich auf bestimmte Figuren der Vasenbilder, meist bleiben sie als übergeordnete Parolen von diesen unabhängig [10]. Die Bevorzugung einzelner Namen durch Werkstätten und Vasenmaler versuchte man auf den Einfluß von Auftraggebern der Töpfereien zurückzuführen [6], nicht zuletzt, weil viele Lieblingsnamen in der att. Oberschicht wiederkehren [4 passim; 7; 8]; so könnten mit Leagros, Miltiades, Diotimos oder Glaukon die späteren att. Strategen gemeint sein. Für Kalosnamen bieten sich oft mehrere Möglichkeiten der Identifizierung mit histor. Personen an. Die Auswertung von L. für die absolute Chronologie setzt voraus, daß Identität und Lebensdaten der betreffenden Kaloi gesichert sind und sich ihre »Kaloszeit« auf das zweite Lebensjahrzehnt beschränkte, beides ist jedoch nicht immer gewährleistet [2. 43–48; 9].

Über 300 L. sind auf att. Vasen erfaßt, davon etwa zwei Drittel auf rf. Gefäßen. Zu den ältesten zählen um 550/540 v.Chr. die des Stesias und des Onetorides (Archon 527/6) auf Werken des → Exekias. Im späteren 6. Jh. taucht das Lob eines Memnon sehr häufig bei → Oltos auf, während → Epiktetos [1] eine zeitlang Hipparchos bevorzugte. Die L. des Epilykos stammen vorwiegend von Skythes, die des Leagros außer in der sf. → Leagros-Gruppe von → Euphronios [2] und seinem Kreis. Damals bezeichneten die Vasenmaler gern auch eigene Werkstattgenossen als *kaloí* oder sie reagierten auf die Zeitsitte mit namenlosen Formeln wie *kalós* (καλός) oder *ho país kalós* (ὁ παῖς καλός, »der schöne Knabe«). Im frühen 5. Jh. favorisierten führende Schalenmaler u.a. Athenodotos und Panaitios (→ Onesimos), Chairestratos (→ Duris [2]) und Hippodamas (Duris, → Makron). Um 470 v.Chr. lobte der → Pistoxenos-Maler Glaukon (Sohn des Leagros), um 460 der → Achilleus-Maler u.a. Diphilos (Sohn des Melanopos) und etwas später verschiedene Maler Euaion (Sohn des Aischylos). Zu den Ausläufern gehört am Ende des 5. Jh. v.Chr. das vom → Eretria-Maler wiederholte Lob des jüngeren Kallias. Einige anonyme Vasenmaler werden heute nach L. benannt (→ Antimenes-, → Lysippides-, → Antiphon-, Euaion-, → Kleophon-Maler), während man längere Schaffenszeiten von anderen Malern nach wechselnden Kalosnamen in mehrere Perioden unterteilt (→ Duris, → Achilleus-Maler).


**1** W. Klein, Die griech. Vasen mit L., 1898 **2** E. Langlotz, Zur Zeitbestimmung der streng-rf. Vasen und der gleichzeitigen Plastik, 1920 **3** L. Talcott, Vases and Kalos-Names from an Agora Well, in: Hesperia 5, 1936, 333–354 **4** D.M. Robinson, E.J. Fluck, A Study of Greek Love-names, 1937 **5** Beazley, ABV, 664–678; Beazley, ARV², 1559–1616; Addenda, 391–399 **6** T.B.L. Webster, Potter and Patron in Classical Athens, 1972 **7** H.R. Immerwahr, A Lekythos in Toronto and the Golden Youth of Athens, in: Studies in Attic Epigraphy, History and Topography presented to E. Vanderpool (Hesperia Suppl. 19), 1982, 59–65 **8** A. Shapiro, Kalos-Inscriptions with Patronymic, in: ZPE 68, 1987, 107–118 **9** V. Parker, Zur absoluten Datierung des Leagros kalos, in: AA 1984, 365–373 **10** A.-F. Laurens, Les ateliers de céramique, in: A. Verbanck-Piérard, D. Viviers (Hrsg.), Culture et cité, 1995, 170–183 **11** R. Cromey, Some Names on a Cup by Makron, in: G. Schmeling (Hrsg.), Qui miscuit utile dulci (FS P. L. McKendrick), 1988, 103. I.S.

## Lied I. Alter Orient II. Klassische Antike

### I. Alter Orient

Zahlreiche L.-Gattungen sind in Mesopot. (seit ca. 2600 v. Chr.), in Äg. (seit dem 24./23. Jh. v. Chr.), bei den Hethitern (14./13. Jh.), aus → Ugarit (14./13. Jh.) und dem AT (s.u.) bezeugt. Die gattungsmäßige Zuordnung wird uneinheitlich gehandhabt, da sich häufig Mischformen finden. Die ant. Nomenklatur ist nur bedingt hilfreich. Die als Oberbegriff verwendete Bezeichnung »Kultlyrik« bezieht sich auf die lit., d. h. lyrische Form der L. Die Bezeichnung »Lied« orientiert sich an der Art des Vortrages, d. h. als Gesang mit oder ohne instrumentale Begleitung. Texte aus Mesopot. und Äg. sowie die Psalmen des AT geben Hinweise auf die Art der instrumentalen Begleitung; Notation ist bisher lediglich in Texten aus dem nordsyr. Ugarit bezeugt (→ Musik).

Die einzelnen Verse sumer. und akkad. Lieder sind mit der geschriebenen Zeile identisch; nicht so in äg. Texten. Äg., sumer. und akkad. L. lassen sich in Strophen gliedern (oder sind es bereits); diese haben z. T. unterschiedliche Länge innerhalb eines L. Bei sumer. und akkad. L. sind sie oft graphisch durch Querstriche auf der Tontafel markiert. Der Gliederung dienen auch Refrain und Antiphon. Im Wortlaut sind überwiegend L. überl., deren Sitz im Leben der Kult ist, daher »Kult-L.«: Hymnen (Preislieder) auf Götter (aus Äg. fast ausschließlich solche auf den Sonnengott; auf Baal in Ugarit: TUAT 2, 819–823; sumer. und akkad. Hymnen sind gelegentlich in der Form eines Selbstlobes der Gottheit formuliert: z. B. TUAT 2, 646–649), Götterstatuen, Herrscher, Tempel, Städte, Kultgegenstände; → Gebete mit hymnischen Passagen oder in L.-Form, Klagelieder (Mesopot.) mit Litaneien, hymnischen Passagen und in ihren Schlußabschnitten mit Bitten [8], insofern auch als Gebet zu klassifizieren.

In der hethit. Überl. finden sich nur wenige L. (TUAT 2, 791; 796–799; 803–808, Gebete mit hymnischen Passagen). Hethit. Texte erwähnen allerdings zahlreiche Ritualkontexte, in denen gesungen wird [10]. Die zahlreichen hattischen Fest-L. sind bisher noch weitgehend unverständlich. Im → Kolophon [2] werden verschiedene mesopot. und hethit. Mythen als L. bezeichnet (→ Kumarbi-, Ullikummi- und Erra-Mythos [4]). Mesopot. Mythen und Epen enthalten Hymnen oder hymnische Passagen. Kriegsgesänge werden in hethit. Texten erwähnt [10. 487]. Das Sieges-L. der Debora (Ri 5) ist ein Hymnus auf Jahwe mit erzählenden Partien, ein Hymnus Davids auf Jahwe (2 Sam 22) ist mit Danksagungen für einen errungenen Sieg erweitert.

Volksliedmotive haben Eingang in das lit. geformte und überl. Liedgut von Mesopot. und Äg. gefunden. Aus Mesopot. ist ein »Trink-L.« (mit Anklang an Themen der → Weisheitsliteratur) erhalten [7. 894 f.]. Ihren Sitz im Leben im → Fest hat die äg. Gelagepoesie (sog. »Harfner- und Liebes-L.«), in der zum Festgenuß aufgefordert wird, indem an die Kürze und Kostbarkeit des menschlichen Daseins erinnert wird (TUAT 2, 833), so die Harfner-L., die ›in den Gräbern der Vorfahren stehen‹ und die ›das Diesseits erhöhen und das Jenseits herabsetzen‹ [1. 972]. Liebes-L. aus Äg. (13./12. Jh. v. Chr.), u. a. gesammelt im ›Buch der tausend Lieder‹ [11], und Mesopot. sind Teil der jeweiligen lit. Überl. und insofern oft außerhalb ihres ursprünglichen Sitzes im Leben überl.: Einige äg. und akkad. Liebes-L. sind in Beschwörungsrituale (etwa gegen die Nebenbuhlerin [5. 68] oder zur Erhörung durch die Geliebte [12. 8]) integriert. Sumer. Liebes-L. sind Teil der myth. Überl. um Inanna/→ Ištar und Dummuzi/Tammuz [9; 13]. Die im ›Hohen L. Salomos‹ im AT gesammelten Liebes-L. sind sekundär rel. gedeutet worden. Gesungen wurde die Totenklage Davids um Saul und Jonathan (2 Sam 1, 19–27); sie enthält erzählende Elemente. Aus Mesopot. (18. und 7. Jh.) sind Wiegen-L. im Kontext von Beschwörungen überl. [6. 34 f. und passim]. Arbeits-L. sind in Äg. seit dem 25./24. Jh. bezeugt [3], in Mespot. nur sekundär erwähnt (vgl. [4. 329] zu der onomatopoetischen Parallele von sumer./akkad. *alāla* zu griech. ἀλαλά/ἀλαλάζω).

→ Literatur, Alter Orient; Hymnos; Musik

**1** J. Assmann, s. v. Harfnerlieder, LÄ 2, 972–982 **2** Ders., s. v. Kult-L., LÄ 3, 852–855 **3** E. Brunner-Traut, s. v. Arbeits-L., LÄ 1, 378–385 **4** Chicago Assyrian Dictionary A/1, 1964, 328 f., s. v. *alāla* **5** D. O. Edzard, Zur Ritualtafel der sog. »Love Lyrics«, in: F. Rochberg-Halton (Hrsg.), Language, Literature and History, 1987, 57–69
**6** W. Farber, Schlaf, Kindchen, Schlaf: Mesopot. Baby-Beschwörungen und -Rituale, 1989 **7** B. R. Foster, Before the Muses, [2]1996 **8** J. Krecher, s. v. Klage-L., RLA 6, 1–6 **9** G. Leick, Sex and Eroticism in Mesopotamian Literature, 1994 **10** S. de Martino, s. v. Musik, RLA 8, 483–488 **11** D. Meeks, s. v. Liebes-L., LÄ 3, 1048–52
**12** S. Schott, Altäg. Liebeslieder, 1950 **13** Y. Sefati, Love Songs in Sumerian Literature, 1998 **14** W. v. Soden, C. Wilcke, s. v. Hymne, RLA 4, 539–548 **15** C. Wilcke, Formale Gesichtspunkte in der sumer. Lit., in: Assyriological Stud. 20, 1976, 205–316. J.RE.

### II. Klassische Antike

A. Begriffsklärung B. Antike Literatur
C. Nachwirkung

#### A. Begriffsklärung

Die griech. Begriffe für L., ᾠδή (*ōdḗ*), ἀοιδή (*aoidḗ*), μέλος (*mélos*) und ὕμνος (*hýmnos*) bezeichnen zunächst das von Chor oder Solisten gesungene, meist instrumental begleitete L. Nachdem in hell. Zeit der reale Bezug zum »Sitz im Leben« der alten L. verlorengegangen war und die griech. melische Dichtung (→ Lyrik) zur Buchpoesie wurde, verwendete man die Begriffe auch zur Bezeichnung von Gedichten verschiedener Gattungen, die nie für den gesungenen Vortrag vorgesehen waren. Diese Trad. setzt sich in der lat. Dichtung fort, wo mit *carmen* jede Art von gesungenem, rezitiertem oder auch nicht für den mündlichen Vortrag konzipiertem Gedicht oder L. bezeichnet werden kann. Als L. sind jedoch allein die für den Gesangs-Vortrag konzipierten Gedichtformen zu verstehen.

B. Antike Literatur

In der griech. Dichtung lassen sich alle melischen Gattungen der monodischen bzw. Chor-Lyrik als L. verstehen, wobei zwischen Kunst-L., deren Verf. in der Regel bekannt sind, und anon. → Volks-L. differenziert werden kann. Der größere Teil der erh. griech. Kunst-L. sind Chor-L. aus (a) dem kult. Bereich (u.a. Bitt- und Dank-L.: → Hymnos, → Paian; Chor-L. im Dionysoskult: → Dithyrambos; Prozessions-L.: Prosodion; L. für Mädchenchöre: → Partheneion, → Daphnephorikon; Tanz-L.: → Hyporchema) sowie aus (b) dem profanen Bereich (Hochzeits-L.: → Hymenaios, → Epithalamion; Klage-L.: → Threnos; Lob-L.: → Enkomion; Sieges-L.: → Epinikion; usw.); die Kunst-L. der griech. monodischen Lyrik umfassen neben Kult-L. (→ Hymnos) v.a. Gedichte sympotischen (→ Skolion) und erotischen Inhalts. Das griech. Drama enthält neben den Chor-L. seit Euripides kunstvoll durchkomponierte Schauspielerarien. Die griech. Volks-L.-Kultur ist für die ältere Zeit zum größten Teil in der Slg. der *Carmina Popularia* und *Convivalia* faßbar (PMG 847–917; [3]), worin Kult-, Liebes-, Zauber-, Trink-L. und L. zu versch. Gelegenheiten enthalten sind. In den L. der Kaiserzeit ist der Übergang zur akzentuierenden Metrik festzustellen [2].

Vom lat. L.-Gut ist nur wenig erh. Zu unterscheiden ist zwischen (a) kult. L. (→ *Carmen Arvale*; → *Carmen Saliare* u.a.; Sühne-L.; Zauber-L.; Prozessions- und Fest-L.: Schnitter-L. am Ceresfest, Winzer-L. am Weinlesefest, Hor. carm. saec.), sowie (b) L. außerhalb des Kultes (Tisch-L., kaum »Ahnen-L.« gegen [6. 201]), Triumph-, Arbeits-, Klage-, Schlaf-, Schelt-, Liebes-, Wander-L. usw. [5]. Mit der Einführung der *ludi* [II. C.] *scaenici* gelangten laut ant. Zeugnissen röm. Volks-L. (Scherz-L.) auf die Bühne; ob sich somit die solistischen → Cantica der lat. → Komödien auf volksliedhafte Ursprünge zurückführen lassen, bleibt jedoch umstritten.

Im christl. Bereich knüpfen Hymnengesang und Psalmodie z.T. an klass. ant. L.-Trad. an [5. 367–397]; andererseits gelangen über die griech. Kirche östl. Formen auch in den lat. Westen (christl. → Musik).

C. Nachwirkung

Im lat. MA leben neben den geistlichen L. (Hymnen für Liturgie und Privatandacht) die alten paganen L.-Formen weiter, so im Theater [5. 388–400], in der Hofdichtung (Cambridger L.-Slg.) und in der Vagantendichtung (*Carmina Burana*, → Mittellateinische Literatur). Zudem werden die klass. ant. Lyriker-Texte (v.a. Catull, Vergil, Horaz, Ovid) vertont und gesungen. Die Trad. der Vertonungen ant. und neuzeitlicher griech. und lat. Lyrik setzt sich bis in neueste Zeit fort [1].

→ Arbeitslieder; Hymnos; Lyrik; Melos; Metrik; Musik; Ode; Volkslieder; Lyrik

1 J. Novák, Cantica Latina, poetarum veterum novorumque carmina ad cantum cum clavibus modis, 1985 2 A. Dihle, Die Anf. der griech. akzentuierenden Verskunst, in: Hermes 82, 1954, 182–199 3 J.M. Edmonds, Lyra Graeca, 3, 1967, 488–581 4 A.J. Neubecker, Altgriech. Musik, 1977 5 G. Wille, Musica Romana, 1967 6 Ders., Quellen zur Verwendung mündlicher Texte in röm. Gesängen vorlit. Zeit, in: G. Vogt-Spira (Hrsg.), Studien zur vorlit. Periode im frühen Rom, 1989, 199–225.

T.FU.

**Ligarius.** Ursprüngl. im Sabinischen beheimatete röm. *gens*, aus der nur wenige Namensträger – allesamt in den Strudeln des Bürgerkriegs – greifbar sind.

Schulze, 359 · Syme, RP Bd. 2, 596.

**[1] L., P.** Parteigänger des Pompeius. 49 v.Chr. bei Ilerda als Offizier im Heer des L. Afranius [1] gefangen und gegen das Versprechen künftiger Neutralität begnadigt; in Thessalien und Africa wieder unter den Gegnern Caesars, der den Wortbrüchigen nach der Schlacht von Thapsos (46) hinrichten ließ (Bell. Afr. 64,1). MRR 3,125.

**[2] L., Q.** Seit 50 v.Chr. in Nordafrika, zuerst Legat, dann kurzzeitig Stellvertreter des Propraetors C. Considius [I 3] Longus; da L. keine bedeutende Rolle unter den Pompeianern in der Provinz spielte, bald nach Thapsos (46) von Caesar begnadigt, doch weiterhin aus Rom verbannt (Bell. Afr. 89,2). Die Rückkehrerlaubnis für L. wurde trotz einer von Q. Aelius [I 17] Tubero lancierten Anklage auf Hochverrat dank Ciceros Einsatz (Rede *Pro Q. Ligario*) von Caesar erteilt (Ende 46; Plut. Cicero 39,6f.). In Rom unterhielt L. dann engen Kontakt zu Brutus und den Verschwörern (App. civ. 2,474; Plut. Brutus 11), mit denen gemeinsam er schließlich auch im Osten unterging.

G. Walser, Der Prozeß gegen Q. L. im Jahre 46 v.Chr., in: Historia 8, 1959, 90–96.

**[3] L., T.** Als *quaestor urbanus* um 54 v.Chr. Caesar nahestehend (Cic. Lig. 35f.); obgleich im Bürgerkrieg um Neutralität bemüht, wurde ihm die Parteinahme seines Bruders Q. L. [2] zum Verhängnis, zusammen mit einem dritten Bruder (C.?) kam er in der Proskriptionsphase um (App. civ. 4,87–89). T.FR.

**Ligatur.** Ein schon in den ersten griech. → Papyri mit → Kursive (3. Jh. v.Chr.) bezeugtes graphisches Zeichen, das den letzten Strich eines Buchstabens und den ersten des folgenden nebeneinanderstellt und bisweilen direkt verbindet, wobei sie sogar die Form der Buchstaben verändern kann. Ihr Gebrauch ist ausschließlich den Kursivschriften vorbehalten (selten der Halbkursive), in denen mehrere durch L. miteinander verbundene Buchstaben eine einzige zusammengefügte Kette erzeugen können. Deren Ende wird meist nach ausschließlich graphischen Kriterien geschrieben und muß nicht notwendigerweise dem Silben- oder Wortende entsprechen.

A. Bataille, Pour une terminologie en paléographie grecque, 1954, 19–25 • P. Degni, La scrittura corsiva greca nei papiri e negli ostraca greco-egizi (IV secolo a.C.-III d.C.), in: Scrittura e Civiltà 20, 1996, 21–88. G.M./Ü: J.HA.

**Liger.** Gallischer Fluß, h. Loire; entspringt auf dem → *Cebenna mons*. Strabon (4,1,1; 14; 4,2,1–3; 3,4; 4,3; 5,2) nimmt seinen Verlauf irrtümlich parallel zu dem der Garumna an, Ptolemaios (2,2) beschreibt ihn zutreffender. Nach den Angaben der ant. Autoren war er etwa 2000 Stadien (ca. 370 km) weit schiffbar (h. weiter) und diente als Handelsverbindung zw. Britannia, Massilia und Italia. Weitere Belege: Caes. Gall. 3,9; 7,5; 55; 59; Plin. nat. 4,107; Ptol. 2,8,1; 6; 11f; 14; Cass. Dio 39,40; 44,42 (Λίγρος); Auson. Mos. 461.

Carte archéologique de la Gaule 42, 1998 (Loire: M.-O. Lavendhomme); 43, 1994 (Haute-Loire: Ders., B. Rémy); 63/1–2, 1994 (Clermont-Ferrand; Puy-de-Dôme: M. O. Lavendhomme, C. Jouannet); 71/3–4, 1994 (Saône-et-Loire: A. Rebourg) • M. Provost, Le val de Loire dans l'antiquité (Gallia Suppl. 52), 1993 • P. Vigier (Hrsg.), Histoire de la Loire, 1986. Y.L.

**Ligo** s. Hacke

**Ligula** s. Eßbesteck

**Ligures, Liguria** (Λίγυες). Vorindeur., mit indeur. → Kelten vermischter, evtl. aus Nordeuropa eingewanderter Stamm (Plut. Marius 19,3–5) in Nordit. Urspr. im westl. Mittelmeerraum (Iberia, Gallia, Nordit. bis Latium, Sicilia) verbreitet, wurden die L. im Zuge von Völkerverschiebungen auf den Raum zw. Alpes und Padus (Po) zurückgedrängt: Reste altsteinzeitlicher Kulturen (z.B. die Höhlen von Balzi Rossi, Arene Candide); »Lepontische« Inschr.; Begriffe, onomastische und toponomastische Spuren der nicht-indeur. Sprache, vermengt mit der kelt. Das Ethnikon Λίγυς (*Lígys*, lat. *Ligus*), etym. unsicher (evtl. aus dem indeur. Stamm **lig*, »Schlamm«), vereinigte viele Stämme mit verschiedenen Namen (Plin. nat. 3,5,47) und Lebensbedingungen: an den Küsten reich, fortschrittlich, offen für urbane Lebensformen, Schiffahrt, Handel und Piraterie (Reste: vorröm. Nekropolen von Chiavari und Genua); im Hinterland primitiv, kriegerisch, durch → Transhumanz an nomadische Lebensweisen gebunden, Landwirtschaft mit Wald- und Weidewirtschaft, Räuberunwesen (Reste: Felszeichnungen vom Monte Bego, Burgruinen, z.B. Monte Bignone, Castellaro di Vezzola, Monte Castellaro di Zignago).

Die griech. Überl. (mythisch, geo-ethnographisch) ist den L. gegenüber wohlwollend, hebt ihre mil. Tugenden und phys. Kraft hervor (Poseid. FGrH 87 F 58a); die röm. Überl. berichtet von negativen (Falschheit, Verschlagenheit: Cato orig. fr. 31 HRR) und positiven Seiten (Verg. Aen. 10,185–197). Die röm.-ligur. Auseinandersetzung fand in den Etappen 238–230, 201–154 und 125–122 v. Chr. statt. L. dienten den Karthagern als Söldner (Pol. 1,17,4; 7,9,5). Nach einem ersten Sieg (im J. 236: InscrIt 13,1,549) schlugen die Römer die Apuani (233), die Celeiates, die Cerdiciates und die Ilvates (197: Liv. 32,29,7), die Apuani und Friniates (187: Liv. 39,2,1), die Ingauni (181: InscrIt 13,1,554), die Apuani (180), die massenhaft (erst 40000, dann 7000) nach Samnium deportiert wurden (Liv. 40,38,1–5; 41,3f.), die Statielli (173), deren *oppidum* Carystum zerstört wurde (Liv. 42,7,3–10), die Oxybi und Deciates (154: Pol. 33,9,9), die Salluvii und Vocontii (125–122: InscrIt 13,1,559f.); 117 v. Chr. wurde der letzte Triumph über die L. (Stoeni) gefeiert (InscrIt 13,1,560); mit dem Sieg über die Capillati oder Comati in den Alpes Maritimae war die Unterwerfung abgeschlossen (14 v. Chr.: Cass. Dio 44,24,3).

Um das Gebiet zu romanisieren, bauten die Römer große Straßen: *via Postumia* (im J. 148: Strab. 5,1,11), *via Fulvia* (125: Tab. Peut. 3,4f.), *via Aemilia Scauri* (115 oder 109: Vir. ill. 72,8), *via Iulia Augusta* (13/2: CIL V, 953). Den Gemeinden (*oppida, conciliabula, fora, vici*), d. h. alten Siedlungen der Eingeborenen wie röm. Gründungen, wurden das → *ius Latii* (89 v. Chr.), der Status als *civitas Romana* (49 v. Chr.) oder als *municipium* (evtl. nicht Dertona, wenn diese Stadt tatsächlich eine *colonia* war) zugestanden, unter *II viri* oder *IIII viri*, in den *tribus Pollia, Camilia, Publilia, Pomptina, Maecia, Tromentina, Galeria*. Seit der augusteischen Verwaltungsreform war L. *regio IX* mit folgenden Zentren: Album Intimilium, Album Ingaunum, Vada Sabatia, Genua, Libarna, Dertona, Iria, Vardacates, Industria, Pollentia, Carrea oder Potentia, Forum Fulvii, Augusta Bagiennorum, Alba Pompeia, Hasta, Aquae Statiellae (Plin. nat. 3,5,48f.). Anf. 4. Jh. n. Chr. wurde die Region mit der *Aemilia* zur *dioecesis Italiciana* oder *Italia annonaria* als *Liguria et Aemilia* (Ambr. epist. 63,1) zusammengefaßt. Im 6. Jh. n. Chr. auch als → Alpes Cottiae bezeichnet; 570 n. Chr. von schwerer Pest heimgesucht (Paulus Diaconus, historia Langobardorum 2,4).

A. M. Pinelli, s. v. L., in: Dizionario epigrafico di antichità romane 4, 1959, 1055–1067 • G. Forni (Hrsg.), Fontes Ligurum et Liguriae antiquae, 1976 • E. Salomone Gaggero u. a., Bibliografia ligure, in: Quaderni franzoniani 1–15, 1988–1995. M.G.A.B./Ü: H.D.

**Ligurisch.** Sprache der → Ligures (griech. Λίγυες), die von ant. Autoren als Urbevölkerung der nördl. Mittelmeerküste zw. den Pyrenäen und Etrurien betrachtet werden. Eine sichere Verbindung mit dem Volksnamen in histor. Zeit erbringt die Landschaftsbezeichnung *Liguria*, die den äußersten SW Oberitaliens einnimmt.

Über die vorröm. Sprache dieser Gegend weiß man so gut wie nichts, Texte sind nicht erh.; typisch für PN auf lat. Inschr., die nur in Ligurien bezeugt sind, sind die Suffixe *-anius* und *-elius*; der gleiche Bereich ist vielleicht das Kerngebiet der in den Westalpen verbreiteten Orts- und Flußnamen auf *-asca*, *-usco-* u. ä.; alle Suffixe und Vorderglieder bleiben ohne sicheren Anschluß an andere Sprachen.

→ Lepontisch

J. UNTERMANN, Zu einigen PN auf lat. Inschr. in Ligurien, in: Sybaris. FS H. Krahe, 1958, 177–188 • U. SCHMOLL, Il ligure, lingua mediterranea o dialetto indoeuropeo, in: Riv. di Studi Liguri 25, 1959, 132–138 • M. LEJEUNE, Lepontica, 1971, 133–144 • F. VILLAR, Los indoeuropeos y los orígenes de Europa, [2]1996, 384–389. J.U.

**Ligurius.** Mit dem Stamm der → Ligures kaum in Beziehung zu bringender, ungebräuchlicher Gentilname, während der Republik epigraphisch in Rom (CIL I[2] 1092) und Praeneste (CIL I[2] 1449) nachweisbar.

SCHULZE 523, Anm. 4.

**[1] L., A.** Befreundet mit Caesar und den Brüdern Cicero (Cic. Att. 11,9,2), während des Bürgerkrieges 47 v. Chr. gestorben (Cic. fam. 16,18,3 f.).

**[2] L., Cn.** Fiel 197 v. Chr. als Kriegstribun im Kampf gegen die Ligurer in Gallia Cisalpina (Liv. 33,22,8). T.FR.

**Ligus.** Röm. Cognomen (»Ligurer«), in republikanischer Zeit in den Familien der Aelii (Aelius [I 5 und 6]), Octavii und weiteren (unbekannten) Familien.

KAJANTO, Cognomina, 196 • D. R. SHACKLETON BAILEY, Onomasticon to Cicero's Letters, 1995, 63. K.-L.E.

**Liknites** s. Dionysos

**Liknon** s. Dreschen, Dreschgeräte

**Likymnios** (Λικύμνιος).

**[1]** Sohn des → Elektryon, Halbbruder der Alkmene, Gatte der Perimede, Vater von → Argeios [1], Melas und Oionos bzw., nach einer neuen Quelle [2], von Perimedes, Oionos und Pero. Nachdem er mit den → Herakleidai zunächst bei Keyx in Trachis Zuflucht gesucht hat, wird er von → Tlepolemos in Argos getötet (Hom. Il. 2,661–663; Pind. O. 7,27–31). Als Eponymos der Likymna, der Akropolis von Tiryns (Strab. 8,6,11), – wie seine Mutter Midea durch den Namen als vorgriech. ausgewiesen – ist L. wohl erst sekundär mit dem Mythenkomplex um → Herakles und dessen Nachfahren in Verbindung gebracht worden. L.-Tragödien sind für Euripides (fr. 473–479 NAUCK[2]; vgl. Aristoph. Av. 1242 mit schol., [1]) und Xenokles (TrGF 33 F 2) bezeugt.

1 N. DUNBAR (ed.), Aristophanes, Birds, 1995, 625–626
2 C. HARRAUER, L. und seine Familie in P.Vindob. G 23058, in: WS 101, 1988, 97–126. T.H.

**[2]** Dithyrambendichter und Rhetoriker aus Chios, Hauptschaffenszeit ca. 420 v. Chr. Dion. Hal. berichtet, daß er wie → Polos aus der Schule des → Gorgias [2] kam (Lys. 3,458; vgl. Thuk. 24,869), wohingegen schol. Plat. Phaidr. 267c ihn als Lehrer des Polos bezeichnet. Aristot. rhet. 1413b 14 führt ihn neben dem Tragiker Chairemon [1] unter denjenigen auf, deren Stil »zum Vorlesen geeignet« sei (→ Anagnostikoi), und kritisiert seine Erfindung »lächerlicher« Unterabteilungen der Rede (rhet. 1414b 17). Die wenigen erh. Fr. (PMG 769–771) in Daktyloepitriten können keinem Werk mit Sicherheit zugewiesen werden: eine Apostrophe an Hygieia (769) und eine Beschreibung des Hypnos, der Endymion in Schlaf versetzt, ohne dessen Augen zu schließen.

PMG 768–773 • RADERMACHER, 117–119. E.R./Ü: L.S.

**Lilaia** (Λίλαια, Ptol. 3,14,4; Λίλαιον, schol. Pind. P. 1,121). Stadt in Phokis bei den Kephisosquellen (Hom. Il. 2,523; Theop. FGrH 115 F 385; Strab. 9,2,10; Paus. 10,35,5); benannt nach der Tochter des Flußgottes Kephisos (Paus. 10,33,4); vgl. die Mz. von L. [1. 17 f.]; HN 339; 343). L. liegt am NO-Hang des → Parnassos in strategisch günstiger Lage an der Verkehrsachse oberes Kephisostal – Pleistostal, ca. 33 km von Delphoi entfernt (Paus. 10,33,2). Funde stammen aus prähistor. bis sh. Zeit, die Siedlungskontinuität ist bis in byz. Zeit gesichert (Befestigungsanlagen, Mauerring, Turm aus hell.-röm. Zeit). Von Philippos II. zerstört, nach 338 v. Chr. wieder aufgebaut, ca. 200 v. Chr. von Philippos V. angegriffen (Paus. 10,3,1; 33,3).

1 R. T. WILLIAMS, The Silver Coinage of the Phokians, 1972.

PH. NTASIOS, Συμβολή στήν τοπογραφία τῆς Ἀρχαίας Φωκίδας, in: Phokika Chronika 4, 1992, 12 f. • PHILIPPSON/KIRSTEN 1, 19 ff., 258 ff. • W. K. PRITCHETT, Stud. in Ancient Greek Topography, 4, 1982, 218 • F. SCHOBER, Phokis, 1924, 35 f. • L. B. TILLARD, The Fortifications of Phokis, in: ABSA 17, 1910/1, 60 ff. • F. E. WINTER, Greek Fortifications, 1971, 141 • TIB 1, 202. G.D.R./Ü: H.D.

**Lilie.** Die schon in der kret.-myk. Kunst als dekorative Blume verwendete L., λείριον/*leírion* – davon lat. *lilium* – oder κρίνον/*krínon* (Dioskurides; Theophr.) bzw. κρινωνία/*krinōnía* (Theophr. h. plant. 2,2,1). Das Adj. λειριόεις/*leirióeis* (»lilienhaft« oder »zart«) verwendet Homer Il. 13,830 ironisch für die Haut des Aias und 3,152 für den Gesang der Zikaden sowie Hes. theog. 41 für den der Musen. Persephone pflückt die L. (Hom. h. 2,427). Hdt. 2,92 bezeichnet mit *krínon* jedoch den ägypt. → Lotos. Bei Plin. nat. 21,22–26 (nach Theophr. 6,6,8–9) heißt die hinsichtlich ihrer Berühmtheit sowie ihrer Salbe und des aus ihr gewonnenen Öls (*lirinum*; vgl. Plin. nat. 13,11; *oleum liliacium*: Pall. agric. 6,14) der → Rose sehr nahestehende rötliche L. *crinon* (Plin. nat. 21,24), aber die *purpurea lilia* (ebd. 21,25) soll eine Narzisse sein, vielleicht Narcissus poeticus L. (mit purpurnem Kelch). Es gibt Angaben über die vegetative Vermehrung der L. (durch Einpflanzen ihrer Stengel (Theophr. h. plant. 2,2,1) und ihrer Knöllchen aus den Blattachseln (ebd. 6,6,8); sowie Legen ihrer *bulbi* (Zwiebeln) im Februar (Pall. agric. 3,21,3). Die weiße L., die nach Colum. 9,4,4 als Gartenpflanze bei Bienen beliebt war, soll aus Heras Milch während der Nährung des Herakles entstanden sein (Geop. 11,19). Blätter, Saft, Same und Wurzel halfen bei der Wundheilung (Dioskurides 3,102 WELLMANN = 3,106 BERENDES). Aphrodite soll sie wegen ihrer Reinheit gehaßt haben und ihr den einem Eselphallos ähnlichen Stempel eingesetzt haben. Für die Christen war sie ein Reinheits- und Unschuldssymbol sowie Sinnbild Marias [1].

1 M. PFISTER-BURKHALTER, s. v. L., LCI 3,100–102.

F. OLCK, s. v. Gartenbau, RE 7, 792–794 · V. HEHN, Kulturpflanzen und Haustiere, ed. O. SCHRADER, [8]1911, Ndr. 1963, 251–263. C. HÜ.

**Lilybaion** (Λιλύβαιον, Λιλύβη; lat. *Lilybaeum, -on*). Vorgebirge (h. Capo Boeo) und Stadt (h. Marsala) im äußersten Westen von Sizilien, ca. 140 km von → Karthago entfernt; von den Karthagern gegr. und stark befestigt, nachdem der pun. Stützpunkt → Motya 397 v. Chr. von Dionysios I. zerstört worden war. Die Festung trotzte wiederholten Angriffen der Griechen (368 unter Dionysios, 277/76 unter Pyrrhos) und Römer, denen sie erst über den Friedensvertrag von 241 v. Chr. zufiel. Trotz der minderen Rechtsstellung in der Prov. Sicilia als *civitas censoria* blieb L. aufgrund des florierenden Seehandels eine der reichsten Städte der Insel (Cic. Verr. 2,5,10), war deshalb auch Residenz eines der beiden Quaestoren der Prov. Von → Verres schwer heimgesucht (Cic. Verr. 2,4,32 ff.). Seit Augustus *municipium*, seit Pertinax *colonia Helvia Augusta.*

L. verfügte über eine regelmäßige Stadtanlage mit verschiedenen Bauphasen (Untersuchung durch die mod. Überbauung erschwert), an zwei Seiten vom Meer, im NW, NO und SO von Mauerring und Graben gedeckt; Hafenbecken im Norden, NW und SW. Im NO der Siedlung befand sich eine vom 4. bis zum 1. Jh. v. Chr. belegte Nekropole [1] mit reichen Funden.

1 B. BECHTOLD, La necropoli di Lilybaeum (Marsala), 1999.

B. GAROZZO, s. v. L., $EAA^2$, 3, 363–366 · V. TUSA, s. v. L., PE 509 f. GI. F. u. E. O./Ü: J. W. M.

**Lima** s. Werkzeuge

**Limbus.** Band, Borte oder Bordüre mit vielfältiger Bed. *L.* bezeichnet das Kopfband und den Gürtel, mehr aber den Besatzstreifen und Saum an Gewändern (Ov. met. 6, 127; Verg. Aen. 4,137), der auch bunt oder aus Gold sein konnte (Ov. met. 5, 51). Ferner nannte man den über dem Himmelsglobus laufenden Streifen, der den Tierkreis enthält, *l.* (Varro rust. 2,3,7, → Tierkreiszeichen). Daneben waren *l.* die Schnüre an den Fangnetzen der Jäger und Fischer. R. H.

**Limenia** (Λιμενία). Stadt an der Nordküste von → Kypros [1]. L. erscheint auch unter den Namen Limen und Limnitis in frühchristl. Texten, aus denen die Existenz eines Hafens hervorgeht (erörtert bei [1. 17–20]) und was gegen die Lokalisierung bei Strab. 14,6,3 im Binnenland spricht. Reste bei dem h. Limniti bezeugen eine kurzfristige Besiedlung schon im Neolithikum [2]. An der Flußmündung ein Heiligtum mit Funden von archa. bis hell. Zeit [3].

1 A. WESTHOLM, The Temples of Soloi, 1936
2 E. GJERSTAD, Petra tou Limniti, The Swedish Cyprus Expedition 1, 1934, 1–12 3 H. A. TUBBS, Excavations at Limniti, in: JHS 11, 1890, 82–99.

MASSON, 371, 404 · E. OBERHUMMER, s. v. L. (2), RE 13, 570 f. R. SE.

**Limenios** (Λιμήνιος) aus Athen. Chorlyriker, Komponist eines → Paians an Apollon (127 v. Chr.), der in einer Inschr. am Schatzhaus der Athener in Delphi erh. ist. Neben dem Text selbst sind auch die Noten der Melodie der Kitharabegleitung wiedergegeben: Paionisch-kret. Rhythmus, Aufnahme des Wortakzentes durch die Melodie, höchste Variabilität in der Verwendung der Tonarten.
→ Metrik; Athenaios [7]

E. PÖHLMANN, Denkmäler altgriech. Musik, 1970, 68–76 · M. L. WEST, Ancient Greek Music, 1992, 293–301 · L. KÄPPEL, Paian, 1992, 389–391. L. K.

**Limenius.** Ulpius L. war 342 n. Chr. *proconsul* von Konstantinopel. Er bewirkte nach → Libanios dessen Entfernung aus der Stadt (Lib. or. 1,45–47). 347–349 war er gleichzeitig *praef. praet. Italiae* und *praef. urbis Romae* (Chron. min. 1,68 MOMMSEN; Cod. Theod. 9,21,6; 9,17,2). 349 bekleidete L. das Konsulat. PLRE 1,510 (Ulpius L. 2). W. P.

**Limes** I. ALLGEMEIN II. BRITANNIA
III. GERMANIA IV. RAETIA V. DONAU
VI. NÖRDLICHER VORDERER ORIENT
VII. SÜDLICHER VORDERER ORIENT
VIII. AFRIKANISCHE PROVINZEN

I. ALLGEMEIN

Das lat. Wort *l.* bezeichnete in der rel.-administrativen Lehre der Landvermesser den Grenzweg zw. zwei Grundstücken, im mil. und polit. Sprachgebrauch (Tac. ann. 1,50; Frontin. strat. 1,3,10) die Grenze zw. röm. und nicht-röm. Gebiet (SHA Hadr. 12). In den vergangenen J. hat sich das seit dem 19. Jh. fast ausschließlich geltende mil. Verständnis des L.-Begriffs in der Forschung ausgeweitet auf sein histor.-geogr. und sozioökonomisches Umfeld. Urspr. als lückenlos konzipierte Reichsgrenze verstanden, sieht man h. den entsprechend den jeweiligen naturräumlichen, strategischen, ges., polit. und wirtschaftlichen Bedingungen unterschiedlich gestalteten L. – angefangen von den britannischen über die Rhein- und Donau-Prov. bis hin zu

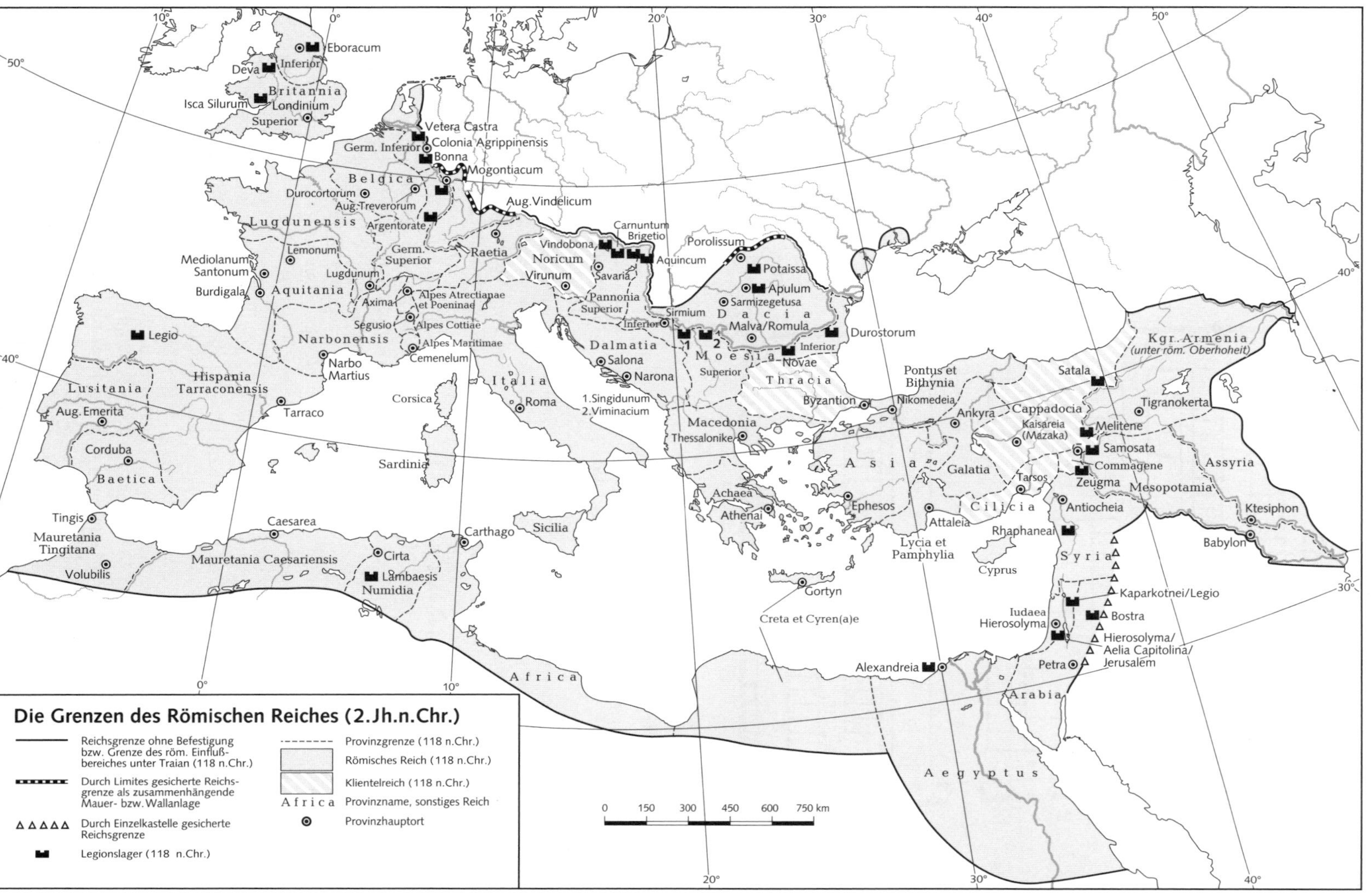
Die Grenzen des Römischen Reiches (2.Jh.n.Chr.)
Reichsgrenze ohne Befestigung bzw. Grenze des röm. Einfluß-bereiches unter Traian (118 n.Chr.)
Durch Limites gesicherte Reichs-grenze als zusammenhängende Mauer- bzw. Wallanlage
Durch Einzelkastelle gesicherte Reichsgrenze
Legionslager (118 n.Chr.)
Provinzgrenze (118 n.Chr.)
Römisches Reich (118 n.Chr.)
Klientelreich (118 n.Chr.)
Africa Provinzname, sonstiges Reich
Provinzhauptort
0 150 300 450 600 750 km
Eboracum
Inferior
Deva
Britannia
Isca Silurum
Londinium
Superior
Vetera Castra
Colonia Agrippinensis
Germ. Inferior
Bonna
Mogontiacum
Belgica
Durocortorum
Aug. Treverorum
Aug. Vindelicum
Lugdunensis
Argentorate
Carnuntum
Brigetio
Porolissum
Mediolanum Santonum
Lemonum
Germ. Superior
Raetia
Vindobona
Noricum
Aquincum
Potaissa
Lugdunum
Virunum
Savaria
Apulum
Burdigala
Aquitania
Alpes Atrectianae et Poeninae
Pannonia Superior
Sarmizegetusa
Axima
Sirmium
Dacia
Segusio
Alpes Cottiae
Inferior
Malva/Romula
Durostorum
Legio
Narbonensis
Alpes Maritimae
Dalmatia
1 2
Inferior
Kgr. Armenia (unter röm. Oberhoheit)
Narbo Martius
Cemenelum
Salona
Moesia Superior
Novae
Pontus et Bithynia
Satala
Hispania Tarraconensis
Lusitania
Italia
Narona
Thracia
Corsica
Roma
1. Singidunum
2. Viminacium
Byzantion
Nikomedeia
Cappadocia
Tigranokerta
Aug. Emerita
Tarraco
Macedonia
Ankyra
Kaisareia (Mazaka)
Melitene
Thessalonike
Samosata
Corduba
Asia
Galatia
Commagene
Assyria
Sardinia
Baetica
Tarsos
Zeugma
Mesopotamia
Achaea
Ephesos
Cilicia
Antiocheia
Ktesiphon
Tingis
Athenai
Attaleia
Caesarea
Carthago
Sicilia
Rhaphaneai
Mauretania Tingitana
Lycia et Pamphylia
Babylon
Cirta
Mauretania Caesariensis
Syria
Volubilis
Lambaesis
Cyprus
Numidia
Gortyn
Kaparkotnei/Legio
Iudaea Hierosolyma
Creta et Cyren(a)e
Bostra
Hierosolyma/ Aelia Capitolina/ Jerusalem
Alexandreia
Petra
Africa
Arabia
Aegyptus
50° 40° 30° 20° 10° 0°

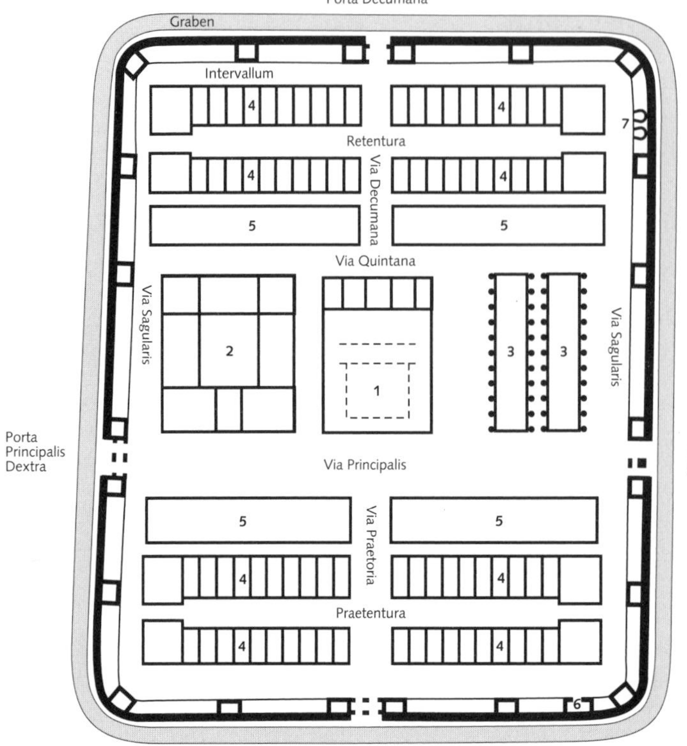


Die wichtigsten Bauwerke eines Auxiliarkastells:
1 Stabsgebäude (Principia)
2 Haus des Kommandeurs (Praetorium)
3 Getreidespeicher (Horrea)
4 Mannschaftsbaracken (Centuria mit je 10 Contubernia)
5 Speicher oder Ställe
6 Toiletten
7 Öfen an der Wehrmauer

den anatolischen, syr., arab. und afrikan. Prov. eher als ein reichsumfassendes Grenzkontrollsystem, das im Laufe des 3. Jh. n. Chr. in Antwort auf die gewandelten polit. und mil. Verhältnisse von unterschiedlichen Konzepten abgelöst wurde. Die gegenständlichen Spuren, die das Grenzsystem des Imperium Romanum im Gelände hinterlassen hat, lenken aber den Blick des Betrachters immer wieder bes. auf die mil. Aspekte des L.; sie stehen daher auch im folgenden im Mittelpunkt.

→ Auxilia; Burgus; Castellum [I 1]; Castra; Legio (mit Karte); Limitanei; Vallum E.O.

II. Britannia

Die Schaffung einer festen Nordgrenze in → Britannia begann unter der Herrschaft des Traianus nach 103 n. Chr. Der Verlauf des L. führte über die Landenge zw. dem unteren Tyne und dem Solway Firth, orientiert an einer unter strategischen Gesichtspunkten gelegenen Straße, der »Stanegate« [1]. Entlang dieser Linie lag eine Reihe von Lagern, Kleinkastellen und Türmen als Basis für Patrouillen in den Norden. Fünf J. nach dem Herrschaftsantritt des Hadrianus, 122 n. Chr. oder später, wurde der Bau einer dauerhaften Grenzbefestigung knapp nördl. der Stanegate beschlossen [2]. Nach der urspr. Planung sollte der L. vom Tyne bis zum Solway, genauer gesagt bis zum Fluß Irthing, auf längere Strecken einen Steinwall haben. Tatsächlich aber bestand dieser Wall westl. des Irthing wohl aus Mangel an Kalkmörtel urspr. aus Grassoden. Vor dem Wall verlief ein Graben, es sei denn das Gelände machte dies überflüssig. Nach dem Originalplan sollten einzelne Kleinkastelle (Meilenkastelle) im Abstand von je einer röm. Meile am Wall liegen; zwei Türme sollten in gleichem Abstand zw. je zwei Kleinkastellen stehen. Die Garnison sollte in Kastellen (→ *castellum*) hinter dem L. stationiert werden. Während des Baus wurde jedoch entschieden, die Kastelle direkt am Wall zu bauen. Es gab zwölf dieser Art und zwei am Solway-Ufer. Zwei weitere wurden später am Wall hinzugefügt. Ein letztes Element war ein breiter Graben mit zwei Wällen, das *vallum* hinter der Grenzbefestigung, um unbefugten Zutritt zu verhindern. Vor der Grenze lagen im Westen mehrere Vorposten-Kastelle zum Schutz der exponierten Flanke. Der Zweck dieses L. war, mit den Worten des Biographen des Kaisers Hadrianus, ›Römer von Barbaren zu trennen‹ (SHA Hadr. 12,6).

Der Hadrianswall hatte kaum seine endgültige Gestalt erreicht, als eine neue feste Grenze errichtet wurde. Nach Feldzügen gegen die nördl. Stämme 140 n. Chr. baute der Statthalter Q. → Lollius [II 4] Urbicus einen geradlinigen Wall aus Grassoden und Erde quer über den Isthmus von Zentral-Schottland [3]. Der Zweck dieses neuen L. ist nicht klar (SHA Antoninus Pius 5,4). Der Hadrianswall hat wohl keinen Kontakt mehr mit

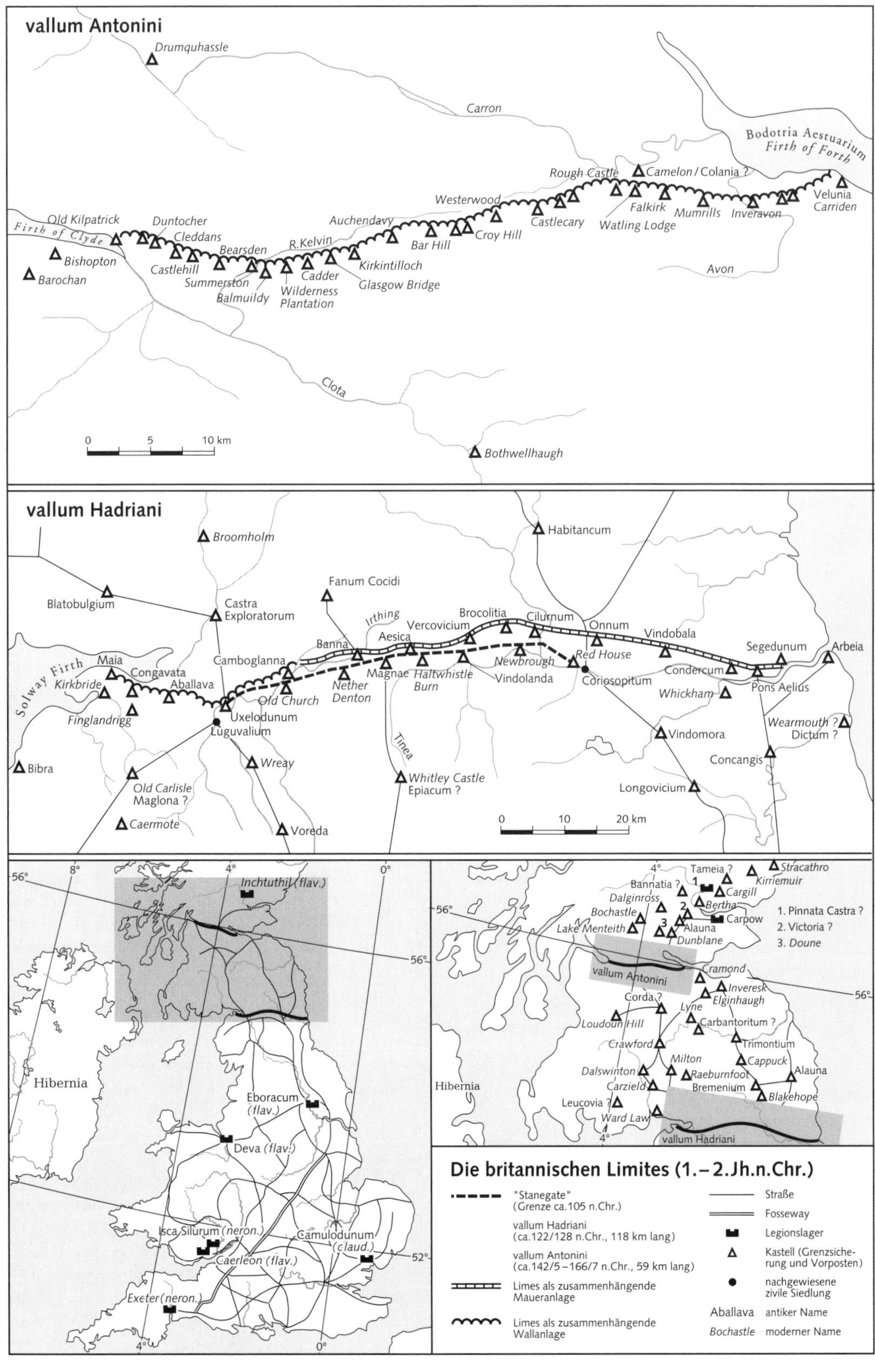
vallum Antonini
Drumquhassle
Carron
Bodotria Aestuarium
Firth of Forth
Rough Castle
Camelon / Colania ?
Velunia
Carriden
Westerwood
Falkirk
Mumrills
Inveravon
Castlecary
Watling Lodge
Old Kilpatrick
Duntocher
Auchendavy
Firth of Clyde
Cleddans
R. Kelvin
Bar Hill
Croy Hill
Bearsden
Bishopton
Castlehill
Kirkintilloch
Barochan
Summerston
Cadder
Glasgow Bridge
Balmuildy
Wilderness Plantation
Avon
Clota
0 5 10 km
Bothwellhaugh
vallum Hadriani
Broomholm
Habitancum
Fanum Cocidi
Blatobulgium
Castra Exploratorum
Irthing
Brocolitia
Cilurnum
Vercovicium
Onnum
Aesica
Vindobala
Banna
Segedunum
Arbeia
Camboglanna
Red House
Maia
Newbrough
Solway Firth
Congavata
Magnae
Haltwhistle Burn
Vindolanda
Condercum
Kirkbride
Aballava
Nether Denton
Coriosopitum
Old Church
Whickham
Pons Aelius
Finglandrigg
Uxelodunum
Luguvalium
Wearmouth ?
Dictum ?
Vindomora
Tinea
Concangis
Bibra
Wreay
Whitley Castle
Epiacum ?
Old Carlisle
Maglona ?
Longovicium
0 10 20 km
Caermote
Voreda
56°
8°
4°
0°
Inchtuthil (flav.)
Hibernia
Eboracum (flav.)
Deva (flav.)
Isca Silurum (neron.)
Camulodunum (claud.)
Caerleon (flav.)
52°
Exeter (neron.)
Tameia ?
Stracathro
Bannatia ?
Kirriemuir
Dalginross
Cargill
Bochastle
Bertha
1. Pinnata Castra ?
2. Victoria ?
3. Doune
Carpow
Lake Menteith
Alauna
Dunblane
vallum Antonini
Cramond
Inveresk
Corda ?
Elginhaugh
Lyne
Loudoun Hill
Carbantoritum ?
Crawford
Trimontium
Milton
Cappuck
Dalswinton
Raeburnfoot
Alauna
Carzield
Bremenium
Blakehope
Leucovia ?
Ward Law
vallum Hadriani
Die britannischen Limites (1.–2.Jh.n.Chr.)
"Stanegate" (Grenze ca.105 n.Chr.)
vallum Hadriani (ca.122/128 n.Chr., 118 km lang)
vallum Antonini (ca.142/5–166/7 n.Chr., 59 km lang)
Limes als zusammenhängende Maueranlage
Limes als zusammenhängende Wallanlage
Straße
Fosseway
Legionslager
Kastell (Grenzsicherung und Vorposten)
nachgewiesene zivile Siedlung
Aballava antiker Name
Bochastle moderner Name

den Hauptfeinden Roms gehabt; es ist auch denkbar, daß nach 20 Jahren Frieden mil. Interessen zu Beginn der Herrschaft des Antoninus Pius ein Ventil für Expansion suchten. Obwohl kürzer als der Hadrianswall (40 im Vergleich zu 80 röm. Meilen), wurde der Antoninuswall nach dessen Vorlage angelegt. Eine vorwiegend taktische Grenze verlief durchgehend vom Firth of Forth zum Firth of Clyde. Kleinkastelle, vergleichbar mit den Meilenkastellen am Hadrianswall, lagen in kurzen Abständen. 16 Kastelle lagen allesamt am L. Ein breiter Graben verlief vor dem Wall, aber nichts, was dem *vallum* ähnelte, war dahinter vorgesehen. Wenige Vorposten-Kastelle deckten die östl. Flanke gegen den Norden der Grenze ab. Der Antoninuswall hatte nur kurze Zeit Bestand. Um 163 n. Chr. wurde er offensichtlich unter dem Druck der nördl. Stämme vorläufig geräumt, um 165/6 n. Chr. zurückerobert und dann vor 168 n. Chr. endgültig aufgegeben [4]. Die Ursache für seine Aufgabe ist unklar. Man kehrte zum Hadrianswall als Grenze zurück, der, abgesehen von einer kurzen Zeit zu Anf. 3. Jh., als Septimius Severus Ostschottland zurückerobern wollte, bis zum E. der röm. Provinzialverwaltung zu Anf. 5. Jh. der nördl. L. in Britannia blieb.

Kastelle am Hadrianswall (von Ost nach West): Segedunum (h. Wallsend), Pons Aelius (h. Newcastle), Condercum (h. Benwell), Vindobala (h. Rudchester), Onnum (h. Halton Chesters), → Cilurnum (h. Chesters), Brocolitia (h. Carrawburgh), Vercovicium (h. Housesteads), Aesica (h. Great Chesters), Magnae (h. Carvoran), Banna (h. Birdoswald), Camboglanna (h. Castlesteads), Uxelodunum (h. Stanwix), Aballava (h. Burgh-by-Sands), Congavata (h. Drumburgh), Maia (h. Bowness-on-Solway).

Kastelle am Antoninuswall (von Ost nach West): Veluniate (h. Carriden); von den folgenden Kastellen sind die ant. Namen unbekannt: Inveravon, Mumrills, Falkirk, Watling Lodge, Rough Castle, Castlecary, Westerwood, Croy Hill, Bar Hill, Auchendavy, Kirkintilloch, Glasgow Bridge, Cadder, Wilderness Plantation, Balmuildy, Summerston, Bearsden, Castlehill, Cleddans, Duntocher, Old Kilpatrick.

**1** D. J. Breeze, B. Dobson, Hadrian's Wall, 1987, 19–24 **2** D. J. Breeze, The Northern Frontiers of Roman Britain, 1982, 87 **3** W. Hanson, G. Maxwell, Rome's North-West Frontier, 1989 **4** S. S. Frere, Britannia, 1987, 135–141.

E. Birley, Research on Hadrian's Wall, 1961 • J. Collingwood Bruce, Handbook to the Roman Wall, 1979, • G. MacDonald, The Roman Wall in Scotland, 1934 • Ordnance Survey. Hadrian's Wall, 1964 • Ordnance Survey. The Antonine Wall, 1969 • G. Maxwell, The Romans in Scotland, 1989 • C. E. Stevens, The Building of Hadrian's Wall, 1966.

M. TO./Ü: I. S.

Karten-Lit.: A. Johnson, Röm. Kastelle, 1987 • R. J. A. Talbert (Hrsg.), Atlas of Classical History, 1985 (Ndr. 1994), 133 f.

### III. Germania

Angesichts der Veränderungen in den mil. Konzeptionen und damit in Verlauf und Struktur der Befestigungslinien über Jh. hinweg kann von einem einheitlichen german. L. nicht die Rede sein. Dementsprechend werden die Grenzabschnitte nach ihrem Verlauf als L. unterschieden, wobei L. ohne genauere begriffliche Festlegung als Bezeichnung für ein System von Befestigungsanlagen dient. Caesar hatte mit der Eroberung von → Gallia den Rhein (→ Rhenus) als Grenzlinie zum german. Barbaricum festgelegt. Im Zuge der Eroberung des Alpenvorlands 15 v. Chr. und der Vorbereitung und Durchführung der Drusus-Feldzüge in das Innere Germanien 12–9 v. Chr. wurden die Legionen an den Rhein vorgeschoben, wo sie zusammen mit Hilfstruppen an strategisch wichtigen Punkten gegenüber den aus der Germania Magna an den Rhein führenden Verkehrswegen, bes. Flußmündungen, postiert wurden. Nach Flor. epit. 2,30,26 ließ Livius → Drusus [I 5] am Rhein mehr als 50 Kastelle anlegen, doch ist eher von einer losen Kette von Stützpunkten vom Niederrhein bis zum Hochrhein auszugehen. Die zentralen Aufmarschgebiete für Vorstöße in das rechtsrheinische Germanien waren → Vetera (Xanten) und → Mogontiacum (Mainz). Die Lager östl. des Rheins waren nicht alle gleichzeitig besetzt. Nach der Niederlage des → Quinctilius Varus 9 n. Chr. wurden die Truppen im wesentlichen auf das westl. Rheinufer zurückgezogen und das auf acht Legionen verstärkte Heer am Rhein auf die Kommandobereiche des *exercitus Germanicus inferior* bzw. *superior* aufgeteilt. Wichtigste Standlager bis etwa 43 n. Chr. waren Vetera I, Ara Ubiorum (→ Colonia Agrippinensis/Köln), Mogontiacum, → Argentorate/Straßburg und → Vindonissa/Windisch.

Mit der Defensivstrategie des Tiberius begann ein systematischer Ausbau der Verteidigungslinien. In claudisch-neronischer Zeit wurde am Niederrhein v. a. die Kastellkette am »Alten Rhein« aufgebaut, die Legionen waren in Vetera I, Novaesium/Neuß und → Bonna stationiert. In Germania Superior sind rechtsrheinische Anlagen im Bereich der Wetterau, am Oberrhein sowie als Übergang zur Donau-(Istros-)Linie im Schwarzwald (→ Abnoba mons; Hüfingen) nachgewiesen. Die (ab 43 n. Chr. nur noch drei) obergerman. Legionen (→ *legio*) lagen in Mogontiacum und Vindonissa. Zwischengeschoben war entlang der gesamten Rheinlinie eine Reihe von durch eine Militärstraße miteinander verbundenen Kastellen (→ *castellum*). Wie bei sämtlichen Fluß-L. verzichtete man hier auf künstliche Annäherungshindernisse.

Der Aufstand der Batavi, Treveri und Lingones 68/9 n. Chr. (→ Bataveraufstand) hatte eine starke Umgruppierung der Lagerbesatzungen entlang der Rheinfront zur Folge. Zur besseren Kontrolle des ostgall. Raums wurde in Mirebeau im Gebiet der Lingones die *legio VIII Augusta* stationiert, von wo sie wohl erst unter Domitianus nach Argentorate verlegt wurde [1]. Mit dem Feldzug des Pinarius Clemens um 74 n. Chr. wurde von

## Limes, Bauphasen (Rekonstruktion)

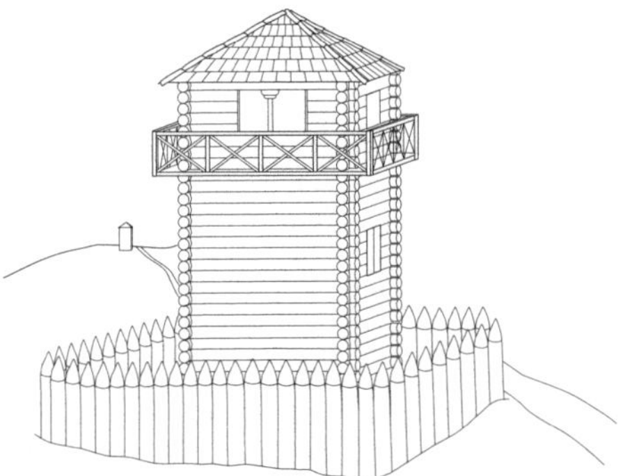

1. Postenweg mit Holzwachtürmen (1. Bauphase).

2. Postenweg mit Holzwachtürmen und Palisade (um 120 n. Chr.).

3. Steintürme statt Holztürme (2. H. 2. Jh. n. Chr.).

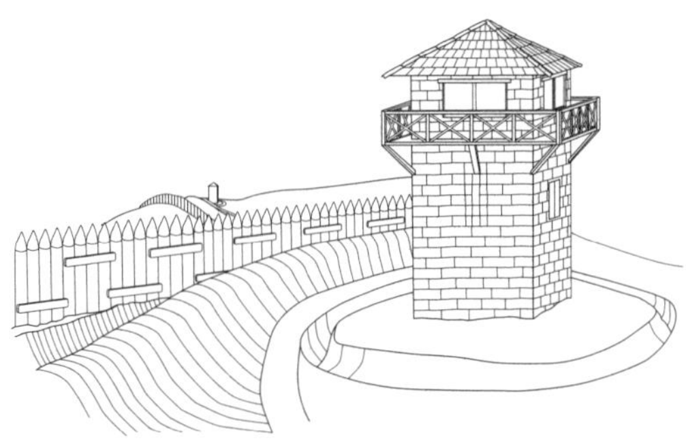

4. Verstärkung des Limes durch Wall und Graben hinter der Palisade in Germania Superior (Ende 2./Anfang 3. Jh. n. Chr.).

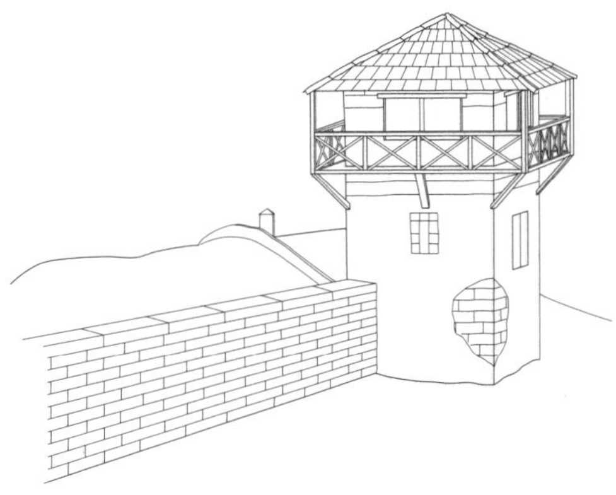

5. Verstärkung durch Bau einer Mauer anstelle der Palisade in Raetia (Ende 2./Anfang 3. Jh. n. Chr.).

Argentorate aus die Kinzigtal-Route zum oberen Neckar (→ Nicer) eröffnet, ferner südl. der Mündung des Mains (→ Moenus) das rechtsrheinische Gebiet bis zu den Gebirgszügen von Odenwald und Schwarzwald fest in das Sicherungssystem einbezogen und die Wetterau durch eine Befestigungsreihe vom unteren Main aus die Nidda aufwärts gesichert. Maßgebend waren mit Ausnahme der Anlagen in der Wetterau (→ Chatti) nicht die Bedrohung durch starke Gegner, sondern mil. Sicherung gegen begrenzte Übergriffe und Verkürzung der Verbindung vom Rhein zur Donau.

In Germania Superior glaubt man, verschiedene Phasen frühflavischer Kastellbauten ausmachen zu können. Wieweit die Anlagen auf ein einheitliches Konzept zurückgehen, das dann erst schrittweise realisiert wurde, ist offen. Die traditionelle Annahme, daß mit dem Bau des »eigentlichen« L. nach den Kriegen des Domitianus gegen die Chatti 83/85 bzw. 89 n. Chr. auf der Höhe des Taunus und an der West- und Ostgrenze der Wetterau begonnen wurde und daß bis um 100 n. Chr. das gesamte rechtsrheinische Grenzgebiet der Prov. im Schutz einer bewachten Grenzlinie stand, ist jüngst bestritten worden, indem die Anlage erst Traianus zugeschrieben wird [2. 29 ff.]. Ein neues Militärdiplom von 98 n. Chr. belegt den noch sehr großen Truppenbestand in Germania Inferior; der Entzug von Einheiten erfolgte hier wie offenbar auch in Germania Superior allg. erst später. Um 160 n. Chr. wurde der »Odenwald-L.« noch einmal um ca. 30 km nach Osten auf die Linie Miltenberg – Lorch vorverlegt und damit eine noch kürzere Verbindung zu den raetischen Wehranlagen hergestellt.

Der L. bestand zunächst nur aus einer durch Holztürme überwachten Schneise, deren Besatzungen aus den benachbarten Kastellen herangezogen wurden, während die (ab Traianus lediglich noch vier) Legionen in den german. Prov. (Vetera, Bonna, Mogontiacum, Argentorate) westl. des Rheins stationiert blieben. Ab Hadrianus wurde der Weg durch eine vorgelagerte Palisade gesichert. Um die Mitte des 2. Jh. n. Chr. erfolgte der Ausbau der Türme in Stein, gegen E. desselben wurden zw. Palisade und Türmen Wall und Graben angelegt. Der L. diente v. a. der Kontrolle der im Vorfeld siedelnden Bevölkerung; sein fortifikatorischer Wert war begrenzt. In der Zeit der → Völkerwanderung ab Mitte des 3. Jh. mußte der obergerman.-raetische L. um 260 n. Chr. infolge von Angriffen insbes. der → Alamanni aufgegeben werden. Die Römer zogen sich wieder hinter Rhein und Donau zurück; die Verteidigungslinien wurden stärker gestaffelt. Am »nassen« niedergerman. L. drangen → Franci tief in röm. Gebiet ein, doch konnte die Rhein-Linie mit Ausnahme des äußersten NO gehalten werden. Gelegentliche Vorstöße der Römer über Rhein und Donau sollten den Druck auf die Grenzen mindern; einzelne Befestigungsanlagen rechts des Rheins noch im 4. Jh. dienten v. a. als Brükkenköpfe (→ Divitia/Köln-Deutz; Castellum/→ Kastel; → Lopodunum/Ladenburg), an eine Wiedergewinnung verlorener Positionen im Bereich der Germania Magna war aber nicht zu denken.

→ Rhenus; Limes-Kommission

1 R. Gogney, M. Reddé (Hrsg.), Le camp légionnaire de Mirebeau, 1995 2 D. Kortüm, Zur Datier. der röm. Militäranlagen im obergerman.-rätischen Grenzgebiet, in: Saalburg-Jb. 49, 1998, 5–65.

J. E. Bogaers, C. B. Rüger (Hrsg.), Der Niedergerman. L., 1974 • M. Gechter, Die Anf. des niedergerman. L., in: BJ 179, 1979, 1–129 • H. Schönberger, Röm. Truppenlager der frühen und mittleren Kaiserzeit zw. Nordsee und Inn, in: BRGK 66, 1985, 321–497 • B. Pferdehirt, Die röm. Okkupation Germaniens und Rätiens ..., in: JRGZ 33/1, 1986, 221–320 • J. Heiligmann, Der »Alb-L.«, 1990 • D. Baatz, Der röm. L., [3]1993 • T. Beckert, W. Willems (Hrsg.), Die röm. Reichsgrenze von der Mosel bis zur Nordseeküste, 1995 • J. S. Kühlborn, Germaniam pacavi, 1995 • C. Bridger, K.J. Gilles (Hrsg.), Spätröm. Befestigungsanlagen in den Rhein- und Donauprov., 1998.

RA. WI.

## IV. Raetia

Das 15 v. Chr. besetzte Alpenvorland (Vindelicia) wurde zunächst durch eine Straße von → Brigantium nach → Iuvavum entlang des Alpenfußes gesichert, wobei der Militärplatz → Augusta [7] Vindelicum (Augsburg) nach Norden vorragte. Seit Claudius (41–54 n. Chr.) war die Donaulinie mit einer Reihe von Auxiliarkastellen von Hüfingen bis Oberstimm besetzt. Dazwischen lagen befestigte Stationen (»Kleinkastelle«), die v. a. den Personen- und Warenverkehr an den Grenzen kontrollierten (Burlafingen, Nersingen, Neuburg a.d. Donau, Oberstimm, Weltenburg und Haardorf-Mühlberg bei Osterhofen). Das nächste Auxiliarkastell war → Lentia (Linz), später Passau-Innstadt. Infolge der Eroberung der → *decumates agri* erfolgte seit den 80er J. des 1. Jh. n. Chr. in mehreren Etappen die Vorverlegung der Grenze auf das nördl. Ufergelände der Donau mit Errichtung der Grenzbefestigungen auf der Linie Burladingen bis Pförring. Um das J. 90 werden Pfünz, Weißenburg (→ Biriciana), Gnotzheim und Unterschwaningen datiert, als domitianisch bzw. spätdomitianisch (81–96) gelten Munningen, Nördlingen und Oberdorf am Ipf, als traianisch (98–117) Pförring und Theilenhofen.

Die nicht unproblematische Auswertung der Fundmünzen-Häufigkeit rechnet dagegen mit ersten Lagern nördl. der Donau erst kurz vor oder um 100 n. Chr. [1. 40 ff.]. Seither standen jedenfalls zur Kontrolle der Albhochflächen alle raetischen Auxiliarreiter im L.-Gebiet: 1000 in Heidenheim und später in → Aalen, im Osten je 500 in Weißenburg, Kösching und Pförring. Der langwierigen, mehrere Jahrzehnte in Anspruch nehmenden Entwicklung der L.-Trassierung muß keineswegs ein einheitlicher Plan zugrunde gelegen haben. Zweifellos spielten zunächst der Schutz der Verbindungsstraße zw. Mainz und Augsburg sowie die Einbeziehung des fruchtbaren Nördlinger Rieses (→ Raetia) eine große Rolle. Mit der Vorverlegung des obergerman. L. um 160 mußte auch die westraetische Grenze auf die Kastell-Linie Lorch (Beginn des raetischen L. im Rotenbuchtal), Schirenhof, Böbingen, Aalen und Rainau-Buch vorrücken. Über das in dieser Zeit beginnende Steinkastell Halheim wurde die Lücke zu den existierenden Kastellen im Osten geschlossen: Ruffenhofen, Dambach, Gnotzheim, Theilenhofen, Weißenburg [3], Ellingen [4], Pfünz, Kösching, Pförring, Eining. Um die Mitte des 2. Jh. n. Chr. wurden in diese Linie die kleineren (Numerus)-Kastelle von Halheim, Gunzenhausen, Oberhochstatt und Böhming eingeschoben. Die schon früher begonnene Befestigung des L.-Wegs mit einer rund 106 km langen Holzpalisade wurde jetzt auch im Westen abgeschlossen, bald nach den Markomannenkriegen (→ Marcomanni) aber durch eine rund 2–3 m hohe Steinmauer ersetzt. Von Eining bis Passau reichte die teilweise (Straubing, Regensburg?) mit mehr als einem Auxiliarkastell gesicherte raetische Flußgrenze.

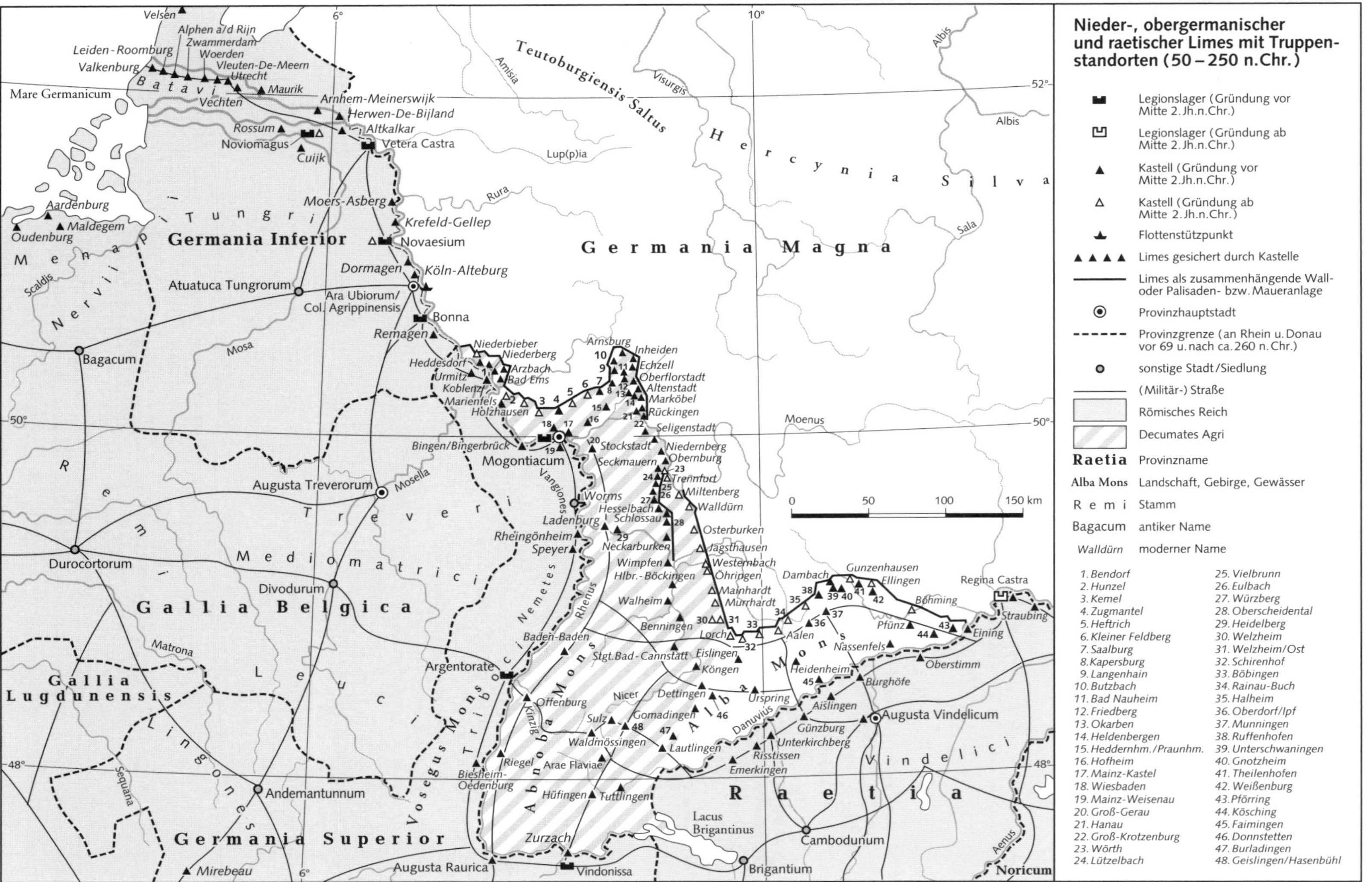
Nieder-, obergermanischer und raetischer Limes mit Truppenstandorten (50–250 n.Chr.)
Legionslager (Gründung vor Mitte 2. Jh.n.Chr.)
Legionslager (Gründung ab Mitte 2. Jh.n.Chr.)
Kastell (Gründung vor Mitte 2. Jh.n.Chr.)
Kastell (Gründung ab Mitte 2. Jh.n.Chr.)
Flottenstützpunkt
Limes gesichert durch Kastelle
Limes als zusammenhängende Wall- oder Palisaden- bzw. Maueranlage
Provinzhauptstadt
Provinzgrenze (an Rhein u. Donau vor 69 u. nach ca. 260 n.Chr.)
sonstige Stadt/Siedlung
(Militär-) Straße
Römisches Reich
Decumates Agri
Raetia Provinzname
Alba Mons Landschaft, Gebirge, Gewässer
R e m i Stamm
Bagacum antiker Name
Walldürn moderner Name
1. Bendorf
2. Hunzel
3. Kemel
4. Zugmantel
5. Heftrich
6. Kleiner Feldberg
7. Saalburg
8. Kapersburg
9. Langenhain
10. Butzbach
11. Bad Nauheim
12. Friedberg
13. Okarben
14. Heldenbergen
15. Heddernhm./Praunhm.
16. Hofheim
17. Mainz-Kastel
18. Wiesbaden
19. Mainz-Weisenau
20. Groß-Gerau
21. Hanau
22. Groß-Krotzenburg
23. Wörth
24. Lützelbach
25. Vielbrunn
26. Eulbach
27. Würzberg
28. Oberscheidental
29. Heidelberg
30. Welzheim
31. Welzheim/Ost
32. Schirenhof
33. Böbingen
34. Rainau-Buch
35. Halheim
36. Oberdorf/Ipf
37. Munningen
38. Ruffenhofen
39. Unterschwaningen
40. Gnotzheim
41. Theilenhofen
42. Weißenburg
43. Pförring
44. Kösching
45. Faimingen
46. Donnstetten
47. Burladingen
48. Geislingen/Hasenbühl
0 50 100 150 km
Mare Germanicum
Teutoburgiensis Saltus
Hercynia Silva
Germania Magna
Germania Inferior
Germania Superior
Gallia Belgica
Gallia Lugdunensis
Raetia
Noricum
Batavi
Tungri
Treveri
Mediomatrici
Remi
Nervii
Menapii
Leuci
Lingones
Vangiones
Nemetes
Triboci
Vindelici
Abnoba Mons
Alba Mons
Vosegus Mons
Lacus Brigantinus
Rhenus
Moenus
Mosella
Mosa
Danuvius
Nicer
Visurgis
Albis
Amisia
Lup(p)ia
Rura
Sala
Aenus
Sequana
Matrona
Scaldis
Kinzig
Bagacum
Durocortorum
Atuatuca Tungrorum
Augusta Treverorum
Divodurum
Andemantunnum
Ara Ubiorum/Col. Agrippinensis
Bonna
Novaesium
Vetera Castra
Noviomagus
Mogontiacum
Argentorate
Augusta Raurica
Vindonissa
Augusta Vindelicum
Cambodunum
Brigantium
Regina Castra
Arae Flaviae
Leiden-Roomburg
Valkenburg
Velsen
Alphen a/d Rijn
Zwammerdam
Woerden
Vleuten-De-Meern
Utrecht
Vechten
Maurik
Rossum
Cuijk
Arnhem-Meinerswijk
Herwen-De-Bijland
Altkalkar
Moers-Asberg
Krefeld-Gellep
Dormagen
Köln-Alteburg
Remagen
Heddesdorf
Niederbieber
Niederberg
Arzbach
Bad Ems
Urmitz
Koblenz
Marienfels
Holzhausen
Bingen/Bingerbrück
Arnsburg
Inheiden
Echzell
Oberflorstadt
Altenstadt
Marköbel
Rückingen
Seligenstadt
Stockstadt
Niedernberg
Obernburg
Seckmauern
Trennfurt
Miltenberg
Walldürn
Worms
Hesselbach
Schlossau
Osterburken
Jagsthausen
Westernbach
Öhringen
Mainhardt
Murrhardt
Ladenburg
Neckarburken
Wimpfen
Hlbr.-Böckingen
Walheim
Benningen
Stgt.Bad-Cannstatt
Eislingen
Köngen
Lorch
Rheingönheim
Speyer
Baden-Baden
Offenburg
Riegel
Biesheim-Oedenburg
Sulz
Waldmössingen
Tuttlingen
Hüfingen
Zurzach
Gomadingen
Dettingen
Lautlingen
Urspring
Heidenheim
Aalen
Dambach
Gunzenhausen
Ellingen
Böhming
Pfünz
Nassenfels
Eining
Straubing
Oberstimm
Burghöfe
Aislingen
Günzburg
Unterkirchberg
Risstissen
Emerkingen
Mirebeau
Oudenburg
Aardenburg
Maldegem
52°
50°
48°
6°
10°

Mit der dauernden Stationierung der *legio III Italica* in Regensburg (179 n. Chr.) verlagerte sich der mil. Schwerpunkt ostwärts. Der nicht als mil. Fortifikation geplante L. konnte den Anstürmen der Alamanni im 3. Jh. nicht standhalten [5]. Infolge oder im Zuge der Auseinandersetzungen mit den → Alamanni und → Iuthungi und der gleichzeitigen Bürgerkriege zw. → Gallienus und → Postumus zogen die Römer sich nach 260 hinter die Donau zurück (vgl. [6]). Um die Wende vom 3. zum 4. Jh. erfolgte der Ausbau des Iller-Donau-Rhein-L. [7], der relativ schwach besetzt war, aber dennoch bis ins frühe 5. Jh. n. Chr. Bestand hatte [8]. Die Kastelle der oberen Donau wurden erst um 476 n. Chr. aufgegeben.

**1** D. Kortüm, Zur Datier. der röm. Militäranlagen im obergerman.-rätischen Grenzgebiet, in: Saalburg-Jb. 49, 1998, 5–65 **2** W. Czysz, Die Römer im Ries, 1979 **3** E. Grönke, Das röm. Alenkastell Biricianae in Weißenburg in Bayern, 1997 **4** W. Zanier, Das röm. Kastell Ellingen, 1992 **5** F. Unruh, Kritische Bemerkungen über die histor. Quellen zum L.-Fall in Südwestdeutschland, in: Fundber. Baden-Württemberg 18, 1993, 241–252 **6** K. Strobel, Raetia amissa?, in: C. Bridger, K.-J. Gilles (Hrsg.), Spätröm. Befestigungsanlagen in den Rhein- und Donauprov., 1998, 83–93 **7** M. Mackensen, Das tetrarchische Kastell Caelius Mons/Kellmünz am raetischen Donau-Iller-Limes, in: C. Bridger (s. [6]), 119–135 **8** J. Garbsch, P. Kos, Das spätröm. Kastell Vemania bei Isny 1, 1988, 105–127.

G. Ulbert, Th. Fischer, Der L. in Bayern, 1983 • R. Braun, J. Garbsch, Der röm. L. in Bayern, 1992 • D. Baatz, Der Röm. L., [3]1993 • K. Dietz, Th. Fischer, in: W. Czsyz u. a. (Hrsg.), Die Römer in Bayern, 1995, 111–126, 472–474. K. DI.

Karten-Lit.: T. Bechert, W. J. H. Willens, Die röm. Reichsgrenze zw. Mosel und Nordseeküste, 1995 • S. B. Bujskich, Zum L. im nördl. Schwarzmeerraum, in: BJ 194, 1994, 165–174 • Ph. Filtzinger, Limesmuseum Aalen, [3]1983 • B. Overbeck, Raetien zur Prinzipatszeit, in: ANRW II 5.2, 658–689, bes. 674, 686 • D. Planck, Neue Forsch. zum obergerman. und raetischen L., in: ANRW II 5.1, 404–456.

## V. Donau

A. Die Anfänge des Donau-Limes (bis Vespasianus)
B. Die Donau als durchgehende und militärisch gesicherte Reichsgrenze (von Vespasianus bis Aurelianus)
C. Der späte Donau-Limes

### A. Die Anfänge des Donau-Limes (bis Vespasianus)

Augustus rühmt sich (R. Gest. div. Aug. 30), die Grenzen des → Illyricum bis an die Donau vorgeschoben zu haben. Von seinem *legatus* Lentulus berichtet Florus (epit. 2,28 f.), er habe, wohl um 10–6 v. Chr., *praesidia* (»Wachposten«) an der unteren Donau errichtet. Bei Festus (8,1) – datierbar vermutlich um 9 v. Chr. – heißt es, ein L. sei zw. Römern und »Barbaren« durch → Noricum, → Pannonia und Moesia (→ Moesi) gezogen worden. In Wirklichkeit spiegelt die histor. Überl. nur den augusteischen Herrschafts- und Machtanspruch wider, von einer durchgehenden, einheitlichen oder gar befestigten Grenze kann zu dieser Zeit aber nicht die Rede sein; vielmehr wurde die Donau von drei nicht miteinander in Verbindung stehenden Basen aus und in verschiedenen selbständigen Kampagnen nur punktuell erreicht. Von Macedonia drang M. → Licinius [I 13] Crassus 28 v. Chr. zum Schutze der Prov. in das Gebiet der späteren Moesia vor (Liv. per. 135; Flor. epit. 2,26). Die vom nachmaligen Augustus 34/3 v. Chr. begonnene Ausdehnung des Illyricum von Westen in nordöstl. Richtung setzte Tiberius 13–9 v. Chr. auf das Karpatenbecken hin die Save entlang bis in ihr Mündungsgebiet fort (Cass. Dio 54,31,2 f.; 34,3; 36,2; 55,2,4; Vell. 2,90,1; 96,2 f.; Liv. per. 141) [1. 226]. Am Oberlauf der Donau soll Tiberius nach dem Alpenfeldzug von 15 v. Chr. die Quellen der Donau besucht haben (Strab. 7,1,5).

In der Frühphase wurde der Schutz der eroberten Gebiete durch Binnenlandgarnisonen sichergestellt, insbes. an den von It. ausgehenden, das Land strahlenförmig durchquerenden Haupttransversalen; so waren in Pannonia die Legionen (→ *legio*, mit Karte) vermutlich im verkehrsgeogr. Dreieck Emona (*legio XV Apollinaris*) – Siscia (oder Sirmium: *legio IX Hispana*) – Poetovio (*legio VIII Augusta*) konzentriert, d. h. an der Save-Route und an der von → Aquileia [1] ausgehenden, zur Ostsee führenden »Bernsteinstraße« (Tac. ann. 1,23; 29). Erst gegen E. der Herrschaft des Augustus wurde röm. Militär an die Donau vorverlegt, zunächst vorzugsweise an die Endpunkte von Straßenverbindungen bzw. an deren Donau-Übergänge, sowie an Flußmündungen; so kam 15 n. Chr. die *legio XV Apollinaris* nach → Carnuntum (CIL III 107068). Von den an der oberen Donau im raetischen Abschnitt errichteten Auxiliarkastellen stammt das älteste in Aislingen aus spättiberischer Zeit; die übrigen in Holz-Erde-Bauweise errichteten Lager aus claudischer Zeit liegen alle im Bereich westl. von Weltenburg (bei Regensburg), während weiter donauabwärts (abgesehen vom Kleinkastell Haardorf-Mühlberg bei Osterhofen) erst wieder in Linz (→ Lentia) ein vorflavisches Militärlager nachgewiesen werden konnte. Es folgen an der pannonischen Donaulinie die Auxiliarlager → Vindobona (Wien), → Arrabona (Győr), → Brigetio (Szőny), → Aquincum (Budapest/Ben-Joszef-Platz), Lussonium (Paks), Cornacum (Šotin), → Mursa (Osijek) [2. 86 f.]. Der L., aber auch das Hinterland war offenbar in einzelne Militärbezirke aufgegliedert, die bis in flavische Zeit von *praefecti* oder einheimischen *principes* verwaltet wurden (z. B. CIL III 14387; IX 5363).

Südl. des »Eisernen Tors« (zw. den Südkarpaten und dem Ostserbischen Gebirge), wo die Donau die Grenze der späteren Prov. Moesia bildete und das zum Ufer hin steil abfallende vorbalkanische Tafelland eine Art natürlichen L. darstellte, konzentrierte sich die mil. Sicherung auf die alluvialen Ebenen der Donauzuflüsse. Zu E. der augusteischen Zeit reichte das röm. Herrschaftsgebiet von Timok bis zum Utus (h. Vit) bzw. Asamus (h. Osăm). An der östl. Peripherie in Oescus am Iskăr lag die *legio V Macedonica* (seit 9. n. Chr.) und im Westen in Ratiaria am Arčar vermutlich die *legio V Scythica* [3]; dazwischen existierte bis in claudische Zeit ein eigener Militärbezirk, die *praefectura civitatium* (sic) *Moesiae et Treballiae* (CIL V 1838). Die unter thrak. Oberhoheit stehende *ripa Thraciae* – das Gebiet zw. Haimos (Balkangebirge), Donau und Schwarzem Meer – wurde auch nach der Bildung der röm. Prov. Thracia 46 n. Chr. nur schrittweise in den röm. Herrschaftsbereich integriert und an Moesia angeschlossen, indem man die Donau-Grenze weiter nach Osten, zunächst bis etwa zum Jantra, ausdehnte und durch die Verlegung der *legio VIII Augusta* (nach 69 *legio I Italica*) nach Novae (h. Svištov) mil. absicherte ([4. 162]; anders [5. 34]: Singidunum); die Schwarzmeerküste kontrollierte ein *praefectus orae maritimae* (AE 1969/1970, 595f.; 1972, 573). Nach den Feldzügen des T. Plautius Silvanus (57–67 n. Chr.) und Rubrius Gallus (69–70) wurden unter Vespasianus auch die Gebiete bis zu den Donau-Mündungen integriert und die ersten Auxiliarlager am rechten Flußufer errichtet (Arrubium, Troesmis, Carsium).

Noch in tiberisch-claudischer Zeit, schon bald nachdem röm. Militär auf den an Macedonia angebundenen Kommunikationslinien das moesische Donau-Ufer erreicht und sich dort festgesetzt hatte, machten sich Soldaten der moesischen Legionen *IV Scythica* und *V Macedonica* daran, eine Verbindung durch das Eiserne Tor zu den äußersten nordöstl. Militärposten in Pannonia an der unteren Save herzustellen (CIL III 1698 ad p. 1024; 13813; [6. Nr. 56f., 60]). Am Oberen Eisernen Tor begann man, direkt am Donau-Ufer eine L.-Straße mit Kastellen in Novae (Čežava), Boljetin und Taliata anzulegen; die untere, noch unwegsamere Donau-Schleife sparte man jedoch aus, indem man die Strecke über den Miročberg führte und sie an den Endpunkten durch die Kastelle Taliata im Westen und Egeta im Osten (z.Z. des Vespasianus) absicherte. Der Abschnitt westl. von Novae bis Singidunum, die Täler der Velika Morava und der Mlava waren in der frühen Kaiserzeit noch nicht gesichert.

### B. Die Donau als durchgehende und militärisch gesicherte Reichsgrenze (von Vespasianus bis Aurelianus)

Seit der unter Vespasianus 69 n. Chr. einsetzenden Lagerbautätigkeit an der Donau lassen sich erstmals die Konturen eines eigentlichen »L.-Systems« erkennen. Sowohl innenpolit. Gründe, röm. Militär möglichst von It. fernzuhalten, als auch die außenpolit. Konzeption einer linearen Grenzverteidigung führten zu einer stärkeren Besetzung der Donau-Linie. Ohne erkennbare Anzeichen einer äußeren Bedrohung wurden nun auch an dem bisher kastellfreien norischen Abschnitt Holz-Erde-Befestigungen errichtet: Passau-Innstadt, Wallsee, Mautern, Traismauer, Zwentendorf, Tulln, Zeiselmauer. In Pannonia läßt sich die Datier. eines Alenlagers bei Óbuda (Budapest) in den Zeitraum von 73 n. Chr. [2. 86f.] auch auf die südl. davon gelegenen Anlagen Aday (Budapest), Albertfalva, Vetus Salina (Adony) und Intercisa (Dunaújváros) übertragen. Auf der gesamten nordpannonischen Strecke zw. Carnuntum und Budapest kamen wohl nur die am Donau-Knie gelegenen Kastelle Cirpi (Dunabogdány) und Solva (Esztergom) hinzu. Freilich ist es im Einzelfall oft überaus schwierig, Holz-Erde-Kastelle nachzuweisen und darüber hinaus eine genaue zeitliche Bestimmung vorzunehmen; dies gilt bes. für den kroatisch-serbischen Teil von Pannonia. Die seit der 2. H. des 1. Jh. zu beobachtende mil. Schwerpunktverlagerung vom Rhein an die Donau löste bei den Völkerschaften jenseits des Flusses Irritationen und eine Lockerung der Klientelverhältnisse aus. Die daraus resultierenden Kriege des → Domitianus [1] gegen → Dakoi (85–88 n. Chr.), gegen → Marcomanni und → Quadi (89 n. Chr.) und die → Sarmatae (92 n. Chr.) brachten eine starke Konzentration von Truppenkontingenten an den mittleren Donau-L.

Eine Fortsetzung fand diese Entwicklung während der Eroberungskriege des Traianus gegen die Dakoi 101/2 und 105/6 n. Chr. Die Kastellbauaktivitäten im westpannonischen Abschnitt – in Klosterneuburg, Schwechat und Vindobona – sind wohl schon mit den Militäraktionen des Domitianus in Zusammenhang zu bringen. Lagen unter Vespasianus in Pannonia nur zwei Legionen (*VIII Gemina* in Poetovio, *XV Apollinaris* in Carnuntum), bestanden in spätdomitianisch-traianischer Zeit vier direkt am L. gelegene Legionslager. Zu dem in Stein umgebauten Legionslager Carnuntum kamen die wohl sofort in Stein errichteten Lager von Vindobona, Brigetio und das 89 n. Chr. zunächst in Holz-Erde-Bauweise entstandene Legionslager von Aquincum. Für fast zwei Jh. verblieben die zu E. der Kriege gegen die Dakoi dorthin deduzierten Legionen *XIV Gemina, X Gemina, I Adiutrix, II Adiutrix* (Cass. Dio 55,23). Relativ spät (spätdomitianisch/traianisch) ist der durch die Schüttinsel natürlich geschützte nordpannonische Abschnitt Gerulata (Rusovce) – Ad Flexum (Mosonmagyaróvár) – Quadrata (Lébény) – Ad Statuas (Ács-Vaspuszta) – Ad Mures (Ács-Bumbumkút) mit Kastellen gesichert worden [7], einen noch etwas späteren zeitlichen Ansatz vermutet man bei den Anlagen in der südl. Pannonia wie Ulcisa Castra (Szentendre), Campona (Nagytétény), Matrica (Százhalombatta-Dunafüred).

In die 86 n. Chr. gebildete Prov. Moesia Superior wurde die bisher nicht okkupierte Donau-Strecke zw. der Save- und der Morava- bzw. Mlava-Mündung integriert und durch Militärlager in Singidunum, Aureus Mons (Seona) und → Viminacium (Kostolac) abgesichert [8. 20f.]. Als Erstbesatzung des neuen Legionslagers Viminacium muß man wohl eher die *legio IV Flavia* als die *legio VII Claudia* annehmen, die sie 117 n. Chr. ablöste, als die *legio IV Flavia* möglicherweise in Singidunum eine neue Bleibe fand ([5. 34f.], anders [9. 118f.]). Im Eisernen Tor wurden angesichts der Kriege des Domitianus und des Traianus gegen die Dakoi die alten frühkaiserzeitlichen Befestigungen repariert und der Straßenbau vorangetrieben, in der Absicht, Ausgangsbasen zur Invasion nach Dakia zu schaffen (CIL III 1699–8267; 1642; AE 1973, 473–475; [6. Nr. 58f.; 10]). Als solche dienten Lederata und im Unteren Eisernen Tor, das den Schwerpunkt der Ausbauarbeiten bildete, Diana (Karataš) und Pontes (Kostol) gegenüber den dakischen → Dierna und → Drobeta. Hier ließ → Apollodoros [14] 102 n. Chr. die berühmte Donau-Brücke errichten und den Fluß durch einen Kanal regulieren.

An der unteren Donau hatte Domitianus bereits vor der Teilung von Moesia aufgrund der Einfälle der Dakoi und Rhoxolani die Zahl der Legionen von zwei auf vier heraufgesetzt. Die Kriege gegen die Dakoi brachten dann eine noch stärkere mil. Konzentration mit sich. Mit der Okkupation von Dakia, insbes. Munteniens (West-Dakia), verlor der Donau-Abschnitt westl. von Novae seinen Charakter als Außengrenze und wurde weitgehend entmilitarisiert; der mil. Schwerpunkt verlagerte sich auf den bisher weniger gesicherten östl. Teil von Moesia Inferior. Neben der dort bereits in Novae stationierten *legio I Italica* wurde 106 n. Chr. die *legio XI Claudia* nach → Durostorum und ein Jahr später die *legio V Macedonica* nach → Troesmis deduziert und in der Folgezeit eine beachtliche Reihe von Befestigungen am rechten Donau-Ufer aufgebaut. Doch hatte der L. in den ersten Jh. weniger Schutzfunktion, sondern die »offensive« Aufgabe, die Verbindungen mit Dakia durch das südl. Moldawien und die Walachei zu kontrollieren und für die Einhaltung der mit den im norddanubischen Vorfeld siedelnden Völkern geschlossenen Klientelverträge zu sorgen.

Der von den Flaviern begonnene Aufbau eines großangelegten Verteidigungssystems mit einer Kette von Kastellen an der Donau und die daraus resultierende Vorverlegung der Truppen direkt an die Grenze wurde unter Traianus mit der Konstituierung der Prov. Dacia im wesentlichen abgeschlossen. Die in der Folgezeit durchgeführten Arbeiten konzentrierten sich auf Änderung und Neubau bestehender Anlagen und den Bau einer gepflasterten L.-Straße. Der Umbau von Holz-Erde-Kastellen in Steinkastelle war weder gleichartig noch gleichzeitig. Er begann zwar bereits Anf. des 2. Jh., eine allg. Steinbauphase ist aber erst um die Mitte des Jh., in verstärktem Maß eigentlich erst nach den Kriegen gegen die Marcomanni zu beobachten. Seit Hadrianus herrschten stabile Verhältnisse an der Donau-Grenze, gegen Ende der Regierung des Antoninus [1] Pius gab es jedoch erste Unruhen und Anzeichen einer unter Führung der Marcomanni sich zusammenbrauenden Koalition german. Stämme. Als die röm. Strategie, den Gegner im eigenen Land zu schlagen, gescheitert war, konnte man den Marcomanni, die 167 n. Chr. den L. durchbrachen, keinen Widerstand mehr entgegensetzen. Nur an der unteren Donau, sieht man von den Übergriffen der → Kostobokoi um 170 n. Chr. ab, blieb das röm. Sicherungssystem bis zur Mitte des 3. Jh. n. Chr. intakt.

Unter den bis 180 n. Chr. sich hinziehenden Kriegen gegen die Marcomanni hatte Pannonia bes. stark zu leiden. Es wurden nicht nur sämtliche L.-Anlagen zerstört, auch das Landesinnere lag darnieder. Erst gegen E. der Regierung des Marcus Aurelius und insbes. unter seinem Nachfolger Commodus stabilisierten sich die Verhältnisse wieder, und der L. wurde reorganisiert. Die neu aufgestellten Legionen *III Italica* und *II Italica* wurden in die neuen Legionslager Castra Regina (Regensburg) in Raetia (179 n. Chr.) und → Lauriacum in Noricum (205 n. Chr.) geführt. Sonst beschränkte man sich meist darauf, die alten Anlagen, allerdings in Stein, wiederherzustellen. In der Form glichen die Steinkastelle ihren Vorgängerbauten, verfügten jedoch über Ecktürme mit trapezförmigem und Seitentürme mit quadratischem Grundriß. Auch die Kastelltore waren mit Türmen versehen. Typisch für die bes. unter Caracalla (211–217 n. Chr.) rege Bautätigkeit sind einspringende Tortürme und Ecktürme mit leicht gerundeter Außenfront.

Von da an wurden für fast 100 J. kaum Baumaßnahmen am L. realisiert. Seit den 30er J. des 3. Jh. gelang es infolge der Völkerbewegungen in den nördl. und östl. Teilen Europas immer weniger, die jenseits der Donau-Linie lebenden Völker in Schach zu halten. Mit dem Scheitern der röm. Strategie der »Vorneverteidigung« war der Donau-L. mil. obsolet geworden. Vom Einbruch der → Alamanni 233 n. Chr. war bes. Noricum betroffen. In Pannonia erreichte die Not durch den Einfall gotischer, quadischer bzw. sarmatischer Völker in den J. 258–260 n. Chr. ihren Höhepunkt. Auch in Moesia durchbrachen Mitte des 3. Jh. Scharen von → Goti und → Carpi den Donau-L. Noch vor der Räumung von Dacia durch Aurelianus (271) ging Gallienus daran, in dem von Militär weitgehend geräumten Sektor westl. von Dimium (h. Belene), wo der Fluß nur eine Prov.-Grenze bildete, Befestigungen anzulegen. Nach Wiederherstellung der Ordnung durch Aurelianus und Probus war die Basis gelegt für umfangreiche Reformen und ein neues L.-Konzept unter Diocletianus und Constantinus.

C. Der späte Donau-Limes

Einherhergehend mit der Neugliederung der Prov. in kleinere Einheiten und der Trennung von mil. und ziviler Verwaltung entstanden unter → Diocletianus am Donau-L. eigene Grenzdukate. Es kam in der Folge zur Aufstellung der sog. *milites* → *limitanei*, die an ihrem mil. Standort Dienst leisteten, daneben aber als »Wehrbauern« die ihnen zugewiesenen Ländereien bestellten. Gegenüber diesen Grenztruppen gewannen die neuaufgestellten Feldtruppen (→ *comitatenses*) als jederzeit einsatzbereite mobile Reserve immer mehr Bed. Die von Diocletianus und seinen Nachfolgern durchgeführten Umbauten an Kastellen waren fortifikatorischer Art:

Anbau von mächtigen, vorspringenden, U-förmigen Tor- und Zwischentürmen sowie von Fächertürmen in den Lagerecken. Ihre bes. Fürsorge galt neben dem pannonischen dem skythischen L. (Donau-Grenze der h. Dobrudscha) [11; 12], welcher um zwei neue Legionen (*I Iovia* und *II Herculea*) verstärkt wurde und nach der Gründung von → Konstantinopolis 330 n. Chr. eine Schutzfunktion für die neue Hauptstadt erlangte.

Unter Valentinianus kam es zu letzten umfangreichen Baumaßnahmen am Donau-L.; es wurden v. a. steinerne Signaltürme errichtet. Konnte sich Rom 333 und 358 n. Chr. dank der neuen Verteidigungsstrategie noch erfolgreich wehren, herrschten seit dem Tod des Valentinianus 375 n. Chr. an der Donau auf ihrer ganzen Länge chaotische Verhältnisse, als Scharen verschiedener Völker, Ost-, West-Goten, Alanoi, Hunni u. a., ins Reich eindrangen. Die röm. Niederlage gegen die Goti bei → Hadrianopolis [3] 378 n. Chr. bildete den Höhepunkt der Katastrophe. 380 erreichte Theodosius eine leichte Entspannung am pannonischen L. durch die mit den »Barbaren« um den Preis ihrer Ansiedlung auf Reichsgebiet abgeschlossenen Verträge. Wie instabil die Verhältnisse jedoch insgesamt waren, zeigte sich nach seinem Tod, als Marcomanni, Quadi, Alanoi und Goti an die mittlere Donau und in das Wiener Becken eindrangen und bis zur Adria vorstießen. Durch den dadurch verursachten Zusammenbruch des L. auf der Linie Vindobona – Brigetio war die östl. Flanke von Noricum ungedeckt, wodurch Angriffe geradezu provoziert wurden: 401 zogen von Osten die → Vandali die L.-Straße entlang bis nach Raetia; 405 durchquerte → Radagaisus Raetia und Noricum, und im J. darauf erfolgten Verwüstungen durch andere Germanenstämme. In der weitgehend »germanisierten« Pannonia läßt sich arch. eine Belegung von Kastellen und Wachtürmen bis in die 20er J. des 5. Jh. nachweisen; doch handelt es sich kaum um offizielle Einheiten röm. *limitanei*, sondern um ansässige Barbarenverbände. Die in die linke Ecke der *praetentura* eingebauten Kleinfestungen, die bei einigen Kastellen festgestellt wurden, sind möglicherweise in nachvalentinianische Zeit zu datieren [13. 97]. 433 wurden Pannonia I und Valeria vertraglich an die → Hunni abgetreten (Priskos, fr. 7 = FHG 4,71 f.). Der L. von Pannonia II konnte jedoch gehalten werden und fiel schließlich an den oström. Reichsteil.

Als 451 n. Chr. Hunni in Noricum einfielen, gab es bereits keinen funktionierenden Donau-L. mehr. Sein Niedergang war wenig spektakulär, sondern das Ergebnis eines seit Anf. des 5. Jh. sich hinziehenden Verfallsprozesses sowohl auf mil. als auch zivilem Sektor. An intakten Grenzbefestigungen mit röm. Militär kennt die *Vita Severini* des Eugippius nur noch das ostraetische Batavis (Passau) und Favianis (Mautern), das schließlich zum letzten Zufluchtsort der röm. Zivilbevölkerung wurde (Eugippius, Vita Severini 20,1; 27,1 f.; 31,1–6). Im frühen MA dienten viele verfallene ehemalige Militärlager am norisch-pannonischen L. der sich aus Restbevölkerung und Zuwanderern formierenden Population als Siedlungsplätze.

An der unteren Donau brachten verheerende Einfälle der Hunni in der 1. H. des 5. Jh. weitreichende Zerstörungen mit sich. Erst nach der erneuten Konsolidierung der röm. Herrschaft wurde unter Anastasius (491–518) und Iustinianus (527–565) mit dem Wiederaufbau von Militäreinrichtungen begonnen. Mit den Vorstößen der Slavi und Avares E. des 6., Anf. des 7. Jh. ging der L. endgültig unter. Am bulgarischen Donau-Ufer entstanden auf dem Gelände von spätantiken röm. Anlagen die ersten früh-ma. bulgarischen Siedlungen (z. B. → Dorticum, → Oescus, Dimium, Iatrus, → Candidiana); am ehemaligen skythischen L. wurden dagegen in byz. Zeit von Anf. der 2. H. des 10. Jh. an die alten röm. Einrichtungen »reaktiviert« und in ein neues »L.-System« eingebunden.

→ Istros

1 F. Miltner, Augustus' Kampf um die Donaugrenze, in: Klio 30, 1937, 200–226 2 D. Gabler, Early Roman Occupation in the Pannonian Danube Bend, in: W. Groenman-van Waateringe, B. L. van Beek u. a. (Hrsg.), 16. L.-Kongreß 1995, 1997, 85–92
3 G. Kabakčieva, Die Gründung des Militärlagers bei der Mündung des Flusses Oescus und die Entstehung der Prov. Mösien, in: Ebd., 387–392 4 R. Ivanov, Der L. von Dorticum bis Durostorum, in: P. Petrović (Hrsg.), Roman L. on the Middle Danube and the Lower Danube, 1996, 161–171 5 M. Mirković, The Iron Gates (Đerdap) and the Roman Policy on the Moesian L., in: Ebd., 27–40 6 A. und J. Šašel, Inscriptiones Latinae, quae in Jugoslavia inter annos MCMXL et MCMLX repertae et editae sunt, Bd. 1, 1963
7 V. Varsik, Das Auxiliarlager von Rusovce-Gerulata, in: s. [2], 75–81 8 P. Petrović, M. Vasić, The Roman Frontier in Upper Moesia, in: s. [4], 15–26 9 N. Gudea, Der obermoesische L., in: s. [4], 115–124 10 M. Mirković Inscriptiones Moesiae Superioris 2, 1986, 293 11 I. Barnea, Ch. Ştefan, Le l. scythicus ..., in: D. M. Pippidi (Hrsg.), 9. Limeskongreß 1972, 1974, 15–25 12 M. Zahariade, The Roman Frontier in Scythia Minor, in: s. [4], 223–234
13 S. Soproni, Die letzten Jahrzehnte des pannonischen L., 1985.

J. Fitz, Der röm. L. in Ungarn, 1976 • M. Fluss, s. v. Moesia, RE Suppl. 9, 517–775, bes. 647–653 • H. Friesinger, F. Krinzinger (Hrsg.), Der röm. L. in Österreich, 1997 • K. Genser, Der öst. Donaul., in: Der röm. L. in Österreich 33, 1986 • G. Hajnóczi u. a. (Hrsg.), Pannonia Hungarica Antiqua, 1995 (ungar.; engl. 1998) • M. Kandler, H. Vetters (Hrsg.), Der röm. L. in Österreich, 1986 • J. Klemenc, Der pannonischen L. in Jugoslawien, in: 5. Limeskongreß 1961. Acta et dissertationes archaeologica 3, 1963, 55–68 • A. Mócsy, s. v. Pannonia, RE Suppl. 9, 517–775, bes. 647–653 • Ders., Pannonia and Upper Moesia, 1974 • Z. Visy, Der pannonische L. in Ungarn, 1988 • M. Zahariade, N. Gudea, The Fortifications of the Lower Moesia, 1997.
Publikationsreihen: Akten der internationalen Limeskongresse • Der röm. L. in Österreich.

Karten-Lit.: N. Vasilica (Hrsg.), Atlas pentru istoria românie, 1983, bes. 17, 25.

F. SCH.

### VI. Nördlicher Vorderer Orient
A. Allgemeines B. Pontischer Limes
C. Kleinasiatisch-mesopotamischer Limes
D. Syrischer Limes

#### A. Allgemeines
Die Ostgrenze des Röm. Reiches spielte in der L.-Forsch. eine untergeordnete Rolle, bis türk. und syr. Staudammprojekte zu Beginn der 70er J. neue Grabungen und Surveys initiierten. Heute sind wichtige Grenzlandschaften an → Euphrates [2] und → Tigris von Wasser bedeckt, doch ist es zumindest gelungen, die Strukturen der röm. Grenzverteidigung im Orient deutlicher zu fassen. Der L. am Euphrates und später am Tigris und Chaboras war gegen das Parther- bzw. Sāsānidenreich gerichtet und mit einer Kette von Legionslagern, Auxiliarkastellen und Wachtürmen gesichert – somit im klass. Sinne eine Reichsgrenze (→ Euphratgrenze). Demgegenüber kam dem in großer Tiefe ausgebauten L. in der syr. Steppe mehr die Aufgabe einer regionalen Grenzverteidigung gegen Nomadenstämme zum Schutz der seßhaften Bevölkerung zu.

#### B. Pontischer Limes
Die Nordflanke des Euphrat-L. sicherten östl. von → Trapezus mehrere Kastelle (→ *castellum*) an der Schwarzmeerküste, deren Aufgabe im Schutz der Schiffahrt und in der Überwachung der Kaukasosstämme lag. Erste Kastelle in → Apsaros [1], → Sebastopolis und → Phasis gründete Vespasianus nach Einrichtung der Prov. → Cappadocia. Traianus und Hadrianus legten weitere Kastelle an und verstärkten die alten Anlagen, wobei in Phasis Steingebäude die früheren Holzbauten ersetzten. Von Trapezus aus – seit 64 n. Chr. Stützpunkt der *classis Pontica* – inspizierte Arrianos 131 n. Chr. die Garnisonen in Hyssu Limen, Apsaros, Phasis und Sebastopolis (Arr. per. p. E. 3–12). E. des 3. Jh. n. Chr. ließ Diocletianus die von den Goten zerstörten Kastelle Apsaros, Sebastopolis und → Pityus wiederaufbauen. Erst Iustinianus sah sich gezwungen, die nördl. Kastelle in Sebastopolis und Pityus aufzugeben, konnte aber im Süden die Reichsgrenze durch neue Kastelle in Rhizaion, Losorion und Petra gegen die Sāsāniden halten.

Ausgrabungen belegen für die Kastelle von Phasis und Pityus ausgedehnte *canabae* (»Lagerdörfer«). So grenzt in Pityus das rechtwinklige Lager der *ala I Theodosiana* unmittelbar an die kreisförmigen *canabae*, in denen Handwerker, Kaufleute und Veteranen siedelten. → *Castrum* und *canabae* waren einheitlich befestigt, im Innern aber durch eine Mauer getrennt, wie es Arr. per. p. E. 10–12 auch für Phasis beschreibt. Erst im 6. Jh. n. Chr. – nach Abzug der röm. Truppen – entwickelten sich neben Sebastopolis auch Phasis und Pityus zu städtischen Zentren.

#### C. Kleinasiatisch-mesopotamischer Limes
Seit dem röm.-parth. Vertrag von 96 v. Chr. galt der Euphrates (→ Euphratgrenze) als Interessengrenze zw. den Großmächten. Erst als 74 n. Chr. Vespasianus Armenia Minor (→ Armenia) und → Kommagene annektierte, trafen Rom und das Partherreich am Euphrates direkt aufeinander, was aus röm. Sicht den Ausbau einer Grenzverteidigung erforderlich machte. Zur Sicherung dieser Grenze, die von Trapezus am Schwarzen Meer bis zum syr. → Sura reichte, wurden Legionslager in → Satala, → Melitene, → Samosata und Zeugma angelegt und durch eine Militärstraße miteinander verbunden, an der weitere Kastelle und Wachtürme lagen. Sehr gut bezeugt ist der Verlauf dieser Grenzstraße durch Straßenabschnitte und mehrere Brücken, von denen die Brücke über den Chabinas bis h. dem Verkehr dient. Spärlich sind dagegen die Zeugnisse für die Legionslager: gestempelte Ziegel und einige Grabstelen von Legionären. Nach weiteren Ziegelfunden stand die *ala II Flavia Agrippiana* bei Tille Höyük und die *cohors I milliaria Thracum* bei Tall al-Ḥāǧǧ. Ausgegraben sind am Euphrates nur zwei Auxiliarlager: Daskusa (h. Pağnık Öreni), das nach einer Bauinschr. aus flavischer Zeit stammt, und Neokaisareia (h. Dibsī Farağ), dessen diocletianische Mauern unter Iustinianus erneuert wurden.

E. des 2. Jh. n. Chr. eroberte Septimius Severus Mesopot. und verlegte die Grenze auf die Linie Tigris – Ǧabal Sinǧār - Chaboras. Das Rückgrat dieser Grenze bildeten um die Hauptstadt → Nisibis die Stadtfestungen → Amida, Kephas, Bezabde, → Singara, Arabana und Kirkesion, in denen die Legionen stationiert waren; Kastelle sicherten die rückwärtigen Straßen sowie strategischen Positionen zw. den Legionslagern am Tigris (Charda und Castra Maurorum) und im Ǧabal Sinǧār (Ad Pontem und Zagurae). Die Legionslager am Euphrates – Samosata und Zeugma – wurden aufgelöst, die *legio XVI Flavia firma* nach Sura, die *legio IIII Scythica* nach Oriza verlegt.

Trotz großer mil. Präsenz war dem severischen Versuch, über das 165 n. Chr. eroberte → Dura-Europos hinaus am Euphrates weitere Kastelle anzulegen und mit dem 235 n. Chr. eroberten → Ḥatra Druck auf die Sāsāniden auszuüben, nur ein kurzer Erfolg beschieden. Ḥatra fiel nach dreijähriger Belagerung 240/1 n. Chr., Dura-Europos wurde 253 n. Chr. von → Sapor I. zerstört und war gut 100 J. später ›verlassen‹ (*desertum oppidum*, Amm. 23,5,8). 363 n. Chr. eroberten die Sāsāniden Ostmesopot. mit → Nisibis zurück, 390 n. Chr. annektierte Rom den Westen des Königreichs Armenia. Daraus ergab sich eine Grenze von Apsaros am Schwarzen Meer über → Theodosiopolis, Kiphas und → Dara [2]/Anastasiupolis nach Kirkesion am Euphrates, die bis in frühbyz. Zeit gewahrt blieb, sich nur teilweise an geogr. Gegebenheiten orientierte und in ihrer Gradlinigkeit fast als modern zu bezeichnen ist.

#### D. Syrischer Limes
Der syr. Steppen-L. von → Bostra über → Palmyra nach → Sura war nicht nur eine Abfolge von Kastellen an der Grenzstraße, sondern ein tief gestaffeltes Verteidigungssystem. Dieses schützte die seßhafte, Ackerbau treibende Bevölkerung und folgte etwa der Linie des 200 mm Jahresniederschlags. Ein erster Ausbau erfolgte

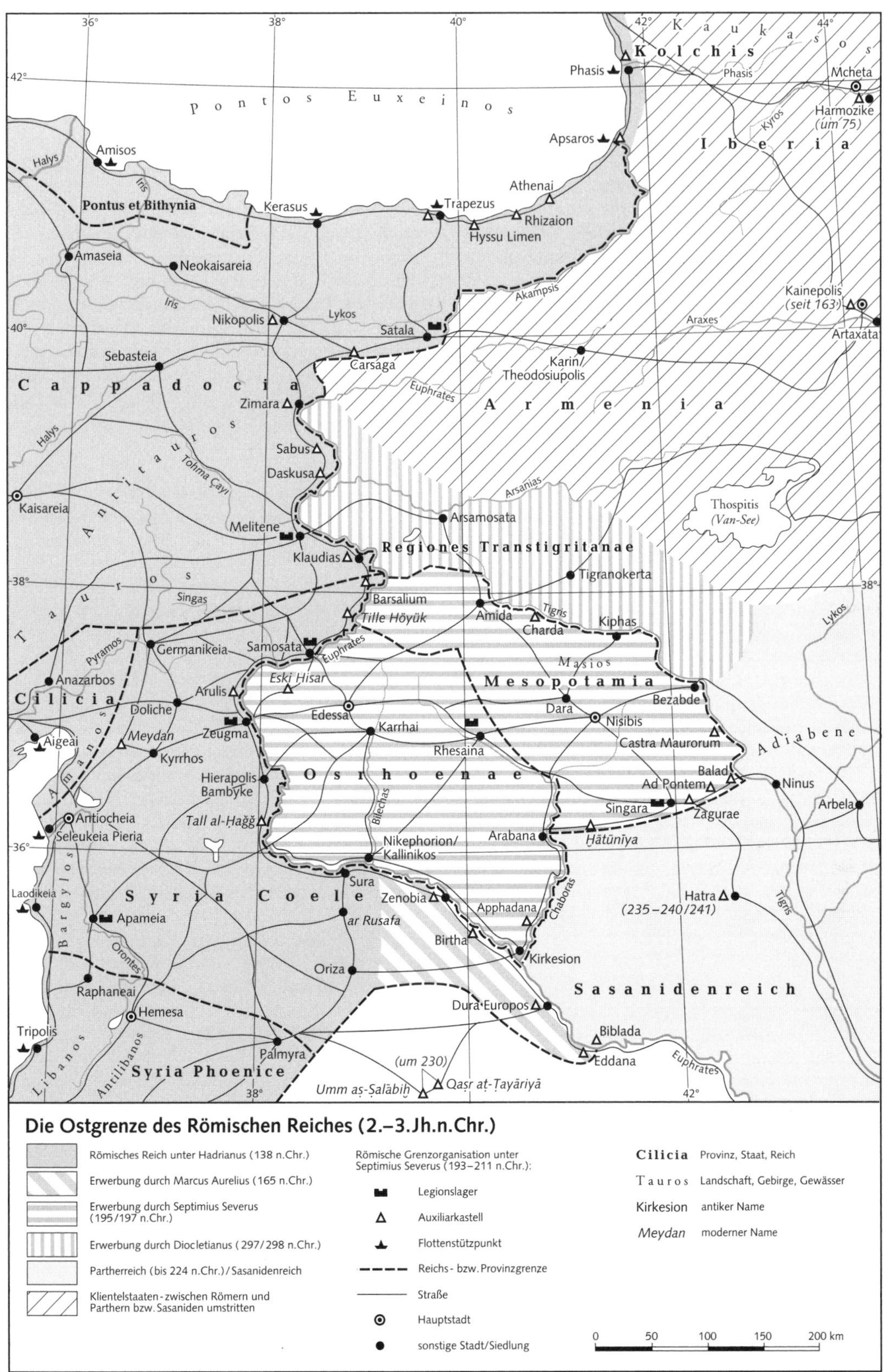


**Die Ostgrenze des Römischen Reiches (2.–3.Jh.n.Chr.)**

unter Vespasianus, der 75 n. Chr. die Straße von Palmyra nach Sura anlegen ließ. Zur Anbindung der neuen Provinzen Mesopotamia und Osrhoenae wurde der L. durch Septimius Severus verstärkt; Diocletianus ließ die *strata Diocletiana* von Bostra über Palmyra, Oriza und → Rusafa (Rhesapha)/Sergiupolis bis Sura ausbauen und durch Kastelle sichern.

Nach Amm. 23,5,2 sind ein »innerer L.« und ein »äußerer L.« zu unterscheiden: Die *interiores limites* bezeichnen die Reichsgrenze, die für Syrien mit der *strata Diocletiana* gegeben ist, die *exteriores limites* umfassen das Gebiet vor der Grenze, in dem röm. Einheiten von Wüstenforts und Wachposten die Bewegungen der Nomadenstämme überwachen. Im 5. und 6. Jh. n. Chr. übertrug Byzanz die Sicherung des äußeren L. den arab. Ġassāniden, deren Phylarchen in den östl. Grenzgebieten vom Euphrates bis zum Golf von Aqaba eine rege Bautätigkeit entfalteten.

Grundlegend für die Erforschung des syr. L. sind bis h. die Publikationen von A. Poidebard [1] und R. Mouterde [2], durch die der Grenzverlauf weitgehend gesichert ist, doch kann trotz ant. Itinerare und der Truppenliste der *Notitia dignitatum orientis* vielen Anlagen weder ein ant. Name noch eine mil. Einheit zugeordnet werden. Probleme bereitet auch die Datier. der meist durch Luftaufnahmen bestimmten Kastelle, von denen viele als spätant. einzuordnen, manche aber erst ġassānidischen oder omajjadischen Ursprungs sind. Umgekehrt hat H. Gaube gezeigt, daß von den als omajjadisch eingestuften Anlagen zumindest Ḫirbat al-Baiḍā [6] bereits unter den Ġassāniden entstanden ist und Qaṣr al-Burquʿ [7] auf einen Wachturm des 4. Jh. n. Chr. zurückgeht.

**1** A. Poidebard, La trace de Rome dans le désert de Syrie, 1934 **2** R. Mouterde, A. Poidebard, Le l. de Chalcis, 1945 **3** L. Dilleman, Haute Mésopotamie orientale et pays adjacents, 1962 **4** D. Oates, Studies in Ancient History of Northern Iraq, 1968 **5** V. A. Lekvinadze, Pontijskij L., in: VDI 108, 1969, 75–93 **6** H. Gaube, Ein arab. Palast in Südsyrien, 1974 **7** Ders., An Examination of the Ruins of Qaṣr Burquʿ, in: Annual of the Department of Antiquities of Jordan 19, 1975, 93–100 **8** R. P. Harper, Two Excavations on the Euphrates Frontier 1968–1974, in: D. Haupt, H. G. Horn (Hrsg.), Stud. zu den Militärgrenzen Roms 2, 1977, 453–460 **9** H. Hellenkemper, Der L. am nordsyr. Euphrat, in: Ebd., 461–471 **10** J. Wagner, Legio IIII Scythica in Zeugma am Euphrat, in: Ebd., 517–539 **11** T. B. Mitford, Cappadocia and Armenia Minor, in: ANRW II 7.2, 1980, 1169–1228 **12** S. Mitchell (Hrsg.), Armies and Frontiers in Roman and Byzantine Anatolia, 1983 **13** J. Wagner, Die Römer an Euphrat und Tigris (Antike Welt 16), 1985 (Sondernummer) **14** P. Freeman, D. Kennedy (Hrsg.), The Defense of the Roman and Byzantine East, 2 Bde., 1986 **15** D. H. French, C. S. Lightfoot (Hrsg.), The Eastern Frontier of the Roman Empire, 2 Bde., 1989 **16** B. Isaac, The Limits of Empire, ²1992 **17** E. Dabrowa (Hrsg.), The Roman and Byzantine Army in the East, 1994 **18** D. L. Kennedy (Hrsg.), The Roman Army in the East, 1996 **19** Ders. (Hrsg.), The Twin Cities of Zeugma on the Euphrates, 1998 **20** J. Wagner, Die Ostgrenze des Röm. Reiches (1.–5. Jh. n. Chr.), TAVO B V 13, 1992 (Karte).

Karten-Lit.: J. Wagner, Östl. Mittelmeerraum und Mesopotamien. Die Neuordnung des Orients von Pompeius bis Augustus (TAVO B V 7), 1983 • Ders., Die Römer an Euphrat und Tigris (Antike Welt, Sonder-Nr.), 1985 • Ders., Die Ostgrenze des Röm. Reiches (1.–5. Jh. n. Chr.), TAVO B V 13, 1992. J. WA.

### VII. Südlicher Vorderer Orient

Um die Handelsrouten in die südl. → Arabia zu beherrschen und die Beduinen am NW-Rand der arab. Halbinsel zu kontrollieren, begann Rom seit dem 2. Jh. n. Chr., den semi-ariden Gürtel zw. dem südsyr. Ḥaurān und dem Sinai mil. zu sichern. Um die Wende vom 3. zum 4. Jh. n. Chr. entstand so eine tiefgestaffelte Sicherheitszone mit einem System von Militärstraßen, Kastellen, Wachtürmen und befestigten Städten, das in der Spätant. als ›Palästinischer und Arab. L.‹ (Rufin. 2,6) bekannt wurde [1. 43 ff.; 7. 164 ff.; 10. 115 ff.].

Nach der Annexion des Nabatäerreichs (→ Nabataioi) unter Traianus bezog die *legio III Cyrenaica* ihr Standlager in → Bostra und baute von dort aus 106–110 n. Chr. die *via Traiana Nova* nach Aila am Roten Meer. Die Severer errichteten an der Karawanenroute von Bostra durch Wādī 's-Sirḥān Kastelle in Qaṣr al-Ḥallābāt, Qaṣr al-Azraq, Umm al-Ǧimāl und Qaṣr al-ʿUwainid, sowie einen vorgeschobenen Posten in al-Ǧauf [2. 110 ff.; 4. 118 ff.; 11. 17 ff.]. Entlang der Südroute durch den Ḥiǧāz ist für al-ʿUlā und Mādaʾin Ṣāliḥ im späten 2. Jh. n. Chr. röm. Patrouillentätigkeit inschr. bezeugt [13. 121 ff.]. Mit vermehrter Militärpräsenz reagierte Rom seit E. des 2. Jh. auf den Zusammenschluß der arab. Kamelzüchternomaden zu mächtigen Großstämmen, die nach der Einführung des neuen Kamelreitsattels im 4. Jh. als hochbewegliche → Saraceni wegen ihrer Beutezüge in den röm. Ostprov. gefürchtet waren [3. 14 ff.; 6. 326 ff.; 12. 36 ff.; 14. 26 ff.].

Gegen die wachsende Unsicherheit errichtete Diocletianus den arab. L. als flächendeckende, tiefgestaffelte Militärzone unter dem Kommando des *dux Arabiae* von Syria bis zum Roten Meer [4. 161 ff.; 8. 313 ff.]. Die vorherrschende Befestigungsform waren Kleinkastelle des spätant. → Quadriburgium- oder Tetrapyrgos-Typs von ca. 0,1–0,5 ha Fläche, die der Kontrolle von Verkehrswegen und Wasserstellen dienten [4. 186 ff.]. Arch. näher untersucht sind v. a. Ḫirbat al-Fityān, Qaṣr Bušair, Qaṣr al-Ḥallābāt, Tamara (Qaṣr al-Ǧuhainīya) und ʿĒn Boqēq. Analoge Bauformen zeigen das rund 4,0 ha große Lager der *legio IV Martia* in al-Laǧǧūn sowie die möglicherweise für die *legio VI Ferrata* bestimmte Großbefestigung von Adroa (Uḏruḥ); unbekannt ist das Lager, das die *legio X Fretensis* nach ihrer Verlegung von Jerusalem in Aila bezog. Als neuer Befestigungstyp kamen vereinzelt größere Höhenbefestigungen von annähernd rechteckigem Umriß hinzu, ebenfalls mit Kasemattenmauern, geräumigem Innenhof und Ecktürmen, z. B. in Nessana und ʿĀvadat. Zw. den Kastellen lagen Wachttürme wie Rugm Beni Yassar und Tsafit; daneben entstanden offenbar seit dem späten 4. Jh. polygonale, dem Geländerelief angepaßte Befestigungen, etwa Umm al-Ǧimāl, sowie Wehrtürme als Refugien für Dorfbewohner [7. 331; 9. 15ff.; 12. 44].

Gegen E. des 5. Jh. n. Chr. ersetzte das sog. Phylarchat (→ *phýlarchos*) durch Sicherheitsbündnisse mit Nomadenstämmen den L. als Militärzone herkömmlicher Prägung: Byzanz übertrug den Beduinenscheichs gegen Geldzahlungen die Sicherungsaufgaben in den Grenzprov. Dadurch verloren die L.-Kastelle ihre mil. Funktion. Ihre Garnisonen wendeten sich, wie den Papyrusfunden von Nessana zu entnehmen ist, allmählich nichtmil. Aufgaben zu [5. 125ff.; 8. 271ff.; 13. 132ff.]. Die Invasionsheere der Perser 614 und der Araber 634/640 n. Chr. trafen am L. auf keinen nennenswerten Widerstand; zur Abwehr bot Rom Truppen des Feldheeres und seine arab. Verbündeten auf; die *limitanei*-Garnisonen spielten bei der Verteidigung keine Rolle mehr [8. 155ff.; 9. 152ff.].

**1** A. Alt, L. Palaestinae, in: Palästina-Jb. 26, 1930, 43–82 **2** G. Bowersock, Roman Arabia, 1983, 76–157 **3** D. F. Graf, The Saracens and the Defense of the Arab Frontier, in: BASO 229, 1978, 1–26 **4** B. Isaac, The Limits of Empire, [2]1992, 118ff. **5** Ders., The Meaning of the Terms L. and Limitanei, in: JRS 78, 1988, 125–147 **6** H.-P. Kuhnen, Der Sarazenensattel ..., in: V. A. Maxfield, M. J. Dobson (Hrsg.), Roman Frontier Studies 1989. Proc. XVth International Congress of Roman Frontier Studies, 1991, 326ff. **7** Ders., Palästina in griech.-röm. Zeit (Hdb. der Arch. Vorderasien 2,2), 1994 **8** Ph. Mayerson, Monks, Martyrs, Soldiers and Saracens. Papers on the Near East in Late Antiquity, 1994, 155ff. **9** S. Th. Parker, Romans and Saracens, 1985, 15ff. **10** Ders., Geography and Strategy on the Southeastern Frontier in the Late Roman Period, in: W. Groenman-Wateringe (Hrsg.), Roman Frontier Studies 1995. Proc. XVIth International Congress of Roman Frontier Studies, 1997, 115ff. **11** D. L. Kennedy, Archaeological Explorations on the Roman Frontier in North-East Jordan, 1982 **12** Ders., D. Riley, Rome's Desert Frontier from the Air, 1990, 36ff. **13** M. Sartre, Trois études sur l'Arabie romaine et byzantine, 1982, 121–203 **14** I. Shahid, Byzantium and the Arabs in the Fourth Century, 1984, 26ff.

Karten: R. E. Brünnow, A. v. Domaszewski, Die Provincia Arabia 1, 1904; 2, 1905; 3, 1909 • J. Wagner, TAVO, Karte 17.2: Die röm. Prov. Palaestina und Arabia (70–305 n. Chr.), 1988.

### Liste der Stationen am arabischen Limes

a) Aila (h. ʿAqaba, Jordanien): Nabatäisch-röm. Hafen am Roten Meer, seit 106/114 n. Chr. Endpunkt der *via Nova Traiana*; ab ca. 300 n. Chr. Standlager der bis dahin in Jerusalem stationierten *legio X Fretensis*.

H. I. MacAdam, Fragments of a Latin Building Inscription from A., in: ZPE 79, 1989, 163ff. • TIR/IP, 59.

b) Eboda (h. ʿAbda, ʿĀvadat, Israel): Nabatäisch-röm. Siedlung, Kastell und Kirchenburg des spätant. *l. Arabiae et Palaestinae*.

TIR/IP, 114 • Y. Aviram (Hrsg.), The New Encyclopedia of Archaeological Excavations in the Holy Land 3, 1992, 1137ff.

c) Qaṣr al-Azraq (Jordanien): Oase und Kastell des Quadriburgium-Typs mit Bauinschr. von 326/333 n. Chr. am *l. Arabiae*.

D. L. Kennedy, Archaeological Explorations on the Roman Frontier in North-East Jordan, 1982, 75–90, Abb. 18.

d) Qaṣr Bušair (Jordanien): Kastell des Quadriburgium-Typs mit Bauinschr. von 306 n. Chr. am *l. Arabiae*.

S. Th. Parker, Romans and Saracens, 1985, 53ff., Abb. 21.

e) ʿĒn Boqēq (Israel): Kleinkastell des Quadriburgium-Typs am *l. Arabiae*.

M. Gichon, En Boqeq. Ausgrabungen in einer Oase am Toten Meer, 1, 1993, 47–388.

f) Qaṣr al-Ḥallābāt (Jordanien): Kastell des Quadriburgium-Typs am *l. Arabiae*; Auxiliarkastell aus severischer Zeit, inschr. bezeugt und im Luftbild erkennbar.

D. L. Kennedy, Archaeological Explorations on the Roman Frontier in North-East Jordan, 1982, 17–54, Abb. 4.

g) al-Ǧauf (ant. Dumata, Saudi-Arabien): Station an der Karawanenroute von Arabia zum Pers. Golf; seit severischer Zeit durch eine röm. Garnison bewacht.

M. P. Speidel, The Roman Road to Dumata ..., in: Historia 36, 1987, 213–221.

h) al-Laǧǧūn (Jordanien): Standlager der *legio Martia* am *l. Arabiae*.

S. Th. Parker, Romans and Saracens, 1985, 58–74.

i) Madāʾin Ṣāliḥ (al-Ḥigr; Saudi-Arabien): Oase an der Karawanenroute durch den Ḥiǧāz nach Südarabien; bed. Felsnekropole aus nabatä. Zeit und Graffiti von röm. Militärposten des 2./3. Jh. n. Chr.

R. Wenning, Die Nabatäer – Denkmäler und Gesch., 1987, 119ff.

j) Nessana (h. Nizana, ʿAuǧāʾ al-Ḥafīr; Israel): Nabatä. Siedlung, Kastell und Kirchenburg am spätant. *l. Arabiae et Palaestinae*; FO bed. Pap. zur Gesch. der spätant. Kamelreitergarnison.

H. D. Colt (Hrsg.), Excavations at Nessana, 1962 • TIR/IP, 196.

k) Tamara (h. Meṣad Tamar/Qaṣr al-Ǧuhainīya; Israel): Kastell des Quadriburgium-Typs am *l. Arabiae*.

M. Gichon, Excavations at Mezad Tamar – Tamara (1973–1975), in: Saalburg-Jb. 33, 1976, 80–94 • TIR/IP, 247.

l) Adroa (h. Uḏruḥ, Jordanien): Nabatä. Karawanenstation und spätant. Großbefestigung am *l. Arabiae*, evtl. Standlager der *legio VI Ferrata*.

A. Killick, Udruh and the Trade Route through Southern Jordan, in: A. Hadidi (Hrsg.), Stud. in the History and Archaeology of Jordan 3, 1987, 173–179.

m) Umm al-Ǧimāl (Jordanien): Befestigte Stadt und Mil.-Garnison am spätant. *l. Arabiae.*

B. DeVries, The Umm el-Jimal Project (1972–1977), in: BASO 244, 1981, 53 ff.

n) Qaṣr al-ʿUwainid (Jordanien): Kastell des spätant. Quadriburgium-Typs am *l. Arabiae*; Auxiliarkastell aus severischer Zeit inschr. bezeugt.

D. L. Kennedy, Archaeological Explorations on the Roman Frontier in North-East Jordan, 1982, 113–127, Abb. 25.

H.KU.

VIII. Afrikanische Provinzen
A. Einleitung B. Mauretania Tingitana
C. Mauretania Caesariensis D. Numidia
E. Africa Proconsularis F. Tripolitana
G. Cyrenaica H. Ägypten

A. Einleitung

Beschrieben werden 1) Straßenverbindungen, 2) Grabensysteme, die unter der Bezeichnung *fossae* oder *fossata* bekannt wurden, 3) abschnittsweise errichtete Mauern und mauerartige Hindernisse (*clausurae*), 4) mil. Anlagen unterschiedlicher Größe und Funktion (eine Legionslagerfestung gab es in der Kaiserzeit im h. Maghreb nur in → Lambaesis, vgl. dort mit Plan). Die mil. Absicherung der von Rom beanspruchten Gebiete erfolgte nach Phasen vom 1.–3. Jh. n. Chr.

B. Mauretania Tingitana

Der Aufstand des → Tacfarinas z.Z. des Tiberius (Tac. ann. 3,74) und des Aedemon als Reaktion auf die Ermordung des mauretanischen Königs Ptolemaios durch Caligula machten den Einsatz röm. Militärs bereits vor der Gründung der Prov. Mauretania Tingitana (M. T.) und Mauretania Caesariensis (M. C.) unter Claudius notwendig. Nach Tac. hist. 2,58 standen dem *praefectus* der M. C. und M. T., Lucceius [II 1] Albinus, 19 Kohorten, 5 Alen und eine große Zahl von Einheimischen (*ingens numerus Maurorum*) zur Verfügung. → Militärdiplome aus Banasa informieren über Namen und Zahl mil. Formationen, die in M. T. im 2. Jh. stationiert waren [3]. Von Tingis ausgehend, führten zwei Straßenverbindungen – eine im Küstenbereich, eine im Landesinnern – nach Süden. Sie waren an den Kreuzungspunkten mit den Wadisystemen mil. unterschiedlich abgesichert. Den östlichsten, ca. 100 km von der Küste ins Innere vorgeschobenen Posten stellte → Volubilis mit seinen Satellitensiedlungen dar, die eine Sicherheitszone bildeten. Eine Zusammenfassung des als *l. Tingitanus* definierten Grenzgebiets zw. Imperium Romanum und Einheimischen gibt Euzennat [2], weitere Forschungsergebnisse sind veröffentlicht u. a. bei [1; 4; 5].

Der *fluvius Sububus* (h. Sebou) bildete mit dem Kastell von Souk el Arba, der Stadt → Banasa und dem Kastell Thamusida nahe der Flußmündung eine Sicherheitszone. Im Süden der M. T. markierte ein auf ca. 10 km hin festgestelltes Grabensystem aus dem 1. Jh. n. Chr. (Modifizierungen im 2. Jh.), die *fossa* von → Sala, röm. beanspruchtes Territorium gegenüber der »Welt der Einheimischen«. Das stellenweise mit *agger, vallum* und Palisaden verstärkte → *fossatum* war wohl teilweise ein echtes Hindernis gegen willkürliche Überschreitung. Im Umfeld von Volubilis bestand ein System befestigter Orte und mil. Einrichtungen (vgl. die Kastelle in Ain Schkour, Tocolosida, Sidi Moussa, Sidi Said), das im östl. Vorfeld der Prov. die Kontrolle der geogr. bestimmten Routen ermöglichte (»L. von Volubilis«). Die massive röm. Militärpräsenz (insgesamt 1500–2000 Soldaten) machte dieses Gebiet mit etwa 40000 Einwohnern zum sichersten des Imperiums.

In der Spätant. blieb das mil. Gefüge im Norden von Mauretania im wesentlichen intakt, wenngleich für E. 3. Jh. Auseinandersetzungen mit den → Baquates inschr. bezeugt sind. Die großen Wadis des Sububus (h. Sebou) und des Loukkos waren durch eine Reihe von Lagern und Wachtposten entlang der Binnenstraßen von Volubilis über Vopiscianis und Oppidum novum (am Loukkos) nach Norden mil. abgesichert.

→ Afrika (mit Karte); Castrum; Castellum; Legio (mit Karte); Limitanei

1 A. Akerraz u. a., Nouvelles découvertes dans le bassin du Sebou, in: P. Trousset (Hrsg.), L'Afrique du Nord antique et médiévale. VI^e colloque international, 1995, 233–342
2 M. Euzennat, Les l. de Tingitane, 1989
3 H. Nesselhauf, Zur Militärgesch. der Prov. M. T., in: Epigraphica 12, 1950, 34–48 4 R. Rebuffat, La frontière du Loukos au Bas-Empire, in: Lixus, 1992, 365–377
5 Ders., L'implantation militaire romaine en Mauretanie Tingitane, in: L'Africa romana 4, 1986, 31–78.

C. Mauretania Caesariensis

Ein unterschiedlich breiter Küstenstreifen, Berge, Hochplateaus und die Sahara stellen den geogr. Rahmen mit teils abgeschlossenen Regionen dar, die den Verlauf röm. Vordringens bestimmten. Zw. dem L. Volubilitanus und L. von Tafna war auf 350 km Länge Niemandsland. Die von [1] beschriebenen Phasen der L.-Entwicklung setzten E. des 1. Jh. n. Chr. südl. der Küstenlinie von Portus Magnus im Westen und → Saldae im Osten ein, → Auzia behauptete die südlichste Position. Unter den Antoninen (2. Jh. n. Chr.) wurde diese Linie ausgebaut und von Auzia ein Bogen zu → Gemellae, einem vorgeschobenen hadrianischen Kastell, geschlagen. Im 3. Jh. wurde die von zahlreichen Militäranlagen auf einer Länge von ca. 700 km gebildete Linie bis zu den Hauts Plateaux nach Süden vorgeschoben. Das in die Sahara führende Beobachtungssystem jenseits der Hochplateaus gehörte dem numidischen L. an.

1 P. Salama, Les deplacements successifs du l. en Maurétanie Césarienne (essai de synthèse), in: Internat. Limeskongreß Akten 11, 1977, 577–595.

N. Benseddik, Les troupes auxiliaires de l'armée romaine en Maurétanie Césarienne sous le Haut-Empire, 1982 • P. Leveau, L'organisation de l'espace rural en Maurétanie

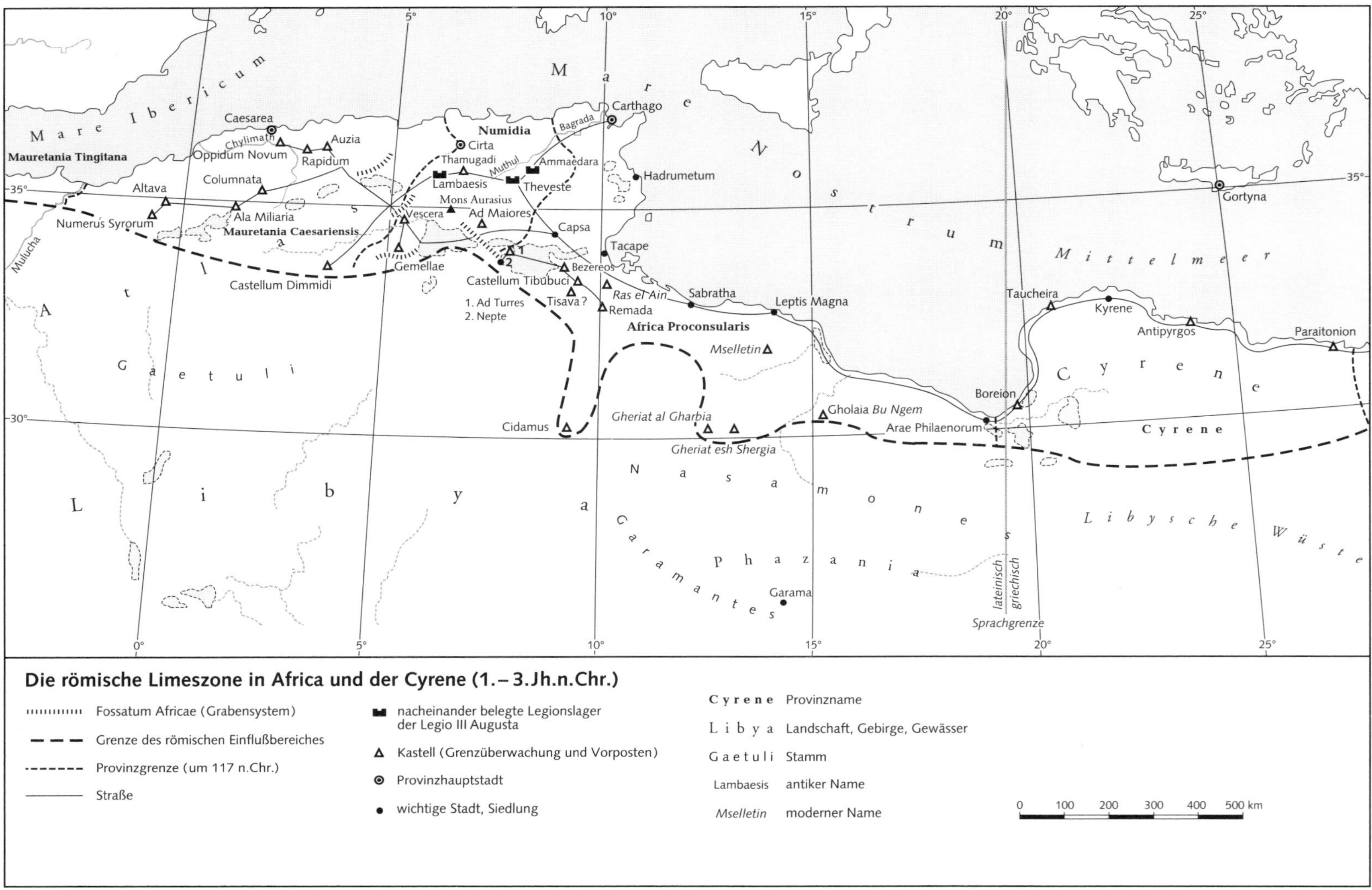


**Die römische Limeszone in Africa und der Cyrene (1.–3.Jh.n.Chr.)**

Césarienne, in: P. ZECH, (Hrsg.), Hommes et richesses dans l'Empire byzantine. 1: IV$^{e}$-VI$^{e}$ siecle, 1989, 35–52.

D. NUMIDIA

Zur versuchsweisen Charakterisierung des numidischen L. müssen mehrere Komponenten berücksichtigt werden: zunächst die naturräumlichen Gegebenheiten und das Landschaftsrelief; sie verzögerten die Präsenz Roms und des Militärs bedeutend; ferner die ökologischen und ethnischen Faktoren, die das Leben in dieser Übergangszone mitformten, und die sozialen Rahmenbedingungen im *monde sedentaire* und *nomadisme pastoral*. Die einzelnen Phasen stellen sich nach FENTRESS [3] folgendermaßen dar:

1) Hadrianisch-frühantoninische Zeit: → Lambaesis, Sitz der *legio III Augusta* (vgl. [1]), bildete die mil. Ausgangsbasis, von der aus Aurès-Gebirge und Nementcha-Berge mit Militäranlagen umgeben wurden. Das Kastell von → Gemellae bildete einen vorgeschobenen Posten am Wadi Djedi in der Sahara. Zölle wurden nach [3] in → Zarai, → Diana Veteranorum und Lambaesis eingezogen. *Fossata* erfüllten u. a. auch den Zweck, → Transhumanz-Bewegungen in kontrollierte Bahnen zu lenken. Unter Antoninus [1] Pius wurde die Verbindungsstraße von Lambaesis nach Vescera (h. Biskra) angelegt.

2) Severische Phase: Die Gründung von Gemellae zog E. des 2. Jh. die Gründung von Castellum Dimmidi nach sich, das Überwachungs- und Kontrollfunktionen über einheimische Stämme und im Umfeld der wichtigen Nord-Süd-Routen ausübte. Die Disposition der Kastelle und Posten ermöglichte eine nahezu lückenlose Beobachtung einer in beide Richtungen offenen Kontaktzone, in der keine großmaßstäblich organisierten Erhebungen von Einheimischen befürchtet werden mußten, und einen Anschluß an das L.-System in der Africa Proconsularis und Tripolitaniae in der südtunesischen Chott-Region.

3) Spätantike: Wenigen Kastellgründungen unter Gordianus [3] III., der die *legio III Augusta* auflöste, folgten unter Constantinus vereinzelte um Gemellae, eine Stärkung des *fossatum* und eine Reorganisation unter Valentinianus. Eine Auflistung der in der Africa Proconsularis und Numidia nachweisbaren Auxiliartruppen vom 1. bis 3. Jh. findet sich bei [2].

4) Byzantinische Zeit: Das mil. Eingreifen Ostroms unter Iustinianus gegen Maurusioi und Vandali sah die Befestigung früherer Städte vor. → Thamugadi übernahm nun die Funktion eines Militärlagers (anstelle von Lambaesis; vgl. [5]). Zu den Kampagnen der Byzantiner im Aurès unter Solomon vgl. [6; 7], zu den Befestigungen siehe auch die Übersicht von [8].

**1** Y. LE BOHEC, La troisième légion Auguste, 1989 **2** Ders., Les unites auxiliaires de l'armée Romaine en Afrique Proconsulaire et Numidie sous le Haut Empire, 1989
**3** E. B. FENTRESS, Numidia and the Roman Army, 1979
**4** A. RUSHWORTH, North African Deserts and Mountains, in: D. L. KENNEDY (Hrsg.), The Roman Army in the East (Journal of Roman Archaeology, Suppl. 18), 1996, 297–316
**5** J. LASSUS, La forteresse Byzantine de Thamugadi. Fouilles à Timgad 1938–1956, 1981 **6** P. MORIZOT, Recherches sur les campagnes de Solomon en Numidie méridionale, in: CRAI 1993, 83–106 **7** D. PRINGLE, The Defence of Byzantine Africa, 2 Bde., 1981 **8** E. M. RUPRECHTSBERGER, Byz. Befestigungen in Algerien und Tunesien, in: Antike Welt 20/1, 1989, 2–21.

M. JANON, Remarques sur la frontière de Numidie, in: Roman Frontier Studies, 1989, 482–484 • B. D. SHAW, Soldiers and Society: The Army in Numidia, in: Ders., Rulers, Nomads and Christians in Roman North Africa, 1995, Kap. 9, 133–157.

E. AFRICA PROCONSULARIS

Die Anwesenheit röm. Militärs in der von Caesar geschaffenen Prov. Africa (nova) (→ Afrika [3]) wird durch inschr. bezeugte Unternehmen greifbar. Epigraphische Quellen in Form von Meilensteinen führen ins J. 14 n. Chr. Ihnen zufolge war die *legio III Augusta* mit dem Bau einer Straße von ihrem Winterlager nach Tacape (Gabes am gleichnamigen Golf) beschäftigt. Tacape, → Capsa und → Ammaedara (Haidra) bildeten eine Achse, die auf die östl. Numidia weist: von Ammaedara nach → Theveste in flavischer Zeit, unter Hadrianus nach Lambaesis, dem endgültigen Sitz der *legio III Augusta*. Von dort erfolgte die planmäßige Anlage von Straßen und Kastellen um das Aurès-Gebirge.

F. TRIPOLITANIA

Das Landschaftsbild bestimmen ein schmaler Küstenstreifen, die Djebelregion und die Sahara, ein über weite Strecken hin unfruchtbares und ödes Gebiet, das in der *predesert* landwirtschaftlich intensiv genutzt wurde [2]. Die Typologie mil. Anlagen umfaßte starre Abschnittsbefestigungen in Form von *clausurae* (*fossata*) und Mauern, die als lineare Hindernisse (*propugnacula*) Migrationen in der Chott-Region kanalisieren sollten, Straßen und Pisten mit Aussichts- und Beobachtungsposten (*speculae*), Kastelle, Centenaria und ein Kleinkastell (*burgus*): zum Netz der strategischen Einrichtungen am Nordrand der Wüste im h. Tunesien vgl. [6]; zum mil. Ausgreifen nach Osten mit der Gründung von Gholaia (h. Bu Ngem) vgl. [4].

1.–2. Jh.: Die in flavischer Zeit für die Region um den südtunesischen Chott el Djerid arch. wahrscheinlich gemachte Anwesenheit röm. Militärs wird unter Hadrianus durch die Errichtung des Kastells von Remada (h. Tillibari) konkret faßbar. Von hier aus erfolgten Verbindungen nach Tripolitania (T.).

3. Jh.: Die erste Phase des Jh. ist gekennzeichnet durch die Aktivitäten des Provinzstatthalters und Kommandeurs der *legio III Augusta*, Q. Anicius [II 2] Faustus. Einzigartig ist das inschr. abgesicherte Gründungsdatum des Kastells von Gholaia vom 24. Januar 201. Unter den severischen Kaisern erfolgte auf der Höhe von Cidamus (Ghadames) ein Ausgreifen nach Osten in die Saharazone nördl. der Steinwüste. Damals entstanden die Kastelle von Gheriat al Gharbia und Gholaia und der Wehrbau von Gheriat esh Shergia. Dieser Abschnitt des L. Tripolitanus läuft auf die Kleine Syrte hin aus. Zeit-

liche Fixpunkte innerhalb des L. Tripolitanus bieten Inschr. vom Gasr Duib (244–247) und Talalati (Ras el Ain Tlalet, 263). Der L. war in einzelne Sektoren unter dem Befehl örtlicher *tribuni* aufgeteilt. Sie unterstanden einem *praepositus*, der den Titel *vir egregius* führte. Eine auf 248 datierte Inschr. aus Gholaia spricht von einem *praepositus limitis* (sc. *regionis* o.ä.) *Tripolitanae*.

4. Jh.: Die mil. Strukturen blieben im wesentlichen bestehen: Der Oberbefehl oblag einem *dux*. Die Grenzmiliz rekrutierte sich aus ehemaligen einheimischen Wehrbauern. Diese *gentiles* schufen im Vorfeld des L. eine bis in frühislamische Zeit bestehende landwirtschaftlich geprägte Kultur mit umfangreichen Bewässerungsanlagen [3], vgl. etwa Ghirza [1]. Für E. des 4. Jh. ist ein *dux et corrector limitis Tripolitani* bezeugt.

5. Jh.: An der Spitze des Militärs stand der in → Leptis Magna residierende *dux*. Ihm unterstanden die *praepositi* der einzelnen L.-Abschnitte, unter denen ein *l. Maccomadensis* angeführt wird.

6. Jh.: Die byz. Reorganisation unter Iustinianus in der Byzacene und in der T. umfaßte die Absicherung des Küstenstreifens von Tacape über → Sabratha und → Oea (Tripoli) bis Leptis Magna [5; 7].

1 O. Brogan, D. J. Smith, Ghirza, 1984 2 The UNESCO Libyan Valleys Survey, in: Libyan Stud. 11, 1979/1980ff.; zuletzt 26, 1995, 49–78 3 D. J. Mattingly, Tripolitania, 1995 (Lit.) 4 R. Rebuffat, Notes sur le camp Romaine de Gholaia (Bu Njem), in: Libyan Stud. 20, 1989, 155–167 5 E. M. Ruprechtsberger, Byz. Befestigungen in Algerien und Tunesien, in: Antike Welt 20/1, 1989, 2–21 6 P. Trousset, Recherches sur le L. Tripolitanus du Chott el-Djerid à la frontière Tuniso-Libyenne, 1974 7 Ders., Les défenses côtières Byzantines de Byzacene, in: Roman Frontier Studies (1989), 1991, 347–353.

R. Rebuffat, Le l. de Tripolitaine, in: D. J. Buck, D. J. Mattingly (Hrsg.), Town and Country in Roman Tripolitania, 1985, 127–141 • E. M. Ruprechtsberger, Die röm. Limeszone in Tripolitanien und der Kyrenaika. Tunesien-Libyen (Schriften Limesmuseum Aalen 47), 1993 • I. Sjöström, Tripolitania in Transition: Late Roman to Islamic Settlement, 1993.

### G. Cyrenaica

1.–3. Jh.: Die schon in histor. und geophysikalischer Hinsicht grundlegend verschiedene Prov. dürfte von den Städten aus mil. geschützt worden sein. Einen L. postulierte Goodchild [1] für das 1. Jh. n. Chr. im SW der Cyrenaica (= C.). Derselben Periode sollen auch Forts an den Rändern des Plateaus von → Kyrene angehört haben. Im 3. Jh. wurden nach bewährtem strategischem Muster die Plateauränder durch Einheimische besiedelt. Detailforsch. zum Thema mil. Einrichtungen in der C. stehen noch aus.

4.–5. Jh.: Die beiden libyschen Prov. unterstanden wie auch Äg. und die Thebais einem *dux*. Seinen Sitz wollte man in Apollonia sehen. Von kleineren Episoden abgesehen, verunsicherten ab ca. 400 n. Chr. libysche Stämme unter Führung der Austuriani (darunter die Laguantan) die C. Den wiederholten Einfällen von Einheimischen begegneten mil. Formationen mit german., dalmat., thrak. und hunn. Soldaten.

6.–7. Jh.: Nach [2] war die Libya Pentapolis (das Gebiet der Städte Berenike, Arsinoe, Ptolemais, Kyrene und Apollonia) in iustinianischer Zeit ein Land von befestigten Bauwerken, Forts und Wachtürmen. Prok. aed. 6,2 erwähnt zwei Befestigungsanlagen (*ochyrṓmata*) mit Garnisonen (*phylaktḗria*): in Antipyrgos und Paraitonion. Weitere Festungen bzw. mit Mauern umwehrte Städte sicherten den Küstenstreifen nach Westen, etwa Teuchira, Berenike und Boreion (vgl. Prok. aed. 6,2 f.).

1 R. G. Goodchild, The Roman and Byzantine L. in Cyrenaica, in: J. Reynolds (Hrsg.), Libyan Studies, 1976, 195–209 2 Ders., Fortificazioni e palazzi bizantini in Tripolitania e Cirenaica, in: Corsi Ravenna 13, 1966, 225–250.

E. M. Ruprechtsberger, Die röm. L.-Zone in Tripolitanien und der Kyrenaika. Tunesien-Libyen (Schriften Limesmuseum Aalen 47), 1993.

### H. Ägypten

Intensive Geländeforschungen in Äg. erbrachten den Nachweis von *limites* östl. [3] und westl. des Nils [2; 4] sowie in Unteräg. [1]. Neben arch. Quellen erhellen Papyri und Ostraka das Militärwesen in spätant./byz. Zeit. Die Militärarchitektur ist mit teils atypischen Grundrißkonzeptionen fortifikatorischer Anlagen in Ziegel und Steinbauweise vertreten.

Westl. Wüste: Mil. Präsenz ist frühestens 213 n. Chr. schriftlich bezeugt (*ala Apriana*). Einige mil. genutzte Bauten aus vorwiegend nachtetrarchischer Zeit (aus der Zeit nach 306) in der Khargeh Oase lassen die Bezeichnung *l.* (noch) fragwürdig erscheinen.

Östl. Wüste: Befestigte Wasserstationen (*hydreúmata*), Kastelle (z. B. in Clysma), viele Wachtposten und Türme bildeten den *Eastern Desert-L.* – als *l.* in konstantinischer Zeit inschr. bezeugt –, der Kainopolis am Nil mit Abu Sha'ar am Roten Meer verband und von augusteischer Zeit bis ins 7. Jh. bestand. Die wirtschaftliche Bed. des Gebietes lag in der Nutzung der Marmorbrüche am Mons Claudianus und Mons Porphyrites. Die Route diente außerdem dem Handel und wurde von Pilgern auf ihrem Weg ins Hl. Land bes. vom 5.–7. Jh. frequentiert.

1 R. M. Price, The L. of Lower Egypt, in: R. Goodburn, P. Bartholomew (Hrsg.), Aspects of the Notitia Dignitatum, 1976, 143–151 2 M. Reddé, A l'ouest du Nil: Une frontière sans soldats, des soldats sans frontière, in: Roman Frontier Studies (1989), 1991, 485–493 3 S. E. Sidebotham, A L. in the Eastern Desert of Egypt: Myth or Reality, in: Ebd., 494–497 4 G. Wagner, Les oasis d'Égypte à l'époque grecque, romaine et byzantine d'après les documents grecs, 1987.

R. Alston, Soldier and Society in Roman Egypt, 1995 • R. Bagnall, Military Officers as Landowners in the 4th Century Egypt, in: Chiron 22, 1992, 47–54 • J.-C. Golvin, M. Reddé, L'enceinte du camp militaire romain de Louqsor, in: Stud. zu den Militärgrenzen Roms 3, 1986,

594–599 • S.E. SIDEBOTHAM u.a., Survey of the 'Abu Sha'ar-Nile road, in: AJA 95, 1991, 571–622 • S.E. SIDEBOTHAM, R.E. ZITTERKOPF, Routes through the Eastern Desert of Egypt: Expedition 37/2, 1995, 39–51. ALLG. LIT. ZUM L. AFRICANUS: Y. LE BOHEC, La recherche récente sur l'armée Romaine d'Afrique (1977–1989), in: Antiquités africaines 27, 1991, 21–31 • M. EUZENNAT, La frontière Romaine d'Afrique, in: CRAI 1990, 565–580 • P. LEVEAU, Le l. d'Afrique à l'epreuve de noveaux concepts, in: A. ROUSSELLE (Hrsg.), Frontières terrestres, frontières celestes dans l'antiquité, 1995, 57–65 • D. PRINGLE, The Defence of Byzantine Africa, 2 Bde., 1981.

E.M.R.

KARTEN-LIT.: E.M. RUPRECHTSBERGER, Die röm. L.-Zone in Tripolitanien und der Kyrenaika, Tunesien – Libyen, 1993 • B.H. WARMINGTON, African L., in: R.J.A. TALBERT (Hrsg.), Atlas of Classical History, 1985 (Ndr. 1994).

**Limesfalsa** s. Münzfälschung

**Limia.** Küstenfluß südl. vom Miño, h. Lima. Der Name ist nach [1] keltisch. Ant. Belege: ›Millia und Oblivio‹, Mela 3,10; ›Lethe‹, Sil. 1,236; 16,476; ›Oblivio‹, Flor. epit. 1,33,48; ›L., Limaea und Aeminius‹, Plin. nat. 4,112; 115; Λίμιος, Ptol. 2,6,1; Λιμαία, Λήθης und Βελιών, Strab. 3,3,4f.; Λήθης, App. Ib. 301; 304. Erklärungen dieser Namensvielfalt gibt [2]; Vermutungen über eine Stadt L. und die Anwohner des Flusses, die lusitanischen Limici, bei [4], über die Quellen bei [3].

1 HOLDER, s.v. L. 2 SCHULTEN, Landeskunde 1, 353f. 3 A. SCHULTEN, Fontes Hispaniae Antiquae 4, 1937, 136; 6, 1952, 204; 8, 1959, 220, 226 4 Ders., s.v. L., RE 13, 671.

TOVAR 3, 130, 298. P.B.

**Limitanei.** Allg. Bezeichnung für die Einheiten des spätröm. Heeres, die einen festen Standort in den Grenzgebieten (*limites*; s. → *limes*) des Imperium Romanum hatten. Sie standen unter dem Kommando eines → *dux limitis*, der die Verantwortung für einen Teilabschnitt der Grenze trug, der sich oft über mehrere Territorialprov. erstreckte. Der Begriff *l.* ist erstmals 363 n.Chr. in einem offiziellen Dokument bezeugt (Cod. Theod. 12,1,56); er wurde verwendet, um die territorialen Truppen von den Soldaten des Feldheeres (→ *comitatenses*), das an kein bestimmtes Gebiet gebunden war, zu unterscheiden. Die Schaffung des Feldheeres geht wahrscheinlich auf Diocletianus zurück, der allerdings gleichzeitig an der Stationierung von starken Truppenverbänden in vielen Prov. festhielt und so einen Schutz für das Imperium schuf.

Constantinus I. vergrößerte das Feldheer; die Grenztruppen bestanden nun aus den übrigen Legionen, den *alae* und *cohortes* der → *auxilia* sowie aus neuen Einheiten von Fußtruppen und Reiterei. Ein Gesetz von 325 n.Chr. (Cod. Theod. 7,20,4) legte fest, daß der Dienst in Einheiten der *comitatenses*, *ripenses* und *protectores* mehr Privilegien nach sich zog als der Dienst in den *alae* und *cohortes*; es sah außerdem vor, daß Soldaten des Feldheeres bei einer Entlassung aufgrund von Verwundung oder Dienstunfähigkeit besser gestellt waren als andere Soldaten. Dabei können die *ripenses* wahrscheinlich mit den später als *l.* bezeichneten territorialen Truppen gleichgesetzt werden; ihren Namen erhielten sie möglicherweise von den Prov., die in der *Notitia Dignitatum* als *ripariensis* oder *ripensis* beschrieben werden, vermutlich, weil sie an einen Fluß oder ein Ufer grenzten.

→ Zosimos kritisierte die Militärpolitik des Constantinus, weil dieser – anders als Diocletianus, der eine unüberwindliche Barriere von Grenzfestungen geschaffen hatte – die Verteidigung des Imperium Romanum schwächte, indem er Truppen aus den Grenzgebieten abzog (Zos. 2,34,1); da Zosimos Constantinus ablehnend gegenüberstand, ist diese Kritik jedoch als übertrieben einzuschätzen. Ohne Zweifel waren die *l.* kampfstarke Einheiten und im 4. Jh. keine Milizarmee aus Bauern, die nur zeitweise kämpften. Obwohl einige Soldaten vielleicht eigenes Land besaßen, waren sie nicht dazu gezwungen, es ständig zu bearbeiten. *L.* waren mehr als einfache Grenztruppen: Der *dux limitis* von Palaestina besaß im J. 409 die Verantwortung für die drei Prov. Palaestinas, und die *l.* unter seinem Befehl wurden im gesamten Gebiet zu mil. Zwecken eingesetzt (Cod. Theod. 7,4,30). Einheiten der *l.* konnten überdies zum Feldheer abkommandiert werden, was als Beförderung aufzufassen ist; sie wurden dann als *pseudo-comitatenses* bezeichnet, ein Begriff, der erstmals 365 n.Chr. bezeugt ist. So wurden die *Septimani Iuniores* der in Spanien stationierten *legio VII Gemina* nach Italien in den westl. *comitatus* verlegt. Die Zugehörigkeit zu den *l.*, die im Umfeld ihrer Standorte rekrutiert wurden, war häufig, wie auch sonst im röm. Heer, erblich.

Soldaten, die ihnen zugewiesene Ländereien in den Grenzgebieten bestellten, sind erstmals 443 bezeugt (Nov. Theod. 24,1,4). Obgleich die Praxis einer partiellen Selbstversorgung wahrscheinlich zu einem Rückgang ihrer Kampfkraft führte, verloren die *l.* ihre mil. Funktion nicht vollständig. Ihre Präsenz ist für alle Grenzgebiete durch Quellenzeugnisse belegt; jedes Jahr mußte ein Bericht über die Soldaten sowie über den Zustand der Befestigungen und der Schiffe abgegeben werden (Nov. Theod. 24,1,5); die *duces* hatten dafür zu sorgen, daß die Soldaten ständig exerzierten. Im 6. Jh. versuchte Iustinianus [1], die *l.* in Afrika neu aufzustellen; er entsandte eine Einheit dieser Truppen zu → Belisarios und wies diesen an, die Bewohner der Region zu rekrutieren und unter den üblichen Bedingungen dienen zu lassen: Sie sollten Land und Sold erhalten, und es wurde von ihnen erwartet, daß sie alle mil. Probleme in dieser Region selbst bewältigten (Cod. Iust. 1,27,2,8). → Legio

1 H. ELTON, Warfare in Roman Europe AD 350–425, 1996 2 B. ISAAC, The Limits of Empire. The Roman Army in the East, [2]1992 3 Ders., The Meaning of the Terms *limes* and *l.*, in: JRS 78, 1988, 125–147 4 JONES, LRE, 649–654; 661 ff. 5 W. SESTON, Du *comitatus* de Dioclétien aux *comitatenses* de

Constantin, in: Historia 4, 1955, 284–296 6 P. SOUTHERN, K. DIXON, The Late Roman Army, 1996, 35 ff.
7 S. WILLIAMS, Diocletian and the Roman Recovery, 1985.
J. CA./Ü: A. H.

**Limitation** (*limitatio*).
I. ETRUSKISCHE VORAUSSETZUNGEN
II. RÖMISCHE FELDMESSUNG

I. ETRUSKISCHE VORAUSSETZUNGEN
Die Definition des tatsächlichen und des symbolischen Raumes durch Ziehen von Grenzen (*limites*; Varro bei Frontin. de agri mensura p. 27 L.) war bei den Etruskern Voraussetzung für korrekte Zeichendeutung (→ Divination) und -setzung (Stadtgründung): die Deutung von Himmelszeichen beruht auf ihrer Einordnung in Abschnitte des Achsenkreuzes, in die der Himmel geteilt wird; das Kreuz ist durch Ausrichtung an den Koordinaten räumlich verankert (Orientierung). Rituelle Stadtgründung erfolgt durch Festlegung des Mittelpunktes und Ziehen der Stadtgrenzen. In den um 500 v. Chr. nach orthogonalem Plan angelegten etr. Niederlassungen → Marzabotto (mit Lageplan) und Spina wurden Vermessungssteine gefunden, die verm. das Zentrum der Siedlung markierten. Die Grenzziehungsregeln sind in den *libri rituales* enthalten (Fest. 386 L.); Ausführende sind die → *haruspices*. Grenzsteine (etr. *tular*) können diese Grenze sichtbar machen. Über die etr. Disziplin (*Etrusca disciplina*) ist die Technik der L. in die Rel. und das Ingenieurwesen der Römer eingegangen; Stationen der Überl.-Gesch. sind enthalten in der Etym. von lat. → *groma* (Meßinstrument; < etr. **cruma* < griech. *gnōmōn*).
→ Divination (mit Abb.); Etrusci, Etruria III. Religion (mit Abb.); Pars antica, postica; Templum

C. O. THULIN, Die etr. Disciplin, Bd. 3: Die Ritualbücher, 1909 (Ndr. 1968), 3–46 • R. LAMBRECHTS, Les inscriptions avec le mot »tular« et le bornage étrusque, 1970 • PFIFFIG, 112–115 • M. CRISTOFANI (Hrsg.), Civiltà degli Etruschi, Ausstellung Florenz 1985, 138–140 • Ders., s. v. limitazione, in: Ders. (Hrsg.), Dizionario della civiltà etrusca, 1985, 157f. • G. COLONNA, s. v. Ortogonale impianto, in: Rasenna. Storia e civiltà degli Etruschi, 1986, 530 • F. PRAYON, Sur l'orientation des édifices cultuels, in: F. GAULTIER, D. BRIQUEL (Hrsg.), Les Etrusques, les plus religieux des hommes, Kongreß Paris 1992, 1997, 357–369.
M. HAA.

II. RÖMISCHE FELDMESSUNG
A. BEGRIFF B. QUELLEN C. VERFAHREN
D. GESCHICHTE

A. BEGRIFF
Unter L. (*limitatio*) im technischen Sinne versteht man die Feldmeßkunst der Römer, die im Gelände durch ein rechtwinkliges Gitter von Grenzwegen (*limites*) faßbar wird. Sie diente dazu, die Grundbesitzverhältnisse der landwirtschaftlichen Nutzflächen zu ordnen (*assignatio*) und Grundlagen für die Erhebung der Bodenabgaben zu schaffen. Im engeren Sinn steht L. gleichbedeutend mit Zenturiation (*centuriatio*) für die Aufteilung des Ackerlandes in gleichmäßige quadratische Flurblöcke innerhalb eines rechtwinkligen Achsenkreuzes.

Hinsichtlich der Rechtsqualität des aufzuteilenden Landes differenzieren die Römer zw. 1) Land, das aufgeteilt und entsprechend zugewiesen (»assigniert«) wird, 2) Land, das nur nach seinem Flächeninhalt berechnet wird, 3) Land, das aufgrund seiner geogr. Besonderheiten nicht vermessen wird [13. 13 ff.; 14. 147 ff.]. Seit dem 4. Jh. v. Chr. lassen sich zwei Verfahren unterscheiden: die sog. *scamnatio*, bei der die Feldmesser das Ackerland reliefgemäß in rechteckige, längs und quer angeordnete Streifen (*per strigas et scamna*) aufteilen, und die sog. *centuriatio*, bei der sie, ausgehend von einem rechtwinkligen Achsenkreuz, die Nutzflächen unabhängig vom Geländerelief in gleichgroße quadratische oder rechteckige Flurblöcke von je ca. 50 ha zergliedern. Dabei läßt sich die Lage jedes einzelnen Zenturienquadrats anhand der Koordinatenachsen genau angeben [7. 224–233; 8. 235–246]. Die Erkundung der ant. L. ist von hoher Bed. für die röm. Agrargesch. und öffnet den Zugang zum Verständnis der Siedlungsgesch. [14. 107–296].

B. QUELLEN
Die bodenrechtlichen Grundlagen und das technische Verfahren werden behandelt in den Schriften der röm. Agrimensoren, unter denen bes. → Frontinus, Hyginus Gromaticus, → Siculus Flaccus und Agennius Urbicus zu nennen sind [15. 97–142]. Sie sind zusammengestellt im *Corpus Agrimensorum*, das nach Vorlagen aus augusteisch-tiberischer Zeit bis in das 4. Jh. n. Chr. fortgeschrieben und im 5./6. Jh. n. Chr. abschließend redigiert wurde [1. 81–86; 5. 1 ff.]. Grab- und Weihinschr. machen mit → Feldmessern (*finitores*, *mensores*) aus dem mil. und dem zivilen Bereich bekannt [3. 16]. Als Visiergerät zum Ausstecken rechter Winkel diente ihnen die → *groma*, die vereinzelt auf Feldmesser-Grabsteinen abgebildet ist und die in Originalfunden von Pompeii, Pfünz sowie von anderen, ungesicherten FO vorliegt [3. 64–67; 12. 44 ff.]. An weiteren epigraphischen Zeugnissen sind Vermessungssteine zu nennen, die auf ihrer Oberseite ein eingraviertes Achsenkreuz und eine genaue Bezeichnung ihrer Lage im jeweiligen Koordinatengitter tragen [3. 91–100]. Ein bed. Fund sind die Steintafeln mit der kartographischen Darstellung von drei röm. Katastern vespasianischer Zeit aus Arausio (h. Orange) in Südfrankreich [1. 87f.; 2. 9–24; 4. 159–177; 11]. Im Gelände hat die röm. Landvermessung verschiedenartige Spuren hinterlassen, die durch Methoden der histor. Geogr. und durch Denkmälerprospektion aus der Luft und vom Boden erfaßt werden können [2. 153 ff.]. Aus der Überlagerung verschieden alter Flureinteilungen läßt sich die Entwicklung der Agrarlandschaft rekonstruieren [1. 313 f.; 13. 43–64]. Bes. gut erh. sind entsprechende Überreste in den großen alluvialen Ebenen der Mittelmeerprov., v. a. von It.,

Nordafrika, Südfrankreich und Spanien [3. 101–167; 4. 141–158; 6. 37–68, Abb. 26–52; 9. 251ff., 292f.]. Zw. Rhein und Donau hat moderne Landnutzung die alten Flureinteilungen außerhalb der Siedlungen weitgehend verwischt; nur in Ausnahmefällen, etwa um Köln oder Augst bei Basel, läßt sich die ant. L. im Gelände nachweisen [10. 16–19].

C. Verfahren

Vor der L. bestimmt der Feldmesser zunächst mit einer Sonnenuhr (→ *análēmma*) die Himmelsrichtungen und wählt dann den Schnittpunkt des vorgesehenen Achsenkreuzes. Auf diesen setzt er die *groma* und visiert durch sie den → *decumanus maximus* als Hauptmeßachse von Ost nach West, anschließend den → *cardo* von Süd nach Nord [3. 77–100; 5. 7–16]. Parallel zu den beiden Hauptachsen richten die Feldmesser zusätzliche *limites* in Abständen von je 20 *actus* (ca. 710,4 m) ein, so daß im Idealfall ein rechtwinkliges Gitter von Grenzwegen quadratische Flurblöcke von 100 *heredia* (= 400 *actus*, 50 ha) einteilt, die *centuriae* gen. werden [3. 139–152]. Die Größe der einzelnen Parzellen hängt von der Bodengüte ab und wird durch die Rahmenbedingungen der Landzuweisung (*assignatio*) bestimmt. Im 4. und 3. Jh. v. Chr. liegt die durchschnittl. Parzellengröße zw. 0,5 und 2 ha; in der späten Republik und in der frühen Kaiserzeit steigt sie auf bis zu 25 ha [3. 39; 4. 82–97]. Der Normalfall bei neu assigniertem Land sind Parzellen von quadratischem Umriß. Die L. zielt bevorzugt auf die hochwertigen Ackerböden der großen Schwemmebenen. Das Berg- und Hügelland sowie Ebenen von geringer Bodengüte (z. B. Sümpfe) werden meist ausgeklammert und bleiben als → *ager publicus* den minderberechteten Bevölkerungsgruppen ohne eigenen Landbesitz zur Nutzung überlassen [3. 27–33; 14. 206–212]. Neben der Zenturiation besteht in der Kaiserzeit auch die Aufteilung *per scamna et strigas* fort, bei der die Parzellen rechteckig und oft weniger regelmäßig gestaltet, aber besser dem Geländerelief angepaßt sind.

D. Geschichte

Die Methoden der Feldvermessung hat Rom während der Kolonisierung It. aus griech., pun. und etr. Vorbildern entwickelt. Seit dem 3. Jh. v. Chr. dominiert die Aufteilung *per scamna et strigas*. Ihren Höhepunkt erreicht die L. in den Kriegen der späten Republik und der frühen Kaiserzeit durch die großen Landzuweisungen an Veteranen in It. und den neu gewonnenen Prov. Nach der Zeit der Flavier (69–96 n. Chr.) ging die Neuausweisung von Ackerland in den Prov. stark zurück; stattdessen erhielten die *agrimensores* vermehrt Aufgaben als Schieds- und Kontrollinstanz in Grundbesitzangelegenheiten [4. 34–46]. Von Bed. waren die Kenntnisse der *agrimensores* auch für den mil. Bereich, um Stand- und Marschlager sowie andere Befestigungen vorschriftsmäßig anzulegen. Als Meisterleistung gilt die rund 80 km lange schnurgerade Limesstrecke vom Haghof im Süden von Welzheim (Baden-Württemberg) bis südl. von Walldürn am obergerman. → Limes. → Feldmesser

**1** G. Chouquer u. a., Structures agraires en Italie centroméridionale (Collection de l'École Française de Rome 100), 1987 **2** Ders., F. Favory, Les paysages de l'antiquité, 1991 **3** Dies., Les arpenteurs romains, 1992 **4** O. A. W. Dilke, The Roman Land Surveyors, 1971 **5** D. Flach, Röm. Agrargesch., 1990 **6** U. Heimberg, Röm. Landvermessung (KS zur Kenntnis der röm. Besetzungsgesch. Südwestdeutschlands 17), 1977 **7** F. T. Hinrichs, Die Gesch. der gromatischen Institutionen, 1974 **8** Ders., Histoire des institutions gromatiques. Übers. v. D. Minary, 1989 **9** H.-P. Kuhnen, Stud. zu Chronologie und Siedlungsarch. des Karmel (Israel) zw. Hell. und Spätant. (TAVO Beih. B 72), 1989 **10** Ders., E. Riemer, Landwirtschaft der Römerzeit im röm. Weinkeller Oberriexingen, 1994 **11** A. Piganiol, Les documents cadastraux de la colonie romaine d'Orange, in: Gallia Suppl. 16, 1962 **12** Th. Schiöler, The Pompeii-groma in New Light (Analecta Romana Instituti Danici 22), 1994, 45–60 **13** Ch. Schubert, Land und Raum in der röm. Republik, 1996 **14** M. Weber, Die röm. Agrargesch. in ihrer Bed. für das Staats- und Privatrecht, 1891 (hrsg. von J. Deininger, 1988) **15** F. Blume, K. Lachmann, A. Rudorff (Hrsg.), Die Schriften der röm. Feldmesser 1, 1848; 2, 1852 (Texted. des Corpus agrimensorum). H. KU.

**Limnai** (Λίμναι).

**[1]** Ältestes Dionysosheiligtum ἐν Λίμναις im Stadtgebiet von Athen südl. der Akropolis (Thuk. 2,15,4), h. im Bereich der Straßen Makrygianni/Chatzchristou lokalisiert [2. 332 Abb. 219, 379, 435]. Die Identifizierung mit einem dreieckigen Temenos am SW-Hang des Areopag [1; 3] ist obsolet [2. 274f. Abb. 351]. Das Heiligtum war nur am zweiten Tag der → Anthesteria, dem 12. Tag des Monats Anthesterion, geöffnet.

**1** Deubner, 93 **2** Travlos, Athen **3** W. Zschietzschmann, s. v. L. (1), KlP 3, 667f. H. LO.

**[2]** Örtlichkeit in Messenia an der Grenze zu Lakonia mit Heiligtum der Artemis Limnatis, gehörte zum Gebiet der zw. Sparta und Messenia umstrittenen Dentheliatis (Strab. 8,4,9; Paus. 4,31,3); vermutlich beim h. Volimnos in der Nähe von Artemisia an der Verbindungsstraße von Kalamata nach Sparta über den → Taygetos, wo mehrere Inschr. aus röm. Zeit gefunden wurden (IG V 1, 1373–1378). Das Heiligtum lag im Gebirge am Südabhang des Gomovuno, zu unterscheiden von dem Heiligtum der Artemis Limnatis der Grenzinschr. IG V 1, 1431, 38f. über der Sandavaschlucht bei Brinda (ant. Alagonia), nordöstl. von Kambos (Paus. 3,26,11).

E. Meyer, s. v. Messenien, RE Suppl. 15, 179f. • C. A. Roebuck, A History of Messenia from 369 to 146 B. C., 1941, 118–121. Y. L.

**[3]** Stadt an der SW-Spitze der Thrakischen Chersonesos zw. Lysimacheia und Alopekonnesos (Ps.-Skymn. 705), nicht genauer lokalisiert, von → Miletos [2] gegr. (Strab. 7 fr. 50; 14,1,6).

B. Isaak, The Greek Settlements in Thrace until the Macedonian Conquest, 1989, 161, 189. I. v. B.

**Limnaia** (Λιμναία). Hafenort an einer Bucht im SO des Golfs von Ambrakia beim h. Amphilochia, von dem aus eine Talsenke in die Acheloos-Ebene führt (Pol. 5,5,14). Im 5. Jh. ein unbefestigtes Dorf (Thuk. 2,80,2; 3,106,2), im 4. Jh. Ziel der Theorodoken (IG IV$^2$ 1,95 Z. 8; SEG 36,331 Z. 31–33), Mitglied im Akarnanischen Bund (IG IX 1$^2$,2, 588 Z. 9). Die befestigte Akropolis war durch »lange Mauern« mit dem Hafen verbunden. Für die Identifizierung der Ruinenstadt mit → Herakleia [11] gibt es keine Indizien.

Pritchett 8, 2–6 • R. Scheer, s. v. Herakleia-L., in: Lauffer, Griechenland, 264 • D. Strauch, Röm. Politik und Griech. Trad., 1996, 263 f. D.S.

**Limnaion** (Λιμναῖον, lat. *Limnaeum*). 191 v. Chr. zogen die Römer und Philippos V. durch Ost-Thessalia, um Antiochos III. und die Athamanen zu vertreiben. Während der Belagerung von Pelinna zog Philippos auch gegen L., das sich erst ergab, als röm. Reiterei erschien (Liv. 36,13,9ff.). Sonstige Nachrichten fehlen. L. wird neuerdings bei Vlochos über dem sumpfigen Mündungsgebiet der Flüsse → Enipeus [2] und → Peneios lokalisiert.

J.Cl. Decourt, La vallée de l'Enipeus en Thessalie, 1990, 120 f. HE.KR.

**Limyra** (Λίμυρα; lyk. *zẽmuri*). Stadt in Lykia an einem Berghang beim h. Finike in der Süd-Türkei, der spätestens seit dem 7. Jh. v. Chr. besiedelt war, mit ausgedehnter *chṓra* und kleinem Hafen (spätant. Name: Phoinix) [1]. Im 5. Jh. v. Chr. wurden die Burg mit befestigter Unterstadt ausgebaut [2] und Mz. geprägt. Anf. des 4. Jh. v. Chr. kontrollierte der lyk. König Perikles (vgl. [3]; zu seinem Heroon mit Bauschmuck [1. 45–52]) bis 366/362 von L. aus fast ganz Lykia. Die größte klass. lyk. Felsgrabnekropole (→ Grabbauten) von hoher sprach-, kunst- und sozialgesch. Bed. [4. 348–358] belegt die Blüte von L. in klass. Zeit. Diese setzte sich nach der Polis-Bildung und unter ptolem. Herrschaft, während der eine Herrscherkultstätte errichtet wurde, fort (zum sog. Ptolemaion [1. 79–84]). L. gehörte seit dem 2. Jh. v. Chr. zum → Lykischen Bund und im 1. Jh. v. Chr. zu dessen sechs wichtigsten *póleis*. Unter den Bauten ist das Kenotaph des C. → Iulius [II 32] Caesar, der hier 4 n. Chr. starb, hervorzuheben [5]. Prosperität der Stadt in der Kaiserzeit [1. 99–110]; sie litt in Spätant. und MA (Bischofssitz: [1. 111–116]) unter Überfällen der Araber, die zur Neubefestigung führten.
→ Limyros

**1** J. Borchhardt, Die Steine von Zêmuri, 1993 **2** Th. Marksteiner, Die befestigte Siedlung von L., 1997 **3** M. Wörrle, Epigraphische Forsch. zur Gesch. Lykiens 4, in: Chiron 21, 1991, 203–234 **4** J. Borchhardt u. a., Grabungen und Forsch. in L. aus den J. 1991–1996, in: JÖAI 66, 1997, 321–426 **5** J. Ganzert, Das Kenotaph des Gaius Caesar in L., 1984. MA.ZI.

**Limyrike** (Λιμυρική). Indische Landschaft an der Malabarküste von Naoura bis nach Nelkynda, mit der Hauptstadt → Karura [2] (Ptol. 7,1,8; 85; peripl. m. r. 53 f.). Es wurde vorgeschlagen, L. als fehlerhafte Lesung für Damyrike (altind. *Damila*, vgl. h. Tamil) anzusehen, aber der Name ist nur als L. erhalten. In diesem Land, h. Kerala, lag die berühmte Hafenstadt → Muziris.

O. Wecker, s. v. L., RE 13, 711 f. K.K.

**Limyros** (Λίμυρος). Fluß, der bei Limyra entspringt und von hier zum Meer fließt [1. 124 f.], aber unweit des ant. Hafenplatzes (spätant. Phoinix) in den Arykandos mündet (Ps.-Skyl. 100; Strab. 14,3,7; Mz.-Bild: BMCRE Lycia, 61).

**1** J. Borchhardt, Zêmuri. Die Residenzstadt des lyk. Königs Perikles, in: MDAI(Ist) 40, 1990. MA.ZI.

**Linde** (φιλύρα/*philýra*, lat. *tilia*, vielleicht von πτελέα/*pteléa*, »Ulme« abgeleitet). Drei Arten, nämlich Sommer-, Winter- und Silber-L., kannten Griechen und Römer aus ihren Bergen und beschrieben sie recht genau. Theophr. h. plant. 3,10,4–5 und Plin. nat. 16,65 irrten sich allerdings in der Unterscheidung einer männlichen Form von einer weiblichen. Das ziemlich weiche Holz (Plin. nat. 16,207) diente ›zu 1000 Zwecken‹ (Plin. nat. 18,266), nämlich für Kästen aller Art, Becher, Hohlmaße und Schreibtäfelchen, die Rinde u. a. für das Dach von Hütten. Der Bast (ὁ φλοιός, vgl. Plin. nat. 16,65) fand Verwendung zu Stricken und Kisten (Theophr. h. plant. 3,10,4), als Kranzbinde- und als ältestes Schreibmaterial (daher *liber*, »Bast«). Die Blätter benutzte man (Dioskurides 1,96 Wellmann = 1,125 Berendes) als adstringierendes Mittel, v. a. bei Mundgeschwüren. In der Myth. wurden → Baukis (Ov. met. 8,620–724) und → Philyra (Apoll. Rhod. 2,1231 ff.; Hyg. fab. 138) in eine L. verwandelt.

A. Steier, s. v. L., RE Suppl. 5, 594–598 • V. Hehn, Kulturpflanzen und Haustiere, ed. O. Schrader, $^8$1911 (Ndr. 1963), 598. C.HÜ.

**Lindische Tempelchronik.** Die *Anagraphḗ* von → Lindos (auf Rhodos), 1904 entdeckt, ist ein hervorragendes Beispiel für ein lokalgesch. Werk, das einem Spezialthema gilt. Die Inschr. wurde 99 v. Chr. auf Antrag des Hagesitimos, Sohn des Timachidas, durch Beschluß des Rates im Heiligtum der Athena Lindia aufgestellt: Sie enthält den Wortlaut dieses Beschlusses (= A), ein Inventar von 45 Weihgeschenken, die (angeblich) im Tempel aufgestellt waren (= B und C), und die Beschreibung von vier Epiphanien (»Erscheinungen«) der Göttin (= D). Verf. war Timachidas, der Sohn des Antragstellers, seine Hauptquellen die Briefe zweier Priester, die an den Rat von Rhodos (Brief des Gorgosthenes) bzw. den Rat von Lindos (Brief des Hierobulos) gerichtet waren, ferner rhodische Lokalschriftsteller (daraus 100 Zitate in kaum 300 Zeilen!). Nur für die letzten Weihungen (C 38: Alexandros [4]; 39: Ptolemaios I.; 40: Pyrrhos; 41: Hieron II.; 42: Philipp V.) werden ›amtliche Akten der Lindier‹ zitiert.

Demgegenüber ist der Anfang des Inventars fiktiv, da hier Weihgeschenke von myth. Gestalten wie Kadmos, Minos, Herakles, Menelaos etc. aufgezählt werden. FGrH 532 (mit Komm.).

→ Lokalgeschichte, Lokalchronik

Chr. Blinkenberg, Die L. T., 1915 · O. Lendle, Einführung in die griech. Geschichtsschreibung, 1992, 276f. · C. Blinkenberg, K. F. Kirch (Hrsg.), Lindos, Fouilles de l' Acropole II, 1941, Inscr. 2. K. MEI.

**Lindos** (Λίνδος).
A. Topographie B. Geschichte
C. Archäologie

A. Topographie

Stadt an der Ostküste von Rhodos in exponierter top. Lage mit einer steil aus dem Meer aufsteigenden Akropolis (116 m) und einem natürlichen Doppelhafen. Das Territorium von L. erstreckte sich über mehr als die Hälfte der Insel; L. verfügte über Festlandsbesitz in Kleinasien (Physkos).

B. Geschichte

Zusammen mit → Ialysos und → Kamiros bildete L. die Trias der alten Städte von Rhodos. Eine Besiedlung ist bereits für neolithische Zeit nachgewiesen. Nekropolen im Umkreis von L. dokumentieren myk. Präsenz. Bei Homer (Il. 2,656) zählt L. zu den Teilnehmern am Troianischen Krieg (→ Troia). L. war Mitglied der dor. Hexapolis, der außerdem Ialysos, Kamiros, → Halikarnassos, → Knidos und → Kos angehörten (Hdt. 1,144; schol. Thuk. 17,69). An der griech. → Kolonisation war die Stadt durch die Gründung von → Gela auf Sizilien Anf. des 7. Jh. v. Chr. beteiligt (Hdt. 7,153,1; Thuk. 6,4,3). Eine wichtige Rolle in der Gesch. von L. wird → Kleobulos [1] zugeschrieben, der im 6. Jh. v. Chr. über L. als Tyrann geherrscht (Plut. mor. 385e), nebenher auch als Dichter gewirkt und sich weiterhin dominant in kult. Angelegenheiten betätigt haben soll, was ihm schließlich neben seiner Affinität zum Lösen von Rätseln einen Platz unter den → »Sieben Weisen« verschaffte (Diog. Laert. 1,89–93).

Nach den → Perserkriegen wurde L. Mitglied des → Attisch-Delischen Seebundes. Der ohnehin hohe (8 Talente 2500 Drachmen), im 5. Jh. auch noch zweimal angehobene (450 v. Chr.: 10 Talente, 421 v. Chr.: 15 Talente) Tribut, den L. in die Bundeskasse zu zahlen hatte (ATL 1, 334f.; 370f.), spiegelt die wirtschaftliche Leistungsfähigkeit der durch Seefahrt und Handel reich gewordenen Stadt wider. Im → Peloponnesischen Krieg fiel L. 411 v. Chr. zusammen mit Ialysos und Kamiros auf Initiative der Spartaner von Athen ab (Thuk. 8,44,2). Nach Gründung der neuen Hauptstadt Rhodos im Norden der Insel (408 v. Chr.) durch → Synoikismos von L., Ialysos und Kamiros blieb L. als Siedlung bestehen und weitete sich in hell. Zeit sogar noch aus. Aus dem hell. L. stammte → Chares [4], der Architekt des berühmten Kolosses im Hafen von Rhodos (4./3. Jh. v. Chr.; → Weltwunder). Ein häufig angenommener Aufenthalt des Apostels Paulus in L. findet in den Quellen (Apg 21,1; 27,5ff.) keine explizite Bestätigung. In byz. Zeit wurde die Akropolis zu einer Festung ausgebaut. Zu Anf. des 14. Jh. übernahm der Johanniterorden die Herrschaft in L., wovon die mächtige Burg auf der Akropolis Zeugnis ablegt.

C. Archäologie

Auf der Akropolis (s. Lageplan) finden sich zahlreiche ant. Überreste: der Tempel der Athena Lindia (s. Lageplan Nr. 1) im Süden, direkt am Steilhang zum Meer, architektonisch ein dor. → Amphiprostylos, stammt aus dem 4. Jh. v. Chr. Bereits im 10. Jh. v. Chr. stand hier ein Heiligtum der später mit Athena gleichgesetzten lokalen Göttin Lindia. Kleobulos baute den ersten Tempel aus Stein. Dieser Tempel machte L. zum Kultzentrum von Rhodos. Zu den zahlreichen Stiftern gehörte auch der ägypt. König → Amasis [2]. Das Areal des Tempels war umrahmt von Säulenhallen mit einem großen Propylon an der Nordseite, zu dem eine breite Freitreppe (s. Lageplan Nr. 4 und 5) hinaufführte. In röm. Zeit wurde der Tempel mehrfach erweitert. Gefunden wurde hier die berühmte → Lindische Tempelchronik (99 v. Chr.) mit histor. Angaben sowie einem Verzeichnis der Priester und der Weihgeschenke. Auf dem Weg zur Akropolis ist ein Felsrelief mit der Abb. eines auf einen Seesieg der Rhodier rekurrierenden Kriegsschiffes (Triere) erh. (ca. 180 v. Chr.; s. Lageplan Nr. 8). Das Deck bildete die Basis einer Statue des Poseidon-Priesters Hegesandros. Außerhalb der Akropolis sind an weiteren relevanten ant. Resten zu nennen: die Mauern eines Apollon-Tempels aus dem 2./1. Jh. v. Chr., ein relativ gut erh. Theater mit 27 Sitzreihen sowie zahlreiche Felsgräber v. a. aus hell. Zeit. Das »Grab des Kleobulos« am Vorgebirge Hagios Aimilianos stammt aus vorhell. Zeit und imitiert anscheinend die lelegisch-karischen Grabbauten des Festlandes.

R. M. Berthold, Rhodes in the Hellenistic Age, 1984 · Ch. Blinkenburg u. a., L. Fouilles et recherches 1902–1914, 4 Bde., 1931–1992 · A. Bresson, Richesse et pouvoir à L. à l'époque hellénistique, in: S. Dietz, I. Papachristodoulou (Hrsg.), Archaeology in the Dodecanese, 1988, 145–154 · E. D. Francis, M. Vickers, Amasis and L., in: BICS 31, 1984, 119–130 · P. M. Fraser, G. E. Bean, The Rhodian Peraea and Islands, 1954 · Fr. Hiller von Gärtringen, Die Demen der rhod. Städte, in: MDAI(A) 42, 1917, 171ff. · H. Kähler, L., 1971 · R. Scheer, s. v. L., in: Lauffer, Griechenland, 395–397. H. SO.

**Lindum** (h. Lincoln in Mittelengland; vgl. Etym. *L.* + *colonia*). Ort an strategisch wichtiger Position, wo der Fluß Witham die Lincoln Edge durchschneidet. Um einen sumpfigen Tümpel im Talboden herum (*lindos*, kelt. »Tümpel«) gab es eine späteisenzeitliche Siedlung [1]. Den Kern der röm. *colonia* bildete ein Legionslager auf den Anhöhen im Norden. Gegr. um 60 n. Chr., wurde diese Festung durch die *legio IX Hispana* bis um 71 n. Chr. und dann durch die *legio II Adiutrix* bis ca. 85 n. Chr. gehalten. Mit 18 ha ist diese Festung kleiner als die anderen Legionslager in Britannia [2]. Nach Auf-

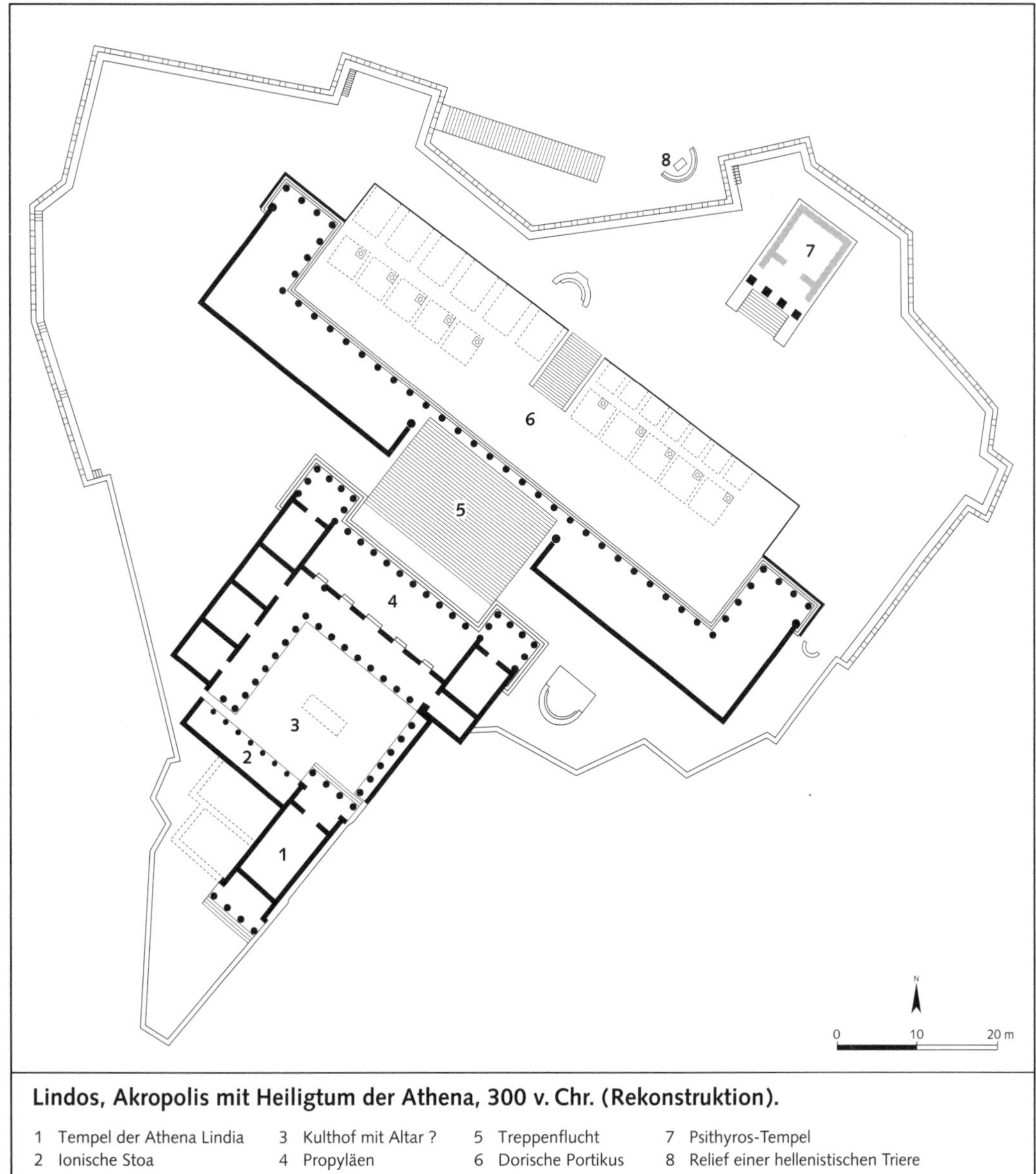


**Lindos, Akropolis mit Heiligtum der Athena, 300 v. Chr. (Rekonstruktion).**

1 Tempel der Athena Lindia
2 Ionische Stoa
3 Kulthof mit Altar ?
4 Propyläen
5 Treppenflucht
6 Dorische Portikus
7 Psithyros-Tempel
8 Relief einer hellenistischen Triere

gabe dieser Militärbasis wurde der Ort 90–96 n. Chr. einer *colonia* für britannische Legionsveteranen und wohl auch für Einheimische übergeben. Die Legionsbefestigungen wurden in der neuen Stadt beibehalten und später ausgebaut [3]. Anfangs entstanden die öffentl. Gebäude innerhalb der alten Festung, das Forum im Zentrum, die Thermen im Norden. Die Wasserversorgung leistete eine Rohrleitung von einer Quelle nordöstl. von L. bis zu einem *castellum aquae* (»Wasserspeicher«) hinter den Befestigungen. Ein gutes Abwassersystem existierte schon sehr früh. Lokale Kalksteinvorkommen ermöglichten den Bau von Gebäuden hoher Qualität und regten die Gründung von Bildhauerschulen an. Die Stadt florierte und dehnte sich den steilen Hang hinunter zum Fluß Witham aus; dieses Gebiet erhielt seine eigenen Befestigungen zu Anf. des 4. Jh. L. blieb eine lebendige urbane Gemeinschaft auch in der Spätant. und war noch im frühen 7. Jh. bewohnt (Beda Venerabilis, Historia ecclesiastica gentis Anglorum 16).

**1** M. J. Darling, M. J. Jones, Early Settlement at Lincoln, in: Britannia 19, 1988, 1–57 **2** M. J. Jones, Lincoln, in: G. Webster (Hrsg.), Fortress into City, 1988, 145 **3** M. J. Jones, The Defences of the Upper Enclosure. The Archaeology of Lincoln, 1980.

M. J. Jones, B. Gilmour, Lincoln, Principia and Forum, in: Britannia 11, 1980, 61–72 • F. H. Thompson, J. B. Whitwell, The Gates of Roman Lincoln, in: Archaeologia 104, 1973, 129–208 • M. Todd, The Coritani, [2]1991 • J. B. Whitwell, Roman Lincolnshire, 1970. M. TO./Ü: I. S.

**Linear A.** Strichschrift mit meist einfachen Zeichenformen, überwiegend auf Kreta bezeugt: in Hagia Triada (Archiv mit ca. 150 Tontäfelchen), Knosos, Phaistos, Mallia, Arkhanes, Khania, Zakros und einem Heiligtum auf dem Berg Iuktas; ferner auch in Tiryns, auf Kythera, den Kykladen (Melos, Keos, Thera), in Milet, Troia, Samothrake, Lachisch usw., insgesamt an mehr als 25 Plätzen. Das Corpus umfaßt h. über 1400 Texte mit etwa 700 Worteinheiten (einschließlich Namen), insgesamt 7300 Zeichen. L.A schreibt rechtsläufig (selten bustrophedon, → Schrift), besitzt mehr als 70 Silbenzeichen, 200 Logogramme (darunter viele Zusammensetzungen und Ligaturen) sowie Zahl- und Maßzeichen. Öfters sind Worttrenn-Striche gesetzt. Der Kennbuchstabe A unterscheidet diese Schrift vom jüngeren → Linear B.

Die meisten der Tontafel-Texte buchen Warenmengen (Wein, Öl, Feigen, Getreide usw.) oder Personen, bieten daher keine kompletten Sätze. Die Hunderte von Tonklümpchen (*nodules*) und -scheibchen (*cretulae, roundels*) tragen oft nur ein einziges Zeichen. Längere Aufschriften (wohl Widmungen) finden sich auf Libations-Tischen, Gefäßen, Schmuckstücken aus Edelmetall.

Blütezeit von L.A ist etwa von 1625–1450 v. Chr. (m-minoische Epoche). Eine frühe Form dieser Schrift tritt im 18. Jh. auf, z.B. in der ersten Phase des Palastes von → Phaistos (vgl. [4. Bd. 1, 285 ff.]); von einer ähnlichen Form dürften sowohl die → kyprominoische Schrift als auch L.B abgeleitet sein. Ein genetischer Zusammenhang von L.A mit der kret. → Hieroglyphenschrift ist wahrscheinlich.

Ein beträchtlicher Teil der Silbenzeichen von L.A ist mit denen von L.B homomorph; es liegt nahe, in diesen Fällen jeweils mit gleichen oder ähnlichen Lautwerten zu rechnen. Doch ist die in L.A geschriebene Sprache infolge des zu knappen Materials (trotz vieler Versuche) noch unentschlüsselt und an kein bekanntes Idiom überzeugend anzuschließen. Am ehesten dürfte sie mit einer der Substratsprachen des Griech. identisch sein.
→ Griechenland, Schriftsysteme

**1** W.C. Brice, Notes on Linear A, in: Kadmos 22, 1983, 81–106; 27, 1988, 155–165; 30, 1991, 42–48 **2** Y. Duhoux, Le linéaire A: problèmes de déchiffrement, in: Ders., Th.G. Palaima, J. Bennet (Hrsg.), Problems in Decipherment, 1989, 59–119 **3** G.M. Facchetti, Linear A Metrograms, in: Kadmos 33, 1994, 142–148 **4** L. Godart, J.-P. Olivier, Recueil des Inscriptions en Linéaire A, 1976–1985 (5 Bde., grundlegend; abgekürzt GORILA) **5** L. Godart, Les écritures crétoises et le bassin méditerranéen, in: CRAI 1994, 707–731 **6** Ders., Le linéaire A et son environnement, in: SMEA 20, 1979, 27–42 **7** Heubeck **8** St. Hiller, in: AAHG 31, 1978, 1–45 (Forschungsber.) **9** L.C. Meijer, Eine strukturelle Analyse der Hagia Triada-Tafeln, 1982 **10** J.-P. Olivier, Le linéaire A: Quelques approches quantitatives, in: Tractata Mycenaea, 1987, 237–248 **11** D.W. Packard, Minoan Linear A, 1974 **12** J. Raison, M. Pope, Corpus transnuméré du Linéaire A, $^{2}$1994. G.N.

**Schrift Linear A, Tafel Hagia Triada Nr. 88 (verkleinert)**

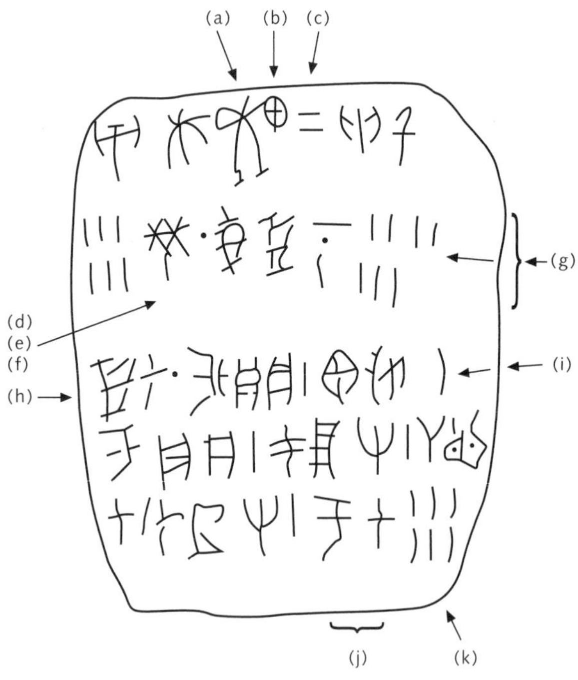


Zeile 1: (a) Logogramm VIR »Mann«, durch (b) hochgestelltes Adjunktzeichen KA spezifiziert; danach (c) Zahl »20«. (Übersetzung:) »20 KA-Männer«.

Zeile 2: (d) Logogramm FICUS, danach (e) Trennpunkt und (f) Wort *ki-ki-na* (wohl gleich späterem κεικύνη »Sykomorenfeige«, also spezifizierende Angabe der Sorte) und (g) Zahl »7«.

Zeile 3: am Anfang (h) *ki-ro*, etwa »fehlend«. In Zeile 3-5 dann sechs dreisilbige Gruppen, wohl PN enthaltend, dahinter jeweils (i) Zahl »1« (senkrechter Strich).

Zeile 5, Ende : (j) *ku-ro*, etwa »Insgesamt, Summe«, und (k) Zahl »6«.

**Linear B** A. GRUNDSÄTZLICHES B. FUNDORTE C. SCHRIFTTRÄGER D. DATIERUNG E. SCHRIFTSYSTEM F. TEXTE UND SCHREIBER

A. GRUNDSÄTZLICHES

Die 1952 von M. VENTRIS und J. CHADWICK entzifferte L. B-Schrift gibt den bislang frühesten griech. Dial., das → Mykenische, wieder. Ebenso wie beim älteren → Linear A bestehen die Schriftzeichen bei diesem Schriftsystem aus Linien (→ Griechenland, Schriftsysteme).

B. FUNDORTE

Die Konzentration auf die drei Regionen (a) Kreta (Knosos = KN [1; 2; 7], Khania = KH [5; 6; 7], Armenoi = AR, Mallia = MA, Mamelouko = MAM [7]), (b) Peloponnes mit Argolis (Mykenai = MY [4; 7], Tiryns = TI [4; 7], Midea = MI) und mit Messenien (Pylos = PY [3]) sowie (c) Mittelgriechenland mit Attika (Eleusis = EL [7]) und Boiotien (Thebai = TH [4; 7], Kreusis = KR [7], Orchomenos = OR [7]) deckt sich weitgehend mit der Ausbreitung der myk. Kultur in der Spätbrz. (s. Karte).

C. SCHRIFTTRÄGER

Die Schriftträger bestehen durchweg aus Ton: (a) Tafeln im Palmblatt- oder Seitenformat, (b) Vasen (*stirrup-jars*) [7] und (c) Klumpen mit zum Siegeln verwendeten Kurztexten – meist Inhaltsangaben – bei geflochtenen (*labels*) oder hölzernen (*nodules*) Behältern. Die Schriftzeichen sind in die Tafeln und Klumpen eingeritzt, auf die Vasen aber mit Pinsel und Farbe aufgetragen. Andere Schriftträger wie z. B. Papyrus sind nicht erh., aber denkbar.

D. DATIERUNG

Neuere Forschungen haben ergeben, daß die bisher bekannten L. B-Texte im Verlauf von mehr als 200 J. entstanden sind. Die ältesten Zeugnisse stammen aus KN (Spätminoisch [= SM] II), die jüngsten (SM III B) vom Festland [9. 15–18]:

| Zeit (Periode, Dauer) | Fundorte (Hände, Texte) |
|---|---|
| Ende SM II (ca. 1420–1400) | KN (Hand »124«) |
| Ende SM III A (ca. 1375–1350) | KN (restliche Texte)<br>PY (Hand 91)<br>Vasen (KN Z 1715) |
| Anfang SM III B (ca. 1280) | TH (alle Texte)<br>MY (Großteil der Texte)<br>KH (alle Texte) |
| Ende SM III B (ca. 1220–1180) | PY (restliche Texte)<br>MY (Oi 701–706, 708; X 707; Fu 711)<br>Vasen (restliche Texte), TI (?) |

Der Gebrauch von L.B auf Kreta zeigt, daß die Insel mind. seit Mitte des 15. Jh. v. Chr. unter griech. Herrschaft stand; zudem bezeugen die Vasen (allesamt kret. Herkunft) die Verwendung von L.B auch nach dem

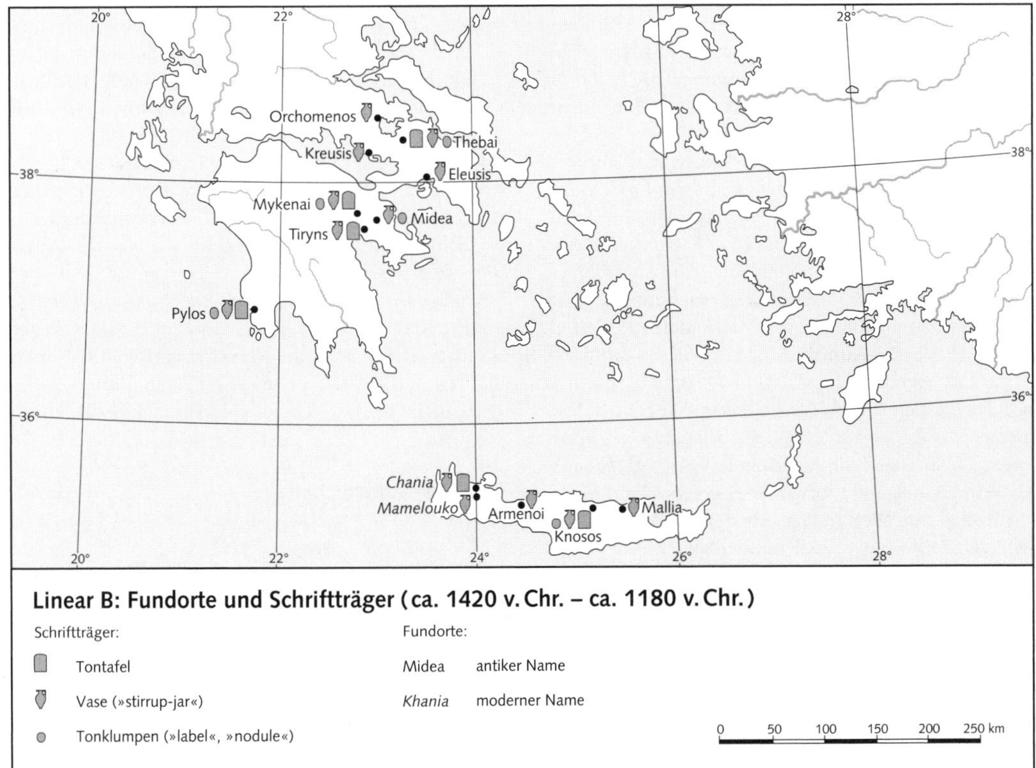


**Linear B: Fundorte und Schriftträger (ca. 1420 v. Chr. – ca. 1180 v. Chr.)**

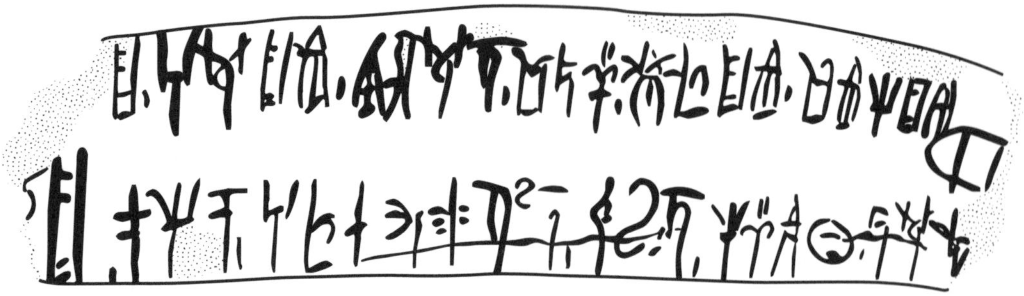

Linear-B-Tafel aus Knosos (KN Sd 4413).

Transliteration

a. a-ra-ru-]ja , a-ni-ja-pi , wi-ri-ni-jo , o-po-qo , ke-ra-ja-pi , o-pi-i-ja-pi CUR [
b. i-] qi-ja ,/ pa-i-to , a-ra-ro-mo-te-me-na , do-we-jo , i-qo-e-qe , po-ni-ki [-ja

Umschrift (Reihenfolge der Zeilen aus inhaltlichen Gründen: b. vor a.)

*b.* / *ikk*$^{w}$*ii̯ā P*$^{h}$*ai̯stō arārhmotmenā doru̯ei̯ō ikk*$^{w}$*ohek*$^{w}$*ē p*$^{h}$*oi̯nīkii̯ā*
*a.* *arāru̯i̯a annii̯āp*$^{h}$*i u̯rīnii̯oi̯s opōk*$^{w}$*oi̯s keraii̯āp*$^{h}$*i opihii̯āp*$^{h}$*i CUR[1 /*

Übersetzung

b. Ein (Streit-)Wagen, aus Phaistos, mit Rädern ausgerüstet, mit einem hölzernen Geschirr, purpurrot,
a. ausgestattet mit Zügeln, mit ledernen Scheuklappen, mit einer hörnernen Trense.

Untergang der Machtzentren von KN und KH zeitgleich mit dem Gebrauch auf dem Festland. Für KN [8], PY und MY können jetzt jeweils zwei Schreibperioden angesetzt werden.

E. Schriftsystem

L.B ist eine Silbenschrift, die etwa 90 Zeichen für reine Vok. und offene Silben einfachen (z. B. *pa, te, mo*) bzw. komplexen Baus (u. a. *pte, two, nwa*; ferner *ai, au*) enthält. Wenige nur selten vorkommende Zeichen sind noch nicht (sicher) gedeutet. Zudem finden sich Ideogramme [18], Maß- und Gewichtszeichen sowie Zahlzeichen (stets am Abschluß eines Eintrages, nicht wie im Orient auch inmitten des Textes). Als Worttrenner dient ein kleiner senkrechter Strich. Wegen seiner offenbar schon in L.A angelegten Konzeption ist das Schriftsystem für die lautgerechte Wiedergabe des Griech. nur bedingt tauglich. Nicht bezeichnet werden die Vokalquantität, die Opposition von /*r*/ : /*l*/ (vgl. *pu-ro* /*Pulos*/), Geminaten, der Hauchlaut (Ausnahme <$a_2$> /*hă*/), Akzentsitz und Intonation, ferner zumeist auch nicht die Artikulationsart bei Verschlußlauten (z. B. <*pa*> /*pă, bă, p*$^{h}$*ă*/; Ausnahme <*ta*> /*t*$^{(h)}$*ă*/ : <*da*> /*dă*/). Kons.-Gruppen werden, sofern nicht spezielle Zeichen wie *dwe* existieren, entweder defektiv (Weglassen eines Elementes, vgl. *pa-i-to* /*P*$^{h}$*ai̯stos*/, besonders im Wortinnern) oder *plene* (mit »stummem« Vok., vgl. *ko-no-so* /*Knōs(s)os*/, bes. am Silbenanfang) geschrieben. Einfache Kons. am Wortende bleiben in L.B unberücksichtigt, was bei einer flektierenden Sprache ein großes Manko darstellt.

Der Aufbau zeigt, daß L.B als eigenständige Neuschöpfung in enger Vertrautheit mit L.A und der → Hieroglyphenschrift Kretas geschaffen wurde: Nahezu die Hälfte der B-Zeichen erscheint auch im A-Inventar (daher ist wohl auch der gleiche Lautwert anzunehmen). Aus L.A übernommen sind auch viele Ideogramme und die Zahlzeichen. Da es nach SM I B keine L.A-Zeugnisse mehr gibt, liegt der späteste Zeitpunkt für die Schaffung von L.B mit dem Beginn von SM II (ca. 1450 v. Chr.) und damit wenige Jahrzehnte vor den KN-Texten fest.

F. Texte und Schreiber

In L.B sind ausschließlich meist stichwortartige Verwaltungstexte abgefaßt, also Anordnungen, Bestandsaufnahmen, Ablieferungen und Zuweisungen von Personen, Tieren und Waren, ferner Außenstände und Fehlbeträge desjenigen Rechnungsjahres, in dem die jeweilige Residenz durch Brand zerstört wurde. Die Texte stammen größtenteils aus Archivräumen oder aus Örtlichkeiten, die eine handwerkliche Spezialnutzung erkennen lassen. Obwohl reine Gebrauchstexte, geben sie indirekt Aufschluß über verschiedene Bereiche der myk. Kultur, Verwaltung und Wirtschaft. Eigenheiten im Schriftduktus ermöglichen es, die verschiedenen Schreiber auseinanderzuhalten. Die große Zahl der Schreiber an den einzelnen Orten (KN: 75–100 [14]; PY: 40 [15]; MY: 12) bei oft geringer Schreibtätigkeit deutet darauf hin, daß die in der Verwaltung tätigen Personen in ihren Tätigkeitsbereichen selbst Buch führten.

→ Ägäische Koine; Mykenisch; Schrift; Entzifferung

**Linear B, Zahlzeichen**

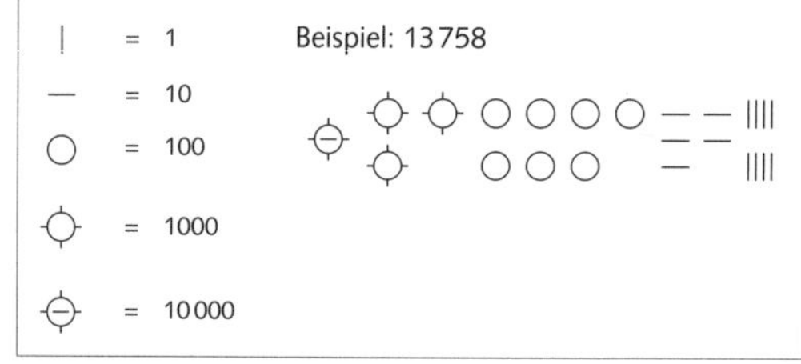

ED.: KN: 1 J.T. KILLEN, J.-P. OLIVIER, The KN Tablets. A Transliteration, [5]1989 2 J. CHADWICK, L. GODART u.a., Corpus of Mycenaean Inscriptions from KN, Bd. 1, 1986; 2, 1990; 3, 1997; 4, 1998.

PY: 3 E.L. BENNETT JR., J.-P. OLIVIER, The PY Tablets Transcribed, Bd. 1, 1973; 2, 1976.
ANDERE FO: 4 J.L. MELENA, J.-P. OLIVIER, TITHEMY. The Tablets and Nodules from TI, TH and MY. A Revised Transliteration, 1991 5 E. HALLAGER, M. VLASAKIS u.a., The First L.B Tablet(s) from KH, in: Kadmos 29, 1990, 24–34 6 Dies., New L.B Tablets from KH, in: Kadmos 31, 1992, 61–87.
VASEN: 7 A. SACCONI, Corpus delle iscrizioni vascolari in lineare B, 1974.
LIT.: 8 J. DRIESSEN, An Early Destruction in the Mycenaean Palace at KN, 1990 9 I. HAJNAL, Sprachschichten des myk. Griech., 1997 10 A. HEUBECK, Aus der Welt der frühgriech. Lineartafeln, 1966 11 HEUBECK, 23–54 12 ST. HILLER, O. PANAGL, Die frühgriech. Texte aus myk. Zeit, [2]1986 13 J.T. HOOKER, Linear B: An Introduction, 1980 14 J.-P. OLIVIER, Les scribes de Cnossos, 1967 15 TH.G. PALAIMA, The Scribes of PY, 1988 16 L.R. PALMER, The Interpretation of Mycenaean Greek Texts, 1963 17 A. SACCONI, Introduzione ad un corso di filologia micenea, 1990 18 F. VANDENABEELE, J.-P. OLIVIER, Les idéogrammes archéologiques du linéaire B, 1979 19 VENTRIS/CHADWICK.

KARTEN-LIT.: A. MORPURGO DAVIES, Y. DUHOUX (Hrsg.), L.B: A 1984 Survey, 1988, 12. R.P.

**Lingones.** Kelt. Volk an der Grenze der Gallia Lugdunensis zur Gallia → Belgica zw. → Senones und → Sequani (Strab. 4,1,11; 3,4; 6,11: Λίγγονες; Ptol. 2,9,9: Λόγγονες). Die L. waren an den Kämpfen der Gallier gegen Caesar nicht beteiligt (Caes. Gall. 1,26,5; 40,11; 7,9,4; 63,7; Plut. Caesar 26,6; Cass. Dio 40,38; 66,3). *Foederati* schon damals (Plin. nat. 4,31), erlangten sie das röm. Bürgerrecht E. des 1. Jh. n. Chr. (Tac. hist. 1,78,1). Nach 250 n. Chr. gehörten sie zur *provincia Lugdunensis*. Hauptort war Andematu(n)num (h. Langres).

E. FRÉZOULS (Hrsg.), Les villes antiques de la France II. Germanie supérieure. 1: Besançon, Dijon, Langres, Mandeure, 1988. Y.L.

**Linierung.** Vorbereitung des Beschreibstoffes vor dem eigentlichen Schreiben, bei der horizontale und vertikale Linien gezogen werden, die den Schriftspiegel (→ Mise en page) definieren und dem Schreiber und Ausschmückenden der Hs. als Schablone dienen. Gemeinsamkeiten der L. ermöglichen die Gruppierung von Hss. und die Zuweisung zu bestimmten Abschreibern, einem → *scriptorium* oder einer Gruppe von *scriptoria*.

Vor der eigentlichen L. sticht man mit einem zugespitzten Stift als Fixpunkte eine Reihe kleiner Löcher oder Schlitze in der Oberfläche des Schriftträgers, an denen sich die L. orientiert. Dieser Stift kann den Schriftträger durch mehrere Blätter zugleich durchstoßen (vgl. [1]); die Form (rund, dreieckig, gerade) kann typologisch klassifiziert werden (vgl. [2]). Je nach verwendetem Instrument gibt es verschiedene L.-Techniken: Bei der älteren Methode, der »Trocken-L.«, wird die L. mit der trockenen Spitze eines harten, zugespitzten Instruments eingedrückt.

**Linear B, entzifferte Silbenzeichen**

| | -a | -e | -i | -o | -u |
|---|---|---|---|---|---|
| Monophthong | 08 | 38 | 28 | 61 | 10 |
| Diphthong a- | | | $a_3$ 43 | | 85 |
| h- | $a_2$ 25 | | | | |
| p- | 03 | 72 | 39 | 11 | 50 |
| p-2 | | | | | 29 |
| pt- | | 62 | | | |
| t- | 59 | 04 | 37 | 05 | 69 |
| t-2 | 66 | | | | |
| tw- | | 87 | | 91 | |
| d- | 01 | 45 | 07 | 14 | 51 |
| dw- | | 71 | | 90 | |
| k- | 77 | 44 | 67 | 70 | 81 |
| q- | 16 | 78 | 21 | 32 | |
| j- | 57 | 46 | | 36 | |
| w- | 54 | 75 | 40 | 42 | |
| m- | 80 | 13 | 73 | 15 | 23 |
| n- | 06 | 24 | 30 | 52 | 55 |
| nw- | 48 | | | | |
| r- | 60 | 27 | 53 | 02 | 26 |
| r-2 | 76 | | | 68 | |
| r-3 | 33 | | | | |
| s- | 31 | 09 | 41 | 12 | 58 |
| z- | 17 | 74 | | 20 | |

Numerierung nach Bennett.

**Linear B, unentzifferte Silbenzeichen**

| | | | | | |
|---|---|---|---|---|---|
| 18 | 19 | 22 | 34 – | 35 | 47 |
| 49 | 56 | 63 | 64 | 65 | 79 |
| 82 | 83 | 84 | 86 | 88 | 89 |

Numerierung nach Bennett.

L.-System wird die Abfolge der Rillen und Reliefs innerhalb des trockenlinierten Faszikels genannt, die davon abhängt, wie man die L. auf den Blättern des Faszikels aufdrückte (Blatt für Blatt oder mehrere Blätter gleichzeitig) und wie die Blätter zum Faszikel zusammengelegt wurden. Direkte (auch primäre oder Haupt-) L. heißt diejenige, die durch direkten Kontakt des Instruments mit dem Schriftträger erzeugt wird; die durchgedrückte (sekundäre) L. wird dagegen ohne direkten Kontakt durch andere dazwischengelegte Oberflächen hindurch erzeugt. E. K. Rand unterschied den *new style*, bei dem alle Blätter des Faszikels direkt liniert sind, von dem *old style*, bei der nur das innere oder äußere Bifolium des Cod. direkt liniert wird [3. Bd. 1, 11–18]. J. Leroy beschrieb 13 einfache Systeme in griech. Hss. und entwickelte eine Methode zu deren graphischer Darstellung (L.-Schema) [4; 5. 30–37]. Weitere, den Papier-Hss. eigene Systeme identifizierte J. Irigoin [6. 292–296].

Seit dem Ende des 11. Jh. setzt sich neben der »Trocken-L.« die »Farb-L.« durch, die mittels eines Stiftes, der eine durchgehende Farbspur hinterläßt, aufgetragen wird und Blatt für Blatt wiederholt werden muß. Bei der Bleiminen-L. hinterläßt der Stift eine (zuweilen leicht eingedrückte) schwarze oder silbergraue Linie. Die Tinten-L. ist dagegen mit einer flüssigen oder pastosen tintenartigen Substanz aufgetragen. Die Farbsubstanzen wurden erst in jüngster Zeit Gegenstand des wiss. Interesses und am Anfang der 90er Jahre des 20. Jh. anhand spezieller Techniken (PIXE) analysiert [8]. Im 15. Jh. verwendete man für die Farb-L. u. a. ein kammartiges Instrument mit mehreren, in einer Reihe angeordneten Spitzen, das mit Tinte mehrere Linien gleichzeitig zieht [9. 43–48].

Sowohl die Farb.-L. als auch die Trocken-L. wurden im Westen wenigstens bis zum Ende des MA verwendet [10. 32]. Im 15. Jh. ließ der archaisierende Geschmack der Humanisten die Blind-L. wieder aufkommen. Belegt ist für das It. dieser Zeit die Verwendung einer Holzschablone, auf der die L. als Relief vorgegeben ist und auf das Blatt durchgerieben wird [9. 48–54]. Bis zur Mitte des 13. Jh. wurden im lat. Europa sämtliche Richtlinien (Linien, die die Schrift führen sollen) beschrieben; danach begann man den Text erst unterhalb der ersten Richtlinie [7. 120, 124–127].

Der L.-Typ ist das Raster, das die Gesamtheit der horizontalen und vertikalen Linien auf der Oberfläche der Seite bildet und das der Konvention nach auf einer Rektoseite abgelesen wird. Ausgangspunkt für die systematische Analyse der L.-Typen war der in den 30er Jahren abgeschlossene Klassifikationsversuch von K. und S. Lake [11. Bd. 1, pl. 1–6, Indices, 121–134]; am weitesten verbreitet ist heute das Klassifikationsmodell von J. Leroy aus dem Jahr 1976 [12; 5. 14–29]. A. Derolez wendet auf die humanistischen Hss. ein alternatives Modell an [13. Bd. 1, 65–123, Bd. 2, 15–22].

→ Codex; Kodikologie

**1** L. W. Jones, Pricking Manuscripts: The Instruments and Their Significance, in: Miscellanea Giovanni Mercati 6, 1946, 80–92 **2** Ders., Pricking Manuscripts: The Instruments and Their Significance, in: Speculum 21, 1946, 389–403 **3** E. K. Rand, A Survey of the Manuscripts of Tours, 2 Bde., 1929 **4** J. Leroy, Quelques systèmes de réglure des manuscrits grecs, in: Studia codicologica, 1977, 291–312 **5** J. H. Sautel, Répertoire de réglures dans les manuscrits grecs sur parchemin, 1995 **6** J. Irigoin, Typologie et description codicologique des manuscrits de papier, in: Paleografia e codicologia greca. Atti del II Colloquio internazionale, Bd. 1, 1991, 275–303 **7** M. Palma, Modifiche di alcuni aspetti materiali della produzione libraria, in: Scrittura e civiltà 12, 1988, 119–133 **8** P. Canart u. a., Récherches préliminaires sur les matériaux utilisés pour la réglure en couleur dans les manuscrits grecs et latins, in: Scriptorium 45, 1991, 205–225 **9** J. P. Gumbert, Ruling by Rake and Board. Notes on Some Late Medieval Ruling Techniques, in: P. Ganz (Hrsg.), The Role of the Book in Medieval Culture, Bd. 1, 1986, 41–54 **10** J. Vezin, La réalisation materielle des manuscrits latins pendant le haut moyen âge, in: A. Gruys (Hrsg.), Codicologica, Bd. 2, 1978, 15–51 **11** K. und S. Lake, Dated Greek Minuscule Manuscripts to the Year 1200, 10 Bde., 1934–1945 **12** J. Leroy, Les types de réglure des manuscrits grecs, 1976 **13** A. Derolez, Codicologie des manuscrits en écriture humanistique sur parchemin, Bd. 1, 1984.

G. D. F./Ü: T. H.

**Linos** (Λίνος) ist wohl die Personifikation des rituellen (oriental.?) Rufs *aílinon* (phöniz. *ai lanu*?), des Refrains des sog. L.-Liedes (Hom. Il. 18,569–570; Hes. fr. 305–306 M.-W.; Pind. fr. 128c 6). Danach ist L. Sohn des Apollon und einer Muse (Urania, Kalliope, Terpsichore oder Euterpe [1. 14; 2. 55]); die Verbindung mit den → Musen spiegelt sich in einem Kult auf dem → Helikon [1] (Paus. 9,29,5–6) und in Epidauros (SEG 33, 303; 44, 332A) wider. Argiv. Frauen und Mädchen betrauerten in jährlichen Festen den Tod des L., der als Jüngling von den Jagdhunden seines Großvaters mütterlicherseits zerrissen wurde (Kall. fr. 26–31) [3. 108–113]. Bei den argiv. Leichenspielen für Pelias gewann L. den ersten Preis im Gesang (Hyg. fab. 273, 10f.). Theben reklamierte L. als einheimischen Heros und machte ihn zum Musiklehrer des → Herakles, der ihn in einem Wutanfall tötete. Diese Szene ist häufig auf att. rf. Vasen des frühen 5. Jh. abgebildet [4] und Stoff verschiedener Komödien (Alexis, fr. 140 K.-A.; Anaxandrides, fr. 16 K.-A.) und eines Satyrspiels (Achaios, TGF 20 F 26). Vor dem E. des 3. Jh. v. Chr. wurde L. unter die → Sieben Weisen gezählt und ihm ein kosmologisches Gedicht zugeschrieben, das nur frg. überl. ist [5. 56–67]. Spätere Quellen erweitern seine Bed. für die Musik immer mehr und machen ihn sogar zum Vater des Eros (SEG 26, 486).

→ Ailinos

**1** A. Henrichs, Philodems »de pietate« als mythograph. Quelle, in: CE 5, 1975, 5–38 **2** Ders., Ein neues Likymniosfragment bei Philodem, in: ZPE 57, 1984, 53–57 **3** U. v. Wilamowitz-Moellendorff, KS 5.2, 1937, 108–113 **4** M. Schmidt, L., Eracle ed altri ragazzi. Problemi di lettura, in: Modi e funzioni del racconto mitico nella ceramica greca, italiota ed etrusca dal VI al IV secolo a.C. (Atti convegno 29/31.5.1994), 1995, 13–25 5 M.L. WEST, The Orphic Poems, 1983.

GREVE, s.v. L., in: ROSCHER 2, 2053–2063 • W. KROLL, s.v. L., RE 13, 715–717 • J. BOARDMAN, s.v. L., LIMC 6.1., 290.
J.B.

**Linse** (abgeleitet von lat. *lens, lentis* oder *lenticula*; griech. φακός/*phakós*), Ervum Lens L., eine seit Jahrtausenden, bes. in Äygpten (zwei Arten bei Plin. nat. 18,123), angebaute Hülsenfrucht. Für deren Brei (φακῆ/*phakḗ*) opferte Esau sein Erstgeburtsrecht (Gn 25,34). Bei den Griechen erwähnen Solon fr. 26,3 und Hdt. 4,17 (Anbau bei den Skythen) die L. zuerst. Bei Aristoph. (z.B. Equ. 1002 und Vesp. 811) sowie Athen. 4,158a-d ist das L.-Gericht Speise der Armen. Theophrast (h. plant. 2,4,2 und 8,5,1 ff.), Cato (agr. 35,1 und 116), Columella (2,10,15 f., vgl. Pall. agric. 3,4) und Plinius (nat. 18,198 u.ö.) beschreiben Aussaat und Aufbewahrung der Frucht. Medizinisch wurde die von Dioskurides (2,107 WELLMANN = 2,129 BERENDES) als schwer verdaulich beurteilte L. u.a. gegen Durchfall (vgl. ausführlich Gal. de alimentorum facultatibus 1,18) empfohlen.
→ Ernährung; Erve

H. GOSSEN, s.v. L., RE Suppl. 8, 263 • V. HEHN, Kulturpflanzen und Haustiere, ed. O. SCHRADER, [8]1911 (Ndr. 1963), 212.
C.HÜ.

**Lintearius** s. Lein; Flachs

**Linter**
**[1]** s. Binnenschiffahrt
**[2]** s. Wein

**Linum** s. Lein; Flachs

**Lipara** (Λιπάρα, lat. *Liparae*). Größte der → Aeoli Insulae, h. Lipari. Ausgrabungen vom J. 1948 erlauben es, den kulturellen Aufstieg von L. von den ersten Siedlungen (mittleres Neolithikum, 2. H. 5. Jt. v. Chr., Obsidianabbau und -ausfuhr) zu rekonstruieren. L. war im Spätneolithikum (2. H. 4. Jt.) eines der bevölkerungsreichsten Gebiete im westl. Mittelmeerraum. Nach einer schweren Rezession im 3. Jt. erlebte L. eine Blüte in der Brz., als sich hier und auf den Nachbarinseln Siedler kontinentalgriech. Herkunft in den ersten Jh. des 2. Jt. niederließen. Vom 16. Jh. v. Chr. an hatte L. Handelsbeziehungen zur Ägäis (Keramikfrg. myk. Herkunft; der Kuppelbau der Thermen von San Calógero aus dieser Zeit?). Es folgte die Einwanderung sizil. Völker (E. 15. bis Mitte 13. Jh.), dann ital. Völker (→ Ausones der Legenden, 13. bis 10. Jh.). Der Import ägäischer Keramik setzte sich bis Mitte des 11. Jh. fort, zusätzlich zur sard. Keramik bzw. zur bemalten von der ital. Halbinsel. Die bevölkerungsreiche Siedlung der Burg wurde um 900 v. Chr. zerstört.

L. war fast ohne Einwohner, als sich eine Gruppe von griech. Siedlern aus → Knidos dort niederließ, was auf entschiedenen Widerstand der → Tyrrhenoi stieß. L. begann mit diesen einen Seekrieg, der sich mit wechselnden Erfolgen bis 473 (Schlacht von Kyme) hinzog. Den Tyrrhenoi gelang es, L. zu erobern, aber schon bald wurden sie wieder vertrieben. L. weihte dem Orakel von Delphoi reiche Geschenke. L., mit Syrakusai verbündet, widerstand den Angriffen von Athen und Rhegion (427 und 426 v. Chr.). Die Marine von L. beherrschte im 5./4. Jh. v. Chr. das südtyrrhenische Meer. Der Angriff des → Agathokles [2] (304 v. Chr.) verursachte den Bündniswechsel von Syrakusai nach Karthago. So wurde L. im 1. → Punischen Krieg zum vorgezogenen Posten der Karthager und deshalb 252/1 v. Chr. von den Römern zerstört.

Die Ausgrabungen belegen die fortschreitende Ausweitung des Stadtgebietes – von der Akropolis, Sitz der knid. Siedlung, bis zu dem zu ihren Füßen liegenden Tal – und erlauben es, die Stadtmauern zu identifizieren (die eine aus der Zeit um 500 v. Chr in *opus polygonale*, die andere aus der 1. H. des 4. Jh. v. Chr. in *opus quadratum*; → Mauerwerk). Die Ausgrabung der Nekropole hat bewiesen, daß L. die größte Blüte im 4. Jh. und in der 1. H. des 3. Jh. erlebt hat. Aus dieser Zeit stammen die mit Figuren verzierten sikeliotischen und kampanischen Kratere, aber es entwickelte sich auch eine lokale Keramikproduktion, die in der 1. H. des 3. Jh. v. Chr. in die polychrome Keramik des »Malers von L.« und seiner Schüler mündet. Ein weiteres blühendes Handwerk war die Theatermaskenproduktion, die in einer ersten Phase (1. H. 4. Jh. v. Chr.) → Masken der Protagonisten der berühmtesten Trag. (Soph. und Eur.) und Komödien des Aristoph. schuf. Nur wenig später entstanden zahllose komische Statuetten. Zahlreich sind in der 1. H. des 3. Jh. auch Masken oder Portrait-Statuetten von berühmten Persönlichkeiten (Homer, Sokrates, Lysias, Sophokles, Euripides, Menandros). Die Zerstörung von L. 252/1 v. Chr. durch die Römer setzte dieser kulturellen Blüte ein Ende. Im 2. Jh. v. Chr. entstand eine neue Bebauung der Akropolis. Cicero nennt L. eine *civitas decumana* (»abgabenpflichtige Stadt«).

In der Kaiserzeit diente L. häufig als Verbannungsort (z.B. der Plautilla, Ehefrau des Caracalla). L. war spätestens seit dem 4. Jh. n. Chr. Bischofssitz. Eine unterirdische Beerdigungsstätte belegt die Existenz einer jüd. Glaubensgemeinschaft seit dem 4. Jh. n. Chr. In christl. Zeit machten die Reliquien des Hl. Bartholomaeus L. zu einem wichtigen Ziel von Pilgerfahrten. 838 n. Chr. wurde L. von den Arabern zerstört; die Insel blieb praktisch unbewohnt bis zur normann. Neugründung 1038.

L. BERNABÓ BREA, M. CAVALIER, Meligunis L. 1, 1957; 2, 1965; 4, 1980; 5, 1991; 7, 1995; 9 (im Druck) • Dies., La ceramica policroma liparese, 1986 • L. BERNABÓ BREA, Menandro e il teatro nelle greco terracotte liparesi, 1980 • Ders., Ceramica figurata del IV sec. a.C. nelle necropoli liparesi, 1995 • Ders., Le isole Eolie dal tardo antico ai normanni, 1988 • A. BRUGNONE, M. CAVALIER, I bolli delle tegole delle necropoli di Lipari, in: Kokalos 32, 1986, 181–280 • G. MANGANARO, Tra epigrafia e numismatica, in: Chiron 22, 1992, 385–410 • BTCGI 9, 1991, 81–185.
L.B.B./Ü: R.P.L.

**Lipomartyriu dike** (λιπομαρτυρίου δίκη). Klage wegen unterlassener Zeugenaussage. Das Prozeßzeugnis (→ *martyría*) bestand in den griech. Poleis aus einem vom Kläger oder dem Beklagten vorformulierten Satz, der dem Zeugen im Prozeß vorgesprochen wurde und den dieser durch sein bloßes Auftreten vor Gericht bestätigte. Wurde ein Zeuge von einer Prozeßpartei privat geladen (καλεῖν, *kaleín*, Plat. leg. 937a, PHalensis 1,222f., IPArk 17,12; προσκαλεῖν, *proskaleín*, Demosth. or. 49,19), hatte er zwei Möglichkeiten: Entweder er verweigerte das Zeugnis und leistete außergerichtlich einen Eid, »von der Sache nichts zu wissen« (→ *exōmosía*), oder er übernahm die Pflicht, den Zeugensteller vor Gericht zu unterstützen. Kam der Zeuge dieser Pflicht nicht nach, drohten ihm Sanktionen. In Athen konnte der Zeugensteller den Zeugen vom Herold rufen lassen (ἐκκλητεύειν, *ekklēteúein*); bei Ausbleiben hatte der Zeuge eine Geldstrafe von 1000 Drachmen an den Staat zu bezahlen. Alternativ dazu konnte der Zeugensteller die *l.d.* erheben, eine Privatklage (Demosth. or. 49,19). Wurde der Zeuge hierin verurteilt, mußte er dem Zeugensteller den erlittenen Schaden ersetzen. Ob der Hauptprozeß bei Erheben einer *l.d.* ausgesetzt wurde oder diese erst erhoben werden konnte, nachdem die Hauptsache entschieden war, sowie auch das Verhältnis der *l.d.* zur → *blábēs díkē* sind unklar. Nach dem Rechtsgewährungsvertrag zw. Stymphalos und Sikyon (IPArk 17, 10–14) wurde ein ausgebliebener Zeuge verurteilt, dem Kläger den gesamten Klagebetrag zu ersetzen. Der Hauptprozeß war damit erledigt.

A.R.W. HARRISON, The Law of Athens 2, 1971, 140–144 · IPArk, 239f. G.T.

**Lipotaxiu graphe** (λιποταξίου γραφή) war im att. Recht die Klage wegen unerlaubten Verlassens der Schlachtreihe. Das Vergehen wurde wie die übrigen mil. Delikte mit → *atimía* bestraft (Demosth. or. 15,32; vgl. zu Sparta Isokr. or. 8,143). Von Aischines wird das entsprechende Gesetz Solon zugeschrieben (Aischin. Ctes. 175f.), was jedoch unsicher bleibt. Nach Andokides (And. 1,74; vgl. Lys. 14,5–7) wurde die Verfolgung von Militärvergehen wie der *graphḗ astrateías* (Nichtbefolgung eines Aufgebots), die → *deilías graphḗ* (Klage wegen Feigheit) und die *graphḗ tu apoblēkénai tēn aspída* (Wegwerfen des Schildes) in einem einzigen Gesetz geregelt: Sie sind deswegen auch schwer zu unterscheiden.

1 D.M. MACDOWELL, The Law in Classical Athens, 1978, 159ff. 2 E. RUSCHENBUSCH, ΣΟΛΩΝΟΣ ΝΟΜΟΙ, 1966, 25, 82f. LE.BU.

**Lippitudo.** Durch Exsudation gekennzeichnete Augenkrankheit, die eine Vielfalt spezifischer Erkrankungen wie Trachom und Konjunktivitis umfaßt. Eine trockene Variante der *l.*, die *xerophthalmía*, bei der die eiternden Augen über Nacht verkleben, ist ebenfalls beschrieben (Celsus, De medicina 6,6,29). → Celsus [7] (ebd. 6,6,2) berichtet von einer Vielzahl von Salben und sonstigen Mitteln gegen die *l.*, eine ungemein verbreitete Krankheit; dies findet Bestätigung in den zahlreichen sog. »Okulistenstempeln« für Augensalben (→ Kollyrion) mit der Aufschrift ›gegen *l.*‹ sowie in der Vielzahl der Hersteller solcher Salben, wie sie uns namentlich durch die Stempel selbst bzw. die Rezeptlit. überl. sind [1]. Eine Meldung über dienstuntaugliche Hilfstruppen aus Vindolanda aus dem frühen 1. Jh. n. Chr. [2] zeigt, daß 10 von 31 Männern in der Ersten Kohorte der Tungri an *l.* litten; 15 litten an anderen Krankheiten, 6 waren verwundet.

→ Augenheilkunde; Pharmakologie

1 H. NIELSEN, Ancient Ophthalmological Agents, 1974, 74, 91 2 A.K. BOWMAN, J.D. THOMAS, A Military Strength Report from Vindolanda, in: JRS 8, 1991, 69.

V.N./Ü: L.v.R.-B.

**Liquamen.** *L.* oder *garum* (griech. γαρόν) war eine Art Fischsauce (→ Fischspeisen), die u.a. aufgrund ihres hohen Salzgehaltes als Gewürz in sehr vielen ant. Speisen Anwendung fand (vgl. die unter dem Namen → Caelius [II 10] Apicius gesammelten Kochrezepte [1]). Zur Herstellung wurden kleine Fische in Salz eingelegt und in der Sonne getrocknet; die aus den Überresten abgeseihte Flüssigkeit ergab das *l.* (ausführlich bei Geop. 20,46; vgl. auch Plin. nat. 31,93–95).

1 J. ANDRÉ, Apicius. L'art culinaire, texte, traduction et commentaire, 1974. JA.AND. u. JU.HEN.

**Liquentia.** Fluß in → Venetia (Plin. nat. 3,126; vgl. *Licenna*, Tab. Peut. 4,4; *Liquetia*, Serv. Aen. 9,679; *Liguentia*, Geogr. Rav. 4,36; 115 km), h. Livenza. Er entspringt in den Alpes Carnicae, wird von den Viae Postumia und Annia gekreuzt, floß in einer h. nur noch wenig Wasser führenden Mündung in die Adria bei Portus Liquentiae westl. der h. Mündung bei Caorle (ant. Caprulae).

G.U./Ü: J.W.M.

**Liquet.** Anders als unter dem heute verfassungsrechtlich garantierten Justizgewährungsanspruch durfte der Richter der (klass.) röm. Ant. erklären, daß er sich zu einer Entscheidungsfindung außerstande sehe: *rem sibi non liquere* (Gell. 14,2,25), wenn er nicht entsprechend der Prozeßformel (→ *formula*) verurteilen oder freisprechen konnte. Leistete er einen entsprechenden Eid, konnten die Parteien denselben Rechtsstreit vor einem anderen Richter betreiben. Gleiches galt für einen durch private Schiedsvereinbarung eingesetzten → *arbiter* (Dig. 4,8,13,3) und für Kollegialgerichte (Dig. 42,1,36), doch nur so lange, wie die für den Urteilserlaß erforderliche Mehrheit der Richter nicht mehr vorhanden und entscheidungsfähig (*sibi liquere*) war.

P. KRAFFT, Ein übersehenes Zeugnis zur Mutatio iudicis, in: ZRG 97, 1980, 266–272. C.PA.

**Liris.** Fluß in Zentralitalien (168 km), h. Garigliano. Er entspringt in den Colles Simbruini beim → Lacus Fucinus, fließt durch Sora, nimmt unterhalb Arpinum den

Fibrenus auf (Cic. leg. agr. 2,3) und bildet hier einen Wasserfall; bei → Fregellae mündet der Trerus (Sacco), dann der Melfis (Melfa). Vor seiner Mündung liegt der Lucus Maricae, ein hl. Hain der → Marica mit einer den Römern hl. Kultstätte. Rechts der Mündung liegt → Minturnae. G.U./Ü: J.W.M.

**Lisinius.** Q. L. Sabinus. Ritter; Procurator der Provinz Noricum zwischen 135 und 138 n. Chr.

RMD II 93; PIR[2] L 285. W.E.

**Lisos, Lissos** (Λισος inschr., Λισ(σ)ός lit.; vgl. Λίσσα, Skyl. 47; Ptol. 3,15,3; Tab. Peut. 8,5). Stadt an der SW-Küste von Kreta, westl. vom h. Sougia, in von Bergen geschützter, nur zum Meer hin geöffneter Lage. Seit dem späten 4. Jh. v. Chr. bildete L. mit Elyros, Hyrtakina und Tarrha das → *koinón* der *oreíoi* (»Bergbewohner«). Von überregionaler Bed. der von klass. bis byz. Zeit besiedelten Stadt war das Asklepieion mit Heilquelle. Erh. sind Reste von öffentlichen (Theater, Thermen, Brunnen, eine Basilika aus byz. Zeit) und privaten (am Westhang) Gebäuden.

H. VAN EFFENTERRE, La Crète et le monde grec de Platon à Polybe, 1948, 120–128 • J. W. MYERS u. a., Aerial Atlas of Ancient Crete, 1992, 168–171 • I. F. SANDERS, Roman Crete, 1982. H.SO.

**Lissa**

**[1]** Insel vor der dalmatischen Küste gegenüber Iader (Plin. nat. 3,152), h. Ugljan.

J. J. WILKES, Dalmatia, 1969, 206, 208 f. D.S.

**[2]** (Λίσσα). Inschr. bezeugter Ort an der kleinasiat. SW-Küste in Lykia. Nicht identisch mit dem FO der Inschr. [3; 6], einem hell. Turmgehöft in Kızılağaç am Kargın Gölü (anders [1. 520; 2. 39, 45; 5. 74]), sondern evtl. mit dem vermeintlichen »Letoon« (Strab. 14,2,2) [5. 74 f. Abb. 25 f.]; vgl. auch Plin. nat. 5,101? [4. 164, 365].

1 G. E. BEAN, s. v. L., PE, 520 f. 2 Ders., Kleinasien 4, 1980 3 E. L. HICKS, Decrees from Lisse or Lissae in Lycia, in: JHS 9, 1888, 88 f. 4 ROBERT, Villes, 161 ff. 5 P. ROOS, Topographical and Other Notes on South-Eastern Caria, in: OpAth 9, 1969, 59–93 6 TAM 2,1, 51 Nr. 158–161. H.LO.

**Lissen** (Λισσῆν). Örtlichkeit auf Kreta mit, v. a. wegen unklarer Angaben der Scholiasten zu Hom. Od. 3,293, unsicherer geogr. Zuordnung, wahrscheinlich das h. Kap Lithinos. Zugehörigkeit zu Phaistos bei Strab. 10,4,4 (nur durch Konjektur) und Steph. Byz. s. v. Φαιστός.

P. FAURE, La Crète aux cents villes, in: Kretika Chronika 13, 1959, 190. H.SO.

**Lissenius.** L. Proculus. Ritter, der im J. 252/3 n. Chr. den Praefekten von Ägypten vertrat (POxy. 3050) [1. 313; 2. 87; 3. 514].

1 G. BASTIANINI, in: ZPE 17, 1975, 263–328 2 Ders., in: ZPE 38, 1980, 75–89 3 Ders., Il prefetto d'Egitto (30 a.C. – 297 d.C.): Addenda (1973–1985), in: ANRW II 10.1, 1988, 503–517. W.E.

**Lissos** (Λισσός, lat. *Lissus*). Stadt mit Hafen beim h. Lezhë in Albanien am linken Ufer des Drin, der durch ein Lagunengebiet hindurch oberhalb der ant. Stadt ins Meer mündet. Wo Diod. 15,13,4 L. eine Gründung des Dionysios [1] I. 385 v. Chr. nennt, verwechselt er offenbar L. mit → Issa, was albanische Grabungen beweisen, die eine gegen die See, nicht aber gegen das Land hin gerichtete Verteidigungsposition von L. nachweisen. Nach F. PRENDI geht die Stadt auf E. 4./Anf. 3. Jh. v. Chr. zurück, wobei zuerst Akrolissos (die Akropolis von L.) befestigt wurde. Nach Pol. 2,12,3 bzw. 4,16,6 und App. Ill. 7 bezeichnete L. im röm.-illyr. Vertrag von 228 (StV 3, 193, Nr. 500) die Grenze, über die nicht mehr als zwei unbewaffnete illyrische Schiffe südwärts fahren durften. Nach Pol. 8,13 f. besetzte Philippos V. 213/2 L., aber schon 209 eroberten die illyr. Könige Skerdilaïdas und Pleuratos L. und ihre Akropolis offenbar zurück und schnitten den maked. König gänzlich von der Adria ab. In L. empfing König Genthios 169 eine maked. Gesandtschaft (Pol. 28,8), obwohl eigentlich Skodra seine Residenzstadt war. Nach dem 3. → Makedonischen Krieg stand L. unter röm. Herrschaft. Im Bürgerkrieg zw. Caesar und Pompeius war Caesars Flotte in L. stationiert (Caes. civ. 3,26,4; 3,28). L. war Sitz des von den Römern eingerichteten *conventus* (ebd. 3,29). 48 baute Caesar die wohl 168 zerstörte Stadtmauer mit zahlreichen Türmen wieder auf und fügte eine Trennmauer zw. Unter- und Oberstadt ein. 33 v. Chr. wurde eine *colonia* gegr. (CIL III 1704; *augur, II viri quinquennales, decurio*).

1 F. PRENDI, K. ZHEKU, La ville illyrienne de L. ..., in: Iliria 2, 1972, 239–268 2 F. PRENDI, Deux inscriptions de construction de la ville illyrienne de L., in: Iliria 11,2, 1981, 153–163. PI.CA./Ü: S.F.

**Liste** A. DEFINITION B. ALTER ORIENT

A. DEFINITION

Die L. ist eine graphisch-sprachliche Technik zur Darstellung von Sachverhalten und Konzepten unterschiedlicher Komplexität. Sie stellt Sachverhalte herausgelöst aus ihrem schriftlich oder mündlich vorliegenden (narrativen/beschreibenden) Kontext asyntaktisch und enumerativ dar. L. können ausschließlich – mit einem Anspruch auf Vollständigkeit – bzw. offen sein. Neben einfachen L. (Aneinanderreihung von Begriffen und/oder Zahlen in einer Kolumne oder Zeile bzw. Reihe) gibt es binäre L., in denen Begriffe (Wörter) einander in zwei Kolumnen gegenübergestellt werden. In der Matrix werden in einer Mehrzahl von Kolumnen und Zeilen Begriffe auf unterschiedlichen Ebenen miteinander verknüpft [2. 274]. GOODY [2] bezeichnet die L. als ein Charakteristikum früher Schriftkultur an der

Grenze zwischen Mündlichkeit und Schriftlichkeit, u.a. mit Verweis auf die frühe indische Lit. [2. 115], auf die Götterlisten in Hesiods Theogonie [2. 99] und auf heutige westafrikan. Kulturen [2. 211 f.]. J.RE.

B. Alter Orient

Fast gleichzeitig mit der Erfindung der → Schrift (ca. 3100 v. Chr.) erscheint in Mesopot. die L. als eigenständige Textgattung. Im Verlauf der Entwicklung der Schriftpraxis nahm die Gattung L. an Umfang zu. Im 3. Jt. war die wichtigste Gattung die der thematischen L., sog. »Gegenstandslisten« (etwa von Berufen, Bäumen, Holzgegenständen, Toponymen usw.).

Reine Zeichen-L. (d.h. Handbücher, die alle möglichen sumer. Lesungen eines Zeichens angeben, sog. »Vokabulare«) wurden erst relativ spät in der babylon. Schule entwickelt (Anfang 2. Jt. v. Chr.). Seit dem 2. Jt. wurden darüber hinaus L. entwickelt, in die thematisch nur schwer einzuordnende Wörter Eingang fanden. Die Vokabulare sind grundsätzlich entweder nach graphischen (z.B. Wörter, die mit demselben Zeichen beginnen) oder semantischen (Synonymie, Antonymie) Prinzipien geordnet. Die L. war die Form, in der – neben dem Mythos – theoretische oder theologische Konzepte und Weltsicht dargestellt wurden, wobei die L. selbst nur das an Begriffen/Wörtern orientierte Gerüst vorgab; Erläuterung und Exegese waren Teil der mündlich überlieferten Gelehrsamkeit. Zur Gattung L. gehören daher auch Genealogien sowie Götter-, Königs- und Eponymenlisten (→ Königslisten; → Eponyme Datierung). Bei manchen L. blieb der Text über Jh. fast unverändert erhalten, z.B. wurde eine L. von Berufen, deren Vorform vom Ende des 4. Jt. stammt, noch ca. 1800 studiert; eine Götterliste war von ca. 2000 bis ca. 700 v. Chr. in Gebrauch. Daneben wurden auch neue, dem zeitgenössischen Gebrauch angepaßte L. für das Studium geschaffen.

In Mesopot. waren lange Zeit mindestens zwei Sprachen im Gebrauch: Sumerisch und Akkadisch; unterrichtet wurde aber nur das Sumerische. Die sumer. L. blieben lange ohne Übers.; diese waren dem mündlichen Unterricht vorbehalten. Zunächst wurden L. in → Ebla (Nordsyrien, ca. 2400 v. Chr.) mit Übers. in der lokalen Sprache (→ Eblaitisch), in Mesopot. ab dem 2. Jt. mit akkad. Übers. versehen. Die akkad. Übers. zeugen – über den vordergründig-praktischen Zweck hinaus – von der intellektuellen Auseinandersetzung der akkad. Schreiber und Gelehrten mit dem Sumer. und der darin repräsentierten Geisteswelt.

Die Vokabulare des 1. Jt. sind drei- oder – wenn der Zeichenname genannt ist – vierspaltig angelegt: i (Ausspracheangabe) : Z (: *ia'u*) : *šamnum*, d.h. ›i ist die sumer. Lesung : des Schriftzeichens Z : (mit Namen) *ia'u* : und heißt auf akkad. *šamnum* (Öl)‹. Die Vokabulare und Gegenstands-L. wurden so lange wie die → Keilschrift selbst gepflegt und noch E. des 1. Jt. studiert, gelegentlich noch im 1./2. Jh. n. Chr. mit griech. Buchstaben transkribiert (→ Graeco-Babyloniaca).

→ Katalog; Lexikographie; Wissenschaft

1 A. Cavigneaux, s.v. L., RLA 6, 609–41 2 J. Goody, The Interface between the Written and the Oral, 1987 3 W. von Soden, Leistungen und Grenzen sumer. und babylon. Wiss., [2]1965 4 Ders., Sprache, Denken und Begriffsbildung im Alten Orient, 1974. AN.CA.

**Listen** s. Fasti

**Litatio** (»glückliches Opfern«). Von lat. *litare* (zu griech. λιτή, »die Bitte«) = »erfolgreich opfern« (ohne Objekt) im Gegensatz zu *sacrificare* (»opfern«); in augusteischer Zeit schwindet der Unterschied zw. den als Synonymen gebrauchten Verben *litare* und *sacrificare*. *L.* ist ein Fachbegriff des röm. Pontifikalrechts (vgl. Serv. Aen. 2,119) für den günstigen Verlauf und Abschluß einer Opferhandlung, durch welche die Wirkung auf die Gottheit (*pax deorum*, »Zustimmung der Götter«) gesichert ist. Der verantwortliche Opfernde (Magistrat, Priester) muß sich persönlich von dem Gelingen der Opfer überzeugen (*hostia litationem inspicere*; vgl. Act. Arv., CIL VI[1] 2104,23 f.), damit die *l.* überhaupt eintreten kann. Gründe für eine nicht erfolgte *l.* sind Störungen des Opfervorgangs: Losreißen des Opfertieres, Fehler des Opfernden, Anormalitäten der *exta* (»Eingeweide«). Liegen derartige Störungen vor, muß das Opfer wiederholt werden (*hostia succidanea*; Gell. 4,6,5 f.). A.V.S.

**Litaviccus.** Kelt. Name eines jungen Adligen der → Haedui [2. 360–362], der von dem → Vergobretus Convictolitavis 52 v. Chr. zum Abfall von Caesar überredet wurde. L. brachte darauf ein ihm unterstelltes Kontigent von 10 000 Mann durch Lügen dazu, sich den → Arverni anzuschließen. Caesar kam jedoch mit vier Legionen und Reiterei dem Heereszug des L. zuvor und konnte die Aufständischen ins röm. Lager zurückführen. L. floh darauf nach → Gergovia (Caes. Gall. 7,37–40; 54,1; 55,4; 67,7; Cass. Dio 40,37,1–3). Mz. [1. 436–437].

1 J.R. Colbert de Beaulieu, Les monnaies gauloises au nom des chefs mentionnés dans les Commentaires de César, in: M. Renard (Hrsg.), Hommage A. Grenier, Bd. 1, 1962 2 Evans.

B. Kremer, Das Bild der Kelten bis in augusteische Zeit, 1994. W.SP.

**Literarische Gattung**

(griech. εἶδος/*eídos* oder γένος/*génos*; lat. *genus*).

I. Begriff II. Griechisch III. Lateinisch

I. Begriff

L.G. sind Ergebnis der Einteilung von Lit. in Gruppen. Diese wird von einer Kultur oder deren Interpreten an Dichtung und/oder Prosa nach dem Prinzip der Ähnlichkeit – Anlaß des Vortrags, Publikum, Thema, musikalischer Stil etc. – vorgenommen. Der Begriff »G.« oder »Genre« ist seit frühester Gesch. kulturell bedingt, da die Bed. eines Werkes nicht zuletzt davon abhängt, inwieweit das Publikum es zu früheren Werken als ähnlich oder unterschiedlich in Beziehung setzt. Innerhalb einer Kultur können unterschiedliche Gruppierungen zu jeweils unterschiedlichen Zeiten bevorzugt werden. Auch stimmen G.-Zuweisungen, die der modernen Forsch. sinnvoll erscheinen, nicht zwangsläufig mit ant. Kategorien überein.

II. Griechisch
A. Dichtung B. Prosa C. Allgemeines

A. Dichtung

Als Zeugnisse für ant. griech. l.G. dienen die Bezeichnungen, mit denen Dichter selbst ihre Gedichte benennen, die intertextuellen Beziehungen zw. einzelnen Gedichten, Bezüge auf Dichtung in zeitgenössischen Prosawerken und die Aussagen hell. und späterer Gelehrter (hauptsächlich in den Scholien); bes. wichtig ist hier die Zusammenfassung von Proklos' *Chrēstomathía* (erh. bei Photios, Bibl. 239). In der archa. und klass. Zeit nannte man Hexameter zu allen Themen sowie auch → Elegien (z. B. Theognis 20,22) »Epen« (ἔπη, *épē*; → Epos), daneben kommt auch τὰ ἐλεγεῖα (*ta elegeía*) vor; ἴαμβος (*íambos*) betraf urspr. mehrere Versarten, oftmals Schmähgedichte, bezog sich aber bald auf die metrische Form (→ Iambographen). Das metrische Kriterium blieb, obwohl es aus verschiedenen Gründen von Aristoteles (poet. 1447b 9–23) und Kallimachos (fr. 203,30–3 Pfeiffer) in Frage gestellt wurde, stets ein grundlegendes Instrument zur Klassifizierung von Sprech- und rezitativen Versen und einem großen Teil der »persönlichen« → Lyrik: Die meisten Gedichte → Sapphos z. B. waren in der alexandrinischen Ausgabe nach Metren geordnet. Dies war mehr als eine rein formalistische Differenzierung, denn unterschiedliche Metren transportierten auch unterschiedliche moralische und soziale Konnotationen und dienten den Dichtern dazu, Zugehörigkeit und/oder provozierende Neuheit auszudrücken. Mit dem metrischen Kriterium verbunden war die Aufstellung von Listen exemplarischer Autoren in jedem Genre, des sog. Kanons (→ Kanon).

Bei der Chorlyrik bildeten dagegen der Anlaß, die Funktion und oft auch der Geehrte das Klassifizierungsprinzip: So wurden für die Götter Hymnen (→ Hymnos) gesungen, Dithyramben bes. für Dionysos, Paiane für Apollon, Threnoi für die Toten etc. (vgl. Pind. fr. 128c Maehler; Plat. leg. 3,700a-b; → Hymnos; → Dithyrambos; → Paian; → Threnos). Die hell. Gelehrten übernahmen dieses Prinzip und schufen damit eine Klassifizierung, die laut Proklos ›sehr vielfältig (πολυμερεστάτη) und in viele Untergruppen geteilt war‹, über die häufig keine Übereinstimmung herrschte (vgl. POxy. 2368 = SH 293). Die Dichtung des → Pindaros z. B. wurde unterteilt in Hymnen, Paiane, Dithyramben, Prosodien (→ Prosodion), Partheneia (→ Partheneion), → Hyporchemata, Enkomien (→ Enkomion), Threnoi und Epinikien (→ Epinikion; Schol. Pind. vol. I p. 3; 6–9 Drachmann = *Vita Ambrosiana*); die erh. Anordnung zeigt die übliche grobe Einteilung in Lieder »für Götter« und Lieder »für Menschen« (vgl. Theokr. 16, 1–4). Das Verschwinden des urspr. kulturellen Kontexts und die Trennung von der musikalischen Aufführungspraxis – die Gedichte wurden jetzt als Texte gelesen – verstärkte das Bewußtsein von klaren G.-Unterscheidungen. Obsolete oder immer weniger gebräuchliche G. konnten in lit. Wiederbelebungen weitergeführt werden (vgl. Theokr. 18, ein Epithalamion in Hexametern; Kallimachos, SH 254–68, fr. 384 Pfeiffer, ein Epinikion in elegischen Versen).

Die beiden wichtigsten griech. G.-Theoretiker waren Platon und Aristoteles. In Plat. rep. 3,392 d–394c 6 schlägt Sokrates eine Unterteilung der Dichtung vor: in die dihegetische, ›reine Erzählung‹ (διήγησις/*dihḗgēsis* oder ἀπαγγελία/*apangelía*), z. B. den Dithyrambos, und in die mimetische, die ›Nachahmung‹ (μίμησις/→ *mímēsis*), z. B. das Drama, in dem weniger der Dichter als vielmehr eine Rolle spricht. Die Mischform wird durch die epische Dichtung vertreten. Diese generelle Unterscheidung zw. »mimetisch« und »nicht mimetisch« (mit oder ohne »gemischte« Kategorie) beeinflußte praktisch die gesamte spätere Diskussion um G. der Dichtung (so z. B. → Proklos und den sog. *Tractatus Coislinianus*). Die aristotelische ›Poetik‹ beginnt mit einem ausgeprägtem Bewußtsein für G.-Klassifizierungen: ›Von der Dichtkunst selbst und ihren Gattungen (*eídē*), welche Wirkung eine jede hat ...‹, wird aber bald zu einer ungewöhnlichen Analyse ohne Vorbild: ›→ Epos, → Tragödie, → Komödie, → Dithyrambos und der größte Teil von Flöten- und Lautenspiel, d. h. kitharodischer und auletischer Dichtung, sind, als ganzes betrachtet, Nachahmungen (*mimḗseis*). Sie unterscheiden sich voneinander in dreifacher Hinsicht: in den Mitteln der Nachahmung, den Gegenständen der Nachahmung und der Art der Nachahmung.‹ Die dann folgende Analyse ist wahrscheinlich die scharfsinnigste Abh. zu l.G., die uns aus der Ant. erh. ist: Sie beschäftigt sich mit der histor. Entwicklung der G. und untersucht das Wesen der Tragödie, sowohl in bezug auf die trag. Handlung als auch auf die Psychologie des Publikums.

B. Prosa

Aus dem 4. Jh. v. Chr. stammen zahlreiche Zeugnisse für ein klares G.-Bewußtsein, das sich u. a. auf die → Sophistik und den Aufschwung der formalen Rhet. zurückführen läßt. Prosaenkomien (ἐγκώμια/*enkṓmia* oder ἔπαινοι/*épainoi*) waren so alltäglich, daß man sie parodierte (Plat. symp. 177b; Isokr. or. 10,12 = *Helenae encomium*); Platons *Menéxenos* setzt das Genre der Grabrede voraus. Die üblichen Kriterien von Anlaß und Zweck wurden auf die Klassifizierung der öffentlichen Reden übertragen: ›Es gibt drei Arten (γένη/*génē*) der öffentlichen Rede, die politische Rede (δημηγορικόν/*dēmēgorikón*), die Prunkrede (ἐπιδεικτικόν/*epideiktikón*) und die Gerichtsrede (δικανικόν/*dikanikón*). Diese läßt sich in sieben Typen (εἴδη/*eídē*) unterteilen: die zuratende, die abratende, die Lobrede, die Tadelrede, die Anklage-, Verteidigungs- und die untersuchende Rede‹

(Aristot. rhet. Alex. 1; vgl. Aristot. rhet. 1,3, wo die politische Rede γένος συμβουλευτικόν/*génos symbuleutikón* heißt; → Rhetorik; → Genera causarum).

Die Rhet. der späten Kaiserzeit (vgl. Menandros [12] Rhetor) nahm eine Unterteilung nach Themen vor, die auf den spezifischen Erfordernissen einer Bürokratie gründete: Reden zur Verabschiedung eines Archonten (συντακτικός), Begrüßungsreden für einen neu Ankommenden (ἐπιβατήριος), Städtelob etc.

C. Allgemeines

Die Beschäftigung mit G.-Fragen und Klassifizierungen spiegelt die Absichten und Befürchtungen der Klassifizierenden wider. Sie kann eine Art Werbung darstellen. Im Gegensatz zu späteren Historikern, die Thukydides' berühmten Anspruch auf die Besonderheit seines eigenen Werkes (1,20–2) aufgriffen, um so ihre Zugehörigkeit zur G. der → Geschichtsschreibung geltend zu machen, grenzte sich Thukydides selbst räumlich und qualitativ gegen frühere Autoren ab. Isokrates verteidigt die Bedeutung seiner ›Helena‹ gegen die des Gorgias, indem er → *enkṓmion* (Lobrede) von *apología* (Verteidigungsrede) unterscheidet (Isokr. or. 10,14–15). Bes. die Klassifizierung der Rhet. paßte sich den speziellen Erfordernissen der athenischen Demokratie an. Klassifizierung kann auch, wie bei den Sophisten (→ Sophistik), einen Machtanspruch auf Wissen und Bildung darstellen; die Beschäftigung mit G.-Fragen ist daher charakteristisch für das Gelehrtentum und seine Rhet. sowie für die Institutionalisierung von Kultur in → Bibliotheken wie in Alexandreia. Als gelehrte Elite befaßte man sich auch mit elitären Texten und ignorierte weitgehend populäre G. wie z. B. den → Roman.

Das vielleicht deutlichste Beispiel für die Sorgen um die rechte Gattungseinteilung, die ein spezielles intellektuelles Programm widerspiegelt, ist Platon. Die Trennung nach G. unterstützt die Behauptung, Dichter dichteten nicht auf Grund von Kunst oder Wissen (Plat. Ion 534c); der Wegfall dieser Trennung sei eine Analogie zum Zerfall der Herrschaft, wenn jeder nur das täte, was ihm Vergnügen macht (Plat. leg. 3,700a–701b). Das wiederholte Bestehen auf der Getrenntheit von Tragödie und Komödie (Plat. rep. 3,395a-b, vgl. Plat. symp. 223d) stützt die Platons *Politeía* prägende Ideologie, daß ein Mensch jeweils nur eine Sache gut machen kann. Ebenso untermauert die Unterscheidung von »mimetischer« und »nicht mimetischer« Dichtung seine These, die *mímēsis* habe zerstörerische Effekte. Platon bietet somit ein anschauliches Beispiel dafür, daß die entscheidenden Fragen zu jeglicher G.-Klassifikation lauten: ›Wer nimmt die Klassifizierung vor?‹ und ›Warum?‹

→ Metrik; Lyrik; Mimesis; Rhetorik; Gattung

G. B. Conte, Genres and Readers, 1994 (Generi e lettori, 1991) • H. Färber, Die Lyrik in der Kunsttheorie der Ant., 1936 • M. Fantuzzi, Il sistema letterario della poesia alessandrina nel III. sec. a.C., in: G. Cambiano, L. Canfora, D. Lanza (Hrsg.), Lo spazio letterario della Grecia antica I.2, 1993, 31–73 • A. E. Harvey, The Classification of Greek Lyric Poetry, in: CQ 5, 1955, 157–175 • L. Käppel, Paian, 1992 • S. Koster, Ant. Epostheorien, 1970 • Pfeiffer, KP I • T. G. Rosenmeyer, Ancient Literary Genres: A Mirage?, in: Yearbook of Comparative and General Literature 34, 1985, 74–84 • L. E. Rossi, I generi letterari e le loro leggi scritte e non scritte, in: BICS 18, 1971, 69–94 • E.-R. Schwinge, Griech. Poesie und die Lehre von der Gattungstrinität in der Moderne, in: A&A 27, 1981, 130–162 • M. L. West, Studies in Greek Elegy and Iambus, 1974.

R. HU./Ü: L. S.

III. Lateinisch

A. Die Gattungen der griechischen Literatur in Rom B. Selbstdefinition und Experiment in der römischen Literatur

A. Die Gattungen der griechischen Literatur in Rom

Spätestens seit dem ausgehenden 3. Jh. v. Chr. ist das System der l.G. (lat. *genera*) Roms vorwiegend durch griech. Vorbilder bestimmt. Zur Zeit der Vermittlung nach Rom hatte die hell. Lit.-Wiss. die Einteilung der griech. Lit. in G. bereits festgeschrieben. In Rom formuliert sich ein gelehrtes Interesse an poetischen G. spätestens in den *Didascalia* des → Accius (*quam varia sint genera poematorum, Baebi nosce*, fr. 8 Funaioli); → Horatius [7] umreißt in der *Ars poetica* (ars 73–85) die herkömmlichen Charakteristika der wichtigsten l. G. (→ Epos, → Elegie, Iambus, → Komödie, → Tragödie, → Lyrik) nach Metrum und Inhalt; → Quintilianus stellt für den zukünftigen Redner einen Vergleichskatalog der *genera lectionum* (»Lektüre-G.«) im Griech. (Quint. inst. 10,1,46–84) und im Lat. (ebd. 10,1,85–131) zusammen. Die griech. Einteilung der rhet. G. wird in den Hdb. von der → *Rhetorica ad Herennium* (1,2) an reproduziert; → Cicero (Cic. orat. 61–8) definiert das Verhältnis des Redners zu den vier anderen Arten von Schriftstellern: dem Philosophen, dem Sophisten, dem Historiker und dem Dichter.

B. Selbstdefinition und Experiment in der römischen Literatur

Zum Teil aus dem Bewußtsein, innerhalb eines übernommenen G.-Gefüges zu arbeiten, tendiert die lat. Lit. dazu, ihre G.-Grenzen stärker als die griech. zu betonen – ebenso wie die Wahl, die man trifft, wenn man in einer bestimmten G. schreibt. Das Resultat ist einerseits eine hohe Eindeutigkeit und Konsistenz der G.-Merkmale, andererseits ein erhöhtes Interesse am Experiment innerhalb der G.-Grenzen und auch über sie hinweg. Hell. Gelehrte und Dichter verknüpften die Definition der G. mit der Lit.-Geschichte, indem sie die ersten Vertreter der poetischen G. und Versmaße identifizierten (vgl. Hor. ars 73–79). Die lat. Dichter signalisieren ihre G.-Wahl häufig durch Anspielung auf ihren griech. »Erfinder« oder auf den Hauptvertreter dieser G. → Ennius [1] eröffnet die Trad. lat. Hexameterdichtung, indem er im Traum zu Anfang seiner ›Annales‹ erklärt, er sei eine Reinkarnation Homers; → Vergilius bezeichnet seine ›Eklogen‹ als »syrakusische« (d. h. theokriteische) Verse (Verg. ecl. 6,1) und die ›Georgica‹

als ein askräisches (d.h. hesiodeisches) Lied (Verg. georg. 2,176); Horaz bezeichnet sich in den ›Epoden‹ als Nachfolger des → Archilochos (Hor. epist. 1,19,23–5) und in den ›Oden‹ als Nachfolger der aiol. Dichter → Alkaios [4] und → Sappho (3,30,13).

Die Dichter der späten Republik und der augusteischen Kaiserzeit zeigen ein bes. geschärftes Bewußtsein der G.-Zugehörigkeit und dramatisieren ihre G.-Wahl häufig durch den Kunstgriff der → *recusatio*, in der der Vertreter der »niedrigeren« G. (Hirtendichtung, erotische oder symposiastische Lyrik, Liebeselegie) sich weigert, in einer »höheren« G. (Epos oder Tragödie) zu schreiben: vgl. z.B. Verg. ecl. 6,1–12; Hor. carm. 1,6; Prop. 2,1 (als frühestes erh. Beispiel für die in der Elegie so häufigen Fälle). Kallimachos vertrat in den *Aítia* (fr. 1) seine G.-Wahl in Form eines lit. Streitgesprächs mit seinen Kritikern; die lat. *recusatio* dagegen stellt diese als Wahl eines bestimmten Lebensstils oder als Ausdruck einer polit. und ideologischen Präferenz dar. Damit wird die Verbindung zw. l.G. und außer-lit. Sphäre wieder ins Spiel gebracht, die seit der Entstehung der griech. G. in bestimmten rel. und sozialen Zusammenhängen für lange Zeit aufgelöst schien. Bes. die augusteischen Dichter nutzen die Aufmerksamkeit für G.-Zugehörigkeit, um ihre Position in den neuen Machtstrukturen des augusteischen Prinzipats zu bezeichnen.

Ein geschärftes Sensorium für G.-Merkmale reizt die röm. Dichter zum Experiment mit G.-Grenzen. Sie entwickeln damit ein Interesse an der »Kreuzung der G.« weiter, das schon die hell. Dichter ausgebildet hatten. Zu Beginn der 4. Ekloge beispielsweise deutet Vergil an, er wolle die Grenzen der Hirtendichtung (→ Bukolik) auf den hohen Ton des Epos hin erweitern; die 10. Ekloge nutzt die dramatisch-dialogische Form der Hirtendichtung, um die Beziehung zw. dieser und der → Elegie in der Behandlung der Liebesthematik zu veranschaulichen. Diese Art des spielerischen Umgangs mit den G. ist bei → Ovidius am weitesten entwickelt. Durch die Verwendung bestimmter Stichworte und andere Anspielungsformen treibt er dieses Spiel soweit, daß in den ›Metamorphosen‹ und den ›Fasten‹ fast durchgängig ein Gefühl der g.-spezifischen Instabilität herrscht und der Leser durch die Unmöglichkeit, sich bestimmter, eindeutiger G.-Merkmale zu versichern, aufs Eis geführt wird. Die röm. Dichter spielen auch mit den Lesererwartungen, die sich auf die Verknüpfung bestimmter Adressaten und bestimmter Diskurstypen mit festgelegten, bzw. genre-spezifischen Situationen (Genre im Sinne von [1]) beziehen (→ Hymnus oder → Gebet; Abschiedsgedicht/→ *propemptikón*; Serenade/*kómos* oder → *paraklausíthyron* usw.).

Das normative Gefüge der G.-Einteilung hat nicht verhindert, daß es in Rom auch zur Ausbildung neuer G. oder Unter-G. kam. Quintilian reklamiert die → Satire als genuin röm. G., obwohl Horaz – aus lokalem, kontextbezogenem Interesse – betont, ihr »Erfinder« → Lucilius [I 6] habe sich an den Vorbildern der Alten Att. Komödie orientiert (Hor. sat. 1,4,1–7). Die Reihe der vier röm. Liebeselegiker erlangt für ihre Dichtung den semi-kanonischen Status einer Form der → Elegie ohne griech. Vorbild (Ov. trist. 4,10,51–4). Horaz und Ovid erproben die Möglichkeiten autobiographischer Rede in der Versepistel. Das elitäre G.-System der Hoch-Lit., das von den Griechen übernommen wurde, bot keine Kategorien, in denen Texte aus populären oder sub-lit. Traditionen erfaßt werden konnten, wie etwa die Kaiserviten des → Suetonius oder die innovativen Experimente mit der Romanform (→ Roman), die → Petronius und Apuleius (→ Appuleius [III]) unternahmen.

→ Gattung

**1** F. Cairns, Generic Composition in Greek and Roman Poetry, 1972 **2** G.B. Conte, Genres and Readers, 1994 **3** S. Hinds, The Metamorphosis of Persephone, 1987 **4** Ders., Reconsidering Ovid's Fasti, in: Arethusa 25, 1992, 81–153 **5** W. Kroll, Studien zum Verständnis der röm. Lit., 1924 (Kap. 9: Die Kreuzung der G.) **6** P. Steinmetz, G. und Epochen der griech. Lit. in der Sicht Quintilians, in: Hermes 92, 1964, 454–466.

P.R.H./Ü: B.V.R.

**Literatur** I. Allgemein II. Alter Orient III. Griechisch IV. Jüdisch-hellenistisch V. Römisch VI. Christlich VII. Byzantinisch

I. Allgemein

Lit. Kommunikation ist Kommunikation mit Hilfe von Texten, stabilisierten, kohärenten und umfangreicheren Äußerungen. Diese können schriftlich sein oder verschriftlicht werden, können aber auch im Bereich des Mündlichen verbleiben (→ Schriftlichkeit-Mündlichkeit). Da für frühere Ges. im Regelfall nur schriftliche Texte untersucht werden können, konzentriert sich der L.-Begriff auf solcherart sedimentierte Medien der lit. Kommunikation. Gerade für ant. Ges. muß gleichwohl der weitgehend orale Charakter lit. Kommunikation, für welche Schriftlichkeit oft nur dienende (vorbereitende, dokumentierende) und jeweils zu bestimmende Funktion besitzt, betont werden. Vor der »Gutenberg-Revolution« des Drucks mit beweglichen Lettern stellt aber auch Verschriftlichung nur eine temporäre Textfixierung und -sicherung dar: Das jeweils individuelle Kopieren von Textexemplaren auf → Papyrus oder → Pergament (→ Buch) gefährdet den Textbestand in seiner Integrität; nur hinreichend häufiges Kopieren sichert den Text in seiner Gesamtheit. Daher ist für erh. Texte nicht nur der urspr. Funktionszusammenhang wichtig, sondern ebenso das kontinuierliche oder wenigstens sporadische Interesse späterer Rezipienten und Reproduzenten. Alternativen bieten nur dauerhaftere Medien (Bronze, Holz, Marmor, Wandmalerei; → Inschriften), die die Kommunikation jedoch zumeist auf einen Ort, den Aufstellungsort, festlegen.

Eine inhaltliche Einschränkung ant. L. gemäß neuzeitlicher L.-Begriffe, die etwa mit den Kriterien der Ästhetisierung oder der Fiktionalität des Textes arbeiten, wird dem – in Form von → Intertextualität indirekt, in ant. → Literaturtheorie direkt greifbaren – ant. L.-Verständnis nicht gerecht: Expositorische Texte können in poetischer Form verfaßt werden (→ Lehrgedicht); griech.-röm. → Geschichtsschreibung unterliegt der → Literaturkritik und wird zum Gegenstand von → Literaturgeschichtsschreibung. Die Ausbildung eines (professionalisierten) → Literaturbetriebs ist zeitlich wie im Gattungsumfang so beschränkt, daß sie sich nicht als Abgrenzungskriterium für L. eignet. Unbeschadet dessen bleiben weite Bereiche ant. Textproduktion außerhalb lit. Selbstreflexion (z. B. der → Roman, weite Bereiche der Fach-L., → Predigten). Insofern bleibt »L.« im hier verwendeten Sinne ein analytisches Konstrukt ohne objektsprachliche Entsprechung.

Die Unterscheidung verschiedener ant.-mediterraner »L.« erfolgt nach histor. und – auch unter pragmatischen Gesichtspunkten – sprachlichen Zusammenhängen. In den expansiven, zu Überschichtungen führenden Ges. der Antike ist aber → Mehrsprachigkeit verbreitet und entsprechend in ihrem Verhältnis zu lit. Kommunikationszusammenhängen zu berücksichtigen. J. R.

## II. Alter Orient

A. Mesopotamien B. Ägypten C. Hethiter D. Syrien/Palaestina

### A. Mesopotamien

Während über die Existenz von L. in den → Keilschrift-Kulturen Mesopot.s Konsens besteht, spiegelt der divergierende Gebrauch des Begriffes L. in der Altorientalistik (zwischen den Extremen »alles Geschriebene« und *Belles Lettres*) die methodische Schwierigkeit, Art, Umfang und Funktion(en) von L. zu bestimmen [1]. Ein begriffliches Äquivalent oder systematische Theorien zu L. sind aus dem alten Orient nicht überliefert; die Systematik von Textbenennungen (vgl. z. B. → »Lied«), Sammeltafeln oder Bibliothekskatalogen ist unklar. Die Existenz distinkter Formen erlaubt es, die Texte anhand gattungskonstitutiver Merkmale und subkategorieller Bestimmungsgrößen mit (modernen) Gattungsbegriffen zu belegen.

Vor allem Sprache und Textgestaltung unterscheiden lit. Texte von primär pragmatischen Zwecken dienenden Texten, aber auch von Fachliteratur. Neben diese müssen als weitere hermeneutische Kriterien zur Bestimmung altoriental. L. gradierbare Qualitäten wie Fiktionalität, Intertextualität und Rezeptionsästhetik treten [11]. Besonders deutlich wird das Wissen um die Literarizität von Texten an sekundär literarisierten Textsorten (z. B. → Autobiographie, Bericht, → Brief), lit. geformten Repräsentationstexten (z. B. Herrscher- → Inschrift, Vertrag) [6] und schließlich der Integration primär nichtlit. Formen wie Brief, → Liste und Dialog in lit. Texte.

Die L. der Keilschriftkulturen Mesopot.s ist geprägt durch latente Zweisprachigkeit (→ Sumerisch/→ Akkadisch; → Mehrsprachigkeit). Die ältesten lit. Textvertreter in sumer. Sprache stammen aus dem 27. Jh. v. Chr. [14], in akkad. Sprache überwiegend aus dem 2. Jt., jedoch belegen einzelne Texte in Fara und Ebla eine L. in semit. Sprache bereits um die Mitte des 3. Jt. [13]. Die sumer. lit. Überl. erhält sich bis in das späte 1. Jt. als Bestandteil des tradierten Schrifttums [4. 5]. Parallelversionen und die Übernahme von Stoffen und Formen belegen eine intensive Rezeption sumer. L.-Gutes durch das Akkad. (→ Bilingue). Diese Transpositionstätigkeit (→ Übersetzung) bedingt und ermöglicht u. a. Bereiche wie Archivierung und Philologie. Das überl. Schrifttum bietet nur einen Ausschnitt der mesopot. L., da bereits die Schriftlichkeit des lit. Werkes Ergebnis eines Kanonisierungsprozesses ist. Inwieweit eine bestehende mündl. L. die Textgenese jeweils beeinflussen konnte, ist unklar [8]. Die Überlieferungs-Gesch. individueller Texte belegt manipulative Techniken im Umgang mit L.: Umstellung, Auslassung und Zufügung vom einzelnen Wort bis zu ganzen Textpassagen sowie die Neukombination bereits bekannter Texte. In der Anpassung an veränderte Darstellungs- und Erwartungshorizonte wird die kommunikative und soziale Funktion von L. sichtbar. Zu allen Zeiten fungiert L. explizit und implizit als Medium der Reflexion polit. und histor. Situationen, als Ort für Kritik und Meinungsbildung [9]. Aufgrund seiner monumentalisierenden Eigenschaften tritt das lit. Werk eigenständig neben andere Formen der Verdauerung (z. B. Architektur).

Die kulturelle Verankerung von L. kommt auch in ihrer Intertextualität zum Ausdruck. Bewußte Bezugnahme in Stoffwahl oder Gestaltungsform, kunstvolle Anspielungen und Zitate bis hin zu extremen Komposittexten (z. B. die Sintflutgeschichte in → Atraḫasis, → Enūma ēliš und → Gilgamesch-Epos) erweisen den kreativen Umgang mit L. Die Wirkung von L. in primär nichtlit. Bereiche und damit ein Stück Rezeptionsästhetik ist in Zitaten in Briefen oder Prophetensprüchen greifbar [2]. Die Beziehung zwischen L. und bestimmten Formen der bildenden Kunst, z. B. Darstellungen auf → Siegeln, ist bislang kaum untersucht worden [12].

Informationen zur Situierung des individuellen lit. Werkes, zu seinem Entstehungshorizont und primären Kommunikationsraum, den Bedingungen des Verfassers bzw. Auftraggebers sowie zu sekundären Verwendungen stehen nur in begrenztem Maße zur Verfügung. Komposition und Abschrift lit. Texte war Bestandteil der → Schreiber-Ausbildung (→ Schule). Als Entstehungsorte von L. gelten die Zentren der Oberschicht, der Hof, die Tempel sowie die assoziierten »Schulen«. Kompositeure sind in seltenen Fällen bekannt (z. B. Gilgamesch-Epos), im Falle der Herrscher-Inschr. und Königshymnen fungierte wohl der König als Auftraggeber. Lit. Texte fanden sich in Tempel-, Palast- und Privat- → Bibliotheken. Die Schriftform beschränkt das Publikum zunächst auf Schriftkundige; neben der Lektüre ist jedoch auch der mündliche Vortrag belegt.

Die Kenntnis der Keilschrift im gesamten Vorderen Orient begünstigt die Verbreitung mesopot. L., die auch in andere Sprachen, z. B. → Ugaritisch und → Hethitisch (s.u. II.C) übertragen wurde. Für die Kenntnis und Rezeption mesopot. L. im Mittelmeerraum ist insbesondere die Vermittlung durch aram. und in geringerem Umfang durch griech. Quellen von Bedeutung [10].

→ Epos; Fabel; Geschichtsschreibung; Keret; Kolophon; Kulturentstehungstheorien; Märchen; Metrik; Mythos; Sprichwörter; Ugarit; Weisheitsliteratur; Weltschöpfung

1 NHL Bd. 1 2 A. Finet, Allusions et reminiscences comme source d'information sur la diffusion de la littérature, in: [3], 13–18 3 K. Hecker, W. Sommerfeld (Hrsg.), Keilschriftl. Literaturen, 1986 4 J. Krecher, Sumer. L., in: [1], 101–150 5 E. Reiner, Die akkad. L., in [1], 151–210 6 G. Steiner, Die Inschr. der »Geierstele« als lit. Text, in: [3], 33–44 7 M. E. Vogelzang, H. L. J. Vanstiphout (Hrsg.), Mesopotamian Poetic Language: Sumerian and Akkadian, 1996 8 Dies., Mesopotamian Epic Literature: Oral or Aural?, 1992 9 C. Wilcke, Politik im Spiegel der L., in: K. Raaflaub (Hrsg.), Anfänge polit. Denkens in der Ant., 1993, 29–75 10 D. L. West, The East Face of Helicon, 1996 11 A. Loprieno, Defining Egyptian Literature: Ancient Texts and Modern Literary Theory, in: J. S. Cooper, G. M. Schwartz (Hrsg.), The Study of the Ancient Near East in the 21st Century, 1996, 209–232 12 P. Matthiae, Figurative Themes and Literary Texts, in: P. Fronzaroli (Hrsg.), Literature and Literary Language at Ebla (Quaderni di Semitistica 18), 1992, 219–241 13 P. Steinkeller, Early Semitic Literature, in: s.o. [12], 243–284 14 C. Wilcke, Die Inschr. der »Figure aux Plumes« – ein frühes Werk sumer. Dichtkunst, in: U. Finkbeiner u. a. (Hrsg.), Beitr. zur Kulturgesch. Vorderasiens. FS R. M. Boehmer, 1995, 669–674.

E.C.-K.

### B. Ägypten

Lit. Gattungen können am besten durch eigene äg. Bezeichnungen konstituiert werden [5]; im engeren Sinne lit. sind in Äg. zumindest Erzählungen und → Märchen; → Weisheitsliteratur; Prophezeiungen und Klagen; Liebeslieder und Gelagepoesie (→ Lied); unsicher ist der Status z. B. von → Hymnen und → Gebeten. Manche Texte durchbrechen Gattungsgrenzen, indem sie in einen Rahmen andere Form- und Stilelemente integrieren, z. B. → Sinuhe (Biographie, in die u. a. Königshymnen, Briefe und Dekrete eingebaut sind) und → Tefnutlegende (Mythos mit eingebauten → Fabeln, weisheitlichem Diskurs und Götterhymnen). Weisheitslehren und Prophezeiungen werden einem konkreten Autor zugeschrieben, sonst bleibt äg. L. fast immer anonym.

Lesekenntnisse waren nur bei einer kleinen Elite vorhanden, die als Hauptadressat der L. anzusehen ist – in der Spätzeit (ab 713 v. Chr.) vor allem Priester, früher auch Verwaltungsbeamte und gehobene Handwerker. Versuche, die L. speziell an Schule und Ausbildung zu koppeln, greifen zu eng. Unterhaltende Erzählungen sind wohl die häufigste lit. Textgruppe in Siedlungszusammenhängen. Büchersammlungen von Privatleuten kombinieren meist »schöne L.« mit rel. und magischen Texten. Tempelbibliotheken sind erst in der Spätzeit faßbar (Elephantine, Tebtynis, Soknopaiu Nesos).

Überlieferung lit. Texte setzt im frühen 2. Jt. ein, die Existenz älterer Kompositionen ist umstritten. Mitteläg. L. wird als »Klassik« bis mindestens zur Mitte des 1. Jt. überl., daneben kommen im NR neuäg. und in der Spätzeit demotische lit. Texte auf. Letztere sind bei weitem am zahlreichsten überl., aber noch unzureichend erforscht [6]. Äg. Lehrtexte beeinflußten die biblischen Proverbien. Aus dem Aram. ins → Demotische übersetzt worden ist die Lehre des → Aḥiqar, die auch auf äg. Lehrtexte eingewirkt hat [3]; demot. und aram. erhalten sind Reste der Erzählung von Hor, Sohn des Pwenesch. Spätäg. Erzählungen werden bei griech. Autoren reflektiert (Pheros; → Sesostris), für einige griech. Texte ist Übersetzung aus dem Äg. nachgewiesen (Traum des → Nektanebos; Tefnutlegende) oder vermutet worden (Töpferorakel; Teile des → Alexanderromans, s. [1]). Demot. Erzählungen werden als wichtige Vorbilder für griech. und röm. Romane angesehen. Das Thotbuch ist ein Bindeglied zur griech.-sprachigen Hermetik (→ Hermetische Schriften). Die Verschachtelung von Geschichten ist ein wichtiger Vorläufer einer Erzähltechnik, die später z. B. in ›Tausend und eine Nacht‹ erscheint. Überlieferungsmedium ist meist → Papyrus, teilweise auch Ton- und Steinsplitter (→ Ostrakon).

1 R. Jasnow, The Greek Alexander Romance and Demotic Egyptian Literature, in: JNES 56, 1997, 95–103 2 M. Lichtheim, Ancient Egyptian Literature, 3 Bde., 1973–1980 3 Dies., Late Egyptian Wisdom Literature in the International Context, 1983 4 A. Loprieno (Hrsg.), Ancient Egyptian Literature, 1996 5 S. Schott, Bücher und Bibliotheken im alten Äg., 1990 6 G. Vittmann, Tradition und Neuerung in der demot. L., in: ZÄS 125, 1998, 62–77.

JO.QU.

### C. Hethiter

Die hethit. L. ist einerseits stark von mesopot. und → hurritischen Vorbildern geprägt; andererseits weist sie eine selbständige anatolische Entwicklung mit Einflüssen der → hattischen Vorbevölkerung, der Palaer und Luwier, auf. Als lit. im engeren Sinne sind zu betrachten: 1. Mythen, Epen, Legenden; 2. Hymnen und Gebete (→ Lied); 3. Historiographie.

Die von den Hethitern schriftlich fixierte mythisch-ep. L. ist teils anatolischen, teils akkad., hurrit. und kanaanäischen Ursprungs; Spuren eines indeur. Erbes sind bis jetzt nicht nachweisbar. Abschriften und Übersetzungen aus dem Akkad. (z. B. → Gilgamesch-Epos) und Kanaanäischen (z. B. Baal-Zyklus) halten sich streng an ihre Vorbilder. Die urspr. hurrit. Mythen um den Gott → Kumarbi (in ihren Kolophonen als »Lied« bezeichnet) zeigen größere Eigenständigkeit. Das hier verarbeitete Motiv des Streits um das Königtum im Himmel findet sich in Hesiods ›Theogonie‹ (→ Hesiodos) wieder; dabei ist unklar, ob diese auf dem hethit. Text beruht oder beide Fassungen gemeinsamen Ursprungs sind. Die anatolischen Mythen (vermutlich hattischen

Ursprungs) sind nur innerhalb von Ritualtexten überliefert. Anders als die urspr. hurrit. Mythen scheinen sie in Prosaform vorzuliegen. Sehr gut bezeugt ist der anatolische Mythos von der verschwundenen und zu besänftigenden Gottheit. Die ep. und erzählende L. hängt wieder von akkad. und hurrit. Vorbildern ab; so die Erzählung über → Sargon, das hurrit.-hethit. ›Lied der Freilassung‹ [3] und das Lied vom Jäger Keššī.

Hethit. Hymnen sind stark akkad. beeinflußt; die → Gebete, meist Bitten des Königs an Götter, zeigen eine größere Unabhängigkeit. Sie zeichnen sich durch den persönlichen Ton und gepflegte, rhetorisch ausgefeilte Sprache aus. Auch ihre histor. Exkurse sind von Bed., da der König im Gebet oft ehrlicher ist als im histor. Bericht (z.B. Mursili II. in seinen ›Pestgebeten‹).

In der hethit. → Geschichtsschreibung ist die lit. Unabhängigkeit am größten. Literaturhistor. sind hier der bewußte Umgang mit dem Textaufbau und die Verwendung von lit. Stilfiguren interessant. Die Darstellung von komplizierten Sachverhalten, die Neigung zur Objektivität (s. aber oben) und die Quellenforschung sind hierbei aus historiograph. Sicht hervorzuheben. Die althethit., nicht aber die späteren histor. Texte verarbeiten oft legendenhaften Stoff. Die Gattung erreicht unter Mursili II. (ca.1318–1290) ihren Höhepunkt (›Zehnjahresannalen‹ und ›Ausführliche Annalen‹; ›Taten des Suppiluliuma‹).

1 H.G. Güterbock, Hethit. L., in: NHL, Bd. 1, 211–253 2 W.W. Hallo, K.L. Younger, The Context of Scripture, 1997, 149–160, 181–204 3 E. Neu, Das hurrit. Epos der Freilassung (StBoT 32), 1996 4 E. von Schuler, s.v. L. bei den Hethitern, RLA 7, 66–75 5 TUAT I/5, 1985; II/6, 1991; III/4, 1994. JO.HA.

### D. Syrien/Palaestina

Die Materialbasis für die Unt. der L. dieses Raumes ist im Vergleich zu anderen altoriental. Kulturen gering. Syrien/Palaestina war aufgrund seiner geopolit. Situation in bes. Maße stets Vermittler und Rezipient verschiedenster Kulturen. Damit erhebt sich die Frage nach genuin syr.-palaestin. L. einerseits und Art und Umfang des Einflusses der unmittelbar benachbarten Kulturen Äg.s, Anatoliens, Mesopot.s und des Mittelmeerraumes andererseits [1]. Grundsätzlich dürfte L. in Syrien/Palaestina ähnlichen Bedingungen unterlegen sein wie z.B. in Mesopot.; jedoch läßt sich bislang kaum abschätzen, welche spezifischen Auswirkungen polit. Heterogenität und Diskontinuität auf L. und lit. Schaffen hatten.

Unter den ältesten Schriftdokumenten, den Keilschrifttexten aus → Ebla (24. Jh. v. Chr.), fanden sich lit. Texte in Sumer. bzw. archa. Akkad., die der mesopot. Trad. zugehören. Sie dürften im Rahmen der → Schreiber-Ausbildung in Ebla entstanden sein [2]. Die Texte aus den Archiven der Küstenstädte → Ugarit und Appu/Raʾs Ibn Hānīʾ (15.–13. Jh. v. Chr.; [3]) bezeugen Kenntnis und Gebrauch mesopot. L. (W. van Soldt [1. bes. 176ff.]), in wesentlich geringerem Umfange auch hethit. L. (E. Neu [1. 226f.]). Die narrative L. in ugarit. Sprache, insbes. die Epen über Aqhat und → Keret, die Nikkal-Hymnen und der → Baal-Zyklus, belegt die formale wie inhaltliche Eigenständigkeit der kanaanäischen L. ([4; 5. 255ff.; 6; 11; 12]; → Kanaanäisch; → Palaestina). Reste einer »phöniz.« lit. Trad. finden sich bei Philon von Byblos (→ Herennios Philon), der sich auf → Sanchuniathon beruft. Eine Zwischenstellung nehmen die lit. Texte aus Emar am Euphrat (16.–13. Jh. v. Chr.) ein; sie sind sowohl den kanaanäischen Trad. als auch denen des Hethiterreiches und Mesopot.s verpflichtet. Nur wenige umfangreiche Texte repräsentativen Charakters, im wesentlichen Monumentalinschr., denen lit. Qualität eignet, sind erh., z.B. eine → »Autobiographie« des Idrimi von → Alalaḫ (15. Jh. v. Chr.) in akkad. Sprache, aus dem 1. Jt. Grabinschr. auf Sarkophagen phöniz. Herrscher, z.B. → Aḫiram [7], die moabitische Siegesstele des Meša (→ Moab), die phöniz., samʾalischen und aram. Inschr. aus Zincirli/Samʾal [8] oder die Bileam-Inschr. von Dair ʿAllā [9]. Auch hier verbinden sich in unterschiedlichem Maße kanaanäische Formen mit Einflüssen altoriental. Nachbarkulturen. Das bedeutendste lit. Zeugnis in hebr. Sprache stellen die Texte der hebr. → Bibel dar. Sie schöpfen formal, inhaltlich, motivgeschichtlich und stilistisch auch aus der L. Syriens/Palaestinas [5. 273ff.; 10].

1 M. Dietrich, O. Loretz (Hrsg.), Ugarit. Ein ostmediterranes Kulturzentrum im Alten Orient, Bd. 1, 1995 2 M. Krebernik, Mesopotamian Myths at Ebla, in: P. Fronzaroli (Hrsg.), Literature and Literary Language at Ebla, 1992, 63ff. 3 D. Young, Ugarit in Retrospect, 1981 4 TUAT 3/4, 1997 5 NHL Bd. 1 6 D. Pardee, Ras Shamra-Ougarit IV. Les textes paramythologiques, 1988 7 KAI 8 J. Tropper, Die Inschr. von Zincirli, 1993 9 J. Hoftijzer, G. van der Kooj, Aramaic Texts from Deir Alla, 1976 10 W.G.E. Watson, Classical Hebrew Poetry, 1984 11 Ders., N. Wyatt, Handbook of Ugaritic Studies, 1999, 193–286 12 S. Parker, Ugaritic Narrative Poetry, 1997. E.C.-K.

## III. Griechisch

A. Trägerschicht B. Medialität
C. Gattungssystem D. Epochen
E. Funktionen und Funktionswandel
F. Kanonisierungsprozesse und Mechanismen des Vergessens G. Als Instanz von Rezeption und Vermittlung

### A. Trägerschicht

Die Trägerschicht der griech. L. sind als Produzenten die die griech. Sprache benutzenden Schriftsteller (s. dazu B.), als Rezipienten diejenigen, die griech. lit. Produkte zu verstehen vermögen. Läßt sich die Trägerschicht bis zum Ende der Klassik am Ende des 4. Jh. v. Chr. als prinzipiell identisch mit der griech. Ethnie auffassen, so überschreitet sie diese vom Hell. an. Denn der nunmehr zur wichtigsten Verkehrssprache des östl.

Mittelmeerraumes avancierten griech. Sprache bedienen sich insbes. in den → Diadochen-Reichen die Eliten; lit. Produktion steht damit auch unter dem Zeichen von Akkulturation (→ Hellenisierung). Zugleich bietet die griech. Sprache als Medium die Möglichkeit, eine Art von »Weltöffentlichkeit« zu erreichen (etwa in der Historiographie, die den 2. → Punischen Krieg auf röm. oder karthag. Seite unterstützt). Mit dem zunehmenden Einfluß Roms auf die griech.-sprechende Mittelmeerwelt, der nach der Schlacht bei Actium (→ Aktion, 31 v. Chr.) schließlich zur Ausbildung eines einheitlich, zunächst röm. bestimmten Herrschaftsraumes führt, verringert sich die Relevanz der »Weltöffentlichkeit«. Parallel dazu gewinnt das Griech. an Bedeutung als Sprache der Gebildeten auch im Westen, was die Grundlage für die zweisprachige, d. h. griech.-röm. Kultur der Kaiserzeit bildet. Allerdings hat die röm. L. im griech. Bereich nur geringe Bed.; Lateinkenntnisse der Oberschicht können vom späten 1. Jh. n. Chr. an im Osten vorausgesetzt werden. Die Krise des 3. Jh. n. Chr. spaltet den zweisprachigen Kulturraum, da der Westen und sein Bildungspotential wesentlich stärker getroffen werden. Die Griech.-Kenntnisse gehen hier bis zum Ende der Spätant. kontinuierlich zurück, so daß sich der Gebrauch des Griech. auf den östl. Mittelmeerraum zu beschränken beginnt und damit konstant bis in die byz. Zeit bleibt (→ Griechisch).

B. Medialität

(Dazu insgesamt [1; 2]). Die griech. L. beruht in zentralen Phasen ihrer Gesch. nicht auf einer Buchkultur. Vielmehr entfaltet sie sich als vornehmlich »lit.« Erscheinung erst seit dem späten 5. Jh. v. Chr. Voraus gehen ca. 300 Jahre, in denen eine von Mündlichkeit geprägte Rezeptionssituation bestimmend ist (→ Mündliche Dichtung), wozu die sich dynamisch ausbildende Schriftkultur, die für die Verfertigung von Texten zunehmend in Gebrauch kommt, in ein produktives Spannungsverhältnis tritt (→ Schriftlichkeit – Mündlichkeit). Dieser Zeit wiederum geht eine gleichwohl bedeutsame »vorlit.« Phase der griech. L. voraus, in der sich wichtige Bereiche der griech. Poesie formieren: eine Trad. von Epik, die sich stofflich an den Zentren der zusammengebrochenen myk.-minoischen Kultur orientiert und in den Kontext der aristokratischen Festkultur gehört, ferner bestimmte »lyrische« Formen, die Teil von Kulten bzw. Bräuchen sind.

Stehen in der vorlit. Phase ep. und »lyrische« Dichtungen nebeneinander, so erfährt das → Epos nach der griech. Adaption der phönizischen Schrift (Mitte 8. Jh. v. Chr.) früher als die Lyrik ein Fixierung im neuen Medium, was zu der verfehlten geistesgesch. Interpretation Anlaß gegeben hat, die Lyrik löse das Epos ab. Die Literarisierung wirkte zunächst auf produktionsästhetischer Ebene. Sie erlaubte in der Epik die Trennung von Schöpfung und Vortrag und ermöglichte dem Dichter durch die Entlastung vom extemporierenden Erzählen, größere und höher organisierte Werke zu konzipieren und zu thesaurieren. Die homer. Epen (→ Homeros [1]) verkörpern den Übergang, da sie einerseits Elemente und Erzählformen von mündlichen Heldengesängen aufweisen, andererseits durch ihren Umfang und den Organisationsgrad in Makro- wie in Mikrostrukturen den Gebrauch der Schriftlichkeit bei der Komposition fordern. Anders in der → Lyrik, die durch die Rezeptionssituation (»Sitz im Leben«) definiert war; für den Dichter blieb die Aufgabe bestehen, auf die Gegebenheiten der Aufführungsanlässe Rücksicht zu nehmen. Pragmatische Aspekte, etwa Hinwendung zu bestimmten Adressaten in einer bestimmten Situation, blieben prägende Merkmale der Lyrik. Hier erlaubte die Literarisierung, Lieder über den Anlaß des Vortrags hinaus zu bewahren bzw. zu verbreiten; ob erst diese Möglichkeit dazu führte, diejenigen Momente eines Liedes, die die konkrete Situation transzendierten (etwa Reflexionen über die *condicio humana*), stärker zu akzentuieren, läßt sich nicht mehr klären. Gewiß aber trug die Aussicht auf Dauer und Verbreitung eines Gedichts zur Ausbildung eines Autorenbewußtseins bei, bei dem der Stolz auf die eigenen gestalterischen Fähigkeiten, gedeutet als Gabe der → Musen, einen wichtigen Platz einnahm [3].

Wie im einzelnen im Falle von Epos und Lyrik die Literarisierung zu den etwa in Alexandreia zusammenfließenden Textbeständen führte, läßt sich nur vermuten; im Falle der Epik dürften Rhapsodengilden wie die → Homeridai auf Chios, die die von ihren Mitgliedern bei Festen vorgetragenen Epen in Textform bewahrten, eine wichtige Rolle gespielt haben. Für die homer. Epen wird in der literarhistor. Trad. eine Redaktion im Athen der Peisistratiden (spätes 6. Jh. v. Chr.) nahegelegt, die entweder das Vorbild für das Staatsexemplar des Tragikertextes im 4. Jh. v. Chr. bildete – oder nach dem späteren Vorgang extrapoliert worden ist. Ferner dürfte bei Slg. und Tradierung der Texte die früh einsetzende lokale Pflege des Andenkens an einen Dichter (Archilocheion auf Paros für Archilochos, Mimnermeion in Smyrna für Mimnermos, Musenheiligtum für Hesiod am Helikon) wichtig gewesen sein; und schließlich konnten Dichter selbst (oder der Kreis, für den sie dichteten) ihre Texte sammeln und bewahren.

Welche Schritte zur Entstehung des Prosabuchs führten, das von der 2. H. des 6. Jh. v. Chr. an nachweisbar ist, bleibt im Dunkeln. Da derartige Bücher insbes. mit den vorsokratischen Theoriebildungen (→ Vorsokratiker) verbunden sind, liegt es nahe, sie mit dem Lehrbetrieb der sich entwickelnden Wiss. in Verbindung zu bringen: Der erh. Titelsatz aus dem Werk des → Alkmaion [4] von Kroton (24 B 1 DK), in dem er namentlich zwei Personen anspricht, deutet auf eine Verschriftlichung von Lehrvorträgen, durch die im nächsten Schritt gewonnene Erkenntnisse adressaten-unabhängig tradiert werden konnten. Hiermit war die Grundlage für die – kontroverse – Diskussion etwa der vorsokratischen Philosophen geschaffen (s. dazu allg. [4], ferner [5]; zu Pythagoras vgl. [6]). Im Laufe des 5. Jh. gewinnt das Prosabuch eine Fülle von Funktionen, die zugleich die

Ausbildung der Prosagattungen trägt. Vom → Hypomnema, einer Aufzeichnung zur eigenen Erinnerung, die als Grundlage für Lesungen dient, führt der Weg zum historiographischen Großtext (→ Herodotos [1], → Thukydides), der, verfasser-unabhängig tradiert, auch zukünftige Leser erreichen soll [7]; die öffentlich gehaltene Rede wird aufgezeichnet und als Muster im → Rhetorik-Unterricht verwendet; hochspezialisierte Fachdisziplinen fixieren ihr Wissen in Buchform (etwa die hippokratische Ärzteschule auf Kos; → Fachliteratur). Kritik an dieser Entwicklung findet sich nur selten (s. die Schriftkritik in Plat. Phaidr. 274b–277a).

Am Ende des 5. Jh. hat sich das Buch (die Buch-→ Rolle) neben der mündlichen → Kommunikations-Situation als Medium etabliert. Vom 4. Jh. an, dem »Jh. der Prosa«, wird es beherrschend, wenn auch Traditionen der Mündlichkeit verbleiben, teils, indem sie als Relikte ohne Funktion in die Buchkultur eingehen (Merkmale einer nicht mehr existenten Oralität bleiben in Terminologie und Topoi erhalten), teils, indem eine Rezitation als eine Art von »Vorabveröffentlichung« sich zum festen Bestandteil des L.-Betriebes entwickelt (→ Ausgabe). Die Etablierung der Buchkultur hatte tiefgreifende Folgen. Sie veränderte das System der Gattungen und die Mechanismen, mit denen das »kulturelle Gedächtnis« L. verarbeitet, sowie die Stellung der L. innerhalb der Kultur. Im Vergleich dazu sind die Veränderungen innerhalb der Buchkultur bis zum Ende der Ant. von geringerer Bedeutung: Die Ablösung der Buchrolle durch den Pergament- oder Papyrus-Cod., die sich vom 2. bis zum 5. Jh. n. Chr. vollzieht (→ Codex), ist von (allerdings großer) Relevanz für Selektionsprozesse bzw. die Überl.-Gesch. innerhalb der Buchkultur.

C. Gattungssystem

(s. auch → Literarische Gattungen). Bis zum 5. Jh. v. Chr. ist der »Sitz im Leben« der zentrale Faktor im System der Gattungen [8]. Ein Text hatte sich vor den Erwartungen seiner Rezipienten an einen bestimmten Anlaß zu bewähren, d. h. die Forderungen des Anlasses zu befriedigen. Kennzeichnend ist ferner ein dynamisches Moment, da der Text entweder einem direkten → Wettbewerb (*agṓn*) mit anderen bei demselben Anlaß aufgeführten Texten oder einem indirekten Wettbewerb unterliegt, wenn er vor der Folie bei nämlichem Anlaß zu früherer Zeit präsentierter Texte steht. Dieser synchrone bzw. diachrone *agṓn* erzeugt einen Innovationsdruck, der rasche Entwicklungen innerhalb der Gattungen trägt. Kenntlich wird dieser Mechanismus an der Trag., deren Gattungsgesch. von 472 (Aischylos' ›Perser‹) bis zum Ende des 5. Jh. überschaubar ist [9]. Insofern der Anlaß zum wesentlichen Konstituens für L. wurde, bedeutete die Ausfächerung dieser »Anlässe« mittelbar auch Differenzierungen oder Änderungen im Gattungssystem. Hiermit wird die Entwicklung der L. an die Gesch. angebunden (vgl. [10]). Denn sowohl in der Phase vor Etablierung der Buchkultur als auch zu einem erheblichen Maße unter den Bedingungen dieser Buchkultur darf als Grundsatz gelten, daß Prosperität staatlicher Gebilde, darauf aufbauende »Festkultur« und L. miteinander verbunden sind.

Im einzelnen heißt dies: Das frühgriech. Epos, zumal die homer. Epik, »blüht« im kleinasiat. griech. Kolonialgebiet im 8./7. Jh.; ihr Ort ist das Mahl der Aristokratie [11]. Der Wandel dieses Mahls durch oriental. Einflüsse zum Symposion einer kleineren Gemeinschaft (*hetairía*), die durch gemeinsame polit. Ziele bzw. gemeinsame Kultausübung verbunden ist, ist der Platz für die Dichtung eines → Archilochos oder → Alkaios [4]; die Institution des Symposions [12] erlaubt es, für ein hochgebildetes und in seinem Verstehenshorizont bekanntes Publikum Gedichte zu schaffen, in denen präliterale Formen aufgegriffen und zu Poesie von höchstem ästhetischen Niveau gewandelt werden (→ Symposion-Literatur). Erotisch-sympotische wie polit. und ethische Themen sowie Schmähungen/Invektiven kennzeichnen die Gedichte. Eng mit → Initiation und Kult verbunden waren die Lieder, die → Sappho für die Mädchen ihrer Kultgemeinschaft (*thíasos*) verfaßte, in denen sie das Leben des Thiasos begleitete, etwa durch Abschieds- oder Hochzeitslieder.

Neben Symposion und Thiasos steht das Götterfest als »Gelegenheit« – auch hier zunächst im ostgriech. Raum, etwa durch die Apollon gewidmeten und für die Ioner bedeutsamen Delien auf Delos, die einerseits eine hohe Bedeutung für das Apollon geltende Kultlied, den → Paian, aufweisen, andererseits Zeugniswert für die Transposition der Epik auf eine neue »Gelegenheit« besitzen. Im griech. Kernland verbindet sich mit der Expansion Spartas nach Messenien im 7. Jh. v. Chr. die Einrichtung und Ausgestaltung verschiedener Feste, die »Anlässe« für Lyrik boten. Eine Art von Entwicklungshilfe bei der Etablierung einer entsprechenden *song-culture* leisten Künstler aus dem ostgriech. Raum (→ Terpandros, → Alkman).

Die nächste signifikante Stufe der Festkultur erwächst aus der sogenannten Kulturpolitik verschiedener griech. Tyrannen (→ Tyrannis) etwa in Korinth und Athen, durch die der → Dithyrambos [13] und – mindestens in Ansätzen – die dramatischen Gattungen Raum zur Entwicklung erhalten. Bemerkenswert ist dabei, daß sich das homer. Epos (Vortrag bei den → Panathenaia in Athen), nunmehr zum dritten Mal, in einen anderen Kontext einfügen läßt. Die hier inaugurierten Entwicklungen führen die demokratischen Poleis, zumal Athen unter den wirtschaftliche Prosperität ermöglichenden Bedingungen des → Attisch-Delischen Seebundes, (lediglich) weiter und schaffen dabei den Bezugspunkt für die dramatischen Gattungen in ihrer polit. Funktion. Auch für die Formen der Prosa ist zunächst der »Sitz im Leben« bestimmender Faktor, so etwa für die philos. L. die Situation des Unterrichts (handgreiflich noch in den erh. »esoterischen« Schriften des Aristoteles), für die Formen der Rede der Kontext, also die bereits in der ant. rhet. Theorie unterschiedenen Bereiche Gericht, polit. Beratung, Festversammlung.

An der → Geschichtsschreibung läßt sich die Emanzipation vom »Sitz im Leben« beobachten: Herodotos, der »Vater der Geschichtsschreibung«, historisiert seine Position als Verfasser [7]; Thukydides erwartet durch das Postulat, seine Erkenntnisse seien »Besitz für ewig«, für sein Werk über den Entstehungszeitpunkt hinausweisende Wirkung. Mit der Etablierung der Buch- und Lesekultur tritt der Text mit seinen Merkmalen als Kriterium für die Zuweisung zu einer Gattung hinzu; je unabhängiger der Text vom Sitz im Leben wird, sei es durch die zeitliche Distanz, sei es durch die Ablösung der Produktion vom Sitz im Leben, desto gewichtiger werden textimmanente Merkmale.

Die griech. → Literaturtheorie, die sich seit dem 5. Jh. v. Chr. ausbildet [14], konzentriert sich zunehmend in Gattungsfragen auf derartige Merkmale (s. etwa Aristoteles ›Poetik‹: Behandlung der »Teile« der Trag., Kap. 10–12). Ferner bilden die durch die Buchkultur verringerte Relevanz des Sitzes im Leben sowie auch die Rückwirkungen der L.-Theorie auf die Produktion die Voraussetzungen für die seit dem Hell. markant (zu Vorläufern: [15]) hervortretenden Phänomene der »Kreuzung von Gattungen« [16], durch die neue – lit. definierte – Gattungen (z. B. → Bukolik und → Roman) entstehen [17].

Die für den L.-Betrieb des Hell. wichtigen Höfe der Diadochenreiche eröffneten dagegen weniger Innovationen als revitalisierten lit. Formen der Archaik neue Perspektiven (so in den Bereichen → Epos und → Epinikion; s. auch → Hellenistische Dichtung). Sichtbar werden nun auch bislang stärker mündlichen Erzähltraditionen verbundene Formen, die unter der modernen Bezeichnung »Volksbuch« nur unzureichend erfaßt sind, unter ihnen etwa Wundererzählungen, die die Gattung etablieren, zu der sich später die Evangelien des NT rechnen lassen, in die freilich neben mündlichen Erzählformen auch Elemente der Historiographie eingehen (dazu zusammenfassend [18]). Mit dem L.-Betrieb und dem Bildungswesen des Späthell. verfestigt sich das Gattungssystem, nun (vgl. etwa die Ausführungen Quint. inst. 10,1) nicht mehr durch den Sitz im Leben bestimmt – wobei die L.-Theorie das Gattungsspektrum nicht vollständig erfaßt: So fehlt hier etwa der Roman [19] wie auch die aus den prosopoietischen Übungen des Schulbetriebes abgeleitete Form des → Briefromans. Einen kräftigen Impuls bewirken die christl. geprägten lit. Formen, die vom 3. Jh. n. Chr. an in Konkurrenz bzw. Kontrast [20. 383] zu den traditionellen, »paganen« Formen treten (s.u. VI.A. L. christlich, griech.). Mit ihnen erneuert sich zudem die Bed. des Sitzes im Leben als Gattungskonstituens ([21] vgl. auch [22]): Gottesdienst, Bibelexegese, Belehrung/Erbauung u. a. bestimmen die Ausbildung neuer Gattungen, etwa des christl. → Hymnos, der → Predigt, der Heiligenvita (→ Vitae sanctorum), die sich nur z. T. als Weiterentwicklung alter Formen deuten lassen.

### D. Epochen

Die ant. griech. L. bzw. → Literaturkritik hat selbst kein differenziertes Periodisierungsmodell entwickelt. Zwar begegnet in verschiedenen Zusammenhängen [23] die Antithese »alt – neu«, doch ist sie zumeist (unterschiedlich konnotiert) normativ besetzt; statt literarhistor. Konzepte bedient man sich histor. Zusammenhänge ausblendender Auswahllisten, »Kanones« (→ Kanon).

Die Epochengliederungen kunsthistor./arch. bzw. althistor. Prägung (dazu [24; 25]) bieten eine Fünfteilung (Archaik, Klassik, Hell., Kaiserzeit, Spätant.) an, eine → Periodisierung, die prinzipiell auch literarhistor. heuristisch sinnvoll erscheint. Freilich sind in der L. Merkmale, wie sie die Arch. im Bereich des Stils oder die Geschichtswiss. in den polit. Strukturen vorfindet und als Kriterien für die Epochenbildung verwendet, nicht in analoger Weise vorhanden. Doch scheint es möglich, eine literarhistor. Epochengliederung anhand der für die L. zentralen Institutionen zu begründen. Danach steht die griech. L. zunächst unter dem Zeichen der aristokratischen → Festkultur (ca. 750–500 v. Chr. = Archaik), sodann im Kontext der demokratischen → Polis (500–300 v. Chr. = Klassik). Die Entstehung der → Diadochen-Reiche verringert die polit. wie kulturelle Bed. der Polis, der (Diadochen-)Hof inspiriert die lit. Produktion (300–30 v. Chr. = Hell.). Mit der Vernichtung der griech. polit. Zentren durch Rom gewinnt die griech. Schule literarhistor. Bedeutung: Sie beeinflußt bzw. steuert von der Mitte des 1. Jh. n. Chr. an Rezeption und Produktion von L. (hierbei steht von etwa 50 v. Chr. bis etwa 50 n. Chr. die L. unter dem Zeichen des Übergangs) und bildet ihren Bezugspunkt, z. B. auch für die → »Zweite Sophistik«, da wesentliche Felder (rhet. Schrifttum im weiteren Sinn, philos. L.) mit ihr verbunden sind. Ob sich die griech. L. der Kaiserzeit – analog zur röm. L. – sinnvoll von einer Epoche »Spätantike« (ab ca. 300 n. Chr.) ablösen läßt, oder ob eine Zäsur erst mit dem 6. Jh. n. Chr. gegeben ist, bedarf noch der Klärung: Zwar bedeutet die Christianisierung auch für die griech. L. eine Veränderung, da mit ihr eine Neubewertung der »paganen« L. einhergeht, doch bleibt die – sich nun christl. ausrichtende – Schule Kristallisationspunkt (s. etwa → Libanios, Schule von Gaza), und es fehlt der für die lat. L. charakteristische Traditionsbruch im 3. Jh. n. Chr. (dazu [26]).

### E. Funktionen und Funktionswandel

In der ant. L.-Theorie wird die Funktion von L. – in Nähe zur Aufgabenbeschreibung der Rhetorik (*docere, movere, delectare*; »belehren, bewegen, erfreuen«) – in der Hauptsache auf die Aspekte des Nutzens und des ästhetischen Vergnügens durch Dichtung konzentriert (Hor. ars 333). Zuweisungen einer spezifisch polit. Bed. (vgl. Aristoph. Ran. 1009 f.) oder von Sonderfunktionen wie → »Katharsis« (Aristot. poet., Kap. 6) sind Ausnahmen. Häufig diskutiert wird dagegen die Wirkung von L. und Musik als einem Instrument von Erziehung im Rahmen von philos.-pädagogischen Überlegungen, so etwa von Aristophanes (*Ranae*), Platon (bes. *Res publica* [27]), Plutarch (*De audiendis poetis*) bis hin zu Basileios d.Gr. (*Ad iuvenes*). Kennzeichen dieser Diskussion ist die Isolierung bzw. Verabsolutierung einzelner Aussagen in Texten und die Anwendung eines bisweilen problematischen, weil den fiktionalen Status ignorierenden Wahrheitsmaßstabes. Histor. bedeutsam ist diese Diskussion, da sie einen langfristigen Prozeß stützend begleitet, an dessen Ende in der Kaiserzeit Kenntnis von L., als → *paideía* definiert, Voraussetzung für die Redekunst und damit für die so Gebildeten Grundlage für eine herausgehobene soziale Stellung in ihrer Stadt ist [28].

Am Beginn stehen freilich andere Funktionen von L. Insofern sie einen → Mythos zum Inhalt hat, dient sie prinzipiell dazu, Probleme des Menschen und seiner Stellung in der Gemeinschaft im Medium des Mythos zu durchdenken, wobei die jeweils erörterten Problemstellungen Indikator für die am jeweiligen histor. Ort als diskussionswürdig erachteten Felder sein können. Diese allg. Funktion von L. läßt sich nach Gattungen und Epochen präzisieren. Das → Epos ist bis zum 8. Jh. v. Chr. das Medium, in dem sich die aristokratische Ges. spiegelt und ihr Wertesystem bestätigt [30; 31]. Das Aufbrechen dieser Ges. führt zu einer größeren funktionalen Offenheit der Form. Das Epos kann sich auf die Rolle des Unterhaltens begrenzen: so etwa im homer. Epos von der ›Odyssee‹ an über die Epoche der Klassik (Panyassis, Antimachos [3]) bis in die Epik des Hell. (→ Epyllion, Apollonios [2] von Rhodos), wobei in der Rezeption die homer. Epen zugleich als »belehrend« (etwa Plat. rep. 606e) und identitätsstiftend für Griechenland aufgefaßt werden. Vom Hell. an bis in die Spätant. bedeutet Epos zudem auch Herrscher-Panegyrik, zumal in der Form des histor. Epos [32; 33]. Zugleich kann es Element des Bildungsbetriebs (→ Quintus von Smyrna) oder sogar Instrument paganer Opposition gegen das Christentum (Nonnos, *Dionysiaká*) sein [33]. Von Hesiod an gewinnt die ep. Form als »Lehrgedicht« die Funktion der Erklärung und Belehrung hinzu, die bis in die hohe Kaiserzeit (→ Oppianos; medizinisches Lehrgedicht) konstant bleibt [34].

Die Chorlyrik (→ Lyrik) ist fester (bisweilen agonaler) Bestandteil von Kulten; Text, Musik und Tanz vereinen Chor und Zuschauer zu einer Kultgemeinschaft [35], wobei spezielle Funktionen, etwa im Bereich von Initiation (→ Alkman, → Sappho), neben weiteren, etwa der Identitätsbildung durch die Verschmelzung von im Lied referiertem Mythos und Gegenwart des Festes [36. 10–13] möglich sind. Hier wie auch bei den lyrischen Formen des Symposions erwächst die Funktion aus dem Anlaß (s.o.); eine neue Facette im Funktionsspektrum entsteht im Gefolge der Professionalisierung des Dichterberufs im 6. Jh. v. Chr. durch die Entwicklung dezidiert panegyrischer lyrischer Formen für Höfe (→ Simonides) oder als Epinikien für Siege bei panhellenischen Spielen (→ Pindaros, → Bakchylides). Auch hier erweitert sich das Funktionsspektrum, zumal bei Wiederaufführung in anderen Kontexten die ästhetische Dimension dominiert und polit. oder kult. Bedeutungen sich zu einer allg. pädagogischen Aussage umbilden (vgl. Aristoph. Nub. 1355 f.).

Eine lit. Renaissance bestimmter lyrischer Formen setzt im Hell. ein (Epik: → Kallimachos [3], Choliamben: → Herodas u. a.), die neben panegyrischen Aspekten (Kallimachos) Ausdruck der innovativen Rückwärtsgewandtheit der L. der Epoche ist; die hier sichtbare Tendenz einer unter neuen Akzentsetzungen (Gelehrsamkeit, neues Heldenbild) vorgenommenen Rezeption vorausgegangener L. ist Ausdruck eines Bedürfnisses nach Bewahrung einer griech. kulturellen Identität in einer expandierten griech. → Oikumene (vgl. etwa die Rolle der alexandrinischen und pergamenischen → Bibliotheken).

Drama und → Dithyrambos, zuerst im Dienst der auf Stabilität der eigenen Herrschaft zielenden → Tyrannis (Korinth, Athen), gewinnen im 5. Jh. auch polit. Bedeutung für die demokratische Polis, die → Komödie explizit, die → Tragödie implizit als Medium, Konzepte und Diskursformen des Polit. zu entwickeln und zu erweitern [37; 38; 39]. Vom 4. Jh. v. Chr. an wandelt sich die Rolle der dramat. Gattungen in Athen: Die Komödie verliert ihre polit. Stoßrichtung, die Tragödie wird infolge der Wiedereinführung alter Stücke seit 386 neben ästhetischem Erlebnis und Bildungsgut auch Instanz der Beschwörung der als Vorbild interpretierten Polis des 5. Jh. und bewahrt so ein – gewandeltes – polit. Potential. Die Expansion des Theaterbetriebes in die gesamte griech. Welt überführt das Drama schließlich in das Schulwesen des Hell. und der Kaiserzeit, wo die pädagogische Funktion zentral wird.

Die Funktionen der Prosa-Gattungen sind von Beginn an eng an deren Gegenstände gebunden. Kennzeichen der philos. Traktate ist zunächst Welterklärung, dann ethische Belehrung (nach dem Vorlauf der Sophisten seit Sokrates/Platon), schließlich vom 4. Jh. an Erläuterung und Propagierung der jeweiligen Schulkonzepte. Die → »Fachliteratur« im engeren Sinne, d. h. Medizin (vom *Corpus Hippocraticum* an), Perihegese/ Geographie, Rhet. etc. wird beherrscht durch die Funktion der Vermittlung des entsprechenden Wissensgebiets. Erweiterungen etwa um ästhetische Dimensionen oder persönliche Interessen des Verf. (z. B. → Galenos) sind möglich, ferner auch die weitergehende Funktionalisierung eines Gegenstandsbereichs zur Identitätsstiftung/-konstruktion bei den Rezipienten (Pausanias [40]).

Die Historiographie, deren Grund-Bed. in der Vermittlung einer Orientierung in der Zeit durch Bewahrung bzw. Rekonstruktion von Vergangenem liegt, weist ein oszillierendes Bed.-Spektrum auf: Unterhaltung (→ Herodotos [1], → Ktesias: Exotismus?, trag. Geschichtsschreibung, → Alexanderhistoriker), Belehrung (→ Thukydides, → Polybios), Propaganda (→ Kallisthenes [1]), Neudeutung der Gesch. aus der Sicht der jeweiligen Gegenwart (→ Appianos, → Cassius [III 1]

Dio). Die christl. Historiographie bedeutet einen Neuansatz, insofern sie ein einheitliches – heilsgesch. – Deutungsmodell (vgl. [41]) zugrunde legt und den Anknüpfungspunkt bewußt im NT sucht (→ Eusebios [7] und an ihn anknüpfend → Sokrates, → Sozomenos, → Theodoretos). Die damit eröffnete Zielsetzung (Erbauung, Propaganda und Polemik) erweitert die Funktionen der Gattung, sowohl im innerchristl. Diskurs (etwa → Philostorgios) wie auch über ihn hinaus (→ Historia Augusta) [42]. Die Funktion des Romans scheint dagegen – sieht man von (umstrittenen) kult.-initiatorischen Facetten [43] ab – allein in der Unterhaltung der Leser zu liegen, wobei möglicherweise bes. weibliche Rezipienten angesprochen sein könnten [44]. Eine schichtenspezifische Wirkung scheint nicht vorzuliegen, vielmehr eine allg. Popularität der Gattung, wofür die Übernahme der Erzählmuster durch die christl. Prosa (→ Apostelgeschichte, → Pseudo-Clementinen) spricht, die ein möglichst breites Publikum erreichen sollten.

F. Kanonisierungsprozesse und Mechanismen des Vergessens

Erst durch die mit der Schriftlichkeit eröffnete Möglichkeit, Texte zu bewahren, wird die Frage relevant, welche Texte aus welchen Gründen a) erhalten werden bzw. b) den Rang von Referenztexten erhalten [45]. Abgesehen von normalen Prozessen im »lit.« Teil des kulturellen Gedächtnisses einer Ges., durch die permanent (alte) Texte, die als obsolet/irrelevant eingestuft werden, ausgeschieden bzw. durch neue Texte ersetzt werden, lassen sich für die griech. L. grundsätzlich hervorheben a) eine Phase, in der der L.-Bestand im kulturellen Gedächtnis anwächst (Archaik, Klassik), b) eine Phase, in der der Bestand systematisiert und literaturwiss. bearbeitet wird (Hell.), c) eine Phase der Neuorientierung, in der unter einem bestimmten Aspekt (→ Attizismus) neue Hierarchisierungen bzw. Aussonderungen erfolgen (frühe und hohe Kaiserzeit), sowie d) eine Phase der Reduktion bzw. der Ersetzung (Spätant.), in der wiederum unter neuem Gesichtspunkt (Christentum) die vorausliegende lit. Produktion einer Bewertung unterzogen wird. Für Archaik wie Klassik stehen nur wenige explizite Hinweise auf die Kanonisierungs- bzw. Vergessensprozesse zu Gebote.

Die homer. Epen erhalten rasch »kanonischen« Rang – Folge ihres ästhetischen Gewichts oder/und des Umstandes, daß hier die ersten und deshalb sensationellen Großtexte vorlagen [46]? Hesiod und Archilochos fanden ebenfalls Aufnahme in das Repertoire der → Rhapsoden bei Agonen [47], d. h. sie bewährten sich permanent vor einem Publikum und blieben somit – unter den Bedingungen der Mündlichkeit – im kulturellen Gedächtnis erhalten. Daß parallel dazu zahlreiche Texte und Autoren, die keinen Erfolg beim Publikum mehr fanden, spurlos verschwunden sind, darf vermutet werden. Wenn andererseits Texte wie das von einer extremen Situationsgebundenheit geprägte ›Parthenion‹ Alkmans (PMGF 1) tradiert wurden, so ist dies nur als »Archivtext« etwa der adligen Familien denkbar, deren Mitglieder im Lied genannt werden [48]. Für das kulturelle Gedächtnis hatten derlei Texte jedoch zunächst keine Bed. Die Rolle des Adressaten bzw. Auftraggebers (insbes. beim → Epinikion) für Tradierungs- und damit Kanonisierungsprozesse von Lyrik bedarf noch der Untersuchung. Die Texte der dramatischen Gattungen in Athen, zunächst ebenfalls allein durch den Publikumserfolg perpetuiert – oder dem Vergessen preisgegeben (vgl. → Phrynichos' *Milētu Hálōsis*/›Der Fall von Milet‹), scheinen ein frühes Beispiel für die Emanzipation der Bewahrung vom Publikumserfolg durch das Buch zu bieten. So konnten etwa die Werke des → Euripides [1] – ungeachtet des Mißerfolgs im Agon – überdauern, ja, wie die Anspielungen in der Komödie zeigen, sogar zu Referenztexten werden.

Mit dem Buchwesen tritt auch die (zunächst wohl von der → Sophistik inaugurierte bzw. vertiefte) L.-Kritik als Instanz der Kanonisierung hinzu; die von ihr entwickelten Kategorien (die durchaus eine weit zurückreichende Trad. besitzen, → Xenophanes) mit ihrem Insistieren auf Wahrheitsgehalt bzw. der moralischen Valenz von L. bedeuten zwar zunächst eine Reduktion, sichern aber die Verwertung der L. im Schulunterricht »theoretisch« ab. Bezeichnend ist freilich, daß die gelegentlich massive Verdammung von Autoren nach derartigen Kriterien (etwa Homers durch Platon oder Zoilos, oder, in komischer Brechung, des Euripides durch Aristophanes) diesen nicht schadete.

Eine gewichtige Rolle für Kanonisierungsprozesse stellen die Formen des Unterrichts (→ Erziehung) dar (auch hier ist die Sophistik bedeutsam [49]), durch die neben Homer einerseits Dichter mit markanten gnomischen Partien (Hesiod, Theognis, Phokylides), andererseits auch Lyriker (Sappho, Simonides) Teil des kulturellen Gedächtnisses blieben [50]. Die massive, auch theoretisch fundierte Verwendung von L. zu Bildungszwecken (Isokrates) im 4. Jh. v. Chr. sowie die Ausbildung eines Theaterrepertoires bilden zwei wesentliche Säulen im Prozeß der Bewahrung – sowie komplementär Voraussetzung von Überlagerung bzw. Vergessen hier nicht berücksichtigter Texte.

Für die Prosa lassen sich andere Mechanismen beobachten: da für sie – insbes. in der Fachschriftstellerei – die Trennung von Form und Inhalt möglich wird, erfolgt die vollständige Bewahrung von Prosatexten im allg. nur dann, wenn dem Wortlaut bes. Rang beigelegt wird aus a) ästhetischen Gründen, was insbes. im Kontext der auf stilistische Vorbilder abhebenden Schule erfolgt, b) aus rel. bzw. ideologischen Gründen, wenn ein Text als heilig eingestuft oder als zentral für die Identität einer Gemeinschaft definiert wird. Während die aus ästhetischen Gründen bewahrten Texte (etwa die »Zehn Redner«, Herodot, Thukydides) bei konstanten ästhetischen Anschauungen in ihrem kanonischen Rang nur bei Reduktion der materiellen Grundlagen der Ges., die zu Einschränkungen auch im Bildungsbetrieb führen (so etwa zu Beginn des MA), in Gefahr geraten, unterliegen die rel. bzw. ideologisch (etwa im Fall der Grundtexte der Philosophen-Schulen) fundierten Texte bei entsprechenden Paradigmen-Wechseln der Ges. oder innerhalb der sie bewahrenden Gruppe (etwa im Fall christl. Lit., die als häretisch eingestuft wird) dem Risiko der → Zensur und des Vergessens. Für die »ungeschützten« Texte gilt dagegen, daß sie selbst überflüssig werden, d. h. nicht weiter über Kopien Verbreitung finden und u.U. nur noch als »Archivtexte« überdauern, die leicht verloren gehen können und nur in Ausnahmefällen – bei erneutem Interesse an ihnen selbst – in den lit. Diskurs zurückgelangen (vgl. etwa das Schicksal der esoterischen Schriften des → Aristoteles [6], vielleicht ähnlich → Pausanias), a) wenn sie durch (zustimmendes oder ablehnendes) Referat in die weitere Diskussion eingehen (so insbes. bei den Vorsokratikern: Aristoteles' ›Metaphysik‹, den griech. Doxographen, ähnlich bei zahlreichen Historikern, deren Werke durch zeitlich umfassendere Werke überlagert werden, s. dazu etwa den Katalog des Euagrios, Historia Ecclesiastica 5,24; ähnlich insbes. in der reinen Fachschriftstellerei) bzw. wenn b) von ihnen eine Kurzfassung (→ Epitome) oder Auswahl (*eklogḗ*) angefertigt wird, die sie ersetzen kann. Diese Mechanismen sind bereits im 5. und 4. Jh. v. Chr. wirksam. Zugleich liegen hier die Anfänge eines (zunächst privaten) Bibliothekswesens, mit dem Textmengen akkumulierbar und verfügbar werden, die das kulturelle Gedächtnis neu definieren.

Von den Spezialbibliotheken (etwa der des → Peripatos) führt der Weg zu den umfassenden Textspeichern des hell. Hofes in Pergamon und bes. Alexandreia. Die dort geleistete Systematisierungsarbeit konstituiert nicht nur das Gattungssystem neu (s.o.), sie führt auch zu »Listen« von als zusammengehörig betrachteten Autoren/Werken, die zwar zunächst nur den Bestand dokumentieren, aber zugleich Grundlage und Ausgangspunkt für Selektion und Hierarchisierung durch die L.-Kritik bilden. Wie und wann sich im einzelnen die Selektion vollzog, ist schwer zu ermitteln. Die Übereinstimmungen zwischen Dion. Hal. *De imitatione* und Quint. inst., B. 10 legen nahe, daß der Schulbetrieb hierbei eine entscheidende Rolle spielte [51; 52]. Die alexandrinische → Philologie scheint die zeitgenöss. L. nicht (oder nur wenig) in die Listen aufgenommen zu haben (Quint. inst. 10,1,54). Diese Position wurde nie grundsätzlich revidiert, so daß sich mit den »kanonischen« Texten zumeist eine retrospektive Ausrichtung von Bildungsbetrieb und Kultur verbindet, die die Funktion von L. in der Kaiserzeit stützt (s.o.). Ausnahmen sind selten, so etwa der Versuch, in späthell. Zeit sieben alexandrinische Tragiker, die → Pleias, zu einer Art von Kanon zu stilisieren. Als wirkungsmächtiger erwies sich dagegen die Quasi-Kanonisierung von Epigrammatikern in »Kränzen« seit dem Ende des 1. Jh. n. Chr. (→ Epigramm). Lassen sich bei diesen Prozessen Philol. bzw. L.-Kritik als Instanzen der Festsetzung vermuten, so liegt im Versuch der Vertreter der »Zweiten Sophistik«, einen neuen Kanon der Zehn Redner aus den eigenen Reihen zu konstituieren (Suda s. v. Nikostratos, ν 404, vgl. [53]), zu dem etwa Philostratos in den *Vitae sophistarum* eine literarhistor. Absicherung liefert, die bemerkenswerte Erscheinung einer »Selbstkanonisierung« vor, die die kulturelle Bed. dieser Sophisten für die griech. Welt und ihr daraus resultierendes Selbstbewußtsein spiegelt.

Komplementär zu der Konstituierung der Referenztexte stehen in der Kaiserzeit zwei Aussonderungsschübe, zunächst ein formal determinierter durch den → Attizismus, sodann ein quantitativ erheblich geringerer, inhaltlich durch das Christentum bestimmter. Der Attizismus führte dazu, daß der größte Teil der hell. Prosa und Poesie – als stilistisch nicht imitabel eingestuft – aus dem Bildungsbetrieb verschwand (hier liegt etwa die Ursache für den Verlust des → Menandros [4]). Das Christentum, seit dem 4. Jh. in der Position, die Bedingungen für Kanonisierung definieren zu können, führte den traditionellen Bildungsbetrieb trotz einzelner abweichender Stimmen fort (zusammenfassend [54; 55]). Restriktionen erfolgten lediglich gegen dezidiert antichristl. L. (etwa Porphyrios), Polemik (allerdings nicht Zensur) wurde gegenüber nicht kompatiblen Gotteskonzepten der traditionellen Philos. entfaltet, etwa durch Clemens [3] von Alexandreia gegen Epikuros (Clem. Al. strom. 6,8,67,2; [56; 57]) oder durch → Origenes [56]. Systematische Anstrengungen, christl. L. als Ersatz für »heidnische« griech. zu schaffen, blieben folgenlose Episode unter der Herrschaft des Iulianus [11].

Innerhalb der christl. L. sind bes. zwei Kanonisierungsprozesse bedeutsam. Der erste führt bis zum Ende des 2. Jh. zu einer Festlegung der Schriften des NT, der zweite bis zum Ende des 6. Jh. zu einem Kanon der → Kirchenväter, wobei hier das auf Konzilen festgeschriebene Resultat theologischer Kontroversen und die damit verbundene Einstufung bestimmter Schriften und Autoren als häretisch (→ Häresie, → Häresiologie; bes. im Fall gnostischer oder arianischer Ausrichtung; s. zusammenfassend [58]) die zentrale Rolle einnimmt [59; 60].

G. Als Instanz von Rezeption und Vermittlung

Daß die archa. griech. L. keine autarke, indigene Erscheinung ist, als die sie seit der Aufklärung gesehen werden sollte [61], sondern in vielfältiger Weise durch den Orient beeinflußt wurde, darf seit etwa 20 Jahren als akzeptiert gelten [62; 63]. Als Medien der Vermittlung können im 8. und 7. Jh. v. Chr. Handel, aber auch wandernde Handwerker, Priester und Medizinkundige gelten, durch die etwa die Parallelen zw. dem → Gilgamesch-Epos und den homer. Epen, einzelnen Motiven (Sukzessionsmythos etc.) bei Hesiod (s. → Kumarbi) und oriental. Traditionen als Rezeptionsprodukte (deren Genese im Detail kaum zu klären ist) gedeutet werden dürfen. Hinzu treten im kleinasiatischen Kolonialgebiet die (bislang noch nicht systematisch untersuchten) Einflüsse der lydischen Hochkultur (→ Lydia; → Kleinasien III.C.1.d) [64]), die sich in der aiol. Lyrik niederschlagen. Die aus dem Osten rezipierten Erzählmuster, Motive und Konzeptionen können freilich nur als produktionsästhetische Erscheinung betrachtet werden; der von den Autoren intendierte Adressatenkreis war keineswegs zu einer intertextuell orientierten Rezeption aufgefordert. Gleiches gilt auch für die Verarbeitung dieser Motive durch spätere griech. Autoren, zumal hier methodisch die Annahme gerechtfertigt erscheint, daß diese bereits als Bestand der griech. L. aufgerufen wurden.

Während der Klassik des 5./4. Jh. v. Chr. erfolgt keine nennenswerte lit. Rezeption – stattdessen beginnt, gespeist aus den Nachrichten der perihegetisch-geogr. L. sowie der sich ausbildenden Historiographie (→ Herodotos [1], → Ktesias, → Xenophon) die »Konstruktion« eines lit. Perser- bzw. → »Barbaren«-Bildes, das der Selbstinterpretation dient [65]. Im Hell. sind dagegen zwei Tendenzen zu unterscheiden: a) Indigene Schriftsteller verfassen (zumeist Geschichts-)Werke in griech. Sprache, die das griech. Publikum mit Traditionen, Rel. und Gesch. des jeweiligen Landes vertraut machen sollen, so etwa im 3. Jh. v. Chr. → Manethon (ägypt. Gesch.), → Berossos (babylon. Gesch.) und über → Iosephos [4] (*Antiquitates Iudaicae*) bis hin zu → Herennius Philon (phöniz. Gesch., [67]) im 2. Jh. n. Chr. (prinzipiell lassen sich hier auch die frühen röm. Historiker einordnen); b) Akkulturierte Intellektuelle amalgamieren griech. lit. Formen und Konzepte mit indigenen Denkmodellen, so etwa → Ezechiel [2], → Theodotos sowie die pseudepigraphischen Werke unter den Namen des Phokylides, → Orpheus u.a.m. Die Absicht derartiger L. liegt zunächst darin, z.B. für die von der Sogkraft der griech. Kultur erfaßten jüd.-hell. Kreise in Alexandreia eine Verbindung zu den Traditionen des Judentums durch die Präsentation wesentlicher Inhalte (Exagoge) oder ihre Nobilitierung durch den sog. Altersbeweis in einer Synthese mit griech. Formen aufrecht zu erhalten, bei den Griechen für diese Traditionen und ihre Inhalte zu werben und die Konvergenz zw. jüd. Vorstellungen und traditioneller griech. Ethik zu konstruieren (Ps.-Phokylides) [68]. Über diese im Kontext der Akkulturation stehenden Texte, zu denen auch die griech.-jüd. Lit. eines → Philon von Alexandreia gehört, fanden jüd. Konzepte Eingang in die griech. L. (die direkte Wirkung der übersetzten *Septuaginta* ist dagegen gering, der Anon. *Perí hýpsus/De sublimitate* 9,9 eine Ausnahme; → Ps.-Longinos). Dies war insofern zunächst problemlos, als man sich in der griech. Philos. um außergriech. Weisheitslehren als Bausteine zur Wiedergewinnung einer universalen Wahrheit bemühte (Material zum Konzept der *bárbaros philosophía* bei [69] sowie bes. zu Philon [70]).

Ferner wirkt die insbes. bei Philon gefundene Synthese von Platonismus und AT auf die Gottesvorstellung im NT ein und gewinnt über NT und die sich vom 3. Jh. an formierende christl. Theologie (Origenes) neuerliche Bedeutung im lit. Diskurs (dazu insgesamt [70]). Wirkungsmächtig erweist sich die griech. L. gegenüber der sich formierenden römischen. Eine Rückwirkung der röm. auf die griech. L. ist methodisch schwer nachweisbar (Versuche bei [71; 72]) und gesichert erst im 4. Jh. (bezeichnenderweise treten dann mit → Ammianus Marcellinus und → Claudianus [2] Autoren in der lat. L. auf, die aus dem griech. Bereich stammen), zumal dann das Lat. als Sprache des Rechtswesens auch im griech. Osten hohe Bed. erlangt. Die mit dem Sieg des Christentums verbundenen kanonische Stellung der → Bibel bringt im 4. Jh. weitere »oriental.« Motive und Konzepte in den lit. Diskurs ein.

→ GRIECHISCHE PHILOLOGIE

**1** E. PÖHLMANN, Einführung in die Überlieferungsgesch. und die Textkritik der ant. Lit. 1, 1994 **2** W. RÖSLER, Die griech. Schriftkultur der Ant., in: H. GÜNTHER, O. LUDWIG (Hrsg.), Schrift und Schriftlichkeit 1.1, 1994, 511–517 **3** E. STEIN, Autorbewußtsein in der frühen griech. Lit., 1990 **4** M. L. WEST, Early Greek Philosophy, in: J. BOARDMAN u. a., The Oxford History of the Classical World, 1986, 114 **5** G. F. NIEDDU, Neue Wissensformen, Kommunikationstechniken und schriftliche Ausdrucksformen in Griechenland im sechsten und fünften Jahrhundert v. Chr. ..., in: W. KULLMANN, J. ALTHOFF (Hrsg.), Vermittlung und Tradierung von Wissen in der griech. Kultur, 1993, 151–165 **6** CH. RIEDWEG, Pythagoras hinterliess keine einzige Schrift – ein Irrtum?, in: MH 54, 1997, 65–92 **7** W. RÖSLER, Die Selbsthistorisierung des Autors, in: Philologus 135, 1991, 215–220 **8** L. KÄPPEL, Paian, 1992 **9** B. SEIDENSTICKER, Die griech. Trag. als lit. Wettbewerb, in: Abh. der Berlin-Brandenburg. Akad. der Wiss. 2, 1996, 9–35 **10** E. KÖHLER, Gattungssystem und Gesellschaftssystem, in: Romanistische Zschr. für Literaturgesch. 1, 1977, 7–22 **11** J. LATACZ, Homer. Der erste Dichter des Abendlandes, [3]1997 **12** Ders., Die Funktion des Symposions für die entstehende griech. Lit., in: Ders., Die Erschließung der Ant., 1994, 357–395 **13** B. ZIMMERMANN, Dithyrambos, 1992 **14** M. POHLENZ, Die Anfänge der griech. Poetik, in: Ders., KS 2, 1965, 436–472 (zuerst 1920) **15** B. ZIMMERMANN, Gattungsmischung, Manierismus, Archaismus, in: Lexis 3, 1989, 25–36 **16** W. KROLL, Die Kreuzung der Gattungen, in: Ders., Studien zum Verständnis der röm. Lit., 1924 (Ndr. 1964 u.ö.), 202–224 **17** R. R. NAUTA, Gattungsgesch. als Rezeptionsgesch. am Beispiel der Entstehung der Bukolik, in: A&A 36, 1990, 116–137 **18** D. DORMEYER, Das NT im Rahmen der ant. Literaturgesch., 1993 **19** K. BARWICK, Die Gliederung der Narratio in der rhet. Theorie und ihre Bed. für die Gesch. des ant. Romans, in: Hermes 63, 1928, 261–287 **20** R. HERZOG, Probleme der heidnisch-christl. Gattungskontinuität am Beispiel des Paulinus v. Nola, in: A. CAMERON (Hrsg.), Christianisme et formes littéraires de l'Antiquité Tardive en Occident, 1977, 373–423 **21** W. KIRSCH, Die Umstrukturierung des lat. Literatursystems im Zeichen der Krise des 3. Jhdts., in: Philologus 132, 1988, 2–18 **22** U. TREU, Formen und Gattungen in der frühchristl. Lit., in: C. COLPE u. a., Spätant. und Christentum, 1992, 125–139 **23** P. WEITMANN, Die Problematik des Klass. als Norm und Stilbegriff, in: A&A 35, 1989, 150–186 **24** G. W. MOST, Zur Archäologie der Archaik, in: A&A 35, 1989, 1–23 **25** A. HEUSS, Die archa. Zeit Griechenlands als gesch. Epoche, in: A&A 2, 1946, 26–62 **26** R. HERZOG, in: HLL Bd. 5, § 500/501

27 P. MURRAY (Hrsg.), Plato on Poetry, 1996 28 P. BROWN, Macht und Rhet. in der Spätant., 1995 29 T. SCHMITZ, Bildung und Macht, 1997 30 J. LATACZ, Hauptfunktionen des ant. Epos in Ant. und Moderne, in: Ders., Erschließung der Ant., 1994, 257–279 31 Ders., Achilleus. Wandlungen eines europ. Heldenbildes, 1995 32 W. KROLL, Das histor. Epos, in: Sokrates 4, 1916, 1–14 33 A. CAMERON, Wandering Poets: A Literary Movement in Byzantine Egypt, in: Historia 14, 1965, 470–509 34 B. EFFE, Dichtung und Lehre, 1977 35 C. CALAME, Choruses of Young Women in Ancient Greece, 1997 36 B. SNELL, Das Bruchstück eines Paians von Bakchylides, in: Hermes 67, 1932, 1–13 37 CHR. MEIER, Die polit. Kunst der griech. Trag., 1988 (Rez. von E.-R. Schwinge, in: Gnomon 62, 1990, 678–686) 38 B. ZIMMERMANN, Die griech. Trag., [2]1992 39 E.-R. SCHWINGE, Griech. Trag. und zeitgenössische Rezeption, 1997 40 E. L. BOWIE, Past and Present in Pausanias, in: J. BINGEN (Hrsg.), Pausanias historien (Entretiens 41, 1994), 1996, 207–239 41 H. v. CAMPENHAUSEN, Die Entstehung der Heilsgesch., in: Ders., Urchristliches und Altkirchliches, 1979, 20–62
42 A. MOMIGLIANO, Pagan and Christian Historiography in the Fourth Century A. D., in: Ders., The Conflict between Paganism and Christianity in the Fourth Century, 1963, 79–99 43 R. MERKELBACH, Roman und Mysterium in der Ant., 1962 44 E. BOWIE, The Readership of Greek Novels in the Ancient World, in: J. TATUM (Hrsg.), The Search for the Ancient Novel, 1994, 435–459 45 G. W. MOST, Canon Fathers: Literacy, Mortality, Power, in: Arion 1, 1990, 35–60
46 R. KANNICHT, Thalia. Über den Zusammenhang zw. Fest und Poesie bei den Griechen, in: L. KÄPPEL (Hrsg.), Paradeigmata, 1996, 68–99 47 F. KRAFFT, Vergleichende Untersuchungen zu Homer und Hesiod, 1963, 21
48 J. HERINGTON, Poetry into Drama, 1985, 174
49 B. TSIRIMBAS, Die Stellung der Sophistik zur Poesie im V. und IV. Jh. bis zu Isokrates, Diss. München 1936
50 PFEIFFER, KP I, 46 51 L. RADERMACHER, s. v. Kanon, RE 10, 1873–1878 52 I. RUTHERFORD, Inverting the Canon: Hermogenes on Literature, in: HSPh 94, 1992, 355–378
53 U. DUBIELZIG, s. v. Kanon, KWdH [2]1993, 327
54 A. H. M. JONES, The Later Roman Empire, 1964, 1005–1007 55 H. FUCHS, Die frühe christl. Kirche und die ant. Bildung, in: Die Ant. 5, 1929, 107–119 56 M. L. W. LAISTNER, Christianity and Pagan Culture in the Later Roman Empire, 1951, 61 57 H. JONES, The Epicurean Tradition, 1989, 94–116 58 ALTANER/STUIBER 59 P. T. R. GRAY, »The Select Fathers«: Canonizing the Patristic Past, in: Studia Patristica 23, 1989, 21–36 60 H. Y. GAMBLE, Books and Readers in the Early Church, 1995
61 W. BURKERT, Homerstudien und Orient, in: J. LATACZ (Hrsg.), Zweihundert Jahre Homerforsch., 1991, 155–181
62 Ders., The Orientalizing Revolution, 1992 63 M. L. WEST, The East Face of Helicon, 1997 64 A. DIHLE, Die Griechen und die Fremden, 1994 65 E. HALL, Inventing the Barbarian, 1981 66 Dies., Drowning by Nomes, in: H. A. KHAN (Hrsg.), The Birth of the European Identity, 1994, 44–80 67 J. EBACH, Weltentstehung und Kulturentwicklung bei Philo von Byblos, 1979 68 N. WALTER, Pseudepigraphische jüd. Dichtung, in: W. G. KUEMMEL (Hrsg.), Jüd. Schriften aus hell.-röm. Zeit 4.3, 1983, 173, 276; 176–181 69 A. DIHLE, Indische Philosophen bei Clemens Alexandrinus, in: Antike und Orient, 1984, 78–88 (zuerst 1964) 70 H. G. THÜMMEL, Logos und Hypostasis, in: D. WYRWA (Hrsg.), FS U. Wickert, 1997, 347–398
71 M. HOSE, Die röm. Liebeselegie und die griech. Lit., in: Philologus 138, 1994, 67–82 72 Ders., Fiktionalität und Lüge, in: Poetica 28, 1996, 257–274. MA. HO.

## IV. JÜDISCH-HELLENISTISCH

A. DEFINITION B. VORAUSSETZUNGEN
C. LITERATURÜBERBLICK

### A. DEFINITION

Die jüd.-hell. L. ist in der Zeit des Hell. entstanden, als griech. Kultur und Sprache den westl. und östl. Mittelmeerraum eroberten (→ Hellenisierung) und somit sowohl Palaestina als auch die in den verschiedenen Ländern der → Diaspora lebenden Juden erreichten. Während dreier Jh. (ca. 200 v. Chr. – ca. 100 n. Chr.) haben Juden eine in Form, Stil und Inhalt höchst vielfältige L. produziert, deren vorrangiges gemeinsames Kennzeichen die griech. Sprache ist, mittels derer sie am intellektuellen Diskurs der Zeit teilnehmen und nicht nur das jüd., sondern auch ein quasi internationales Publikum erreichen konnten, das in Athen oder Rom, Antiocheia oder Alexandreia, Jerusalem oder der → Dekapolis lebte. Zur hell. L. zählen dabei nicht nur die in Griech. abgefaßten Originalwerke, sondern auch Übers. ins Griech. Eine hier unberücksichtigte Zwischenstellung nimmt dagegen der große Bereich von in Hebr. oder Aram. verfaßter L. ein, die, Inhalt oder Gattung betreffend, hell. Einfluß widerspiegelt [20. 453–463; 32. Bd. 3, 177f.].

### B. VORAUSSETZUNGEN

Die sprachlichen Voraussetzungen waren in der Diaspora selbstverständlich, aber auch in Palaestina erfüllt: Griech. wurde in den meisten Ländern zur Muttersprache der jüd. Bevölkerung ([34. 347ff.; 32. Bd. 3, 3–86]; zu Griech. als Sprache des Synagogengottesdienstes [18. 159]), war aber auch unter der jüd. Bevölkerung Palaestinas verbreitet ([20. 108–120; 30]; für die rabbinische Epoche [25. 15–67]); als Beispiel dafür sei der → Aristeasbrief (ca. 100 v. Chr.) genannt, die legendarische Darstellung der Übers. der hebr. → Bibel ins Griech. (Septuaginta) durch griech.-sprachige Gelehrte Palaestinas. Darüber hinaus muß aber auch eine Aneignung der griech. Kultur erfolgt sein, die eine Adaptation griech. L.-Formen und -Stile erst ermöglichte. Wie weit diese Hellenisierung reichte und ob sie etwa die Rel. in ihrem Wesen veränderte (wohl sichtbar z. B. am Genus der apokalyptischen L.) [7], ist in der Forschung umstritten [32. Bd. 3, 471]; die Gegenüberstellung von hell. Diaspora und palaestin. Judentum, griech. Bildung und Tora-Treue [44; 10; 18] wird h. nicht mehr vertreten, sondern es wird allg. vom »hell. Judentum« gesprochen [4. 2f.; 20. 191–195; 36. 259f.; 32. Bd. 2, 29–84]. Polit.-geogr. günstig für eine weitgehende Akkulturation der jüd. Bevölkerung Palaestinas waren einerseits die friedvolle Herrschaft der Ptolemäer (3. Jh. v. Chr.), andererseits die Kontakte zu den Palaestina wie ein Kranz umgebenden hell. Städten [33. 537; 32. Bd. 2, 85–183]. An erster Stelle standen im

3. Jh. natürlich die Beziehungen zu Äg. und zur größten jüd. Diasporagemeinde von Alexandreia, dem geistigen Zentrum der hell. Welt. Ist aus dem 3. Jh. auch fast keine jüd. L. erh. – der erste hell.-jüd. Autor ist → Demetrios [29] mit seinem Werk über die Könige der Juden (*Perí tōn en tēi Iudaíai basiléōn*, zw. 222–205 v. Chr.) –, so sind in ihm dennoch anerkanntermaßen die Wurzeln für die spätere Entwicklung gelegt [20. 128 ff.]. Das Ende der jüd.-hell. Epoche wurde durch die andauernden Spannungen zw. der jüd. Bevölkerung Palaestinas und Rom bzw. Herodes d.Gr., durch den jüd.-röm. Krieg und die Aufstände in der Diaspora (115–117 n. Chr.) besiegelt.

C. Literaturüberblick

1. Bibelübersetzungen 2. Übersetzungen anderer Werke 3. Original griechische Werke 4. Historiographie 5. Roman und Paränese 6. Epik und Drama 7. Philosophische Schriften

1. Bibelübersetzungen

Alle gängigen Darstellungen der hell.-jüd. L. beginnen aus chronologischen, sprach- und religionsgesch. Gründen mit der ersten Übers. der hebr. Bibel ins Griech. (→ Septuaginta = LXX; ca. Mitte 3. Jh. bis Mitte 2. Jh. v. Chr.), die heterogenen Ursprungs ist, aber wohl in Alexandreia erfolgte [16]. Ihre Sprache sowie auch die z. T. sehr eigenen theologischen Vorstellungen nahmen großen Einfluß auf die nachfolgende griech.-jüd. L. (und das NT), zumal der Septuagintatext als heilig inspiriert dem hebr. Urtext gleichwertig angesehen wurde [32. Bd. 3, 142 ff., 479 f.]. Zusätzlich zum hebr. Text sind eine Reihe von Schriften – teils Originalwerke, teils Übers. aus dem Hebr. – in die Septuaginta aufgenommen worden (Apokryphen und Pseudepigraphen; → Apokryphe Literatur). Mit dem Niedergang der jüd. Gemeinde in Alexandreia zu Beginn des 2. Jh. n. Chr. verlor auch die Septuaginta an Einfluß und wurde parallel zu ihrer Durchsetzung in den christl. Gemeinden bei den griech.-sprachigen jüd. Diasporagemeinden durch die syntaktisch und lexikalisch stärker am hebr. Original orientierte Übers. des → Aquila [3] (Onkelos) ersetzt (1. H. des 1. Jh.).

2. Übersetzungen anderer Werke

Auch andere Werke sind aus dem Hebr. ins Griech. übers. worden und h. z. T. nur noch in ihrer griech. Fassung erhalten. Dazu zählen u. a. *De Bello Iudaico* des → Iosephos [4] Flavios, das Jubiläenbuch (→ *Liber Iubilaeorum*), der Jeremiasbrief, das Martyrium des Jesaja, 1 Makk (LXX), die Sprüche und Dichtungen des Jesus ben Sira (LXX) und die Psalmen Salomos (LXX). Wie die Septuaginta wurden auch sie wie fast alle übrigen jüd.-hell. Werke in christl. Kreisen bzw. durch Exzerpte bei christl. Autoren überliefert (u. a. bei → Clemens [3] von Alexandreia, → Origines, → Eusebios [7] von Caesarea; wichtigste pagane Quelle: → Alexandros [23] Polyhistor, 1. Jh. n. Chr.). Bei einer Vielzahl von Texten ist nicht sicher zu entscheiden, ob sie im Original in Hebr. oder Griech. geschrieben wurden; so u. a. 3. Esra, 1. und 2. Baruch, 2. Henoch, Jeremiasbrief, Gebet Manasses und die Testamente Abrahams und der zwölf Patriarchen (→ Testamentenliteratur; zu den Schriften, deren jüd. oder christl. Provenienz ungeklärt ist, vgl. [32. Bd. 3, 705–786, 787–804]).

3. Original griechische Werke

Stärker als die übers. L. sind die im Original in Griech. verfaßten Werke an den Vorbildern und Gattungen des griech. L.-Kanons orientiert. Neben Werken der Gesch.-Schreibung gibt es auch belletristische und philos. Prosa sowie Dichtungen (Epos, Tragödie, kleine Formen). Trotz der Diversifikation dieser L. in Inhalt und Genus werden als Gemeinsamkeiten ihr apologetischer Charakter sowie die Absicht, die Überlegenheit der jüd. Offenbarung und Weisheit zu beweisen und Mission zu betreiben [10; 13; 15; 33], hervorgehoben. Das allen Texten zugrundeliegende Interesse aber für die Gesch. und die Rel. des jüd. Volkes unterscheidet sie deutlich von der L. anderer hellenisierter Völker (vergleichbar aber → Manethon und → Beros(s)os). Tatsächlich dürfte sich wohl der weitaus größte Teil der Werke zuerst an das griech.-sprachige Judentum selbst gerichtet haben [2. Bd. 1, 197 f.] und erst in zweiter Linie an die pagane Umwelt [32. Bd. 3, 471]. Anders sind dagegen die Schriften des Aristobulos Philos (u. a. *Apología hypér Iudaíōn*) und des Iosephos [4] Flavios (*Contra Apionem*) zu beurteilen; ihre apologetische Gesch.-Schreibung und Philos. wendet sich gezielt an eine nichtjüd. Leserschaft [37. 27 ff.; 32. Bd. 3, 581 f.; 20. 130 f.].

4. Historiographie

Ein apologetisches Interesse – mag es auch nicht immer vorrangig sein – ist allen histor. Werken der jüd. L. gemein. Beginnend mit Demetrios (E. 3. Jh. v. Chr.), über Eupolemos (Mitte 2. Jh.), Artapanos (nach 250, Septuaginta), Aristeas, dem Exegeten (nach 250; wohl nicht identisch mit dem Autor des Briefes an Philokrates), Philon d. Ä., Kleodemos (oder Malchos), Ps.-Eupolemos (samaritanisch) und Ps.-Hekataios bis hin zu Philon (*De specialibus legibus*, *De vita Mosis*) und Iosephos Flavios (*Antiquitates Iudaicae*) ist das allen gemeinsame Thema die Gesch. Israels sowie die Altehrwürdigkeit und Überlegenheit seiner rel. Überlieferung. Nach Artapanos ist die äg., nach Ps.-Eupolemos die griech. Weisheit und Wiss. abhängig von der jüd. Weisheit. Den Kriterien der klass. griech. Gesch.-Schreibung stärker verpflichtet sind aber die primär zeitgesch. ausgerichteten Werke, z. B. *De Bello Iudaico* des Iosephos Flavios, das nicht erh. Werk des Iustos von Tiberias sowie Philons *In Flaccum* und *De legatione ad Gaium*. Hierzu ist auch das nicht erh. fünfbändige Werk des → Iason [3] von Kyrene (Mitte 2. Jh. v. Chr.) zu zählen, das eine Gesch. des Makkabäeraufstandes bietet. Eine rhet. wohl stark veränderte Kurzfassung seines Werkes stellt 2 Makk dar (›pathetische Historiographie‹ [20. 176–183]).

5. Roman und Paränese

Die Erzählung von Joseph und Aseneth (zw. ca. 100 v. Chr. und 100 n. Chr.) sowie der → Aristeasbrief gehören zur Gattung des hell. → Romans; ihnen läßt sich eine Reihe von paränetischen Werken an die Seite stellen: 3 Makk (zw. ca. 100 v. Chr. und 70 n. Chr.) [17], das Testament Hiobs (zw. 100 v. Chr. und 200 n. Chr.) [33], die in die Septuaginta aufgenommenen Erzählungen Tobit und Judit sowie die griech. Erweiterungen zu Daniel und Ester.

6. Epik und Drama

Ep. und dramatische Dichtungen sind nur von drei Autoren erh. (Fr. bei Alexander Polyhistor, erh. in Eus. Pr. Ev.), wobei es fraglich ist, ob es außerdem weitere Dichter gegeben hat (kritisch [35]). Aufgrund der Bearbeitung biblischer Gesch. stehen sowohl die ep. Dichtungen (Hexameter) über Jerusalem (Philon d. Ä.) und Sichem (Theodotos) als auch die dramatische Bearbeitung des Auszugs aus Äg. (*Exagōgḗ*) des Ezechiel (zw. 240–100 v. Chr.) den histor. Schriften nahe. Der Stil Philons d. Ä. ist pompös-obskur, der des Theodotos homerisch [40], und Ezechiel ist Euripides verpflichtet. Darüber hinaus gibt es griech. Dichtern zugeschriebene pseudepigraphische Verse jüd. Ursprungs, die die Übereinstimmung von griech. und jüd. Überl. beweisen sollen (innerjüd. Apologetik) [32. Bd. 3, 656–671; 41].

7. Philosophische Schriften

Die philos. Schriften der hell.-jüd. L. sind alle dem Bereich praktischer Philos. zugehörig (Ethik) und behandeln als Themen hauptsächlich Glaubensfragen, Tora-Frömmigkeit und richtige Lebensführung. So stehen sowohl die ›Weisheit Salomos‹ (wahrscheinlich 1. Jh. v. Chr.) als auch Jesus ben Sira (2. Jh. v. Chr.; beide LXX) in der Trad. der althebr. → Weisheitsliteratur [20. 275–318]. Ist Jesus ben Sira stilistisch noch den biblischen Trad. verhaftet [28], bietet die ›Weisheit Salomos‹ eine Synthese aus hebr. und griech. Formen (Spruchgedicht – Rhet.). Bei 4 Makk (1. Jh. n. Chr.) dagegen handelt es sich um eine Diatribe, die sich in eklektischer Weise verschiedener philos. Richtungen bedient (bes. Mittelplatonismus und Stoizismus), um für ein durch die Vernunft bestimmtes, richtiges rel. Leben zu werben [5]. Der Tendenz der histor. Werke, das höhere Alter der israelitischen Offenbarung und die Abhängigkeit griech. Philos. von jüd. Weisheit zu beweisen, ähnelt das Bestreben des Aristobulos (1. H. 2. Jh. v. Chr.), Moses als Vater der griech. Philos. zu etablieren [37; 22. Bd. 3]. Seine allegorische Auslegungsmethode der Tora [37. 124–149] kehrt ca. 200 J. später bei dem alexandrinischen Philosophen → Philon wieder, dem bedeutendsten Repräsentanten einer jüd.-hell. Synthese [31]. Als Hauptwerk seines umfangreichen, in christl. Kreisen tradierten Schrifttums gilt *De legum allegoria*, ein allegorischer Kommentar zu Gn in Midrasch-Form (→ Rabbinische Literatur).

Bibliogr.: **1** G. Delling (Hrsg.), Bibliogr. zur jüd.-hell. und intertestamentarischen L., 1900–1970, ²1975.

Lit.: **2** S. W. Baron, A Social and Religious History of the Jews, Bde. 1–2: Ancient Times, ²1952 **3** E. Bickerman, The Jews in the Greek Age, 1988 **4** W. Bousset, H. Gressmann, Die Rel. des Judentums im späthell. Zeitalter, 1926 (Ndr. 1966) **5** U. Breitenstein, Beobachtungen zu Sprache, Stil und Gedankengut des Vierten Makkabäerbuches, 1976 **6** J. H. Charlesworth (Hrsg.), The Old Testament Pseudepigrapha. 1: Apocalyptic Literature and Testaments, 1983; 2: Expansions of the »Old Testament« and Legends, Wisdom and Philosophical Literature, Prayers, Psalms, and Odes, Fragments of Lost Judeo-Hellenistic Works, 1985 **7** J. J. Collins, Jewish Apocalyptic against its Hellenistic Near Eastern Environment, in: BASO 220, 1975, 27–36 **8** Ders., Between Athens and Jerusalem. Jewish Identity in the Hellenistc Diaspora, 1986 **9** H. Conzelmann, Heiden – Juden – Christen. Auseinandersetzungen in der L. der hell.-röm. Zeit, 1981 **10** P. Dalbert, Die Theologie der hell.-jüd. Missions-L. unter Ausschluß von Philo und Josephus, 1954 **11** R. Doran, The Jewish Hellenistic Historians Before Josephus, in: ANRW II 20.1, 1987, 246–297 **12** J. Freudenthal, Hell. Studien. Alexander Polyhistor und die von ihm erh. Reste judäischer und samaritanischer Geschichtswerke, 1875 **13** M. Friedländer, Gesch. der jüd. Apologetik, 1903 **14** I. M. Gafni, A. Oppenheimer, D. R. Schwartz (Hrsg.), The Jews in the Hellenistic-Roman World. Stud. in Memory of Menahem Stern, 1996 **15** H. Graetz, Gesch. der Juden, Bd. 3.1, 1905 (Ndr. 1998) **16** Y. Gutman, The Beginnings of Jewish Hellenistic Literature (hebr.), 2 Bde., 1958–1963 **17** M. Hadas, III Maccabees and Greek Romance, in: Rev. of Religion 13, 1949, 155–162 **18** M. Hengel, Proseuche und Synagoge, in: J. Jeremias et al. (Hrsg.), Tradition und Glaube, 1971, 157–184 **19** Ders., Anonymität, Pseudepigraphie und »literarische Fälschung« in der jüd.-hell. L., in: Entretiens 18, 1972, 231–307 **20** Ders., Judentum und Hellenismus. Stud. zu ihrer Begegnung unter bes. Berücksichtigung Palästinas bis zur Mitte des 2. Jh. v. Chr., ²1973 **21** Ders., Juden, Griechen und Barbaren. Aspekte der Hellenisierung des Judentums in vorchristl. Zeit, 1976 **22** C. R. Holladay, Fragments from Hellenistic Jewish Authors. 1: Historians, 1983; 2: Poets. The Epic Poets Theodotus and Philo and Ezekiel the Tragedian, 1989; 3: Aristobulos, 1995; 4: Orphica, 1995 **23** E. Kautzsch, Die Apokryphen und Pseudepigraphen des Alten Testaments, 2 Bde., 1900 (Ndr. 1975) **24** A. Lesky, Gesch. der griech. L., ³1971, 894–902 **25** S. Lieberman, Greek in Jewish Palestine, 1942 **26** Ders., Hellenism in Jewish Palestine, 1950 **27** R. Marcus, Divine Names and Attributes in Hellenistic Jewish Literature, in: Proc. of the American Acad. for Jewish Research 3, 1931/2, 43–120 **28** T. Middentorp, Die Stellung Jesu ben Siras zw. Judentum und Hellenismus, 1973 **29** A. Momigliano, Alien Wisdom: the Limits of Hellenization, 1975 **30** G. Mussies, Greek in Palestine and the Diaspora, in: S. Safrai, M. Stern (Hrsg.), Compendia Rerum Judiacarum ad Novum Testamentum 2, 1974, 1040–1064 **31** V. Nikiprowetzky, Le Commentaire de l'Écriture, 1977, 12–49 **32** Schürer **33** O. Stählin, Die hell.-jüd. Litteratur, in: W. v. Christ, Griech. Litteraturgesch., 2,1, ⁶1920, 535–658 **34** V. A. Tcherikover, Hellenistic Civilization and the Jews, 1961 **35** G. Vermes, M. Goodman, La littérature juïve intertestamentaire à la lumière d'un siècle de recherches et de découvertes, in: R. Kuntzmann, J. Schlosser (Hrsg.), Ét. sur judaisme hellénistique, 1984, 30–39 **36** N. Wacholder, Eupolemus. A Study of Judaeo-Greek Literature, 1974 **37** N. Walter, Der Thoraausleger Aristobulos: Unt. zu seinen Fr. und zu pseudepigraphischen Resten der jüd.-hell. L., 1964

**38** Ders., Fragmente jüd.-hell. Exegeten, 1975 **39** Ders., Fragmente jüd.-hell. Historiker, 1976 **40** Ders., Fragmente jüd.-hell. Epik: Philon, Theodotos, 1977 **41** Ders., Pseudepigraphische jüd.-hell. Dichtung: Pseudo-Phokylides, Pseudo-Orpheus, gefälschte Verse auf Namen griech. Dichter, 1983 **42** Ders., Jüd.-hell. L. vor Philon von Alexandrien (unter Ausschluß der Historiker), in: ANRW II 20.1, 1987, 67–120 **43** Ders., Jewish-Greek Literature of the Greek Period, in: W. D. Davies, L. Finkelstein (Hrsg.), The Cambridge History of Judaism. II: The Hellenistic Age, 1989, 385–408, 684–686 **44** H. A. Wolfson, Philo, 1947 **45** Jüd. Schriften aus hell.-röm. Zeit (Reihe). I. WA.

V. Römisch
A. Sprache und Diskurse
B. Kommunikationsräume und Funktionen
C. Gattungssystem D. Periodisierung
E. Republik F. Augusteische Zeit
G. Prinzipat H. Spätantike

A. Sprache und Diskurse

Röm. L. ist zunächst die L. der stadtröm. Ges., dann L. in lat. Sprache des sich ausdehnenden polit. Gebildes Rom: Die Wahl des Lat. gegenüber lokalen (ital., kelt., afrikan. usw.) Sprachen dient als Indikator des intendierten Kommunikationszusammenhanges. Diese Trennung wird an den Rändern unscharf, wenn das Lat. auf eine mil. oder juristische Sondersprache reduziert wird (z. B. in den spätant., in Konstantinopel entstandenen Gesetzescorpora) oder wenn röm., lat.-sprachige Bürger röm. lit. Standards im Dichten in fremden Sprachen testen (Ovid z. B. wird ein getisches Gedicht zugeschrieben). Die erst in der Spätant. abnehmende Zweisprachigkeit des Zentrums und der die L. tragenden Oberschicht ist für die Abgrenzung so lange unproblematisch, wie sich der Kommunikationszusammenhang eines Werkes deutlich rekonstruieren läßt: Das für ein röm. Publikum auf Griech. geschriebene Gesch.-Werk des → Fabius [I 35] Pictor gehört der röm. L. an, das in Rom für Griechen geschriebene Werk des → Dionysios [18] von Halikarnassos der griech. L. Größere Unschärfen ergeben sich im rhet. Bereich: Die erste lat. Rhet., die → *Rhetorica ad Herennium*, will nicht nur ein griech. Hdb. übers., sondern auch die (griech.) Rhet. als Disziplin fortschreiben; die Romrede des Ailios → Aristeides [3] wird nicht nur für Römer gehalten, sondern von diesen auch nach dem Maßstab einer griech.-röm. Disziplin beurteilt. Hier nimmt die sprachliche Zuordnung zur jeweiligen »L.« v. a. pragmatischen Charakter an. Ein gewisses Ungleichgewicht zeigt sich darin, daß lat. Texte sich (außerhalb der Verwaltung im weitesten Sinne) nicht in griech. geprägte Diskurse einschalten; trotz ihrer Bed. etwa für die Philos. der Akademie (→ Akademeia) richtet sich Ciceros philos. Textproduktion an lat.-sprachige Römer; → Übersetzungen aus dem Lat. ins Griech. sind sehr viel seltener als umgekehrt – ein Signal für Kommunikationsschranken der anderen Seite.

Die lat. L. entwickelt sehr schnell eine einheitliche Schriftsprache, deren Distanz zu der gesprochenen → Sprache Roms, It.s und der Prov. nur schwer zu bestimmen, aber sicher schon in der Prinzipatszeit beachtlich ist. Für die zum Mittellatein führende Wiederannäherung an die gesprochene Sprache besitzt in lit. Perspektive v. a. die seit dem späten 2. Jh. entstehende christl. lat. L. Bedeutung. Die christl. L. ist es auch, die (zumeist über griech. Zwischenglieder) der röm. L. sprachliche, stilistische und inhaltliche Elemente semitischer L. vermittelt. Lit. Einflüsse aus afrikanischen L. sind minimal, unmerklich die aus den oralen europ. Kulturen. Der Einfluß ital. Literaturen ist angesichts ihres Erhaltungszustands nicht zu bemessen; wo er greifbar ist (beginnend bei dem wohl etr. vermittelten → Alphabet), handelt es sich häufig um den Transfer griech. Elemente: Röm. L. entwickelt sich bis in die Spätant. als kulturelles System an der Peripherie griech. Kultur. Im Hinblick auf die westeurop. Kulturgesch. übernimmt die röm. L. allerdings ihrerseits seit dem 5./6. Jh. n. Chr. die Vermittlerrolle für ant. (griech., jüd., christl.-griech.) L. und Kultur.

B. Kommunikationsräume und Funktionen

Teilnehmer an lit. Kommunikation sind, wo es sich um schriftliche Texte handelt, im wesentlichen die Mitglieder der Oberschicht, auch wenn elementare Schreib- und Lesekenntnisse, wie etwa die Soldatenbriefe aus Vindolanda und Zehntausende von Grabinschr. zeigen, zumindest in der Kaiserzeit für eine vormod. Ges. relativ weit verbreitet waren. Ein weites Spektrum von → Liedern (*carmina*) für verschiedenste Anlässe, die nur durch Zufälle verschriftlicht und erh. wurden (z. B. Spottlieder in der biographischen oder histor. L.), dürften lit. Kommunikation im oben (s. I.) definierten Sinne in unteren Schichten bestimmt und Formen geboten haben, individuelle und kollektive Gefühlslagen formulierbar und kommunizierbar zu machen. Die myth. und gesch. Erzählwelten mit der ihnen eigenen Orientierungsleistung (→ Mythos) haben sich als Texte nicht erh.; ihre Trad. (und Modifikation) erfolgte aber nicht nur im Medium der Mündlichkeit, sondern stand sicher auch in Verbindung mit der im privaten Alltag wie im öffentlichen Raum präsenten Bilderwelt (Architektur, bildende Kunst, topographische Zeichensysteme).

Lit. Kommunikation zw. der polit. Führungsschicht und breiteren Schichten darunter war auf bestimmte Institutionen (und im wesentlichen auf Rom) beschränkt: die polit. Rede in den mehr oder weniger formellen Volksversammlungen (*comitia, contiones*), die Leichenrede für verstorbene → *nobiles*, das Theater. Auch hier läßt sich der Text von seiner Visualisierung nicht trennen: In der → *laudatio funebris* stellten Maskenträger die in öffentlicher Rede gepriesenen Ahnen vor, im Theater agierten Schauspieler – die zunehmende Dominanz des (Panto-) → Mimus seit der späten Republik zeigt hier sogar das deutliche Zurücktreten tradierter Texte. Dramatische L. hat hier über ihre unstrittig unterhaltende Funktion hinaus eminent polit. Funktionen, indem sie in rituellem Rahmen eine – das zeigen entsprechende Vorfälle im Theater (→ Tragödie) – umfassende Öffentlichkeit schafft. Als Institution dieser Funktion wurde das Theater vielfach in provinzial-röm. Ges. (und in Konstantinopel) übernommen.

Im Rahmen oberschichtlicher Kultur bieten Bankette den wichtigsten Ort lit. Kommunikation (was in der → Symposion-Literatur reflektiert wird): als Tischunterhaltung oder auch im Kreise entsprechend disponierter Zuhörer(innen) in konzentrierterer Form. Auch hier treffen die in der ant. Theoriebildung reflektierten Funktionen des Unterhaltens wie Informierens (*delectare* und *docere*, vgl. z.B. Hor. ars 333) natürlich zu, sie erfassen aber nur das Verhältnis des Textes zum je einzelnen Adressaten. Bezogen auf die Gesamtheit der Anwesenden haben die Texte u.U. normative Funktionen (häufiger bei Epen, Lyrik, philos. L.), vielfach auch formative Funktionen, indem sie den Zuhörerkreis durch die Intensivierung oder Ablehnung gesamtgesellschaftlicher Werte zusammenschließen (bis hin zu *textual communities*, z.B. jüd. und christl. Gruppen). In der Differenz zu anderen Formen der Unterhaltung kann L. den Bildungsgrad des Gastgebers ausweisen und so zu seinem Prestige beitragen.

Rezitationen (→ Literaturbetrieb) und Deklamationen (→ *controversiae*/→ *suasoriae*) als formalisierter Ort lit. Kommunikation kommen erst seit augusteischer Zeit (Asinius Pollio) auf, sie sind vielfach in → Bibliotheken angesiedelt; insbes. bei den Deklamationen gewinnt L. einen agonistischen Charakter, der zwar vordergründig unter Absehung von Inhalten ganz auf Technik konzentriert ist, aber zugleich doch auch über die Inhalte die Beteiligten in einer myth.-histor. wie normativ fest geprägten Textwelt zusammenschließt. Seit neronischer Zeit, der Mitte des 1. Jh., wird das Spektrum der Institutionen noch um regelrechte lit. Wettspiele (→ Wettbewerbe, künstlerische) bereichert.

Die polit. Rede, zumal im Senat als dem Konsens- und Entscheidungsgremium der Nobilität, hat einen festen Platz in der oberschichtlichen Kommunikation. Spätestens seit dem E. des 2. Jh. v. Chr. steht sie, greifbar in den (zunächst kontroversen) Bemühungen um die Etablierung lat. Rhet.-Unterrichts, unter dem Druck griech. Standards (→ Rhetorik). Verschriftlichung (und Auswendiglernen) steigert die Leistung des Vortrags, aber auch die Verbreitung: Wichtige lit. tradierte Reden sind nie gehalten worden (z.B. Ciceros ›Verrinen‹, z.T. die *Philippica*). Ihre diskursive Funktion weicht mit der zunehmenden Verlagerung von Entscheidungen auf den Kaiser der epideiktischen und panegyrischen (→ *genera dicendi*), was neben der repräsentativen Funktion (der Betonung der Loyalität des Redners) die formative Funktion steigert: Die Zuhörerschaft wird in der präformulierten Reaktion auf die Leistungen des Gepriesenen zusammengeschlossen (→ Panegyrik).

Der Wert des formal an Götter adressierten und in rituellem Kontext aufgeführten → Hymnos in der lit. Kommunikation läßt sich für das nichtchristl. Rom nicht bestimmen; Akteure wie Rezipienten gehörten im Regelfall der Oberschicht an.

Neben die unterschiedlichen lit. Öffentlichkeiten, in denen die → Verfasser ihre Texte selbst als Dichter, Redner oder durch Schauspieler zu Gehör bringen, tritt die private Lektüre bzw. das Sich-vorlesen-Lassen (→ *lector*). Hier dominieren Sachtexte und → Geschichtsschreibung (verm. in der röm. L. die erste allein fürs Lesen bestimmte Gattung) sowie – selbstverständlich – Briefe. Widmungsexemplare der Verf., eigene Kopien oder (seit E. der röm. Republik) Buchhandelsprodukte mochten dieses Gattungsspektrum erweitern, waren aber auch für erneute Oralisierung (etwa im Bankett) bestimmt. Private Lektüre hatte ihren Ort wie ihre Zeit: Der (nur in seltenen Fällen erwähnenswerte) Bibliotheksraum und das Peristyl zumal der Landvilla; Zeit dafür blieb in Rom selbst v.a. am frühen Morgen [3. 46–73].

C. Gattungssystem

Wie schon in der griech. L. vorbereitet [s.o. III.C.], fanden zwar bestimmte lat. Texttypen an bestimmten Orten ihr Primärpublikum (»Sitz im Leben«), doch besaßen diese Orte vielfach ein Spektrum von Alternativen in der Gattungswahl: Verschiedene dramatische Gattungen ergänzten, dann: verdrängten sich im Theater (→ Komödie; → Tragödie; → Atellane; → Mimus); → Epos, → Lyrik, → Elegie und → Epigramm konkurrierten in der Bankettsituation. Nach anfänglichen – und vielfach gescheiterten – Versuchen schon durch Ennius, neue Gattungen in die röm. L. einzuführen, hatte sich das Gattungsspektrum bis zum E. der Republik so stark erweitert (→ literarische Gattungen), daß die Wahl der Gattung (tendenziell Prosa durch Angehörige der polit. Führungsschicht; tendenziell Dichtung durch Spezialisten) selbst zum Bedeutungsträger werden konnte (s.u. F.).

Mit der Rezeption der archa. griech. Lyrik betrieb Horaz die Fiktionalisierung kommunikativer Situationen; das augusteische → Gedichtbuch führte die Bed. der – situationsunabhängigen – Lektüre als Rezeptionsform von L. vor. Gattungen konstituieren sich in Textreihen durch dichte intertextuelle Bezüge und vergleichbare sprachliche Form, nicht durch ihre Bindung an einen konkreten gesellschaftlichen Ort. Entsprechend bestimmen nicht nur gesellschaftliche Entwicklungen das Gattungsspektrum einer Epoche; auch Dominanzen oder Brüche in Textreihen tragen dazu bei: Die Dominanz Vergils für das histor.-myth. → Epos, das Ausschöpfen der Variationsmöglichkeiten in → Lyrik und → Elegie durch Horaz und Ovid prägen in nachaugusteischer Zeit die jeweiligen Bereiche. Mit der Beliebigkeit der Gattungswahl schwindet zugleich die Bed. der generischen Zugehörigkeit eines Textes für seine kommunikative Funktion. Es ist dann aber v.a. der Aus- und Umbau von Institutionen in der Kaiserzeit, der das Gattungssystem verschiebt und erweitert: Rhet. Übungsreden (→ *declamationes*), (spätant.) Listen und Breviarien im Schulbetrieb, → Panegyrik für die Höfe,

Hymnen, Predigten (→ Diatribe), theologische → Dialoge (→ Polemik), Mönchsregeln in den sich etablierenden christl. Institutionen.

D. Periodisierung

Der Zusammenfall der polit. Umbruchsepochen der augusteischen Zeit mit einer außerordentlich reichen lit. Produktion und der Zusammenfall der Krisenzeit der Soldatenkaiser mit einer ausgeprägten Lücke in der erh. oder wenigstens bekannten nichtchristl. lat. L. (zw. → Censorinus [4], 238, und → Nemesianus, 284) erlaubt eine enge Anknüpfung l.-gesch. Periodisierung an die althistor. Epochenbildung. Nach einer langen Periode, die zwar die Verwendung der Schrift (→ *lapis niger*, Zwölftafelgesetz, → *tabulae duodecim*) kannte, aber nicht zur Aufzeichnung »lit.« Texte nutzte, setzte im 3. Jh. v. Chr. ein intensiver Prozeß der Verschriftlichung lat. und der Rezeption griech. L. ein (»republikanische L.«, s.u. E.), der in der Mitte des 1. Jh. v. Chr. (Cicero, Catull, Lukrez) in ständiger Erweiterung des Gattungssystems zu rezeptionsgesch. erfolgreichen, qualitativ hochstehenden Texten (und der Normierung der Sprache zum klass. → Latein) führte und in der augusteischen Zeit (s.u. F.) einen gewissen Abschluß, zugleich aber auch eine Neuorientierung auf die gewandelten polit. Verhältnisse des entstehenden Prinzipats hin fand. Diese Entwicklung hatte vielfach eine Zurückdrängung der Reproduktion älterer L. zur Folge – eine Zurückdrängung jedoch, die durch erneutes Interesse im → Archaismus des 2. Jh. n. Chr. Schranken fand (s.u. G.).

Der Expansionsprozeß der röm. L. (mit Schwerpunkten in den Prov. Africas, Hispaniens und Galliens) erfährt in der Spätant. (s.u. H.) mit der Schrumpfung des polit. Gebildes des Imperium Romanum eine Umkehrung. Die Kontraktion erfolgt regional unterschiedlich, ein dünnes Kommunikationsnetz bleibt unabhängig von den polit. Strukturen (aber doch gestützt auf die Rückeroberungsversuche bis Iustinianus I., †565) bis ins 6. Jh. bestehen, in wenigen span. Zentren (und unter bes. Umständen als exportierte L. in Irland) noch länger – die Isolierung des auf die Ant. ausgerichteten lit. Systems kann durch den Begriff der »Subant.« betont werden. Die islamische Expansion im afrikan. Süden und hispanischen Westen der lat.-sprachigen Welt im 7. Jh. und die Karolingische Renaissance um die Wende zum 9. Jh. bezeichnen direkt und indirekt das Ende der (Spät-)Ant.

Die christl. L. (s.u. VI.), zunächst in griech., ab E. des 2. Jh. zunehmend auch in lat. Sprache (daneben auch syr., kopt. und in weiteren vorderoriental. Sprachen) entzieht sich als L. einer rel. Sondergruppe bis zur Karolingischen Renaissance der politisch-histor. Periodisierung (darin der jüd.-hell. und der viel kleineren mandäischen L. vergleichbar). Interne Periodisierungsansätze – Offenbarung/Neues Testament, Kirchenväter – beziehen zwar auch zeitliche Kriterien ein, betreiben aber überwiegend inhaltlich bestimmte Kanonisierungsprozesse. Das diesem entgegengesetzte Konzept »urchristl. L.« schließt lat. Text aus Zeitgründen bereits aus; für die Folgezeit bestimmen innerchristl. Auseinandersetzungen (→ Häresie-Vorwürfe) zunächst den Bestand dessen, was überl. wird, später das, was zum Gegenstand des lit.-histor. Zugriffs erhoben wird.

Für das Lat. bilden christl. Institutionen den entscheidenden Rahmen ma. L. (→ Mittellateinische Literatur); es sind zumal Klöster und Klosterbibliotheken, die lat. L. reproduzieren (und so tradieren) und neue Texte schaffen. Demgegenüber ist die mit der → Renaissance einsetzende → Neulateinische Literatur durch neue institutionelle Produktions- und Rezeptionszentren charakterisiert (Höfe, Universitäten), auch wenn vielfach Berührungen bleiben (z. B. theologische Fakultäten, Jesuitenschulen). → Mittellatein; → Neulatein.

Allg. Lit.-Gesch.: HLL · Albrecht · CHCL-L · Bardon · NHL Bd. 3: Röm. L., 1974 · Dihle · Ph. Vielhauer, Gesch. der urchristl. L., 1975 · NHL Bd. 4: Spätant., 1997.

Zu Einzelfragen: **1** A. und J. Assmann, C. Hardmeier (Hrsg.), Beiträge zur Arch. der lit. Kommunikation, 1983 ff. **2** M. Beard u. a. (Hrsg.), Literacy in the Roman World, 1991 **3** G. Bilfinger, Die ant. Stundenangaben, 1888 **4** G. Cavallo, P. Fedeli, A. Giardina (Hrsg.), Lo spazio letterario di Roma antica, 5 Bde., 1989–1991 **5** E. Fantham, Lit. Leben im ant. Rom, 1998 (engl. Orig.: Roman Literary Culture, 1996) **6** M. Giesecke, Der Buchdruck in der frühen Neuzeit. Eine histor. Fallstudie über die Durchsetzung neuer Informations- und Kommunikationstechnologien, 1991 **7** J. Griffin, Latin Poets and Roman Life, 1985 **8** W. V. Harris, Ancient Literacy, 1989 **9** J. B. Hofmann, Lat. Umgangssprache, $^{2}$1936 **10** L. R. Palmer, Die lat. Sprache, 1990 **11** F. Pina Polo, Contra arma verbis. Der Redner vor dem Volk in der späten röm. Republik, 1996 **12** K. Quinn, Texts and Contexts, 1979 **13** H. Vollrath, Das MA in der Typik oraler Gesellschaften, in: HZ 233, 1981, 571–594. J. R.

E. Republik

Die lat. L. der Republik ist in ihren schriftlich tradierten Textformen wesentlich durch die Übernahme griech. Vorbilder bestimmt, zeigt aber in der Funktionalisierung dieser Formen, der Auswahl der → literarischen Gattungen und dem sozialen Ort von Textproduktion und -rezeption ein gegenüber dem Griech. stark verändertes Profil – ein Profil, das einer die Texte isolierenden »klassischen« Philol. oft entgangen ist: In einer solchen Perspektive stellt sich die Gesch. der lat. L. als Gesch. der Übernahme griech. Gattungen dar, deren lat. Exemplare ihre Vorbilder qualitativ nicht erreichen; mit der Komplettierung des griech. Gattungsspektrums in augusteischer Zeit ist die produktive Phase der lat. L. beendet (so Ed. Norden). In einer binnenröm. Perspektive erscheint dagegen die tastende Aufnahme griech. Textgattungen (und anderer griech. »Medien«: Architektur, Skulptur, Numismatik usw.) seit dem 3. Jh. v. Chr. als drastische Erweiterung oberschichtlicher Binnen- und Außenkommunikation.

Träger sind zumal im Bereich poetischer Gattungen (rasch expandierend das Drama, zögerlich das Epos) Berufsdichter (Livius [III 1] Andronicus, Naevius, Ennius). Dem historischen Epos tritt ebenfalls noch am E. des 3. Jh. v. Chr. die Gesch.-Schreibung an die Seite: Der Sprache nach tritt sie in den durch griech. Gesch.-Schreibung über Rom (z. B. Timaeus) angestoßenen Diskurs ein, aber inhaltlich dient sie als »Prosaepik« den Bedürfnissen der polit. Führungsschicht nach Legitimation durch Vergangenheit und Exempla sowie nach Verherrlichung rezenter Leistungen. Verf. sind hier bis ins 1. Jh. v. Chr. hinein röm. Senatoren. Die Explosion der Umfänge histor. Werke im 2. Jh. v. Chr. (nun in lat. Sprache) bezeichnet die umfassende Fiktionalisierung der Vergangenheit (auch unter Einbeziehung dramatischer Vorlagen) und die Ausweitung des Legitimationshorizontes auf It. (→ Cato [1]) und die ganze Mittelmeerwelt. Zugleich wird an der starken Textreihe der → Geschichtsschreibung das Anwachsen schriftlicher Kommunikation deutlich: Die Oberschicht »beginnt« zu lesen, sicher auch Folge ihrer wirtschaftlichen Entlastung. Als Produzenten poetischer Texte treten Angehörige der Oberschicht dagegen erst mit → Lucilius [I 6] und verstärkt seit der Mitte des 1. Jh. v. Chr. auf – dann zunehmend als Alternative zum → *cursus honorum* stilisiert. Der hier entstehende kulturelle Bereich ist aber nicht autonom, sondern rigoros den (kaum zu trennenden) sozialen und polit. Interessen untergeordnet: »Bildung« mit (aus ihrem institutionellen Kontext herausgenommenen) griech. Stoffen hat demonstrativen Charakter, originelle Weiterentwicklungen griech. Fachwissenschaften fehlen (→ Enzyklopädie) oder werden verhindert (Philosophenvertreibungen, Verbot von lat. Rhetorenschulen).

Die völlig veränderten Rezeptionsgewohnheiten und Interessen erklären auch, daß zahlreiche hell. Gattungen, die bes. → Ennius [1] erstmals in lat. Sprache präsentiert, nicht aufgegriffen werden. Philos. Reflexion wird erst mit Lukrez (→ Lucretius [III 1]) und → Cicero in lat. Sprache produktiv, in der Dichtung gehören → Elegie, → Epigramm und wohl auch das myth. → Epos erst dem spätrepublikanischen bzw. frühaugusteischen Gattungsspektrum an, hier oft antithetisch auf das herrschende Wertsystem bezogen (→ Catullus [1]; Liebeselegie, »persönliche Dichtung«). Demgegenüber faßt antiquarische L. (→ Antiquare) Fuß, inhaltlich bietet sie manche Überschneidungen mit der → Annalistik (→ Gellius [2]). Grammatik als lit. Selbstreflexion setzt erst später ein und bleibt zunächst Angelegenheit griech. Autoren; L.-Gesch.-Schreibung treibt schon → Accius. Innerhalb des etablierten lit. Kommunikationsraumes wird, wie → Lucilius [I 6] vorführt, → Satire möglich: als eine Form oberschichtlicher Selbstkritik außerhalb von *face-to-face*-Situationen.

Da Oberschichtkultur normalerweise Leitfunktion besitzt, dürfte unter ihrem Einfluß auch die allg. Lesefähigkeit und das Lesepublikum gewachsen sein. Dabei bleibt die Rezitation ein »Salon«-Phänomen; den Rahmen für weitergehende Öffentlichkeiten bilden v. a. rel. Feste: Die zw. 240 und 173 v. Chr. enorm gestiegene Anzahl von Tagen mit *ludi scaenici* (→ Wettbewerbe, künstlerische) öffnet breiten Raum für Dramenaufführungen; Feste sind auch Gelegenheiten, Aufträge für Hymnendichtung (*carmina*) zu erteilen (→ Auftragsdichtung). Die starke mündliche Komponente republikanischer L. bedingt auch, daß röm. L. in dieser Zeit stadtröm. L. ist, auch wenn die Herkunft der Textproduzenten über Rom, ja It. hinausgeht (z. B. L. → Ateius [5] Philologus). Allerdings entwickelt sich zunehmend eine auf das mittelital. Umland ausgedehnte Villenkultur, die schriftliche Kommunikation (→ Briefe wie aufwendigere Formen: Reden, → Autobiographien, philos. → Dialoge) als festen Bestandteil aufweist (→ Cicero). Im Osten erworbene Griech.-Kenntnisse und griech. Rhet.-Training gehören zur oberschichtlichen Lebensweise (doch wohl weit in den sich etablierenden Ritterstand hinein), ebenso der Umgang mit gebildeten Griechen in Rom und in den Villen. Dennoch lassen Ciceros Klagen vermuten, daß sich authentische Kenntnisse griech. Fach-L. (etwa in der Philos.) in engen Grenzen halten (im Unterricht standen eher Homer, Trag. und Redner im Mittelpunkt); griech. Werke hohen Interesses werden immer wieder übersetzt. Immerhin werden Rom und Umgebung bereits in der ausgehenden Republik das Zentrum für griech. philos. Schulen: Das gilt für den Epikureismus (Philodemos) wie die akademische Skepsis (Cicero) und wird das Prinzipat prägen.

Überl. ist die lat. L. der Republik nur trümmerhaft: Sieht man von dem großen Corpus Ciceros und weiteren Texten der 50er und 40er Jahre v. Chr. (Lukrez, Catull, Caesar) ab, bleiben nur die spätrepublikanischen Slgg. von Plautus- und Terenzkomödien, Catos und Varros Schriften über die Landwirtschaft und mehr oder weniger große Fr. des Restes. Sowohl in ihrer Kritik an der vorangegangenen L. als auch in den polit. und sozialen Entwicklungen weist die ausgehende Republik die Konstellationen auf, die das Fundament der augusteischen L. bilden.

H. Cancik, Die republikanische Trag., in: E. Lefèvre (Hrsg.), Das röm. Drama, 1978, 308–347 • E. Flaig, Entscheidung und Konsens, in: M. Jehne (Hrsg.), Demokratie in Rom?, 1995, 77–127 • M. Fuhrmann, Die röm. Fach-L., in: Ders. (Hrsg.), Röm. L.-Gesch., 1974, 181–194 • E. S. Gruen, Culture and National Identity in Republican Rome, 1992 • R. Kaster, Suetonius, De grammaticis, 1995 • F. Leo, Gesch. der röm. Lit. 1, 1913 • E. Norden, Die röm. Lit., [7]1998 • E. Rawson, Intellectual Life in the Later Roman Republic, 1985 • J. Rüpke, Ant. Epik, 1998 • W. Suerbaum, Unt. zur Selbstdarstellung älterer röm. Dichter, 1968 • T. P. Wiseman, The Origins of Roman Historiography, in: Ders., Historiography and Imagination, 1994, 1–22; 119–124.

J. R.

### F. Augusteische Zeit

Augusteische Literatur (A. L.) ist die lit. Produktion Roms vom ersten polit. Auftreten des Caesarerben Octavian (44 v. Chr.) bis zum Tod des Princeps → Augustus (14 n. Chr.) und bildet eine eigenständige literaturgesch. Epoche. Die konstitutiven Merkmale der A. L. sind zugleich gesch. Kriterien für diese spezifische Epochensetzung.

A. L. ist – als synthetischer Eklektizismus der Werke, Themen und Stile aller vergangenen Epochen der griech. und röm. Lit. – schöpferische Restauration. Deren Voraussetzung und Folge ist die Semantisierung von Epochen- und Gattungsstilen [1] zu Bausteinen eines Welt- und Selbstverständnisses, das die Summe vergangener Erfahrungen zieht. Die Synthetisierung operiert bald mehr additiv (z. B. → Horatius [7], Epoden [2]), bald mehr integrativ (z. B. → Vergilius, Ekloge 2: Quintessenz bukolischer Liebesdichtung und griech.-röm. erotischer L.; der Iuppiter der ›Aeneis‹ als Einheit des iliadischen, odysseischen und des philos. Zeus sowie des röm. Iuppiter Optimus Maximus), schließlich enzyklopädisch (→ Ovidius, ›Metamorphosen‹).

Wie die Triumviratszeit und der Prinzipat des Augustus ist die A. L. ein Übergangsphänomen, als System in Bewegung zu begreifen. Zuordnungsprobleme in den Grenzzonen (→ Sallustius, → Manilius [III 1]) sind kein Indiz verfehlter Epochensetzung, sondern mit der Dialektik von Kontinuität und Diskontinuität des Geschichtlichen wie bei jeder Epochengliederung gegeben. Der Entwicklungsprozeß von republikanischer zu kaiserzeitlicher Mentalität läßt seinerseits eine Zäsur innerhalb der augusteischen L.-Epoche nicht erkennen.

A. L. ist ihre Zeit, in lit. Form gebracht. Reflexion der Gegenwart in neuem Gesch.-Bewußtsein und Selbstverständnis sowohl röm. wie individueller Identität ist für sie charakteristisch. Die Dichtung ist von hohem Anspruch (→ *vates*-Idee) und von intensiver Reflexion über das Dichten (poetologische Dichtung) geprägt, beides zumal am Anfang (Vergils Bukolik; Hor. epod. 16).

A. L., eine Einheit als Gesprächszusammenhang über gemeinsame Grundthemen, beginnt mit Katastrophendiagnose (Hor. epod. 7; 16) und Heilshoffnung (Verg. ecl. 4). Die Vorstellung der Zeitenwende entfaltet sich zu teleologischer Gesch.-Deutung (-Theologie). Die teleologisch-gesch. Gegenwartsdeutung und restaurative Wirklichkeitsgestaltung artikulieren sich bes. in aitiologischer Beziehungssetzung in Poesie und Gesch.-Schreibung. Die hermeneutische Figur der gesch. Aitiologie und die Urgesch.-Fiktion als variable Gegenwartsprojektion sind letztlich identische Formen der Gegenwartsdeutung.

Für die augusteische Dichtung ist die Spannung zwischen apolitischer Privatheit und polit. Engagement typisch, nicht nur im Œuvre des Horaz (vgl. [3]) oder im sog. Recusationsgedicht [4], sondern generell. Die Fortführung und Verwandlung neoterischer Liebesdichtung (→ Neoteriker) in der augusteischen → Elegie wendet den apolitischen Lebensentwurf nicht gegen den augusteischen Staat, sondern nutzt dessen Freiräume zu einer die Kaiserzeit vorbereitenden Sinnerfüllung der Privatheit.

Die augusteische Dichtung behandelt ihre Probleme so, daß sie zu Metaphern und Synekdochen für Fragen allgemeinerer Gültigkeit werden. Geleitet von dem auch in der Synthetisierung früherer Werke wirkenden Anspruch zielt sie auf Universalisierung und das Weltgedicht [5]. Die Sprachkunst gilt dem Ideal lebendiger Symmetrie und Klarheit bei Kürze und Dichte. Die alexandrinische Schlankheit bleibt auch beim großen Stil erhalten. *Compositio*, Junktur, hat Vorrang vor *electio*, Wortwahl, die Synekdoche vor der Metapher. Für das Zurücktreten der Prosa – mit der großen Ausnahme des Gesch.-Werks des → Livius [III 2] – bietet sich, im Blick auf die Rede, das Erklärungsmodell in Tacitus' *Dialogus* an, d. h. der Kausalnexus von republikanischer Freiheit (in polit. Kräftespiel) und Redekunst [6]. Hinsichtlich der Philos. darf man die Wirkung der Größe Ciceros vermuten. Die zeitgenössische griech. L. ist dagegen fast ausschließlich in Prosawerken greifbar: → Dionysios [18] von Halikarnassos, → Strabon, → Caecilius [III 5] aus Kale Akte, → Timagenes.

Einheit und Eigenart der A. L. als die einer eigenen literaturgesch. Epoche werden von den Kategorien Klassik und → Klassizismus verfehlt. Die Setzung einer röm. Klassik faßt die ciceronische und die augusteische Epoche zusammen [7. 14–21]; sie scheitert daran, daß der Epochenbegriff Klassik keine gesch.-spezifische Physiognomie besitzt und notwendig Vor- und Nachklassik nach sich zieht, die das Verständnis der anderen Epochen verstellen und ihre Gliederung verhindern. Der Klassizismusbegriff, der selbst für die bildende Kunst der augusteischen Zeit verabschiedet wird [1. 13 f., 36; 8. 248–255], schließt ebenfalls ein gesch. Drei-Phasen-Schema ein: die zum Kanon erhobene Epoche einer Klassik, eine Zwischenzeit (»Mittel-Alter«) des Verfalls und die Wiedergeburt durch Orientierung an der Klassik. Die Pointe der gesch. Eigenart der A. L. ist dagegen ihre freie Verfügung über die Werke aller Epochen der griech. und röm. Lit. gerade ohne Verwerfung der unmittelbar vorangegangenen. Das Fehlen einer schroffen Zäsur gegenüber der voraugusteischen L. erklärt sich nicht als Epocheneinheit mit dieser, sondern als Mitverfügung über sie im Sinn der verwandelnden Übernahme ihrer Errungenschaften.
→ Augustus

**1** T. Hölscher, Röm. Bildsprache als semantisches System, 1987 **2** E. A. Schmidt, Öffentliches und privates Ich, in: G. Most (Hrsg.), Philanthropia kai eusebeia, FS A. Dihle, 1993, 454–467 **3** V. Pöschl, Horaz und die Politik, ²1963 **4** W. Wimmel, Kallimachos in Rom, 1960 **5** E. Zinn, Die Dichter des alten Rom und die Anf. des Weltgedichts, in: A&A 5, 1956, 7–26 **6** K. Heldmann, Ant. Theorien über Entwicklung und Verfall der Redekunst, 1982
**7** M. Fuhrmann, Die röm. Lit., in: Ders. (Hrsg.), Röm. Lit., 1974 **8** P. Zanker, Augustus und die Macht der Bilder, 1987.

Albrecht, 511–524 (Bibliogr.: 523 f.) • G. Binder (Hrsg.), Saeculum Augustum, 3 Bde., 1987–1991 (je mit Bibliogr.) • Th. Gelzer (Hrsg.), Le Classicisme à Rome (Entretiens 25),

1979 • Ders., Klassik und Klassizismus, in: Gymnasium 82, 1975, 147–173 • V. PÖSCHL, Grundzüge der augusteischen Klassik (1970), in: Ders., Kunst und Wirklichkeitserfahrung in der Dichtung. KS I, 1979, 21–34 • L. P. WILKINSON, Golden Latin Artistry, 1963 • A. WLOSOK, Die röm. Klassik, in: W. VOSSKAMP (Hrsg.), Klassik im Vergleich, 1993, 331–347, 433–435. E.A.S.

G. PRINZIPAT

Die nachaugusteische L. des Prinzipats von 14 n. Chr. bis ins 3. Jh. n. Chr. ist nur in Fragmenten und erratischen Blöcken überl. Profil geben diese noch am ehesten der Neronischen und Flavischen Zeit (2. H. 1. Jh.). Dazu trägt bes. die → Geschichtsschreibung bei, die in ihrer beschränkten Überl. für die Zeit nach Tacitus und den Kaiserbiographien Suetons nichts diesen Vergleichbares mehr bietet (Dio ist frg.; die *Historia Augusta* und Herodian in ihrer Aussagekraft beschränkt). Die Werturteile der → Literaturgeschichtsschreibung (Seneca d. Ä.; Tac. dial.; Quint. inst.) lassen sich aber selbst für das 1. Jh. mangels Texten kaum überprüfen.

In der nachaugusteischen Zeit ist die L. zunächst durch einen Anpassungsprozeß bestimmt: dem Versuch, das stets prekäre System des Prinzipats mit öffentlicher, lit. Meinungsäußerung ins Gleichgewicht zu bringen. Zensur und Verfolgung sind die äußersten Mittel dazu (z. B. → Cremutius Cordus). Die → Rhetorik, die an polit. Bed. verloren hat, ist Grundbestand oberschichtlicher Bildung geworden; da sie die ausgefeiltesten Theorien zur Produktion und Wirkung von Texten liefert, prägt sie lit. Produktion weit über das Genos Rede hinaus und bildet zugleich eine berufliche Basis für Literaten. Professionalisierung ist eine wichtige Tendenz am E. des 1. Jh. n. Chr., wenn auch mehr als Leitbild denn soziale Realität. Mit P. Papinius → Statius und seinem in Neapel lehrenden Vater wird erstmals der Typ des zweisprachigen und damit (wenigstens potentiell) reichsweit agierenden Berufsdichters sichtbar, der als *wandering poet* für die Spätant. so große Bed. besitzt (Claudius → Claudianus [2]). → Ap(p)uleius [III] von Madaura führt für das 2. Jh. die Chancen und Risiken (Magie-Anklage) des »freischwebenden Intellektuellen« vor. Für diese Bewegungsfreiheit spielt städtische Autonomie eine ebenso große Rolle wie die Ausbildung kaiserlicher Höfe. Als potentester Vertreter des Mäzenatentums (→ Literaturbetrieb) spielt der Kaiser eine wichtige Rolle, doch wird diese durch die Selbststilisierung von Dichtern (→ Martialis [1]) und Widmungen (→ Velleius Paterculus) wie durch die biographisch orientierte histor. Überl. eher übertrieben.

Röm. L. bleibt von der Fabel (→ Phaedrus) bis zur Satire (→ Persius, → Iuvenalis) politisch. Die intensive Wahrnehmung der eigenen Zeit und L. erfolgt auf der Folie einer normativ hoch eingestuften augusteischen oder gar republikanischen Periode; die Epik etwa, die durch eine dichte Textreihe den poetischen Textbestand dieser Zeit dominiert (Lucan, Statius, Silius Italicus), setzt sich mit Vergil auseinander, u.U. auch von ihm ab. Lit. Tätigkeit stellt kein prononciertes Gegenmodell zur polit. Karriere mehr dar, sondern ist für Angehörige des Senatorenstandes legitime und angesehene Aktivität in den fest geregelten Karrierepausen oder nebenbei (Plinius d. Ä. und d. J.; Tacitus, als Ritter Sueton).

Für die Dichtung hören die Zeugnisse schon im 2. Jh. weitgehend auf; die später falsch als → *poetae novelli* zusammengefaßten Lyriker sind nur frg. erh., die Dramenproduktion bricht bereits mit Senecas Trag. ab – hier handelt es sich aber nicht um Verluste, sondern um das Ergebnis einer Entwicklung, in der der → Mimus die Trag. aus dem Theater in die Rezitation gedrängt hat. In der Prosa wird das breite Gattungsspektrum weiter genutzt und um den → Roman (→ Petronius, → Ap(p)uleius [III]) bereichert. Fassen können wir auch mit erh. Texten noch eine breite Produktion von → Fachliteratur verschiedenster Gebiete, auch Grammatiker und Antiquare, die in der → Buntschriftstellerei eine populäre Form finden; Bildung wird als Unterhaltung vermittelt, nicht mit wiss. Interesse als Forsch. betrieben. Das kulturgesch. Interesse weist jedoch eine Nähe zu den archaisierenden Tendenzen in der Kunstprosa des 2. Jh. auf, die insbes. durch M. Cornelius → Fronto [6] vertreten wird (→ Archaismus). Die Produkte der Epoche (Sueton, aber auch schon Plinius' d. Ä. ›Naturgeschichte‹) haben wirkungsgesch. einen hohen Anteil an dem Bild ant. Alltagskultur, das Spätant. und MA besitzen. Wirkungsgesch. von noch größerer Bed. ist aber die juristische L., kulminierend in den Juristenschulen Severischer Zeit: Die Komm. des → Iulius [IV 16] Paulus und Domitius → Ulpianus, die Problemslgg. des Aemilius → Papinianus sowie die Lehrbücher des → Gaius [2] und noch des Herennius → Modestinus prägen entscheidend die spätant. (und damit frühneuzeitlichen) Textslgg. und ihr Bild des klass. röm. Rechtes.

G. W. BOWERSOCK, Greek Sophists in the Roman Empire, 1969 • E. CHAMPLIN, Fronto and Antonine Rome, 1980 • DULCKEIT/SCHWARZ/WALDSTEIN • FRIEDLÄNDER • A. HARDIE, Statius and the Silvae. Poets, Patrons and Epideixis in the Graeco-Roman World, 1983 • L. HOLFORD-STREVENS, Aulus Gellius, 1988 • R. A. KASTER, Guardians of Language, 1988 • E. LEFÈVRE, Die Lit. der claudischen Zeit – Umbruch oder Episode?, in: V. M. STROCKA (Hrsg.), Die Regierungszeit des Kaisers Claudius, 1994, 107–117 • NORDEN, Kunstprosa • P. STEINMETZ, Unt. zur röm. Lit. des 2. Jh. n. Chr., 1982. J.R.

H. SPÄTANTIKE

Erst in den letzten Jahrzehnten beginnt die Literarhistorik der Epoche der → Spätantike als einer eigenen Größe zw. Ant. und MA verstärkt wiss. Aufmerksamkeit zu schenken. Statt sie wie bisher als eine Zeit des Niedergangs oder Verfalls abzuurteilen, bemüht man sich jetzt, die Mechanismen des Übergangs (die voranschreitende Desintegration der polit. Einheit des Röm. Reiches in den lat. Westen und den griech. Osten sowie die zunehmende Regionalisierung innerhalb der beiden Reichshälften) als Spannungsverhältnis zw. Trad. und

Erneuerung zu analysieren. Dieser Prozeß der Umgestaltung und Partikularisierung ging einher mit tiefgreifenden, wechselseitigen geistig-kulturellen Einflüssen zw. Westen und Osten, griech. und röm., paganer und christl. sowie imperialer und regionaler Trad. Insgesamt läßt sich diese Übergangszeit am besten als eine Phase der polit.-histor. sowie geistigen Umgestaltung beschreiben, welche den Fortbestand und das dynamische Weiterwirken der ant. Kultur und bes. L. ermöglichte.

Grob läßt sich die Spätant. auf die Zeit zw. dem ausgehenden 3. Jh. (284 Regierungsantritt Diokletians; 330 Gründung Konstantinopels) und dem ausgehenden 7./frühen 8. Jh. (630 Arabersturm; 735 Tod Bedas) fixieren. Im Westen sind die Jahrzehnte vor bzw. nach diesen Eckdaten durch weitgehende lit. Unproduktivität gekennzeichnet, bes. auf nichtchristl. Seite. Weiter kann das spätant. Geistesleben (bes. im Westen) in drei Unterabschnitte gegliedert werden: in eine Phase der Restauration und Regeneration (284–350), eine Phase der Blüte (350–430) und eine Phase des Epigonentums (430–735) [3. 46f.].

Typisch für die spätant. L. allg. ist das Fehlen einer vorherrschenden Schreibweise oder Stileinheit. Alle Stilprinzipien der Vergangenheit, die zuvor je für eine bestimmte Periode charakteristisch waren, stehen zur Disposition. Ferner werden die etablierten lit. Gattungen kreativ aufgegriffen und weiterentwickelt (→ Fachliteratur, → Kommentar, → Figurengedichte) oder auch miteinander kombiniert (Bibelepik, → Bibeldichtung; poetische Hagiographie, → Biographie). Andere Gattungen sterben nahezu aus (→ Tragödie, → Komödie, → Eidyllion, → Satire, → Elegie, »langes« → Epos). Es kommt auch zu neuen Gattungen, bes. auf christl. Seite (Prudentius: Liturgischer und Märtyrer- → Hymnus, → allegorische Dichtung; Augustinus: → Autobiographie, Geschichtsphilos.).

Die bis in die 1. H. des 5. Jh. vorherrschende geistige Auseinandersetzung zw. dem etablierten Polytheismus und dem um seine polit. und kulturelle Anerkennung ringenden Christentum war von Anf. an überwiegend von einem »Gebrauch« [4] der nichtchristl. L. gekennzeichnet, nur in geringem Maß schuf das Christentum »alternative« L. (s. die poetischen Gattungen des → Commodianus und → Damasus). Eine solche stark an der als normativ aufgefaßten Vergangenheit orientierte Haltung ist charakteristisch für die Spätant. insgesamt. Sie wird erklärbar durch das intensive Empfinden der Diskontinuität in dieser Epoche, weshalb durch ein bewußtes Anknüpfen an die ant. geistige Trad. die staatliche und geistige Identität ausgedrückt wird. Daher ist die lit. Produktion stark vom gramm.-rhet. Schulbetrieb geprägt [5. 32]: Neuedition und Kommentierung von als kanonisch empfundenen Schulautoren wie Vergil und Cicero (→ Servius, → Macrobius); klassizistische Dichtung (→ Ausonius, → Rutilius Namatianus; Extremform des → Cento); Sammlung und Systematisierung von Wissen (Herausbildung der → *artes liberales*), welches in den Dienst der Textauslegung gestellt wird (→ Nonius, → Martianus Capella). Diese Tendenzen sind auch in der christl. L. sichtbar, z. B. in der Kommentierung von biblischen Schriften (→ Ambrosiaster u.v.a.), in der Übertragung der allegorischen Auslegung von Homer auf die Bibel (seit dem Juden → Philon von Alexandreia; → Origenes), in der Christianisierung vieler paganer Gattungen, wie des Philosophendialogs (→ Minucius Felix, → Gregorios [2] von Nyssa), des Lehrgedichtes (→ Prosper von Aquitanien) und der Preisrede (→ Ambrosius, → Gregorios [3] von Nazianz; → Panegyrik).

In der Spätant. wird zum ersten Mal die Fähigkeit der klass. L. vorexerziert, unter veränderten Verhältnissen eine befreiende und erneuernde Wirkung zu entfalten, indem sie in ihrer Anverwandlung einen unveränderten idealen Anspruch bewahrt. Schon hier werden alle Möglichkeiten des Umgangs mit der klass. L. von der konservierenden Tradierung über die Kommentierung und Imitation bis zur rivalisierenden Kontrafaktur vorgeführt. Gerade in dieser Zeit des Übergangs erlebte das Christentum einen ungeheuren Aufschwung und die großen → Kirchenväter fixierten die bis h. gültigen Fundamente des christl. Glaubens (Vulgata-Übersetzung; dogmatische und antihäretische Traktate; → Liturgie). Gerade die → Predigt erlaubte die Öffnung der lat. Sprache (in geringerem Maße auch der griech.) für »Vulgarismen« und auch das terminologische Spektrum der Hochsprache erweiterte sich, was die Weichen für die Entwicklung der romanischen Sprachen ab dem 6. Jh. stellte (→ Latein; → Vulgärlatein). Ab dem E. des 5. Jh. konnten pagane und christl. Traditionen konfliktlos nebeneinanderstehen (→ Dracontius [3]; → Boethius). Das Christentum hat sich in der Spätant. von einer Subkultur zum eigentlichen Bewahrer des ant. Erbes gewandelt (iroschottische Mönche; Cassiodor; Isidor).

→ Lateinische Philologie; Mittel- und Neulateinische Philologie

1 H.-G. Beck, Das byz. Jt., 1978 2 A. Dihle, Die griech. und lat. L. der Kaiserzeit, 1989 (engl. Übers. 1994)
3 M. Fuhrmann, Rom in der Spätant., 1994 4 Ch. Gnilka, Chresis. Die Methode der Kirchenväter im Umgang mit der ant. Kultur, 1984 5 R. Herzog, in: HLL, § 500 (grundlegend) 6 H. Hunger, Aspekte der griech. Rhet. von Gorgias bis zum Untergang von Byzanz, 1972 7 Albrecht (engl. 1997). K.P.

## VI. Christlich

A. Griechisch B. Lateinisch

### A. Griechisch

1. Prosaschriften 2. Dichtung

#### 1. Prosaschriften

##### a. Hagiographisches und biographisches Schrifttum

Die Berichte über die Leiden der in der Verfolgung standhaften Christen sind die Keimzelle der reichen hagiographischen L. Entweder wurde in sog. *acta* der Verlauf der Gerichtsverhandlung (*Acta Iustini*) oder in Ereigniserzählungen von den letzten Tagen bis zur Hinrichtung (*Martyrium Polycarpi*; *Passio Perpetuae et Felicitatis*; griech. Übers. des lat. Originals) berichtet (jeweils 2./3. Jh.; → *Passiones*, → Märtyrerakten). Die früh einsetzende → Heiligenverehrung verlangte ab dem 4. Jh. nach reicher Ausgestaltung dieser Trad. – unter Zunahme des Legendenhaften und Mirakulösen – sowie nach hagiographischen Slgg. (*Apophthegmata Patrum*, ›Vätersprüche‹; → *Vitae Sanctorum*). Die im lat. Westen beliebte Bischofs- → Biographie fand im Osten kaum Nachfolger (Palladios, *Vita Iohannis Chrysostomi*, Anf. 5. Jh.).

b. Apologien

Ab dem 2. Jh. finden sich von Theologen geschriebene → Apologien (Iustinus [6], Tatianos: *Diatessaron*, Theophilos von Antiocheia u. a.), welche an den Kaiser adressiert waren, um für juristische → Toleranz gegenüber dem Christentum zu werben. Zugleich stellen sie eine Verteidigung des Christentums gegen Vorwürfe gebildeter Nichtchristen dar, wie diejenigen des mittelplatonischen Philosophen → Kelsos, Ende 2. Jh. (Origenes, *Contra Celsum*), oder des Neuplatonikers → Porphyrios (3. Jh.).

c. Antihäretische und dogmatische Schriften

Die zunehmende Ausbreitung und Etablierung des Christentums im Verlauf des 3./4. Jh. verlangte nach einer systematischen Darstellung christl. theologischer Grundsätze, was nach den Ansätzen in → Eirenaios' [2] *Adversus haereses* zuerst von Origenes († 253/4) in *De principiis* geleistet wurde. Gegen den alexandrinischen Presbyter → Areios [3] wurde die Trinitätstheologie v. a. von den drei großen Kappadoziern → Basileios [1] von Caesarea, Gregorios [3] von Nazianz und Gregorios [2] von Nyssa im 4. Jh. formuliert. Im Nestorianischen Streit (→ Nestorianismus) ging es um die Bestimmung der Naturen und Person Christi (Kyrillos [2] von Alexandreia, Proklos von Konstantinopel gegen Eutherios, Theodoretos von Kyrrhos; Mitte 5. Jh.).

d. Ethisch-moralisches und asketisches Schrifttum

Clemens [3] von Alexandreia (Anf. 3. Jh.) propagierte Christus als den wahren Erzieher und das Christentum als die wahre Philos. (*Protreptikós; Paidagōgós; Strōmáteis*); Methodios von Olympos (Anf. 4. Jh.) pries in seinem an Platon orientierten *Sympósion* die Jungfräulichkeit als christl. Ideal. Prägend für die Mönchs- und Askesebewegung wurde die *Vita Antonii* des → Athanasios (Mitte 4. Jh.), welche in der lat. Übers. des Euagrios [2] auch im Westen bekannt wurde. Die Ideale der Askese wurden ferner in der *Historia Lausiaca* des → Palladios (ca. 420) in 71 Lebensbeschreibungen heiliger Männer und Frauen propagiert.

e. Predigt

Im Unterschied zu paganen rel. Zeremonien integrierte das Christentum (nach dem Vorbild des hell. Judentums) von Anf. an mündliche Unterweisung in den Gottesdienst. Dabei ist sowohl das Gattungsschema der paganen Rhet. (Fest-, Trauer-, Trostpredigten) als auch die populärphilos. → Diatribe (z. B. *De non iterando coniugio*, ›Über die Einmaligkeit der Eheschließung‹ des Iohannes [4] Chrysostomos, † 407, der als größter Prediger des Ostens gilt) prägend. → Synesios von Kyrene sah in Dion [I 3] Chrysostomos das klass. Vorbild für den christl. Rhetor, der das Wissen des Philologen mit der Urteilskraft des Philosophen verbindet (s. auch → Predigt).

f. Brief

Das Verfassen von Briefen spielte in rhet. Übungen eine große Rolle (*ethopoiía*). In → Rhetoriklehrbüchern wurden verschiedene Brieftypen mit Musterbeispielen theoretisch fixiert (Iulius [IV 24] Victor, 4. Jh.; Ps.-Proklos, 4.–6. Jh.). Für das Christentum waren ferner die nt. Gemeindebriefe normatives Vorbild. Die doppelte Funktion des Briefs, persönliche Beziehungen zu pflegen und Informationen zu vermitteln, erlaubte die spätere Publikation von Briefen (z. T. von vornherein intendiert; fiktionale Briefe), z. B. bei Athanasios, Gregor von Nazianz, Synesios von Kyrene. Diese stellen häufig wichtige histor. Quellen dar.

g. Monastische Schriften

→ Pachomios († 346), Stifter des koinobitischen → Mönchtums, verfaßte die erste Mönchsregel in koptischer Sprache, die nur in der nach dem Griech. gefertigten lat. Übers. des Hieronymus (404) erh. ist. Sie hat u. a. die Regel des Basileios beeinflußt, welche in der Hauptsache einen Katechismus der Pflichten- und Tugendlehre in Form von Fragen und Antworten darstellt. Hieronymus übersetzte auch die Mönchsregeln von Orsiesius und Theodoros (→ Horsiesi).

h. Exegetische Schriften

Abgesehen von den gnostischen Kommentatoren Basileides [2] und Herakleon muß als eigentlicher Begründer der hell.-christl. Exegese → Origenes angesehen werden. Unter Übernahme der Methoden der ant. Philol. erklärte er in exegetischen Homilien, knapperen Glossen oder wiss. Komm. die ganze Hl. Schrift (viele Werke sind verloren). In *De principiis* 4 legte er hierzu das theoretische Fundament des mehrfachen Schriftsinns. Bes. beliebt waren *Génesis* (Vorbild des Juden Philon; Basileios, *Hexaḗmeron*; Didymos [5] von Alexandreia), Psalmen (Diodoros [20] von Tarsos, Theodoros von Mopsuestia) und Hohes Lied (Gregor von Nyssa) sowie ab dem E. des 4. Jh. die Paulusbriefe (Iohannes [4] Chrysostomos; [Ps.?]Iohannes [33] von Damaskos).

j. Chroniken und Geschichtsschreibung

Für die Chronik (*series temporum*) schufen im Osten Eratosthenes [2] und Apollodoros [7] die Vorbilder. Erster christl. Annalist ist → Malchos [4] von Philadelphia, dann Candidus [4] aus Isaurien (beide 5./6. Jh.). Bei Christen beliebt war die universalhistor. Weltchronik, wobei die Gesch. in mehrere Weltalter unterteilt wurde (von der Erschaffung der Welt bis zum Jüngsten Gericht): z. B. → Sextus Iulius Africanus (Anf. 3. Jh.),

→ Hippolytos [2] (Mitte 3. Jh.), der auch den ältesten Osterzyklus berechnete, wie nach ihm → Eusebios [7] von Kaisareia († 339), → Dionysios [55] Exiguus (um 525); spätere Werke sind verloren (Philippos von Side, → Helikonios; beide 5. Jh.). Eusebios' Constantinsvita ist zeitgesch. orientiert.

k. Varia

Aus den apokryphen Apostelakten (→ Neutestamentliche Apokryphen) entwickelt sich die christl. → Roman-L. Dazu gehört auch der zweite Teil der wohl im frühen 3. Jh. verfaßten → Pseudo-Clementinen, der die Erlebnisse von Clemens [1], dem angeblich späteren Bischof von Rom, als Begleiter des Paulus auf seinen Wanderungen im Mittelmeerraum legendarisch schildert. Die zahlreichen Synodaltexte liegen oft in Griech. und Lat. vor, was für die allg. rege Übersetzertätigkeit kennzeichnend ist.

2. Dichtung

a. Bibeldichtung

Nonnos von Panopolis (Mitte 5. Jh.?) verfaßte eine umfangreiche hexametrische Paraphrase des Johannesevangeliums. Verloren sind die poetischen Bibelparaphrasen des Apollinarios [2] von Laodikeia und seines gleichnamigen Sohnes A. [3] (4. Jh.); unter ihrem Namen ist eine Psalmenparaphrase (5. Jh.) erh. (s. auch → Bibeldichtung).

b. Hymnen

In Anlehnung an Vorbilder des AT und NT diente Hymnendichtung zwei Bedürfnissen, der Liturgie und der Auseinandersetzung mit dogmatischen Fragen. Für die Anfänge des Christentums ist deren Überl. sehr spärlich (Pap.-Fragmente), Clemens von Alexandreia verfaßte einen Hymnus auf Christus den Retter (Ende des *Paidāgōgós*). Synesios von Kyrene (4./5. Jh.) versuchte in seinen Hymnen eine Synthese von Christentum und Neuplatonismus. Höhepunkt im Osten ist → Romanos Melodos (*kontákia*) (s. auch → Hymnos).

c. Dogmatische und allegorisch-didaktische Poesie

In verschiedenen Versmaßen und in unterschiedlicher Länge stellte Gregor von Nazianz christl. Positionen zu Trinität, Vorsehung, rechter Lebensführung etc. dar. Im Gegensatz zur gleichzeitigen Blütezeit im lat. Kulturkreis hat der Osten keinen weiteren bedeutenden christl. Dichter hervorgebracht.

d. Varia

Die Kaiserin Eudokia [1] (Mitte 5. Jh.) verfaßte Homercentonen (→ Cento) über Episoden aus AT und NT und 3 B. Heiligenepik über Cyprian von Antiocheia in Pisidien, wovon 2 B. erh. sind. Gregor von Nazianz schrieb drei autobiographische Gedichte (2,1,1; 2,1,11; 2,1,45), Epigramme und zahlreiche Gelegenheitsgedichte. Der Euripides-Cento *Christus Patiens* ist wohl byz. (12./13. Jh.).

→ Bibeldichtung

H.-G. Beck, Kirche und theologische L. im byz. Reich, ²1977 • H. Delehaye, Les légendes hagiographiques, ⁴1973 • M. Geerard (Hrsg.), Clavis Patrum Graecorum, 5 Bde., 1979–1988 • S. Döpp, W. Geerlings (Hrsg.), Lex. ant. christl. L., 1998 • NHL, Bd. 4: Spätant., 1997 • C. Markschies, Arbeitsbuch Kirchengesch., 1995 • H.-G. Nesselrath (Hrsg.), Einl. in die griech. Philol., 1997.

K.P.

B. Lateinisch

1. Prosaschriften 2. Dichtung

1. Prosaschriften

a. Hagiographisches und biographisches Schrifttum

Während die christl. L. des 1. und 2. Jh., auch wenn sie im Westen verfaßt ist, sich des Griech. als der Sprache der Mission bedient, verbreitet sich das Lat. als Medium der westl. Kirche in der Folgezeit in den romanisierten Provinzen. Lehnübers. aus dem Hebr. und Griech. prägen dieses »Latein der Christen«, während sich die Syntax nicht von der allg. Sprachentwicklung unter Einfluß der Umgangssprache trennen läßt.

Mit der *Passio Scillitanorum martyrum* erscheint der erste, auf das J. 180 datierbare lat. christl. Text. In der Form des Gerichtsprotokolls (*acta*) oder des Berichts über ein Martyrium (→ *passio*; → Märtyrerliteratur) dienen die Texte, auch als Sendschreiben, der Glaubensstärkung der Gemeinden. Vom 4. Jh. an begegnen daneben die ersten lat. Heiligenviten, die oft unhistor. das Geschehen durch Visionen, Wundererzählungen (→ Gregorius [4] von Tours, *De gloria martyrum*; → Gregorius [3] d.Gr., ›Dialoge‹) und rhet. aufgeputzte Reden ausschmücken (→ *Vitae Sanctorum*). Vorbild ist die weitverbreitete *Vita Antonii* des → Athanasios, die um 370 von → Euagrios [2] ins Lat. übers. wurde. → Biographien im engeren Sinne sind die enkomiastische *Vita Cypriani* des → Pontius (um 260), die mehr an den Mönchsviten orientierte *Vita Ambrosii* des → Paulinus von Mailand, die *Vita Augustini* des → Possidius und Eugippius' Vita des → Severinus; an klass. Vorbilder (Sallust, Tacitus) lehnt sich stilistisch → Sulpicius Severus in der *Vita Martini* an. Die Form der → Autobiographie erfährt durch → Augustinus' *Confessiones* eine neue Dimension; zur psychologischen Selbstanalyse treten philos. und exegetische Reflexionen. Auf die klass. Reihenbiographie in der Form *De viris illustribus* (Nepos, Sueton) greift → Hieronymus mit seiner ersten lat. christl. L.-Gesch. gleichen Titels mit Material aus → Eusebios [7] zurück; → Gennadius nimmt am E. des 5. Jh. dieses Stoffgebiet wieder auf. Der → *Liber Pontificalis* bietet eine Slg. von Papstbiographien in schematischer Form.

b. Apologien

Ebenfalls nach griech. Vorgängern beginnt das lat. apologetische Schrifttum (→ Apologien) 197 mit → Tertullianus' *Apologeticum* (dazu *Ad nationes, De testimonio animae, Ad Scapulam*), dem h. die zeitliche Priorität vor → Minucius Felix zugesprochen wird. Während Tertullian in der Form der Gerichtsrede vor dem Statthalter das staatliche Unrechtssystem entlarvt und das Verhalten der Christen dagegenstellt, wählt Minucius Felix, bes. auf lat. Quellen gestützt, die Form des philos. Dialogs nach dem Vorbild Ciceros, mit dem er die Gebildeten ohne dogmatische Enge (der Name Christi wird nicht gen., Bibelzit. fehlen) zum wahren Glauben führen will. Tertullian lehnt bei aller Beherrschung der lat. Sprache und Rhet. die dann bei Minucius Form und Inhalt prägende traditionelle klass. Bildung ab. Weitere Vertreter der Apologetik entstammen ebenfalls den afrikan. Prov., so → Arnobius [1] (*Adversus nationes*; ausführliche Kritik an den paganen Rel.) mit einem eigenwillig unklass. Stil und → Lactantius [1], der – an der Sprache Ciceros orientiert – in den *Divinae institutiones* Apologie und Einführung in die Grundlehren des Christentums verbindet. Mit Augustins *De civitate Dei* findet die lat. Apologetik ihren Höhepunkt und Abschluß.

c. Antihäretische und dogmatische Schriften

Zur Auseinandersetzung mit → Markion und den → Gnostikern sowie dem → Montanismus verfaßt Tertullian Schriften, mit denen er die Textsorte der lat. theologischen Kampfschriften begründet, die bes. in nachkonstantinischer Zeit in der kirchenpolit. und dogmatischen Diskussion mit Anhängern des → Arianismus (→ Marius Victorinus, → Hilarius [1] von Poitiers, → Ambrosius, Augustinus, → Vigilius, → Fulgentius [2] von Ruspe), → Donatisten (→ Optatus, Augustinus), → Manichäern (*Acta Archelai*, Augustin), → Monophysiten (Arnobius [2], → Boethius, → Rusticus), Pelagianern (Hieronymus, Augustinus, → Marius Mercator; s. → Pelagius), Semipelagianern (Fulgentius [2] von Ruspe) und anderen »Häretikern« (→ Häresie) reich vertreten sind. Philos.-dogmatische Schriften dienen der Abgrenzung gegenüber der paganen Welt und deren philos. Lehren (Tertullian, *De anima*, Arnobius [1], Lactanz) oder stellen die Frage nach dem wahren Glück unter Ablehnung des neuakademischen Skeptizismus mit Diskussion des Problems der → Theodizee (Frühdialoge Augustins), das auch die zentrale Frage des für die Völkerwanderung so wichtigen → Salvianus ist, der in *De ecclesia* dem Elend der Zeit durch »idealkommunistische« Vorstellungen zu steuern versucht. Die Erörterung um das Wesen der Seele greifen → Claudianus [4] Mamertus und → Cassiodorus wieder auf. Andererseits werden durch diese Schriften innerkirchliche und kirchenpolit. Positionen bestimmt: Augustins *De trinitate* bedeutet einen Meilenstein in der patristischen Diskussion um dieses Problem; die dogmatischen Traktate des Boethius (mit starker Wirkung auf das MA) entstehen im Zusammenhang mit der sog. skythischen Kontroverse; Facundus von Hermiane bekämpft die Kirchenpolitik des → Iustinianus [1].

d. Ethisch-moralisches und asketisches Schrifttum

Ein großer Teil der Schriften Tertullians ist der christl. Lebensführung in einer noch überwiegend paganen Umwelt gewidmet. Die Frage nach dem Verhalten in der Verfolgung (*De fuga in persecutione*) bleibt bis zum E. der Verfolgungszeit aktuell, über die v.a. die pastoraltheologischen Schriften des → Cyprianus [2] wichtige Informationen liefern. Rhet. ausgefeilt, aber ohne die pagane L. zu berücksichtigen, schließen sie teilweise eng an Tertullian an. Die Diskussion um Heirat und Ehe spielt im asketischen Schrifttum weiterhin eine zentrale Rolle, ebenso mit Katechese und Taufe zusammenhängende Fragen. In Thematik und Aufbau Ciceros *De officiis* folgend, schreibt Ambrosius eine erste zusammenfassende christl. Ethik.

e. Predigt

Die Predigt (ὁμιλία/*homilía*, lat. *sermo*) ist von Anf. an wesentlicher Bestandteil des Gottesdienstes; als Auslegung eines bestimmten Schrifttextes und seiner Bed. für das christl. Leben erreicht die Homilie im 4. Jh. ihren Höhepunkt. Neben → Zeno, einem geschulten Rhetor, → Gaudentius [5] und → Gregorius [2] von Elvira sind Ambrosius (außer Predigten Trauerreden auf den Bruder Satyrus und die Kaiser Valentinian und Theodosius) und v.a. Augustinus zu nennen, dessen Predigten nach Form und Inhalt Vorbildcharakter für das MA gewinnen. In Aug. doctr. christ. 4 gibt er eine Homiletik in Form einer Synthese ant., am Ideal Ciceros orientierter, und christl. Bildung. Weitere Predigt-Slgg. sind u.a. erh. von → Leo [3] d.Gr., Petrus Chrysologus, → Maximus [14] von Turin, → Faustus [3] Reiensis, Alcimus → Avitus [2], → Caesarius [4] von Arles, Fulgentius [2] von Ruspe und Gregor d.Gr., der dem MA als Muster volkstümlicher Predigt diente.

f. Brief

Schon im Urchristentum (NT) spielt der Brief im Verkehr unter den Gemeinden eine wichtige Rolle. Ein festes Formschema zeigen die griech. Briefe des → Paulus. Die lat. christl. Brief-L. beginnt mit → Novatianus und Cyprianus; mehr oder weniger umfangreiche Slgg. sind u.a. von → Eusebius [12] von Vercellae, Ambrosius, Hieronymus, Augustinus, → Paulinus von Nola, → Sidonius, Faustus [3] Reiensis, → Ruricius, Alcimus Avitus [2], Caesarius [4] von Arles, → Ennodius und → Ferrandus überl. Dabei ist der Stil gerade der späteren Autoren stark von der Mode ihrer Zeit geprägt. Papstbriefe (*litterae apostolicae* oder *pontificiae*) sind seit Liberius erh. Wohl in der 2. H. des 4. Jh. entsteht der fiktive Briefwechsel zw. Paulus und Seneca. Eine Slg. von Papst- und Kaiserbriefen zw. 367 und 553 bietet die → *Collectio Avellana*.

g. Monastische Schriften

Aufgrund der Bildung von monastischen Gemeinschaften im Westen von der Mitte des 4. Jh. an (→ Mönchtum) entstehen im 5. Jh. die ersten Mönchsregeln und ein monastisches Schrifttum. → Cassianus gründet um 415 ein Männer- und Frauenkloster in Marseille. In *De institutis coenobiorum* behandelt er die Einrichtung und Regeln der Klöster in Ägypten und Palaestina, die er selbst kennengelernt hatte. Zu den fiktionalen Texten gehören die 24 *Collationes patrum*, Gespräche mit ägypt. Anachoreten. Caesarius [4] von Arles verfaßt Klosterregeln für Nonnen und Mönche. Die

*Regula* des → Benedictus faßt diese Entwicklungen zusammen. → Cassiodorus erweitert in seinen *Institutiones* den Grundsatz der Pflicht zur Handarbeit zum Postulat der Pflege der Wiss. und sichert somit den noch vorhandenen Bestand der paganen lat. L. dem MA.

h. Exegetische Schriften

Ab 300 entstehen die ersten lat. Bibelkomm. (→ Victorinus von Pettau, Reticius von Autun, → Hilarius [1] von Poitiers). In Anschluß an → Philon von Alexandreia und ebenfalls → Origenes deutet Ambrosius den Bibeltext nach dem dreifachen Schriftsinn (→ Allegorese). Unter → Damasus entsteht der → Ambrosiaster, ein Komm. zu 13 Paulusbriefen. → Hieronymus kommentiert aus dem AT die Psalmen, den Prediger Salomonis und die Propheten, aus dem NT vier Briefe des Paulus und das Matthäusevangelium. Umfangreich sind die Komm. Augustins zum Heptateuch, zu den Psalmen (kompiliert von Prosper, *In psalmos*, nachwirkend bei Cassiodor), Evangelien und den paulinischen Briefen. Allegorisch deuten den Segen Jakobs Tyrannius → Rufinus von Aquileia (*De benedictionibus patriarcharum*), das Hohe Lied → Aponius, die Psalmen Arnobius [2] d.J. Rufinus übers. außerdem Homilien des Origenes zum AT.

i. Chroniken, Geschichtsschreibung

Die synchronistischen Tafeln der Chronik des Eusebios [7] übers. Hieronymus; er und weitere führen sie bis 468 fort; sie werden maßgebend für die Chronologie des MA. → Marcellinus Comes behandelt die Jahre 379–534 aus oström. Sicht. Das kurze *Chronicon* des → Isidorus [9] reicht bis 615. Nachdem Lactantius mit *De mortibus persecutorum* ein wichtiges zeitgesch. Dokument geliefert hat, schreibt unter Benützung der griech. Kirchengesch. des Eusebios und Gelasius Rufinus eine erste lat. → Kirchengeschichte. An ihn knüpft Cassiodorus an, der außerdem eine Weltchronik und eine Gotengesch. nach Iordanes verfaßt; eine Gesch. der Westgoten bis 625 stammt von → Isidorus [9]. Auf Cassiodors Veranlassung fertigt → Epiphanius [3] Scholasticus eine Übers. der Kirchengesch. des → Sokrates, des → Sozomenos und des → Theodoretos (*Historia tripartita*), die dem MA ein wichtiges Hilfsmittel wurde. Ergänzend zu Augustins ›Gottesstaat‹ schreibt → Orosius seine Universalgesch. in apologetischer Absicht. Die Verfolgung der Katholiken unter Geiserich schildert → Victor von Vita.

j. Varia

Die gen. Textsorten lassen sich entwicklungsgesch. vielfach auf griech. Vorbilder zurückführen. Verstärkt wird dieser Einfluß in dem ganzen Zeitraum durch zahlreiche Übers., während umgekehrt Übertragungen ins Griech. eher die Ausnahme bilden. Hieronymus übers. Werke des Origenes und Mönchsregeln; von Damasus beauftragt, revidierte er mit teilweiser Neuübers. den lat. Bibeltext. Rufin übers. ebenfalls Schriften des Origenes, die Kirchengesch. des Eusebios und Gelasius, die romanhaften Apostelgesch. der → Pseudo-Clementinen (→ Roman) und anderes. → Dionysios [55] Exiguus wirkt mit seinen Übers. auf die theopaschitische Diskussion im Rahmen der christologischen Streitigkeiten ein. Die zahlreichen griech. Synodaltexte liegen in der Regel auch in lat. Übers. vor. Die Kenntnis der hl. Stätten des Ostens wird im Westen durch die Textgruppe der Pilgerschriften gefördert (*Itinerarium Burdigalense*, die auch für das Vulgärlat. wichtige → *Peregrinatio ad loca sancta* u. a.; → Pilgerschaft).

2. Dichtung

a. Bibeldichtung

Die christl. lat. Poesie beginnt relativ spät. → Iuvencus schildert um 330 das Leben Jesu nach den Evangelien im Stil des klass. Epos (Vergil) und begründet damit (die Datierung des → Commodianus ist umstritten) die folgenreiche Gattung der → Bibeldichtung. Auch die lat. → Cento-Dichtung bemächtigt sich dieses Stoffs (→ Proba).

b. Hymnen

Während seines Exils lernte Hilarius [1] den östl. Kirchengesang kennen und versuchte, diese Gattung in klass. lyrischen Versmaßen im Westen einzuführen. Singulär innerhalb ihrer Œuvres bleiben die hymnischen Dichtungen des → Ausonius und → Claudianus [2]. Als eigentlicher Begründer des lat. Hymnus muß Ambrosius gelten, dessen Form (iambische Dimeter) → Prudentius durch die Verwendung horazischer Versmaße weiterentwickelt.

c. Dogmatische und allegorisch-didaktische Poesie

Lactantius' *Phoenix* bietet noch keinen eindeutig christl. Bezug. Voll entwickelt zeigt sich die allegorische Dichtung bei Prudentius (*Psychomachia*, Hymnen), bei dem auch die klass. Form des → Lehrgedichts erscheint (*Apotheosis, Hamartigenia*); eine Neuerung ist die apologetische Dichtung (*Contra Symmachum*). Die Lehrdichtung wird von → Prosper und → Orientius aufgegriffen.

d. Varia

Noch unter Constantinus [1] I. gestaltet → Publilius Optatianus Porfyrius seine artifiziellen christl. → Figurengedichte, mit denen er diese hell. Textsorte im Westen einführt. Christl. → Bukolik dichtet → Endelechius. → Paulinus von Nola öffnet die christl. lat. Poesie für eine ganze Reihe von traditionellen Textsorten (→ Propemptikon; Epithalamium s. → Hymenaios [2]; → Elegie). Prudentius' *Peristephanon* führt die Märtyrerlegende in die Dichtung ein. Die Martinsvita des Sulpicius erfährt durch → Paulinus von Périgeux und → Venantius Fortunatus poetische Ausgestaltung. Autobiographisch ist der *Eucharistikós* des → Paulinus von Pella. Epigramme verwendet zuerst Damasus inschr. für Märtyrergräber in Rom. Prudentius' *tituli* (*Dittochaeon*) dienten wohl als Bildbeischriften. Im 5. und 6. Jh. blüht die christl. → Epigrammatik (Prosper, Ennodius, Venantius Fortunatus).

→ Patristik

CPL • HLL, Bd. 5 (weitere Bde. in Vorbereitung) • NHL, Bd. 4: Spätant., 1997 • S. Döpp, W. Geerlings, Lex. der ant. christl. Lit., 1998. J. GR.

VII. Byzantinisch
A. Sprachliche Situation B. Dichtung
C. Profane Prosaliteratur und Verwandtes
D. Theologische Prosaliteratur
E. Fachliteratur

A. Sprachliche Situation

Die L.- und Verkehrssprache des byz. Reichs war von Anfang an weit überwiegend das Griechische. Als Sprache von Verwaltung und Militär hielt sich das Lat. zwar bis zum Verlust der romanisierten Gebiete auf der Balkanhalbinsel (→ Balkanhalbinsel, Sprachen) und in Nordafrika im 6./7. Jh., doch ist lat. L. im Osten, von juristischen Fachtexten abgesehen, sehr selten; ein Beispiel sind die Werke des in Konstantinopel lebenden → Corippus.

Die danach allein gepflegte griech.-sprachige L. ist stark durch die schon in der Ant. auftretende Erscheinung der → Diglossie geprägt, d.h. durch das über die Jh. immer weitere Auseinanderklaffen von gesprochener und lit. Sprache. Die Diglossie führte zur Entstehung von Texten auf allen möglichen sprachlichen und stilistischen Stufen.

B. Dichtung

In der profanen Dichtung wurden als Folge der veränderten Aussprache die ant. Metren (→ Metrik) aufgegeben oder durch Regelung von Silbenzahl und Akzent umgestaltet; ihre Zuordnung zu einzelnen lit. Genera verschwand. Die hexametrische Dichtung endete mit dem 6. Jh., statt dessen wurden auch ep. Gedichte und Epigramme seit → Georgios [6] Pisides zumeist in Zwölfsilbern (iambischen Trimetern) verfaßt. Die Epigrammatik (→ Epigramm) entwickelte sich zur wichtigsten Gattung der byz. Profandichtung, während dramatische Dichtung fast völlig fehlt. Der seit dem 10. Jh. übliche Fünfzehnsilber (→ Metrik IV.) wurde auch für ehemals der Prosa vorbehaltene Gattungen wie → Chroniken usw. üblich, v.a. in umgangssprachlichen Werken.

Als Form der kirchlichen → Hymnen entstand im 6. Jh. unter syr. Einfluß das → Kontakion, das durch die Werke des → Romanos Melodos berühmt wurde, dann im 7. Jh. der → Kanon – beides Formen, die auf rhythmisch parallel gebauten, zum Singen geeigneten Strophen beruhen.

C. Profane Prosaliteratur und Verwandtes

In der profanen Prosa wurde v.a. die Geschichtsschreibung gepflegt, bei der deutlich zw. den Hauptgattungen der Chronistik und der Historiographie zu trennen ist. Während die Chroniken häufig einer volkstümlichen Sprachform zuneigen, wird das Bild der historiographischen Werke weitgehend durch die sprachliche und stilistische Imitation ant. Vorbilder bestimmt. Das Fehlen konkreter Daten und die Neigung, die Namen von Völkern und manchmal auch Personen durch ihre vermeintlichen oder wirklichen ant. Entsprechungen wiederzugeben, erschwert die Verwendung als histor. Quelle. Beispiele für die hochsprachliche Historiographie des 6. Jh. sind die Werke des → Prokopios, des → Agathias, des → Paulos Silentiarios und des → Theophylaktos Simokattes, denen etwa die umgangssprachliche Chronik des → Iohannes [18] Malalas gegenübersteht. Nach einem Nachlassen der lit. Aktivität im 7./8. Jh. setzte die mittelbyz. Geschichtsschreibung mit der Chronik des → Theophanes und der Gesch. des Patriarchen → Nikephoros um 800 neu ein und wurde bis fast zum E. des Reichs durchgehend gepflegt. Dabei stiegen die Ansprüche an das Sprachniveau in der Historiographie bis in die spätbyz. Zeit kontinuierlich weiter an; als stilistische Vorbilder wurden neben ant. Historikern auch die Epik und dramatische Dichtung herangezogen.

Andere wichtige Genera der byz. Profan-L. sind die Rhet. und die Epistolographie. → Romane nach ant. inhaltlichen Mustern, aber zumeist in Versform, entstanden erst wieder seit dem 12. Jh.

In der mittelbyz. Zeit wuchs die Kluft zw. Volks- und Hochsprache so sehr an, daß der größte Teil der vorhandenen L. für die allmählich breiter werdende Schicht der lesekundigen, aber nicht speziell gebildeten Bevölkerung unzugänglich wurde. Vom 12. Jh. an entstanden die ersten Werke in einer zum Neugriech. hinführenden Sprachform, v.a. satirische Dichtungen, Romane und Chroniken in Fünfzehnsilbern. Doch blieben die meisten lit. Gattungen der Hochsprache vorbehalten; die Diglossie hielt sich in der ganzen byz. Zeit und über diese hinaus bis fast in die Gegenwart.

D. Theologische Prosaliteratur

Die theologische Prosa-L. im byz. Reich umfaßte Kirchengesch., Predigten, dogmatische und hagiographische Schriften. Die Kirchengesch. als eigenes Genus im Gegensatz zur profanen Geschichtsschreibung endete wegen der zunehmenden Integration von Kirche und Staat im 6. Jh. Die hagiographische L. ging aus den authentischen Märtyrerakten (→ *Acta sanctorum*; → Märtyrerliteratur, → Märtyrer) der letzten Christenverfolgungen hervor, nahm aber später häufig stark legendären Charakter an. Viele sonst in der mittelbyz. Zeit kaum gepflegte Gattungen wie Märchen, Roman und Epos haben sich in der Gestalt von Heiligenviten (→ *Vitae sanctorum*) erh.; auf der anderen Seite drangen oriental. Stoffe wie der Roman von → Barlaam und Iosaphat über die Hagiographie in die byz. L. ein. Sprachlich ist diese »geistliche Unterhaltungs-L.« dabei teils an der Hoch-, teils eher an der Volkssprache orientiert. Für die Entwicklung der griech. Umgangssprache sind hagiographische Autoren des 7. Jh. wie → Iohannes [29] Moschos und → Leontios von Neapolis eine wichtige Quelle. In der mittelbyz. Zeit wurden die meisten älteren hagiographischen Werke wegen ihrer als unbefriedigend empfundenen einfachen Sprachform unter Bewahrung des Inhalts stilistisch überarbeitet, bes. im 10. Jh. durch → Symeon Metaphrastes.

E. Fachliteratur

In der Fach.-L. sind bes. juristische und medizinische Schriften von Bed. Die Sprache der juristischen L. war z.Z. der Redaktion des *Corpus iuris* unter → Iustinianus [1] I. (527–565) noch durchgehend das Lat.; bald danach wurden neue Gesetze aber zunehmend auf Griech. erlassen, das ältere Schrifttum wurde ins Griech. übersetzt und im 8.–10. Jh. mit Zusätzen mehrfach neu kodifiziert.

→ Byzanz (Literatur)

H.-G. Beck, Kirche und theologische L. im byz. Reich, 1959 • Ders., Gesch. der byz. Volks-L., 1971 • Hunger, Literatur • Krumbacher. AL.B.

**Literaturbetrieb** I. Griechenland II. Rom

A. Definition und Allgemeines
B. Historische Entwicklung

A. Definition und Allgemeines

L. wird definiert als jede Form der Interaktion zw. Autoren oder den Interpreten ihrer Werke (z.B. → Rhapsoden, Schauspieler) und anderen an deren Produktions- oder Rezeptionsprozeß Beteiligten (z.B. Auftraggeber, Publikum, Leser). Von der homer. Zeit (spätes 8. Jh. v. Chr.) bis zur letzten Phase des Hell. (1. Jh. v. Chr.) sind drei Typen von Anlässen für L. charakteristisch: Symposien (→ Gastmahl II. C., für ein zahlenmäßig beschränktes Publikum geladener Gäste), → Feste (für geladenes Publikum oder eine breite Öffentlichkeit) und Theateraufführungen (öffentlich). Der jeweilige Darbietungsrahmen war meist konstituierend für die lit. Produktion selbst, d.h. die Autoren schrieben für bestimmte Anlässe.

B. Historische Entwicklung
1. Archaische Periode 2. Klassische Polis
3. Hellenismus

1. Archaische Periode

Die Epen der homer. Zeit wurden vor einer adligen Festrunde zu deren Unterhaltung (Hom. Od. 8,43–45) [1. 9f.] und Selbstvergewisserung [2. 64] von professionellen fahrenden oder fest an einem Hof lebenden Sängern (→ Aoiden oder → Rhapsoden) vorgetragen, die mit den Autoren identisch sein konnten. Sie besaßen hohes Sozialprestige (Hom. Od. 8,479–481; 13,28) [3. 36–38 gegen 1. 11f.], da sie zum Ruhm ihrer Gastgeber beitrugen; Hauptquelle sind die Auftritte des Demodokos bei Homer (Od. 8,62–82; 261–367; 477–521) [3. 37].

Auch die Lyrik des 7. und 6. Jh. v. Chr. diente in erster Linie als anspruchsvolle Unterhaltungslit. Monodische Lyrik wurde beim Symposion oder vergleichbaren Anlässen vorgetragen, in den beiden bekanntesten Fällen, Alkaios und Sappho, vom Autor bzw. der Autorin selbst für ein Publikum, das der eigenen sozialen Gruppe angehörte (zur Hetairie des Alkaios [4. 33–45], zu Sappho [4. 72–75]). Besser greifbar ist die Chorlyrik, die im Auftrag eines Fürsten (meist Tyrannen einer Polis) für einen festlichen Anlaß wie z.B. einen sportlichen Sieg des Auftraggebers gedichtet wurde und als Publikum die Hofgesellschaft (z.B. Pind. P. 4) oder eine breite Öffentlichkeit (z.B. Pind. P. 5) [3. 40f.] haben konnte. Bes. Anziehungskraft besaß der Hof von Syrakus, an dem Simonides, Bakchylides, Pindar und Aischylos zu Gast waren [3. 52]. Eine Form der Literaturförderung, wie wir sie durch das röm. Mäzenatentum (s. L. II. Rom) kennen, gab es jedoch im griech. L. zu keiner Zeit. Gleichwohl trugen die Dichter als Gegenleistung für Entlohnung und Förderung durch den fürstlichen Gönner zur Vermehrung von dessen Ruhm bei (Bakchyl. Epinikion 3,97f.), ohne jedoch ihre künstlerische Autonomie preiszugeben. Dichter wie Ibykos, der im Auftrag des Tyrannen Polykrates von Samos agierte, oder Pindar und Bakchylides, deren Epinikien (Siegeslieder) für verschiedene Auftraggeber unsere wichtigste Quelle für L. im frühen 5. Jh. v. Chr. darstellen, sind nicht als panegyrische Hofliteraten (sie selbst wiesen auf natürliche Grenzen des Lobs hin (Pind. P. 2,49–56) [5. 86–92; 6. 139–142]) anzusehen, sondern als selbstbewußte Künstler (Ibykos 151 PMGF, Pind. O. 1,116f.; Pind. P. 3,111–115; 4,299) [5. 117f.; 3. 41,50], die von gleich zu gleich mit ihrem Förderer verkehrten [7. 77]. Daß Dichter durch den L. zu einigem Wohlstand gelangen konnten, zeigt das Beispiel des Arion (Hdt. 1,24) [4. 64f.].

2. Klassische Polis

In den demokratischen Poleis des 5. und 4. Jh. v. Chr. spielt Auftragsdichtung keine Rolle; dramatisch-szenische Aufführungen vor unbegrenztem Publikum sind die beherrschende Form des L. (Näheres → Wettbewerbe, künstlerische). Daneben waren für Autoren öffentliche Rezitationen eine wichtige Möglichkeit zur Verbreitung ihrer Werke. Herodot trug Teile seiner *Historíai* in Athen bei Festen vor (Lukian. Herodotos 1); der Epiker Antimachos las vor geladenen Gästen aus seinen Werken (Cic. Brut. 191; zum Komiker Antiphanes vgl. Athen. 13,555a).

Während sich am maked. Hof im späten 5. und 4. Jh. v. Chr. bis zu Philippos II. ein L. analog zu den Tyrannenhöfen etablierte (Euripides schrieb seine letzten Trag. 407/406 als Gast des Königs Archelaos in Pella (Plat. rep. 568a; Aristot. pol. 1311b), darunter einen ›Archelaos‹, dessen fragmentarischer Erhaltungszustand aber keine sicheren Aussagen über etwaige enkomiastische Inhalte zuläßt [8. 43f.]), stellte Alexandros d.Gr. Autoren wie den Historiker → Kallisthenes in den Dienst seiner Verherrlichung: Der L. diente propagandistischen Zwecken, was sich lähmend auf die dichterische Qualität auswirkte [3. 69].

3. Hellenismus

Die hell. Diadochenkönige knüpften hingegen wieder an die Trad. der Tyrannen an, wofür der L. in Alexandreia im 3. Jh. v. Chr. exemplarisch ist: Die Ptolemäer waren bemüht, die Elite der griech. Literaten an ihren Hof zu binden, so daß es zur Bildung regelrechter lit. Zirkel kam [9. 9]. Autoren wie Kallimachos, Theokrit und Apollonios [2] gehörten lange Jahre der Hofgesellschaft an, die das primär intendierte Publikum darstellte [9. 14]. Ein Paradebeispiel für die Herstellung von Einverständnis zw. Autor und gleichgesinntem, lit. hochgebildetem Publikum stellen die *Eidýllia* Theokrits dar [10. 17–29]. Eine breite Öffentlichkeit lernte Dichterwerke bei Festen kennen (Theokr. 15). Die Autoren genossen hohen gesellschaftlichen Rang und verfügten autonom über die Inhalte ihrer Werke. Der König war als Förderer Integrationszentrum des L.; ihm und seinen Angehörigen wurde Lob im Rahmen bestimmter enkomiastischer Topoi gezollt (Theokr. 14,61–64, Kall. fr. 228; Herodas 1,26–35) [9. 199–243], während sich propagandistische Zwecke der Lit. ebensowenig nachweisen lassen wie eine unter dem Mantel der Ironie verhüllte oppositionelle Haltung (gegen [11. 67–81]): Der Inhalt der Dichtung wird primär durch poetologische Kriterien bestimmt [9. 16f.].

Die Tradition der öffentlichen Dichterlesungen (Hor. ars 451f.) wurde in den Hörsälen der Bibliotheken (→ Bibliothek II. B.) fortgesetzt (Vitr. 7 praef. 4–7). → Literaturkritik

**1** H. Fränkel, Dichtung und Philos. des frühen Griechentums, ⁴1993 **2** J. Latacz, Homer, 1985
**3** G. Weber, Poesie und Poeten an den Höfen vorhell. Monarchen, in: Klio 74, 1992, 25–77 **4** W. Rösler, Dichter und Gruppe, 1980 **5** G. W. Most, The Measures of Praise, 1985 **6** S. Goldhill, The Poet's Voice, 1991
**7** H. Maehler, Die Auffassung des Dichterberufs im frühen Griechentum bis zur Zeit Pindars, 1963
**8** J. M. Bremer, Poets and their Patrons, in: H. Hofmann, A. Harder (Hrsg.), Fragmenta Dramatica, 1991, 39–60 **9** G. Weber, Dichtung und höfische Ges., 1993 **10** B. Effe, G. Binder, Die ant. Bukolik, 1989 **11** E.-R. Schwinge, Künstlichkeit von Kunst, 1986.

TH.P.

## II. Rom



### A. Begriff und historische Einteilung

Der eher diffuse Begriff »L.« läßt sich von anderen lit.histor. Begriffen – etwa in der Reihe »Autor, Gesch., L.« (so [35]) – abgrenzen, ausgehend von Dichotomien – wie etwa mündlich/schriftlich, privat/öffentlich, pragmatisch-administrative/ästhetische Textur – beschreiben und schließlich im Blick auf konkrete Realitäten des mod., auf die Ant. unterschiedlich applizierbaren Kulturbetriebs inhaltlich füllen (Kulturpolitik und Lit.-Förderung; Autor und Schriftstellerverbände; Theater; Verlagswesen, Buchhandel und Bibliotheken, vgl. [35. Inhaltsverzeichnis]).

### B. Phasen



Angesichts der zeitversetzten Bewegung polit., gesellschaftlicher und kultureller Systeme empfiehlt es sich auch für die röm. Lit.-Gesch., die Grenzen der Problemkreise nicht einfach mit den Grenzen polit. bzw. epochaler Systembrüche – Republik/Kaiserzeit bzw. Ant./Spätant. – in eins zu setzen. Die Komplexität des Kulturbetriebs scheint mithin am ehesten eine Einteilung nahezulegen in (mittlere und späte) Republik, ausgehende Republik und frühaugusteische Phase, frühe Kaiserzeit, Epoche der Adoptivkaiser bis zur nachkonstantinischen Generation (Anf. 2. Jh. bis Mitte 4. Jh. n. Chr.), christl.-säkulare Mischkultur bis zum Ausgang der Spätantike.

#### 1. (mittlere und späte) Republik

... *ut appareret, quam ab sano initio res in hanc vix opulentis regnis tolerabilem insaniam venerit* (Liv. 7,2,13: ›um deutlich werden zu lassen, wie sich aus gesundem Beginn die Sache zum heutigen, auch für reiche Königtümer kaum noch zu verkraftenden Wahnsinn entwickelt hat‹); *Graecia capta ferum victorem cepit* (Hor. epist. 2,1,156: ›das eroberte Griechenland eroberte den wilden Besieger‹): Sowohl die livianische, wohl varronische [29], also spätrepublikanisch-kulturkritische Sicht des Bühnenluxus als auch die selbstbewußte, auf die eigene lit. Leistung abzielende Position des Augusteers Horaz (vgl. bes. epist. 2,1,160–176) akzentuieren den Prozeß der Übernahme des griech. Lit.-Systems, konzentriert um das Epochendatum 240 v. Chr., nicht zufällig am Beispiel des Dramas als dem Leitmedium dieser Epoche. In beider Optik gelten die älteren, seit 361 im Rahmen der → *ludi* den Göttern geschuldeten, nicht für die Lektüre fixierten Tanz-, Sing- und Schauspiele als vergangen, ja überholt, wenngleich natürlich die ital., z. T. ihrerseits schon griech. ge- bzw. überformten mündlichen Texttypen des Privatbereiches (monodische Tafellieder [41], feszenninische Streitchöre im Rahmen der Hochzeit, → Fescennini versus) und der Religiosität (Prozessionslieder) [28] – einschließlich der im Rahmen des Theaters marginalisierten → Atellana – weitergewirkt haben mögen [29; 41]. In dem nach dem 1., stärker noch nach dem 2. → Punischen Krieg unter zunehmendem griech. Kultureinfluß sich entwickelnden lit. System treten → Epos (Naevius, Ennius) und persönliche Dichtung (Lucilius) hinter → Tragödie und → Komödie in ihren kanonischen Reihen zurück, gewinnen dagegen in der Prosa seit dem älteren → Cato [1] Historiographie und Beredsamkeit als polit. Gattungen ihren festen Platz.

Das Engagement der röm. Führungsschichten, in Redekunst und Gesch.-Schreibung unmittelbar gegeben, konnte ebenfalls in dem publikumswirksamen Medium des Theaters erkennbar Profil gewinnen [16. 183–222] bzw. mußte eben deshalb dort gebremst werden. Im Rahmen der seit dem 2. Punischen Krieg zunehmenden Anzahl von *ludi scaenici* – *ludi plebeii* seit 220, etwa gleichzeitig die *Ceriales*, seit 208 *Apollinares*, seit 194 *Megalenses* (→ *ludi*; [4. 157–206]) – konnten die festspielleitenden Beamten als Aedilen bzw. Praetoren (d. h. auf der vorletzten bzw. letzten Position vor dem Konsulat) über die staatliche Mindestfinanzierung hinaus in populäre Theatertruppen und deren Dichter bzw. – par. zu der Entwicklung des Theaterbaus – in Bühnenluxus investieren; ein röm. Steintheater ist allerdings erst durch Pompeius ab 55 v. Chr. realisiert worden. Andererseits war eine namentliche – negative wie positive – Hervorhebung auf der Bühne im Interesse der aristokratischen Gleichheit verpönt (Cic. rep. 4,10,2), eine Restriktion, unter der → Naevius zu leiden hatte; auch die mil. Erfolge von Zeitgenossen behandelnden → Praetextae scheinen (trotz [10. 177–179]) nur bei Leichenspielen aufgeführt worden zu sein. Für die dramatischen Berufsdichter (mehrheitlich Nichtbürger, Freigelassene oder Freie niederer Herkunft) führte dieses Interesse der Oberschicht zu einer über die Mitgliedschaft im *collegium scribarum histrionum* auf dem Aventin (später als → *collegium poetarum* im Templum Herculis Musarum) institutionell verankerten gesellschaftl. Anerkennung, zumal sogar eine (wie immer beschaffene) lit. Kooperation mit bestimmten Männern der Führungsschicht (*nobiles*) von Terenz andeutend eingeräumt wird (Ter. Ad., Prolog 15–21). Der Schutz der Zunft schloß aber auch Brotneid und Konkurrenz, wie im Falle von → Luscius Lanuvinus und Terenz, ein.

Mit der Eroberung des Ostens seit dem frühen 2. Jh. v. Chr. scheint das Vorbild hell. Fürsten in Kreisen der hellenophilen Nobilität (→ Fulvius Nobilior [I 15], der ältere → Scipio und Ennius; im Falle von Terenz wohl L. → Aemilius Paullus [I 32] und seine Söhne; später der Kreis um den jüngeren Scipio) in Richtung eines auf griech. Kulte und Kultur, Bildung (→ Bibliotheken, Historiographie, Philos.) und Lit. gerichteten Mäzenatentums an Einfluß gewonnen zu haben. Dies führte zu Spannungen mit der aufstrebenden Mittelklasse, wie sie von dem älteren Cato repräsentiert wurde, der, selbst griech. gebildet [16. 52–83], mit antihellenischer Kulturkritik erfolgreich Politik zu machen verstand. Erst nach den gescheiterten gracchischen Reformversuchen scheint gegen Ende des 2. Jh. das dezidiert gegen die Nobilität gerichtete Lehrgedicht des → Volcacius Sedigitus den Streit um die rechte Politik auch auf dem Felde der Lit. ausgetragen zu haben.

Auch um die Chancen der Aufbewahrung aufgeführter, zu eigenen Anlässen vorgetragener oder (etwa beim Symposion) rezitierter bzw. zur Lektüre bestimmter Lit. stand es trotz fehlender systematischer Organisation seit etwa 200 v. Chr. so schlecht nicht. Die Dramen blieben im Fundus der Theaterunternehmer, und Terenz (→ Terentius Afer) mag die Kontamination bei Naevius, Plautus und Ennius (Ter. Andr., Prolog 18–27) entweder bei dem Studium solcher Exemplare oder bereits bei Wiederaufführungen von älteren »Klassikern« erlebt haben, wie sie später auch den eigenen Stücken zuteil wurde; jedenfalls artikuliert er seine ästhetischen Prinzipien im Blick auf die Nachwelt – eine Erwartung, die auch die Proömien von Naevius' und Ennius' Epen prägte. Unter dem Einfluß der philol. Vorlesungen des griech. Gelehrten → Krates [5] von Mallos 168 v. Chr. in Rom edierte in der Tat dann → Octavius Lampadio Naevius' *Bellum Punicum* in 7 B., → Vargunteius später Ennius' *Annales*, die er zu einem eigens festgesetzten Termin vor einem großen Publikum vortrug, noch später Laelius Archelaus und → Vettius Philocomus die Satiren ihres Freundes Lucilius (Suet. gramm. 2). Für Gesch.-Werke sorgten ihre Verfasser selbst, und → Cato schloß darin die eigenen Reden ein. Mit der Zuverlässigkeit lit.-histor. Notizen, die erst seit Ende des 2. Jh. gesammelt wurden, stand es hingegen schlechter.

2. AUSGEHENDE REPUBLIK UND FRÜHAUGUSTEISCHE PHASE

Die Situation des L. zeigt sich seit dem Beginn des 1. Jh. v. Chr. nicht radikal, aber doch entscheidend verändert, gegenüber der vorhergehenden Epoche mehr als nur stabilisiert. Der Prozeß der kulturellen Hellenisierung im System der lit.-fördernden und -bewahrenden Institutionen – von → Schule über wiss. Betätigung bis zu → Bibliotheken, von Autorenzirkeln bis zur mäzenatischen Autorenprotektion – wird weitgehend abgeschlossen: Gegenüber dem von Griechen und auf Griech. gegebenen Privatunterricht (etwa in Rhet. und Philos.) etablieren sich röm. Institutionen der sekundären und tertiären Bildung: L.-Unterricht in der »Grammatikschule« wird von Sueton (gramm. 5) bis auf Sevius Nicanor (*primus ad famam ... docendo pervenit*; Anf. 1. Jh. v. Chr.) zurückgeführt; der überraschende Erfolg einer »lateinischen« Rhetorenschule (→ Plotius Gallus) nach 95 v. Chr. kann nur durch ein Machtwort der Censoren gestoppt werden [27]. Ein Zeichen der Zeitenwende ist die beginnende Historisierung der sprachlich-lit. Vergangenheit durch → Aelius [II 20] Stilo (Suet. gramm. 3) und später durch seinen Schüler → Varro, der seinerseits – neben antiquarischen Slgg. und Studien – auch die Lit.-Gesch. (Theatergesch., Authentizität der angeblich plautinischen Komödien, Dichter-Viten) nach antiquarischen Quellen (etwa den *acta* der festspielleitenden Beamten) erschließt; lit.-geschichtsfähig werden dann bei Cornelius → Nepos (de viris illustribus 13–15) Historiker, Redner und Grammatiker. Neben der privaten Verbreitung von Büchern durch Freunde, etwa denen Ciceros durch Pomponius Atticus, machen sich seit den 20er Jahren auch Buchhändler griech. Abstammung (→ Buch C.; die Sosii, Hor. epist. 1,20,2; Hor. ars 345; Dorus, Sen. benef. 7,6) einen Namen, ein Schritt in die Öffentlichkeit, den im Bereich des Baus öffentl. → Bibliotheken nach Plänen

Varros erst C. → Asinius [I 4] Pollio (nach 39 v. Chr. beim Tempel der → Libertas) und Augustus (beim Apollotempel auf dem Palatin) zu Ende gegangen sind. Zeugnisse zu Schulen und Bibliotheken der Epoche etwa bei GRF, IX-XXV; XXV-XXX (→ Bibliothek II.B.2.b).

Das Lit.-System der Epoche ist durch die Vervollständigung des vorausgehenden Formenbestands (etwa Zeitgesch. in Ergänzung der nicht mehr als hinreichend polit. geltenden → Annalistik) und Verschriftlichung der bisher nur improvisiert aufgeführten komischen Subgattungen → Atellana und → Mimus gekennzeichnet, womit in der Dramatik ein Bedeutungsverlust der »seriösen« Gattungen (→ Tragödie, → Palliata) einhergeht. Der wichtigste Gewinn ist indes in Aufkommen und Anerkennung persönlicher → Lyrik (von dem »Präneoteriker« Laevius über Catull und seine Freunde (→ Neoteriker) bis zu → Elegie und horazischen Epoden/Oden) zu konstatieren. Die allgemeinere Anerkennung poetischer Individualität, die jetzt mit der gesellschaftlich höheren Abkunft der Dichter gegeben ist [38], findet auch in dem halbprivaten Dichterwettstreit des → *collegium poetarum* ihren Ausdruck (Hor. sat. 1,10,38; Hor. epist. 2,2,90–101; Hor. ars 386f.). Der Qualität der Dichtung kamen kritikfähige und -willige Freundeskreise wie die sog. Neoteriker und die lit. → Zirkel um → Maecenas [2] und → Messalla zugute, während → Asinius [I 4] Pollio mit seinen → Rezitationen *advocatis hominibus* (Sen. contr. 4, pr. 2) auch hier eine weitere Öffentlichkeit suchte. Mit der zunehmenden Professionalisierung der poetischen Kompetenz – Ovid etwa entscheidet sich bewußt für diese Rolle (Ov. trist. 4,10,36–58) – stellt sich nun (über den Theaterdichter hinaus) das Problem des Lebensunterhalts der Berufsdichter, falls Privatvermögen fehlte (etwa in den Bürgerkriegen verloren gegangen war) und keine andere Profession ausgeübt wurde (Horaz als → *scriba*). Der Name des → Maecenas jedenfalls vertritt bis heute die Erfüllung dahingehender Erwartungen.

3. Frühe Kaiserzeit

Die endgültige Etablierung des → Prinzipats um 15 v. Chr. ergibt bis Kaiser Traianus (98–117) im polit.-sozialen wie kulturellen Bereich eine nicht spannungsfreie, indes auch stimulierende Mischung von Alt und Neu; die Ungleichzeitigkeit des Gleichzeitigen wird gleichsam exemplarisch vorgeführt. Zunächst bewahrt das kollektive Gedächtnis in Bibliothek, Schule und philol. Wiss. (Verrius Flaccus, das Werk über *Sermo dubius* des älteren Plinius, Suetons *De viris illustribus*, vgl. [32]) ältere kanonisierte Texte zurück bis in die Anfänge der röm. Lit.-Gesch. (bis Naevius, nicht bis Livius [III 1] Andronicus!), eine Historisierung der bisherigen Phasen, die sie für lit. Optionen verfügbar hält und spätere Erinnerung an älteste Texte noch bis Nonius Marcellus' *Compendiosa disciplina* (um 400) möglich machen wird. Die *Imitatio* (→ Intertextualität C) kann sich also in Quint. inst. 10,1,85–131 wie in Tacitus' *Dialogus* im Rahmen der Trias »Archaismus« (bezogen auf das 2. Jh. v. Chr.: schon seit Sallust, aber auch in der Bevorzugung des Lucilius vor Horaz, Quint. inst. 10,1,93, immer möglich), »Klassik« (im Blick auf die ciceronisch-augusteische Epoche) und »Modernismus« vollziehen. Fragen des → Kanons werden daher zunehmend wichtiger [34]. Neben den zumal für aktuelle Lit.-Formen (Epigramm, dramatische Reduktionsformen, Deklamationen) gleichbleibend einflußreichen griech. Bezugshorizont treten immer stärker auch röm. Vorbilder (Vergil, Horaz, Catull, Sallust, zur Zeit weniger Cicero).

Zugleich verweist das lit. System auf einen gespaltenen Geschmack, der geprägt erscheint einmal von der Kontinuität spätrepublikanischer Traditionen (Rückkehr zum → Epos seit Vergil und Ovid bis zu Lucan und der flavischen Epik; → Satire, persönliche Dichtung als → Epigramm; Zeitgesch.), zum anderen vom weiteren Rückgang des »seriösen« Dramas (mit Ausnahme der mindestens privat oder partiell aufgeführten Trag. des jüngeren → Seneca) zugunsten von unterhaltendem Bühnenspiel geprägt ist (→ Mimus, Pantomimus = *fabula saltata*, gesungene trag. Szenen als *fabula cantata* [30]); eine Verrohung des Publikumsgeschmacks unter dem Einfluß der jetzt regulär im Festspielprogramm figurierenden Gladiatorenspiele ist unverkennbar. Überhaupt wird die Lit. immer öffentlicher: In Dichterwettkämpfen unter Nero und Domitian [21. 169–176; 30. 152–163] (→ Wettbewerbe, künstlerische), in der Rezitation aller Gattungen als »Vorpublikation« [31] und in den Deklamationen (→ *controversiae* und → *suasoriae*) der Rhetorenschule, deren nunmehr und nur mehr kulturelle Attraktion für eine größere Anzahl von Adepten dem Bedeutungsverlust oder Verschwinden des *genus iudiciale* bzw. *genus deliberativum* (→ Genera causarum) in der öffentl. Rede korrespondiert. Der Vortrag von rhet. überformter Dichtung sowie von lit.-poetisch fundierter Rede, in denen fingierte Rechtsprobleme, Romanstoffe und polit. Entscheidungssituationen als Psychogramme von Heroen der Gesch. dargeboten sind, wird von Bewunderern vergangener Zeiten wie Agamemnon in Petrons *Satyrica* (1–5) und Messalla im *Dialogus* (Tac. dial. 31) ohne wirkliche Alternative kritisiert; auch Iuvenal (sat. 1) will nur das Thema wechseln.

Trotz dieses quantitativ beeindruckenden und in Rom trotz des Vierkaiserjahres 68 relativ krisenfesten Aufschwungs bleibt die Lebenssituation zumal der Dichter in anderer Weise prekär. Ein gezieltes Mißverstehen von Trag.-Stoffen oder eine Konkurrenz mit dem Princeps (etwa Lucans mit Nero) konnte tödlich enden. Die Abhängigkeit vom lit. Engagement des einzelnen Herrschers, z. B. Neros (Lucanus) und Domitians (Statius), war ebenso erwünscht wie riskant. Konkret war die Einrichtung eines Hörsaals für Rezitationen teuer (Iuv. 7,36–47; Tac. dial. 9,3). Sozialer Rang und Rolle der Dichter waren gesichert, doch ohne eine Garantie ihres Lebensunterhalts; der Anspruch von Freundschaft (→ *amicitia*) zu »Mäzenen« und der Appell (Forderung und Kritik) an diese wird zu einem Leitmotiv (»Bettelpoesie«) bei Berufsdichtern wie Martial und Iuvenal.

4. Epoche der Adoptivkaiser bis zur nachkonstantinischen Generation (Anf. 2. Jh. bis Mitte 4. Jh.)

Die Zeit von Hadrian bis Iulian (117–363) mag, in Abweichung von der üblichen → Periodisierung, hier einmal zusammengesehen werden: In ihr vollendet sich die kaiserzeitliche röm. Lit. als eine primär unpolit., auf gelehrter Bildung ruhende Textproduktion – ein Prozeß, der sich auch nach der Reichskrise des 3. Jh. auf niedrigerem Niveau fortsetzt. In dieser Phase entwickelt sich ein Polyzentrismus, mitbedingt durch die It. und Gallien in bes. Weise in Mitleidenschaft ziehende Reichskrise. Neben die Kapitale Rom treten Mailand, Trier und andere Zentren in Gallien (Bordeaux, Autun), Afrika (Karthago) und, bescheidener, in Spanien. Die Epoche wird schließlich seit dem späten 2. Jh. im Westen noch von einem feindlichen Nebeneinander der christl. und paganen Kulturen bestimmt, bis beide im späten 4. Jh. ihren Frieden miteinander machen.

Als Brennpunkte kulturellen Geschehens treten jetzt immer stärker Kaiserhof und (Gramm.-)Schule der bleibenden Bed. des Theaters zur Seite, das bei den traditionellen Formen des textbegleiteten Pantomimus (*fabula saltata*), der dramatischen Einzelszene (*fabula cantata*) und des Mimus blieb. Wie die Rhet. die frühe Kaiserzeit, bestimmt nun die Gramm. (→ Grammatiker) das kulturelle Klima. Entsprechend der 7. Satire Iuvenals, in der sich alle Hoffnungen der intellektuellen Professionen (Dichter und Historiker, Gerichtsredner und Rhetoriklehrer, Grammatiker) auf Hadrian richten, gilt jetzt immer stärker der Kaiser als (auch finanzieller) Garant der kulturellen Trad. – Erwartungen, die in der Reihe Hadrian, Antoninus Pius und Marc Aurel im Prinzip zunächst nicht enttäuscht wurden. Im Falle des ersteren stand freilich die Förderung der Lehrer aller Künste im Schatten eines gesteigerten lit. Ehrgeizes und einer – in Par. zur griech. → Zweiten Sophistik – ausgeprägten Präferenz für archa. Lit.: Cato vor Cicero, Ennius statt Vergil und Coelius [I 1] Antipater gar anstelle des Archaisten Sallust (SHA Hadr. 15,10–16,7). Die zeitgenössischen Stilideale der griech. Lit. waren nunmehr im Rahmen einer (fast) zweisprachigen Kultur als unmittelbare Vorbilder verpflichtender denn je, und der auf dem gelehrten Kult des Einzelwortes basierende lat. → Archaismus als Par. zum griech. → Attizismus hat die dafür zuständigen Institutionen und Anlässe – von der Gramm.-Schule bis zu den allseitig gebildeten, indes antiquarisch zentrierten Konversationen der *Noctes Atticae* des Gellius – bes. gefördert. Als Kompromiß von Beharrungstendenzen der Schule mit solchen mod. Postulaten bildete sich ein bis zum späten 4. Jh. unangefochtener → Kanon mit Vergil und allenfalls noch Horaz, nunmehr Terenz (vor Plautus), Sallust (vor Livius) und Cicero heraus.

Die gelehrten Komm. zu diesem Kernkanon reichen von Q. Terentius Scaurus, Aemilius Asper und Helenius Acron bis zu Aelius Donatus [3] im 4. Jh. [33], und in ähnlicher Weise fungieren die Beleg-Slgg. zu archa. Wortschatz und Semantik von Flavius [II 14] Caper, Iulius [IV 19] Romanus und Festus [6] bis zu Charisius [3] und Diomedes [4] als Bedingung der Möglichkeit lit. Produktion. Die entsprechende gramm.-rhet. Bildung bietet den Autoren (wie etwa Ausonius oder den Verfassern des erh. Corpus gallischer Panegyrici, s.u.) Aufstiegsmöglichkeiten bis in die höchsten Ränge der kaiserlichen Administration.

An republikanischen Gattungen verschwinden jetzt zur Gänze etwa Trag., Satire und Zeitgesch. Kontinuität bis zum 4. Jh. bildet demgegenüber die polymetrisch spielende Kleindichtung alexandrinischer Prägung von den sog. *poetae novelli* (Annianus, Alfius Avitus, Septimius Serenus: 2./3. Jh.) bis zu den Figurengedichten des Optatianus Porphyrius und der Schulpoesie des Ausonius aus. Die Historiographie nach Tacitus und vor Aurelius Victor und Ammianus Marcellinus vermittelt nur mehr Bildungswissen und kann sich deshalb seit Florus bis ins 4. Jh. mit Auszügen begnügen; die Zeitgesch. präsentiert sich von Sueton über Marius [II 10] Maximus und die → Enmannsche Kaisergeschichte bis zur → *Historia Augusta* als Kaiserbiographie. Der Prosa-Panegyricus [22; 14], von dem uns das gallische Corpus einen Überblick vom späten 3. bis zum späten 4. Jh. erlaubt, gewinnt – ausgehend von der Dankrede (*Gratiarum actio*) beim Konsulatsantritt – zu den verschiedensten Anlässen des kaiserlichen Zeremoniells eine feste Typik. Schließlich trägt das lat. Christentum in Märtyrerakten (→ Märtyrerliteratur) und einer ersten Bischofsbiographie (Pontius zu Cyprian), in apologetischen, dann auch antihäretischen Traktaten (→ Apologeten; → Häresie) und Gemeindebriefen Textsorten bei, die erst nach Constantin, mehr noch nach der theodosischen Wende ökumenisch wirksam werden.

5. Die christlich-säkulare Mischkultur bis zum Ausgang der Spätantike

Es dürfte also vertretbar sein, mit der Generation des Kaisers Theodosius (379–395) in der Entwicklung des lit. Systems und des dieses tragenden L. eine weitere Zäsur zu setzen: einer Epoche, die (1) nach der Niederlage von 378 den → Germanen einen wachsenden Platz im Reich und der Reichspolitik einräumen muß, die (2) andererseits nach der Verfolgung des »Apostaten« Iulianus [11] (355–363) eine endgültige Stabilisierung von christl. Rel. und Kirche als Staatsrel. ermöglicht: (1) Sie wirft ihre Schatten auf die Auflösung des Reichskörpers (Germanenreiche, Trennung von West- und Ostrom) voraus; im Westen geht die Griech.-Kenntnis zurück, nehmen Übersetzungen aus dem Griech. zu, während umgekehrt im Osten die Latinität im Umfeld von Hof, Rechtspflege und Militär sich bis in das 6. Jh. hält und durch entsprechende Unterrichtsangebote (Priscianus und andere Grammatiker) bedient werden muß. (2) Sie präfiguriert eine letztlich endgültige Versöhnung von säkularer und christl. Kultur, mit der ihrerseits eine Radikalisierung der Askese einhergeht und die – wie im

Falle von Ausonius und Paulinus – zu (auch lit.) divergenten Lebensentscheidungen führen konnte. Nunmehr bietet sich eine Christianisierung und Theologisierung traditioneller Gattungen [12] wie Gelegenheitsdichtung (Paulinus von Nola), Lyrik und Lehrdichtung (Prudentius) sowie Panegyrik an [22. 60–72]. Neben die traditionelle, pagan gesonnene Historiographie (Ammianus Marcellinus, *Historia Augusta*) tritt jetzt die → Kirchengeschichte als Weltchronistik und christl. Lit.-Gesch. (Hieronymus), wird eine Literarisierung von Gebrauchsformen wie des Kirchenliedes (Hilarius, Ambrosius) möglich (Prudentius), nehmen ältere christl. Gattungen wie → Predigt (→ Diatribe; [26]) und theologische Sach-Lit. an Zahl und Gewicht zu.

Dies geschieht vor dem Horizont eines zunächst gleichbleibend säkularen Kultur- und L. Allerdings beflügeln im Bereich der Buchproduktion liturgische Notwendigkeiten (z.B. Bibel im Gottesdienst) die Durchsetzung des (Pergament)→ Codex anstelle der älteren (Pap.)→ Rolle und damit die Transkription älterer, »klassischer« Texte und ihre Zusammenfassung zu Buchgruppen von etwa 5–10 Rollen, die somit – nicht ganz ohne, doch ohne ideologisch bedingte Verluste – weitgehend der Zukunft aufbewahrt wurden. Die Buchproduktion und -distribution blieb großenteils privat, wie zumal die bedeutenden → Subskriptionen der Epoche zu meist kaiserzeitl. Autoren (Livius, Martial, Iuvenal, Apuleius, Deklamationen) bezeugen, die als *ex libris* bestimmte Werkausgaben im Rahmen der Rhetorenschule privilegieren [23], die ihrerseits mit den Privatbibliotheken ihrer Besitzer einen wichtigen Trad.-Strang repräsentieren. Andererseits spricht auch die Zahl von etwa 28 öffentl. Bibliotheken (Libellus de regionibus urbis Romae, p. 97,9 NORDH) für sich; unter den veränderten Bedingungen mögen sich hier regelmäßiger (wie dann bei Sidon. epist. 2,9,4f.) jeweils griech. wie lat. Pagane und Christen unter einem Dach zusammengefunden haben. Im Gramm.-Unterricht war jedenfalls der Versuch des Kaisers Iulian gescheitert, die christl. Lit.-Lehrer von den paganen Klassikern fernzuhalten. Umgekehrt hatten sich Postulate (Hieronymus, Augustinus) nicht durchsetzen lassen, die christianisierte it. Senatsaristokratie von dem Klassenprivileg ihrer (säkularen) Bildung zu separieren, wie sich auch das Konstrukt einer spezifisch paganen intellektuellen »Reaktion« im Umkreis des Symmachus als modernes Phantom herausgestellt hat. Kennzeichnend für die Epoche ist jedenfalls die Ergänzung des Kanons durch kaiserzeitl. Autoren (neben den Genannten etwa noch Lucanus und Statius, Persius und Senecas Trag., die Briefe des jüngeren Plinius).

Räume öffentl. lit. Produktion blieben bzw. wurden mehr und mehr: a) adlige Häuser und zumal der Kaiserhof, wo seit Claudianus [2] Fest- und Preisreden, Panegyriken und Enkomien in Versform vorgetragen wurden, b) Vortragsräume in öffentl. Gebäuden, c) das Theater, solange der Volksgeschmack noch geduldet wurde [1. 193–198], und zunehmend d) die Kirche (Liturgie und Predigt). Dieser Kreislauf von lit. Produktion, Präsentation und Konservierung bleibt in den westlichen Provinzen stabil (in Afrika, durch Vandaleneinfall und byz. Rückeroberung erschüttert, bis zum Sarazenensturm, im Spanien der Völkerwanderung ebenfalls bis zur Eroberung durch den → Islam, in den Germanenreichen Englands, Galliens und It. prekär überlebend), aber auch immobil und langsam zerbröselnd, soweit und solange die Trad. städtischer Kultur und isolierter Villen reichte. Immerhin hat die partielle Akkulturation der Vandalen und Westgoten, der Franken und Langobarden über die Christianisierung hinaus mehr als nur Spuren hinterlassen, was die karolingische Bildungsreform vermittels der Klosterschulen und -bibliotheken überhaupt erst möglich gemacht hat.

→ Bibliothek; Kanon; Literatur; Literarische Gattung; Schule; Zirkel, literarische

**1** R.C. BEACHAM, The Roman Theatre and its Audience, 1991 **2** M. BEARD u.a. (Verf.), Literacy in the Roman World, 1991 **3** F. BELLANDI, L'immagine di Mecenate protettore delle lettere nella poesia fra I e II sec. d.C., in: A&R 40, 1995, 78–101 **4** F. BERNSTEIN, Ludi publici, 1998 **5** A. CAMERON, Poetae novelli, in: HSPh 84, 1980, 127–175 **6** G. CAVALLO, in: Ders. (Hrsg.), Libri, editori e pubblico nel mondo antico, 1975, 81–132, 149–162 **7** G. CUPAIUOLO, Crisi istituzionale e cultura della periferia, 1995 **8** L.J. ENGELS, H. HOFMANN, Lit. und Ges. in der Spätant., in: Dies. (Hrsg.), Spätant. (NHL, Bd. 4), 1997, 29–88 **9** E. FANTHAM, Roman Literary Culture from Cicero to Apuleius, 1996 (= Literarisches Leben im ant. Rom, 1998) **10** H.I. FLOWER, Fabulae praetextae in Context, in: CQ 45, 1995, 170–190 **11** FRIEDLÄNDER, Bd. 2, 1–265 (Schaupiele, Musik, schöne Lit.) **12** M. FUHRMANN (Hrsg.), Christianisme et formes littéraires de l'antiquité tardive en Occident, 1977 **13** CH. GARTON, Personal Aspects of the Roman Theatre, 1972 **14** A. GIARDINA, M. SILVESTRINI, Il principe e il testo, in: [42] 2, 1989, 579–613 **15** B.K. GOLD (Hrsg.), Literary and Artistic Patronage in Ancient Rome, 1982 **16** E.S. GRUEN, Culture and National Identity in Republican Rome, 1992 **17** R. HERZOG, in: HLL 5, 11–33 **18** H. JÜRGENS, Pompa diaboli, 1972 **19** R. KASTER, Guardians of Language, 1988 **20** E. LEFÈVRE (Hrsg.), Das röm. Drama, 1978 **21** H. LEPPIN, Histrionen, 1992 **22** S. MACCORMACK, Latin Prose Panegyrics, in: Revue des études augustiniennes 22, 1976, 29–77 **23** O. PECERE, La tradizione dei testi latini tra IV e V secolo attraverso i libri sottoscritti, in: A. GIARDINA (Hrsg.), Tradizione dei classici, trasformazione della cultura, 1986, 19–81, 210–246 **24** E. RAWSON, Intellectual Life in the Late Roman Republic, 1985 **25** N. SAVARESE, Teatri romani. Gli spettacoli nell'antica Roma, 1996 **26** CHR. SCHÄUBLIN, Zum paganen Umfeld der christl. Predigt, in: G. BINDER, K. EHLICH (Hrsg.), Kommunikation in polit. und kult. Gemeinschaften – Stätten und Formen der Kommunikation im Altertum V – (Bochumer Alt.wiss. Colloquium Bd. 24), 1996, 167–192 **27** P.L. SCHMIDT, Die Anfänge der institutionellen Rhet. in Rom, in: E. LEFÈVRE (Hrsg.), Monumentum Chiloniense. FS E. Burck, 1975, 183–216 **28** Ders., Horaz' Säkulargedicht – ein Prozessionslied?, in: AU 28, 1985, H. 4, 42–53 **29** Ders., Postquam ludus in artem paulatim verterat. Varro und die Frühgesch. des röm. Theaters, in: G. VOGT-SPIRA (Hrsg.), Studien zur vorlit.

Periode im frühen Rom, 1989, 77–132 **30** Ders., Nero und das Theater, in: Blänsdorf, 149–163 **31** Ders., Die Appellstruktur der taciteischen Historien, in: G. Vogt-Spira (Hrsg.), Beitr. zur mündlichen Kultur der Römer, 1993, 177–193 **32** Ders., Sueton, Literaturhistor. Schriften, in: HLL 4, 27–40 **33** Ders., Grammatik, in: HLL 4, 218–261; Grammatik und Rhetorik, in: HLL 5, 101–158 **34** Ders., s. v. Klassizismus, Klassik, HWdR 4, 982f. **35** R. Schnell, Die Lit. der Bundesrepublik. Autoren, Gesch., L., 1986 **36** W.J. Slater (Hrsg.), Roman Theater and Society, 1996 **37** P. Steinmetz, Unt. zur röm. Lit. des 2. Jh. n. Chr., 1982 **38** L. R. Taylor, Republican and Augustan Writers Enrolled in the Equestrian Centuries, in: TAPhA 99, 1968, 469–486 **39** G. Vogt-Spira (Hrsg.), Strukturen der Mündlichkeit in der röm. Lit., 1990 **40** G. Williams, Change and Decline. Roman Literature in the Early Empire, 1978 **41** N. Zorzetti, The Carmina convivalia, in: O. Murray (Hrsg.), Sympotica, 1990, 289–307 **42** G. Cavallo (Hrsg.), Lo spazio letterario di Roma antica 1 (La produzione del testo); 2 (La ricezione del testo), 1989/90.

P. L. S.

**Literaturförderung** s. Literaturbetrieb; Zirkel, literarische

**Literaturgeschichtsschreibung** A. Existenz B. Typologie C. Griechisch D. Lateinisch

A. Existenz

Ob die Ant. L. kannte, ist vom Vorverständnis von L. abhängig. Die *communis opinio* bindet sie an ein gesch. Verstehen, wie es sich seit dem späten 18. Jh. als Paradigma durchgesetzt hat. Aus dieser Sicht ist »Lit.« als eigenständiger Gegenstand histor. Hermeneutik in der Ant. nicht aufzufinden, so daß die Existenz von L. entweder abgewiesen wird oder allenfalls Ansätze im Sinne einer Prähistorie zugestanden werden [1. 49; 2. 322]. Besser als dieses entwicklungsgesch. Modell einer neuzeitlichen L. ist es, von einem nicht verengten Begriff von Gesch. auszugehen und nach Formen, Stellenwert und Funktionen des Parameters Zeit innerhalb des reflektierenden Umgangs mit Lit. in der Ant. zu fragen; insofern ist nicht jede Beschäftigung mit vergangener Lit. bereits als L. zu bezeichnen. Dabei zeigt sich einerseits, daß es sehr wohl ant. histor. orientierte Betrachtungsweisen gibt; im Ensemble der »Reden über Lit.« wird aber ebenso deutlich, daß das Moment des Histor. einen verhältnismäßig bescheidenen Stellenwert hat und andere Interessen wie sprachliche Eigentümlichkeiten oder Sachbezüge dominieren. Daher hat sich in der Tat in der griech.-röm. Ant. keine Leitdisziplin L. gebildet, die durch den Historismus allenfalls hätte modernisiert zu werden brauchen; in dieser Funktion ist der eigentliche Vorgänger der mod. L. die → Literaturkritik, die in enger Wechselbeziehung mit dem Verfahren der lit. Imitatio (→ Mimesis) bis ins 18. Jh. das Leitmodell abgibt (zum Umbruch [3. 29f.]). Ant. und ma. L. im beschriebenen Bezugshorizont ist ein unerforschtes Gebiet (L. wird als Gegenstand soeben erst entdeckt: [4; 5]). Im englischsprachigen Raum ist es üblich, die Phänomene unter die Rubrik »Lit.-Kritik« zu subsumieren [6].

B. Typologie

Da L. sich in der Ant. nicht als homogene Gattung herausgebildet hat, findet sie sich entweder als eigenständige Spezies oder als Komponente innerhalb anderer Formen. Folgende Typen lassen sich unterscheiden:

1) Die Hauptform sind Chronologie und Biographie, die in der ant. → Philologie einen festen Platz einnehmen. Insofern Autor und Text die Bezugsgrößen bilden, richtet sich das historiographische Interesse nicht auf übergreifende Fragestellungen, sondern auf Datenaufnahme. Hierbei ergeben sich Übergänge zu der (nicht der Historiographie zugehörigen) lit. Gattung → Biographie. 2) Die Teildisziplin der *enarratio poetarum* in der Gramm. heißt auch *historice* (Quint. inst. 1,9,1), womit eine Sacherklärung gemeint ist, die jedoch nicht primär lit.-gesch. Daten enthält (zu weitgehend [7. 435]; zur systematischen Stellung [8. 52ff.]). 3) Gegenstand von Historiographie im Sinne entwicklungsgesch. Fragestellungen ist v. a. die Gattung, was der Gattungsorientierung des ant. Lit.-Systems entspricht (→ literarische Gattung). Ein solches Interesse besteht bes. für → Drama und → Rhetorik. 4) Gelegentlich finden sich Natur- oder Kulturentwicklungstheorien (etwa Zyklen-, Dekadenztheorien etc.) auch auf den Bereich der Lit. übertragen [9. 60ff.], in der Regel als Paradigma in größerem Zusammenhang und nicht aus lit.-gesch. Interesse.

5) Eine Epochengliederung ist, bis auf Ansätze, nicht unternommen worden; die h. geläufige Periodisierung ist ein Werk der Renaissance [10]. Jedoch spielt die Dichotomie »alt–neu« als einfachste zeitliche Gliederung eine große Rolle, die ihrerseits wieder Binnendifferenzierungen erlaubt [7. 256ff.]. Implizit strukturierend wirkt darüber hinaus die Konstitution einer Klassik (→ Klassizismus, → Literatur, augusteische). Sofern diese eine gewisse zeitliche Homogenität aufweist, wie es in Rom der Fall ist, ergibt sich ein Aufstiegsschema von den Anf. bis zu den Gipfelautoren, das für die lat. L. von hoher Bed. ist. 6) In der Lit.-Kritik, die aufgrund ihres Leitzwecks normativ und ahistor. verfährt, finden sich idealtypisch keine zeitlichen Differenzierungen: Alter und Herkunft eines Mustertexts sind irrelevant, wenn er nur zur Imitatio geeignet ist, weshalb etwa Homer und Vergil nach demselben Maßstab beurteilt werden (das gilt erst in der Neuzeit als gesch. unangemessen [3]). Doch bilden sich Mischformen, so daß zur näheren Begründung von Wertungen oft auch lit.-gesch. Aspekte beigezogen werden.

C. Griechisch

Das sich früh ausbildende Interesse für die Vita berühmter Dichter, etwa Homers, läßt sich als erste lit.-gesch. Tätigkeit verstehen; im engeren Sinne jedoch setzt L. im 4. Jh. v. Chr. ein. Archeget ist → Aristoteles [6], der als erster Lit. zum wiss. Gegenstand macht, wobei neben poetologische und literarkritische auch lit.-gesch. Fragestellungen treten. Mit den Schriften

*Didascaliae, De tragoediis* und *Dionysiacae victoriae*, die das Material zu den dramatischen Aufführungen Athens publizieren, wird die Grundlage für die Chronologie des att. Dramas gelegt. Nur partielle Nachfolge findet ein entwicklungsgesch. Erklärungsansatz für die griech. Lit.-Gesch., in dem das Prinzip der Teleologie sowohl auf die Abfolge der Gattungen wie auf deren innere Entwicklung angewendet wird (Aristot. poet. 4–5). Im späteren Peripatos wird v.a. die Gattung der Autorenvita gepflogen (→ Biographie).

Mit der Etablierung eines Klassikerkanons (→ Kanon) durch die alexandrinische Philol. werden die Möglichkeiten weiterer L. begrenzt. Eine sich über ein halbes Jt. erstreckende Klassik, an den Rändern markiert durch die beiden Gipfel → Homeros und → Menandros, ist einer entwicklungsgesch. Deutung nicht günstig. Die lit.-gesch. Tätigkeit der Alexandriner liegt auf anderem Gebiet. Mit den *Pínakes* des → Kallimachos [3], die zu jedem Autorennamen biographische Daten und Werke verzeichnen, entsteht die Basis für eine chronologische Ordnung der griech. Lit., die dann durch → Eratosthenes [2], den Begründer der kritischen Chronologie, systematisiert wird [11]. Dem Umkreis des → Aristophanes [4] von Byzanz und → Aristarchos [4] entstammt die Vorlage von Quintilians griech. Autorenliste (Quint. inst. 10,1,46–84); allerdings geht es zu weit, diese als ›Abriß der griech. L.‹ zu bezeichnen [12. 455]. Einen neuen Impuls erhält L. durch den → Attizismus, der sich als Klassizismus nach dem entwicklungsgesch. Dreischritt eines Wiederaufstiegs nach Dekadenz deuten kann; ein frühes Beispiel bietet → Dionysios [18] von Halikarnassos' *De oratoribus veteribus praefatio*, wo dies für die Rede behauptet und auf den segensreichen Einfluß Roms zurückgeführt wird [9. 122 ff.].

Gleichwohl zeigt gerade das Ensemble der lit.-theoretischen Schriften des Dionysios den geringen Stellenwert lit.-gesch. Elemente. Dies trifft auch für die weitere Kaiserzeit zu. Hauptform ist die Gattung der → Biographie, in der das vorhandene Material umgeformt wird, wovon manches in die → Suda, den letzten Sammelpunkt ant. Wissens, eingegangen und so erh. ist.

D. Lateinisch

In Rom ist die Funktion von L. entsprechend der Rezeptionssituation der röm. Lit. komplexer. Handelt es sich einerseits um Ordnung und Archivierung, bildet sich gleichzeitig im Rahmen der kulturellen Auseinandersetzung mit Griechenland ein zweiwertiges Bezugssystem. Eine Interpretation des Abstands als zeitlich und damit einholbar befördert eine entwicklungsgesch. Sicht auf die eigene Lit. im Sinne eines Gewinns lit. Standards. Daher begegnet L. in Rom verstärkt in spätrepublikanischer bis augusteischer Zeit, als man der griech. Lit. Gleichwertiges entgegenzusetzen überzeugt war; die hier ausgearbeitete Sicht wird dann auch für die Folgezeit prägend. Allerdings findet sich lit.-gesch. Tätigkeit bereits in der Anfangsphase, nicht zuletzt in Übertragung alexandrinischer und peripatetischer L. Einflußreich ist → Accius, der in seinen *Didascalica* und *Pragmatica* v.a. Fragen der Theatergesch. behandelt und (später oft erwähnte) Datierungen vornimmt. Daß in den lebhaften literarkritischen Auseinandersetzungen der 2. H. des 2. Jh. v. Chr. lit.-gesch. Betrachtungen gepflogen wurden, ist wahrscheinlich, jedoch nicht mehr rekonstruierbar.

Schlüsselfigur des 1. Jh. v. Chr. sowie Autorität für alle weitere lat. L. ist → Varro Reatinus, der bedeutendste röm. Gelehrte. Unter seinen zahllosen Schriften zur Lit. (mindestens 15 in über 40 B.) gelten viele im engeren Sinne lit.-gesch. Fragen, wobei die Grenzen aus systematischen Gründen fließend sind. Darunter fallen chronologische, biographische und gattungsgesch. Arbeiten. Besondere Aufmerksamkeit gilt der Theatergesch.; ein Beispiel liefert die Vor- und Frühgesch. des röm. Dramas, die bei Liv. 7,2 erh. ist (paradigmatisch für die verwickelte Überlieferungsgesch.: [13. 106 ff.]). Zeugnis eines breiteren Interesses für die eigene lit. Vergangenheit sind ferner C. → Nepos' *De viris illustribus*, die auch eine Abteilung *historici* und *poetae* enthielten.

Als das besterh. Muster ant. L. gilt → Ciceros *Brutus*, der eine Gesch. der Beredsamkeit von den griech. Anf. bis auf die eigene Zeit gibt – innerhalb der röm. Periode als kontinuierliche Aufstiegsgesch.; gleichwohl ist auch dieses Werk nicht von einem histor.-hermeneutischen Interesse geleitet, sondern dient der Legitimation des eigenen Redeideals und ist darin das histor. argumentierende Seitenstück zum systematisch angelegten *Orator*. Ähnlich fungiert auch die kurze Entwicklungsgesch. der *artes* in Cic. Tusc. 1,3 ff. zur Begründung der eigenen philos. Übersetzertätigkeit. Dies weist zugleich darauf, wie lit.-gesch. Betrachtungsweise in größeren Funktionszusammenhängen ihren Platz findet. Kein Zufall ist es, daß → Horatius [7], der reflexivste röm. Dichter, vielfach auf lit.-gesch. Argumentationslinien zurückgreift, um sich gegen altröm. Traditionalisten zu verteidigen. Der Impuls, die frühe Lit. als antiquiert zu erweisen, aktiviert ein entwicklungsgesch. Argumentationsmuster, das auch differenzierte und an den jeweiligen histor. Möglichkeiten messende Urteile hervorbringt (Hor. sat. 2,1; zu Lucil. 1,4; 10; 2,1). Insgesamt wird dabei in den lit. Manifestationen seit Cicero ein Aufstiegsschema faßbar, das für Selbstverständnis und Wahrnehmung der lat. Klassik von größter Bed. ist und dessen Spuren sich allenthalben wiederfinden [14. 30].

Die Kaiserzeit bringt im Bereich der philol. Forsch. ein Ausschreiben und Ergänzen des varronischen Materials. Eine wesentliche Mittlerrolle spielt hierbei → Suetonius' *Catalogus virorum illustrium*, die umfassendste lit.-gesch. Viten-Slg. für röm. Autoren bis zum E. des 1. Jh. [15. 27 ff.]. Unter den entwicklungsgesch. Theorien dominiert das Dekadenzmodell, was in gewissem Widerspruch zu der die lit. Praxis steuernden Doktrin der Imitatio/Aemulatio (→ Intertextualität) steht, die ein implizites Fortschrittskonzept enthält. Der Dekadenztopos gilt bes. für die Rhet. (frühester Zeuge Sen. contr. 1, praef.; satirische Brechung Petron. 1 ff.);

der differenzierteste Beitrag ist → Tacitus' *Dialogus*, der durch Verknüpfung mit der polit. Gesch. der L. eine sonst nicht erreichte Analysequalität verleiht [9. 294ff.; 16]. Daneben finden sich andere Entwicklungsmodelle, etwa ein Zyklenmodell in den die Lit. betreffenden Exkursen bei → Velleius Paterculus (1,16ff.; 2,9; 36). Der → Rhetorik-Unterricht vermittelt die Musterautoren, obgleich er nicht auf ihre histor. Erkenntnis zielt, gleichwohl auf dem Hintergrund eines zeitlichen Gerüsts, das auch lit.-gesch. Betrachtungsweise erlaubt. Das elaborierteste Beispiel findet sich in Quintilians Lektüreliste (→ Kanon [1] IV.), die aber ungeachtet ihrer histor. Ausdifferenzierungen nicht als L. zu bezeichnen ist [12], sondern gattungsmäßig der Lit.-Kritik zugehört. Auf den Stellenwert lit.-gesch. Fragestellungen im Ensemble des Umgangs mit Lit. vermag die → Buntschriftstellerei ein Licht zu werfen, etwa die eine gebildete Konversationskultur spiegelnden *Noctes Atticae* des → Gellius, in denen das Thema Lit. breiten Raum einnimmt, indes linguistische, literarkritische oder Sachfragen dominieren.

Die Spätant. brachte keinen neuen Typus von L. hervor, doch erweitern sich die Gegenstände durch den Antagonismus von paganer und christl. Lit. So überträgt → Hieronymus das Schema von Suetons *De viris illustribus* auf christl. Autoren; das gleichnamige Werk pflegt als ›erste christl. Lit.-Gesch.‹ zu fungieren. Der Akzent liegt im »Zeitalter des → *grammaticus*« jedoch auf der → Kommentar-Tätigkeit, wobei das lit.-gesch. Material in die jeweils vorangestellten Einführungen zu Autor und Werk eingeht (später *accessus* gen.). Indes kommt beim Verfügen über die Gesamtheit der nunmehr klass. gewordenen ant. Lit. histor. Differenzierung funktional ein geringer Stellenwert zu. Paradigmatisch kann dafür die Dichtungsauffassung in den ›Saturnalien‹ des → Macrobius stehen, der für das MA einen maßgeblichen Bezugspunkt darstellt [7. 441].

1 M. Fuhrmann, Gesch. der L., in: B. Cerquiglini u. a. (Hrsg.), Der Diskurs der Lit.- und Sprachhistorie, 1983, 49–72 2 F. Leo, Die griech.-röm. Biographie, 1901
3 G. Vogt-Spira, Ars oder Ingenium?, in: Lit.-wiss. Jb. 35, 1994, 9–31 4 P. Godman, L. im lat. MA, in: W. Harms u. a. (Hrsg.), FS Worstbrock, 1997, 177–197 5 J. P. Schwindt, Prolegomena zu einer Phänomenologie der röm. L. (im Druck) 6 G. A. Kennedy (Hrsg.), The Cambridge History of Literary Criticism, Bd. 1, 1989 7 Curtius
8 H. Jaumann, Critica, 1995 9 K. Heldmann, Ant. Theorien über Entwicklung und Verfall der Redekunst, 1982 10 W. Ax, Quattuor linguae latinae aetates, in: Hermes 124, 1996, 220–240 11 R. Blum, Kallimachos und die Lit.-Verzeichnung bei den Griechen, 1977
12 P. Steinmetz, Griech. Lit. in der Sicht Quintilians, in: Hermes 92, 1964, 454–466 13 P. L. Schmidt, Postquam ludus in artem paulatim verterat, in: G. Vogt-Spira (Hrsg.), Stud. zur vorlit. Periode im frühen Rom, 1989, 77–134
14 G. Vogt-Spira, Lit. Imitatio und kulturelle Identität, in: Ders., B. Rommel (Hrsg.), Rezeption und Identität, 1999, 22–36 15 P. L. Schmidt, in: HLL, Bd. 4, § 404 16 S. Döpp, »Zeitverhältnisse und Kultur« im taciteischen Dialogus, in: B. Kühnert u. a. (Hrsg.), Prinzipat und Kultur, 1995, 210–228.

G. V.-S.

**Literaturkritik.** Lit.-»Kritik« (von griech. *krínein*) bezeichnet für die Ant. einen Prozeß des »Unterscheidens« und »Urteilens« zw. verschiedenen Arten von Sprache – lit. wie nichtlit. –, ihren positiven Wirkungen und ihrem jeweiligen Nutzen für die Ges., in denen entsprechende Texte produziert oder rezipiert werden (zur Ansicht, ant. L. bilde die Grundlage mod. L. s. [2. 5, 27; 3]; anders [12. 111; 9. 84f.]). L. kontrolliert damit primär Diskurse, die der Ges. potentiell gefährlich werden könnten, und begünstigt so staatstragende und herrschaftstragende Rede [13].

Röm. L., als Tätigkeit mit gesellschaftlicher und polit. Funktion, setzt griech. Diskussionen über die Rolle von Lit. fort, die u. a. Platons Ausschluß der Dichtung aus der idealen Polis einschloß. In der röm. Republik verboten bereits die Zwölftafelgesetze schadenstiftende Sprache (*malum carmen, excantatio*) und Verleumdung; darauf stand die Todesstrafe (s. Lex XII tab. 1,1b. 8ab; Rhet. Her. 4,4,1; 4,25; 4,35; Cic. rep. 4,12; Aug. civ. 2,9). In der Kaiserzeit wurde L. als regulierender und selbstregulierender Diskurs von der Dichtung getragen. → Horatius [7] etwa wirbt für lit. Standards der Elite (und bes. der exklusiven Literatenzirkel; Hor. sat. 1,10,76; vgl. Hor. epist. 2,1,19; 2,1,84f.) und setzt sie von den Exzessen der griech. Alten Komödie (sat. 1,4,1–5), der Fescenninen (epist. 2,1,145–155; → *fescennini versus*) und des → Lucilius [I 6] ab. Der Dichter müsse u. a. *utilis urbi*, »der Polis nützlich« sein (Hor. epist. 2,1,124), er ist Richter, Lehrer und Moralist, der durch sein Vorbild lehrt (ebd. 128–131); er unterrichtet über Heirat und Rel. (ebd. 132–144), wendet das Publikum von obszöner Rede ab (ebd. 126f.) und wendet sich gegen Dinge, die nicht auf die Bühne gehören (Medeas Kindermord, Atreus' Mahl, Proknes und Kadmos' Verwandlungen; ebd. 179–188). Horaz normiert ein moralisches *decorum* (»Schickliches«), das Aristoteles' *prépon* aktualisiert (Hor. epist. 2,1,42–45, dazu [14; 17. 423–434]). Im weiteren Verlauf der Kaiserzeit wird dagegen *libertas*, Freiheit, zum zentralen Schlagwort in der Diskussion von Lit.

→ Tacitus stellt Rom als ungastliche Stätte für Autoren und freie Rede dar und gibt Augustus die Schuld dafür (Tac. ann. 1,1; vgl. 1,33; Liv. 2,1,7; 3,38,2 u.ö.). Schriftsteller, die beim Kaiser Anstoß erregen, werden der → *maiestas* angeklagt, ihre Bücher werden verbrannt (→ Zensur) – eine neue Entwicklung, wie der Fall des → Cremutius Cordus zeigt (Tac. ann. 4,34f.; vgl. Tac. Agr. 2,2). Tacitus' *Dialogus* beginnt mit der Warnung an Maternus, er möge seine Trag. *Cato* nicht veröffentlichen, da er andernfalls Staat und Herrscher zu kritisieren scheine (2,3). Maternus hält allerdings Dichtung in diesen Zeiten für angemessener als Beredsamkeit, da letztere Aufstände zu begleiten pflegt (41,5; vgl. Ps.-Longinos, Peri hypsus 44,1).

Röm. L. unterrichtet auch über den sprachlichen Umgang mit gesellschaftlichen Zwängen (zur Gestalt des zum Schweigen verurteilten Intellektuellen s. [6; 18]). Für Tacitus läßt sich *libertas* (»Freiheit«) nur in Verbindung mit → *virtus* realisieren: das zeigt, daß L. das Gemeinwohl im Auge haben muß [16. 3424f.]. Der Stiltheoretiker → Demetrios [41] führt vor, wie Mächtige und Tyrannen anzureden und zu kritisieren sind (Peri hermeneias 289; 294; [11]), während → Quintilianus die Möglichkeiten aufweist, durch figürliche Rede auch mit feindlich eingestellten Autoritäten umzugehen (Quint. inst. 9,2,66f.). Diese subversive Qualität röm. L. tritt am deutlichsten in der Abh. *Perí hýpsus* (›Vom Erhabenen‹, s. → Ps.-Longinos) hervor, die den gehobenen Stil als Mittel sieht, Texte wie ihre Zuhörer von den Zwängen der Situation zu befreien [4].

→ Literaturbetrieb; Literaturgeschichtsschreibung; Literaturtheorie

1 J.W. ATKINS, Literary Criticism in Antiquity, 2 Bde., 1934 2 R. WELLEK, A History of Modern Criticism, 1750–1950, Bd. 1, 1955 3 W.K. WIMSATT, C. BROOKS, Literary Criticism, 1957 4 C.P. SEGAL, ΥΨΟΣ and the Problem of Cultural Decline in the De Sublimitate, in: HSPh 64, 1959, 121–146 5 G.M.A. GRUBE, The Greek and Roman Critics, 1965 6 R. MACMULLEN, Enemies of the Roman Order, 1966 7 R. HARRIOTT, Poetry and Criticism before Plato, 1969 8 D.A. RUSSELL, M. WINTERBOTTOM, Ancient Literary Criticism, 1972 9 M. MCCALL, Rezension von [8], in: AJPh 96, 1975, 84f. 10 D.A. RUSSELL, Criticism in Antiquity, 1981 11 F.M. AHL, The Art of Safe Criticism in Greece and Rome, in: AJPh 105, 1984, 174–208 12 D. LA CAPRA, History and Criticism, 1985 13 P. BOVÉ, Genealogy of Critical Humanism, 1986 14 N. RUDD, Horace, Epistles Book II and Epistle to the Pisones (»Ars Poetica«), 1989 15 G. KENNEDY (Hrsg.), The Cambridge History of Literary Criticism, Bd. 1, 1989 16 M. MORFORD, How Tacitus Defined Liberty, in: ANRW II 33.5, 1991, 3420–3450 17 I. RUTHERFORD, s.v. Decorum, HWdR Bd. 2, 1994, 423–434 18 Y.L. TOO, Educating Nero, in: J. ELSNER (Hrsg.), Reflections of Nero, 1994, 211–224 19 Dies., The Idea of Ancient Literary Criticism, 1998 Y.L.T./Ü: U.R.

## Literaturschaffende Frauen

I. GRIECHENLAND II. ROM

### I. GRIECHENLAND

Dichtung griech. Frauen ist von der archa. bis zur hell. Zeit belegt. Obwohl sie zu ihren Lebzeiten große Anerkennung fand und die spätere griech. und lat. Lit. beeinflußte, ist sie nur in kleinen Fr. erhalten. Darin sind bei allen griech. Dichterinnen myth. Themen zu finden, vielfach das Thema der Liebe, oft der Liebe zw. Frauen [28. 161f.].

→ Sappho aus Lesbos (spätes 7. Jh. v. Chr.), die erste und bekannteste griech. Dichterin, war eine herausragende Lyrikerin, bewundert und vielfach imitiert, z.B. von den röm. Dichtern Horaz (→ Horatius [7]) und → Catullus (1. Jh. v. Chr.). Doch von neun B. ist nur einziges Gedicht vollständig überl., dazu eine Vielzahl von Fr. Diese lassen eine lebendige, sinnliche Bildsprache, Humor, myth. Anspielungen und Variationen auf das Thema der Liebe erkennen: Aphrodite, Heirat, die Liebe zw. Frauen und zu Sapphos Tochter Kleïs [4; 5. 137–162; 8; 13; 24. 245–248]. Leidenschaftliches Begehren spricht aus fr. 47 L.-P.: ›Eros hat jäh die Sinne <mir> erschüttert, so wie der Sturm am Gebirge in die Eichen fährt.‹ Weibliche Homoerotik ist sowohl mit der Freundschaft unter jungen Frauen (›Mögest du an der Brust der zarten Freundin ruhen‹, fr. 126) als auch mit ritueller Bed. verbunden: Nach der Beschreibung des Austauschs von Blumengewinden, von Parfum und erotischer Leidenschaft handelt fr. 94 von heiligen Altären, Hainen und Tänzen der jungen Frauen. Mehrere Fr. erwähnen rituelle Handlungen (fr. 2; 154) und die Bed. von Frauenchören (fr. 27; 30); darunter ist auch das früheste Dokument der Trauerriten für → Adonis (fr. 140).

Von → Telesilla von Argos und → Praxilla von Sikyon (beide Mitte 5. Jh. v. Chr.) haben wir nur wenige Zeilen; Praxilla schrieb u.a. Dithyramben und Trinklieder (→ Skolion) [20. 54–62]. Nichts ist dagegen von Myrtis von Theben (spätes 6. Jh. v. Chr.; [20. 40f.]) erh.; laut Suda war sie Lehrerin des → Pindaros und der → Korinna aus Tanagra, einer Chorlyrikerin und Rivalin Pindars, die ihn, so wurde später berichtet, beim Dichterwettbewerb übertraf. Die Fr. Korinnas weisen myth. Themen und Motive des Preislieds (→ Enkomion) auf, die für die Chorlyrik ihrer Zeit typisch sind; sie schreibt, Terpsichore riefe sie, ›den weißgewandeten Frauen von Tanagra schöne Heldenlieder zu singen‹ (655,1–3 PMG). Sie belegen die Bed. der Chorlyrikerin und des Chors der jungen Frauen für ihre Stadt [11; 17; 20. 41–54].

Von vier Dichterinnen aus hell. Zeit sind Fr. auf uns gekommen: Anyte, Nossis, Moiro und Erinna (alle um 300 v. Chr.). Ihre Epigramme, Widmungs- und Grab-Inschr., sind v.a. in der späteren Slg. der Griech. Anthologie (*Anthologia Graeca*) überliefert [9; 10; 12].

24 Gedichte, zumeist Grabinschr. für Frauen und Männer, haben wir von → Anyte von Tegea (die größte Zahl von Fr. nach Sappho). Mit ihren Tierepitaphien und v.a. ihrer pastoraler Landschaftsdichtung übte sie große Wirkung auf spätere Dichter [9. 181]. Ihre Hirtengedichte malen eine idyllische und friedliche Landschaft, bevölkert von bäuerlich-erotischen Gottheiten wie Aphrodite, Pan und Dionysos; dafür ist Anytes Heimat, → Arkadia, berühmt geworden [20. 67–77; 24. 249f.].

→ Nossis aus Lokroi [2] in Süd-It. betrachtet sich als Nachfolgerin Sapphos (Anth. Gr. 7,718); sie richtet ihr Augenmerk auf die Liebe als das höchste allen Entzükkens. Einige ihrer Epigramme beschreiben Frauenporträts; vielleicht haben sie die Bilder als Widmung begleitet: ›Dieses Bild trifft die Natur Melinnas: sieh, wie zart ihr Gesicht ist, sie scheint uns anmutig anzublicken.‹ (Anth. Gr. 6,353,1–2). Rückgriffe auf Sappho, Anyte und Nossis finden sich bei H.D. (= Hilda DOOLITTLE) und anderen Imagisten des frühen 20. Jh. [5. 77–96; 14; 20. 77–84].

Von → Moiro sind zwei (anscheinend Widmungs-) Epigramme und zehn epische Verse über die Geburt des Zeus erh. Heute besser bekannt und in der Ant. weithin berühmt für Epigramme und längere Gedichte ist → Erinna von Telos, v.a. deshalb, weil man ihr Werk mit dem Homers für vergleichbar hielt, und weil sie es vor ihrem frühen Tod mit 19 J. schuf. Zwei Epigramme und ein längeres hexametrisches Fr. (›Die Spindel‹) beklagen den Tod einer engen Freundin, die ebenfalls mit 19 J. starb. ›Die Spindel‹ erwähnt die Spiele, welche die jungen Mädchen bei der Hochzeit zurücklassen, und scheint auch homoerotische Beziehungen zw. adoleszenten Mädchen anzusprechen [10; 20. 86–97; 24. 250].

Auch aus der Kaiserzeit gibt es von Frauen verfaßte griech. Dichtung. → Iulia [10] Balbilla (2. Jh. n. Chr.), eine Bekannte des Kaisers Hadrian und seiner Gattin Sabina, schrieb in der Nachfolge Sapphos griech. Gedichte (s.u. B.). Aelia → Eudokia [1] (5. Jh. n. Chr.), die Frau des Kaisers Theodosius II., die von ihrem Vater, einem athenischen Rhetor und Gelehrten, eine ausgezeichnete klass. Bildung erhalten hatte, verfaßte u.a. panegyrische Gedichte (z.B. auf die Stadt Antiocheia), Bibelparaphrasen und Erzählungen über den Tod von Märtyrern in gelehrten Hexametern (nur fr. erh.). Wie andere gebildete Christinnen suchte sie dabei christl. Inhalte und pagane gelehrte Traditionen zu verbinden [3. 136f.; 7; 22; 23].

Die erh. Bruchstücke des Werks griech. Dichterinnen und Nachr. über weitere belegen, daß in der griech. Ant. die Dichtung als ein Bereich kreativer Tätigkeit Frauen offenstand, in dem sie Ruhm und Einfluß erlangen konnten (daneben haben wir noch Kenntnis von griech. → Philosophinnen). Weshalb Frauen gerade im Bereich der Dichtung (und der Philos.) wirkten, und nicht in anderen lit. Gattungen, und weshalb die Zeugnisse v.a. aus der archa. und der hell. Periode stammen, und kaum aus der sog. klass. Zeit, wissen wir nicht. Von bruchstückhafter bzw. fehlender Überlieferung abgesehen könnte ein Grund darin liegen, daß die griech. Dichtung aus älteren, prä-lit. Trad. hervorging, einem urspr. mündlichen Bereich, an dem Frauen sich wesentlich beteiligen konnten. Im Gegensatz dazu entstanden und fungierten die Prosagattungen (wie Gesch.-Schreibung und Rhet.) wesentlich in männlich dominierten, öffentlichen und »lit.« Kontexten, von dem Frauen getrennt blieben. In der klass. Zeit (5./4. Jh. v. Chr.) sind v.a. in Athen bes. rigide Definitionen der weibl. → Geschlechterrolle (Ausschluß von den männlichen öffentlich-polit. Domänen der att. Demokratie) belegt; daß l.F. aus Athen nicht bekannt sind, mag auch darin begründet sein.

→ Homosexualität; Literatur (III. Griechisch); Lyrik

1 S. Barnard, Hellenistic Women Poets, in: CJ 73, 1978, 208–210 2 Y. Battistini, Poétesses grecques: Sapphô, Corinne, Anyté, 1998 3 G. Clark, Women in Late Antiquity, 1993 4 P. Dubois, Sappho Is Burning, 1995 5 F. De Martino (Hrsg.), Rose di Pieria, 1991 6 R. Glei, »Sappho die Lesbierin« im Wandel der Zeiten, in: G. Binder (Hrsg.), Liebe und Leidenschaft. Histor. Aspekte von Erotik und Sexualität, 1993, 145–161 7 M. Haffner, Die Kaiserin Eudokia als Repräsentantin des Kulturchristentums, in: Gymnasium 103, 1996, 216–228 8 J. Hallett, Sappho and her Social Context, in: Signs 4, 1979, 447–464 9 G. Luck, Die Dichterinnen der griech. Anthologie, in: MH 11, 1954, 170–187 10 H. Meusel, Dichterinnen der griech. Anthologie – Grabepigramme der Erinna und Anyte, in: AU 38/6, 1995, 27–44 11 B. M. Palumbo Stracca, Corinna e il suo pubblico, in: R. Pretagostini (Hrsg.), Tradizione e innovazione, FS B. Gentili, 1993, 403–412 12 S. Pomeroy, Technikai kai Mousikai, in: AJAH 2, 1977, 17–22
13 W. Rösler, Homoerotik und Initiation: Über Sappho, in: T. Stemmler (Hrsg.), Homoerotische Lyrik, 1992, 43–54
14 M. Skinner, Nossis Thelyglossis, in: S. Pomeroy (Hrsg.), Women's History and Ancient History, 1991, 20–47
15 Dies., Sapphic Nossis, in: Arethusa 22, 1989, 5–18
16 Dies., Woman and Language in Archaic Greece, or, Why is Sappho a Woman?, in: N. S. Rabinowitz, A. Richlin (Hrsg.), Feminist Theory and the Classics, 1993, 125–144
17 M. Snyder, Korinna's »Glorious Songs of Heroes«, in: Eranos 82, 1984, 1–10 18 Dies., Lesbian Desire in the Lyrics of Sappho, 1997 19 Dies., Performance and Gender in Ancient Greece: Nondramatic Poetry in its Setting, 1997
20 Dies., The Woman and the Lyre: Women Writers in Classical Greece and Rome, 1989 21 N. Tonia, Zu den Besonderheiten des poetischen Schaffens von Dichterinnen in Griechenland und Rom, in: E. G. Schmidt (Hrsg.), Griechenland und Rom..., 1996, 220–230 22 M. D. Usher, Homeric Stitchings: The Homeric Centos of the Empress Eudocia, 1998 23 P. Van Deun, The Poetical Writings of the Empress Eudocia, in: J. den Boeft, A. Hilhorst (Hrsg.), Early Christian Poetry, 1993, 273–282
24 B. Vivante, Women's Roles in Ancient Civilizations, 1999, 245–253 25 L. H. Wilson, Sappho's Sweetbitter Song, 1996 26 J. Werner, Der weibliche Homer: Sappho oder Anyte?, in: Philologus 138, 1994, 252–259 27 M. L. West, Die griech. Dichterin. Bild und Rolle (Lectio Teubneriana 5), 1996 28 B. Zweig, The Primal Mind, in: N. S. Rabinowitz, s. [16], 1993, 145–180. B.Z.V.

## II. Rom

Bereits die Komödien des Plautus im frühen 2. Jh. v. Chr. (Plaut. Pseud. 20–75; Plaut. Cas. 860f., 1005–1007) zeigen Frauen als Verfasserinnen von lit. Texten. Röm. Autoren erwähnen – leider nicht erh. – Schriften mehrerer Frauen aus dem 1. Jh. v. und n. Chr. Unter ihnen war → Clodia [1], die Schwester des Clodius [I 4] Pulcher und Gattin des Caecilius [I 22] Metellus Celer, die allg. mit derjenigen Frau identifiziert wird, welche → Catullus unter dem metr. gleichwertigen Namen »Lesbia« unsterblich gemacht hat (Cic. Cael. 27,64 nennt sie *poetria*, »Dichterin«); des weiteren Clodias Tochter Caecilia Metella, die Ovid (Ov. trist. 2,437f.) als die unter dem Pseudonym Perilla gefeierte Verfasserin von Dichtung zeigt. Letztere ist nicht zu verwechseln mit der gleichnamigen jungen Dichterin eine Generation später, der Ovid (Ov. trist. 3,7) aus dem Exil schreibt (vielleicht seine eigene Stieftochter). Am bemerkenswertesten unter den verlorenen Werken l.F. ist das der jüngeren → Agrippina [3] (15–59 n. Chr.), der Schwester des röm. Kaisers Caligula, Gattin des Kaisers Claudius und Mutter des Kaisers Nero; ihre Memoiren führen der ältere Plinius (Plin. nat. 7,46) sowie Tacitus (Tac. ann. 4,53,3) als wichtige histor. Quelle an.

Einige Schriften röm. Autorinnen aus der Zeit vom 2. Jh. v. Chr. bis zum frühen 2. Jh. n. Chr. sind jedoch erh. Zwei Ausschnitte eines Briefes der → Cornelia [I 1], der Tochter des Cornelius [I 71] Scipio Africanus, sind bei Nepos (fr. 59 Marshall) überl.: Sie drängt darin erzürnt und gebieterisch, ihr jüngerer Sohn, C. → Sempronius Gracchus, solle nicht für das Tribunat kandidieren. Der Brief scheint ca. 124 v. Chr. verfaßt worden zu sein, etwa ein Jh. vor Nepos' Tod. Daß Cornelia (oder sogar überhaupt eine Frau) ihn geschrieben hat, ist bestritten worden; jedoch bezeugen sowohl Cicero (Cic. Brut. 211) als auch Quintilian (Quint. inst. 1,1,6), daß man zu ihrer jeweiligen Zeit Cornelias Korrespondenz als Beleg für ihren positiven Einfluß auf den Redestil ihrer Söhne Gaius und Tiberius las. Auch die Echos dieses Briefes, die bei ähnlich indignierten Reden reiferer weiblicher Figuren in Werken der frühen augusteischen Periode (letztes Drittel 1. Jh. v. Chr.) anklingen, deuten darauf hin, daß diese Briefe zumindest zur Zeit des Nepos als echte der Cornelia galten: Solche Anklänge finden sich in den Reden der → Veturia (der Mutter des Coriolanus) bei Livius (2,40), der Dido, Amata oder der Mutter des Euryalus in B. 4, 7, 9 und 12 von Vergils *Aeneis*, sowie der Stieftochter des Augustus, Cornelia [II 2], bei Properz (4,11).

Das 3. Buch der Elegien des → Tibullus, das vermutlich kurz nach seinen frühen Tod (19 n. Chr.) zusammengestellt wurde, enthält elf Gedichte, die die leidenschaftliche Liebesaffäre einer jungen Frau namens → Sulpicia schildern. Da sie darin als Tochter des Servius und eines Messalla bezeichnet wird, der offensichtlich als ihr Vormund agierte, hat man geschlossen, daß ihr Vater der Consul des J. 51 v. Chr. (der acht J. danach starb), oder vielleicht auch dessen Sohn war. Die Gattin des ersteren war nach Hier. in Iovinanum 1,46,288c Valeria, die Schwester von M. → Valerius Messalla Corvinus (*cos.* 31 v. Chr.), also dem Mäzen des Tibullus. Somit war Sulpicia anscheinend Messallas Nichte und Mündel und genoß seine lit. Patronage (→ Zirkel, literarische).

Diese elf Elegien (acht davon sind in Ich-Form geschrieben) sprechen von Cerinthus, dem Objekt von Sulpicias Leidenschaft – offenkundig ein Pseudonym (wie das griech. Pseudonym der Geliebten bei Tibull und Ovid). Eine Reihe von Interpreten (z. B. [9]) halten die ersten fünf Elegien (davon drei nicht in Ich-Form) – als eine Slg. oder einen »Kranz« – für das Werk eines männlichen Bewunderers und Imitators, nicht für das der Sulpicia selbst; diese Annahme beruht darauf, daß diese Gedichte länger sind als die anderen sechs und eine größere Zahl gelehrter Anspielungen enthalten. Entsprechungen in Wortwahl und Themen zw. den sechs späteren Elegien und anderer lat. Dichtung (z. B. Catulls *Carmina* oder Vergils *Aeneis*) sowie auch zw. den ersten fünf und den darauffolgenden sechs Elegien sprechen jedoch dafür, daß Sulpicia Verfasserin aller elf Gedichte war. Des weiteren legen diese Übereinstimmungen nahe, daß Sulpicia das erotische Verhalten ihrer lit. *persona* positiv mit Vergils → Dido verglichen sehen will. Selbstbewußt beschreibt sie ihre körperlich erfüllte Liebe zu einem Mann, der nicht ihr Gatte ist; damit bietet sie Details ihrer Liebesgesch. als Ersatz für Leser und Leserinnen ohne eigene erotische Erfahrung (*mea gaudia narret, dicetur si quis non habuisse sua*, Tib. 3,13,5–6 Postgate = Sulpiciae Elegidia 1). Sie spricht von ihrem Liebhaber und sich selbst als gleichwertigen Partnern und schiebt die sozialen Restriktionen, die der gute Ruf und das Gerede der Leute (*fama, rumor*) auferlegen, als unwichtig zur Seite.

Martial (10,35; 10,38) erwähnt das dichterische Werk einer Zeitgenossin, ebenfalls mit dem Namen → Sulpicia (2. H. 2. Jh. n. Chr.); er beschreibt es sowohl als erotisch als auch sittsam, da es von ihrer Leidenschaft für ihren Gatten Calenus handle. Weitere Hinweise auf diese zweite Sulpicia finden sich bei späteren röm. Autoren (Auson. cento nuptialis; Sidon. carm. 9,261 f.; Fulg. mythologiae 1,4; 1,12 f. Helm). Der Vergleich Martials (Mart. 10,35) zw. dieser Sulpicia und der griech. archa. Lyrikerin → Sappho (s.o. I.) fällt zugunsten der ersteren aus; denselben Vorrang erreicht die (sonst unbekannte) Dichterin Theophila (Mart. 7,69). Zwei Zeilen (in iambischen Trimetern) aus Sulpicias Werk sind überl., und zwar in einem Scholion zu Iuv. 6,537 (108 Wessner; sie werden von Giorgio Valla (15. Jh.) unter dem Namen eines Probus zitiert). Die Satire *Sulpiciae Conquaestio* (→ Sulpiciae satira), eine fiktive Attacke auf den Kaiser Domitianus in den Epigrammata Bobiensia, die unter dem Namen Sulpicias lief, ist eine Fälschung des 4. Jh. n. Chr. [9; 10], beweist jedoch die Bekanntheit der Dichterin. Sappho ist Vorbild und Vergleichsgröße auch für Ovids Perilla (Ov. trist. 3,7, s.o.) sowie vielleicht auch bei Ciceros Verwendung des Begriffs *poetria* (»Dichterin«) für Clodia (Cic. Cael. 27,64).

Bei jüngsten Ausgrabungen in → Vindolanda am Hadrianswall in Nordengland wurde ein Archiv mit der Korrespondenz der Offiziersgattin Claudia Severa an ihre Freundin Sulpicia Lepidina entdeckt (ca. 100 n. Chr.). Diese Briefe sind ein zufällig erh. Beispiel für weibliches Schreiben aus der röm. Ant. Der Verwandtschaftsbegriff *soror* (»Schwester«) und die liebevolle Sprache mit erotischen Untertönen, mit der sie ihre Freundin zu ihrer Geburtstagsfeier einlädt, sind ein Zeichen von weiblicher Verbundenheit, wie sie auch die Elegikerin Sulpicia zelebrierte.

Zur Erinnerung an die Ägyptenreise zum Koloß des → Memnon in Theben, bei der sie im J. 130 n. Chr. den Kaiser → Hadrianus und seine Gattin → Sabina begleitete, verfaßte → Iulia [10] Balbilla, wohl die Enkelin des Ti. Claudius [II 15] Balbillus (Präfekt von Ägypten unter Nero), vier Epigramme in elegischen Distichen im aiol. griech. Dialekt, der Sprache Sapphos; sie wurden auf der Statue eingemeißelt [3; 11]. Die Verse feiern Iulias eigene hohe Abstammung und Sabinas Schönheit. Man hat vermutet [1], daß die Dichterin hiermit die Rolle der Sappho (s.o. I.) gegenüber Sabina einnimmt, und sie als weibliche Entsprechung zu Hadrians Geliebtem → Antinoos [2] zu sehen ist.

In den christl. Märtyrerakten (Nr. 8 MUSURILLO, p. 1–62 VAN BEEK) findet sich die lat. Beschreibung des Martyriums einer jungen Frau namens → Perpetua im nordafrikan. Karthago (203 n. Chr.): Den größeren Teil des Texts nimmt die lange Erzählung in Form eines Tagebuchs ein, das Perpetua (die später heilig gesprochen wurde) selbst verfaßt haben soll: In ihrer Entschlossenheit, sich dem staatlichen Verbot des Christentums entgegenzustellen, weist sie, wie sie schreibt, die mitleidserregenden Appelle ihres Vaters zurück, ihrem Glauben abzuschwören und sich so zu retten, und übergibt ihm sogar ihr Kind, das sie noch stillt. Visionen, u. a. von der Erlösung ihres früh verstorbenen Bruders und von ihrem Sieg über Satan, geben ihr Kraft, während sie auf ihren Tod durch wilde Tiere in der Arena wartet [5; 6].

Zwei Frauen des 2. bzw. 4. Jh. n. Chr. zählen zu den hervorragenden lat. christl. Autoren: Faltonia Betitia → Proba, schrieb ein Epos (nicht erh.) über den Bürgerkrieg zw. dem Vorgesetzten ihres Gatten Magnentius (des Präfekten von Rom 351 n. Chr.) und Constantius II. sowie einen (erh.) → Cento in 694 Hexametern, der mit Hilfe von Zeilen und Abschnitten aus Vergils *Aeneis* die Schöpfung der Welt und das Leben Christi erzählt. Probas Werk setzt eine gebildete Leserschaft voraus; sie erklärt sich zur »Prophetin« (→ *vates*), weist die Gegenstände des paganen Epos von sich und adaptiert pagane Wendungen kühn für ihr christl. Thema. Aus der Feder der Egeria (Name auch als Aetheria überl.; → *Peregrinatio ad loca sancta*) stammt der Reisebericht von ihrer Pilgerfahrt (→ Pilgerschaft) nach Jerusalem, auf der sie Orte in Ägypten, Palaestina, Syrien und Kilikien besuchte. Man nimmt an, daß Egeria eine Nonne aus Spanien war. Sie richtet ihren Bericht von ihren Erlebnissen auf der Pilgerfahrt, die ihren Glauben bestätigen, ganz offenkundig an andere christl. Frauen.

Zu den Verfasserinnen von antiken philos. Werken s. → Philosophinnen.

→ Lyrik; Literatur (IV. Lateinisch)

**1** E. BOWIE, Greek Poetry in the Antonine Age, in: D. A. RUSSELL (Hrsg.), Antonine Literature, 1990, 62 **2** A. K. BOWMAN, J. D. THOMAS, New Texts from Vindolanda, in: Britannia, 18, 1987, 125–142 **3** T. C. BRENNAN, The Poets Julia Balbilla and Damo at the Colossus of Memnon, in: CW 91.4, 1998, 215–234 **4** G. CLARK, Women in Late Antiquity, 1993 **5** P. DRONKE, Women Writers of the Middle Ages: A Critical Study of Texts from Perpetua to Marguerite Parete, 1984 **6** P. HABERMEHL, Perpetua und der Ägypter, 1992 **7** J. P. HALLETT, Martial's Sulpicia and Propertius' Cynthia, in: CW 86.2, 1992, 99–123 **8** A. KEITH, Tandem venit amor: A Roman Woman Speaks of Love, in: J. P. HALLETT, M. SKINNER (Hrsg.), Roman Sexualities, 1998, 295–310 **9** H. PARKER, Other Remarks on the Other Sulpicia, in: CW 86.2, 1992, 89–95 **10** A. RICHLIN, Sulpicia the Satirist, in: CW 86.2, 1992, 125–140 **11** J. ROWLANDSON (Hrsg.), Women and Society in Greek and Roman Egypt, 1998, 309f. **12** J. SNYDER, The Woman and the Lyre. Women Writers in Classical Greece and Rome, 1989. JU.HA.

## Literaturtheorie

I. GRIECHISCH II. LATEINISCH

### I. GRIECHISCH

A. ÄSTHETISCHE ERFAHRUNG UND DISKURSIVE PRAXIS B. FORMALISMUS C. MATERIALISMUS D. MORAL E. HERMENEUTIK F. ANTIKE UND MODERNE LITERATURTHEORIE IM VERGLEICH

#### A. ÄSTHETISCHE ERFAHRUNG UND DISKURSIVE PRAXIS

In der griech.-röm. Ant. ist L. das Reich der Dichter, ihr bestgehütetes Geheimnis und ein Anhang anderer Disziplinen. Sie kommt nicht so sehr explizit als vielmehr implizit zum Ausdruck, und das nicht zuletzt bei ant. Lit.-Kritikern und Lesern. Da L. als autonomes Gebiet mit universalem Anspruch erst im 20. Jh. in Erscheinung tritt, kann man das, was man heute als L. der Ant. ansieht, in verschiedenen benachbarten Diskursen, z. B. in der Philos., in rhet. und gramm. Hdb. oder in Erörterungen der Musik und visueller Künste (Malerei, Skulptur, Architektur) finden (oder wenigstens ahnen). »L. in der Ant.« ist daher in gewisser Hinsicht eine Fehlbezeichnung. Einer der Gründe dafür liegt darin, daß nicht so sehr die lit. Form Gegenstand des Diskurses der ant. Lit.-Kritik – des Redens über Lit. – ist als vielmehr, in einem weiten Verständnis des Begriffs, die ästhetische Erfahrung. Der lit. Diskurs wird darüber hinaus in einer durch und durch polemischen (agonalen) Arena ausgetragen. Schließlich handelt es sich bei der L. der Griechen, da sie ja ihre Wurzeln in der griech. Kultur hat, um eine fluide, dem Wandel unterworfene Praxis, die von Sonderinteressen bestimmt wird – an erster Stelle von lokalen Ideologien moralischer und polit. Natur und dann in zunehmendem Maße von Fragen der nationalen Identität der Griechen und ihrer Wahrung.

Der erste traditionelle Gegenstand der griech. L. ist implizit der *hellēnismós* (ἑλληνισμός), die Frage des »reinen Griechisch«, wonach Poetik (ἡ ποιητική [sc. τέχνη]/*poiētikḗ* [sc. *téchnē*] gleichbedeutend ist mit der Konstruktion von Sätzen, Bedeutungen, Stilarten und ästhetischen Qualitäten im Rahmen der akzeptablen Strukturen der griech. Sprache, während → Literaturkritik (die erst viel später *kritikḗ*/κριτική heißt) in der Analyse der Poetik besteht.

Der zweite traditionelle Gegenstand poetischer Theorie, meist an erster Stelle und explizit angesprochen, ist die normative Bewertung von Texten. Diese beiden Arten der Unt. sind von Beginn an eng miteinander verbunden. Die Instrumente des lit.-krit. Diskurses der Griechen mögen enttäuschend unbeholfen und stumpf, für die Erfassung der Feinheiten klass. Texte also nicht sonderlich geeignet erscheinen; doch sind die eigentlichen Ziele des lit.-krit. Diskurses der Ant. oft verschleiert. Unsere heutigen Ansichten über die L. der Ant. leiden an der Enge der Begriffsdefinition, und folglich kommt es leicht zu Fehlinterpretationen ant. Diskussionen.

Ant. L. läßt sich in vier heuristische Kategorien einteilen, die sich in der Realität oft überlappen: Formalismus, Materialismus, Moral, Hermeneutik. Jede der vier Kategorien weist eine mehr oder weniger direkte Nachwirkung auf, die trotz mancher vermeintlicher Diskontinuitäten bis in die Moderne reicht.

B. Formalismus

Der Formalismus ist in der Ant. eine Tendenz, keine klar definierte oder ausdrücklich bezogene Position. Es ist durchaus möglich, daß → Platon die Unterscheidung zw. Gehalt und Form einführte, als er das, was ein Dichter wissen und aussagen kann, zu entweder Halbwissen oder Falschheiten (Mythen) herabstufte. Für Platon hat Dichtung, von Götterhymnen und der Tugend abgesehen, keinen wahren und im äußersten Fall überhaupt keinen Gehalt (Plat. Ion 530c; Plat. rep. 2–3). Durch ihre Form (*mímēsis*) wird Dichtung ontologisch und technisch defizitär. → Aristoteles [6] antwortet in der ›Poetik‹, daß alles, worauf es in der Tragödie (der für ihn höchsten Dichtungsgattung) ankomme, deren rationale Form sei, d. h. die Handlung des Stücks (*mýthos*), wie sie sich in ihrer inneren logischen Geschlossenheit und Kohärenz entfaltet. Hier wird Dichtung nach den Kriterien »der Dichtkunst selbst«, die »an und für sich« betrachtet wird, neu gewertet: Ein Kunstwerk ist *für sich* zu beurteilen (αὐτὸς καθ' αὑτὸ κρῖναι) und nicht im Hinblick auf äußere Kriterien, nämlich seine Aufführung (πρὸς τὰ θέατρα).

Gemeinsam stellen Platon und Aristoteles ein gewichtiges Argument zugunsten des Formalismus auf, das keiner der beiden völlig kontrollieren kann. Indem Platon formale Techniken der Dichtung wie → *mímēsis* (Nachahmung) und *dihḗgēsis* (Erzählung) herausgreift (wenn auch nur, um ihren Wert herabzusetzen), bereitet er ihrer unabhängigen Analyse den Weg. Ein weiterer wichtiger strategischer Schritt der beiden Philosophen ist die Isolierung und die Abstrahierung des sinnlichen Aspektes der Dichtung. Hierbei liegt der Kontrast nicht mehr zwischen Form und Gehalt, sondern zw. Form und Stoff. Platon greift die expressiven Elemente verbaler Kunstwerke (Rhythmus, Harmonie und Bewegung) heraus, um sie einzuschränken (Plat. rep. 397b–400a; vgl. Cic. de orat. 3,61). Wie er tendiert auch Aristoteles dahin, die materiellen und phänomenalen Aspekte von Dichtung (Gesang, Tanz, Inszenierung, Metrum, *léxis* (Diktion) herunterzuspielen. Anders aber als Platon favorisiert Aristoteles die formalen und diskursiven Aspekte: Handlung, Charakter (aus dem sich die Handlung erklärt; Aristot. poet., Kap. 6 und 19), Gedankenführung, aus der der Charakter hervorgeht – aber *nicht* die poetische »Bedeutung«, geschweige denn die Aussage des Dichters; beide sind für Aristoteles nicht relevant. Für ihn ist der Gehalt der Dichtung letzten Endes ihre Form.

Aristoteles' höchst originelles und einflußreiches Vorgehen macht den Weg frei für völlig andere poetische Wertkriterien, etwa die materiellen Gründe der Dichtung, und damit für andere lit.-kritische Richtungen wie etwa den poetischen Materialismus. Spätere Theoretiker und Kritiker sollten seine Argumentation zwar aufgreifen. Aber dennoch wird die ant. L. und Lit.-Kritik vom Formalismus im engeren Sinn dominiert (wenn auch in verschiedenem Ausmaß). Peripatetischer Einfluß ist am deutlichsten in Philologenkreisen zu beobachten, was seiner Verbreitung durch → Theophrastos (fr. 78 FHG) und das alexandrinische → Museion zu verdanken ist, das die aristotelischen Grundgedanken zur Lit. übernahm und institutionalisierte. Daher handelt es sich bei der sog. aristarchischen Maxime Ὅμηρον ἐξ Ὁμήρου (›Homer aus sich selbst verstehen‹; → Aristarchos [4]) und bei der Rechtfertigung der Lit.-Kritik als einer Verdeutlichung der poetischen Absicht (σαφηνίζειν/*saphēnízein*) eigentlich um Versuche, die formalen, Geschlossenheit schaffenden Eigenschaften in einem Werk so offenzulegen, wie das Werk selbst sie angeblich offenlegt (oder exemplifiziert). Der Formalismus zeigt sich hier als Vorläufer moderner Intuitionen von lit. Geschlossenheit und Kohärenz.

C. Materialismus

→ Materialismus ist eine schwer zu definierende Kategorie, nicht zuletzt, weil der Begriff trotz des durchgängigen (oder gar faszinierten) Interesses an der Materialität von Kunstgegenständen in neueren Darstellungen der Gesch. der Ästhetik kaum etabliert ist. Nichtsdestoweniger ist die Beschäftigung mit Kunstwerken als phänomenalen und materiellen Gegenständen – als faßbaren und sinnlichen Erfahrungsgegenständen – Platons und Aristoteles' Vorurteilen zum Trotz ein durchgehender Strang der Kunst-, Dichtungs- und Rhet.-Theorien der griech. (und röm.) Antike. Dichtung, das sollte man nicht vergessen, wurde geschaffen, um aufgeführt und gesehen, gesungen und gehört zu werden.

Das phänomenalistische und materialistische Denken des 5. Jh. v. Chr. übte mit der Formulierung dieser Dimensionen der lit. Erfahrung bes. großen Einfluß aus. → Demokritos [1], → Gorgias [2], → Prodikos, → Hippias [5] aus Elis, → Thrasymachos und deren Schüler (z. B. → Likymnios und → Alkidamas) erforschten allesamt die akustischen Eigenschaften der Dichtung. Mit buchstäblichen »Analysen« machten sie auf die synthetische (d. h. die kompositionelle und systematische) Natur von Sprache und von sprachlichen Produkten (συνθέσεις/*synthéseis*) wie auf deren epiphänomenale und oft illusionäre Effekte aufmerksam. Analogien zur Musik, zum Körperrhythmus und den visuellen Künsten waren Wege, tiefere Einsichten in das Phänomen Sprache zu befördern (aber auch, die Schwierigkeiten eines solchen Versuchs hervorzuheben); sie weisen jedenfalls auf einen grundlegenderen und umfassenderen oder einfach kulturell geprägten und geteilten Voraussetzungsrahmen zur ästhetischen Erfahrung. Erforschung der zuweilen heftigen physischen Prozesse bei der Rezeption von Dichtung war zu dieser Zeit ebenfalls in Mode und wurde mit medizinischen und mystischen Begriffen beschrieben (ἔκστασις/*ékstasis*, ἐνθουσιασμός/*enthusiasmós*), ohne daß damit notwendigerweise eine Billigung impliziert war. Die L. geht hier, zuweilen in Gestalt von Naturalismus, in Kulturbeschreibung und schließlich Kulturkritik über.

Das 5. Jh. v. Chr. war eine Zeit der Blüte von Diskursen über Kunst und Ästhetik. Man teilte kritisches und deskriptives Vokabular, und Analogien zwischen Kunstformen stellten sich von selbst ein (daher die weite Anwendbarkeit von solch beständigen Grundbegriffen wie εὐρυθμία/*eurhythmía*, συμμετρία/*symmetría* und φαντασία/*phantasía*). Diese Überschneidungen sind bisher noch nicht hinreichend erforscht – unverständlicherweise, da die L. aus dieser gegenseitigen Befruchtung hervorgegangen ist und nie die Verbindungen zu ihren Schwesterdisziplinen abreißen ließ. Ein deutliches Beispiel dafür findet sich auf dem Gebiet der Musik: → Aristoxenos [1] setzte eine Trad. der Interaktion zw. Musiktheorie (→ Musik) und L. fort, die von den sog. *harmonikoí* des späten 5. Jh. v. Chr. vertreten wurde (vgl. Plat. rep. 531a-b; Aristot. an. post. 78b; Aristox. harm. 1,1), aber schon im vorhergehenden Jh. Wurzeln hatte (→ Lasos [1] von Hermione, → Pindaros, → Pratinas). Eben diese Trad. tritt bei → Dionysios [18] von Halikarnassos und seinen hell. Vorläufern (v. a. den euphonischen Lit.-Theoretikern, den sog. *kritikoí*, deren Lehren uns durch → Krates [5] von Mallos bei Philodemos erh. sind) und vorher schon bei → Herakleides [16] Pontikos und → Hieronymos [7] von Rhodos wieder in Erscheinung, die sie überlieferten und erweiterten. Diese Trad. versuchte, die »Musik« der Sprache von der Tonhöhe (*epítasis*) bis hin zu komplexen rhythmischen Strukturen durch Analyse zu erfassen und zu erforschen. Dieser Strang der L., der sich mit Sprache in phänomenaler Hinsicht, mit dem Klang der Dichtung (im Gegensatz zu ihrer Bedeutung) befaßte, war tendenziell materialistisch und entschieden unplatonisch und unaristotelisch.

Die begrifflichen Differenzierungen, die hier eingeführt wurden, bereiteten einer freieren Erforschung der komplexen Eigenschaften der Wortkomposition den Weg, die man als ›an und für sich‹ (τὸ πόημα καθὸ πόημα, vgl. Philod. de poematis 5, Sp. 25, Z. 30f. MANGONI) analysierbar ansah; in hell. Zeit kam es zu einer wahren Blüte des Interesses daran, möglicherweise in Einklang mit dem Miniaturismus und Pointillismus des → Kallimachos [3] und seiner Schüler. Gesondert herausgegriffen wird von da an nicht mehr die Handlung, sondern die Materie der Dichtung, der materielle Träger einer sozusagen unmittelbar sinnlichen Erfahrung. Das Vergnügen, das man an ihr hat, ist weder rational wie bei Aristoteles noch diskursiv wie in → Eratosthenes' [2] Verteidigung der psychologischen Verführung bzw. Unterhaltung (*psychagōgía*, wonach poetisches Vergnügen in einer Aufhebung der Wahrheitsbedingungen besteht), sondern somatisch und dem Geist, der die sinnlichen Eigenheiten von Gedichten nicht erfassen kann, unzugänglich: Der Körper liefert das *álogon kritḗrion* (»irrationale Kriterium«) für poetischen Wert. Poetischer Materialismus ist in einem großen Teil der griech. L. und L.-Kritik anzutreffen; doch in dieser extrem reduktionistischen Form bleibt er so gut wie ohne Parallele. Kapitel 40 der ps.-longinianischen Schrift ›Über das Erhabene‹ (Περὶ Ὕψους, → Ps.-Longinos) stellt eine seltene und kurze Ausnahme dar.

D. MORAL

Die Gesch. der L. in der Ant. ist, oberflächlich betrachtet, die Gesch. von Versuchen, den eigentlichen Wert von Lit. zu bestimmen oder zu bestreiten. Ein Extrem stellt die völlige Ablehnung von Dichtungstheorie und -produktion durch die → Epikureische Schule dar, die damit begründet wird, daß beides Zeitverschwendung sei: Die allg. Einsicht (πρόληψις/*prólēpsis*) sage uns das (Kolotes in Plat. Lys.; Philod. de poematis 5). Doch blicken die Philosophen ganz allg. von oben auf die Dichtung und den Wert von Lit. herab, von den → Vorsokratikern (Xenophanes, Pythagoras, Herakleitos [1]) über Sokrates (der von Polykrates, dem Lehrer des Zoïlos, des Ὁμηρομάστιξ/*Homēromástix*, einer Fehlinterpretation des Homer beschuldigt wird) bis zu den Epikureern und Stoikern (→ Stoizismus). Diese Diskussionen sind nicht für bare Münze zu nehmen. Was wirklich auf dem Spiel steht, ist die diskursive Legitimät allg. kultureller Praktiken, von denen Dichtung diejenige mit dem höchsten symbolischen Gehalt und Hegemonie-Anspruch ist. Doch hat diese Praxis ihren Ursprung in den Dichterkreisen selbst, die sich gegenseitig ihren Anspruch auf Wahrheit streitig machten. All dies gehört als grundlegende Verfahrensweise zur agonalen Dimension der lit. Kultur der Griechen.

L. und Lit.-Kritik entstand aus dem Empfinden, daß Lit. problematisch ist; die lange Tradition von »Problemen und Lösungen«, die über Platon (Plat. leg. 719c) in den → Peripatos und dann in die Arbeit des Museion einging, ist zeitlich beinahe deckungsgleich mit der Gesch. der Reflexion über Lit. selbst. Moralische Reflexion stellt unvermeidlicherweise einen zentralen Teil dieser Traditionen dar. Selbst Aristoteles' ästhetischer Funktionalismus ist mit einem moralisch exkulpierenden Zweck verknüpft. Die Theorie hinter der peripatetischen und alexandrinischen Kritik neigt dazu, sich Aristoteles' Position anzuschließen und so weit wie nur möglich lit. Tatsachenirrtümer oder die Darstellung moralischer Unvollkommenheiten zu entschuldigen, um wiederum eine Art der Einstellung zum Literarischen (τὸ ποιητικόν/*to poiētikón*) zu befördern, die moralistischen Reduktionen gegenüber relativ immun ist.

Fragen der Moral sind jedoch nicht so leicht aus der Welt zu schaffen: Sie finden sich in Theorien der Angemessenheit (τὸ πρέπον/*to prépon*), der Charakterdarstellung oder der rationalen Kohärenz von lit. Einheit integriert, nicht zu reden von Einstellungen gegenüber poetischem Vergnügen und Nutzen. Letzteres Begriffspaar erscheint von Beginn an (Hom. Od. 12,188) als ein grundlegendes Element im Bewußtsein der Dichtung von sich selbst und als eine Quelle ihrer Ambivalenz, und tritt in hell. Zeit als kritische Formel in den Vordergrund. → Neoptolemos von Parion bereitet Horaz (→ Horatius [7]; *dulce et utile*, »angenehm und nützlich«, s.u. II.C.) den Weg, mit seiner zugespitzten aspektuellen Trennung von πόησις (*póēsis*, Dichtkunst) und des ποητής (*poētḗs*, Dichter) vom πόημα (*póēma*, Dichtung, seiner bevorzugten Kategorie, aber auch der Rebellion gegen das Konzept des moralischen Nutzens. Während Dichtung im → Stoizismus ein Propädeutikum für die Philos. ist (vgl. Plut. mor. 14e ff.), kann man somit auch abweichende Meinungen finden. Die von → Philodemos widerlegten griech. Theoretiker des Wohlklangs (εὐφωνία/*euphōnía*) behaupten mit Nachdruck, daß der poetische Wert den moralischen neutralisiere: Gattungsgrenzen, die Angemessenheit von Gedanken und Ausdruck, der moralische Nutzen, der Begriff der Originalität (der hier zu einem Begriff der poetischen Spezifizität umgeschminkt wird – »*dieser* Klang *hier*«) und selbst die Relevanz der Bedeutung werden geopfert. Diese extreme Position aus der Ant. erinnert daran, wie sehr der Stoff der L. immer schon kontrovers war und Ideologien offenlegte und wie sehr sich hinter den Diskussionen tiefere Anliegen verbergen. Die Lehre von der *euphōnía* scheint hier einem weiterreichenden polemischen Zweck zu dienen: In Frage steht nichts weniger als die Konventionen des lit.-kritischen Diskurses selbst.

E. Hermeneutik

Der Drang zu interpretieren ist so alt wie die Dichtung selbst, die ihre Lektüre antizipiert und diese Antizipation gelegentlich protohermeneutisch zu erkennen gibt. Strategien der Interpretation, die explizit oder implizit konkurrierende Denk- und Verständnismodelle vertreten und in den lit. Texten Bestätigung suchen, entstanden zunächst aus der Praxis der Dichter und dann unabhängig davon. Kein Gedanke war vor Aneignung gefeit, ob diese nun durch Argumentation, Allegorisierung oder drastischere Maßnahmen bis hin zur Textemendation (→ Textverbesserung) vollzogen wurde. Die ant. Ansätze zur Interpretation decken ein weites Spektrum ab, von der rhet. Analyse der Stilarten, Tropen, Figuren und Gattungen über die Behandlung der Wahrscheinlichkeit (Grad an Realität und Phantasie), die formalistische Zerlegung von Sätzen und Bedeutung, die Suche nach rel. und philos. Wahrheiten (wie man sie bes. in *étyma*, etym. Bestandteilen, findet) und die seltenere Kontextualisierung mittels histor. und kultureller Bezugspunkte bis hin zur apologetischen Allegorisierung. Mit der Akkumulation von Interpretationstraditionen wird freier Synkretismus und eine allg. Auflösung prinzipiengebundener Lit.-Kritik die Regel (z.B. Ps.-Plut. vita Homeri), auch wenn die Abh. ›Über das Erhabene‹ (→ Pseudo-Longinos) einen seltenen Kristallisationspunkt vorangehender L. ausmacht.

Es überrascht kaum, wenn das erste überlieferte Zeugnis zur Lit.-Kritik ein Vorläufer der → Allegorese ist (→ Theagenes von Rhegion, spätes 6. Jh. v. Chr.), teils, um Homer durch den Rekurs auf seine subtextuelle Bedeutung (ὑπόνοια/*hypónoia*) zu »verteidigen«, teils, um ihn einem zeitgenössischen Verständnis zuzuführen. Philosophen provozierten diese Reaktion, doch müssen auch sie auf die »tiefere Bedeutung« zurückgegriffen haben. Neben anderen Interpretationstechniken floriert also die allegorische Interpretation die ganze Ant. hindurch bis hin zum → Neuplatonismus, ihrem letzten Verfechter. Hinter all diesen Fragen steht das beunruhigende und bis heute ungelöste Problem, was denn überhaupt eine unproblematische Kategorie des »Literarischen« sein kann.

F. Antike und moderne Literaturtheorie im Vergleich

Die Mängel der griech. L. scheinen im Bereich der Interpretation am krassesten. Ant. Lit.-Theorie und L. erreichen selten die Ebene des lit. Ganzen, obwohl die L. histor. mit der Prämisse gerade einer solchen beginnt: der Konsistenz der Dichtung mit sich selbst. Hier scheiden sich Theorie und Kritik: Die seit Platon anerkannte Organizität lit. Einheit hat, wie die für die gesamte angewandte Lit.-Kritik typischen Homerscholien zeigen, in der Kritik kein Gegenstück. Die Kritik ist allg. eher lemmatisch und mikroskopisch, auf Satz oder Szene fokussiert, als holistisch und umfassend (das »Erhabene« (*hýpsos*) bei Ps.-Longinos erhebt diese Enge des Brennpunkts zur Tugend – und zum Fetisch). Die Allegorese leidet dagegen an den Grenzen der konventionellen L. → Porphyrios' Schrift *De antro nympharum* stellt eine partielle Ausnahme dar, wie auch die launische *tour de force* des → Metrodoros von Lampsakos (61 A 3–4 DK), die das Problem des Erfassens der lit. Einheit auf eine absurde Spitze treibt. Krates [5] von Mallos mag eine weitere Ausnahme sein, wenn auch völlig anderer Art: Seine Theorie der Sphäre (σφαιρικὸς λόγος/*sphairikós lógos*), von → Asklepiades [8] von Myrleia fortgeführt, scheint sich zu thematischer Kritik hinzutasten, wenn auch eines komplexeren thematischen Programms halber. Ähnlich katalogisiert und enträtselt die ant. L. Rede- und Denkfiguren, doch entstand nie eine übergreifende Theorie der Sprache, die bei der Organisation dieser Studien geholfen hätte. Eine interessante Ausnahme ist eventuell bei → Antisthenes [1] zu finden (Porph. ad Hom. Od. 1,1 πολύτροπος), und viel später erfahren wir von der minoritären Theorie, daß es keine »figurenfreie Rede« (λόγος ἀσχημάτιστος/*lógos aschēmátistos*) gebe (Spengel Bd. III 11,18 ff.; vgl. Ps.-Dion. Hal. rhet. 9); diese These nimmt moderne, seit Nietzsche vorherrschende Ansichten zur essentiellen Metaphorizität der Sprache vorweg, gibt ihnen aber eine für die materielle Psychologie der Griechen charakteristische Wendung. Die Permissivität der Stoiker gegenüber der → Metapher hat als lit. Gegenstück das Zugeständnis poetischer Freiheit (ἐξουσία/*exusía*), eine vage Regel, auf die man sich beruft, wenn alles andere fehlschlägt.

Ebenso wurde die → Phantasie als eine Kategorie der L., in der wir uns heute wiedererkennen können, in der griech. Ant. nicht entwickelt. Die Kategorien von Autor, Leser, Text und der lit. Sprache – Gemeinplätze der

L. seit der dt. Romantik – haben also in der griech. L. keine ausgeformten Gegenstücke. Andererseits stehen neben den expliziten Theorien der Lit. die in die ästhetische Praxis der Ant. (des Kritikers, des Lesers und des Künstlers) eingebetteten Theorien, die die kulturellen und ideologischen Auseinandersetzungen innerhalb der griech. Gesellschaft in ihrer histor. Entwicklung sowohl reflektierten als auch mitgestalteten. Im großen und ganzen hat der Vergleich mit der romantisch beeinflußten mod. L. ihrem griech. Gegenstück eher zum Nachteil gereicht. Wenn man deren Leitlinien verwirft, gibt es in der ant. L. tatsächlich noch viel zu entdecken.

→ Ästhetik; Kunsttheorie; Literatur (III. Griechisch); Literarische Gattung; Philologie; Scholien; LITERATURWISSENSCHAFTLICHE METHODEN

C. O. BRINK, Horace on Poetry, Bd. 1–2, 1963–1971 • F. BUFFIÈRE, Les Mythes d'Homère et la pensée grecque, 1956 • T. EAGLETON, The Ideology of the Aesthetic, 1991 (dt.: Ästhetik, 1994) • D. FEENEY, The Gods in Epic, 1991, Kap. 1 • S. HALLIWELL, Aristotle's Poetics, 1986 • W. KROLL, Randbemerkungen, in: RhM 62, 1907, 86–101 • R. LAMBERTON, Homer the Theologian, 1986 • J.J. KEANEY (Hrsg.), Homer's Ancient Readers, 1992 • G. LANATA (Hrsg.), Poetica Pre-platonica, 1963 • G. E. R. LLOYD, Demystifying Mentalities, 1990 • R. MEIJERING, Literary and Rhetorical Theories in Greek Scholia, 1987 • G. W. MOST, Cornutus and Stoic Allegoresis, in: ANRW II 36.3, 1989, 2014–2065 • D. OBBINK (Hrsg.), Philodemus and Poetry, 1995 • PFEIFFER, KPI (zuerst engl.: History of Classical Scholarship, 1968) • J.J. POLLITT, The Ancient View of Greek Art, 1974 • F. QUADLBAUER, Die genera dicendi bis Plinius d.J., in: WS 71, 1958, 55–111 • D. A. RUSSELL, Criticism in Antiquity, 1981 • M. SCHMIDT, Die Erklärungen zum Weltbild Homers und zur Kultur der Heroenzeit in den bT-Scholien zur Ilias, 1976.

J.I.P./Ü: T.H.

## II. LATEINISCH

A. BESTIMMUNG B. HAUPTVERTRETER C. LEITKONZEPTE

### A. BESTIMMUNG

Für die röm. Lit. als Rezeptions-Lit. ist kennzeichnend, daß lit. Praxis von Anfang an von Reflexion begleitet ist. Doch gibt es kein Genus, das der synthetisierenden Kategorie L. entspricht, vielmehr stehen theoretische Äußerungen über Lit. in der Regel in pragmatischen Funktionszusammenhängen. Infolgedessen sind die Formen von L. so unterschiedlich wie die Orte, an denen sie sich findet. Ein Versuch, röm. L. als Gesamtkomplex zu erfassen und eine funktional-pragmatisch differenzierte Typologie zu erstellen, existiert nicht. Am umfassendsten ist der angelsächsische Ansatz, die Phänomene unter *literary criticism* zu subsumieren [1], was jedoch eine lange als Leitkonzept gültige Spezies zum Oberbegriff erhebt und damit Unschärfe erzeugt. Nur den wirkungsmächtigsten Ausschnitt aus dem Gebiet der Poetik behandelt [2].

Zur Bestimmung lat. L. bedarf es zunächst einer Reihe von Klärungen. 1) Für alle ant. L. wesentlich ist die Unterscheidung von gebundener und ungebundener Rede. Für Dichtung gibt es eine (weit zu fassende) »Poetik«; in der Prosa, die nicht als einheitlicher Gegenstand begriffen wird, sind bes. Rede und Historiographie Gegenstand von L. Unabhängig davon werden in der Kaiserzeit die Grenzen durchlässig, indem → Rhetorik den Gesamtbereich von Prosa und Dichtung erfaßt, ebenso wie poetische Regeln für die Kunstprosa Gültigkeit erlangen. 2) In der L. finden sich systematische und histor. Ansätze. Während der zweite unter → Literaturgeschichtsschreibung zu fassen ist, untergliedert sich der erste in *Ars poetica* bzw. *rhetorica* im engeren Sinne (auf Struktur, Zweck, Aufbau, Prinzipien etc. gerichtet) sowie in wertungsorientierte → Literaturkritik. In der Praxis vermischen sich aber die Methoden; lit.-theoretische Hauptwerke wie → Aristoteles' [6] ›Poetik‹, → Ciceros *Rhetorica* oder → Quintilianus' *Institutio oratoria* enthalten alle drei Ansätze.

3) Lat. L. findet sich innerhalb wie außerhalb von → Fachliteratur. Unter den mit Sprache und Lit. befaßten Disziplinen sind dies die Grammatik (die als Abschluß eine Abteilung Metrik und Poetik enthalten kann), die Rhet. sowie monographische Lit.-Forsch. Ein Vertreter der Gattung *Ars poetica* (im Sinne der ›Poetiken‹ des Aristoteles oder später der Renaissance) fehlt im Lat. (zu Horaz s.u.). Wesentliche Beiträge zur röm. L. finden sich außerhalb der Fachbücher, stimuliert durch Auseinandersetzungen, die eine Darstellung und Begründung eigener Tätigkeit hervortreiben; dieser selbstreflexive Zug gilt für alle Epochen. 4) Ein wesentlicher Unterschied gegenüber dem mod. Horizont des Begriffs L. besteht darin, daß röm. L. nicht sinnorientiert, sondern pragmatisch-technisch ausgerichtet ist, ihre Hauptwerke somit keine hermeneutischen Fragen behandeln (→ Hermeneutik). Ziel ist die Begründung oder Vermittlung lit. Praxis, was in den weiteren Zusammenhang der Sicherung lit. Standards fällt (gelegentlich wird dies, wie etwa in Sen. epist. 108,23 ff., als bloß grammatisches anstelle eines philos. Interesses beklagt). Deutungsfragen, die bes. in der → Allegorese eine Trad. haben, erlangen in der lat. L. erst in der Spätant. Gewicht, bes. durch das nicht textproduktions-, sondern textauslegungsorientierte Interesse des Christentums.

### B. HAUPTVERTRETER

Aus der Perspektive neuzeitlicher Wirkungsgesch. können als Hauptvertreter lat. L. → Horatius' [7] *Epistula ad Pisones*, Ciceros *Rhetorica* sowie Quintilians *Institutio* gelten. Horazens erst bei Quintilian (inst. praef. 2 und 8,3,60) unter dem Titel *Ars poetica* bezeugtes Werk, das nach der Konstitution einer lat. Klassik offenbar für die Lücke eines Hdb. der dichterischen Technik eintritt, ist kein systematischer Traktat, sondern eine Versepistel, ›in der poetologische Lehren und Probleme unter bewußtem Verzicht auf Vollständigkeit in urbanem Gesprächston und in lockerer Fügung anschaulich dargestellt werden‹ [3. 338]. Dabei sind alle Versuche, sie in eine konsistente Theorie zu übersetzen, bis h. mißlungen [2. 125 ff.].

Ciceros rhet. Schriften verfolgen das Projekt, das Gesamtgebiet der Redekunst technisch, histor. sowie auf anthropologische Grundlegung ausgreifend darzustellen; sie sind insofern L. für die Gattung Rede, wie die Poetik eine solche für die Dichtung ist. Cicero betrachtet das Gebiet, das er als ›Anleitung zum Reden‹ definiert, nach aristotelischem Vorbild als Teil der Philos. (Cic. div. 2,4); tatsächlich aber gehen mit den Regeln für die Textproduktion auch Anforderungen an den Textproduzenten, mithin L. mit einem Bildungsideal, einher, so daß von einer Einheit von Philos., Politik und Rhet. zu sprechen ist [4. 1016]. Ciceros lit.-theoretisches Hauptwerk ist *De oratore*, das den Charakter eines Lehrbuchs weit hinter sich läßt, fortgeführt in einzelnen Punkten in dem Spätwerk *Orator*.

→ Quintilianus' *Institutio* schließlich in 12 B. enthält die umfassendste Darstellung der rhet. Theorie in der Ant. Einerseits wird das Wissen systematisiert und als Lehrgang didaktisch durchgeformt – die *Institutio* fällt damit ebenso in den Bereich der Pädagogik wie der L. –, gleichzeitig aber beginnt sich das rhet. Lehrgebäude aus seiner urspr. Zweckbindung zu lösen und zu einer Theorie der Kunstprosa weiterzuentwickeln; das Werk ist damit Paradigma für den Funktionswandel der Rhet. ›von der forensischen Technik zur höheren lit. Bildung‹ [5. 71].

Diese Monumente lat. L. sind eingebettet in ein breites Umfeld lit. Reflexion. Maßgebliche Stadien bilden dabei die dichtungstheoretischen Auseinandersetzungen im Ausgang der archa. Lit. [6] sowie bei den an alexandrinische Theorie anschließenden → Neoterikern, ferner die vielfache Dichtungsreflexion, die die augusteische Lit., nicht zuletzt das gesamte horazische Œuvre [2. 111 ff.], durchzieht. Von größtem Einfluß ist ferner die L. → Varros, der dem Gebiet der Lit. über 40 B. widmet; sie ist jedoch nur noch in Reflexen faßbar. Ein solcher ist der Abschnitt *De poematibus* in der *Ars grammatica* des → Diomedes [4] (GL 1,482,13K), die ausführlichste Gattungssystematik der lat. L. abgesehen von Quintilian [7. 134]. Ein weit ins MA hineinwirkendes implizites ›Compendium der spätant. Poetik‹ sind → Macrobius' *Saturnalia* [8. 441; 9].

C. Leitkonzepte

Die röm. L. hat eine Reihe von Leitkonzepten ausgebildet, die als theoretisches Komplement der lit. Klassik gelten können, teilweise in Aufnahme griech. L., so daß von einem Ensemble hell.-kaiserzeitl. Kunsttheorie zu sprechen ist. Diese hat ihrerseits wieder erheblich auf die Neuzeit gewirkt, indem sie lit. Praxis wie lit.-theoretischen Debatten Eckwerte vorgab. Hierunter fallen die Forderung der Wirklichkeitsanbindung (*imitatio naturae*), die als universale Norm ebenso für die Bildende Kunst gültig ist (Plin. nat. 35). Zentrale Bed. kommt sodann der Kategorie des Angemessenen zu (mit den beiden Begriffen *aptum* und *decorum* zw. ästhetischer und ethischer Konnotation changierend), die sowohl den Gegenstandsbezug, insbes. bei Personendarstellung, wie die sprachlich-stilistische Formung betrifft.

Thema lat. L. ist ferner der Zweck von Lit., wobei die Spanne durch die Extreme ästhetischen Vergnügens und didaktischen Nutzens markiert wird; Horaz versucht einen Ausgleich (ars 333 f.) [3. 339 f.], während in der rhet. Pädagogik das Moment der Persönlichkeitsbildung Bed. erlangt. Eine Leitantithese bildet schließlich das Begriffspaar *ars* und *ingenium*, das künstlerische Formung und naturgegebene Begabung gegeneinander stellt, wobei *ars* privilegiert wird [9]; die urspr. kallimacheische, von den Neoterikern in die röm. L. eingeführte Norm der Formstrenge, verstanden als ›vollständige Durchformung des Kunstwerks bis ins letzte Detail von Sprache und Vers‹ [3. 339], findet sich verdichtet in der horazischen Formel der ›Arbeit mit der Feile‹ (ars 291). In Zusammenhang damit steht die grundsätzliche Ausrichtung röm. L. auf Textproduktion unter Maßgabe eines Ensembles vorgängiger Texte. Eine Leitfrage richtet sich daher auf die Art des Anschlusses und den Gebrauch der Trad.; dies findet seine theoretische Formung in der Doktrin der lit. Imitatio, deren klass. Version für den lat. Bereich Quint. inst. 10,2 bietet. Durch diese Konzeptionalisierungsleistung der spezifischen Rezeptionssituation der röm. Lit., die im Ausbau des Nachahmungskonzepts zu fassen ist [10. 213 f.], wird röm. L. später ihrerseits wieder Bezugspunkt für alle sich als rezipierend verstehende Lit. (→ Mimesis; → Intertextualität).

→ Intertextualität; Literaturgeschichtsschreibung; Literaturkritik; Literatur (V. F. Augusteische Zeit); Literaturwissenschaftliche Methoden; Poetik

**1** G. A. Kennedy (Hrsg.), The Cambridge History of Literary Criticism, Bd. 1, 1989 **2** M. Fuhrmann, Dichtungstheorie der Ant., $^{2}$1992 **3** A. Wlosok, Die röm. Klassik, in: W. Vosskamp (Hrsg.), Klassik im Vergleich, 1993, 331–347 **4** G. Gawlick, W. Görler, Cicero, in: H. Flashar (Hrsg.), Die Philos. der Ant., Bd. 4.2, 1994, 991–1168 **5** M. Fuhrmann, Die ant. Rhet., 1984 **6** W. Krenkel, Zur lit. Kritik bei Lucilius, in: D. Korzeniewski (Hrsg.), Die röm. Satire, 1970, 161–266 **7** P. L. Schmidt, in: HLL, Bd. 5, § 524 **8** Curtius **9** G. Vogt-Spira, Ars oder Ingenium?, in: Lit.-wiss. Jb. 35, 1994, 9–31 **10** H. Flashar, Die klassizistische Theorie der Mimesis, in: Ders., Eidola, 1989, 201–219.

G. V.-S.

**Liternius.** C. L. Fronto. Sein Name lautet richtig C. Aeternius Fronto. Ritter, der zu den führenden Offizieren des Titus bei der Belagerung von Jerusalem gehörte; an der Aburteilung von Gefangenen beteiligt. *Praefectus Aegypti* im J. 78/9 n. Chr.; [1. 276; 2. 480, 506]; PIR$^{2}$ L 287.

**1** G. Bastianini, in: ZPE 17, 1975, 263–328 **2** P. Bureth, Le préfet d'Égypte (30 av. J.-C.–297 ap. J.-C.): État présent de la documentation en 1973, in: ANRW II 10.1, 1988, 472–502.

W. E.

**Liternum.** Ortschaft in Campania, ca. 8 km nordwestl. von → Kyme [2] in sumpfigem, malariaverseuchtem Gebiet (Strab. 6,3,5), h. Literno. Für beherrschenden Einfluß von Kyme (Dion. Hal. ant. 7,3) spricht wohl die

Erwähnung einer *fossa Graeca* (Liv. 28,46), eines der zur Drainage und Urbarmachung ausgehobenen Kanäle. Seit 215 v. Chr. röm. *praefectura* (Fest. 262,10), 194 *colonia* (Liv. 32,29,3; 34,45,1), schließlich *municipium* der *regio I* (Plin. nat. 3,61; Ptol. 3,1,6). Hier verbrachte → Cornelius [I 71] Scipio Africanus seine letzten Lebensjahre (Liv. 38,53,8; Sen. epist. 86,4). Bau der Via Domitiana E. des 1. Jh. n. Chr. Trotz dieser Anbindung an das ital. Straßennetz wurde L. wegen seiner klimatischen Ungunst bis zum 8. Jh. n. Chr. nach und nach aufgegeben. Arch. Funde: einschiffige Basilika, rechteckiges Forum, Theater, Amphitheater (2. Jh. n. Chr.).

J. BERARD, La Magna Grecia, 1963, 60 • A. MAIURI, I campi Flegrei, 1958 • S. DE CARO, A. GRECO, Campania, 1981, 90f.

A. BO./Ü: C. EI.

**Lithika** (λιθικά, lat. *lapidaria* von *líthos* bzw. *lapis*, »Stein«). Bücher, in denen sowohl mineralogische Informationen als auch bes. angeblich magisch-medizinische Wirkungen der Edelsteine zusammengestellt sind. Sie gehören in den Kontext der seit dem 2. Jh. v. Chr. wachsenden *Physiká*-Lit., in der, beeinflußt durch oriental. Gedankengut, die auf den Menschen wirkenden Zauberkräfte der organischen und anorganischen Natur nach Sympathie und Antipathie aufgezeigt werden. Die im allg. apokryphen Sammelwerke liefen unter den Namen legendärer Magier wie → Ostanes (Damigeron 34) und → Zoroastres. Dessen B. Περὶ λίθων τιμίων/*Perí líthōn timíōn* (›Über die kostbaren Steine‹) bezeugt die Suda (s. v.); Plin. nat. B. 37 benutzt ihn [1. Bd. 1, 188–191]. Auch L. des Demokritos [1] sind bezeugt (Georgios Synkellos 1,471 DINDORF, vgl. Petron. 88; [1. Bd. 1, 128–130]). Demokrit war auch der angebliche Autor des Werkes Περὶ συμπαθείων καὶ ἀντιπαθείων/*Perí sympatheíōn kai antipatheíōn* von Bolos von Mendes, worin auch die Steine ihren Platz hatten (sämtliche Fr. bei [2. Bd. 2, 210–220]). Die erh. L. sind folgende:

a) rein mineralogische: 1) Theophrast, *De lapidibus* [3]; b) magisch-medizinische: 2) Plin. nat. B. 37. 3) Damigeron Latinus [4. 161–195; 5. 230–288], die Übers. eines griech. Steinbuchs (Ps.-Zoroastres?), welches auch Plin. nat. 37,139–185 benutzte. Der angebliche Autor Damigeron wird erwähnt von Apul. apol. 90 und Arnob. 1,42 [6; 7. 42 ff.]. 4) Die gleichen Quellen wie Damigeron (Zoroastres und Ostanes) benutzte das einzige hexametrische ant. Lapidarium des Ps.-Orpheus (4. Jh. n. Chr.) in 774 Versen, das im Auftrag des → Hermes den Menschen die magischen Kräfte der Steine erklären will [4. 15–38; 5. 82–123]. Eine spätgriech. Prosaparaphrase ist erh. [4. 138–153; 5. 146–177]. 5) Die griech. Koiraniden des angeblichen Hermes in urspr. 6 B. (1. Jh. n. Chr.) berücksichtigen neben Tieren und Pflanzen teilweise auch Steine mit ihren medizinischen Wirkungen (B. 1 und B. 6, nur die ersten 9 Kap. erh.; [8]). Die lat. Übersetzung der B. 1–4 des 12. Jh. bietet die Steine nur in B. 1 [9]. 6) → Pedanios Dioskurides berücksichtigt ebenfalls die medizin. Wirkung von einigen Metallen, Mineralien und Steinen in seiner Arzneimittellehre (5,74–162 WELLMANN = 5,84–182 BERENDES). 7) Die Abh. des Bischofs → Epiphanios [1] von Salamis (4.–5. Jh. n. Chr.) über die 12 Edelsteine auf dem Brustschild des Hohenpriesters ist griech. nur in Fr. [10. Bd. 2, 193 ff.], aber vollständig auf Georgisch erh. Lat. Prosatexte des MA beziehen sich vielfach auf diesen Text. 8) Aus dem 6. Jh. kennen wir das Steinbuch des christl. Syrers Aetios [10. Bd. 2, 131]. 9) Der Aristoteles zugeschriebene arab. [11. 93–125] und lat. [11. 183–208] überl. *Liber de lapidibus* stammt als syrische Fälschung ebenfalls aus dem 6. Jh. [11]. Im 11. Jh. hat MARBOD VON RENNES ein Lehrgedicht in 732 V. [12] und Michael PSELLOS einen Traktat Περὶ λίθων δυνάμεων/ *Perí líthōn dynámeōn* (›Über die Kräfte der Steine‹) veröffentlicht [1. Bd. 2, 201–204]. Naturkundliche Enzyklopädien wie die des THOMAS VON CANTIMPRÉ (B. 14, 68 Kap. [13]) benutzen im Hohen MA die überl. Angaben über Edelsteine im traditionellen Sinn ebenso wie geschnittene ant. Gemmen zur Vorhersage der Zukunft ihres Trägers (Thomas von Cantimpré 14,69–70).

→ Orphik

**1** J. BIDEZ, F. CUMONT, Les mages hellénisés, 2 Bde., 1938 **2** DIELS/KRANZ **3** D. E. EICHHOLZ (ed.), Theophrastus De lapidibus, 1965 **4** E. ABEL (ed.), Orphei lithica. Accedit Damigeron de lapidibus, 1881, Ndr. 1971 **5** R. HALLEUX, J. SCHAMP, Les lapidaires grecs, 1985 **6** V. ROSE, in: Hermes 9, 1875, 471–491 **7** K. W. WIRBELAUER, Ant. Lapidarien, 1937 **8** D. KAIMAKIS (ed.), Die Kyraniden, 1976
**9** L. DELATTE (ed.), Textes latins et vieux français relatifs aux Cyranides, 1942 **10** F. DE MÉLY (ed.), Les lapidaires grecs, 3 Bde., 1898 **11** J. RUSKA (ed.), Das Steinbuch des Aristoteles, 1912 **12** J. M. RIDDLE (ed.), Marbode of Rennes (1035–1123), De lapidibus, 1977 **13** H. BOESE (ed.), Thomas Cantimpratensis, Liber de natura rerum, 1973.

TH. HOPFNER, s. v. L., RE 13, 747–769.

C. HÜ.

**Lithobolos** s. Poliorketik

**Lithomanteia** s. Divination

**Lithostroton.** Von röm. Schriftquellen (u. a. Varro rust. 3,1,10; Plin. nat. 36,184) verschiedentlich erwähnter dekorativer Fußbodenbelag eines Gebäudes, der aus unregelmäßigen, farbigen Marmorsteinchen hergestellt war; L. ist zu trennen vom → Mosaik (vgl. → Pavimentum).

W. MÜLLER-WIENER, Griech. Bauwesen in der Ant., 1986, 109–110.

C. HÖ.

**Litis contestatio** A. BEGRIFF
B. LEGISAKTIONENVERFAHREN
C. FORMULARPROZESS UND SPÄTERE ZEIT

A. BEGRIFF

*Lis* ist in der röm. Rechtssprache der Ausdruck für einen Streit, insbes. wenn er in einem Gerichtsverfahren ausgetragen wird. *L.c.* bezeichnet daher die »Bezeugung« eines solchen Streites (Fest. p. 34,50 L.): Mit der Erhebung von Behauptung (Klage) und Gegenbehauptung (Klagleugnung) vor Zeugen wurde das Programm eines (Zivil-)Prozesses festgelegt. Bis zur Vorherrschaft des kaiserlichen Kognitionsprozesses (→ *cognitio*) um 300 n. Chr. ist die *l.c.* der »Angelpunkt« [1. 77] des gesamten Verfahrens.

B. Legisaktionenverfahren

Die Notwendigkeit, Zeugen zu den Erklärungen der Parteien hinzuzuziehen, weist auf die Herkunft der *l.c.* aus der oralen Rechtskultur hin. Sie dürfte daher aus dem Verfahren der → *legis actio* stammen, das in Rom bis zur Durchsetzung des Formularprozesses (→ *formula*) gegen E. der Republik angewandt wurde. Mit der *l.c.* wurde aus der bis zu deren Erklärung formlos geführten Verhandlung vor dem → Praetor der genau abgesteckte und bindende Rahmen für das weitere Verfahren vor dem im wesentlichen nur noch zur Erhebung und Würdigung der Beweise zuständigen → *iudex* (»Richter«).

Die Deutung der *l.c.* gehört zu den umstrittensten Fragen der Wiss. vom röm. Recht. Lange Zeit verstand man die *l.c.* als private Parteivereinbarung, die im Kern als Schiedsvertrag älter sein sollte als die staatliche Gerichtsbarkeit [2]. Eher dürften die einem genauen, beim Verfahren der *legis actio* mündlich vorzutragenden Formular folgenden Erklärungen der Parteien eine Funktion ähnlich den heutigen Prozeßanträgen gehabt haben, verbunden mit der Unterwerfung unter das vom Praetor bestimmte → *iudicium* (d.h. die Urteilsfindung durch den *iudex*). Die *l.c.* hat im Verfahren der *legis actio* darüber hinaus zwei wesentliche Wirkungen: Der Streit wird auf den Prozeß, in dem die *l.c.* erfolgt ist, konzentriert. Eine andere Streitaustragung (z.B. im Wege der Selbsthilfe) ist damit ausgeschlossen. Ferner wird das zugrundeliegende tatsächliche Verhältnis zw. den Parteien durch die *l.c.* gleichsam »verbraucht« (*consumitur*). Daher kann wegen derselben Sache nicht erneut ein gerichtliches Verfahren durchgeführt werden.

C. Formularprozess und spätere Zeit

Im voll entwickelten Formularprozeß entfiel wegen der nunmehr geltenden Schriftlichkeit die Notwendigkeit, das Programm für das weitere Verfahren *apud iudicem* durch die *l.c.* festzulegen. Es blieb aber die Funktion, daß erst mit der *l.c.* die Bestellung des Urteilers durch den Praetor, verbunden mit dem in der *formula* niedergelegten Prozeßprogramm, für die Parteien bindend wurde. Erst mit der *l.c.* wurde der Prozeß daher »rechtshängig«. Die *l.c.* schloß somit das Verfahren *in iure* (→ *ius*) ab und eröffnete den Weg zum eigentlichen *iudicium*. Die Zuziehung von Zeugen machte nunmehr keinen erkennbaren Sinn. Vielleicht war die Bezeichnung als (Annahme) des Streites nach der Formel »unter Zeugen« daher nur noch histor. Reminiszenz [1. 289]. Die Unterwerfung der Parteien unter das Gericht wurde vom Praetor notfalls durch indirekten Zwang herbeigeführt, z.B. durch Androhung sofortiger Zwangsvollstreckung gegen den Beklagten, der sich auf das Verfahren nicht einließ.

Mit dem in der Kaiserzeit immer mehr aufkommenden Kognitionsprozeß verlor die *l.c.* ihre zentrale Bed. Als t.t. wurde *l.c.* aber weiterhin gebraucht, um den Zeitpunkt der Rechtshängigkeit mit Folgen wie verschärfter Haftung und Verzinsungspflicht zu bestimmen. Die *l.c.* trat nunmehr mit dem Bestreiten des eingeklagten Anspruchs durch den Beklagten vor dem Gerichtsherrn ein.

1 M. Kaser, H. Hackl, Das röm. Zivilprozeßrecht ²1996, 69–81, 285–301, 490f. 2 M. Wlassak, Die Litiskontestation im Formularprozeß, 1889.

A. Biscardi, La l. c. nell'ordo iudiciorum. Lezioni di diritto romano, 1953 • G. Jahr, L. c., 1960 • G. Sacconi, Studi sulla l. c. nel processo formulare, 1982 • J. G. Wolf, Die l.c. im röm. Zivilprozeß, 1968. G.S.

**Litis denuntiatio** (»Streitansage«) ist eine Form der röm. Prozeßeinleitung, die für eine relativ kurze Zeit (im wesentlichen 4. Jh. n. Chr.) in Gebrauch war, dann aber wegen ihrer Schwerfälligkeit außer Übung geriet. Ihr Charakteristikum ist, daß die vom Kläger in schriftlicher Form an den Beklagten adressierte *l.d.* diesem nicht direkt und unmittelbar, sondern aufgrund eines klägerischen Antrags (*postulatio simplex*) mit Erlaubnis oder gar mit Hilfe des Gerichts zugestellt wird. Diese Einleitungsform stellt daher einen Übergang zum nachfolgenden sog. Libellprozeß dar (→ *libellus*).

Mit Zustellung der *l.d.* beginnt eine viermonatige Frist, binnen derer die Parteien sich vor dem Richter einzufinden haben. Tun sie das nicht, sind sie im technischen Sinne säumig, so daß sie die entsprechenden Rechtsfolgen treffen (→ *contumacia*). Für den säumigen Kläger bedeutete dies Prozeßverlust, sofern er nicht durch hinreichende Entschuldigungsgründe eine Wiedereinsetzung in Gestalt der *reparatio denuntiationis* erlangte.

Die mit diesen Fristen verbundenen Verzögerungsmöglichkeiten wurden offenbar weidlich genutzt, so daß der Übergang zum strafferen Libellprozeß zwangsläufig erscheint. Zudem gab es schon im 4. Jh. eine Vielzahl von Befreiungstatbeständen für die *l.d.*, die noch ständig vermehrt wurden (Cod. Theod. 2,4,6: 406 n. Chr.).

M. Kaser, K. Hackl, Das röm. Zivilprozeßrecht, ²1997, 566ff. • Th. Kipp, Die Litisdenuntiation als Prozeßeinleitungsform, 1887 • N. Lewis, A. A. Schiller, Another »Narratio« Document, in: A. Watson (Hrsg.), Daube Noster, 1974, 187–200 • U. Vincenti, La »denuntiatio litis« e la »causae continentia« nel Codice Teodosiano, 1992. C.PA.

**Litorius.** → *Comes* und neben → Aetius [2] einflußreicher → *magister militum* in Gallien, bekämpfte ab 435 n. Chr. mit hunnischen Truppen v.a. die Westgoten. L. unterwarf die Aremorica, verwüstete das Arvernerland, befreite Narbo aus got. Belagerung und wurde 439 bei Tolosa von den Goten gefangen und getötet (Chron. min. 1,475f.; 2,23 Mommsen; Sidon. carm. 7,246–50, 300–303; Salv. gub. 7,10).

PLRE 2, 684f. • A. Demandt, s.v. magister militum, RE Suppl. 12, 553–790, bes. 666f. K.P.J.

**Litra** (λίτρα, »Pfund«). In Sizilien und Unteritalien Gewicht und Münze von 109,15 g, entspricht einem Drittel der röm. → Libra, wie diese mit Unterteilung in 12 Unciae. Nur in Lipara als Æ-Mz. (Bronzemz.) mit diesem Gewicht ausgeprägt, daneben auch die Unterteilungen Hemilitron, → Tetras, → Hexas und → Uncia mit 6, 4, 2 und 1 Wertkugel [1; 2. 356], ansonsten nur in reduzierter Form. Bedeutender war die Prägung in Silber mit einem Gewicht von 0,87 g, einem Fünftel der → Drachme. Es gab verschiedene Mehrfachnominale, in Syrakus u.a. 4, 5, 8 und 16 Litren [3]. In der röm. Kaiserzeit steht L. für röm. Libra. Seit dem 3. Jh. n. Chr. werden auch Strafsummen nach dem Gewicht in L., meist Gold, festgesetzt [4; 5].

1 SNG München 1678ff. (3. Jh. v. Chr.) 2 Schrötter, s. v. L., 355f. 3 SNG München 1359ff. (3. Jh. v. Chr.)
4 D. Feissel, Recueil des inscriptions chrétiennes de Macédoine du IIIe au VIe siècle, 1983, 197 Nr. 232
5 L. Robert, Hellenica 3, 1946, 106f. GE. S.

**Litterarum obligatio.** Im röm. Recht eine durch Schriftakt (*litteris*) zustandegekommene Verpflichtung. Nach Gai. inst. 3,128ff. zählen dazu die *nomina transcripticia* (Umbuchungsforderungen) durch Buchung einer Auszahlung (*expensum ferre*), indem aufgrund einer (meist brieflichen) Ermächtigung des Schuldners (→ *iussum*, Cic. Q. Rosc. 1,2) mit einem bestimmten Datum vom Gläubiger eine Summe als an den Schuldner ausgezahlt verzeichnet wurde, ohne daß diese tatsächlich ausgezahlt wurde. Die Eintragung erfolgte in dem als *codex accepti et expensi* oder *tabulae* bezeichneten Hausbuch des röm. Hausvaters (→ *pater familias*), in dem Einnahmen, Ausgaben, Forderungen und Schulden chronologisch eingetragen wurden, oder in bestimmten anderen periodischen Aufzeichnungen (*rationes*).

Durch Umbuchung (*transcriptio*) wurde dabei eine bestehende Verpflichtung umgewandelt (→ *novatio*), so daß z.B. anstelle einer Verpflichtung aus Kauf, Miete oder Gesellschaftsvertrag eine solche aus dem Litteralkontrakt trat (*transcriptio a re in personam*, Gai. inst. 3,129), oder aber ein Wechsel in der Person des Schuldners vollzogen wurde (*transcriptio a persona in personam*, Gai. inst. 3,130). Eine Buchforderung konnte auch unter Abwesenden zustandekommen (Gai. inst. 3,138) und war mit der → *condictio* (*actio certae creditae pecuniae*) einklagbar (Cic. Q. Rosc. 4,13; 5,14).

Die Eintragung einer Darlehensauszahlung (→ *mutuum*) im Hausbuch begründete keine *l.o.*, sondern hatte lediglich Beweisfunktion (Gai. inst. 3,131). Die Rückzahlungsverpflichtung aus solchen *nomina arcaria* (Kassenforderungen) hing von der Auszahlung des Darlehens (*numeratio pecuniae*) ab.

Gai. inst. 3,134 nennt als weitere Arten der *l.o.* die bei Nichtrömern gebräuchlichen Schuldverschreibungen, welche in Form eines eigenhändig vom Schuldner gefertigten *chirographum* oder von doppelt ausgeführten und unterfertigten *syngraphae* (→ Syngraphe) vorkamen. Römer dürften stattdessen die regelmäßig beurkundete → *stipulatio* verwendet haben.

Bei Iustinian wird nur noch das Absterben der *l.o.* erwähnt (Inst. Iust. 3,21). Wird jemand aus einem schriftlichen Darlehensvertrag verklagt, ohne daß er das Darlehen erhalten hat, so kann er nun jedenfalls die Einrede, daß ihm das Geld nicht ausgezahlt wurde (*exceptio non numeratae pecuniae*), erheben, für die jedoch eine (nicht überlieferte) Verjährungsfrist bestand.

→ Mutuum; Obligatio

Kaser, RPR I, 543ff.; II, 382f. • R. M. Thilo, Der Codex accepti et expensi im Röm. Recht, 1980 • P. Gröschler, Die tabellae-Urkunden aus den pompejanischen und herkulanensischen Urkundenfunden, 1997, 71ff. • H. L. W. Nelson, U. Manthe, Studia Gaiana, Bd. 8: Die Litteralkontrakte III, 128–134 (im Druck). F. ME.

**Litterator** s. Schule (Rom)

**Liturgie** (λειτουργία).
I. Politisch II. Christlich

I. Politisch
A. Definition B. Athen
C. Hellenistisch-römischer Osten

A. Definition

In der ant. griech. Welt bedeutete *leiturgía* eine »Leistung/einen Dienst für das Volk«, speziell eine Leistung für den Staat oder einen Teil des Staates, die von reichen Mitbürgern aus eigenen Mitteln erbracht wurde.

B. Athen

Die beiden Hauptformen der L. in Athen waren die »enzyklische«, ständig wiederkehrende (Fest-)L. mit der Verantwortung für die Ausstattung der Akteure bzw. der → Feste selbst und die → Trierarchie mit der Aufgabe, ein Schiff für die Flotte auszurüsten. Zur ersten Form gehören die → Choregie (s. auch → *chorēgós*), die Leitung und Ausstattung eines Fackellaufes (*lampadarchía*), die Speisung der Phylengenossen (→ *phýlai*) an großen Festen (*hestíasis*), die Ausstattung einer Festgesandtschaft (*architheōría*; → *theōría*), die Versorgung eines → Gymnasions (→ Gymnasiarchie) und der Unterhalt eines Pferdes für den Kriegsdienst (*hippotrophía*). Vielleicht seit den 60er J. des 4. Jh. v. Chr. mußten die reichsten Mitglieder der zur Zahlung der → *eisphorá* gebildeten Symmorien (»Steuergemeinschaften«; → *symmoría*) auch die L. der → *proeisphorá* übernehmen, d.h. den von der gesamten *symmoría* geschuldeten Betrag im voraus bezahlen.

Vermutlich fiel die Verpflichtung zur L. den reichsten Bürgern zu, die keinerlei Befreiung beanspruchen konnten. Archonten und Ratsmitglieder des jeweiligen Dienstjahres waren von der L. befreit; ebenso konnten öffentliche Wohltäter (→ *euergétēs*) das persönliche Privileg einer Befreiung erhalten. Die Anforderungen waren gesetzlich begrenzt (nur eine Fest-L. innerhalb von zwei, nur eine Trierarchie innerhalb von drei Jahren). Glaubte ein zur L. Herangezogener, ein reicherer Mitbürger sei übergangen worden, konnte er diesen auffordern, die L. zu leisten oder mit ihm das Vermögen zu tauschen (→ *antídosis*). Doch regte der in Athen herrschende Konkurrenzgeist viele dazu an, mehr und aufwendigere L. zu leisten, als gesetzlich geboten war. Im 4. Jh. v. Chr. wurde es schwierig, genügend Leute zu finden, die fähig waren, die Bürde einer L. zu tragen: Mehrfach versuchte man, die Lasten für die Trierarchie gerechter zu verteilen. Leptines [1] brachte ein von Demosthenes (or. 20) vergeblich bekämpftes Gesetz ein, viele persönliche Befreiungen von Fest-L. aufzuheben. Um 316/5 schaffte Demetrios [4] von Phaleron die L. ab und übertrug die Ausstattung von Festen speziellen Beamten (→ *agonothétēs*). In der hell. Zeit jedoch kehrte man wieder zur privaten Finanzierung zurück, als es üblich wurde, daß diese Beamten zusätzlich oder an Stelle der vom Staat bereitgestellten Mittel eigene Mittel einsetzten. (Zu L. in griech. Staaten außerhalb Athens s. [1. 1875–1878]).

C. Hellenistisch-römischer Osten

Im hell. Äg. wurde die L. zum staatlichen Zwangsdienst. Während unter den Ptolemaiern kaum Zwang angewendet wurde, entstand unter röm. Herrschaft ein höchst entwickeltes System, das sogar ziemlich arme Menschen auf dem Weg der Amts-L. zu lokalen Ämtern verpflichtete. Im Osten des röm. Reiches unterschied man im allg. zwar theoretisch zw. → *archaí* (lat. *honores*), die man als Privileg betrachtete, und L. (lat. *munera*), die man als Last empfand, von der befreit zu sein als Privileg galt. Doch in der Praxis schwand diese Unterscheidung allmählich, da man von den Inhabern der *archaí* zunehmend den Einsatz persönlicher Mittel bei der Erfüllung ihrer Aufgaben erwartete.

1 J. Oehler, s. v. Leiturgie, RE 12, 1871–1879.

Allg.: C. Decroll, Die Liturgien im röm. Kaiserreich des 3. und 4. Jh., 1997.
Athen: M. A. Christ, Liturgy Avoidance and Antidosis in Classical Athens, in: TAPhA 120, 1990, 147–169 • J. K. Davies, Demosthenes on Liturgies, in: JHS 87, 1967, 33–40 • V. Gabrielsen, The Antidosis Procedure in Classical Athens, in: CeM 38, 1987, 7–38.
Ägypten: N. Lewis, The Compulsory Public Services of Roman Egypt, 1982 • J. D. Thomas, Compulsory Public Service in Roman Egypt, in: G. Grimm u. a. (Hrsg.), Das röm.-byz. Äg., 1983, 35–39. P.J.R.

II. Christlich

A. Allgemein B. Älteste Quellen C. Östliche Liturgien D. Westliche Liturgien

A. Allgemein

Die LXX übernimmt das Wort *leiturgía* (»Dienst«) für den Kultdienst der levit. Priesterschaft am Jerusalemer Tempel (→ Kult, Kultus); im NT kommt das Wort relativ selten vor. Im Gegensatz zum Kultus steht in der L. die katabatische Dimension (= soteriologischer Aspekt; Heiligung des Menschen) der anabatischen Dimension (= latreutischer Aspekt; Verehrung Gottes) gleichrangig gegenüber. Unter altchristl. L. versteht man im engeren Sinn die Meßordnungen der östl. Kirchen, im weiteren Sinn festgefügte Gottesdienstordnungen aller Art aus dem christl. Altertum.

B. Älteste Quellen

Die frühchristl. L. ist u. a. auch vom jüdischen Synagogengottesdienst (mit den Elementen Gebete, Preisungen, Schriftlesung, Predigt) beeinflußt und verbindet einen Wortgottesdienst mit der eucharistischen Mahlfeier. Die ältesten christl. liturgischen Anweisungen und Texte finden sich im NT (z. B. Apg 6,6; 13,3; 1 Tim 4,14 [Ordination]; 1 Kor 11,23–34 [Eucharistie] etc.). Liturgische Bestimmungen und noch nicht verbindliche Formulare sind uns zuerst innerhalb früher → Kirchenordnungen überliefert, der → *Didache* (7–10; 14) und bes. der dem → Hippolytos [2] von Rom zugeschriebenen sog. *Traditio Apostolica*. In einer ausführlichen Beschreibung der altchristl. Eucharistiefeier spiegelt → Iustinus [6] der Märtyrer (1 apol. 61; 65–67) bereits die wesentliche Struktur aller späteren eucharistischen L. wider.

C. Östliche Liturgien

Das liturgisch fruchtbarste Gebiet der Alten Kirche (vgl. Übersicht) ist der syr.-kleinasiatische Raum: apokryphe Apostelakten (2./3. Jh.), syr. *Didaskalia* (3. Jh.), *Testamentum Domini* (5. Jh.), Apostolische Konstitutionen (um 400); aus dem antiochenischen Raum stammt die syr. »Anaphora« (= eucharistisches Hochgebet) der zwölf Apostel, eventuell auch die Basileios-L., deren älteste Gestalt in der ägypt. (und armen.) Überl. erh. ist, und die von → Theodoros von Mopsuestia († 428) in seinen katechetischen Homilien kommentierte L. Von hier aus hat die Stadt-L. von Konstantinopel – wohl nicht zuletzt über den aus Antiocheia stammenden Iohannes [4] Chrysostomos – wichtige Impulse erhalten und sich allmählich in der byz. Kirche durchgesetzt, wobei z. T. ältere lokale L. verdrängt wurden (z. B. in Georgien). Ebenfalls große Ausstrahlungskraft auf die L. und den Festkalender vieler anderer Kirchen hat die Jerusalemer L. Die ostsyrische (syro-mesopotamische) L. reicht im Kern sogar auf die Zeit vor dem Konzil von Nikaia (325) zurück und hat viele altertümliche semitische Züge bewahren können. Die armen. (und altgeorgische, vor dem 9. Jh.) L. ist starken Einflüssen aus Jerusalem, Persien und Byzanz ausgesetzt. Von alters her verzichtet die armen. L. auf eine Beimengung von Wasser zum Wein bei der Eucharistiefeier und verwendet ungesäuertes Brot.

Außer einigen Papyrus-Fragmenten ist sehr wenig von der alten griech.-alexandrinischen L. bekannt. Alexandrinische Eigenart, die teilweise mit jener der stadtröm. L. übereinstimmt, findet sich z. B. in den Initiationsriten. Die koptische L., die sich nach dem monophysitischen Schisma (ab 451) ausbildet, ist stark vom → Mönchtum geprägt und steht in einigen Riten dem westsyr. L.-Typus nahe. Die äthiopische L. ist nur aus recht späten Hss. bekannt und hat noch stärker als die koptische L. das syr. Erbteil bewahrt.

## Liturgien in der christlichen Antike

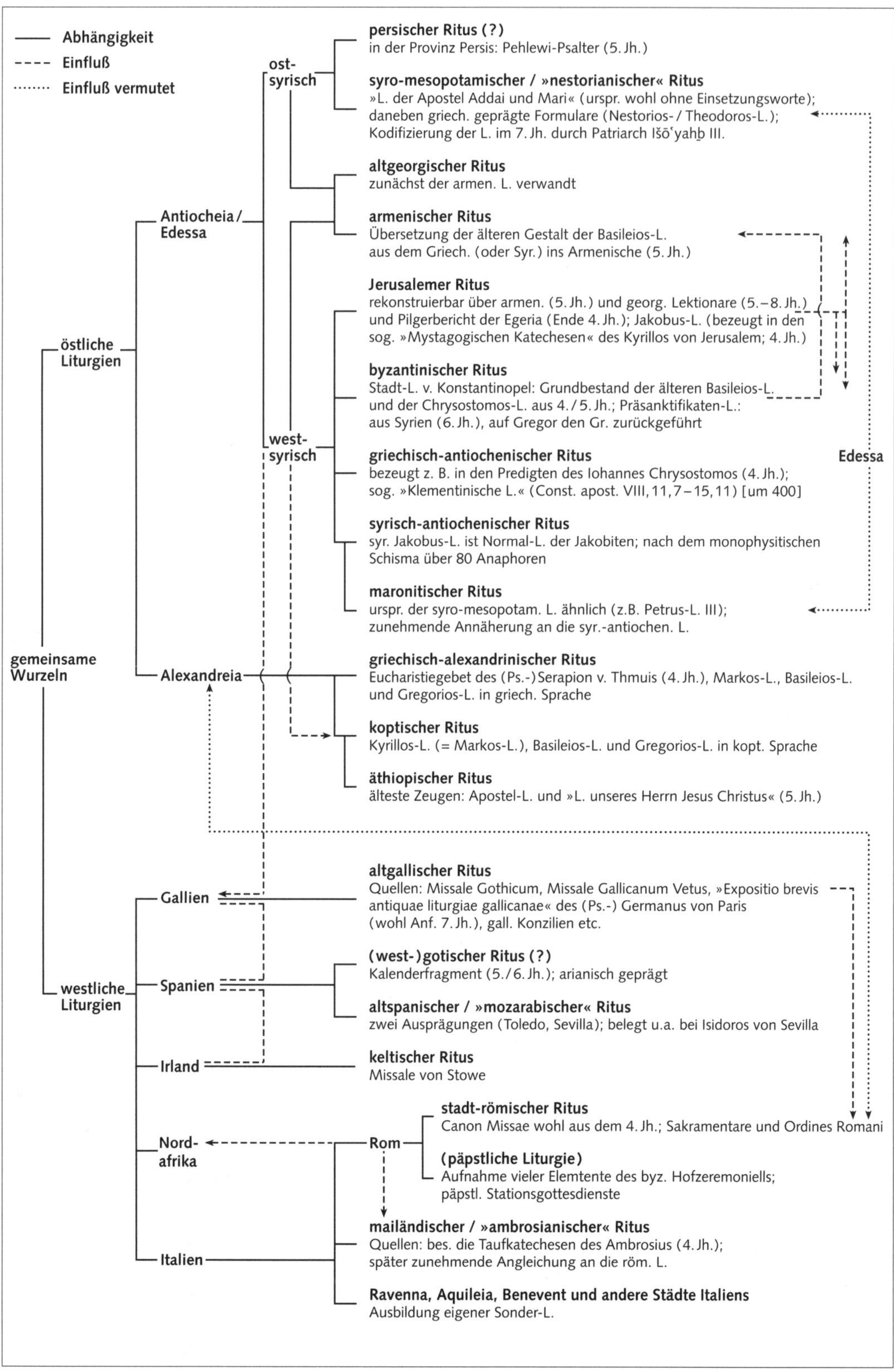

D. Westliche Liturgien

Latein als L.-Sprache setzt sich im Westen vergleichsweise spät durch, mit Ausnahme Nordafrikas, wo sich schon früh Spuren lat. L.-Sprache finden (Hinweise bei Tertullianus, Cyprianus, Augustinus). In Rom ist die L. spätestens seit der Mitte des 4. Jh. lateinisch gefeiert worden. Die lat. L. des Westens sind jedoch fast ausschließlich erst seit dem 5./6. Jh. deutlich greifbar. Ihnen ist gemeinsam, daß viele Gebete der Eucharistiefeier im Rhythmus des Kirchenjahres wechseln. Die röm. L. wird seit dem 7. Jh. im von Rom missionierten England normativ, im Frankenreich unter den Karolingern. Damit wird die röm. L. zur »Standard-L.« des MA und verdrängt allmählich die lokalen nicht-röm. L.

Zur jüd. L. s. → Kultus, → Ritual; zur islam. L. s. → Ritual; zur L. im Zusammenhang mit paganen Kulten s. → Religion.

→ Collectiones canonum; Kirchenordnungen; Kult, Kultus; Missa; Peregrinatio ad loca sancta; Ritual, Ritus; Liturgie

Quellen/Edd.: **1** F. E. Brightman, Liturgies Eastern and Western, 1896 (= Ndr. 1965) **2** A. Hänggi, I. Pahl, Prex Eucharistica, Bd. I, [3]1998 (= [2]1968) **3** E. Renaudot, Liturgiarum orientalium collectio, 2 Bde., [2]1847 (= Ndr. 1970).

Lit.:

Allgemein: **4** A. Baumstark, L. Comparée, [3]1953 (Lit.) **5** H.-J. Feulner, L., in: Lex. der ant. christl. Lit., 1998, 400–404 (Lit.) **6** J. A. Jungmann, Die L. der christl. Frühzeit, 1967 **7** H. B. Meyer, Eucharistie, 1989, 73–169 (Lit.).

Begriff und Wesen/Älteste Quellen: **8** H. Strathmann, λειτουργέω, in: ThWB 4, 221–236 **9** Ch. Markschies, Wer schrieb die sog. Traditio Apostolica?, in: W. Kinzig, Ch. Markschies, M. Vinzent (Hrsg.), Tauffragen und Bekenntnis, 1999, 1–74 (Lit.).

Östliche Liturgien: **10** H. Brakmann, Die Kopten, in: A. Gerhards, H. Brakmann (Hrsg.), Die kopt. Kirche, 1994, 12–20 (Lit.) **11** H. Engberding, Das eucharistische Hochgebet der Basileios-L., 1931 **12** A. Gelston, The Eucharistic Prayer of Addai and Mari, 1992 **13** R. F. Taft, The Byzantine Rite. A Short History, 1992, 22–41 (Lit.) **14** Ders., A History of the Liturgy of St. John Chrysostom, 5 Bde. (z. T. in Vorbereitung), 1978 ff. **15** G. Winkler, Das armen. Initiationsrituale, 1982.

Westliche Liturgien: **16** M. Klöckener, Das eucharistische Hochgebet bei Augustinus, in: A. Zumkeller (Hrsg.), Signum Pietatis, FS für C. P. Mayer, 1989, 461–495 (Lit.) **17** E. Schweitzer, L. in Nordafrika, in: Archiv für L.-Wiss. 12, 1970, 69–84 **18** F. E. Warren, Liturgy and Ritual of the Celtic Church, [2]1987.

H.-J. F.

## Liturgische Handschriften

A. Typologie B. Nachleben und Bedeutung

A. Typologie

L. H. sind die als Hilfsmittel, Quelle und Überlieferungsträger für den christl. Gottesdienst in seinen differenzierten Formen benutzten Codices. Die wichtigsten Typen sind:

1. Slgg. von Gebeten für die → Liturgie, bes. Eucharistiefeier. Kannten die Christen in der frühesten Zeit das improvisierte Vorstehergebet mit konstanten Strukturen und Themen, so werden ab dem 3. Jh. schriftl. Formulare greifbar, die seit den nordafrikanischen Konzilien des 4./5. Jh. zu von kirchl. Instanzen autorisierten Texten führen. Aus anfänglichen *Libelli* (Einzelblätter, kleine Hefte) mit einzelnen Gebetsformularen entstanden *Libelli*-Sammlungen (ältestes erh. Exemplar: sog. (*Sacramentarium*) *Veronense*, auch *Leonianum*: 2. Drittel 6. Jh.), in der röm. Liturgie seit dem 7. Jh. die systematischeren Sakramentare gelasianischen und gregorianischen Typs.

2. Codices für die liturgische Lesung: a) Bibel-Hss. für die Schriftlesung (Psalmen oft im separaten Psalterium) mit Angabe der Perikopen (für bestimmte Gottesdienste festgelegte Leseabschnitte) mit Hilfe von Randbemerkungen oder beigebundenen Perikopenlisten (*capitula(re) lectionum/evangeliorum*; älteste Zeugen: 6. Jh.). Daneben sind seit Ende 5./Anf. 6. Jh. Lektionare und Evangeliare im eigentlichen Sinn nachgewiesen, die nur die im Gottesdienst vorgetragenen Bibelabschnitte enthalten. b) Hss. mit Märtyrerakten (→ Märtyrerliteratur), die an deren Gedenktag verlesen wurden (bekannt für Nordafrika, evtl. 3., sicher Ende 4. Jh., ohne langes Nachleben). c) Hss. für die nicht-biblische Lesung in der Tagzeitenliturgie (Offizium; bes. Vigilien): Väterlesungen (seit 9. Jh. als Homiliar, Sermonar bezeichnet), Mönchsregeln, hagiographische Lesungen (Gallien: 6. Jh.; später in Rom als Passionar, Legendar bezeichnet).

3. Hss. für den liturgischen Gesang (Antiphonar, Graduale, erst frühmittelalterlich; → Musik).

4. Verlaufsbeschreibungen (Ordines) teils normativer, teils didaktischer Art seit der ausgehenden Spätant.

B. Nachleben und Bedeutung

Ab dem Früh-MA werden, vorwiegend im Kontext der Reform des Klosterlebens nach dem Vorbild des → Benedictus von Nursia unter Karl d.Gr., die l. H. erheblich weiterentwickelt; neue Typen entstehen (z. B. Pontificale und im Hoch-MA Missale) und lösen z. T. die älteren ab.

Alle l. H. sind an ihr Umfeld angepaßte Unikate, die als Primärquellen ein authentisches Zeugnis vom christl. Gottesdienst in seinen verschiedenen regionalen Formen geben. Gemäß dem Axiom »Die Norm des Betens ist die Norm des Glaubens« (*lex orandi lex credendi*; Prosper von Aquitanien) sind sie herausragende Quellen der Theologie und dokumentieren gut den Wandel von Liturgie, Frömmigkeit, Mentalität und Kultur.

→ Bibel; Gebet; Liturgie; Märtyrerliteratur

M. Andrieu, Les Ordines Romani du haut Moyen Âge, 5 Bde., 1931–1961 • K. Gamber, Codices liturgici Latini antiquiores, 2 Bde., [2]1968; Suppl., 1988 • L. Brinkhoff u. a. (Hrsg.), Liturgisch Woordenboek, 2 Bde., 1958–1968 • A.-G. Martimort, Les »ordines«, les ordinaires et les cérémoniaux, 1991 • Ders., Les lectures liturgiques et leur livres, 1992 • M. Metzger, Les sacramentaires, 1994 •

E. Palazzo, Histoire des livres liturgiques: Le Moyen Âge, 1993 • C. Vogel, Medieval Liturgy, 1986 (frz.: ²1981).

M. KLÖ.

**Lituus**

**[1]** Gekrümmter oder spiralförmig endender Stab aus Holz oder Metall, etr.-ital. Herkunft. Im polit. Sinne urspr. Amtsinsigne des Königs (Serv. Aen. 7,187), später Symbol imperatorischer Macht, Wahrzeichen des Princeps. Von größerer Bed. ist *l.* als Kultgerät und Insigne der Auguren (→ *augures*), die ihn zur Bezeichnung der Himmelsregionen bzw. des *templum* verwenden. Mythologisch ist *l.* mit der Gründung Roms verbunden, da Romulus bei der Stadtgründung mit diesem die einzelnen Regionen festlegt (Cic. div. 1,30); ebenso bekannt ist die Verbindung zu Numa Pompilius, bei dessen Inauguration der zuständige Augur die Himmelsregionen beschreibt (Liv. 1,18,6–9). In der Bildkunst sehr häufig als Symbol für das Priesteramt des Auguren auf Friesen (z. B. Vespasians-Tempel, Rom), Altären (z. B. Altar aus Vespasians-Tempel, Pompeii) oder Mz. zu finden.

F. Dick, L. und Galerus, maschr. Diss. Wien, 1973.

A. V. S.

**[2]** s. Musikinstrumente

**Lityerses** (Λιτυέρσης). Personifikation eines Ernteliedes (Men. Karchedonios fr. 230 Koerte; Apollodoros FGrH 244 F 149; Phot. λ 263–264 Theodoridis) und einer Flötenmelodie (Suda s. v.). Seine wohl traurige Melodie war Anlaß zu einer Gesch., nach der L., der uneheliche Sohn des phryg. Königs → Midas, Durchreisende zwang, mit ihm um die Wette zu ernten. Verloren sie, peitschte er sie aus (Poll. 4,54) oder schnitt ihre Köpfe ab und band ihre Leiber in Getreidegarben. Er wurde von → Herakles getötet (schol. Theokr. 10,41ce). Sositheos (TGF 99 F 1a–3) verknüpfte den Mythos von L. mit dem von → Daphnis [1], dessen Geliebte Pimplea (oder Thalia) als Sklavin an L. verkauft, aber von Herakles befreit wurde, der L. mit einer Sichel tötete (Serv. auct. zu Verg. ecl. 8,68). Die Namen von Daphnis, dem Erfinder der Hirtenmusik, und Pimplea, dem Berg, der den Musen geweiht ist, zeigen offen den alexandrinischen Charakter. Der Mythos von L. wurde Anlaß verschiedener Spekulationen von Mannhardt und anderen Gelehrten des 19. Jh., die aus ihm griech. Erntebräuche abzuleiten versuchten.

O. Crusius, s. v. L., Roscher 2, 2065–2071 • P. Maas, W. Kroll, s. v. L., RE 13, 806–807 • W. Mannhardt, Myth. Forschungen, 1884, 1–57.

J. B.

**Liutprandus von Cremona** (ca. 920–972 n. Chr.) war eine äußerst facettenreiche Persönlichkeit [1]. Er entstammte einer langobardischen Familie und wurde 961 von Otto I. zum Bischof von Cremona erhoben. L. diente dem Kaiser z. B. auf Gesandtschaftsreisen nach Konstantinopel. Er war hochgebildet und beherrschte sogar die griech. Sprache [2]. L. verfaßte die kulturhistor. wertvolle *Relatio de legatione Constantinopolitana* (›Bericht über die Konstantinopolitanische Gesandtschaft‹) und die Darstellung der Ereignisse von 888 bis 950 im *Liber antapodóseōs* (›Buch der Vergeltung‹, 6 B.). Hinzukommt die sog. *Historia Ottonis*, eine Darstellung der (hauptsächlich stadtröm.) Ereignisse von 960 bis 964.

1 J. N. Sutherland, Liudprand of Cremona, Bishop, Diplomat, Historian (Studi medievali: Biblioteca 14), 1988
2 J. Koder, L. von C. und die griech. Sprache, in: Ders., Th. Weber (Hrsg.), L. von C. in Konstantinopel (= Byzantina Vindobonensia 13), 1980, 15–70.

Ed.: J. Becker, Die Werke L. von C. (= Scriptores rerum Germanicarum in usum scholarum ex MGH separatim editi 41), 1915 • P. Chiesa, L. Cremonensis, Antapodosis. Homelia paschalis. Historia Ottonis. Relatio de legatione Constantinopolitana (= CCCM 156), 1998.

U. E.

**Livia**

**[1]** Tochter des M. Livius [I 6] Drusus und einer Cornelia; Schwester des M. Livius [I 7] Drusus, seit ca. 104 v. Chr. Gattin des Q. Servilius Caepio und Mutter der → Servilia (der späteren Mutter des M. Iunius [I 10] Brutus); nach dem Zerwürfnis des Ehemannes mit ihrem Bruder geschieden. Aus ihrer zweiten Ehe (seit ca. 98) mit M. → Porcius Cato gingen M. Porcius Cato Uticensis und eine Tochter hervor. Sie starb etwa 92 (Plut. Cato min. 1,1; Val. Max. 3,1,2)

Drumann/Groebe, Bd. 4, 19–20 • Münzer¹, 295 f.

**[2] L. Drusilla = Iulia Augusta.** Geboren am 30.1.58 v. Chr. als Tochter des M. Livius Drusus [I 5] Claudianus und der Alfidia (vgl. [2. 31–33]). Im J. 43 mit Ti. Claudius [I 19] Nero vermählt, gebar L. am 16.11.42 den späteren Princeps → Tiberius (Suet. Tib. 5,1). 40–39 begleitete L. ihren Gatten nach Sizilien und Griechenland, 39 kehrte sie nach Rom zurück (Tac. ann. 5,1,1; Suet. Tib. 6,2). Dort begegnete sie Octavian (→ Augustus), der die mit ihrem zweiten Sohn Nero Claudius [II 24] Drusus schwangere L. am 17.1.38 heiratete (Suet. Aug. 62,2; Suet. Tib. 4,3).

Die kinderlose Ehe war äußerst stabil (Suet. Aug. 62,2; 63,1; Plin. nat. 7,57), zumal L. sich als ideale Gattin des nachmaligen Princeps erwies (Cass. Dio 58,2,5; Tac. ann. 5,1,3). Sie unterstützte seine Politik mit Rat (Suet. Aug. 84,2; Sen. dial. 6,3,3; Vell. 2,130,5) und Tat, z. B. indem sie ihn auf seinen Reisen begleitete (Tac. ann. 3,34,6, in den Orient 30/29, hier Bekanntschaft mit Salome, Ios. ant. Iud. 17,1,1; nach Gallien 16 v. Chr.) [5. 49–52], seine Bautätigkeit förderte (Val. Max. 1,8,4; CIL VI 883) und im privaten sowie sogar im öffentlich-repräsentativen Bereich die sittenstrenge röm. *matrona* verkörperte [2. 61–68; 4. 200–202]. Dementsprechend nahm L. nach dem für sie tragischen Tod ihres Sohnes Drusus 9 v. Chr. dessen Familie zu sich (Ps.-Ovid, Consolatio ad Liviam 95 ff.; Sen. dial. 6,2,3–5; Val. Max. 4,3,3). Die Entscheidung des Princeps, Tiberius die Nachfolge zu übertragen, begrüßte L. sicherlich (Suet. Tib. 21,2; Tac. ann. 4,57,3: Topos der *inpotentia*; Cass. Dio 57,3,3) [2. 109–118; 4. 199–209]; bloße Unterstellung ist hingegen, daß L. für die Ausschaltung anderer (möglicher) Nachfolger wie L. und C. Caesar (→ Iulius [II 33 und 32]) bzw. Agrippa [2] Postumus oder gar für den Tod des Augustus im J. 14 n. Chr. gesorgt habe (Tac. ann. 1,3,3; 1,6,2; 1,5,1; Cass. Dio 53,33,4; 55,10a,10; 56,30,1–2) [2. 82–118]. Nach Augustus' Tod ließ L. ihren Gatten in seinem Mausoleum beisetzen und wurde Priesterin des Divus Augustus [2. 119–120]. Aufgrund seines Testaments wurde L. in die Familie der Iulier adoptiert und erhielt den Ehrennamen Augusta (Suet. Aug. 101,2; Tac. ann. 1,8,1; Cass. Dio 56,46,1). Ihr offizieller Name lautete fortan Iulia Augusta [1. 35; 3. 313 ff.].

Diese für die dynast. Nachfolgepolitik des Augustus bedeutsame Auszeichnung der Mutter des neuen Princeps Tiberius [2. 121–146; 4. 203–210] bewirkte eine deutliche Aufwertung der polit.-gesellschaftlichen Sonderstellung; diese genoß L. bereits als »Kaisergattin« auf Veranlassung oder mit Duldung des Augustus durch die Verleihung weniger Sonderrechte (35 v. Chr. selbständige Verwaltung ihres großen Vermögens und *sacrosanctitas*/»Unantastbarkeit«, Cass. Dio 49,38,1; 9 v. Chr. *ius (trium) liberorum*, Cass. Dio 56,10,2; → *Ius* E.2.) und durch vielfältige Ehrungen in Rom wie in den Prov. (im Osten des Reichs auch göttl. Verehrung) [1. 34–105; 5. 48–53]. Zahlreiche Ehrenbekundungen sind auch für die Princeps-Mutter belegt (CIL V 6416, kult. Verehrung auch im Westen, CIL II 2038; X 7340; auch sind die Orte Liviopolis in Pontus und Livias in Iudaea nach L. benannt, Plin. nat. 6,11; 13,44).

Institutionalisiert und mit offiziellem polit. Einfluß ausgestattet wurde L.s Sonderstatus jedoch nie [3. 324–334]; Tiberius setzte ihr diesbezüglich klare Grenzen (Tac. ann. 1,14,1–2; Suet. Tib. 50,3); das Verhältnis zwischen beiden soll sich bis zum Tod der L. im J. 29 n. Chr. stetig verschlechtert haben (Cass. Dio 57,12,3–4; Suet. Tib. 51,1). L. wurde im → Mausoleum des Augustus beigesetzt (Cass. Dio(-Xiph.) 58,2,3), aber erst von Claudius [III 1] 42 konsekriert (Cass. Dio 60,5,2).

1 U. Hahn, Die Frauen des röm. Kaiserhause von Livia bis Sabina, 1994 2 C.-M. Perkounig, Livia Drusilla – Iulia Augusta, 1995 3 H.-W. Ritter, Livias Erhebung zur Augusta, in: Chiron 2, 1972, 313–338 4 P. Schrömbges, Tiberius und die res publica Romana, 1986 5 H. Willrich, Livia, 1911.

Mz.: H. Cohen, Description historique des monnaies frappeés sous l'empire romain, Bd. 1, ²1955, 170 ff. • RIC 1, 124 ff.; 130 f. • S. Colavito, in: Rivista italiana di numismatica e scienze affini 60, 1958.
Ikonographie: W. H. Gross, Iulia Augusta. Unt. zur Grundlegung einer Livia-Ikonographie (AAWG 52), 1962, 138, Abb. 30.

**[3]** s. Livilla [1]

**[4] L. Medullina Camilla.** Schwester des Furius Camillus Scribonianus, Tochter von Furius [II 2], seit 8 n. Chr. mit dem späteren Kaiser Claudius [III 1] verlobt, starb jedoch frühzeitig (Suet. Claud. 26,1).

**[5] L. Orestilla.** Verheiratet mit C. Calpurnius [II 13] Piso, wurde L. 37 n. Chr. die Geliebte des Kaisers → Caligula, bald aber verstoßen und wie Piso im J. 40 verbannt (Suet. Cal. 25,1; Cass. Dio 59,8,7). H. S.

**Livilla**

**[1] Livia Iulia**, Livilla bei Suet. Tib. 62,1; Claud. 1,6; 3,2. Tochter des Nero Claudius [II 24] Drusus und der Antonia [4] Minor. Sie wurde nach 9 v. Chr. von ihrer Großmutter Livia [2] in deren Haus aufgenommen; 1 v. Chr. wurde L. mit C. Iulius [II 32] Caesar verheiratet (Zon. 10,36), nach dessen Tod 4 n. Chr. mit Drusus [II 1], dem Sohn des Tiberius (Tac. ann. 4,40,4). Als Drusus 23 n. Chr. starb, knüpfte bzw. vertiefte L. ihre Verbindung mit → Aelius [II 19] Seianus, der wie sie die Söhne ihrer Rivalin Agrippina [2] (Tac. ann. 2,43,6) von der Thronfolge fernhalten und L. ehelichen wollte (Tac. ann. 4,13,1–4; 4,39 f.) [1]. Dies führte zu ihrer Verwicklung in dessen Sturz [2]; von der früheren Gattin des Seianus, → Apicata, als Mörderin des Drusus denunziert (Tac. ann. 4,3,3; 4,8–11,2; Cass. Dio 57,22,2), mußte L. 31 Hungers sterben (Cass. Dio 58,11,7); 32 erfolgte die *damnatio memoriae* (Tac. ann. 6,2,1).

1 J. Ballemore, The Wife of Sejanus, in: ZPE 109, 1995, 255–266 2 E. Meise, Unt. zur Gesch. der Julisch-Claudischen Dyn., 1969, 49–90. RU. HA. u. H. S.

**[2] Livia Iulia L.** Jüngste Tochter des Germanicus [2] und der Agrippina [2] (Suet. Cal. 7; CIL VI 891), meist Iulia genannt. Geb. 18 n. Chr. auf Lesbos (Tac. ann. 2,54,1); heiratete 33 den M. Vinicius (Tac. ann. 6,15,1). In die Verschwörung des M. Aemilius [II 9] Lepidus verwickelt, wurde L. 39 auf die pontischen Inseln verbannt, jedoch von Claudius [III 1] zurückgerufen (Cass. Dio 59,22,8; 60,4,1). Auf Betreiben Messalinas eines ehebrecherischen Verhältnisses mit → Seneca bezichtigt, wurde L. 41 erneut verbannt (Tac. ann. 14,63,2) und bald getötet (Suet. Claud. 29,1; Octavia 946–7). Im → Mausoleum Augusti beigesetzt (CIL VI 891).

Mz.: H. Cohen, Description historique des monnaies frappées sous l'empire romain, Bd. 1, ²1955, 248 f.
Bildnisse: A. Pietrangeli, La famiglia di Augusto, 1938, 76; 56; 106. RU. HA.

**Livineius.** Röm. Gentilname (wohl etr. Wurzel), begegnet in der späten Republik und frühen Kaiserzeit, allerdings eher selten.

Schulze, 181.

I. Republikanische Zeit

**[I 1] L. Regulus, L.** Etwa gleichaltriger Bekannter Ciceros, der um 58 v. Chr. womöglich auch dessen Verbannung in Griechenland teilte (Cic. Att. 3,17,1; Cic. fam. 13,60,1). Unklar bleibt das Jahr der aus Münzprägungen seines Sohnes L. [I 2] erschlossenen Praetur. MRR 2,464.

**[I 2] L. Regulus, L.** Mitstreiter Caesars beim afrikanischen Feldzug, hielt nach der Schlacht von Thapsos (April 46) Hadrumetum (Bell. Afr. 89,3). 42 Münzmeister (RRC 494) und vielleicht kurzzeitig *praefectus urbi*.

MRR 3,125f. • G. LAHUSEN, Die Bildnismünzen der röm. Republik, 1989, 26, 61ff., Taf. 4, 74–78.

**[I 3] L. Trypho, L.** Freigelassener des L. [I 1], verkehrte 58/7 v. Chr. mehrmals als Bote zw. Rom und dem in Thessalonike exilierten Cicero. T. FR.

II. KAISERZEIT

**[II 1] M. L. Regulus.** (Zum Praenomen vgl. AE 1991, 307.) Suffektconsul im J. 18 n. Chr.; vielleicht identisch mit Regulus, dem Praetor im J. 2 v. Chr. (InscrIt XIII 1, 297; 303; [1]) und dem *IIIvir monetalis* ca. 8 v. Chr. (PIR$^2$ L 290). L. war einer der drei Verteidiger von Cn. Calpurnius [II 16] Piso im Prozeß am Ende des J. 20 (Tac. ann. 3,11,2).

1 SYME, RP 3, 1352.

**[II 2] L. Regulus.** Nachkomme von L. [II 1]. Vor dem J. 47 n. Chr. aus dem Senat verstoßen. Als es bei einem von ihm in Pompeii veranstalteten Gladiatorenspiel zu Unruhen kam, wurde er auf Senatsbeschluß verbannt. PIR$^2$ L 291. W. E.

**Livinus.**

**[ – – –] L.** Proconsul von Creta-Cyrenae unter Nero; das Gentilnomen des Senators ist, aus nicht ersichtlichem Grund, eradiert worden ([1. 200f.]; vgl. [2. 200 Nr. 3]). Möglicherweise lautet sein Cognomen Livi<a>nus [vgl. 3. 205f.].

1 A. CHANIOTIS, G. PREUSS, in: ZPE 80, 1990, 189–202 2 Ergon 1975 3 M. A. WELBORN BALDWIN, Fasti Cretae et Cyrenarum, Diss. Ann Arbor 1983. W. E.

**Livius.** Name einer röm. plebeischen Familie, die wahrscheinlich aus Latium stammte und mit dessen polit. Integration 338 v. Chr. (→ Latinisches Recht) in die röm. Nobilität aufgenommen wurde. Die wichtigsten Zweige waren zunächst die Salinatores, dann die Drusi (zum Cognomen s. → Drusus); aus dieser Familie stammte auch die dritte Frau des → Augustus und Mutter des Kaisers Tiberius, Livia [2] Drusilla (Stemma s. → Augustus; die Familiengeschichte des Zweiges deshalb bei Suet. Tib. 3). Die Linie der Salinatores wurde in der späten Republik von den Livii Ocellae fortgeführt, die mit Livia Ocella auch die Stiefmutter des Kaisers → Galba [2] stellten.

STEMMATA: F. MÜNZER, s. v. L., RE 13, 811f. • PIR$^2$ 5, p. 81. K.-L. E.

I. REPUBLIKANISCHE ZEIT II. KAISERZEIT III. SCHRIFTSTELLER

I. REPUBLIKANISCHE ZEIT

**[I 1] L., L.** Als Volkstribun 320 v. Chr. legte er sein Veto gegen die Nichtanerkennung des Claudinischen Vertrages (→ Samnitenkriege) ein, unter dessen Bürgen er war, zog es später aber zurück (Liv. 9,8,13–10,2).

**[I 2] L., Postumus** (hss. Postumius). Macrobius (Macr. Sat. 1,11,37; dazu auch Plut. Romulus 29,4–6) nennt L. als *dictator* von Fidenae, unter dessen Führung die Latiner nach dem Galliersturm 387 v. Chr. von den Römern das Heiratsrecht (*conubium*) forderten. Erster bekannter Träger des Namens.

**[I 3] L. Denter, M.** *Cos.* 302 v. Chr. (MRR I, 169); 300 gehörte er zu den ersten vier Plebeiern, die nach der *lex Ogulnia* Zugang zum Pontifikalcollegium erhielten (Liv. 10,6,3–6; 10,9,2). C. MÜ.

**[I 4] L. Drusus, C.** Sein Vater, M. Livius Aemilianus, war wohl ein Sohn des L. Aemilius [I 31] Paullus und wurde wahrscheinlich um 200 v. Chr in die *gens Livia* adoptiert (damit der erste bekannte Patrizier, der in eine plebeische Familie übertrat). Enkel von L. [I 11]. *Cos.* 147 mit P. Cornelius [I 70] Scipio Aemilianus (App. Lib. 122).

MÜNZER, 235–237. P. N.

**[I 5] L. Drusus, C.** Sohn von [I 4] und Bruder von [I 6], bekleidete keine Ämter, war aber ein sehr angesehener Jurist und Verfasser einer zivilrechtlichen Schrift (vgl. Cic. Brut. 109; Cic. Tusc. 5, 112; Val. Max. 8,7,4; Dig. 19,1,38,1). T. G. u. P. N.

**[I 6] L. Drusus, M.** Sohn des L. [I 4]. Als Volkstribun 122 v. Chr. unterlief er im Interesse des Senats die Siedlungs- und Bürgerrechtspläne seines Kollegen C. → Sempronius Gracchus, indem er die Anlage von 12 Kolonien und den Schutz der Latiner vor körperlicher Züchtigung in der Armee forderte (Plut. Gracchus 30,4–31,2; App. civ. 1,101). Beide Maßnahmen wurden nicht durchgeführt, aber Gracchus als Volkstribun nicht wiedergewählt. Spätestens 115 *praetor urbanus* (MRR 1,532); als *consul* 112 erhielt er Macedonia als Provinz und kämpfte erfolgreich gegen die Skordisker (Liv. per. 63; Flor. epit. 1,39,5 u. a.; MRR 1,538), über die er 110 triumphierte (InscrIt 13,1,85; vgl. Suet. Tib. 1,3). Als *censor* 109 starb er im Amt, worauf sein Kollege M. Aemilius [I 37] Scaurus abdanken mußte (InscrIt 13,1,55; 163). Seinen großen Reichtum vererbte er seinem Sohn L. [I 7] (Plut. Gracchus 29,5; Diod. 37,10,1); seine Tochter war Livia [1].

**[I 7] L. Drusus, M.** Sohn von L. [I 6], geb. nach 124 v. Chr. Durch Herkunft und Familienverbindungen gehörte L. zu dem Teil der röm. Nobilität, der den Folgen der gracchischen Reformen ablehnend gegenüberstand. Hochbegabt und ehrgeizig, dazu als Schüler des L. Licinius [I 10] Crassus (Cic. de orat. 1,24; 91) ein talentierter Redner, ging er früh in die Politik (Ämterlaufbahn: InscrIt 13,3, Nr. 74). Als Quaestor diente er vielleicht 94 unter Q. → Mucius Scaevola mit seinem Onkel P. → Rutilius Rufus in Asia; die Bekleidung der Ädilität ist umstritten (Vir. ill. 66; [1. 111]). Nachdem sein Onkel 92 (?) durch ein von Rittern besetztes Gericht ungerechtfertigt verurteilt worden war, suchte L. als Volkstribun 91 die seit einer Generation drängenden inneren Probleme, bes. die rechtliche Gleichstellung der Italiker (deren Aufstand sich bereits abzeichnete) und die umstrittene Besetzung der Gerichte durch die Ritter (→ *eques*), im Sinne des Senatsregimes zu lösen. Unterstützt von M. Aemilius [I 37] Scaurus und Crassus (Cic. dom. 50f.), brachte er mehrere Gesetze durch (Liv. per. 70f.; Vell. 2,13; App. civ. 1,155–164; Flor. epit. 2,5; Vir. ill. 66): Der Senat wurde durch 300 der vornehmsten Ritter erweitert, die Geschworenengerichte dafür aber nicht mehr mit Rittern, sondern aus dem erweiterten Senat besetzt; gleichzeitig konnten wohl die Ritter rückwirkend wegen Bestechlichkeit als Richter verurteilt werden (Cic. Cluent. 153; Cic. Rab. Post. 16), womit der Ritterstand gespalten worden wäre. Den Italikern bot er das röm. Bürgerrecht. Die stadtröm. *plebs* suchte L. durch ein Getreidegesetz und die Anlage von Kolonien (→ *coloniae*) und Landverteilung zu gewinnen, finanziert durch eine Münzverschlechterung (Plin. nat. 33,46).

Widerstand erhob sich von mehreren Seiten: Reformfeindliche Senatoren unter Führung des Consuls L. Marcius [I 13] Philippus fürchteten ebenso wie ein Teil des Ritterstandes unter Führung des früheren Schwagers und ehemaligen Freundes des L., Q. Servilius Caepio (*praet.* 90?), ihre polit. Entmachtung, ein Teil der Italiker erneuten Streit um die Verteilung des (zum Teil von ihnen okkupierten) → *ager publicus*. L. konnte seine Gesetze daher nur mit massiver Gewalt durchbringen. Nachdem Crassus, der die Reformen nachdrücklich gefördert hatte, gestorben war (Cic. de orat. 3,1–4), ließ Philippus die Gesetze vom Senat aufheben (Cic. dom. 41; Cic. leg. 2,31; Ascon. 68 C.). Als L. kurz darauf unter ungeklärten Umständen in seinem Haus getötet wurde, nahmen die Italiker dies als Anlaß zur offenen Erhebung gegen Rom (→ Bundesgenossenkrieg [3]); die Ritter erreichten durch den Volkstribunen Q. → Varius die Einsetzung eines Sondergerichtes, das die Förderer des L. als Verursacher des Krieges aburteilen sollte. – L. war durch Servilia, die Schwester des Caepio, Großvater der Livia [2] Drusilla, der Gemahlin des Augustus.

1 G.V. Sumner, The Orators in Cicero's Brutus, 1973.

E. Badian, Foreign Clientelae, 1957, 215–220 • P.A. Brunt, The Fall of the Roman Republic, 1988, Index s. v. L. • U. Hackl, Die Bedeutung der popularen Methode von den Gracchen bis Sulla im Spiegel der Gesetzgebung des jüngeren L. Drusus, Volkstribun 91 v. Chr., in: Gymnasium 94, 1987, 109–127 • Chr. Meier, Res publica amissa, 1966, 208–215.

**[I 8] L. Drusus Claudianus, M.** Vater der Livia [2] Drusilla, Großvater des Tiberius; s. → Drusus [I 5].

**[I 9] L. Drusus Libo, M.** *Cos. ord.* 15 v. Chr. mit L. Calpurnius Piso Frugi; vielleicht Sohn des L. Scribonius Libo (*cos.* 34) und adoptiert von M. Livius Drusus [I 5] Claudianus. PIR$^2$ L 295. K.-L.E.

**[I 10] L. Macatus, M.** Im 2. Pun. Krieg Festungskommandant von Tarentum. 214 v. Chr. vom Propraetor M. Valerius Laevinus eingesetzt, um die Stadt gegen Hannibal zu sichern (Liv. 24,20,12); diese fiel dennoch 212 durch Verrat und wohl auch Sorglosigkeit des L. an die Karthager (Pol. 8,26,1–36,13; Liv. 25,17,10–11,20). L. konnte sich jedoch jahrelang in der Burg halten, da die Seeverbindung erhalten blieb, bis 209 Q. Fabius [I 30] Maximus, ebenfalls durch Verrat, Tarentum zurückgewann (Liv. 27,20,9). Eine Senatsdebatte entschied, daß Schuld und Verdienste des L. sich aufwogen (Liv. 27,25,3–5).

**[I 11] L. Salinator, C.** Sohn von L. [I 13]. Curulischer Aedil 204 v. Chr. Als Praetor 202 mit 2 Legionen in Bruttium. Flottenkommandant im 2. Maked. Krieg 199–198 (MRR 1, 329, 332). Die Schlacht bei Mutina 193 gegen die Boier entschied L. als Befehlshaber der bundesgenössischen Reiterei (Liv. 35,5,8–10). 192 erfolglose Bewerbung um das Konsulat. *Praetor II* 191 mit Flottenkommando gegen → Antiochos [5] III., den er bei Ephesos besiegte (MRR 1, 353). L. ging 190 als Legat zu König Prusias von Bithynien, den er für ein Bündnis gegen Antiochos gewinnen konnte (Liv. 37,25,13–14; Pol. 21,11,12). *Cos.* 188 zusammen mit M. Valerius Messalla. L. erhielt die Prov. Gallia und gründete wohl im Boiergebiet die Stadt Forum Livi (h. Forlì) (MRR 1, 365). Livius berichtet über seinen Tod im J. 170 (43,11,13), erwähnt ihn aber 167 als noch lebend (45,22,11). P.N.

**[I 12] L. Salinator, L.** Münzmeister 84 v. Chr. (RRC 355), verteidigte als Legat des Sertorius 81 die Pyrenäenpässe gegen die Sullaner, wobei er umkam (Sall. hist. 1,96 M.; Plut. Sertorius 7,1–3).

C.F. Konrad, Plutarch's Sertorius, 1994, 99.

**[I 13] L. Salinator, M.** Geb. 254 v. Chr., im Vaterhaus erzogen durch L. Livius [III 1] Andronicus (Hier. chron. p. 137 H.). Als Consul 219 mit L. Aemilius [I 31] Paullus kämpfte er gegen Demetrios von Pharos in Illyrien (Pol. 3,16,7; 18f.; Cass. Dio frg. 50; Zon. 8,20). Beide erhielten einen Triumph, wurden aber wegen Unterschlagung der Beute angeklagt; nur L. wurde verurteilt (Frontin. strat. 4,1,45; Vir. ill. 50). Erbittert und zudem enttäuscht darüber, daß sein Schwiegervater, der Capuaner Adlige Pacuvius Calavius [3] 216 die Stadt an Hannibal verraten hatte, zog er sich auf das Land zurück und nahm am 2. → Punischen Krieg zunächst nicht teil (die Teilnahme an der Gesandtschaft nach Karthago 218 bei Liv. 21,18,1 ist wohl Erfindung). 210 wurde er von den Consuln zurückgerufen, sprach aber im Senat erst, als er 208 seinen Verwandten L. [I 10] verteidigte. 207 wurde er *cos. II* und versöhnte sich mit seinem Kollegen C. Claudius [I 17] Nero, der gegen ihn im Prozeß ausgesagt hatte. Beide besiegten Hasdrubal [5] am Metaurus und führten so die Wende des Krieges herbei; L. erhielt einen Triumph (Pol. 11,1–3; Liv. 27,43–51; 28,9,2–17; MRR 1,294). 207 wurde er auch Dictator zur Abhaltung von Wahlen. 206/5 war er Proconsul in Etrurien, 204 dann in Oberitalien gegen → Mago. 204 wurde L. mit Claudius Nero Censor (Liv. 29,37; MRR 1,306), wobei ihre alte Feindschaft wieder aufbrach. Sie führten ein umfangreiches Bauprogramm durch (u.a. Baubeginn für den von L. gelobten Tempel der → Iuventus). Die angebliche Einführung einer Steuer auf Salz (*sal*) durch L. sollte wohl seinen (tatsächlich ererbten) Beinamen erklären. K.-L.E.

II. Kaiserzeit

**[II 1] L. Geminus.** Senator, der im J. 38 n.Chr. nach dem Tod von Iulia [13] Drusilla schwor, er habe sie zum Himmel auffahren sehen; von Caligula mit 1 Million Sesterzen belohnt. Bei Seneca (apocol. 1,3) wird er ohne Namensnennung im J. 54 als *curator viae Appiae* bezeichnet. PIR² L 296.

**[II 2] L. Grapus.** Ritterlicher Procurator von Dacia Porolissensis im J. 123 n.Chr. Sein Cognomen ist unsicher überl.; in RMD I 21 wird *Grapo* gelesen, in RMD I 22 *Ora[...]*; vielleicht eher *Gra[t]us*.

**[II 3] P. L. Larensis.** Ritter, der von Marcus [2] Aurelius zum *pontifex minor* gemacht wurde; später Finanzprocurator in Moesien, 192 n.Chr. *procurator patrimonii* in Rom. Nach der Ermordung des → Commodus übergab er auf Befehl des Pertinax den Leichnam dem designierten Consul Fabius [II 6] Cilo zur Bestattung. PIR² L 297. W.E.

III. Schriftsteller

**[III 1] L. Andronicus, L.**

A. Leben B. Literarische Tätigkeit C. Werk

A. Leben

Geb. ca. 280/260, gest. ca. 200 v.Chr., gebürtiger Grieche (*semigraecus*, Suet. gramm. 1,2), erster namentlich bekannter »röm.« Literat (abgesehen von App. Claudius Caecus), ältester Verf. lat. Dramen (seit 240) und eines lat. Epos (*Odyssia*)

L. A. (so zuerst bei Quint. inst. 10,2,7 bezeichnet) wird in der Ant. meist als L., seltener mit seinem griech. Geburtsnamen A. gen. (der Vorname L. ist schwach bezeugt; Variante T.). Schon etwa ein Jh. nach seinem Tod herrschten bei Accius irrige Vorstellungen über seine wichtigsten Lebensdaten: 209 Gefangennahme im 2. Pun. Krieg in Tarent; als Sklave in Rom Lehrer der Kinder des M. Livius [I 13] Salinator; Freilassung; Aufführung seines ersten Dramas bei den von seinem Patron als *cos.* 207 gelobten und 197 (nach Liv. 36,36,5 erst 191) durchgeführten *ludi Iuventatis*. Diese Ansätze des Accius, für den offenbar → Naevius der erste röm. Dichter war, wurden von Cicero – unter Berufung auf Atticus (*Liber annalis*) und auf *antiqui commentarii*, mittelbar auf Varros Forschungen fußend – verworfen (Cic. Brut. 71–73, vgl. Cic. Cato 50; Cic. Tusc. 1,3): L. A. habe bereits 240 zum ersten Mal ein Drama in Rom aufgeführt (nach Cassiod. chronica p. 120 M. zum J. 239 v.Chr.: *ludis Romanis primum tragoedia et comoedia*). Ciceros Chronologie und damit die Rolle des L. A. als Archeget (*primus*) der röm. Lit. ist allg. in der Ant. übernommen worden (Ausnahme: Hieronymus chron. ad Ol. 148,2 = 188/7 v.Chr.: *T. Livius tragoediarum scriptor clarus habetur*). Die mod. Forsch. folgt ihr fast ausnahmslos, doch akzeptiert sie auch Einzelheiten aus der chronologisch falschen Rekonstruktion des Accius.

In der Tat wird L. A. aus der Magna Graecia stammen (möglicherweise aus Tarent). Um einerseits hinreichend mit griech. Lit. und Theaterpraxis vertraut gewesen zu sein und andererseits sich in Rom auch die lat. Sprache angeeignet zu haben, muß er wohl zw. 280 und 260 geb. und geraume Zeit vor 240 nach Rom gekommen sein, nicht unbedingt als Kriegsgefangener, sondern vielleicht als freier → *peregrinus*. Nicht nachweisbar ist, daß er dort bereits 249 ein Kultlied für die *ludi saeculares* verfaßt hat. Sein Name erweist eine Beziehung zur *gens Livia*. Die beiden unterschiedlichen Chronologien werden von einer falschen Identifizierung jenes Livius abhängen, der ihn in Rom als einen *poeta cliens* gefördert hat. Nach Suet. gramm. 1,2f. erteilte L. A. in Rom Unterricht in Griech. und Lat. Für etwa 35 Jahre war er, neben dem seit 235 wirkenden Naevius, der einzige uns bekannte Dramatiker in Rom. Er trat auch selbst in seinen Stücken auf (Liv. 7,2,8). 207 wurde er offiziell beauftragt, im Zusammenhang mit kult. Sühnungsmaßnahmen eine rel. Hymne, die er erst sekundär auf Iuno Regina übertrug, zu komponieren (Liv. 27,37,7–14). Aus Dankbarkeit wurde zu Ehren des L. A. ein → *collegium scribarum histrionumque* mit dem Minerva-Tempel auf dem Aventin als Sitz gestiftet (Fest. p. 446,26 L.). L. A. durfte (wie die → *flamines*) eine »Doppeltoga« tragen (Gloss. Lat. 1 Ansil. s.v. *comoedia*). Er wird vor 200 gest. sein, als ein sonst unbekannter P. Licinius Tegula den Staatsauftrag für ein ähnliches Sühnelied erhielt (Liv. 31,12,10).

B. Literarische Tätigkeit

L. A. betätigte sich, wie die meisten archa. röm. Dichter, in verschiedenen lit. Gattungen. Mit seinen Dramen fußte er erstmals in Rom auf griech. Stoffen und Formen (einschließlich der Metrik), konnte aber an eine in Rom lebendige Trad. des (aus Etrurien eingeführten) improvisierten Theaterspielens mit Tanz und Musik anknüpfen (Fundamentalstelle: Liv. 7,2); sein Epos war eine Adaption der homer. ›Odyssee‹, jedoch im ital. Versmaß des Saturniers. Seine Rolle als Archeget der röm. Lit., jedenfalls der nach griech. Vorbild gestalteten, wird in der Ant. wenig gewürdigt, in der Mod. dagegen oft überbetont. Sein Werk ist weithin (ausgenommen die *Odyssia*) Auftragsdichtung. Das sog. »Epochenjahr« der röm. Lit., 240, mit der ersten Aufführung eines lit. Dramas (wohl einer Trag.) nach griech. Vorbild (nicht mehr eines mehr oder weniger improvisierten Stückes) ist nicht seiner Initiative zu verdanken, sondern eine kulturpolit. Neuerung röm. Aristokraten. Sie erfolgte gewiß nicht zufällig unmittelbar nach E. des 1. Pun. Krieges (264–241), in dem die röm. Soldaten in Sizilien das blühende griech. Theaterleben kennengelernt hatten.

L. A., ein Fremder, entwickelte die rudimentäre lat. Lit. fort, bereicherte die lat. Sprache und war innovativ in der Metrik. Sein Werk hat aber nicht nur eine lit. (materielle und formale), sondern auch eine kulturhistor. Bed. Er hat durch die Vermittlung des griech. Mythos in den Trag. und die (allerdings wohl oft bereits vorgefundene) Identifizierung bestimmter griech. mit röm. Gottheiten (etwa *Mercurius filius Latonas*) in seinem Epos das rel. Bewußtsein beeinflußt. Epochemachend war L. A. für die Art und Weise, in der er die griech. Vorlagen adaptierte. Für das Drama haben sich die von ihm eingeführten Methoden der Nachdichtung im republikanischen Rom durchgesetzt. Auf dem Gebiet des Epos fand seine Praxis dagegen keinen nennenswerten Nachfolger: → Naevius ging inhaltlich (nationalröm. Stoff im *Bellum Poenicum*) und → Ennius auch formal (statt Saturnier Hexameter in den *Annales*) neue Wege.

C. Werk
1. Tragödien 2. Komödien
3. Kultlied 4. Odyssia

1. Tragödien
Überl. sind 22 Fr. für 10 Trag. (wenig bei einem etwa 35jährigen Wirken) mit insgesamt höchstens 35 V., dazu 11 V. aus unbekannten Stücken; alle sind von spätant. Grammatikern, die auf Glossaren des 1. Jh. v. Chr. fußen werden, aus sprachlichen Gründen zit. Prinzipiell sind alle Stücke als freie Übertragungen einer griech. Vorlage zu betrachten, doch ist diese nur einmal (für Nr. 3) sicher zu bestimmen.

Bezeugt sind: 1. *Achilles*, 2. *Aegisthus*, 3. *Aiax mastigophorus* (mit trag. 16f. vgl. Soph. Ai. 1266), 4. *Andromeda*, 5. *Antiopa* (bei Non. 170,12 L. ist L. A., nicht Pacuvius, bezeugt), 6. *Danae*, 7. *Equos Troianus* (mit dem einzigen unbestritten lyrischen Fr. in Kretikern; alle anderen tragischen Fr. sind Sprechverse: jambische Senare oder trochäische Septenare), 8. *Hermiona*, evtl. 9. *Ino* (das einzige Fr. daraus, in dem mit Hexametern experimentiert wird, wird jedoch meist Laevius zugesprochen, vgl. etwa [12. 18–20]), 10. *Tereus*. Die Hälfte dieser Trag. ist inhaltlich dem → Troia-Sagenkreis zuzurechnen (1–3; 7–8), für den die Römer wegen ihres Gründungsheros Aeneas (→ Aineias [1]) interessiert sein mochten.

2. Komödien
L. A. war als Komödiendichter offenbar wenig geschätzt: In dem Katalog von 10 Dichtern von → *Palliatae* des Volcacius Sedigitus (bei Gell. 15,24) ist er überhaupt nicht gen. Nur Festus überl. 6 Zitate.

3. Kultlied
Schwer vorstellbar ist, daß der Historiker Livius [III 2] (trotz Liv. 27,37,13) das Kultlied von 207 noch wirklich kannte. Daß es griech. (etwa von den Partheneia der griech. Chorlyrik) beeinflußt war, ist eher unwahrscheinlich; eher dürfte es in Saturniern abgefaßt gewesen sein und an die reiche Trad. vorlit. röm. Hymnen anschließen.

4. Odyssia
L. A. hat in seiner *Odyssia* (in restituierter archa. Orthographie *Odusia*) die homer. ›Odyssee‹ (ca. 12 100 Hexameter) in lat. Saturnier [5. 545–615] übertragen, während er in seinen Dramen (ihr chronologisches Verhältnis zur *Odyssia* ist unklar) das jambische oder trochäische Versmaß des griech. Originals aufnimmt. Daß er an eine röm. vorlit. Trad. des Erzählens in Saturniern (»altröm. Heldenlieder«) anknüpfen wollte, ist naheliegend, aber nicht zu erweisen; die Trad. über *carmina convivalia* (»Tafellieder«) ist dubios. L. A. hat die *Odyssia* selbst bei seinem Unterrichten in Griech. und Latein benutzt; sie blieb bis in die Jugend des Horaz (Mitte 1. Jh. v. Chr.) Schulbuch (Hor. epist. 2,1,69ff.). Auffällig ist, daß die 33 sicheren lat. Fr. (mit maximal 3 Saturniern) trotz ihrer weiten Streuung über etwa die H. der (nach alexandrinischer Einteilung) 24 B. der Vorlage nie mit einer Buchangabe überl. sind. Falls L. A. wirklich das ganze griech. Epos ins Lat. übertragen hat, steht gleich am Anf. der lat. Lit. eines ihrer umfangreichsten poetischen Werke überhaupt (skeptisch aus buchtechnischen Gründen [10]).

Die spätant. Grammatiker behandeln L. A. wie einen eigenständigen Autor und nicht wie einen Übersetzer. In der Tat ist die *Odyssia* keine dokumentarische Wort-für-Wort-Übers., sondern eine freie »Übertragung« unter Berücksichtigung des Kontextes oder auch entfernterer Homer-Stellen (*contaminazione a distanza*). Es gibt sogar mehrere Fr., die in dem uns überl. griech. Text kein genaues Pendant haben.

Rezeption: Die Existenz von 4 Fr. der *Odyssia* in lat. Hexametern (eines davon singulär mit Buchangabe) bezeugt eine jüngere, nach Ennius entstandene Neubearbeitung. Cicero verdammt die *Livianae fabulae* als einer erneuten Lektüre nicht wert (Cic. Brut. 71; vgl. Cic. leg. 2,39) und betrachtet die *Odyssia* als ein rohes Werk des Anf. Vergil hat L. A. außer in Aen. 1,92 kaum benutzt. Gellius konnte in einer Bibliothek in Patras ein sehr altes Exemplar der *Odyssia* einsehen (Gell. 18,9,5). Sonst beschäftigen sich mit L. A. in der Kaiserzeit allenfalls noch Philologen, die aus sprachlichem Interesse aus zweiter Hand zitieren.

→ Epos; Tragödie

Ed.: *Gesamt:* M. Lenchantin de Gubernatis, 1937 (mit Testimonia) • E. H. Warmington, Remains of Old Latin 2, 1936, 2–43 (mit engl. Übers.) • A. Traglia, Poeti latini arcaici 1, 1986, 160–191 (mit ital. Übers. und Anm.) • s.a. [12] (mit Komm). *Lex.:* A. Cavazza, A. Resta Barrile, 1981 (mit Naevius). *Odyssia:* FPL Blänsdorf 1995, 17–38 • M. Verrusio, L. A. e la sua traduzione dell' Odissea omerica, 1942, Ndr. 1977; 5, 1952, 93–106/1986, 67–84. *Trag./com.:* TRF 1–6 ²R., 19–30 • Klotz; CRF 3f.

Lit.: **1** H. De La Ville De Mirmont, Études sur l'ancienne poésie latine, 1903, 5–201 **2** S. Mariotti, L. A. e la traduzione artistica, 1952, 93–108; 1986 (Text unverändert) **3** W. Suerbaum, Unt. zur Selbstdarstellung älterer röm. Dichter, 1968, 1–12; 297–300 **4** E. Flores, Letteratura latina e ideologia del III-II a.C., 1974, 14–23 **5** G. Erasmi, Stud. in the Language of L. A., Diss. Univ. of Minnesota 1975 (662 S. maschr.) **6** R. Perna, L. A., 1978 **7** U. Carratello, L. A., 1979 **8** Ders., Questioni nuove e antiche su L. A., in: Giornale italiano di filologia 38, 1986, 125–140 **9** K. Lennartz, Non verba sed vim. Unt. zu den Fr. archa. röm. Tragiker, 1994, 95–99; 133–151 (auch zur *Odyssia*) **10** W. Suerbaum, Zum Umfang der B. in der archa. lat. Dichtung, in: ZPE 92, 1992, 168–173 **11** Ders., in:

HLL, Bd. 1, § 115 (erscheint demnächst) 12 M. WIGODSKY, Vergil and Early Latin Poetry, 1972. W.SU.

**[III 2] L., T.**, röm. Geschichtsschreiber.
A. ZUR PERSON
B. DAS GESCHICHTSWERK

A. ZUR PERSON

Der Historiker der röm. Republik, nach Hieronymus (chron. p. 154, 18ff.; 171, 22) in Padua (→ Patavium) 59 v. Chr. geb. und 17 n. Chr. (anders [9]) gest. Die wenigen ant. Nachrichten werden im wesentlichen auf dem verlorenen Abschnitt aus Suetons *De historicis et philosophis* beruhen [21. 39]. L. entstammte wohl einer Familie des städtischen Bürgertums von gediegen-konservativem Lebensstil; eine Tochter war mit dem Rhetor Magius verheiratet, und das geogr. Werk eines Sohnes T. Livius ist bei Plinius (nat. 2f.; 5–7) benutzt. Die höheren Stufen der Schulbildung dürfte L. – wie Horaz u. a. – bereits in Rom absolviert haben. Eine polit. Karriere hat er – auch dies im Zeichen der Zeit – offenbar nicht durchlaufen, verfaßte also sein Werk ohne polit. oder gar mil. Erfahrung. Eine Reihe von Schriften, in denen er sich in Form und Inhalt eng an Cicero anschloß, sind verloren (philos.-histor. Dialoge und eigentliche philos. Schriften, vgl. Sen. epist. 100,9; ein an den Sohn gerichteter Brief über stilist. Fragen, in dem Demosthenes [2] und Cicero als Vorbilder empfohlen wurden, Quint. inst. 10,1,39, vgl. 2,5,20; 8,2,18; Sen. contr. 9,1,14; 9,2,26). Die Arbeit an dem Geschichtswerk seit den frühen 20er Jahren des 1. Jh. v. Chr. könnte die Bekanntschaft mit Octavian (→ Augustus) vermittelt oder befestigt haben; das positive Urteil des Historikers über Pompeius trübte jedenfalls die Beziehungen nicht (Tac. ann. 4,34,3).

B. DAS GESCHICHTSWERK

1. ÜBERLIEFERUNGSZUSTAND 2. ENTSTEHUNG UND AUFBAU 3. QUELLEN 4. BEURTEILUNG DES GESCHICHTSWERKS 5. GESCHICHTSAUFFASSUNG 6. ÜBERLIEFERUNGS- UND WIRKUNGSGESCHICHTE

Das Geschichtswerk *Ab urbe condita libri*, ›Von der Gründung der Stadt (Rom)‹, in 142 B. reichte bis zum Tode des älteren Drusus (→ Claudius [II 24]) im J. 9 v. Chr. Offenbar verhinderte der Tod des L. einen geeigneteren Abschluß (denkbar ist die urspr. Anlage auf 150 B.)

1. ÜBERLIEFERUNGSZUSTAND

Erh. sind 35 B.: B. 1–10 (bis 293 v. Chr.) und B. 21–45 (218–167 v. Chr.; ab B. 41 lückenhaft); ferner ein fr. aus B. 91 (über Sertorius) sowie aus B. 120 eine Beschreibung von Ciceros Tod und eine Charakteristik desselben in einem Zitat des älteren Seneca (Sen. suas. 6,17 und 22). Über den Inhalt des Verlorenen unterrichten Auszüge, bes. die sog. *Periochae* (die zu B. 136 und 137 fehlen) und Reste von Inhaltsangaben zu B. 37–40, 48–55 und 87–88, die mit den histor. Notizen bei Iulius → Obsequens und der Consulliste in den *Chronica* des → Cassiodorus auf eine gemeinsame Zwischenstufe zurückgehen [15. 29ff.]; Obsequens hat außerdem die Prodigien der J. 190–11 aus L. direkt exzerpiert.

2. ENTSTEHUNG UND AUFBAU

L. schrieb an seinem Werk über 40 J.; er hat es offenbar abschnittsweise verfaßt und publiziert: B. 1–5 (bis 389 v. Chr.) in den J. 27–25 v. Chr., B. 6–10 wohl vor 20 v. Chr., dann B. 26–30 nach 19 v. Chr. etc. Der Schluß (ab B. 121) wurde, wie die *Periochae* bekunden, erst nach dem Tod des Augustus (14 n. Chr.) veröffentlicht, war jedoch schon früher fertig. L. hat sich um eine Gliederung in Gruppen von 15 B. (Pentekaidekaden) = je drei Pentaden bemüht [10]: B. 6 eröffnet mit einer eigenen Einleitung einen Abschnitt, der sich bis B. 15 (bis 264 v. Chr.) erstreckt hat. Die B. 15–30 sind den ersten beiden → Punischen Kriegen gewidmet – die Pentade 16–20 dem 1. Pun. Krieg und der folgenden Friedenszeit, 21–30, analog zu B. 6 abermals mit einer bes. Einleitung beginnend, dem 2. Pun. Krieg. B. 31 setzt wiederum mit einem kurzen Proömium ein. Auch im folgenden bleiben Abschnitte erkennbar: In B. 91–105 steht Pompeius, in B. 106–120 (bis zum zweiten Triumvirat) Caesar im Zentrum, wovon 109–116 (bis zur Ermordung Caesars) als *Civilis belli libri* (›Werk über den Bürgerkrieg‹) gesondert gezählt wurden (per. 109–116). B. 121–135 galten dem Aufstieg Octavians bis zur Schlacht von Actium (→ Aktion) und der Annahme des Augustus-Titels, B. 136–142 schließlich waren der Regierung des Augustus vorbehalten.

3. QUELLEN

L. entnahm den Stoff seines Werkes weitgehend älteren Geschichtsdarstellungen. Die Frage nach seinen Quellen hat daher zumal für die erh. Teile die mod. Diskussion intensiv beschäftigt. Da indes die jeweils benutzten Autoren bis auf → Polybios fast gänzlich verloren sind, vermochte die Forsch. wirklich gesicherte Resultate mehr allg. als im Detail zu erzielen (vgl. zumal [12; 13]). In der ersten Dekade folgte L. der jüngeren → Annalistik (Q. Aelius [I 17] Tubero, Valerius Antias, Licinius [I 30] Macer, Q. Claudius [I 30] Quadrigarius). In der dritten Dekade beruht die Schilderung der mil. Operationen wohl v. a. auf Coelius [I 1] Antipater, ab B. 24 zunehmend auf Polybios; die stadtröm. Ereignisse gibt L. offenbar hauptsächlich nach → Valerius Antias wieder. In B. 31–45 geht die Darstellung der Angelegenheiten im Osten auf Polybios zurück; außerdem sind abermals Valerius Antias und Claudius Quadrigarius benutzt.

4. BEURTEILUNG DES GESCHICHTSWERKS

Die historiograph. Methoden des L. haben in der Neuzeit (B. G. NIEBUHR) zu Bedenken Anlaß gegeben, selbst wenn man sie, wie billig, nach ant. Maßstäben beurteilt. L. stand zwar außerhalb des von Leidenschaften erfüllten parteipolitischen Getriebes der späten Republik, das zumal in der jüngeren Annalistik tiefgreifende Verfälschungen der Überl. verursacht hatte. Andererseits hat er sich nicht bemüht, sein Quellenmaterial wirklich kritisch zu sichten oder gar durch Primärquellen zu korrigieren; ein krasser Fall ist die Bewertung der ersten *spolia opima* (s. → Kriegsbeute III.; Liv. 4,20,5 ff.), wo die Berufung auf Augustus den Fall entscheidet. L. folgte hier einer (aus welchem Grund auch immer) bevorzugten Hauptquelle und fügte lediglich hin und wieder Varianten der Trad. ein oder suchte extreme Behauptungen durch Wahrscheinlichkeitserwägungen zu widerlegen. Seine Zuverlässigkeit hängt daher in erheblichem Maße von der des jeweils benutzten Gewährsmannes ab. Die Forschung hat zudem mancherlei technische Versehen konstatiert (chronolog. Unstimmigkeiten, Doppelfassungen bei Quellenwechsel, ja sogar – bei Benutzung des Polybios – Fehlübersetzungen). Eine weitere Kategorie von Verzeichnungen ist durch geogr. Unkenntnis sowie durch Mangel an mil. und polit. Kompetenz verursacht. Schließlich hat sich L. nicht selten durch einen pro-augusteischen Patriotismus zu tendenziös gefärbten Berichten verleiten lassen.

Demgegenüber hat die neuere Forsch. [8; 11; 14] gezeigt, daß L. v.a. als Schriftsteller gewürdigt zu werden verdient: Es gelang ihm, die gesch. Überl. in ein zeitgemäßes lit. Gewand zu kleiden. Er machte sich hierbei eine reiche formale Trad. zunutze. Dabei war die Anknüpfung an die Annalistik – mit ihrem Schema des von Jahr zu Jahr fortschreitenden Berichtes, den Listen von Wahlen, Beamten und Prodigien am J.-Übergang – einer freieren lit. Gestaltung eher hinderlich. Umgekehrt zeigt sich der Stil des L. der rhetorischen und seine Kompositionsweise der »tragischen« Richtung der hell. Geschichtsschreibung verpflichtet (→ Theopompos, Duris, → Phylarchos). Überdies waren ihm Ciceros Ausführungen über Mittel und Zwekke der Gesch.-Schreibung vertraut (Cic. de orat. 2,36; 51–64; Cic. leg. 1,5–7), der sich seinerseits hell. Lehren zu eigen gemacht hatte. L. vermied die Exzesse manches Vorgängers; sein »gebändigtes Pathos« erstrebte reine Wirkungen.

Die Struktur wird im Großen wie im Kleinen vom Prinzip der Variation beherrscht. Wichtige Elemente der livianischen Erzählkunst, der Quintilian ›wunderbaren Charme und durchsichtige Klarheit‹ bestätigt (*in narrando mirae iucunditatis clarissimique candoris*, Quint. inst. 10,1,101), sind dramat. geschilderte Einzelaktion (Schlacht, Reden in einer polit. Versammlung usw.), wobei L.' Gestaltung der Volksreden eine ›unbeschreibliche Beredsamkeit‹ bezeuge (*in contionibus supra quam enarrari potest eloquentem*, Quint. inst. 10,1,101), bzw. die Charakterisierung seiner Helden und Heldinnen, deren ›Gefühlsregungen, besonders die zarteren, ... kein Historiker treffender nachgezeichnet hat‹ (*adfectus quidem praecipueque eos, qui sunt dulciores, ... nemo historicorum commendavit magis*, Quint. inst. 10,1,101). So hat L. es erfolgreich unternommen, die gesch. Trad. mit einer modernen lit. Form zu versehen, sie wahrhaft als *opus oratorium maxime* (»höchste literarische Leistung«, Cic. leg. 1,5) zu gestalten. L.' periodisierender Stil ist v.a. den Schriften Ciceros verpflichtet: An ihnen schulte L. seine in ›milchiger Fülle‹ (*lactea ubertas*) dahinfließende Erzählkunst (Quint. 10,1,32); von dort stammt die klass. Strenge des Wortgebrauchs und der Syntax, die freilich durch poet. Ausdrücke und Modernismen aufgelockert erscheint. L. tritt in eine bewußte Distanz zur *brevitas* (»Kürze«, gedängter Stil) seines älteren Zeitgenossen → Sallustius, und von Archaismen macht er nur in sachlichem Zusammenhang (etwa in altertümlichen Formeln) sparsamen Gebrauch.

5. Geschichtsauffassung

Die Geschichtsauffassung des L. gibt schwierige Fragen auf; an diesem Punkt wirkt sich der Verlust der zeitgesch. Partien seines Werks bes. störend aus. Eine Tendenz, das aristokrat. Regiment der frühen und mittleren Republik zu idealisieren, ist unverkennbar; außerdem ist bezeugt, daß L. bei der Darstellung des Bürgerkriegs zwischen Caesar und Pompeius aus seiner republikan.-pompeianischen Haltung keinen Hehl gemacht hat. Einerseits machte sich seine Praefatio das zumal bei Sallustius geläufige Denkschema von Roms Aufstieg zur weltbeherrschenden Macht und dem darauf und daraus folgenden inneren Verfall zu eigen. Andererseits war ihm gewiß die *pax Augusta* (→ *pax*) allg. und manche Maßnahme des Princeps, wie die Erneuerung des staatl. Götterkultes, sehr willkommen. Der sich in diesen Gegebenheiten andeutende Konflikt wurde offenbar nicht ausgetragen, es fehlt ein scharf fixierter Standpunkt. Der Rom-Glaube des L. schwebt eigentümlich zwischen Republik und Prinzipat, zwischen pessimistischem Dekadenzbewußtsein und der Hoffnung auf sittliche Besserung, zwischen lehrhafter Präsentation der Vergangenheit und romantisch verklärender Schau.

6. Überlieferungs- und Wirkungsgeschichte

Das Werk des Livius ist schon bald zum (Schul-) Klassiker geworden [22]. Einerseits war die republikan. Annalistik durch die veränderten polit. Verhältnisse obsolet geworden. Andererseits hat L., nach den erh. Fr. seiner Vorlagen zu schließen, auch aus qualitativen Gründen seine Vorgänger verdrängt; bei Quintilian (inst. 10,1,101 f.) wird ihm nur Sallustius als Konkurrent in einer anderen histor. Gattung und in einem anderen Stil gegenübergestellt. L., der letzte Annalist, galt der Kaiserzeit als die maßgebliche Autorität für die republikan. Gesch. Man benutzte ihn auch als Grundlage für histor. Epen (→ Lucanus, → Silius Italicus). In der Spätant. ist die livianische Trad. zunächst in den erwähnten Auszügen präsent, wobei die Annahme einer bereits frühkaiserzeitlichen großen L.-Epitome zurückzuweisen ist [16], wie andererseits in Kurz-Geschichten (→ *De viris illustribus*; → Eutropius) auch vorlivianische Quellen (→ Hyginus?) benutzt sein mögen [18] bzw. (so bei → Orosius) wieder ein vollständiger Livius-Text im Spiel sein dürfte.

Das Fr. aus B. 91 aus einem Pergamentcodex (Vaticanus Palatinus Latinus 24) zeigt, daß L.' Werk im 4. Jh. n. Chr., und zwar sicher mehrfach, in das neue

Medium umgesetzt worden ist, in der Regel in Dekaden, seltener in Pentaden. Die erste Dekade ist durch palimpsestierte Reste (→ Palimpsest) von B. 3–6 im Cod. Veronensis, Cap. 40 (Anf. 5. Jh.) erh., außerdem vollständig in Nachfahren einer korrigierten Kopie aus dem Kreis der Nicomachi und Symmachi (um 400; → Symmachus); von der dritten ist ein Archetyp bewahrt in Parisinus Latinus 5730 (5. Jh.), außerdem B. 26–30 in Spuren einer in Speyer und Chartres greifbaren Trad., die ebenfalls bis in das 5. Jh zurückreicht; in Chartres/Speyer (Cod. vetus Carnotensis/Cod. Spirensis) war diese Pentade kombiniert mit der urspr. selbständigen Dekade 31–40, die auf Cod. Bambergensis, Class. 35a (5. Jh.), wiederum nur frg. erh., zurückführt. Als Pentade schließlich sind B. 41–45 nur in Wien (Cod. Vindobonensis Lat. 15, 5. Jh., aus Lorsch) bewahrt. Die größten Verluste sind also in der Übergangszeit zw. Ant. und MA eingetreten.

Auch was erh. blieb, war im MA nur spärlich verbreitet. Erst PETRARCA vermochte es, seinen Codex der 3. Dekade um die 1. und 4. Dekade zu ergänzen, und seine L.-Edition (London, British Library Cod. Harleianus 2493) hat sich als Grundbuch des Humanismus und der Humanismusforschung erwiesen [20]. Seit der it. Renaissance erfreute sich L. also erneut großer Hochschätzung; die krit. Geschichtswissenschaft des 19. Jh. brachte demgegenüber eine allzu radikale Ernüchterung. Die Forsch. des 20. Jh. hob erneut mit Recht die künstlerische Leistung des L. hervor. Sein Werk diente zugleich als wichtiges Dokument für das »Römertum«, für die »Römerwerte«. Diese Richtung der L.-Forsch. ist nur dann nicht problematisch, wenn der fiktive Charakter jenes Römertums sowie die Tatsache hinlänglich beachtet wird, daß der forcierte Moralismus des L. eine allzu simple Vorstellung von den Ursachen histor. Prozesse vermitteln möchte.

Zur neueren Diskussion um die histor. Glaubwürdigkeit des L. s. [23–32].

→ Augustus; Annalistik; Geschichtsschreibung; GESCHICHTSSCHREIBUNG

ED.: R.M. OGILVIE, C.F. WALTERS, R.S. CONWAY, S.K. JOHNSON, A.H. MCDONALD, P.G. WALSH, 6 Bde., 1919–1998 (B. 1–40) • J. BAYET, P. JAL u. a., 1940–1998, 34 Bde. (mit Fr. und Auszügen, noch ohne B. 9f., 12–14, 20, 22–24; mit franz. Übers.) • T.A. DOREY, P.G. WALSH, J. BRISCOE, 1971–1991 (B. 21–45).

KOMM.: W. WEISSENBORN, H.J. MÜLLER, 10 Bde., 1880–1924 • R.M. OGILVIE, 1965 (B. 1–5) • S.P. OAKLEY, 1997ff. (B. 6–10) • J. BRISCOE, 2 Bde., 1973/1981 (B. 31–37).

AUSZÜGE, IULIUS OBSEQUENS: O. ROSSBACH, 1910.

LIT.: **1** P.G. WALSH, Livy, 1974 **2** ANRW II 30.2, 1982, 899–1263, darin: W. KISSEL, L. 1933–1978, 899–997 **3** ALBRECHT 1, 659–686 **4** T.A. DOREY (Hrsg.), Livy, 1971 **5** E. BURCK (Hrsg.), Wege zu L., $^{2}$1977 **6** E. LEFÈVRE (Hrsg.), L., Werk und Rezeption. FS E. Burck, 1983 **7** W. SCHULLER (Hrsg.), L. Aspekte seines Werkes, 1993 **8** P.G. WALSH, Livy. His Historical Aims and Methods, 1963 **9** SYME, RP 1, 1979, 400–454 (zuerst 1959) **10** G. WILLE, Der Aufbau des Livianischen Geschichtswerkes, 1973 **11** T.J. LUCE, Livy. The Composition of His History, 1977 **12** A. KLOTZ, L. und seine Vorgänger, 1940–1941 **13** H. TRÄNKLE, L. und Polybios, 1977 **14** E. BURCK, Die Erzählungskunst des T. L., $^{2}$1964 **15** P. L. SCHMIDT, Iulius Obsequens und das Problem der L.-Epitome, 1968 **16** Ders., in: HLL 5, 190–193 (L.-Epitome, *Periochae*) **17** Ders., in: HLL 4, 337f. (L.-Chronik) **18** J. FUGMANN, Königszeit und Frühe Republik in der Schrift *De viris illustribus*, Bd. 1, 1990, 13ff., 44–67 **19** L.D. REYNOLDS, in: Ders. (Hrsg.), Texts and Transmission, 1983, 205–214 **20** G. BILLANOVICH, Tradizione e fortuna di Livio tra medioevo e umanesimo, 1981 **21** P.L. SCHMIDT, in: HLL 4 (Trad.) **22** Ders., in: [7], 189–201 **23** A. MOMIGLIANO, Perizonius, Niebuhr and the Character of Early Roman Trad., in: JRS 47, 1957, 104–114 **24** R.T. RIDLEY, Fastenkritik. A Stocktaking, in: Athenaeum 68, 1980, 264–298 **25** C. AMPOLO, La storiografia su Roma arcaica e i documenti, in: E. GABBA (Hrsg.), Tria Corda. FS A. Momigliano, 1983, 9–26 **26** J. LIPOVSKI, A Historiographical Study of Livy, B. VI–X, 1984 **27** D. GUTBERLET, Die erste Dekade des L. als Quelle zur gracchischen und sullanischen Zeit, 1985 **28** T.J. CORNELL, The Value of the Literary Trad. Concerning Archaic Rome, in: K. RAAFLAUB (Hrsg.), Social Struggles in Archaic Rome, 1986, 52–76 **29** J. VON UNGERN-STERNBERG, Überlegungen zur frühen röm. Überl. im Lichte der Oral-Tradition-Forsch., in: Ders., H. REINAU (Hrsg.), Vergangenheit in mündlicher Überl., 1988, 237–265 **30** R. v. HAEHLING, Zeitbezüge des T. L. in der ersten Dekade seines Geschichtswerkes, 1989 **31** W. KIERDORF, Komm. zu Quellen und Quellenkritik, in: EDER, Staat, 200–207 **32** G. FORSYTHE, Livy and Early Rome. A Study in Historical Method and Judgment, 1999. MA.FU. u. P.L.S.

**Liwan** (= Eivan). Meist von einem Innenhof zugängliche, vorne offene Halle mit Tonnengewölbe; charakteristische Bauform der parth. und sāsānidischen Zeit (2. Jh. v. Chr.–7. Jh. n. Chr.; → Ḥatra [1], Parther-Palast in → Assur [1], → Ktesiphon [2], Sarwistān, Qaṣr-e Šīrīn), die dann zu einem bestimmenden Element der islam. Moschee- und Palastarchitektur wurde und sich damit bis nach Marokko und Indien verbreitete.

O. GRABAR, s. v. Īwān, EI 4, 287–389. B.B.

**Lix**

**[1]** (phöniz. *Lkš*; *Líxos*).

A. ALLGEMEIN B. ARCHÄOLOGIE

A. ALLGEMEIN

Phöniz. Gründung in der späteren → Mauretania Tingitana, etwa 120 km südsüdwestl. von Ceuta, in der Nähe des h. Larache [1. 31f.]. Belege: Ps.-Skyl. 112 (Λίγξ); Strab. 17,3,2 (Λύγξ, Λίξος), 17,3,3 und 3,6 (Λύγξ); 17,3,8 (Λίξος, Λύγξ); Ptol. 4,1,13; 8,13,5 (Λίξ); Itin. Anton. 7,4 (*Lix colonia*); Solin. 24,3 (*Lix colonia*); Iulius Honorius, Cosmographia A 47 (*Lix oppidum*); Steph. Byz. s. v. Λίγξ. Claudius [III 1] machte L. zur *colonia* (Plin. nat. 5,2). Die Sage verlegte u. a. → Antaios und die Gärten der → Hesperiden nach L. (Plin. nat. 5,3; 19,63).

1 HUSS.

Lixus. Actes du colloque organisé par l'Institut des Sciences de l'Archéologie et du Patrimoine de Rabat (Larache, 8–11 novembre 1989), 1992 • M. Ponsich, Lixus: Le quartier des temples, 1981 • Ders., Lixus, in: ANRW II 10.2, 1982, 817–849 und Taf. I–XX • Ders., s. v. Lixus, DCPP, 264–266 • M. Tarradell, Lixus, 1959. W. HU.

B. Archäologie

Das nördl. am Mündungstrichter des gleichnamigen Flusses (L. [2]) auf dem Berg Tschemmich gelegene L. gehört mit → Gades zu den ältesten phöniz. Niederlassungen im Westen [1]. Die Frühzeit ist durch Keramikfunde (ab 8. Jh. v. Chr.) gut dokumentiert, die erh. Bauten datieren z. T. in das 2./1. Jh. v. Chr. (die Zeit des mauretan. Königreichs [2]), zumeist in die röm. Kaiserzeit, in der die *garum*-Produktion (→ *liquamen*) florierte. → Kolonisation III. (mit Karte); Mauretania

1 H. G. Niemeyer, Die Phönizier und die Mittelmeerwelt im Zeitalter Homers, in: JRGZ 31, 1984, 5f., 29f. 2 Ders., Das archa. Lixus: Bemerkungen zum aktuellen Forschungsstand, in: Hamburger Beitr. zur Arch. 15/17, 1988/90 (1992), 189–208. H. G. N.

**[2]** Fluß Mauretaniens, h. Loukkos, an dem die Stadt L. [1] lag (Ps.-Skyl. 112; Strab. 2,3,4; Mela 3,107; Plin. nat. 5,4; Ptol. 4,1,2; Iulius Honorius, Cosmographia B 47).

H. Dessau, s. v. L., RE 13, 928f.

**[3]** Im Fahrtbericht des → Hanno [1] erwähnter Fluß, wahrscheinlich mit dem Oued Dra (Marokko) identisch (Hanno, periplus 7 [GGM I 6]).

Huss, 79f. W. HU.

**Lixa** s. Heeresversorgung

**Lobon** (Λόβων) von Argos. Biograph des 3. Jh. v. Chr., Verf. einer Schrift Περὶ ποιητῶν (›Über Dichter‹). Diese wird von Diog. Laert. 1,34–35 und 112 und in der Vita des Sophokles erwähnt und war ein im Vergleich zu den *Pínakes* des Kallimachos polemisches Werk: [1] versammelte 27 Fr., doch ist deren Zahl wahrscheinlich größer. Dieses Werk muß biographische Daten zu ant. Versschriftstellern (jeder Art: Epiker, Lyriker, Tragiker, Philosophen usw. bis hin zu den sagenhaften Sieben Weisen) sowie Auszüge aus ihren Werken enthalten haben. Seine Eigenart war darüber hinaus, daß eine ganze Reihe von Nachrichten auf Schlußfolgerungen beruhten, die L. eigenmächtig aus den Anspielungen berühmter Dichter zog. Zu den von L. nicht ohne gelegentlichen Mißbrauch herangezogenen Quellen zählt v. a. Herakleides Pontikos

1 W. Crönert, Charites F. Leo, 1911, 123 2 W. Kroll, s. v. L., RE 13, 931–933 3 O. Vox, Lobone di Argo ed Eraclide Pontico, in: Giornale Italiana di Filologia 23, 1981, 83–90. R. T./Ü: T. H.

**Locatio conductio** A. Allgemeines B. Locatio conductio rei C. Locatio conductio operarum D. Locatio conductio operis

A. Allgemeines

Die *l.c.* (»Miete«), im römischen Recht ein voll entwickelter gegenseitiger Vertrag, der durch (bloße) Willenseinigung (→ *consensus*) über die wesentlichen Vertragsbestandteile zustandekommt. Unter den Begriff fallen verschiedene moderne Vertragstypen, insbes. Miete, Pacht, Dienst- und Werkvertrag. Für diese verschiedenen Lebenssachverhalte gab es nur eine *actio locati* (»Vermieterklage«) und eine *actio conducti* (»Mieterklage«); gleichwohl haben die klass. röm. Juristen etwa im Hinblick auf die Gefahrtragung und die Haftung differenziert, und die *demonstratio* (Sachverhaltsbeschreibung in der → *formula*) wurde variiert. Der *locator* »stellt hin«, ist also der Vermieter, der Verpächter, der Werkbesteller und der Dienstnehmer; *conductor* sind Mieter, Pächter, Werkunternehmer und Dienstgeber, welcher die Arbeitsleistung des Dienstnehmers »nimmt«.

Die *l.c.* ist wesensgemäß entgeltlich (andernfalls lag, je nach den Umständen, ein *commodatum* (→ Leihe), ein → *depositum* oder ein → *mandatum* vor); das Entgelt (*merces*) besteht (Ausnahme: Teilpacht) stets in einer festen Summe Geldes.

Bei der *l.c. rei* (»Miete«, »Pacht«) schuldet der *locator* das Zurverfügungstellen des Gegenstandes und dessen Brauchbarkeitserhaltung (Dig. 19,2,15,1), bei der *l.c. operis* (»Werkvertrag«) gegebenenfalls die Bereitstellung des Gegenstandes, an dem die Werkleistung zu erbringen ist, und das Entgelt, bei der *l.c. operarum* (»Dienstvertrag«) die Erbringung der Arbeitsleistung. Umgekehrt hat der *conductor* bei *l.c. rei* den Zins zu zahlen und auf den Bestand des Gegenstandes zu achten, bei *l.c. operis* das Werk zu erbringen und bei der *l.c. operarum* den Lohn zu begleichen.

Die Ausgestaltung im Rahmen der *bona* → *fides* enthält in vielen Fällen Parallelen zur Beurteilung der → *emptio venditio*. Der Werklieferungsvertrag, bei welchem aus Material des Werkunternehmers der Werkgegenstand gefertigt wird, wird von den klass. Juristen meist überhaupt als Kaufvertrag angesehen (Pomp. Dig. 18,1,20; Gai. Inst. 3,147); anders freilich bei Bauverträgen, die stets als Werkverträge gelten.

B. Locatio conductio rei

Bei der *l.c. rei* hat der Mieter/Pächter den Gegenstand ordentlich zu bewirtschaften, was bei steigender Tendenz zur → Landflucht bes. wichtig wurde. Andererseits hat er Anspruch auf Zinsminderung (*remissio mercedis*), wenn der Ertrag durch Naturereignisse außergewöhnlich gemindert wurde. Diesen Erlaß konnte der *locator* in Jahren mit normalem Ertrag zurückfordern.

Der *conductor* schuldet → *custodia* (außer Verschulden auch noch »Aufsicht und Überwachung«). Bei deren Verletzung hat er dem *locator* Schadenersatz zu leisten und den Zins zu bezahlen. Wird dem *conductor* die Nutzung durch höhere Gewalt unmöglich, hat er meistens keinen Zins zu zahlen (Dig. 19,2,15,2), außer bei produktionsbedingten Risiken (z. B. Wurmbefall, Unkrautwuchs).

C. Locatio conductio operarum

*L.c. operarum* ist ein Vertrag zur Erbringung von Arbeitsleistungen. Der Dienstnehmer hat Anspruch auf seinen Lohn auch bei unverschuldet nicht erbrachter Dienstleistung (*si per eum non stetit, quo minus operas praestet*, Dig. 19,2,19,9; 38 pr.). Er ist – wie der Mieter – vor sozialen Härten kaum geschützt: Der (unbefristete) Vertrag konnte mangels anderer Vereinbarung jederzeit von beiden Parteien fristlos beendet werden. Die praktische Bed. der *l.c. operarum* war wegen der Arbeit von Sklaven (→ Sklaverei) oder → Freigelassenen weit geringer als heute. Wohlhabende Römer wurden eher in einem (unentgeltlichen) → *mandatum* tätig. Sozialgesch. bedeutsam war es aber, Arbeitsleistungen überhaupt zum Gegenstand von Verträgen (statt zum Ergebnis eines Status) zu machen. In der Spätant. bewirkte die »Indienstnahme« dann wieder einen (personenrechtlichen) Status (Paul. sent. 2,18,1, vgl. auch → *colonatus*).

D. Locatio conductio operis

*L.c. operis* liegt vor, wenn die Erbringung eines Werks, eines konkreten Erfolgs geschuldet wird. Der Werkunternehmer kann, um den geschuldeten Erfolg zu erreichen, Erfüllungsgehilfen einschalten (Dig. 19,2,25,7; 45,1,38,21; 46,3,31). Mangel an Fachkunde (*imperitia*) wird als → *culpa* gewertet. Bei Schäden an einem Werkgegenstand des *locator* haftet er für → *dolus*, → *culpa* und → *custodia*. Das Risiko zufälligen Unmöglichwerdens hat sich wohl von einem strikten *periculum conductoris* (Unternehmergefahr) zu einer Betrachtung des Risikos nach Einflußsphären entwickelt (Dig. 19,2,62). Ab Abnahme (*adprobatio*) des Werkgegenstandes durch den *locator* trägt dieser jedenfalls das Risiko des zufälligen Untergangs (*periculum locatoris*).

→ Inquilinus

A. Bürge, Der mercennarius und die Lohnarbeit, in: ZRG 107, 1990, 80–136 • W. Ernst, Das Nutzungsrisiko bei der Pacht in der Entwicklung seit Servius, in: ZRG 105, 1988, 541–591 • B. Frier, Law, Economics and Disasters down on the Farm: remissio mercedis Revisited, in: Bulletino dell' Ist. di Diritto Romano 92/93 (3ª serie 31/32), 1989/1990, 237–270 • Ders., Landlords and Tenants in Imperial Rome, 1980 • Ders., Law, Technology, and Social Change: The Equipping of Italian Farm Tenancies, in: ZRG 96, 1979, 204–228 • Th. Mayer-Maly, Locatio Conductio. Eine Unt. zum klass. röm. Recht, 1956 • C. Möller, Freiheit und Schutz im Arbeitsrecht. Das Fortwirken des röm. Rechts in der Rechtsprechung des Reichsgerichts, 1990 • I. Molnar, Verantwortung und Gefahrtragung bei der l.c. zur Zeit des Prinzipats, in: ANRW II 14, 1982, 583–680 • P.W. de Neeve, Remissio Mercedis, in: ZRG 100, 1983, 296–339 • J.M. Rainer, Zur l.c.: der Bauvertrag, in: ZRG 109, 1992, 505–525 • Ders., Humanität und Arbeit im röm. Recht, in: ZRG 105, 1988, 745–770 • W. Scheidel, Grundpacht und Lohnarbeit in der Landwirtschaft des röm. Italien, 1994 • A. Wacke, Faktische Arbeitsverhältnisse im Röm. Recht? Zur sogenannten »notwendigen Entgeltlichkeit«, bes. bei Arbeitsleistungen vermeintlicher Sklaven, in: ZRG 108, 1991, 123–154 • R. Zimmermann, The Law of Obligations, 1990, 338–412. N.F.

**Lochos** (λόχος).

**[1]** Der *l.* ist als mil. Einheit in vielen griech. Heeren belegt, wobei die Größe schwankt; Befehlshaber der *lóchoi* waren allgemein die Lochagen. Bei Mantineia 418 v. Chr. kämpften auf spartanischer Seite 7 *l.*, die wohl jeweils 512 Mann stark waren (Thuk. 5,68,3; vgl. Hdt. 9,53,2 f.; 9,57,1 f.); im 4. Jh. v. Chr. verfügte Sparta über zwölf *l.* (Xen. hell. 7,5,10). Auch die boiot. Fußtruppen, die *táxeis* (→ *táxis*) der Athener und Söldnerheere waren in *l.* unterteilt (Thuk. 4,91; Xen. hell. 6,4,13; Xen. an. 1,2,25; 4,8,15; Plut. Dion 45,6). Die kleinste Einheit der att. Epheben wurde von Lochagen geführt. Nach Asklepiodotos war ein *l.* die Basiseinheit hell. Heere (2,1 f.).

1 J. F. Lazenby, The Spartan Army, 1985, 41 f.
2 Kromayer/Veith, 128. LE.BU.

**[2]** Sohn des Kallimedes; *syngenḗs* Ptolemaios' VIII. und Kleopatras [II 6] III. im J. 127 v. Chr. (→ Hoftitel B. 2.). L. wirkte als Wohltäter röm. Kaufleute bei der Eroberung von Alexandreia durch Ptolemaios (IDélos 1526; vgl. IDélos 1536?), war vielleicht sogar bei dieser Gelegenheit der kommandierende General (dann wäre in Diod. 34/5,20 statt → Hegelochos [2] eben L. zu lesen). L. war zw. 128/7 und 118 *stratēgós autokrátōr* (»Oberbefehlshaber«) der Thebais, was sich nicht sehr vom *epistrátēgos* unterschieden haben kann (UPZ II 187; [1. 19]; [2. 51 f.]); zw. 124 und 113 ist er als eponymer Offizier belegt, und vor Febr. 117 wurde er zum *hypomnēmatográphos* befördert. PP I/VIII 10; 195; II/VIII 1940; 2088.

1 A. Bernand, Les inscriptions greques (et latines) de Philae 1, 1969 2 M.-Th. Lenger, Corpus des ordonnances des Ptolémées, ²1980.

L. Mooren, The Aulic Titulature in Ptolemaic Egypt, 1975, 92 ff. Nr. 055; 172 Nr. 0276 • J.D. Thomas, The Epistrategos in Ptolemaic and Roman Egypt 1, 1975, 115 f. W.A.

**Loculi** (auch *lucellus*). Unter *l.* versteht man jedes in mehrere Fächer eingeteilte Behältnis von unterschiedlicher Größe, worunter Kästchen, Schränkchen, Kassetten etc. fallen. Die *l.* dienten zur Aufnahme der Rechensteine (*calculi*) der Schüler für den Unterricht sowie zur Aufbewahrung von Schmuck oder Geld (Hor. sat. 1,3,17; 2,3,146; Frontin. aqu. 118); in dieser Funktion konnte man sie sogar als Portemonnaie bei sich tragen (Iuv. 11,38; Mart. 14,12 f., vgl. Petron. 140); ebenso konnten die Gelasse für jede Art von Vieh in der Landwirtschaft und die Urnen für die Abstimmung *l.* heißen. Im Bestattungswesen bezeichnet *loculus* eine Bahre oder den Sarg (Plin. nat. 7,75, vgl. Plin. nat. 7,20) und als mod. t.t. ist die Loculus-Platte der Verschluß der nischenartigen Begräbnisstätten in den → Katakomben. Spätant. erwähnt ist das *loculus Archimedius (ostomachion)* gen. Spiel für das Gedächnistraining bei Kindern (→ Kinderspiele).

→ Arca; Geldbeutel; Sparbüchse

J. Väterlein, Roma ludens, 1976, 16f. • U. Lange, R. Sörries, Die Procla-Platte, in: Antike Welt 21, 1990, Nr. 1, 45–56 • Pompeji wiederentdeckt, Ausstell. Hamburg 1993, 168f., Nr. 55. R. H.

**Locuples.** Die Römer waren sich der Tatsache bewußt, daß der Begriff *l.* vom Wort *locus*, »Ort, Raum« abgeleitet war; sie waren der Ansicht, daß das Adjektiv in der Frühzeit Roms stets die Bürger bezeichnete, die viel Land besaßen. So gibt Gellius die Auffassung des P. Nigidius mit folgenden Worten wieder: *item »locupletem« dictum ait ex compositis vocibus, qui pleraque loca, hoc est qui multas possessiones teneret* (›Ebenso, sagt er, ist *l.* aus verschiedenen Wörtern zusammengesetzt, um jemanden zu beschreiben, der über viel Grundbesitz, viel Raum, d. h. über viele Besitzungen verfügt‹; Gell. 10,5,2; vgl. Cic. rep. 2,16; Plin. nat. 18,11; Ov. fast. 5,280–281). In der archa. Epoche wurde das Wort *locus* indessen nicht für die großen Güter verwendet, sondern für das Landlos, das jedem → *adsiduus* zustand: das aus zwei *iugera* (→ *iugerum*) bestehende → *heredium*. Einige Texte stellen in der Tat die *locupletes* den Proletariern oder den Bauern, die kein Land besaßen, gegenüber. Nach Ciceros Meinung hatte Lykurgos in Sparta das Land der *l.* der → *plebs* zum Anbau übergeben; an einer anderen Stelle setzt Cicero *l.* dem *adsiduus* gleich (Cic. rep. 3,16; Cic. top. 10).

Gegen Ende der Republik waren die Begriffe *dives* und *l.* nicht mehr austauschbar. *Dives* bezeichnete im Gegensatz zu einem Armen in allg. Weise eine reiche oder reich gewordene Person, während *l.* auf eine bestimmte Art von Reichtum verwies. Der Ausdruck *l.* wurde verwendet, wenn die betroffene Person Ländereien, Häuser, wertvolles Inventar und Sklaven besaß, also über ein Vermögen verfügte, das dem der Mitglieder der Elite entsprach. Das Wort *l.* erscheint bei Cicero und Sallust gerade auch im Zusammenhang mit der Gefährdung des Reichtums durch → Proskriptionen und Enteignungen in der Zeit von Sulla bis zu M. Antonius (Cic. Att. 7,7,7; Cic. Phil. 5,22; 13,23, wo die *reliqui boni et locupletes* neben dem Senat genannt werden; Sall. Cat. 21,2).

Nicht immer handelte es sich dabei um die eigentliche röm. Elite der Senatoren und *equites*; auch die Reichen in den Provinzstädten und sogar außerhalb des Imperium Romanum konnten *l.* genannt werden. Der König Kappadokiens, so schreibt Horaz, besaß viele Sklaven (*mancipiis l.*), es fehlte ihm jedoch an Bargeld (Hor. epist. 1,6,39). In den Reden Ciceros gegen Verres wird Apollonius aus Panhormus (h. Palermo) *homo pecuniosus, homo dives* und *homo locupletissimus* genannt. Sein Vermögen bestand aus Sklaven, Vieh, Ländereien und Gutshäusern sowie Darlehen (*familia, pecus, villae, creditae pecuniae*). Dieser Reichtum war Ursache dafür, daß Verres Apollonius aufgrund einer falschen Anklage für 18 Monate ins Gefängnis werfen ließ (Cic. Verr. 2,5,16–24). Ein *l.* konnte durchaus hoch verschuldet sein, was etwa für eine Gruppe der Catilinarier zutrifft, die Cicero ausdrücklich als *l.* bezeichnet (Cic. Cat. 2,18). Schließlich konnte das Wort für eine Stadt oder eine Region verwendet werden (Cic. Manil. 67).

In der Prinzipatszeit wurde das Wort *l.* insgesamt seltener verwendet, es verlor tendenziell seine spezifische Bed.; in einigen Fällen behielt *l.* jedoch seine urspr. Bed., so etwa, wenn das Wort auf eine vermögende Frau bezogen wurde, die im Begriff war zu heiraten. So verwendete Apuleius das Wort für Pudentilla, deren Mitgift aber eher bescheiden war (Apul. apol. 92,3; vgl. Sen. contr. 1,6,7).

1 J. Hellegouarc'h, Le vocabulaire latin des relations et des partis politiques sous la République, ²1972, 470–472
2 S. Mratschek-Halfmann, Divites et praepotentes: Reichtum und soziale Stellung in der Lit. der Prinzipatszeit, 1993 3 M. Raskolnikoff, La richesse et les riches chez Cicéron, in: Ktema, 2, 1977, 357–372. J. A./Ü: C. P.

**Locus**

**[1]** (Meist) unbebauter Teil eines Gutes (→ *fundus*). Das Gut selbst bildet eine wirtschaftliche Einheit (*integrum aliquid*, Dig. 50,16,60 pr.). Die Einordnung als *fundus* oder *l.* hängt von der – trennenden oder verbindenden – Bestimmung (*opinio, constitutio* o. ä.) des Eigentümers ab, sei es durch Benennung (*appellatio*) oder Änderung des Bezuges der bisherigen Benennung (Dig. 31,86,1; 33,7,20,7) oder Änderung der Buchführung (Dig. 32,91,3,), sei es – zur Verbindung – im Zuge eines Hinzuerwerbes (Plin. epist. 3,19). Der *l.* kann auf dem Lande oder in der Stadt liegen (Dig. 50,16,60,1). Die Grenzen des *fundus* sind bestimmt, die des *l.* zumindest bestimmbar (Dig. 50,16,60,2). Sind sie bestimmt (*l. certus ex fundo*), so kann der *l.* besessen (→ *possessio*) und ersessen (→ *usucapio*) werden (Dig. 41,2,26). Der Besitz am *l.* (wie am *fundus*) ist durch das *interdictum uti possidetis* geschützt (Dig. 43,17,1,7), ferner durch die Gewaltinterdikte mit ihren zwei Arten von Gründen (s. genauer → *interdictum*). Ein *interdictum ne quid in loco publico vel itinere fiat* kann gegen das Vorhaben eines Baus auf einem öffentlichen *l.* ergehen (Dig. 43,8,2 pr.). Ein schon errichtetes Bauwerk muß dann aber nicht abgerissen werden – auch ›damit nicht die Stadt durch Ruinen entstellt werde‹ (Ulp. Dig. 43,8,2,17) –, im Gegensatz zum Bau auf einem *l. sacer* oder *religiosus* (»heiligen Ort«) aufgrund des *interdictum ne quid in loco sacro ... fiat* (Dig. 39,1,1,1; 43,8,2,19). Einen Diebstahl (→ *furtum*) an *fundus* und *l.* hielten nur einzelne Juristen der Republik für möglich (Inst. Iust. 2,6,7). Gelegentlich (Flor. Dig. 50,16,211) bezeichnet *l.* im Gegensatz zum *fundus* nur die »unbehauste Liegenschaft« [1].

Ein *l.* wird *res sacra* dadurch, daß er den Überirdischen (*diis superis*) geweiht wird (Gai. inst. 2,4; Dig. 1,8,9 pr.). Dies geschieht unter Beteiligung der Priester (*pontifices*) durch einen Magistrat aufgrund eines Gesetzes oder SC (Gai. inst. 2,5), später durch den Princeps oder mit dessen Ermächtigung (Dig. 1,8,9,1). Ein *l.* wird *res religiosa* durch Überlassung an die Manen (*diis Manibus*, → *Manes*) aufgrund der befugten Bestattung eines

Toten dort (Gai. inst. 2,6). In beiden Fällen steht der *l.* als *res divini iuris* (Sache göttlichen Rechts) in niemandes Eigentum (Gai. inst. 2,9).

Feldmesser und Rechtsquellen stellen einander gegenüber *controversia de l.* (Streit über Besitz oder Eigentum) und *de fine* (über den Grenzverlauf, → *finis*).

1 A. STEINWENTER, Fundus cum instrumento. Eine agrar- und rechtsgesch. Studie, 1942, 10–24, 90f.

KASER, RPR I 377–380 • B. KÜBLER, s. v. Locus, RE 13, 957–964 • LATTE, 199f. • J. MARQUARDT, G. WISSOWA, Röm. Staatsverwaltung 3, ²1885 Ndr. 1957, 145–169, 269–275 • P. W. DE NEEVE, Fundus as Economic Unit, in: TRG 52, 1984, 3–19 • A. SCHULTEN, s. v. Fundus, RE 7, 296–301. D. SCH.

**[2]** s. Memoria; s. Topik

**Locusta** s. Lucusta

**Locutius** s. Aius Locutius

**Löffel.** L. fanden zunächst als Rühr- oder Koch-L. (griech. τορύνη/*torýnē*, Aristoph. Equ. 984, vgl. Anth. Pal. 6,305; 306, lat. *trua* oder *trulla*) bei der Zubereitung von Speisen Verwendung. Zum Schöpfen von flüssigen Nahrungsmitteln oder Wein diente der κύαθος/*kýathos*. Wenn der L. auch schon früh bekannt war, so fand er trotzdem beim Speisen wenig Verwendung, da man vornehmlich ausgehöhltes Brot (μυστίλη/*mystílē*, μύστρον/*mýstron*) zum Verzehr von Breien, Brühen oder Suppen u. ä. benutzte (Aristoph. Equ. 1168–1174). Der Römer unterschied Löffel mit ovaler Schale (*ligula*) für Suppen, Mehlspeisen, Brei u. ä. von denen mit kleiner, runder Schale (*cochlear, cochleare*). Diese wurden für den Verzehr von Meerestieren (jetzt mit geschärftem Ende zum Aufbrechen der Schalen), daneben für Eier (Petron. 33) und Schnecken (Mart. 14,121) benutzt. Von daher konnte das Zuchtgehege für Schnecken auch *cochlearium* heißen (Varro rust. 3,14). Im medizinischen Bereich wurden Arzneien bald mit der *ligula*, bald mit dem *cochlear* gereicht. In den kosmetischen und medizinischen Bereich gehören L. oder L.-Sonden, die zusammen mit Salbenreiber und Salbenplatte in Gräbern gefunden wurden. Als (Saturnalien-)Geschenke waren L. beliebt (Mart. 5,19; vgl. Mart. 8,33 und 71). Erh. L. sind bereits aus der Bronzezeit bekannt, bes. zahlreich aber sind L.-Funde erst aus den Vesuvstädten sowie aus den rheinischen und gallischen Prov. Als Materialien dienten Ton, Horn, Knochen, Elfenbein und bes. Edelmetalle.

→ Eßbesteck (mit Abb.); Hausrat

H. v. BÖHME, L.-Beigabe in spätröm. Gräbern nördl. der Alpen, in: JRGZ 17, 1970, 172–200 • M. FEUGÈRE, La vaisselle gallo-romaine en bronze de Verhault (Côte-d'Or), in: REA 45, 1994, 137–168 • E. KÜNZL, Medizinische Instrumente aus Sepulkralfunden der röm. Kaiserzeit, ²1983 • Pompeji wiederentdeckt, Ausstell. Hamburg 1993, 157 Nr. 28. R. H.

**Löwe** I. ALTER ORIENT UND ÄGYPTEN
II. KLASSISCHE ANTIKE

I. ALTER ORIENT UND ÄGYPTEN

Das Vorkommen von L. (sumer. ur-maḫ, ur-gula, pirig; akkad. *nēšu, labbu*; äg. *rw, mȝj*) ist für Mesopotamien erstmals in der Ur III-Zeit (2112–2004 v. Chr.) belegt. Danach berichten die Quellen nur noch selten über ihr Auftreten in Babylonien; aus dem Gebiet des mittleren Euphrat und aus Assyrien gibt es dagegen viele Belege (Briefe aus → Mari, Jagdberichte neuassyr. Könige). In Äg. wurden L. seit vorgesch. Zeit dargestellt und sind über das NR (1550–1070) hinaus belegt.

Sowohl in Mesopot. als auch in Äg. war der L. in besonderer Weise mit der Figur des → Herrschers verbunden; die → Jagd auf (z. B. durch den Ur III-Herrscher Šulgi oder assyr. Könige) und die Haltung von L. (belegt u. a. in Verwaltungstexten aus Drehem und Inschr. mittel- und neuassyr. Könige [2. 81]) war königliche Pflicht bzw. königliches Privileg. So zeigte z. B. das Amtssiegel der assyr. Könige den Herrscher im Zweikampf mit einem L. – eine Darstellung des »guten Hirten«, der gegen das die Weltordnung bedrohende Chaos kämpft [3. 399f.]. Obwohl L. als reale Gefahr erlebt wurden, wurden sie nicht nur mit Angst, sondern auch mit Bewunderung betrachtet. Die Verherrlichung ihrer Kraft führte dazu, daß der König seinerseits in bildhafter Sprache mit einem L. verglichen [1] oder in Äg. bildlich als L. dargestellt werden konnte.

Für Äg. sind verschiedene, v. a. weibliche L.-gestaltige Gottheiten bezeugt (z. B. Bastet, Sachmet), die einerseits die Gefährlichkeit des L. verkörpern, daneben aber auch als mütterliche Gottheiten fungieren; im mesopot. Bereich war der L. als Symboltier mit der Göttin Inanna/→ Ištar verbunden. Der Wunsch, sich die Gefährlichkeit der L. nutzbar zu machen, führte zu L.-Darstellungen mit apotropäischem Charakter: Tor-L. und → Mischwesen mit Körperteilen von L. wurden an den Eingängen mesopot. Tempel und Paläste angebracht, L.-Figuren unter den Türschwellen von Privathäusern vergraben; in Äg. waren neben L. auch Sphingen (→ Sphinx) in dieser Funktion von Bedeutung. Die ambivalente Haltung gegenüber L. zeigt sich darin, daß andererseits auch → Dämonen als Mischwesen mit Körperteilen von L. dargestellt wurden (z. B. L.-Kopf der Lamaštu).

1 E. CASSIN, Le roi et le lion, in: RHR 198, 1981, 355–401 2 W. HEIMPEL, A. ÜNAL, E. A. BRAUN-HOLZINGER, s. v. L., RLA 7, 80–94 3 S. M. MAUL, Das »dreifache Königtum« – Überlegungen zu einer Sonderform des neuassyr. Königssiegels, in: U. FINKBEINER u. a. (Hrsg.), Beitr. zur Kulturgesch. Vorderasiens (FS R. M. Boehmer), 1995, 395–402 4 U. RÖSSLER-KÖHLER, s. v. L., L.-Köpfe, L.-Statuen, LÄ 3, 1080–1090 5 C. DE WIT, Le rôle et le sens du lion dans l'Egypte ancienne, ²1980. SU. FI.

II. KLASSISCHE ANTIKE

Griech. λέων/*léōn*, fem. λέαινα/*léaina*; mit ungeklärter Etym. [1. 1,785] bei Dichtern seit Hom. Il. 17,109 und 18,318 λίς, λῖς/*lís*, aber auch ἡ λέων; lat. *leo* und fem. *leaena*, poet. *lea*; Junglöwen σκύμνοι/*skýmnoi* und λεοντιδεῖς/*leontideís*, Ail. nat. 7,47. In Europa nicht vorkommend außer in Makedonien zw. dem Nestos (Nessos: Aristot. hist. an. 6,31,579b 6f.; Mestus: Plin. nat. 8,45) und Acheloos z.Z. des Xerxes (Hdt. 7,125). Reichliche Bestände kannte man im Alt. aus Nordafrika mit Ägypten, aus Äthiopien, Vorderasien einschließlich Arabien, Persien, Baktrien und Indien. In der häufigen Erwähnung in der griech.-röm. Lit. und der Darstellung in der Kunst zeigt sich oriental. Einfluß.

A. Zoologisches

Man unterschied eine gedrungene Art mit krauser Mähne (Berber-L., Leo persicus?) und eine gestrecktere, glattmähnige Art (Gutscherat-L., Leo googratus? [2. 152]; Aristot. hist. an. 8(9),44,629b 33–35; Plin. nat. 8,46).

Aristoteles beschreibt den L. hervorragend als vierfüßiges und vielzehiges (hist. an. 2,1,499b 8) sowie als fleischfressendes (ebd. 7(8),5,594b 17), tapferes und edles (ebd. 1,1,488b 17) Raubtier mit Reißzähnen (καρχαρόδους/*karcharódus*, ebd. 2,1,501a 16) und einziehbaren (vgl. Plin. nat. 8,41), gekrümmten (Aristot. hist. an. 3,9,517b 1) Krallen. Er besitzt eine feilenartig rauhe Zunge (Plin. nat. 11,172), angeblich einen Nagel unter der Quaste des Schwanzes, einen kurzen Verdauungstrakt und auffallende Geschlechtsorgane. Er harnt nach hinten (ebd. 2,1,500b 15f.), begattet sich angeblich mit zugekehrtem Steiß (πυγηδόν/*pygēdón*; ebd. 5,2,539b 22; Plin. nat. 10,173), bewegt sich vorsichtig im Gelände und weicht der Übermacht der Jäger nur schrittweise (Aristot. hist. an. 8(9),44,629b 12–15; vgl. Plin. nat. 8,50). Die Jugendentwicklung war genau bekannt (ebd. 6,31,579b 7f.). Die Überfälle auf Herden und Einzeltiere wie die Kamele des Xerxes (s.o.) und auf Rinder (Hom. Il. 5,161f.; 11,172–176; 17,61–65 und 18,579–583) werden ausführlich beschrieben.

Andererseits wurden die Irrtümer hartnäckig bis ins MA weiterverbreitet, z.B. die angebliche besondere Härte der Knochen (Aristot. hist. an. 3,7,516b 9–11; Plin. nat. 11,214), die zwei Zitzen der Weibchen (ebd. 2,1,500a 28f.; Plin. nat. 11,233), der Verlust der Gebärmutter beim ersten Wurf (Hdt. 3,108; von Aristot. hist. an. 6,31,579b 2–4 als Mythos bezeichnet; von Plin. nat. 8,44 übernommen) und die jährliche Verminderung der Jungenzahl von 6 bzw. 5 bis zu einem (ebd. 579b 8–11, nur in Syrien). Bei Aristot. hist. an. 2,1,497b 16–18 ist die Bemerkung, daß die inneren Organe denen eines Hundes gleichen, wohl auf eine (nicht von Aristot. ausgeführte?) Sektion zurückzuführen. Es stimmt nicht, daß der L. gerne allein jagt und daß er den → Schakal als Nahrungskonkurrenten haßt (Aristot. hist. an. 8(9),1,610a 13f.) Seine auf besondere Geilheit zurückgeführte Kreuzung mit anderen Tieren wie z.B. mit Leoparden (vgl. Plin. nat. 8,42) ist aus der Luft gegriffen (es gibt allerdings als Liger bezeichnete Bastarde mit dem Tiger). Ebenso falsch ist die Behauptung, der L. habe etwa vor dem Krähen eines Hahnes Angst (Plin. nat. 8,52). Nur die Furcht vor Feuer (Hom. Il. 11,553 und 17,663; zit. von Aristot. hist. an. 8(9),44,620b 21–23; Plin. nat. 8,52) ist nachgewiesen.

B. Literatur

Die Größe und das stolze Verhalten des L. machten ihn zum Sinnbild von Kraft, Tapferkeit und Mut, so daß er in vielen ant. Sprichwörtern und Redensarten in diesem Sinne begegnet (Fuchs, Hase und Hirsch bedeuten das Gegenteil). In der Fabel tritt der L., der »König der Tiere« (vgl. Babr. fab. 95), eher als linkisch, furchtsam oder tölpelhaft sowie als brutal auf. In allen Lagen, die denen eines Kriegers ähneln [3. 59ff.], wird er in Homers ›Ilias‹ beschrieben (z.B. 5,782), danach auch in der ›Odyssee‹ (z.B. 6,130–134) und bei späteren Dichtern wie Aischylos [4] und Vergil (georg. 2,151f.). Das Motiv der ihrer Jungen beraubten Löwin (Hom. Il. 18,318–322) wurde von Soph. Ai. 987 und lat. Dichtern wie Verg. georg. 3,245f.; Hor. carm. 3,20,2 und Ov. met. 13,547f. wieder aufgenommen. In der Lyrik, Bukolik und Satire spielt der L. jedoch keine Rolle.

C. Religion

In der Rel. und im Mythos begegnet der L. ebenfalls häufig. Er ist z.B. Attribut oder Gespanntier des → Bakchos und der → Kybele und wird deshalb auch der Hera [5] und Athene [6. 99ff.] zugeordnet. Mit Apollon als Sonnengott östl. Herkunft [7] ist er ebenfalls verbunden. Im → Mithras-Kult steht er als Sonnensymbol. Neben anderen Tieren ist er im Triumphzug des → Dionysos zu finden. → Herakles überwand den nemeischen L. [8].

Über dem L.-Tor von Mykenai hat der L. in Anlehnung an altoriental. Vorbilder als Türhüter eine apotropäische Bed. In der Gründungssage von Sardeis ist er Attribut der Schutzgottheit; die Eroberung unter dem Perserkönig Kyros gelang nur von der schwer ersteigbaren Stelle aus, um die der angeblich von einer Nebenfrau des Königs Meles geborene L. nicht herumgetragen worden war (Hdt. 1,84). L.-Figürchen aus Gold dienten im Lyderreich als Gewicht bzw. Geld. Der L. findet sich als Attribut des Sonnengottes Apollon auf Mz. aus Milet [9. Taf. 1,12] und z.B. aus Leontion auf Sizilien [9. Taf. 1,4]. Auch in der griech. Plastik und Vasenmalerei hat er aus diesem Grunde seinen Platz [10. 42]. Als Jagdtier der Könige war er auf myken. Dolchen und dem Siegel des Dareios dargestellt [11. 1,36]. Diese Trad. übernahmen die hell. Herrscher.

Die Jagdmethoden schildert ausführlich Opp. kyn. 4,77–212 (vgl. Plin. nat. 8,54). Die Haltung domestizierter L. durch oriental. Könige wurde durch Marcus Antonius (Plin. nat. 8,55), Domitian, Caracalla und Heliogabal nachgeahmt. Als Kampftiere im → Circus werden sie seit 186 v. Chr. (Liv. 39,22) zunächst gegen andere Tiere, dann seit Sulla (vgl. Plin. 8,53) gegen Gladiatoren eingesetzt. Hanno von Karthago war ein berühmter L.-Züchter und -bändiger (Plin. nat. 8,55). Das Fett des L. fand u.a. kosmetische Verwendung (Plin. nat. 28,89; Zubereitung: ebd. 28,144). L.-Felle waren lit. Requisit für Helden (→ Herakles). In der Kaiserzeit hat man mit ihnen auch Handel getrieben.

1 WALDE/HOFMANN 2 LEITNER 3 H. FRÄNKEL, Die homer. Gleichnisse, ²1977 4 A. SIDERAS, Homerismen in der Sprache des Aischylos, Diss. Göttingen, 1967 5 P. LÉVÊQUE, Héra et le lion d'après les statuettes de Délos, in: BCH 73, 1949, 125 ff. 6 N. YALOURIS, Athena als Herrin der Pferde, in: MH 7, 1950, 19–101 7 H. A. CAHN, Die Löwen des Apollo, in: MH 7, 1950, 185–199 8 O. GRUPPE, s. v. Herakles, RE Suppl. 3, 1028–1033 9 F. IMHOOF-BLUMER, O. KELLER, Tier- und Pflanzenbilder auf Mz. und Gemmen des klass. Alt., 1889, Ndr. 1972 10 P. JACOBSTHAL, Ornamente griech. Vasen, 1927 11 KELLER, Bd. 1, 24–61.

S. H. LONSDALE, Creatures of Speech. Lion, Herding, and Hunting Similes in the Iliad, 1990 • M. MERTENS-HORN, Stud. zu griech. L.-Bildern, in: MDAI(R) 93, 1986, 1–61 • P. MÜLLER, L. und Mischwesen in der archa. griech. Kunst, 1978 • A. STEIER, s. v. L., RE 13, 968–990 • K. USENER, Zur Existenz des L. in Griechenland in der Ant., in: Symbolae Osloenses 69, 1994, 5–33.

C. HÜ.

**Log.** Hebr. Hohlmaß für Flüssiges; ¼ *kábos*; von der LXX als → *kotýlē* übersetzt, in der Vulgata mit → *sextarius* wiedergegeben. Der Inhalt differierte zeitlich und örtlich, die mod. Ansätze variieren von 0,64 l bis 0,29 l.

H. CHANTRAINE, s. v. L., RE 9A, 2123 f.

HE. C.

**Logariastes** (λογαριαστής, λογαριαστεύων, λογιστής). Seit dem 11. Jh. n. Chr. für die Kontrolle der öffentl. Ausgaben zuständiger Finanzbeamter in mehreren Ressorts der Zentral- und Provinzverwaltung des byz. Reiches. Alexios I. (1081–1118) führte einen *mégas l.* als obersten Aufseher über die staatl. Ausgaben ein, der zunächst neben dem → *sakellarios*, später an dessen Stelle fungierte.

ODB 2, 1244 f. • R. GUILLAND, Titres et fonctions de l'Empire byzantin, 1976, XXI (1969).

F. T.

**Logik** A. DEFINITION B. ARISTOTELES C. THEOPHRAST D. HELLENISTISCHE ZEIT E. KAISERZEIT

A. DEFINITION

Die Lehre vom gültigen logischen Schluß, entwickelt von den griech. Philosophen als Ergebnis ihres Interesses an jeder Art von Beweisführungen, nicht nur in der Philos., sondern auch in der Mathematik, Politik oder vor Gericht. Der erste *t.t.* für das, was wir heute L. nennen, das Wort »Dialektik« (διαλεκτική sc. τέχνη, *dialektikḗ* sc. *téchnē*), wurde von → Aristoteles [6] gebraucht; der Terminus L. in der Bed. »Lehre von der korrekten Argumentation« begegnet in der Ant. erstmals bei dem Aristoteles-Kommentator → Alexandros [26] von Aphrodisias (Alex. Aphr. in Aristot. an. pr. 1,4 WALLIES).

B. ARISTOTELES

Aristoteles wird traditionsgemäß als Begründer der L. betrachtet. Am Ende seiner Schrift ›Sophistische Widerlegungen‹ behauptet er selbst mit einigem Stolz, als erster eine Behandlung des korrekten Schließens konzipiert und die Regeln dafür formuliert zu haben (Aristot. soph. el. 34,183b 34–36). Aristoteles war aber sicher nicht der erste, der sich mit der stichhaltigen Begründung befaßte; schon vor ihm wußten Philosophen zu argumentieren und lehrten andere diese Fähigkeit, um Beweise zur Verteidigung ihrer eigenen oder zur Widerlegung der Behauptungen ihrer Gegner beizubringen. Zudem kannten und benutzten sie gewisse abstrakte Schemata des Schließens, welche die Gültigkeit der gemäß diesen Regeln aufgebauten Beweisführungen sicherstellten.

So geht aus unseren Quellen klar hervor, daß schon → Zenon von Elea (ca. 500–440 v. Chr.) in seinen *Parádoxa* Argumentationsmuster wie das der Hinführung auf das Unmögliche gebrauchte. In ähnlicher Weise entwickelte → Platon im zweiten Teil seines Dialogs ›Parmenides‹, offensichtlich von Zenon beeinflußt, eine ausgefeilte Argumentationskette, die einem komplizierten formalen Schema folgt, das, so wird ausdrücklich gesagt, auf jeden anderen philos. Diskussionsgegenstand anwendbar sei (Plat. Parm. 137c ff.). Auch wenn Platon der Unt. des log. Schließens um seiner selbst willen abgeneigt war, bieten seine Dialoge generell doch Beweisführungen, die systematisch so angelegt sind, daß ihre Gültigkeit offensichtlich ist, sie aber auch eher Anreiz zur Reflexion über ihre Schlüssigkeit bieten als nur über den Wahrheitswert ihrer Voraussetzungen und Schlußfolgerungen. Darin folgt Platon vermutlich Sokrates' Vorgehen bei der Prüfung (ἔλεγχος, *élenchos*) und Widerlegung von Argumenten. Einige Passagen in platonischen Dialogen wie dem ›Euthydemos‹ lenken unsere Aufmerksamkeit auf die Tatsache, daß es allg. Grundsätze gibt, anhand derer man die Stichhaltigkeit (oder den Mangel) einer Argumentation erläutern kann. Angesichts des Interesses von Platon und seinen Nachfolgern z. B. an der Methode der Aufgliederung (διαίρεσις, *dihaíresis*) ist leicht zu erkennen, wie man dazu kommen kann, generelle Prinzipien zu formulieren, wie »wenn A eine Gattung von B ist und B eine Gattung von C, dann ist A eine Gattung von C«. Platon macht in seinen Dialogen selbstverständlich Gebrauch von diesen Grundsätzen, und so müssen es auch diejenigen in Platons Akademie (→ Akademeia) getan haben, die sich den Übungen in formaler Dialektik unterzogen, um zu lernen, wie man jede gegebene philos. These verteidigen oder angreifen könne.

Ein solches System allg. gültiger Prinzipien zu entwickeln, bedeutet aber noch nicht, eine formale Darstellung des gültigen Schließens zu präsentieren, die eindeutig bestimmt, was genau an einer Schlußfolgerung ihre Gültigkeit ausmacht. Es ist vollkommen richtig, daß der Grundsatz »wenn A eine Gattung von B und B eine Gattung von C ist, dann ist A eine Gattung von C« den Schluß rechtfertigt »A enthält jedes B; B enthält jedes C; daher enthält A jedes C«, falls A, B und C Gattungen oder Arten sind, aber man erhält keine eindeutige Begründung, warum dieser Schluß gültig ist. Der entscheidende Punkt ist vielmehr, zumindest aus der Sicht des Aristoteles, daß A alles enthalten muß, was B enthält, z. B. C.

Auf der Grundlage von Überlegungen dieser Art entwickelte Aristoteles eine rein formale Darstellung der Gültigkeit für zumindest eine große Gruppe von Beweisführungen, die er »Syllogismus« (συλλογισμός) nannte und die er bevorzugt behandelte, weil er der Überzeugung war, daß jede Erkenntnis strenggenommen Erkenntnis der Wahrheit von Aussagen der Form »A ist B« sei. Aristoteles' Schriften zur L. waren später unter dem Gesamttitel ›Organon‹, d. h. »Werkzeug« für die Philos., bekannt, denn sie wurden als die Werke angesehen, die als erste zu studieren waren, da man durch die L. zu dem für die Philos. konstitutiven Wissen über Wirklichkeit und menschliches Verhalten gelange. Aber nicht alle sechs Traktate des ›Organon‹ handeln von L. im modernen Sinn: Das erste dieser Werke, ›Kategorienschrift‹ (→ Kategorien) genannt, klassifiziert die verschiedenen Arten von Prädikaten und wird oft eher als metaphysische oder dialektische denn als log. Abh. betrachtet. Jene Herausgeber, die es dem ›Organon‹ zuordneten, taten dies unter dem Gesichtspunkt, daß es von den Begriffen in Aussagen der Form »A ist B« handelt. In der ›Topik‹ werden dialektische Argumentationen erörtert, wie sie in den Übungen angewandt wurden, die einen wichtigen Teil der philos. Schulung in Platons Akademie bildeten. Die Schrift ›Sophistische Widerlegungen‹ ist ein Anhang zur ›Topik‹ und betrachtet log. Trugschlüsse. Die ›Zweite Analytik‹ untersucht die bes. Anforderungen, die wiss. beweiskräftige Argumentationen außer der formalen Gültigkeit erfüllen müssen.

Aristoteles' Hauptbeiträge zur Disziplin der L. im modernen Sinn finden sich zum einen in der kurzen Abh. ›Über die Hermeneutik‹, die seine Theorie zur Struktur von Aussagen, die Bedingungen, unter denen sie wahr sind, und die log. Beziehungen zw. ihnen, bes. Widerspruch und Gegensatz, darstellt; zum anderen in der ›Ersten Analytik‹, in der Aristoteles seine Theorie des Syllogismus entwickelt, indem er verschiedene Arten der Argumentation auf ihre Form hin untersucht. Erwähnenswert ist, daß Aristoteles der erste war, der in seinen log. Schriften Buchstaben (»A«, »B«, »C«) benutzte, die in Aussagen an Stelle der Begriffe (»weiß«, »Lebewesen«, »Mensch«) stehen. Diese aristotelische Neuerung wird von modernen Logikern als ein entscheidender Schritt in der Gesch. der L. angesehen, weil sie eine bewußte Unterscheidung zw. Form und Inhalt log. Schließens impliziert und zudem eine bedeutende Vereinfachung bei der formalen Darstellung von Argumentationen mit sich bringt.

In Aristoteles' Schrift ›Über die Hermeneutik‹ werden vier Arten von Aussagen genauer unterschieden: allg.-bejahende Aussagen der Form »A kommt allen B zu« (z. B. »Alle Menschen sind weiß«); allg.-verneinende Aussagen der Form »A kommt allen B nicht zu« (z. B. »Alle Menschen sind nicht weiß«); partikulär-bejahende Aussagen der Form »A kommt einigen B zu« (z. B. »Einige Menschen sind weiß«); und partikulär-verneinende Aussagen der Form »A kommt einigen B nicht zu« (z. B. »Einige Menschen sind nicht weiß«). Nach einer ins MA zurückreichenden Konvention bezeichnet man jede der vier Arten von Aussagen mit einem Vokal, und so können sie mit »A a B«, »A e B«, »A i B«, »A o B« (in dieser Reihenfolge) abgekürzt werden. Läßt man nun abweichende Fälle wie diejenigen unbestimmter Aussagen außer acht, dann stehen, allg. gesagt, Aussagen in kontradiktorischem Gegensatz, wenn sie nicht zugleich beide wahr und auch nicht beide falsch sein können, wohingegen sie einen konträren Gegensatz bilden, wenn nicht beide zugleich wahr, wohl aber beide falsch sein können. Das bedeutet, die generelle Affirmation verhält sich konträr zur generellen Negation und kontradiktorisch zur partikulären Negation, wohingegen sich die partikuläre Affirmation konträr zur partikulären Negation und kontradiktorisch zur generellen Negation verhält.

Als nächstes stellt Aristoteles in der ›Ersten Analytik‹ seine Theorie des Syllogismus (= S.) dar, zweifellos eine der größten Errungenschaften in der Gesch. der L. Er beginnt mit der Standarddefinition des S., die klarlegt, daß dieses griech. Wort hier nicht allg. Argumentation bedeutet, sondern eine viel engere Bedeutung annimmt; ein aristotelischer S. ist eine Argumentationsweise, bei der, wenn bestimmte Sachverhalte postuliert werden, sich notwendigerweise etwas ergibt, was von den postulierten Sachverhalten verschieden ist, auf Grund der Tatsache, daß die postulierten Sachverhalte in dieser Form zutreffen (Aristot. an. pr. 1,24b 18–20). Daher gehören zu jedem S. drei verschiedene Aussagen (zwei Voraussetzungen und eine Schlußfolgerung), die in angemessener Weise, die näher zu spezifizieren ist, aufeinander bezogen sein müssen. Zunächst einmal müssen die beiden Prämissen einen Begriff gemeinsam haben, den sogenannten »Mittelbegriff«, und die beiden Begriffe der Konklusion, d. h. die »Eckbegriffe«, müssen jeder in einer der Prämissen erscheinen. Daher weisen die drei Behauptungen eines jeden S. zusammen genau drei Begriffe auf, und die Prämissen als Paar können eine der folgenden Strukturen zeigen: 1. A ist Teil von B, B von C; 2. B ist Teil von A, B von C; und 3. A ist Teil von B, C von B. Diese drei Stukturen bestimmen die drei Figuren der aristotelischen Syllogistik; ein S. gehört zur ersten Figur, wenn seine Prämissen Struktur 1 zeigen, zur zweiten Figur, wenn sie Struktur 2 zeigen, und zur dritten Figur, wenn sie Struktur 3 zeigen. In späterer Zeit wurden die verschiedenen Formen, in denen S. im Rahmen der Figuren konstruiert werden können, als »Modi« bezeichnet. Aristoteles unterscheidet 14 gültige Modi, die heute allg. unter ihren ma. Bezeichnungen bekannt sind. Der erste gültige Modus der ersten Figur wird z. B. »Barbara« genannt und geht folgendermaßen: »A kommt jedem B zu; B kommt jedem C zu; deshalb kommt A jedem C zu«. Ein typisch aristotelisches Beispiel für diesen Modus wäre dann: »Alle Lebewesen sind sterblich; alle Menschen sind Lebewesen; also sind alle Menschen sterblich«. Alle gültigen Modi der ersten Figur werden als »vollkommen«

bezeichnet, weil ihre Gültigkeit unmittelbar evident ist. Die S. in den anderen Figuren sind »unvollkommen«, aber sie können vollkommen werden, das bedeutet, ihre Gültigkeit kann nach Aristoteles evident gemacht werden, sofern sie auf Syllogismen in der ersten Figur zurückgeführt werden können, deren Gültigkeit unmittelbar evident ist. Aristoteles wendet drei Methoden der Vervollkommnung oder der Zurückführung an, i.e. drei Arten der Beweisführung, daß eine gegebene syllogistische Form gültig ist: Umwandlung durch Umkehrung (ἀντιστροφή, *antistrophḗ*), Hinführung auf das Unmögliche (ἀναγωγὴ εἰς τὸ ἀδύνατον, *anagogḗ eis to adýnaton*) und Herausstellen (ἔκθεσις, *ékthesis*). Auf diese Weise präsentiert er seine Syllogistik als ein System der deduktiven Schlußfolgerung, in dem die 14 gültigen Modi der Syllogismen in der ersten, zweiten und dritten Figur auf die vier Modi der ersten Figur zurückgeführt werden können; daher bilden diese vier syllogistischen Modi die Axiome des Systems. Der axiomatische Charakter der aristotelischen Syllogistik trägt deutliche Zeichen der Beeinflussung durch die Entwicklungen der mathematischen Wissenschaften seiner Zeit; ihre Genialität und Eleganz wird oft gerühmt.

Aristoteles ist auch der erste Vertreter der »modalen« L., d. h. der Unt. von Aussagen, die modale Operatoren wie »notwendig« oder »möglich« enthalten. Er legte oftmals dar, daß notwendig ist, was nicht anders sein kann, und unterschied zwei Bed. des Möglichen: Erstens ist möglich, was weder unmöglich noch notwendig ist; zweitens ist möglich, was nicht notwendigerweise unmöglich ist. Die Unterscheidung der beiden Bed. von »möglich« verursacht jedoch enorme Schwierigkeiten für Aristoteles' modale Syllogistik, und seine Behandlung der modalen L. in der »Ersten Analytik« erweist sich als nicht zufriedenstellend und vermutlich letzten Endes inkohärent.

### C. Theophrast

Einige Peripatetiker (→ Peripatos) verfolgten das log. Interesse des Aristoteles weiter und suchten seine log. Lehrsätze weiter auszuführen. Speziell → Theophrastos, ein Schüler des Aristoteles, soll sich hauptsächlich mit der Entwicklung bestimmter Aspekte der aristotelischen L. befaßt haben; unglücklicherweise ist keine seiner log. Schriften erhalten. Von späteren Autoren erfahren wir, daß er einen Bereich der L. entwickelte, der von Aristoteles nur kurz erwähnt wurde, nämlich S., die von einer Annahme ausgehen. Darunter versteht man S., bei denen zumindest die erste Prämisse eine »hypothetische« Aussage ist, d. h. eine verneinte Konjunktion, eine Disjunktion oder ein Konditional. In den Werken der Aristoteles-Kommentatoren werden S. mit derartigen Prämissen »hypothetische« S. genannt und den als »kategorisch« bezeichneten aristotelischen Standard-S. gegenübergestellt. Anscheinend hat jedoch Theophrasts Darstellung der hypothetischen S. niemals die Gestalt einer voll ausgearbeiteten systematischen Theorie der L. angenommen, wie sie die Stoiker später hervorbrachten. Theophrast erörterte auch aus drei hypothetischen Aussagen bestehende S., d. h. Argumentationen der Form »wenn A, dann B; wenn B, dann C; daraus folgt: wenn A, dann C« (z. B. Alex. Aphr. in Aristot. an. pr. 1,29 p. 326,20–328,5 Wallies). Er war der Ansicht, daß diese sogenannten »gänzlich hypothetischen« S. in gewisser Weise auf »Barbara« (s. o.) und »Celarent« zurückzuführen seien, wir sind aber über seine Methode der Reduktion nicht informiert. Schließlich schreibt ihm die Trad. eine Vereinfachung der aristotelischen Modaltheorie zu, die jedoch immer noch einige ihrer Hauptschwierigkeiten ungeklärt läßt.

### D. Hellenistische Zeit

Weitgehend unabhängig von der aristotelischen Begriffs-L. wurde in hell. Zeit die Aussagen-L., hauptsächlich die hypothetische Syllogistik im Gegensatz zur kategorischen, zu ihrem höchsten Niveau vorangetrieben. Ihre Anfänge können bis zu Philosophen wie → Diodoros [4] Kronos und → Philon von Megara zurückverfolgt werden, die sich nicht nur mit der Unt. von log. Rätseln oder Paradoxa (wie dem »Lügner« und dem »Haufen«/*sorítēs*) beschäftigten, sondern auch selbständige Theorien über log. Modalitäten und die Wahrheitswerte konditionaler Aussagen aufstellten. Nach Philon von Megara ist ein Bedingungssatz wahr, wenn er nicht mit einer Wahrheit beginnt und mit einer Unwahrheit endet, wohingegen er nach Diodoros [4] wahr ist, wenn es weder möglich war noch ist, daß er mit einer Wahrheit beginnt und mit einer Unwahrheit endet. Um sein Verständnis der Modalitäten zu unterstützen, konstruierte Diodoros zudem das »Meisterargument« (κυριεύων sc. λόγος, *kyrieúōn* sc. *lógos*), das zeigen sollte, daß nichts möglich ist, was nicht wahr ist oder sein wird.

Die Aussagen-L. jedoch wurde schließlich von den Stoikern (→ Stoizismus) in ein System gebracht, die in → Chrysippos [2] einen Logiker höchsten Formats fand. Seine zahlreichen Werke sind fast gänzlich verloren, und wir müssen die stoische L. aus relativ wenigen und nicht immer zuverlässigen Fr. rekonstruieren. Die stoische Aussagen-L. gründete auf den Bindewörtern »wenn ... dann« für Konditionalsätze, »entweder ... oder« für ausschließende Disjunktionen, »sowohl ... als auch« für Konjunktionen sowie für die vorangestellte Negation »es ist nicht der Fall, daß«. Die Stoiker benutzten Ordinalzahlen (»das erste«, »das zweite«, »a«, »b«), die nicht als Platzhalter für Begriffe, sondern für einfache Aussagen standen. Ihre hypothetische Syllogistik wurde wie die aristotelische ebenfalls als axiomatisches System entwickelt. Sie basiert auf fünf Arten »unbeweisbarer« Argumentationen, d. h. einfacher S., deren Gültigkeit nicht bewiesen werden muß, weil sie unmittelbar evident ist, und vier Regeln, den sogenannten »Themata«; durch deren Anwendung sollten alle anderen S. auf die unbeweisbaren zurückzuführen sein. Folglich erlauben diese Regeln, die formale Gültigkeit nicht-unbeweisbarer Argumentationen nachzuweisen, indem man sie in einem oder mehreren Schritten in eine oder mehrere unbeweisbare Argumentationen »zerlegt«.

Die Form der fünf Muster für unbeweisbare Argumentationen wurde folgendermaßen ausgedrückt: 1. »Wenn das erste, dann das zweite; nun aber das erste; also das zweite«. 2. »Wenn das erste, dann das zweite; nun aber nicht das zweite; also nicht das erste«. 3. »Nicht zugleich das erste und das zweite; nun aber das erste; also nicht das zweite«. 4. »Entweder das erste oder das zweite; nun aber das erste; also nicht das zweite«. 5. »Entweder das erste oder das zweite; nun aber nicht das erste; also das zweite«. Ein typisch stoisches Beispiel für die erste unbeweisbare Argumentation ist: »Wenn es Tag ist, gibt es Licht; nun aber ist es Tag; also gibt es Licht« (z.B. Diog. Laert. 7,80–81; S. Emp. PH 2,157–158).

E. Kaiserzeit

Die beiden log. Systeme, Begriffs-L. und Aussagen-L., wurde von den Peripatetikern und den Stoikern eher als konkurrierend denn als einander ergänzend betrachtet, da jedes vermeintlich alle formal gültigen Argumentationen abdeckte. Sogar bezüglich der Natur der L. stellten spätere Autoren Peripatetiker und Stoiker als Vertreter gegensätzlicher Sichtweisen dar: Von Aristoteles und seinen Nachfolgern sagte man, sie hätten die L. als ein Werkzeug der Philos. konzipiert, während man von den Stoikern behauptete, sie betrachteten die L. als einen integralen Bestandteil der Philos.; von manchen Platonikern wurde gesagt, sie deuteten Platon als Vertreter eines Kompromisses, daß L. beides, ein Teilgebiet ebenso wie ein Werkzeug der Philos. sei. Später jedoch finden wir den Versuch, die beiden Trad. der kategorischen und der hypothetischen Syllogistik in einem log. System zu verbinden. Die Kommentatoren der log. Schriften des Aristoteles, wie Alexander [26] von Aphrodisias, → Ammonios [12] und Iohannes → Philoponos, integrierten in ihre Werke viele stoische Elemente, einschließlich einer Doktrin der hypothetischen Syllogismen. Das gleiche Verfahren finden wir in lat. Texten wie in Apuleius' (→ Ap(p)uleius [III]) *Peri hermeneias* und Boethius' *De syllogismo categorico* und *De syllogismo hypothetico*.

Der Großteil der lat. Werke zur L. folgte Aristoteles, bewahrte aber daneben einige Elemente der stoischen Trad. So finden wir bei → Cicero (Cic. top. 57), der erst die lat. Termini für die log. Begriffe schuf, bei → Martianus Capella (4,419–420) und bei → Boethius (In Ciceronis Topica 358) eine Liste der stoischen unbeweisbaren Aussagen, erweitert auf sieben grundlegende Argumente. Boethius übernahm zusätzlich viele seiner Gedanken aus der peripatetischen L.; seine Ausführungen zu den drei Formen des Syllogismus (*si est A, est B; si est B, est C; ergo si est A, est C*) stammen verm. von Theophrast. Von Aristoteles' ›Kategorien‹ und ›De interpretatione‹ verfaßte er lat. Übers., die ihrerseits auf den Versionen des Marius [II 21] Victorinus fußten; diese beiden Schriften – in Boethius' lat. Fassung – waren die einzigen Werke aus dem aristotelischen Corpus, die den Philosophen des frühen MA zur Verfügung standen.

Erfolgreicher bei dem Versuch einer Synthese der beiden Systeme war Galenos in seiner ›Einführung in die L.‹, in der er auch die Relationen-L. behandelt, die weder bei Aristoteles noch bei den Stoikern zufriedenstellend erklärt wird: Darunter fallen Argumentationen wie »A ist größer als B; B ist größer als C; also ist A größer als C«. Im allg. machten die Logiker der Kaiserzeit jedoch keine wesentlichen log. Entdeckungen, obwohl sich in ihren Schriften einige terminologische Neuerungen finden. Meistenteils legten sie ausführlich dar, was Aristoteles kurz und elliptisch ausgedrückt hatte. Andererseits bewahren Werke zur L. unschätzbare histor. Informationen.

Schließlich sei auch die Sichtweise derjenigen griech. Philosophen genannt, welche die L. ablehnten: Philosophen wie → Epikuros und die Skeptiker (→ Skeptische Schule) ebenso wie die Empiriker leugneten die Nützlichkeit oder Möglichkeit von L. und empfahlen, sie vollständig zu vernachlässigen. In gemäßigterem Tonfall machten auch einige stoische Philosophen, von Zenon von Kition und Ariston [7] von Chios bis Epiktetos [2], kritische Bemerkungen über jene, die zu log. Spitzfindigkeiten neigten und darüber das wahre Ziel der Philos. vergäßen.

→ Logik

J. Barnes, Logic and the Imperial Stoa, 1997 · S. Bobzien, Stoic Syllogistics, in: Oxford Studies in Ancient Philosophy 14, 1996, 133–192 · I. M. Bochenski, La logique de Théophraste, 1947 · Ders., Ancient Formal Logic, 1951 (= dt.: Formale Logik, [4]1978) · J. Brunschwig (Hrsg.), Les Stoiciens et leur logique, 1978 · J. Corcoran (Hrsg.), Ancient Logic and its Modern Interpretations, 1974 · K. Döring, Th. Ebert (Hrsg.), Dialektiker und Stoiker. Zur L. der Stoa und ihrer Vorläufer, 1993 · Th. Ebert, Dialektiker und frühe Stoiker bei Sextus Empiricus. Unt. zur Entstehung der Aussagenlogik (Hypomnemata 95), 1991 · K. Flannery, Ways into the Logic of Alexander of Aphrodisias, 1995 · M. Frede, Die stoische L., 1974 · Ders., Stoic vs. Aristotelian Syllogistic, in: Ders., Essays in Ancient Philosophy, 1987, 99–124 · R. Gaskin, The Sea Battle and the Master Argument. Aristotle and Diodorus Cronus on the Metaphysics of the Future (Quellen und Studien zur Philos. 40), 1995 · W. und K. Kneale, The Development of Logic, [3]1969 · T.-S. Lee, Die griech. Trad. der aristotelischen Syllogistik in der Spätant., 1984 · J. Lukasiewicz, Aristotle's Syllogistic from the Standpoint of View of Modern Formal Logic, [2]1957 · B. Mates, Stoic Logic, 1953 · A. Menne, N. Öffenberger (Hrsg.), Zur mod. Deutung der aristotelischen L., Bd. 1, 1982 f. · U. Nortmann, Modale Syllogismen, mögliche Welten, Essentialismus. Eine Analyse der aristotelischen Modallogik, 1996 · G. Patzig, Die aristotelische Syllogistik, [3]1969 · O. Primavesi, Die aristotelische Topik. Ein Interpretationsmodell und seine Erprobung am Beispiel von Topik B (Zetemata 94), 1996.

KA. HI./Ü: E. D.

**Logistai** (λογισταί, »Rechner«, Finanzbeamte). Im Athen des 5. Jh. v. Chr. wird in den drei ersten Tributlisten des → Attisch-Delischen Seebunds (IG I[3] 259–261) und im ersten Finanzdekret des Kallias (ML 58 = IG I[3] 52, A. 7–9) ein Collegium von 30 *l.* erwähnt. Es ist vermutlich identisch mit dem Collegium, das (ohne Mit-

gliederzahl) in der Liste der Darlehen aus den Heiligen Geldern (ML 72 = IG I³ 369) und in einem Dokument aus → Eleusis (IG I³ 32,22–28) erscheint. Im 4. Jh. hatten die Behörden einem vom Rat bestellten Gremium von *l.* in jeder Prytanie (→ *prytaneía*) eine Zwischenabrechnung (Lys. 30,5; [Aristot.] Ath. pol. 48,3) und am E. ihres Amtsjahres einem Gremium von zehn *l.* aus der Bürgerschaft eine Endabrechnung vorzulegen. Falls diesen *l.* das Finanzverhalten verdächtig schien, ging der Fall an einen Gerichtshof unter ihrem Vorsitz ([Aristot.] Ath. pol. 54,2). *L.* amtierten auch in einzelnen Demen (IG II² 1183,13–16: Myrrhinus). Ähnliche Beamte sind auch in verschiedenen anderen griech. Staaten bezeugt [1. Bd. 1, 472f.].
→ Euthynai

1 Busolt/Swoboda 2 M. Piérart, Les euthynoi athéniens, in: AC 40, 1971, 526–573. P.J.R.

**Logistik** s. Heeresversorgung

**Logographos** (λογογράφος). Verfasser von griech. Gerichtsreden. *Logográphoi* nannte man die zehn klass. att. Rhetoren. Das Wort wurde aber auch häufig abwertend gebraucht (z.B. Aischin. 1,94; 3,173). Da in Athen die Prozeßparteien ihre Sache grundsätzlich selbst vor Gericht vertreten mußten, blieb der »Redner«, sofern er nicht in eigener Sache auftrat, unerkannt im Hintergrund: Er war nicht Parteienvertreter oder Anwalt (→ *syndikos*), sondern »Redenschreiber« (wie *l.* wörtlich zu übersetzen ist). Er schrieb seinen Klienten Plädoyers »auf den Leib«, welche diese einstudierten und vortrugen. Allenfalls trat der *l.* seinem Klienten als → *synégoros* zur Seite. In diesem System legte ein *l.* den Schwerpunkt nicht auf das Juristische, sondern auf die Rhet. [2. 217–222]. Unter den ersten Rednern, deren Werke erh. sind, schrieb → Andokides [1] nur für seinen eigenen Gebrauch, → Antiphon [4] bereits für Klienten wie auch die anderen »Att. Redner«, abgesehen von → Aischines [2]. → Isokrates schrieb zu Beginn des 4. Jh. v. Chr. Reden für Klienten, bevor er sich der Rednerschulung und dem Schreiben polit. Flugschriften in Redenform zuwandte. → Isaios [1] spezialisierte sich auf Erbschaftsprozesse. Einige der in Athen wirkenden *logográphoi* (→ Lysias, → Deinarchos und vielleicht Isaios) waren keine athenischen Bürger.

1 H.J. Wolff, Demosthenes als Advokat, 1968
2 E. Degani, Griech. Lit. bis 300 v. Chr., in: H.-G. Nesselrath (Hrsg.), Einleitung in die griech. Philol., 1997.
P.J.R. u. G.T.

**Logos**
**[1] Philosophisch** A. Begriff B. Vorsokratiker C. Platon und Aristoteles D. Stoa E. Philon von Alexandreia F. Plotinos G. Christentum

A. Begriff

Das griech. Subst. *lógos* (λόγος) ist von dem Verb *légein*, »sagen«, abgeleitet; es wurde von den griech. Philosophen umfassend und in einem weiten Bedeutungsspektrum gebraucht: Gesagtes, Wort, Behauptung, Definition, Darstellung, Erklärung, Ursache, Maßstab, Proportion, Verhältnis, Argument, vernünftiger Diskurs.

B. Vorsokratiker

Versuche, die histor. Entwicklung des Wortgebrauchs bis ins einzelne nachzuverfolgen, haben sich als erfolglos erwiesen. Es ist jedoch offensichtlich, daß der *l.* schon von den → Vorsokratikern hauptsächlich in bezug auf eigene begründete Behauptungen und Darstellungen wie auch für die durch die Vernunft gesteuerte Annäherung an kosmologische Fragestellungen gebraucht wurde. In der Tat ist es gerade das Vertrauen auf Argumente und Erklärungen, das von mod. Gelehrten als wichtiges Charakteristikum des Denkens der frühgriech. Philosophen betrachtet wird. Obwohl in diesem frühen Stadium der Gegensatz zw. → *mýthos* und *l.* nicht so klar ist wie oft behauptet, besteht kein Zweifel daran, daß seit dieser Zeit die meisten griech. Philosophen *l.* als Ausdruck oder Reflexion menschlicher Rationalität in der Rede und im Denken verstehen. In der Gesch. der griech. Philos. finden wir verschiedene Philosophen, die annehmen oder postulieren, daß die Welt (*kósmos*) intelligibel sei und eine rationale Struktur habe, entweder dank der ihr eigenen Rationalität oder eines göttlichen Intellekts (*nus*), der für die rationale Struktur verantwortlich zeichnet.

Zum ersten Mal finden wir den Terminus *l.* in den Fr. des → Herakleitos [1], nicht nur zur Bezeichnung seines eigenen Verständnisses und seiner Darstellung der Dinge, sondern auch als die einzige einigende Formel für die Anordnung der Dinge in der Welt. Denn diese, obwohl scheinbar vielfältig und gänzlich voneinander geschieden, sind in Wirklichkeit in einer kohärenten Verflechtung verbunden, wovon die Menschen selbst ein Teil sind. Daher ist nach Heraklit die Welt geordnet (*kósmos*), und *l.* ist der allg. Plan, nach dem alles geschieht, oder auch das Vorbild für die Übereinstimmung und Ausgewogenheit zw. den verschiedenen und entgegengesetzen Kräften im Universum: sowohl die rationale Struktur der Welt als auch die Quelle dieser Struktur, das heißt das vernünftige leitende → Prinzip, das alle Geschehnisse regelt und das immer war, ist und sein wird. Hier ist *l.* ein immanentes Prinzip, das in den Dingen aktuell präsent ist; darin ist es verschieden von dem göttlichen *nus* (Intellekt) des Anaxagoras [2], ebenfalls ein Prinzip der erkennbaren Ordnung im Universum, aber nicht mit anderen Dingen vermischt. Auch scheint Heraklits *l.* eine materielle Verkörperung zu besitzen; denn er ist eine materielle Kraft, in gewisser Weise mit dem kosmischen Urelement, dem → Feuer, verwandt. Anscheinend wurde der *l.* jedoch von Heraklit weder als bewußt noch als intelligent (d. h. als selbst denkend) erachtet. Andererseits ist der menschliche *l.* im Prinzip in der Lage, jenen *l.* zu begreifen, da die Menschen und bes. der menschliche Geist (*l.*) Teil des universellen *l.* sind. Dazu ist jedoch für Heraklit persönliches Nachforschen nötig, das dem *l.* der menschlichen Seele hilft, zu verstehen und sich mit dem universellen *l.* zu vereinigen; auf diese Weise wird die Weltordnung dem menschlichen Verstand zugänglich.

C. Platon und Aristoteles

In Platons ›Timaios‹ ist das Weltall ebenfalls vernunftbestimmt, aber seine Organisation wird nicht von einem immanenten *l.* hervorgebracht, sondern von dem → *dēmiurgós* [3]; die vernünftig denkende Aktivität der von dem Demiurg geschaffenen Weltseele wird als *l.* bezeichnet. Sein Denken wird durch den Kontakt der Seele mit wahrnehmbaren Dingen oder mit Ideen angeregt; wenn sich der *l.* mit wahrnehmbaren Dingen beschäftigt, bringt er Meinungen und Annahmen hervor, wenn er aber über Ideen nachdenkt, sind Geist oder Verstand (*nus*) und Erkenntnis (*gnṓsis*) das Ergebnis.

In ähnlicher Weise ist in Aristoteles' ›Metaphysik‹ (B. 12) der unbewegte Beweger, ein transzendenter göttlicher Intellekt, die Quelle kosmischer Ordnung und Verständlichkeit. Er wird ebenfalls *nus* (und nicht *l.*) genannt. Andererseits gebraucht Aristoteles in *De anima* wie in seinen biologischen Schriften den Terminus *l.* in bezeichnender Weise; *l.* wird hier als die inhärente Formel verstanden, die Natur, Leben und Aktivität eines Körpers determiniert, d. h. *l.* ist die Triebfeder des Körpers und wird durch den Samen und seine Bewegung übertragen.

Diese Bedeutung von *l.* hat vermutlich zusammen mit der Lehre Heraklits eine große Rolle bei der stoischen Vorstellung eines kosmischen *l.* gespielt, der ohne Zweifel ausgefeiltesten und einflußreichsten ant. Konzeption dieser Art.

D. Stoa

Auch für die Stoiker (→ Stoizismus) ist die Welt geordnet, und der *l.* ist das aktive Prinzip, das innerhalb der Welt auf die passive Materie einwirkt und dadurch die rationale Struktur der Welt erzeugt. Daher ist der *l.* überall im Universum präsent und bildet die Quelle aller Aktivität, Rationalität und Intelligibilität. Er ist das leitende Prinzip (ἀρχή/*archḗ*) der ganzen Welt in Form einer vernunftbegabten lebendigen Wesenheit, die sowohl intelligibel als auch intelligent ist, nämlich Gott (*theós*) oder die Natur (*phýsis*). In der Pluralform, als *lógoi spermatikoí* (»keimhafte Ursachen«), fungiert dieses Prinzip als die erste hervorbringende Ursache in der Natur, die nicht nur die Existenz und den formalen Aufbau aller Einzeldinge, sondern auch alle Bewegung erklärt. In Anlehnung an Aristoteles' Reproduktionstheorie erklären die stoischen Physiker daher die *lógoi spermatikoí* als im Samen jedes einzelnen Wesens enthaltene Formeln oder Prinzipien, die festlegen, was es sein und wie es sich verhalten wird. Zudem vollziehen sich auch die Bewegungen der Seele gemäß den *spermatikoí lógoi*. Da die Stoiker die Existenz auf körperliche Wesenheiten beschränken, wird auch der *l.* als körperlich betrachtet, genauer als eine bes. Form des → Feuers, das → *pneúma*, das der Welt im ganzen und allen Dingen in ihr Gestalt und Leben verleiht.

Daher hat der *l.* innerhalb der Weltordnung zwei aufeinander bezogene Funktionen: Er verleiht den individuellen Körpern inneren Zusammenhalt und verbindet, da er alles durchdringt, die Welt im ganzen zu einem einzigen zusammenhängenden Körper. Des weiteren gewährleistet der *l.*, daß die Welt mit ihren Strukturen für den Menschen verständlich ist; denn da die menschliche Seele vernunftbegabt und darüber hinaus selbst ein Teil des kosmischen *l.* ist, kann sie im Prinzip den *l.* des Universums begreifen. Die Stoiker glauben fest daran, daß Menschen nur glücklich sind, wenn sie in Übereinstimmung mit der Natur leben, d. h. in Übereinstimmung mit dem *l.* ihrer eigenen Seele wie auch mit dem universellen *l.*

E. Philon von Alexandreia

Auch → Philon von Alexandreia, verm. stark von den Stoikern und von Platon beeinflußt, versteht *l.* als die lebendige, vernunftbegabte Kraft, welche die Welt und die Ordnung des Seienden zusammenhält. Bei dem Versuch, seinen Monotheismus mit dem der griech. Philosophen in Einklang zu bringen, erklärt er, der höchste Gott sei zu weit entfernt, um in direkten Kontakt mit der Welt zu treten, und der *l.* sei Muster und Mittler seiner Schöpfung, aber auch Urbild der menschlichen Vernunft (daher später Christus als *l.*). Dieser schöpferische *l.* wurde aus dem Nichts geschaffen, allein als Ergebnis des göttlichen Willens, obwohl es schon vor diesem Schöpfungsakt einen *l.* gab, der seit ewigen Zeiten mit Gott zusammen als eine Eigenschaft seines Wesens existierte. Daraus ergibt sich die Frage, ob er ein von Gott getrenntes Seiendes ist, und Philon selbst scheint zu schwanken, ob er ihn als separate → Hypostase [2] ansehen soll oder nicht. Meistens, aber nicht immer, betrachtet er diesen *l.* als nur in der Vorstellung von Gott getrennt. Auf einer niedrigeren Seinsebene nimmt Philon göttliche *lógoi* an, die mit Engeln gleichgesetzt werden, eine Sichtweise, die später von den christlichen Platonikern Alexandreias (→ Clemens [3], → Origenes) übernommen wird. Als Wesenheit ist der Mensch auf Gott durch den *l.* seiner Seele bezogen.

F. Plotinos

In → Plotinos' ›Enneaden‹ spielt der *l.* ebenfalls die Rolle eines organisierenden Prinzips oder einer Kraft, die von dem göttlichen Intellekt (*nus*) zwar getrennt, aber lebendig mit ihm verbunden ist. In der Natur waltet eine reale, objektive Wesenheit, die von der → Materie nicht zu trennen, aber zugleich immateriell ist in dem Sinne, daß sie der Materie nicht innewohnt wie eine Eigenschaft einem Substrat; vielmehr ist es das nicht bewegende rationale Prinzip, das für die Form in der Materie, nämlich die Substanz oder die Seele, verantwortlich ist. Denn gerade wie es bei einer menschlichen Handwerkskunst ein Prinzip gibt, nach dem die Dinge produziert werden, so muß es auch in der Natur eine ähnliche Kraft geben, die nicht durch Planen oder Begründen wirkt, sondern einfach dadurch, daß sie ist, was sie ist. Plotin behauptet, verm. von den Stoikern beeinflußt, daß von diesem ersten *l.* als schöpferischer und ordnender Kraft eine Reihe untergeordneter *lógoi* ausströme, welche die Kräfte der Schöpfung auf untergeordneten Ebenen repräsentierten; die wahrnehmbaren Eigenschaften seien tieferstehende Manifestationen davon. Daher kann das Werden der Dinge in der Welt als Wirken einer Vielheit solcher Prinzipien oder *lógoi* ausgedrückt werden, die der Vernunft zugängliche Zwischenstufen zw. dem göttlichen Intellekt und den Formen in der Materie sind.

G. Christentum

Die Gleichsetzung des *l.* mit Christus im Johannes-Evangelium, die wir auch bei vielen frühen Kirchenvätern einschließlich → Augustinus finden, ist zum Teil eine Neubearbeitung und Rekombination älterer Vorstellungen in einem neuen Kontext. Aber ob der entscheidende Impuls für die christl. Konzeption histor. aus griech. oder jüd. Quellen kommt, ist höchst umstritten. *L.* ist hier das Wort (*verbum*, z.B. Mar. Victorin. de generatione verbi 29; Aug. de vera religione 66) und die Weisheit Gottes, die allen Dingen innewohnende Vernunft, Mittleres und Vermittler zw. Gott und der Welt, da Gott in seinem *l.* und durch ihn erkennbar ist. Aber *l.* wird von dem Evangelisten jetzt als Person verstanden, anders als der unpersönliche *l.* Philons; *l.* steht in persönlichen Beziehungen zu Gott wie zu den Menschen und hat durch seine Inkarnation in Jesus einen Platz in der Geschichte. Christl. Apologeten wie → Iustinus [6] arbeiten diese Vorstellung weiter aus und behaupten, daß alle, die in der Zeit vor ihm vernünftig und richtig gedacht und gehandelt haben, wie z.B. Sokrates und Abraham, frühere Manifestationen von Christus, dem universellen *l.*, seien. Diese Vorstellung wird ein nützliches Werkzeug, das Iustinus befähigt, das Christentum mit der griech. Philos. zu versöhnen; Jeder Philosoph hatte nur einen Teil der Wahrheit, während Christus das Ganze ist, von dem sie nur Bruchstücke besaßen. Ähnlich steht bei → Origenes der *l.* als Hoherpriester und Vermittler auf halbem Weg zw. dem Schöpfer und der geschaffenen Natur. Daher ist die zweite Person der → Trinität Gottvater untergeordnet. Im → Arianismus endet die Gleichsetzung des *l.* mit Gott, da seine Funktion bei der Erschaffung der Welt als nicht vereinbar mit der notwendigen Unwandelbarkeit Gottes betrachtet wurde.

A. Aall, Der L. Gesch. seiner Entwicklung in der griech. Philos. und der christl. Lit., 2 Bde., 1896–1899 · D. Hahm, The Origins of Stoic Cosmology, 1977 · M. Heinze, Die Lehre vom L. in der griech. Philos., 1872 · C.H. Kahn, The Art and Thought of Heraclitus, 1979 · W. Kelber, Die Logoslehre von Heraklit bis Origenes, 1958 · D. Runia, Philo in Early Christian Literature, 1993 · F.E. Walton, Development of the L.-Doctrine in Greek and Hebrew Thought, 1911.

KA.HI./Ü: E.D.

**[2] Magisch** A. Rituelle Anrede
B. Invokatorische Formeln
C. Zaubersprüche

Der Terminus *l.* wird in den magischen Papyri (→ Zauberpapyri) und verwandten Texten auf zwei Weisen benutzt: 1. für die gesprochenen Teile einer graeco-ägypt. rituellen magischen Praxis (PGM IV 577, 742, 1865; VII 382; XXXVI 137 etc.), in der Form einer Anrede (Gebet) an eine oder mehrere Gottheiten; in erweitertem Sinne eine auszuschreibende Formel (ebd. III 711), sogar ein einzelnes Wort [1. 32, Z. 6]. Das Wort *l.* ist dann gelegentlich fälschlich in »aktivierte« Texte hineinkopiert (AE 1931, 84; [2. 161–170]); 2. für die in der Theorie fixierten invokatorischen Formeln, hauptsächlich ägypt. Ursprungs, die den Praktizierenden als authentische Namen und Epitheta galten, und die zu der Klasse der → Zauberworte gehören. Im folgenden wird der Terminus erweitert auf 3. kürzere, hauptsächlich mündliche Formeln, die im Kontext von Heilungs- und Schadensmagie benutzt werden.

A. Rituelle Anrede

Die Grundlage der *lógoi* in graeco-ägypt. magischen Texten ist die invokatorische Praxis des *ḥry-tp*, »Träger des rituellen Buches« des dynastischen Ägypten. Somit lassen sie die typischen priesterlichen Werte esoterischer Gelehrsamkeit und heimlicher Andeutungen erkennen [7]. Es gibt eine klare Hierarchie von Texten: diejenigen mit dem höchsten Prestige sind divinatorisch. Diese Hierarchie entspricht der Unterscheidung zwischen »hoher« und »niederer« Magie (Apul. apol. 26; Heliodoros, Aithiopika 3,16,3 f.; Iambl. de myst. 3,26). Die vorrangige Absicht des *l.* ist die Akkumulation ausreichender rhet. Dichte, um beim Anruf der göttlichen/dämonischen Welt einer Äußerung die erforderliche Macht zu verleihen.

*Lógoi* bestehen hauptsächlich aus zwei Komponenten: a) der Versicherung der Autorität des Praktizierenden und b) der Darstellung der Forderung.

a) Das wichtigste Mittel zur Betonung von Autorität ist die Kenntnis der Namen und Epitheta der entsprechenden Gottheiten sowie Verweise auf geheimnisvolle myth. Ereignisse und Orte, entweder in einer menschlichen Sprache (griech., demot., kopt.) oder einer »göttlichen« (Zauberworte). Dieses theologische Wissen wird hauptsächlich in Form von Listen präsentiert (PGM III 98–124, IV 1115–1165, 1345–1375, 1748–1896, VIII 1–50; [3. xiv 161–169]), aber auch als Erzählung (→ *historiola*; PGM IV 1471–1475, XIII 161–205, XXXVI 4f., 141–144; [8]), in mehr oder weniger ausgearbeiteten örtlichen, zeitlichen oder kosmologischen Schemata (ebd. III 499–535; VII 605–609, 899–907, XXXV 1–13, [4. 38, Z. 1–4]) oder auch in Zeichnungen oder Figuren. In anderen Verfahren nimmt der Praktizierende die Rolle einer Gottheit oder eines Dämons an (ebd. V 108–160), benutzt Drohungen und »Zwangssprüche« (ebd. II 45–55, IV 870–875, [4. 45.14f.]), *diabolaí* (fiktive Beleidigungen einer Gottheit; PGM IV 2241–2358, 2471–2486), Wiederholungen [3. xii 56–60], gelehrte, seltene, sogar sonst nicht belegte griech. Wörter sowie »heilige« und »unaussprechliche« Zeichen (*charaktḗres*). Eine Unterart von *lógoi* bezieht sich ausführlich auf jüd. Elemente [9]. Der einfache parataktische Charakter dieser Texte muß daher als Gattungsanforderung angesehen werden und nicht als ein Zeichen des Bildungsniveaus ihrer Autoren [10]. Metr. Anrufungen (»Hymnen«) sind eine Erklärung der Zugehörigkeit zur griech. Hochkultur [11].

b) Die Teile des *l.*, in denen Forderungen ausgesprochen werden, sind sehr unterschiedlich. Oft benutzen sie rhet. Figuren des Insistierens, vor allem Wiederholungen (ebd. IV 2957–2966, XXXVI 315–318, [4. 42]) und Erzählungen und Listen als organisatorisches Mittel; beide sind hauptsächlich mündliche Techniken. Die bemerkenswertesten Listen enthalten Körperteile, die in schwarzer Magie oder in Liebesmagie angegriffen werden sollen ([4. 40.16f.; 2. 42b, 135, 190]; CIL I[2] 2520): Der Körper wird, sprachlich zerlegt, Organ für Organ dem Angriff ausgesetzt [12].

B. Invokatorische Formeln

In seinem verschollenen Index XI zu PGM listet Preisendanz 62 *lógoi* als mehr oder weniger stabile Formeln in den Papyri und »magischen Gemmen« auf. Die häufigsten sind die leicht erinnerbaren Ἀβλαναθαναλβα Ἀκραμμαχαμαρι (*Ablanathanalba Akrammachamari*) und die Μασκελλι Μασκελλω/→ *Maskelli Maskellō*-Formel, aber viele längere, wie z.B. σοροορ μερφεργαρ μαρβαφρι ουιργξ/*soroor merphergar marbaphri uirgx* (PGM IV 1567f., [5. 86 v]), treten wiederholt auf. Ein halbes Dutzend Palindrome (Index XIII) lassen sich hinzufügen, vor allem αβεραμενθωου-/*aberamenthōu*, ca. 41 Buchstaben (PGM II 125f.), und ερηκισιθφη-/*erēkisithphē*, ca. 31 Buchstaben (ebd. IV 1999, [2. 38.1, 259.10f.]). In vielen Fällen gibt es guten Grund zu der Annahme, daß sie ägypt. Ursprungs sind, einige andere mögen hebräisch sein [13]. Man war bemüht, die individuellen Worte unverändert zu bewahren [14]. Theoretisch garantierte ihre Unveränderlichkeit ihren Ursprung in der Urzeit (Iambl. de myst. 7,5; Orig. contra Celsum 1,24, 5,45). Diese Sicht geht davon aus, daß die Götter sich daran erfreuen, den *lógoi* zuzuhören. Es gab aber auch alternative Behauptungen, z.B. daß sie eine immanente zwangsausübende Kraft, *enérgeia*, enthalten [6. 16.2]. Es ist wahrscheinlich, daß einzelne Praktizierende bestimmte *lógoi*, die schon damals unverständlich waren, für ihre invokatorische Praxis »domestizierten«.

C. Zaubersprüche

Die uns bekannten griech.-röm. Zaubersprüche, die hauptsächlich, aber nicht ausschließlich medizinischen Zwecken dienten, sind von Heim gesammelt worden [15]. Sie sind ein in erster Linie mündliches Verfahren. Das Wissen, das für ihre Komposition notwendig war, gehört zu dem Allgemeinwissen ihres kulturellen Milieus [16]: Sie verwenden Sprichwörter (Marcellus Empiricus, De medicamentis 8,191) und einen Vorrat an geläufigen metonymischen und metaphorischen Beziehungen (ebd. 21,33; Apul. met. 1,13). Sie stehen in engem Verhältnis zum örtlichen pharmakologischen Wissen (Plin. nat. 27,131).

→ Defixio; Magie; Zauberpapyri; Zauberworte

Quellen: **1** R. Kotansky, Greek Magical Amulets, 1 (Papyrologica Coloniensis 22.1), 1994 **2** A. Audollent, Defixionum Tabellae, 1904 **3** Papyri Demoticae Magicae (Übers. J. H. Johnson), in: H. D. Betz (Hrsg.), The Greek Magical Papyri in Translation, 1992 **4** R. W. Daniel, F. Maltomini, Supplementum Magicum (Pap.Colon 16.1–2), 1990–1992 **5** S. F. Bonner, Studies in Magical Amulets, Chiefly Graeco-Egyptian, 1952 **6** A.-J. Festugière, A. D. Nock (Hrsg.), Corpus Hermeticum 1–4, 1945–1954.
Lit.: **7** R. K. Ritner, The Mechanics of Ancient Egyptian Magical Practice, 1993, 220–233 **8** J. P. Sørenson, The Argument in Ancient Egyptian Magical Formulae, in: Acta Orientalia 45, 1985, 5–19 **9** N. F. Marcos, Motivos iudios en los papiros mágicos griegos, in: Religion, superstición y magia en el mundo romano, 1985, 101–127 **10** D. Frankfurter, Religion in Roman Egypt, 1998, 198–237 **11** E. Heitsch, Zu den Zauberhymnen, in: Philologus 103, 1959, 215–236 **12** R. L. Gordon, What's in a List?, in: D. R. Jordan et al. (Hrsg.), Magic in the Ancient World, 1999 **13** W. Brashear, The Greek Magical Papyri, in: ANRW II 18.5, 1995, 3576–3603 **14** W. Fauth, Helios Megistos, 1995, 34–120 **15** R. Heim, Incantamenta magica graeca latina, in: Jb. für class. Philol., Suppl.-Bd. 10, 1892, 465–575 **16** A. Önnerfors, Zaubersprüche in Texten der röm. und frühma. Medizin, in: G. Sabbah (Hrsg.), Études de médecine romaine, 1988, 113–156. R.GOR.

**Logos spermatikos** s. Logos [1]

**Logothetenchronik** s. Symeon Logothetes

**Logothetes** (λογοθέτης). Seit dem 6. Jh. n. Chr. bezeugte oström.-byz. Amtsbezeichnung, zunächst für niedere Finanzbeamte (Steuereinnehmer in der Prov. oder Soldverwalter beim Heer), seit dem 7./8. Jh. für folgende hohe Ämter: 1) *l. genikú* (»des Allgemeinen«, sc. der Staatskasse), anfangs noch dem → *sakellários* unterstellt, bald der höchste Finanzbeamte des Reiches, entsprechend dem früheren *comes sacrarum largitionum* (→ *comes*); 2) *l. idikú*, Nachfolger des *comes rerum privatarum*, Verwalter der privaten Finanzen und Güter des Kaisers; 3) *l. tu drómu*, statt des *curiosus cursus publici*, zunächst verantwortlich für die Post (*dēmósios drómos*), bald aber auch für höfisches Zeremoniell und Außenpolitik; 4) *l. tōn agelṓn*, wie einst der *praepositus gregum et stabulorum* zuständig für die kaiserl. Herden (Pferde, Maultiere und Esel) auf den großen Weiden Kleinasiens und für die Ausrüstung der Kavallerie; 5) *l. stratiōtikú* (der Armeekasse), wie der *procurator castrensis* zunächst für die Besoldung der kaiserl. Garde, dann für die der ganzen Armee zuständig. Erst Kaiser Alexios I. Komnenos (1081–1118 n. Chr.) richtete das Amt eines *l. tōn sekrétōn* ein, der die gesamte Reichsverwaltung koordinieren sollte. Im späten 12. Jh. erscheint für diesen höchsten Beamten des Kaisers sporadisch die Bezeichnung *mégas l.* (»Großlogothet«), die nach 1260 häufiger bezeugt ist.

ODB 2, 1247f. • R. Guilland, Les logothètes, in: REByz 29, 1971, 31–70. F.T.

## Lohn

I. Alter Orient II. Klassische Antike
III. Frühes Mittelalter

### I. Alter Orient

L. als Entgelt für geleistete → Arbeit befristet gemieteter Arbeitskräfte läßt sich in Mesopot. seit Mitte des 3. Jt. v. Chr. bis in spätbabylon. Zeit (2. H. 1. Jt. v. Chr.), im hethit. Anatolien (2. H. 2. Jt. v. Chr.) und in Ägypten (seit dem AR) nachweisen. In Mesopot. ergänzten insbesondere die institutionellen Haushalte (→ Palast; → Tempel) der Ur III-Zeit (21. Jh. v. Chr.) mit der saisonalen Inanspruchnahme von L.-Arbeit v. a. in der → Landwirtschaft, im Transportwesen und im → Handwerk ihr eigenes Arbeitskräftepotential, das Rationen als Versorgungsleistungen unabhängig von Zeitdauer und Gegenstand der Arbeit erhielt [1. 230–243]. Bes. die zugeteilten Naturalrationen garantierten in der Regel gerade das Existenzminimum. Die davon terminologisch unterschiedenen Löhne waren meist höher. Bereits in der Ur III-Zeit, v. a. aber altbabylon. (20.–16. Jh. v. Chr.) und spätbabylon. (6.–4. Jh. v. Chr.) ist die private Inanspruchnahme fremder Arbeitskraft gegen Zahlung eines L. bezeugt. Neben zahlreichen Rationen- und Lohnlisten aus Mesopot. und Äg. (3.–1. Jt.) sind in Rechtssammlungen entsprechende Tarifbestimmungen überliefert (altbabylon. Codex Ešnunna und Codex → Ḫammurapi; hethit. Rechtssammlung), deren Anwendung in der Praxis sich z. T. auch nachweisen läßt. Jedoch konnte die Höhe der L.-Zahlung (bezogen auf Tag, Monat oder Jahr) in Abhängigkeit etwa vom Arbeitsgegenstand, von der Qualifikation und dem Alter der gemieteten Arbeitskraft schwanken. Die Zahlung des L. erfolgte v. a. in Gerste oder Silber, in Äg. in Gerste und Emmer, z. T. auch in Kupfer. Obgleich sich auch für Äg. L.-Tarife erschließen lassen, belegen die Texte v. a. im handwerklichen Bereich eine von Arbeitsgegenstand und -aufwand unabhängige Entlohnung.

→ Ägyptisches Recht; Demotisches Recht; Ergasterion; Frau; Hethitisches Recht; Keilschriftrechte; Miete (von Personen); Sozialstruktur

1 I. J. Gelb, The Ancient Mesopotamian Ration System, in: JNES 24, 1965, 230–243 2 M. Gutgesell, s. v. Löhne, LÄ 3, 1072–1078 3 J. Krecher u. a., s. v. Miete, RLA 8, 156–187.

H. N.

### II. Klassische Antike

Der L. (griech. μισθός/→ *misthós*; lat. *merces*) der ungelernten Arbeiter oder Landarbeiter überstieg in der Ant. nur selten das Existenzminimum. Aufgrund der Quellenlage ist es sehr schwierig, die genaue Höhe der L. festzustellen; für die griech. sowie die röm. Welt existieren lediglich frg. überl. und schwer interpretierbare Dokumente. Die Zahlung von → Geld wurde oft durch Zuwendungen von Lebensmitteln oder anderen Sachmitteln (Weizen-, Wein- oder Ölzuteilungen, Kleidung und freie Wohnung) ergänzt (CIL IV 6877 für Pompeii: *operariis panem denarium*, Brot und einen → *denarius*); Erntearbeiter erhielten einen Anteil an der Ernte (vgl. Cato agr. 136), die Amtsdiener des *curator aquarum* auch Lebensmittel (Frontin. aqu. 100). Der Umfang dieser Leistungen und Zuwendungen ist schwer einzuschätzen; daher sind die Zeugnisse unbrauchbar, die nur den als L. gezahlten Geldbetrag, nicht aber die weiteren Zuwendungen erwähnen. In einigen äg. Archiven wie dem → Heroninos-Archiv werden auch die Naturalleistungen verzeichnet; auch Arbeits- und Ausbildungsverträge auf Papyri bieten Angaben über Verpflegung während der Arbeit oder über die Stellung von Kleidung (POxy. 498; 725). In Rom war der Arbeitsvertrag rechtlich gesehen ein → Pachtvertrag (*locatio operarum*), der L. wurde *merces* genannt – ein Wort, das auch für Miete und Pacht verwendet wurde.

In der röm. Welt sind die beiden einzigen Regionen, in denen die L. mit den Lebenshaltungskosten verglichen werden können, Ägypten und – aufgrund der Graffiti in Pompeii – Campanien. In Ägypten hat sich die Entlohnung der Arbeit zwischen dem 1. und dem 3. Jh. n. Chr. nicht verschlechtert. Für den westl. Teil des Imperium Romanum liegen nur wenige Angaben zu L. vor; trotz einiger Inschr. aus Pompeii und der *tabulae* aus Dacia, die Arbeitsverträge im → Bergbau enthalten, ist über die Entlohnung bestimmter Ämter (Amtsdiener der Städte, Personal der Wasserversorgung von Rom sowie hohe Beamte aus dem Ritter- oder Senatorenstand) mehr bekannt als über den L. der Arbeiter. Die → *lex Ursonensis* (CIL II 5439,62 = ILS 6087,62) führt folgende Jahres-Löhne für die Amtsdiener der → *duoviri* auf: Schreiber: 1200 Sesterzen, *accensus*: 700 Sesterzen, *lictor*: 600 Sesterzen, *viator*: 400 Sesterzen, *librarius*: 300 Sesterzen, *haruspex*: 500 Sesterzen, *praeco*: 300 Sesterzen. Die Amtsdiener der Aedilen erhielten einen geringeren L.: Schreiber: 800 Sesterzen, Flötenspieler: 300 Sesterzen, *praeco*: 300 Sesterzen. Setzt man das Existenzminimum bei 400 oder 500 Sesterzen im Jahr an, wird klar, daß sich viele Tagelöhner in den Städten und viele Landarbeiter an der Armutsgrenze bewegten, da sie nur für die Tage bezahlt wurden, an denen sie arbeiteten. Das *Edictum Diocletiani* aus dem Jahre 301 n. Chr. liefert eine beeindruckende, aber mit Vorsicht zu interpretierende Zusammenstellung von Löhnen (s. u. Tabelle).

Die Entwicklung des Soldes war nach Augustus eng mit der Militär- und Sozialpolitik der Principes verbunden. Der Sold der einfachen Soldaten wurde von 480 Sesterzen im 2. Jh. v. Chr. (Pol. 6,39) auf 900 Sesterzen unter Caesar und auf 1200 Sesterzen unter Domitianus erhöht (Suet. Iul. 26,3; Tac. ann. 1,17,4: 10 *as* pro Tag; Suet. Dom. 7,3). Die Unterschiede in der Höhe des Solds der verschiedenen Dienstgrade sind dabei überraschend. Im 2. Jh. n. Chr. erhielten die Centurionen einen erheblich höheren Sold als die einfachen Soldaten, so etwa der *centurio primipilus* des ersten *manipulus* der *triarii* 60000 Sesterzen pro Jahr.

Tabelle: Tagelöhne in Denaren im Preisedikt des Kaisers Diocletianus (*Edictum Diocletiani*: Auswahl; ED 7): Für alle Berufe mit Ausnahme von Z. 39 gilt der Zusatz *pastus* (mit Verpflegung).

| | | |
|---|---|---|
| 1a | *operarius rusticus* (Landarbeiter) | 25 |
| 2 | *lapidarius structor* (Maurer) | 50 |
| 3 | *faber intestinarius* (Schreiner, Tischler) | 50 |
| 3a | *faber tignarius* (Zimmermann) | 50 |
| 4 | *calcis coctor* (Kalkbrenner) | 50 |
| 5 | *marmorarius* (Marmorarbeiter) | 60 |
| 6 | *musearius* (Mosaiksetzer) | 60 |
| 8 | *pictor parietarius* (Wandmaler) | 70 |
| 9 | *pictor imaginarius* (Bildnismaler) | 150 |
| 10 | *carpentarius* (Stellmacher) | 50 |
| 11 | *faber ferrarius* (Schmied) | 50 |
| 12 | *pistor* (Bäcker) | 50 |
| 17 | *camelarius, asinarius, burdonarius* (Kameltreiber, Eseltreiber, Maultiertreiber) | 25 |
| 18 | *pastor* (Hirte) | 20 |
| 19 | *mulio* (Maultiertreiber) | 25 |
| 31 | *aquarius omni die operans* (Aquäduktreiniger) | 25 |
| 32 | *cloacarius omni die operans* (Reiniger von Abwasserkanälen) | 25 |
| 39 | *scriptor in scriptura optima versus n. centum* (Schreiber Schönschrift, für 100 Zeilen) | 25 |

→ Denarius; Edictum Diocletiani; Lohnarbeit; Misthos; Sestertius

**1** H.-J. Drexhage, Preise, Mieten/Pachten, Kosten und Löhne im röm. Ägypten, 1991, 402–454 **2** H. Cuvigny, The Amount of Wages Paid to the Quarry-Workers at Mons Claudianus, in: JRS 86, 1996, 139–145 **3** A. C. Johnson, Roman Egypt to the Reign of Diocletian (ESAR 2), 1936, 301–322 **4** W. Krenkel, Zu den Tagelöhnen bei der Ernte, in: Romanitas 6–7, 1965, 130–153 **5** Les dévaluations à Rome, Bd. 1, 1978, 195–248 **6** Les dévaluations à Rome, Bd. 2, 1980, 61–101 **7** S. Mrozek, Prix et rémunération dans l'Occident romain, 1975, 69–102 **8** D. Rathbone, Economic Rationalism and Rural Society in Third-Century A.D. Egypt, 1991.

J.A./Ü: C.P.

### III. Frühes Mittelalter

Das wenige, was aus den Jh. nach dem *Edictum Diocletiani* (301) bis zur Karolingerzeit in der kargen schriftlichen Überl. über bezahlte Arbeit zusammengetragen werden konnte, läßt sich, selbst wenn Termini für L. wie *merces* (davon *mercennarius*), *pretium*, *salarium* oder *conductio* verwendet werden, nur sehr grob deuten. Mit der Wandlung der sozialen Abhängigkeit hin zu grund- und schutzherrlichen, christlich-familialen und feudovasallitischen Formen gerieten traditionell vorwiegend in barer Kleinmünze bezahlte Tätigkeiten (Soldaten, Landarbeiter, Handwerksgehilfen, Bedienstete und Beauftragte in Verwaltungen und Großhaushalten) zunehmend in den Umkreis des Dienens (*servitium*), dessen Gegenleistungen einerseits weniger in Geld als vielmehr in *victus* und *vestitus* (Nahrung und Kleidung) oder sie abwerfenden Gütern bestanden, andererseits anders aufgefaßt wurden (als *praebenda, expensa, donum, honor, beneficium, redditus*). Trotz dieser Wandlungen im Großen gibt es Spuren für gemietetes Handwerk mit belohnten »Gesellen« (Bau, evtl. Bergbau, *leges*), seit dem 9. Jh. auch die Berechnung von Löhnen (Unterhaltungsmathematik), ferner Weisungen zur Anmietung von agrikoler Saisonarbeit und Transporten sowie Erwägungen über die Kommutation von dem Landbau nachgeordneten Fronden in Münzmengen (Urbare). Diese Spuren sicher breit anwendbarer, aber kleinmaßstäblicher Komplementärformen zum Haushalten in Hof, Werkstatt, Kloster, Burg, Pfalz und Marktort geben aber kaum soviel an näheren Umständen preis, daß man von prägnanten Profilen agrikoler, artisanaler, montangewerblicher und von Großhaushalten fallweise angemieteter Lohnarbeit sprechen könnte.

**1** S. A. Epstein, Wage Labor & Guilds in Medieval Europe, 1991 **2** H. Jankuhn (Hrsg.), Das Handwerk in vor- und frühgesch. Zeit (AAWG Bd. 1), 1981 **3** W. Scheidel, Grundpacht und Lohnarbeit in der Landwirtschaft des röm. Italien, 1994 **4** H. Siems, Handel und Wucher im Spiegel frühma. Rechtsquellen, 1992.

LU.KU.

**Lohnarbeit.** Die L., die rechtlich als Verpachtung von Arbeit aufzufassen ist (lat. *locatio operarum*), darf nicht mit der Verpachtung einer Person, beispielsweise eines Sklaven (*locatio rei*) verwechselt werden. Von der *locatio operarum* muß auch die *locatio operis faciundi* unterschieden werden, die als Werkvertrag für bestimmte Arbeiten (Bauwerke, öffentliche Arbeiten, Herstellung oder Reparatur eines Gegenstandes durch einen Künstler) anzusehen ist. Eine Inschr. aus Puteoli (105 v. Chr.) liefert ein gutes Beispiel für eine derartige *locatio operis* (CIL X 1781 = ILS 5317), den Bau einer Mauer auf öffentlichem Grund vor dem Tempel des Serapis. Die Inschr. enthält die von den Amtsträgern der Stadt formulierten Vertragsbedingungen (*lex*), die der Vertragspartner zu erfüllen hatte, wobei die einzelnen Arbeiten genau aufgelistet werden.

L. gab es zwar in allen ant. Ges., aber sie hatte stets geringes Ansehen (vgl. Hom. Od. 11,488 ff.; Hes. erg. 441 ff.). Freie Lohnarbeiter besaßen aber sicherlich mehr Rechte und Handlungsspielräume als Sklaven, → Heloten oder Penesten (→ Penestai). Da der Lohnarbeiter, um seine materiellen Bedürfnisse befriedigen zu können, sich in die Abhängigkeit eines anderen begab und damit dessen Befehlen unterworfen war, konnte er sich nicht völlig frei fühlen. Die ökonomische Autonomie galt als notwendige Bedingung von uneingeschränkter moralischer Freiheit: Nach Aristoteles war es unvereinbar mit der Stellung eines Freien, in Abhängigkeit von einem anderen zu leben (Aristot. rhet. 1367a), und Cicero hielt den Lohn für ein Zeichen der Sklaverei (*merces auctoramentum servitutis*; Cic. off. 1,150). Ähnlich kritisch äußerte sich auch Seneca über körperliche Arbeit, die den Lebensunterhalt sichern soll (Sen. epist. 88,21).

Eine derart negative Bewertung verhinderte sicherlich nicht die Verbreitung der L. Xenophon beschreibt exemplarisch den Fall des Eutheros, der durch den Peloponnesischen Krieg seine Ländereien verloren hatte und deswegen gezwungen war, für seinen Lebensunterhalt körperlich zu arbeiten (Xen. mem. 2,8). Ob es im 4. Jh. v. Chr. in Athen mehr Lohnarbeiter auf dem Lande oder eher in den Handwerksbetrieben oder im Hafen gab, ist aufgrund der Quellenlage nicht zu entscheiden. Immerhin wird in der polit. Theorie Platons auf die Existenz der *misthōtoí* (μισθωτοί) und ihre Rolle in der städtischen Wirtschaft ausdrücklich hingewiesen (Plat. rep. 371e). Zweifellos gab es sowohl in der griech. Welt als auch in Rom stets zahlreiche Lohnarbeiter. Ihre Anzahl war allerdings weder so hoch wie die der Sklaven noch wie die der kleinen Handwerker oder der Bauern, die allein oder zusammen mit ihren Familienangehörigen das Land bebauten.

In der röm. → Landwirtschaft existierte die L. schon früh neben der → Sklaverei; so soll im 3. Jh. v. Chr. das sieben Morgen große Landgut von M. Atilius Regulus während seiner Teilnahme am Krieg gegen Karthago von einem Gutsaufseher (→ *vilicus*) und einem Tagelöhner (*mercennarius*) bewirtschaftet worden sein (Val. Max. 4,4,6). Obwohl Cato in seiner Schrift zur Landwirtschaft die *locatio operarum* nicht erwähnt und ausschließlich Skaven als ständige Arbeitskräfte vorsah, ließ er dennoch die Getreide- und Olivenernte durch Saisonarbeiter ausführen (Cato agr. 136; 144). Dasselbe empfiehlt auch Varro, dessen Schrift sich vor allem auf die Verhältnisse in Italien bezieht (Varro rust. 1,17,2). In der von Sklaven bewirtschafteten *villa* waren die Lohnarbeiter zusätzliche Arbeitskräfte für Saisonarbeiten; sie wurden unter den Kleinbauern der Umgebung (Cato agr. 4), den Einwohnern der benachbarten Städte oder wandernden Saisonarbeitern rekrutiert. Es war üblich, sie jeweils für einen Tag einzustellen und zu entlohnen; im Unterschied zu den Sklaven konnten sie nicht einmal immer sicher sein, daß sie jeden Tag zu essen hatten. Somit verursachten sie für die Landbesitzer weniger Kosten als die Sklaven. Einige Geschäftsleute stellten auch ganze Trupps von Erntearbeitern zusammen, die sie dann an die Landbesitzer vermieteten. So berichtet der Historiker Suetonius, der Urgroßvater des Kaisers Vespasianus, der Vater von T. Flavius Petro, sei ein *manceps operarum* gewesen, der jedes Jahr Landarbeiter aus Umbrien in das Gebiet der Sabini brachte (Suet. Vesp. 1,4; zu Africa vgl. CIL VIII 11824 = ILS 7457). Gegen Mitte des 1. Jh. vertraute ein Großgrundbesitzer auf Euboia seine Herden nicht Sklaven, sondern freien Lohnarbeitern an (Dion Chrys. 7,11).

Wie das → Heroninos-Archiv (Mitte 3. Jh. n. Chr.) zeigt, arbeiteten im röm. Ägypten auf den großen Gütern des Fajum kaum Sklaven, hingegen zahlreiche Landarbeiter. Dabei erhielten die Gutsverwalter wohl keinen Lohn, zogen aber aus ihrer Aktivität sicherlich Vorteile, die uns nicht bekannt sind. Umgekehrt waren fast alle in der Landwirtschaft eingesetzten Arbeitskräfte – sowohl die ständigen als auch die Saisonkräfte – Lohnarbeiter, die ihre Vergütung teilweise in Geld und teilweise in Naturalien erhielten; der Lohn konnte dazu dienen, Erzeugnisse des Gutes wie etwa Wein zu kaufen. Das Gut bezahlte außerdem bestimmte Steuern für die Arbeitskräfte. L. ist auch für die Bergwerke in Dacia belegt, wo Bergleute Verträge erhielten, die mehrere Monate galten.

Es darf nicht vergessen werden, daß in Rom eine Reihe von Sklaven Lohnarbeiter waren, die ihren Verdienst ihrem Besitzer übergaben oder ihrem → *peculium* hinzufügten. *Institores* waren Sklaven, denen ein Geschäft oder ein Handwerksbetrieb anvertraut wurde; gemäß den röm. Juristen wurde ihre Arbeit entweder nicht direkt entlohnt, wenn sie *gratuitae operae* (unentgeltliche Dienstleistungen) waren, oder sie erhielten einen festen, zuvor vereinbarten Lohn (Dig. Ulpianus 14,1,1,18; Paulus 14,1,5 pr. und Iulianus 14,3,12). Die Senatoren und *equites*, die wie etwa *procuratores* ein besoldetes Amt innehatten, galten natürlich nicht als Lohnarbeiter; die Vergütung der städtischen Amtsdiener hingegen wurde in der → *lex Ursonensis* (CIL II 5439,62 = ILS 6087,62) als *merces* (»Lohn«) bezeichnet.

Obgleich es in Griechenland und in der röm. Welt mit Sicherheit weniger Lohnarbeiter und Tagelöhner gab als Bauern und Sklaven, sollte die Bedeutung der L. für die ant. Wirtschaft nicht unterschätzt werden; es ist zu bedenken, daß die L. weitgehend nur in frg. überlieferten Zeugnissen belegt ist und daher die Quellen keine angemessene Vorstellung von ihrer Rolle vermitteln. Bei der Erforschung der ant. Sklaverei und des spätant. Kolonats (→ *colonatus*) muß daher die abhängige Arbeit stets in Zusammenhang mit der L. gesehen werden.

→ Agrarschriftsteller; Arbeit; Handwerk; Lohn

1 J. A. Crook, Law and Life of Rome, 1967, 191–198 2 P. Garnsey (Hrsg.), Non-Slave Labour in the Greco-Roman World, 1980 3 J. Macqueron, Le travail des hommes libres dans l'Antiquité romaine, 1964 4 H. C. Noeske, Stud. zur Verwaltung und Bevölkerung der dakischen Goldbergwerke in röm. Zeit, in: BJ 177, 1977, 271–416 5 D. Rathbone, Economic Rationalism and Rural Society in Third-Century A. D. Egypt, the Heroninos Archive and the Appianus Estate, 1991 6 F. M. De Robertis, Lavoro e lavoratori nel mondo romano, 1963.

J. A./Ü: C. P.

**Loidoria** (λοιδορία). Griech. »Schmähung«, urspr. vielleicht »Gotteslästerung« (Pind. O. 9,37). Bereits Solon stellte »schlecht Sprechen« unter Strafe (fr. 32f. Ruschenbusch); dieser Tatbestand umfaßte im 4. Jh. v. Chr. die Beleidigung durch Gebrauch bestimmter, enumerativ aufgezählter Worte (→ *kakēgoría*).

R. W. Wallace, The Athenian Law against Slander, in: G. Thür (Hrsg.), Symposion 1993, 1994, 109–124.

G. T.

**Lokalchronik, Lokalgeschichte.** Histor. bzw. antiquarische Spezialdarstellungen über bestimmte Gebiete bzw. Orte, die oft nach eponymen Beamten datierten. Nach [1] erwuchs die griech. Lokalchronik und dann die Lokalgeschichtsschreibung (L.) aus amtlich geführten Listen und Verzeichnissen (Beamte, Priester, Sieger in Wettkämpfen), in die Notizen über allerhand Ereignisse eingestreut wurden. Aus diesen vorlit. Stadtchroniken sei im 6./5. Jh. v. Chr. die lit. Chronik bzw. L. enstanden, wobei die *Hóroi* (Jahrbücher) von Samos den Anfang machten; später folgte die → *Atthís*. Diese Auffassung, die die Entstehung der griech. L. in Analogie zu den aus den → *Annales maximi* erwachsenen röm. *Annales* erklärt, wird heute zumeist abgelehnt. Man nimmt vielmehr seit [2] an, daß L. nicht das älteste histor. Genus war, sondern erst durch die große Geschichtsschreibung angeregt wurde, zu der sie vielfach konkurrierend, korrigierend und ergänzend trat: Erst → Herodotos [1], der sich im wesentlichen auf *oral tradition* stützte, habe den Impuls zu histor. Spezialliteratur gegeben (→ Charon [3] von Lampsakos, Dionysios von Milet, → Hellanikos [1] von Lesbos, deren zeitl. Verhältnis zu Herodotos freilich nicht mit letzter Sicherheit feststeht). Tatsächlich ist bis heute im archa. Griechenland die Existenz vorlit. Chroniken nicht nachweisbar, obgleich lokale Listen und Verzeichnisse zeitlich weit zurückreichen, z. B. die der Herapriesterinnen von Argos, der Olympioniken (bis 776 v. Chr.), der spartanischen Ephoren (bis 754/3), der athenischen Archonten (bis 683/2); unsicher bleibt dabei jedoch, ob die ältesten Teile dieser Listen und Verzeichnisse authentisch sind oder erst nachträglich rekonstruiert wurden.

Bereits Epos, Geneaologie und Elegie enthielten lokalhistor. Material. *Ktíseis* (Gründungsgeschichten) in Prosa entstanden seit dem 5. Jh. v. Chr. (Charon [3], Ion [2], Hellanikos [1]). Relativ früh ist L. im kleinasiat. Raum und auf den Agäisinseln, z. B. in Samos, Keos, Kreta, Kyzikos, Ephesos, Kolophon und Milet anzutreffen. Hellanikos schrieb offenbar die ersten Lokalgeschichten des griech. Mutterlandes und steht auch am Anfang der Atthidographie. Die sizilische bzw. westgriech. Historiographie umfaßt von Anfang an größere geogr. Räume (→ *Magna Graecia*) und kann daher nicht als L. im eigentl. Sinne gelten. Seit dem 4. Jh. gab es L. fast in allen Poleis des Mutterlandes, der Inseln, Kleinasiens und der Kolonien. Im Hell. wurde derartige Lit. geradezu unübersehbar, und noch in der röm. Kaiserzeit erfuhr sie eine beachtliche Nachblüte. Ein charakteristisches Beispiel bildet Memnons Geschichte von Herakleia am Pontos (FGrH 434), deren B. 9–16 durch das ausführliche Referat des Photios (Phot. bibl. 224) bekannt sind.

Die griech. L. ist ein einziges Trümmerfeld, kein einziges Werk ist vollständig erh., vielmehr liegen von mehr als 300 bekannten Verf. derartiger Werke lediglich Fragmente vor (vgl. FGrH III B, Nr. 297–607). Dabei fanden Politisches, Militärisches, Kulturgeschichtliches, Biographisches, Geographisches, Ethnographisches, Periegetisches, Mythisches, Kultisches, Antiquarisches, *Thaumásia* (»Wunderbares«) und vieles mehr durchaus unterschiedliche Beachtung bzw. Gewichtung (→ Geschichtsschreibung).

→ Chronik

1 U. von Wilamowitz, Aristoteles und Athen, 1893
2 F. Jacoby, Atthis, 1949 (²1973) 3 K. von Fritz, Die griech. Geschichtsschreibung, Bd. 1, 1967, Kap. 4
4 H. Strasburger, Die Wesensbestimmung der Geschichte durch die ant. Geschichtsschreibung, ³1975 5 K. Meister, Die griech. Geschichtsschreibung, 1990 (Lit.) 6 O. Lendle, Einführung in die griech. Geschichtsschreibung, 1992 (Lit.).

Ed.: FGrH III B Nr. 297–607: »Autoren über einzelne Städte (Länder)«, mit Komm. K. MEI.

**Lokroi, Lokris** (Λοκροί, Λοκρίς).
**[1]** A. Landschaft B. Lebensbedingungen C. Bevölkerung D. Institutionen und Geschichte

A. Landschaft

Lokris umfaßte zwei durch Gebirgssysteme (→ Parnassos, → Kallidromos und Tal des → Kephisos) voneinander getrennte mittelgriech. Landschaften: 1) West-L. mit der Ebene südl. des Gavia-Passes von Amphissa bis zum Golf von Korinth, begrenzt von den Hängen des Parnassos und des Korax; sie erstreckte sich im Westen in einem schmalen Küstenstreifen bis über das Vorgebirge Antirrhion hinaus und grenzte an Aitolia, Doris, Phokis, Delphoi und die *hierá chṓra* des Apollonheiligtums. 2) Ost-L. entsprach dem im Norden vom Kallidromon begrenzten und vom phokischen und boiotischen Hinterland durch den Gebirgszug mit den Gipfeln des Knemis und des Chlomo getrennten Landstrich, dem Malischen Meerbusen und dem Golf von Euboia gegenüber, mit einer an Buchten und Naturhafen reichen Küste. Geogr. strukturiert ist dieses Gebiet durch eine Folge unterschiedlich großer Ebenen am Fuße von Bergketten, entlang der Küste und ins Hinterland durch Täler und quer verlaufende Pässe miteinander verbunden. Von Nord nach Süd: die schmale Ebene von → Thronion und → Alpenos (am Ausgang von Thermopylai); die Ebene von → Daphnus (h. Longos); die weite Ebene von → Opus (h. Atalandi), eingerahmt von den Ausläufern des Knemis im Norden und des Chlomo im SW mit Blick auf den gleichnamigen Golf; sie setzt sich bis zur Bucht von → Larymna, an der Grenze zur boiot. Kopais, fort.

Die Ost-L. liegt in einer noch h. seismologisch aktiven Zone. Lit. und inschr. Zeugnisse bezeugen Erdbeben mit schweren Zerstörungen für 426 v. Chr. (Thuk. 3,89,1–5; Diod. 12,59,1 f.; Demetrios von Kallatis FGrH 85 F 6; Oros. 2,18,7); 229–227 v. Chr. (Pol. 20,5,2; SEG 38, 1476); ca. 105 n. Chr. (Eus. Chronikon 194d); 551 n. Chr. (Prok. BG 4,25,16–23); arch. Befunde deuten auf weit häufigere Beben hin. West-L. und Ost-L. liegen am Schnittpunkt eines Straßensystems, das in der Ant. eine überregionale Verbindungsachse Griechenlands darstellte; sie diente als Handelsweg und als Korridor für Massenmigrationsbewegungen, Umsiedlungen und mil. Züge.

B. Lebensbedingungen

Naturräumliche Voraussetzungen und geogr. Lage beeinflußten Landnutzung und Besiedlung sowie die Lebensbedingungen in L. In den weiten Gebirgszonen herrschten Wald- und Weidewirtschaft vor, durch Landwirtschaft für den Eigenbedarf auf wenigen ebenen Flächen ergänzt. Die Einwohner verhielten sich angeblich abweisend gegen Auswärtige. Räuberunwesen und Piraterie führten zur Hortung von Lebensmitteln (West-L.: Hell. Oxyrh. 13,3; Ost-L.: Thuk. 2,32); in diesen Kontext gehört der in der Bevölkerung verbreiteten Brauch des Waffentragens (Thuk. 1,5,3; Eisenwaffenfunde in Gräbern vom Ende des 5. und 4. Jh. v. Chr.) [1]. Die Lokroi sind zu den »Hirtenkriegern« des nördl. Zentral-Griechenland zu zählen und galten als gute Bogenschützen (Hom. Il. 13,713; vgl. Strab. 10,1,13). Wahrscheinlich stammt auch die Bezeichnung Lokroi von *Lokrómachoi* (Λοκρόμαχοι, »Bogenkämpfer«) [2. 1157; 3]. Thuk. 1,5,3 rechnet die West-L. zu den kulturell rückständigen Völkern seiner Zeit. Paus. 10,38,3 beschreibt ihre unzivilisierte Kleidung in frühen Zeiten. Armut und Kargheit des Bodens verursachten lokale und interregionale Konflikte, wobei es um die Aneignung von Land auf Kosten angrenzender Siedlungen, die rechtswidrige Ausbeutung von zur Schonung bestimmten Gebieten (Ebene von Krisa), die Art der Bodennutzung (Weide/Anbau) und den Anspruch auf Grenzbezirke ging (395 v. Chr. der Streit zw. West-Lokrern und Phokern [4. 96ff.]; Hell. Oxyrh. 13,3; Xen. hell. 3,5,3; Paus. 3,9,9). Dies erklärt die Existenz bewaffneter Besatzungen (die *korophylakéontes* der → *sympoliteía* Myania/Hypnia, FdD 3,4,352; die »wehrhaften« Kolonen (Siedler) der Ebene von Hyle und Lyskaria, [11. 13]); andererseits wurde aber auch das Zustandekommen friedlicher Lösungen vorangetrieben, um Grenzstreitigkeiten abzubrechen, das Weideland und die Ackerfläche sowie die Verpachtung des Bodens zu regeln (West-L.: Myania/Hypnia, Oianthea/Tritea, Amphissa-Myania / Delphi-Antikyra-Ambryssos-Amphiktyonenrat, FdD 3,4,352; IG IX, I[2] 739; [12. Nr. 12]; Ost-L.: Thronion/Skarpheia, [13. Nr. 131]).

Die Besiedlung von L. entwickelte sich im Osten und Westen seit vorgesch. Zeit (erhebliche Intensivierung in SH-Zeit in West-L.) mit einer Blüte in klass. Zeit, der ein stufenweiser Rückgang von der Kaiserzeit bis zur byz. Epoche, begleitet von stetem Bevölkerungsrückgang, folgte. Die Urbanisierung des Gebiets blieb beschränkt; für die West-L. beschreibt Thuk. 1,5,1 eine Form der Landnahme κατὰ κώμας/*katá kṓmas* (»in Dorfsiedlungen«) noch für die 2. H. des 5. Jh. v. Chr.; die arch. Befunde offenbaren Aspekte größerer Kontinuität und Stabilität in der Nähe von Hauptverkehrswegen. In → Naupaktos sind Spuren des Mauerrings aus dem 5. Jh. v. Chr. erh., aber die Festungsanlagen der anderen größeren Zentren (z. B. → Amphissa, → Myania, → Oianthea) stammen nicht aus vorhell. Zeit; sie folgen unmittelbar auf die Ereignisse, die Zentralgriechenland aufgrund seiner strategischen Lage zum Schauplatz mil. Operationen machten. Im Osten dokumentiert die Arch. zwei Ausbauphasen der Befestigungsanlagen am Ende des 6. und im späten 4. Jh. v. Chr. Andererseits müssen die in der Nähe städtischer Zentren an der Küste und zum Schutz einiger Bergpässe errichteten, arch. [4. 74ff.; 5. 109ff.] und lit. gesicherten (vgl. auch Demetrios von Kallatis FGrH 85 F 6 = Strab. 1,3,20; FdD 3,4,352,25–25) Türme, auch bevor sie in das mil. Abwehrsystem des jeweiligen Gebietes eingebunden waren, eine Art Schutzfunktion für wirtschaftliche Aktivitäten erfüllt haben, wobei Kontrollmaßnahmen zur Einziehung von Wegegeld nicht auszuschließen sind (vgl. Aischin. Ctes. 113).

C. Bevölkerung

Die Bewohner von West-L. und Ost-L. bildeten zwei geogr. getrennte, aber ethnisch und kulturell ähnliche Einheiten. Das Siedlungsgesetz von Naupaktos [11. 20] läßt die noch Mitte des 5. Jh. v. Chr. bestehenden Kontakte zw. beiden L. erkennen. Die ansässigen Lokroi sind durch linguistische Merkmale mit Völkern ähnlichen Sprache verbunden; diese wanderten über den Pindos nach Zentralgriechenland ein, einigen Theorien zufolge nach Süden getrieben [2. 1156ff.] durch massenhafte Migrationsbewegungen zu E. der myk. Zeit, vornehmlich unter dor. Druck [6]. Nachdem die hinsichtlich der Spaltung von [7. 5ff.] im Anschluß an Strab. 9,4,10 geäußerte These von einer Kolonisation West-L. durch die Ost-L. widerlegt wurde, ist man h. allg. der Auffassung, daß die Expansion der Phokeis im Kephisos-Tal die Ost-L. ins Gebirge und die unter dem Kallidromos und Knemis gelegenen Landstriche trieb, im Westen in die Ebene von Amphissa, wo die Phokeis in der Ebene von Krisa sie dazu zwangen, sich während des folgenden Expansionsprozesses [4. 91; 8. 74ff.; 9. 55; 10. 41, 49] der engen Landzunge weiter im Westen zuzuwenden. Das erste lit. Zeugnis im homer. Schiffs-Katalog (Hom. Il. 2,535) spricht von den »Lokroi« insgesamt, ›die gegenüber der hl. Euboia leben‹.

Die West-Lokroi wurden *L. Hespérioi* oder *L. Ozólai* gen. (Λ. Ἑσπέριοι bzw. Λ. Ὀζόλαι; Thuk. 1,5,3; Strab. 9,4,1; Paus. 10,38,1). Im Osten stellte der Knemis den natürlichen Bezugspunkt für die Unterscheidung in *L. Epiknēmídioi* (an den Hängen des Knemis) und *L. Hypoknēmídioi* (unterhalb des Knemis) dar (vgl. Etym. m. 360,32 s. v. Ἐπικνημίδιοι). Seit der Existenz der Metropolis → Opus wurden diese auch *L. Opúntioi* gen. (Λ. Ὀπούντιοι, Strab. 9,4,1; vgl. 9,2,42). Die Bezeichnung *L. Epiknēmídioi* erscheint oft lit. als generelle Bezeichnung für die Ost-L. (Strab. 9,3,1; Paus. 10,13,4; Apollod. 2,154; Plin. nat. 4,7,27; *Hypoknēmídioi* bei Paus. 10,1,2; 8,2; 20,2); Etym. m. 360,34, Ptol. 3,15,9–11 und Strab. 9,3,17 unterscheiden *L. Epiknēmídioi* und *L. Hypoknēmídioi*. Vor allem bei den Historikern des 5. und 4. Jh. v. Chr. werden die Ost-L. insgesamt als *L. Opúntioi* bezeichnet (vgl. Hdt. 7,203,8; Xen. hell. 4,2,17; Skymn. 316; Paus. 1,23,4). Die Epigraphik weist in öffentlichen Dokumenten den offiziellen Gebrauch verschiedener Bezeichnungen auf: *Hypoknēmídioi* bzw. *Opúntioi* auf den ältesten Inschr., *Epiknēmídioi* seit dem 3. Jh. v. Chr., dazu die Bezeichnung Λ. οἱ Ἠοῖοι/*L. hoi Ēoíoi* für das nach 167 v. Chr. bestehende → *koinón*; vgl. [11. 20] (um 459 v. Chr.), Syll.[3] p. 314f., 444f. (4. Jh. v. Chr.), Syll.[3] p. 482f. (ca. 236 bzw. 235 v. Chr.), [13. Nr. 130] (2. Jh. v. Chr.), IG IX,1, 267 (2. Jh. v. Chr.), Syll.[3] 692 (130 v. Chr.), 826 (117/6 v. Chr.), 653. Dem entsprechen numismatische Befunde (HN 336). Die phokische Besetzung des Gebiets bei Daphnus beendete die territoriale Einheit (Strab. 9,3,1; 3,17).

D. Institutionen und Geschichte

West- und Ost-L. hatten eigene staatliche Organisationsformen sowie eine unterschiedliche polit. Gesch. West-L. war in klass. Zeit ein Stammesstaat mit einer aus *éthnē* (Thuk. 3,101,2) und *póleis* gemischten Regierungsform. Die Zentralgewalt war schwach, während die *póleis* weitgehende Autonomie genossen. Sie verfügten über polit.-administrative und richterliche Systeme mit gesetzgeberischer Tätigkeit, womit sie die nachbarschaftlichen Beziehungen in wechselseitigem Rechtsbeistand regelten (Rechtshilfeabkommen Chaleion/Oianthea, IG IX,1,3[2] 717); es gab Bestimmungen zum Schutz lokaler Ressourcen und über die Art der landwirtschaftlichen Nutzbarmachung (s.o. B.), was lokale Bestrebungen zu polit. und territorialer Vereinigung förderte (→ *sympoliteía* von Myania/Hypnia, FdD 3,4,352), begleitet von Siedlungsprogrammen, wobei Rechtsstatus, Pflichten und Rechte der betroffenen sozialen Gruppen fixiert waren (Naupaktos [11. 20]; Hyle und Lyskaria [11. 13]) und die Handlungsfähigkeit auf der Ebene zwischenstaatlicher Beziehungen gewahrt blieb (Verleihung der Proxenie, Chaleion, IG IX,I[2] 330). In den *póleis* wirkten Volksversammlung (Chaleion, Oianthea, Tolphon, Physkos), *bulḗ*/»Rat« (Amphissa, Myania, Hypnia) und Magistrate, θεαρός/*thearós* (Naupaktos), νομογράφοι/*nomográphoi* (Amphissa), ταμίας/*tamías* (Physkos) und δαμιοργοί/*damiorgoí* (Chaleion, Oianthea); vgl. FdD 3,3,149; SEG III 432; IG IX,I[2] 1069. Die Teilnahme an der Expedition des Demosthenes [1] ›mit dem ganzen Heer‹ (Thuk. 3,101,2) läßt auf einen gemeinsamen Beschluß der L. schließen.

Im Osten wies die geogr. Binnenstruktur in bestimmten histor. Perioden unterschiedliche polit.-staatliche Einheiten auf. Ungefähr Mitte des 5. Jh. v. Chr. hatte Ost-L. eine fortgeschrittenere Organisation nach föderalem Muster, mit Opus als Zentrum und einer zentralen Regierung, deren legislative Kompetenzen auf die im *koinón* zusammengefaßten Gemeinden ausgedehnt waren, administrativen und judikativen Systemen auf lokaler Ebene sowie lokalem und föderalem doppelten Bürgerrecht. Höchstes Bundesorgan war die »Versammlung der Tausend«, höchstes Amt der *archós*.

Die L. nahmen an der Kolonisationsbewegung (→ Kolonisation) in archa. Zeit in den Westen teil. West- und Ost-L. waren, auch unabhängig voneinander, in die wichtigen polit.-mil. Ereignisse des 5. und 4. Jh. v. Chr. involviert (ostlokr. Kontingent bei den → Thermopylai: Hdt. 7,203,207; Diod. 11,4,6ff.; Strab. 9,4,2; Paus. 10,20,2; im → Peloponnesischen Krieg auf beiden Fronten: Thuk. 2,9,2; 3,95,3; 101,1; Diod. 12,42,4; West-L. im → Peloponnesischen Bund nach dem Königsfrieden: Diod. 15,31,1); beide L. kämpften im 3. und 4. → Heiligen Krieg. Nach → Chaironeia (338 v. Chr.) traten sie dem → Korinthischen Bund bei, wo sie über drei Stimmen verfügten (vgl. IG II[2] 236). In hell. Zeit folgte in West- und Ost-L. eine lange Periode aitolischer Herrschaft (292–167 v. Chr.), im Osten durch Phasen maked. Vorherrschaft und territorialer Annexion durch die Boiotoi unterbrochen (v. a. der südl. Teil der Region; vgl. Pol. 18,47,9; 20,5,2f.; Liv. 28,7,12; 32,36,9; 33,34,8). 167 v. Chr. erlangten beide L. wieder die Unabhängigkeit. Es bildete sich der Bund der Ost-L., mit der Zeit in das »*koinón* der *L. Hypoknamídioi*« (κοινὸν τῶν Λ. τῶν Ὑποκναμιδίων, IG IX,1, 267) und das der »*L. Epiknamídioi*« (κοινὸν τῶν Λ. τῶν Ἐπικναμιδίων [13. Nr. 130] aufgespalten. Mit Ausnahme von Amphissa und Chaleion vereinigten sich die West-L. in einem *koinón* mit dem Hauptort → Physkos.

In der Kaiserzeit wurde West-L. bis auf Amphissa vom regionalen → Synoikismos von Patrai aufgenommen (Paus. 10,38,9). Nach einer Phase des wirtschaftlichen Verfalls und Bevölkerungsrückgangs scheint die Wiederbelebung der zivilen und judikatorischen Verwaltung (Syll.[3] 827; ILS 5947; CIL III 7359) z.Z. des Traianus und des Hadrianus (2. Jh. n. Chr.) mit einer Periode des Wohlstands zusammengefallen zu sein, der durch einen Ausbau des Wegenetzes zw. dem Thermaiischen Golf und dem Golf von Korinth hervorgerufen wurde. Die Invasionen der Goti steigerten die Bed. von Ost-L. als mil. Grenze; in byz. Zeit wurden die Festungsanlagen an den Pässen ausgebaut; dennoch gelang es den Hunni, die Thermopylai zu überschreiten (539/540 n. Chr.; Prok. BP 2,2,10). Die ON-Kunde (z. B. Gravia, Vynianni) scheint für die Zeit ab dem 6. Jh. n. Chr. auf slavische Siedlungsgebiete in den Gebirgsregionen von L. hinzuweisen – auch nach der Wiederherstellung der byz. Herrschaft. E. des 2. Jh. erscheinen die ersten Zeugnisse für die Verbreitung des Christentums in L. 197 war Naupaktos Bistum, auch Opus und Skarphia erhielten im 4. Jh. Bischofssitze.

1 Ph. Dakoronia, Lokrika 1, in: AD 34, 1979 [1986], 56–61 2 W. A. Oldfather, s. v. Lokris (1), RE 13, 1135–1288 3 E. Meyer, s. v. Lokris, in: KlP 3, 718 4 G. J. Szemler, in: E. W. Kase u. a., The Great Isthmus Corridor Route. Explorations of the Phokis-Doris Expedition 1, 1991 5 J. M. Fossey, The Development of some Defensive Network in Eastern Central Greece during the Classical Period, in: S. Van de Maele, J. M. Fossey (Hrsg.), Fortificationes Antiquae, 1992, 109–132 6 Philippson/Kirsten 1, 657 7 L. Lérat, Les Locriens de l'Ouest, 2 Bde., 1952 8 G. Klaffenbach, Zur Gesch. von Ost-L., in: Klio 20, 1926, 68–88 9 F. Schober, Phokis, 1924 10 J. A. O. Larsen, Greek Federal States, 1968 11 M. N. Tod, A Selection of Greek Historical Inscriptions 1, [2]1946 12 G. Daverio Rocchi, Frontiera e confini nella Grecia antica, 1988 13 H. Pomtow, Delphische Neufunde 4, in: Klio 16, 1920, 109–177.

LIT.: G. DAVERIO ROCCHI, Gli insediamenti in villaggi nella Grecia del V e del IV sec. a.C., in: Memorie dell' Istituto Lombardo 36, 1981, 325–386 · J. M. FOSSEY, The Ancient Topography of Opountian L., 1990 · J. KODER, Zur Frage der slawischen Siedlungsgebiete im ma. Griechenland, in: ByzZ 71, 1978, 315–331 · PRITCHETT 5 · S. C. STIROS, PH. DAKORONIA, Ruolo storico e identificazione di antichi terremoti nei siti della Grecia, in: E. GUIDOBONI (Hrsg.), I terremoti prima del Mille nell'area mediterranea, 1989, 422–438.

INSCHR.: W. DITTENBERGER, IG IX,1 · W. A. OLDFATHER, Inscriptions from L., in: AJA 19, 1915, 320–339 · G. KLAFFENBACH, IG IX $I^2$,3, Inscriptiones Locridis occidentalis, 1968 · F. SALVIAT, C. VATIN, Inscriptions de Grèce centrale, 1971 · G. J. SZEMLER, N. C. WILKIE, Two Inscriptions from West L. and Doris, in: The Ancient History Bull. 6, 1992, 127–136 · M. C. J. MILLER, Two Inscriptions from West L. and Doris. A Reconsideration, in: Boeotia Antiqua 4, 1994, 175–182 · SEG XXXII, 1982, 554–558; XXXVIII, 1988, 421–427. G.D.R./Ü: H.D.

**[2] Lokroi Epizephyrioi** (Λοκροὶ Ἐπιζεφύριοι; lat. *Locri*, Ethnikon *Locrenses*).
A. LAGE B. VORGESCHICHTLICHE ZEIT
C. GRÜNDUNG, ARCHAISCHE ZEIT
D. KLASSISCHE ZEIT E. VERFASSUNG
F. RÖMISCHE ZEIT G. AUSGRABUNGEN

A. LAGE

Lokrische Kolonie an der Küste des Ionischen Meeres in Unteritalien (Stadt und Ethnikon: Λοκροὶ Ἐπιζεφύριοι, letzteres auch Λ. Ζεφύριοι; Stadt und Region: Λοκρίς), eingeschlossen von der Fiumara di Portigliola und di Gerace, ca. 4 km südwestl. des h. Locri. Grenzen der ant. Stadt: die äußersten Ausläufer des Sila-Gebirges und, gegen Kaulonia, wahrscheinlich der Fluß Sagra (Plin. nat. 3,95; Strab. 6,1,10: vielleicht die h. Fiumara di Allaro), gegen Rhegion der Fluß Halex (Eust. ad Dion. Per. 364; Strab. 6,26M: h. Fiumara di Melito oder di Galati bei Capo Spartivento, dem ant. Herakleion) oder der Fluß Kaikinos (Paus. 6,6: vielleicht h. Fiumara di Amendolea, aber aus einigen Quellen, im bes. Philistos FGrH 577 F 2, schließt man, daß der Kaikinos im Vergleich zum Halex näher bei L. lag; Ail. nat. 5,9 bezeugt eine gewisse Unbeständigkeit der Grenze zu Rhegion); vgl. [7].

B. VORGESCHICHTLICHE ZEIT

Siedlungen des Neolithikums (im Gebiet von Prestarona bei Canolo) und Äneolithikums (in der Gegend von Merici di Locri und Leto di Gerace). Spuren der Eisenzeit (9. und 8. Jh. v. Chr.) bes. in den Nekropolen von Canale, Janchina und Paterriti (Keramik, die der zeitgenössischen euboiischen ähnlich ist, bezeugt wohl Kontakte zw. Einheimischen und Griechen). Die Nutzung dieser Nekropolen hört gegen E. des 8. Jh. v. Chr. auf, während andere weitaus länger fortleben (Stefanelli di Gerace, S. Stefano di Grotteria).

C. GRÜNDUNG, ARCHAISCHE ZEIT

Die Gründung von L. erfolgte nach Eus. Chronikon Ol. 25,1 im J. 679/8 v. Chr. (oder 673/2, Ol. 26,4), nach Strab. 6,1,7 »wenig später« als die Gründung von → Syrakusai (733) und → Kroton. Die erste griech. Niederlassung bei Capo Zefirio (Capo Bruzzano; *Epizephýrioi* stammt wahrscheinlich vom Namen dieses Vorgebirges ab und entspricht der lokr. Form *Epicnemidii* [15]) hielt sich drei oder vier J. (Affaire des »falschen Eides«, Pol. 12,6; Polyain. 6,20); danach zogen die Kolonisten auf den Hügel Ἐσῶπις/*Esṓpis* (vielleicht die Hochebene von Cusemi). Herkunft der Kolonisten: aus dem östl. (Ephor. FGrH 70 F 138) oder westl. (Strab. 6,1,7, vielleicht aus Antiochos oder Timaios) L. [1]. Aber die Beständigkeit eines einheitlichen »Stammes« des lokr. *éthnos* mindestens bis zum 4. Jh. v. Chr. läßt vermuten, daß die Gründung eine gemeinsame Unternehmung ozolischer und opuntischer L. war, wobei die aus der opuntischen Metropole (Strab. 9,4,2) überwogen. Bes. die Dreiermagistrate, die »Versammlung der Tausend« und die »Hundert Häuser« sind Gemeinbestand der L. oder spezifisch opuntisch.

Soziale Stellung der Kolonisten: Nach Aristoteles (bei Pol. 12,5 ff.) wurde L. von lokr. Sklaven aus Griechenland im Verein mit Frauen aus dem höchsten Adel während des 1. → Messenischen Krieges gegr., wohingegen Timaios FGrH 566 F 12 (Pol. 12,5 ff., vgl. Athen. 6,264 c-d) nicht an einen »gemischten« Ursprung der ersten Kolonisten glaubt. Die Version des Aristoteles scheint mit den sozialen und organisatorischen Strukturen der L. Griechenlands vereinbar zu sein.

Das beträchtliche arch. Material geht zurück bis ins 6. Jh. v. Chr. [19]. Aber ins 7. Jh. v. Chr. reicht wahrscheinlich die Verfassungsordnung eines aristokratischen Modells zurück, die → Zaleukos zugeschrieben wird (spätestens auf Anf. des 6. Jh. v. Chr. zu datieren, Demosth. or. 24,141). Die Verfassung von L. galt bei den Griechen als die älteste schriftlich fixierte (Strab. 6,1,8), die über Jh. hinweg unverändert blieb. An ihr wird die »strenge Gerechtigkeit« (ἀτρέκεια, Pind. O. 10,13) und die »gute Gesetzesordnung« (εὐνομία) gerühmt (Plat. leg. 1,638b; Plat. Tim. 20a; Prokl. zu Timaios 20a), obwohl Zweifel an der Historizität des Zaleukos bestanden (Timaios FGrH 566 F 130).

In das 6. Jh. v. Chr. datiert man die beiden Subkolonien → Medma (Rosarno) und Hipponion (→ Vibo Valentia) sowie die Besetzung des zanklischen → Matauros am Tyrrhenischen Meer und die Schlacht am Sagra gegen Kroton, in der an Seiten der L. Männer aus Rhegion (Strab. 6,1,10) und wahrscheinlich auch aus Medma und Hipponion kämpften. In die Mitte des 6. Jh. v. Chr. datiert man auch ein wichtiges Gebäude außerhalb der Mauern in Centocamere, das »Stoa ad U« gen. wird (Keramikfrg. mit Weihungen an Aphrodite). Mit diesem verbindet man die Überl. von der »hl. Prostitution« in L. (vgl. Iust. 21,3,2 ff., Klearchos bei Athen. 12,515 ff. [13]).

D. KLASSISCHE ZEIT

Die Nutzung der »Stoa ad U« wird um die Mitte des 4. Jh. v. Chr. eingestellt worden sein. In der Gegend von Marasà wurde im 5. Jh. v. Chr. auf Fundamenten aus archa. Zeit ein imposanter, vermutlich Aphrodite geweihter ion. Tempel gebaut. Von dort her stammt wohl der Ludovisische Thron, der den zentralen *bóthros* (Grube) [10] oder den Altar des Tempels [11] schmückte, auf dem die Geburt der Göttin aus dem Meer und, auf den beiden Schmalseiten, eine unbekleidete Instrumentalistin und eine bekleidete Frau dargestellt sind: vielleicht zwei unterschiedliche Arten des kult. Dienstes je nach unterschiedlicher sozialer Abkunft. Im 5. Jh. v. Chr. gerieten die gut nachbarschaftlichen Beziehungen mit Rhegion in eine Krise. Während der ersten athenischen Sizilien-Expedition (→ Peloponnesischer Krieg) war L. mit Syrakusai (Thuk. 3,86,2) gegen Athen und Rhegion verbündet. 425 v. Chr. unterstützte L. die Syrakusaner ›aus Feindschaft gegen Rhegion‹ (Thuk. 4,1,2f.); 424 v. Chr. wurde eine → *epoikía* nach Messana (Thuk. 5,5,1) entsandt. Bei der zweiten Sizilien-Expedition (415–413 v. Chr.) verweigerte L. der athenischen Flotte die Möglichkeit zu ankern (Thuk. 6,44,2), die man Gylippos (Thuk. 7,1,1f.) und den Syrakusanern (Thuk. 7,25,3) gewährte. 398 v. Chr. brachte das Bündnis mit Syrakusai, bekräftigt durch die Heirat → Dionysios' [1] I. mit Doris, der Tochter des Xen(ai)netos aus einer der vornehmsten lokr. Familien, eine Erweiterung des lokr. Territoriums um Kaulonia, Skylletion, Hipponion und evtl. Terina und Temesa. Dennoch ging die Stadt gerade wegen der Verwandtschaft mit Dionysios zugrunde (Aristot. Pol. 5,1307a 37–40). 356 (oder 352) flüchtete → Dionysios [2] II., verbannt aus Syrakusai, als Erbe seiner Mutter Doris nach L. Sehr bald aber wurde seine Politik aristokratiefeindlich. Nach der Flucht Dionysios' II. (346 v. Chr.) wurde seine Familie umgebracht. Es folgte die Errichtung einer gemäßigten Demokratie.

E. Verfassung

Die neue Verfassungsordnung ist durch 37 Inschr. (sog. Lokr. Täfelchen) bezeugt [3; 4; 6; 16] – Aufzeichnungen ökonomischer Transaktionen zw. L. und dem Heiligtum des Zeus Olympios (dem dor. Tempel von Casa Marafioti). Staatl. Institutionen waren *bolá* und *dámos*. Mit den *árchontes* ist wohl die Gesamtheit der städtischen Magistrate gemeint. Neben dem eponymen Beamten erscheinen die *próboloi* (*proárchontes*), die *pródikoi* und die *hiaromnámones* (bei Finanz- und Getreideverwaltung). Des weiteren erwähnt sind *polémarchoi*, *logistéres*, *episkeuastéres*, *toichopoioí* und *epistátai*. Neben den *tamíai* (Schatzmeistern des Heiligtums oder des *phatárchion*) treten die *phátarchoi* auf, ein Magistratskollegium mit zwölf Mitgliedern im monatlichen Wechsel. Schließlich gab es einen Priester mit der Bezeichnung *theukólos*. Der wichtigste und problematischste Begriff ist der des *basileús*, der eine *syntéleia* (»Steuererhebung«) durchführte. Unterschiedliche Formen von Abgaben sind erwähnt: von Geld, Lebensmitteln, Mietzins für Landbesitz. Mit dem *basileús* könnte ein fremder König oder ein städtischer Magistrat gemeint sein; Schrift und Sprache datieren die Tafeln von L. in die Zeit Mitte 4. bis Mitte 3. Jh. v. Chr.; so könnte der König, dem L. »Steuern« zahlte, Pyrrhos oder Agathokles [2] gewesen sein (vgl. Aristot. pol. 3,1287a 1–8 [14; 15; 16]). Mit der Einführung der Demokratie wird auch der Bau des Theaters (vielleicht als *ekklesiastérion* genutzt) und evtl. der Beginn der Münzprägung verbunden, die nach syrakusanischem System organisiert war (Silber-Litra zu 0,87 g, »Pegasoi«, ital. Statere).

F. Römische Zeit

In diese Zeit fallen Angriffe der Bruttii (vgl. Nossis, Anth. Pal. 6,132), auch wenn L. um 280 v. Chr. die Verbindungen mit Hipponion weiterpflegte (FdD 3,1,176). 282 v. Chr. erhielt L. eine röm. Garnison; aber 280 v. Chr., nach der Schlacht von Herakleia, lieferten die L. die röm. Besatzung dem → Pyrrhos aus (Iust. 18,1,9). 278 v. Chr. ließ Pyrrhos, als er nach Sizilien übersetzte, seinen Sohn Alexandros [10] in L. (Diod. 22,8,2; Iust. 18,2,12). 277 v. Chr., nach dem Fall von Kroton, gingen die L. erneut zu den Römern über. 276 v. Chr. eroberte Pyrrhos nach seiner Rückkehr aus Sizilien L. zurück und plünderte das Heiligtum der Persephone (Zon. 8,6; App. Samn. 12,3–6; Diod. 27,4,3). Das Persephoneion außerhalb der Stadt (Liv. 29,18,16; Diod. 27,4,2) wird mit dem Heiligtum an den Hängen des Hügels von Mannella identifiziert: Votivtäfelchen (*pínakes*) mit Szenen aus dem Persephone-Mythos und Kulthandlungen (ca. 490–450 v. Chr.). 272 v. Chr. schlossen die L. ein → *foedus* mit Rom (*socii navales*) und stellten regelmäßig zwei Schiffe (Pol. 1,20,14; 12,5,2; Liv. 42,48,7). Damals prägten sie vielleicht die Mz. der *Roma* bekränzenden *Pistis*. Im 2. → Punischen Krieg fiel L. wieder von Rom ab: Nach der Plünderung des Persephoneions durch Q. Pleminius (205 v. Chr.) erfolgte die endgültige Versöhnung (Liv. 29,19–21).

Im 3. und 2. Jh. v. Chr. scheint sich die röm. Stadt entlang der Straßenachse des Dromos konzentriert zu haben. Dort findet man die beiden größten Komplexe aus röm. Zeit (Casino Macri, Petrara). Die Umgestaltung des Theaters läßt die wirtschaftliche Blüte erkennen. 89 v. Chr. wurde L. *municipium* (*IIII viri aedilicia potestate, IIII viri iure dicundo*). Die Onomastik lat. Inschr. der Kaiserzeit weist vielleicht auf die Einwanderung von *gentes* aus Süd- und Mittelitalien. Die städtische Ges. umfaßte die drei Klassen der *decuriones*, der *seviri Augustales* (oder *Augustales*) und des *populus*. Die Priesterkollegien des → Kaiserkultes waren *seviri Augustales* und die *flamines*. Bezeugt sind Kulte des Iuppiter Optimus Maximus, der *dei et deae immortales*, der Roma Aeterna, der Iuno, des Serapis, der Kybele und des *Genius municipii* sowie evtl. des Attis oder des Mithras. Sehr schnell muß sich das Christentum in L. verbreitet haben (Bistum bereits 330 n. Chr.). In der Kaiserzeit waren Stadt und Territorium spärlich besiedelt: eine *villa* in Salice di Ardore (Marmorsarkophag aus dem 4. Jh. n. Chr.), in Naniglio di Gioiosa Ionica (1./2.–3./4. Jh. n. Chr.), in Palazzi di Casignana (1.–4. Jh. n. Chr.) und ein Theater in Marina di Gioiosa Ionica (3.–4. Jh. n. Chr.). Erst im 5. Jh. n. Chr. entstanden neue architektonische Komplexe. Das späteste bekannte Gebäude (in

Tribona, 7. Jh. n. Chr.) gehört zu einer kleinen Küstensiedlung byz. Zeit. Vom 8. Jh. n. Chr. an verließen die Einwohner L. allmählich zugunsten von h. Gerace.

G. Ausgrabungen

Mauerring, ca. 7,5 km; Siedlung in Centocamere; »Stoa ad U«, E. 7. Jh. v. Chr.; dor. Tempel von Casa Marafioti, E. 6./Anf. 5. Jh. v. Chr.; ion. Tempel in Marasà, 5. Jh. v. Chr. (auf Fundamenten von E. 7./Mitte 6. Jh. v. Chr.); Theater, 4.–3. Jh. v. Chr.; Athena-Tempel, 6. Jh. v. Chr.; Persephoneion, Mitte 7. Jh. v. Chr.; griech. und röm. Nekropolen; spätant. Gebäude von Quote S. Francesco, 5.–7. Jh. n. Chr. Inschr.: IG XIV 630–632; CIL X 16–37; [2; 3; 4; 6]; Mz.: HN 101 ff.; 407.

**1** BTCGI 9, 191–249 **2** F. Costabile, Municipium Locrensium, 1976 **3** Ders., Polis ed Olympieion a Locri Epizefiri, 1992 **4** A. De Franciscis, Stato e società in Locri Epizefiri, 1972 **5** J. De La Genière, De la Phrygie à Locres Epizéphyrienne: les chemins de Cybèle, in: MEFRA 97, 1985, 693–718 **6** L. Del Monaco, Le tavole di Locri soni 37, in: RFIC 125, 1997, 129–149 **7** H. P. Drögemüller, s. v. L., KlP 3, 721–725 **8** F. Ghinatti, Ancora sulla storia della Magna Grecia, in: Sileno 20, 1994, 35–74 **9** Ders., Cronologia e rotazione dei fatarchi nelle tabelle di Locri Epizefiri, in: Minima Epigraphica et Papyrologica 1, 1998, 55–77 **10** M. Guarducci, Due pezzi insigni del Museo Nazionale Romano: il »Trono Ludovisi« e l'»Acrolito Ludovisi«, in: BA 70, 1985, 1–20 **11** G. Gullini, Il trono Ludovisi, in: Ἀπαρχαί 1, 305–318 **12** U. Kahrstedt, Die wirtschaftliche Lage Großgriechenlands in der Kaiserzeit, 1960 **13** M. Mari, Tributo a Ilio e prostituzione sacra, in: Rivista di cultura classica e medioevale 39, 1997, 131–177 **14** D. Musti, Città e santuario a Locri Epizefirî, in: PdP 29, 1974, 5–21 **15** Ders., Problemi della storia di Locri Epizefirii (Atti XVI Convegno di studi sulla Magna Grecia, Taranto 1976), 1977, 23–147 **16** Ders. (Hrsg.), Le tavole di Locri, 1979 **17** F. Niutta, Le fonti letterarie ed epigrafiche, in: Locri Epizefiri 1, 1977, 253–355 **18** W. A. Oldfather, s. v. L. (1), RE 13, 1289–1363 **19** E. Lattanzi u. a., Santuari della Magna Grecia in Calabria, in: I Greci in Occidente, 1996 **20** C. Antonetti, Le tavole di Locri, in: Ostraka 4,2, 1995, 351–363.

DO. MU. u. L. D. MO./Ü: J. W. M.

**Lokros** (Λοκρός).

**[1]** Myth. Ahnherr (*ktístēs*) des lokr. Stammes, Sohn des Physkos (Herodian. 2,947), Enkel des → Amphiktyon [2] (in Anthela/Ost-Lokris lag die älteste hl. Stätte der delph. Amphiktyonie). Gattin ist → Kabye oder Protogeneia (schol. Pind. O. 9,86). Die → Leleges, die von L. angeführt wurden (Hes. fr. 234,1 M.-W.), nannten sich nach ihm Lokrer (Strab. 7,7,2).

**[2]** Sohn des Zeus und der argiv. Königstochter → Maira, hilft → Amphion [1] und → Zethos bei der Ummauerung Thebens (Eust. zu Hom. Od. 1688,64). Der Mythos deutet auf eine enge Verwandtschaft in früher Zeit zw. Lokris und Boiotien; in Kriegen der gesch. Zeit waren Boioter und Lokrer stets verbündet (Hell. Oxyrh. 13,4).

**[3]** Sohn des Phaiax von Scheria (Kerkyra), Bruder von → Alkinoos [1]. Mit Phaiaken siedelt er nach Italien über, wo er bei → Lakinios lebt. L. ehelicht dessen Tochter Laurine. Bei einem Streit mit Herakles erschlägt Lakinios seinen Schwiegersohn. Auf Befehl des Herakles wird am Grab des L. eine Stadt gegründet (FGrH 26 F 1,3).

RE. ZI.

**Lollia**

**[1] L. Paulina.** Wohl Enkelin des Lollius [II 1], *cos.* von 21 v. Chr. Verheiratet mit P. Memmius [II 4] Regulus, Statthalter von Achaia, Macedonia und Moesia. → Caligula nahm sie ihrem Gatten im J. 38 weg und heiratete sie kurz nach dem Tod seiner Schwester Drusilla; schon im folgenden Jahr aber verstieß er sie wieder, mit dem Befehl, sie dürfe nie mehr mit einem Mann Verkehr haben. 48 schlug der Freigelassene Callistus sie → Claudius [III 1] als Frau vor, der aber → Agrippina [3] heiratete. Diese zwang Claudius, sie als Konkurrentin zu verbannen; bald darauf wurde L. im J. 49 getötet. Ihren Reichtum und ihren Schmuck, der von Plinius (Plin. nat. 9,117) geschildert wird, hatte sie von ihrem Großvater geerbt.

PIR² L 328 • Raepsaet-Charlier Nr. 504.

**[2] L. Saturnina.** Wohl Schwester von L. [1]; wahrscheinlich verheiratet mit D. Valerius Asiaticus, *cos.* 35 und 46 n. Chr. Von Caligula zum Ehebruch gezwungen (Sen. dial. 2,18,2). In Puteoli besaß sie große Speicheranlagen, die verm. eine der Quellen ihres großen Reichtums waren. PIR² L 329.

G. Camodeca, in: Puteoli 6, 1982, 19f. • Raepsaet-Charlier Nr. 506.

W. E.

**Lollianos** (Λολλιανός).

**[1]** Verf. eines Romans in mehreren B. mit dem Titel ›Phönizische Geschichten‹ (Φοινικικά, *Phoinikiká*), der uns aus den Frg. eines Papyrus-Cod. vom Ende des 2. Jh. n. Chr. bekannt ist (PColoniensis inv. 3328; die Zuweisung ist sicher); es gibt gute Gründe, dem Roman des L. auch die Reste eines Prosatextes zuzuweisen, der nicht später als um die Mitte des 3. Jh. n. Chr. auf die Versoseite von POxy. 1368 (= Pack² 2620) geschrieben wurde. Die erh. Fr. lassen verschiedene Episoden erkennen: eine Tanzszene, wahrscheinlich während der Festlichkeiten zu Ehren des Adonis; die erste sexuelle Erfahrung einer Romanfigur mit einer Frau namens Persis (PColonensis inv. 3328, A. 1–2ʳ, vom Ende des 1. oder Anfang des 2. Buches); die Opferung eines παῖς (*pais*, eines Jungen, eines Sklaven oder des jungen Geliebten von irgend jemandem), dessen Herz von einer Gruppe von Mysten gegessen wird; ein Gelage (an dem ein gewisser Androtimos teilnimmt), nach dem die Anwesenden einige Leichen plündern und teils schwarz, teils weiß gekleidet ins Freie gehen (B. 1ʳᵛ, nach A anzuordnen); die Begegnung des Glauketes mit dem Phantom eines getöteten Jungen (POxy. 1368; eine Anordnung gegenüber den übrigen Fr. ist unmöglich).

Die Entdeckung der Fr. des L. bezeichnet einen Einschnitt in der Gesch. der Erforschung der ant. narrativen Lit., da sich hier ein griech. Roman andeutet, der ganz

anders als die hss. überlieferten des »idealen« Typus ist; die wenigen erh. Fr., in denen reichlich Sex und Gewalt vorkommen (auch für das Übernatürliche ist noch Platz), deuten darauf hin, daß der Schlüssel zu diesem Werk in der Sensationslust liegt. Es erstaunt daher nicht, daß man Berührungspunkte einerseits mit den lat. Romanen des → Petronius und Apuleius (→ Appuleius [III]) fand, die »niedrigen« Elementen gegenüber offener sind, andererseits mit → Achilleus Tatios' [1] ›Leukippe und Kleitophon‹, dem griech. Roman, der am weitesten von den seriösen Tönen des idealisierenden Liebesromans entfernt ist.
→ Roman

A. Henrichs (Hrsg. und Komm.), Die Phoinikika des L. Fragmente eines neuen griech. Romans, 1972 • S. A. Stephens, J. J. Winkler (Hrsg.), Ancient Greek Novels. The Fragments, 1995, 314–357.

M. FU. u. L. G./Ü: T. H.

[2] P. Hordeonius L., Sophist aus Ephesos, wo seine Tochter mit einer Statue geehrt wurde (IK XIII 984). Als Schüler des → Isaios [2], vielleicht in Athen, wo er στρατηγὸς ἐπὶ τῶν ὅπλων (hier in der Bed.: »Ernährungsminister«) und spätestens 142/43 n. Chr. [1] Priester wurde, nahm L. eine Lehrtätigkeit auf (zu seinen Schülern zählten → Theodotos und → Philagros; Philostr. soph. 2,2 und 8), hatte als erster den Rhet.-Lehrstuhl der Stadt inne (in den 40er Jahren des 2. Jh. n. Chr.?) und wurde mit zwei Statuen geehrt (Philostr. soph. 1,23; 526–27): Auf der Basis einer der beiden Statuen [2] werden seine Deklamations- und Gerichtsreden gepriesen. Philostratos preist L.' polit. Autorität und direkten Stil mit zwei Beispielen seiner rhet. »Feuerwerke«. Lukianos macht sich in einem Epigramm (Anth. Pal. 11,274) über seine Redseligkeit lustig, → Phrynichos über falsche Attizismen. Gegen eine Gleichsetzung mit L. [1], dem Verf. der *Phoinikiká* [3], spricht der Stil der aus dem späten 2. Jh. n. Chr. stammenden Roman-Fr. des letzteren. Von den zahlreichen Schriften des L. (Suda λ 670) wurden die Hdb. (*Téchnai*), die auch die Stasislehre (→ Status) berührten, noch im 5. Jh. n. Chr. benutzt.
→ Philostratos; Zweite Sophistik

1 IG II/III² 1764B 2 IG II/III² 4211 = EpGr 877 3 S. A. Stephens, J. J. Winkler (Hrsg.), Ancient Greek Novels. The Fragments, 1995, 314–357.

O. Schissel, L. aus Ephesos, in: Philologus 82, 1927, 181–201 • PIR² H 203 • D. Matthes, Hermagoras v. Temnos 1904–1955, in: Lustrum 3, 1958, 76 f., 123 f.

E. BO./Ü: T. H.

**Lollianus.**
L. [1–6]: Nachtrag zum Gentilnamen Hedius.

**[1] Q. Hedius L. Plautius Avitus.** Zur Namensform, in der einmal auch Gentianus bezeugt ist, vgl. [1. 232 f.]. Patrizier, Bruder der *virgo Vestalis maxima* Terentia Flavola; Sohn von L. [6]. L.' Laufbahn bis zum Konsulat ist aus CIL VI 32412 = ILS 1155 bekannt. Auffällig ist, daß er als Patrizier zwischen Praetur und Konsulat auch *iuridicus Asturicae et Callaeciae* sowie Legat der *legio VII Gemina*, ebenfalls in der Hispania citerior, war. *Cos. ord.* im J. 209 n. Chr. (daß er in diesem J. *cos. II* gewesen wäre, wie eine Inschr. aus Styberra sagt, beruht auf einem Irrtum des Steinmetzen [1. 233]). L. dürfte mit dem Proconsul von Asia in IEph IV 1109; 1111–1113 identisch sein (wohl um 224). PIR² H 36.

1 W. Eck, Miscellanea Prosopographica, in: ZPE 42, 1981.

G. Alföldy, in: EOS 2, 326.

**[2] Hedius L. Terentius Gentianus.** Bruder von L. [1]. *Praetor tutelaris, cos. ord.* 211 n. Chr. PIR² H 37.

**[3] L. (Hedius Rufus) L. Avitus.** Suffektconsul im J. 114 n. Chr.; Proconsul von Asia ca. 128/9 (IPerg VIII 3,22). PIR² H 39.

W. Eck, in: Chiron 13, 1983, 165.

**[4] L. Hedius Rufus L. Avitus.** Sohn von L. [3]. *Cos. ord.* im J. 144 n. Chr.; *curator operum publicorum* im J. 146; Proconsul von Africa wohl 157/8 [1. 62 f.]. Schließlich wurde er consularer Legat von Pontus-Bithynia, wo er wohl im J. 159, nicht erst 165 bezeugt ist (IGR III 84) [2. 146 ff.; 3. 83 ff.]. Literarisch tätig. PIR² H 40.

1 Thomasson, Fasti Africani, 1996 2 Chr. Marek, Katalog der Inschr. von Amasra, in: EA 6, 1985 3 Ders., Das Datum einer Statthalterschaft in Pontos-Bithynia. L. Hedius Rufus Lollianus, in: EA 23, 1994.

**[5] L. Hedius Rufus L. Avitus.** Sohn von L. [4]. *Salius Palatinus* (→ Salii). IGR IV 1414 = [1] bezieht sich wohl nicht auf ihn, sondern auf L. [1]. Dann ist für ihn kein weiteres Amt bezeugt. PIR² H 41.

1 G. Petzl, Die Inschr. von Smyrna, Bd. 2,1, 1987, 713.

**[6] Q. Hedius Rufus L. Gentianus.** Wohl Sohn von L. [4]. Patrizier. Nach Quaestur und Praetur wurde er Legat der *legio XXII Primigenia* in Mainz; Suffektconsul unter → Commodus. 193 n. Chr. in Rom; Vorwürfe gegen → Pertinax (HA Pert. 7,7), dessen Patron er gewesen war. Consularer Legat von Hispania citerior, der Zeitpunkt ist umstritten (s. Lit. bei [1. 209 ff.; 2. 75 ff.]); *comes* von → Septimius Severus und → Caracalla; *censitor* in der Lugdunensis; Proconsul von Asia 201/2. PIR² H 42.

1 A. Guidante, L'aristocrazia norditalica tra Antonini e Severi: gli Hedii di Pollantia, in: Simplos 1, 1995 2 M. Christol, La carrière de Q. Hedius Rufus Lollianus Gentianus, in: REA 83, 1981.

G. Alföldy, in: EOS 2, 326 Nr. 5 • M. Christol, Th. Drew-Bear, in: Anatolia Antica 3, 1995, 92 ff.

W. E.

**[7] Q. Flavius Maesius Egnatius L.** (signo Mavortius). Angehöriger der Senatsaristokratie des 4. Jh. n. Chr., der in seiner durch die Regierung des → Constantinus [2] II. vorübergehend unterbrochenen Karriere (ILS 1223; 1224a,b,c; 1225; 1232; 8943; Firm. Math. 1 pr. 1–8) bis zum *praefectus urbi* (342) und nach einer weiteren Unterbrechung schließlich zum *consul ordinarius* (355) und zum *praefectus praetorio Galliarum* (354) und dann *Italiae, Illyrici, Africae* (355–356) aufstieg. Firmicus Maternus widmete dem Christen L. seine *Máthēsis* (Firm. Math. 1 pr. 1–8). Ammianus (Amm. 16,8,5) rühmt seinen Gerechtigkeitssinn. PLRE 1, 512–514.

B.BL.

**[8] [– – –]ius L.** Ritterlicher Procurator, wohl in der Zeit des Septimius Severus, zuletzt *procurator annonae* in Ostia. PIR² L 308.

**[9] [ – – – ]tilius Lol[lian]us.** CIL III 335 = 6991 = 14188,1. PIR² L 309. Vgl. → Catilius [1] Longus. W.E.

**Lollius.** Name einer röm. plebeischen Familie. Die Namensträger, seit dem 3. Jh. v. Chr. bezeugt, nicht stadtröm. Herkunft, traten seit dem 2. Jh. als Geschäftsleute hervor (ILLRP 723b; 747; 1025) und erhielten vielleicht erst im Bundesgenossenkrieg [3] röm. Bürgerrecht.

1 Schulze, 519 2 T.P. Wiseman, New Men in the Roman Senate: 139 B.C. – A.D. 14, 1971, 237f. K.-L.E.

I. Republikanische Zeit

**[I 1] L., L.** Las 82 v. Chr. seinen Namen auf einer Proskriptionsliste Sullas und wurde gleich darauf beim Verlassen des Forums getötet (Oros. 5,21,4f.).

**[I 2] L., L.** Legat des Pompeius gegen die Seeräuber 67 v. Chr, kommandierte die Ägäis und die Westküste Kleinasiens bis Rhodos (App. Mithr. 436). 65 eroberte L. zusammen mit Q. Caecilius [I 29] Metellus Nepos → Damaskos (Ios. ant. Iud. 14,29f.; Ios. bell. Iud. 1,127). Vermutlich ist er jener L., dem Nepos 56 aus Spanien schrieb (Cic. fam. 5,3,2); die Identität mit einem Ende 51 bezeugten Geschworenen L. L. ist weniger plausibel (Cic. fam. 8,8,3). JÖ.F.

**[I 3] L., M.** Um 80 v. Chr. Censor mit A. Hirtius von Ferentinum im Hernikergebiet. Sie erbauten dort die z. T. noch erhaltene Festungsmauer (ILS 5342–45).

K.-L.E.

**[I 4] L., M.** Jüngerer Sohn von L. [I 6], den er 70 v. Chr. als Zeuge vertrat (Cic. Verr. 2,3,63). Vielleicht ist er der schwerkranke Quaestor L. des Jahres 65 (Plut. Cato minor 16,9). JÖ.F.

**[I 5] L., M.** Freigeborener aus Campanien [1. 348] oder Freigelassener der *gens Lollia* [2. 116]; betätigte sich Anfang der fünfziger Jahre v. Chr. als Gefolgsmann des Volktribunen P. → Clodius [I 4]. Als solcher (Cic. dom. 89: *dux tabernariorum*) organisierte er dessen Anhänger in der *plebs urbana* bei Abstimmungen (z. B. über die Verbannung Ciceros) und bei Protestaktionen gegen Getreideverknappung und Teuerung im Sommer 57 [3. 162]. Die Nachrichten über L. beruhen ausschließlich auf tendenziösen Angaben → Ciceros (dom. *passim*), der Ziel verschiedener Aktivitäten des L. war, und taugen nicht als Grundlage für das negative Bild, das die Moderne meist entwirft.

1 E. Rawson, More on the *Clientelae* of the Patrician Claudii, in: Historia 26, 1977, 340–357 2 K.-J. Nowak, Der Einsatz privater Garden in der späten röm. Republik, 1973 3 H. Benner, Die Politik des P. Clodius Pulcher, 1987.

W.W.

**[I 6] L., Q.** Röm. Ritter mit Landbesitz auf Sizilien, 73–71 v. Chr. von Q. Apronius übervorteilt; ließ sich 70, weil fast neunzig Jahre alt, im → Verres-Prozeß durch seinen älteren Sohn vertreten, der im gleichen Jahr beim Sammeln von Belastungsmaterial gegen C. Verres auf einer Reise durch Sizilien ermordet wurde (Cic. Verr. 2,3,61–63). JÖ.F.

**[I 7] L. Maximus.** Junger Freund des Dichters Horaz, der ihm zwei Versepisteln (Hor. epist. 1,2; 1,18) widmete; Teilnehmer an Augustus' Spanien-Feldzug 26/5 v. Chr. (Hor. epist. 1,18,55). Wahrscheinlich Verwandter des M. Lollius [II 1], vielleicht sogar dessen Sohn (ablehnend [1]; positiv [2]). PIR² L 317.

1 Syme, AA, 396 2 R. Mayer (Hrsg.), Horace, Epistles. Book I, 1994, 8f.

W.K.

**[I 8] (L.) Palicanus.** Münzmeister unter Caesar 48 oder 47 v. Chr. (MRR 2, 444; [1]). Vielleicht identisch mit L. L., der ca. 35/34 (als Statthalter?) auf Münzen aus *Creta et Cyrenae* erscheint (MRR 2, 408), aber wohl nicht mit M. [– – – ] Ποπ. Παλλακεῖνος, Senator 39 v. Chr. (Sherk 27, Z. 11; MRR 2,498).

1 B. Mannsperger, Libertas – Honos – Felicitas, in: Chiron 4, 1974, 327–342.

**[I 9] L. Palicanus, M.** Aus einfacher Familie im Picenum. Als Volkstribun 71 v. Chr. (MRR 2,122) forderte er die von Sulla abgeschafften Rechte seines Amtes zurück und verhalf mit diesem Ziel → Pompeius zum Konsulat für 70. 67 trat er selbst zu den Consulwahlen an, gab aber auf, weil der Consul C. Calpurnius [I 10] Piso – als Rache für die Vorgänge von 71/70 – drohte, er werde L. nie für gewählt erklären (Val. Max. 3,8,3). Eine erneute Kandidatur für 65 ist unsicher (Cic. Att. 1,1,1). L. war fortan polit. unbedeutend und wird zuletzt 60 erwähnt (Cic. Att. 1,18,5). Er galt als mitreißender, aber kunstloser Redner (Sall. hist. 4,43M). JÖ.F.

II. Kaiserzeit

**[II 1] M. Lollius.** Senator der augusteischen Zeit. L.' Herkunft ist strittig; doch könnte er am ehesten *homo novus* gewesen sein. Sicher war er mit Octavian bereits während der Triumviratszeit verbunden. Konkret faßbar ist er erstmals als Augustus' Legat, der nach dessen Tod das galatische Königreich in eine praetorische Prov. umwandelte (→ Galatia); die galatischen Truppen formte wohl er zur *legio XXII Deiotariana* um; im Land wurden, verm. ebenfalls durch ihn, → Veteranen-Kolonien angelegt [1. 963f.].

Augustus' Vertrauen in L. wurde sichtbar, als er 21 v. Chr. zum Consul gewählt wurde, zunächst allein, da das Volk auch den auf Sizilien abwesenden Augustus als Consul wollte. Als dieser ablehnte, wurde Q. Aemilius Lepidus sein Kollege (Hor. epist. 1,20,28). Beide ließen in Rom den *Pons Fabricius* erneuern (CIL VI 1305

= ILS 5892). In den J. 19/8 kämpfte L. in Thrakien gegen die Bersi, die er besiegte. 17 v. Chr. nahm er als → *quindecimvir* an den Säkularspielen (→ *saeculum*) teil. Konsulat und Priesteramt bezeugen den hohen Einfluß, den er in der röm. Politik unter Augustus hatte.

Wohl 17 v. Chr. ging er als Legat nach Gallien, wo er 17 oder 16 mit der *legio V* eine Niederlage gegen → Usipetes, → Tencteri und → Sugambri erlitt; der Legionsadler ging verloren. Die *clades* (»Niederlage«) *Lolliana*, die von zahlreichen Autoren erwähnt wird, gewann wohl erst durch die spätere Niederlage des → Quintilius Varus 9 n. Chr. und die negative Zeichnung des L. v.a. in den Kreisen um → Tiberius ihre weitgehende Bedeutung. Unmittelbar hatte sie zur Folge, daß sich Augustus nach Gallien begab und daß sich daraus die Absicht zum Kampf gegen die rechtsrheinischen Germanen entwickelte. L. aber verlor keineswegs auf Dauer das Vertrauen des Augustus.

Jedenfalls bestimmte Augustus L. 1 v. Chr. zum *adiutor* und *rector* des jungen Gaius Iulius [II 32] Caesar, der in einer Sondermission nach dem Osten gesandt wurde. Er sollte ihn polit. beraten und steuern. Seine dominierende Stellung wird daraus ersichtlich, daß städtische Gesandtschaften an ihn gerichtet wurden. Angeblich soll er Gaius dazu gebracht haben, Tiberius, der sich auf Rhodos im freiwilligen Exil aufhielt, beleidigend zu behandeln (Vell. 2,102; Suet. Tib. 12,2). Im Osten soll er versucht haben, Gaius zu dominieren; von den Fürsten des Ostens soll er bestochen worden sein, ein Vorwurf, der später auch gegen Calpurnius [II 16] Piso erhoben wurde. Es kam zum Bruch mit C. Caesar, der ihm die Freundschaft kündigte; kurze Zeit später starb L. in der Prov. Vermutlich wurde sein Ruf systematisch durch die Anhänger des C. Caesar zerstört, um diesen zu schützen. Auch Tiberius beschuldigte L. noch lange nach dessen Tod im J. 21 n. Chr., er habe das Zerwürfnis mit Gaius herbeigeführt. Dem steht gegenüber, daß Augustus ihm vertraute; auch Horaz (carm. 4,9) spricht in höchster Anerkennung von seinen moralischen und polit. Tugenden (*virtutes*); gerade seine Unbestechlichkeit wird dort gerühmt. Von einem Sohn des L. ist nichts bekannt; seine Enkelin → Lollia [1] Paulina spielte unter Gaius und → Claudius [III 1] für kurze Zeit eine wichtige Rolle. PIR² L 311.

1 R. K. Sherk, Roman Galatia: The Governors from 25 B.C. to A.D. 114, in: ANRW II 7.2, 1980, 954–1052.

E. Groag, s. v. L. (11), RE 13, 1377ff. • Syme, RR, 398; 428 ff.

**[II 2] M. Lollius.** Sohn des Consuls L. [II 1] von 21 v. Chr. Aus Tac. ann. 12,1,2 ist kaum zu schließen, daß er Consul gewesen ist; die Stelle ist eher auf den Großvater zu beziehen. Vater von Lollia [1] und [2].

**[II 3] Q. L. Mamercianus.** Senator, Statthalter der Prov. Arabia, wohl in der 1. H. des 3. Jh. n. Chr. SEG 39, 1648.

**[II 4] Q. L. Urbicus.** *Homo novus* aus Tiddis in Africa, wo er seiner gesamten Familie ein repräsentatives Grabmal errichtete (CIL VIII 6705 = ILAlg II 1, 3563). Seine senatorische Laufbahn begann in den letzten Jahren Traians oder den ersten Hadrians, von dem er bei Volkstribunat und Praetur gefördert wurde. Legat der *legio X Gemina* in Pannonia superior, die er vielleicht auch im Krieg gegen → Bar Kochba befehligte, wobei er von Hadrian ausgezeichnet wurde. Consul wohl 135 oder 136. Statthalter von Germania inferior ca. 137–139, anschließend von Britannien, wo er von 139–142 bezeugt ist. Dort siegte er gegen die Britones, wofür Pius eine Imperatorenakklamation annahm. Wohl ab 146 *praefectus urbi*; wie lange er im Amt blieb, ist unbekannt, vielleicht bis 160. Als Stadtpraefekt leitete er den Christenprozeß gegen Iustinos [6] Martys. PIR² L 327.

Birley, 112ff. • Eck, Statthalter, 168. W.E.

**Lomentum**

**[1]** Aus Bohnenmehl (Plin. nat. 18,117) hergestelltes Kosmetikum (→ Kosmetik), von den Römerinnen dazu verwandt, Hautfalten zu verdecken und zu glätten (Mart. 3,42; 14,60); mit dem Zusatz von in der Sonne getrockneten und zerriebenen Schnecken (Plin. nat. 30,127) machte *l.* die Haut weich und weiß. Ferner diente *l.* als Heilmittel bes. bei Geschwüren, Brandwunden oder Geschwulsten (Plin. nat. 20,127; 22,141).
**[2]** Zwei Sorten blauer Farbe, die aus dem »Himmelblau« (*caeruleum*, vgl. [1]) gewonnen wurden (Plin. nat. 33,162f.), von denen es eine teure (10 Denare pro Pfund) und eine mindere Sorte (*l. tritum*, 5 Asse pro Pfund) gab. Das *l.* eignete sich für die → Enkaustik und Temperamalerei, aber nicht für die Freskomalerei.

1 Pompeji wiederentdeckt, Ausstellung Hamburg 1993, 155, Nr. 16–24. R.H.

**Londinium** (h. London). Die röm. Stadt L. – der Name enthält evtl. den kelt. PN Londinos – lag, wohl ohne vorröm. Vorläufer, an der geeignetsten Übergangsstelle über den Tamesis (Themse), welche die Aufmerksamkeit der Römer z.Z. der Invasion 43 n. Chr. auf sich zog. Die frühe Siedlung lag auf Anhöhen beiderseits des sumpfigen Tals des von Norden in den Tamesis einmündenden Walbrook. Hier konnte weder eine frühröm. Brücke noch ein Militärkastell nahe des Tamesis-Übergangs (frühe Militärausrüstung legt eine solche Vermutung nahe) nachgewiesen werden. Die frühe Bed. von L. lag in den Handelsverbindungen zum Kontinent. Nach Tac. ann. 14,33 hielten sich in L. 60 n. Chr. unzählige *negotiatores* (»Händler«) auf, wofür es arch. Nachweise aus dem Hafenbereich gibt. Zur Zeit des Boudicca-Aufstands 60/1 n. Chr. (→ Boudicca) florierte die Stadt so sehr, daß sie die Wut der Rebellen auf sich zog; L. wurde völlig zerstört, der *legatus Augusti pro praetore* C. Suetonius Paullinus konnte L. nicht halten. Das Zerstörungsniveau dieser Katastrophe bildet einen gut definierten arch. Horizont [1].

Der *procurator Augusti* C. Iulius Alpinus Classicianus (Tac. ann. 14,38) wurde in L. bestattet [2]. In flavischer Zeit (69–96 n. Chr.) wurden wichtige öffentliche Gebäude westl. des Walbrook errichtet – so auch das Praetorium, das Forum und Thermen. Um 100 n. Chr. wurde das Forum vollständig umgeplant, eine riesige Basilika hinzugefügt – die größte in den nordwestl. Prov. [3]. Auch den Bau eines 4 ha großen Kastells im NW der Stadt sieht man im Zusammenhang mit dem *officium* des Statthalters, ferner auch in unmittelbarer Nähe ein Amphitheater [4. 15–40]. Trotzdem und trotz der offensichtlichen Bed. der Stadt bleibt uns der genaue Rechtsstatus von L. unklar: L. war weder → *colonia* noch einheimische → *civitas*. L. dürfte in flavischer Zeit den Rang eines → *municipium* erh. haben.

Die wachsende Bed. von L. als Handelsplatz wird durch den Bau der Kai-Anlagen aus riesigen Eichenbalken entlang des Tamesis-Ufers deutlich – auf mehr als 550 m Länge von 100 n. Chr. an. Durch diesen Flußhafen kamen Waren aus Gallia, Germania, Hispania und Italia ins Land. Der daraus resultierende Wohlstand währte bis ins späte 2. Jh., danach stagnierte er wohl für ein Jh. oder länger [5]. Der Stadtbefestigung mußte man im 3. Jh. große Aufmerksamkeit schenken: Zw. 190 und 220 n. Chr. wurde die Stadtmauer im Osten, Westen und Norden erneuert, Ende des Jh. bis zum Fluß ausgebaut. Der Tamesis wurde durch ein Signalturmsystem flußabwärts gesichert.

Die Bevölkerung von L. war bunter gemischt als in anderen Städten in Britannia – entsprechend der Rolle der Stadt in Handel und Verwaltung. Kaiserliche Beamte, Soldaten und Kaufleute hinterließen ihre Spuren auf Inschr. [6]. Dies zeigt sich auch in den Kulten von L. Es gab im 1. Jh. einen nach 250 n. Chr. erneuerten Isis-Tempel. Ein Mithraeum (→ Mithras) [4. 92–117] mit schönen Skulpturen lag östl. des Walbrook vom späten 2. Jh. an bis zu seiner Zerstörung früh im 4. Jh. Eine große Basilica – vor kurzem am Tower Hill gefunden – dürfte eine christl. Kirche des späten 4. Jh. gewesen sein.

Das spätant. L. gibt viele Rätsel auf. Große Gebäude, darunter ein Bogen und mindestens zwei Tempel, wurden im 3. Jh. südwestl. der Stadt gebaut; an anderen Stellen waren große Gebiete offensichtlich aufgegeben worden. L. spielte jedoch weiterhin eine bed. administrative Rolle. Ab 368 n. Chr. *Augusta* gen. (Amm. 27,8), war L. im späten 4. Jh. Sitz des *praepositus thesaurorum Augustensium*. Ab 400 n. Chr. kam der Niedergang, das Siedlungszentrum wanderte aus dem ummauerten Gebiet von L. nach Westen, wo das sächsische *Ludenwic* gefunden wurde.

**1** R. Merrifield, London, 1983 **2** R. G. Collingwood, R. P. Wight, The Roman Inscriptions of Britain I, 1965, 12 **3** P. R. V. Marsden, The Roman Forum Site in London, 1987 **4** W. F. Grimes, The Excavations of Roman and Medieval London, 1968 **5** G. Milne, The Port of Roman London, 1985 **6** R. G. Collingwood, R. P. Wright, The Roman Inscriptions of Britain 1–20, 1965 ff.

T. Dyson, The Roman Quay at St. Magnus House, 1986 • C. Hill u. a., The Roman Riverside Wall and Monumental Arch in London, 1980 • P. R. V. Marsden, Roman London, 1980 • J. Morris, L., 1982 • D. Perring, Roman London, 1991. M. TO./Ü: I. S.

**Longina** s. Domitia [6] Longina

**Longinianus.** Flavius Macrobius L., 399 n. Chr. *comes sacrarum largitionum* (→ *comes, comites*), ließ als *praefectus urbi* 401–402 Mauern und Tore Roms angesichts der Gotengefahr wiederherstellen (ILS 797). Als Freund → Stilichos wurde L. 406 *praef. praet. Italiae* und bei dessen Sturz am 13. August 408 ermordet (Zos. 5,32,7; vgl. Soz. 9,4,7). → Symmachus schrieb ihm epist. 7,93–101.

PLRE 2,686 f. • A. Chastagnol, Fastes de la préfecture de Rome, 1962, 255–257 • v. Haehling 311–313. K. P. J.

**Longinos** (Λογγῖνος).

**[1] Kassios Longinos** (Cassius Longinus).

A. Leben B. Werke

A. Leben

Der griech. Grammatiker, Rhetor und platonische Philosoph (ca. 210–272/3 n. Chr.) war ein herausragender Repräsentant der Bildung und Kultur seiner Zeit und wurde daher als ›lebende Bibliothek und wandelnde Universität‹ bezeichnet (fr. 3a [1]). Über L.' Vater ist nichts bekannt, seine Mutter war die Schwester des Phronton von Emesa, dem L. wahrscheinlich viel von seiner rhet. Ausbildung verdankte (fr. 1b). Phronton setzte ihn zum Erben seines Vermögens ein. Schon in seiner Kindheit unternahm L. zusammen mit seinen Eltern weite Reisen, auf denen er alle bekannten Philosophen seiner Zeit kennenlernte, bei denen er z. T. später studierte. Die längste Zeit verbrachte er bei → Ammonios [9] Sakkas und dessen Schüler, dem Neuplatoniker → Origenes (fr. 2) [2. 324; 3. 8 ff., 140 ff.]. Nach seiner Ausbildung gründete er in Athen eine eigene Schule, in welcher Gramm., Rhet. und Philos. gelehrt wurden [1. 5216, 5221]. Hier erwarb er sich den Ruhm, der bedeutendste Lit.-Kritiker seiner Zeit zu sein, vergleichbar → Dionysios [18] von Halikarnassos (fr. 2; 3a; 5) [4. 1405 f.]. In seiner Schule feierte man alljährlich Platons Geburtstag in großem Stil. Dabei zeigte sich, daß die Schule ein Treffpunkt der bedeutendsten Wissenschaftler und Philosophen der Zeit war (fr. 4) [1. 5223 ff.]. Von ca. 253–263 studierte → Porphyrios bei L., bevor er anschließend zu → Plotinos nach Rom ging [1. 5221]. Das Verhältnis zw. L. und Porphyrios blieb ein Leben lang sehr herzlich. L. war es, der Porphyrios seinen Namen gab, denn urspr. hieß dieser Malchos (fr. 3ab). Um 267 verließ L. Athen, um sich an den Hof der Königin → Zenobia zu begeben, deren Lehrer und Berater er wurde [1. 5227 f.]. Nach der Niederschlagung ihres Aufstandes gegen die Römer wurde L. mit anderen Beratern der Königin Ende 272 oder Anfang 273 hingerichtet. Den grausamen Tod ertrug er mit philos. Standhaftigkeit [1. 5230].

B. Werke

L. hinterließ zu allen von ihm bearbeiteten Gebieten eine große Anzahl von Werken, die zum allergrößten Teil verloren sind. Auf dem Gebiet der Philos. waren das [1. 5254 ff.; 3. 78, 90, 282 f., 294, 300, 302, 330, 343,

344, 346, 348]: Monographien und Lehrbriefe (›Über die Prinzipien‹, ›Über das letzte Ziel‹, ›Über den Impuls‹, ›Über das naturgemäße Leben‹, ›Streitschrift gegen die Lehre der Stoiker von der Seele‹, Streitschriften gegen Plotin und seine Schule) sowie möglicherweise Komm. zu einigen Werken Platons [1. 5261 ff.; 3. 32, 52, 191, 218f.]. Auf dem Gebiet der Rhet. und Lit.-Kritik schrieb er [3. 253, 347, 349] grundlegende Werke (›Rhet. Technik‹ [5. 637ff.], ›Philol. Vorlesungen‹), ferner Spezialschriften zur Lexikographie (›Ausgabe att. Wörter‹, ›Wörterbuch zu Antimachos‹, ›Das Wörterbuch des Herakleon‹?), zur Metrik (Titel nicht erh.), zur Gesch. (›Falsche Auslegungen unhistor. Stellen durch die Grammatiker‹, ›Chronik‹?), zur Ethnographie (›Über die Eigentümlichkeiten der Völker‹?), zu Homer (›Fragen zu Homer‹, ›Homerprobleme‹, ›Ist Homer ein Philosoph?‹, ›Über vieldeutige Wörter bei Homer‹) sowie einen Komm. zum ›Hdb. des Hephaistion‹ [4. 1406ff.]. Außerdem verfaßte er eine Rede auf den im J. 267 ermordeten → Odaenathus [1. 5227, 5229; 4. 1407].

Obschon L. Schüler des Ammonios Sakkas war, blieb er – wie sein Lehrer Origenes, aber anders als Plotin – Mittelplatoniker. Als Philosoph und Lit.-Wissenschaftler fühlte er sich mehr als Plotin dem Wortlaut Platons verpflichtet, so daß es zu heftigen Auseinandersetzungen zw. den beiden Schulen kam [1. 5265f.; 3. 282f.]. Während Plotin den L. zwar als »Lit.-Kritiker«, nicht aber als »Philosophen« gelten ließ, empfand L. Plotin und seiner Schule gegenüber offenbar immer die größte Hochachtung (fr. 2; 5) [1. 5255, 5261; 3. 149f., 294f.]. Trotzdem blieb L. bei seiner mittelplatonischen Grundhaltung. Er lehnte also gewiß Plotins Lehre vom Einen und Guten über dem Seienden und dem Demiurgen ab [2. 327ff.; 6. 518f.] und vertrat dagegen die mittelplatonische Lehre, daß der Demiurg die höchste Gottheit und mit der Idee des Guten identisch sei [1. 5271f.]. Ähnlich wie → Attikos lehrte er, daß die Ideen der göttlichen Vernunft nachgeordnet sind und sich außerhalb derselben befinden (fr. 7abc) [3. 76ff., 294f.; 7. 26, 60ff., 251ff., 320f.; 8]. Gegen die Stoa (→ Stoizismus) vertrat er die Einheit der Seele, die gleichwohl viele Vermögen besitze (fr. 9ab) [1. 5257, 5276; 9. 82, 330f.], gegen Epikur und die Stoiker ihre Immaterialität und Unsterblichkeit (fr. 8) [1. 5273ff.]

Mit seiner prägnanten Einschätzung hatte Plotin über L. das Urteil gesprochen, dem sich alle Neuplatoniker *de facto* anschlossen: Als Philosoph war L. antiquiert, als Lit.-Kritiker blieb er weiter anerkannt. Infolgedessen gingen seine philos. Werke rasch verloren, während seine lit.-kritischen bis in die byz. Zeit benutzt wurden, dann aber ebenfalls bis auf wenige Bruchstücke untergingen [4. 1405].

→ Mittelplatonismus

1 L. Brisson, M. Patillon, Longinus Platonicus Philosophus et Philologus: I. Longinus Philosophus, in: ANRW II 36.7, 1994, 5214–5299 2 M. Baltes, s. v. Ammonios Sakkas, RAC Suppl. 3, 1985, 323–332 3 Dörrie/Baltes 3, 1993 4 K. Aulitzky, s. v. L., RE 13, 1401–1415 5 G. Kennedy, The Art of Rhetoric in the Roman World, 1972 6 Zeller 3.2, 517–519 7 Dörrie/Baltes 5, 1998 8 M. Frede, La teoría de las ideas de Longino, in: Méthexis 3, 1990, 183–190 9 Dörrie/Baltes 2, 1990

Fr. in frz. Übers.: L. Brisson, M. Patillon (s.o.).

M. BA.

Ed.: Τέχνη ῥητορική, in: Spengel, 1, 297–320 = L. Spengel, C. Hammer, Rhetores Graeci 1.2, 1894, 179ff. • A. O. Pickard, L., Τέχνη ῥηθορική, [2]1929.
Excerpta ἐκ τῶν Λογγίνου: Spengel 1, 325–328 = Spengel, Hammer, 213ff.
Fr.: J. Toup, Dionysii Longini quae supersunt Graece et Latine, Oxford 1778, 107–108; 120–131 • M. Consbruch, Hephaestionis Enchiridion cum commentariis veteribus, 1906 (Ndr. 1971), 81–89.
Lit.: C. M. Mazzucchi, Longino in Giovanni di Sicilia, con un inedito di storia, epigrafia e toponomastica di Cosma Manasse dal Cod. Laurenziano LVII.5, in: Aevum 64, 1990, 183–190 • E. Orth, De Longino Platonico, in: Helmantica 6, 1955, 363–371 • J. M. Renaitour, Un auteur oublié, Longin, in: Bull. de l'Association G. Budé 24, 1965, 502–515 • Schmid/Stählin II, 889–891. F. M.

**[2]** Der Auctor Περὶ Ὕψους (›Über das Erhabene‹); s. → Ps.-Longinos.

**Longinus.** Röm. Cognomen, abgeleitet von *longus* (»groß«), in republikan. Zeit in der Familie der Cassii (Cassius [I 6–17; II 14–16]), in der Kaiserzeit in zahlreichen weiteren Familien belegt.

Kajanto, Cognomina, 230. K.-L. E.

**[1]** (Cassius Longinus) s. Kassios → Longinos [1].
**[2]** → *Praefectus urbi Constantinopolitanae* (ἔπαρχος πόλεως) unter → Iustinianus [1] I., im Amt bezeugt 537–541/2 n. Chr. L. war mehrfach kaiserl. Gesandter im Bereich der kleinasiat. Ostgrenze (Anth. Pal. 16,39), insbes. 535/6 wegen eines Rechtsstreits um eine Geldforderung der Kirche von Emesa. PLRE 3,795f. (L. 2). F. T.

**Longon** (Λόγγων). Küstenfluß bei → Katane auf Sizilien, wohl identisch mit dem h. S. Paolo. Nahe der Quelle befand sich Italion, eine katanische Festung, die 247 v. Chr. von → Hamilkar [3] Barkas angegriffen wurde (Diod. 24,6,1; [1. 133; 2. 127–174, bes. 156, Taf. 9]).

1 E. Manni, Geografia fisica e politica della Sicilia antica, 1981 2 G. Manganaro, Per una storia della chora Katanaia, in: E. Olshausen, H. Sonnabend (Hrsg.), Grenze und Grenzland. 4. Stuttgarter Kolloquium zur Histor. Geogr. (1990), 1994. GI. MA./Ü: J. W. M.

**Longos** (Λόγγος). Über die Person des Verf. des berühmtesten griech. Romans, ›Daphnis und Chloe‹, besitzen wir keine Informationen: Der Name L. in den Hss. ist typisch röm. und auf Lesbos, der Insel, auf der die Handlung des Romans spielt, häufig belegt; röm.

Namen waren unter den Griechen der Kaiserzeit jedoch sehr verbreitet. Auch für die Datierung des Werks existieren nur Indizien, die Raum für Vermutungen lassen: Die Raffiniertheit seiner Erzählung läßt an eine reife Phase der Gattung des → Romans denken, also wahrscheinlich die Zeit der Wende vom 2. zum 3. Jh. n. Chr.

L. kontaminiert den Liebesroman mit der Trad. der bukolischen Dichtung (→ Bukolik), dessen Vorbild → Theokritos ist. Daraus ergibt sich eine radikale Umgestaltung des typischen Schemas. Die Abenteuer der Protagonisten, eines räumlich und zeitlich voneinander getrennten Liebespaares, die (v. a. in seiner ersten Phase) das zentrale Gerüst des griech. Romans bilden, fehlen beinahe gänzlich bzw. sind auf kurze Anspielungen und miniaturisierte Episoden reduziert: Im ersten der vier Bücher wird Daphnis Opfer einer Entführung durch phöniz. Piraten, die jedoch durch Chloes Flöte vereitelt wird; im zweiten Buch wird dagegen Chloe von jungen Männern aus Methymna entführt und plötzlich vom Gott Pan gerettet; es gibt zwar eine Kriegsepisode, jedoch ziemlich kurz und begrenzt; auch die typischen Nachstellungen der Rivalen (hier des Hirten Dorkon, der Chloe heiraten will, und des Gnathon, des Freundes des Gutsherrnsohnes, der Daphnis zu verführen versucht) erweisen sich als marginal, weit entfernt von den regelrechten Verfolgungen durch analoge Figuren bei → Xenophon von Ephesos oder durch Arsake bei → Heliodoros [8], die eine große Rolle für den Gang der Handlung spielen. L. hat also das Hauptmotiv der Reise von einer äußeren zu einer inneren umgestaltet, von einer räumlichen zu einer zeitlichen [1]: Der ganze Roman dreht sich darum, wie die beiden Protagonisten sich allmählich des Eros bewußt werden (ein Motiv, das – wie schon bei → Achilleus Tatios – an die Stelle der typischen »Liebe auf den ersten Blick« tritt) und vor allem, wie sich beider sexuelle Identität nach und nach entwickelt.

Ironisch und genüßlich hebt der Erzähler fortlaufend die Naivität der beiden jungen Hirten hervor und verfolgt (vom Bad des nackten Daphnis im 1. B. an) ihre Reaktionen auf das erotische Verlangen und die fehlschlagenden Versuche von Geschlechtsverkehr. Dieser Voyeurismus des Autors, dem sich der Leser kaum entziehen kann, wurde früher als pervers oder als geradezu pornographisch abgestempelt [2]; h. zeigt sich der Roman des L. im Gefolge der Interpretation von J. Winkler [3] vielmehr als ein signifikantes Beispiel dafür, daß Sexualität stets das Produkt kultureller Ausformung ist. Zentrales Thema ist die Dialektik zw. Natur und Kultur, neben anderen Dichotomien wie Stadt/Land, Mythos/Logos. Die kulturelle Vermittlung mittels äußerer Eingriffe zeigt sich deutlich in der Erziehung der beiden Protagonisten zur Liebe: Der alte Philetas (ein Name, der auf die Liebeselegie verweist) erzählt im 2. B., daß er in seinem Garten (ein dem platonischen Dialog *Phaídros* entnommenes Bild) einem Kind begegnet sei, das sogar Kronos noch an Alter übertreffe, dem Gott Eros, der als einzige Medizin für die Liebe empfahl, sich zu küssen und nackt im Gras zu umarmen; im 3. B. führt eine aus der Stadt stammende Frau, Lykainion, Daphnis in die geschlechtliche Liebe ein und erklärt ihm auch, daß das erste Mal für Chloe unvermeidlicherweise schmerzhaft sein werde. Diese letzte Episode zeigt deutlich die Spannung der Widersprüche – eine Freud'sche »Kompromißvorstellung« –, die den ganzen Roman durchzieht: bukolische Idealisierung des Landlebens einerseits, andererseits ein städtischer Hintergrund aus Ironie und Voyeurismus [4]. Eine deutliche Spannung zeigt auch der Schluß: dieser teilt sich in eine Vorschau auf die glückliche Zukunft der beiden Protagonisten (die zwar entdecken, daß sie Kinder reicher Grundbesitzer aus der Stadt sind, sich aber dennoch entscheiden, auf dem Land zu bleiben, und zum Spaß ihre Kinder die eigene Erfahrung wiederholen lassen) und die letzte Szene der Hochzeitsnacht (wo der Erzähler mit einer scherzhaften Pointe die sexuelle Gewalt betont, die Chloe über sich ergehen lassen muß [5]). Dieses Motiv der Gewalt, die mit dem erotischen Verlangen des Mannes verbunden wird, stellt sich in einem Crescendo in die Reihe der drei Binnenerzählungen in 1,27 (Metamorphose eines Mädchens in einen Vogel), 2,34 (Syrinx), 3,23 (Echo).

Die Sprache des L. ist typisch für die griech. → Koine und zeichnet sich durch eine Einfachheit aus, die sich an den Gegenstand der Erzählung anpaßt; die Syntax ist streng auf Symmetrieeffekte ausgerichtet, die auf thematischer Ebene dem deutlichen Parallelismus zw. den beiden Protagonisten entsprechen. Im Proömium erklärt der Erzähler, daß er ein mittleres, »angenehmes« Stilregister gewählt habe, das in der Tat für die bukolische Trad. typisch, jedoch nicht frei von propädeutischer Intention ist, wie eine Anspielung auf das Proömium des Thukydides zeigt. Auch Echos der theoretischen Reflexion über die Beziehung zw. bildenden Künsten und Lit. im 2. Jh. n. Chr., das die *Eikónes* des Philostratos und des Kallistratos [6] zeigen, sind erkennbar: Die Gesch. der beiden Hirten scheint als Bild gemalt, das der Erzähler mittels eines »Exegeten« zu einer Erzählung ausbaut [6].

Von Amyots berühmter Übers. ins Frz. (Paris 1559) und danach von der *editio princeps* (Florenz 1598) an erfuhr der Roman ›Daphnis und Chloe‹ außergewöhnliche Rezeptioni als ant. Paradigma des Hirtenromans, einer Gattung, die in Renaissance und Barock (z. B. die *Arcadia* von Sannazzaro, der *Pastor fido* von Guarini, die *Arcadia* von Sydney, die *Aminta* von Tasso) sehr in Mode war; auch als die Nachwirkung des griech. Romans ihren Tiefpunkt erreichte, hatte L. immer noch Erfolg, vor allem aufgrund von Goethes enthusiastischem Urteil und später durch das Ballett von S. Diaghilev zur Musik von M. Ravel (1912).

→ Roman; Roman

**1** B. Reardon, The Greek Novel, in: Phoenix 23, 1969, 301 **2** R. Helm, Der ant. Roman, ²1956, 51 **3** J. Winkler, The Constraints of Desire, 1990, 101–126 (dt.: Der gefesselte Eros, 1994) **4** B. Effe, L.: Zur Funktionsgesch. der Bukolik in der röm. Kaiserzeit, in: Hermes 110, 1982, 65–84

5 M. Fusillo, How Novels End, in: D. Roberts u. a. (Hrsg.), Classical Closure, 1997, 218–219 6 D. Teske, Der Roman des L. als Werk der Kunst, 1991.

R. L. Hunter, A Study of Daphnis and Chloe, 1983 • B. D. MacQueen, Myth, Rhetoric and Fiction: A Reading of L.' Daphnis and Chloe, 1990 • R. Merkelbach, Die Hirten des Dionysos, 1988 • F. Zeitlin, The Poetics of Eros, in: D. Halperin, J. Winkler, F. Zeitlin (Hrsg.), Before Sexuality, 1990, 417–464. M. FU./Ü: T. H.

**Longula** (Λόγγολα). Stadt in der Nähe von Antium und Corioli, Einwohner *Long(ul)ani*. In archa. Zeit Stadt der Latini; später Stadt der Volsci, 493 v. Chr. vom *consul* Postumus → Cominius [I 3] erobert (Liv. 2,33,4; 39,3; Dion. Hal. ant. 6,91; 8,36; 85).

Nissen 2, 556, 631 • M. Pallottino, Le origini di Roma, in: ArchCl 12, 1960, 27 • A. Alföldi, Early Rome and the Latins, 1963, 13, 368. G. U./Ü: H. D.

**Longus.** Weitverbreitetes röm. Cognomen, uspr. wohl zur Bezeichnung einer körperlichen Besonderheit (*longus*, »groß«; Quint. inst. 1,4,25; 6,38).

1 Degrassi, FCIR, 146 2 Kajanto, Cognomina, 230. K.-L. E.

**Lopodunum,** h. Ladenburg am Unterlauf des → Nicer (Neckar). Der kelt. ON, früher noch als »Feste des Lo(u)pos« gedeutet, bedeutet »Sumpfburg« o.ä. [1].

Wenige arch. Spuren der kelt. Vorbevölkerung sind erh. Etwa seit tiberischer Zeit (14–37 n. Chr.) wurden im unteren Flußgebiet → Suebi aus dem elbgerman. Raum seßhaft. Man vermutet, daß die Römer selbst diese zur Sicherung des rechtsrheinischen Vorfeldes ansiedelten, zumindest tolerierten. Schon in der 1. H. des 1. Jh. n. Chr. hatte die Bevölkerung durch enge Kontakte zu den linksrheinischen Bewohnern und den dort stationierten röm. Truppen röm. Lebensgewohnheiten angenommen. Mil. Anlagen in L. kennen wir erst aus frühflavischer Zeit. Bis zum E. des 1. Jh. stand hier die *ala I Cannanefatium*, daneben zumindest zeitweise auch Infanterie. Unter Traianus (98–117) war das Kastell aufgelassen; der rasch aufblühende *vicus Lopodunum* wurde zum Vorort der *civitas Ulpia Sueborum Nicrensium*. Die Ausgestaltung mit Theater, Basilika, Tempeln und weiteren Bauten bezeugt, daß L. eine zentrale Funktion in Germania rechts des Rheins zugedacht war. Die Blüte von L. fällt in das 2. und frühe 3. Jh., als sich L. weit ausdehnte. Qualitätvolle, teilweise am Ort gearbeitete Skulpturen sind Dokumente der Wirtschaftskraft wie der → Romanisierung. Nicht zuletzt aus Prestigegründen wurde an der Wende zum 3. Jh. eine Stadtmauer errichtet. Einschneidende Krisen zeichnen sich nach 233/4 und v. a. nach 259/260 (Fall des → Limes) ab, obwohl eine gewisse Kontinuität durch Verbleib einer Restbevölkerung erh. blieb.

Ausonius (Mos. 421 f.) berichtet von einem Sieg des Valentinianus 369 über die Alamanni bei L. Damals wurde ein → *burgus* unmittelbar am Nicer angelegt, der wohl bis um 400 besetzt blieb. Beachtliche Überreste dieser »Schiffslände« konnten freigelegt werden.

1 H. Probst, Der ON Ladenburg und seine Aussagekraft für die Kontinuitätsfrage, in: Mannheimer Gesch.-Blätter N. F. 3, 1996, 57–67.

D. Baatz, L. – Ladenburg a.N. Die Grabungen im Frühjahr 1960, 1962 • B. Heukemes, Der spätröm. Burgus von L. – Ladenburg am Neckar, in: Fundber. Baden-Württemberg 6, 1981, 433–473 • H. Kaiser, C. S. Sommer, in: Arch. Ausgrabungen Baden-Württemberg 1981 (und fortlaufende Nummern) • B. Heukemes, L., Civitas Ulpia Sueborum Nicretum. Arch. Plan des röm. Ladenburg, 1986 • B. Heukemes, H. Kaiser, Ladenburg, in: Ph. Filtzinger, u. a. (Hrsg.), Die Römer in Baden-Württemberg, [3]1986, 383–396 • H. Kaiser, C. S. Sommer, L. I. Die röm. Befunde der Ausgrabungen an der Kellerei in Ladenburg 1981–1985 und 1990, 1994 • H. Probst (Hrsg.), Ladenburg. Aus 1900 Jahren Stadtgesch., 1998 • R. Wiegels, L. II. Inschr. und Kultdenkmäler aus dem röm. Ladenburg am Neckar, 1999. RA. WI.

**Lorarius** s. Leder

**Lorbeer** (δάφνη/*dáphnē*, lat. *laurus*, daraus »Lor«-beer), Laurus nobilis L., aus der meist tropischen Familie der Lauraceae. Durch Züchtung entstand im Mittelmeergebiet aus dem (fossil seit dem Tertiär nachgewiesenen) Busch ein immergrüner Waldbaum. Bei Homer (Od. 9,183) bildet L. ein Dach über der Höhle des Kyklopen. Theophrast (h. plant. 1,9,3) unterscheidet den L. als kultiviert (ἥμερος/*hḗmeros*) in vielen Sorten (1,14,4; vgl. die namentlich unterschiedenen Arten bei Plin. nat. 15,127–130) von der wilden (ἀγρία/*agría*) Art, nämlich dem Oleander (Nerium Oleander). Er erwähnt ferner die dickeren, ungleich langen (1,6,3 = Plin. nat. 16,127) und verzweigten (1,6,4) Wurzeln, die dünne Rinde (1,5,2) am Stamm mit wenigen Knoten (1,8,1) und die Vermehrung durch Samen (Aussaat im März: Colum. 11,2,30) oder Ableger (2,1,3) sowie den Stockausschlag (4,13,3 = Plin. nat. 16,241 und 17,65). Die rötlichen oder schwarzen Beeren mit dem von Fruchtfleisch umgebenen Samen (1,11,3) sollten olivenölartig schmekken (1,12,1). Die Blätter des L. werden mit mehreren anderen Pflanzen (z. B. 3,13,5 mit dem → Holunder) verglichen. Das mittelharte Holz wird 5,3,3–4 als locker und warm charakterisiert. Es wurde zu Wanderstöcken (5,7,7), als Reibholz beim Feuermachen (5,9,7) und für Stützpfähle im Weinbau (Colum. 4,26,1) benutzt.

Medizinisch wurde der L. nach Dioskurides (1,78 Wellmann = 1,106 Berendes) und Plinius (nat. 23,152–158) in vielfältiger Weise verwendet, z. B. dienten die aufgelegten Blätter als Mittel gegen Schlangenbisse, gekaut gegen Husten und in einem Trank zur Herbeiführung des Erbrechens. Die Beeren sollten, mit Wein eingenommen, v. a. den Schleim in der Brust lockern; eine Einreibung mit ihrem Saft wehrte angeblich giftige Tiere ab. Auch das aus den in Wasser gekochten überreifen Beeren und Blättern hergestellte L.-Öl (Zubereitung bei Dioskurides 1,40 WELLMANN = 1,49 BERENDES; Plin. nat. 15,26; Pall. agric. 2,19) wurde wegen seiner erwärmenden und erweichenden Wirkung nicht nur als Bestandteil von Salben oder warm ins Ohr geträufelt bei Mittelohrentzündung empfohlen, sondern auch als Einreibung mit Aron in L.-Öl (Plin. nat. 24,148) zur Verscheuchung von Schlangen. Der mit Hilfe von in Most eingelegtem frischem L.-Holz zubereitete L.-Wein (Dioskurides 5,36 WELLMANN = 5,45 BERENDES; vgl. Plin. nat. 14,112) galt als erwärmend, harntreibend und adstringierend.

Der L. ist in der Myth. häufig mit Apollon und Artemis verbunden, z. B. in der Sage von → Daphne; mit L. reinigte und entsühnte → Apollon sich selbst nach der Tötung der → Pythonschlange und den → Orestes nach dem Muttermord. Damit wurde dem L. eine kathartische Kraft auch gegen seelische Befleckung zuerkannt. Im Apollon-Kult spielte der L. als hl. Baum eine wichtige Rolle: Nach Hom. h. 3,396 verkündete Apollon vom L. her (ἐκ δάφνης) seine Orakel, L.-Haine umgaben v. a. Apollon-Heiligtümer. Die → Pythia in Delphi gewann vor Besteigen des mit L. umkränzten Dreifußes durch Kauen von L.-Blättern die mantische Fähigkeit zu ihren Orakelsprüchen. Bei den Pythischen Spielen war ein L.-Zweig der Siegespreis (Plin. nat. 15,127). Die Diener und Schützlinge Apollons wie Sänger und Dichter verwendeten den L. als Abzeichen. Hesiod wurde von den mit Apollon stets verbundenen Musen durch Übergabe eines L.-Stabes zum Dichter geweiht (Hes. theog. 30f.). So wünscht sich auch Horaz (carm. 3,30,15f.), von Melpomene mit einem delphischen L. bekränzt zu werden. In Theben feierte man für Apollon das Fest der → Daphnephoria.

Neben dem → Efeu war auch der L. dem → Dionysos heilig. In Phigaleia war das Bild des Gottes von beiden Pflanzen umgeben (Paus. 8,39,6); Eur. fr. 480 nennt Dionysos den »L.-Freund« (φιλόδαφνος). Ein L.-Hain in Pharai in Achaia war den → Dioskuren geweiht (Paus. 7,22,5).

Bei den Römern war der *laurus Delphica* (Cato agr. 8,2 und 133,2) mit seinen dunkelgrünen Blättern und großen Beeren das Zeichen des Friedens, womit schriftliche Siegesbotschaften (Plin. nat. 15,133f.; vgl. Liv. 5,28,13: *litterae laureatae*), die siegreichen Waffen und die *fasces* (→ *lictores*) des Feldherrn geschmückt wurden. Den L.-Zweig legte dieser dann im Schoß des → Iuppiter Optimus Maximus nieder. Plin. nat. 15,134 erklärt diese Sitte histor. mit der Beziehung Roms zum delphischen Apollon-Orakel und der Behauptung, der L. werde nie vom Blitz getroffen (auch Plin. nat. 2,146), ein im MA durch Isid. orig. 17,7,2 verbreitetes Motiv. Augustus betonte die Beziehung des L. zu Iuppiter (Plin. nat. 15,136f.).

Bildliche Darstellungen des L., z. B. auf Mz. (Baum [1. Taf. 9,38]; Zweig [1. Taf. 4,33; 9,36f. u.ö.]) und Gemmen (Baum [1. Taf. 25,4]; Zweig [1. Taf. 21,12 u.ö.]), sind als Attribute z. B. Apollons nicht selten. Auf Vasenbildern und Reliefs symbolisiert er Festfreude. In die frühchristl. Kunst sind seit dem 4. Jh. n. Chr. L.-Kränze z. B. auf Sarkophagen als Siegeszeichen mit dem Christusmonogramm übernommen worden [2]. Auch im Pflanzenschmuck der gotischen Kathedralen ist der L.-Baum häufig vertreten [3. 70–80].

1 F. IMHOOF-BLUMER, O. KELLER, Tier- und Pflanzenbilder auf Mz. und Gemmen des klass. Alt., 1889, Ndr. 1972
2 LCI 3, 106f. 3 L. BEHLING, Die Pflanzenwelt der ma. Kathedralen, 1964.

A. STEIER, s. v. Laurus, RE 13, 1431–1442 • V. HEHN, Kulturpflanzen und Haustiere (ed. O. SCHRADER), 8. Aufl. 1911 (Ndr. 1963), 223–240 • D. B. THOMPSON, Garden Lore of Ancient Athens, 1963 • L. WENIGER, Altgriech. Baumkultus, 1919. C. HÜ.

**Loretum** (auch *Lauretum*, von *laureus*, »Lorbeer-«). Lorbeerbestandener Platz auf dem Aventin in Rom (→ Roma); der Legende nach der Begräbnisplatz des Titus Tatius (Festus 496 L.). Der Ort war zu Varros Zeit (Varro ling. 5,152) bereits nicht mehr sicher lokalisierbar; eine mögliche Mehrteiligkeit des *L.* (*L. minor* und *L. maior*) wird wegen zweier entsprechender Straßennamen in der Regio XIII (vgl. CIL 6,975) diskutiert.

RICHARDSON, 234f. C. HÖ.

**Lorica** s. Panzer

**Lorium.** Station an der *via Aurelia*, 12 Meilen vor Rom (Itin. Anton. 290; Tab. Peut. 5,5), h. La Bottaccia bei Castel di Guido. Hier starb in seiner Villa Antoninus Pius (SHA Antoninus Pius 1,8; 12,6); auch Marcus [2] Aurelius hielt sich hier auf (Fronto, Ad Marcum 2,15; 3,20; 5,7). Im 5. Jh. Bischofssitz.

F. CASTAGNOLI (Hrsg.), La via Aurelia, 1968.

G. U./Ü: H. D.

**Loryma** (Λώρυμα). Ort an der karischen Südküste (Hekat. FGrH 1 F 247), östl. der Südspitze von Boz Burun im Herzen der Peraia von → Rhodos, zu Kasara (h. Asardibi) gehörend, h. Bozuk kale (»Burgruine«). Auf dem Landvorsprung (Strab. 14,2,4; 2,14; *Larumna*, Mela 1,84; Plin. nat. 5,104; Ptol. 5,2,8; Steph. Byz. s. v. Λ.) über der Zufahrt zur Bucht liegt die Ruine einer rhodischen Festung (3./2. Jh. v. Chr.); an der SO-Seite Felsinschr. für den rhodischen Zeus Atabyrios. Rhodos unmittelbar gegenüber gelegen, wurde der Hafenplatz L. beständig auch von Kriegsflotten angelaufen (Thuk. 8,43,1; Diod. 14,83,4; 20,82,4; Liv. 37,17,8; 45,10,4; App. civ. 4,9,72).

G. E. BEAN, Kleinasien 3, 1974, 169ff. • W. BLÜMEL, Die Inschr. der rhodischen Peraia (IK 38), 1991 • L. BÜRCHNER, s. v. L. (1), RE 13, 1450 • MILLER, 706. H. KA.

**Los** (griech. κλῆρος/→ *klḗros*, lat. *sors*).
I. Politisch II. Religiös

I. Politisch
A. Griechenland B. Ptolemaiisches und römisches Ägypten C. Rom

A. Griechenland
Losung wurde speziell in Demokratien, aber nicht nur dort, als Mittel genutzt, um Ämter unter denen zu verteilen, die in gleichem Maße als wählbar in Betracht kamen, anstatt sie den jeweils besten Kandidaten zu übertragen.

In Athen wurde nach Aussage der aristotelischen *Athenaion Politeia* von → Solon die Losung der Archonten aus einer kurzen Liste vorher gewählter Kandidaten eingeführt ([Aristot.] Ath. pol. 8,1; aber abweichend: Aristot. pol. 2,1273b 35–1274a 3; 1274a 16–17; 3,1281b 25–34). In der Tyrannis der Peisistratiden wurde dieses Verfahren wohl abgeschafft, 487/6 v. Chr. wieder eingeführt ([Aristot.] Ath. pol. 22,5) und später durch ein Losverfahren auf beiden Ebenen ersetzt. Der Rat der 500 (→ *bulḗ*) wurde sicher spätestens 411 (Thuk. 8,69,4; [Aristot.] Ath. pol. 32,1), vermutlich aber nicht später als in den letzten 50er J. des 5. Jh. durch L. gebildet (z. B. athen. Beschluß über Erythrai, ML 40 = IG I³ 14,8–9), doch mag er früher durch Wahl bestellt worden sein.

Im 4. und wohl schon am E. des 5. Jh. wurden fast alle zivilen Ämter durch L., die mil. dagegen durch Wahl vergeben. Auch die Geschworenengerichte wurden in einem zunehmend ausgeklügelten Losverfahren besetzt: Die Richter besaßen Täfelchen (*pinákia*), die in L.-Maschinen (*klērōtḗria*; vgl. [Aristot.] Ath. pol. 63–66) gesteckt wurden [1; 2; 3; 4]. Dieses System kam auch bei der Ämterbesetzung in Gebrauch und fand Verwendung u. a. für die Ermittlung der Reihenfolge, in der die verschiedenen Phylen im Rat die → Prytanen stellten. Zur Landverteilung per L. s. → *klḗros*.

1 J. D. Bishop, The Cleroterium, in: JHS 90, 1970, 1–14
2 S. Dow, Prytaneis, 1937, 198–215 3 Ders., Aristotle, the Kleroteria and the Courts, in: HSPh 50, 1939, 1–34 4 Ders., s. v. Kleroterion, RE Suppl. 7, 322–328 5 T. W. Headlam(-Morley), Election by Lot at Athens, ²1933
6 J. H. Kroll, Athenian Bronze Allotment Plates, 1972
7 E. S. Staveley, Greek and Roman Voting and Elections, 1972.
P. J. R.

B. Ptolemaiisches und römisches Ägypten
**[1]** Verfahren bei der Zuweisung von Landlosen an → *klērúchoi* (II.) (vgl. [1. 8]).

1 E. van't Dack, Ptolemaica Selecta, 1988.

**[2]** Verfahren bei Erbteilung.
**[3]** Von Anf. des 2. bis in die Mitte des 3. Jh. n. Chr. belegtes Verfahren zur Vergabe von → Liturgien, *munera* (→ *munus*) und der Verteilung von Zwangspachten. Es hat keine äg. oder ptolem. Wurzeln, sondern ist ganz römisch. Bisher ist es bezeugt für: *amphodogrammateús, archéphodos, bibliophýlax, enktḗseōn, grammateús póleōs, diérasis*, → *kōmárchēs*, → *kōmogrammateús, plērōtḗs*, → *práktōr, presbýteros, sitólogos, hypērétēs*. Der Zufall des L. wurde durch eine Vorwahl in Dorf oder Stadt stark eingeschränkt: Anfangs erhielt der *epistratēgós* (s. → Hoftitel B. 2.) auf dem Amtsweg eine Liste, die meist doppelt so viele Namen enthielt, wie Ämter zu besetzen waren. Er traf in Vertretung des *praef. Aegypti* nach einem unbekannten Verfahren seine Wahl (L.?). Spätestens gegen E. des 2. Jh. ist der Ausdruck → *klḗros* formelhaft und bezeichnet einfach die Auswahl. Es gibt seither keinen Beleg mehr dafür, daß mehr Kandidaten nominiert wurden als Ämter zu besetzen waren. War die Prozedur bei Amtsantritt noch nicht abgeschlossen, so mußten die Nominierten zusammen die Amtsaufgaben erfüllen.

Die Verwendung des L. endete vermutlich mit der Neuordnung der äg. Verwaltung unter → Philippus Arabs (244–249); ein vereinzelter Beleg aus dem J. 353 n. Chr. kann die lange Diskontinuität nicht verbergen, zumal das L. bei der verstärkten Munizipalisierung der Ämter im 4. Jh. eigentlich keinen Platz hat.

N. Lewis, The Compulsory Public Services of Roman Egypt, 1997, 84f.; 115 • Ders., in: Chronique d'Égypte 72, 1997, 345f.
W. A.

C. Rom
Im polit. Leben Roms wurden viele Fragen durch L. entschieden, wohl kaum primär aus rel. Gründen (trotz Deutungen wie Cic. Phil. 3,26; Liv. 27,11,11), sondern weil sich so Streit- und Konkurrenzsituationen auf unparteiische Weise entschärfen oder vermeiden ließen [6]. Beispiele gibt es in vielen Bereichen.

1. Volksversammlung
In den *comitia centuriata* (→ *comitia*) wurde seit dem 3. Jh. v. Chr. – vielleicht nur bei Wahlen – aus der ersten Klasse die → *praerogativa centuria* erlost [7. 91–93]. In den *comitia tributa* (vielleicht auch *comitia curiata*: Liv. 9,38,15; [2. 274]) erloste man eine Stimmgruppe als *principium* zur Eröffnung der sukzessiven Abstimmung [2. 275–8] und bestimmte bei Wahlen in der späten Republik durch L. die Reihenfolge der → *renuntiatio* (Varro rust. 3,17,1; [7. 80f.]); dem entspricht das munizipale Wahlverfahren in der → Lex Malacitana (ILS 6089) 57.

2. Gerichte
Richter des Zivilprozesses (→ *iudex*) konnten in Rom [3. 59f.] und in den Prov. (Cic. Verr. 2,2,42; ILS 6286: [3. 170]) durch L. bestellt werden. So wurden → *recuperatores* (auch in Munizipien: vgl. → Lex Irnitana X A 8–9) in der Regel durch L. bestimmt [3. 198f.], ebenso die senatorischen Richter des *senatus consultum Calvisianum* (SEG IX 8,107–120). Die Geschworenen der *quaestiones perpetuae* (→ *quaestio*) wies man seit Cornelius [I 90] Sulla durch L.-Verfahren den Jahreslisten der Gerichtshöfe zu und traf daraus durch erneute Losung die Auswahl für den einzelnen Prozeß [5. 277–292; 4. 751–755]; die Richter des provinzialen Strafprozesses wurden ebenfalls erlost (SEG IX 8,24–28).

3. Priester, Magistrate

Die Bestellung ordentlicher Magistrate durch L. ist in Rom unbekannt (nach Cic. Planc. 53 gab es allerdings die Entscheidung durch L. bei Stimmengleichheit; vgl. *lex Malacitana* 56). Vestalinnen wurden nach der *lex Papia* aus 20 Kandidatinnen erlost (Gell. 1,12,11), ebenso – bei der Gründung des Collegiums – die regulären Mitglieder der → *sodales Augustales* (Tac. ann. 1,54,1). Die Senatsboten (*legati*; s. → *legatus*) wurden in Republik und Kaiserzeit gelegentlich durch L. bestellt (Cic. Att. 1,19,2f.; Tac. hist. 4,8,5). Mehrere kaiserliche Ämter wurden zunächst durch L. (Cass. Dio 55,25,2: *praefecti aerarii militaris*, → *praefectus*; 54,17,1: *curatores frumenti*; 57,14,8 *curatores riparum*, → *curatores*), später durch kaiserliche Ernennung besetzt. Die Consuln einigten sich durch Absprache (*comparatio*) oder L. über die Ausführung einmaliger Amtsgeschäfte (Liv. 2,8,6; 4,26,11; 35,20,2; ebenso die Censoren: Varro ling. 6,87) und teilten sich ebenso die Amtsbereiche (s. → *provincia*) bzw. seit → Cornelius [I 90] Sulla die proconsularischen Prov. (zu Abweichungen [6. 52–56]). Die Praetoren verteilten stets durch L. ihre Kompetenzen (Liv. 25,3,1f.), seit Sulla zuerst die Jurisdiktion, dann die propraetor. Statthalterschaften. Nach der Losung der Oberbeamten wurden die → Quaestoren (Cic. Verr. 2,1,34; Cic. fam. 2,19,1: [8. 339–345]) und die → *scribae* (Cic. Catil. 4,15; Plin. epist. 4,12,2) ebenfalls durch L. verteilt.

4. Verschiedenes

169/8 v. Chr. wurde eine → *tribus urbana* erlost, der die Freigelassenen zugewiesen wurden (Liv. 45,15,5f.); erlost wurden außerdem stets die 17 *tribus*, die den → *pontifex maximus* wählten (Cic. leg. agr. 2,17f.). Akkergesetze sahen die Verteilung der Parzellen durch L. vor (*lex agraria* 3: [9]). Augustus ließ im September und Oktober nur einen durch L. ermittelten Teilsenat tagen (Suet. Aug. 35,3) und beriet die Vorlagen (unbekannt, seit wann) mit einem probuleutischen Gremium aus amtierenden Magistraten und durch L. bestimmten Senatoren (Cass. Dio 53,21,4).

1 V. Ehrenberg, s. v. Losung (3), RE 13, 1493–1504
2 U. Hall, Voting Procedure in Roman Assemblies, in: Historia 13, 1964, 267–306 3 Kaser, RZ² 4 W. Kunkel, s. v. Quaestio (1), RE 24, 720–786 5 J. Lengle, Die Auswahl der Richter im röm. Quästionsprozeß, in: ZRG 53, 1933, 275–296 6 N. Rosenstein, Sorting out the Lot in Republican Rome, in: AJPh 116, 1995, 43–75 7 L. R. Taylor, Roman Voting Assemblies, 1966 8 L. A. Thompson, The Relationship between Provincial Quaestors and Their Commanders-in-Chief, in: Historia 11, 1962, 339–355 9 M. H. Crawford (Hrsg.), Roman Statutes (BICS Suppl. 64), Bd. 2.

W. K.

II. Religiös

A. Definition B. Losstätten und Losverfahren C. Jüdisch-christlich

A. Definition

Unter Entscheid vermittels L. versteht man die Herbeiführung einer Entscheidung mittels eines mechanischen Verfahrens, das alle rationalen Einflüsse ausschließt. Um die Manipulation des Losentscheids zu verhindern, wurden manchmal Losmaschinen verwendet (s. o. I. A.) oder die L. von Kindern gezogen bzw. geworfen [1; 2. 151]. Dabei wurde der Losentscheid in den meisten Fällen mehr oder weniger mit dem Wirken des Schicksals oder einer göttl. Macht (Götter, Dämonen) in Verbindung gebracht: Aus dem L. gewann man Hinweise auf sein »L.« (im Sinne von Schicksal). In eingeschränktem Maß gilt das selbst für Losungen, bei denen es um die Verteilung von Land und anderem Besitz oder Ämtern und Funktionen ging (*sors divisoria*; s. o. I.). In schwierigen Lebenssituationen, aber auch bei Alltagsproblemen wurden göttl. Handlungsanweisungen bzw. Entscheidungshilfen (*sors consultatoria*) und Weissagungen (*sors divinatoria*) mit verschiedenartigen Losverfahren (griech. κλήρωσις/*klḗrōsis*, lat. *sortitio*) – sowohl Losziehen als auch Loswerfen – gewonnen (Kleromantie). Losungen wurden im profanen (privaten und öffentlichen) wie auch im sakralen Bereich durchgeführt [3].

B. Losstätten und Losverfahren

Viele der großen → »Orakel«-Heiligtümer der griech.-röm. Welt gaben Weissagungen mittels Losorakel, insbes. Dodona [4], Praeneste, Patavium und Caere [5; 6]. Für andere ist es sehr wahrscheinlich, daß sie vor oder auch neben der Inspirationsmantik Losverfahren verwendeten, so etwa Delphi [7; 8], Klaros und Didyma [9]. Daneben dürften auch viele kleinere Heiligtümer Losorakel angeboten haben, wie z. B. Bura in Achaia (Paus. 7,25,10). Außerhalb der Heiligtümer wurden in der röm. Kaiserzeit im griech. Osten (Griechenland, Thrakien, Kleinasien und Zypern) Losorakel (Astragal- und Buchstabenorakel) auf öffentlichen Plätzen (auf Marktplätzen, an Stadttoren) eingerichtet [10; 11]. Im privaten Bereich kommen Buchstabenorakel auch in Grabanlagen vor, wo man anscheinend an eine magische Wirksamkeit der dort Bestatteten glaubte [10; 11]. Umherziehende Priester und Gaukler befriedigten mit Losorakeln den großen Bedarf an Lebenshilfe wie auch die Suche nach Unterhaltung und Nervenkitzel. In der späteren Kaiserzeit, vor allem aber in der Spätant., kursierten Losbücher wie etwa die *Sortes Vergilianae* [12], die Homer-Orakel [13], die ägypt. *Sortes Astrampsychi* (→ Astra(m)psychos) oder die *Sortes Sangallenses* [14].

Die Losung erfolgte oft durch Ziehen von L.; meist handelte es sich um Holzstäbchen mit Einritzungen (Rhabdomantie), seltener um Blätter, Bohnen oder Steinchen. Sehr beliebt waren Orakel, bei denen man mit Würfeln oder → Astragalen bestimmte Zahlenfolgen erloste, denen Sprüche (meist in Hexametern, aber auch in Iamben, selten in Prosa abgefaßt) zugeordnet waren (Astragalorakel). Die Sprüche standen auf Spruchtafeln (*pínakes*); häufig waren sie in alle vier Seiten eines rechteckigen Blocksteines eingemeißelt. Eine ebenfalls in der Kaiserzeit weit verbreitete Variante bildeten die sog. Buchstabenorakel, bei denen es nur 24 Verse gab, die in alphabetischer Ordnung mit den 24 Buchstaben des griech. Alphabets begannen. Es ist unklar, ob die Verse der Buchstabenorakel durch das Werfen von Astragalen bzw. von vieleckigen Würfeln mit den Buchstaben des Alphabets oder durch das Ziehen von Losen, die mit Buchstaben versehen waren, ermittelt wurden.

Die Losorakel galten als »niedere Mantik« und waren dem Schutz des → Hermes anvertraut [9]. Bereits in der Ant. wurde die Praxis der Losorakel kritisiert (Artem. 2,69).

→ Divination; Magie; Orakel

1 F. Imhoof-Blumer, Beitr. zur Erklärung griech. Münztypen IV. Knöchelspiel vor Kultbildern, in: Nomisma 6, 1911, 4–7 2 Robert, OMS 6, 1989, 137–168 3 F. Boehm, s.v. L., losen/Losbücher, HDA 5, 1351–1401 4 H.W. Parke, The Oracles of Zeus. Dodona, Olympia, Ammon, 1967, 84ff. 5 J. Champeaux, Sors Oraculi: les oracles en Italie sous la République et l'Empire, in: MEFRA 102, 1990, 271–302 6 Dies., »Sorts« et divination inspirée. Pour une préhistoire des oracles italiques, in: MEFRA 102, 1990, 801–828 7 P. Amandry, La mantique apollinienne à Delphes, 1950, 25–36 8 G. Roux, Delphes. Son oracles et ses dieux, 1976, 151–164 9 J. de la Genière, Le sanctuaire d'Apollon à Claros: nouvelles découvertes, in: REG 103, 1990, 106f. 10 F. Heinevetter, Würfel- und Buchstabenorakel in Griechenland und Kleinasien, Diss. Breslau 1912 11 J. Nollé, Südkleinasiat. Losorakel in der röm. Kaiserzeit, in: Ant. Welt 18, 1987, 41–49 12 Y. de Kisch, Les sortes Vergilianae dans l'Histoire Auguste, in: MEFRA 82, 1970, 321–362 13 F. Maltomini, P.Lond. 121 (= PGM VII), 1–221: Homeromanteion, in: ZPE 106, 1995, 107–122 14 A. Demandt, Die Sortes Sangallenses. Eine Quelle zur spätant. Sozialgesch., in: Atti dell'Accademia romanistica constantiniana 8, 1990, 635–650.

A. Bouché-Leclercq, Histoire de la divination dans l'antiquité, 1879–1882 (noch immer grundlegend).

JO.NO.

### C. Jüdisch-christlich

In Israel wurde das L. zur Ermittlung des göttl. Willens (Spr 16,33) in ältester Zeit für Land-, Güter- und Pflichtenverteilung sowie Rechtssprechung, später im kult. Bereich (Sündenbock: Lv 16; Priesterdienst: Lk 1,9) angewendet. Da die priesterlichen L. Urim und Tummim nur die Antworten Ja und Nein gaben, entstand kein eigentliches Orakelwesen.

In Anlehnung an die Nachwahl des Apostels Matthias durch L. bezeichnete die christl. Kirche ihre Amtsträger als *klēros* (Apg 1,15–26; vgl. auch 1 Petr 5,3; Begriff *clerus* im mod. Sinn seit Tertullianus), lehnte aber deren Wahl durch das L. konsequent ab. Mit dem Eingehen griech.-röm. und german. Traditionen ins Christentum fand das L. zunehmend Verwendung. Das ant. Buchorakel (v.a. aus Homer und Vergil) wurde auf die Bibel übertragen (zufälliges Aufschlagen; vgl. Aug. conf. 8,12,29; Greg. Tur. Franc. 4,16; 5,14). Kritisiert (Aug. epist. 55) oder verboten (Konzil von Vannes 465 u.a.) wurde die Verwendung der Bibel als Buchorakel für weltl. Angelegenheiten und die Mitwirkung von Geistlichen dabei. Systematisch-theologisch reflektiert wurde das L. erst im 13. Jh. bei Thomas von Aquin (Summa Theologiae II/2, quaestio 956 art. 8). Als »Losung« bezeichnet man die noch heute weitverbreiteten, von Graf Zinzendorf 1728 entwickelten Tagesparolen (ausgewählte oder ausgeloste Bibelsprüche oder Gesangbuchstrophen).

W. Dommershausen, s.v. goral, ThWAT 1, 991–998 • W. Foerster, J. Herrmann, s.v. κλῆρος, ThWB 3, 757–786 • D. Harmening, Superstitio, 1979. M.HE.

**Losorakel** s. Divination; Orakel

**Lotis.** Figur zweier Kurzerzählungen Ovids (Quellen unbekannt): 1) Ov. met. 9,347–348: L. wird in den → Lotos (Serv. georg. 2,84: *faba Syriaca*) verwandelt, als sie vor einem Vergewaltigungsversuch des → Priapus flieht (Motivparallelen: z.B. Daphne, Ov. met. 1,452–567; Syrinx, Ov. met. 1,689–712); 2) Ov. fast. 1,393–440: L. wird durch den Esel des → Silenos gewarnt und entkommt Priapus ohne Metamorphose (Dublette in Ov. fast. 6,319–348: Vesta anstelle von L.). Gegenüber der kaum zu entscheidenden Prioritätsfrage wird nunmehr mit Recht Ovids Variationskunst betont.

E. Fantham, Sexual Comedy in Ovid's Fasti: Sources and Motivation, in: HSPh 87, 1983, 185–216 • P.M.C. Forbes Irving, Metamorphosis in Greek Myth, 1990, 267 • E. Lefèvre, Die Lehre von der Entstehung der Tieropfer in Ovids Fasten 1,335–456, in: RhM 119, 1976, 39–64 • G. Williams, Vocal Variations and Narrative Complexity in Ovid's Vestalia: Fasti 6.249–468, in: Ramus 20, 1991, 183–204. T.H.

**Lotophagen** (Λωτοφάγοι, »Lotos-Esser«). Friedliches, myth. Märchenvolk, das sich ausschließlich von der Zauberpflanze »Lotos« ernährt. Die L. sind die zweite Station auf den Irrfahrten des → Odysseus, dessen Kundschafter sie freundlich aufnehmen und ihnen ohne böse Absicht Lotos zum Verzehr anbieten. Dadurch vergessen diese den vorher so stark empfundenen Drang nach Heimkehr und müssen gegen ihren Willen auf das Schiff zurückgeholt werden (Hom. Od. 9,82–104).

In ihrem Kern entspricht die L.-Erzählung einem verbreiteten Märchenmotiv [1]. In Ant. und Neuzeit ist viel Energie darauf verwendet worden, die Pflanze zu identifizieren und die L. zu lokalisieren (z.B. Hdt. 4,176ff.). Beides geht an der Sache vorbei. Durch den unmittelbar vor dem L.-Abenteuer wütenden Seesturm von nicht weniger als neun Tagen wird vollends der Übergang der Erzählung der ›Odyssee‹ in eine Märchenwelt signalisiert [2], in der Pflanzen wachsen, die den Menschen sogar den gewissermaßen selbstverständlichen Heimkehrwunsch vergessen lassen.

1 D.L. Page, Folktales in Homer's Odyssey, 1972, 3–21
2 U. Hölscher, Die Odyssee. Epos zwischen Märchen und Roman, [3]1990, 142.

A. Heubeck, A Commentary on Homer's Odyssey, Bd. 2, 1989, 17–18. RE.N.

**Lotos** (λωτός/*lōtós*, lat. *lotos, -us*). Der auch im Semit. bezeugte Pflanzenname bezeichnet bei den Griechen Kleinasiens seit dem 8. Jh. v. Chr. mehrere Arten aus den Familien der Seerosen- (Nymphaeaceae) und Hahnenfußgewächse (Ranunculaceae) mit rundlichen Blättern, radiärsymmetrischen Einzelblüten und stärkereichen Speicherwurzeln. Die schon 1927 von [1. 1530] zu Recht getadelte Identifikation der homer. Futterpflanze *l.* (Hom. Il. 2,776; 12,283; 14,348; 21,351; Od. 4,603) mit Kleearten dürfte auf Spekulation früher Homererklärer zurückgehen. Sie hat von der Ant. – *lōtós* und *melílōtos* bezeichnen nach Kumarin duftende Kleearten der Gattungen Trigonella L. und Melilotus Mill., vgl. Theophr. h. plant. 7,15,3 (7,13,5 spielt auf die typische fraktionierte Keimung an; für die Aromapflanze *lōtós* 9,7,3 hat Plin. nat. 15,30 *melílōtos*) – bis in die mod. Nomenklatur nachgewirkt (Gattung Lotus L., Hornklee). Allenthalben paßt jedoch auf L. im Epos das Scharbockskraut (Ranunculus ficaria L.) mit seinen großblütigen ostmediterranen Formen [2. 263–268]. Bei dem L. der → Lotophagen (Hom. Od. 9,83–104) ist an Seerosengewächse und die mannigfaltige Nutzung sämtlicher Pflanzenteile für die menschliche Ernährung zu denken; angesichts des größeren Wasserreichtums der Flüsse ist damals eine weitere Verbreitung in Nordafrika anzunehmen ([2. 270f.]; zu heutigen Reliktvorkommen von Nuphar und Nymphaea s. [3. 11–17]).

Für Ägypten werden unter dem Namen *lōtós* seit Herodot 2,92,2f. (danach bes. Theophr. h. plant. 4,8,9–11, dazu [4. 2,267–269]) zwei der sowohl für die Ernährung breiter Volksschichten als auch für das rel. und kulturelle Leben wichtigsten Pflanzen beschrieben: die weißblühende Nymphaea lotus L. und die blaublühende N. caerulea Sav. – Seerosengewächse, deren Wurzelknollen und Früchte noch h. in Ostafrika verzehrt werden [1. 1522–1526; 5. 37–39; 9. passim]. Dagegen wurde der »indische L.«, Nelumbo nucifera Gaertn., ebenfalls ein Seerosengewächs mit eßbaren Wurzelknollen und Samen, wohl erst durch die Perser im 6. Jh. v. Chr. (vgl. [5. 40; 9. 34]; nach [4. 2,268] bereits um 1100 v. Chr.) in Äg. eingeführt (dort seit dem MA ausgestorben). Zuerst wurde er von Herodot 2,92,4 wegen seiner prächtigen roten Blüten in den Überschwemmungsgebieten des Nil als »rosenartige Lilie« beschrieben, seit Theophrast h. plant. 4,8,7f. (dazu [4. 2,266f.]; sehr genau auch Dioskurides 2,106 Wellmann = 2,128 Berendes) wegen der Gestalt der Früchte als »ägypt. Bohne« (ὁ Αἰγύπτιος κύαμος). Von den Gewährsleuten des Theophrast am Euphrat wird der »indische L.« irrtümlich zum L. gerechnet (4,8,10, dazu [4. 2,268]), später seine Blüte ausdrücklich *lōtós* gen. (Athen. 3,73a; 15,677d). Strabon 17,1,15 schildert anschaulich eine Bootsfahrt im Nelumbo-Dickicht der ägypt. Sümpfe – passend etwa zum Nilmosaik von Praeneste.

Das in Nordafrika wachsende Gehölz L., der »kyrenäische L.« in der Beschreibung Herodots (2,96; 4,117; vgl. Pol. 12,2; ausführlich Theophr. h. plant. 4,3,1–4, dazu [4. 2,213–216]), ist der Judendorn, Zizyphus spina christi (L.) Willd. und Z. lotus (L.) Lam. aus der Familie der Faulbaumgewächse (Rhamnaceae), mit dattelartigen Früchten, aus denen auch Wein bereitet wurde; aus dem dunklen Holz stellte man u. a. Blasinstrumente her (Abb. und Beschreibung der Arten bei [5. 114f.; 6. 344f.]). Holz und Früchte des auch in Griechenland heimischen Zürgelbaums Celtis australis L. (Ulmaceae) erfuhren ähnliche Verwendung, auch er hieß daher L. (s. Theophr. h. plant. 1,5,3, dazu [4. 1,82]; Plin. nat. 16,123f. und 235f.; Verg. georg. 2,84, dazu [7. 348f.]). Die Früchte sowohl des Judendorns wie des Zürgelbaums wurden seit dem Neolithicum zur menschlichen Ernährung gesammelt [8. 198f.].

1 A. Steier, s. v. L., RE 13,1515–1532 2 B. Herzhoff, L. Botanische Beobachtungen zu einem homer. Pflanzennamen, in: Hermes 112, 1984, 257–271
3 R. Maire, P. Quézel, Flore de l'Afrique du Nord, Bd. 11, 1964 4 S. Amigues, Theophrast – Recherches sur les plantes, Bd. 1, 1988; Bd. 2, 1989 5 R. Germer, Flora des pharaonischen Ägypten, 1985 6 V. Täckholm, Students' Flora of Egypt, 21974 7 G. Maggiulli, Incipiant silvae cum primum surgere. Mondo vegetale e nomenclatura della flora di Virgilio, 1995 8 D. Zohary, M. Hopf, Domestication of Plants in the Old World, 21994 9 S. Weidner, L. im alten Ägypten. Vorarbeiten zu einer Kulturgesch. von Nymphaea lotus, Nymphaea coerulea und Nelumbo nucifera in der dynastischen Zeit, 1985. B. HE.

**Lousonna.** Kelt. *oppidum* an der Stelle von Lausanne (Schweiz, Kanton Waadt) am Nordufer des → *lacus Lemanus*. Unweit davon große röm. Hafenanlage (*vicus*) mit Forum, Basilika, Tempel, Schiffer-Schola, Hafenquai, Lagerhäusern an der Stelle des h. Vidy. Der ON L. entspricht kelt. Gewässerbezeichnungen (vgl. *Sauconna* = Saône). Handelspolit. Bed. hatte der *vicus* L. als Umschlagplatz der Fernstraßen Großer St. Bernhard – Genf – Rhône und Aventicum – Augusta Raurica – Rhein. Von röm. Amtspersonen im Seehafen von L. ist ein *c(urator) c(ivium) R(omanorum)* durch eine Weihinschr. bekannt (Photographie [1. Nr. 51]; dazu [2]).

1 G. Walser, Röm. Inschr. in der Schweiz, 1979, 108–122
2 Ders., in: Orbis Terrarum 5, 1999 (im Druck).

E. Howald, E. Meyer, Die röm. Schweiz, 1940, 242–246 • F. Staehelin, Die Schweiz in röm. Zeit, 31948, 234, 616–618 • W. Drack, R. Fellmann, Die Römer in der Schweiz, 1988, 422–426 • Dies., Die Schweiz zur Römerzeit, 1991, 156–160. G. W.

**Loxias** (Λοξίας). Epiklese des Gottes → Apollon (Pind. P. 3,28; Pind. I. 7,49; Hdt. 1,91; 4,163; Aischyl. Sept. 618; Soph. Oid. T. 853). Auffallend ist, daß die Verbindung Apollon L. nicht vorkommt; der Bezug zu Apollon als delph. Orakelgott ist aber klar (vgl. l.c.). Wenn der Name L. sich von *loxós* »krumm«, »schief« ableiten läßt, dann bezieht er sich auf Apollons dunkle und verwirrende Orakelsprüche (Lukian. Iuppiter tragoedus 28; Plut. mor. 511b). Nach den Schol. zu Kallimachos wird Apollon L. genannt, da er von → Loxo, einem hyperboreischen Mädchen auf Delos, aufgezogen worden sein soll (schol. Kall. h. 3,204; Kall. h. 4,292; Nonn. Dion. 5,489; 48,334). AL.FR.

**Loxo** (Λοξώ). Hyperboreerin (→ Hyperboreioi); bei Kall. h. 4,292 als dritte Boreas-Tochter neben Upis (→ Opis) und → Hekaerge [4] genannt, die Gaben nach Delos brachten und dort begraben sind (danach Nonn. Dion. 5,489; 48,334). Der Name verbindet sie mit Apollon → Loxias. A.A.

**Lua.** Göttin wahrscheinlich ital. (sabin.: [4. 166, 186]) Ursprungs, der, gemeinsam mit anderen Göttern, L. Aemilius [I 32] Paullus 167 v.Chr. nach dem Sieg über Perseus von Makedonien die Waffen der Feinde verbrannte (Liv. 45,33,1 f.: *L. mater*, 8,1,6, *L. mater* als Adressatin einer Waffenverbrennung 341 v.Chr., ist vermutlich annalistische Fiktion). Die Wahl der Göttin mag sich aus der Ableitung ihres Namens von lat. *luere* erklären: Die Waffenverbrennung nach siegreich beendetem Kampf markiert als *rite de passage* die Phase der Entmilitarisierung; sie symbolisiert nicht nur die »Zerstörung« feindlichen Aggressionspotentials [6. 199f.], sondern kennzeichnet darüber hinaus die »Loslösung« vom Kriegszustand und »Entsühnung« der in diesem Zustand begangenen Handlungen. Die Verbindung *L. Saturni* (Varro ling. 8,36; Gell. 13,23,2) geht auf die *libri sacerdotum* zurück (→ Indigitamenta). Die Existenz personalisierter Götterverbindungen (→ Mythos) in der röm. Rel. hat die Forsch. lange Zeit bestritten: *L. Saturni* wurde daher nicht als eigenständige Göttin, sondern als funktionale Bestimmung des Wirkungsbereichs des → Saturnus gedeutet [2. 481–485; 3. 55f.] und nach lat. *lues*, »Seuche«, als die Eigenschaft des Gottes definiert, die Aussaat zu schädigen ([7] mit Verweis auf Serv. auct. Aen. 3,139) oder im Wachstum zu befördern ([1. 109]; vgl. Serv. auct. Aen. 4,58). Die funktionale Interpretation hat zwar eine ant. Entsprechung (Gell. 13,23), reduziert die – als *L. mater* (s.o.) eigenständige – L. aber zu einer bloßen Chiffre. Ansprechender ist die Vermutung, L. sei als Göttin im Wirkungsbereich Saturns tätig [4. 31–33, 186], abzulehnen die Ansicht [5], L. repräsentiere eine altröm. rel. Verbindung von Krieg und Landwirtschaft. Wahrscheinlicher ist, daß eine urspr. nichtröm. Göttin durch gelehrte Etym. mit einem röm. Aspekt des Göttervaters Saturnus/→ Kronos assoziiert und mythologisierend als *L. mater* bezeichnet wurde.

1 A. v. Domaszewski, Abh. zur röm. Rel., 1909 2 W.W. Fowler, The Religious Experience of the Roman People, 1911 3 Latte 4 Radke 5 H.J. Rose, L. Mater: Fire, Rust and War in Early Roman Cult, in: CR 36, 1922, 15–18 6 J. Rüpke, Domi militiae, 1990 7 G. Wissowa, s. v. L., Roscher 2, 2146. A.BEN.

**Luca.** Stadt an einem fossilen (d.h. heute nahezu kein Wasser mehr führenden) Arm des → Auser (h. Serchio), der in ant. Zeit bei Pisa in den Arno mündete, h. Lucca; letzte *colonia* latin. Rechts, 180 v.Chr. von Rom auf dem Gebiet der Pisani gegr. (Liv. 40,43,1); seit 89 v.Chr. *municipium* der *tribus Fabia*. Wichtiger Straßenknotenpunkt (Itin. Anton. 283ff.; Tab. Peut. 4,1); 56 v.Chr. wurde in L. das sog. → Triumvirat zw. Caesar, Pompeius und Crassus erneuert (Plut. Pompeius 51; Plut. Caesar 21; Plut. Crassus 14; Suet. Iul. 24,1). Unter Augustus *colonia* der 7. Region (Etruria; Plin. nat. 3,50; Ptol. 3,1,47). Seit Diocletianus wurden hier die Schwerter für das Heer hergestellt. Mil. Stützpunkt im Gotenkrieg.

Der Grundriß der *colonia* in einer rechtwinkligen Maueranlage ist erh.; → *cardo* und → *decumanus maximus* kreuzen sich auf dem Forum (h. Piazza di San Michele in Foro). Im Norden befinden sich Reste des Theaters (Santa Maria di Corte) und des Amphitheaters (Piazza del Mercato).

P. Sommella, C.F. Giuliani, La pianta di L. romana, 1974 • P. Mencacci, M. Zecchini, L. romana, 1982.
G.U./Ü: H.D.

**Lucani, Lucania** (Λευκανοί, Λευκανία). Ital. Volk bzw. Landschaft in Südit. (h. Basilicata), das von den → Samnites abstammte (Strab. 5,3,1; 6,1,2f.) und sich im 5. Jh. v.Chr. (nach ihrer Wanderung unter dem myth. König Lamiskos, vgl. Herakleides, *Perí tōn en tōi Helládi póleōn* [= Poleis] 20) in der Gegend südl. des Silaris (h. Sele) [6; 10; 16; 18] mit den dort ansässigen → Oenotri (Hekat. FGrH 1 F 64–71; Hdt. 1,167; Antiochos FGrH 555 F 1–3) vermischten. Um 440 v.Chr. Kämpfe mit Thurioi (Polyain. 2,10,2; 4; Frontin. strat. 2,3,12), vor 400 Einnahme von Poseidonia und Laos (Strab. 6,1,3; Diod. 14,101). Mit Dionysios I. verbündet, schlugen die L. 390 Thurioi bei Laos (Diod. l.c.). Von Dionysios II. im J. 366 geschlagen, mußten sie um 357 den Abfall der Bruttii hinnehmen (Diod. 16,15; Strab. 6,1,5; Iust. 23,1,3–12). Im 4. Jh. kämpften die L. gegen die Italioten und deren griech. Helfer, → Archidamos [2] (Diod. 16,62; 88: 342–338 v.Chr.), → Alexandros [6] (Liv. 8,17,9; 8,24; Strab. 6,3,4; Iust. 12,2,14: 333–331 v.Chr.) und Kleonymos (Diod. 20,104: 3Q3 v.Chr.).

Um 330 bemühten sich die L. um ein Bündnis mit Rom (Liv. 8,19,1), das sie 326 auch erhielten (Liv. 8,25,3; 27,2). 317 kam es jedoch zum Bruch (Liv. 9,20,9), 298 zur Unterwerfung durch Scipio Barbatus (CIL $I^2$ 7 = ILLRP 309). 294 kämpfte eine Cohorte der L. im röm. Heer (Liv. 10,33,1). 281/278 waren L. Verbündete des → Pyrrhos (Plut. Pyrrhos 13; Iust. 18,1,1; Dion. Hal. ant. 19,13; 20,1 ff.); für die J. 278–275, 273, 272 sind röm. Triumphe *de Lucaneis* bezeugt [19]; im J. 273 Einrichtung der röm. *colonia Paestum* (Vell. 1,14,7). Im 2. → Punischen Krieg waren die L. teils auf röm. (Liv. 27,15), teils auf karthagischer Seite (Liv. 24,15). Seit 206 unterstanden die L. Rom (Liv. 28,11). Nach 201 kam es zu röm. Zwangsenteignungen; 194 wurde eine röm. Bürgerkolonie in Buxentum (Vell. 1,15,3) und 193 die latin. *colonia* Thurii-Copia (Liv. 34,53,1) gegr. In die 2. H. des 2. Jh. v.Chr. fällt der Straßenbau des Praetors Annius und des Consuls Popilius bis Rhegion (ILLRP 454; 454a). L. waren im → Bundesgenossenkrieg [3] gegen Rom beteiligt (App. civ. 1,39); anschließend zählten die L. zur *tribus Pomptina* und seit Augustus zur *regio III* (Plin. nat. 3,71 mit Liste lucan. Gemeinden; vgl. Ptol. 3,3; nach Strab. 6,1,2 lucan. *póleis* großenteils verödet).

Die L. waren bekannt für ihre Gastlichkeit (Ail. var. 4,1), Sittenstrenge (Nikolaos von Damaskos FGrH 90 F 103b), strenge Erziehung (Iust. 23,1,7) und als Anhänger der → Pythagoreischen Schule (Aristox. fr. 17 W.; Iambl. v. P. 241; Diog. Laert. 8,14). Die L. standen in Kriegszeiten unter Königen, sonst waren sie nach Strab. 6,1,3 demokratisch organisiert [6].

Erst seit der 1. H. des 4. Jh. v. Chr. (Skyl. 12f.) sind *Leukanoí* (Λευκανοί) und *Leukanía* (Λευκανία; nach Strab. 6,3,1–3 von Silaris bis Laos und bis ins Hinterland des tarentin. Golfs) bezeugt. Mz. des 3. Jh. mit Legende *LOYKANOM* und *LYKIANΩN*, was zur irrigen Herleitung des Namens von λύκος (Herakleides, Poleis 10), *Lucilius* (Fest. 106,18 L.), *Lucius* (Plin. nat. 3,71) führte. Einheimische Inschr. stammen aus dem 4.–2. Jh. [3. 180ff.; 9. 108–135]. Bezeugt sind L. für das 4./3. Jh. v. Chr. in einigen Städten (Paiston, Laos und die Siedlungen von Roccagloriosa und Serra di Vaglio); Geländemauern als kantonale Zufluchtsorte und Heiligtümer mit stark griech. Einflüssen sind erh. [10; 12; 17; 18]. Seit dem 3. Jh., mit der → Romanisierung, wurden neue Städte (später *municipia*, z. B. Bantia, Grumentum, Potentia, Volcei [7. 1894ff.]) gegr. und zahlreiche *villae rusticae* (z. B. Buccino, Tolve) in dem wald- (Sen. dial. 9,2,13) und wildreichen (Hor. sat. 1,3,234; 8,6; Varro rust. 1,1; 5,100) sowie fruchtbaren (Wein: Cato agr. 6,4; Plin. nat. 14,69) lucan. Land erbaut [13; 15; 17]. Auch in der Kaiserzeit und in der Spätant. sind in Lucania, seit Diocletianus in der *prov. Lucania et Bruttii* [7], meist große, sich auf Land- und Viehwirtschaft stützende *villae* bezeugt [7; 11; 17].

1 Nissen 2, 888f. 2 R. Thomsen, The Italic Regions, 1947, 79ff. 3 Vetter 4 F. Cordano, Fonti greche e latine per la storia dei L. e dei Brettii, 1971 5 D. Adamesteanu, La Basilicata antica, 1974 6 E. Lepore, La tradizione antica sui L. e l'origine dell'entità regionale, in: F. Borraro (Hrsg.), Antiche civiltà Lucane, 1975 7 E. Lepore, A. Russi, s. v. Lucania, in: Ruggiero 4,3 8 R. Catalano, La Lucania antica, 1979 9 P. Poccetti, Nuovi documenti italici, 1979 10 A. Pontrandolfo, I L., 1982 11 M. Gualtieri, Lo scavo di S. Giovanni di Ruoti ed il periodo tardoantico in Basilicata, 1983 12 A. Bottini u. a., Popoli e civiltà dell'Italia antica 8, 1986 13 M. Salvatore (Hrsg.), Basilicata (Atti Convegno Venosa), 1990 14 A. Mele, I popoli italici, in: G. Gelasso, R. Romeo (Hrsg.), Storia del Mezzogiorno, 1,1, 1991, 265ff. 15 Da Leukania a Lucania (Ausstellungskatalog), Roma 1992 16 A. Pontrandolfo, Etnogenesi e emergenza politica di una comunità italica: I L., in: S. Settis (Hrsg.), Storia della Calabria antica 2, 1994, 139–193 17 A. Bottini, s. v. Lucania, in: EAA II Suppl., 1995, 433–438 18 S. Bianco u. a. (Hrsg.), Greci, Enotri e L. nella Basilicata Meridionale, 1996 19 Degrassi, FCap. XVI-XVII.

M. L.

**Lucanius.**
Röm. Gentilname, vom häufigen Ortsnamen Luca.

Schulze, 532.

I. Republikanische Zeit

**[I 1] L., M.** Junger Begleiter des Pompeius Strabo vor Asculum 89 v. Chr. (ILLRP 515, Z. 10; → Bundesgenossenkriege [3]), vielleicht Sohn des bei Livius (Liv. per. 75) für dasselbe Jahr genannten Legaten Lucanus.

**[I 2] L., Q.** Centurio Caesars, fiel 54 v. Chr. als *primus pilus* in Aduatuca (Caes. Gall. 5,35,7). JÖ.F.

II. Kaiserzeit

**[II 1] L. L. Latiaris.** Der auf Ziegeln genannte L. L. Latiaris ist aller Wahrscheinlichkeit nach mit Latinius Latiaris bei Tac. ann. 4,68,2 identisch [1. 13]. Senator, der bis zur Praetur gelangt war. Um seine Karriere durch Seianus (→ Aelius [II 19]) zu fördern, veranlaßte er im J. 27 n. Chr. zusammen mit anderen den Ritter Titius Sabinus, gegen Tiberius Drohungen auszusprechen. Im folgenden Jahr klagte er dann Sabinus an. Nach dem Sturz Seians im J. 32 selbst angeklagt und hingerichtet. PIR² L 346.

1 R. Syme, Personal Names in Annals I–VI, in: JRS 39, 1949 (= Ders., Ten Studies in Tacitus, 1970, 70).

**[II 2] Q. L. Latinus.** *Praetor aerarii Saturni* im J. 19 n. Chr.; wohl verwandt mit L. [II 1]. PIR² L 347.

**[II 3] Q. L. Proculus.** Senator, vielleicht Vater von L. [II 2]. Proconsul von Creta-Cyrenae nicht vor 12 v. Chr., da in einer der Inschr., die ihn erwähnen, Augustus *pontifex maximus* genannt wird (AE 1934, 256; 1968, 539). PIR² L 348.

W. Eck, s. v. L., RE Suppl. 14, 235. W. E.

**Lucanus.** Ital. Familienname, → Lucanius [1. 532]; bekannter als röm. Cognomen, wohl urspr. Ethnikon vom Ortsnamen *Luca* [1. 532; 2. 193]; in den Fasten der Kaiserzeit in den Familien der Claudii, Curvii, Domitii, Titii [3. 257].

1 Schulze 2 Kajanto, Cognomina 3 Degrassi, FCIR.

K.-L. E.

**[1] M. Annaeus L.**, der röm. Epiker Lucan.
A. Leben B. Werk C. Wirkungsgeschichte

A. Leben

L. wurde am 3. November 39 n. Chr. in → Corduba als Sohn einer Familie geb., die oft als spanisch bezeichnet wurde, jedoch wahrscheinlicher von ital. Kolonisten abstammte. Er kam im J. 40 nach Rom. Sein Vater, M. (?) Annaeus [II 3] Mela, war der jüngste Sohn von L. → Seneca »dem Älteren«, Melas Brüder waren L. Novatus (nach späterer Adoption L. → Iunius [II 15] Gallio) und L. → Seneca »der Jüngere«. Demnach war L. von Geburt her wohlhabend, für ihn lagen eine zivile Karriere und nicht zuletzt lit. und philos. Bildungsmöglichkeiten in greifbarer Nähe. Sein Onkel Seneca besaß während Neros erster Prinzipatsphase einen dominanten Einfluß bei Hof. Nach einer Bildungsreise nach Athen wurde L. wie erwartet in den begünstigten Kreis um den jungen Kaiser aufgenommen und hatte ein Quaestoren- und ein Augurenamt inne. Die Dichtung war indes seine große Leidenschaft. Er gewann einen Preis für einen Panegyricus auf → Nero an den Neronia im J. 60, jedoch soll Nero neidisch auf seine Talente, die seine eigenen überschatteten, geworden sein und sein Werk zu verbieten versucht haben (Vacca, *Vita Lucani*). Es kam zum Bruch, vielleicht auch im Zusammenhang mit Senecas Sturz im J. 62. L. schloß sich selbst der erfolglosen Pisonischen Verschwörung an und wurde am 30. April 65 zum Selbstmord (wie sein Vater und Seneca) gezwungen. Die Nachricht, daß er seine Mutter Acilia darin zu verwickeln suchte (Suet. Vita Lucani; vgl. Tac. ann. 15,56), mag lediglich feindliche Ansichten zu den Annaei widerspiegeln.

B. Werk

P. Papinius → Statius listet L.' umfangreiches und mannigfaltiges poetisches Werk in einem Gedicht zu dessen Tod, geschrieben für die Witwe Polla, auf (Stat. silv. 2,7,54–74; eine andere Liste in der – unbefriedigenden – *Vita* wird → Vacca zugeschrieben). Erh. sind nur die *Pharsalia* (*Ph.*; auch *Bellum civile*/›Bürgerkrieg‹ gen.), die bei 10,546 – trotz anderer jüngerer Deutungen – wohl unvollendet abbrechen. Wieviele Bücher L. schreiben und mit welchem histor. Zeitpunkt er seine Darstellung beenden wollte, bleibt umstritten: Man hat tetradische Strukturen von 12 oder 16 B. postuliert, aber auch die Vollständigkeit des erh. Epos [1–3]. Das Thema der *Ph.* ist der Konflikt zw. C. Iulius → Caesar und dem Senat, dem Cn. → Pompeius Magnus, Caesars ehemaliger Schwiegersohn, als mil. Führer dient – ein Konflikt, der in der Niederlage der Senatspartei bei → Pharsalos (48 v. Chr.) gipfelte.

Mit der Wahl eines histor. Themas greift L. auf eine vorvergilianische Traditionslinie (bis Ennius) zurück, doch bildet → Vergilius (wie auch → Homeros) ein wichtiges strukturelles Vorbild. Noch wichtiger aber sind L.' Innovationen in ihrem Verbund: so das Thema selbst, der zugleich sentenziöse und pathetische Stil, das Philosophieren und der Verzicht auf den Götterapparat – sie liefern der Romanfigur Eumolpus des Zeitgenossen → Petronius die (ernst gemeinten?) Kritikpunkte und Anlaß, ein alternatives *Bellum civile* zu dichten (Petron. 119–124). Auch dort, wo L. epische Konventionen beibehält (z. B. der Pompeianische Truppenkatalog, 3,169–297; der Seesturm, 5,597–677; die Nekymantie, 6,419–830; die Schlacht von Pharsalos, 7,385–646), kehrt er sie um. Nach Mart. 14,194 bestritten manche, daß L. ein Dichter sei – so auch Quintilian (inst. 10,90), der L. bei aller Leidenschaft und epigrammatischen Kraft eher zu den Rednern zählte. In der Debatte, ob L. Geschichtsschreiber oder Dichter war, wurde dieser Argumentationsrahmen perpetuiert; vermeintliche Inhalte wurden der Auseinandersetzung mit der sprachlichen Form übergeordnet.

L. prangert Tyrannei mit uneingeschränkter Härte an, aber allenfalls als aristokratischer Konservativer (mit einem Anstrich von → Stoizismus), der die gesch. Entwicklung (wenn auch ungern) akzeptiert. Er ist kein Apostel der Freiheit, wie spätere Zeitalter ihn gerne sahen: Während L. für die Bibl. der Dauphins im 17. Jh. wegen seiner antimonarchistischen Tiraden als unpassend galt, fand er als Verfechter der *libertas* (→ Freiheit) Anklang bei Radikalen schon vor Voltaire.

Die *Ph.* ist Nero gewidmet (1,33–66), und zwar in solch anbiederndem, wenn auch längst geübtem Tone, daß ein ironisches Verständnis (wohl zu unrecht) für möglich gehalten wird [4; 5]. Die schrilleren Töne in den späteren B. ergeben sich aus dem Gegenstand, der sich anbahnenden Katastrophe der Senatspartei, sie spiegeln keine wachsende Distanzierung zu Nero wider. Caesar, offensichtlich die dominierende Figur in einem heldenlosen Epos, ist durchweg mit allem Schmuckwerk eines Tyrannen bekleidet (grundlegende Charakterisierung: 1,143–157; s.a. 5,381–399; 7,545–596) – vielleicht eine Zurückweisung seiner eigenen Bürgerkriegskommentare, die L. kannte. Pompeius dagegen, zugegeben ein Schatten seiner früheren Größe (1,135), ist wenig mehr als eine Gliederpuppe ohne Tiefe und Farbe. Seine Apotheose (→ Vergöttlichung) am Anf. des 9. B. scheint eher ein Fall demonstrativer Parteinahme L.' als eigenes Verdienst, trotz L.' Bemühungen, das Original, das er in seinen Quellen (s.u.) vorfand, zu verbessern. Obwohl Cato (→ Porcius) Uticensis in seinem Marsch durch Afrika im 9. B. einen heroischen Status erreicht, kann er kaum Sympathie erwecken. Seine strenge stoische *virtus* (→ Tugend) ist einfarbig, wenn sie auch als Gegenpol Caesars Wahnsinn betont. L. tendiert zu Übertreibungen, ja Grotesken, legt damit aber nur Merkmale des Bürgerkrieges selbst offen. L.' Extremismus verdankt sich eher der Wortwahl und figürlichen Sprache als philos. oder polit. Überzeugung. Sogar L.' Feindseligkeit gegen Caesar ist nuanciert [1].

L. mag den (verlorenen) Ber. seines Großvaters Seneca d. Ä. über den Bürgerkrieg benutzt haben und kannte die Darstellung des → Livius. Eigene Forsch. war für eine so vertraute Periode kaum notwendig. Im allg. wechselt L. bis zur Schlacht von Pharsalos im 7. B. zw. den gegnerischen Seiten, dramatisiert die Ereignisse und schmückt die Erzählung mit Reden oder Ansprachen aus. Stoff aus früherer Epik wird von Zeit zu Zeit eingefügt: z. B. die Auflistung der Streitkräfte Caesars und des Senats (1,392–465; 3,169–297) oder die thessalische Nekymantie in 6,419–830 (eine düstere Parallele zu Verg. Aen. 6). Der Erzähler liefert einen reichen Komm., spekulierend, gelegentlich preisend, aber meistens gleichermaßen Schicksal, Götter und menschliche Verbrechen tadelnd. Der erh. Text endet mit Caesars neuerlichen Kämpfen in Ägypten, einem Land, das in L.' Augen für den Verrat und Mord an Pompeius und daher für die Auslöschung der *libertas* zu verfluchen ist.

C. Wirkungsgeschichte

L. ist stets, aber mit wechselnder Zustimmung gelesen worden. Als Schultext im MA überlebte die *Ph.* in etwa 300 Cod., einschließlich fünf vollständiger und einer unvollständigen Abschrift allein aus dem 9. Jh. Die kontaminierte Überl., die schon ant. Varianten bewahrt, nötigt Hrsgg. eher zur Auswahl denn zu eigener Konjektur [6]. Die *editio princeps* wurde in Rom schon 1469 gedruckt. Ein Komm. von Verulanus Sulpitius (Giovanni Sulpizio) erschien bereits 1493 in einer Aldina-Ausgabe (Venedig), weitere von Lambertus Hortensius 1578 und G. Bersmann 1589. Ein vollständiger mod. Komm. fehlt.

Von polit. Ideologen abgesehen, fand L. seit der Renaissance nicht viele Bewunderer. Vom 18. bis zum 20. Jh. wurde sein Ruf durch den Neo-Aristotelianismus in Frankreich und die Romantik in Deutschland und England geschmälert. Der Enthusiasmus eines Brébeuf, dessen freie Übers. (1665) im 17. Jh. viel gelesen wurde, ist von der zurückhaltenden Bewertung Marmontels, der L. 1777 in elegante Prosa übertrug, weit entfernt. D. Nisards gänzlich feindselige Kritik im 2. Bd. der ›Études ... sur les poètes latins de la décadence‹ (1835) übte anhaltenden Einfluß in einem Zeitalter aus, das alles verabscheute, was es als leere Rhet., unstrukturiert und im Stil monoton ansah. Erst in der 2. H. des 20. Jh., und dann v.a. unter Philologen, hat man L.' Leistungen zunehmend anerkannt und die Verdienste seines innovativen Radikalismus gewürdigt.
→ Epos; Epos

**1** O. Schönberger, Zur Komposition des L., in: Hermes 85, 1957, 251–254 **2** B. M. Marti, La structure de la Pharsale, in: B. Marti (Hrsg.), Lucain (= Entretiens 15), 1970, 3–38 **3** H. Haffter, Dem schwanken Zünglein lauschend wachte Cäsar dort, in: MH 14, 1957, 116–126 **4** E. Çizek, Néron, 1982, 244 f. **5** E. Paratore, in: J. M. Croisille, P. M. Fauchère (Hrsg.), Neronia, 1977, 83–101 **6** H. C. Gotoff, The Transmission of the Text of Lucan in the Ninth Century, 1971.

Ed.: E. Courtney, The Fragmentary Latin Poets, 1993, 352–356 (Fr.) • D. R. Shackleton Bailey, $^{2}$1997 • R. Badalì, 1992.
Scholien: K. F. Weber, 1828/9, Bd. 3.
Komm.: H. Usener, 1869 (Commenta Bernensia) • J. Endt, 1909 (Ndr. 1969; Suppl.: G. A. Cavajoni, 3 Bde., 1979–1990: Annotationes super Lucanum).
Lit.: R. Pichon, Les sources de Lucain, 1912 • H. P. Syndikus, Lucans Gedicht vom Bürgerkrieg, 1958 • U. Piacentini, Osservazioni sulla tecnica epica di Lucano, 1963 • J. Brisset, Les idées politiques de Lucain, 1964 • D. Gagliardi, Lucano, $^{2}$1970 • F. Ahl, Lucan, 1976 • W. D. Lebek, Lucans Pharsalia. Dichtungsstruktur und Zeitbezug, 1976 • E. Narducci, La provvidenza crudele. Lucano e la distruzione dei miti augustei, 1979 • E. Bertoli, Poesia e poetica in Lucano, 1980 • P. Esposito, Il racconto della strage, 1987 • P. Schrijvers, Crise poètique et poésie de la crise. La réception de Lucain aux XIXe et XXe siècles, 1990 • J. Masters, Poetry and Civil War in Lucan's Bellum civile, 1992 • E. Paratore, Lucano, 1992 • M. Leigh, Lucan, 1997 • Sh. Bartsch, Ideology in Cold Blood, 1997.
D.T.V./Ü: TH.G.

**Lucaria.** Am 19. und 21. Juli (InscrIt 13,2 p. 485) feierten die Römer nach Paul. Fest. 106 L. ›die L. in einem sehr großen Hain zw. der Via Salaria und dem Tiber‹ nördlich des → Campus Martius außerhalb der ant. Stadt. Die bei Paul. Fest. gegebene Begründung stellt einen Zusammenhang mit dem zeitlich vorausgehenden *dies Alliensis* her: Nach der (myth.) Niederlage gegen die Gallier an der → Allia hätten sich die überlebenden Römer in diesem Hain verborgen. Das Fest begeht die für Feste zur Erntezeit typische Auflösung der städtischen Ordnung, die bereits den Keim zu ihrer Neugründung in sich trägt.
→ Hain

O. de Cazanove, J. Scheid (Hrsg.), Les bois sacrés, 1993.
D.B.

**Lucas** (griech. Lukuas, Λουκούας). Nach Eusebios (HE 4,2,3–234) Anführer der aufständischen Juden im J. 115 n. Chr. in der Cyrenaica (→ Kyrenaia), von wo er bis in die Thebais in Ägypten vordrang; angeblich zum König ausgerufen. In der christl. Überl. trägt er generell den Namen Lucas; wahrscheinlich ist der bei Cassius Dio (68,32,1) genannte Andreas mit ihm identisch. Der Aufstand wurde durch Q. Marcius [II 14] Turbo endgültig niedergeschlagen. PIR$^{2}$ L 351.

M. Pucci, La rivolta ebraica al tempo di Traiano, 1981, 41 f.
W.E.

**Lucceius.** Italischer Gentilname, aus *Lucius* erweitert. Viele Träger sind bekannt [1. 359; 426], darunter seit dem 1. Jh. v. Chr. auch Prominente.

I. Republikanische Zeit

**[I 1] L., Cn.** Besuchte M. Iunius [I 10] Brutus häufig während des Sommers 44 v. Chr. in Puteoli (Cic. Att. 16,5,3); stammte wohl aus einer Aristokratenfamilie in Cumae (CIL X 3685–3690).

**[I 2] L., L.** Senator mit Geschäftsinteressen in Italien und Kilikien (Cic. Att. 5,21,13). Welche Quellenangaben sich auf ihn, L. L. (*Marci filium*), welche auf seinen Namensvetter L. L. (*Quinti filium*) [I 3] beziehen, ist umstritten; nach [2] fiele diesem L. vor allem die Rolle als Vertrauter des Pompeius zu.

**[I 3] L., L.** Enger Freund Ciceros; gutmütig, talentiert und reich. 67 v. Chr. *praetor urbanus* (vgl. Cass. Dio 36,41,1 f.). 64 klagte er → Catilina erfolglos an, 63 dürfte er Cicero gegen ihn unterstützt haben (vgl. Cic. fam. 5,13,4). Für die Consulwahl im Jahr 60 verbündete er sich mit seinem Konkurrenten Caesar, scheiterte jedoch (Suet. Iul. 19,1) und gab die Politik auf. Bis 56 schrieb er an einem Geschichtswerk, das aber unfertig blieb; eine Monographie L.' über Cicero, wie dieser sie eifrig anregte (Cic. fam. 5,12), kam nie zustande. 49/8 zählte er zu Pompeius' wichtigsten Beratern im Krieg (Caes. civ. 3,18,3 f.), wurde später von Caesar begnadigt und kehrte nach Rom zurück, wo er den um seine Tochter trauernden Cicero tröstete (Cic. fam. 5,13–15). Falls L. nicht vor 43 starb, muß der reiche Pompeianer den Proskriptionen zum Opfer gefallen sein (vgl. App. civ. 4,109). Zur Verwechslung mit L. [I 2] siehe dort.

**[I 4] L., Q.** Bankier in Rhegion, 70 v. Chr. Zeuge Ciceros im → Verres-Prozeß (Cic. Verr. 2,5,165).

1 SCHULZE 2 W. C. MCDERMOTT, De Lucceiis, in: Hermes 97, 1976, 233–246. JÖ. F.

II. KAISERZEIT

**[II 1] L. Albinus.** Ritterlicher Amtsträger in Iudaea 62–64 n. Chr., entweder als *praefectus* unter der Kontrolle durch den Statthalter von Syrien oder bereits als selbständiger Präsidialprocurator. Da L. aus Ägypten nach Iudaea kam, könnte er dort bereits amtlich tätig gewesen sein. Nach Iosephus betrieb er eine maßlose Mißwirtschaft in Iudaea. Etwa ab 66 Procurator von Mauretania Caesariensis, unter Galba zusätzlich dann auch von Mauretania Tingitana. Anschluß an Otho, aber von Truppen des Cluvius Rufus, dem Quaestor der Baetica, getötet. PIR² L 354.

**[II 2] Cn. L. Albinus.** Wohl Sohn von L. [II 1]. Senator, der wegen seiner Rednergabe von Plinius geschätzt wurde. PIR² L 355.

**[II 3] M. L. Felix.** Finanzprocurator von Dacia unter Severus Alexander (AE 1983, 834–840).

I. PISO, Inschr. der Prokuratoren aus Sarmizegetusa (II), in: ZPE 120, 1998, 259–264 · PIR² L 357.

**[II 4] M. L. Torquatus Bassianus.** Senator. Proconsularer Legat in Asia; *legatus Augusti pro praetore* der *legio III Augusta* in Africa 167–169 n. Chr.; Consul 169 oder 170. L.' Name wurde eradiert, als Commodus ihn 190/1 hinrichten ließ.

PIR² L 363 · THOMASSON, Fasti Africani, 156 ff. W. E.

**Luceres** s. Ramnes

**Luceria** (Λουκερία, Diod. 19,72,8; Strab. 6,1,14; Λουκαρά, Pol. 3,88,5; 3,100,1; Νουκερία Ἀπουλῶν, Ptol. 3,1,72; *Luceria*, Cic. Cluent. passim; Cic. Att. passim; Hor. carm. 3,15,14; Vell. 1,14,4; Plin. nat. 3,104; *Luceriae*, Lucan. 2,473; *Luceria Apula*, Vir. ill. 30,2). Stadt der Dauni (Strab. 6,3,9) in der h. Prov. Foggia, 200 Stadien von Gerunium entfernt (Pol. 3,100,3). Die Quellen verweisen auf einen Tempel der Athena Ilias und Weihegaben des Diomedes (Strab. 6,1,14; 6,3,9). Nach Diod. 19,72,8 war L. die bedeutendste Stadt der Region. Sie wurde 314 v. Chr. (Diod. 19,72,8; Liv. 9,26,1–5 oder nach Vell. 1,14,4 im J. 326 v. Chr.) röm. Kolonie. Eine Emission von libralen *aes grave*-Mz. (314–250 v. Chr.) und zwei Serien von brn. Triens- und Sextansmünzen (250–217 v. Chr.) lassen sich L. zuschreiben; zw. 212 und 207 v. Chr. erscheinen *victoriati*. Reste der neolithischen Siedlung, Br.-Figuren, Thermen, Mosaiken, Nekropolen mit Beigaben aus dem 4. Jh. v. Chr., Reste der Centuriation; Amphitheater. Inschr.: CIL IX 782–944; außerdem [1; 2].

→ Daunia

1 M. BALICE, Iscrizioni latine di L., in: Archivio Storico Pugliese 34, 1981, 67–84 2 C. CARLETTI, L. paleocristiana: la documentazione epigrafica, in: Vetera Christianorum 20, 1983, 427–441.

G. VOLPE, La Daunia nell'età della romanizzazione, 1990 · BTCGI 9, 1991, 261–269 · E. M. DE JULIIS, Magna Grecia, 1996, 197 ff. · F. G. LO PORTO, s. v. Lukeria, PE 531 f. BR. G./Ü: H. D.

**Lucerna** s. Lampe

**Luchs** (λύγξ/*lýnx*, λυγκίον/*lynkíon*, das Junge hieß nach Ail. nat. 7,47 σκύμνιος/*skýmnios*; lat. *lynx* bzw. *chama*). Der Sumpf-L., eine Kleinkatzenart [1. 1,81 f.], und der Wüsten-L. oder Karakal (Lynx caracal; wahrscheinlich bei Plin. nat. 8,72 gemeint) sind auf ägypt. Darstellungen belegt (z. B. ein Sumpf-L.? auf einem mittelminoischen Fresko aus Hagia Triada auf Kreta zusammen mit einem → Kormoran [1. 1,66, Fig. 17]). Den Nord-L. (Lynx lynx) aus der Raubtierfamilie der Katzen erwähnt Aristoteles (hist. an. 2,1,499b 24 f.: halbes Würfelbein; 500b 15: harnt nach hinten; 5,2,539b 22 f.: paart sich πυγηδόν, Steiß gegen Steiß) ohne genaue Beschreibung. Plin. nat. 8,70 kennt den Nord-L. als *chama*, ›den die Gallier Rufius nannten‹ [1. 1,83] bzw. 11,202 als *lupus cervarius*. Betont werden nicht die charakteristischen Haarpinsel an den Ohren, sondern das gefleckte Fell (Verg. georg. 3,264; Verg. Aen. 1,323), seine auf Scheu vor dem Menschen beruhende angebliche Feigheit (Hor. carm. 2,13,40: *timidos lyncas* und 4,6,33 f.: *fugaces lyncas*) und sein hervorragendes Sehvermögen (Plin. nat. 28,122; vgl. → Lynkeus [1]). Volksmedizinisch kennt Plinius (nat. 28,122) von der Ägäis-Insel Karpathos die Asche aus den verbrannten Krallen und der Haut im Trank als Mittel gegen die Geilheit der Männer und (auf die Haut gestreut) gegen die Lüsternheit der Frauen. Der Harn, den der L. sofort mit Erde zuscharre, soll gegen Harnzwang und gegen Schmerzen an den Schlüsselbeinen helfen. Dieses Verscharren wurde als mißgünstiges Verstecken des angeblich aus dem Harn entstehenden L.-Steines λυγγούριον/*lyngúrion* gedeutet, einer Art → Bernstein (Plin. nat. 37,34 und 52 f.: gegen Theophr. de lapidibus 28 und die medizinische Indikation z. B. bei Dioskurides 2,81,3 WELLMANN = 2,100 BERENDES).

1 KELLER

A. STEIER, s. v. L., RE 13,2476. C. HÜ.

**Lucianus.** Sohn des Praetorianerpraefekten Florentius [1], 388 n. Chr. *consularis Syriae*, Gegner des → Tatianus; erregte verschiedentlich Anstoß, was zu seiner Amtsenthebung führte. 393 dank Rufinus *comes Syriae*, soll aber aufgrund eines Konfliktes mit dem Onkel Theodosius' I., Eucherius, im Auftrag eben des Rufinus 393 oder 395 umgebracht worden sein. Lib. or. 56 ist gegen ihn gerichtet; Christ. PLRE 1,516 f. H. L.

**Lucienus.** Seltener ital. Familienname, bekannt durch den Senator Q. L., Freund des T. → Pomponius Atticus. Varro läßt L., dem Rinderherden und vor allem große Gestüte in Epeiros gehörten, als Pferdekenner auftreten (Varro rust. 2,7,1–16); auch für seinen geistreich-komplizierten Humor war L. wohl berühmt (Varro rust. 2,5,1). Seine Erwähnung bei Cic. Att. 7,5,3 ist fraglich. JÖ.F.

**Lucifer**

**[1]** L. bezeichnet in der lat. Ant. primär den Morgenstern (griech. φωσφόρος/*phōsphóros* oder ἑωσφόρος/*heōsphóros*; → Venus; → Planeten), sekundär kennzeichnet L. Göttergestalten. Die röm. Mythologie deutet L. als Stern des vergöttlichten Caesar. Die durchwegs positive Konnotation verliert L. im Christentum: Zwar wird er in Anlehnung an 2 Kor 4,6, 2 Petr 1,19 und Apk 2,28 mit Christus verglichen und deswegen bisweilen als Taufname verwendet, doch als Übers. von Jes 14,12 (der gefallene Morgenstern – *heōsphóros*: LXX, *lucifer*: Vulgata), einem Orakel über den Fall des Königs von Babylon, wird er zum Sinnbild für den Gegner Israels. In Verknüpfung von Jes 14,12 mit Lk 10,18 wird seit dem 4. Jh. L. mit → Satan gleichgesetzt, was zur entscheidenden Prägung von L. als Satan-Gestalt im MA führte.

N. Forsyth, The Old Enemy, 1987 • L. Jung, Fallen Angels in Jewish, Christian and Mohammedan Literature, 1974 • M. S. Smith, The Early History of God, 1990. LUK.KU.

**[2]** Bischof von Calaris (h. Cagliari). Seit 353 Mitarbeiter des Papstes → Liberius [1], wurde L. mit diesem und anderen Bischöfen 355 verbannt, als er in Mailand sein Eintreten für den Glauben von Nikaia (325) und für den von Kaiser Constantius II. verdammten Bischof → Athanasios von Alexandreia nicht widerrief. In seinem bis 362 dauernden Exil (u.a. in Syrien, Palaestina und der Thebaïs) verfaßte L. fünf gegen Constantius gerichtete Streit- und Schmähschriften, die wichtige Zeugnisse des zeitgenössischen volkssprachlichen Lateins und der altlat. Bibelübersetzung darstellen, theologisch jedoch ohne Belang sind. Die Teilnahme an der von Athanasios 362 veranstalteten Einigungssynode in Alexandreia lehnte er ab. Bevor er sich auf den Weg nach Sardinien machte, weihte L. in Antiocheia [1] den rigorosen Verfechter des Nicaenums Paulinos zum Bischof.

CCL 8, 1978 • K. S. Frank, s. v. L. von Cagliari, LMA 5, 2162 • C. Kannengiesser, s. v. L., LThK³ 6, 1083 f. (Lit.). MA.HE.

**[3]** s. Planeten (Hesperios)

**Lucilia**

**[1]** Tochter des Manlius Lucilius, Nichte des Dichters C. Lucilius [I 6], Frau des Cn. Pompeius Strabo (*cos.* 89 v. Chr.), aus senatorischer Familie. Sie war die Mutter des Cn. → Pompeius Magnus und einer Tochter (Vell. 2,29,2). ME.STR.

**[2]** Wahrscheinlich Schwester von L. [1], Mutter des M. Attius [I 1] Balbus. Seine Tochter Atia [1] war die Mutter des → Augustus (Suet. Aug. 4,1). ME.STR.

**Lucilius.** Name einer röm. plebeischen Familie, abgeleitet vom Vornamen → Lucius, seit dem 2. Jh. v. Chr. verbreitet. Am bekanntesten der Satirendichter L. [I 6]. K.-L.E.

I. Republikanische Zeit

**[I 1]** Freund des M. Iunius [I 10] Brutus, den er 42 v. Chr. bei Philippi schützen wollte, indem er sich für ihn ausgab (App. civ. 4,542–545). Danach folgte er M. Antonius [I 9] ähnlich loyal bis zu beider Tod im Jahre 30. JÖ.F.

**[I 2] L., Sex.** Volkstribun 87 v. Chr., wurde 86 von seinem Nachfolger P. Popilius Laenas als Gegner des C. Marius [I 1] vom Tarpeischen Felsen gestürzt (Vell. 2,24,2; vgl. Liv. per. 80; Plut. Marius 45,3).

**[I 3] L. Balbus, L.** Wohl Bruder von L. [I 4], Stoiker (Cic. de orat. 3,78), als Rechtsgelehrter Schüler des prominenten Juristen Q. → Mucius Scaevola (*pontifex*) und seinerseits Lehrer des Ser. → Sulpicius Rufus (Pomponius Dig. 1,2,2,42 f.), daher wohl Haupttätigkeit in den 90er Jahren v. Chr., 81 Beisitzer im Prozeß gegen P. Quinctius (Cic. Quinct. 53 f.). Obwohl L. selbst nichts publiziert hatte, schätzte Cicero seine Fachkenntnisse (Cic. Brut. 154).

**[I 4] L. Balbus, Q.** Bekannter Ciceros; wie sein Bruder oder Vetter L. [I 3] Anhänger der Stoa (Cic. de orat. 3,78; fiktives Datum 91 v. Chr.), Vertreter der stoischen Lehre im zweiten Buch von Ciceros Dialog *De natura deorum* (fiktives Datum 77/75). Er selbst kannte das Haupt der Stoa, → Poseidonios (Cic. nat. deor. 2,88); der Akademiker Antiochos [20] von Askalon widmete ihm ein Buch (Cic. nat. deor. 1,16). K.-L.E.

**[I 5] L. Hirrus, C.** Großneffe des Dichters → L. [I 6] und mittelbar über seinen Vater L. auch dessen Haupterbe, Schwiegersohn (Heirat vor 67 v. Chr.) des Viehzüchters L. Cossinius [I 2]. Wie dieser verfügte L. über große Viehbestände, und zwar in Bruttium (Varro rust. 2,1,2). Zur Politik fand er erst spät, unterstützte als Volkstribun von 53 (MRR 2,228) → Pompeius, mit dem er verwandt war, hatte aber in seinen Aktionen wenig Fortüne. In Ciceros und Caelius' [I 4] (erh. in Cic. fam.) Briefen aus den J. 52 und 51 erscheint er als erfolgloser Kandidat – zum einen um eine Stelle im → Auguren-Kollegium (Konkurrent: Cicero), zum anderen um das Aedilenamt (Konkurrent: M. Caelius [I 4] Rufus). Cicero behandelt ihn in seiner Korrespondenz mit freundlicher Geringschätzung und macht sich über seine Sprachschwierigkeiten lustig (Cic. fam. 2,10,1: Hillus statt Hirrus).

Im Bürgerkrieg rekrutierte L. in Picenum Truppen für Pompeius, mit denen er vor dem anrückenden Caesar nach Corfinium floh (MRR 2,268). 48 ging er als Legat zu den Parthern (Caes. civ. 3,82,4), die Niederlage von → Pharsalos kostete ihn die bereits versprochene

Praetur. L. gehörte zum Gros der Aristokraten, deren polit. Überzeugung sich darin erschöpfte, in den Bürgerkriegswirren ihr Vermögen zu schützen, und so wechselte er nach Caesars Sieg auf dessen Seite, dem er, nun auch erfolgreicher Fischzüchter, für die Triumphfeierlichkeiten 6000 Muränen lieferte (Plin. nat. 9,171). Ende 43 setzten ihn die Triumvirn vermutlich mehr aus wirtschaftlichen denn aus polit. Gründen auf die Proskriptionsliste, Villa und Fischteiche wurden versteigert, L. jedoch entkam nach Sizilien, wo er erfolgreich Sex. Pompeius unterstützte (App. civ. 4,354: dort Hirtius).

W. W.

**[I 6] C. L.,** röm. Satirendichter
A. Leben B. Werk C. Wirkung

A. Leben

Die Lebenszeit des »Erfinders« (*inventor*, Hor. sat. 1,10,48) der röm. Verssatire (→ Satire) bleibt umstritten. Als Geburtsjahr ist – mit anderen Lebensdaten kaum vereinbar – 148/7, als Todesjahr 103/2 v. Chr. überl. (Hier. chron. 143e, 148e H.). Diskutiert werden als Geburtsjahr bis h. v. a. die Jahre 180 (Verwechslung der Konsulnamen) [4. 1185–1195; 14. 94–97; 7. 71–74] und 168 (Lebensalter nicht XLVI, sondern LXVI Jahre) [8. 9f.; 2. 19f.]. Bei den folgenden Ausführungen wird ein junger, vielleicht 158 v. Chr. geb. Dichter angenommen [5. 63–67].

L. war Ritter und vermögend. L. Hirrus, ein Mitglied des Senatorenstandes (Varro rust. 2,5,5), war wahrscheinlich sein Bruder, die Großmutter des Pompeius Magnus seine Schwester; auch dessen Mutter war eine Lucilia. Seine Familie besaß Güter – außer bei Suessa Aurunca, wo er geb. wurde, in Apulien, Bruttium, Sizilien und Sardinien. Er besaß ein Haus in Rom (Ascon. zu Cic. Pis. p. 13,16 Cl.) und wohl auch in Neapel (Ehrung mit einem öffentlichen Begräbnis, *publicum funus* – Hier. l.c.). Auf eine Bildungsreise nach Griechenland (vor 134) deuten die Widmung einer Schrift des Akademikers → Kleitomachos [1] an ihn (Cic. ac. 2,102) und Fragmente eines Philosophensymposions (Lucil. B. 28). Im Gefolge seines Freundes → Cornelius [I 70] Scipio Aemilianus erlebte er 134/3 die Eroberung Numantias, danach in Rom teilte er Scipios Freundschaften und Feindschaften. Als erster röm. Ritter, der das Dichten als standesgemäß betrachtete, goß er in geistiger Unabhängigkeit und gesellschaftskritischer Intention der von → Ennius geschaffenen *satura* satirische Schärfe ein. Mit → Accius und dem → *collegium poetarum* scheint er eine ebenso polit. wie lit. begründete Fehde ausgetragen zu haben [12].

B. Werk

In Umlauf war eine Slg. von 30 B. Die wohl 128 v. Chr. [15; 5. 70] hrsg. erste Slg. (mit dem Titel *Sermones*? [5. 67–69]) nahm darin den Platz der B. 26–30 ein. Vielleicht wurden die in den B. 1–20/21 zunächst einzeln (vielleicht auch in Teil-Slgg.) veröffentlichten Satiren postum herausgegeben, in den B. 21/22–25 nicht-satirische Gedichte (z. B. Epigramme auf Sklaven seiner *familia*) zusammengefaßt, die ältere, schon bekannte Slg. wurde angehängt [5. 71–73]. L. experimentierte zunächst mit trochäischen Septenaren, iambischen Senaren und daktylischen Hexametern. Erst B. 30 enthielt nur noch Gedichte in dem fortan für die Verssatire kanonischen Hexameter.

Vom Gesamtwerk sind knapp 1400 V. in Fr. erh., die meisten bei → Nonius, dessen gleichförmige Zitierweise sich für die Rekonstruktion thematischer Zusammenhänge nutzen läßt (»lex Lindsay«) [5. 74–77; 9; 10; 11].

Am besten sind B. 26–30 bezeugt. Die Slg. wird von einer Einleitungssatire eröffnet, entweder einer → *recusatio* des Epos (vgl. Hor. sat. 2,1) oder einer Auseinandersetzung des Dichters mit den Steuerpachtgeschäften seines Standes (fr. 656f. M) [3. 24–25, 72–102; 16; 6]. Polemik richtet sich gegen die Trag. – sie scheint sich mit Anfeindung des Accius zu verbinden, bes. wenn *vetus historia* (fr. 612 M) nicht »alte Gesch.«, sondern »alter Mythos« (verm. erotischen Inhalts) heißt [3. 25–27; 17; 11. 143–147; 7. 74–76] – sowie gegen die Ehegesetzgebung des Q. → Caecilius [I 27] Metellus Macedonicus. In B. 27–29 finden sich u. a. folgende Themen: Hetärenwesen, Parasitentum, tagespolit. Fragen, Philosophengastmahl, Erstürmung eines Hauses und Frauenraub, Freundschaft und Liebe, Tragödie und Komödie, Wahl einer Geliebten (vgl. Hor. sat. 1,2). B. 30 enthält u. a. spanische Kriegsanekdoten, eine Fabel (Löwe und Fuchs) und eine Rechtfertigung der Satire. Wenn sie nicht alleiniges Thema einer Satire war, so gehört sie zu einem Epilog der Slg., worin L. sich dankbar lit. Anerkennung erinnert und einen Feldherrn preist [3. 141–195; 9. 93–101; 10; 7. 77–79]. Die teils intime, teils epische hohe Tonlage erklärt sich wohl daraus, daß L. seinem 129 v. Chr. verstorbenen Freund Scipio ein Denkmal setzen wollte.

Aus der Slg. der B. 1–20 seien hervorgehoben: die Ratsversammlung der Götter (*Deorum concilium*, B. 1) über den Tod des L. → Cornelius [I 51] Lentulus Lupus (vgl. → Senecas *Apocolocyntosis*), das *Iter Siculum* (›Reise nach Sizilien‹; B. 3, vgl. Hor. sat. 1,5) und die Behandlung orthographischer, gramm., lit.-ästhetischer und poetischer Fragen (B. 9). Unter den nicht sicher zuzuordnenden Bruchstücken führt das *Virtus*-Fr. (Fr. 1342–54 M) röm. und griech. (stoische) Anschauungen zu dem neuen Leitbild des tüchtigen und weisen Mannes (*vir bonus et sapiens*) zusammen.

L. kannte die hell. Lit. und lernte von ihr. Seine Nachfolger erreichten nicht die gleiche thematische Vielfalt und konnten seine freimütige Kritik an hochgestellten Persönlichkeiten nicht aufnehmen.

C. Wirkung

V. a. → Horatius [7] verdankt dem Vorgänger vielleicht mehr an Anregungen, als sich h. noch erkennen läßt. Er kritisierte (Hor. sat. 1,4,10; 2,1) von einem ungemein höheren künstlerischen Anspruch herkommend die durchaus treffsichere und an Registern reiche, nicht zuletzt durch griech. Einsprengsel bunte Sprache seines Vorgängers. Philol. Pflege des lucilischen Nachlasses setzte gleich nach seinem Tode ein (Suet. gramm. 2,4). Bis ans E. des 1. Jh. n. Chr. blieb L. hochgeschätzt, erst dann geriet sein Werk, sieht man von archaistischem Interesse (v. a. des Nonius) ab, in Vergessenheit (zu Einzelheiten: [2. 28–30; 5. 116–120]).

→ Satire; SATIRE

ED.: 1 F. MARX, 1904 (Ed.), 1905 (Komm.), Ndr. 1963 2 W. KRENKEL (lat.-dt.), 1970.
LIT.: 3 J. CHRISTES, Der frühe L., 1971 4 Ders., L. (Forsch.-Ber.), in: ANRW I.2, 1972, 1182–1239 5 Ders., L., in: J. ADAMIETZ (Hrsg.), Die röm. Satire, 1986, 57–122 6 Ders., Der frühe L. und Horaz, in: Hermes 117, 1989, 321–326 7 Ders., L. senex – vetus historia – Epilog zu XXVI-XXX, in: Philologus 142, 1998, 71–79 8 C. CICHORIUS, Unt. zu L., 1908, Ndr. 1964 9 G. GARBUGINO, Sul XXX libro di Lucilio, in: Studi Noniani 6, 1980, 83–101 10 Ders., Il XXX libro di Lucilio, in: Studi Noniani 10, 1985, 45–173 11 Ders., Il XXVI libro di Lucilio, in: Studi Noniani 13, 1990, 129–236 12 W. KRENKEL, Zur lit. Kritik bei L. (1957f.), in: D. KORZENIEWSKI (Hrsg.), Die röm. Satire, 1970, 161–266 13 Ders., Zur Biographie des L., in: ANRW I.2, 1972, 1240–1259 14 Ders., Zwei Anm. zu L., in: R. FABER, B. SEIDENSTICKER (Hrsg.), FS B. Kytzler, 1996, 89–97 15 W.J. RASCHKE, The Chronology of the Early Books of L., in: JRS 69, 1979, 78–89 16 U. W. SCHOLZ, Der frühe L. und Horaz, in: Hermes 114, 1986, 335–365 17 Ders., L. 612 M = 672 Kr, in: C. KLODT (Hrsg.), FS W. A. Krenkel, 1996, 29–35. J.C.

II. KAISERZEIT

**[II 1] L. Africanus.** Senator aus Africa, dem der Senat im J. 138 n. Chr. Marktrechte auf einem Gut in Africa einräumte; der gleichnamige Proconsul der Baetica im J. 159 war vermutlich sein Sohn (AE 1993, 1003b = [1]; CIL II²/5, 1322).

1 W. ECK, Die Verwaltung des röm. Reiches in der Kaiserzeit, Bd. 2, 1998, 347ff. 2 PIR² L 378.

**[II 2] S. L. Bassus.** Ritter. Zunächst Kommandeur einer Ala unter → Vitellius; dann Befehlshaber der Flotte von Misenum und Ravenna unter Vitellius im J. 69 n. Chr.; er ging zu → Vespasianus über, der ihn nach seinem Sieg wieder als Flottenpräfekt einsetzte; in dieser Funktion bis Anf. 71 bezeugt [1. 247ff.]. Kurz darauf Aufnahme in den Senat, Legat von Iudaea, wohl spätestens M. des J. 71; er eroberte die Festungen Herodium und → Machairus. Er ist wohl 73 in der Prov. gestorben.

1 M. ROXAN, An Emperor Rewards His Supporters: The Earliest Extant Diploma Issued by Vespasian, in: Journal of Roman Archaeology 9, 1996 2 PIR² L 379 3 W. ECK, S. L. Bassus, der Eroberer von Herodium, in einer Bauinschr. von Abu Gosh, in: Scripta Classica Israelica 18, 1999, 109ff.

**[II 3] L. Capito.** Patrimonialprocurator in der Prov. Asia unter Tiberius; wegen Überschreitung seiner Kompetenzen vor dem Senat angeklagt und verurteilt.

W. ECK, in: ZPE 106, 1995, 251ff. (= AE 1995, 1439) • PIR² L 381. W.E.

**[II 4] L. Iunior.** Freund → Senecas d.J., der uns aus dessen Schriften bekannt ist; stammte aus einfachen Verhältnissen, vielleicht aus Campanien, stieg aber dank mächtiger Freunde schnell in den Ritterstand auf; er durchlief die dreistufige Laufbahn eines Ritters (→ *tres militiae*). Vielleicht durch die Vermittlung Senecas erhielt er Prokuraturen; direkt bekannt ist nur die von Sizilien (ca. 63/4 n. Chr.; PIR² L 388). Während dieser widmete ihm Seneca seine *Epistulae morales*; des weiteren auch die *Naturales quaestiones* und *De providentia*. L. schrieb philos. Prosa und Gedichte, darunter eines über Sizilien, aber kaum die → *Aetna* (Sen. epist. 79,5).

ED.: COURTNEY, 348f.
LIT.: L. PETERSEN, PIR² L 388 • L. DURET, Dans l'ombre des plus grands (II.), in: ANRW II 32.5, 1986, 3181–3186. W.E. u. J.A.R.

**[II 5] L. L. Pansa Priscilianus.** Ritter unter → Commodus und Septimius Severus; Procurator in Cilicia und Pannonia inferior, sodann in Rom *procurator aquarum*, anschließend Procurator von Lusitania et Vettonia, zuletzt in Asia (IEph III 696a; VII 1, 3053). L. war verheiratet mit Cornelia Marullina, einer Senatorentochter; mindestens zwei seiner Söhne wurden Senatoren, vgl. L. [II 6]. PIR² L 391.

**[II 6] L. L. Priscilianus.** Sohn von L. [II 5]. Durch Caracalla in den Senat aufgenommen und zum Proconsul von Achaia gemacht. Wegen seiner Delatorentätigkeit 217 n. Chr. auf eine Insel relegiert; später wieder in den Senat aufgenommen; IEph III 697 ist auf ihn oder einen Bruder zu beziehen (L. Luciliu[s – – –]anus; vgl. IEph III 696a über den Vater Pansa: *pater senatorum*. PIR² L 392.

**[II 7] P. L. Successor.** Ritter, *procurator Augusti*, wohl aus → Comum stammend. AE 1991, 857. W.E.

**Lucilla.** Annia Aurelia Galeria L., geb. am 7.3.148/9 n. Chr. (IGR 1, 1509), Tochter des → Marcus [2] Aurelius und der → Faustina [3] (SHA Aur. 7,7; 20,6f.; SHA Lucius Verus 2,4; 10,1), Schwester des → Commodus. 161 mit L. → Verus verlobt, Heirat (SHA Lucius Verus 7,7) und Erhebung zur Augusta im J. 164 (SHA Aur. 20,7); 166 Geburt einer Tochter. 169 wurde L. gegen ihren Willen mit Ti. Claudius [II 54] verheiratet (Cass. Dio 72,4,4) und gebar 170 oder später einen Sohn Claudius Pompeianus (SHA Carac. 3,8; Herodian. 4,6,3). Da ihr die Frau des Commodus vorgezogen wurde, beteiligte sich L. an einem (fehlgeschlagenen) Mordanschlag gegen Commodus (Cass. Dio 72,4f.; Herodian. 1,8,4f.). L. wurde 182 nach Capri verbannt und hingerichtet (Herodian. 1,8,8; SHA Comm. 4,1; 4,4; 5,7; 8,3).

A. BIRLEY, Marcus Aurelius, ²1987, Index s. v. • KIENAST, ²1996, 145 • PIR² A 707 • RAEPSAET-CHARLIER, 54 • H. TEMPORINI, Die Frauen am Hofe Trajans, 1978, Index s. v. ME. STR.

**Lucillianus**

**[1]** Schwiegervater des Kaisers → Iovianus (Amm. 25,8,9). 350 n. Chr. stellte L. sich, wohl als *comes rei mi-*

*litaris*, bei der dritten Belagerung von → Nisibis erfolgreich den Persern entgegen (Zos. 2,45,2; 3,8,2). 354 war er *comes domesticorum* des Constantius [5] Gallus (Amm. 14,11,14). 361 leistete er als *magister equitum* in Illyrien vergeblich Widerstand gegen Iulianus' [11] Vormarsch nach Konstantinopel (Amm. 21,9,5–10). Iovianus erhob ihn 363 zum *magister equitum et peditum* (Amm. 25,8,9). 364 wurde L. in Gallien bei einem Militäraufstand erschlagen (Amm. 25,10,6f.; Zos. 3,35,2). PLRE 1,517f. (L. 3).

**[2]** 363 n. Chr. *comes rei militaris* Flottenkommandant bei Iulianus' [11] Perserfeldzug (Amm. 23,3,9; 24,1,6; Zos. 3,13–17). PLRE 1, 517 (L. 2). W.P.

**[3] L. Maximus.** Senator. Consularer Statthalter von Syria Palaestina im J. 160 n. Chr. (AE 1994, 1914). Identisch mit dem *curator aedium sacrarum et operum publicorum* in CIL VI 857 (159 n. Chr.); damit war er Suffektkonsul zw. ca. 156 und 158.

W. Eck, Ein Militärdiplom für die Auxiliareinheiten von Syria Palaestina aus dem J. 160 n. Chr., in: Kölner Jbb. 26, 1993, 451–454. W.E.

**Lucillus**

**[1]** Röm. Wandmaler der Spätant. vom E. des 4. Jh. n. Chr. Er dekorierte das Haus des aristokratischen Redners und Philosophen Q. Aurelius → Symmachus, was dieser in verschiedenen Briefen lobend erwähnte (Symm. epist. 2,2; 8,21; 9,50b). Art und Aussehen dieser Malerei mag derjenigen zeitgenössischer → Katakomben oder Mosaiken aus späten Kaiservillen geähnelt haben.

L. Guerrini, s. v. L., EAA 4, 721 • S. Roda, Commento Storico al Libro 9 dell'Epistolario di Q. Aurelio Simmaco, 1981, 178f. N.H.

**[2]** Zeitgenosse des Rutilius Namatianus, *comes sacrarum largitionum* (→ *comes*) im Westen vor 417 n. Chr., der sich durch unbestechliche Amtsführung wie als Autor von Satiren altröm.-censorischer Schärfe ausgezeichnet haben soll (Rut. Nam. 1,601–614), vielleicht Adressat von → Symmachus (Symm. epist. 8,21) und der *praetor triumphalis* von CIL VI 1738, vgl. XV 1700. Sein Sohn Decius war 417 Statthalter von Etrurien (Rut. Nam. 1,597–600). PLRE 1, 349 (Decius); 691 (Lucillus).

J. Vessereau (ed.), Rutilius Claudius Namatianus, 1904, 248–252. P.L.S.

**Lucina.** Beiname der → Iuno in ihrer Funktion als Geburtsgöttin. Der Name wird in der Ant. entweder aus lat. *lucus*, »Hain«, oder lat. *lux*, »Licht«, abgeleitet. Letzteres unterstreicht die Funktion der Göttin als Geburtshelferin (Varro ling. 5,69; Varro antiquitates rerum divinarum fr. 100 Cardauns; Ov. fast. 2,449f.; Plin. nat. 16,235). Der Iuno L. sind die Kalendae gewidmet, die Tage, welche die Wiederkehr des Mondzyklus kennzeichnen (Varro ling. 5,69; [1]). Ihr Tempel auf dem Esquilin in Rom wurde 375 v. Chr. vermutlich von den Matronen geweiht (Plin. nat. 16,235; InscrIt 13,2,120f.; [2; 3]), sein Geburtstag von den Matronen am 1. März (→ Matronalia) gefeiert. Dabei sprachen die Frauen ein Gebet an die Geburtshelferin (Ov. fast. 3,255f.).
→ Geburt; Kalender; Matrona [1]; Mena

1 Dumézil, 302f. 2 J. Gagé, Matronalia, 1963, 70–78 3 A. Ziolkowski, The Temples of Mid-Republican Rome, 1992, 67–71.

D. Sabbatucci, La religione di Roma antica, 1988, 92f. FR.P.

**Lucius** (altlat. *Loucios*, griech. Λεύκιος oder Λούκιος, Abkürzung *L.*, im Osten des Reiches auch *Lu.*). Röm. Vorname. Etym. mit *lux* (»Licht«) zusammenhängend [4. 823], nach ant. Herleitung »der beim ersten Tageslicht Geborene« (Varro ling. 5,60; Fest. 106; Liber de praenominibus 5). Späte Erfindung ist die Ableitung von L. als »Nachkommen der etr. Lucumones« (Liber de praen. a.O.) zur Erklärung des Vornamens des röm. Königs L. → Tarquinius Priscus, der urspr. → Lucumo geheißen habe. L. ist der am weitesten verbreitete röm. Vorname, prominent bes. in der Familie der Aemilier, gemieden bei den Claudiern (Suet. Tib. 1,2), und erscheint selten auch als Gentilname (ILS 5324) und Cognomen [1. 20², 172; 2. 101]

1 Kajanto, Cognomina 2 J. Reichmuth, Die lat. Gentilicia, 1956 3 Salomies, 34 4 Walde/Hofmann, Bd. 1. K.-L.E.

**[1] L. Verus** s. Verus

**Lucrativarum causarum concursus.** Das Zusammentreffen von zwei lukrativen, d.h. bereichernden, unentgeltlichen Erwerbsgründen (→ *causa*), z.B. von Vermächtnis (→ *legatum*) und Schenkung, für denselben Gegenstand bei einem Gläubiger. Wird eine *causa* erfüllt, erlischt die andere; Schuldner werden von ihren Verbindlichkeiten befreit (Dig. 44,7,17; Inst. Iust. 2,20,6). Ist hingegen eine *causa* lukrativ, die andere oneros (entgeltlich), bleibt der Anspruch des Gläubigers aus der lukrativen *causa* erhalten; so kann der Käufer eines Sklaven, der diesem auch mittels Legat vermacht ist, den Sklaven aufgrund des Legats fordern und den Kaufpreis mit der *actio empti* zurückverlangen (Dig. 44,7,19; Dig. 30,84,5; Dig. 21,2,9). Hat der Gläubiger eine Sache zuerst vom Nichteigentümer und später vom Eigentümer gekauft (Konkurrenz zweier oneroser *causae*, vgl. Dig. 21,2,20 pr.), erlischt die erste *causa*, so daß der erste Verkäufer seinen Anspruch aus der → *actio venditi* verliert, bzw. der Käufer die → *actio empti* auf Rückzahlung des Kaufpreises gegen ihn hat [4. 104–106].
→ Emptio venditio

1 H. Ankum, Concursus causarum, in: Seminarios Complutenses de derecho romano 8, 1996, 57–98 2 W. Ernst, Rechtsmängelhaftung, 1995, 30ff. 3 Kaser, RPR I, 643f.; II, 448 4 D. Medicus, Id quod interest, 1962, 100ff. 5 J. Michel, Gratuité en droit romain, 1962, 404ff. V.T.H.

**Lucretia**

**[1]** Gattin des → Numa Pompilius, Mutter der Pompilia, Großmutter des Ancus → Marcius [I 3] (Plut. Numa 21,2).

**[2]** Gattin des Collatinus; von dem röm. Königssohn Sex. → Tarquinius vergewaltigt, verpflichtet sie ihren Gatten sowie L. → Iunius [I 4] Brutus und P. Valerius zur Rache und tötet sich selbst. Dieser Vorfall leitet die Vertreibung der Tarquinier aus Rom und damit den Sturz der Königsherrschaft ein (Liv. 1,57–60 [1]; Dion. Hal. ant. 4,64,4–67,4; Ov. fast. 2,721–852; Val. Max. 6,1,1). Livius überliefert die Gesch. als polit. Tat im Zusammenhang mit der Vertreibung der Könige aus Rom. L. ist hier die tugendhafte Matrone; Ovid stellt sie als Opfer ihrer Schönheit dar. Die Figur hat im MA und in der Neuzeit zahlreiche Künstler inspiriert: Bei BOCCACCIO, *De claris mulieribus* (1356–64) ist L. die Personifikation der Keuschheit, PETRARCA rühmt sie in seinem Epos *Africa* (ca. 1341); weitere Rezeption bei H. SACHS (1527), W. SHAKESPEARE (1594) u.v.a.

1 R. M. OGILVIE, A Commentary on Livy 1–5, 1965, 218–232.

H. GALINSKY, Der L.-Stoff in der Weltlit., Diss. Breslau 1932 • I. DONALDSON, The Rapes of L. A Myth and its Transformations, 1982 • A. G. LEE, Ovid's »L.«, in: Greece and Rome 22, 1953, 107–118.

L.K.

**Lucretilis.** *Mons amoenus* (›ein lieblicher Berg‹) im Gebiet der Sabini, von Hor. carm. 1,17 erwähnt und daher nahe seiner Villa bei Digentia (Licenza), evtl. der von Rom aus sichtbare Monte Gennaro.

A. DE ANGELIS, P. LANZARA, Monti Lucretili, 1980 • E. A. SCHMIDT, Sabinum, 1997.

G.U./Ü: H.D.

**Lucretius.** Ital. Familienname (zu dessen etr. Verbindung vgl. [1. 182f.]). Im 5. und 4. Jh. v. Chr. begegnet die patrizische Familie der Lucretii Tricipitini (u. a. mit dem seltenen Praenomen → Hostus), die dann ausstirbt; seit dem 3. Jh. v. Chr. sind mehrere plebeische Familien bekannt (Gallus, Ofella, Trio, Vespillo). Bedeutendste Namensträger sind aus der röm Frühgesch. → Lucretia [2] und der Dichter L. [III 1].

1 SCHULZE.

K.-L. E.

I. REPUBLIKANISCHE ZEIT

**[I 1] L.** Klagte 54 v. Chr. zusammen mit anderen den M. Livius Drusus [I 5] Claudianus an (Cic. Att. 4,16,5). Möglicherweise identisch mit L. [II 5]. JÖ.F.

**[I 2] L., M.** Bruder von L. [I 8]. Erwirkte als Volkstribun 172 v. Chr. die Verpachtung des → Ager Campanus (MRR 1, 411). 171 Legat unter seinem Bruder im 3. → Makedonischen Krieg. P.N.

**[I 3] L., P.** Die hsl. Überl. zu Livius 2,15,1 führt L. in verschiedenen Namensvarianten als *cos.* 506 v. Chr. auf. Verm. eine Verwechslung mit Sp. Larcius [I 2] (InscrIt 13, 1, 348f.; vgl. MRR 1, 6f.). C.MÜ.

**[I 4] L., Sp.** 206 v. Chr. plebeischer Aedil. Als Praetor 205 stand er im 2. → Punischen Krieg in Oberitalien und hatte als erster Feindberührung mit dem in Ligurien gelandeten → Mago [5], worauf er sein Heer mit dem des Proconsuls M. Livius [I 13] Salinator vereinigte (Liv. 28,46,12; 29,5,9). 204 hatte L. ein verlängertes → *imperium*, 203 wurde er mit dem Wiederaufbau des kriegszerstörten Genua beauftragt (Liv. 30,1,9f.). Im J. 200 ging er als Gesandter nach Karthago, wohl um die Abberufung Hamilkars [4] aus Oberitalien zu fordern (31,11,4–18). K.-L.E.

**[I 5] L., Sp.** Sohn von L. [I 4], 172 v. Chr. Praetor in Hispania ulterior. Besetzte 169 als Legat im 3. → Makedonischen Krieg das Tempetal (Pol. 31,29–14; 8,48; Liv. 44,7,1; 12). 164 mit einer Gesandtschaft unter Cn. Octavius im Osten (MRR 1, 441). P.N.

**[I 6] L. Afella, C.** Anhänger des L. Cornelius [I 90] Sulla, belagerte in dessen Auftrag im Bürgerkrieg 82 v. Chr. erfolgreich C. Marius [I 2] in Praeneste (Liv. per. 88; Plut. Sulla 29,8; Vell. 2,27,6; App. civ. 1,401f.). Ohne ein Amt bekleidet zu haben, bewarb er sich deshalb 81 um das Konsulat, worauf ihn Sulla durch L. Bellienus [3] töten ließ (Liv. per. 89; Ascon. 91 C.; Plut. Sulla 33,3f.). K.-L.E.

**[I 7] L. Flavus Tricipitinus, L.** Als *cos. suff.* d.J. 393 v. Chr. (InscrIt 13, 1,100; 386f.) führte er Krieg gegen die → Aequi und beantragte die Aufteilung des eroberten Gebietes von → Veii (Liv. 5,29,5; 30,8; vgl. Diod. 14,102,4). In der Folgezeit viermal (391, 388, 383, 381) Consulartribun (MRR 1, 93; 98f.; 103f.), ein deutliches Zeichen für sein Ansehen. C.MÜ.

**[I 8] L. Gallus, C.** *Duumvir navalis* 181 v. Chr. zur Sicherung der italischen Küsten. Praetor 171 und Befehlshaber der Flotte im 3. → Makedonischen Krieg. L. eroberte → Haliartos und nahm die Übergabe von → Thisbe an (SHERK 2, Z. 22–24), mißhandelte an beiden Orten jedoch die einheimische Bevölkerung (Liv. 42,63,12; 43,7,5–11); deshalb wurde er 170 in Rom von Griechen angeklagt und vom Senat zu einer hohen Geldstrafe verurteilt (Liv. 43,8,1–9).

W. EDER, Das vorsullan. Repetundenverfahren, Diss. München 1969, 43–46.

P.N.

LUCRETII TRICIPITINI

Das Cognomen *Tricipitinus* ist der patrizischen *gens Lucretia* eigen; verschieden erklärt als Bezug nehmend auf die Herkunft der *gens* aus **Tricipitium* (»Dreihaupt«) [1. 51] bzw. auf eine bes. in dieser *gens* verehrte dreiköpfige Gottheit [2. 176].

1 J. REICHMUTH, Die lat. Gentilicia, 1956 2 H. USENER, Dreiheit, in: RhM 58, 1903, 161–208.

**[I 9] L. Tricipitinus, Hostus.** Röm. Consul 429 v. Chr. (MRR 1,65). L.' Praenomen, bei Livius (4,30,4) fälschlich als Hostius überliefert [1. 30f., 135], erklärt der *Liber de praenominibus* (4) damit, daß L. ›bei einem Gastfreund‹ (*apud hospitem*) geboren sei.

1 SALOMIES.

**[I 10] L. Tricipitinus, L.** Als *cos.* 462 v. Chr. (MRR 1, 35 f.) triumphierte er nach Liv. 3,8,4–11; 10,1–4 und Dion. Hal. ant. 9,69,2–71,7 über die → Aequi und die → Volsci. Beide Autoren verflechten L. zudem in die inneren Kämpfe der Zeit als Beschützer des K. → Quinctius (Liv. 3,12,5–7; Dion. Hal. ant. 10,7,5), als *praef. urbi* 459, der gegen die Agitation der Volkstribunen vorgeht (Liv. 3,24,2), und als Gegner der → *decemviri* [1] (Dion. Hal. ant. 11,15,5).

**[I 11] L. Tricipitinus, Sp.** Vater der → Lucretia [2]. L.' zunächst offenbar recht blasse Gestalt hat die spätere Überl. durch Zuweisung mehrerer Ämter in der Übergangszeit zur Republik aufzuwerten versucht: *praef. urbi* unter → Tarquinius Superbus, → *interrex* zur Abhaltung der ersten Consulwahlen, *cos. suff.* 509 v. Chr. (MRR 1, 2 f.).

**[I 12] L. Tricipitinus, T.** Consul 508 und 504 v. Chr., beide Male mit P. → Valerius Poplicola (MRR 1,5; 7); gegenüber letzterem verblaßt L.' Rolle als Anführer im Kampf gegen → Porsenna 508 (Liv. 2,11,8–10; Dion. Hal. ant. 5,22,5–23,1) wie auch als Sieger und Triumphator über die Sabiner 504 (Liv. 2,16,2; 16,6; Dion. Hal. ant. 5,41–43) in der Überlieferung. C. MÜ.

**[I 13] L. Vespillo.** 133 v. Chr. plebeischer Aedil, ließ die Leiche des Ti. → Sempronius Gracchus in den Tiber werfen, worauf er den Beinamen »Leichenträger« erhielt, der dann erblich wurde (Val. Max. 1,4,2; Vir. ill. 64,8). K.-L. E.

II. Kaiserzeit

**[II 1] L. L. Annianus.** Ritter, *praefectus Aegypti*, im Mai 239 n. Chr. bezeugt (PMich. XV 675; vgl. [1]). Ob Codex Iustinianus 7,55,2 sich auf ihn bezieht (so PIR[2] A 624), ist völlig unsicher.

1 G. Bastianini, Il prefetto d'Egitto (30 a.C.–297 d.C.): Addenda (1973–1985), in: ANRW II 10.1, 1988, 514.

**[II 2] M. L. Iulianus.** Ritter, wohl aus der Baetica stammend. Nach AE 1972, 250 war er *procurator XX hereditatium* in der Baetica et Lusitania, *procurator kalendarii Vegetiani* in der Baetica, schließlich Patrimonialprocurator ebd. zw. 209–211 n. Chr.; solche Konzentration der Amtstätigkeit eines Procurators in einer Region ist eine Ausnahme (vgl. [1]).

1 W. Eck, M. L. Iulianus, procurator Augustorum. Zur Funktion und sozialen Wertschätzung von Provinzialprokuratoren, in: ZPE 100, 1994, 559–576.

**[II 3] C. L. Rufus.** Wohl Proconsul der Provinz Cyprus unter Tiberius. PIR[2] L 411.

**[II 4] L. L. Servilius Gallus Sempronianus.** Senator, der im 3. Jh. n. Chr. lebte und wohl aus der Tarraconensis stammte (AE 1977, 449 = [1]).

1 G. Alföldy, Ein Ziegelstempel mit dem Namen eines Senators aus Villajoyosa in der Hispania Citerior, in: ZPE 27, 1977, 217–221 2 Caballos (Senadores) 1, 196. W. E.

**[II 5] Q. L. Vespillo.** Sohn eines von P. Cornelius [I 90] Sulla proskribierten Senators; 49 v. Chr. bereits selbst Senator, als er im Bürgerkrieg vergeblich versuchte, Sulmo gegen Caesars Truppen zu halten (Caes. civ. 1,18,1–3; Cic. Att. 8,4,3); 48 führte er für → Pompeius ein Flottenkommando an der Küste von Epirus (Caes. civ. 3,7,1; App. civ. 2,54,225). L. wurde 43 von den Triumvirn proskribiert, aber von seiner Frau → Turia versteckt, bis er begnadigt wurde (Val. Max. 6,7,2; App. civ. 4,189–192). Erst spät, 19 v. Chr., wurde L. auf Augustus' Wunsch Consul (R. Gest. div. Aug. 6; 11; vergröbert Cass. Dio 54,10,2). Ob L. Verfasser der sog. → Laudatio Turiae war, ist unsicher (skeptisch zuletzt [1]).

1 D. Flach, Die sog. Laudatio Turiae, 1991, 1–8 2 PIR[2] L 412. W. K.

III. Dichter

**[III 1] L. Carus, T.,** der röm. Dichter Lukrez.
A. Leben B. De rerum natura
C. Wirkungsgeschichte

A. Leben

Die ant. Angaben über die genaue Lebenszeit des röm. Lehrdichters der epikureischen Physik T. L. Carus sind widersprüchlich [5]: (1) Nach Hier. chron. p. 194 H = a. Abr. 1923 (Variante: 1921) geb. 94 oder 96 (eher 98/7) v. Chr., gest. im Alter von 44 Jahren. (2) Nach Don. vita Vergilii 6 gest. am 15.10.55, als Vergil die *toga virilis* anlegte. Beide (wohl auf Sueton zurückgehende) Nachrichten enthalten außer der Unsicherheit der Zahlentradierung weitere Probleme, so daß als relativ sicheres Zeugnis (3) Cic. ad Q. fr. 2,9,3 vom Febr. 54 bleibt: Cicero beurteilt die Dichtungen (*poemata*) des (kürzlich verstorbenen?) L. *multis luminibus ingenii, multae tamen artis* (›mit vielen genialen Glanzstellen, aber auch von großer Kunstfertigkeit‹). Sein einziges Werk mit dem anspielungsreichen Titel ›Die Natur der Dinge‹ (*De rerum natura* = *d.r.n.*) in 6 B. ist ferner durch die Widmung an C. Memmius [I 3] L.f. (etwa 98 bis vor 46 v. Chr.) datiert, der aber nie epikureische Ambitionen erkennen ließ und, obwohl selbst neoterischer Dichter, L.' Werbung nicht würdigte [30]. Die Mitteilung des Hieronymus, L. habe, durch einen Liebestrank wahnsinnig geworden, Selbstmord verübt und sein Werk zw. den Krankheitsschüben verfaßt, ist verm. christl. Polemik gegen den Atheisten unter Verwendung der Invektive des L. gegen den *furor amoris* (Lucr. 4,1141–1191). – Frühe Textzeugen fanden sich jüngst in Herculaneum [29]: Die poetische Rezeption setzt erst mit Vergils Eklogen (ab 42 v. Chr.) ein, weshalb gern, aber unbeweisbar, Cicero als Hrsg. des L. gilt (*emendavit* bei Hier.); L. wird in Ciceros philos. Werken aber nie erwähnt oder benutzt.

B. De rerum natura
1. Aufbau 2. Genese 3. Poetologie
4. Philosophie

1. Aufbau
L. erhebt (trotz damals umlaufender epikureischer Prosatraktate) den Anspruch, erstmals die Physik des → Epikuros in gültiger lat. Form vorzulegen, wobei die (von jenem pauschal abgelehnte) Poesie als Werbemittel für die mit fast rel. Pathos propagierte Heilslehre dient. Das erste Buchpaar lehrt die atomistischen Grundlagen (B. 1: Atom und Leeres als einzige Elemente; B. 2: Atombewegung und Aufbau der Materie), das zweite die Seelenatomistik des Menschen (B. 3: Sterblichkeit der Seele und Widerlegung der Todesfurcht; B. 4: Wahrnehmungs- und Affektenlehre, Philos. des Geschlechtstriebs [3]), das dritte die Evolution und die Phänomene der Welt (B. 5: Kosmologie und Kulturlehre; B. 6: natürliche, d.h. nicht göttliche Herkunft der atmosphärischen und terrestrischen Erscheinungen).

Nach dem großen Eröffnungshymnus auf Venus als Ausdruck der Naturkraft (1,1–61) folgt auf die Außenproömien (B. 1; 3; 5 hymnisch) bzw. (kürzeren) Innenproömien (B. 2; 4; 6) [9] ein Syllabus mit einer *recapitulatio* (nicht B. 1 und 2) und *propositio* (einer rückblikkenden und einer vorausschauenden Inhaltsangabe); daneben gibt es gliedernde Binnenproömien und Zwischensyllabi. Leichtere und schwerere Inkongruenzen zwischen den Themenkatalogen und Durchführungen sowie Inkonsequenzen und Dubletten in der *tractatio* (technischen Behandlung) haben zu z.T. gravierenden philol. Eingriffen geführt, um die bald sprunghafte, bald assoziierende Gedankenführung des sonst die Gattungsgesetze befolgenden Lehrgedichts zu glätten. Aufgestellt werden Lehrsätze mit nachfolgenden Beweisketten, gern in Form irrealer Falsifikationen oder (bes. in B. 6) der Mehrfachdeutung (*pollachḗ aitía*), die sich mit dem Nachweis der Erklärbarkeit begnügt, um göttliche Einwirkung auszuschließen, ohne die tatsächliche Ursache ermitteln zu wollen [20]. Enthymematischer Bekehrungseifer, vielleicht im Anschluß an → Empedokles [1] (*laudes*, Lucr. 1,716ff.), überzieht u.U. auch strenge Logik und läßt das eigentliche Lehrziel, die Propagierung der epikureischen Lebensform (fern von Politik und Aktionismus) und Ethik (*voluptas* als Ziel menschlichen Handelns durch Ausrottung von Todes- und Götterfurcht [19]) hervortreten. Scharfe Antizyklik von Aszendenz der Kultur- und Dekadenz der Menschheitsentwicklung (B. 5) [17] erzwingt die Aufklärung über die Entbehrlichkeit göttlicher Mächte (Kampf gegen *religio*) bei der Naturerklärung (*naturae species ratioque*; B. 6) [2; 10; 27]; die Katastrophe der athenischen Pest von 430 v. Chr. (nach Thuk. 2,47–52) unterzieht den Schüler einem Härtetest der epikureischen *quies* (»Seelenruhe«, griech. *galḗnē*, Lucr. 6,1137–1286 »Finale«).

2. Genese
Die Textdublette des 4. Proöms (4,1–25 = 1,924–950) und der doppelte Syllabus von B. 4 (*recapitulatio* 4,26–44 geht auf B. 3, 4,45–53 auf B. 2) haben Mewaldt [18] zur Theorie veranlaßt, eine Konzeptionsänderung des L. *in actu* anzunehmen, während ältere Interpreten eher von einer Interpolation oder überl.-bedingten Textumstellung ausgingen (»Lukrezische Frage«). Hinzu kommen auffallend abnorme Buchlängen (zw. 1094 und 1457 Hexametern), das Fehlen der in 5,73ff. angekündigten Theologie, der abrupte Lehrgedichtschluß u.a. als Indizien der Unfertigkeit des Ganzen bzw. unsachgemäßer Eingriffe ant. Redaktoren (Cicero? Tiro? Probus?). Da jedoch stofflich nichts Wesentliches fehlt, darf manches Anstößige der gewollten Archaik der Diktion zugeschrieben werden.

3. Poetologie
Der herbe Reiz der neoterisch-»vorklass.« Poesie des L. [13] (→ Neoteriker) ist durch die gesuchte Imitation der archa. Sprache und Hexametertechnik des Q. → Ennius (*laudes* Lucr. 1,117ff.) bedingt, der der vertretenen Lehre altehrwürdige Autorität verleihen soll. Die eigentümlich bohrenden, auf der »Wahrheit« insistierenden didaktischen Teile sind von so überraschend farbigen und lyrischen Bildern, Vergleichen und Kleinszenen, ja Mythen (z.B. Opferung der Iphigenie) durchsetzt, daß die scheinbare Inkompatibilität von philos. Diskurs und poetischer *imagery* [31] entweder als Stilbruch des an der diffizilen Aufgabe leidenden L. abgelehnt (»Antilukrez im Lukrez«) oder als geniale Überwindung der Gattungsgrenzen gefeiert werden konnte (z.B. von Goethe). Ein drittes Element sind die diatribischen Klagen über die Deformation der Welt, die Blindheit der Menschen und deren Furcht vor Tod und Göttern (»Pessimismus des L.«). Die Verwerfung verschiedener röm. Ideale (Abwendung von der Politik, *amor*-Verdikt gegen die Elegiker, götterfreie Selbstbestimmung [11] gegen den Staatskult) brachte ihm kaum die Akzeptanz bei den Zeitgenossen [23].

4. Philosophie
Die von L. vorgetragene epikureische Physik wird direkt auf Epikurs (verlorenes) Hauptwerk Περὶ φύσεως (*Perí phýseōs*) bzw. auf dessen Μεγάλη ἐπιτομή (*Megálē epitomḗ*) zurückgeführt, zumal zu Epikurs Lehrbrief *Ad Herodotum* deutliche Differenzen bestehen (dort fehlt die Parenklisis-Lehre; andere Stufung der Sprachentstehung u.a.) [7]. In der Apologetik gegen andere hell. Schulen können auch jüngere Epikureer berücksichtigt sein (z.B. in der Widerlegung der stoischen Pronoia-Lehre) [26]. Die epikureische Evolution der Materie wird vom Dichter L. in ein gewaltiges Naturschauspiel umgesetzt [25], dem die Menschheit in steigender Angst und »Dunkelheit« nicht mehr gewachsen ist und daher der »Erleuchtung« durch Epikurs Aufklärung dringend zum Leben bedarf.

C. Wirkungsgeschichte
Die L.-Rezeption bei den Augusteern (s. Verg. georg. 2,490ff.) ist primär poetisch-bildlich, betrifft aber auch kosmogonische Vorstellungen und die Lehre von der Endlichkeit unserer Welt [12]. Philos. Beach-

tung im epikureischen Campanien bezeugen L.-Pap. in Herculaneum (→ Herculanensische Papyri) [16]. Die flavischen und nachflavischen Autoren kennen L., Probus veranstaltet um 70 eine kritische Ed., Sueton verfaßt seine Biographie. Die Kirchenväter, bes. Laktanz und Augustinus, polemisieren gegen den Atheisten und seine Lehre von der Kontingenz der Natur, doch kann sich L. durch das ganze MA behaupten, nachdem er im 8. Jh. von It. nach Mittel- und Nordeuropa gebracht und kopiert worden war [4].

Der 1414 von POGGIO im Kloster Murbach (Elsaß) entdeckte Text wurde zum Ausgangspunkt der Humanisteneditionen (*ed. princeps* 1473 Brescia; bahnbrechend D. LAMBIN 1563 und 1570/73). Haupttextzeugen sind die *Vossiani Leidenses* O (Oblongus, mit dem verlorenen POGGIO-Text verwandt) und Q (*Quadratus*), beide 9. Jh., daneben fünf weitere Hss. Die Wirkung des L. seit dem 16. Jh. ist enorm, poetisch bei den Dichtern der Pléiade, philos. bei M. E. MONTAIGNE (Ethik), P. GASSENDI (mechanistisches Weltbild), G. BRUNO (Pluralität der Welten), J. DALTON (Atomismus), A. R. LESAGE (»Lucrèce newtonien«), J. LOCKE (Empirismus), C. DARWIN (Evolutionismus), E. HAECKEL (Pantheismus), K. MARX (Atheismus). Reaktion der christl. Theologie war der 1747 postum gedruckte *Antilucretius sive de Deo et natura* in 10 B. des Kardinals MELCHIOR DE POLIGNAC. Im 19. Jh. wurde L. von der dt. Klassik geschätzt [14] (L. v. KNEBEL fertigte 1821 auf Anraten GOETHES eine metrische Übers.), bald darauf von der engl. Romantik (A. TENNYSONS Elegie auf den Tod des L. erschien 1865).

→ Epikuros; Fachliteratur; Lehrgedicht; EPIKUREISMUS; LEHRGEDICHT

**1** L. ALFANO CARANCI, Il mondo animato di L., 1988
**2** M. BOLLACK, La raison de L., 1978 **3** R. D. BROWN, L. on Love and Sex, 1987 **4** F. BRUNHÖLZL, Zur Überl. des L., in: Hermes 90, 1962, 97–104 **5** L. CANFORA, Vita di L., 1993
**6** C. J. CLASSEN (Hrsg.), Probleme der L.-Forsch., 1991
**7** D. CLAY, L. and Epicurus, 1983 **8** I. DIONIGI, L., 1988
**9** M. GALE, L. 4,1–25 and the Proems of d.r.n., in: PCPhS 40, 1993/4, 1–17 **10** F. GIANCOTTI, Religio, natura, voluptas, 1989 **11** N. GULLEY, L. on Free Will, in: Symbolae Osloenses 65, 1990, 37–52 **12** G. D. HADZSITS, L. and His Influence, 1963 **13** J. K. KING, L. and the Neoterics, in: W. CALDER (Hrsg.), Hypatia, Essays H. E. Barnes, 1985, 27–43 **14** B. KREUZ, Naturae species ratioque, in: Wiener humanistische Blätter 36, 1994, 102–122 **15** H. LUDWIG, Naturgesetz bei L., in: Philosophia naturalis 16, 1977, 459–479 **16** K. KLEVE, L. in Herculaneum, in: Bollettino del Centro Internazionale per lo studio dei papiri ercolanesi, Napoli 19, 1989, 5–27 **17** B. MANUWALD, Der Aufbau der lukrezischen Kulturentstehungslehre (AAWM), 1980, 3
**18** J. MEWALDT, Eine Dublette in B. 4 des L., in: Hermes 43, 1908, 286–295 **19** Ders., Der Kampf des Dichters L. gegen die Rel., 1935 **20** G. MILANESE, Osservazioni sulla tecnica argomentativa di L., in: T. MANTERO (Hrsg.), Analysis I – Didascalica, 1987, 43–92 **21** J. D. MINYARD, Mode and Value in d.r.n., 1978 **22** A. MÜHL, Die Frage der Entstehung von L.' Lehrgedicht, in: Helikon 8, 1968, 477–484
**23** K. SALLMANN, L.' Herausforderung an seine Zeitgenossen, in: Gymnasium 92, 1985, 435–464 **24** Ders., Modernità del pensiero scientifico di L., in: Helikon 33/34, 1993/4, 41–72 **25** A. SCHIESARO, The Palingenesis of d.r.n., in: PCPhS 40, 1993/94, 81–107 **26** J. SCHMIDT, L., der Kepos und die Stoiker, 1990 **27** P. H. SCHRIJVERS, Horror ac divina voluptas, 1970 **28** A. STÜCKELBERGER, L. reviviscens, in: AKG 54, 1972, 1–25 **29** W. SUERBAUM, Herculanensische L.-Papyri, in: ZPE 104, 1994, 1–21 **30** G. B. TOWNEND, The Fading of Memmius, in: CQ 28, 1978, 267–283
**31** D. WEST, The Imagery and Poetry in L., 1969 (Ndr. 1994).

ED.: J. MARTIN, 1934 ([5]1963) • C. MÜLLER, 1975.
KOMM.: C. BAILEY, 3 Bde., 1947 • F. GIANCOTTI, [2]1996 • B. 3: R. HEINZE, 1897 • E. J. KENNEY, 1971.
KONKORDANZ: M. WACHT, 1991.
BIBL.: C. GORDON, 1962 • P. H. SCHRIJVERS, in: Lampadion 7/1, 1966/68, 5–32. KL. SA.

**Luctus** s. Trauer

**Lucullus.** Röm. Beiname, sehr selten auch Familienname [1. 289]; wohl eine Verkleinerung des Vornamens → Lucius [1. 177, 461]. Auch die Form *Luciolus* ist belegt [2. 128]. Die Kombination von *Lucius* und L. erscheint um 200 v. Chr. in der Familie der Licinier: → Licinius [I 23–29] (der Feldherr mit sprichwörtlich luxuriösem Lebensstil [I 26]); der Beiname L. geht von dort durch Adoption auf M. Terentius Varro (*cos.* 73) über [2. 39].

**1** SCHULZE **2** KAJANTO, Cognomina. JÖ. F.

**Lucumo** (latinisierte Form zu etr. *lauχume* u. ä. [1. 827]).

A. AMTSBEZEICHNUNG

*Lucumones* hießen die Könige (Serv. Aen. 2,278; 8,475), die in archa. Zeit über die zwölf etr. *populi* herrschten und die höchste Gewalt als Feldherren, Richter und Priester ausübten [4. 296–299]; einer von ihnen soll den Vorsitz im etr. Städtebund geführt haben. Seit dem Ende des Königtums bezeichnete der Titel wohl den Träger eines hohen Priesteramtes nach Art des → *rex sacrorum* [2. 64; 4. 297]; vgl. schon [5. 145 f.]. In → Mantua sollen die Vorsteher der zwölf *curiae Lucumones* geheißen haben (Serv. Aen. 10,202).

B. NAME

a) Eponym der Luceres (Cic. rep. 2,14; Varro ling. 5,55), angeblich ein etr. Fürst, der Romulus im Kampf gegen die Sabiner unterstützte (Serv. Aen. 5,560; Dion. Hal. ant. 2,37; 2,42 f.); b) urspr. Name des späteren Königs → Tarquinius Priscus (Liv. 1,34; Macr. Sat. 1,6,8): wahrscheinlich nur falsches Aition für sein Praenomen *Lucius* [3. 143]; c) vornehmer Jüngling aus → Clusium; er verführte die Frau seines Vormundes → Arruns [3], der darauf, um sich zu rächen, die Kelten nach It. rief (Liv. 5,33,2–4; Plut. Camillus 15,4–6); d) Cognomen in lat. Inschr. (CIL II 984; V 428; 6522; VI 36756).

**1** WALDE/HOFMANN, Bd. 1 **2** J. HEURGON, Die Etrusker, 1971 **3** R. M. OGILVIE, A Commentary on Livy, 1965
**4** M. PALLOTTINO, Etruskologie, 1988 (Etruscologia, [7]1984)
**5** E. VETTER, Etr. Wortdeutungen, in: Glotta 13, 1924, 138–149. W. K.

**Lucus Feroniae**

**[1]** Südetr. Heiligtum im Gebiet von Capena (Liv. 1,30) am Tiberis unterhalb des → Soracte in einem der → Feronia hl. Wald. Der Kult soll auf Initiative des Propertius, des Königs von Veii (Cato fr. 48 P), gegr. worden sein. Nach Liv. 1,30,5 fand hier seit Tullus Hostilius jährlich ein Schaf- und Wollmarkt statt. Hannibal plünderte im J. 211 v. Chr. den Schatz des Heiligtums (Liv. 26,11,8). Noch z.Z. Strabons besucht (Strab. 5,2,9). Caesar gründete hier die *colonia Iulia Felix* L. F. (CIL XI 3938; Plin. nat. 3,51; Ptol. 3,1,47). Seit Augustus gehörte L. F. zur *regio VII*; der Ort liegt h. an der Ausfahrt der Autostrada del Sole nach Fiano Romano. Erh. sind Forum; Amphitheater, Thermen, Aquaedukt; Villa der Volusii Saturnini.

**[2]** Ein Heiligtum gleichen Namens befand sich bei einer Quelle an der *via Appia* bei Tarracina (Verg. Aen. 7,800) [4. 59 ff.].

1 A. Moretti, L. F., in: Civiltà arcaica dei Sabini 2, 1974, 22 ff. 2 M. und A. M. Moretti, La villa dei Volusii a L. F., 1977 3 M. Taliaferro Boatwright, I Volusii Saturnini, 1982 4 G. Lugli, Circeii, 1928 5 G. Simoncini, Il foro di L. F., in: Quaderni di Istituto Storico dell'Architettura 52–53, 1962, 1–7 6 L. Sensi, Le iscrizioni di L. F., in: Annali Perugia 28, 1985–1986, 279 ff. 7 M. Moretti, C. Rendina, L. F., 1997.

G.U./Ü: H.D.

**Lucusta.** Giftmischerin, wahrscheinlich aus Gallien stammend, die nach der Überl. im J. 54 n. Chr. Agrippina [3] das Gift für die Ermordung des Claudius lieferte, im folgenden J. dem Nero zur Beseitigung des Britannicus. Obwohl L. vorher wegen Giftmords verurteilt worden war, erhielt sie jetzt die Freiheit. Auch Nero verwendete 68 bei seinem Selbstmord Gift, das sie zubereitet hatte. Galba ließ sie hinrichten. PIR² L 414.

W.E.

**Ludi** I. Vorbemerkung und Generelles
II. Hauptkategorien römischer Spiele
III. Wichtigste Spiele in Rom
IV. Schlussbemerkung

I. Vorbemerkung und Generelles
A. Inhalte B. Geschichte und Entwicklung
C. Vermehrung der Ludi, Erweiterung der Festperioden

Die röm. *l.* (*ludus*: »Spiel«) waren Festspiele mit mehr oder weniger stark ausgeprägtem rel. Charakter. Sofern sie öffentlich waren, wurden sie anläßlich von Freudenfesten des röm. Volks abgehalten, und die Gesamtheit der Bürger war dazu eingeladen (Cic. har. resp. 26). Neben den öffentlichen gab es private (von Privatleuten organisierte) Spiele, insbes. die *l. funebres* (Leichenspiele), die zu Ehren eines bedeutenden Verstorbenen entweder unmittelbar nach seinem Tod oder später, als Gedenkfeier, abgehalten wurden.

Der vorliegende Art. vermittelt einen Gesamtüberblick, vorwiegend über die öffentlichen Spiele (vgl. [1; 2; 3] mit Bibliogr., vor allem zu den praktischen Aspekten des Spielablaufs und zur Organisation) sowie die gemeinsamen Charakterzüge der röm. *l.*, ihre Kategorien und schließlich die individuellen Eigenheiten der wichtigsten uns bekannten Spiele.

Die einzelnen *l.* besaßen trotz ihrer Diversität auch gemeinsame Züge sowohl in ihrer Form als auch den ihnen zugedachten rel. und gesellschaftspolit. Zielen.

A. Inhalte

Das Wort *ludus*, in alten Inschr. *loidos* oder *loedos*, ist vielleicht etr. Herkunft: Livius bringt die *l.* des Jahres 364 v. Chr. mit den *ludiones* in Verbindung, »Schauspielern«, die ›aus Etrurien herbeigeholt‹ waren (7,2,4). Die Spiele bestanden hauptsächlich aus sportlichen (Pferde- oder Wagenrennen, Ring- und Faustkämpfen, athletischen Wettkämpfen aller Art) und künstlerischen Aktivitäten (→ Mimos, Musik und allg. Theater). Diese stellten jedoch nicht den wichtigsten Bestandteil dar: Verschiedene rel. Riten (→ Opfer, → Prozessionen, → Gebete) begleiteten sie anfänglich und verliehen ihnen ihren eigentlichen Sinn. Die rel. Prägung von *a priori* profanen Aktivitäten ist vom mod. Standpunkt her erstaunlich und stellt einen genuin röm. Charakterzug der *l.* dar [4].

B. Geschichte und Entwicklung

Die ältesten Spiele Roms waren → Circus-Spiele und sind uns in zwei verschiedenen Formen bekannt. Spiele der ersten Kategorie (vgl. II. A.) hatten rel. Riten zum Inhalt und fanden jährlich, im Zusammenhang mit wichtigen Momenten im Jahresablauf, statt. Die anderen wurden außer der Reihe zur Einlösung eines vorangegangenen Gelübdes begangen – *l. votivi*, z. B. die 396 v. Chr. von M. → Furius [I 13] Camillus für den Fall der Eroberung von Veii gelobten und 392 v. Chr., nach dem Fall der Stadt, abgehaltenen *l. magni* (Liv. 5,19,6; 31,2). In der Folgezeit verbreitete sich mehr und mehr die Gewohnheit, auch solche Spiele jährlich stattfinden zu lassen. Dies galt in einer frühen Epoche wahrscheinlich für die *l. Romani* (vgl. II. B.), sicher jedoch für die *l. Apollinares* (vgl. II. C. und III. A.), an deren Beispiel Livius den Prozeß der festen Etablierung von Votivspielen gut aufzeigt: *l. Apollinares* wurden zunächst ein erstes Mal, dann von Jahr zu Jahr wieder gelobt und abgehalten, bevor man schließlich das Gelübde tat, sie auf ewig zu feiern (Liv. 27,23,5–7). Das Abhalten von *l. scaenici* war eine mit der röm. Trad. brechende Innovation: Livius (7,2,3) mißbilligt sie und stellt sie als eine Neuerung dar (*nova res*), ›denn bisher kannte man ausschließlich das Circusschauspiel‹ (*nam circi modo spectaculum fuerat*).

C. Vermehrung der Ludi, Erweiterung der Festperioden

Die Tendenz, Votivspiele zu alljährlich wiederkehrenden Einrichtungen zu machen, hatte zur Folge, daß deren Zahl mit der Zeit wuchs; hinzu kam, daß sich ihre Dauer ständig verlängerte (so wuchsen die *l. Apollinares* von einem auf neun Tage an; Genaueres bei → Augustalia, → Decennalia, → Iuvenalia, → Sebasteia und → Severia). Bereits für das Ende der röm. Republik hat man 76 den *l.* gewidmete Tage gezählt (vgl. [1. 1372]), und Livius schreibt, in augusteischer Zeit sei ihre Ausdehnung ›zu einem selbst für wohlhabende Königreiche kaum erträglichen Wahnsinn‹ geworden (Liv. 7,2,13). Das Phänomen verschärfte sich in der Kaiserzeit noch beträchtlich: So wurden nicht nur die Spiele zum Gedenken an bedeutende Ereignisse immer zahlreicher, sondern die Kaiser wollten zudem Ereignisse feiern, die sie persönlich betrafen (vgl. II. D.), und sie boten dem Volk die spektakulären Gladiatorenspiele, die zu einem ganz besonderen Erfolg wurden (vgl. II. D., → Munera). Dem Kalender des Philocalus zufolge (→ Chronograph von 354) waren damals in Rom den Festspielen 175 Tage im Jahr gewidmet (CIL I² p. 300).

II. Hauptkategorien römischer Spiele
A. Sakrale und sacerdotale Spiele
B. Ludi Romani C. Ludi scaenici
D. Gedenkspiele E. Agones
F. Gladiatorenspiele

In Anlehnung an G. Wissowa [5] werden sechs Kategorien öffentlicher Spiele vor allem nach ihrem rel. Gehalt unterschieden.

A. Sakrale und sacerdotale Spiele

Diese ältesten Spiele Roms hatten ausgeprägten rel. Charakter und wurden von Priestern geleitet. Beispiel: das alljährlich am 15. Oktober gefeierte Fest des *Equus October* (→ Oktoberpferd; [6. 117–125]). Bei den zweimal jährlich, am 27. Februar und bes. am 14. März, auf dem Marsfeld stattfindenden *Equirria*, bei denen man Pferdegespanne gegeneinander antreten ließ, opferte man das siegreiche Pferd nicht, doch das Ziel bestand auch hier darin, Mars zu ehren: Ovid (fast. 2,860) teilt mit, daß ›der Gott dieses Rennen beobachtet‹ (*quae deus in Campo prospicit ipse suo*). Bei den → *Consualia*, die ebenfalls zweimal jährlich im → Circus Maximus gefeiert wurden, wo sich der Altar des Gottes → Consus befand, hielt man nicht nur Pferde-, sondern auch Maultierrennen ab; darüber hinaus ließ man die in der Landwirtschaft eingesetzten Lasttiere frei herumtollen und bekränzte sie. Auf diese Weise wollte man Consus ehren, den Gott des eingelagerten Getreides und der eingebrachten Ernte.

B. Ludi Romani

Diese auch *l. magni* gen. Spiele wurden von Magistraten organisiert und wiesen einen weniger rel. Charakter auf als die zuvor genannten: Sie tragen etr. Züge; Th. Mommsen [7. 42–57] und G. Wissowa [5. 453] nehmen (dagegen: A. Piganiol [8. 75–91]) zu Recht an, daß diese Spiele anfangs die obligatorische Verlängerung eines Triumphzuges (→ Triumphus) darstellten. Urspr. fanden sie wahrscheinlich außer der Reihe statt, wurden also aufgrund eines dem → Iuppiter Optimus Maximus geleisteten *votum* und nach glücklichem Erreichen des Erbetenen zu seinen Ehren abgehalten. Livius (1,35,9) schreibt, daß sie bereits zur Zeit des Tarquinius Priscus (E. 7./Anf. 6. Jh.) zur alljährlichen Einrichtung wurden. Es ist jedoch sehr wahrscheinlich, daß dies erst später geschah, vielleicht, nach Th. Mommsens Hypothese [7. 53], seit der im 4. Jh. v. Chr. erfolgten Einführung der kurulischen Aedilen (→ *aediles curules*), der *curatores ludorum sollemnium*. Die *l. Romani* bestanden hauptsächlich aus Pferde- und Wagenrennen sowie Ringkämpfen und Tänzen. Sie begannen mit einer feierlichen → Prozession, der *pompa*, von der uns Dionysios von Halikarnassos (Dion. Hal. ant. 7,72–73) eine dem Werk des Fabius Pictor entnommene Beschreibung überl.: Der Festzug, der sich vom Capitol über das Forum zum Circus Maximus bewegte, wurde angeführt von den höchsten Magistraten Roms, gefolgt von der röm. Jugend zu Fuß oder zu Pferde. Dahinter kamen alle anderen Teilnehmer: Wagenlenker, Reiter, Ringkämpfer, Tänzer, Musiker. Den Abschluß des Zuges bildeten die von Männern auf den Schultern getragenen Götterbilder. Nach der Prozession opferten Priester und Consuln Rinder, bevor schließlich die eigentlichen Spiele begannen.

Diese Götterbilder-Prozession und die darauf folgenden Opfer zeigen (ebenso wie das → *Iovis epulum* und die *instauratio*, vgl. III. F. und G.), daß die *l. Romani* trotz allem einen rel. Charakter behielten: Sie wurden im September zu Ehren Iuppiters (*in honorem Iovis*, Fest. 109 L.) abgehalten und standen in engem Zusammenhang mit dem Jahrestag der Weihung des Iuppitertempels auf dem Capitol an den Iden desselben Monats. Sie sind als Danksagungszeremonien, als Verlängerung eines Triumphs und als öffentliche Feier der Macht Iuppiters zu deuten.

C. Ludi scaenici

Die *l. scaenici* waren nie autonome Spiele; seit 364 v. Chr. waren sie (Liv. 7,2,3) Teil der *l. Romani*. Zu diesem Zeitpunkt aber bedeuteten sie (vgl. I. B.) eine Neuerung, die auf dem Höhepunkt einer Pestepidemie eingeführt wurde – Livius zufolge aus dem »Aberglauben« (*superstitio*) heraus, diese beschwören zu können. Indessen erlangten die szenischen Spiele in der Folgezeit stetig wachsenden Erfolg. Sie wurden zum Hauptteil von Spielen wie den 212 v. Chr. eingeführten *l. Apollinares*, den 204 v. Chr. gestifteten *l. Megalenses* oder den 173 v. Chr. zur festen Einrichtung gewordenen *l. Florales*. Urspr. etr. Herkunft und von zweifellos populärem Gepräge, nahmen sie ab 240 v. Chr. eine feste lit. Form an; in diesem Jahr gestattete der Senat erstmalig die Aufführung eines griech. Stückes in lat. Übers. (Varro bei Gell. 17,21,42 f.). Zu diesen Anlässen wurden die Komödien des → Plautus und → Terentius gespielt.

Die *l. scaenici* hatten zur Zeit dieser Autoren (E. 3./Anf. 2. Jh.) sicherlich keinen ausgeprägten rel. Charakter mehr – im Gegensatz zu früher: Urspr. aus Anlaß der Pest von 364 v. Chr. abgehalten, sollten sie die erzürnten Götter besänftigen (Liv. 7,2,3: *inter alia caelestis irae placamina*); Augustinus wiederum behauptet, die »heidnischen Götter« selbst hätten die Einführung szenischer Spiele zu ihren Ehren verlangt (Aug. civ. 2,8). Andere Indizien, vor allem die unmittelbare Nachbarschaft solcher Spiele zum Tempel der jeweils geehrten Gottheit (Liv. 40,51,3; Cic. har. resp. 24), bestätigen den Sachverhalt.

Dieser erklärt sich aus verschiedenen Einflüssen, vor allem etr. (s. I. A.) und griech. (rel. Ursprung des Theaters). Die röm. Trad. zeigte sich diesen gegenüber aufgeschlossen. So bezeugt Cicero, daß die szenischen Spiele als eine Ehrenbezeigung (*honos*) an die Götter betrachtet wurden, zumal sie durch Tänze und Gesang noch bereichert wurden (Cic. leg. 2,22: *loedis publicis ... popularem laetitiam et cantu et fidibus et tibiis moderanto eamque cum divom honore iungunto*; vgl. Cens. 12,2; dazu [5. 463; 9. 138–139]).
→ Wettbewerbe, künstlerische

D. Gedenkspiele

Gedenkspiele treten seit der Zeit der Bürgerkriege auf: Manche erinnerten an ein markantes Ereignis (so etwa die *l. Divi Augusti et Fortunae Reducis* an die Rückkehr des Augustus aus dem Orient, → Augustalia), andere feierten den Geburtstag des amtierenden Kaisers oder solche verstorbener und vergöttlichter Kaiser (CIL $I^2$ p. 302 ff. sowie Tert. de spectaculis 6,2). Sie bewahrten offenbar nur einen schwachen rel. Charakter.

E. Agones

Dasselbe gilt für die *agones* griech. Typs, die sich aus Leibesübungen, einem künstlerischen sowie einem hippischen Teil mit Pferde- und Wagenrennen zusammensetzten (→ Sportfeste; → Wettbewerbe, künstlerische). Der bekannteste *agon* Roms waren die Neronia (Suet. Nero 12,7), die zuerst im J. 60 n. Chr. abgehalten wurden: Der dem Sport gewidmete Teil fand in den → *saepta* des Marsfeldes statt, der künstlerische Teil im Theater des Pompeius, der den Pferden gewidmete wohl im Circus des Caligula [vgl. 5. 465].

F. Gladiatorenspiele

Die Gladiatorenspiele (→ *munera* [*gladiatoria*], *gladiatoria*, auch *gladiatores*) tauchten in Rom zum ersten Mal im J. 264 v. Chr. auf (Val. Max. 2,4,7). Es handelte sich jedoch nicht um offizielle Zeremonien, sondern um private Aufführungen, die anfangs anläßlich von Begräbnisfeierlichkeiten geboten wurden. Die Römer scheinen die Gladiatorenspiele von den Etruskern übernommen zu haben; die Spiele weisen demnach ein hohes Alter auf und sollten urspr. wohl dem Verstorbenen oder den Totengottheiten, insbes. Phersu, ein blutiges Opfer darbringen. Zu beachten ist aber, daß sich die erste bildliche Darstellung von Gladiatoren in einem Grab in Paestum befindet, das erst aus dem J. 390 v. Chr. stammt [9. 149–150; 10. 6f.]. Für Weiteres s. → Munera, → Gladiator.

III. Wichtigste Spiele in Rom

A. Ludi Apollinares B. Ludi Ceriales
C. Ludi Florales D. Ludi Megalenses
E. Ludi Palatini F. Ludi plebei
G. Ludi Romani H. Ludi sevirales
J. Ludi Taurii K. Ludi Terentini

A. Ludi Apollinares

Die *l. Apollinares* wurden 212 v. Chr. eingerichtet, nach Einsichtnahme in eine Sammlung von Prophezeiungen, die kurz zuvor in die Hände des Praetors gelangt war, die *carmina Marciana*; ihre Heranziehung erfolgte aufgrund der Ängste während des Zweiten → Punischen Krieges (Liv. 25,12; Macr. Sat. 1,17,27–30). Die ebenfalls herangezogenen Sibyllinischen Bücher (→ Sibyllen) bestätigten den Rat. Bemerkenswerterweise lautete die Vorschrift, das Volk solle Diana und Latona nach griech. Ritus ehren und jeder solle nach seinen Möglichkeiten zu den Kosten der *l.* beitragen (Liv. 25,12,13–14). Auf diese Weise wurde rel. Solidarität und, im Geist der Lectisternien (→ *lectisternium*), eine Atmosphäre brüderlicher Herzlichkeit geschaffen [11. 280–281]. Die Spiele wurden *in circo maximo* abgehalten (Liv. 25,12,14) und enthielten demnach Aktivitäten aus dem Bereich des Pferdesports; sie umfaßten jedoch auch szenische Veranstaltungen: Bereits Ennius (239–169 v. Chr.) ließ seinen *Thyestes* anläßlich dieses Festes aufführen (Cic. Brut. 78). Generell scheinen sich die *l. scaenici* in Rom unter den Auspizien des → Apollo entwickelt zu haben, denn das erste *theatrum*, dessen Bau man 179 v. Chr. plante, sollte sich in der Nähe des Apollotempels befinden (Liv. 40,51,3) [11. 395]. Von 208 v. Chr. an erhielten die *l. Apollinares* den 13. Juli als festen Termin (Liv. 27,23,7 [korrigiert gemäß 37,4,4]: ... *ut ii ludi in perpetuum in statam diem voverentur. ipse primus* (sc. *praetor urbanus*) *ita vovit fecitque ante diem tertium nonas Quinctiles; is dies deinde sollemnis servatus*). Bald jedoch erstreckten sie sich über mehrere Tage, und von ihrer Langlebigkeit zeugen Erwähnungen noch in der Historia Augusta (SHA Alex. 37,6; SHA Max. Balb. 1,1) und im Kalender des Philocalus (→ Chronograph von 354).

B. Ludi Ceriales

Die *l. Ceriales* sind zum ersten Mal für das J. 202 v. Chr. bezeugt (Liv. 30,39,8), mit der Anmerkung, daß sie vom Dictator und vom Befehlshaber der Kavallerie durchgeführt wurden, offenbar aufgrund der Entlassung der plebeiischen Aedilen, die normalerweise für die Organisation dieser Spiele zuständig waren. G. Wissowa [12. 1980] und E. Habel [2. 624] datieren die regelmäßige Durchführung der Spiele ans Ende des 3. Jh. v. Chr., laut Le Bonniec [13. 315–319] müßten sie als Circusspiele spätestens bis zum Beginn des 5. Jh. v. Chr. zurückreichen. Diese *l.* hätten lediglich den ant. Brauch fortgesetzt, anläßlich der → Ceres-Feiern Füchse im Circus loszulassen; die regelmäßige Feier szenischer Spiele sei jedoch jünger, wohl gegen 175 v. Chr. einsetzend [13. 323]. Das Datum der *l. Ceriales* war der 19.

April, der Gründungstag des Cerestempels (*aedes Cereris*) beim Circus Maximus. Die Circusspiele finden vor allem bei Ovid Erwähnung (Ov. fast. 4,681–712).

C. Ludi Florales

Die *l. Florales* kennen wir hauptsächlich durch Ovid. Von ihm erfahren wir, daß sie eine *venatio* (»Tierhetze«) auf Ziegen und Hasen enthielten, vergleichbar mit dem Loslassen von Füchsen im Circus bei den *Cerialia* (Ov. fast. 5,372; vgl. Mart. 8,67,4 und Suet. Galba 6,1). Im J. 238 v. Chr. weihte man der Göttin → Flora Spiele (Ov. fast. 5,292; Plin. nat. 18,286), 173 v. Chr. wurden sie zur festen Einrichtung, mit dem 28. April als festem Termin (Ov. fast. 5,229–230); ihre Organisation lag zunächst wohl in den Händen der plebeiischen Aedilen (Cic. Verr. 2,5,36), seit der frühen Kaiserzeit bei den Praetoren (Suet. Galba 6,1). Diese *l.* waren speziell *scaenici*: »Bühnenspiele« (Ov. fast. 4,946); es handelte sich freilich, wie Ovid sagt, um ›leichte Muse‹ (*scaena levis*, ebd. 5,347); ›eine Menge von Kurtisanen begeht diese Spiele‹ (ebd. 5,349) – mehr noch, zu diesem Anlaß tanzten sie und entkleideten sich öffentlich (schol. ad Iuv. 6,249; Val. Max. 2,10,8). Vehement verurteilt Lactanz die Unmoral der *l. Florales* (Lact. inst. 1,20,10). Die Riten finden freilich ihre Erklärung darin, daß Flora die Göttin »allgemeiner Blüte« war (vgl. [14. 135[303]]).

D. Ludi Megalenses

*L. Megalenses* wurden 204 v. Chr. eingerichtet, anläßlich der Einführung des → Kybele-Kults. Die Göttin kam nach Rom in der symbolischen Form eines schwarzen Steines aus dem phryg. Pessinus. Kybele wurde → Mater Magna (»Große Mutter«) gen., und das griech. Wort für *Magna*, *Megálē*, führte zum Begriff *Megalensis*. Livius (29,14,13–14) informiert darüber, daß die Tempelgründung mit einem → *lectisternium* und Spielen begangen wurde. Bei letzteren handelte es sich zunächst um *l. circenses* mit einer Prozession und einem Defilee der Götterbilder (Ov. fast. 4,377 und 391), schon früh jedoch wurden sie auch *scaenici*: Livius bezeugt solche Spiele für das J. 194 v. Chr. (34,54,3; Valerius Antias für das Jahr 191: Liv. 36,36,4; vgl. [15. 99[36]]). Die Didaskalien geben an, daß der *Pseudolus* des → Plautus 191 v. Chr. anläßlich dieser Spiele aufgeführt wurde, die *Andria* des → Terentius 166 v. Chr. und seine *Hecyra* 165 v. Chr. Die *l. Megalenses* wurden zunächst von den curulischen Aedilen geleitet (Liv. 34,54,3), ab 22 v. Chr. von den Praetoren (Cass. Dio 54,2,3). Sie dauerten vom 4. April (Liv. 29,14,14 mit der Korrektur *pridie Nonas* statt *Idus Apriles*, vgl. [14. 117[122]]) bis zum 10. April (Liv. 36,36,3; [2. 627]).

E. Ludi Palatini

Über die *l. Palatini* besitzen wir nur wenige Zeugnisse. Von Cassius Dio wissen wir lediglich, daß sie beim Tod des Augustus von → Livia [2] eingeführt wurden, um sein Andenken zu ehren, und daß sie auf dem Palatin (→ *mons Palatinus*) begangen wurden (Cass. Dio 56,46,5). Mit Sicherheit fanden sie während der gesamten Kaiserzeit statt, denn sie tauchen noch im Kalender des Philocalus (354 n. Chr.) für die Zeit vom 17. bis 22. Januar auf. Kaiser Caligula wurde im Verlauf der *l. Palatini* des J. 41 n. Chr. ermordet (Suet. Cal. 56,4).

F. Ludi Plebei

Die *l. Plebei* sind als jährlich stattfindende Spiele zum ersten Mal für das J. 215 v. Chr. bezeugt (Liv. 23,30,17). Da sie im → Circus Flaminius abgehalten wurden (Val. Max. 1,7,4), geht man allerdings im allg. davon aus (vgl. [2. 621]), daß ihre Entstehung mindestens in die Zeit der Errichtung dieses Bauwerks 220 v. Chr. zurückreicht (Liv. per. 20); da jedoch Livius in der gesamten ersten Dekade völlig darüber schweigt, müssen sie jünger als das Ende des darin beschriebenen Zeitraums, d. h. nach 293 v. Chr. entstanden sein [1. 1378]. Organisiert wurden sie von den plebeiischen Aedilen (Liv. 23,30,17) und dauerten am Ende der röm. Republik vom 4. bis zum 17. November (CIL I² p. 299). Sie bestanden aus hippischen und szenischen Wettbewerben: Eine Didaskalie hält fest, daß der *Stichus* des Plautus im J. 200 v. Chr. anläßlich der *l. Plebei* gespielt wurde. Diese Spiele hatten beachtlichen rel. Charakter und erscheinen wiederholt in Parallele mit den *l. Romani*; wie diese enthielten sie nämlich außer einer »Pferdemusterung« (*equorum probatio*: CIL I² p. 300) ein »heiliges Mahl zu Ehren Iuppiters« (→ *Iovis epulum*: Liv. 30,39,8) und mußten bei mehreren Gelegenheiten wiederaufgenommen werden (*instaurati*: Liv. 23,30,17; 28,10,7; 39,7,10): Eine *instauratio* war, wie wir wissen, auf die Mißachtung von rel. Verpflichtungen zurückzuführen. G. Wissowa [5. 423] hat zu Recht das *Iovis epulum* hervorgehoben: Iuppiter war zweifelsohne der Hauptadressat der *l. Plebei*.

G. Ludi Romani

Die *l. Romani* dauerten zur Zeit des Augustus vom 4. bis zum 19. September (CIL I² p. 299). Sie waren *circenses* (→ Circus II. Spiele) und *scaenici* (s. II. C.); zum Aspekt des Theaters sei hinzugefügt, daß der *Phormio* des Terenz anläßlich der *l. Romani* von 161 v. Chr. gespielt wurde. Das *Iovis epulum* (s. z. B. Cass. Dio 48,52,2) ist für sie ebenso bezeugt wie die *instauratio* (den oben für die *l. Plebei* angeführten Textstellen sei Cic. div. 1,55 hinzugefügt).

H. Ludi sevirales

Die *l. sevirales* wurden alljährlich von den *seviri* (*turmis*) *equitum Romanorum*, einem Collegium der Anführer der sechs alten Kavallerie-Einheiten, organisiert (SHA Marcus Antoninus 6,3). Deren Existenz ist vom J. 2 v. Chr. an durch Cassius Dio bezeugt: Ihre Aufgabe war es, die Spiele zur Einweihung des Mars-Ultor-Tempels und später diejenigen zum Andenken an diese Einweihung zu organisieren, wobei jeder der *seviri* wohl eine der sechs Schwadronen (*turmae*) anzuführen hatte (Cass. Dio 55,10,4, Zon. 10,35). Das Ehrenamt ist bis zum 3. Jh. bezeugt und wurde vor allem von Mitgliedern des Kaiserhauses ausgeübt. Für die wichtigsten Quellentexte s. [16. 523–525; 17].

J. Ludi Taurii

Die *l. Taurii* wurden (laut Fest. 478 L.) zu Ehren der Unterweltsgottheiten eingerichtet; sie sollen aus der Zeit des Tarquinius Superbus (6. Jh. v. Chr.) stammen und urspr. das Ziel gehabt haben, eine ernste Krankheit abzuwenden, die schwangere Frauen befiel und deren Ursprung dem zum Verkauf angebotenen Stierfleisch (Stier = *taurus*) zugeschrieben wurde. Serv. Aen. 2,140 nennt zwei andere Erklärungen für die *l. Taurii*: Man habe eine unfruchtbare Frau *taurea* gen. bzw. durch diesen Ritus eine öffentl. Schande auf die als Sühnopfer geschlachteten Stiere abgelenkt. Jedenfalls ist die Feier der *l. Taurii* bezeugt durch Livius (für das J. 186 v. Chr. mit einer Dauer von zwei Tagen: 39,22,1) sowie durch ein Fragment der Fasti Ostienses (CIL XIV, Suppl. 4541), welches vielleicht das J. 99 n. Chr. betrifft [18]. Darüber hinaus erwähnt Varro (ling. 5,154) diese Spiele mit der Bemerkung, daß sie aus Pferderennen im Circus Flaminius auf dem Marsfeld bestanden. Vom eindeutig entsühnenden Charakter der *l. Taurii* zeugen vor allem ihre Erwähnung in den *libri fatales*, die ihre Einrichtung gefordert haben sollen (Serv. Aen. 2,140), und das »rel. Pflichtgefühl« (*religio*), das zu ihrer Durchführung im J. 186 v. Chr. geführt habe (Liv. 39,22,1). Die Annahme F. Altheims ([19. 2543]; vgl. [11. 81]), es habe ein »Erjagen und Töten des Stieres« stattgefunden, bleibt sehr hypothetisch.

K. Ludi Terentini

Die *l. Terentini* oder *Tarentini* sind gut bezeugt für das J. 249 v. Chr. Censorinus zitiert Varro mit der Aussage, man habe auf ernste Vorzeichen hin in jenem Jahr die Sibyllinischen Bücher (→ Sibyllen) zu Rate gezogen; aus diesen sei hervorgegangen, daß zu Ehren des → Dis Pater und der → Proserpina tarentinische Spiele auf dem Marsfeld abzuhalten seien (*ut Diti Patri et Proserpinae ludi Tarentini in campo Martio fierent*), und zwar drei Tage lang, wobei schwarze Opfertiere zu schlachten seien; der Ritus sei künftig alle hundert Jahre zu wiederholen (Cens. 17,8). Ein ps.-acronisches Scholion zu Hor. carm. saec. 8 mit einem Zit. des Verrius Flaccus bestätigt dies. Die Livius-Periocha 49,6 zeigt, daß solche Spiele tatsächlich 100 Jahre später stattfanden, d. h. 149 v. Chr. oder, was wahrscheinlicher ist, 146 v. Chr. (vgl. Cassius Hemina, zit. bei Cens. 17,11). Die folgenden konnten aufgrund der Bürgerkriege wohl nicht begangen werden, aber es gab sie erneut im J. 47 n. Chr. (Tac. ann. 11,11,1; Suet. Claud. 21,2–4). Zu diesem Datum fielen sie mit der 800. Wiederkehr der Gründung Roms zusammen, und seitdem erinnerte dieser Festrhythmus an die Stadtgründung. Censorinus berichtet darüber hinaus, daß es Spiele mit einem Rhythmus von 100 Jahren bereits vor den tarentinischen Spielen von 249 v. Chr. gegeben habe: im J. 346 v. Chr. und, noch zuvor, in einem Abstand von mehr als 100 Jahren, 509 v. Chr. (s. hierzu [20. 91–94]).

Das Scholion mit dem Zit. des Verrius Flaccus teilt mit, daß die Zeremonie des J. 249 v. Chr. vor allem ein »Säkularlied« (*carmen saeculare*) und ein Opfer umfaßte. Das Lied (in seiner Funktion vergleichbar dem *Carmen Saeculare* des Horaz) sollte die Götter bitten, Rom für das beginnende Jh. ein günstiges Schicksal zu bescheren. Allg. diskutiert wird der Ursprung der Spiele, wobei man sich auf die beiden Varianten (*l.*) *Tarentini* oder *Terentini* stützt: Erstere Schreibweise würde durch den Anklang an Tarent auf einen griech. Ursprung hinweisen [21. 1705–1706], die zweite, durch ihren Anklang an Terentum (ein das Tiberufer säumendes Gelände am westl. Ende des Marsfeldes, nahe der heutigen Victor-Emmanuel-Brücke), verwiese auf röm. Ursprung, im Zusammenhang mit Kulten der Unterweltsgottheiten (vgl. [22. 32 ff.; 23]). Für Weiteres zu den *l. saeculares* s. → *saeculum*; [20. 93 ff.; 21].

IV. Schlussbemerkung

Die Spiele wurden in der Kaiserzeit nicht nur zahllos, sondern beanspruchten zu dieser Zeit auch einen beträchtlichen Platz in der → Freizeitgestaltung der Römer. Bekannt ist Iuvenals Wort, das Volk verlange nur zwei Dinge, *panem et circenses*, »Brot und (Circus)Spiele« (Iuv. 10,80–81), und Plinius d.J. bedauert, daß so viele Tausende von Menschen mit Leidenschaft banale Pferderennen verfolgten (Plin. epist. 9,6). Die *l.* spielten außerdem eine große Rolle im Rahmen der Aufgaben der Aristokraten (Cass. Dio 53,1–2): Sie waren enorm teuer und gingen teilweise zu Lasten der Magistrate, denen ihre Organisation oblag. Die Kaiser förderten den Spielebetrieb, da sie in Gestalt der *l.* über ein wirksames Mittel zur Sicherung ihrer Macht verfügten: Die Einmütigkeit des Volkes anläßlich der Spiele erschien wie eine Zustimmung aller seiner einzelnen Gruppen zur kaiserlichen Autorität (vgl. [24. 116 f.]).

→ Freizeitgestaltung; Religion (Rom); Saeculum; Schauspiele

**1** J. Toutain, s. v. L. publici, DS III.2, 1362–1378
**2** E. Habel, s. v. l. publici, RE Suppl. 5, 608–630
**3** J. Regner, s. v. l. circenses, RE Suppl. 7, 1626–1664
**4** G. Freyburger, De la valeur religieuse des jeux à Rome, in: J.-M. André, J. Dangel, P. Demont (Hrsg.), Les loisirs et l'héritage de la culture classique (Collection Latomus 230), 1996, 340–348 **5** G. Wissowa, Rel. und Kultus der Römer, 2 1912, 449–467 **6** U. Scholz, Stud. zum altital. und altröm. Marskult und Marsmythos, 1970, 103–167 **7** Th. Mommsen, Röm. Forschungen, Bd. 2, 1879
**8** A. Piganiol, Recherches sur les jeux romains, 1923
**9** J.-M. André, Griech. Feste, röm. Spiele. Die Freizeitkultur der Ant., 1994 **10** G. Ville, La gladiature en Occident des origines à la mort de Domitien, 1981
**11** J. Gagé, Apollon romain. Essai sur le culte d'Apollon et le développement du »ritus Graecus« à Rome des origines à Auguste, 1955 **12** G. Wissowa, s. v. Cerialia, RE 3, 1980 f.
**13** H. Le Bonniec, Le culte de Cérès à Rome, 1958
**14** R. Schilling (Hrsg.), Ovide. Les Fastes Bd. 2, 1993
**15** Ph. Borgeaud, La mère des dieux, de Cybèle à la Vierge Marie, 1996 **16** Mommsen, Staatsrecht 3, 1 1887, 523–525
**17** A. Klotz, s. v. Seviri, RE 2 A.2, 2018 **18** L. Wickert, Vorbemerkungen zu einem Suppl. Ostiense des CIL, in: SPrAW, 1928, 53 f. **19** F. Altheim, s. v. Taurii l., RE 4 A.2, 2542–2544 **20** G. Freyburger, Jeux et chronologie à

Rome, in: Ktema 18, 1993, 91–101 **21** M. P. Nilsson, s. v. saeculares l., RE 1 A.2, 1696–1720 **22** G. Marchetti-Longhi, Il culto ed i tempii di Apollo in Roma prima di Augusto, in: MDAI(R) 58, 1943, 27–47 **23** R. Merkelbach, Aeneas in Cumae, in: MH 18, 1961, 83–99
**24** M. Clavel-Lévêque, L'empire en jeux. Espace symbolique et pratique sociale dans le monde romain, 1984.

J. Blänsdorf, Der ant. Staat und die Schauspiele im Codex Theodosianus, in: Blänsdorf, 261–274 • D. P. Harmon, The Religious Significance of Games in the Roman Age, in: W. J. Raschke (Hrsg.), Archaeology of the Olympics and other Festivals in Antiquity, 1988, 236–255 • G. B. Pighi, De ludis saecularibus populi Romani, [2]1965 • K. Sallmann, Christen vor dem Theater, in: Blänsdorf, 214–223 • P. Veyne, Le pain et le cirque. Sociologie historique d'un pluralisme politique, 1976 (dt. Brot und Spiele. Gesellschaftliche Macht und polit. Herrschaft in der Ant., 1990). G. F./Ü: S. U.

**Ludus litterarius** s. Schule, römische

**Lugdunensis.** Röm. Prov., Ergebnis einer Teilung der Gallia Comata in drei Prov. (*Tres Galliae*: → *Belgica*, *L.*, → *Aquitania*) durch Augustus zw. 27 und 13 v. Chr. Die Gallia L. umfaßte die Stämme von Armorica, die Veliocasses und die Caletes; einige kelt. Stämme des südl. Loire-Gebietes gehörten zur Aquitania. Durch die Eingliederung der Lingones, Sequani, Raurici und Helvetii in die Prov. Belgica (10 oder 8 v. Chr.) hatte die L. keinen Zugang mehr zum Rhein (Strab. 4,3,1; Plin. nat. 4,106). Die Gallia L. vereinigte also das restliche Reich der Haedui mit dem Gebiet der Völker zw. Liger und Sequana und denen am Meer. Die *provincia* wurde von einem *legatus Augusti pro praetore* mit Sitz in → Lugdunum (Lyon) geleitet. Die Neuordnung der gallischen Reichsverwaltung unter Diocletianus führte zur Schaffung von vier Prov.: *Gallia L. I* (Hauptort Lugdunum), *II* (Rotomagus), *III* (Caesarodunum) und *IV* (Agendicum) (→ Diocletianus, mit Karte). Im 4. Jh. n. Chr. angeschlossen an die *dioecesis* der 10 Prov.
→ Gallia (mit Karte); Lugdunum

R. Bedon (Hrsg.), Les villes de la Gaule lyonnaise (Caesarodunum 30), 1996 • F. Bérard, Y. Le Bohec (Hrsg.), Inscriptions latines de Gaule lyonnaise, 1992 • M. Renzetti, s. v. Provincie romane, EAA[2], 1996, 522–530 • P. Wuilleumier, L'administration de la Lyonnaise sous le Haut-Empire, 1948. Y. L.

**Lugdunum, Lugudunum** (h. Lyon).
A. Name B. Historische Entwicklung
C. Wirtschaft und Kultur

A. Name

Älteste, rein kelt. Form auf einer Silbermz. des Jahres 42 v. Chr. *Lugudunon*, lat. *Lugudunum*; Ptol. 2,8,17: Λούγδουνον. Cass. Dio 46,50,5 nennt Λουγούδουνον als ältere, Λούγδουνον als zu seiner Zeit gebräuchliche Form. Die Bed. des ersten Wortteils ist umstritten [1. 30, 38]: von *lug*, dem Namen einer kelt. Gottheit, oder von λοῦγος/*lúgos*, nach Kleitophon FGrH 293 F 3 kelt. für »Rabe«, also »Rabenburg« (*dunon*, kelt. »Berg, Burg«). L. könnte auch »leuchtender Berg« (*mons lucidus*) bedeuten.

B. Historische Entwicklung

Es handelte sich zunächst um zwei kelt. Siedlungen aus vorcaesarischer Zeit, die erste auf dem Hügel Fourvière am rechten Ufer des Arar (Saône) mit einem *oppidum*, die zweite, spätere auf dem Landzipfel zw. Rhodanus (Rhône) und Arar (Strab. 4,1,11). Strab. l.c. nennt sie πόλις Σεγοσιανῶν/*pólis Segosianō̂n*, Plin. nat. 4,107 *colonia in agro Segusiavorum*. Diese kelt. Ansiedlung ist aber nicht gesichert (die ältesten Ruinen stammen erst aus dem 1. Jh. v. Chr.) [2]. Die erste röm. Niederlassung erfolgte 61 v. Chr., als im Zusammenhang mit der Empörung des → Catugnatus die in Vienna ansässigen röm. Kaufleute vertrieben wurden, und zwar zum Fuße des Hügels (ἐκτισμένον ὑπὸ λόφῳ, Strab. 4,3,2). Ihre eigentliche Gründung als Stadt und ihre Erhebung zur *colonia* geschah 43 v. Chr. durch den *praetor* der Gallia Transalpina L. Munatius Plancus: *Colonia Copia Claudia Augusta Lug(u)dunum* (*tribu Galeria*). Die Angesiedelten waren nach Tac. hist. 1,65,2 Veteranen. 197 n. Chr., nach dem Kampf des Severus gegen Clodius Albinus, wurde L. teilweise eingeäschert. Zu E. des 3. Jh. n. Chr. wurde die zeitweilige Kaiserresidenz von L. nach → Augusta [6] Treverorum (Trier) verlegt. 470 n. Chr. besetzten die Burgunder L., 725 n. Chr. wurde L. von den Sarazenen geplündert.

C. Wirtschaft und Kultur

L. war der Mittelpunkt von Verwaltung und Wirtschaft der *Tres Galliae* (→ Gallia). 12 v. Chr. wurde der Kult der Roma und des Augustus in Condate (Bundesheiligtum der *Tres Galliae*, mit Altar (*ara dei Caesaris ad confluentem Araris et Rhodani dedicata*, Liv. per. 139), Tempel und Amphitheater) auf den Hängen des Zusammenflusses von Saône und Rhône beim h. Croix-Rousse gegr. (Strab. 4,3,2) [3; 4. 532–540]. Dort feierten jährlich am 1. August etwa 60 *civitates* am Altar der Roma und des Augustus ein Weihefest. L. war seit tiberischer Zeit außerdem der Sitz des Stadtkultes der Roma und des Augustus (städtisches Heiligtum mit Tempel, Hof mit Säulenumgang, Kryptoporticus und Altar) [5]. Die Stadt war wichtiger Straßenknotenpunkt seit Agrippa (gest. 12 v. Chr.); Sitz der Verwaltung der Prov. Gallia → Lugdunensis. L. blühte im 1. Jh. n. Chr. rasch auf. Augustus hielt mehrfach dort Hof [6]. Caligula entwarf hier seinen Plan, Rhetorenwettkämpfe und Spiele beim Bundesaltar auszuführen. Er ließ dort den König Ptolemaios von Mauretania ermorden (Suet. Cal. 17,3; 35,2). In L. wurde Kaiser Claudius geb. (Suet. Claud. 2,1) [7]. Sen. epist. 91,10–14 nennt L. *maxima* und *ornamentum trium provinciarum* (›größte‹ und ›Schmuck der drei Provinzen‹). 65 n. Chr. wurde L. durch einen Brand verwüstet (Tac. ann. 16,13,3). Aber die Stadt gelangte trotz der Bürgerkriegswirren von 68/9 n. Chr. zu neuer Blüte. Unter Hadrianus, dem *restitutor Galliae*, kam es zu reger Bautätigkeit. Das Handelsviertel lag an den beiden

Wasserläufen und auf der Halbinsel (*canabae*). Rasche Christianisierung [8], mit der die Namen des Pothinus und Irenaeus (→ Eirenaios [2]) und der Märtyrer von 177 n. Chr. verbunden sind [9]. Mehrere bed. Denkmäler sind erh.: in Fourvière [10] Theater, Odeon, Tempel der Kybele (?) [11]; in La Croix-Rousse Amphitheater [12; 13]; Thermen; Wasserleitungen [14]; zahlreiche Gräber.

→ Gallia

**1** P. Y. Lambert, La langue gauloise, 1995 **2** A. Pelletier, Pour une nouvelle histoire des origines de L., in: R. Bedon (Hrsg.), Les villes de la Gaule lyonnaise (Caesarodunum 30), 1996, 167–178 **3** R. Turcan, L'autel de Rome et d'Auguste »Ad Confluentem«, in: ANRW II 12.1, 1982, 607–644 **4** D. und Y. Roman, Histoire de la Gaule, 1997 **5** J. Lasfargues, M. Le Glay, Découverte d'un sanctuaire municipal du culte impérial à L., in: CRAI 1980, 394–414 **6** A. Desbat, B. Mandy, Le développement de L. à l'époque augustéenne, in: Chr. Goudineau, A. Rebourg (Hrsg.), Les villes augustéennes de Gaule, 1991, 79–97 **7** C. J. Simpson, The Birth of Claudius and the Date of Dedication of the Altar »Romae et Augusto« at L., in: Latomus 46, 1987, 586–592 **8** J. F. Reynaud, L. aux premiers temps chrétiens (Guides archéologiques de la France 10), 1986 **9** Les martyrs de Lyon. Colloque international du Centre National de la Recherche Scientifique Nr. 575, 1977 **10** P. Wuilleumier, Fouilles de Fourvière à L. (Gallia Suppl. 4), 1951 **11** A. Audin, Dossier des fouilles du sanctuaire lyonnais de Cybèle et de ses abords, in: Gallia 43, 1985, 81–126 **12** Ders., L'amphithéâtre des Trois Gaules à L., in: Gallia 37, 1979, 85–100 **13** L. Tranoy, G. Ayala, Les pentes de la Croix-Rousse à L. dans l'Antiquité, in: Gallia 51, 1994, 171–189 **14** J. Jeancolas, Les aqueducs antiques de L., 1986.

A. Audin, L., miroir de Rome dans les Gaules, 1965 • Ders., Gens de L., 1986 • R. Chevallier, A propos des sources écrites concernant les villes gallo-romaines, in: R. Bedon (Hrsg.), Les villes de la Gaule lyonnaise (Caesarodunum 30), 1996, 19–34 • A. Desbat u. a., Les productions des ateliers de potiers antiques de L., in: Gallia 53, 1996, 1–249 • Chr. Goudineau u. a., Aux origines de L., 1989 • M. Le Glay, s. v. L., PE, 528–531 • A. Pelletier, Lugdunum. Lyon, 1999 • J.-F. Reynaud, L. Christianum, 1998 • S. Rinaldi Tufi, s. v. Lione, EAA$^2$, 1995, 380–383.

Y. L. u. M. LE.

**Lugii.** Das german. ›große Volk‹ (μέγα ἔθνος, Strab. 7,1,3) der L. (*Lugiorum nomen*) umfaßte viele Stämme, als mächtigste die → Harii, → Helvecones, Manimi, Helisii und Naha(na)rvali; bei letzteren hatte die Kultgemeinschaft ihren hl. Hain (Tac. Germ. 43,2). Ptolemaios unterscheidet *L. Oma(n)noí*, *Didúnoi* und *Búroi* (Λ. Ὀμανvοί/Ὀμανοί?, Διδοῦνοι, Βοῦροι, Ptol. 2,11,18; 20). Als Nachbarn der Suebi und Goti siedelten die L. in Schlesien an der Oder und in den anrainenden Regionen entlang der Bernsteinstraße (→ Bernstein). Unter Marbod (→ Maroboduus) mit den → Marcomanni verbündet (Strab. 7,1,3), vernichteten sie um 50 n. Chr. gemeinsam mit → Hermunduri das von Rom gestützte *regnum Vannianum* (Tac. ann. 12,29 f.; → Vannius). Angesichts der fortdauernden Feindseligkeiten mit ›gewissen Sueben‹ (Cass. Dio 67,5,2) löste sich der Zusammenhalt des wohl noch einmal unter Probus (Zos. 1,67,3) gen. Großverbands zunehmend auf; an seiner Stelle traten von da an die einzelnen Völkerschaften (bes. die Vandali) ins röm. Blickfeld.

TIR M 33,53 f. • B. Luiselli, Storia culturale dei rapporti tra mondo romano e mondo germanico, 1992 (Index). K. DI.

**Lugio** (Λουγίωνον, Ptol. 2,15,3; *Lugione*, Itin. Anton. 244; Tab. Peut. 6,1; *Lucione*, Cod. Iust. 9,20,10 f.). Röm. Auxiliarkastell in Pannonia Inferior, h. Dunaszekcsö (Ungarn, Kreis Baranya), in nachdiocletianischer Zeit Florentia. Das Lager ist wahrscheinlich unter Domitianus entstanden, um den Übergang über die Donau und den in L. liegenden Straßenknotenpunkt zu schützen. Die erste Garnison repräsentierten die *cohors II Asturum et Callaecorum* und die *cohors VII Breucorum*. Nach dem Abzug der *cohors II Asturum* (unter Commodus) zog in L. die *cohors I Noricorum* ein, die hier bis Gordianus III. bezeugt ist. Im 4. Jh. bildeten die Garnison von L. bzw. Florentia die *equites Dalmatae* (Not. dign. occ. 33,53; 58). Unter Diocletianus wurde am östl. Donau-Ufer ein *burgus contra Florentiam* (h. Dunafalva) angelegt.

J. Fitz, s. v. L., RE Suppl. 9, 391–394 • TIR L 34 Budapest, 1968, 75 • S. Soproni, Die letzten Jahrzehnte des pannonischen Limes, 1985, 75 f., 79 • Zs. Visy, Der pannonische Limes in Ungarn, 1988, 122–124, 140. J. BU.

**Lugotorix** (Lucotorix). Keltisches Namenskompositum [1. 98 f.]. Britannischer Fürst, der 54 v. Chr. bei einem Überfall auf das röm. Schiffslager in Kent gefangengenommen wurde (Caes. Gall. 5,22,1–2).

**1** Evans. W. SP.

**Lug(us)** s. Teutates

**Luguvallium.** Die röm. Militäreinrichtungen und die Stadt L., h. Carlisle, bilden einen der wichtigsten Komplexe an der Nordgrenze von Britannia. Die meisten Phasen in der Gesch. von L. sind schlecht dokumentiert, und viele der jüngsten Ausgrabungen sind noch nicht veröffentlicht. Die früheste röm. Einrichtung ist ein Kastell am Übergang über den Fluß Eden (wohl 78/9 n. Chr.) [1; 5]. Dieses wurde bis kurz nach 100 n. Chr. gehalten, danach niedergerissen und an anderer Stelle ersetzt (bis 160 n. Chr.). Es folgten eine Reihe von Steinkastellen (bis ins 3. Jh.). Der Hadrianswall verlief 1,2 km nördl. von L., das nächstgelegene Kastell war Stanwix mit der *ala Petriana*. Die Funktion der Kastelle von L. ist unbekannt. Sie dürften dem Nachschub gedient haben (vgl. Corbridge [2]). Seit dem 2. Jh. n. Chr. entwickelte sich die zivile Siedlung (vgl. die Inschr. [3]). Wahrscheinlich war L. das urbane Zentrum der sich im Tal des Eden nach Süden erstreckenden [4] *civitas* der *Carvetii*. Als St. Cuthbert 685 n. Chr. hierher kam, traf er auf Mauerreste und einen funktionierenden Brunnen sowie einen Funktionär, den er als *praepositus* ansprach, wohl weil er ein aus spätröm. Zeit datierendes Amt innehatte (Vita Sancti Cuthberti 14).

→ Limes

1 M. R. McCarthy, A Roman, Anglian and Medieval Site at Blackfriars Street, 1990 2 J. N. Dore, The Roman Forts at Corbridge, 1990 3 R. P. Wright, I. A. Richmond, Roman Inscribed and Sculptured Stones in Carlisle Museum, 1975 4 N. Higham, B. Jones, The Carvetii, 1985 5 R. S. O. Tomlin, The Twentieth Legion at Wroxeter and Carlisle in the First Century, in: Britannia 23, 1992, 141–158.

P. Salway, The Frontier People of Roman Britain, 1965.

M. TO./Ü: I. S.

**Lukanische Vasen.** Die Produktion der rf. L. V. setzt in den J. um 430 v. Chr. mit dem Pisticci-Maler ein, benannt nach einem Fundort seiner Vasen. Er steht noch ganz in att. Trad., die sich in der stilistischen Behandlung seiner Personen, der Ornamente und Gefäßformen äußert; er bevorzugt Glockenkratere, die er mit Verfolgungs- und Alltagsszenen oder dionysischen Bildern ziert. Seine Nachfolger, der Amykos- und der Kyklops-Maler, haben sich offenbar in Metapontium niedergelassen und hier eine Werkstatt gegründet, die bis ca. 380/370 v. Chr. arbeitete. Die → Nestoris als neuer Vasentyp wird erstmalig in rf. Technik bemalt (→ Messapische Vasen); myth. Darstellungen (Blendung des Polyphemos, Bestrafung des Amykos, Athena-Poseidon) und Bilder, die unter dem Einfluß des Theaters entstanden, werden häufiger; dies gilt z. B. für den Choephoroi-Maler, der einige seiner Vasen mit einer Szene aus dem gleichnamigen Theaterstück des Aischylos versah. Gleichzeitig wird der Einfluß der → Apulischen Vasen spürbar, der sich bes. beim Dolon- und Brooklyn-Budapest-Maler an der Steigerung farblicher Zusätze und an ornamentalem Pflanzendekor verdeutlicht. Um die Mitte des 4. Jh. ist ein deutliches Absinken in Qualität der Malereien und thematischer Vielfalt zu verzeichnen. Der letzte bedeutende Vertreter der L. V. ist der Primato-Maler, dessen Werk vom → Lykurgos-Maler beeinflußt wird, so in der Übernahme des Naiskos (→ Naiskosvasen) und des Pflanzendekors, der räumlichen Verteilung der Personen und in stilistischen Entsprechungen. Mit seinen Nachfolgern endet die Produktion der L. V. im beginnenden letzten Viertel des 4. Jh. v. Chr. mit einem stilistischen und motivischen Verfall.

→ Unteritalische Vasenmalerei

Trendall, Lucania, 3–186 • A. D. Trendall, The Red Figure Vases of South Italy and Sicily, 1989, 18–23, 55–73 • N. R. Jircik, The Pisticci and Amykos Painters. The Beginning of Red-Figured Vase Painting in Ancient Lucania, 1991 • R. Hurschmann, Die unterital. Vasen des Winckelmann-Instituts der Humboldt-Universität zu Berlin, 1996, 22–30.

R. H.

**Lukas.** Der Verf. des dritten → Evangeliums (Lk), der von der Trad. L. genannt wurde, muß anon. bleiben. Er war kaum der gleichnamige Begleiter des → Paulus (Phm 24). Auch seine Verortung ist unsicher (Antiocheia? Rom?). Doch ist sein lit. und theologisches Profil aus seinem Gesamtwerk (zu dem die Apg gehört) erkennbar. Dessen Gattung und sprachliche Qualität zeigen eine hohe griech.-röm., aber auch (!) jüd. Bildung. Debattiert wird, ob er Heidenchrist (»Gottesfürchtiger«, d. h. Sympathisant des Judentums) oder Judenchrist war.

Die Entstehung des Lk wird mit guten Gründen nach 70 n. Chr. datiert (meistens 80/90er Jahre). Darauf weisen u. a. Konflikte von Christen vor Magistraten (Lk 12,11; vgl. Apg 16,19 ff.; 17,5 ff.), in denen u. a. auch synagogale Repräsentanten als anzeigende Instanz (→ *delator*) eine Rolle spielen. Sie reflektieren Verhältnisse zur Zeit des → Domitianus [1]. Das urbane Milieu des Lk (selbst Nazareth wird *pólis* genannt: 1,26) setzt als Adressaten nichtjüdische Christen in Städten des röm. Reiches voraus.

Die Quellenlage ist prinzipiell klar: Als Vorlage dienten Mk und die sog. Logienquelle, dazu kommt beträchtliches Sondergut (etwa Gleichnisse: Lk 15,11 ff.; 18,9 ff.), dessen Herkunft im Detail umstritten ist (redaktionell?). L. nennt sein Werk nicht *euangélion* (so Mk 1,1), sondern »Erzählung/Bericht« (*dihḗgēsis*/διήγησις: 1,1). Sein Genre ist der ant. → Geschichtsschreibung (nicht Biographie) zuzurechnen, wie das Proömium (1,1–4) und andere historiographische Elemente (Genealogie, Mahlszenen als Gelegenheit zur Lehre, Reisebericht, Reden, dramatische Episoden [z. B. 4,16–30]) zeigen. Die Pragmatik zielt auf »Vergewisserung« (*aspháleia*/ἀσφάλεια: 1,4) in einer Identitätskrise (Zerstörung des Jerusalemer Tempels, Trennung vom Judentum) der Christenheit durch genaue Darstellung der Genese (Lk) und Gesch. (Apg) ihres Glaubensweges (»Weg der Rettung«: Apg 16,17). Dazu dient ein heilsgesch. Konzept, das Wirken und Schicksal (Leiden, Auferstehung und Himmelfahrt) → Jesu und (in der Apg) deren Bezeugung durch die Apostel als göttl. »Choreographie« und Werk des Heiligen Geistes darstellt. Es wird durch das Schema von Erfüllung-Verheißung strukturiert: Jesus ist der verheißene → Messias (*christós*/χριστός) und der Retter (*sōtḗr*/σωτήρ) Israels (Lk 2,11; 4,21 u. ö.), in dessen Person (17,21), d. h. in seiner Verkündigung (6,20 f.; 16,1 ff.) wie auch seiner Heilungspraxis (7,22) zugunsten der Armen (*ptōchoí*/πτωχοί), das Reich Gottes partiell gegenwärtig ist (11,20). Anteil am Reich Gottes bekommen neben den Armen alle, die umkehren. Der Täufer vermittelt das Wissen, daß die Rettung Israels durch Sündenvergebung geschieht (1,77), Jesus ruft in Israel (zumal) Sünder zur Umkehr (5,32; 13,3; 5), die Apostel sollen allen Völkern im Namen Jesu Umkehr und eine Generalamnestie von Sünden verkünden (24,47). Israels eschatologisches Schicksal bleibt offen. Die Katastrophe von 70 n. Chr. – die Eroberung Jerusalems und die Tempelzerstörung durch die Römer – ist kein Zorngericht Gottes, sondern Folge des Unvermögens Israels, den → *kairós* der Jesuszeit (Frieden) zu erkennen (19,41–44). Doch die Herrschaft der »Völker« (*éthnē*) ist begrenzt (21,24), die »Aufrichtung der Hütte Davids« Voraussetzung der Völkermission (Apg 15,17 ff.).

→ Bibel; Evangelium; Iohannes [1]; Markos; Matthaios

F. Bovon, Das Evangelium nach L., 1989/96 (bisher 2 Bde.) • J. B. Green, The Theology of the Gospel of Luke, 1995 • J. A. Fitzmyer, The Gospel according to Luke, 2 Bde., 1981/85 • K. Löning, Das Geschichtswerk des L., Bd. 1, 1997 • W. Radl, Das L.-Evangelium, 1988 • W. Stegemann, Zw. Synagoge und Obrigkeit, 1991.

W. STE.

**Lukianos** (Λουκιανός).

**[1] L. von Samosata.** Bedeutender griech. rhet.-satirischer Schriftsteller der röm. Kaiserzeit.

A. Leben und Werdegang B. Werke
C. Zur Eigenart von Lukianos' Werk
D. Nachleben

A. Leben und Werdegang

Geb. wurde L. zw. 115 und 125 n. Chr. [4. 8] in Samosata am Euphrat, am östlichen Rand des röm. Syrien. Περὶ τοῦ ἐνυπνίου ἤτοι Βίος Λουκιανοῦ (›Über den Traum, oder: Das Leben Lukians‹, Somn.) schildert plastisch (aber nicht unbedingt wahrheitsgetreu) L.' Entscheidung für einen an den großen klass. Schriftstellern ausgerichteten Bildungsgang (*paideía*). Nach einer rhet. Ausbildung in Ionien (vgl. Bis Acc. 27) ging er als Wanderredner auf Reisen und kam bis nach It. und Gallien (vgl. ebd., ferner Apol. 15). 163 oder 164 warb er im syr. Antiocheia mit einigen Schriften (Salt.; Im.; Pro Im.) um die Gunst des Kaisers Lucius Verus; bald darauf geriet er im paphlagonischen Abonuteichos mit dem Orakelpropheten Alexandros [27] aneinander (Alex. 55 f.). 165 erlebte er die Selbstverbrennung des → Peregrinos in Olympia. In den 160er und 170er Jahren war er wohl längere Zeit in Athen (vgl. Demon. 1), wo eine Reihe seiner Schriften spielt (Demon.; Iupp. Trag.; Vit. Auct.; Pisc.; Bis Acc.; Nav.; Anach.; Eun.). In dieser Zeit könnte sich auch der Streich mit erfundenen Heraklit-Sentenzen ereignet haben, den L. einem zeitgenössischen Philosophen laut einem auf arabisch erh. Galen-Zeugnis (Gal. ad Hippocratis Epidemias 2,6,29) spielte [4. 19]. In fortgeschrittenem Alter nahm er einen höheren (?) Posten in der Provinzbürokratie Ägyptens an (Apol. 12 [4. 20 f.]), kehrte aber vielleicht wieder zu rhet. Vortragstätigkeit zurück (vgl. Herc. und Bacch.); er starb Ende der 180er oder zu Beginn der 190er Jahre.

B. Werke

1. Rhetorisches 2. Dialoge
3. Menippeische Schriften 4. Erzählende Schriften 5. Pamphlete zu zeitgenössischen Phänomenen

Nur wenige Schriften lassen sich chronologisch einordnen: Aus der Antiochener Zeit (163/4, vgl. o.) stammen Salt., Im., Pro Im., Hist. Conscr. wohl von Mitte 166 [4. 60]; Peregr., Fug. und Ind. konnten erst nach 165 (Tod des Peregrinos) entstehen, Demon. nach 174 (Tod des Pflegesohns des Herodes Atticus: Demon. 24 und 33), Eun. einige Jahre nach der Einrichtung der kaiserlichen Philosophie-Lehrstühle in Athen 176; Alex. wurde nach der Divinisierung des Kaisers Marcus Aurelius (d. h. nach 180 n. Chr.) veröffentlicht (Alex. 48). Als älterer Mann erscheint L. in den *prolaliaí* Herc. und Bacch. sowie in den autobiographischen Essays ›Zur Verteidigung eines Fehlers in der Anrede‹ (Laps.) und ›Apologie‹ (Apol.). Mangels weiterer Indizien empfiehlt sich ein systematischer Überblick über das Werk, wobei dessen Vielfalt jede Systematik an ihre Grenzen stoßen läßt.

1. Rhetorisches

Für die → »Zweite Sophistik« typische Deklamationen sind die fiktiven Gerichtsplädoyers Τυραννοκτόνος (›Der Tyrannenmörder‹, Tyr.) und Ἀποκηρυττόμενος (›Der Enterbte‹, Abd.; vgl. hierzu Sen. contr. 4,5), ferner die → Ekphrasis eines Hauses (Περὶ τοῦ οἴκου, Dom.) und einer Badeanlage (Ἱππίας ἢ βαλανεῖον, ›Hippias‹, Hipp.). Moralisierende Erörterungen (*dialéxeis*) sind Περὶ τοῦ μὴ ῥᾳδίως πιστεύειν διαβολῇ (›Über die Verleumdung‹, Cal.), Πατρίδος ἐγκώμιον (›Lob der Heimat‹, Patr. Enc.) sowie die kynisch eingefärbten Traktate Περὶ πένθους (›Über die Trauer‹, Luct.) und Περὶ θυσιῶν (›Über die Opfer‹, Sacr.).

Mit insgesamt acht »Vorreden« (*prolaliaí*) hat L. zu verschiedenen Zeiten seine Vortragsdarbietungen eröffnet (zu Einzelheiten vgl. [8]): Ἡρόδοτος ἢ Ἀετίων (›Der Geschichtsschreiber Herodot, oder: Der Maler Aëtion‹, Herod.), Ἁρμονίδης (›Der Aulos-Spieler Harmonides‹, Harm.), Σκύθης (›Der Skythe‹, Scyth.), Περὶ διψάδων (›Über die Dipsas-Schlangen‹, Dips.), Περὶ τοῦ ἠλέκτρου (›Über den Bernstein‹, *Electrum*, Electr.), Ζεῦξις ἢ Ἀντίοχος (›Der Maler Zeuxis, oder: Der König Antiochos‹, Zeux.), Ἡρακλῆς (›Herakles‹, Herc.), Διόνυσος (›Dionysos‹, Bacch.). Hinzu kommt eine Reihe geistreich-paradoxer »Spielereien«: Der Tyrann Phalaris wird in Φάλαρις (›Phalaris‹, Phal.) A und B zu einem honorigen Herrscher stilisiert, zu einem bed. Geschöpf die Fliege im Μυίας ἐγκώμιον (›Lob der Fliege‹, Musc. Enc.). Ein in platonische Dialogform (vgl. u.) gegossenes »Lob eines unrühmlichen Themas« ist auch Περὶ παρασίτου ὅτι τέχνη ἡ παρασιτική (›Über den Parasiten: Das Schmarotzen ist eine Kunst!‹, Par.). Die Δίκη συμφώνων (›Der Rechtsstreit der Konsonanten‹, Iud. Voc.) ist ein witziger Komm. zu den Auseinandersetzungen um (hyper-) att. Sprachformen. Im Ῥητόρων διδάσκαλος (›Der Rednerlehrer‹, Rh. Pr.) geht es um (ungute) Tendenzen der Rhetorik.

2. Dialoge

a) Dialoge sokratisch-platonischer Form

Wie bei Paras. (vgl. o.) tritt der → Dialog in den Εἰκόνες (›Die Bilder‹, Im.) und in der daran anschließenden Schrift Ὑπὲρ τῶν Εἰκόνων (›Zur Verteidigung der Bilder‹, Pro Im.) in den Dienst eines Enkomions, hier auf die Geliebte des Lucius Verus (vgl. o.), in Περὶ ὀρχήσεως (›Über die Tanzkunst‹, Salt.) bildet er den Rahmen für einen Lobpreis auf den Pantomimos; in diesen drei Schriften tritt L. selbst unter dem Pseudonym Lykinos auf. Νιγρῖνος (›Nigrinos‹, Nigr.) besteht ebenfalls aus einem Rahmendialog und einem mono-

**Lukians Werke** (Auswahl)

| **Abkürzung** | **Lat. Titel** | **Griech. Titel** | **Dt. Titel** |
|---|---|---|---|
| Alex. | Alexander | *Aléxandros [ē Pseudómantis]* | Alexander [Der Lügenprophet] |
| Anach. | Anacharsis | *Anácharsis* | Anacharsis |
| Apol. | Apologia | *Apología* | Apologie |
| [Asin.] | Asinus | *Lúkios ē ónos* | Lukios [der Eselsroman] |
| Bis Acc. | Bis Accusatus | *Dis katēgorúmenos* | Der doppelt Angeklagte |
| Cat. | Cataplus | *Katáplus* | Die Niederfahrt |
| Cont. | Contemplantes | *Chárōn [ē Episkopúntes]* | Charon [Die Betrachtenden] |
| D.Deor. | Dialogi Deorum | *Theṓn diálogoi* | Göttergespräche |
| D.Mar. | Dialogi Marini | *Enálioi diálogoi* | Meergöttergespräche |
| D.Mer. | Dialogi Meretricii | *Hetairikoí diálogoi* | Hetärengespräche |
| D.Mort. | Dialogi Mortuorum | *Nekrikoí diálogoi* | Totengespräche |
| Dear. Iud. | Dearum Iudicium | *Theṓn krísis* | Die Beurteilung der Göttinnen |
| Deor. Conc. | Deorum Concilium | *Theṓn ekklēsía* | Die Göttervolksversammlung |
| Eun. | Eunuchus | *Eunúchos* | Der Eunuch |
| Fug. | Fugitivi | *Drapétai* | Die entlaufenen Sklaven |
| Gall. | Gallus | *Óneiros ē Alektrýōn* | Der Traum, oder: Der Hahn |
| Herc. | Hercules | *Hēraklḗs* | Herakles |
| Herm. | Hermotimus | *Hermótimos* | Hermotimos |
| Hist. Conscr. | Quomodo historia conscribenda sit | *Pōs dei historían syngráphein* | Wie man Gesch. schreiben soll |
| Icar. | Icaromenippus | *Ikaroménippos* | Menippos als Ikaros |
| Im. | Imagines | *Eikónes* | Die Bilder |
| Ind. | Adversus Indoctum | *Pros ton apaídeuton kai pollá biblía ōnúmenon* | Gegen den Ungebildeten, der viele Bücher kauft |
| Iud. Voc. | Iudicium Vocalium | *Díkē symphṓnōn* | Der Rechtsstreit der Konsonanten |
| Iupp. Conf. (JConf.) | Iuppiter Confutatus | *Zeus elenchómenos* | Zeus wird widerlegt |
| Iupp. Trag. (JTr.) | Iuppiter Tragoedus | *Zeus tragōidós* | Zeus in tragischer Rolle |
| Laps. | Pro Lapsu inter Salutandum | *Hypér tu en tēi prosagoreúsei ptaísmatos* | Zur Verteidigung eines Fehlers in der Anrede |
| Lex. | Lexiphanes | *Lexiphánēs* | Lexiphanes |
| Luct. | De Luctu | *Perí pénthus* | Über die Trauer |
| Merc. Cond. | De Mercede Conductis | *Perí tōn epí misthōi synóntōn* | Über die, die für Lohn Unterricht geben |
| Musc. Enc. | Muscae Encomium | *Myías enkṓmion* | Lob der Fliege |
| Nav. | Navigium | *Ploíon [ē euchaí]* | Das Schiff [Die Wünsche] |
| Nec. | Necyomantia | *Ménippos [ē Nekyomanteía]* | Menippos [Die Totenbefragung] |
| Par. | De Parasito | *Perí parasítu* | Über den Parasiten |
| Peregr. | De Morte Peregrini | *Perí tēs Peregrínu teleutḗs* | Über das Ende des Peregrinos |
| Phal. | Phalaris | *Phálaris* | Phalaris |
| Philops. | Philopseudes | *Philopseudeís* | Die Lügenfreunde |
| Pisc. | Piscator | *Anabiúntes [ē Halieús]* | Die Wiederauflebenden [Der Fischer] |
| Pro Im. (Pr.Im.) | Pro Imaginibus | *Hypér tōn eikónōn* | Zur Verteidigung der Bilder |
| Prom. | Prometheus | *Promētheús* | Prometheus |
| Prom. Es | Prometheus es in verbis | *Pros ton eipónta Promētheús ei en tois lógois* | Zu dem, der sagte: Du bist ein literarischer Prometheus! |
| Pseudol. | Pseudologista | *Pseudologístēs* | Der Lügenkritiker |
| Rh.Pr. | Rhetorum praeceptor | *Rēthórōn didáskalos* | Der Rednerlehrer |
| Sacr. | De Sacrificiis | *Perí thysiṓn* | Über die Opfer |
| Salt. | De Saltatione | *Perí orchḗseōs* | Über die Tanzkunst |
| Sat. | Saturnalia | *Ta pros Krónon* | Anliegen an Kronos |
| Somn. | Somnium [sive Vita Luciani] | *Perí tu enhypníu ḗtoi Bíos Lukianú* | Über den Traum [Das Leben Lukians] |
| Symp. | Symposium | *Sympósion* | Das Gastmahl |
| Syr.D. | De Syria Dea | *Perí tēs Syríēs theú* | Über die Syrische Göttin |
| VH | Verae Historiae | *Alēthḗ diēgḗmata* | Wahre Geschichten |
| Vit. Auct. | Vitarum Auctio | *Bíōn prásis* | Verkauf der Philosophenleben |

logischen Mittelteil (dem »Lehrvortrag« des Philosophen Nigrinos, hauptsächlich einem Enkomion auf Athen und einem Tadel (*psógos*) gegen Rom; bis heute sind das genaue Verhältnis der Teile zueinander und die Intention der ganzen Schrift umstritten).

Die Philos. und die Unzulänglichkeit ihrer Vertreter behandeln drei Werke, in denen L. erneut als Lykinos auftritt: In Ἑρμότιμος ἢ περὶ αἱρέσεων (›Hermotimos, oder: Über die philos. Richtungen‹, Herm.) erweist er einem alternden Stoikerschüler die Überlegenheit des Skeptizismus gegenüber den »dogmatischen« Philosophenschulen; in Συμπόσιον ἢ Λαπίθαι (›Das Gastmahl, oder: Der Lapithenkampf‹, Symp.) werden Philosophen dazu noch ein Grammatiker und ein Rhet.-Lehrer) als egoistische und streitsüchtige Raufbolde entlarvt; der Εὐνοῦχος (›Der Eunuch‹, Eun.) schildert das unwürdige Gerangel um einen peripatetischen Lehrstuhl (vgl. o.). Diese Dialogform dient auch als Träger phantasievollen Erzählens: In den Philosophenspott und Fabulierfreude verbindenden Φιλοψευδεῖς (›Die Lügenfreunde‹, Philops.) erzählen scheinbar seriöse Philosophen immer wildere Spukgeschichten, bis der einzige »Normale« (Tychiades als Sprachrohr des L.) die Runde angewidert verläßt. In Πλοῖον ἢ εὐχαί (›Das Schiff, oder: Die Wünsche‹, Nav.) hört (und kritisiert) L.' *persona* Lykinos nacheinander die Wunschphantasien dreier Freunde.

Dagegen fehlt eine satirisch-spöttische Komponente in Τόξαρις ἢ φιλία (›Toxaris, oder: Die Freundschaft‹, Tox.): Hier wetteifern der Skythe Toxaris und der Grieche Mnesippos mit Novellenkränzen zum Thema der Freundschaft. Die Form des platonischen Dialogs verwenden auch Ἀνάχαρσις ἢ περὶ γυμνασίων (›Anacharsis, oder: Über die Sportstätten‹, Anach.), wo es um Sinn und Unsinn des griech. Sports geht, Λεξιφάνης (›Lexiphanes‹, Lex.), wo der Hyperattizist Lexiphanes ein von obsoleten und falsch verwendeten Wörtern strotzendes »Gegenstück« zu Platons ›Symposion‹ präsentiert und anschließend von Lykinos brachial von seinem falschen Attizismus kuriert wird; ein Seitenstück dazu ist Ψευδοσοφιστὴς ἢ σολοικιστής (›Der Pseudo-Sophist, oder: Der Sprachfehlermacher‹, Sol.).

b) Dialoge als Komödienerbe

L. beruft sich mehrfach auf Eupolis und Aristophanes (Pisc. 25; Bis Acc. 33; vgl. Ind. 27), kennt aber auch die spätere Komödie gut (vgl. die Alexis- und Philemon-Zitate in Laps., den menandrischen Prolog-Gott Elenchos in Pseudol. 4). Τίμων ἢ μισάνθρωπος (›Timon, oder: Der Menschenhasser‹, Tim.) erinnert in seiner Szenenabfolge an Aristophanes, namentlich an dessen ›Plutos‹; eine Reihung gleichartig-komödienhafter Szenen zeigt die Βίων πρᾶσις (›Verkauf der Philosophenleben‹, Vit. Auct.); die Grundidee stammt wohl aus Menippos' Διογένους πρᾶσις (›Verkauf des Diogenes‹; vgl. u.); die Anfangsszene der thematisch direkt anschließenden Ἀναβιοῦντες ἢ Ἁλιεύς (›Die Wiederauflebenden, oder: Der Fischer‹, Pisc.) verbindet einen Einfall des Aristophanes (den Angriff des Chores in den ›Acharnern‹) und einen des Eupolis (die Idee der ›Demen‹, große Tote auf die Erde zurückkehren zu lassen): Die großen griech. Philosophen kommen aus dem Hades, um sich an L.' *persona* Parrhesiades wegen lit. Verunglimpfung zu rächen, doch wird der mit dieser Bedrohung souverän wie ein aristophanischer Held fertig und geht dann seinerseits daran, Pseudophilosophen wie ein Fischer zu »fangen« und zu entlarven (ebenfalls ein Komödien-Motiv?). Beim Δὶς κατηγορούμενος (›Der doppelt Angeklagte‹, Bis Acc.) sind Titel und agonale Gerichtsszenen Komödienerbe; die ihren »syrischen« Schützling wegen Treulosigkeit anklagende Rhetorik läßt an die vernachlässigte »Frau Komödie« in Kratinos' ›Pytine‹ denken.

Starken Einfluß der Neuen Komödie zeigen die Ἑταιρικοὶ διάλογοι (›Hetärengespräche‹, D. Mer.) mit ihren Hetären, deren Dienerinnen und anderem Komödienpersonal (Liebhaber und Soldaten).

Dialogserien ähnlicher Art (aber wohl nicht auf Komödien zurückgehend) sind die Ἐνάλιοι διάλογοι (›Meergöttergespräche‹, D.Mar.) und die Θεῶν διάλογοι (›Göttergespräche‹, D.Deor.), zu welchen man auch Προμηθεύς (*Prometheus*) und Θεῶν κρίσις (›Die Beurteilung der Göttinnen‹, Dear. Iud.) rechnen darf; zu den »Totengesprächen« vgl. unten.

3. Menippeische Schriften

L. selbst deutet an (Bis. Acc. 33, Pisc. 26), er habe seine Dialoge mit Zutaten aus → Menippos [4] von Gadara angereichert, und läßt ihn als Hauptfigur in zwei Werken auftreten: Im Ἰκαρομένιππος ἢ ὑπερνέφελος (›Menippos als Ikaros, oder: Der über die Wolken Fliegende‹, Icar.) fliegt Menippos auf der Suche nach Weltergründung bis in den Götterhimmel, in Μένιππος ἢ Νεκυομαντεία (›Menippos, oder: Die Totenbefragung‹, Nec.) steigt er in den Hades, um sich bei Teiresias nach dem besten Leben zu erkundigen; diese sicher auf Menippos zurückgehenden phantastischen Reisen wurden wohl von L. in einen Rahmendialog gefaßt. Alle weiteren dem »menippeischen« Teil von L.' Œuvre zugewiesenen Schriften bestehen nicht wie Icar. und Nec. aus einer in einen Rahmendialog gekleideten Ich-Erzählung des Menippos, sondern sind (bis auf die z.T. brieffromanartigen ›Saturnalia‹, vgl. u.) durchgehend dialogisiert; inwieweit L. in ihnen echte Motive des Menippos verarbeitet oder »menippisierend« an solche nur anknüpft, bleibt im einzelnen offen. Einen »menippeischen« prosimetrischen Anfang (wie Nec. und Pisc.) zeigt Ζεὺς τραγῳδός (›Zeus in tragischer Rolle‹, Iupp. Trag.), wo der Göttervater mitsamt seinen Olympiern erleben muß, wie ein götterleugnender Epikureer sich gegen einen schwerfälligen Stoiker durchsetzt. Im Ζεὺς ἐλεγχόμενος (›Zeus wird widerlegt‹, Iupp. Conf.) zieht der gleiche Zeus gegen einen hartnäckig nach der Vereinbarkeit göttlicher Allmacht mit dem Schicksalsgedanken fragenden Kyniker den kürzeren; und in der Θεῶν ἐκκλησία (›Die Göttervolksversammlung‹, Deor. Conc.) bleibt Zeus' Versuch, die versammelten Götter zu einem Beschluß gegen die Überfremdung durch ungriech. Gottheiten zu bewegen, ebenso erfolglos.

In Ὄνειρος ἢ Ἀλεκτρυών (›Der Traum, oder: Der Hahn‹, Gall.) läßt sich der arme Schuster Mikyllos von seinem Hahn (der früher Pythagoras war!) über die richtige (kynische) Auffassung von Reichtum und Armut belehren; eine ähnliche Thematik behandelt die aus mehreren heterogenen Teilen bestehende Schrift Τὰ πρὸς Κρόνον (›Anliegen an Kronos‹, ›Saturnalia‹, Sat.). In den Δραπέται (›Die entlaufenen Sklaven‹, Fug.) klagt die Philos. vor Zeus über die zahlreichen Philosophen-Scharlatane, woraufhin dieser eine exemplarische Strafaktion gegen drei solche Gestalten (eigentlich entlaufene Sklaven) durchführen läßt. Κατάπλους ἢ Τύραννος (›Die Niederfahrt, oder: Der Tyrann‹, Cat.) spielt in der menippeischen Unterwelt: Ein widerspenstiger Tyrann, ein wackerer Kyniker und der Schuster Mikyllos werden dem Totengericht zugeführt. Im gleichen Ambiente spielen die 30 Νεκρικοὶ Διάλογοι (›Totengespräche‹, D.Mort.), die nach Thematik und Personal mehrere Gruppen bilden: In 11 tritt Menippos selbst auf (mit inhaltlichen Parallelen zu Nec. und Cat.); in weiteren fünf Dialogen spielen andere Kyniker die Hauptrolle; daneben gibt es noch andere Konstellationen (histor. und mythische Gestalten, Götter, tote Erbschleicher). An die satirische Unterwelt des Menippos knüpft auch der Dialog Χάρων ἢ Ἐπισκοποῦντες (›Charon, oder: Die Betrachtenden‹) an, wo der Totenfährmann das oft widersinnige menschliche Treiben auf der Erde kennenlernt.

4. Erzählende Schriften

Als begabter Erzähler begegnet L. – neben Philops. und ›Toxaris‹ (vgl. o.) – vor allem in den Ἀληθῆ διηγήματα (›Wahre Geschichten‹, VH), in denen ein Ich-Erzähler münchhausenhafte Reisen zu märchenhaften Orten schildert; Zielscheibe sind hier vor allem der utopisch-abenteuerliche Reise-Roman (Iambulos, Antonios [3] Diogenes) und eine fabulierende Geschichtsschreibung (Ktesias).

5. Pamphlete zu zeitgenössischen Phänomenen

Πῶς δεῖ ἱστορίαν συγγράφειν (›Wie man Gesch. schreiben soll‹, Hist. Conscr.) nimmt die enkomiastische Historiographie zum damaligen Partherkrieg aufs Korn. Gegen bestimmte Personen richten sich Πρὸς τὸν ἀπαίδευτον καὶ πολλὰ βιβλία ὠνούμενον (›Gegen den Ungebildeten, der viele Bücher kauft‹, Ind.), Ψευδολογίστης ἢ περὶ τῆς ἀποφράδος (›Der Lügenkritiker, oder: Über den Unheilstag‹, Pseudol.: gegen einen Rivalen, der L. einen sprachlichen Fehler vorgeworfen hatte), Ἀλέξανδρος ἢ Ψευδόμαντις (›Alexander, oder: Der Lügenprophet‹, Alex.: die »Schurkenbiographie« des Begründers eines neuen Orakels), und Περὶ τῆς Περεγρίνου τελευτῆς (›Über das Ende des Peregrinos‹, Peregr.: die Selbstverbrennung des Pythagoreo-Kynikers Peregrinos in Olympia 165). Περὶ τῶν ἐπὶ μισθῷ συνόντων (›Über die, die für Lohn Unterricht geben‹, Merc. Cond.) beschreibt die unwürdige Existenz griech. Philosophen in den Häusern reicher Römer. Dagegen schildert Δημώνακτος βίος (›Das Leben des Demonax‹, Demon.) mit Sympathie die Gestalt eines zeitgenössischen athenischen Philosophen und Περὶ τῆς Συρίης θεοῦ (›Über die syr. Göttin‹, Syr.D.) in herodoteischer Manier und ion. Dial. das Heiligtum der Atargatis (→ Syria Dea) im syr. Hierapolis [4. 41–43].

C. Zur Eigenart von Lukianos' Werk

L. zeigt große sprachliche Sensibilität (vgl. Laps. und Pseudol.; wegen seiner Herkunft aus einem gemischtsprachigen Gebiet?). Griech. *paideía* war für ihn *Condicio sine qua non*, um zur kultivierten Welt zu gehören (vgl. Pisc. 19). Innerhalb eines Umfeldes, das fast ausschließlich trad. Lit.-Formen pflegte, schuf er durch geschickte Verbindung dieser Formen Neues. In Πρὸς τὸν εἰπόντα Προμηθεὺς εἶ ἐν τοῖς λόγοις (›Zu dem, der sagte: Du bist ein literarischer Prometheus!‹, Prom. Es) nennt er als die konstituierenden Teile dieses Neuen den philos. Dialog und die Komödie (5–7), in Bis Acc. 33 ferner den archilocheischen Iambos und vor allem die menippeische → Satire (vgl. auch Pisc. 25 f.). Da es im Bis Acc. vor allem um L.' Stellung zwischen Rhet. und philos. Dialog geht, galt diese Schrift (neben Nigr.; vgl. Pisc. 29) früher oft als Hauptzeuge für eine »Konversion« des L. von der Rhet. zur Philosophie. Tatsächlich ist die Rhet. immer die Grundlage von L.' Schaffen geblieben; doch erkannte er von einem bestimmten Punkt an das lit. Potential, das in ihrer Verbindung mit anderen Formen lag. Die Nutzung dieses Potentials war es, die L. ein langes lit. Nachleben sicherte.

D. Nachleben

Außer der erwähnten Galen-Stelle gibt es aus L.' eigener Zeit keine Zeugnisse anderer über ihn; erst im 4. Jh. n. Chr. widmen ihm → Lactantius (inst. 1,9,8) und Eunapios (vit. Soph. 2,1,9 p. 454) kurze Notizen. Gelesen wurde er sicher schon vorher: wahrscheinlich von → Alkiphron, von einzelnen christl. Autoren [1. 42–44]), von Kaiser Iulianus [11], von Claudianus [12] und vom Autor der Aristainetos-Briefsammlung. In Byzanz wurde L. wegen seines Christenspotts in Peregr. wütend beschimpft (Arethas-Scholien; Suda s. v. L.), wegen seines klaren und gefälligen Stils (vgl. Photios' Urteil in Bibl. 128) aber stets gelesen und auch nachgeahmt. Damit zusammenhängend drangen manche sicher oder wahrscheinlich unechten Schriften in das Corpus Lucianum ein: Μακρόβιοι (›Personen mit langem Leben‹, Macr.), Λούκιος ἢ ὄνος (›Lukios, oder: Der Eselsroman‹, Asin.), Περὶ τῆς ἀστρολογίης ? (›Über die Astrologie‹, Ast.), Ἔρωτες (›Liebschaften‹, Am.), Δημοσθένους ἐγκώμιον (›Lob des Demosthenes‹, Dem. Enc.), Διάλογος πρὸς Ἡσίοδον ? (›Gespräch mit Hesiod‹, Hes.), Ποδάγρα ? (›Die Gicht‹), Ἀλκυών ἢ Περὶ μεταμορφώσεων (›Der Meereisvogel, oder: Über Verwandlungen‹), Ὠκύπους (›Schnellfuß‹, Ocyp.), Κυνικός ? (›Der Kyniker‹, Cyn.). Eine Nennung verdienen hier vor allem zwei von Nec. inspirierte byz. Unterweltfahrten, ›Timarion‹ (12. Jh.) und ›Des Mazaris Aufenthalt im Hades‹ (1416/17).

Sobald es L.-Hss. im europ. Westen gab (seit Anfang des 15. Jh.), traten auch L.-Zitate und -Anspielungen bei it. Humanisten auf; lat. Übers. folgten. Ein großer L.-Verehrer war ERASMUS VON ROTTERDAM; er übersetzte (z. T. zusammen mit THOMAS MORUS) eine Reihe von L.' Schriften ins Lat. und zeigt sich im ›Lob der Torheit‹ und den ›Colloquia familiaria‹ sehr von L. beeinflußt. L.' Verwendung durch streitbare Humanisten (PIRCKHEIMER, HUTTEN; in Frankreich B. DES PERIERS, ›Cymbalum Mundi‹, in Spanien das ›Crótalon‹ eines Anonymus) zur Rel.- und Kirchenkritik führte das Œuvre auf den ›Index verbotener Bücher‹, behinderte sein weiteres Nachleben aber nicht: Im 16., 17. und 18. Jh. wirkten vor allem die ›Wahren Gesch.‹ (bei RABELAIS, CYRANO DE BERGERAC, JONATHAN SWIFT, LUDVIG HOLBERG), im 17. und 18. Jh. die ›Totengespräche‹ (bei BOILEAU, FONTENELLE, FÉNELON, FIELDING, VOLTAIRE, WIELAND). Mit WIELAND und seiner L.-Übers. (entstanden 1781–1789) erreichte die L.-Verehrung in Deutschland einen Höhepunkt, der bis in die 1. H. des 19. Jh. anhielt. Noch vor Wieland hatte aber bereits PIERRE BAYLE (wie früher Photios) L. nur nihilistische Spottlust zubilligen wollen; diese Tendenz verstärkte sich in der dt. Klass. Philol., und am Ende des 19. Jh. galt L. nur noch als seichter »Journalist« (WILAMOWITZ); 1906 sprach ihm R. HELM [1] auch lit. Originalität weitgehend ab. Inzw. ist das Urteil wieder ausgewogener geworden [3. 389–394; 4. 155–159].

ED.: M. D. MACLEOD, Luciani Opera, 1–4 (1972–1987; Rez.: H.-G. NESSELRATH, in: Gnomon 56, 1984, 577–609 und 62, 1990, 498–511).
KOMM. TEXTAUSWAHL: MACLEOD 1991.
NEUERE KOMM. ZU EINZELNEN SCHRIFTEN: Alex. (MATTEUZZI, 1988; VICTOR, 1997); Anach. (BERNARDINI, 1995); Bis Acc. (BRAUN, 1994); Iupp. Trag. (COENEN 1977); Lex. (WEISSENBERGER, 1996); Luct. (ANDÓ, 1984); Nec. (FERRETTO, 1988); Par. (NESSELRATH, 1985), VH (GEORGIADOU, LARMOUR, 1998).
LIT.: **1** R. HELM, Lucian und Menipp, 1906 **2** J. BOMPAIRE, Lucien Écrivain, 1958 **3** J. HALL, Lucian's Satire, 1981 **4** C. P. JONES, Culture and Society in Lucian, 1986 **5** R. B. BRANHAM, Unruly Eloquence: Lucian and the Comedy of Traditions, 1989 **6** M. D. MACLEOD, Lucianic Studies since 1930, with an Appendix: Recent Work (1930–1990) on Some Byzantine Imitations of Lucian (by B. BALDWIN), in: ANRW II 34.2, 1994, 1362–1421 **7** S. SWAIN, Hellenism and Empire: Language, Classicism and Power in the Greek World A. D. 50–250, 1996, 299–329 **8** H.-G. NESSELRATH, Lucian's Introductions, in: D. A. RUSSELL (Hrsg.), Antonine Literature, 1990, 111–140 **9** Ders., Kaiserzeitlicher Skeptizismus in platonischem Gewand: Lukians ›Hermotimos‹, in: ANRW II 36.5, 1992, 3451–3482 **10** A. GEORGIADOU, D. H. J. LARMOUR, Lucian and Historiography: ›De historia conscribenda‹ und ›Verae historiae‹, in: ANRW II 34.2, 1994, 1448–1509 **11** C. ROBINSON, Lucian and His Influence in Europe, 1979 **12** H.-G. NESSELRATH, Menippeisches in der Spätant.: Von Lukian zu Julians ›Caesares‹ und zu Claudians ›In Rufinum‹, in: MH 51, 1994, 30–44.
H.-G. NE.

**[2] L. von Antiocheia.** Nach späterer hagiographischer Überl. bei Simeon Metaphrastes (vgl. [1]) aus → Samosata, in → Edessa ausgebildet und später als antiochenischer Presbyter Leiter einer Schule. Unter → Maximinus [1] Daia wurde er 312 in Nikomedeia hingerichtet (vgl. Eus. HE 8,13,2 und 9,6) und in Drepanon (Helenopolis) begraben; hier, am Geburtsort der → Helena [2], bemühte sich bes. → Constantinus [1] um seinen Kult (Eus. vita Const. 4,61,1).

Von den Werken des L. (vgl. Hier. vir. ill. 77,2) sind nur noch ein kurzes Brief-Fr. (CPG 1,1721) und ein Fr. aus einer Predigt in einem homöischen Hiob-Komm. erh. (CPG 1,1722: [2]). Der als Bekenntnis vor Maximinus mitgeteilte Text bei → Rufinus ist nicht authentisch (CPG 1720: Rufin. hist. eccl. 9,6,3). Die Ekthesis der antiochenischen Enkainiensynode 341 (»zweite antiochenische Formel« [3]), die später zum offiziellen Bekenntnis der Homöusianer wurde, wird nach 367 L. zugeschrieben (Soz. 6,12,4), dürfte aber nicht auf den antiochenischen Presbyter zurückgehen. → Hieronymus schreibt L. erstmals Rezensionen von beiden Teilen der griech. Bibel zu (u. a. prol. in libro paralipomenon, p. 546,9 WEBER); v. a. seit dem 19. Jh. ist mit unterschiedlichem Erfolg versucht worden, solche »lukianischen« Rezensionen zu rekonstruieren (Forschungsstand und Bibliogr. für die Septuaginta [4], für das NT [5]); die Frage nach der Autorschaft des L. stellt sich davon noch einmal unabhängig. Aufgrund der sehr schlechten Überl.-Lage sollte man davon absehen, L. als Begründer der → antiochenischen Schule zu postulieren oder als »Arius vor Arius« (so noch HARNACK); welche Implikationen und Folgen die theologische Schülerschaft des L. im trinitätstheologischen Streit des 4. Jh. mit sich brachte, ist kaum mehr zu erhellen. Sicher ist nur, daß → Areios [3] den Bischof → Eusebios [8] von Nikomedeia auf diese Schülerschaft anspricht (συλλουκιανιστής, [6. Urk. 1,5 p. 3,7]) und von seinem Ortsbischof Alexander [6. Urkunde 14,36 p. 25,13] selbst in diese Trad. gestellt wird. Im 4. Jh. haben sich aber auch andere theologische Richtungen auf den verehrten Märtyrer berufen.

**1** J. BIDEZ, F. WINKELMANN, Philostorgius, Kirchengeschichte (GCS), ³1981, 184–201 (= Bibliotheca Hagiographica Graeca 997) **2** D. HAGEDORN (ed.), Der Hiobkommentar des Arianers Julian (Patristische Texte und Stud. 14), 1973, 30,21–33,15 **3** A. und G. L. HAHN, A. v. HARNACK, Bibl. der Symbole und Glaubensregeln der Alten Kirche, ³1897 (Ndr. 1962), § 154, p. 184–186 **4** G. DORIVAL, M. HARL, O. MUNNICH, La bible grecque des Septante du judaïsme hellénistique au christianisme ancien, 1988, 168–171 **5** K. und B. ALAND, Der Text des Neuen Testaments, ²1989, 75–77 **6** H.-G. OPITZ, Athanasius, Werke. 3: Urkunden zur Gesch. des arianischen Streites, 1934, 318–333.

QUELLEN: CPG 1, 1720–1722 • R. WEBER (ed.), Biblia Sacra iuxta Vulgatam Versionem, ²1975.
LIT.: G. BARDY, Recherches sur saint Lucien d'Antioche et son école, 1936 • H.CH. BRENNECKE, s. v. Lucian von Antiochien, TRE 21, 474–479 • Ders., Lukian von Antiochien in der Gesch. des arianischen Streites, in: Ders., E. L. GRASMÜCK, CH. MARKSCHIES, Logos. FS L. Abramowski (Beihefte zur Zschr. für die Nt. Wiss. 67), 1993, 170–192.
C. M.

**Lukillios** (Λουκίλλιος). Epigrammdichter, lebte in Rom unter dem Patronat des Nero, dem er zum Dank für eine finanzielle Zuwendung das zweite Buch seiner Epigramme widmete (Anth. Pal. 9,572). Grundlos sind die Gleichsetzungen mit dem Grammatiker → Lukillos von Tarrha und mit → Lucilius [II 4], Senecas Freund. Erhalten sind ca. 120 Epigramme (dazu wahrscheinlich auch ein Gutteil der 52 dem »Lukianos« zugewiesenen Gedichte; vgl. [1]). Diese sind von oft bemerkenswertem Niveau und fast alle satirisch (ernste Töne sind äußerst selten, vgl. Anth. Pal. 11,388–90). Mit L. erreichte das Spottepigramm, das zuvor nur sporadisch gepflegt wurde (→ Epigramm) seinen Höhepunkt. Es ist gekennzeichnet durch seine Gedrängtheit, den einfachen, glatten Stil, die Sprache, die der gesprochenen nahesteht, und den Abschluß mit einer unverkennbaren scharfen Pointe. Von L. verspottet werden – fast immer namentlich (ὀνομαστί) – einerseits Personen mit körperlichen oder moralischen Defekten, andererseits schlechte Berufsvertreter (z.B. pedantische Grammatiker, vgl. Anth. Pal. 11,140,3). Der Humor wird durch Wortschöpfungen, Wortspiele und Hyperbeln belebt; parodiert werden zuweilen ganze lit. Gattungen: das Weihe- (11,194), das Grab- (11,80; 312), das Wettkampfepigramm (11,81; 83f. usw.) und die Siegerinschr. (11,75–78). L.' Wirkung auf die nachfolgende griech. (von Nikarchos bis Palladas) und die lat. (Martial) Spottepigrammatik war bedeutend.

1 B. Baldwin, The Epigrams of Lucian, in: Phoenix 29, 1975, 311–335.

J. Geffcken, s. v. L., RE 13, 1777–1785 • F. Brecht, Motiv- und Typengesch. des griech. Spottepigramms, 1930 • V. Longo, L'epigramma scoptico greco, 1967, 9–77.

M. G. A./Ü: T. H.

**Lukillos** (Λουκίλλος) aus Tarrha. Griech. Grammatiker aus Kreta; lebte in der Mitte des 1. Jh. n. Chr. Zu seinen wichtigsten Werken [1. 604 s. v. Τάρρα] zählte die grammatische Abh. *Techniká* (Τεχνικά) mit einem Kapitel über die Gesch. des griech. Alphabets (Περὶ γραμμάτων) sowie ein Sprichwörterbuch (Περὶ παροιμιῶν; → Paroimiographoi), das neben dem seines Vorgängers → Didymos [1] später auch dem → Zenobios als Quelle gedient hat (vgl. Suda, s. v. Ζηνόβιος). Weiterhin wird ihm auch eine Schrift Περὶ Θεσσαλονίκης [1. 311f. s.v. Θεσσαλονίκη] zugeschrieben. Als Kommentator des Apollonios [2] Rhodios ist er aus der Subscriptio der Scholien zum 4. B. der *Argonautika* und aus einigen Zitaten in den Schol. zum 1. Buch bekannt [2; 3]. Gegen die irrtümliche Gleichsetzung mit dem Epigrammatiker Lukillios (bei [4]) vgl. [5].

1 A. Meineke, Stephani Byzantii Ethnicorum quae supersunt, Bd. 1, 1849 2 A. Gudeman, s. v. L., RE 13, 1785–1791 3 C. Wendel, Die Überlieferung der Schol. zu Apollonius von Rhodos, 1932, 108ff. 4 A. Linnenkugel, De Lucillo Tarrhaeo epigrammatum poeta, grammatico, rhetore, 1926 5 J. Martin, Rez., in: Gnomon 5, 1929, 124–26.

Bibliogr. vgl. → Paroimiographoi.

M. B.

**Lukios** (Λούκιος).

**[1] L. Kathegetes.** Verf. pharmakologischer Texte, der Mitte bis E. des 1. Jh. n. Ch. wirkte. → Galenos (De compositione medicamentum secundum genera 13,295 K.) hält im Rückgriff auf → Andromachos [5] d. J. ein Mittel gegen Durchfall von Lucius aus Tarsos fest, einer Stadt mit langer Trad. auf dem Gebiet der Pharmakologie (vgl. auch 13,292 K., wo der Name der Stadt nicht gen. wird). Mit diesem Lucius ist höchstwahrscheinlich der berühmtere L. Kathegetes gemeint, der Lehrer des → Asklepiades [9] Pharmakion und des → Statilius Criton [1]. Die Zit. bei Galen belegen, daß Asklepiades, Criton und deren Zeitgenossen → Archigenes und Andromachos d. J. L. im Zusammenhang mit zahlreichen Heilmitteln zitierten, wozu solche gegen Ohrenschmerzen (12,623 K.), Kopfschmerzen (13,648 K.), Dysenterie (13,295 K.), Hautkrankheiten (12,828 K.) und Blutungen (13,857 K.) zählen. L. verwandte in seinen Heilmitteln eine ganze Reihe von pflanzlichen (13,746 K.) und mineralischen (13,524 K.) Inhaltsstoffen. Obwohl L.' Heilmittel den pharmakologischen Schriftstellern E. des 1. Jh. n. Chr. durchaus bekannt waren, zit. Galen im folgenden Jh. keine einzige seiner Schriften direkt.

1 C. Fabricius, Galens Exzerpte, 1972, 191.

V. N./Ü: L. v. R.-B.

**[2]** Anhänger des röm. Stoikers → Musonius Rufus und vielleicht Autor einer Slg., die die Quelle von dessen bei → Stobaios überlieferten Exzerpten darstellt.

O. Hense (Hrsg.), C. Musonius Rufus: Reliquiae, 1905, IX-XXI • W. Capelle, s. v. L. (2), RE 13, 1797 • M. Pohlenz, Die Stoa, 1955, Bd. 2, 145.

B. I./Ü: J. DE.

**[3]** Platonischer Philosoph des 2. Jh. n. Chr., bekannt nur aus acht Erwähnungen im Kategorienkomm. des Simplikios (CAG 8). Er verfaßte ein Werk, in dem er schonungslos Einwände gegen fast alle Lehren der Kategorienschrift des → Aristoteles [6] erhob – wie → Nikostratos, mit dem er oft zusammen genannt wird und der auf ihn zurückgriff [1. 66, 258]; eine Trennung ihrer beiden Werke ist kaum möglich [2. 530]. Die Aporien des L. und des Nikostratos hatten großen Einfluß auf spätere Philosophen wie Plotin, Porphyrios und Iamblichos.

1 Dörrie/Baltes 3, 1993 2 Moraux 2, 1984.

K. Praechter, Nikostratos der Platoniker, in: Hermes 57, 1922, 481–517 = Ders., KS, 1973, 101–137 • H.B. Gottschalk, Aristotelian Philosophy in the Roman World, in: ANRW II 36.2, 1987, 1150f.

M. BA. u. M.-L. L.

**[4] L. von Patrai.** Von Photios (cod. 129) als Verf. einiger Bücher von *Metamorphóseis* (›Wandlungen‹) in griech. Sprache erwähnt (es könnte sich aber auch nur um den Namen des Protagonisten handeln). Photios hebt eine außergewöhnliche Ähnlichkeit zw. dem → Lukianos [1] zugewiesenen ›Esel‹ (*Ónos*) und den ersten beiden Büchern der *Metamorphóseis* des L. hervor, die jedoch einen größeren Umfang hatten; eine gewisse

Affinität muß auch zw. L. und dem gleichnamigen Werk des Apuleius (→ Ap(p)uleius [III]) bestanden haben. Die relative Chronologie der drei Werke und ihre wechselseitigen Beziehungen werden in der modernen Forsch. noch diskutiert.

→ Roman

H. VAN THIEL, Der Eselsroman, Bd. 1, 1971 • G. BIANCO, La fonte greca delle Metamorfosi di Apuleio, 1971 • H.J. MASON, Greek and Latin Versions of the Ass-Story, in: ANRW II 34.2, 1994, 1665–1707.

M. FU. u. L. G./Ü: T. H.

**Lukkā.** Im 14.–13. Jh. v. Chr. bezeugte hethit. Benennung (*Lu-uk-ka/ka*$_4$*-a- [Lukkā-]*, mit dehnstufigem, gewiß akzentuiertem Stammauslaut; akkad. *Lukki*, äg. *Rk [Luka/i]*) für das sw-kleinasiatische, West-Pamphylien/West-Pisidien, Lykien und Süd-Karien umfassende Gebiet, das im Osten bis zum Kestros (hethit. Kastraja) reichte, im Norden an → Arzawa (bzw. → Mirā) und an das myk. besiedelte Millawa(n)da (→ Miletos) grenzte (→ Ḫattusa II mit Karte). Sie ist, zumal dem anatol. Kleinasien (→ anatolische Sprachen) die ethnischen Begriffe »Volk«, »Stamm« völlig fremd sind, nur im polit.-geogr. Sinne zu verstehen, während die in der Sekundärlit. oft begegnende und einen Volksbegriff evozierende Bezeichnung »die Lukka« keinerlei Anhalt hat, im übrigen auch sprachlich einen Mißgriff darstellt, da die Bewohner von L. klärlich als »Lukkäer« zu bezeichnen sind. Wie ganz West- und Süd-Kleinasien war L. luw.-sprachig, doch dürfte der luw. Dial. Lykisch (→ Luwisch) schon im 2. Jt. auf die Halbinsel Lykien, wenn nicht gar auf das → Xanthos-Tal beschränkt gewesen sein.

L. bildete keine staatliche Einheit, sondern war in zahlreiche kleine, wohl durchweg oligarchisch verfaßte (Ältesten-Regierung [4. 225]) »Länder« (hethit. *utnē*) zersplittert, von denen z. B. Tlawa (< lyk. *Tla-*/Tlau-**; griech. Τλῶς) und Ḫinduwa (griech. Κίνδυα) bereits E. des 15. Jh. namentlich hervortreten. Im 13. Jh. sind ferner u. a. die Länder Winuwanda/Wijanawanda (griech. Οἰνοάνδα), Awarna (lyk. **Au̥rna-*, im 1. Jt.: > *Arñna-*; griech. Ξάνθος), Pinara (1. Jt.: *Pinale-*, griech. Πίναρα) sowie – westl. des Kestros – Parḫā (griech. Πέργη) und Kuwalabassa (griech. Κόλβασα; nicht zu verwechseln mit dem lyk. Kuwalabassa [2. 139[23]], im 1. Jt. > *Telebehe(/i)-*, griech. Τελ(ε)μεσσός!) bezeugt [6. 450[108]; 3. 54–55]. Die Bewohner (wohl v. a.) der Mittelmeerküste waren als Seeräuber bekannt, deren Aktionsradius schon im 14. Jh. bis nach Ägypten reichte. Obwohl nie zum hethit. Großreich (→ Ḫattusa II) gehörend, war L. – und hier insbes. das Xanthos-Tal sowie die sich nw anschließende Region bis Millawanda – seit E. des 15. Jh. unmittelbares hethit. Interessen- und Einflußgebiet und insofern auch mehrfach Ziel hethit. Feldzüge, zuletzt unter Suppiluliuma II. (um 1200) mit Flottenunterstützung des Vasallenstaates → Ugarit [3. 61].

Der Name L. ist kaum einheimisch, sondern vielleicht urspr. von Arzawa/Mirā aus für die direkt benachbarte Region einschließlich des Xanthos-Tals verwendet und nur von den Hethitern auf das ganze sw-kleinasiatische, polit. gleichartig strukturierte Gebiet (keine Königtümer!) ausgedehnt worden, was in der hethit. Ausweitung des Namens »Arzawa« zur zusammenfassenden Bezeichnung des polit. Verbandes der arzawischen Vasallenstaaten Mirā, Ḫaballa, → Sēḫa und → Wilusa eine Parallele hat. Dafür spricht auch seine Fortsetzung in griech. Λυκία/*Lykía* (gegenüber einheim.-lyk. *Tr̥̃mmis-*, < Nom. **Tr̥̃mint-s*), das noch für → Homeros [1] (E. 8. Jh.) im Grunde mit dem Xanthos-Tal identisch war (z. B. Hom. Il. 2,877; 5,479). Arch. ist das 2. Jt. und das frühe 1. Jt. für das gesamte hethit. als L. bezeichnete Gebiet noch kaum erforscht worden [5. 37–41].

→ Kleinasien III C.; Lykioi, Lykia

1 T. R. BRYCE, The Kingdom of the Hittites, 1998 2 O. R. GURNEY, The Annals of Hattusilis III, in: AS 47, 1997, 127–139 3 J. D. HAWKINS, The Hieroglyphic Inscription of the Sacred Pool Complex at Hattusa, 1995 4 H. KLENGEL, Die Rolle der »Ältesten« ... im Kleinasien der Hethiterzeit, in: ZA 57, 1965, 223–236 5 M. J. MELLINK, Homer, Lycia, and L., in: J. B. CARTER, S. P. MORRIS (Hrsg.), The Ages of Homer. FS E. T. Vermeule, 1995, 33–43 6 F. STARKE, Troia im Kontext des histor.-polit. und sprachlichen Umfeldes Kleinasiens im 2. Jt., in: Studia Troica 7, 1997, 447–487.

F. S.

**Lukuas** s. Lucas

**Luna**

**[1]** Lat. für → Mond.

A. ALLGEMEINES
B. ÖFFENTLICHER KULT UND TEMPEL
C. LUNA AUSSERHALB DES ÖFFENTLICHEN KULTES

A. ALLGEMEINES

Sowohl Himmelskörper als auch Gottheit, wurde L. als untergeordnetes (weibliches) Gegenstück zu → Sol, der Sonne, betrachtet. Röm. Etym. leiten den Namen von lat. *lucēre*, »scheinen« (Varro ling. 5,68; Cic. nat. deor. 2,68), moderne vom F. des entsprechenden Adj. **louqsna* (verwandt mit → *Lucina*, vgl. *losna* in Praeneste, CIL I$^2$ 549) ab.

B. ÖFFENTLICHER KULT UND TEMPEL

Die röm. Antiquare glaubten, daß der Kult der L. zusammen mit dem von Sol, Saturn, Ops und weiteren Gottheiten von T. → Tatius, dem sabinischem Mitherrscher des Romulus, in Rom eingeführt wurde (Varro ling. 5,74; Dion. Hal. ant. 2,50,3). Tatsächlich deutet nur wenig auf einen urspr. einheimischen ital. Mondkult; am wahrscheinlichsten ist, daß ein urspr. latin. Kult früh durch die griech. → Artemis/→ Selene geprägt wurde. Röm. Münzdarstellungen seit dem späten 3. Jh. v. Chr. (RRC 39/4) zeigen Sol in Verbindung mit der Mondsichel. Seit den 190er Jahren v. Chr. (RRC 133/3) erscheint L. als junge Frau in einem Zweigespann (*biga*); dieser Darstellung liegen sicher griech. Modelle zugrunde (vgl. Plaut. Bacch. 255). L.s wichtigster Tempel, auf dem aventinischen Clivus Publicius gelegen und erstmals 182 v. Chr. erwähnt (Liv. 40,2,2), soll von Servius → Tullius gegründet worden sein (→ *natalis templi* am 31. März: Ov. fast. 3,883 f.; InscrIt 13,2 p. 433). Er stand in unmittelbarer Nachbarschaft zu den Heiligtümern der Diana und Ceres und brannte 64 n. Chr. nieder (Tac. ann. 15,41). Ein weiterer Tempel, für *L. Noctiluca*, »die Nachtleuchtende«, auf dem Palatin (Varro ling. 5,68) wurde wahrscheinlich ebenfalls 64 n. Chr. zerstört. Laut den → *Fasti Pinciani* (1. Jh. n. Chr., InscrIt 13,2, p. 502) wurde L. am 24. August *in Graecost[-]*, d. h. wahrscheinlich im Graecostadium der Regio VIII Roms, ein Opfer dargebracht.

Der öffentliche Kult für L. scheint während der Republik von geringer Bed. gewesen zu sein. Nur wenige Prodigienmeldungen beziehen sich auf ihn (Liv. 22,1,9f.; Obseq. 51). Allerdings zeigt die Reaktion einfacher Leute auf Mondfinsternisse, daß er im Volksglauben und -kult eine Rolle spielte (Liv. 44,37,5–9; Plin. nat. 28,77). Unter dem Prinzipat begegnet L. gewöhnlich in Verbindung mit Sol (z. B. auf der *ara Augusta* des L. Lucretius Zethus: CIL VI 30975, 1 n. Chr.). Diese Verbindung ist in der späten Republik nachweisbar (RRC 303/1: 109/8 v. Chr.; RRC 474/5: 45 v. Chr.; Varro rust. 1,1,5) und möglicherweise sogar noch älter (Münzdarstellungen von Sol und Mondsichel: s. o.). Seit augusteischer Zeit traf in ihr geozentrische Kosmologie mit den Bedürfnissen der kaiserlichen Theologie zusammen (CIL VI 3720; ILS 3094; AE 1991, 1184): Kaiserinnen spielten die Rolle von L. analog zur Darstellung der Kaiser als Helios/→ Sol; die göttliche Ordnung wurde in der normativen polit. Ordnung abgebildet. Die in Texten des frühen Prinzipats anzutreffende komplexe lit. »Triade«, in der L. aufgrund sich überschneidender Funktionen als Bindeglied zw. → Diana/Artemis und → Hekate steht [1. 116–150], besitzt keine Entsprechung in Votivinschr.; dort wird L. gelegentlich mit Diana verknüpft und sogar identifiziert. Die gebräuchlichsten lit. Epitheta von L. sind *Phoebe*, *Trivia*, *Lucina*, *Cynthia* und *Dictynna*.

C. Luna ausserhalb des öffentlichen Kultes

Gelehrte Spekulation machte manchmal Gebrauch vom Volksglauben über den → Mond. L.s wichtigste Rollen in der Volksfrömmigkeit beziehen sich auf kalendarische (Hor. carm. 4,6,39f.; Plut. qu. R. 77, 282c), Ackerbau- (Varro rust. 1,1,5; Verg. georg. 1,276ff.; 427–435; Plin. nat. 17,108) und Geburtszyklen (Cic. nat. deor. 2,119). Die weitere L. in der Lit. zugewiesene wichtige Rolle als Zeugin und Beförderin magischer Handlungen [1. 215–233] (→ Magie) hat die griech. → Hekate in deren Rolle als Königin der Unterwelt zum Vorbild. L. liefert hier als Nachtgestirn eine Metapher für das Verhältnis von magischem zu öffentl. legitimiertem rel. Kult. L. begegnet niemals in dieser Rolle in den → *defixiones* (Fluchtäfelchen), erscheint jedoch in den Regeln für das Sammeln von iatromagischen Heilmitteln verschiedener Art (Plin. nat. 24,12) und sog. »Mondschleim« (Lucan. 6,500–506) [2. 92–103].

→ Magie; Mond; Selene

1 S. Lunais, Recherches sur la Lune 1 (EPRO 72), 1979
2 A.-M. Tupet, La magie dans la poésie latine, 1976.

F. Gury, s. v. Selene/L., LIMC 7.1, 706–715.

**[2]** Der mondsichelförmige Elfenbeinschmuck auf den Riemen der von röm. Senatoren, bes. Patriziern, getragenen Schuhe (s. → *calceus patricius*), auch *lunula* gen. (vgl. Stat. silv. 5,2,28; Iuv. 7,192 mit schol.; Isid. orig. 19,34,4); auch ein von Frauen getragener Halsschmuck (griech. *mēnískos*). R. GOR./Ü: U. R.

**[3]** Hafenstadt, 17 km nordwestl. vom h. Carrara, am linken Ufer der Magra (Strab. 5,2,5), h. Luni, in einem urspr. von Etrusci und Ligures bewohnten Gebiet, seit Anf. des 2. Jh. v. Chr. (*portus Lunae*, Enn. ann. 16) als röm. Militärbasis (Liv. 34,8,4; AE 1993, 643) bezeugt, *colonia* der *tribus Galeria* unter *duoviri* (177 v. Chr.: Liv. 41,13,4). Reich an Bodenschätzen (Marmorbrüche, h. Carrara-Marmor), wurde L. 115/109 v. Chr. durch die Via Aemilia Scauri ans röm. Verkehrsnetz angebunden (Strab. 5,1,11). Möglicherweise von Augustus mit einer Veteranenkolonie neu gegr. (Liber coloniarum 223, 14), der siebten Region zugewiesen (Plin. nat. 3,5,50). Überreste: außerhalb ein Amphitheater, ein evtl. der L. [1] geweihter »großer Tempel«, Iuppiter-Tempel, Forum, Theater, Wohnhäuser, frühchristl. Basilika; Giebelterrakotten, Inschr. und Mz. Nach dem 3. Jh. n. Chr. Niedergang (Erdbeben Anf. des 4. Jh.). Seit der 2. H. des 5. Jh. christl. Diözese; in byz. Zeit Zentrum der Italia Maritima, Sitz eines *magister militum*; im weiteren Verlauf von Goten erobert, von Narses zurückerobert (552), von Rothari, dem Herzog von Brescia, zerstört (643), von den Sarazenen (849 und 1016) und den Normannen (860) gestürmt. Beeinträchtigt durch die Versandung des Hafens, durch Malaria und Abwanderung der Bewohner, verlor L. den Bischofssitz (1204).

L. Banti, Luni, 1937 • A. Frova (Hrsg.), Scavi di Luni 1, 1973; 2, 1977 • M. G. Angeli Bertinelli, Storia della città, in: A. Frova (Hrsg.), Luni. Guida archeologica, 1985, 9–18 • A. Frova, s. v. L., PE, 532f. M. G. A. B./Ü: H. D.

**Lunaria.** Eine durch zahlreiche ma. hsl. Exemplare belegte lat. Textgattung; L. bieten die Zusammenstellungen von Vorschriften und Prognosen für alle Tage eines Mondmonats. Inhaltlich greifen sie ant. astrolog. Regeln auf (Cato agr.; Verg. georg.; Plin. nat.); die Überl.-Linie läßt sich aber nicht bruchlos rekonstruieren [2. 18]. In der griech. astrolog. Lit. entsprechen ihnen die sicher ebenso auf ant. Prognostica [3; 4] zurückgehenden Selenodromia. In der Form reihen sich die L. in die (zumeist astrolog. fundierten) Tagewählkalender ein, die von äg. Texten [5] bis zu den frühneuzeitlichen Drucken von Aderlaß»kalendern« reichen [6].

→ Divination; Kalender

Ed.: 1 E. Svenberg, De latiniska L., 1936.
Lit.: 2 E. Wistrand, L.-Stud., 1942 3 A. Rehm, Kalender und Witterungskunde im Alt., in: Neue Jbb. für Ant. und dt. Bildung 15, 1941, 225–242 4 Ders., Parapegmastud., 1941 5 C. Leitz, Tagewählerei, 1994 6 Kalender im

Wandel der Zeiten. Ausstellungskatalog Badische Landesbibliothek, Karlsruhe, 1982. J.R.

**Luni sul Mignone.** Frühgeschichtl. Siedlungsplatz in den Nordausläufern der → Tolfa-Berge ca. 80 km nw von Rom. Auf einem 560 m langen und 150 m breiten Tuffplateau, dessen steil abfallende Wände im Norden und Süden von Tälern begrenzt werden, konnten schwedische Ausgrabungen (1960–1963) drei Siedlungsphasen nachweisen. Die brz. Siedlung (14.–11. Jh. v. Chr.) gehört der Apenninkultur an. In drei nebeneinanderliegenden Langhäusern wurden Frg. myk. Keramik gefunden. Die Siedlung der Protovillanova- und → Villanovazeit (10.–8. Jh. v. Chr.) zeichnet sich durch kleinere ovale und rechteckige Hütten aus. Im Westen des Plateaus befindet sich jedoch eine größere, teilweise aus dem Felsen gehauene Anlage (vielleicht ein Heiligtum), die bis in die etr. Phase fortbestand. Vom späteren 6. bis ins 4. Jh. v. Chr. kleine, durch Mauer und Gräben gesicherte etr. Siedlung des Territoriums von Tarquinia. Sö des Siedlungsplateaus in einer auf drei Seiten von Felsen umgebenen Senke (Tre Erici) neolith. und villanovazeitl. Siedlungsreste.
→ Tarquinii

1 C.E. Östenberg, L. s. M. e problemi della preistoria d'Italia, 1967 2 F. Di Gennaro, s.v. L.s.M., EAA Suppl. 2 1971–1994, Bd. 3, 1995, 478–481. M.M.

**Lupercalia.** Ein am 15. Februar (InscrIt 13,2, p. 409) in Rom gefeierter Umgangsritus (→ *lustratio*: Varro ling. 6,34; Ov. fast. 2,31 f.; Dion. Hal. ant. 1,80,1). Er begann mit einem Ziegen- oder Bocksopfer am Fuß des → Mons Palatinus; der Kultort hieß *Lupercal* (Varro ling. 5,85; Dion. Hal. ant. 1,32,3–5). Adressat war → Faunus (Ov. fast. 2,267 f.). Nach Plutarch (Romulus 21,6) berührte man zwei Jünglinge mit dem blutigen Schlachtmesser an der Stirn und wischte ihnen das Blut mit milchgetränkter Wolle wieder ab, worauf sie lachen mußten.

Das Opfer lieferte die Requisiten für den anschließenden Lauf der sog. *Luperci*, nämlich ihre Tracht (sie waren nackt bis auf einen Fellschurz) und die Ziegenfellriemen, mit denen sie nach den Umstehenden, insbes. den Frauen, schlugen (Paul. Fest. 75 f. L. s.v. Februarius; Ov. fast. 2,283–380). Die *Luperci* traten in zwei Gruppen auf (*l. Quinctiales* und *l. Fabiani*). Ihr Weg führte vom Lupercal über das Forum und die Via sacra zumindest der Intention nach um den Palatin herum.

Das wilde Treiben galt als kathartisch (Paul. Fest. 75 f. L.; Ov. fast. 2,31 f.) und fruchtbarkeitsfördernd (Ov. fast. 2,425–452); es hatte karnevaleske Züge (Varro bei Tert. de spectaculis 5,3; Cic. Cael. 26; Liv. 1,5,2). Die L. gehören zu denjenigen Festen, die das Verbot der nichtchristl. Religionsausübung am längsten überlebten (»Gelasius I.«, Adv. Andromachum contra L., CSEL 35).

Die zum Ritual gehörenden Myth. verband die L. mit dem Urkönig → Romulus, weshalb Caesar im J. 44 v. Chr. das Fest polit. instrumentalisieren wollte. Das Lupercal galt als der Ort, wo Romulus und Remus von der Wölfin gesäugt worden waren; das Fest »erinnerte« an die jugendliche Hirtenzeit der Brüder und versetzte die teilnehmende Bevölkerung in die »wilde« Zeit vor der Gründung der Stadt und ihrer sozialen Institutionen zurück (Liv. 1,5; Dion. Hal. ant. 1,79,8–80,4). Als Repräsentanten des Hirtengotts Faunus (Ov. fast. 2,283–358) und zugleich auch der Hirten, von deren Arbeit Landbesitzer und Stadtbewohner abhängig waren, verstanden sich die Luperci darauf, die Befruchtung zu fördern, eine Rolle, die ihnen dem Mythos nach zugefallen war, als sich die geraubten Sabinerinnen als unfruchtbar erwiesen (Ov. fast. 2,429–452). Daher erhofften sich jungverheiratete Frauen durch die Berührung mit dem *amiculum Iunonis*, d.h. den Ziegen- oder Bocksfellriemen (Paul. Fest. 76 L.), Hilfe beim Statuswechsel von der *nupta* (»Braut«) zur *mater* (»Mutter«) (Ov. fast. 2,425–448).

Offenkundige Entsprechungen zum → Pan-Kult Arkadiens und den dort gefeierten Lykaia (einschließlich ihrer Werwolfssymbolik: Varro bei Aug. civ. 18,17) ließen die L. als Stiftung des arkadischen Urkönigs → Euandros [1] erscheinen (Liv. 1,5; Dion. Hal. ant. 1,79,8–14; Ov. fast. 2,267–282; Plut. Romulus 21,3–5).
→ Arkades, Arkadia; Iuno; Lykaion

G. Binder, Kommunikative Elemente im röm. Staatskult am Ende der Republik: Das Beispiel der L. des J. 44, in: Ders., K. Ehlich (Hrsg.), Rel. Kommunikation. Formen und Praxis vor der Neuzeit, 1997, 225–241 · J. Rüpke, Kalender und Öffentlichkeit, 1995, s. Register · Chr. Schäublin, L. und Lichtmeß, in: Hermes 123, 1995, 117–125 · U.W. Scholz, Zur Erforschung der röm. Opfer (Beispiel: die L.), in: O. Reverdin, J. Rudhardt (Hrsg.), Le sacrifice dans l'antiquité, 1981, 289–340 · Chr. Ulf, Das röm. Lupercalienfest, 1982 · T.P. Wiseman, The God of the Lupercal, in: JRS 85, 1995, 1–22. D.B.

**Luperkos** (Λούπερκος). Grammatiker aus Berytos, der um die Regierungszeit des Kaisers Claudius Gothicus (268–270 n. Chr.) lebte. Von seinen Werken ist nichts erh., die Suda (λ 691) überliefert acht Titel, unter denen sich Arbeiten über Partikel- und Akzentgebrauch (Περὶ τοῦ ἄν, Περὶ τοῦ ταώς), eine Unt. über die Quantität des Iota in καρίς (Περὶ τῆς καρίδος) und eine Arbeit zu Plat. Phaid. 118a (Περὶ τοῦ παρὰ Πλάτωνι ἀλεκτρυόνος) finden. Weitere Schriften waren die Ἀττικαὶ λέξεις, eine Κτίσις τοῦ ἐν Αἰγύπτῳ Ἀρσινοήτου (νομοῦ) [1] sowie eine Τέχνη γραμματική, zu der auch die in der Suda wohl fälschlich mit 13 B. angegebene Schrift über die grammatischen Geschlechter (Περὶ γενῶν ἀρρενικῶν καὶ θηλυκῶν καὶ οὐδετέρων) gerechnet werden muß [2]. Zumindest dieses Werk könnte bis ins 13. Jh. bekannt gewesen sein, wo das 6. B. in einem Scholion zu Plut. mor. 91e erwähnt wird [3].

1 A. v. Gutschmid, KS (hrsg. von Fr. Rühl), 1, 1889, 150f. 2 A. Gudeman, s.v. Λούπερκος, RE 13, 1839–1841 3 W.R. Paton, Simonides, Fr. 68, and a Fr. of Lupercus, in: CR 26, 1912, 9.

R. A. KASTER, Guardians of Language: The Grammarian and Society in Late Antiquity, 1988, 305. M. B.

**Lupia** A. GEOGRAPHIE UND ÜBERLIEFERUNG B. RÖMISCHE KASTELLE

A. GEOGRAPHIE UND ÜBERLIEFERUNG

Etwas oberhalb von → Vetera mündender rechter Nebenfluß des Rheins (Strab. 7,1,3), h. Lippe. Für Mela 3,30 sind Moenus (Main) und L. die bekanntesten Nebenflüsse des → Rhenus (Rhein), womit die wichtigsten röm. Einfallsrouten in die Germania magna bezeichnet werden. Im Verlauf der röm. Offensiven ins rechtsrhein. Gebiet ab 12 v. Chr. bis 15/6 n. Chr. mehrfach erwähnt (Cass. Dio 54,33,1–4; Tac. ann. 1,60,3; 2,7,1). 70 n. Chr. wird das erbeutete Flaggschiff der röm. Rheinflotte über die L. der german. Seherin → Veleda als Geschenk überstellt (Tac. hist. 5,22,3).

B. RÖMISCHE KASTELLE

Als Basislinie für die röm. Feldzüge in den Norden der Germania magna und zur mil. Kontrolle eroberter Gebiete war die L. durch Kastelle und mil. Stützpunkte gesichert. Lit. bekannt (Tac. ann. 2,7,1) ist nur ein Kastell an der L. für 16 n. Chr., das belagert und von den Römern entsetzt wurde (umstritten die Deutung von Vell. 2,105,3; wenig überzeugend [1]).

Als früheste mil. Anlagen sind das Lager Oberaden (11–8/7 v. Chr.) und das Uferkastell Beckinghausen faßbar. Wichtigster Stützpunkt war danach offenbar Haltern, dessen Errichtung im 1. Jahrzehnt v. Chr. ungewiß ist; es wurde wohl 9 n. Chr. zerstört. Nur kurzfristig während der augusteischen Feldzüge wurde das Marschlager Dorsten-Holsterhausen genutzt. Weiter im Osten von Haltern war Anreppen Legionslager, das aber auch Hilfstruppen beherbergte. Ein vorauszusetzendes Zwischenlager zw. Haltern und Anreppen ist noch unentdeckt.

1 W. HARTKE, Das Winterlager des Tiberius in Germanien ad caput Lupiae, in: Philologus 128, 1984, 111–118.

S. v. SCHNURBEIN, Unt. zur Gesch. der röm. Militärlager an der Lippe, in: BRGK 62, 1981, 3–101 • H. SCHÖNBERGER, Die röm. Truppenlager der frühen und mittleren Kaiserzeit zw. Nordsee und Inn, in: BRGK 66, 1985, 321–497 • J.-S. KÜHLBORN (Hrsg.), Germaniam pacavi ..., 1995 (mit aktueller Bibliogr.). RA. WI.

**Lupiae.** Messapisch-röm. Stadt in Calabria zw. Brundisium und Hydruntum (Itin. Anton. 118,3; *Luppia*, Tab. Peut. 7,1) mit einem unter Kaiser Hadrianus erbauten Adria-Hafen (Paus. 6,19,9; Ptol. 3,1,12; Mela 2,4; Strab. 6,3,6). Röm. *municipium* in der 2. augusteischen Region (Plin. nat. 3,101); h. Lecce. Messapische und lat. Inschr.; Überreste: Mauern und Gräber (4.–2. Jh. v. Chr.), röm. Theater und Amphitheater (vgl. Guido, Cosmographia 28).

1 BTCGI 8, 1990, 520–522 2 L. GIARDINO, Per una definizione delle trasformazioni urbanistiche di un centro antico: il caso di L., in: Studi di antichità 7, 1994, 137–203 3 F. D'ANDRIA, s. v. Lecce, EAA II Suppl., 1995, 323–325 • J.-L. LAMBOLEY, Recherches sur les Messapiens, 1996, 158–170. M. L.

**Lupicinus**

**[1]** Als *magister equitum per Gallias* dem → Iulianus [11] beigegeben, kämpfte L. 359 n. Chr. gegen Alamannen, 360 gegen Scoten und Picten; L. wurde von Iulianus als möglicher Gegner inhaftiert. → Iovianus machte ihn 363 zum *mag. equitum per Orientem*; 365/6 war er in diesem Amt an der Niederschlagung der Usurpation des → Prokopios gegen → Valens beteiligt; 367 Consul. Christ. PLRE 1520f.

**[2]** Ging aus der *schola gentilium* hervor, 377 n. Chr. *comes rei militaris per Thracias*. L. trieb die über die Donau eingedrungenen Goten entgegen den Versprechungen des → Valens in eine Hungersnot und löste damit einen Aufstand aus; bei Markianupolis von Westgoten, die er provoziert hatte, geschlagen, rettete er sich selbst durch Flucht. PLRE 1, 519f. H. L.

**Lupine** (θέρμος/*thérmos*, mit unbekannter Etymol.; lat. *lupinus* oder *-um*, von *lupus*, »Wolf«, aus unbekanntem Grund abgeleitet) ist die Hülsenfrucht (Leguminosae) Wolfs- oder Feigbohne. In Griechenland und It. kam sie im Alt. wild in vielen Arten vor, von denen einige als Nahrungsmittel für Menschen aus ärmeren Schichten und für Vieh angebaut wurden. Der (erst im 20. Jh. durch Züchtung beseitigte) bittere Geschmack wurde durch langes Weichmachen in warmem Wasser (Plin. nat. 18,136 und 22,154), Kochen und Zerstoßen gemildert. Es bestanden genaue Vorschriften über den Anbau (z. B. Theophr. h. plant. 8,1,3 über die Aussaat sofort nach dem Dreschen, und zwar auf ungepflügtes Land 8,11,8; das Keimen 8,2,1 usw.), die Ernte (nach einem Regenfall Theophr. h. plant. 8,11,4; Plin. nat. 18,133) und Lagerung (z. B. im Rauch zur Vermeidung von Wurmfraß: Plin. nat. 18,136), auch bei den röm. Landwirtschaftsautoren und v. a. Plinius (nat. 18,133–136; 185; 187; 252; 257) usw. Ihre (auf Stickstoffbindung an die Knollenbakterien der Wurzel beruhende) Bed. als einzuarbeitender (s. bes. Colum. 2,15,5f.) Gründünger vor dem Ansetzen der Saat (Plin. nat. 17,54; vgl. Cato agr. 37,2; Varro rust. 1,23,3; Colum. 11,2,81 u. ö.; Pall. agric. 9,2.) war ebenso bekannt wie ihre Anspruchslosigkeit an den Boden (Cato agr. 34,2; Plin. nat. 18,134). Medizinisch wurden bei Mensch und Tier sowohl von der kultivierten als auch der wilden L. (z. B. Plin. nat. 22,154–157; Dioskurides 2,109 WELLMANN = 2,132f. BERENDES) Wurzel, Blätter, Samen (z. B. in Form von Klößchen aus gekochten L.-Samen gegen Durchfall aufgrund von Spulwurmbefall bei Kälbern, Colum. 6,25) und Öl verwendet. Auch der Kosmetik diente die L. (Ov. medic. 69).

→ Bohnen; Düngemittel; Erbsen

A. STEIER, s. v. L., RE 13, 1845–1850. C. HÜ.

**Lupinus** ist die lat. Bezeichnung für die Wolfsbohne (*l. albus*; → Lupine), die bei → Brettspielen anstelle von Münzen als Spielstein verwendet wurde. Als Kleingewicht auch gleichbedeutend mit ¼ → *scripulum*, entsprechend ca. 0,28 g. H.-J.S.

**Lupus**
**[1]** Seltener röm. Eigenname (»Wolf«) [3. 115], häufiger als Cognomen, in republikan. Zeit des L. Cornelius [I 51] Lentulus L. (*cos.* 16 v. Chr.) und bei den Rutilii, in der Kaiserzeit weiter verbreitet.

1 Degrassi, FCIR, 257 2 Kajanto, Cognomina, 327 3 Schulze. K.-L.E.

**[2]** Wird von Ovid (Pont. 4,16,26) als der Verf. eines Gedichtes über die Rückkehr des → Menelaos [1] und der → Helene [1] von Troia gen. Möglicherweise ist L. mit dem Redner P. → Rutilius Lupus identisch oder es liegt eine Anspielung auf Verg. ecl. 7,52 vor [1]. Fr. sind nicht erh.

1 R. Verdière, in: Ders., H. Bardon (Hrsg.), Vergiliana, 1971, 380–382.

**[3]** 1939 und 1962 wurden aus der Umgebung Aquincums zwei Kopien (ca. 230 n. Chr.) einer kleinen konventionellen Grabinschr. in Hexametern veröffentlicht, die populär-epikureisches Gedankengut enthält. Der Verf. ergibt sich aus einem Akrostichon: *Lupus fecit*.

J. G. Szilágyi, Remarks to the Recently Discovered Verse Inscription from Szentendre, in: Archaeológiai értesito 1960, 1963, 189–194. J.A.R./Ü: U.R.

**[4]** s. Poliorketik

**Luristan.** Gebirgsprov. des mittleren iran. Zagros, die seit dem 6. Jt. besiedelt war. Bes. bekannt ist L. durch die zahlreichen Bronzewaffen und -geräte aus (beraubten) ausgedehnten Friedhöfen v.a. des 1. Jt. v. Chr., die sich in zahlreichen Museen befinden.

F. Hole (Hrsg.), The Archaeology of Western Iran, 1987 • L. Vanden Berghe, La nécropole de Mir Khair au Pusht-i Kuh, L., in: Iranica Antiqua 14, 1979, 1–37. H.J.N.

**Lurius Varus.** Consular, der im J. 57 n. Chr. nach Vermittlung Othos durch Nero wieder in den Senat aufgenommen wurde, nachdem er wegen Erpressung aus dem Gremium gestoßen worden war (PIR² L 428). Nach Syme [1. 366ff.] könnte er consularer Legat in Pannonien oder Dalmatien gewesen sein.

1 Syme, RP, Bd. 4. W.E.

**Luscinia** s. Nachtigall

**Luscinus.** Röm. Cognomen (»einäugig«, Plin. nat. 11,150), in republikan. Zeit in der Familie der Fabricii (Fabricius [I 3 und 4]). K.-L.E.

**Luscius.** Seltener ital. Familienname, von *luscus*, »einäugig, schielend« abgeleitet (frühe Beispiele: CIL I² 182–184; AE 1992, 586).

I. Republikanische Zeit

**[I 1] L., L.** Centurio Sullas, bereicherte sich während der Proskriptionen 82 v. Chr. und wurde deshalb 64 wegen dreifachen Mordes verurteilt (Ascon. 90 C). JÖ.F.

**[I 2] L. Lanuvinus.** Als → Palliaten-Dichter älterer Konkurrent des → Terentius (Don. Andria 7), Verf. eines *Phasma* (›Das Gespenst‹; nach Menander) und eines *Thesaurus* (›Der Schatz‹; Inhalt bei Donat a.O.). Die ästhetischen Prinzipien des L. (Vorliebe für Stücke mit bewegter äußerer Handlung) stehen in Spannung zu seiner Insistenz auf möglichst genauer Wiedergabe der griech. Originale, die zu einer Kritik an Terenz' freieren, dem röm. Publikum näheren und im Ergebnis realistischeren Bearbeitungen führte. Ihm allerdings blieb eine Nachwirkung versagt; er nimmt in der Graduierung der Palliatendichter durch → Volcacius Sedigitus (FPL Blänsdorf, 101 f.), unterboten nur durch Ennius, den neunten Platz ein.

Fr.: CRF ²1873, 83 f., ³1898, 96–98.
Lit.: H. Marti, Terenz 1909–1959, in: Lustrum 8, 1963, 15–18 • Ch. Garton, Personal Aspects of the Roman Theatre, 1972, 41–139 • K. Dér, Terence and L. L., in: Acta Antiqua Academiae Scientiarum Hungaricae 32, 1989, 283–297. P.L.S.

**[I 3] L. Ocrea, C.** Betagter Senator, 76 v. Chr. Zeuge im Prozeß gegen Q. Roscius (Cic. Q. Rosc. 43–47). JÖ.F.

II. Kaiserzeit

**[II 1] L. L. Ocrea.** Senator, dessen Familie schon in der Republik im Senat saß. Von Vespasian und Titus 73/4 n. Chr. vermutlich unter die Praetorier, sicher unter die Patrizier aufgenommen. 73–75 oder 74–76 praetor. Legat von Lycia-Pamphylia, *cos. suff.* vielleicht 77; schließlich wohl 90/1 Proconsul von Asia. Verheiratet mit Iulia Severina.

A. Balland, Inscriptions d'époche impériale du Letôon (Fouilles de Xanthos 7), 1981, 129ff. • W. Eck, Die Legaten von Lykien und Pamphylien unter Vespasian, in: ZPE 6, 1970, 72ff. • PIR² L 431. W.E.

**Luscus.** Röm. Cognomen (»einäugig«), in republikan. Zeit in den Familien der Annii, Atilii, Fabii, Furri und Postumii, in der Kaiserzeit verschwunden.

Kajanto, Cognomina, 238. K.-L.E.

**Lusia** (Λουσία). Att. Demos der Asty-Trittys der Phyle Oineïs und dessen eponyme Heroine (Steph. Byz. s.v. Λ.) [1], ein *buleutḗs*. Verm. im Kephissos-Tal westl. von Athen zu lokalisieren. Grabinschr. eines Lusieus in Hag. Theodoroi in Nea Liossia (IG II² 6756); aus L. stammte

Erde für den Bau des Eleusinion von Athen (IG II² 1672 Z. 195).

1 WHITEHEAD, 210.

TRAILL, Attica, 49, 69, 111 Nr. 86 Tab. 6 • J.S. TRAILL, Demos and Trittys, 1986, 133 • P. SIEWERT, Die Trittyen Attikas und die Heeresreform des Kleisthenes, 1982, 40f., 97. H.LO.

**Lusios** (Λούσιος). Bei Dimitsana entspringt dieser nördl. Nebenfluß des → Alpheios [1], an dessen Quelle sich die Legende von der Geburt des Zeus knüpfte. Er hieß nach Paus. 8,28,2f. im Unterlauf Gortynios; vgl. Pol. 16,17,7. Heute Dimitsana.

F. BÖLTE, s.v. L., RE 13, 1867. C.L.

**Lusitani, Lusitania.** Name iberisch [1], ebenso das Volk mit ausgeprägtem kelt. Einschlag, der unterschiedlich eingeschätzt wird [2]. Urspr. siedelten die L. zw. → Durius und → Tagus (vgl. [3]) und drangen bis zum → Anas vor (App. Ib. 239). Die spätere, von Augustus eingerichtete röm. Prov. L. entspricht ungefähr dem h. Portugal und umfaßt somit ein weitaus größeres Gebiet als der urspr. Siedlungsraum.

Die Landschaft umfaßte nur wenige Städte [4], die vermutlich urspr. – wie bei den → Celtiberi – als Fluchtburgen dienten. Bes. im Norden finden sich zahlreiche sog. *castros*, d.h. Ringwälle dieser Art ([5; 6], CIL II Suppl. p. 896, *Citania*). Die meisten vorröm. Mz. stammen aus Salacia (h. Alcacer do Sal) [7]. Strab. 3,3,6 zählte 30 (Ptol. 2,5; 50 bei Plin. nat. 4,35) Stämme, die aber nie als zusammenhängende Einheit gen. werden. Alle Quellen [8] stimmen darin überein, daß die L. den besser bekannten Keltiberern glichen: Sie galten als tapfer und freiheitsliebend, doch fanden sie nicht den Weg zu stabilen polit. Organisationsformen.

Die L. leisteten der röm. Herrschaft erbitterten Widerstand. Die Kämpfe begannen 194 v. Chr. [9] und endeten erst unter → Caesar. Ihren Höhepunkt erreichten sie unter der Führung des → Viriatus (*vir duxque magnus*, Liv. per. 54; [10]) und des → Sertorius (vgl. [11]). Die L. führten einen Guerilla-Krieg und brachten die Römer in größte Schwierigkeiten [12]. 27 v. Chr. wurde Lusitania endgültig kaiserliche Prov. unter einem *legatus* ([13]; CIL II Suppl. LXXXVII). Sie hatte drei *conventus iuridici*: Augusta [2] Emerita, Pax Augusta und Scallabis (Plin. nat. 4,117).

In der Kaiserzeit (vgl. [14]) war L. wegen seines Reichtums an Metallen ein bed. Rohstofflieferant. So war das *metallum Vipascense* ein großes Kupfer- und Silberbergwerk beim h. Aljustel [15]. Nach dem Zusammenbruch der röm. Herrschaft geriet Lusitania nach kurzer Unterwerfung durch die → Alani unter die Herrschaft der → Westgoten und bildete bis 712 n. Chr. einen Teil ihres Reiches [16].

→ Hispania (mit Karten); Pyrenäenhalbinsel (Archäologie)

1 HOLDER, s.v. Lusitania 2 H. BIRKHAN, Kelten, 1997, 152ff. 3 A. SCHULTEN (Hrsg.), Fontes Hispaniae Antiquae 6, 1952, 202 4 A. GARCÍA BELLIDO, Las colonias Romanas de la provincia de L., in: Arqueologia e História 8, 1958/9, 13–23 5 A. SCHULTEN, s.v. L., RE 13, 1867–1872 6 M. CARDOZO, Alguns elementos para a localizacao e estudo dos »castros« do norte de Portugal, in: Archivo español de arqueología 20, 1947, 249–264 7 A. VIVES Y ESUDERO, La moneda hispánica 3, 1924, 24ff. 8 A. SCHULTEN (Hrsg.), Fontes Hispaniae Antiquae 1–9, 1925ff., s. Indices 9 Ders., Fontes Hispaniae Antiquae 3, 1935, 195 10 H. SIMON, Roms Kriege in Spanien, 1962 11 C. F. KONRAD, Plutarchs Sertorius, 1994 12 A. SCHULTEN (Hrsg.), Fontes Hispaniae Antiquae 3–5, 1935–1940, s. Indices 13 Ders. (Hrsg.), Fontes Hispaniae Antiquae 5, 1940, 184, 202f. 14 Ders., s.v. Hispania, RE 8, 2036–2046 15 SCHULTEN, Landeskunde 2, 504f. 16 F.J. VELOZO, A Lusitania Suévico-Bizantina, in: Brácara Augusta 2, 1950, 115–154, 241–256, 389–402.

J.F. ESKA, D.E. EVANS, Continental Celtic, in: A.T.E. MATONIS, D.F. MELIA (Hrsg.), Celtic Language, Celtic Culture, 1990 • SCHULTEN, Landeskunde 1, 480, 489, 493, 504 • A. TOVAR, The Celts in the Iberian Peninsula, in: K.H. SCHMIDT, R. KODDERITESCH (Hrsg.), Gesch. und Kultur der Kelten, 1986, 68ff., 77, 85 • TOVAR 2, 187–191, 196–201. P.B.

**Lusius.** Ital. Eigenname [1. 184, 359].

1 SCHULZE.

I. REPUBLIKANISCHE ZEIT

**[I 1]** Sohn der Schwester des C. Marius [I 1], Kriegstribun im Kimbernkrieg in Gallien. Als er einen jungen Soldaten mißbrauchen wollte, wurde er von diesem niedergestochen, der Täter aber wegen Notwehr vom Kriegsgericht freigesprochen (Cic. Mil. 9 mit Schol. Bobiensia 114 STANGL; Val. Max. 6,1,12; Plut. Marius 14,4–9). Dieser Freispruch war ein beliebtes Thema im röm. Rhetorikunterricht (Cic. inv. 2,124; Quint. inst. 3,11,14 u.a.). K.-L.E.

II. KAISERZEIT

**[II 1] L. L. Geta.** Ritter. Praetorianerpraefekt unter Claudius im J. 48 n. Chr.; 51 wurde er auf Drängen Agrippinas [3] abgelöst, angeblich weil er ein Anhänger der → Messalina und ihres Sohnes Britannicus war. Im J. 54 amtierte er als *praefectus Aegypti*.

G. BASTIANINI, Lista dei prefetti d'Egitto dal 30 al 299, in: ZPE 17, 1975, 273 • PIR² L 435.

**[II 2] L. Quietus.** Nach Cassius Dio (68,32,4) war L. von seiner Abkunft Maure, was in seiner Bed. heftig umstritten ist (vgl. PIR² L 439). Wohl unter Domitian Führer einer berittenen Einheit seiner Stammesgenossen, doch unehrenhaft (?) aus dem Heer entfernt. Unter → Traianus erneut beim Heer; Teilnahme an beiden Dakerkriegen, wo er sich durch seine Kühnheit auszeichnete. Sein Status im Heer ist unsicher. Auch Teilnahme am Partherkrieg Traians, dabei offensichtlich Inhaber eines unabhängigen Kommandos, zu dem jedoch auch seine maurischen Stammesangehörigen zählten; Eroberung von → Singara und anderen Städten im Partherreich. Im J. 116 n. Chr. mit der Bekämpfung der aufständischen Juden in Mesopotamien beauftragt. Wegen seiner mil. Erfolge wurde L. in den Senat unter die Praetorier aufgenommen (der Zeitpunkt ist unsicher), zum Suffektconsul gemacht und mit der Leitung der Prov. Iudaea beauftragt, wohl erst als Consular im J. 117, wenn Cassius Dio (68,32,5) präzis verstanden werden darf. In jüd. Quellen wird L. als grausamer Vernichter von Juden geschildert.

Von Hadrian muß er unmittelbar nach August 117 in Iudaea abgelöst worden sein. Angeblich an einer Verschwörung gegen Hadrian beteiligt; deshalb vom Praetorianerpraefekten Acilius [II 1] Attianus auf Befehl des Senats Anf. 118 während einer Reise hingerichtet. Ein Aufstand in Mauretanien war vielleicht die Folge.

A. R. Birley, Hadrian, 1997, 87f. • PIR² L 439 • K. Strobel, Unters. zu den Dakerkriegen Trajans, 1984, 68ff.

**[II 3] C. L. Sparsus.** Suffektconsul mit Cn. Canusius Praenestinus E. des J. 156 oder 157 n. Chr. PIR² L 443.

W.E.

**Lusoi** (Λουσοί; Ethnikon inschr. Λουσιάτας/*Lusiátas*; lit. auch Λουσιεύς, Λουσεύς wohl nach dem att. Demotikon). Ort in Nord-Arkadia zw. Kynaitha und Kleitor beim h. Chamakou (etwa 1000 m H); Heiligtum der Artemis Hemera, Spiele Hemerasia. Das Heiligtum liegt auf einem Vorgebirge des Chelmos südwestl. vom h. Ano- und Kato-L. über einer kleinen Ebene im Süden. Gebäudereste nur aus dem 4./3. Jh. v. Chr. (Propyläen, Buleuterion, dor. Tempel), aber reiches kult. Material schon aus dem 8. Jh. v. Chr. Nach 234 v. Chr. war L. Mitglied des Achaiischen Bundes (Mz.; → Achaioi, mit Karte); die Inschr. enthalten außer Weihungen an Artemis bes. Proxenieverleihungen. 220/219 wurde das Heiligtum wie schon zuvor von den Aitoloi geplündert (Pol. 4,18,9ff.; 25,4; 9,34,9). L. gehörte später zu Kleitor, war evtl. schon im 1. Jh. v. Chr. ein χωρίον/*chōríon*. Zu Pausanias' (8,18,7f.) Zeit lag der Ort in Trümmern. Weitere Belegstellen: Bakchyl. 11,95–112; Steph. Byz. s. v. Λ.; Inschr.: IG V 2, 387–410; SEG 36, 374f.; 37, 337; 38, 349; 40, 370; 41, 382; Mz.: HN², 418.

J. Bingen, Inscription agonistique, in: BCH 77, 1953, 628–636 • Jost, 46–51 • V. Mitsopoulos-Leon, The Statue of Artemis at L., in: O. Palagia, W. Coulson (Hrsg.), Sculpture from Arcadia und Laconia, 1993, 33–39 • W. Reichel, A. Wilhelm, Das Heiligthum der Artemis zu L., in: Öst. Jahreshefte 4, 1901, 1–89 • U. Sinn, Ein Fundkomplex aus dem Artemis-Heiligtum von L. im Badischen Landesmus., in: Jb. der Kunstsammlungen von Baden-Württemberg 17, 1980, 25–40 • Ders., The Sacred Herd of Artemis at L., in: R. Hägg (Hrsg.), The Iconography of Greek Cult (Kernos Suppl. 1), 1992, 177–187 • K. Tausend, Zur Bed. von L. in archa. Zeit, in: Öst. Jahreshefte 62, 1993, Beibl. 13–26 • Ders., in: Öst. Jahreshefte 53, 1981–1982, Beibl., 24; 63, 1994, Beibl., 40–44 (Grabungsber.).

Y.L.

**Lust** (ἡδονή/*hēdonḗ*, lat. *voluptas*).
A. Definition und Hintergrund
B. Platon und Aristoteles
C. Hellenistische Philosophie
D. Christlich

A. Definition und Hintergrund

Die griech. Vorstellung von der L. als Ziel und bestimmendem Motiv der Lebensführung taucht – zunächst ohne terminologische Festlegung (neben *hēdonḗ* auch *chará, euphrosýnē, térpsis*, d. h. Freude, Genuß, Vergnügen) und ohne Unterscheidung zw. angenehmen Gefühlen, Empfindungen, Wahrnehmungen oder auch Gedanken – früh in der griech. didaktischen Lit. auf, mit positiver wie auch negativer Bewertung (z. B. Hes. erg. 287–92; Theognis 983–985; Simonides fr. 71; 79; bes. eindrucksvoll ist → Prodikos' Parabel von → Herakles am Scheideweg zw. dem leichten Weg der körperlichen L. und dem beschwerlichen Weg der Tugend, Xen. mem. 2,21–34). Unter den Vorsokratikern scheint nur Demokritos der Freude bzw. der Wohlgemutheit (*euthymía*) eine bes. Rolle zugebilligt zu haben (zur physiologischen Theorie von Empedokles, Anaxagoras, Diogenes [12] von Apollonia vgl. Theophrast, De sensu 16). Eine grundsätzlich lustfeindliche Haltung wird den Pythagoreern zugeschrieben, wie später auch dem → Antisthenes [1]. Dagegen vertraten Aristippos [3] und seine Schule eine uneingeschränkt hedonistische Position. Eine systematische Behandlung der Bedingungen eines psychologischen oder ethischen Hedonismus ist vor Platon aber nicht erhalten.

B. Platon und Aristoteles

Platon erörtert – ohne klare eigene Stellungnahme – die Möglichkeit der L. als höchstem Gut zum ersten Mal im *Protagoras* (351b–358e). Abweichend von der grundsätzlich ablehnenden Haltung der früheren Dialoge *Gorgias* und *Phaidon*, gegen L. als einen bloßen Störfaktor (beinahe synonym gebraucht mit Begierde, ἐπιθυμία/*epithymía*), entwickelt Platon in der *Politeia* (vermutlich in Anlehnung an medizinische Vorstellungen des → Alkmaion [4] von Kroton und des → Hippokrates [6]) den Begriff der L. als Kompensation eines Mangels und führt eine Unterscheidung zw. geistiger und körperlicher L. ein (580d–588a). Diese Theorie der L. als Wiederherstellung (jetzt im Unterschied zur *epithymía* als bloßem Begehren nach Ausgleich) eines natürlichen Gleichgewichtes wird im Spätdialog *Philebos* systematisch ausgearbeitet (vielleicht in Auseinandersetzung mit der Verteidigung eines »natürlichen Hedonismus« durch den berühmten Mathematiker und Astronomen → Eudoxos [1] von Knidos und in Absetzung von der Lustkritik des → Speusippos). In Hinblick auf die intentionalen Objekte solcher Kompensationsprozesse ergibt sich die Möglichkeit der Wahrheit oder Falschheit von L. und damit ein rationales Beurteilungskriterium. Platons *Nomoi* sehen L. und Schmerz als wesentliche Bestandteile der Erziehung zum richtigen Maß (Plat. leg. 1,631e–632a; 633a–636e; 634d–645c; 2,653–

660d; 674d-e; 5,732e–734c). Trotz der positiveren Beurteilung bestimmter Arten von L. als Bestandteil des guten Lebens rückt Platon aber von der Notwendigkeit der Kontrolle durch die Vernunft nicht ab.

Aristoteles übernimmt die Vorstellung vom richtigen Maß der Affekte (unter Einbezug von L. und Schmerz) in seine Konzeption der Tugend (Aristot. eth. Nic., 2. B.), lehnt dagegen in den beiden unabhängig voneinander entstandenen Abhandlungen über die L. (eth. Nic., 7. B., 11–14 und 10. B., 1–5) Platons Konzeption der L. als Wiederherstellung bzw. als einer *génesis* ab, sondern versteht sie als integralen Bestandteil der vollkommenen Tätigkeit (*enérgeia, entelécheia*). Vollkommene Tätigkeiten in Einklang mit der eigenen Natur sind *eo ipso* auch lustvoll. Das → Glück (*eudaimonía*) als vollkommenes Leben in Ausübung der besten Fähigkeit schließt daher L. mit ein, ist aber nicht mit ihr identisch. Ob die Konzeption in Aristot. eth. Nic., B. 10 (L. als Vervollkommnung der perfekten Aktivität) eine wesentliche Veränderung gegenüber der Konzeption in B. 7 (L. als vollkommene Betätigung eines natürlichen Vermögens) darstellt, ist immer noch umstritten.

C. Hellenistische Philosophie

Die Unterscheidung zw. L. als Prozeß und als Zustand findet einen gewissen Widerhall in → Epikuros' Differenzierung zw. kinematischer (Vorgangs-) und katastematischer (Zustands-)L., wobei erstere in der Befreiung von Schmerz, letztere im Ruhezustand besteht und als die höhere Art von L. gilt. L. wird von Epikuros daher mit Zufriedenheit gleichgesetzt und erlaubt als solche auch keine Intensivierung. Das Leben ohne körperliche Beschwerden oder Beunruhigung durch Furcht oder Begierden garantiert nach Epikur den Seelenfrieden (→ *ataraxía*; Brief an Menoikeus, Diog. Laert. 10,128 f.). Der epikureische Hedonismus ist also auf asketische Selbstbeschränkung angelegt. Statt von L. wäre eher von Zufriedenheit bzw. einem Genuß der Ungestörtheit zu sprechen. Während die L. in → Lucretius' [III 1] Darstellung (*De natura rerum*) des Epikureismus nur eine untergeordnete Rolle spielt, ist das auch h. noch verbreitete negative Bild der epikureischen L.-Ethik → Ciceros Polemik (Cic. fin. 2; Cic. Tusc. 5) zu verdanken. Obwohl die Stoa wie die Epikureer den Seelenfrieden als höchstes Gut ansieht, vertritt sie eine andere Konzeption von der L.; sie identifiziert die L. mit übermäßiger Seelenbewegung (*páthos*, lat. *affectio/affectus, perturbatio/motus animi*, pejorativ *aegritudo*) aufgrund falscher Werturteile und stellt sie der *chará* (lat. *laetitia, hilaritas*, auch *gaudium*) als vernunftgeleiteter Hochstimmung gegenüber, die zur Wohlgestimmtheit (*eupátheia*, lat. *constantia*) des Weisen gehört.

Die epikureischen und stoischen Vorstellungen von L. haben über Cicero und → Seneca (*De vita beata*) auch in der röm. Philos. in der Spätant. weitgehend die Diskussion bestimmt. Das frühe Christentum folgte zunächst den stoischen, später den weltabgewandten neuplatonischen Vorstellungen des → Plotinos. In der Renaissance sind die stoischen und epikureischen Lehren über die L. (vor allem durch die Wiederentdeckung des Diogenes Laertios) erneut ins Zentrum der philos. Auseinandersetzung über das höchste Gut gelangt.

→ Begehren

1 J. C. B. Gosling, C. C. W. Taylor, The Greeks on Pleasure, 1981.

D. Frede, Platon, Philebos, 1997 • A. J. Festugière, Aristote: Le plaisir, 1936 • Ph. Mitsis, Epicurus' Ethical Theory. The Pleasures of Invulnerability, 1988. D. FR.

D. Christlich

Im NT bezeichnet L. (*hēdonḗ*; ähnlich auch ἐπιθυμία/*epithymía*) eine dem Werk Gottes widerstreitende Kraft, die den Menschen in den Herrschaftsbereich des Bösen zieht. Die L. steht im Menschen gegen den Willen Gottes (vgl. Jak 4,1 ff.; Tit 3,3).

→ Augustinus behält grundsätzlich das stoische Apathie-Ideal unter Einschluß der Wohlgestimmtheiten bei, verlegt es aber ins Jenseits. Anders als die Stoiker erkennt er jedoch auch für das diesseitige Leben den Affekten eine positive Bed. zu, wenn sie – wie etwa als Begehren (*cupiditas, concupiscentia*) des ewigen Lebens oder als Freude (*gaudium*) in Hoffnung auf das Jenseits – die Ausrichtung des Willens auf Gott als höchstes Gut bestärken (Aug. civ. 14,9). Die negativen Seelenbewegungen der »fleischlichen L.« (*concupiscentia carnalis; libido carnalis; voluptas*) manifestieren sich am deutlichsten im Bereich der Sexualität. Hier sind sie als Übel in Kauf zu nehmen, um das größere Gut der Fortpflanzung zu verwirklichen. Darüber hinaus schreibt Augustinus diesem Begehren einen Schuldaspekt zu, der durch Zeugung weitergegeben wird (Erbsünde) und nur durch die Taufe zu beseitigen ist (*De nuptiis et concupiscentia*). Augustinus führte eine heftige Kontroverse mit Bischof → Iulianus [16] von Aeclanum, der das sexuelle Begehren positiv als Geschenk des Schöpfers auffaßte (*Contra Iulianum*).

G. Bonner, s. v. concupiscentia, in: C. Mayer (Hrsg.), Augustinus-Lex., Bd. 1, 1113–1122 • J. Brachtendorf, Cicero and Augustine on the Passions, in: Revue des Études Augustiniennes 43, 1997, 289–308 • G. Stählin, s. v. ἡδονή, ThWB 2, 911–928. JO. BRA.

**Lustratio.** Ein rituelles Muster, das in einer Kreisprozession mit den später getöteten Opfertieren (oft → *suovetaurilia*), evtl. auch anderen Kultrequisiten (*piamina*), bestand und in vielen Zusammenhängen Verwendung fand. Cato (agr. 141) verdanken wir eine ausführliche Ritualanweisung. Seine definitorischen Angaben werden von anderen Autoren bestätigt, etwa Non. 539,25 f. oder 408,29 f., der *lustrare* mit *circumire* bzw. *circumferre* (»herumgehen«/»-tragen«) gleichsetzt (vgl. u. a. Varro ling. 6,22 zu *armilustrium*). Je nach Anlaß wechseln die göttl. Adressaten (häufig → Mars) und einzelne Ritualelemente, auch treten die mit dem Umgang verbundenen unheilabwehrenden, segenstiftenden und reinigenden Intentionen in unterschiedlichem Maß hervor. Begleitende Gebete (Cato agr. 141) und Mythen (Tib.

2,1) stellen den Bezug zur aktuellen Kultsituation, gegebenenfalls auch zum kosmogonischen Rahmen, her. Selbst wo *lustrare* im Sinne von »reinigen« oder außerhalb eines rel. Kontextes (etwa für Gestirnbewegungen) verwendet wird, steht das Bild des rituellen Umgangs stets im Hintergrund.

Umrundet wurden (u.U. nur *pars pro toto* oder symbolisch) z.B. das einzelne Landgut (*l. agri*: Cato agr. 141; Tib. 2,1; Verg. ecl. 5,74f.; vgl. → Ambarvalia), die röm. Feldflur beim Dea Dia-Ritual der → Arvales fratres, der *pagus* (Paganalia und Feriae Sementivae: Ov. fast. 1,669), die Schafställe (→ Parilia: Calp. ecl. 5,27f.), die Stadt Rom (*amburbium*, *l. urbis*: Serv. ecl. 3,77) oder der Palatin (→ Lupercalia). Objekt der rituellen Handlung waren dabei stets nicht nur das jeweils betroffene Territorium und seine Kulturprodukte, sondern auch die dort lebende menschliche Gemeinschaft. Deshalb ließ sich das Ritualmuster entsprechend für die Konstituierung neuer sozialer Einheiten einsetzen. Die Heeres- oder Flottenlustration (*l. exercitus* bzw. *l. classis*: App. civ. 5,96,[401f.]) fand anläßlich der Übernahme der Truppen durch einen neuen Befehlshaber oder bei der Zusammenlegung verschiedener Verbände statt. Ein Umgang mit *suovetaurilia* besiegelte das censorische → Lustrum (Liv. 1,42,4–44,2; Dion. Hal. ant. 4,22). Das Bündnis der latin. Städte bekräftigte ebenfalls eine *l.* (Cic. div. 1,17f., → Feriae Latinae). Auch die Statusänderung einzelner ließ sich in der Form der *l.* bewältigen. So wurden Neugeborene anläßlich der Namengebung (Paul. Fest. 107f. L. s.v. *Lustrici dies*) oder Verstorbene auf dem Scheiterhaufen (*decursio*: Quint. decl. 329) rituell umkreist.

In Krisenzeiten konnte die als *procuratio* angesetzte außerordentliche Wiederholung einer *l.* die verlorengegangene Stabilität wiederherstellen (z.B. SHA Aurelian. 18,4–6). Neben den *lustrationes* der offiziellen Rel. im staatlichen oder familiären Bereich finden sich zahlreiche Anwendungen des Ritualmusters in magischen Praktiken, z.B. als Heilzauber oder zur Schädlingsbekämpfung (Beispiele bei [1. 2037–2039]; → Magie).

Zu den verschiedenen Ausformungen des Ritualmusters finden sich Parallelen in vielen anderen Kulturen (bes. interessant die → Tabulae Iguvinae [2. 52–76], aber auch zahlreiche griech. Entsprechungen, sowie volkskundliches Material). Angesichts der großen Verbreitung liegt eine anthropologische Herleitung aus dem Funktionskreis des Revierverhaltens nahe. Sie ermöglicht die Integration der verschiedenen Bedeutungsaspekte.

1 F. Boehm, s.v. L., RE 13, 2029–2039 2 U.W. Scholz, Stud. zum altital. und altröm. Marskult und Marsmythos, 1970.

D. Baudy, Röm. Umgangsriten (RGVV 43), 1998 • D.P. Harmon, The Family Festivals of Rome, in: ANRW II 16.2, 1978, 1592–1603 • H. Petersmann, Zu einem altröm. Opferritual (Cato de agricultura c. 141), in: RhM 116, 1973, 238–255 • U.W. Scholz, Suovetaurilia und Solitaurilia, in: Philologus 117, 1973, 3–28 • H.S. Versnel, Apollo and Mars one Hundred Years After Roscher, in: Ders., Inconsistencies in Greek and Roman Rel. 2, 1993, 289–334.

D.B.

**Lustrum** A. Generelles B. Funktion C. Lustrum als Zeitabschnitt

A. Generelles

Die Etym. des Wortes ist unsicher [2. 1880; 6]. *L.* bezeichnet die bes. Reinigung, die von den → Censores nach dem → Census in Rom durchgeführt wurde, sowie den fünfjährigen Zeitabstand zw. zwei Census. Genereller bezeichnet *l.* eine beliebige fünfjährige, in sehr wenigen Ausnahmefällen eine vierjährige Periode [2. 1884], letzteres verm. als Folge der Verschmelzung mit den Olympiaden nach der Einführung des Iulianischen → Kalenders mit seinem vierjährigen Rhythmus und der nie völlig rückgängig gemachten sullanischen Abschaffung der Censur (= des Censorenamtes) [4].

B. Funktion

Mit einem *l.* als Reinigung des Bürgerheeres wurde der Census vollendet (bildliche Darstellung: Paris, Louvre MA 975 [7. 138f.]). Das *l.* ist so der Abschluß eines *rite de passage* (des Census), der den *populus Romanus* als ganzen periodisch in seinen Interaktionsritualen und Hierarchien konstituierte; deshalb fand das *l.* auf dem → Campus Martius, also außerhalb des → *pomerium* in der (zeitweiligen) Liminalität statt. Durch Los (Varro ling. 6,87) wurde bestimmt, welcher der beiden Censoren das *l.* durchführen sollte und damit verantwortlich für das Gelingen der darauffolgenden Periode war (Cato or. fr. 99 Sblendorio Cugusi; Cic. de orat. 2,268; Liv. 40,46,9). → *Suovetaurilia* wurden in rechtswendigem Kreis von *victimarii* mit glückbedeutenden Namen (Cic. div. 1,102; Plin. nat. 28,22) um das Bürgerheer geführt (Dion. Hal. ant. 4,22; Liv. 1,44); der Umgang kann als ein Abwehrritual verstanden werden. Die Tiere wurden dann dem Mars geopfert und die Innereien (*lustralia exta*) ungeteilt, nicht wie üblich geteilt, auf den Altar gelegt. Dem Opfer folgte das *votum* eines neuen Opfers beim nächsten *l.* als Gegenleistung für göttl. Schutz (Suet. Aug. 97), so daß eine Kette von Gaben und Gegengaben entstand. Das vom Censor gesprochene Gebet für die Mehrung des röm. Gemeinwesens soll von Scipio Africanus (→ Cornelius [I 70]) 142 v.Chr. in eines für dessen Erhaltung geändert worden sein (Val. Max. 4,1,10).

Röm. Identität und röm. Bürgerrecht gründeten sich nicht auf Abstammung, sondern auf polit. Integration einschließlich der differenzierten Aufnahme in das Bürgerheer. Die periodische Neukonstituierung des Heeres diente der Aktualisierung des Identitätsgefühls und der Rangverhältnisse in einer erneuerten ges. Ordnung. Durch die territoriale Ausweitung des Bürgerrechts, aber auch durch die Professionalisierung des Militärdienstes und die Entstehung der Heeresklientelen verlor das *l.* schon vor der sullanischen Abschaffung der Censur seine urspr. Funktion, nachdem die traditionelle soziale Hierarchie schon zuvor, und bes. seit der Generation der Gracchen, in Frage gestellt worden war. Danach erhielt das Wort *l.* (zuerst bei Varro ling. 6,11) die Bed. einer fünfjährigen Periode [2. 1882–1884], die weiterhin als Regel für Pachtverträge galt, die nach Abschaffung der Censur von den Consuln abgeschlossen wurden.

C. Lustrum als Zeitabschnitt

Das *l.* bildete den größten benennbaren regelmäßigen Zeitabschnitt im Leben des *populus Romanus* und damit eine Grundeinheit histor. Zeiterfahrung: Gerade weil es anfänglich für die Darstellung der verlorenen Vergangenheit Roms so wichtig war, wurde seine fünfjährige Dauer (und überhaupt jede regelmäßige Dauer) in der späteren Historiographie in Frage gestellt. So sollte die polit. sinngebende Funktion der chronologischen Schemata in der älteren histor. Rekonstruktion durch eine andere ersetzt werden, die anstelle eines zeitlichen Kontinuums stärker das polit. Konfliktpotential der röm. Republik betonte. Eine ältere, auf einen fünf- bzw. zehnjährigen Rhythmus mit jeweils 40jährigen Generationen gegründete Trad. kann auf → Fabius [I 35] Pictor zurückgeführt werden; ihre jüngere Deformierung, die solcher Regelmäßigkeit der Censuren widerspricht und dabei von jeweils 33jährigen Generationen und deren Bruchteilen ausgeht, geht auf → Cincius [2] Alimentus zurück. Diese Art der histor. Deformation wirkte noch in der augusteischen Redaktion der → Fasti [3. 20–55, 145].

Tatsächlich ist die fünfjährige Dauer des *l.* und der Census für den Zeitraum zw. 209 und 154 v. Chr. gut belegt, kann aber auch für die ganze Gesch. der Censur nach den *leges Liciniae Sextiae* (ob die Censur älter sei, kann man bezweifeln) oder zumindest für die Zeit von 310 bis 115 v. Chr. (d. h. für die Periode, für die wir über eine annähernd vertrauenswürdige Überl. verfügen) mit nur wenigen kleineren Unregelmäßigkeiten rekonstruiert werden [3. 143–155].

→ Lustratio; Sühneriten

1 D. Baudy, Röm. Umgangsriten (RGVV 43), 1998, 223–261 2 S. Clavadetscher, s. v. l., ThlL VII 2, 1880–1885 3 F. Mora, Fasti e schemi cronologici, 1999 4 F. Mora, La presunta censura del 61 a.C., in: Historia 49, 2000 (im Druck) 5 R.M. Ogilvie, L. condere, in: JRS 51, 1961, 31–39 6 H. Petersmann, L. Etym. und Volksbrauch, in: WJA N. F. 9, 1983, 209–230 7 Simon, GR.

F. MO.

**Lusus Troiae** s. Troiae lusus

**Lutarios** (Λουτάριος; auch Luturios, Λουτούριος). Galatischer Stammesfürst mit kelt. Namen, als Führer der → Trokmoi Mitbefehlshaber des → Leonnorios. Am Hellespont kam es zur Trennung der beiden Fürsten. Leonnorios zog nach Byzantion zurück und L. setzte mit Hilfe von erbeuteten Schiffen nach Kleinasien über. Das Angebot des → Nikomedes I. von Bithynien führte dann zur Wiedervereinigung der beiden Keltengruppen (Liv. 38,16,5–9).

→ Galatia, Galatien

K. Strobel, Die Galater, Bd. 1, 1996, 236–257.

W. SP.

**Lutatia.** Tochter des Q. Lutatius [3] Catulus (*cos.* 102 v. Chr.) und der Servilia, Schwester des Q. Lutatius [4] Catulus (*cos.* 78), war die erste Frau des Redners Q. Hortensius [7] Hortalus, mit dem sie bis zu ihrem Tode ca. 55 v. Chr. verheiratet war (Cic. de orat. 3,228 f.).

ME. STR.

**Lutatius.** Name eines plebeischen, urspr. wohl nicht stadtröm. Geschlechtes, das im 3. Jh. v. Chr. mit den Brüdern L. [1] und [5] in die Nobilität aufgenommen wurde (Familien: Catuli und Cercones). Die *gens* war sehr begütert (Suet. gramm. 3) und besaß ihr Familiengrab auf dem rechten Tiberufer (Oros. 5,21,7; Val. Max. 9,2,1).

K.-L. E.

**[1] L. Catulus, C.** Älterer Bruder von L. [5]. Erreichte 242 v. Chr. als erster in seiner Familie das Konsulat. Da seinem patrizischen Kollegen, dem *flamen dialis* A. Postumius Albinus, der *pontifex maximus* L. Caecilius [I 11] Metellus untersagte, Rom zu verlassen, übernahm L. mit dem Praetor Q. Valerius Falto das Kommando über die neuerbaute Flotte (200 Penteren) (Pol. 1,59,1–8). Bei der Belagerung von Drepana auf Sizilien schwer verwundet, siegte L. am 10. März 241 in der Seeschlacht vor den Aegatischen Inseln über Hanno [5] (Pol. 1,60–62; Liv. 23,13,4) und beendete damit den 1. → Punischen Krieg. Sein Vorvertrag mit Hamilkar [3] Barkas wurde später durch eine röm. Zehnerkommission verschärft; Seetriumph *de Poenis ex Sicilia* im J. 241 (MRR 1, 219 f.; Mz. seines Nachfahren Q. L. Cerco: RRC 305) und Weihung des Tempels der → Iuturna auf dem Marsfeld (Serv. auct. Aeneis 12,139).

**[2] L. Catulus, C.** Sohn von L. [1]. Unterwarf als Consul 220 v. Chr. mit L. Veturius die Kelten in Oberitalien (Zon. 8,20). L. geriet 218 an der Spitze einer Dreierkommission zur Gründung von Placentia und Cremona in die Gefangenschaft der Kelten (MRR 1, 240), aus der er erst 203 befreit wurde (Liv. 30,19,6–8).

P. N.

**[3] L. Catulus, Q.** Geboren ca. 150 v. Chr. als Sohn eines gleichnamigen Vaters und einer Popillia, Stiefbruder des L. Iulius [I 5] Caesar und des C. Iulius [I 11] Caesar Strabo. L. verwaltete wahrscheinlich 109 als Praetor Sizilien (MRR 1, 545), erreichte aber erst nach dreimal vergeblicher Bewerbung (für 106, 105, 104: Cic. Planc. 12) 102 das Konsulat (MRR 1, 567). L.' Versuch, die → Cimbri im Etschtal nördlich von Verona aufzuhalten, war vergeblich, er konnte aber durch großen persönlichen Einsatz wenigstens seine Truppen in neue Stellungen südlich des Po führen (zu den top. Details: [3]). Als Proconsul vereinigte er 101 sein Heer mit dem des C. → Marius [I 1] und war am Sieg über die Cimbri bei → Vercellae (30.6.101) maßgeblich beteiligt. L. feierte gemeinsam mit Marius den Triumph (Plut. Marius 27,10; Val. Max. 9,12,4), zerstritt sich aber mit diesem, da beide den Hauptanteil des Ruhmes beanspruchten. L. erbaute aus der Kriegsbeute auf dem Palatin ein prächtiges Wohnhaus und eine öffentliche Säulenhalle (*porticus Catuli*: [5]) und errichtete auf dem

Marsfeld den Tempel der → Fortuna, den er in der Schlacht gelobt hatte (Plut. Marius 26,3).

L. gehörte in der Folgezeit zu den prominenten Mitgliedern der gemäßigten Senatsaristokratie: Er beteiligte sich 100 am Widerstand gegen den revolutionären Volkstribun L. → Appuleius [I 11] Saturninus (Cic. Rab. perd. 21; 26; Cic. Phil. 8,15), aber ebenso 91 an dem gegen den reaktionären Consul L. → Marcius [I 13] Philippus (vgl. Cic. de orat. 2,220). 87 unterstützte er Cn. → Octavius gegen Cornelius [I 18] Cinna und gab sich nach Marius' Eroberung Roms selbst den Tod, um der sicheren Hinrichtung zu entgehen (Cic. de orat. 3,9; Vell. 2,22,4; Val. Max. 9,12,4). L. war spätestens seit 121 mit einer Servilia verheiratet und von ihr Vater des Q. Lutatius [4] Catulus und der → Lutatia, der Gattin des Redners Q. → Hortensius [7].

L. wurde nicht nur wegen seines Charakters (z.B. Cic. Mur. 36; Cic. de orat. 3,9), sondern auch wegen seiner ungewöhnlichen Bildung hoch geschätzt (Cic. Brut. 132; Cic. de orat. 2,28). Er galt bes. als Kenner der griech. Philosophie (Cic. de orat. 3,187 u.ö.), war befreundet mit dem Dichter → Archias [7] (Cic. Arch. 6), dem Epigrammatiker → Antipatros [8] von Sidon (Cic. de orat. 3,194) und dem Epiker → Furius [I 7]. L. selbst betätigte sich als Redner (Cic. Brut. 132–4; die Leichenrede für seine Mutter war die erste für eine röm. → *matrona*: Cic. de orat. 2,44). Um das J. 100 publizierte er ein Buch *De consulatu et de rebus gestis suis* (Cic. Brut. 132), offenbar in der Absicht, seine Taten ins rechte Licht zu stellen. Er wird auch als Verf. von Gelegenheitsgedichten erwähnt (Plin. epist. 5,3,5); erh. sind nur zwei Epigramme in hell. Manier (FPL[3], p. 94–96; dazu [2; 4]). Ob die *Communis historia*, ein Sammelwerk vorwiegend myth. Inhalts in mind. 4 B., diesem L. zuzuschreiben ist, ist umstritten (ablehnend [1. 121f.; 6. 207]).

**1** BARDON 1, 115–132 **2** COURTNEY, 75f. **3** R.G. LEWIS, Catulus and the Cimbri, in: Hermes 102, 1974, 90–109 **4** A. PERUTELLI, Lutazio Catulo poeta, in: RFIC 118, 1990, 257–277 **5** RICHARDSON, 312 **6** SCHANZ/HOSIUS 1, 166f.

W.K.

**[4] L. Catulus, Q.** Sohn von L. [3], lebte ca. 121–61/60 v.Chr., diente unter seinem Vater im Krieg gegen die → Cimbri. Anders als diesem gelang es L., 87 vor den Marianern (→ Marius [I 1]) aus Rom zu fliehen; bei seiner Rückkehr 82 unter L. Cornelius [I 90] Sulla rächte er den Tod des Vaters an dessen Mörder C. Marius [I 7] Gratidianus, wandte sich aber sonst gegen die Gewaltexzesse der sullan. Herrschaft. 81 war er Praetor, 78 (noch mit Unterstützung Sullas) Consul. Er leistete seinem Kollegen M. Aemilius [I 11] Lepidus Widerstand gegen den Versuch, die sullan. Ordnung gewaltsam zu stürzen (Gesetz gegen Gewalttätigkeit, Cic. Cael. 70; feierliche Beisetzung Sullas; Beauftragung mit der Wiederherstellung des abgebrannten kapitolin. Iuppitertempels, den er im J. 69 mit großem Aufwand weihte, ILLRP 368; AE 1971, 61; Cic. Verr. 2,4,69f.; 82; Liv. per. 98; Plin. nat. 19,23).

Als Lepidus 77 Rom angriff, konnte ihn L. als Proconsul schlagen (Liv. per. 90; Plut. Pompeius 16f.). L. galt seit diesem Sieg als Führer der gemäßigten Optimaten, konnte aber den Aufstieg des Cn. → Pompeius nicht verhindern: 70 akzeptierte er die Aufhebung der sullan. Gesetzte, 67 opponierte er erfolglos gegen die *lex Gabinia*, die Pompeius das Kommando im Seeräuberkrieg sicherte (Cic. Manil. 59; Vell. 2,32,1; Cass. Dio 36,30,4–36,4); 66 widersetzte er sich mit seinem Schwager Q. Hortensius [7] ebenso erfolglos der Übertragung des Oberbefehls im → Mithradatischen Krieg an Pompeius (Cic. Manil. 51; 59f.; Plut. Pompeius 30,4). Als Censor 65 verhinderte L. den Plan seines Kollegen M. Licinius [I 11] Crassus, den Bewohnern der Gallia Transpadana das röm. Bürgerrecht zu verleihen und Ägypten zur röm. Prov. zu machen. Seit längerer Zeit selbst Pontifex, unterlag er 63 sensationell Caesar bei der Wahl zum Oberpontifikat (Sall. Catil. 49,2; Vell. 2,43,3; Plut. Caesar 7,1), worauf er diesen der Teilnahme an der Verschwörung des → Catilina bezichtigte; 62 beschuldigte Caesar ihn deshalb angeblicher Unterschlagung bei der Wiederherstellungs des Capitols (Cic. Att. 2,24,3; Suet. Iul. 15). Seit dieser Zeit war Catulus polit. bedeutungslos. Cicero schätzte ihn als Gerichtsredner nicht hoch (Cic. Brut. 133; 222), machte ihn aber in seinen Dialogen *Hortensius* und im B. 1 der *Academica priora* zum Gesprächsteilnehmer (Cic. Att. 13,29,5).

K.-L.E.

**[5] L. Cerco, Q.** Jüngerer Bruder von L. [1]. Consul 241 v.Chr. Er triumphierte über die → Falisci, richtete dann Sicilia als erste röm. Prov. ein (MRR 1, 219). Er starb 236 als Censor im Amt (MRR 1, 222). P.N.

**[6] L. Daphnis.** Grammatiker unfreier Herkunft, den Q. L. [3] Catulus (von M. Aemilius [I 37] Scaurus?: vgl. Plin. nat. 7,128) für teures Geld kaufte, aber bald freiließ (Suet. gramm. 3; vgl. bes. [2]). Vermutlich Verf. der einem L. zugeschriebenen *Communis historia* [1].

**1** BARDON 1, 121f. **2** J. CHRISTES, Sklaven und Freigelassene als Grammatiker und Philologen im ant. Rom, 1979, 12–15.

W.K.

**Lutecia Parisiorum** (Caes. Gall. 6,3,4; 7,57f.; Λουκοτοκία, Strab. 4,3,5; Παρισίων Λουκοτεκία, Ptol. 2,8,13; *Luticia*, Itin. Ant. 366,5f.; *Luteci*, Tab. Peut. 2,4). Ortschaft, ca. 250–200 v.Chr. gegr. auf einer Insel der Sequana (Seine), wo eine Handelsstraße in Nord-Süd-Richtung den Fluß kreuzt; h. Paris. Der Fluß bot natürlichen Schutz, während die nahegelegene Höhe Sainte-Geneviève direkte Überwachung der Umgebung ermöglichte. Zur Zeit der Eroberung Galliens durch Caesar stand L. in voller Blüte (Goldmz. der Parisii); 52 v.Chr. brannte die Stadt ab (Caes. Gall. 7,58). In der frühen Kaiserzeit erfolgte die Gründung einer unbefestigten Doppelstadt (auf der Insel und auf dem linken Ufer; Forum, 3 Thermen, Theater, Amphitheater, Tempel, Wasserleitung); Schiffsanlegeplatz (*nautae Parisiaci*). Nach german. Einfällen (ca. 250 n.Chr.) wurde der Stadtteil auf der Insel (s. Ausgrabungen der

»Crypte archéologique«) und das Forum befestigt. Das linke Flußufer war noch in der späten Kaiserzeit besiedelt. Später nahm L. den Namen des Volksstamms an (*apud Parisiam civitatem*, Konzilsbericht von 360 n. Chr.; Παρίσιον, Zos. 3,9).

R. BEDON (Hrsg.), Les villes de la Gaule lyonnaise (Caesarodunum 30), 1996, 225–262 • P.-M. DUVAL, Les inscriptions antiques de Paris, 1960 • Ders., Nouvelle histoire de Paris, 1993 • M. FLEURY, s. v. L., PE, 534f. • Ders., s. v. Parigi, EAA², 1996, 254–256 • Ders., Naissance de Paris, 1997 • Ders., V. KRUTA, La Crypte archéologique du parvis Notre-Dame, 1990 • P. VELAY, De L. à Paris, 1993. Y. L.

**Luterion** s. Labrum

**Lutia.** Evtl. h. Cantalucia bei Osma in der span. Prov. Soria [1]. Name vermutlich iberisch [2]. Als 134/3 v. Chr. die Lage der von den Römern belagerten Festung → Numantia unhaltbar wurde, war die Jugend in L. geneigt, den bedrängten Numantinern Hilfe zu bringen. Aber die Älteren verrieten dies Scipio, der herbeieilte und zur Strafe 400 jungen Männern die Hände abschlagen ließ (App. Ib. 409–411). L. wird auf der Br.-Tafel von Luzaga als Mitglied eines arevakischen Städtebundes erwähnt und auf Mz. gen. (*lutaqs*).

1 A. SCHULTEN (Hrsg.), Fontes Hispaniae Antiquae 4, 1937, 80 2 HOLDER, s. v. L.

TOVAR 3, 404. P. B.

**Lutrophoros** (ἡ λουτροφόρος). Behälter für bzw. Träger/-in von Badewasser. Von Demosth. or. 44,18 als Grabaufsatz erwähnt, der den unverheirateten Status des Verstorbenen beweise. Erst spätant. und ma. Autoren gehen auf die L. als Hochzeitsgefäß und die ant. Sitte ein, den unverheiratet Verstorbenen (*ágamoi*) ein Denkmal (*mnḗma*) in Form einer L. zu errichten, was offenbar den Sinn eines symbolischen Nachvollzugs von Brautbad und Hochzeit (→ Hochzeitsbräuche) hatte. Die L. wird hier einerseits als Gefäß (Hesych. s. v.; Eust. zu Hom. Il. 23,14), andererseits als Mädchen oder Knabe mit Wassergefäß (Poll. 8,66; Harpokration s. v.; Suda s. v.) beschrieben. Da entsprechende Statuen nicht zum Repertoire der klass. Grabplastik gehören, identifizierte man die von Demosthenes erwähnte L. mit einem griech. Gefäßtypus, der als marmorner Grabaufsatz wie auch als Bildmotiv auf Grabstelen im spätklass. Athen zahlreich belegt ist. Bezeichnend für ihn sind schlanker Körper und enger, hoher Hals; Hydrien-L. sind durch drei, Amphoren-L. durch zwei Henkel gekennzeichnet (→ Gefäßformen, Abb. A 12). Bemalte Ton-L. setzen in Athen um 700 v. Chr. ein, ein Massenfund sf. L. kam im Nymphen-Heiligtum der Akropolis zutage. Rf. Exemplare zeigen häufig Hochzeitsriten, in denen das Gefäß mitgeführt wird und offenbar den Behälter des von der Athener Kallirrhoe-Quelle geholten Brautbades darstellt. Auf Funktionen im Totenkult weisen sf. und rf. Bilder der Totenklage auf einigen L. selbst, ferner Darstellungen von Grabhügeln mit L. als Grabaufsatz, durchbrochene Böden zur Aufnahme von Totenspenden sowie Funde aus Gräbern. Im Hochzeits- wie Totenkult waren nach Aussage der Bilder die Amphoren-L. in der Regel dem Mann, die Hydrien-L. der Frau zugeordnet.
→ Bestattung; Totenkult

H. NACHOD, s. v. L., RE 13, 2098–2101 • G. KOKULA, Marmorlutrophoren (MDAI(A), 10. Beih.), 1984 • G. NAPOLITANO, L'iconografia sulle lutrophoroi attiche a figure rosse, in: AION 14, 1992, 277–281 • J. BERGEMANN, Die sog. L.: Grabmal für unverheiratete Tote?, in: MDAI(A) 111, 1996, 149–191 • CH. PAPADOPOULOU-KANELLOPOULOU, Hiero tes Nymphes (AD, 60. Suppl.), 1997. I. S.

**Luwier, Luvii** s. Kleinasien (III.C.)

**Luwisch** A. ÜBERLIEFERUNGSZEIT, SPRACHRAUM
B. DIE LUWISCHEN DIALEKTE (QUELLEN)
C. LUWISCH ALS ANATOLISCHE SPRACHE
D. MERKMALE UND GLIEDERUNG DER DIALEKTE
E. KONTAKTE

A. ÜBERLIEFERUNGSZEIT, SPRACHRAUM

L. ist die von der hethitischen Sprachbenennung *Luu̯ili-* abgeleitete Bezeichnung für den in Kleinasien am weitesten verbreiteten Vertreter der → anatolischen Sprachen. Er wird durch die in verschiedenen Schriftsystemen überl. Dialekte Keilschrift-L. (K.-L., 16.–13. Jh. v. Chr.), Hieroglyphen-L. (H.-L., 15.–Anf. 7. Jh. v. Chr.) sowie seine späten Fortsetzer Pisidisch (Pis., 3. Jh. n. Chr.), Lykisch (5.–4. Jh. v. Chr.) und Milyisch (Mil., 5./4. Jh. v. Chr.) bezeugt und umspannt unter Einschluß seiner ältesten und jüngsten Nebenüberl. aus dem 18. Jh. v. Chr. bzw. 5./6. Jh. n. Chr. einen – wenn auch lückenhaften – Zeitraum von ca. 2300 J.

Der l. Sprachraum umfaßte im 2. Jt., wie sich aus einschlägigen Hinweisen der hethit. Überl. (→ Hethitisch) und aus der Verbreitung der h.-l. Inschr. des 13.–11. Jh. (s. Karte [1. 449]) ergibt, den gesamten SO (westl. des Euphrats), Süden und Westen Kleinasiens (vgl. → Arzawa; → Kizzuwatna; → Lukkā; → Mirā; → Sēḫa; → Tarḫuntassa; → Wilusa). Im Zuge der hethit. Großreichsbildung (E. 14. Jh. v. Chr., → Ḫattusa II.) griff das L. (H.-L.) ferner nach N-Syrien aus, wo es bis ins 9./8. Jh. die Sprache der polit. Führungsschicht in den hethit. Nachfolgestaaten (→ Kleinasien III. C.) war. Im Verlauf des 1. Jt. wurde es durch das → Phrygische, das verwandte → Lydische und insbes. durch das Griech. stetig zurückgedrängt, konnte sich aber im Taurosgebiet (v. a. Isaurien und Nachbargebiete) bis in die röm. Kaiserzeit bzw. frühbyz. Zeit halten.

B. Die luwischen Dialekte (Quellen)
1. Hieroglyphen-Luwisch, Pisidisch
2. Keilschrift-Luwisch 3. Lykisch
4. Milyisch

1. Hieroglyphen-Luwisch, Pisidisch

Das in einer eigenen, l. → Hieroglyphenschrift überl. H.-L. war, bis auf die Halbinsel Lykien, wohl im gesamten oben bezeichneten Sprachraum verbreitet und stellt sich auch hinsichtlich Umfang (ca. 260 Fels-, Stelen-, Orthostateninschr.) und themat. Vielfalt seines Corpus als der bedeutendste Dial. dar. Ältestes Zeugnis ist, neben Siegelaufschriften, die Inschr. der Ankaraner Silberschale (15. Jh., Herkunft unsicher) [2]. Unter den ca. 40 Inschr. des 13. Jh. treten Yalburt und Emirgazi (Lykaonien) sowie Boğazköy 21–Südburg, zusammen in [3] bearbeitet, aufgrund ihres Umfangs und histor. Inhalts hervor. Der Großteil des Corpus (ca. 220 Inschr. aus S-/SO-Kleinasien und N-Syrien, darunter zwei phöniz./h.-l. Bilinguen: Karatepe, İvriz; s. [4; 5]) stammt aus dem 12.–8./Anf. 7. Jh. (zur Verbreitung s. → Kleinasien III. C. Karte). Es sind durchweg Inschr. von (Groß-)Königen, Unterkönigen und deren Umgebung, zumeist histor.-autobiographischen Inhalts mit Bezug auf Bautätigkeit, Feldzüge, innerdynastische Auseinandersetzungen, Prinzenerziehung, Fremdsprachenerwerb (→ Jariri) u. a., aber auch Landkaufurkunden (Karkamis A 4a, Cekke), eine Vertragsurkunde (Karaburun) sowie Weih- und Grabinschr. Auf Bleistreifen (neben Holztafeln wohl Hauptschriftträger des H.-L. im 1. Jt.) sind nur wenige Briefe und Wirtschaftstexte erh. [4]. Das h.-l. Sprachmaterial des 1. Jt. wird ergänzt durch PN aus verschiedenen Nebenüberl. innerhalb und außerhalb Kleinasiens: aram., phöniz. Inschr./Siegel (Zincirli, Kilikien; vgl. [6; 7]); neuassyr., urartäische, neubabylon. Texte.

Während die hieroglyphische Überl. des H.-L. mit der assyr. Eroberung der hethit. Nachfolgestaaten E. 8./Anf. 7. Jh. abbricht, darf das in griech. Alphabetschrift überl. Pis. (3. Jh. n. Chr.) als dessen später Fortsetzer gelten. Die Benennung (nach Πισιδικὴ γλῶττα, Strab. 13,4,17) ist konventionell und beruht auf der Lage des Inschr.-FO (h. Sofular, zw. Beyşehir- und Eğridir-See) in Ost-Pisidien. Erh. sind 21 sehr kurze Grab-Inschr. (zusammengefaßt in [8], zur sprachl. Analyse s. auch [9. 256–259]), die nur PN im Nom., (patron.) Gen. und Dat. enthalten. Demselben Dial. ist aber auch das »Lykaonische« zuzurechnen, das nach Apg 14,11 (Λυκαονιστὶ λέγοντες) im 1. Jh. n. Chr. im nur ca. 100 km entfernten Lystra gesprochen wurde. Ebenso sind alle l. PN der (von Einheimischen stammenden) griech. Inschr. Kilikiens, Lykaoniens und Isauriens (1.–5./6. Jh. n. Chr.) hierher zu stellen; in und um Isaurien, das ständig eine röm. Besatzung hatte, erscheinen sie oft als Cogn., z. B. Αὐρ. Ουαναλις (*[u̯ana-li-]* »fraulich«), gelegentlich auch mit lat. patron. Suffix *-ianus/-iana* wie in Αὐρ. Μιρασητιανη Νενα (*[Mira-sita-]* »Mann aus Mirā«) (vgl. [10; 11]; verfehlte Beurteilung der als verkürzte Komposita bzw. Koseformen anzusprechenden ein-/zweisilbigen PN in [12]). Kirchengesch. Quellen deuten darauf hin, daß dieser Dial. in Isaurien und Lykaonien noch im 6. Jh. lebendig war [13. 242–246].

2. Keilschrift-Luwisch

Das K.-L. ist in babylon. → Keilschrift überl. und liegt, abgesehen von zwei Brief-Fr., in Form von Kultgesängen/-rezitationen sowie magisch-rituellen (z. T. auch Mythologeme enthaltenden) Beschwörungssprüchen vor, die sich als integrativer Bestandteil sonst hethit. abgefaßter Festbeschreibungen und kathartischer Rituale des 16. bzw. 15. Jh. (und deren Abschriften des 14.–13. Jh. v. Chr.) darstellen. Alle Texte (zusammengefaßt in [14]) stammen aus der hethit. Hauptstadt (→ Ḫattusa I.); doch kommen die l. Verf. der Rituale aus West- bzw. SO-Kleinasien (Arzawa, Kizzuwatna), was notwendig bedeutet, daß das Verbreitungsgebiet des K.-L. mit dem des H.-L. identisch, das Verhältnis beider Dial. also wohl genauer als das von Soziolekten zu bestimmen ist, zumal die Unterschiede gering sind (s. u. D.).

Probleme der Dial.-Zuordnung ergeben sich demnach bei der ältesten l. Nebenüberl., PN und Appellativa aus altassyr. Texten von → Kaneš (18. Jh.), die konventionell dem K.-L. zugeschlagen wird. Grundsätzlich gilt dies auch für die im Hethit. bezeugten l. PN sowie für die zahlreichen l. Nomina und Vb., die seit dem 16. Jh. zunehmend in hethit. Texten als Lw., im 14./13. Jh. auch in l. Ausdrucksformen auftreten, da zumindest in einigen Fällen (z. B. Aphärese in *lattri-* : *allattri-* »Obstkuchen«) h.-l. Einfluß vorliegen dürfte. Das K.-L. ist nach 1200 nicht mehr greifbar; im Pis., das noch den im K.-L. aufgegebenen Sg. Gen. besitzt, kann es nicht fortgesetzt sein.

3. Lykisch

Die auf Lykien (→ Lykioi) beschränkte, in einer eigenen Alphabetschrift (→ Kleinasien VI.) geschriebene inschr. Überl. des Lyk. (Haupt-FO: Telmessos, Tlos, Pinara, Xanthos, Myra, Limyra; nördlichster FO: Kızılca bei Elmalı) setzt im wesentlichen E. des 5. Jh. v. Chr. ein und bricht bald nach der Eroberung Lykiens durch Alexander d. Gr. (im J. 334/3) ab; doch dürfte Lyk. noch bis in die röm. Kaiserzeit gesprochen worden sein (vgl. [15. 151]). Das lyk. Corpus umfaßt 176 Steininschr., darunter acht lyk.-griech. Bilinguen und eine lyk.-griech.-aram. Trilingue, sowie einige kurze Gefäßaufschriften (ab ca. 500) und Graffiti (zusammenfassende Ed. [16; 17; 18]; Auswahl übers. Inschr. in [19]). Dazu kommen ca. 180 Mz.-Legenden (ca. 485–360) [20], die oft abgekürzt PN, ON und/oder Ethnika bieten (z. B. *Xeriga Wehñtezi* »X. von Wehñti/Phellos«). Abgesehen von ca. 20 Weih-Inschr. sowie zwei Erlassen des kar. Satrapen → Pixodaros ([16. Nr. 45]; Trilingue) stammen die Inschr. von den Grabdenkmälern der Dynasten und deren Angehörigen. Sie geben Einblick v. a. in Bestattungssitten und gesellschaftliche Verhältnisse, aber auch in mil. Konflikte; eine ausführliche Darstellung von Ereignissen aus der Zeit des → Peloponnesischen Krieges

(u. a. Feldzug des Melesandros) bietet die zugleich größte lyk. Inschr. [16. Nr. 44] (Xanthos).

4. Milyisch

Erh. sind nur zwei Inschr. (5./4. Jh.) in lyk. Alphabetschrift: Schlußteil von [16. Nr. 44] (Xanthos, 105 Z.) und [16. Nr. 55] (Antiphellos/Kaş, 9 Z.). Die Dial.-Benennung (nach [21. 324]) ist konventionell und unverbindlich, aber dem alternativen »Lyk. B« insofern vorzuziehen, als das Mil. keine engere genetische Beziehung zum Lyk. aufweist, sondern dem H.-L. und K.-L. nähersteht (s.u. D.). Angesichts der FO der Inschr. in lyk.-sprachiger Umgebung besteht keine Klarheit über Lage und Ausdehnung des mil. Dial.-Gebietes. In Betracht kommt aber das mittlere und östl. Lykien, denn der Umstand, daß einerseits der Name *Lykía* bei Homer noch eins mit dem Xanthos-Tal ist (Hom. Il. 2,877; 5,479; 6,172; 12,313), andererseits Hdt. 1,173 die Solymer für die urspr. Bewohner Lykiens hält (und die Lykier irrig zu Einwanderern macht), spricht dafür, daß die (gewiß als polit. Vorgang zu verstehende) Ausbreitung des Lyk. nach Osten hin erst relativ spät erfolgt sein dürfte.

C. Luwisch als anatolische Sprache

Das L. gehört zusammen mit dem Lyd., → Palaischen (Pal.), → Karischen und → Sidetischen zum westanatol. Zweig, wobei es den letzteren drei Sprachen genetisch näher steht als dem Lyd. Im Hinblick auf die Bezeugung l. Sprachguts bereits für das 18. Jh. dürfte sich die einzelsprachliche Ausbildung des Ur-L. spätestens E. 3./Anf. 2. Jt. vollzogen haben. Spezifische Neuerungen dieser vorhistor. Sprachstufe waren – da allen späteren Dial. gemeinsam – u. a. der (konditionierte) Schwund von uranatol. **g* wie in k.-l., h.-l. *u̯āna-/unā-** (*u̯anā-*) : lyd. *kãna-* »Frau« < uridg. **g*$^{u̯}$*én-h*$_2$*-/*g*$^{u̯}$*n-éh*$_2$*-* (lyk. *g*, pis. γ = stimmhafter Laryngal!), der Abfall auslautender, postvok. Verschlußlaute (z. B. k.-l., h.-l. *ku̯i*, lyk. *ti* : lyd. *qid*, pal., hethit. *ku̯id* »was«) und die Ausweitung des Motionssuffixes *-i-* auf kons. Subst. (z. B. Sg. Nom. k.-l. *ḫarran-i-s*, lyk. *Xerẽi [Ḫeren-i]* (PN) : pal. *ḫarās*, hethit. *ḫāras/ḫaran-* »Adler«). Kennzeichnend ist ferner die Produktivität solcher Nominalsuffixe, die andere anatol. Sprachen nur relikthaft bewahrt haben (z. B. *-mman/-mm(n)-* < uridg. **-mn̥/*-mn-*; *-i̯a-* < uridg. **-i̯o-*). Nominale Stammvarianten wie k.-l. *tii̯amm(i)-* und h.-l. *takm(i)-* c. (= commune) (: hethit. *dḗgan/dagn-′* n.) »Erde« < uridg. **d*$^{h}$*éĝ*$^{h}$*ōm-/*d*$^{h}$*ĝ*$^{h}$*(m̥)m-′*, k.-l. *pād(i)-* und k.-l. *păd(i)-*, lyk. *ped(i)-* (: althethit. *pắd-*/păd-′*, jünger *pāda-*) c. »Fuß« zeigen, daß sich die ererbte paradigmatische Stammabstufung bis ins Ur-L. erh. hat (s. auch [9]), im übrigen bei geschlechtigen kons. Subst. sekundäre Thematisierung (wie in hethit. *pāda-*) auch später durch das Motionssuffix verhindert wurde. Charakteristisch sind nicht zuletzt die (für das Anatol. nur noch im Früh-Althethit., d. h. im 18. Jh., greifbaren) PN-Komposita, die in den Typen Determinativ- und Possessiv-Kompos. bis in die nachchristl. Zeit lebendig blieben und z. B. auch in der griech. Nebenüberl. hervortreten: k.-l./h.-l. *Muu̯a-zida(/i)-* = pis. Μο(υ)-σητα- *[Mu-sita-]* (»ein Mann von Beherztheit«), k.-l./h.-l. *Prii̯a-muu̯a-* (»vorzüglichen Mut habend«) > *Πριαμυης > Πρίαμος (homer.).

Als späte (ab ca. 7. Jh.), gemein-l. Neuerungen (greifbar im Lyk., Mil., Pis.) stellen sich hingegen dar: der Lautwandel *ă* > *e* (pis. und griech. Nebenüberl. ε, η), der auch im zeitgenössischen Lyd., Kar. und Sidet. begegnet; der Schwund von auslautendem, postvok. *s* (das im Sg. Gen. *-a/es* restituiert wird, im Lyk. als *h*) sowie der Schwund von *n* nach *i*, was bei movierten Nomina den Zusammenfall der Ausdrucksformen Sg. Nom., Akk. und (nur lyk.) Pl. Nom. c. bedingte (k.-l. *tidaimmis/n* »gesäugt, Säugling« = lyk. *tideimi* »Kind, Sohn«; pis. Nom. Μηνει *[Meni]*, Gen. Μηνες *[Menes]*); ferner etwa die Beseitigung der *ḫḫi*-Konjugation, die sich allerdings schon im Urwestanatol. nur noch in der Paradigmastelle Präs. Sg. 3. (*-i*) von der *mi*-Konjugation (*-ti*) unterschied.

D. Merkmale und Gliederung der Dialekte

Das Lykische, das sich morphologisch als der altertümlichste Dial. darstellt, hat sich vor den übrigen Dial. aus dem Ur-L. ausgegliedert, wie insbes. die Vertretung der ur-l. Pl.-Endungen Nom. c. **-as* bzw. (movierte, *i*-Stämme) *°*is*, Akk. c. **-nz*, Dat. **-as* (< uranatol. **-es/*°i-es*, **-nz* [vok. auslautende Stämme], **-as*) zeigt, die im Lyk. unmittelbar als *-e/°i*, *-s*, *-e* fortgesetzt sind, während die übrigen drei Dial. vom Akk. c. ausgehend verschiedenartig geneuert haben: k.-l. *-nzi*, *-nz*, *-nz*; h.-l. *-nzi*, *-nzi*, *-nz*; mil. *-z*, *-z*, *-z*. Gemeinsame Neuerung nur des K.-L., H.-L. und Mil. ist auch die Endung Pl. Nom. Akk. n. *-sa* (nach *l/n*: *-za*), die fakultativ neben ererbtem *-a* begegnet und an die Ausdrucksform Sg. Nom. Akk. n. tritt; z. B. k.-l. *ḫā̆n-za*, mil. *qñ-za* (*ḫant-*, *qñt-* »Gesicht, Vorderseite«). Spezifisch lyk. Lautwandel wie z. B. *ku̯* > *t*, *s/ss* > *h* im ON *K(u)u̯alabassa-* (13. Jh., hethit. Überl.) > *Telebehe(/i)-* (= griech. Τελ(ε)μεσσος), Ableitung von (auch k.-l., h.-l.) *k(u)u̯ala-* n. »Heer«, sind dagegen offensichtlich erst im 1. Jt. eingetreten.

Abspaltung des K.-L. vom H.-L. und Mil. spätestens im 17. Jh. bezeugt die Aufgabe des Gen. nur im K.-L. zugunsten des Zugehörigkeits-Adj. auf *-ssa(/i)-*, das auch in den anderen Dial. (lyk. *-he(/i)-*) mit den Funktionen des Gen. konkurriert. Nur dem H.-L. eigentümlich sind der fakultative *d/r*-Wechsel (z. B. enklitisches Pron. *=ada/=ara* »es«) und die Kontraktion *i̯a* > *i* in obliquen Kasus der *i*-Stämme wie etwa auch in pis. Gen. Δωταρις *[Tutaris]* (»Tochter«). Gelegentlich sind die Dial.-Unterschiede auch in den Nebenüberl. greifbar; so die abweichende Stammbildung h.-l. *tadi-* : mil., lyk. *tede(/i)-* »Vater« im PN-Kompos. Τεδι-νηνις (Kilikien) : Τεδε-νηνις (Lykien) »Bruder, der wie der Vater ist«.

E. Kontakte

Das L. stand im Kontakt mit allen anatol. und mehreren nichtanatol. Sprachen (z. B. Altassyr. (→ Akkadisch), → Hurritisch im 2. Jt.; → Phönizisch, → Aramäisch, → Phrygisch im 1. Jt.), am längsten aber mit dem → Griechischen, da bereits myk. EN in hethit. Texten wie **Etewoklewes* > **Tau̯aklau̯a-* (mit Aphärese, *e* > *a*) > hethit. *Tau̯aglau̯a-* auf l. Vermittlung beruhen. Die l. Sprachträger waren, zumal als Angehörige der Oberschicht, gewöhnlich zwei- oder gar mehrsprachig. Lw. finden sich gleichwohl eher selten. Der Einfluß z. B. des Griech. auf das Lyk. erscheint gering (bezeugte Lw.: *sttala-* c. »Stele«, *trijere-* n. »Triere«; nur Beiname: *Manaχine-* < μονογενής); auch im bereits *pólis*-strukturierten Xanthos (2. H. 4. Jh. v. Chr.) werden eigene staatsrechtliche Begriffe wie *tetere(/i)-* (< **tehtere(/i)-* = h.-l. *tasku̯ara(/i)-*) »Staat(sgebiet), Land«, *epewẽ-tlm̃mẽi* (vgl. dazu [22]) für πόλις, περίοικοι beibehalten. PN (wie *Tẽnegure- [Ténneḫure-]* < Ἀθᾶναγόρας, *Ijetruχle-* < Ἰᾱτροκλῆς, *Perikle-*; auch aus dem Iran., z. B. *Arttum̃para-* < **R̥tam-bara-*) sind indes gern übernommen worden, was aber seit alters allg. üblich war (z. B. *Alaksantu-* < myk. **Aleksandros* [23. 280–285] in → Wilusa, 13. Jh.).

Sehr stark hat das L. den hethit. Wortschatz beeinflußt. Diese Luwismen zeigen zugleich, daß z. B. die babylon. Leberschaupraxis (→ Divination) in ihrer hurrit. Ausprägung, aber auch hurrit. rel. und epische Trad. (z. B. Beschwörung der Unterirdischen, Kumarbi-Mythos) den Hethitern durch Luwier in SO-Kleinasien (Kizzuwatna) vermittelt wurden [24. 304]. Luwier dürften auch im 1. Jt. v. Chr. die Weitergabe dieser Trad. an die Griechen ermöglicht haben [25. 97[35]], wobei als Vermittlungsraum h. aber nicht nur Kilikien, sondern auch West-Kleinasien in Betracht kommt [1. 459–466].


**1** F. Starke, Troia im Kontext des histor.-polit. und sprachlichen Umfeldes Kleinasiens im 2. Jt., in: Studia Troica 7, 1997, 447–487 **2** J. D. Hawkins, Anadolu Medeniyetleri Müzesi, 1996, 7–24 **3** Ders., The Hieroglyphic Inscription of the Sacred Pool Complex at Hattusa (SÜDBURG), 1995 **4** Ders., Inscriptions of the Iron Age (Corpus of Hieroglyphic Luwian Inscriptions 1), erscheint 2000 **5** H. Çambel, Karatepe-Aslantaş, Corpus of Hieroglyphic Luwian Inscriptions 2, 1999 **6** A. Goetze, Cilicians, in: JCS 16, 1962, 48–58 **7** A. Lemaire, L'écriture phénicienne en Cilicie et la diffusion des écritures alphabétiques, in: C. Baurain et al. (Hrsg.), Phoinikeia Grammata, 1991, 133–146 **8** C. Brixhe, La langue des inscriptions épichoriques de Pisidie, in: Y. Arbeitman (Hrsg.), GS B. Schwartz, 1988, 131–155 **9** F. Starke, Die Vertretungen von uridg. *d$^{h}$ugh$_{2}$tér-* »Tochter« in den l. Sprachen ..., in: ZVS 100, 1987, 243–269 **10** L. Zgusta, Kleinasiat. PN, 1964 **11** Ders., Neue Beitr. zur kleinasiat. Anthroponymie, 1970 **12** G. Laminger-Pascher, Index Grammaticus zu den griech. Inschr. Kilikiens und Isauriens 1, 1973 **13** K. Holl, Das Fortleben der Volkssprachen in Kleinasien in nachchristl. Zeit, in: Hermes 43, 1908, 240–254 **14** F. Starke, Die k.-l. Texte in Umschrift, 1985 **15** K. Hauser, Gramm. der griech. Inschr. Lykiens, 1916 **16** E. Kalinka, Tituli Lyciae lingua Lycia conscripti (TAM 1), 1901 **17** G. Neumann, Neufunde lyk. Inschr. seit 1901, 1979 **18** H. Metzger (Hrsg.), Fouilles de Xanthos 9, 1992, 155–203 **19** T. R. Bryce, The Lycians in Literary and Epigraphic Sources, 1986 **20** O. Mørkholm, G. Neumann, Die lyk. Münzlegenden, 1978 **21** J. Imbert, De quelques inscriptions lyciennes, in: Mémoires de la Soc. de Linguistique 19, 1916, 323–347 **22** I. J. Adiego, Licio *epewẽtlm̃mẽi*, in: Aula Orientalis 11, 1993, 139–145 **23** O. Szemerényi, Hounded out of Academe ..., in: Eothen 1, 1988, 257–294 **24** M. Schuol, Die Terminologie des hethit. SU-Orakels, in: Altoriental. Forschungen 21, 1994, 73–124, 247–304 **25** N. Oettinger, Die »dunkle Erde« im Hethit. und Griech., in: WO 20/21, 1989/1990, 83–98.

R. Gusmani, Lo stato delle richerche sul miliaco, in: Incontri Linguistici 13, 1989–1990, 69–78 • H. C. Melchert, Cuneiform Luvian Lexicon, 1993 • Ders., Lycian Lexicon, [2]1993 • F. Starke, Unt. zur Stammbildung des k.-l. Nomens, 1990. F.S.


**Luxor** s. Thebai

**Luxurius.** In Nordafrika unter der Vandalenherrschaft wirkender Verf. eines ca. 534 n. Chr. edierten und im → Codex Salmasianus überl. Epigrammbuchs (Anth. Lat. 287–375 = 282–370 Shackleton Bailey); außerdem gehören ihm 203 = 194 Sh.B. und das Epithalamium (Vergil - → Cento) 18. Die richtige Namensform ist wahrscheinlich L., nicht Luxorius. Möglicherweise ist L. identisch mit Lisorius, von dem in ma. Grammatiken einige V. zit. werden. Bei den kulturhistor. interessanten Gedichten des L. handelt es sich größtenteils um Spott- und um epideiktische Epigramme (z. B. Beschreibungen von Gebäuden und Kunstwerken). Bes. der Anf. des B. zeigt metrische Vielfalt.


Ed.: H. Happ, L. (Unt./Komm.), 2 Bde., 1986.
Lit.: G. Bernt, Das lat. Epigramm im Übergang von der Spätant. zum frühen MA, 1968 • F. Munari, Die spätlat. Epigrammatik, in: Philologus 102, 1958, 127–139 (= Ders., KS, 1980, 115–139) • M. Rosenblum, L., 1961. MA.L.


**Luxus** (*luxuria*; griech. τρυφή). Im Zentrum der lat. Begrifflichkeit zu L. steht das Subst. *l.* zusammen mit seinen Ableitungen *luxuria* und *luxuries*. Das Wort *luxus* bezeichnet zuerst eine Grenzüberschreitung oder einen Exzeß, ein spontanes unerwünschtes Wachstum, speziell bezogen auf einen Exzeß in der Lebensführung. Damit ist die Konnotation eindeutig negativ, während *magnificentia* eher die Bed. von »Pracht« und »Aufwand« hat. Die Begrifflichkeit des L. schließt andere Begriffe wie *lautitia*, *apparatus*, *sumptus* ein. Der L. wird in der lat. Lit. für ein Laster gehalten, denn er ist mit Prahlerei und Verschwendung verbunden. Sowohl in der Republik als auch in der Prinzipatszeit wird ein enger Zusammenhang zw. *luxuria* und *avaritia* (»Gier«, »Habgier«) hergestellt (Sall. Catil. 5,8; Liv. 34,4,2: Rede Catos; Sen. epist. 90,36), denn Verschwendung bringe den Wunsch nach Besitz hervor. Umgekehrt ist die der *luxuria* entgegengesetzte Lebensweise von *frugalitas* geprägt, dem Gegensatz zu Reichtum.

Unter den verschiedenen Formen des L. wurde der Tafel-L. (kostbare, exotische und aufwendig zubereitete Speisen), der laut Tacitus seinen Höhepunkt unter Augustus und den *principes* der iulisch-claudischen Familie hatte, am stärksten kritisiert und ist daher zugleich am besten dokumentiert. Der L. fand seinen Ausdruck auch im Besitz von teuren Sklaven (→ Sklaverei), im Kunstbesitz (→ Kunstinteresse), in der Größe der → Villen, im Reichtum der im Hausbau verwendeten Materialien (→ Marmor), in der Ausstattung (z. B. vergoldete Zimmerdecken, Böden aus *opus sectile*, → Mosaik) wie auch im Mobiliar (→ Möbel), im Tafelsilber (→ Tafelausstattung), in Kleidern aus kostbaren Geweben (Seide oder purpurgefärbten Stoffen), → Schmuck (Perlen und Edelsteinen) und Parfüm (→ Kosmetik). Der L. der Frauen wird in der lat. Lit. in bes. Maße verdammt. Für die lat. Autoren hatte der Hang zum L. seinen histor. Ursprung in der Bereicherung der röm. Oberschichten in der Zeit der Expansion, als die Römer Griechenland, Kleinasien und Nordafrika eroberten (Liv. 34,4,1–3; Plin. nat. 33,148; 34,34; Sall. Catil. 10,1–2; Vell. 2,1,1). Von Sallustius bis Tacitus wird die Sucht nach L.-Gütern als direkte Ursache der → Bürgerkriege des 1. Jh. v. Chr. angesehen.

In der Lit. der Prinzipatszeit wird die von Cicero getroffene Unterscheidung zw. privater und öffentlicher Sphäre (Cic. Mur. 76: *Odit populus Romanus privatam luxuriam, publicam magnificentia diligit*) wiederaufgenommen und bes. der private L. kritisiert. Als legitim wird hingegen die öffentliche Manifestation des L. erachtet, der man die Bezeichnung *magnificentia* zugesteht (Sen. benef. 3,32,4; Tac. ann. 3,55,2). Die Tatsache, daß dem *princeps* und der *res publica* einerseits und den Oberschichten bis hin zu den vermögenden → Freigelassenen andererseits immer größerer Reichtum zur Verfügung stand, war jedoch eine Voraussetzung für die Rechtfertigung von privatem Reichtum und L.

Während der Republik hatte der Senat durch die *leges sumptuariae* (»Aufwandsgesetze«) versucht, den demonstrativen Konsum der Eliten, die um die Macht konkurrierten, zu begrenzen. In einem Gemeinwesen, das auf einem → *census*-System beruhte, war die Bewahrung der Vermögen notwendig für die Stabilität der zur Elite gehörigen Familien. Aber der private L. scheint von diesen Eliten mehr und mehr als → Statussymbol akzeptiert worden zu sein, wie die unter Tiberius im Senat geführten Debatten zu diesem Thema bezeugen (Tac. ann. 2,33; 3,53 f.). Im J. 16 n. Chr. verteidigte der Senator Asinius [II 5] Gallus nachdrücklich das Recht der *senatores*, ihren herausgehobenen polit. Status durch Zurschaustellung ihres Reichtums zu demonstrieren. Als die Diskussion von den → *aediles* im J. 22 n. Chr. wiederum aufgegriffen wurde, weigerte sich Tiberius, einem unpopulären Aufwandsgesetz zuzustimmen. Schon bei Vitruvius mußte eine *domus* den Bedürfnissen ihres Eigentümers angepaßt sein, wenn dieser eine öffentliche Stellung bekleidete (Vitr. 1,2,9; 6,5).

Die Polemik gegen den privaten L. scheint nach dem 1. Jh. an Schärfe verloren zu haben. Tacitus schreibt den Wandel im Lebensstil vom Beginn der Regierung des Vespasianus an einerseits der großen Zahl von *homines novi* (→ *novus homo*) zu, die anders als die früheren → *nobiles* mit ihren privaten Vermögen sparsam umgingen (*domestica parsimonia*), andererseits dem Vorbild des Vespasianus. Der *princeps* selbst wurde in Rom zum Träger des öffentlichen L.: Die Großartigkeit der öffentlichen Bauwerke spiegelte die *maiestas* des Imperium Romanum. Großzügigkeit und Prunk prägten die kaiserliche Repräsentation. Das Übermaß im privaten L., v. a. im Tafel-L., wurde bei den schlechten *principes* wie Caligula, Nero und Vitellius verdammt; die guten *principes* wie Augustus, Vespasianus und Traianus verbanden jedoch öffentliche *magnificentia* und private *frugalitas*. Sie befolgten jedenfalls nicht Caligulas provokative Maxime: *aut frugi hominem esse opportere (...) aut Caesarem* (›Ein Mensch muß entweder sparsam (und rechtschaffen) sein ... oder Caesar‹; Suet. Cal. 37).
→ Ernährung; Fleischspeisen

1 G. Clemente, Le leggi sul lusso e la società romana tra III e II secolo A. C., in: A. Giardina, A. Schiavone (Hrsg.), Società romana e produzione schiavistica Bd. 3, 1981, 1–14 2 M. Corbier, Le statut ambigu de la viande à Rome, in: DHA 15,2, 1989, 107–158 3 E. Dubois-Pelerin, Le luxe à Rome et en Italie au I[er] siècle après J.-C. Ét. sociale et morale (thèse, Université de Paris-Sorbonne Paris 4), 1997 4 Ernout/Meillet 5 E. Gabba, Del buon uso della ricchezza, 1988 6 H. Kloft, Überlegungen zum L. in der frühen Kaiserzeit, in: J. H. M. Strubbe u. a. (Hrsg.), Energeia. FS H. W. Pleket, 1996, 113–134 7 A. La Penna, La legittimazione del lusso privato da Ennio a Vitruvio. Momenti, problemi, personaggi, in: Maia 41, 1989, 3–34 8 M. Pani, Potere e valori a Roma fra Augusto e Traiano, 1992 9 E. La Rocca, Il lusso come espressione del potere, in: Ders., M. Cima (Hrsg.) Le tranquille dimore degli dei, 1986, 3–35 10 P. Veyne, Le pain et le cirque, 1976 (dt. Brot und Spiele, 1988). MI.CO./Ü: B.O.

**Luzerne** s. Klee

**Lyaios** s. Dionysos; Mysterien

**Lychnidos** (Λυχνιδός, Λυχνίς). Hauptort der illyrischen Dassaretae (→ Dassaretia) an der → Via Egnatia (Strab. 7,7,4; Itin. Anton. 318), h. Ohrid in Makedonien am Ohrid-See. Von Philippos II. unterworfen (Diod. 16,8,1). Der Ort besaß eigene Br.-Mz.-Prägung unter Philippos V. (Av.: maked. Schild; Rev.: Schiffsbug und ΛΥΧΝΙΔ(Ι)ΩΝ). 197 v. Chr. fiel L. mit Territorium an den illyr. König → Pleuratos (Pol. 5,108; 18,47,12; Liv. 27,32,9; 33,34,11). Seit 146 v. Chr. gehörte L. zur röm. Prov. *Macedonia* (CIL IX 1602), in spätröm. Zeit zur *Epirus Nova* (vgl. [1]). Im 4. Jh. n. Chr. war L. Bischofssitz, erster namentlich bekannter Bischof war Zosimos (344 n. Chr.). 479 n. Chr. wurde L. erfolgreich gegen den Ostgotenkönig Theoderich verteidigt (Malchos fr. 20). 514 n. Chr. zerstörte ein Erdbeben den Ort (Prok. HA 18,42 f.). Unter röm. Herrschaft war L. autonome Polis (vgl. Itin. Burdig. 607,4). Antike Reste: Skulpturen, Inschr., Mz., Gebäudegrundmauern, röm. Theater.

1 N. Vulić, in: AE 1943, 192.

F. PAPAZOGLU, Makedonski gradovi u rimsko doba [Les villes macédoniennes à l'époque romain], 1957, 224–230 • Dies., Les villes de Macédoine à l'époque Romaine, 1988.
M.Š.K.

**Lychnomanteia** s. Divination

**Lycia et Pamphylia.** Die Prov. wurde ca. 74 n. Chr. unter dem röm. Kaiser Vespasianus eingerichtet, nachdem Lycia im J. 43 n. Chr. nach inneren Unruhen als eigenständige kaiserliche Prov. konstituiert worden war (Suet. Claud. 25,3; [1. 137]); die anderslautende Nachricht bei Cass. Dio 60,17,4 wird durch *legati Augusti pro praetore Lyciae* (z. B. AE 1956, 186) widerlegt; zum röm. Einfluß in republikanischer Zeit vgl. Strab. 14,3,3; [2. 94–100]. → Pamphylia gehörte bis dahin zur Prov. → Galatia, in die es nach dem Tod des → Amyntas [9], dem M. Antonius die Region zugeschlagen hatte, 25 v. Chr. eingegliedert worden war. Vorher (ab 101/0 v. Chr.) hatte die pamphyl.-ostlyk. Küste zur Prov. → Cilicia gehört; nach deren Auflösung um 43 v. Chr. zählte ein Teil von Pamphylia zur Prov. → Asia [2]. Von Hadrianus oder Antoninus Pius wurde der Doppelprov. → Pisidia hinzugefügt. Unter M. Aurelius wurde *L. et P.* senatorisch und zw. 311 und 325 geteilt sowie der Diözese Asiana zugeordnet [2. 169 f.].
→ Kleinasien (mit Karten); Lykioi, Lykia

1 S. ŞAHIN, Ein Vorber. über den Stadiasmos Prov. Lyciae in Patara, in: Lycia 1, 1994, 130–137 2 H. BRANDT, Ges. und Wirtschaft Pamphyliens und Pisidiens im Alt. (Asia Minor Stud. 7), 1992.
MA. ZI.

**Lyco.** Stadt der → Bastetani, Name wohl iberisch. Die genauere Lage ist nicht festzustellen, die Identifikation mit Ilugo, Ilucia, Ἴλουνον/*Ilunon* bleibt problematisch [1]. Bei L. fügten die → Lusitani L. → Aemilius [I 32] Paullus 190 v. Chr. schwere Verluste zu (Liv. 37,46,7).

1 A. SCHULTEN (Hrsg.), Fontes Hispaniae Antiquae 3, 1935, 199 ff.

TOVAR 3, 157.
P. B.

**Lydai** (Λύδαι). Ort in → Lykia (s. Karte) an der SW-Küste von Kleinasien am Golf von Telmessos, 2,4 km westl. von Fethiye (Ptol. 5,3,2; GGM 1, 494 f. Nr. 259 f., Κλύδαι). Die Identifizierung ist durch Inschr. gesichert (TAM 2,1 Nr. 41, 49). Ausgedehnte kaiserzeitliche und frühbyz. Ruinen auf dem Vorgebirge Kapı Dağ (wohl dem ant. Kap Artemision: Strab. 14,2,2) sowie der benachbarten Tersane Adası.

G. E. BEAN, s. v. L., PE, 536 • Ders., Kleinasien 4, 1980, 43–45 • P. ROOS, Topographical and Other Notes on South-Eastern Caria, in: OpAth 9, 1969, 59–93 • V. RUGGIERI, Due complessi termali nel golfo di Macris (Fethiye), in: Orientalia christiana periodica 57, 1991, 179–198.
H. LO.

**Lydda** (Λύδδα, hellenisierte Form von hebr. *Lod*, davon arab. *Ludd*). Stadt in Palaestina, südöstl. von Jaffa (→ Ioppe) am Rande der Küstenebene auf dem Weg nach Jerusalem gelegen. Zuerst wird L. in der Liste eroberter palaestin. Städte Thutmoses' III. im 15. Jh. v. Chr. erwähnt. Die in 1 Chr 8,12 den Benjaminiten zugeschriebene Gründung L.s dürfte auf die Neubesiedelung der Stadt in nachexilischer Zeit durch den Stamm Benjamin zurückzuführen sein (Esr 2,33, Neh 7,37 und 11,35). In hell. Zeit noch außerhalb der Grenzen Iudas, wurde L. 145 v. Chr. vom Seleukiden → Demetrios [8] II. dem hasmonäischen Herrschaftsgebiet (→ Hasmonäer) zugeteilt. L.s Bed. beruhte auf seiner Lage an der Kreuzung der von Äg. nach → Damaskos führenden *via maris* und der Straße Jaffa – Jerusalem sowie auf der Fruchtbarkeit seines Umlandes. Zum Hauptort einer der judaeischen Toparchien erhoben, verkaufte → Cassius [I 10] die Einwohner L.s in die Sklaverei, da sie den geforderten Tribut nicht aufzubringen vermochten. → Antonius [I 9] machte diese Maßnahme kurz darauf rückgängig. Im Verlauf des ersten Jüd. Krieges eroberte Vespasianus 68 n. Chr. die Stadt und siedelte romtreue Juden an. In L. heilte der Apostel Petrus den Aeneas, woraufhin sich die Bevölkerung zum Christentum bekehrte (Apg 9,32–35). Wohl unter → Septimius Severus wurde L. zur röm. Kolonie mit dem Namen Diospolis. Als Teilnehmer des Konzils von Nikaia (325 n. Chr.) ist Aëtios der erste histor. belegte Bischof L.s. Bes. Bed. erlangte die Stadt spätestens ab dem 6. Jh. als Geburtsort und Begräbnisstätte des Hl. Georg. Nach der arab. Eroberung 636 verlor L. aufgrund der Gründung des benachbarten Ramla stark an Bedeutung.

M. GÖRG, s. v. Lydda, Neues Bibel-Lex. 2, 676 f. • D. PRINGLE, The Churches of the Crusader Kingdom of Jerusalem 2, 1998, 9–27 • M. SHARON, s. v. Ludd, EI 5, 798–803.
J. P.

**Lydia** (Λυδία).
I. GEOGRAPHIE II. GESCHICHTE III. KULTUR

I. GEOGRAPHIE
Landschaft in West-Kleinasien, begrenzt nach Süden gegen Karia durch → Mes(s)ogis bzw. → Maiandros, nach Osten gegen Phrygia durch den Zusammenfluß von → Lykos [18] und Maiandros, den Oberlauf des → Hermos [2] und das Dindymos-Gebirge (h. Murat Dağı), nach Norden gegen Mysia durch den → Kaikos [1] bzw. Temnos (Demirci Dağı) und westl. anschließende Gebirgszüge. Im Westen vorgelagert sind Aiolis und Ionia, mit L. durch gleiches Klima, Bodenverhältnisse, Vegetation verbunden. Zur Ägäis entwässern drei L. gliedernde Flüsse: Hermos, → Kaystros [1], Maiandros. Zw. den im Tmolos über 2000 m, in der Mesogis über 1600 m aufragenden Gebirgszügen bilden die Flußtäler fruchtbare Talauen, in denen die wichtigsten Städte liegen.

II. GESCHICHTE
A. ENDE 2. JT. UND DUNKLE JAHRHUNDERTE
B. ARCHAISCHE ZEIT: MERMNADAI
C. PERSERHERRSCHAFT (546–334 V. CHR.)
D. ALEXANDER UND HELLENISMUS
E. LYDIA IN DER PROVINZ ASIA
F. SPÄTANTIKE UND CHRISTENTUM

A. ENDE 2. JT. UND DUNKLE JAHRHUNDERTE

Im 13. Jh. v. Chr. bestand unter den Arzawa-Ländern (→ Arzawa) in West-Kleinasien (→ Kleinasien III. C.) das hethit. Vasallenkönigtum → Mirā, das zusammen mit dem nördl. anschließenden Sēḫa-Flußland einen Großteil von L. deckte. Ein Fürst dieses Landes ist vermutlich im Felsrelief von Karabel dargestellt [1]. Während in SO-Kleinasien und Nord-Syrien die späthethit. Fürstentümer durch Schriftzeugnisse bis ins 8./7. Jh. zu verfolgen sind, fehlen für West-Kleinasien entsprechende Quellen. Folglich bleibt die Gesch. L.s in den »Dark Ages« vorerst dunkel [2].

Die für diesen Zeitraum namhaft gemachte lyd. Dyn. der → »Herakleidai« (Hdt. 1,7) reicht, ihre Regierungsspanne von 505 J. auf das vermutliche Datum ihres Sturzes durch → Gyges aufgerechnet, zum Anf. des 12. Jh. zurück, der Zeit der Ägäischen Wanderung (→ Dunkle Jahrhunderte [1]); hierzu scheinen bestimmte Befunde in → Sardeis zu passen. Von submyk./protogeom. Zeit an dürften die Vorfahren der Maiones/Lydoi durch mutterländische Griechen (→ Kolonisation II.) schrittweise ins Innere von L. abgedrängt worden sein. Mit den erst von den Griechen so bezeichneten Herakleidai scheint die Sage von Herakles und → Omphale verbunden (griech. Interpretation des Paars → Kybele mit dem Paredros Attis oder Masnes [3] oder Sandon?); ihr letzter König führt den auf Hermes oder Herakles weisenden Namen → Kandaules (Hipponax fr. 4 D.), evtl. sakraler Beiname des bei den Griechen sonst nach seinem Vater Myrsos → Myrsilos gen. Königs (Hdt. 1,7). Ferner erscheint als lyd. Urkönig → Atys [1] mit den (eponymen) Söhnen Lydos und Tyrsenos (Hdt. 1,94; Dion. Hal. ant. 1,27), wodurch die problematische Überl. der Auswanderung der Tyrsenoi aus L. (unhistor. [4]), veranlaßt durch große Hungersnot, genealogisch in L. festgemacht wird. Die epichorische lyd. Trad. (Xanthos, *Lydiaka*, FGrH 765; Nikolaos von Damaskos FGrH 90 F 44 ff.) kennt neben der Königsfamilie zwei Geschlechter: die von der Sagengestalt Tylon [5] hergeleiteten Tyloniden, die auch mit den Herakleidai gleichgesetzt werden, und die histor. → Mermnadai [6]. Der letzte König der älteren Dyn. heißt Sadyattes (Kandaules bei Hdt. 1,7 ff.), die einigen der Könige zugeschriebenen unzusammenhängenden Episoden sind vorwiegend myth., bes. (kult-)aitiologischen Inhalts; nur die letzten Könige vor Gyges gewinnen histor. Profil. Der Überlieferungskomplex entzieht sich noch weitgehend histor. Aufhellung [7; 8].

B. ARCHAISCHE ZEIT: MERMNADAI

Für die Gesch. von L. z.Z. der Mermnadenkönige vgl. → Gyges, → Ardys [1], → Sadyattes II., → Alyattes, → Kroisos und → Atys [2].

C. PERSERHERRSCHAFT (546–334 V. CHR.)

Der nach → Kyros' [2] Abzug vom Lyder Paktyes entfachte Aufstand gegen den pers. Statthalter Tabalos (546/5), an dem die Aioleis und Iones teilnahmen, wurde von Mazares und Narpagos mit Härte niedergeschlagen (Hdt. 1,154 ff.; [9]).

L. war das Kernland der Satrapie II *Sparda* (= Sardeis); von dieser mitverwaltet wurden meist auch die Küstengebiete der Satrapie I *Yauna* (Aiolis, Ionia, Karia). 499 begann der → Ionische Aufstand mit der Niederbrennung von Sardeis mitsamt dem Kybebe (Kybele)-Tempel; hiermit wurde später die Zerstörung griech. Tempel durch die Perser begründet (Hdt. 5,102,1). Die anstelle der Altstraßen gebaute pers. → Königsstraße lief mit 525 km, einem Fünftel ihrer Gesamtlänge, über lyd. und phryg. Gebiet (Hdt. 5,52 f.).

Von den → Perserkriegen, dem → Attisch-Delischen Seebund und dem → Peloponnesischen Krieg blieb L. fast unberührt, nur die Küstenregionen der Satrapie gingen ab 479 an Athen, 412–404 und wiederum 400–394 an Sparta verloren. Für die Gesch. von L. unter pers. Satrapen im 5. und 4. Jh. v. Chr. vgl. → Pissuthnes, → Tissaphernes, → Kyros [3], → Struthas, → Hekatomnos, → Tiribazos, → Autophradates [1] und → Orontes. An die Stelle der lyd. Feudalherren mit ihren Latifundien (Hdt. 7,27 ff.) traten die Satrapen und andere hochgestellte Perser, die Domänen des Großkönigs und eigene Landgüter besorgten, auch exilierte Perserfreunde aus Griechenland (Thuk. 1,138,5; Xen. an. 2,1,3; 7,8,8; 8,17). Die Güter waren mit Wehrtürmen befestigt und durch Militärabteilungen geschützt (Xen. an. 7,8,7–24; [10]); neben der landwirtschaftlichen Produktion dienten sie der zivilen Überwachung und mil. Sicherung des Landes. Die Anlage von Plantagen, botanischen Gärten und Tierparks (*parádeisoi* [11]), schon von den Lydoi betrieben (Athen. 12,515e), wurde in pers. Zeit nach dem Willen des Großkönigs (ML 12; Xen. an. 1,2,7) intensiviert (Xen. oik. 4,20 ff.; Diod. 14,80,2). Eine »achaimenidische Kolonisation« im 5./4. Jh. ist z. T. erst aus hell.-röm. Zeit greifbar [12]. Assyr. Hopliten und hyrkanische Reiter dienten um 400 als Schutztruppe im Kaikos-Tal (Xen. an. 7,8,15); die Siedler aus Hyrkania erhielten ihre Landlehen in der »Hyrkanischen Ebene« (mittlere Hermos-Ebene) evtl. auch erst unter den → Seleukiden (Strab. 13,4,13). Möglicherweise gelangte schon im 5. Jh. eine kleine Gemeinde exilierter Juden (Abd 20) nach *Sefarad* (= Sparda = L.).

D. ALEXANDER UND HELLENISMUS

334 v. Chr. endete die über 200jährige Achaimenidenherrschaft in L. → Alexandros [4] d.Gr. gestattete den Lydoi, nach ihren altgewohnten Gesetzen zu leben (Arr. an. 1,17,4), und verlieh ihnen (lokale) Selbstverwaltung. Alexanders Verfügung entsprach seinem polit. Kalkül, die Loyalität der nichtgriech. Reichsvölker zu

gewinnen. Andererseits wurden auch in L. die Güter der Perser für Alexander und die Makedonen eingezogen; die Steuerpflicht der lyd. Bevölkerung blieb erh. (Arr. an. 1,17,4; [13]).

In den → Diadochenkriegen nahm 319 → Antigonos [1] Monophthalmos L. in Besitz (Diod. 18,52,5 f.), das 320 kurzzeitig → Eumenes [1] unterstanden hatte [14]. 301 fiel L. mit West-Kleinasien an → Lysimachos [2] und nach dessen Tod 281 an → Seleukos I.; danach gehörte es bis 190/189 zum Seleukidenreich. Der seleukidische Teil Kleinasiens, auch Ionia, unterstand dem Generalstatthalter in Sardeis [15]. Im 3. Jh. v. Chr. war L. öfters Kriegsschauplatz: vgl. → Eumenes [2], → Antiochos [2], → Seleukos II., → Achaios [5], → Antiochos [5].

Siedlungsgeogr. war L. seit hell. Zeit durch eine Vielzahl von Katoikien (Militärkolonien; → Katoikos) zwecks Sicherung des vielumkämpften Landes geprägt: Seleukos I. begann 281 mit Thyateira, Antiochos I. gründete Stratonikeia am Kaikos, weitere Katoikien wurden im 3. Jh. durch die Seleukiden, im 2. Jh. durch die Attaliden (→ Attalos, mit Stemma), angelegt: in der Hyrkanischen Ebene (Tac. ann. 2,47), Magnesia [3] (OGIS 229; StV 492; [16]), Mostene, Nakrasa u. a. Die Katoikien der »Makedonen« (ihre Weihinschr. [17]; dazu [18]) bildeten einen Verbund (*koinón*) mit der Bürgerschaft der Gemeinde, auf deren Territorium sie siedelten oder bestanden längere Zeit getrennt neben derselben (»die Makedonen in ...«) oder sie bewahrten im abgelegenen östl. L. ihre eigene Stammesverfassung, wie noch in röm. Zeit die Mysomakedones und Mysotimolitai, ehem. seleukidische oder attalidische Söldner (Plin. nat. 5,111; [19; 20; 21; 22]).

E. des 3. Jh. hatte der Vizekönig → Zeuxis auf Befehl des → Antiochos [5] Megas angeblich 2000 jüd. Familien aus Babylonia in L. und Phrygia aufzunehmen (Ios. ant. Iud. 12,148–153, zur Historizität [23; 24; 25]). Die von Philippos V. aufgrund seines Bündnisses mit Antiochos [5] (StV 547) erwartete Unterstützung bei seinen mil. Operationen in Kleinasien 202/1 ließ ihm Zeuxis nur zögerlich zukommen [26]. Mit den von Antiochos [5] im J. 188 abgetretenen seleukidischen Gebieten Kleinasiens (Pol. 21,42 f.; Liv. 37,45; 38,38 f.) fiel L. an → Eumenes [3].

Die erneute Attalidenherrschaft (188–133; → Attalos, mit Stemma) brachte für L. Städtegründungen, Philadelpheia (Strab. 12,8,18; 13,4,10) und Apollonis [27], 168 die Stiftung des Festes der »Eumeneia« zum Dank für Errettung in einem Galateraufstand (OGIS 305; [28]). Vgl. → Attalos [5], → Prusias II.

E. LYDIA IN DER PROVINZ ASIA

1. RÖMISCHE REPUBLIK

Durch das Testament → Attalos' [6] III. fiel das Königreich Pergamon 133 v. Chr. an die Römer, die aus dem westl. Kerngebiet mit L. im J. 129 die Prov. → Asia [2] bildeten, nachdem der Thronprätendent → Aristonikos [4] niedergekämpft war: Seit 123 wurde das fruchtbare Land, in dem es steuerfreie Städte nicht gab, ausgeplündert. Vom Massaker an den Italikern in Asia 88 (»Ephesische Vesper«) und vom 1. → Mithradatischen Krieg wurde L. eher am Rande berührt: Magnesia am Sipylos, Thyateira, Hypaipa im Kaystros-Tal, Tralleis. In den röm. Bürgerkriegen litten die Städte nochmals unter Kontributionen.

2. RÖMISCHE KAISERZEIT

Die ersten beiden Jh. der Kaiserzeit waren für L. infolge vermehrter Urbanisierung und verbesserter städt. Infrastrukturen eine wirtschaftliche und kulturelle Blütezeit. Größere Erdbebenschäden, 24 v. Chr. in Thyateira (Suet. Tib. 8), 17 n. Chr. in 12 Städten von Asia, davon sieben in L. (Tac. ann. 2,47), wurden durch kaiserliche Munifizenz gelindert. Auch die von lokalen Führungsschichten getragene Bautätigkeit sorgte bes. für die Erstellung von dem Gemeinwohl dienenden Großbauten [29]. Von den verheerenden Seuchen im 2. Jh. n. Chr. blieb L. nicht verschont. Privilegien brachten die Kaiserbesuche [30]: 123/4 Hadrianus in Thyateira und Sardeis [31], 215 Caracalla in Thyateira und Philadelpheia.

Den → Kaiserkult (Roma und Augustus) [32], organisiert auf Basis des Provinziallandtags von Asia, versah für L. der gewählte Oberpriester (*archiereús Asías*; der Tempel in Sardeis) [33]. L. war auf vier *conventus iuridici* von Asia verteilt: Sardeis, Smyrna, Ephesos, Pergamon (Plin. nat. 5,111; 120; 126; Strab. 13,4,12).

Außerhalb der Städte und ihrer Territorien bestand das alte Königsland aus pers. und hell. Zeit in Form kaiserlicher Domänen und privater Großgüter fort, weite Landgebiete befanden sich in der Hand einheimischer freier Kleinbauern. Die lange Zugehörigkeit von L. zu multinationalen Großstaaten spiegelt sich in seiner Bevölkerung wieder: von Achaimeniden, Seleukiden, Attaliden angesiedelte Katoikoi unterschiedlicher Herkunft, jüd. Gemeinden in Sardeis, Thyateira u. a. lyd. Städten, zugewanderte Griechen und, zahlenmäßig gering, Italiker; die indigene lyd. Bevölkerung, verteilt vorwiegend auf die vielen kleinen Städte, Katoikiai und *kṓmai*, die meist erst in der Kaiserzeit städt. Charakter annahmen und Mz. prägten, z. T. auch um Heiligtümer oder lokale Herrensitze gewachsen waren [34; 35].

F. SPÄTANTIKE UND CHRISTENTUM

Mit der Prov.-Reform des → Diocletianus (s. dort Karte) im J. 297 lebte der alte Landschaftsname als Bez. der neuen Prov. *L.* (unter den sieben der *dioecesis IV Asiana*) wieder auf, sie umfaßte mit den Gerichtssprengeln Thyateira und Sardeis aber nur einen Teil der urspr. L., Metropolis (»Hauptstadt«) war Sardeis. 399 verwüsteten Heerhaufen der in Phrygia angesiedelten Ostgoten (Greuthungi) unter Tribigild und dem Heermeister Gainas L. (Zos. 5,18; [36]). Den wirtschaftlichen Verfall Anf. des 6. Jh. beleuchtet ein Entscheid des *praefectus praetorio per orientem* Demosthenes für den Statthalter von L. über Steuerhaftung bei Flucht der Mitbesitzer von Grundstücken; die Bestellung eines Sonderbevollmächtigten zur Unterdrückung des Bandenunwesens (*biokōlýtēs*, »Gewaltverhinderer«) um 548 besserte nichts [37].

Das Christentum in L. [38] wurde durch die Reisen des Apostels → Paulus grundgelegt. Von den sieben in der Apk gen. Kirchen in Asia liegen drei in L.: Sardeis, Thyateira, Philadelpheia (Apk 2,18; 3,1; 3,7); christl. Inschr. vor dem 4. Jh. sind selten. Zur Zeit der Kaiser Antoninus Pius und M. Aurelius wirkte der Apologetiker → Meliton [3] als Bischof von Sardeis († 190). Für christl. Häresien (→ Montanismus, → Novatianus) war bes. die einheimische nichtgriech. Bevölkerung im Phrygia benachbarten Ostteil von L. offen. Die Quartadecimaner, denen Meliton angehört hatte, wurden, ab 325 als Häretiker geltend, in L. bes. im 5. Jh. verfolgt. Eine Wiederbelebung des paganen Kults in L. (Sardeis) unter Kaiser Iulianus [11] 362 war zum Scheitern verurteilt (Eun. vit. soph. 501; 503); z.Z. des Iustinianus gab es dank christl. Bekehrungseifers des (monophysitischen) Bischofs → Iohannes [26] ([39; 40]) Anhänger paganer Kulte nur noch im stadtfernen Bergland der Mes(s)ogis [41]. Der Metropolit von Sardeis nahm bis 1389 den sechsten Rang nach dem Patriarchen von Konstantinopolis ein.

## III. Kultur



### A. Gesellschaft, Wirtschaft, Militärwesen

Mehrere große Familien bestimmten den feudalen Charakter der lyd. Ges., ein pferdezüchtender Adel auf Gütern, die von z. T. leibeigener Landbevölkerung bewirtschaftet wurden. Die Mermnadai waren mit dem medischen Königshaus (Hdt. 1,73,4) sowie mit der Familie der Basilidai in Ephesos (Melas, Pindaros, Ail. var. 3,26) verschwägert und unterhielten polit. und gesellschaftliche Kontakte zu Aristokraten auf Lesbos (Alkaios fr. 42 D.), auch zum Kreis der Sappho (fr. 98 D.). Alkman rühmte sich seiner Herkunft aus Sardeis (fr. 13 D.), in Ephesos enthielt die Umgangssprache lyd. Wörter (bei Hipponax Stilmittel, z. B. fr. 42 Masson; [42]).

Ihren sprichwörtlichen Reichtum verdankten → Gyges (Archilochos fr. 22 D.) und auch → Kroisos dem vom Tmolos Gold herabführenden → Paktolos (Hdt. 1,93,1; Goldwäschen arch. nachgewiesen), mehr noch den Bergwerken in Mysia (bei Pergamon, Aristot. mir. 834a), dem aus dem Schwarzmeergebiet, vermutlich durch Milesier, für die Mz.-Prägung importierten Gold (Aristeas FGrH 35 F 4), sowie allg. den Tributen der untergebenen Gebiete, bes. der griech. Küstenstädte (Hdt. 1,6). Es gab Sondersteuern für bestimmte Berufsgruppen zur Finanzierung von Großbauten (Alyattes-Grabmal, Hdt. 1,93,2f.). Die altlyd. feudale Gesellschafts- und Wirtschaftsstruktur hielt sich auch in pers. wie hell. und, unter veränderten Umständen, selbst in röm. Zeit.

Der lyd. Adel stellte die (im 6. Jh. v. Chr. obsolete) Streitwagentruppe (Sappho fr. 27a,19f. D.) und die Reiterei (Hdt. 1,27; 80), als Hopliten kämpften auch zur Heeresfolge verpflichtete Griechen. Auch kar. und ion. Söldner wurden eingesetzt (Hdt. 2,152; Diod. 1,66,2); im lyd. Heer befand sich eine »ägypt.« Hilfstruppe (Xen. Hell. 3,1,7; Xen. Kyr. 31,45). Die lyd. Bewaffnung war der griech. ähnlich (Hdt. 7,74); assyr. Belagerungstechnik mit Erdrampen kam vor Smyrna (um 600) zur Anwendung [43; 44].

Neben dem Adel ist ein Stand von Kaufleuten und Handwerkern gen.: Den Iones erschienen die Lydoi als die ersten Kleinhändler (Hdt. 1,94,1) bzw. Gastwirte (Karawansereibetreiber? Vgl. Nikolaos Dam. FGrH 90 F 44 zu → Ardys [1]). Werkstätten zur Verarbeitung von Gold, Elfenbein, Leder, Wolle sind in Sardeis arch. festgestellt. Die Lydoi galten in Kleinasien als Erfinder der Mz.-Prägung (→ Münzwesen).

### B. Materielle Kultur, Alltagsleben

Den Lydoi wurde schwelgerische Lebensweise (*tryphḗ*) nachgesagt; Iones und Athener, die sie nachahmten, wurden selbst der Weichlichkeit (*habrosýnē*) bezichtigt bzw. als »lyderkrank« (*lydopatheîs*, Anakr. 481 PMG) bespöttelt [45]. Lyd. Luxusartikel waren Schmuck, bunte sardische Mitren (Sappho fr. 98a, 10ff. D.), weite Chitone, schmiegsame Stiefel (Hdt. 1,155,5; Hom. h. 3,147) oder die berühmte Parfumsalbe *bákkaris* (Athen. 15,690 a-d). Als lyd. Erfindung galt das Würfelspiel (Hdt. 1,94,2). Unter den das Sexualleben betreffenden, von Griechen als Anzeichen oriental. Üppigkeit getadelten Bräuchen, die den Lydoi zugeschrieben wurden, sind zu nennen: der Eunuchendienst am lyd. Königshof (Hdt. 3,48); die angebliche Erfindung der Sterilisation von Frauen (Athen. 12,515d: aus Xanthos); die voreheliche Prostitution der Mädchen (Hdt. 1,93,4; 94,1), wohl griech. Mißverständnis bestimmter Formen oriental. Tempelprostitution (Strab. 11,14,16; 12,3,36; 8,6,20).

### C. Religion

Die hethit.-hurrit. Göttin Kubaba, in Phrygia rezipiert als *matar kubeleja* (»Bergmutter«), in L. *Kuvav*, erscheint griech. als → Kybele bzw. Kybebe; die *Mḗtēr Oreía* (»Bergmutter«) wird auch geogr. fixiert: *Mḗtēr Sipylḗnē* oder *Dindyménē* u. a. (→ Kleinasien IV. E.) [46]. Aus Phrygia wurde ferner übernommen der Kult des im Attis- und Kybele-Mythos (→ Attis) aufscheinenden Argistis sowie der des Vegetationsgottes → Sabazios und der der → Ma (Regelung ihrer Mysterien s. Inschr. von 366 v. Chr. [47]). Als Begleiter der Kybele gilt in L. Sandon, luw.-kilik. Santaš, von den Griechen mit Herakles gleichgesetzt (Nonn. 34,192). Für den Weingott *Baki* (Dionysos Bakchios, → Bakchos), ferner für *Pldans* (Apollon), *Artimus* (Artemis) sind auch in epichorischen Inschr. nur die griech. Namen kenntlich – ob diese auf einheimische Gottheiten übertragen oder vielmehr jene selbst aus dem griech. Pantheon übernommen wurden, ist strittig. Ohne griech. Äquivalent ist der anatol. (phryg.-lyd.) Mondgott → Men, dessen Kult sich in hell. Zeit über ganz Kleinasien bis nach Griechenland verbreitete. Außerdem gab es eine lyd. Pferdegottheit Pirva [3. 79]. In hoher Gunst der lyd. Könige standen die griech. Heiligtümer: dies zeigen kostbare Weihgeschenke des Gyges, Alyattes, Kroisos v.a. in Delphoi (Hdt. 1,25; 50 ff.; 92), die Einlage hoher Geldbeträge im Apollontempel von Didyma (Hdt. 5,36) oder die Übereignung eingezogener Güter von Feinden (Hdt. 1,92,2 ff.; Nikolaos Dam. FGrH 90 F 65) an den Artemis-Tempel von Ephesos, der einen Filialkult in Sardeis besaß. Die Verbreitung iran. Kulte in L., z.B. der → Anaitis im Hermos- und Kaystros-Tal (→ Hiera Kome, Hypaipa, Paus. 5,27,5 f.), geht auf pers. Militärsiedler zurück. Neben den pers. und griech. fanden die alten anatolischen und ländlichen Kulte [48] in L. bis zum Ausgang des Alt. Anhänger; in den Inschr. treten die Gottheiten als »Herren« ihres Tempelterritoriums auf; eigentümlich (aus anatolischem Substrat?) die sog. Beicht- oder Sühneinschr. (Mitte 1.–3. Jh. n. Chr.) im östl. L. [49; 50; 51].

D. Handwerk und Kunst

Starken Einfluß übte die ostgriech. Kunst im 7.–6. Jh. v. Chr. aus; oriental. Motive wurden von dieser, nicht unmittelbar aus späthethit. oder assyr. Bereich übernommen. Typ. Kunstmerkmale: Lyd. Keramik mit hellem Überzug und farbigem Streifendekor, »marmorierte Ware«; eine Sonderform ist das »Lydion«, ein kleines Gefäß für die Bakkarissalbe [52; 45. 114 ff.]. Lyd. Elfenbeinarbeiten an Pferdegeschirren (Hom. Il. 4,141 ff.), Statuetten (6. Jh.); lyd. Elfenbeinschnitzer waren am Dareiospalast in Susa beschäftigt. Auch lyd. Architekturterrakotten (Relieffriese) zeigen griech. Einfluß [53]. Typisch für die Textilproduktion waren purpurne Chitone (Hdt. 1,50,1), purpurne und »sardisch«-rote Dekken und ebensolche Teppiche (Athen. 2,48b; 12,514c), geschätzt bei Griechen und vom Großkönig; Gewänder mit applizierten Goldplättchen nach oriental. Vorbild, golddurchwirkte Stoffe (in hell. Zeit). Produkte der lyd. Goldschmiedekunst sind bislang – von Kleinfunden, z.T. griech. Provenienz, abgesehen [54] – vorwiegend lit. bezeugt (Hdt. 1,50 f.). Die kostbarsten Votive der lyd. Könige waren weitgehend Auftragsarbeiten ion. Künstler: goldene und silberne Kratere des Glaukos von Chios (Hdt. 1,25) und Theodoros von Samos (Hdt. 1,51). Ion. Arbeit sind auch die von Kroisos gestifteten Säulentrommeln mit figürlichen Reliefs am archa. Artemis-Tempel von Ephesos (Hdt. 1,92, Weihinschr.), ein Kybele-Naiskos in Sardeis (Mitte 6. Jh.) [45. 110 f.]. Nach der Eroberung durch die Perser waren griech. und lyd. Werkstätten weiter in pers. Auftrag tätig: Werkleute aus »Sparda« und »Yauna« (L. und Ionia) arbeiteten an pers. Palastbauten in Pasargadai, Susa, Persepolis. Achaimenidisch-griech. Mischstil nach Art des Kyrosgrabs in Pasargadai zeigt das sog. Pyramidengrab (Frg.) in Sardeis, evtl. Grablege eines lyd. Satrapen (4. Jh. v. Chr.?) [55].

Kleinasiat. Typus repräsentieren die monumentalen Tumuli der lyd. Königsnekropole Bintepe nahe der → Gygaia Limne: gemauerte Krepis, Grabkammer mit Vorraum in sorgfältiger Quadertechnik, z.T. mit Dromos; Alyattes' Tumulus der größte (355 m Dm, 59 m H, 1115 m Umfang), obenauf urspr. fünf beschriftete Steinpfeiler (Hdt. 1,93); Gyges' Tumulus (Karnıyarıktepe) (Hipponax fr. 42 Masson), dort Wandgraffito *Gu-gu* [56].

Zu lyd. Sprache und Schrift → Lydisch, zu Entwicklung und Eigenart lyd. Musik → Musik.

→ Kleinasien (mit Karten)


1 J. D. Hawkins, Takasnawa, King of Mira, »Tarkondemos«, Karabel, and Boğazköy Sealings, in: AS 48, 1998 2 E. Akurgal, Das dunkle Zeitalter Kleinasiens, in: S. Deger-Jalkotzy (Hrsg.), Griechenland, die Ägäis und die Levante während der »Dark Ages«, 1983, 67–78
3 G. M. A. Hanfmann, Lydiaka II: Tylos and Masnes, in: HSPh 63, 1958, 65–88 4 R. Drews, Herodotus 1.94, in: Historia 41, 1992, 14–39 5 H. Herter, Von Xanthos dem Lyder zu Aineias aus Gaza, in: RhM 108, 1965, 189–212
6 O. Seel, Herakliden und Mermnaden, in: Navicula Chiloniensis. FS F. Jacoby, 1956, 37–65 7 Ders., Lydiaka, in: K. Mras (Hrsg.), FS A. Lesky (WS 69), 1956, 212–236
8 H. Herter, Lyd. Adelskämpfe (1966), in: Ders., KS, 1975, 536 ff. 9 V. La Bua, Gli Ioni e il conflitto lidio-persiano, in: Miscellanea Greca e romana 5, 1977, 1–64 10 O. Lendle, Komm. zu Xenophons Anabasis, 1995, 482 f. 11 Ch. Tuplin, The Parks and Gardens of the Achaemenid Empire, in: Ders. (Hrsg)., Achaemenid Studies, 1996, 80–131
12 M. V. Sekunda, Achaemenid Colonization in L., in: REA 87, 1985, 7–30 13 A. B. Bosworth, A Historical Commentary on Arrian's History of Alexander, Bd. 1, 1980, 130 14 Bengtson 1, 171 f. 15 Bengtson 2, 12 ff. 16 IK 8, 1978, 23–130 17 L. Robert, Hellenika 6, 1948, 22 ff.
18 G. M. Cohen, Katoikiai, Katoikoi, and Macedonians in Asia Minor, in: AncSoc 22, 1991, 41–50 19 Jones, Cities, 44 f. 20 Magie, 972 ff. 21 E. Bikerman, Institutions des Séleucides, 1938, 80 ff. 22 G. M. Cohen, Seleucid Colonies, 1978 23 Bengtson 2, 110 ff. 24 L. Robert, Nouvelles inscriptions de Sardes, 1963, 27 ff.
25 A. Kraabel, Judaisme in Western Asia under the Roman Empire, 1968, 198–203 26 E. Olshausen, s. v. Zeuxis, RE 10 A, 382 f. 27 Robert, Villes, 31–40 28 Nilsson, GGR 2, 173 29 E. Winter, Staatliche Baupolitik und Baufürsorge in den röm. Prov. des kaiserzeitlichen Kleinasien, 1996
30 H. Halfmann, Itinera Principum, 1986 31 P. Weiss, Hadrian in L., in: Chiron 25, 1995, 213–224 32 S. R. F. Price, Rituals and Power, 1984, 259 ff. 33 J. Deininger, Die Provinziallandtage der röm. Kaiserzeit, 1965, 38 ff.
34 Mitchell 1, 180 ff. 35 Ch. Schuler, Ländl. Siedlungen und Gemeinden im hell. und röm. Kleinasien, 1998
36 A. Demandt, Die Spätant. (HdbA 3,6), 1989, 158 f.
37 Jones, LRE 1, 294; 2, 814 38 A. von Harnack, Die Mission und Ausbreitung des Christentums in den ersten drei Jh., 1924, 732 ff., 780 ff. 39 Jones, LRE 2, 939
40 Mitchell 2, 88–95, 118 f. 41 C. Foss, Byzantine and Turkish Sardis, 1976, 28 ff. 42 G. L. Huxley, The Early Ionians, 1966, 111 f. 43 J. M. Cook, Old Smyrna, 1948–1951, in: ABSA 53/54, 1958/9, 24 f. 44 E. Akurgal, Alt-Smyrna, 1983, 74 f. 45 J. Boardman, Kolonien und Handel der Griechen, 1981, 114 46 Mitchell 2, 19 ff.
47 L. Robert, Une nouvelle inscription de Sardes, in: CRAI 1975, 307–330 48 G. Petzl, Ländliche Religiosität in L., in: E. Schwertheim (Hrsg.), Forsch. in Lydien, 1995, 37–48

**49** P. HERRMANN, E. VARINLIOĞLU, Theoi Pereudenoi, in: EA 3, 1984, 1–17 **50** M. RICL, The Appeal to Divine Justice in the Lydian Confession Inscriptions, in: E. SCHWERTHEIM (Hrsg.), Forsch. in Lydien, 1995, 67–76 **51** MITCHELL 1, 191 ff. **52** E. AKURGAL, Die Kunst Anatoliens von Homer bis Alexander, 1961, 150 ff. **53** E. HOSTETTER, Lydian Architectural Terracottas, 1994 **54** J. C. WALDBAUM, Metalwork from Sardis, 1983 **55** S. HORNBLOWER, Asia Minor, in: $CAH^2$ 6, 217 f. **56** G. M. A. HANFMANN, Letters from Sardis, 1972, 154 mit Abb. 107.

GEOGR: J. KEIL, A. v. PREMERSTEIN, Ber. über eine Reise in L. und den angrenzenden Gebieten Ioniens, Denkschriften der Akad. der Wiss. in Wien 53,2, 1908; 54,2, 1911; 57,1, 1914 · W. M. RAMSAY, The Historical Geography of Asia Minor, 1890 · A. PHILIPPSON, Top. Karte des westl. Kleinasien, 1910 · W. WARFIELD, in: Sardis 1, 1922, 175–180.
INSCHR.: P. HERRMANN, Neue Inschr. zur histor. Landeskunde von L. ..., Denkschriften der Akad. der Wiss. in Wien 77, 1959; 80, 1962 · P. HERRMANN, J. KEIL, in: TAM 5,1–2, 1981–1989.
GESCH., KULTUR: L. ALEXANDER, The Kings of L., 1913 · L. A. BORSAY, L., Diss. Pittsburgh 1965 (1979) · L. BÜRCHNER, J. KEIL, s. v. L., RE 13, 2122 ff., 2161 ff. · R. DUSSAUD, La Lydie et ses voisins, 1930 · Ders., Prelydiens, Hittites et Achéens, 1953 · C. FOSS, Sites and Strongholds of Northern L., in: AS 37, 1987, 81–101 · J.-D. GAUGER, s. v. L., KWdH, 418 f. · A. GOETZE, Kleinasien (HdbA 3,1,3,3,1), 1957, 206 ff. · G. M. A. HANFMANN, Sardis und Lydien, AAWM 1960, 6 · S. HORNBLOWER, Asia Minor, in: $CAH^2$ 6, 1994, 209–233 · J. KEIL, Die Kulte L.s, in: W. H. BUCKLER u. a. (Hrsg.), Anatolian Studies. FS W. H. Ramsay, 1923, 239–266 · MAGIE · S. MAZZARINO, Fra oriente e occidente, 1947 · M. J. MELLINK, The Lydian Kingdom, in: $CAH^2$ 3,2, 1991, 643–655 · MITCHELL · J. G. PEDLEY, Ancient Literary Sources on Sardis, 1972 · G. RADET, La Lydie au temps des Mermnades, 1892 · C. ROEBUCK, Ionian Trade and Colonization, 1959, 50 ff. · R. SCHUBERT, Gesch. der Könige von L., 1884 · C. TALAMO, La Lidia arcaica, 1979. H. KA.

**Lydiadas** (Λυδιάδας).
**[1]** Sohn des Eudamos aus Kaphyai (?, vgl. Syll.[3] 504) [1. 401] oder aus Megalopolis, als dessen Tyrann L. die Stadt 235 v. Chr. dem Achaierbund (→ Achaioi mit Karte) zuführte (Pol. 2,44,5; Plut. Aratos 30; [1. 158; 3. 71 f.; 87]), dessen *stratēgós* er 234/3, 232/1 und 230/229 war. L.' Rivalität mit → Aratos [2] eskalierte beim Anschluß von Argos unter → Aristomachos [4]; in dem von ihm energisch betriebenen Krieg gegen → Kleomenes [6] III. von Sparta fiel L. im Sommer 227 im Gebiet von Megalopolis (Pol. 2,51,3; Plut. Aratos 36 f.; Plut. Kleomenes 6,4–7) [3. 137 f.; 193].
**[2]** L. aus Megalopolis, wohl Enkel von L. [1], vom Achaierbund als Vertreter der gemäßigt proröm. Richtung des → Lykortas im J. 180 v. Chr. mit → Kallikrates [11] nach Rom geschickt (Pol. 24,10) [4. 137 f.].

1 H. BERVE, Die Tyrannis bei den Griechen, 1967
2 ERRINGTON 3 R. URBAN, Wachstum und Krise des Achäischen Bundes, 1979 4 J. DEININGER, Der polit. Widerstand gegen Rom in Griechenland, 1971. L.-M. G.

**Lydias** (Λυδίας). Schiffbarer Fluß in → Makedonia (vom h. trockengelegten Loudias-See gespeist), der → Pella mit dem Meer verband (Strab. 7, fr. 20; 22). Schon von Hekat. FGrH 1 F 147 und Skyl. 66 erwähnt. Die Mündung scheint sich während der Ant. nach Norden verschoben zu haben, da Hdt. 7,127 von einer gemeinsamen Mündung von L. und → Haliakmon berichtet.

F. PAPAZOGLOU, Les villes de Macédoine, 1988, 101 f., 125 Karte 2. MA. ER.

**Lydios** s. Räuberbanden

**Lydisch.** Die zu den → anatolischen Sprachen gehörende, in einer eigenen, teils links-, teils rechtsläufigen Alphabetschrift (→ Kleinasien V., mit Karte) überl. Sprache der Lyder. Bekannt sind bis h. ca. 100 Inschr. (einschließlich einiger Graffiti, Siegel- und Mz.-Aufschriften), von denen die Mehrzahl, darunter zwei lyd.-griech. und zwei lyd.-aram. Bilinguen, aus dem 5.–4./3. Jh. v. Chr. stammt, während die Graffiti und Mz. z. T. älter sind (ab E. 8./Anf. 7. Jh.). Haupt-FO ist → Sardeis; weitere Funde kommen u. a. aus dem Kaystros- und Hermos-Tal, aus Smyrna/Bayraklı, Ephesos und dem kar. Aphrodisias. Auf Stelen angebrachte Grab- und Weihinschr., darunter sechs in metrisch gebundener Form (s. dazu [1]), bilden nach Anzahl und Umfang die wichtigste Textgruppe; zwei Inschr. stellen sich als Eigentumserklärungen, eine Inschr. als Anordnungen eines Priesters Mitradaśta dar. Das gesamte Material, ergänzt um ca. 50 Glossen von griech. Autoren (u. a. lyd. Wörter der niederen Umgangssprache von → Hipponax) ist mit einem Abriß der lyd. Gramm. zusammengefaßt in [2; 3]. Zu den lyd. PN der griech. Nebenüberl. s. [4].

Das Lyd. steht nicht in näherer genet. Beziehung zum → Hethitischen, sondern ist enger mit dem → Karischen, → Luwischen, → Palaischen und → Sidetischen verwandt, wie gemeinsame Neuerungen zeigen (z. B. Ausweitung des Motionssuffixes *-i-* auf kons. Adj., alleinige Fortsetzung von uranatol. Pl. Akk. commune **-nz* [bei vok. auslautenden Stämmen] > lyd. *-s*); doch dürfte es sich früher als diese aus der gemeinsamen urwestanatol. Sprachstufe ausgegliedert haben, da es eine Reihe eigentümlicher Neuerungen aufweist. Dazu gehören etwa der Schwund des uridg./uranatol. Laryngals $*h_2$ (*eśa-* : keilschrift-luw. *ḫamsa(/i)-*, hethit. *ḫassa-* »Enkel«) sowie der Vok. im absoluten Auslaut (z. B. Präs. Sg. 3. *-t/-d* < **-ti/*-di*), der Lautwandel **u̯u̯a* > *o* (wie in *kod* »wie« < **ku̯u̯ad* neben *qed [ku̯ed]* »was« < **ku̯ad*, beide < uridg. **kʷod*) und die (konditionierte) Entstehung von *l/λ* < zerebralisiertem **d* (verallgemeinert bei Präteritum Sg. 3. *-l* für **-da* und **-ta*), die vom gemein-anatol., auf Assimilation bzw. Dissimilation beruhenden *d/l*-Wechsel (wie im lyd. PN Ἀδυάττης/Ἀλυάττης, griech. Nebenüberl.) zu unterscheiden ist. Spezifisch lyd. Neuerungen im morphologischen Bereich sind z. B. die Nominalendungen Sg. Nom. Akk. Ntr. *-d* (nach den

Pron.) und Dat. -λ (eigentlich enklitisches Pron. = λ »ihm/ihr« = palaisch, keilschrift-luw., hieroglyphen-luw. =*du*). Vgl. [5]; methodisch nicht überzeugend [6].

Lyd. Sprachgut ist in der hethit. Überl. nicht greifbar. Ein Problem bieten zudem Lokalisierung und Ausdehnung des lyd. Sprachgebietes im 2. Jt. v. Chr., da das spätere → Lydia zu dieser Zeit als luw.-sprachig ausgewiesen ist (s. → Mirā; → Sēḫa); vgl. auch [7. 384[10]].

1 H. Eichner, Die Akzentuation des L., in: Sprache 32, 1986, 7–21 2 R. Gusmani, Lyd. WB, 1964 3 Ders., Lyd. WB, Ergbd., 1980–1986 4 L. Zgusta, Kleinasiat. PN, 1964. 5 N. Oettinger, Die Gliederung des anatol. Sprachgebietes, in: ZVS 92, 1978, 74–92 6 R. Gusmani, Zur Komparation des L., in: ZVS 95, 1981, 279–285 7 F. Starke, Schriften und Sprachen in Karkamis, in: FS W. Röllig, 1997, 381–395. F.S.

**Lydos** (Λυδός).

**[1]** Mythischer König von Lydien, Sohn des → Atys [1], Bruder des → Tyrsenos. Eponym des Volkes der Lyder (→ Lydia) (vormals Maiones: Hom. Il. 2,864): Hdt. 1,94; Strab. 5,219; Tac. ann. 4,55. Nach Hdt. 1,171 waren L., Mysos und → Kar Brüder, worin eine Stammesverwandtschaft von Lydern, Kariern und Mysern (→ Karia, → Mysia) zum Ausdruck kommt. L.K.

**[2]** (ὁ Λυδός, »der Lyder«). Att. sf. Vasenmaler, vor 560–540/530 v. Chr.; etwas älter als → Amasis und → Exekias, gehört er mit diesen zu den führenden Meistern der sf. Vasenmalerei in ihrer Blütezeit. In seinen beiden Malersignaturen nennt er sich »der Lyder«, aber seine Zeichenweise ist fest in der att. Trad. verwurzelt. Anfangs noch dem Tierfriesstil verpflichtet, entwickelt er bald einen kraftvollen Figurenstil, in dem er bewegte Kompositionen meisterhaft gestaltet: z. B. → Herakles' Kampf mit Geryoneus auf einer Hydria in Rom (VG, M. 430), die → Gigantomachie auf dem signierten Dinos von der Akropolis (Athen, NM, Akr. 607) oder die Rückführung des → Hephaistos in den Olymp auf einem monumentalen Kolonettenkrater in New York (MMA, 31.11.11). L. bevorzugt Szenen aus dem Mythos, hat aber auch die Totenklage in beeindruckender Leidenschaftlichkeit dargestellt; Alltagsleben (z. B. Athletenbilder) findet sich vorwiegend in Nebenfriesen. Etwa 130 Gefäße aller gängigen Formen sind ihm zugewiesen worden, die von verschiedenen Töpfern stammen, darunter → Nikosthenes und vielleicht Kolchos; sie wurden vorwiegend in Athen gefunden, bezeugen aber auch einen ausgedehnten Handel. Mehrere untergeordnete Maler teilen mit L. v. a. den Stil der Tierfriese, so daß sich das eigenhändige Werk nicht immer eindeutig von den Werkstattarbeiten abgrenzen läßt.

→ Schwarzfigurige Vasenmalerei

Beazley, Addenda², 29–32 • A. Kossatz-Deissmann, Satyr- und Mänadennamen auf Vasen, in: J. Frel (Hrsg.), Greek Vases in the J. Paul Getty Museum 5, 1991, 131–137, Abb.2 a-d • M. B. Moore, L. and the Gigantomachy, in: AJA 83, 1979, 79–99 • M. A. Tiverios, Ho Lydos kai to ergo tou, 1976. H.M.

**[3] Iohannes L.**

A. Leben B. Werk

A. Leben

Geboren 490 n. Chr. in Philadelpheia in Lydien, gest. um 560 n. Chr. in Konstantinopel, oström. Beamter und Literat. Nachdem er die Grundlagen einer soliden griech. klassischen Bildung an seinem Heimatort erhalten hatte, studierte er seit 511 in Konstantinopel bei dem Neuplatoniker → Agapios Philosophie und erhielt alsbald ein Amt in der Praetorianerpraefektur (s. → *praefectus praetorio*), in deren Dienst er 40 J. lang verblieb. Da er das Lateinische beherrschte, war L. u. a. für die Abfassung von Dokumenten in dieser Sprache zuständig. Ca. 543 wurde er zudem mit einer Lehrtätigkeit an der kaiserlichen Schule auf dem Capitol von Konstantinopel betraut.

B. Werk

Von L.' lit. Werk sind drei Traktate antiquarischen Charakters erh. (zur chronologischen Abfolge: [3. 10]), zu deren Abfassung er aufgrund seiner hervorragenden Kenntnis der ant. Quellen in griech. und lat. Sprache bes. befähigt war. In der wohl frühesten Schrift ›Über die Monate‹ (Περὶ μηνῶν, *Perí mēnō̃n, De mensibus*) kompiliert er Material über den röm. Kalender und dessen Festtage seit der Königszeit. Er nennt auch einige pagane Feste, deren Feier zu seiner Zeit mit Gutheißung des Kaiser → Iustinianus [1] I. fortdauerte. Doch weist er im Fall der Brumalia (Festtage zu Ehren des Dionysos vom 24. Nov. bis zur Wintersonnwende) darauf hin, sie seien bei der Kirche unerwünscht. Wohl ebenfalls noch während seiner Tätigkeit als Beamter verfaßte er auch eine Schrift ›Über die Vorzeichen‹ (Περὶ διοσημειῶν; *Perí diosēmeiō̃n, De ostentis*), eine Abhandlung über Vorzeichen aller Art, die aus ant. astrolog. Werken kompiliert ist, aber auch Angaben über die Deutung von Wetterzeichen (Donner und Blitz) sowie Erdbeben enthält.

Erst nach seinem Ausscheiden aus dem Staatsdienst (551) begann L. 554 mit der Abfassung seines bedeutendsten Werkes, ›Über de Ämter des Staates der Römer‹ (Περὶ ἀρχῶν τῆς Ῥωμαίων πολιτείας, *Perí archō̃n tēs Rhōmaíōn politeías, De magistratibus*), einer histor. Darstellung der röm. Bürokratie. Im 1. Buch beschreibt er deren Entwicklung gemäß den Erfordernissen der jeweiligen Epoche von den Anf. Roms bis auf seine Zeit. B. 2 und bes. B. 3 behandeln die Entwicklung der Behörde, der L. selbst angehört hatte, der Praetorianerpraefektur, von ihrer Entstehung unter Augustus bis zur eigenen Gegenwart. L. preist ihre hervorragende Organisation und ihre Prägung durch eine Bildungselite zu früheren Zeiten und bedauert ihren allmählichen Niedergang seit dem 4. Jh., der unter seinem ehemaligen Vorgesetzten Flavius → Iohannes [16] »dem Kappadokier«, einen Tiefpunkt erreicht habe. Obwohl L. Kaiser Iustinianus I. wegen seines restaurativen Regierungsprogramms ausdrücklich lobt, erwartet er von ihm doch ein entschiedeneres Vorgehen gegen den Verfall der Behörde.

Das lit. Werk des L. fügt sich zwar in die traditionsfreundlichen Tendenzen, welche die Regierungszeit Iustinianus' I. prägten, ein, doch bezeugt es keine Neigung des Autors, auch das christl. Erneuerungsprogramm dieses Kaisers zu übernehmen. L. schweigt über alles Christl. so gut wie völlig und läßt fast nur durch den Verzicht auf offene pro-pagane Propaganda erkennen, daß er jedenfalls offiziell kein »Heide« war. Doch bedauert er nur zu deutlich manche im Rückblick auf pagane Traditionen negativen Entwicklungen in der Gegenwart.

1 ODB 2, 1061 f. 2 PLRE 2,612–615 (Lydus 75) 3 M. MAAS, John Lydus and the Roman Past, 1992. F. T.

**Lygdamis** (Λύγδαμις).

**[1]** Aristokrat aus → Naxos, half → Peisistratos nach dem zweiten Exil (ca. 546 v. Chr.), von Eretria aus die Herrschaft in Athen zurückzugewinnen (Hdt. 1,61,4; [Aristot.] Ath. pol. 15,2). Zum Dank unterwarf dieser Naxos und setzte L. dort als Tyrannen ein (vgl. Hdt. 1,64,1 f.; [Aristot.] Ath. pol. 15,3), der seinerseits in den 530er J. → Polykrates bei der Machtergreifung in Samos unterstützte (Polyain. 1,23,2). L. wurde von den Spartanern gestürzt (Plut. mor. 859d), wahrscheinlich ca. 524 bei der Expedition gegen Samos.

H. BERVE, Die Tyrannis bei den Griechen, 1967, 78 f. • L. DE LIBERO, Die archa. Tyrannis, 1996, 236–243.

**[2]** Vater der → Artemisia [1] (Hdt. 7,99,2; Paus. 3,11,3 u. a.), wahrscheinlich wie diese Dynast von → Halikarnassos unter persischer Oberhoheit.

H. BERVE, Die Tyrannis bei den Griechen, 1967, 120.

**[3]** Sohn des Pisindelis, Enkel der Artemisia [1] (Suda, s. v. Ἡρόδοτος; anders [1]), als Dynast von → Halikarnassos auch inschr. bezeugt (Syll.[3] 45). Sein Regiment endete nach heftigen Auseinandersetzungen (Suda s. v. Ἡρόδοτος; s. v. Πανύασις) ca. 450 v. Chr. (IG I[3] 259 ist kein sicherer *terminus ante quem*: [3. 96–99]).

1 BELOCH, GG, Bd. II,2, 1–2 2 H. BERVE, Die Tyrannis bei den Griechen, 1967, 121 3 W. MCLEOD, Studies on Panyassis, in: Phoenix 20, 1966, 95–110.

**[4]** L. aus → Syrakusai, 648 v. Chr. Sieger im ersten → Pankration-Wettkampf zu → Olympia (Paus. 5,8,8; Philostr. Gymnastikos p. 268 K..; Eus. Chronicorum liber I, Olympiades Ionum 33); Pausanias kannte L.' Grabmal in Syrakus.

L. MORETTI, Olympionikai, 1957, 65. W. K.

**Lygdamus.** Den Namen L. gibt der anon. Verf. von sechs im *Corpus Tibullianum* (3,1–6; → Tibullus) überl., in Stil und Gedankengang eher dilettantisch wirkenden Liebeselegien deren Sprecher. Der kleine Zyklus suggeriert die für die röm. Liebeselegie ungewöhnliche Situation, daß die Ehefrau des L., Neaera, sich einem anderen zugewandt habe, worauf er werbend, hoffend, klagend und schließlich resignierend reagiert. Ob dies autobiographisch gedeutet werden darf (so [4. 84]), muß offenbleiben. Jedenfalls verwendet der Anon. ständig Motive und Formulierungen, die sich auch bei Catull (der 3,6,41 namentlich gen. ist) und in der röm. Liebeselegie finden. Daß L. hinsichtlich → Catullus, → Propertius und → Tibullus der Empfangende ist, ist allg. akzeptiert. Strittig ist sein Verhältnis zu → Ovidius: Die einen [4] nehmen an, Ovid sei der Rezipierende, müssen dann aber erklären, warum ein Dichter von Ovids Rang sein gesamtes Œuvre hindurch (von den *Amores* bis zu den *Tristia*) sich immer wieder auf das schmale und dichterisch zweitrangige Werk des Anon. bezieht. Andere (z. B. [1; 2]) vertreten die entgegengesetzte, von vornherein plausiblere Meinung.

Eng mit dieser Kontroverse hängt das vieldiskutierte Problem der zeitlichen Einordnung des Anon. zusammen. Tib. 3,5,18 umschreibt L. sein Geburtsjahr mit der aus Ov. trist. 4,10,65 bekannten Wendung *cum cecidit fato consul uterque pari* (›als beide Consuln durch gleiches Schicksal fielen‹). Nimmt man das als autobiographische Angabe auch des Dichters, so wäre er ein Altersgenosse des 43 v. Chr. geborenen Ovid gewesen [4]. [5] hat jedoch 1954 vorgeschlagen, die Wendung hier auf den Tod von Galba und Titus Vinius im Januar des Dreikaiserjahres 69 n. Chr. zu beziehen und das Werk in die Flavische Zeit zu setzen. Gegen verstechnische Argumente [4] meinen – wahrscheinlicher – [1] und [2], in Wortgebrauch und Motivik Entsprechungen zu Autoren der Flavischen Zeit (Martial und Statius) entdecken und diese Einordnung so bestätigen zu können.

Eine Spätdatierung der L.-Gedichte hat die Konsequenz, daß man sich die Entstehung des *Corpus Tibullianum* als einen »mehrstufigen Vorgang« vorstellen muß [1. 1 ff.]: An die von Tibull selbst stammenden B. 1 und 2 wären zuerst, noch in Augusteischer Zeit, die nur teilweise Tibullschen Gedichte des → Sulpicia-Zyklus angegliedert worden, dann, gegen E. des 1. Jh. n. Chr., L. und der → Panegyricus Messallae. Die Aufnahme in ein Tibull zugeschriebenes Corpus bewirkte, daß die Gedichte des 3. B. Spätant. und MA überdauerten. Die in der Neuzeit erwachenden Zweifel an ihrer Echtheit (für L. erstmals 1786 VOSS) hat zu einem Nachlassen des gebildeten und wiss. Interesses an ihnen geführt.

ED.: 1 H. TRÄNKLE, Appendix Tibulliana, 1990 (mit Komm.).
LIT.: 2 B. AXELSON, L. und Ovid, in: Eranos 58, 1960, 93–111 (= Ders., KS zur Lat. Philol., 1987, 283–297) 3 Ders., Das Geburtsjahr des L., in: Eranos 58, 1960, 281–297 (= Ders., KS, 298–309) 4 K. BÜCHNER, Die Elegien des L., in: Hermes 93, 1965, 65–112 5 B. HAGEN, Stil und Abfassungszeit der L.-Gedichte, Diss. Hamburg (ungedr.), 1954. CH. N.

**Lygdus.** Sklave und Eunuch des → Drusus [II 1], des Sohnes des Tiberius. Aelius [II 19] Seianus brachte ihn dazu, Drusus im J. 23 n. Chr. zu vergiften. Als Apicata, die Frau Seianus', im J. 30 über ihren Mann aussagte, wurde auch L. überführt und hingerichtet. PIR[2] L 465. W. E.

**Lykabas** (Λυκάβας).
**[1]** Einer der tyrrhenischen Seeräuber; wegen Mordes aus seiner Heimat verbannt. Die Seeräuber versprechen dem Knaben → Dionysos, ihn zur Insel Naxos zu bringen, wollen ihn aber entführen. Ihr Anführer Akoites [1] weigert sich, das Vorhaben zu unterstützen, weil er in dem Knaben einen Gott erkennt, und wird von L. dafür niedergeschlagen. Für ihren Frevel verwandelt Dionysos die ganze Mannschaft in Delphine, außer Akoites, den er verschont (Ov. met. 3,623 ff.; Hyg. fab. 134).
**[2]** Einer der → Kentauren, die sich auf der Hochzeit von → Peirithoos und der → Hippodameia [2] an den anwesenden Frauen vergreifen. Während des anschließenden Kampfes zw. den Kentauren und den Lapithen flüchtet L. zusammen mit anderen.

*L.* im Sinne von »Jahr« scheint seit Hom. Od. 19,306 belegt [1], doch auch »Neumond« ist neuerdings vorgeschlagen worden [2. 212[4]; 3. 29–33; 4. 91 f.]. Mit dem Namen L. hat das Wort wohl nichts zu tun.

1 LSJ, s. v. λυκάβας 2 M. Leumann, Homer. Wörter, 1950 3 H. Koller, in: Glotta 51, 1973, 29–33 4 J. Russo, M. Fernández-Galiano, A. Heubeck, A Commentary on Homer's Odyssey III, 1992. AL. FR.

**Lykabettos** s. Athenai

**Lykaia** (Λύκαια). Name zweier Orte in NW-Arkadia, beide auch in der Namensform Λυκόα/*Lykóa* bezeugt, zu → Megale polis gehörig.
**[1]** L. im Gebiet der Mainalioi am Oberlauf des Helisson (Paus. 8,3,4; 27,3; 30,1; 36,7), evtl. mit Palaiokastro zw. Arachova und Karteroli im SO der Ebene von Davia gleichzusetzen.
**[2]** L. im Gebiet der Parrhasioi am Nordhang des Lykaion, westl. der Einmündung des Lusios (Pol. 16,17,7; Paus. 8,27,4), wohl das h. »Kastro der Hl. Helena« bei Lavda. Belegstellen: Theop. FGrH 115 F 244; Phratrie τῶν Λυκοατᾶν in Megale polis, IG V 2, 446,4; Phyle Λυκαειτῶν, IG V 2, 452; 464,9 f.

Jost, 200 f., 210. Y. L.

**Lykaion** (Λύκαιον). Im weiteren Sinn die ganze aus verschiedenen Kalken bestehende Gebirgsmasse westl. der Hochebene von → Megale polis in der Parrhasia (Paus. 8,2,1; 38,2 ff.; 4,20,2; 8,41,3; Strab. 8,3,22; Paus. 8,2,1; Thuk. 5,54,1). Polybios zählte L. zu den größten Gebirgen Griechenlands (bei Strab. 4,6,12; ὤρεα μακρά bei Theokr. 1,123). Das L.-Gebirge war im Alt. reich an Quellen und Wäldern; es hat noch h. ausgedehnte Tannenwälder (Paus. 8,38,3 f.). Berühmt war es durch altertümliche Kulte; so soll hier bei Kretea (bei einem Heiligtum des Apollon Parrhasios, Reste beim h. Krambovo) → Zeus geb. sein (Paus. 8,38,2). Das Gebirge war Heimat des → Pan, der hier mehrere Heiligtümer hatte, eines bei Berekla südwestl. des Diaforti, ein anderes unter dem Hauptgipfel des L.

Im engeren Sinn wird als L. der nördl. Hauptgipfel des Gebirges im Grenzbereich von Messenia, Elis und Arkadia mit dem Heiligtum des Zeus Lykaios bezeichnet, das arkad. Hauptkultort war. Der Gipfel besteht aus zwei Kuppen, dem 1420 m hohen Stefani im Norden und dem etwas niedrigeren, aber freier und beherrschender liegenden Hagios Elias oder Diaforti. Zw. den Gipfeln liegt eine Hochfläche in etwa 1200 m Höhe (350 × 120 m), auf der sich Hippodrom und Stadion mit großer Stoa und Nebengebäuden befanden (Paus. 8,38,5: Panheiligtum). Die Bauten stammen meist aus frühhell. oder röm. Zeit. Hier wurden die Lykaia gefeiert. Etwa 20 m unterhalb des Gipfels des Hagios Elias lag an dessen Südseite auf einer kleinen Terrasse das eigentliche Zeus-Heiligtum, ein von einer niedrigen Mauer umgebener offener Bezirk, dessen Betreten verboten war. Menschen und Tiere warfen darin angeblich keine Schatten (Paus. 8,38,6). Das Heiligtum besaß Asylrecht (→ *asylía*). Gebäude wurden nicht gefunden (vgl. aber Thuk. 5,16,3). Am obersten Gipfel befinden sich die Reste des großen Aschenaltars, an dem noch in histor. Zeit → Menschenopfer stattgefunden haben sollen (Paus. l.c.; → Lykaon); Grabungen haben diesen Tatbestand aber nicht bestätigt. Die weite Aussicht rühmt Paus. l.c. Wer von dem Menschenfleisch aß, wurde nach der Sage in einen Wolf verwandelt. Zu Pausanias' Zeit war das Heiligtum verödet, die Spiele wurden nicht mehr gefeiert; doch brachte man dem L. immer noch eine gewisse Ehrfurcht entgegen (Strab. 8,8,2). Inschr.: IG V 2,548–553; SEG 11,1154; 19,331.

E. Meyer, s. v. L., RE 13, 2235–2244. C. L. u. E. MEY.

**Lykaios** (Λύκαιος). Beiname des → Zeus.

**Lykaon** (Λυκάων). Ältester mythischer König Arkadiens (→ Arkadia), Sohn des → Pelasgos und der Okeanostochter Meliboia oder der Bergnymphe Kyllene. L.s Söhne sind die Gründerheroen aller bedeutenden arkad. Städte; der L.-Sohn Oinotros soll, unzufrieden mit seinem Erbteil, seine Heimat verlassen und sich mit einigen Gefolgsleuten in It. (daher die Benennung Oinotria) angesiedelt haben (zuerst bei Pherekydes, FGrH 3 F 156). Die bei Apollod. 3,97 genannte Zahl von 50 L.-Söhnen ist im griech. Mythos allerdings stereotyp, so daß die überwiegende Zahl der Namen topographisch irrelevant ist; Pausanias vermag allerdings immerhin 21 Namen mit arkad. Toponymen zu verbinden (Paus. 8,3,1–5). L.s Töchter → Dia [4] und → Kallisto werden von Apollon bzw. Zeus verführt resp. vergewaltigt, Kallisto nach ihrem Tod verstirnt (Kall. h. 1,41; Ov. fast. 3,793).

Der L.-Mythos wirkt altertümlich und war offenbar auf Arkadien beschränkt, da er keine Verbindung mit anderen griech. Mythen aufweist. Er spielt in einer bes. frühen Zeit, in der Götter und Menschen noch in enger Verbindung miteinander standen, bezieht sich also auf den Grenzbereich zwischen vor-menschlichen und menschlichen Lebensverhältnissen. Ausgangspunkt des Mythos ist offensichtlich der Zeuskult auf dem westarkad. → Lykaion-Gebirge. In diesem der Sage nach von L. begründeten Kult spielt das Phänomen des → Werwolfs, der Verwandlung eines Menschen in einen Wolf, eine zentrale Rolle; so ist bis in das 3. Jh. v. Chr. in diesem Zusammenhang noch von → Menschenopfern die Rede, deren Fleisch in einem kultischen Mahl verzehrt wurde (Theophr. bei Porph. de abstinentia 2,27,2; Plat. Min. 315c; Plat. rep. 565d). Eine Bestätigung durch arch. Funde hat sich allerdings nicht ergeben [1]). Der Mythos erklärt die Kultpraxis: L. habe anfangs dem Zeus auf dem Lykaion Opferkuchen dargebracht, später jedoch, um ein besseres Opfer zu bringen, einen Menschen (nach Pausanias seinen ältesten Sohn → Nyktimos) geopfert; während er das Blut dem Zeus spendete, sei er in einen Wolf verwandelt worden (Paus. 8,2–3).

Ausgehend von diesem Aition lagert sich an die Darstellung des L. immer stärker ein Zug von Grausamkeit und Wildheit an; das Menschenopfer ist folglich nicht mehr Teil eines Ritus, sondern Zeichen von L.s verbrecherischer und hochfahrender Gesinnung: So soll L., um Zeus' Allwissenheit zu prüfen, einen Menschen zerstückelt (nach Clem. Al. protreptikos 2,36,5 Nyktimos, der hier als L.s jüngster Sohn bezeichnet wird; nach Eratosth. katasterismoi 8 L.s Enkel → Arkas, dessen Körper wieder zusammengesetzt und an den Himmel versetzt wird; nach Apollod. 3,98 einen Einheimischen) und dem Zeus als Speise vorgesetzt haben (ausführlichste Darstellung in der Lit. bei Ov. met. 1,207–239; hier ist L.s Opfer ein molossischer Gesandter). Zeus durchschaut die Tat und tötet zur Strafe L. und seine nicht weniger verbrecherischen Söhne; verschont wird auf Bitten der Gaia nur Nyktimos, der L.s Nachfolger wird; dieser kommt schließlich in der Deukalionischen Sintflut um.

1 D. Hughes, Human Sacrifice in Ancient Greece, 1991, 104f.

G. Piccaluga, L. Un tema mitico, 1968 • P. Bonnechere, Le sacrifice humain en Grèce ancienne, 1994, 85–96. E.V.

**Lykaonia** (Λυκαονία).
A. Geographie, Bevölkerung, Wirtschaft
B. Geschichtliche Entwicklung

A. Geographie, Bevölkerung, Wirtschaft

Landschaft im zentralen → Kleinasien, die sich bei wechselnden Grenzen etwa zw. der Tatta Limne (h. Tuz Gölü) im Norden und dem Tauros im Süden, der Koralis Limne (h. Beyşehir Gölü) im Westen und dem Karaca Dağ im Osten erstreckte. Den größten Raum nehmen die z. T. steppenartigen Hochebenen um → Ikonion (Konya) sowie im Süden und SW die Tatta Limne ein. Im Westen und Süden hatte L. Anteil am hier SO-NW-streichenden West-Tauros; im Süden und SO sind die vulkanischen Gebirgsstöcke des Kara Dağ und des Karaca Dağ eingeschlossen. L. ist Heimat der autochthonen, eine luw. Sprache (→ Luwisch) sprechenden Lykaonioi; im Norden und NW ist wohl ein phryg., im Süden ein isaurischer Bevölkerungsanteil festzustellen. Die Hochebenen dienten im wesentlichen der Schafzucht (Strab. 12,6,1); in den regenreicheren Gebirgszonen war vielseitige Land- und Forstwirtschaft möglich. Durch L. führten die alte Straße von Ephesos zum Euphrates und eine der ab der byz. Zeit wichtigeren Diagonalverbindungen von Konstantinopolis nach Kilikia [1. 93f., 97–101, 107]. Als Hauptort galt immer Ikonion. Weitere bed. städtische Zentren entwickelten sich in Laranda, später auch Baratha im Süden, Mistheia im Westen und Laodikeia [3] Katakekaumene im NW. Überaus zahlreiche Inschr. (bes. Grabinschr.) auch in den Dörfern [2] bezeugen für die Kaiserzeit einen Aufschwung von Wohlstand, Kultur und Bildung sowie die frühe Ausbreitung des Christentums, das zuerst der Apostel Paulus auf der 1. und 2. Missionsreise predigte.

B. Geschichtliche Entwicklung

Polit. gehörte L. in der 2. H. des 2. Jt. zum Reich der Hethiter (→ Ḫattusa II., Polit. Karte des hethit. Großreiches, s. dort Lusna; zur Sprache s. → Luwisch), im 7. Jh. v. Chr. wenigstens teilweise zu dem der Phryger, unter pers. Herrschaft teils zu Großphrygia, teils zu Kappadokia. Aus dieser Zeit stammen die frühesten lit. Erwähnungen (Xen. Kyr. 6,2,10; Xen. an. 1,2,19; 7,8,25). Nach dem Tod Alexanders d.Gr. kam L. in seleukidischen Besitz. Im Vertrag von Apameia 188 v. Chr. wurde L. Eumenes [3] II. von Pergamon zugesprochen. Rom gliederte die östl. pergamenischen Gebiete 129 nicht der Prov. Asia an; ihre südwestl. Teile, darunter L., kamen an die Söhne Ariarathes' V. von Kappadokia. Ca. 37 v. Chr. erhielt der galatische Tetrarch und König in Pisidia Amyntas [9] auch Teile von L. Nach dessen Tod 25 v. Chr. wurde L. Teil der nun von Augustus gegr. Großprov. → Galatia, innerhalb derer es eine eigene → *eparchía* bildete. Antoninus [1] Pius schuf zw. 138 und 146 n. Chr. aus Kilikia, Isauria und dem Süden von L. einen auch *treís eparchíai* gen. Prov.-Komplex; der lykaon. Teil war in einem durch Mz. bezeugten *koinón Lykaonṓn* organisiert.

Im Zuge der Prov.-Reformen des Diocletianus blieb nur ein nördl. Streifen von L. bei Galatia; der Großteil einschließlich Ikonion wurde der neuen Prov. Pisidia zugeschlagen, der Süden mit der ebenfalls neuen Prov. Isauria vereint. Um 370 gründete Valens eine eigene Prov. L. mit Ikonion als Metropolis. Im 4. und 5. Jh. litt L. wiederholt unter Isauriereinfällen. Gegen die Isauriergefahr und die zunehmende Kriminalität richtete Leon I. u.a. in L. ein Militärkommando unter einem *comes* ein; Iustinianus I. vereinigte zeitweise die zivile und mil. Führung in der Hand eines *praetor*. Später schuf er wiederum gegen gewaltsame Kriminalität das Amt eines *biokōlýtēs* oder *dux*. In der 2. H. des 7. und im 8. Jh. ging die Prov. L. allmählich im *théma Anatolikón* auf. Als Kirchenprov. blieb L. bis zum Ende der byz. Herrschaft bestehen [1. 53–59]. Ein reiches klösterliches Leben entwickelte sich seit frühbyz. Zeit bes. auf dem südlykaon. Karadağ (Binbir Kilise) [3].

→ Kleinasien III. (mit Karte)

1 BELKE 2 MAMA I; 7; 8 3 W. M. RAMSAY, G. L. BELL, The Thousand and One Churches, 1909.

H. v. AULOCK, Mz. und Städte Lykaoniens, 1976 • G. LAMINGER-PASCHER, Lykaonien und die Phryger, 1989 • ST. MITCHELL, Anatolia 1–2, 1993 • W. M. RAMSAY, L., in: JÖAI 7, 1904, Beibl., 57–132 • B. RÉMY, L'évolution administrative de l'Anatolie aux trois prémiers siècles de notre ère, 1986. K.BE.

**Lykarion** (Λυκαρίων). Sohn des Numenios, aus einer wichtigen Familie; in der Mitte des 1. Jh. v. Chr. bekannt als *syngenḗs* (→ Hoftitel B. 2.), Ehrenvorsitzender der → *gerusía* von Alexandreia [1], → *dioikētḗs*, *exēgētḗs* (→ *exēgētaí*), *epí tēs póleōs* von Alexandreia, Gymnasiarch (→ Gymnasiarchie) von Alexandreia. L. ist ein Beispiel für die Akkumulation von Ämtern in spätptolem. Zeit, ferner für die Verbindung von staatlichen und städtischen Aufgaben.

PP I 37; 156; III 5349a • L. MOOREN, The Aulic Titulature in Ptolemaic Egypt, 1974, 140 Nr. 0176. W.A.

**Lykastos** (Λύκαστος).
**[1]** Stadt auf Kreta (Steph. Byz. s. v. Λ.; Plin. nat. 4,59; Mela 2,113), ca. 11 km südl. von Knosos, h. Kanli Kastelli. Bei Hom. Il. 2,647 Teilnehmer am Troianischen Krieg. Phasenweise autonom, meist aber von → Knosos abhängig und zu dessen Territorium gehörig. 184 v. Chr. von → Gortyn erobert (Pol. 22,19), was durch einen röm. Schiedspruch revidiert wurde [1].

1 A. CHANIOTIS, Die Verträge zw. kret. Poleis in der hell. Zeit, 1996, 281–285, Nr. 40.

I. F. SANDERS, Roman Crete, 1992, 154. H.SO.

**[2]** Fluß, der 20 Stadien bzw. 2 ⅔ *milia passuum* östl. von → Amisos ins Schwarze Meer mündet (Marcianus Heracleensis, Epit. peripl. Menippi 10 = GGM 1,572 bzw. Anon. peripl. m. Eux. 28 = GGM 1,408), h. wohl der Merd Irmağı im östl. Stadtbereich von Samsun. Am L. lag ein gleichnamiger, nicht lokalisierter Ort (Skylax von Karyanda, Periplus 89 = GGM 1,66; ποντικὴ Λύκαστος, Steph. Byz. s. v. Λ.; *Lycastum*, Plin. nat. 6,9; *Lycasto*, Mela 1,105), der wie Themiskyra und Chadisia ehemals von → Amazones bewohnt gewesen sein soll (Pherekydes, schol. in Apoll. Rhod. 2,373; 999). E.O.

**Lykeas** (Λυκέας). Nicht datierbarer Verf. von *épē* über die histor. und mythische Gesch. seiner Heimatstadt Argos, nur aus vier Zitaten bei Pausanias (1,13,8; 2,19,5; 2,22,2; 2,23,7) bekannt, der ihn als ὁ τῶν ἐπιχωρίων ἐξηγητής (»Erklärer lokaler Traditionen«) bezeichnet und als schriftliche Quelle benutzt, die er mündlichen Quellen gegenüberstellt. Das Gedicht erzählte auch vom Tod des Pyrrhos (272 v. Chr., *terminus post quem* für die Datier.).

1 SH 527–530 2 FGrH 312 3 C. BEARZOT, Storia e storiografia ellenistica in Pausania il periegeta, 1992, 133–134 (mit Lit.). S.FO./Ü: T.H.

**Lykeion** s. Aristoteles [6]; Athenai; Peripatos

**Lykeios** (Λύκειος). Mit der Epiklese L. (*Lýkios* erst in der Kaiserzeit) wird eine lokale und funktionale Besonderheit des → Apollon gekennzeichnet. Die etym. Erklärungen sind ein Spiegel der religionsphilol. Hypothesen: Die Ableitung vom »Wolf« (λύκος/*lýkos*) ließ L. zum Totemtier werden [3. 221] oder nach dem Muster der Naturmagie Abwehrzauber gegen den Feind der Herden vermuten. Götterimport steht hinter der Deutung, Apollon sei ›der *lykische*‹ Gott (Hom. Il. 4,101; [2. 445–448]). Noch weniger kann die Ableitung von griech. √λυκ, »leuchten«, gelten, die Ende des 19. Jh. als Musterbeispiel der Natur-Myth. vorgebracht wurde, obschon die Verbindung des Apollon mit dem Sonnengott bereits seit dem 5. Jh. v. Chr. (Aischyl. TrGF III fr. 23; Hdt. 9,92–96 ([1. 75 f.]); Eur. Phaeton fr. 781) belegt ist. Alle diese Deutungen können sich schon auf ant. Herleitungen berufen; vgl. die Deutungskataloge der ant. Kommentatoren Serv. Aen. 4,377; Macr. Sat. 1,17,36–38; Eust. Hom. Il. 4,101. Die Epiklese L. ist also schon für die Griechen vieldeutig.

Religionshistor. zentral scheint aber der frühe lokale Gründungsmythos der polit. Sphäre, bes. in Argos, als Bund der jungen Männer, die sich im Wolf repräsentieren. Apollon L. ist der Gott der Epheben (→ Ephebeia). Ihm galt der Kult im Haupttempel der Stadt an der Agora von Argos (Soph. El. 6 f.; Paus. 2,19,3–8); dort war er Begründung und Hort der Zivilisation (Feuer des Kulturheros → Phoroneus) wie der polit. Kultur, denn er bewahrte zugleich die öffentlichen Verträge der Stadt.
→ Apollon (mit Karte); Argos [II 1]; Ephebeia

1 W. BURKERT, Euenios der Seher von Apollonia und Apollon L., in: Kernos 10, 1997, 73–81 2 W. FAUTH, s. v. Apollon, in: KlP 1, 1964, 441–448 3 GRAF, 220–227 4 M. JAMESON, Apollon L. in Athens, in: Archaiognosia 1, 1980, 213–235. C.A.

**Lykidas** (Λυκίδας). Athener, Mitglied der → *bulḗ*, votierte 479 v. Chr. als einziger für den Abschluß des von → Mardonios [1] angebotenen Bündnisses mit den Persern. L. wurde deshalb beim Verlassen des Ratsgebäudes von der wütenden Menge gesteinigt (Hdt. 9,5). E.S.-H.

**Lykinos** (Λυκῖνος).
**[1]** Athener, erhob 347 v. Chr. eine → *paranómōn*-Klage gegen das → *psḗphisma*, das auf Antrag des → Aischines [2] forderte, Philippos II. solle Gesandte zu Verhandlungen über den späteren Philokratesfrieden (346 v. Chr.) nach Athen senden; L., der eine Geldstrafe von 100 Talenten gegen Aischines beantragte, erhielt nicht einmal ein Fünftel der Richterstimmen (Aischin. leg. 13 f.; Aischin. Ctes. 62). PA 9198.
**[2]** Grieche des 3. Jh. v. Chr., wurde aus seiner unteritalischen Heimat (infolge einer Stasis oder der Expansion Roms?) verbannt und während des → Chremonideïschen Krieges von → Antigonos [2] Gonatas als Kommandant einer maked. Garnison in Megara eingesetzt (Teles, *Perí phygḗs* 23 HENSE²). J.E.

**Lykioi, Lykia** (Λύκιοι, Λυκία, lyk. *Trm̃mis*; lat. *Lycii, Lycia*).
A. Vorgeschichte B. Historische Zeit

A. Vorgeschichte
Die südwestkleinasiat. Landschaft Lykia reichte vom ant. Indos bei Kaunos bis zur Küste nördl. von Phaselis [5. 265–271] und weist neben Hochgebirgen und fruchtbaren Schwemmebenen ein stark gegliedertes Bergland mit dichter ländlicher Besiedlung auf [8. 29; 13], deren Merkmale seit 1989 durch Feldforsch. im zentrallyk. → Kyaneai [2] erschlossen werden (zuletzt [7]). Das eigentliche Siedlungsgebiet der L., die sich bis in klass. Zeit durch eine dem → Luwischen verwandte Sprache und bes. Grab- und Wehrarchitektur auszeichnen, liegt im Küstensaum zw. Telmessos und Limyra. Die erstmals bei Hom. Il. 2,876 (und öfters) gen. L. dürften *eines* der in hethit. Texten unter der Sammelbezeichnung → *Lukkā* zusammengefaßten Völker gewesen sein, das von den Griechen nach diesen benannt wurde, sich selbst aber bis in das 4. Jh. v. Chr. als *Termilai* bezeichnete (= lyk. *trm̃mili*; z. B. TAM 1, 88; vgl. Hdt. 7,92; [4]; noch 43 n. Chr. ist für Nord-L. ein Ort der *Trimilineis* überl. [9. 136]). Die These, die L. seien in den → Dunklen Jahrhunderten [1] eingewandert und deshalb fehlten arch. Funde des 2. Jt., konnte bisher nicht gestützt werden [3]; bei Homer (z. B. Il. 12,310–314) sind die L. an der Küste bei Xanthos etabliert; sie stoßen hier mit den Rhodioi zusammen, die in Ost-Lykia Kolonien gründen (Rhodiapolis, Gagai, Phaselis, Korydalla).

B. Historische Zeit
Die ersten histor. Berichte betreffen das 6. Jh. v. Chr., als Lykia von den Persern erobert wurde (Hdt. 1,176), auf deren Seite die L. 480 v. Chr. bei Salamis kämpften (Hdt. 7,98). Zur Zeit Kimons standen die L. auf Seiten der Athener, deren Seebund sie vor 430 phasenweise angehörten. Lykia war zu dieser Zeit in Dynastenherrschaften gegliedert, deren Eigenarten trotz Inschr. und einer im 6. Jh. einsetzenden Mz.-Prägung, die bis ins 4. Jh. über fünfzig Dynasten(?)-Namen nennt, weitgehend unklar bleiben [11; 13. 10–50], während man sich vom Aussehen der archa.-frühklass. Orte anhand der 1992 entdeckten Siedlung auf dem Avşar Tepesi nahe Kyaneai [2] erstmals ein genaues Bild machen kann [7. 31–38]. Prominent war die Dyn. von → Xanthos, die Teile von Zentral-Lykia kontrollierte, bis sie im 4. Jh. in Perikles von Limyra einen Konkurrenten erhielt, der den Osten beherrschte, → Telmessos sowie → Phaselis belagerte, sich als König der L. bezeichnete [11] und eine konfliktreiche Zweiteilung der lyk. Halbinsel herbeiführte [13. 27–48]. Nach Beteiligung am Satrapenaufstand (366–360) und dessen Niederschlagung unterstand Lykia den kar. Hekatomnidai (→ Hekatomnos); die nun erfolgende Ausbildung von Polisverfassungen ist nur in Grundzügen zu verfolgen [13]. Nach der Unterwerfung unter Alexander d.Gr. und verschiedene Diadochen war Lykia Teil des Ptolemaierreichs und wurde nach kurzer Herrschaft des Antiochos III. im J. 189/8 von den Römern der Stadt Rhodos zugewiesen, die aber nur Teile von Lykia kontrollieren konnte. Im 3. Jh. oder infolge rhodischer Bedrohung nach 188 v. Chr. entstand der → Lykische Bund mit Rat, Repräsentativversammlung und Amtsträgern (Strab. 14,3,3; z. B. SEG 18, 570; für Datierung und Gesch. [1]), dessen Mitglieder über die Mz.-Prägung bestimmt werden können [10]. 84 v. Chr. wurden ihm bei Auflösung der kibyratischen Tetrapolis (→ Kibyra) die nordlyk. Städte Bubon, Oinoanda und Balbura von den Römern zugeschlagen.

Nach der Verwicklung in die röm. Bürgerkriege wurde Lykia erst unter Claudius röm. Prov. (→ Lycia et Pamphylia). Der lyk. Bund, nun seiner mil. Funktionen beraubt, übernahm bis ins 3. Jh. n. Chr. neben dem vom *archiereús* (»Oberpriester«) ausgeübtem Kaiserkult Aufgaben in der Prov.-Verwaltung (z. B. Steuererhebung). Intensive Bautätigkeit mit Höhepunkten unter Hadrianus, Antoninus Pius (nach Erdbeben) und den Severern bezeugen Wohlstand (Lykia in der Kaiserzeit [12]). Gut dokumentiert sind die *euergesíai* (»wohltätige Leistungen«) der reichen Provinzialen Opramoas aus Rhodiapolis und Iason aus Kyaneai (TAM 2, 905; IGR III 704–706; [6]).

Nach einer Stagnation im 3. Jh. kam es zu bescheidener Blüte in der Spätant.; bes. am Küstensaum kann bis in das 6. Jh. dichte Besiedlung nachgewiesen werden, die sich auch nach der Pest 541 bis in das hohe MA hält und über die eine lyk. Heiligenvita des 6. Jh. informiert [2]. 655 war L. Schauplatz der »Schlacht der Masten« beim h. Finike, in der die byz. Flotte eine Niederlage gegen die Araber hinnehmen mußte, die für Generationen präsent blieben. Trotz Bevölkerungsrückgang hielt mind. bis ins 11./12. Jh. die Besiedlung selbst der durch Piraten bedrohten Küste an, wobei Details des polit. und sozialen Lebens unklar sind.
→ Gynaikokratie; Luwisch

1 R. Behrwald, Der lyk. Bund, Diss. Bonn (im Druck) 2 H. Blum, Die Vita Nicolai Sionitae, 1997 3 P. Frei, Solymer – Milyer – Termilen – Lykier, in: J. Borchhardt, G. Dobesch (Hrsg.), Akten des 2. Internationalen Lykien-Symposions Bd. 1/2, 1993/4 4 T. R. Bryce, The Lycians in Literary and Epigraphic Sources, 1986 5 S. Jameson, s. v. L., RE Suppl. 13, 265–308 6 Ch. Kokkinia, Opramoas von Rhodiapolis, Diss. Bonn (im Druck) 7 F. Kolb (Hrsg.), Lyk. Stud. 4. Feldforschungen auf dem Gebiet von Kyaneai (Asia Minor Stud. 29), 1998 8 F. Kolb, B. Kupke, Lykien (Ant. Welt Sonderh.), 1992 9 S. Şahin, Ein Vorber. über den Stadiasmos Prov. Lyciae in Patara, in: Lycia 1, 1994, 130–137 10 H. Troxell, The Coinage of the Lycian League, 1982 11 M. Wörrle, Epigraphische Forsch. zur Gesch. Lykiens 4, in: Chiron 21, 1991, 203–217 12 Ders., Stadt und Fest im kaiserzeitlichen Kleinasien, 1988 13 M. Zimmermann, Unt. zur histor. Landeskunde Zentrallykiens, 1992. MA. ZI.

Karten-Lit.: K. Buschmann, K. Sommer, Kleinasien und Syrien. Beispiele zur Siedlungsgesch. in griech.-röm. Zeit. Lykien und Pamphylien (TAVO B V 15.2), 1992.

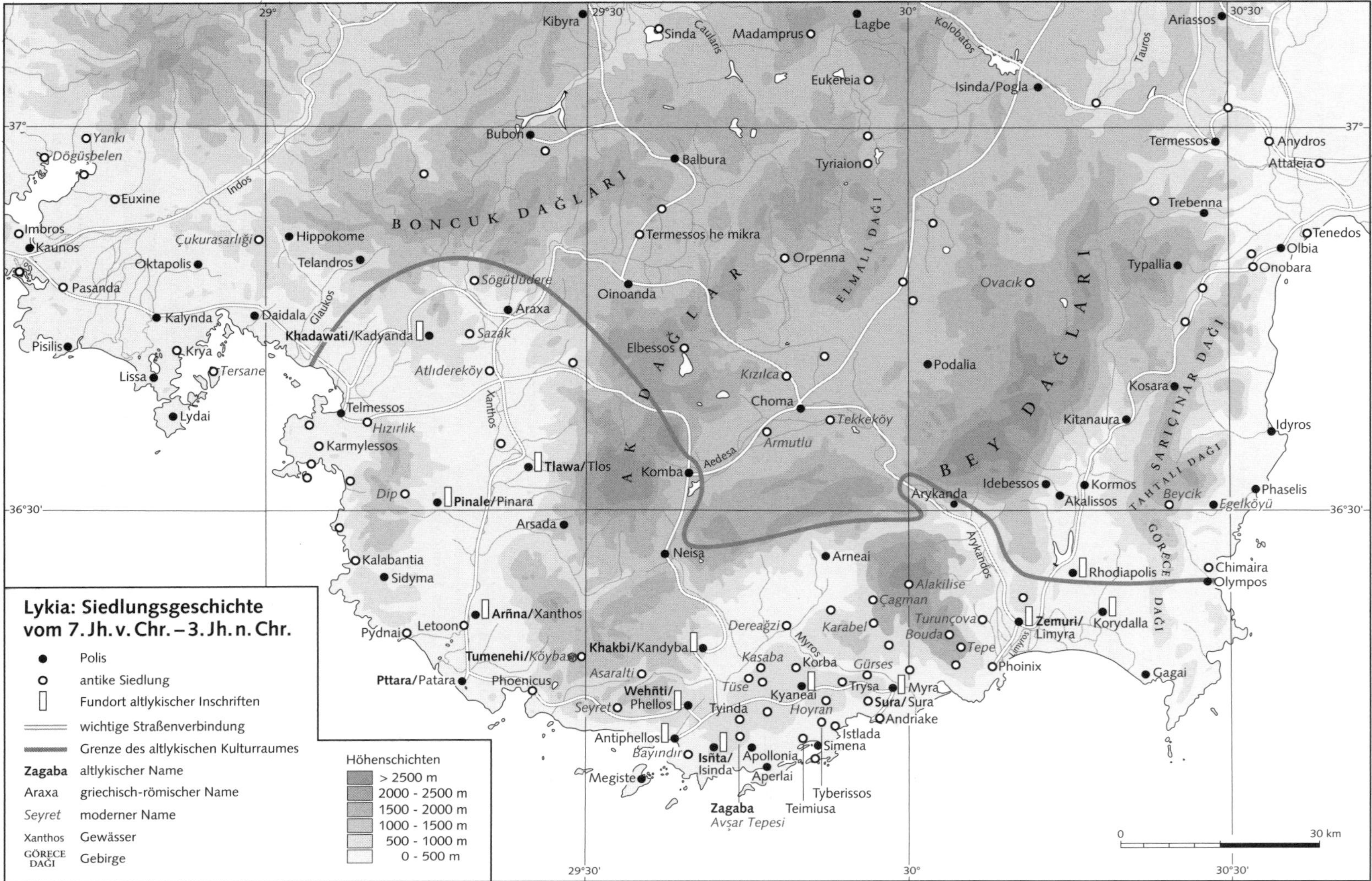
Lykia: Siedlungsgeschichte vom 7. Jh. v. Chr. – 3. Jh. n. Chr.
Polis
antike Siedlung
Fundort altlykischer Inschriften
wichtige Straßenverbindung
Grenze des altlykischen Kulturraumes
Zagaba altlykischer Name
Araxa griechisch-römischer Name
Seyret moderner Name
Xanthos Gewässer
GÖRECE DAĞI Gebirge
Höhenschichten
> 2500 m
2000 - 2500 m
1500 - 2000 m
1000 - 1500 m
500 - 1000 m
0 - 500 m
0
30 km
BONCUK DAĞLARI
AK DAĞLAR
ELMALI DAĞI
BEY DAĞLARI
SARIÇINAR DAĞI
TAHTALI DAĞI
GÖRECE DAĞI
Khadawati/Kadyanda
Tlawa/Tlos
Arñna/Xanthos
Pinale/Pinara
Pttara/Patara
Tumenehi/Köybaşı
Phoenicus
Khakbi/Kandyba
Wehñti/Phellos
Isñta/Isinda
Zagaba
Avşar Tepesi
Sura/Sura
Zemuri/Limyra
Telmessos
Letoon
Araxa
Oinoanda
Balbura
Bubon
Kibyra
Termessos
Phaselis
Olympos
Myra
Arykanda
Rhodiapolis
Korydalla
Podalia
Choma
Komba
Neisa
Kaunos
Kalynda
Daidala
Hippokome
Telandros
Lagbe
Isinda/Pogla
Antiphellos
Megiste
Apollonia
Aperlai
Simena
Istlada
Kyaneai
Trysa
Andriake
Phoinix
Idebessos
Kormos
Akalissos
Kitanaura
Kosara
Typallia
Trebenna
Ariassos
Anydros
Attaleia
Olbia
Tenedos
Onobara
Idyros
Chimaira
Gagai
Madamprus
Eukereia
Tyriaion
Orpenna
Termessos he mikra
Elbessos
Sinda
Arneai
Arsada
Sidyma
Kalabantia
Karmylessos
Pydnai
Oktapolis
Pasanda
Lissa
Krya
Lydai
Euxine
Imbros
Pisilis
Tyberissos
Teimiusa
Korba
Tyinda
Tüse
Yankı
Dögüsbelen
Çukurasarlığı
Tersane
Sögütlüdere
Sazak
Atlıdereköy
Hızırlik
Dip
Kızılca
Tekkeköy
Armutlu
Ovacık
Alakilise
Çagman
Turunçova
Bouda
Tepe
Karabel
Dereağzi
Kasaba
Gürses
Hoyran
Asaralti
Seyret
Bayındır
Beycik
Egelköyü
Xanthos
Glaukos
Indos
Tauros
Kolobatos
Caularis
Aedesa
Arykandos
Limyros
Myros
29°
29°30'
30°
30°30'
36°30'
37°

**Lykios.** Bronzebildner aus Eleutherai, Sohn und Schüler des → Myron. Laut schriftlicher Überl. schuf er in → Olympia ein Weihgeschenk mit troianischen Zweikämpfen (Achilleus und Memnon, u. a.) und eine Argonautengruppe. Notizen über einen Knaben mit Weihwassergefäß, einen *puer sufflans* und über eine Statue des Pankratiasten Autolykos (→ Pankration) sind zu verderbt, um eine Identifizierung zu erlauben. Von der Athener Akropolis ist eine signierte Basis für Reiterstatuen erh., die histor. um 430–420 v. Chr. datiert ist.

OVERBECK, Nr. 861–866 · A. RAUBITSCHEK, Dedications from the Athenian Akropolis, 1949, 517–519, Nr. 135; 138 · LIPPOLD, 183 · L. GUERRINI, s. v. L. EAA 4, 1961, 746f. · L. H. JEFFERY, L. Son of Myron. The Epigraphical Evidence, in: Stele, FS N. Kontoleon, 1980, 51–54 · J. DÖRIG, L., fils de Myron, in: Akten des XIII. Internationalen Kongr. für Klass. Arch. Berlin 1988, 1990, 300f. R. N.

**Lykis.** Dichter der Alten Komödie, siegte frühestens 411 v. Chr. an den Dionysien [1. test. 1]; bei Aristoph. Ran. 12–15 [1. test. 2] wegen seiner abgestandenen Witze verspottet.

1 PCG V, 1986, 615. B. BÄ.

**Lykisch** s. Luwisch

**Lykischer Bund** (Λυκίων τὸ κοινόν; Λυκίων τὸ ἔθνος). Die Verfassung des L. B. (zur Gesch. → Lykioi, Lykia) ist für die Zeit der Unabhängigkeit v. a. aus Artemidoros (bei Strab. 14,3,3), für die Zeit als röm. Provinziallandtag (seit 43 n. Chr.) aus Inschr. v. a. des 2. Jh. n. Chr. bekannt. Artemidor schildert einen L. B., dessen starke Kohärenz das Vorbild des → *koinón* der → Achaioi erkennen läßt. Die 23 Mitglieder (E. des 1. Jh. v. Chr. mehr, in der Kaiserzeit über 30) waren in drei Klassen eingeteilt, nach denen Beiträge, Stimmrecht in der an wechselnden Orten tagenden Bundesversammlung (→ *synhédrion*) und die Bekleidung der Bundesämter bemessen wurden. Bekannt sind *Lykiárchoi*, mil. Amtsträger, weitere Beamte und Bundesgerichte. Die Mz. lassen → *syntéleiai* (»Steuerbezirke«) erkennen; → Patara war spätestens E. des 1. Jh. v. Chr. Hauptort (vgl. Liv. 37,15,6).

Nach 43 n. Chr. wurden die mil. Bundesämter abgeschafft, kleinere Orte wohl zu dieser Zeit in Sympolitien (→ *sympoliteía*) zusammengefaßt, der erst seit dieser Zeit belegte *archiphýlax* des L. B. zog in röm. Auftrag Steuern ein. Inschriftlich begegnen *bulḗ* und *ekklēsía* (eine Ausnahme unter den Provinziallandtagen), die (jährlich tagende) *ekklēsía* war wohl ein Repräsentativ-Organ.

Zu dem bereits im 2. Jh. v. Chr. neben dem Bundeskult für Apollon eingerichteten Roma-Kult trat nun der Kaiserkult; das Amt des Kaiser-Priesters war wohl mit dem des Lykiarchen verbunden.

→ Lycia et Pamphylia; Lykioi, Lykia

1 A. BALLAND, Inscriptions d'époque impériale du Létôon, 1981 2 R. BEHRWALD, Der L. B., Diss. Bonn (im Druck) 3 J. DEININGER, Die Provinziallandtage der röm. Kaiserzeit von Augustus bis zum E. des 3. Jh. n. Chr., 1965 4 S. JAMESON, The Lycian League, in: ANRW II 7.2, 1980, 832–855 5 CH. KOKKINIA, Opramoas von Rhodiapolis, Diss. (im Druck) 6 J. A. O. LARSEN, Greek Federal States, 1968, 240–263 7 L. MORETTI, Ricerche sulle leghe greche, 1962, 171–218 8 H. A. TROXELL, The Coinage of the Lycian League, 1982 9 M. WÖRRLE, Stadt und Fest, 1988. RA. B.

**Lykiskos** (Λυκίσκος).

**[1]** Wurde 316 v. Chr. von → Kassandros, nachdem die Epeirotai (→ Epeiros) ihren König → Aiakides [2] verbannt und sich Kassandros angeschlossen hatten, dort als Statthalter eingesetzt. Nach dem Synoikismos der östl. Akarnanes bekam er den Auftrag, die Akarnanes gegen die Aitoloi zu schützen. Aiakides kehrte zurück und machte Epeiros dem Kassandros abtrünnig, dessen Bruder Philippos ihn jedoch überwand und tötete. Als → Alketas [3] Aiakides' Politik fortsetzte, besiegte ihn L. nach schweren Kämpfen, doch konnte Alketas mit seinen Söhnen entkommen (Diod. 19,36; 67; 74; 88).

E. B.

**[2]** Akarnane, warnte 211/210 v. Chr. die Spartaner im 1. Maked. Krieg vor ihrem Bündnis mit Rom in einer wegen der panhellenischen Argumentation bemerkenswerten Rede (Pol. 9,32–39) [1. 29–31].

→ Makedonische Kriege

1 J. DEININGER, Der polit. Widerstand gegen Rom in Griechenland, 1971 2 H. NOTTMEYER, Polybios und das Ende des Achaierbundes, 1995.

**[3]** Aitoler (→ Aitoloi), Bundesstratege 178/7 (SGDI 2051, 2135) und 171 v. Chr. (Liv. 42,38,2). Als Führer der radikal proröm. Richtung denunzierte L. 170 seine innenpolit. Gegner (Pol. 27,15,14) und befürwortete wenig später beim Bundestag zu Thermos die Forderung röm. Gesandter nach Geiseln aus unzuverlässigen Familien (Pol. 28,4,5–13) [1. 168–171]. Die folgenden schweren inneren Erschütterungen in Aitolien, die sich erst mit dem Tod des L. 160/159 legten (Pol. 32,4–5,1) [1. 210], erreichten ihren blutigen Höhepunkt, als nach dem röm. Sieg bei Pydna (168) auf L.' Initiative (in Arsinoe?) 550 Parteigänger des → Perseus von röm. Soldaten niedergemacht und viele weitere exiliert wurden, was L. → Aemilius [I 32] Paullus, zu dem L. als aitolischer Gesandter reiste, nachträglich guthieß (Pol. 30,13; Liv. 45,28,6f.; 31,5f.) [1. 192f.; 2. 89–91]. L.-M. G.

**Lykoleon.** Att. Redner des 4. Jh. v. Chr., bekannt nur durch eine Erwähnung bei Aristot. rhet. 1411b 6f.: Zit. wird aus einer Verteidigungsrede des L. für den Strategen → Chabrias, in der eine für letzteren aufgestellte Ehrenstatue metaphorisch als *hiketēría* (mit Wolle umwundener Ölzweig als Zeichen des Schutzflehenden) bezeichnet wird (zur Gestalt dieser Statue und den Gründen für ihre Aufstellung vgl. Nep. Chabrias 1–3 und Diod. 15,33,4). Der Prozeß (es ging um Verrat im Zusammenhang mit Kämpfen um die att.-boiot. Grenzfestung Oropos) fand 366 oder 365 statt; Chabrias wurde freigesprochen (vgl. Demosth. 21,64). M. W.

**Lykomedes** (Λυκομήδης).
**[1]** König der → Dolopes auf Skyros, Vater der → Deïdameia [1]. Weil Achilleus der Tod in Troia vorbestimmt ist, versteckt ihn seine Mutter Thetis als Mädchen verkleidet am Hof des L., wo Achilleus mit Deïdameia den Sohn → Neoptolemos zeugt (Apollod. 3,174; schol. Hom. Il. 9,668). Später überreden Odysseus und Phoinix im Auftrag der Griechen L., Neoptolemos nach Troia ziehen zu lassen (Soph. Phil. 343 ff.; nur Odysseus bei Hom. Od. 11,506 ff. und in der Ilias Parva EpGF p. 52 f.). Als → Theseus auf der Flucht vor Menestheus zu L. kommt, tötet dieser ihn durch Sturz von einem Felsen (Plut. Theseus 35).
**[2]** Myth. Held, griech. Kämpfer vor Troia (Hom. Il. 9,84; 17,348 ff.); wird von → Agenor [2] verwundet (so in der → Ilias mikra: vgl. ein Gemälde des Polygnotos, Paus. 10,25,6).

TH. GANTZ, Early Greek Myth: A Guide to Literary and Artistic Sources, 1993, 581; 639 f. • A. KOSSATZ-DEISSMANN, s. v. L. (1), LIMC 6.1, 298–302. J.STE.

**[3]** Athener, kaperte als erster der Griechen in der Schlacht beim Kap Artemision 480 v. Chr. (so Hdt. 8,11; nach Plut. Themistokles 15 bei Salamis) ein feindliches Schiff und wurde dafür geehrt.
→ Perserkriege E.S.-H.
**[4]** Vornehmer und reicher Arkader aus Mantineia; L. war 370 v. Chr. Mitbegründer des arkadischen Bundes (→ Arkades mit Karte) und 368 der Stadt Megalopolis (→ Megale polis; Diod. 15,59,1; Paus. 8,27,2). Er schlug als Bundesfeldherr der Arkader ein spartanisches Heer bei Orchomenos (Diod. 15,62,2; Xen. hell. 6,5,11–14), eroberte und plünderte 369 das lakonische Pellene (Diod. 15,67,2). 368 forderte er von den Thebanern die Beteiligung an der Führung im Krieg gegen Sparta (Xen. hell. 7,1,23 f.). In Theben lehnte L. 367 den neuen Königsfrieden unter thebanischer Hegemonie ab (Xen. hell. 7,1,39). Er setzte sich 366 für ein Bündnis mit Athen ein; auf der Rückreise wurde L. von arkadischen Verbannten ermordet (Xen. hell. 7,4,2 f.).

H. BECK, Polis und Koinon, 1997, 74–83, 222 f. • M. JEHNE, Koine Eirene, 1994, 86 mit Anm. 229. W.S.

**Lykomidai** (Λυκομίδαι). Priestergeschlecht aus Athen, zuständig für einen → Demeter-Kult. Pausanias (1,22,7; 9,30,12) berichtet von einer in der Pinakothek am Zugang zur Akropolis zu lesenden Hymne, die die L. zu Ehren der Göttin sangen. Die L. besaßen ein Heiligtum in → Phlya, in dem geheime Initiationsriten stattfanden (Plut. Themistokles 1,4; Paus. 4,1,7), die wohl den → Mysteria in Eleusis [1] ähnelten. In röm. Zeit sind Verbindungen zwischen den L. und den Priesterfamilien dort bezeugt (IG II/III² 3559).

In der älteren Lit. wurde den L. auch polit. Bed. zugemessen. Als ihr wichtigster Vertreter galt → Themistokles. Doch stellt erst Plutarch dessen Verbindung mit den L. her: Er habe den Wiederaufbau ihres von den Persern zerstörten Heiligtums finanziert. Eine solche Stiftung entspricht jedoch üblichen Praktiken aristokrat. Selbstdarstellung und beweist nicht die Abkunft des Stifters von den L., die sich als Gruppe ausschließlich über kult. Aufgaben definierten und keine polit. Größe darstellten.

F. BOURRIOT, Recherches sur la nature du Genos, 1976, 1251 ff. E.S.-H.

**Lykon** (Λύκων).
**[1]** Athener, unterstützte um 420 v. Chr. den Aufstand des → Pissuthnes gegen den Großkönig. Von → Tissaphernes bestochen, fiel L. von Pissuthnes ab und erhielt zur Belohnung einige Städte als Herrschaftsgebiet (Ktesias FGrH 688 F 15,53).
**[2]** Ankläger des → Sokrates (Plat. apol. 23e; 36a); wegen Armut, fremder Herkunft, der Promiskuität seiner Frau und des Verrats von → Naupaktos durch Annahme von Bestechungsgeldern von Komödiendichtern verspottet (Eupolis fr. 61; 232; Metagenes fr. 10 PCG; schol. Aristoph. Vesp. 1169). L. war mit seinem Sohn Autolykos Teilnehmer an Kallias' Gastmahl in → Xenophons Schrift *Sympósion*. W.S.
**[3]** Griech. Komödienschauspieler des 4. Jh. v. Chr., dessen Ruhm lange Zeit lebendig blieb: Noch Philodemos (de rhetorica p. 197,9 f. SUDHAUS 1) rühmt ihn als Meister seiner Gattung. Andererseits bilden die zwei dokumentierten Siege an den att. Lenäen/→ Lenaia (METTE 179) ein eher schwaches Publikumsecho. L. scheint jedoch mit seinem Spiel oder seinem persönlichen Charme Alexandros [4] d. Gr. sehr beeindruckt zu haben: Der zögerte nicht, ihm 10 Talente zu zahlen, als er einmal von der Bühne herab Bettelverse improvisierte (Plut. Alexandros 681e; Plut. mor. 334e). L. nahm am berühmten szenischen Agon (→ Wettbewerbe, künstlerische) in Tyros teil und trat auch anläßlich der spektakulären Massenhochzeit von → Susa im J. 324 auf (Chares bei Athen. 12,538f). Gern wüßten wir, welche Dichter L. bevorzugte, oder ob er einen bestimmten Maskentypus favorisierte. Im Gegensatz zur Trag. bot die spätere Komödie den Virtuosen wenig ausgeprägte Glanzrollen und leistete darum einem Starwesen nur bedingt Vorschub.
→ Hypokrites; Komödie

H. BERVE, Das Alexanderreich auf prosopograph. Grundlage, 1926, Bd. 2, Nr. 478 • J. B. O'CONNOR, Chapters in the History of Actors and Acting in Ancient Greece, 1908, Nr. 319. H.-D.B.

**[4]** L. aus der Troas. Viertes Oberhaupt der peripatetischen Schule von 270/268 bis 226/224 [1. 21]. Testimonien in [1], Biographie bei → Antigonos [7] von Karystos. L. war ein einflußreiches Mitglied der Gesellschaft, weniger ein Forscher: er war für seinen Luxus und seine Bankette bekannt. Laut Cicero war er eloquent, hatte aber wenig zu sagen (fr. 17 WEHRLI). L. wurde für den Niedergang der Schule des Aristoteles verantwortlich gemacht; sein Vorgänger → Straton wählte ihn aus, weil andere zu alt oder zu beschäftigt waren (Straton fr. 10 WEHRLI). L. bestimmte ›das wahre Glück der Seele‹ als das Ziel des Lebens und hielt finanzielles Mißgeschick und physische Krankheiten für weniger bedeutend als die der Seele (fr. 20,19 WEHRLI). Interesse an naturwiss. Themen könnte man aus fr. 28 und 30 W. lesen (vgl. [1. 26]), doch gibt es weder hier noch für das Gebiet der Ethik Beweise für eingehende Arbeit. Von L.' Schriften existiert keine Liste; sein Testament (fr. 15 W.), überliefert durch seinen mutmaßlichen Nachfolger → Ariston [3] von Keos, erwähnt noch unveröffentlichte Werke.

1 WEHRLI, Schule 6, ²1968, 1–26.

F. WEHRLI, in: GGPh² 3, 576–578 • U. v. WILAMOWITZ-MOELLENDORFF, Antigonos von Karystos, 1881, bes. 78–85.
R. S./Ü: J. DE.

**[5]** Pythagoreer wohl der 2. H. des 4. Jh. v. Chr. aus Iasos (mit dem von Iambl. v. P. 267 erwähnten L. aus Tarent identisch?), Verf. einer Schrift ›Über das pythagoreische Leben‹ (Περὶ Πυθαγορείου <βίου>), in der die »maßvolle Lebensweise« des → Pythagoras hervorgehoben wird (Athen. 418e). Dazu fügt sich, daß L. umgekehrt laut Aristokles (fr. 2 HEILAND = Eus. Pr. Ev. 15,2,8) den aufwendigen Lebensstil des Aristoteles [6] kritisierte. Mit dem Ideal der Genügsamkeit erinnert L. an → Diodoros [3] von Aspendos. Zu weiteren, jedoch unsicheren Zeugnissen vgl. [1].
→ Pythagoreische Schule

1 W. BURKERT, Lore and Science in Ancient Pythagoreanism, 1972, 204 Anm. 66. C. RI.

**Lykone** (Λυκώνη). Bergzug östl. von Argos mit Heiligtum der Artemis Orthia (Tempel 12,30 × 9,80 m) mit Marmorstatue, die von Polykleitos stammen soll (Paus. 2,24,5).

I. KOPHINIOTIS, Ἀνασκαφαὶ ἐν Ἀργολίδι, in: AD 1888, 205.
Y. L.

**Lykonpolis** (λύκων πόλις, »Wolfs-Stadt«). Stadt auf dem westl. Nilufer ca. 400 km stromauf von Kairo, das h. Asyūṭ, äg. *s3wtj* (»Wächter«), assyr. *siāutu*, Hauptstadt des 13. oberäg. Gaus. Durch seine Lage an einer Stromenge bildete es die Grenze des eigentlichen Oberäg. und hatte deshalb (und als Ausgangspunkt einer Karawanenstraße in die westl. Oasen) bes. strategische Bedeutung. In der 1. Zwischenzeit (ca. 2190–1990 v. Chr.) war es Hauptbollwerk gegen die Expansion der thebanischen Herrscher nach Norden. Die Gräber dieser Zeit und der anschließenden 12. Dyn. machen den Großteil der arch. Relikte von L. aus. Die Inschr. dieser Gräber galten in späterer Zeit aus unbekannten Gründen als vorbildliche Texte; sie sind bis in das 2. Jh. n. Chr. kopiert und exzerpiert worden. Hauptgott von L. war der canidenköpfige Upuaut (Hund oder Schakal), dessen Darstellung die Griechen als Wolf deuteten. Seit dem NR hat man ein altes Fürstengrab als Beisetzungsplatz für Hundemumien genutzt, in dem auch ca. 600 Votivstelen gefunden wurden. L. ist die Geburtsstadt des → Plotinos. Schon im 3. Jh. war es Bistum und in byz. Zeit eines der bedeutensten Zentren des Christentums in Äg.
→ Koptisch

1 H. BEINLICH, s. v. Assiut, LÄ 1, 489–495 2 S. TIMM, Das christl.-kopt. Äg. in arab. Zeit, 1, 1984, 235–251, s. v. Aṣyūt.
K. J.-W.

**Lykopeus** (Λυκωπεύς). Sohn des aitol. Helden → Agrios [1], der mit seinen Brüdern seinen Onkel → Oineus in Kalydon zugunsten seines Vaters entthront. Deswegen wird L. zusammen mit seinen Brüdern, außer zweien, von → Diomedes [1] (Apollod. 1,77 f.; Paus. 2,25,2) oder von Tydeus (Diod. 4,65,2) getötet und Agrios entthront (Hyg. fab. 242). AL. FR.

**Lykophron** (Λυκόφρων).
**[1]** Der jüngere Sohn des → Periandros von Korinth und der Melissa, Tochter des Prokles von Epidauros. Im Krieg des Periandros mit dem Schwiegervater wird L. nach Kerkyra geschickt und dort wohl als Tyrann und Nachfolger des Periandros von den Kerkyraiern ermordet. Eine frühe Legendenbildung findet sich schon bei Herodot (3,50–53; vgl. Diog. Laert. 1,94 f.; Nikolaos von Damaskos FGrH 90 F 60). B. P.
**[2]** Begründer der Tyrannis in → Pherai (ca. 404–390 v. Chr.). 404 besiegte L. eine Koalition von thessal. Städten, darunter Larisa (Xen. hell. 2,3,4), das aber unter dem Aleuaden (→ Aleuadai) Aristippos 402/1 dank der Unterstützung von → Kyros [3] d. J. seine Macht wiedergewann (Xen. an. 1,1,10; 1,2,1; 6). Medios von Larisa besetzte im Kampf gegen den mit Sparta verbündeten L. (Xen. hell. 6,4,24; vgl. 4,3,3–9) mit Hilfe des antispartan. Bündnisses von 395 → Pharsalos (Diod. 14,82,5 f.). L. ist Vater oder Schwiegervater seines Nachfolgers → Iason [2].
**[3]** Als Sohn des → Iason [2] 355–352 v. Chr. Tyrann von Pherai. L. war 358 an der Beseitigung seines Schwagers → Alexandros [15] beteiligt, die seinen Bruder Teisiphonos an die Macht brachte (Xen. hell 6,4,35–37; Diod. 16,14,1; Plut. Pelopidas 35). Auf Betreiben der Aleuadai beschränkte → Philippos II. von Makedonien die Macht der Familie wieder auf Pherai (Diod. 16,14,2). Etwa 355 [1. 30] trat L. des Bruders Nachfolge an. Gegen Philippos fand er Unterstützung durch die Phoker → Onomarchos und Phayllos (Diod. 16,35), nach deren Niederlage 352 L. und sein Bruder Peitholaos mit 2000 Söldnern nach Phokis abziehen durften (Diod. 16,37,3; 39,3). Das den Brüdern als Bündner (Isokr. epist. 6,3) verliehene Bürgerrecht Athens wurde nach einer Anklage beider 349 (Aristot. rhet. 3,9,1410a 17 f.) dann nur Peitholaos aberkannt (Demosth. or. 59,91).
→ Tyrannis

1 C. TUPLIN, The Failings of Empire, 1993.

H. BERVE, Die Tyrannis bei den Griechen, 1967, 283 f., 293 f., 667, 671 • N. G. L. HAMMOND, G. T. GRIFFITH, History of Macedonia, 1979, 220–30, 267–281 • B. HELLY, L'état thessalien, 1995, 306–308, 350 f., 353. J. CO.

[4] Bereits der Scholiast zu V. 1126 des unter dem Namen von L. [5] überlieferten, 1474 iambische Trimeter umfassenden Gedichts mit dem Titel ›Alexandra‹ vermutet, daß das Werk aufgrund des *vaticinium ex eventu*, in dem der Aufstieg der Nachkommen des Aeneas (→ Aineias), d.h. der Römer, zur Weltmacht verkündet wird, nicht von dem Tragiker L., sondern von einem anderen Autor stammen müsse. In der Forsch. wird teils als *terminus post quem* der Sieg des T. Quinctius Flamininus über Philipp V. von Makedonien bei Kynoskephalai (197 v.Chr., s. Makedonische Kriege) angesetzt, teils wird der Text weiterhin L. [5] zugeschrieben, wobei allerdings Interpolationen aus augusteischer Zeit angenommen werden [1; 2; 3].

Die ›Alexandra‹ ist der Bericht des von dem trojanischen König Priamos für seine Tochter → Kassandra (= Alexandra) eingesetzten Wächters über die Prophezeiungen, die die Seherin bei der Ausfahrt des Paris nach Sparta gibt. Vorausgesagt werden der Untergang Troias (31–386), das Schicksal der heimkehrenden Griechen unter bes. Beachtung des → Odysseus (387–1089) und ihr Leid nach der Heimkehr (1090–1283), wobei Rom als Nachfolgerin des untergegangenen Troia verkündet wird (1226–1280). Das Gedicht endet mit der Voraussage der persischen Niederlage gegen Alexandros [4] d.Gr. und der maked. gegen die Römer, womit der Konflikt zw. Ost und West endlich beigelegt wird (1283–1450). Das Werk gibt sich als trag. Botenbericht (→ Tragödie), in dem epischer Inhalt in exaltierter Form wiedergegeben wird (Iohannes Tzetzes bezeichnet es als »dramatische Monodie«); das lit. Experiment besteht zudem darin, das Schicksal der siegreichen Griechen aus der Perspektive eines Unterlegenen zu schildern und dadurch neu zu bewerten. Die Sprache ist bewußt dunkel, dem Orakelstil nachempfunden und trag. Diktion (bes. Aischylos) imitierend, angereichert durch dialektale Ausdrücke, Archaismen und Neologismen.

**1** B. Gauly u.a. (Hrsg.), Musa tragica, 1991, 297 **2** St. Josifović, s.v. L. (8), RE Suppl. 11, 888–930 **3** L.E. Rossi, Letteratura greca, 1995, 602f.

Ed.: L. Mascialino, 1964.
Komm. und Übers.: M. Fusillo, Licofrone: Alessandra, 1991 (Einf. A. Hurst, Übers. G. Paduano). B.Z.

[5] **L. aus Chalkis**. Geb. um 320 v.Chr., Sohn des Sokles, Adoptivsohn des Lykos [12] aus Rhegion, Grammatiker und Tragiker. Im Auftrag von → Ptolemaios II. bearbeitete er am → Museion in Alexandreia die Gattung Komödie und verfaßte ein nach Athen. 485d 9 B. umfassendes Werk ›Über die Komödie‹, in dem er u.a. seltene Worte der Komödien des 5. Jh. v.Chr. erläuterte. Als Tragiker zählte er zur sog. alexandrinischen → Pleias und soll nach Tzetzes (TrGF I 100 T 1) 64 oder 46 Trag. geschrieben haben, von denen Suda λ 827 (TrGF I 100 T 3) eine Reihe von Titeln aufzählt, darunter ein Stück zeitgesch. Inhalts mit dem Titel ›Die Leute von Kassandreia‹, in dem L. entweder die Tyrannis des Apollodoros (280–276 v.Chr.) oder die Eroberung der 316 von Kassandros gegründeten Stadt durch Antigonos Gonatas (276 v.Chr.) behandelte. In dem Satyrspiel ›Menedemos‹ scheint L. seinen Zeitgenossen, den Philosophen → Menedemos [5] von Eretria, verspottet zu haben. Schon in der Ant. schwankt die Beurteilung der Intention des L. zwischen Verspottung und Lob des Philosophen. Daß L. auch Verf. des 1474 Verse umfassenden Gedichts ›Alexandra‹ ist, bestreitet schon der Scholiast zu V. 1226 (→ L. [4]).

TrGF I 100 • B. Gauly u.a. (Hrsg.), Musa tragica, 1991, 212–217, 297f. • N. Dunbar (ed.), Aristophanes, Birds, 1995, 32 • I. Gallo, Ricerche sul teatro greco 1992, 95ff. • Pfeiffer, KP I, 136–138. B.Z.

[6] **L. »der Sophist«.** Dieser Beiname wird ihm nur an einer einzigen Textstelle beigegeben (Aristot. pol. 1280b 10); von Aristoteles als einziger Quelle wird er mehrfach erwähnt; Werktitel sind nicht bekannt. Daß L. Schüler des → Gorgias war, läßt sich nur aus dem Kontext von Aristot. rhet. 3,3,1405b 36 und 3,1406a (Gebrauch von Dialektformen, *glṓttai*) schließen. L. sah das Recht als eine Vereinbarung an, die weniger das Ziel habe, die Bürger zur Moral zu erziehen, sondern ihre Rechte gegenseitig zu garantieren; soziale Unterschiede beständen nur der Meinung nach, nicht aber in Wirklichkeit (Aristot. fr. 91 Rose) – dies verbindet ihn mit → Antiphon [4]. Nach Aristoteles hat L. auch eine Definition der Wiss. als ›Interaktion (*synusía*) des Wissens und der Seele‹ gegeben (Aristot. metaph. 1045b 10) und die Kopula-Funktion des Verbs »Sein« abgelehnt, um zu vermeiden, daß es gleichzeitig ein- und mehrfach vorkommt (Aristot. phys. 185b 26) – dies verbindet ihn mit → Antisthenes [1] und den → Megarikern.
→ Sophistik

Fr.: Diels/Kranz 83, II, 307–308.
Lit.: W. Nestle, Vom Mythos zum Logos, [2]1942 (Ndr. 1975), 343–345 • H. Hoffmann, s.v. L. der Sophist, RE Suppl. 14, 265–272 • W.K.C. Guthrie, A History of Greek Philosophy 3, 1969 = Ders., The Sophists, 1971, 139–145 • R.G. Mulgan, Lycophron and Greek Theories of Social Contract, in: Journ. of the History of Ideas 40, 1979, 121–128. MI.NA./Ü: J.DE.

**Lykophronides** (Λυκοφρονίδης). Lyrischer Dichter, Datum und Herkunft unbekannt. Zwei Fr. sind bei Athenaios erh., beide stammen aus den ›Erotika‹ des → Klearchos [6]. Athen. 13,564a-b handelt von der Bescheidenheit, die der Schönheit zugrunde liegt; Athen. 15,670d-f ist ein Widmungsgedicht eines verliebten Hirten mit leicht dor. Färbung, das an epideiktische Epigramme erinnert, in denen Jäger ihr Jagdgerät darbringen (GA I 2, 34f.). Das Metrum ist in beiden Fällen idiosynkratisch, steht aber dem Ionischen nahe (→ Metrik). E.R./Ü: L.S.

**Lykoreia** (Λυκώρεια). *Pólis* (Paus. 10,6,2; Suda s.v. Λυκωρεύς) oder → *kṓme* (schol. Apoll. Rhod. 2,711; 4,1490; Steph. Byz. s.v. Λ.) in der Gipfelregion des

→ Parnassos. Verschiedene Erklärungsversionen für Etym. und Gründung: 1) das Geheul der Wölfe (λύκων ὠρυγαῖς, Paus. l.c.), das die Bewohner auf die Gipfel des Parnassos führte, wodurch sie vor der deukalionischen Flut (→ Deukalion) gerettet wurden; 2) Lykoros, der Sohn des Apollon und der Nymphe Korykia (Paus. l.c.; Steph. Byz. s.v. Λ.) als Eponym. Doch bestand nach der auf dem → Marmor Parium (FGrH 239 F 3) gesammelten Überl. vor der Flut eine Siedlung, möglicherweise der urspr. Wohnsitz der Einwohner von → Delphoi vor deren Umsiedlung an die → Kastalia (Strab. 9,3,3). Ihre Lage ist ungewiß. Die myth. Zusammenhänge und lit. Zeugnisse, die L. beim → *Korýkion ántron* lokalisieren (Ov. met. 1,320; Plut. de Pyth. or. 1,394 F; dort vermutet von [1. 120]), haben ULLRICHS [2. 120] veranlaßt, L. die arch. Reste zuzuschreiben, die auf dem über dem *Korýkion ántron* liegenden Kamm der Phaidriades gefunden wurden. Der Bezug zu Delphoi und dem Apollonheiligtum lebte in der Lit. weiter in der Bezeichnung der Bewohner als *Lykōreís* (Λυκωρεῖς, schol. Apoll. Rhod. 4,1490; Steph. Byz. s.v. Λ., s.v. Λύλη; vgl. Λυκωρῖται, Paus. 4,34,9) und die Epiklese des Apollon Lykoreus (Kall. h. 2,19).

**1** W. LEAKE, Travels in Northern Greece 2, 1835 **2** H. N. ULLRICHS, Reisen und Forsch. in Griechenland 1, 1840.

F. BÖLTE, s.v. L., RE 13, 2382–2384 • N.D. PAPACHATZIS, Παυσανίου Ἑλλάδος Περιήγησις 5, 1981, 291 f. • F. SCHOBER, Phokis, 1923, 36. G.D.R./Ü: H.D.

**Lykormas** (Λυκόρμας). Früherer Name des Flusses → Euenos [3] in Aitolia (Strab. 7,7,8; 10,2,5). Der L. spielt eine Rolle in der Erzählung vom Raub der → Marpessa [1], der Tochter des Euenos mit Alkippe (Hom. Il. 9,555 ff.; Ov. met. 2,245; Bakchyl. 15,34).

B. SNELL, Bakchylides' Marpessa-Gedicht, in: Hermes 80, 1952, 156–163. H.SO.

**Lykortas** (Λυκόρτας) aus Megalopolis, Sohn des Thearidas (Syll.[3] 626), Vater des Historikers → Polybios, führender Staatsmann der Achaier ca. 190–168 v. Chr.: 192 *hípparchos* (Liv. 35,29,1), 184 und 182 *stratēgós*, der 182 Messenien und Sparta in den Bund zurückführte (Pol. 2,40,2–6; 22,9 f.; 12,8; 23,16 f.) [1. 124]. Wie → Philopoimen war L. Exponent eines begrenzten Widerstandes gegen röm. Bevormundung und verteidigte in Rom (189), vor röm. Gesandten in Griechenland (185/4) und vor seinen sich radikalisierenden Gegnern → Aristainos und → Kallikrates [11] die achaiische Autonomie, was ihm und der *tertia pars* im 3. Maked. Krieg den Vorwurf der Römerfeindschaft einbrachte (Pol. 24,8 f.; 28,3,7; 6,3–5; Liv. 39,36 f.) [1. 162 ff., 177 ff.; 2. 67 ff.]. Einen bes. Stellenwert hatte für L. das achaiisch-ptolemaiische Bündnis (Pol. 22,3,5–9; 24,6,3–7; 29,23–25) [1. 118, 182 f.; 2. 78 ff.]. L. scheint vor der Deportation achaiischer »Kriegsverbrecher« nach Rom (167) gestorben zu sein; seine von Kallikrates aus der Öffentlichkeit entfernten Bildnisse wurden 149 wieder aufgestellt (Pol. 36,13,1).

**1** J. DEININGER, Der polit. Widerstand gegen Rom in Griechenland, 1971 **2** H. NOTTMEYER, Polybios und das Ende des Achaierbundes, 1995. L.-M.G.

**Lykos** (Λύκος).
Mythologie und Religion: L. [1–9], Historische Personen: L. [10–13], Flüsse: L. [14–19].

**[1]** Sohn des Poseidon und der Pleiade Kelaino [1] (Ps.-Eratosth. katasterismoi 23), nur Apollod. 3,111 erwähnt seine Entrückung auf die Inseln der Seligen, vielleicht, um ihn von L. [6], mit dem er von Hyg. fab. 31, 76 und 157 trotz der Abstammung von Poseidon zusammengebracht wird, zu differenzieren.

**[2]** Sohn des Prometheus und der Kelaino [1], an dessen Grab in der Troas → Menelaos für die Befreiung Spartas von einer Seuche opfert (schol. Lykophr. 132, schol. Hom. Il. 5,64 ERBSE).

**[3]** → Telchine, der dem lyk. Apollon am Xanthos einen Tempel errichtet (Diod. 5,56,1). Begleiter des → Dionysos auf dessen Indienfahrt (Nonn. Dion. 14,39; 23, 153; 36,417 und 39,12).

**[4]** Libyscher König, der den Diomedes [1] seinem Vater Ares opfern will, was seine Tochter Kallirhoë verhindert (Ps.-Plut. mor. 311bc = Iuba FGrH 275 F 5). Motivisch eine Nachbildung der Gesch. von Theseus und Ariadne.

**[5]** König der Mariandyner, Sohn des Daskylos [1] (Apollod. 2,100, Apoll. Rhod. 2,776), der die → Argonautai wegen der Tötung seines Todfeindes Amykos durch Polydeukes (Apoll. Rhod. 2,752–761, Val. Fl. 4,733–759, Hyg. fab. 18) und der seinem Vater von Herakles erwiesenen Hilfe (Apoll. Rhod. 2,774–810) freundlich aufnimmt, die Bestattung für die dort verstorbenen Argonauten Idmon und Tiphys ausrichtet (Apoll. Rhod. 2,815–859, Val. Fl. 5,1–62, Hyg. fab. 18) und ihnen seinen Sohn → Daskylos [2] als Begleiter mitgibt (Apoll. Rhod. 2,802–803).

**[6]** Boioter, Sohn des Hyrieus und der Nymphe Klonie (Apollod. 3,111), der nach seiner Flucht aus Hyrie wegen der Verwandtschaft mit Pentheus als thebanischer Bürger aufgenommen wird und in Theben 20 Jahre lang für den unmündigen → Laios [1] regiert (Apollod. 3,40–41). Nach dem Sieg über Epopeus bringt er → Antiope [1], die Tochter seines Bruders Nykteus (nach Prop. 3,15,11–42 und Hyg. fab. 7 eine intime Beziehung zw. L. und Antiope), nach Theben, wo sie als Sklavin der → Dirke [1], L.' Gattin, gequält wird. Antiopes ausgesetzte Söhne → Amphion [1] und → Zethos erkennen jedoch die Mutter und töten Dirke (Apollod. 3,42–44), Hermes verhindert L.' Tod (Hyg. fab. 8). Der rekonstruierbare Inhalt der euripideischen *Antiópē* entspricht eben diesem Ablauf [1. 438].

**[7]** Euboier, der sich durch die Tötung des → Kreon [1] die Herrschaft über Theben sichert (Eur. Herc. 32–33) und in Herakles' Abwesenheit dessen Frau Megara und deren Kinder bedroht. Herakles tötet ihn nach seiner Rückkehr, allerdings in einem Wahnsinnsanfall auch Frau und Kinder. Frei gestaltete Figur des Euripides-Stückes, das Senecas *Hercules Furens* wieder aufnimmt.

[8] Zusammen mit Aigeus, Nisos und Pallas einer der vier im Exil geborenen Söhne des → Pandion, die sich nach dessen Tod die Herrschaft über Attika teilen (Apollod. 3,206, Strab. 9,1,6 = Soph. fr. 24 (Aigeus) RADT). Nach Paus. 1,19,3 ist das Lykeion nach ihm benannt; er tritt auch als Erneuerer der → Mysterien von → Andania auf (Paus. 4,1,6–9; Rhianos FGrH 265 F 45). Von seinem Bruder Aigeus vertrieben, flüchtet er zu Sarpedon in das nach ihm benannte Lykien (Hdt. 1,173; 7,92; Strab. 12,8,5). → Lykioi.

1 A. LESKY, Die tragische Dichtung der Hellenen, ³1972.

JO.S.

[9] Athen. Heros, dessen Heroon um 422 v. Chr. in unmittelbarer Nachbarschaft eines → Dikasterion stand (Aristoph. Vesp. 387–394). Der Versuch, Heroon und Gerichtsstätte zu lokalisieren [1. 118–120; 2. 13f., 95], bleibt Konjektur. Eine späte Überl. (Quellen: [2. 188–191]), die in Teilen auf Eratosthenes [2] von Kyrene zurückgeht, hat die aristophaneische Information zu L. kommentierend ausgeschmückt [1. 111–115; 3. 147f.]. Während L. bei Aristophanes (Vesp. 819–823) wohl anthropomorph ist, sehen ihn die Späteren seit Eratosthenes (bei Harpokration s. v. δεκάζων), möglicherweise nach Volksetym. zu *lýkos*, in Wolfsgestalt. Aristophanes handelt wahrscheinlich von nur einem Heros L.; dagegen will die mod. Forsch. aus der späteren Überl. schließen, daß zum Bestand einer jeden athen. Gerichtsstätte eine Statue des L. gehörte, der angeblich zu Beginn jeder Sitzung der → *dikastikós misthós* gezahlt wurde (Isaios fr. 126 BAITER/SAUPPE; schol. Aristoph. Vesp. 389). Sprichwörtliches *Lýku dekás* ist ebenfalls von Eratosthenes mit *dekázein*, »bestechen«, verbunden worden: Als »die Zehn des L.« galt von nun an eine Gruppe von bestechlichen Geschworenen (Eratosthenes a.a.O.; Lex. Cantabrigiense s. v. Λύκος ἥρως), von Bestechenden (Poll. 8,121) oder Sykophanten (Phot. s. v. Λύκου δεκάς), die sich bei dem Heroon des L. versammelt hatten. Zwar wird L. bei Aristophanes Schadenfreude über die Verurteilten unterstellt (Aristoph. Vesp. 390f.), aber seine Charakterisierung als »Gerichtsdämon« ist durch die Überl. kaum gestützt und religionswiss. nicht sinnvoll (→ Dämonen). L.' Deutung als »Gerichtsheros« hat zu der Identifizierung mit dem L. verleitet, der nach der Trad. → Theseus' Verbannung aus Athen bewerkstelligte (schol. Aristoph. Plut. 627 = III 4a, p. 108 CHANTRY; schol. Aischin. Ctes. 13,41 DILTS; schol. Aristeid. 2,241 DINDORF), und zu der hypothetischen Gleichsetzung mit L. [8], dem Sohn des → Pandion, geführt.

→ Heroenkult

1 A. L. BOEGEHOLD, Philokleon's Court, in: Hesperia 36, 1967, 111–120 2 Ders., The Law Courts of Athens, 1995 3 F. JACOBY, FGrH III b 2, 1954, 146–153.

A.BEN.

[10] **L. von Neapolis.** Empirischer Arzt [1. 20, fr. 32E] aus dem 1. Jh. v. Chr. (um 100 [2; 3. 383f.]; spätestens um 60 [1. 204]), aus Neapel stammend. Seine nur durch Fr. bekannten Schriften (test. und fr.: [1. 204f.: Nr. 256–265, 223: fr. 315–316]) erstrecken sich auf: 1) die Erklärung hippokratischer Schriften (*Exēgētiká*, wenigstens in 2 B.; fr. 316); 2) die Pharmakologie (fr. 257) einschließlich Toxikologie (Tollwut, fr. 258; Schlangenbiß, fr. 259) und medikamentöser Therapeutik (Klistiere – er soll den → Klyster zur Einbringung von Nährstoffen erfunden haben –, → Abortiva und Kataplasmen, fr. 262–264); es gab sicher keine spezielle Abh. zur → Diätetik [2. 2408], der Stoff konnte auch in der Pharmakologie behandelt werden; 3) vielleicht auch die Anatomie oder die Gynäkologie [1. 261 Nr. 1 und fr. 261]. Das pharmakologische Werk diente Plin. nat. 20–27 als Quelle und wurde von → Oreibasios herangezogen, über ihn auch von → Paulos von Aigina. Das Werk zur Hippokratesexegese scheint bei den Lexikographen ein gewisses Ansehen genossen zu haben: Es wird (indirekt) von → Erotianos (fr. 315–316) und → Photios (fr. 265) zit., zusammen mit einem pharmakologischen Fr. übrigens auch in den Scholien zu Homers ›Ilias‹ (fr. 260).

→ Empiriker

1 K. DEICHGRÄBER, Empirikerschule 2, 1965 2 E. KIND, s. v. Lykos (51), RE 13, 2407f. 3 M. WELLMANN, Zur Gesch. der Medizin im Alt., in: Hermes 35, 1900, 349–384.

A.TO./Ü: T.H.

[11] Achaier aus Pharai, kommandierte im J. 217 v. Chr. unter → Aratos [2] ein Söldnerkontingent erfolgreich bei Zügen gegen Elis im Gebiet von → Leontion und Phyxion (Pol. 5,94f.). L.-M.G.

[12] **L. von Rhegion.** Adoptivvater des Tragikers Lykophron [5]. L. weilte ca. 290 v. Chr. als angesehener Mann in Alexandreia. Bezeugt sind von ihm eine *Historía tēs Libýēs* und *Perí Sikelías*. Offenbar war L. mehr Ethnograph als Geschichtsschreiber und hatte einen ausgeprägten Hang zur Paradoxographie. → Agatharchides von Knidos (De mari rubro 64) betrachtete ihn neben → Timaios als Hauptautorität für den Westen. Seine Werke wurden u. a. von Kallimachos, Antigonos [9] von Karystos und Pseudoaristoteles, *Mirabilia* benützt und dienten vielleicht auch Lykophron und Timaios als Vorlage.

ED.: FGrH 570 mit Komm.

K.MEI.

[13] **L. von Makedonien.** Arzt aus Makedonien, älterer Zeitgenosse des → Galenos, spät nach Rom gekommen [3. 1582]. Man hat ihn – zu Unrecht – als Sohn des → Pelops, des Lehrers des Galenos, angesehen [5. 383; 2. 2408f.]; jedenfalls war er ein Schüler des → Quintus in Rom [1. 1522]. Er scheint ein angesehener Anatom dogmatischer Ausrichtung gewesen zu sein (und nicht empirischer, wie Galen sagt, der ihn nicht mehr zu Lebzeiten gekannt hat; → Dogmatiker; → Empiriker) und verfaßte Abhandlungen, die nach seinem Tod (vor 180 n. Chr.) berühmt wurden. Galen, der seine Werke erst kurz vor 186 kennenlernte, griff sie heftig an [4. 65–67, 130–131, 155–158], vielleicht wegen des Ansehens, das sie genossen [3. 1588]. Die (verlorenen)

Schriften des L. umfassen: 1) einen Hippokrates-Komm. [4. 1582–1588], der laut Galen in der Nachfolge des → Marinos [2] stand, jedoch länger war und nur sehr segmentierte Darstellungen enthielt; 2) die ›Anatomie‹, die von Galen wegen ihrer Unt. der Muskeln und der Auffassung, daß der Urin ein von den Nieren nicht verbrannter Nahrungsrückstand sei, angegriffen wurde.

1 M. Grmek, D. Gourevitch, Aux sources de la doctrine médicale de Galien, in: ANRW II 37.2, 1994, 1491–1528
2 E. Kind, s. v. Lykos (52), RE 13, 2408–2417
3 D. Manetti, A. Roselli, Galeno commentatore di Ippocrate, in: ANRW II 37.2, 1994, 1529–1635 4 W. Smith, Hippocratic Trad., 1979 5 M. Wellmann, Zur Gesch. der Medizin im Alt., in: Hermes 35, 1900, 349–384.

A. TO./Ü: T. H.

**[14]** Wie mit → Kapros [2] für den Unteren Zāb, so gebrauchen ant. Autoren mit L. auch einen Tiernamen als Bezeichnung des Großen oder Oberen Zāb, eines linken Nebenflusses des → Tigris. Xen. an. 2,5,1 kennt jedoch noch den einheimischen Namen Zapatas (Ζαπάτας), akkad. *Zāba elû*. Nach Strabon 16,1,44 bildet der L. die Grenze zwischen der Landschaft Aturia (Ἀτουρία) und der Adiabene; erwähnt auch bei Ptol. 6,1,7; Pol. 5,51,3; Curt. 4,9,9.

F. H. Weissbach, s. v. L., RE 13, 2391–2393. K. KE.

**[15]** Der h. Nahr al-Kalb entspringt im westl. → Libanos-Gebirge und mündet ca. 10 km nördl. von → Berytos ins Mittelmeer (Pol. 5,68,9; Strab. 16,755; Plin. nat. 5,78). Fundort zahlreicher Felsinschr. und -reliefs altäg., neuassyr. und neubabylon. Herrscher.

S. Herrmann, Gesch. Israels in at. Zeit, 1973, 289 • J. Börker-Klähn, Altvorderasiatische Bildstelen und vergleichbare Felsreliefs (BaF 4), 1982, Nr. 211–216.

TH. PO.

**[16]** Großer Fluß, der aus dem Gebiet der → Thyssagetai durch das Land der Maiotai in die → Maiotis fließt (Hdt. 4,123), nach Ptol. 3,5,4 evtl. beim h. Kalnikes bei Mariupol (in der h. Ukraine). S. R. T.

**[17]** Fluß im Gebiet von → Herakleia [7], mündet südl. der Stadt in den → Pontos Euxeinos (Arr. per. p. E. 116), h. Ayndınlar Çayı.

W. Ruge, s. v. L. (5), RE 13, 2390 • K. Belke, Paphlagonien und Honorias, 1996, 248. K. ST.

**[18]** Fluß in SW-Phrygia (h. Çürük Su), Nebenfluß des → Maiandros [2] (Strab. 12,8,16), der am Berg Kadmos (h. Honaz oder Eşler Dağı) entspringt; er durchfließt eine tiefe Schlucht nahe Kolossai (Hdt. 7,30,1), dann – entgegen Plin. nat. 2,225 nicht unterirdisch – die Ebene zw. Laodikeia [4] und Hierapolis [1], die einen Zugang vom Maiandros-Tal nach Sanaos und Apameia ermöglicht.

Belke/Mersich, 330–331 • Müller, 171–175.

T. D.-B./Ü: I. S.

**[19]** Fluß in Pontos, h. Kelkit Çayı. Die Quellflüsse kommen aus den Giresun und den Otlukbeli Dağları südl. und nördl. von Satala. Er fließt mit unterschiedlichem Wasserstand (häufige Überschwemmungen, vgl. Greg. Nyss. de vita Gregorii Thaumaturgi 929; 932) westwärts der erdbebenreichen »Paphlagonischen Naht« entlang bis nach Kabeira in einem engen, danach in einem weiten Tal (der Phanaroia zw. dem Paryadres im Norden und den Bergen Ophlimos und Lithros im Süden) hin zu seiner Mündung rechtsseits in den → Iris [3] bei Eupatoria [1]. Eine für röm. Zeit durch Brücken und Meilensteine [1. Karten 12, 18] bezeugte wirtschaftlich und strategisch wichtige Straße führte in Fortsetzung der Route aus dem Amnias-Tal ostwärts von Magnopolis (→ Eupatoria [1]) nach Satala. Belegstellen: Strab. 12,3,15; 30; Plin. nat. 6,8–10; [2. 107ff., 118, 165ff.; 3. 20f., 241f.; 4. 12f.].

1 D. French, Roman Roads and Milestones of Asia Minor 2, 1988 2 A. Bryer, D. Winfield, The Byzantine Monuments and Topography of the Pontos 1, 1985
3 D. R. Wilson, The Historical Geography of Bithynia, Paphlagonia, and Pontus in the Greek and Roman Periods, D. B. Thesis, Oxford 1960 (maschr.) 4 C. Marek, Stadt, Ära und Territorium in Pontus-Bithynia und Nord-Galatia (IstForsch 39), 1993. E. O.

**Lykosura** (Λυκόσουρα).
A. Lage und Geschichte B. Heiligtümer

A. Lage und Geschichte

Stadt der arkad. → Parrhasia, 7 km westl. von → Megale polis mit Heiligtum der Despoina (Persephone/Kore), h. Siderokastro von Stala oder Palaiokrambavos gen. L. liegt in waldigem Bergland am Südufer des Plataniston, das Heiligtum auf einer Terrasse eines Hügelzuges, auf dessen Gipfel L. lag; außer Teilen der Akropolismauer ist wenig erh. L. beanspruchte, die älteste Stadt der Welt zu sein (Paus. 8,38,1); sie spielte auch in der Sagengesch. von Arkadia eine Rolle (Paus. 8,4,5; 8;10,10). Die Umsiedlung der Bewohner nach Megale polis wurde 368/7 mit Rücksicht auf das Heiligtum nicht vollzogen (Paus. 8,27,6), doch gehörte das Heiligtum seither zu Megale polis und wurde von dort verwaltet. In röm. Zeit trugen Bewohner von Megale polis zu seinem Erhalt bei (IG V 2, 515 b; 520). Hadrianus erhielt eine Statue im Tempel (IG V 2, 533), die Kultgruppe (s.u.) ist noch auf Mz. von Megale polis in der Severerzeit dargestellt.

B. Heiligtümer

Der Haupttempel des Heiligtums ist ein dor. → Prostylos (ca. 21,35 × 1,15 m) mit 6 Säulen in der Front, Pronaos und Cella; nur die Front (Säulen, Gebälk, Giebel, Anten) ist aus Marmor, der Unterbau aus Kalk, der Oberbau aus Lehmziegeln. Die Baugesch. ist nicht geklärt – evtl. stammt die Cella aus dem 4. Jh. v. Chr., die Marmorvorhalle wie der Einbau des großen Kultbildes aus dem 3./2. Jh. v. Chr.; mehrfach erfolgten Reparaturen in röm. Zeit. Von der großen Kultgruppe des

→ Damophon von Messene sind viele Bruchstücke gefunden worden. Dargestellt waren sitzend Despoina und Demeter, neben ihnen stehend Artemis und Anytos [1]. Noch außerhalb des hl. Bezirks stand ein Tempel der Artemis Hegemone, die Nordseite des → Temenos bildete eine 64 m lange → Stoa. Viele Weihgeschenke und Altäre. Am Abhang des Stadtberges liegt das → »Megaron« [2; 3] der Despoina, ein großer Monumentalaltar, darüber weitere Heiligtümer der Despoina, des Poseidon Hippios, des Pan, der Aphrodite und der Athena und weitere Götterstatuen; hier auch ein größeres Brunnenhaus und unterhalb des hl. Bezirks röm. Thermen. Eine ausführliche Beschreibung gibt Paus. 8,37,1–12. Inschr.: IG V 2, 514–547; SEG 35, 354–356; 36, 376; 37, 338; 38, 350.

1 E. Loucas-Durie, Anytos, le parèdre armé de Despina à L., in: Kernos 2, 1989, 105–114 2 G. A. Orlandini, Considerazioni sul Megaron di Despoina a L., in: ASAA 47/48, 1969/1970, 200–206 3 I. und E. Loucas, The Megaron of L. and Some Prehistoric Telesteria, in: Journ. of Prehistoric Religion 2, 1988, 25–34.

G. Bermond Montanari, s. v. L., PE, 537 • F. Carinci, s. v. Arcadia, EAA², 1994, 338 • Jost, 172–178. Y. L.

**Lyktos, Lyttos** (Λύκτος, Λύττος, lat. *Lyctus*). Bed. dor. Stadt in Ostkreta mit weitem Territorium, im Landesinnern auf einem Ausläufer des Lassithi-Massivs. Die ältere Namensform ist Lyktos (so bereits um 1380 v. Chr. auf einer äg. ON-Liste), jünger und gebräuchlicher Lyttos.

Pol. 4,54,6 bezeichnet L. als die älteste Stadt Kretas. Bei Homer (Hom. Il. 2,647; 17,611) ist L. Teilnehmer am Troianischen Krieg; mit engem Konnex zu Sparta, als dessen Gründung L. galt (Pol. l.c.). Der Spartanerkönig Archidamos [2] III. befreite L. 346 v. Chr. von den Söldnertruppen des von Knosos engagierten Phokers Phalaikos. L. gehörte zu den kret. Städten, die nach 260 v. Chr. einen Rechtshilfevertrag mit Miletos [2] schlossen (StV 3, 482). In den innerkret. Machtkämpfen der hell. Zeit versuchte sich L. durch die Bildung auch auswärtiger Allianzen zu behaupten. In der 2. H. des 3. Jh. v. Chr. wurde ein Vertrag mit Antiochos II. geschlossen, in dem auf ein früheres Bündnis mit Antiochos I. rekurriert wurde (StV 3, 486). Im »Lyttischen Krieg« (221–219 v. Chr.) widersetzte sich L. der expansiven Politik der Rivalen Knosos und Gortyn. Im Verlauf der mil. Auseinandersetzungen wurde L. völlig zerstört, die Bevölkerung mußte ins Exil nach → Lappa gehen (Pol. 4,53 f.). Weitere Verträge (u. a. mit Hierapytna, Olus) sowie mil. Unternehmungen etwa gegen Miletos [3] (Strab. 10,4,14) zeugen jedoch von einer baldigen Erholung. 67 v. Chr. kam L. unter röm. Herrschaft (Liv. per. 99), unter der die Stadt eine bed. Rolle spielte, wie dies etwa zahlreiche Weihungen an röm. Kaiser von Traianus bis Septimius Severus dokumentieren. Aus röm. Zeit stammen auch die wenigen ant. Reste beim h. Xida (Theater, Tempel, Häuser). In byz. Zeit war L. Bischofssitz.

A. Chaniotis, Die Verträge zw. kret. Poleis in der hell. Zeit, 1996 • H. Beister, s. v. L., in: Lauffer, Griechenland, 399 f. • I. F. Sanders, Roman Crete, 1982, 147–149 • D. Viviers, La cité de Dattalla et l'expansion territoriale de L. en Crète centrale, in: BCH 118, 1994, 229–259. H. SO.

**Lykurgos** (Λυκοῦργος, ep. Λυκόοργος, lat. *Lucurgus*, *Lycurgus*).

**[1]** Sohn des Dryas, bei Nonnos zugleich Sohn des Ares (Nonn. Dion. 20,149 u.ö.), Gegenspieler des → Dionysos, der dessen Ammen mit dem *buplēx* (»Ochsenschläger«) über das nicht lokalisierte *Nyséïon*-Gebirge (→ Nysa) treibt und den rasenden Gott selbst so sehr einschüchtert, daß er zu Thetis ins Meer taucht (Hom. Il. 6,128–140). Während L. in Aischylos' Tetralogie *Lykurgeía* (TrGF 3 T 68: *Ēdōnoí* F 57–67, *Bassárai/–rídes* F 23–25, *Neānískoi* F 146–149, *Lykúrgos* F 124–126) König der thrak. Edonoi ist, wird der in zahlreichen Fassungen überl. Mythos (eine phryg. Version in einem anon. Dionysoshymnos [5], vgl. [3. 270–271], 3. Jh. n. Chr.) offenbar schon an der Wende vom 5. zum 4. Jh. v. Chr. (Antimachos fr. 127 Wyss) nach Syrien transferiert (vgl. Etym. m. s. v. Δαμασκός), wo Kult des L. (Nonn. Dion. 21,158–161) unter evtl. Gleichsetzung mit einer arab. Gottheit belegt ist [3. 264–267]. Nonnos' Epos *Lykurgeía* (Nonn. Dion. 20,143–21,169) führt das schon früh entwickelte (vgl. Asklepiades FGrH 12 F 18) Motiv der in einen Rebstock verwandelten Dionysos-Amme → Ambrosia [1] aus, die L. mit ihren Ranken fesselt.

Der Mythos scheint ein rituelles Ausspielen der ›polaren Spannung zwischen göttlichem Wahnsinn und menschlicher Ordnung‹ (Burkert) zu spiegeln [1. 197–199; 2. 95–96]. Wenn der seinerseits rasende L. in ›ein felsiges Gefängnis‹ gesperrt wird (Soph. Ant. 955–965), läßt sich darin die mythische Entsprechung eines Rituals des ital. Dionysoskults (vgl. Naevius, *Lucurgus*) sehen, nach dem »von den Göttern ergriffene« Initianden in Höhlen geworfen werden (Liv. 39,13,13; [2. 96 A73]).

1 W. Burkert, Homo necans, 1972 2 G. Casadio, Storia del culto di Dioniso in Argolide, 1994 3 P. Chuvin, Mythologie et géographie dionysiaques. Recherches sur l'œuvre de Nonnos de Panopolis, 1991, 254–271
4 A. Farnoux, s. v. L., LIMC 6.1, 309–319; 6.2, 157–165
5 E. Heitsch, Die griech. Dichterfragmente der röm. Kaiserzeit, Bd. 1², 1963, 172–175, Nr. LVI 6 A. Pastorino, Tropaeum Liberi. Saggio sul Lucurgus di Nevio e sui motivi dionisiaci nella tragedia latina arcaica, 1955 7 M. L. West, The Lycurgus Trilogy, in: Ders., Studies in Aeschylus, 1990, 26–50. T. H.

**[2]** Mythischer König von Tegea in Arkadien, Vater der arkadischen Heroen → Ankaios, → Kepheus [1] und → Amphidamas [1], Großvater des → Agapenor, des Anführers des arkadischen Kontingents vor Troia (Apollod. 1,67 und 112; 3,102 und 105). L. erschlägt aus einem Hinterhalt den mit einer Keule bewaffneten Arkader → Areithoos [1] und schenkt dessen Rüstung seinem Gefolgsmann Ereuthalion, der sie wiederum an

Nestor verliert (Hom. Il. 7,137–150). Im triphylischen Lepreon wurde ein Grab des L. gezeigt (Paus. 5,5,5).

W. KULLMANN, Die Quellen der Ilias, 1960, 124 f., Anm. 2.

**[3]** Mythischer Herrscher von Nemea; Sohn des Königs Pheres, Bruder des → Admetos und Vater des → Opheltes (Apollod. 3,64 f.). E.V.

**[4]** Legendärer Stifter der »guten« polit. und gesellschaftlichen Ordnung → Spartas (*eunomíē*), der im Alt. neben → Charondas, → Zaleukos und → Solon als einer der großen Gesetzgeber galt (Hdt. 1,65–66; Xen. Lak. pol.; Ephoros FGrH 70 F 118; 149; Aristot. pol. 1269a 29–1271b 19; 1273b 32–34; 1274a 23–32; 1296a 19–22; Diod. 7,12). Die widersprüchlichen Datier. (11.–8. Jh. v. Chr.) und Varianten der Überl. sind in Plutarchs *Lykúrgos* eingegangen [1]. Danach soll L. als Sohn (oder Bruder) des Eurypontiden → Eunomos [2] oder als Sohn des Agis [1] königlicher Abstammung und Vormund eines Königs gewesen sein, entweder des Charillos oder des Leobotes. Er unternahm weite Reisen, etwa nach Kreta, Ägypten und Ionien. Zur Beilegung des Zwistes zwischen Volk und Königtum konsultierte er das Orakel von Delphoi, gab Gesetze und schuf alle Einrichtungen des spartan. *kósmos*: Die sog. »Große → Rhetra« über das Zusammenwirken von Königen, Rat (→ *gerusía*) und Volksversammlung (→ *apélla*) wurde dem L. ebenso zugeschrieben wie die Ordnung von Bürgerschaft und Heer, die detaillierten Regeln der Lebensführung (→ *agōgḗ*; *syssitía*, »gemeinsame Mahlzeiten«) in »Kleinen Rhetren« und eine radikale Bodenreform. Ob L. auch das Ephorat (→ *éphoroi*) einrichtete, war schon im Alt. umstritten (Hdt. 1,65, dagegen Plut. Lykurgos 7,1; vgl. Plat. leg. 3,692a; Aristot. pol. 1313a 25–28). Geschriebene Gesetze soll er verboten haben. Nach Abschluß seines Werkes verpflichtete L. die Bürgerschaft durch Eid auf Einhaltung und Unveränderlichkeit seiner Ordnung, verließ Sparta und begab sich nach Delphoi, wo er durch Selbstmord starb. L. erhielt ein Heiligtum und kultische Ehren (vgl. Paus. 3,16,6).

Die zuerst bei Herodotos bezeugte umfassende Ordnungsstiftung durch L. war keineswegs von Anfang an kanonisch (vgl. Herakleides Lembos fr. 9 DILTS = Aristot. fr. 611,9 ROSE): Bei Pindar (P. 1,63 ff.) und Hellanikos (FGrH 4 F 116) sind konkurrierende Versionen überliefert, wonach dem dor. Stammvater → Aigimios [1] bzw. den Königen Eurysthenes [1] und Prokles die urspr. Gesetzgebung zugeschrieben wurde, und auch Platon rechnete mit einer stufenweisen Entwicklung der spartan. Verfassung (leg. 3,691e–692a). Erst spät wurde L. zur überragenden Stifterfigur, und seine Vita nahm jene typischen Motive an, die die Biographien vieler myth. Gesetzgeber kennzeichneten: Reisen, Ordnungsstiftung in Bürgerzwist, Einäugigkeit, Exil und Tod [2]. Später berief man sich in inneren Auseinandersetzungen in Sparta wiederholt auf L., v.a. → Kleomenes [6] III. bei der Durchsetzung seiner radikalen Land- und Verfassungsreformen.

1 M. MANFREDINI, L. PICCIRILLI (ed.), Plutarco. Le vite di Licurgo e di Numa, 1980 2 A. SZEGEDY-MASZAK, Legends of the Greek Lawgivers, in: GRBS 19, 1978, 199–209.

M. MEIER, Aristokraten und Damoden, 1998 · E. N. TIGERSTEDT, The Legend of Sparta in Classical Antiquity, Bd. 1–2, 1965, 1974. K.-J.H.

**[5]** Sohn des Aristolaides, konkurrierte um 560 v. Chr. mit → Megakles und → Peisistratos um die Macht in Athen. Peisistratos, der sich zunächst durchsetzte und eine → Tyrannis errichtete, wurde später von einer Koalition zwischen L. und Megakles entmachtet. Dieses Bündnis löste sich jedoch wieder auf und konnte eine Alleinherrschaft des Peisistratos nicht dauerhaft verhindern. Die Rivalen stützten sich dabei laut Herodot (1,59,3) auf lokale Parteiungen. So führte L. die »Leute aus der Ebene« (*pediakoí*) an. Erst die aristotelische *Athēnaíōn politeía* (Ath. pol. 13,4) schreibt diesen Parteiungen auch unterschiedliche polit. Ziele zu: Die Behauptung, die *pediakoí* unter L. hätten eine Oligarchie angestrebt, stellt eine Rückprojizierung von Kategorien der polit. Theorie des 4. Jh. v. Chr. dar.

M. STAHL, Aristokraten und Tyrannen im archa. Athen, 1987, 56 ff. · E. STEIN-HÖLKESKAMP, Adelskultur und Polisgesellschaft, 1989, 139 ff. · TRAILL, PAA 611335.

**[6]** Athener, leitete 476/5 v. Chr. als *stratēgós* einen Kolonistenzug nach Enneahodoi, der nach einer Niederlage gegen die Thraker scheiterte (schol. Aischin. leg. 31 DILTS).

TRAILL, PAA 611275. E.S.-H.

**[7]** Sohn des Lykomedes aus dem att. Demos → Butadai vom Priestergeschlecht der Eteobutaden, Großvater des Redners L. [9]. Der von den Dreißig (→ *triákonta*) 404 v. Chr. hingerichtete L. (Plut. mor. 841d), der eine Bestattung auf Staatskosten erhielt (ebd. 843e; 852a; Phot. Bibl. 268; IG II² 457, Z.6) war nie, wie bislang angenommen, Hellenotamias (→ Hellenotamiai) [1. 350]. Nach Harpokration (s.v.) war L. Nomothet (→ *nomothétai*), was sich sehr gut mit der Notiz bei Thukydides (8,97,2; dazu [2. 88 f.]) verbinden ließe (Einrichtung der Verfassung der 5000 des → Theramenes). In der Komödie wurde L. mehrfach als Ägypter verspottet ([1. 350]; PA 9249): Kratinos F 32 PCG IV; Pherekrates F 11 PCG VII; Aristophanes (nub. 1296 mit schol. zu V. 1294 und V. 1296), vermutlich, weil er sich für die Einführung des Isiskultes eingesetzt hatte (IG II² 337, Z. 31 f. und 42 f.).

1 DAVIES 2 P.J. RHODES, The Athenian Code of Laws 410–399 B.C., in: JHS 111, 1991, 87–100 3 B. DREYER, ΠΑΠΠΟΣ ΛΥΚΟΥΡΓΟΣ Ο ΝΟΜΟΘΕΤΗΣ, in: ZPE 121, 1998, 33–34 4 TRAILL, PAA 611320; vgl. 611325.

**[8]** Bürger von → Byzantion, sorgte mit anderen Mitbürgern dafür, daß in Abwesenheit des spartan. *harmostḗs* → Klearchos [2] während der Belagerung durch die athen. Flotte (409/8 v. Chr.) die Stadt an die Feinde übergeben wurde, um die eigene Bevölkerung zu schonen (Xen. hell. 1,3,18; Plut. Alkibiades 31; vgl. Diod. 13,66,6). BO.D.

**[9]** Att. Staatsmann und Redner des 4. Jh. v. Chr., Sohn des Lykophron, Mitglied der sich auf Erechtheus zurückführenden Priesterfamilie der Eteobutaden.
A. Leben B. Werk

A. Leben

Die wesentlichen Nachrichten über L. liefert die über Caecilius [III 5] von Kale Akte auf den Isokratesschüler Philiskos zurückgehende Biographie (Ps.-Plut. mor. 841–844a); dort (851f–852e) findet sich auch der Text einer im Orignal fragmentarisch erh. Ehreninschr. für L. (IG II² 457) in verkürzter und leicht veränderter Fassung; Photios (268) und Suda hängen ganz von Plutarch ab. L. wurde wohl einige Jahre vor Demosthenes geb. (vor 383/3 v. Chr.; vgl. Hypothesis Demosth. or. 25) und soll die Schulen des Isokrates und des Platon besucht haben. Im J. 343 versuchte er als Gesandter, peloponnesische Städte zu antimaked. Haltung zu bewegen. Von 338 an bestimmte er für drei Pentaeteriden (Vierjahres-Perioden) die Finanzpolitik Athens, wahrscheinlich nicht kraft eines außerordentlichen Amtes (wie man aus Hyp. fr. 118 geschlossen hat), sondern als Inhaber verschiedener Ämter (darunter *tamías tōn stratiōtikṓn*, Verwalter der Kriegskasse), zeitweise vielleicht auch nur durch persönliches Ansehen und Einfluß. Die beträchtlich gesteigerten Staatseinkünfte verwendete er zur Sicherung und Stärkung von Athens mil. Macht (Vergößerung der Flotte auf 400 Trieren, Ausbau der Häfen und Befestigungen, Fertigstellung des Zeughauses in Zea), zur Realisierung eines repräsentativen Bauprogrammes (Steinausführung des Dionysos-Theaters, Ausbau und Bepflanzung des Lykeion u. a.) sowie für Erhaltung und glanzvolle Ausweitung des rel. und kulturellen Lebens (Neuordnung von Festen; Anfertigung des sog. Staatsexemplars der drei großen Tragiker: Aischylos, Sophokles und Euripides; Reform der Epheben-Erziehung; Stärkung des Areopags, → Areios pagos).

L. betrieb eine nicht nur strikt patriotische und konservative, sondern auch antimaked. Politik: Bereits 335 forderte Alexander d. Gr. nach der Niederwerfung Thebens seine Auslieferung (Athen lehnte ab), und noch kurz vor seinem Tod (324) widersetzte sich L. dem Antrag des Demades auf göttliche Ehren für Alexander. In seinem Todesjahr wurde L., der stets im Ruf persönlicher Integrität gestanden hatte, selbst vor Gericht gestellt (vgl. bes. Demosth. epist. 3), weil er ein Defizit in der Staatskasse hinterlassen habe; nach L.' Tod wurden seine Söhne zur Zahlung verurteilt und inhaftiert, dann aber durch Fürsprache des → Demosthenes und → Hypereides freigelassen. Im J. 307/6 wurde L. auf Antrag des Stratokles durch eine Statue und eine Inschr. geehrt (s.o.), der jeweils älteste seiner Nachkommen durfte lebenslang mit den höchsten Amtsträgern im → Prytaneion speisen.

B. Werk

Von den 14 oder 15 Reden des L., die noch in byz. Zeit vorlagen (so dem → Photios), ist nur die Hochverratsklage gegen Leokrates aus dem J. 331 erh.: Dieser hatte auf die Nachricht der Niederlage gegen Philipp II. bei Chaironeia hin Athen fluchtartig verlassen, dann jahrelang in Megara gelebt und sein Vermögen dorthin transferiert. Nach seiner Rückkehr belangte ihn L. mittels einer → *eisangelía*, das Gericht sprach ihn mit Stimmengleichheit frei (Aischin. 3,252). Aus der Rede spricht unerbittliche Strenge in der Auffassung der Pflichten des einzelnen gegenüber der Gemeinschaft; L. verzichtet ausdrücklich auf das vor att. Gerichten so beliebte Vortragen sachfremder Gesichtspunkte zur Herabsetzung des Gegners, sondern beschränkt sich darauf, das Tun des Angeklagten als das schwerste Verbrechen gegen die Polis erscheinen zu lassen: *Aúxēsis* bzw. *deínōsis* (»Vergrößerung« bzw. »Übertreibung«) scheint überhaupt seine Spezialität gewesen zu sein, vgl. Dion. Hal. de imitatione 5,3. Unablässig beruft er sich auf das Vorbild der Ahnen und das Beispiel der Spartaner, überreichlich wird aus Dichtern zitiert (u. a. eine – oder zwei? – Elegien des Tyrtaios und 55 Euripides-Verse). Die Ausgewogenheit der Proportionen und überhaupt die Sorgfalt der formalen Ausarbeitung müssen bei L. hinter dem Ernst in der Sache zurückstehen. Dies haben auch die ant. Kritiker so gesehen und entsprechend die Redekunst des L. mit Anerkennung, aber auch Kritik bedacht (Dion Chrys. 18,11; Hermog. de ideis 2,11 = p. 402f. Rabe).

Ed.: N. Conomis, 1970 (mit umfassender Slg. der Testimonien) • M. Marzi, P. Leone, E. Malcovati, 1977.
Neuere Lit.: U. Albini, Euripide e le pretese della retorica, in: PdP 40, 1985, 354–360 • E. M. Burke, Contra Leocratem and De corona, in: Phoenix 31, 1977, 330–340 • N. Conomis, Notes on the Fragments of L., in: Klio 39, 1961, 72–152 • J. Engels, Zur Stellung Lykurgs ..., in: AncSoc 23, 1992, 5–29 • B. Hintzen-Bohlen, Retrospektive Tendenzen im Athen der Lykurg-Ära, in: M. Flashar, H.-J. Gehrke, E. Heinrich (Hrsg.), Retrospektive, 1996, 87–112 • S. Humphreys, L. of Butadae, in: J. W. Eadie, J. Ober (Hrsg.), The Craft of the Ancient Historian, 1985, 199–252 • C. Mossé, Lycurgue l'Athenien ..., in: QS 15, 1989, 25–36 • R. F. Renahan, The Platonism of L., in: GRBS 11, 1970, 219–231 • S. Salomone, L'impegno etico e la morale di Licurgo, in: A&R 21, 1976, 41–52 • L. Spina, Poesia e retorica contro Leocrate, in: Ann. della Facoltà di lettere e Filosofia della Univ. di Napoli 23, 1980/81, 17–41 • W. E. Thompson, Notes on Athenian Finance, in: C&M 28, 1967 (1970), 17–41 • M. Vielberg, Die rel. Vorstellungen des Redners L., in: RhM 134, 1991, 49–68 • G. Wirth, Lykurg und Athen im Schatten Philipps II., in: W. Eder, K. J. Hölkeskamp (Hrsg.), Volk und Verfassung im vorhell. Griechenland, 1997, 191–225. M.W.

**[10]** Sohn des führenden athen. Demagogen → Lykurgos [9]. Nach dessen Tod wurden L. und seine Brüder Habron und Lykophron (Plut. mor. 843a) 323 v. Chr. in ein Gerichtsverfahren wegen angeblicher Unterschlagungen des Vaters verwickelt. → Demokles [2], → Hypereides und (der schon exilierte) → Demosthenes [2] setzten sich erfolgreich für L. und seine Brüder ein (Hyp. fr. 118 JENSEN; Plut. mor. 842e-f; Phot. 497b 25–33; Demosth. epist. 3,6 und 17; Deinarch. 86 CONOMIS). L. trat im Unterschied zu Habron nach 307 in der athen. Politik nicht mehr hervor.

PA 9251 • DAVIES, 351–353 • J. ENGELS, Studien zur polit. Biographie des Hypereides, ²1993, 323–326 • TRAILL, PAA 611335. J.E.

**[11]** Spartaner unbekannter Abstammung, aber wohl verwandt mit der direkten Linie der → Eurypontidai. Als Repräsentant dieses Hauses wurde er nach dem Tod des → Kleomenes [6] III. und dem Putsch einer antimaked. Gruppe, an dem L. offenbar beteiligt war [1. 268], im Winter 220/19 v. Chr. König (Pol. 4,2,9; 35,8–15). L., als Feind des Achaiischen Bundes von Polybios negativ beurteilt, suchte seine Macht und die Position Spartas durch Ausgreifen in die Argolis und ins Gebiet von → Megale Polis im Sommer 219 zu stärken, wurde aber durch mil. Intervention → Philippos' V. von Makedonien und durch den Putsch des Chilon [2] zum Rückzug gezwungen (Pol. 4,36,1–37,7; 60,3; 80,16–81,14). Er mußte aus Sparta fliehen, kehrte aber nach dem Scheitern Chilons zurück und griff im Sommer 218 Messenien und Tegea an (Pol. 5,5,1; 5,5,4; 5,17,1–2). Als kurz darauf Philippos V. nach Lakonien vorstieß, erlitt L. schwere Rückschläge (Pol. 5,18–24), so daß er von den Ephoren bedroht wurde und nach Aitolien flüchtete (Pol. 5,29,8–9). Erneut zurückgekehrt unternahm er 217 einen weiteren erfolglosen Vorstoß nach Messenien (Pol. 5,91,1–3; 5,92,2–6). Erst nach dem Frieden von Naupaktos 217 konnte er seine Position in Sparta festigen und sich einige Jahre behaupten. In dieser Zeit vertrieb er seinen Mitkönig → Agesipolis [4] (Liv. 34,26,14). Er starb, bevor Sparta 211/10 an der Seite der Aitoler am Ersten → Makedonischen Krieg teilnahm.

1 P. OLIVA, Sparta and Her Social Problems, 1971.

P. CARTLEDGE, A. SPAWFORTH, Hellenistic and Roman Sparta, 1989, 62–64 • B. SHIMRON, Late Sparta, 1972, 73–77. K.-W. WEL.

**Lykurgos-Maler.** Apulischer Vasenmaler des *ornate style* (→ Apulische Vasen) aus der Mitte des 4. Jh. v. Chr., Schüler des → Iliupersis-Malers, benannt nach der Darstellung des ›Wahnsinns des Lykurg‹ auf einem Kelchkrater (London, BM Inv. F 271, [1. 415, Nr. 5, Taf. 147]). Der L. bemalte meist großflächige → Gefäße (Kratere, Hydrien, Situlen), die er gerne mit myth. Themen zierte. Er entwickelte die Anwendung von räumlicher Tiefe und → Perspektive weiter, verteilte seine myth. Darstellungen auf zwei oder drei Ebenen und bevorzugte eine Dreiviertelansicht seiner Gestalten, die er oftmals mit einem sensibel wirkenden Gesichtsausdruck versah. Sein Einfluß erstreckte sich nicht nur auf die spätere Apulische (→ Dareios-Maler), sondern auch auf die → Lukanische Vasenmalerei.

1 TRENDALL/CAMBITOGLOU 413–431; 1065; 1074.

A. D. TRENDALL, A. CAMBITOGLOU, The Red-Figured Vases of Apulia, 1. Suppl., 1983, 56–58 • Dies., The Red-Figured Vases of Apulia, 2. Suppl. 1991, 108–110 • A. D. TRENDALL, Red Figure Vases of South Italy and Sicily, 1989, 81–82. R.H.

**Lykuria** (Λυκουρία). Ort in der Ebene von Pheneos am Wege nach Kleitor in Arkadia, an der Grenze zw. den beiden Städten; vgl. Paus. 8,19,4; 20,1. Y.L.

**Lymax** (Λύμαξ). Nördl. Nebenfluß der Neda, etwa 2 km östl. von Phigaleia in Arkadia (Paus. 8,41,2; 4; 10), h. Bach von Dragogi.

E. MEYER, s. v. L., RE 13, 2468 • Ders., s. v. L., RE Suppl. 9, 396. E. MEY.

**Lymphae** (auch *Lumphae*: Prisc. institutio de arte grammatica 2,36,22). Ital. Bezeichnung für Wassergöttinnen. Der Name ist inhaltlich und sprachlich wie osk. *diumpaís* eng zusammenzunehmen mit griech. *nýmphai* (→ Nymphen) [1], zu dem er teilweise parallel verwendet wird: CIL V 3106 (Vicetia), Aug. civ. 4,34; Paul. Fest. 107,17 L. Zu griech. *nymphólēptos*, »rasend«, wird als Entsprechung lat. *lymphatus* gebildet (Varro ling. 7,87; Paul. Fest. 107,17–20 L.). Die inschr. belegte kultische Verehrung der L. – so CIL III 6373 (Salonae), XI 1918 (Perusia) und v. a. X 6791, 6796, 6797 (= I² 1624) aus dem Heiligtum der Nymphae Nitrodes auf Ischia – gründet auf ihrer Beziehung zur Landwirtschaft als Spenderinnen des Wassers (Varro rust. 1,1,6; Aug. civ. 4,22). Als individuelle L. werden eine Lympha → Iuturna und die L. Commotitiae im See von → Cutilia erwähnt (Varro ling. 5,71).
→ Meergottheiten; Personifikation

1 WALDE/HOFMANN, s. v. lumpa 2 G. WISSOWA, Rel. und Kultus der Römer, ²1912, 223 f. JO.S.

**Lyncon montes.** Bergmassiv im epeirotischen Teil des → Pindos, bis 2249 m hoch, dessen nördl. Ausläufer nach Makedonia, die südl. nach Thessalia gerichtet sind; Quellgebiet des Aoos (h. Viotsa). Nach Liv. 32,13,2 f. dicht bewaldet, mit weiten Hochebenen und perennierenden Quellen.

N. G. L. HAMMOND, Epirus, 1967, 280 f. • PHILIPPSON/KIRSTEN 2, 69–76. D.S.

**Lynkeus** (Λυγκεύς, zu λύγξ, »Luchs«).
**[1]** Sohn des → Aphareus [1], des Königs von Messene, und der Arene; Bruder des → Idas (L. wird stets mit diesem zusammen erwähnt; das Brüderpaar wird Apharetidai genannt). Die Brüder nehmen an der Fahrt der → Argonautai (Apoll. Rhod. 1,151) und an der Kalydonischen Jagd teil (Apollod. 1,67; Ov. met. 8,304). Sie sollen Helene entführt und Theseus übergeben haben (Plut. Theseus 31,1). Im Kampf mit den Dioskuren

stirbt L. durch Polydeukes (verschiedene Versionen des Kampfes: → Dioskuroi; → Idas). Sein Grab wurde in Sparta gezeigt (Paus. 3,13,1). L. verfügt über eine übermenschliche Sehkraft, die jegliche festen Gegenstände durchdringt und tief in die Erde und weit in die Ferne reicht. In der euhemeristischen Erklärung dieser Sehkraft bei Palaiphatos 9 ist L. Archeget des Bergbaus. Seine Sehkraft ist sprichwörtlich (z.B. Aristoph. Plut. 210; Plat. epist. 7,344a; Aristot. protreptikos B 105 DÜRING; Orph. Arg. 1193; Hor. epist. 1,1,28; Plot. 5,8,4,25).

L. JONES ROCCOS, s.v. Lynkeus (1) et Idas, LIMC 6.1, 319f.

**[2]** Sohn des Aigyptos und der Argyphie (Apollod. 2,21), Gemahl der Danaide → Hypermestra [1]. L. wird als einziger der 50 Brüder in der Hochzeitsnacht mit den 50 → Danaos-Töchtern in Argos von seiner Gattin nicht getötet (nach der Version bei Apollod. 2,21, weil er sie nicht berührt habe – möglicherweise Zusammenhang von L.' Name mit der Vorstellung bei Plin. nat. 28,122: die medizinische Verwendung von Nägeln und Haut des Luchses hemme die Libido?). Nach Paus. 2,25,4f. rettet sich L. in der Hochzeitsnacht nach Lyrkeia, von wo er der Gattin Fackelzeichen sendet (Aition eines Fackelfestes der Argiver). Lyrkeia habe urspr. Lynkeia geheißen; die Änderung wurde durch L.' Sohn oder Enkel Lyrkos erklärt (ebd.; andere [1. 24; 2. 272] nehmen dagegen an, daß L. urspr. Lyrkeus bzw. Lyrkos geheißen habe). L. hat mit Hypermestra den Sohn → Abas [1] und wird Nachfolger des Danaos (Paus. 2,16,1f.); nach einer anderen Version bringt er Danaos und die übrigen Danaiden um (schol. Eur. Hec. 886; Archil. IEG fr. 305). L. war zusammen mit Hypermestra in Argos begraben (Paus. 2,21,2). In Delphi stand seine Statue (ebd. 10,10,5).

1 U.v. WILAMOWITZ-MOELLENDORFF, Aischylos. Interpretationen, 1914 2 PRELLER/ROBERT II⁴.

**[3]** Gefährte des Aeneas in Italien, von Turnus getötet (Verg. Aen. 9,768). K.SCHL.

**[4]** Samier, Bruder des Geschichtsschreibers → Duris [1], »Schüler« des Peripatetikers → Theophrastos. L. verfaßte eine Reihe von (wahrscheinlich mehr anekdotisch ausgerichteten) Schriften (Τέχνη ὀψωνητική/ ›Die Kunst des Fischeinkaufs‹, Ἐπιστολαὶ δειπνητικαί/ ›Mahlzeit-Briefe‹, Ἀπομνημονεύματα/›Erinnerungen‹ oder Ἀποφθέγματα/›Aussprüche‹), zu denen immerhin auch eine Schrift ›Über Menander‹ (Περὶ Μενάνδρου) gehörte. Als Komödiendichter soll er Menander sogar besiegt haben [1. test.]; von diesen Stücken ist nur noch ein 22 Trimeter umfassendes Fr. aus dem ›Kentauren‹ (Κένταυρος) erh., in dem ein Mann aus Perinthos im Gespräch mit einem Koch Kritik an der att. »nouvelle cuisine« übt und nahrhaftere Speisen fordert.

1 PCG V, 1986, 616f. H.-G.NE.

**Lynkos** (Λύγκος). Obermaked. Landschaft nördl. von → Eordaia und Orestis, deren Bewohner *Lynkēstaí* gen. wurden. Im 5. Jh. v. Chr. war L. noch nicht von den maked. Argeadenkönigen in ihren Machbereich integriert (Thuk. 2,99,2; 4,83,1), was wohl erst unter Philippos II. geschah, der evtl. die bed. Stadt → Herakleia [2] gründete. Die *via Egnatia* führte durch L. [1. 14–22].

1 L. GOUNAROPOULOU, M.B. HATZOPOULOS, Les milliaires de la voie egnatienne..., 1985.

F. PAPAZOGLOU, Les villes de Macédoine, 1988, 256–258 (mit Karte). MA.ER.

**Lynx** s. Luchs

**Lyoner Tafel** s. Tabula Lugdunensis

**Lyppeios** (Schreibweise in StV II 309; auf Münzen Λυκκείου oder Λυκπείου, HN 236; [1. 199–201, Taf. XXXVII; 2. 71]). L., König der → Paiones (359–335 v. Chr.), kämpfte zusammen mit Ketriporis von Thrakien und Grabos von Illyrien (356) gegen → Philippos II. von Makedonien und schloß sich diesem nach der Niederlage an (Isokr. or. 5,21; Diod. 16,22,3: Name nicht genannt); StV II 309 (Bündnis mit Athen von Juli 356).

1 H. GAEBLER, Mz. Nordgriechenlands, Bd. 3.2, 1935
2 H. KRAHE, Die Sprache der Illyrier, 1955. BO.D.

**Lyra** s. Musikinstrumente

**Lyrbe** s. Seleukeia

**Lyrik** I. GRIECHISCH II. LATEINISCH

I. GRIECHISCH
A. DEFINITION, CHARAKTERISTIKA
B. ÜBERLIEFERUNG C. GATTUNGEN
D. DICHTER UND VORTRAG E. SONSTIGES

A. DEFINITION, CHARAKTERISTIKA

Der Begriff L. umfaßt die gesamte griech. Dichtung vom 7. bis zur Mitte des 5. Jh. v. Chr. mit Ausnahme des stichischen Hexameters und des Dramas. Das Wort *lyrikós* (λυρικός) gehört zu *lýra* (λύρα), Leier, und bedeutet zunächst Dichtung, die zur Begleitung eines Saiteninstruments, im erweiterten Sinn alle Dichtung, die zu Musik gesungen wurde; dazu gehörten auch elegische Distichen, die gewöhnlich oder sogar ausnahmslos vom *aulós* (→ Elegie, → Musik) begleitet wurden, die Siegesdichtung, sowohl mit *lýra* als auch *aulós* (z.B. Pind. O. 3,8; O. 7,12) und der → Iambos (für den nicht sicher ist, ob er musikalisch begleitet wurde). Die Bezeichnung *lyrikós* stammt erst aus hell. Zeit: Philod. de Poematis 2,35 unterteilt die Dichtung in ›komische, tragische und lyrische‹ (τὰ κωμικὰ καὶ τραγικὰ καὶ λυρικά).

Da sich der Begriff → *mélos* (»Lied«) schon bei → Archilochos findet, verwendet man h. bisweilen die Bezeichnung »melisch«, um lyrische von iambischer oder elegischer Dichtung zu unterscheiden. Dies berücksichtigt jedoch nicht, daß auch Elegien gesungen wurden.

Der Begriff L. wird im folgenden jedoch hauptsächlich im engeren Sinn verstanden (als zur Lyra gesungene griech. Dichtung). Die geläufige Trennung zw. Chor- und monodischen Dichtern ist manchmal hilfreich, kann aber irreführend sein: Die griech. Dichter sind nicht ausschließlich einer der beiden Gruppen zuzurechnen; auch nimmt man h. zunehmend an, daß etliche bisher als Chorlyrik verstandene Werke von Solisten vorgetragen wurden [1]. Auch kann man nur schwer zw. der ersten Person des Sprechers, die für diese Dichtung charakteristisch ist, und dem Dichter selbst unterscheiden: Bis vor kurzem hat man Äußerungen in der Ich-Form als die persönliche Perspektive des Dichters angesehen [2], bestärkt durch die von der Ant. bis zum 19. Jh. verbreitete Trad., von den Werken der Dichter auf ihre Biographie zu schließen [3; 4]. Aber es ist ebenso wahrscheinlich, daß das »Ich« der frühen L. eine Konvention und die Auffassungen des Publikums darstellt. Einige Forscher wollten bei der öffentlich vorgetragenen Dichtung die individuelle Person des Dichters sogar fast völlig ausschließen [5]. Der fragmentarische Zustand des Überlieferten erschwert die Lösung des Problems.

Allen lyrischen Gattungen gemeinsam sind kunstvolle metrische Schemata, manchmal in Strophen – oft dreizeilige, wobei die dritte Zeile die identischen ersten beiden variiert (z. B. die sapphischen und alkäischen Strophen). Manchmal ist der Aufbau auch triadisch (ein Grundsatz eher musikalischer als choreographischer Struktur) mit identischer Strophe und Antistrophe, gefolgt von einer variierenden Epode [6; 7] (→ Metrik). Alle Dichter vom 7. bis zum 5. Jh. v. Chr. (mit Ausnahme von Solon) benutzten nicht-att. Dialekte: → Sappho und → Alkaios [4] das heimische → Aiolisch, → Anakreon [4] das → Ionische. Ähnlich wie sich die Elegie der »internationalen« Sprache der Hexameterdichtung bediente und auf dem Festland (Tyrtaios) wie in Kleinasien zu finden ist, gebraucht auch die Chorlyrik eine lit. *koiné* mit – je nach Herkunftsort des Dichters – mehr oder weniger starkem dor. Einfluß.

B. Überlieferung

Die → Schrift war in Griechenland im 8. Jh. v. Chr. eingeführt worden und spielte bei der Erhaltung von lyrischer und epischer Dichtung gleichermaßen eine wichtige Rolle. Der wohl im 5. Jh. v. Chr. einsetzende Buchhandel erleichterte seinerseits das Sammeln von Texten. Die Peripatetiker (→ Peripatos) begannen über die lyrischen Dichter zu forschen: → Dikaiarchos schrieb über → Alkaios [4]; → Chamaileon u. a. über → Alkman, → Stesichoros, → Anakreon [4], → Simonides, → Ibykos und → Lasos [1]. Die Alexandriner stellten einen → Kanon [1 III] von neun lyrischen Dichtern der archa. und klass. Zeit auf und teilten das Werk jedes Dichters nach Gattungen in Bücher ein. Diese neun Dichter waren in chronologischer Abfolge: Alkman, Alkaios, Sappho, Stesichoros, Ibykos, Anakreon, Simonides, Bakchylides und Pindar. Der Kanon richtete sich nach der Verfügbarkeit in der Bibliothek von → Alexandreia [1] und scheint auf den Werken, mit denen sich die Peripatetiker beschäftigten, zu fußen, doch gab es Zusätze (Bakchylides) und Ausschlüsse (Lasos). Dieser Kanon wird zum ersten Mal in zwei anonymen Epigrammen erwähnt, Anth. Pal. 9,184 und 571, aus dem 1. Jh. v. oder n. Chr. (FGE 341). Laut Quint. inst. 10,1,61 war ›Pindar weitaus der führende unter den neun lyrischen Dichtern‹ (*novem lyricorum longe Pindarus princeps*); Petron. 2 erwähnt ›Pindar und die neun Lyriker‹ (*Pindarus novemque lyrici*), was vermuten läßt, daß manchmal auch → Korinna dazu gezählt wurde. Außer Pindars Epinikien und den Theognidea (→ Theognis) besitzen wir keine kompletten Gedichtbücher; andererseits wurde Unechtes gesammelt und berühmten Namen wie Anakreon und Simonides zugeschrieben. Die Alexandriner besaßen wohl mindestens 100 Papyrusrollen lyrischer Dichtung von durchschnittlich je über 1000 Versen. Von dieser Textmasse sind h. gerade z. B. ein einziges mit Sicherheit vollständiges Gedicht von Sappho sowie vergleichsweise kleine Textmengen der anderen Dichter erh., zu denen es keine Manuskript-Trad. gibt. Der größte Teil unseres Wissen über diese florierende Dichtung stammt nur aus kurzen Zitaten bei ant. Autoren, die aus unterschiedlichsten Gründen knappe Passagen wiedergeben. Papyrusfunde des 20. Jh. haben aber, wenn auch lückenhaft, beträchtlich zu unserem Wissen über die meisten Dichter beigetragen.

C. Gattungen

Bei Homer werden verschiedene Arten lyrischer Dichtung erwähnt: der gesungene → Paian (Hom. Il. 1,472–73; 22,391), der → Threnos (ebd. 24,720ff.), das → Linos-Lied (ebd. 18,570, s.a. → Ailinos) und der → Hymenaios (ebd. 18,493). Eine Vorgesch. sowohl des individuell als auch des gemeinschaftlich gesungenen Volksliedes hat es, ebenso wie bei der Epik, zweifellos gegeben. Doch beginnt die Entwicklung der einzelnen metrischen Typen für uns erst mit den ersten Dichtern, die aus der Anonymität der Zeit vor dem 7. Jh. v. Chr. treten. Die Klassifizierung der Typen spiegelt die alexandrinische Terminologie wieder, nicht jedoch die von den Dichtern selbst bewußt angewandten Kompositionsregeln [8; 9]. Grundlegendes Trennungsprinzip ist dort die Unterscheidung zw. Liedern zur Ehre von Göttern und Liedern zur Ehre von Menschen. Die histor. Perspektive bleibt dabei allerdings unberücksichtigt: Das → Epinikion z. B. dient angeblich der Ehre von Sterblichen, doch ist die geläufige Bezeichnung der Dichter dafür *hýmnos*, was daran erinnert, daß es eine säkularisierte Form mit religiösen Untertönen ist, deren Ethos stark von ihrer Entwicklung beeinflußt ist.

D. Dichter und Vortrag

Hilfreicher als die traditionelle Trennung zw. Monodie und Chorlyrik erweist sich eine Unterteilung in persönliche und öffentliche Dichtung: es geht um den Unterschied der Zielgruppen. Einige Dichter schrieben für ein allg. Publikum, andere eher für eine ausgewählte Gruppe, einige wiederum für beide. Alkmans Partheneia wurden zweifellos von einem Chor bei rel. Festen aufgeführt und öffentlich in Sparta vorgetragen, wo der Gemeinschaft die Mädchen im heiratsfähigen Alter bei Scherzen und Neckereien in einem *rite de passage* vorgestellt wurden. Es spricht die Gruppe, das persönliche Element ist ziemlich eingeschränkt; das rechtfertigt jedoch nicht die Annahme, daß deshalb alle erh. Verse Alkmans Chorlyrik waren. Das einzige längere Fr. eines Partheneions (1 PMGF) vermittelt einen Vorgeschmack auf die ausgefeilteren Epinikien Pindars, dazu kommen ein Mythos, gnomische Moralbetrachtungen, theologische Reflexion und ausführlichere Information über den Anlaß und die Aufführung, obwohl rätselhaft bleibt, welche lokale Feier in Sparta selbst gemeint war. Die nicht-epinikische Dichtung hatte meist nur lokale Bed. und somit geringere Chancen auf Überl., während Pindars Epinikia deshalb erh. sind, weil die betreffenden Feste, die Kranzspiele, panhellenisch waren.

Auch für die Dichtung des Stesichoros über ep. Themen scheinen öffentliche Feste der Vortragsort gewesen zu sein. Aus seinem Namen selbst geht hervor, daß er wohl für seine Aufführungen Chöre aufstellte; doch je mehr wir über die wahrscheinliche Länge seiner Gedichte und die Natur der kürzlich entdeckten Pap.-Fr. (57–587 PMGF) wissen, desto wahrscheinlicher wird als ihr Autor ein Kitharöde in der Trad. des → Terpandros, z. B. ein → Aoide (ἀοιδός, *aoidós*) wie bei Homer. Wenn man die bemerkenswerte Häufung von Reden in den Gedichten bedenkt, haben vielleicht Chormitglieder einzelne Rollen übernommen. Stesichoros wäre dann ein wichtiger Vorläufer der Tragödie. Er soll die triadische Struktur erfunden haben, doch impliziert das nicht notwendigerweise (s.o.) einen chorischen Vortrag. Stesichoros verwendete offenbar als erster Daktyloepitriten [10]; diese Verschmelzung von Kola mit zwei Kürzen und einer Kürze findet man auch in den *asynarteta* des Archilochos, die vielleicht auch gesungen wurden.

Ibykos ist bisher in aller Regel unter die Chorlyriker eingereiht worden, doch ist es schwer vorstellbar, daß das Loblied auf Polykrates in fr. 5151 PMGF von einem Chor gesungen wurde; auch hier läßt sich von der triadischen Struktur allein nicht auf den Vortrag durch einen Chor schließen (vgl. Pind. fr. 123 MAEHLER). Die anderen aussagekräftigen Fr. des Ibykos (fr. 286–288 PMGF) sind stark erotisch und waren wahrscheinlich für den Hof in Samos bestimmt (wie auch viele Lieder des jüngeren Anakreon, dessen Vorliebe für dreigliedrige Kompositionen Ibykos teilt [11. 325, 334]).

Ihren Höhepunkt erreichte die griech. Chorlyrik in den Werken von Simonides, Pindar und Bakchylides im späten 6. und der 1. H. des 5. Jh. v. Chr. Diese Dichter wurden von Patronen bezahlt, meist wohlhabenden Aristokraten der gesamten griech. Welt: Sie beauftragten Dichter, ihre Siege bei den wichtigeren Spielen (→ Sportfeste) zu feiern, um so ihren Reichtum zu zeigen und Ruhm zu erwerben. In vielen Fällen ist diese Chordichtung (→ Dithyrambos zu Ehren des Dionysos, → Paian, → Hyporchema, → Prosodion/Prozessionslieder, → Partheneion) für Stadtfeste gedacht, die Epinikia dagegen haben als Hauptzweck den Preis von Einzelpersonen und sind nicht als Begleitung von Ritualen zu Ehren der Götter gedacht. Bakchylides' gegenüber Pindar gelöstere Erzählweise erinnert (neben seiner Neigung zu ausgedehnten Reden) an Stesichoros. Ob die Siegeslieder chorisch oder monodisch waren, ist unklar; der Anlaß war zweifellos öffentlich [1; 3; 4]. Sie setzen eine wichtige alte Trad. von öffentlichem Lob und Tadel (→ Enkomion), die zuerst in den Invektiven des Archilochos aufscheint, in diesen Liedern fort.

Öffentliche Feste waren wahrscheinlich der Aufführungsort längerer griech. → Elegien [12], und einige von diesen (z. B. Simonides 10–14 IEG II) wurden vielleicht bei Wettkämpfen vorgetragen. Kürzere Elegien wurden dagegen beim Symposion (→ Gastmahl) gesungen; dieses ist auch für den Großteil der frühen monodischen oder persönlichen L. der wahrscheinlichste Vortragsort – das gilt für Archilochos, Alkaios oder Anakreon. Die metrische Struktur der persönlichen Dichtung für diesen Anlaß, vor einer kleineren Zuhörerschaft, ist meist einfacher als in den ausgefeilten Gesangsvorträgen in der Öffentlichkeit; die Musik (elegische Distichen oder aiol. Strophen etwa) konnte von Lied zu Lied wiederholt werden. Eß- und Trinkgelage sind geläufige Themen dieser Dichter, deren Werke vor gleichgesinnten Gefährten (*hetaíroi*) [13] aufgeführt wurden. Gleichgültig, ob es sich um Liebe, Krieg, Politik oder gemeinsame Gelage dreht, die Gedichte neigen wie alle griech. Lyrik zur Verallgemeinerung. Die Einbeziehung von Gnomischem (→ Gnome) ist üblich. Obwohl es bei jedem Dichter persönliche Bezüge auf Zeitgenossen gibt, tendieren die Lieder dazu, den Sänger mit der Gruppe zu identifizieren, und können so auch von anderen bei ähnlichen Gelegenheiten vorgetragen werden. Unter den erh. Fr. griech. L. ist eine Slg. von anon. Trinkliedern (→ Skolion; fr. 884–917 PMG), die bei Zusammenkünften gesungen wurden.

Die Dichtung der Sappho wurde aller Wahrscheinlichkeit nach im Kreis von Frauen in Mytilene gesungen; sie verschafft uns einen kleinen Einblick in die weibliche Welt neben der Welt des Männerbunds. Aphrodite erhält hier den Ehrenplatz, nicht Dionysos. Die genaue Natur des Kreises der Sappho wird noch immer heftig diskutiert: Einige sehen sie als Pädagogin, andere als Priesterin, dritte wiederum einfach als eine Sängerin der homoerotischen Leidenschaft (→ Literaturschaffende Frauen). Nirgendwo war die Tendenz, in die Dichtung Biographisches hineinzulesen, stärker als bei Sappho. Ein Buch ihrer Gedichte enthielt nach der Einteilung der alexandrinischen Philologen Epithalamia [14], von denen mindestens einige chorisch gewesen sein müssen.

E. SONSTIGES

Unzählige Dichternamen sind überliefert, denen manchmal kein Fr. eindeutig zuweisbar ist (Poetae Melici Minores 696–846 PMG). Bemerkenswert ist das Vorherrschen von Dithyrambendichtern im späten

5. Jh. v. Chr. (→ Kinesias, → Melanippides, → Philoxenos, → Timotheos), als die Gesamtanzahl der chorischen Gattungen abnahm und auch das chorische Element in der Tragödie zurückging. Diese Dithyrambendichter waren eine Avantgarde, für die athenischen Dramatiker eine Herausforderung: Ihre Kompositionen dienten als Versuchsfeld für die neue Musik, in der das Fehlen strophischer Responsion, ausgefeilte musikalische Solos und Tanzbewegungen und das Vermischen von Tonarten wichtiger als die Worte wurden, denen bisher alle anderen Gesangselemente untergeordnet waren. Im Bereich der Sololyrik kam die traditionelle Sitte, nach dem Essen zu singen, in Athen außer Gebrauch, wie wir von Aristoph. Nub. 1353 ff. wissen. Die metrische Komplexität verringerte sich zur späten klass. Periode hin.

In hell. Zeit finden sich zwar sowohl Lieder als auch Buchdichtung in den schlichten Metren der archa. Epoche [6. 138–152], doch wurde das Epigramm zum wichtigsten poetischen Medium der persönlichen Äußerung und wurde noch in ptolem. Zeit bei Symposien rezitiert; als solches ist es die einzige poetische Form der *Anthologia Graeca* [15; 16]. Erh. sind auch etliche → Volkslieder aus unterschiedlichen Perioden (Carmina Popularia 847–883 PMG). In engem Zusammenhang mit ihnen stehen verschiedene → Arbeitslieder.

→ Lied; Metrik; Musik; Lyrik

1 M. Davies, Monody, Choral Lyric, and the Tyranny of the Handbook, in: CQ n. s. 38, 1988, 52–64 2 B. Snell, Die Entdeckung des Geistes, [3]1955, 83–117 3 M. Lefkowitz, The Lives of the Greek Poets, 1981 4 Dies., First-Person Fictions: Pindar's Poetic »I«, 1991 5 E. Bundy, Studia Pindarica (Univ. of California Publications in Classical Philology 18, 1962 (Ndr. 1986), 1–92 6 M. L. West, Greek Metre, 1982, 32–33 7 Ders., Stesichorus, in: CQ n. s. 21, 1971, 302–314 8 H. W. Smyth, Greek Melic Poets, 1900 (Ndr. 1963), XXIII-CXXXIV 9 A. E. Harvey, The Classification of Greek Lyric Poetry, in: CQ n. s. 5, 1955, 157–175 10 M. Haslam, Stesichorean Metre, in: Quaderni Urbinati 17, 1974, 7–57 11 H. Fränkel, Dichtung und Philos. des frühen Griechentums, [2]1962 12 E. Bowie, Early Greek Elegy, Symposium and Public Festival, in: JHS 106, 1986, 13–35 13 W. Rösler, Dichter und Gruppe, 1980 14 D. L. Page, Sappho and Alcaeus, 1955 (Ndr. 1987), 119–126 15 A. Cameron, Callimachus and his Critics, 1995, 24–103 16 R. Hunter, Theocritus and the Archaeology of Greek Poetry, 1996, 1–13.

Ed.: E.-M. Voigt, Sappho et Alcaeus, 1971 · IEG · PMG · PMGF · D. A. Campbell, Greek Lyric 1–5, 1983–93.
Lit.: D. A. Campbell, The Golden Lyre: The Themes of the Greek Lyric Poets, 1983 · R. L. Fowler, The Nature of Early Greek Lyric, 1987 · H. Fränkel, [2]1962 (s. [11]) · B. Gentili, Poesia e pubblico nella Grecia antica, [3]1995 · D. E. Gerber, Greek Lyric Poetry Since 1920, Part I, in: Lustrum 35, 1993, 7–179; Part II, in: Lustrum 36, 1994 7–188, 285–297 · D. E. Gerber (Hrsg.), A Companion to the Greek Lyric Poets, 1997 · J. Herington, Poetry into Drama: Greek Tragedy and the Greek Poetic Trad., 1985 · G. M. Kirkwood, Early Greek Monody, 1974 · W. Rösler, 1980 (s. [13]).

E. R./Ü: L. S.

## II. Lateinisch



### A. Der römische Gattungsbegriff

Gemäß griech. Theorie grenzt Cicero unter den verschiedenen Gattungen der Dichtung die melischen Gedichte von Drama, Epos und Dithyrambos ab; er verwendet dafür den Begriff *melicum poema* (»melisches Gedicht«, Cic. opt. gen. 1) bzw. spricht von den *poetae* λυρικοί (*lyrikoí*, »lyrischen Dichtern«, orat. 183). Während der Begriff *mélos* (für *carmen*) im Lat. ein Fremdwort blieb, ging der Terminus *lyricus* (wie das Lehnwort *lyra*) nach Cicero in den lat. Wortschatz ein [3. 11–13]. Unter dem Einfluß der Alexandriner, die der Aufführungspraxis der älteren L. wenig Beachtung schenkten, versteht sich die lat. L. spätestens seit augusteischer Zeit fast ausschließlich als reine Buchdichtung (gegen [8]). Zw. monodischer L. und Chor-L. wird nicht mehr unterschieden.

Als Definitionskriterium der Gattung L. muß gemäß ant. Theorie in erster Linie die Form gelten, d. h. die lat. L. umfaßt zunächst einmal die Gedichte in äolischen Versmaßen sowie in lyrischen Iamben, Trochäen, Anapästen, Iambikern (die → Cantica der Dramen seien hier ausgeklammert); → Horatius [7] verwendet für seine Carmina auch iambographische Epodenformen. Ohnehin werden seit hell. Zeit die Form- und Gattungsgrenzen in der Dichtung verwischt. → Catullus z. B. verwendet sapphische Strophen für Invektiven, Hinkiamben für Liebesgedichte und Hexameter für ein Epithalamion [4], und später versteht → Martialis Catulls kurze polymetrische Gedichte als → Epigramme [7. 77]. So fügt sich zum Kriterium der Form dasjenige der Thematik hinzu: Erotische, sympotische, poetologische und (in beschränktem Maß) polit. Themen stehen im Vordergrund. Doch können auch Satire und Invektive – wenn sie in lyrischen Metren verfaßt sind – zur lat. L. gerechnet werden.

Die komplizierten griech. metr. Systeme werden in der lat. L. vereinfacht: Äolische Verse werden monostichisch verwendet (z. B. Glykoneen, Pherekrateen; so Catull, Horaz, später auch → Prudentius, → Boëthius); die Strophen sind nur zwei- oder viergliedrig; die Triaden-Form fällt weg.

Horaz übernimmt die alexandrinische Auswahl der neun lyrischen Dichter (*lyrikoí poiētaí*), die ihm explizit als Vorbilder gelten, und stellt in seinem »Lyriker-Katalog« (carm. 4,9,6–12) → Pindaros an die Spitze; ebenda steht Pindar auch in Quintilians Kanon der lyrischen Musterautoren (inst. 10,1,61; 8,6,71). Alexandrinische Theorie und Editionspraxis stehen wohl auch hinter Horaz' Einteilung der lyrischen Gattungen in carm. 4,2,10–24 (Dithyrambos, Hymnos, Epinikion, Threnos) und in ars 83–85 (Hymnos, Enkomion, Skolion [5. 142]), die den Gattungen der lat. L. nicht durchweg entsprechen; das tatsächlich benutzte Gattungsspektrum bleibt aber im wesentlichen von der vorhell. griech. Trad. bestimmt (→ sympotische, erotische Gedichte, → Hymnos, → Epithalamion, Paraklausithyron, Propemptikon, Epikedeion usw.). Neben diesen Kunstformen der Buchdichtung umfaßt die lat. L. auch verschiedene Formen des Kunst- und Volkslieds (→ Lied).

B. Die lateinischen Lyriker

Die Rezeption der älteren griech. Melik (in alexandrinischer Brechung) ist in der lat. Lit. – abgesehen von den Resten anderer neoterischer Dichtungen – erst in Catulls kurzen Polymetra sowie den Epithalamien richtig faßbar. Doch ist es → Horatius, der den Anspruch erhebt, der ›Spieler der röm. Leier‹ (*Romanae fidicen lyrae*) zu sein und als *Alcaeus Latinus* die ältere griech. Lyrik in Rom eingeführt zu haben; tatsächlich erschließt er im Zuge seiner klassizistischen Nachahmung und Überbietung der abendländischen L. ein neues Feld (s.u.). Quintilian weist Horaz unter den *lyrici* den ersten Rang zu und nennt nur noch → Caesius [II 8] Bassus in dieser Dichter-Kategorie (inst. 10,1,96). Da Horaz die alte Dichtung als verschriftlichte »Lit.« rezipiert und selbst (mit Ausnahme des *Carm. saec.*) reine Lesedichtung schreibt, kann er verschiedene Formen sowie einzelne Motive und Formulierungen der griech. L. frei kombinieren und z.B. Pindar-Imitation in sapphischen Strophen betreiben [5. 142 f.].

Lyrische Gedichte finden sich nach Horaz nur vereinzelt und meist integriert in → Gedichtbücher, oft als Horaz-→ *imitatio* (Statius, *Silvae*; Prudentius; Martianus Capella; Ennodius carm. 1,4,7 und 17; Ausonius; Claudianus, *Carmina minora*; Paulinus von Nola; Sidonius Apollinaris; Venantius Fortunatus), z.T. unter Verwendung neuer Formen (stichische Verwendung von Versen, die bei Catull und Horaz nur in Strophen vorkommen). Dabei erfährt die lat. L. eine themat. Ausweitung: Neben Freundschafts- und Gelegenheitspoesie umfaßt sie rel. und philos. Themen (Boëthius); so kann Hilarius von Poitiers Horaz' lyrische Maße auf das christl. Strophenlied übertragen und in die christl. Hymnendichtung einführen (etwa Ambrosius, Prudentius, Sedulius u.a.). Diese lyrischen Formen sind nun rhythmisiert und werden gesungen (→ Lied).

C. Die lateinische Lyrik in Mittelalter und Neuzeit

In der geistlichen L. des MA wirken neben der lat. christl. L. auch die ant. Kunstformen weiter (Marbod, Hildebert von Lavardin, Abaelard, Adam von St. Viktor [6]). Im weltlichen Bereich knüpfen v.a. die karolingischen Hofdichter (Paulus Diaconus, Alkuin, Theodulf v. Orléans, Modoin, Walahfrid Strabo, Gottschalk u.a.) und die Vagantendichter (Hugo Primas, der Archipoeta, Walter von Châtillon; Carmina Burana) an ant. Formen und Motive an. Die klass. lat. L. wird vertont [6]. Das MA führt den (den Römern fremden) Reim in die Dichtung ein, wodurch sich die Formenvielfalt gegenüber der ant. L. erheblich erweitert.

Über die lat. Grammatikschulen gelangt der Begriff *lyricus* (neben *melicus*) in die Poetiken der Renaissance. Im Gefolge des Urteils von Horaz und Quintilian wird Pindar als Lyriker gefeiert, doch bildet die lat. L., und zwar v.a. die Catulls und Horaz', die Grundlage für das L.-Verständnis und die lat. L. der Humanisten, die in der Folge auch meist Horaz' Vorstellungen von L. auf die alten griech. Lyriker rückprojizieren [5. 145]. Die lat. Lyriker werden im europ. Klassizismus seit dem 17. bis ins 20. Jh. in der Dichtung rezipiert (frz. Pléiade, dt. Odendichtung usw.). Auch bei der *imitatio* griech. Lyriker wird kaum direkt auf griech. Formen zurückgegriffen, sondern auf die formalen Elemente, die Catull und Horaz ausgeprägt haben. Neben der Form (strophische Gliederung, alkäische, archilochische, asklepiadeische, sapphische Strophe; pindarische Ode; Reimlosigkeit) ist es vermehrt die Thematik, die als Qualität der L. wahrgenommen wird (Gedankenschwung, Gefühlstiefe). Im Zuge dieser Entwicklung und aufgrund der seit dem 16. Jh. in der europ. Lit.-Theorie (mit Ausnahme von Frankreich) vertretenen Lehre von der Gattungstrinität werden auch die röm. Liebeselegie (→ Elegie) und die Iambendichtung unter dem Begriff der L. subsumiert. So kann auch Catull, der seit der Renaissance als Epigrammatiker wahrgenommen wurde (gemäß dem Urteil Martials), im 19. Jh. wieder als Lyriker gelten. Die Ausweitung des Begriffs auf Vergils Eklogen und die Liebeselegie, wie sie im 20. Jh. gängig ist (vgl. z.B. [1]), ist nicht antik. L. in lat. Sprache (in verschiedenen ant. Metren) wird auch im 20. Jh. weiter gepflegt [2].

→ Lied; Metrik; Musik; Lyrik; Mittellateinische Literatur

1 K. Büchner, Die röm. L., ²1983 2 J. Eberle (Hrsg.), Viva Camena, Latina huius aetatis carmina, 1961 3 H. Färber, Die L. in der Kunsttheorie der Ant., 1936 4 T. Fuhrer, The Question of Genre and Metre in Catullus' Polymetrics, in: Quaderni urbinati N.S. 46, 1994, 95–108 5 T. Gelzer, Die Alexandriner und die griech. Lyriker, in: Acta antiqua Academiae Scientiarum Hungaricae 30, 1988, 129–147 6 F. Munari, Trad. und Originalität in der lat. Dichtung des XII. Jh., in: Romanistische Forsch. 69, 19, 305–331 (= Ders., KS, 1980, 131–157) 7 B.W. Swann, Martial's Catullus, 1994 8 G. Wille, Musica Romana, 1967. T.FU.

**Lyrkeia, Lyrkeion** (Λυρκεία, Λύρκειον). Ort ca. 12 km im NW von Argos im Inachos-Tal (Paus. 2,25,4 f.; Strab. 6,2,4), entweder die Ruinenstätte von Skala oder das h. Lyrkeia (früher Kato Belesi) oder östl. von h. Sterna am linken Ufer des Inachos. Die vorhomer. Stadt lag vermutlich bei Melissi (myk. Nekropole). Nach dem Aufstieg von Argos blieb L. eine polit. abhängige → *kṓmē*. An dem gleichnamigen Grenzgebirge gegen Arkadia entsprang nach Strab. 8,6,7 [1. 70] der → Inachos [2]. Deshalb wird Argos dichterisch lyrkeisch gen. Über das Gebirge ging ein wichtiger Paß nach Arkadia, an dem es 294 v. Chr. zu einem Gefecht zw. → Demetrios [2] Poliorketes und den Spartanern kam (Plut. Demetrios 35,1; Polyain. 4,7,9).

1 R. Baladié, Le Péloponnèse de Strabon, 1980, 69f.

I. Papachristodoulou, Lyrkeia-Lyrkeion, in: AAA 3, 1970, 117–120 • Pritchett 3, 1980, 12–17 • R. A. Tomlinson, Argos and the Argolid, 1972, 38–40. Y. L.

**Lyrnessos** (Λυρνεσσός, *Lyrnes(s)os*). Nicht genau lokalisierte Ortschaft im mysisch-troischen Grenzbereich. Lokalisierungsversuche stützen sich bes. auf Homer (Il. 2,690f.; 19,60; 20,92; 20,191; Strab. 13,1,7; 61) und Plinius (nat. 5,122), zu dessen Zeit L. zerstört war). Ältere Lokalisierungen: bei Antandros [1. 217–221], bei Havran [2. 301], neuerdings am Ala Dağ [3. 70f.]. Nach Hom. Il. 2,689ff. und 19,60 wurde L. von Achilleus zerstört, der auch den König Mynes tötete und → Briseis entführte. Ausführlich jetzt [3. 66–71].

1 W. Leaf, Troy, 1912 2 H. Kiepert, in: Zschr. der Ges. für Erdkunde zu Berlin 24, 1889 3 J. Stauber, Die Bucht von Adramytteion 1 (IK 50), 1996. E. SCH.

**Lysagoras** (Λυσαγόρας) aus Paros, Sohn des Teisias. Nach Herodot (6,133,1) soll das urspr. Motiv der Paros-Expedition des → Miltiades im J. 489 v. Chr. persönlicher Groll gegen L. gewesen sein, der Miltiades zuvor angeblich beim persischen Feldherrn → Hydarnes [2] verleumdet habe. Dem Bericht liegt vermutlich eine Miltiades-feindliche Quelle zu Grunde [1].

1 K. H. Kinzl, Miltiades' Parosexpedition in der Geschichtsschreibung, in: Hermes 104, 1976, 280–307. HA. BE.

**Lysandra** (Λυσάνδρα). Tochter → Ptolemaios' I. und der → Eurydike [4], Schwester des Ptolemaios Keraunos. Sie heiratete wohl erst nach 297/6 v. Chr. Alexandros, den Sohn des → Kassandros (FGrH 260 F 3,5). Nach dessen Tod 294/3 wurde sie von → Agathokles [5], dem Sohn des Lysimachos [2], geheiratet (Plut. Demetrios 31,5; Paus. 1,9,6 gehen wohl fälschlich von 299 als Datum aus, was eine Aufspaltung in zwei Personen nötig machte, PP VI 14529 und 14530; die Formulierung bei Plutarch spricht jedoch gegen diese Möglichkeit). Agathokles sicherte sich so einen Anspruch auf Makedonien und die Verbindung mit Ägypten. Nach der Ermordung des Agathokles floh L. mit Kindern und Brüdern zu Seleukos I., was aber nicht als ausschlaggebender Grund für den Krieg gegen Lysimachos anzusehen ist.
→ Diadochenkriege

J. Seibert, Historische Beiträge zu den dyn. Verbindungen in hell. Zeit, 1967, 75f. • H. Heinen, Unt. zur hell. Gesch., 1972, 6; 13; 51f. W. A.

**Lysandridas** (Λυσανδρίδας).
**[1]** (Plut.: Λυσανορίδας). Spartiat, einer der drei → Harmostai der spartan. Besatzung in Theben, die 379 v. Chr. die Befreiung dieser Polis durch → Pelopidas nicht verhindern konnten. L. wurde in Sparta zu hoher Geldstrafe verurteilt und verließ die Peloponnes (Plut. Pelopidas 13; Theop. FGrH 115 F 240; vgl. Xen. hell. 5,4,13; Diod. 15,27). K.-W. WEL.

**[2]** L. aus Megalopolis (→ Megale polis); L. wollte 223/2 v. Chr. in die von → Kleomenes [6] III. eroberte Stadt seine geflohenen Mitbürger zurückführen um den Preis des Austritts aus dem Achaierbund, was → Philopoimen unterband (Plut. Kleomenes 24,2–9).

R. Urban, Wachstum und Krise des Achäischen Bundes, 1979, 199f. L.-M. G.

**Lysandros** (Λύσανδρος).
**[1]** Spartiat, Sohn des Aristokritos. Berichte, die Familie, die ihren Stammbaum auf Herakles zurückführte und durch Gastfreundschaft mit König Libys von Kyrene verbunden war (Diod. 14,13,5–6; Paus. 6,3,14), sei verarmt gewesen (Plut. Lysandros = Lys. 2,1) und L. habe als *móthax* (»Nährbruder« eines Bürgerknaben, → *móthakes*) gegolten (Phylarchos FGrH 81 F 43; Ail. var. 12,43), scheinen auf gezielter Diffamierung zu beruhen. L. übernahm im Frühjahr 407 v. Chr. als Flottenkommandant (*naúarchos*) die spartan. Flotte in Rhodos (→ Peloponnesischer Krieg), fuhr mit 70 Trieren nach Ephesos und erhielt nach geschickter Verhandlung mit Kyros [3] d. J. beträchtliche pers. Subsidien (Xen. hell. 1,5,1–8; Diod. 13,70; Plut. Lys. 3–4). Er gewann zahlreiche Parteigänger Spartas als persönliche Anhängerschaft und fügte im Frühj. 406 der athen. Flotte bei Notion Verluste in Abwesenheit des → Alkibiades [3] zu, dem daraufhin das Kommando entzogen wurde (Xen. hell. 1,5,11–15; Hell. Oxy. 4,1–4 Bartoletti; Diod. 13,71; Plut. Lys. 5). Nach der schweren Niederlage der von L.' Nachfolger Kallikratidas [1] befehligten spartan. Flotte bei den Arginusen-Inseln (Hochsommer 406) übernahm L. als *epistoleús* (»Stellvertreter«) des neuen Nauarchen Arakos faktisch wieder das Flottenkommando und vernichtete im Sept. 405 durch einen Überraschungsangriff bei → Aigos potamos die Seemacht Athens (Xen. hell. 2,1,7–32; Diod. 13,105–106; Plut. Lys. 9,6–13,2 [1. 594ff.]). Die Sonderstellung des L. nach diesem Erfolg und die damalige Macht Spartas symbolisierte das Siegesdenkmal in Delphi (Paus. 10,9,7).

Im Herbst 405 beseitigte L. die Reste athen. Herrschaft im Ägäisraum (bis auf Samos) und blockierte Athen zur See, das im Frühj. 404 kapitulierte (Xen. hell. 2,2,1–23; Diod. 13,107; Plut. Lys. 13–14). Anschließend unterwarf er Samos, wo er (wohl nach einem erneuten Aufenthalt im Sommer 404) als erster Hellene »göttergleiche Ehren« durch samische Oligarchen erhielt, die er zurückgeführt hatte (Duris, FGrH 76 F 26 und 71; Paus. 6,3,14–15; [2. 3ff.; 3. 871]). Schwer zu datieren sind seine Operationen in Thrakien (wohl im Sommer 404) zur Konsolidierung des spartan. Machtbereichs (Plut. Lys. 16,1).

In Athen unterstützte L. etwa Juni/Juli 404 oder wenig später die Machtergreifung der Dreißig (→ *triákonta*; Xen. hell. 2,3,2–3; 2,3,11–14; Diod. 14,3,4–7; Plut. Lys. 15,1–2), denen er von vornherein freie Hand bei der Verfolgung ihrer Gegner ließ [4. 27f.]. In einer Reihe von Poleis konstituierte er nach Diod. 14,13,1 in Abstimmung mit den Ephoren → Dekadarchiai [1], die vorerst (bis zur Einrichtung von Oligarchien?) die Loyalität der neuen Bundesgenossen garantieren, aber auch seine eigene Position in Sparta stärken sollten. Nach dem Sturz der Dreißig erreichte L., daß die neue athen. »Behörde« der sog. Zehn in Sparta anerkannt und er als *harmostḗs* mit seinem zum *naúarchos* ernannten Bruder → Libys nach Athen geschickt wurde. König → Pausanias war indes nicht bereit, die dominierende Rolle des L. hinzunehmen, und förderte in Übereinstimmung mit → Agis [2] II. (Plut. Lys. 21) eine Aussöhnung der athen. Bürgerkriegsparteien, um so die Hegemonie Spartas zu konsolidieren, während L. kompromißlos athen. »Demokraten« bekämpfen wollte [5. 80ff.].

Obwohl L. in diesem Konflikt unterlag und die Dekadarchien aufgelöst wurden (Xen. hell. 3,4,2), blieb er zunächst einflußreich. Er unterstützte im J. 400 erfolgreich den Anspruch des → Agesilaos [2] II. auf die spartan. Königswürde (Xen. hell. 3,3,1–4; Plut. Lys. 22; Plut. Agesilaos 3) und bewirkte, daß dieser 396 das Kommando im Perserkrieg in Kleinasien erhielt (Xen. hell. 3,4,2–4), wo ihn aber Agesilaos bald kaltstellte [6. 180ff.; 7. 87ff.]. Daß L. nach seiner Rückkehr plante, eine Wahlmonarchie in Sparta zu konstituieren, um selbst die Macht zu erlangen (Diod. 14,13,2–8; Plut. Lys. 24–26; Plut. Agesilaos 20), läßt sich nicht verifizieren. Angebliches Belastungsmaterial wurde nicht veröffentlicht. L. fiel im Herbst 395 vor Haliartos im Kampf gegen Theben (Xen. hell. 3,5,6; 3,5,17–25; Diod. 14, 81,1–2; Plut. Lys. 27–28).

L. vermochte ebensowenig wie andere spartan. Führungskräfte nach 404 ein erfolgversprechendes Konzept zur Stabilisierung der griech. Welt zu entwickeln und blieb letztlich gebunden an die Mechanismen des pol. Geschehens in Sparta. Hochfliegende imperiale Pläne lassen sich aus Xenophon (hell. 3,4,2) kaum ableiten.

1 B. Bleckmann, Athens Weg in die Niederlage, 1998
2 Chr. Habicht, Gottmenschentum und griech. Städte, ²1970 3 A.B. Bosworth, in: CAH 6, ²1994 4 G.A. Lehmann, Oligarchische Herrschaft im klass. Athen, 1997
5 R.J. Buck, Thrasybulus and the Athenian Democracy, 1998 6 P. Cartledge, Agesilaos, 1987 7 Ch.D. Hamilton, Agesilaus and the Failure of Spartan Hegemony, 1991.

J.-F. Bommelaer, Lysandre de Sparte, 1981 • D. Lotze, Lysander und der Peloponnesische Krieg, 1964.

K.-W. WEL.

**[2]** Athener, der im Zuge des Ausgreifens des → Kassandros nach Epeiros in → Leukas 314 v.Chr. als Statthalter eingesetzt wurde (vgl. Diod. 19,67,5). Im J. 312 fiel L. bei einem Einsatz mit Kassandros' *stratēgós* von Akarnanien, Lykiskos [4], gegen Alketas [3] bei Eurymenai (Diod. 19,88,5).

PA 9281 • Traill, PAA 612365.

BO.D.

**[3]** Spartiat, Nachfahre von L. [1] (Paus. 3,6,7), einflußreicher Anhänger des → Agis [4] IV., beantragte als einer der → *éphoroi* 243/2 v.Chr. dessen Reformprogramm in der → *gerusía* und in der Volksversammlung, vertrieb → Leonidas II. und setzte Kleombrotos [3] II. als König ein (Plut. Agesilaos 6; 8–9; 11). Er veranlaßte nach Ablauf seines Amtsjahres die Könige, die neuen Ephoren abzusetzen, wurde aber von Agesilaos, dem Onkel des Agis [4] IV., getäuscht und ging ins Exil (Plut. l.c. 12–13; 19).

K.-W. WEL.

**Lysanias** (Λυσανίας).

**[1]** Tetrarch von Abilene, der vom Evangelisten Lukas (Lk 3,1) zur Synchronisierung eingeführt wird, im 15. Jahr des Kaisers Tiberius = Okt. 27 – Sept. 28 n.Chr. Er muß vor 37 gest. sein, da Caligula damals sein Gebiet an → Herodes [8] Agrippa I. übergab.

L. Boffo, Iscrizioni Greche e Latine per lo studio della Bibbia, 1994, 171ff. • PIR² L 467.

W.E.

**[2]** Griech. Grammatiker aus Kyrene, der im 3. Jh. v.Chr. lebte. Bekannt als Lehrer des → Eratosthenes [2] (Suda s.v. Ἐρατοσθένης). Sicher bezeugt ist von ihm die Schrift Περὶ ἰαμβοποιῶν (›Über Iambendichter‹), aus der mehrere Fr. bei Athen. 7,304b und 14,620c erh. sind. Daneben wird er in einigen Scholien zu Homer (schol. Hom. Il. 9,378; 16,558; 21,262) und Euripides (schol. Eur. Andr. 10) [1] genannt [2]. L.' lexikographische Tätigkeit bezeugen Athen. 11,504b und Etym. m. s.v. ὑπερικταίνοντο.

1 A. Baumstark, Beitr. zur griech. Litt.-Gesch, in: Philologus 53, 1894, 687–716, bes. 708–716
2 A. Gudeman, s.v. L., RE 13, 2508–2511.

M.B.

**Lyseis** s. Zetemata

**Lysias** (Λυσίας).

**[1]** Attischer → Logograph, 459/8 oder ca. 445 bis ca. 380 v.Chr.

A. Leben B. Werk
C. Charakteristik und Rezeption

A. Leben

Die wesentlichen biographischen Fakten sind eigenen Reden des L. zu entnehmen (bes. or. 12), aus denen z.T. die späteren Viten (Dion. Hal. de Lysia; Ps.-Plut. mor. 835c ff.) und die byz. Gelehrsamkeit (Phot. bibl. 262; Suda s.v. L.) schöpfen. Geb. wohl um 445, siedelte L. im Alter von 15 J. zusammen mit seinem älteren Bruder Polemarchos in die 444 gegründete panhellenische Kolonie → Thurioi über (die ant. Festsetzung des Geburtsjahres auf 459/8 dürfte eine Kombination aus Altersangabe und Gründungsjahr von Thurioi sein). Aus Thurioi, wo er angeblich Rhet. bei → Teisias gelernt hatte, nach Athen zurückgekehrt (412: antiathenische Stimmung in Unterit. nach der Niederlage vor Syrakus) betätigte sich L. vielleicht als Redelehrer (Cic. Brut. 48 unter Berufung auf Aristoteles) und vielleicht auch schon als Logograph, obwohl seine wirtschaftliche Lage (Miterbe der Waffenfabrik seines Vaters, des reichen → Metoiken Kephalos, vgl. Platons ›Republik‹) ihn dazu sicher nicht nötigte; auch rhet.

Fachschriften soll er verfaßt haben (Plut. mor. 836b; Marcellinus ad Hermog. WALZ 4,352). Als demokratisch gesinnte und überdies sehr begüterte Metoiken wurden L. und sein Bruder Opfer der sog. Dreißig Tyrannen (→ Triakonta, 404/3): Polemarchos wurde ermordet, L. konnte sich nach Megara retten, das Vermögen war aber größtenteils verloren. Mit dem wenigen Geretteten unterstützte L. großzügig die sich im boiotischen Exil formierende demokratische Opposition, wofür man ihn nach Restauration der Demokratie in Athen mit dem Bürgerrecht ehren wollte; ein Paranomie-Einspruch (→ *paranómōn graphḗ*) des → Archinos machte dies zunichte, L. blieb Metoike mit → *isotéleia*. Fortan betätigte er sich als Redenschreiber und trat auch selbst als Redner auf (z. B. 388: *Olympiakós lógos* = or. 33). Die letzte ungefähr datierbare Rede (fr. 78 THALHEIM) führt ans Ende der 80er Jahre; das Todesjahr ist unbekannt.

B. WERK

Von den 425 Reden, die in der Ant. dem L. zugeschrieben wurden (Dion. Hal. und Caecilius [III 5] aus Kale Akte hielten 233 für echt) sind 172 Titel und zahlreiche Fr. überliefert. Nahezu vollständig erh. sind 31 Reden, dazu kommen die Anfangspartien dreier weiterer, die Dion. Hal. zitiert (Lys. or. 32–34) sowie der sog. *Erōtikós* (or. 35), eine in Plat. Phaidr. 231a ff. zitierte und kritisierte sophistische Schulrede, die freilich auch von Platon selbst stammen könnte. Von zwei dem *génos epideiktikón* (»Fest-« oder »Prunkrede«: or. 2; 33) und einer dem *génos symbuleutikón* (»beratende« oder »polit. Rede«: or. 34) zuzuordnenden Rede abgesehen handelt es sich um Gerichtsreden, die L. für Anklage oder Verteidigung in Staats- oder Privatprozessen schrieb. Neben reinen Privatangelegenheiten (z. B. or. 1, 3, 4, 7, 24) stehen Fälle, in denen die Politik eine zentrale Rolle spielt, und zwar sowohl das oligarchische Intermezzo von 404/3 (or. 12 ›Gegen Eratosthenes‹, von L. selbst gehalten; or. 13 ›Gegen Agoratos‹; vgl. auch die Dokimasiereden 16, 25, 26, 31; → *dokimasía*) als auch Vorgänge aus dem polit. Alltag der 90er und 80er J. des 4. Jh. v. Chr., z. B. Fahnenflucht (or. 14 und 15), Amtsmißbrauch (or. 30), ungesetzliche Bereicherung (or. 19, 28, 29), Bestechung im Amt (or. 21), Preistreiberei (or. 22) und anderes. In dem Corpus befinden sich zwei sicher unechte Reden (or. 6 und 20) sowie einige weitere, deren Authentizität bezweifelt wird (or. 2, 8, 9, 14, 15). Eine neuere These (DOVER), nach der fast alle Reden als Produkt einer »composite authorship« (Logograph, Klient, spätere Überarbeiter) anzusehen seien, ist widerlegt (USHER, WINTER).

C. CHARAKTERISTIK UND REZEPTION

Die Reden des L. sind wertvolle Quellen sowohl für Gesch. und Politik als auch für Privat- und Geschäftsleben des att. Staates zw. 404 und 380, ihre Auswertung erfordert aber sorgfältige Analyse des jeweils verfolgten Beweiszieles und der jeweils gewählten Überredungsstrategie. Dem ist erst im 20. Jh. schärfere Aufmerksamkeit gewidmet worden, doch ahnte man bereits in der Ant. die ausgeklügelte Raffinesse hinter der scheinbaren Natürlichkeit und Anspruchslosigkeit von L.' Stil. Seine Überredungstechnik gründet sich erstens auf die subtile Konstruktion von auf den ersten Blick unwiderlegbaren (Schein-)Argumenten, zweitens auf die nahezu perfekt kaschierte Suggestivität seiner scheinbar so aufrichtig-kunstlosen *narrationes*, drittens auf die Ethopoiie, worunter nicht eine Anpassung der Diktion an den wirklichen Charakter des jeweiligen Sprechers zu verstehen ist, sondern dessen glaubhafte Präsentation als eines – je nach Erfordernis – scharfsinnigen oder naiven, beherzten oder ängstlichen, in jedem Fall aber sympathischen Menschen. Sprache und Stil des L. werden seit der Ant. (bes. Dion. Hal.) gelobt wegen der Reinheit des → Attischen, der Schlichtheit des Ausdrucks, der Sparsamkeit in der Verwendung rhet. Schmuckes, der Kürze, Klarheit und Anschaulichkeit und der aus all dem sich ergebenden Anmut (*cháris*), die Dion. Hal. als das letztentscheidende Kriterium für die Echtheit einer Rede bezeichnet (Dion. Hal. de Lysia 11). Vermißt werden dagegen die mitreißende Leidenschaftlichkeit und donnernde Gewalt, wie sie etwa bei Demosthenes [2] zu spüren ist. Bereits in hell. Zeit gab es Redner, die L. als Vorbild wählten (Charisios, Hegesias, vgl. Cic. Brut. 286; or. 226), die große Zeit seiner Wertschätzung als kanonisches Stilmuster (→ Kanon III.) begann aber erst mit dem → Attizismus des 1. Jh. v. Chr., als bes. röm. Anhänger dieser Stilrichtung L. noch über Demosthenes stellten; Caecilius zog ihn Platon vor, was der wohl frühkaiserzeitliche Auctor *De sublimitate* (32,8; → Ps.-Longinos) zurückweist. Noch Hermogenes (De ideis 2,9 = p. 376f. RABE und 2,11 = p. 395f. R.) beurteilt L. sehr günstig; laut Suda wurde er in der Kaiserzeit mehrfach kommentiert.

→ Rhetorik

GESAMT-ED.: TH. THALHEIM, ²1913 • K. HUDE, 1912 • L. GERNET, M. BIZOS, 1924–1926 (²1955; mit frz. Übers.) • W. R. M. LAMB, 1930 (²1967; mit engl. Übers.) • U. ALBINI, 1955 (mit ital. Übers.) • E. MEDDA, 1991–1995 (mit ital. Übers.) • Dt. Übers.: U. TREU, 1983.
ED., KOMM., ÜBERS. AUSGEWÄHLTER REDEN: M. H. HANSEN, 1982 (or. 1, 3, 10, 13, 24, 30) • M. J. EDWARDS, S. USHER, 1985 (or. 1, 10, 12, 16, 22, 24, 25) • G. AVEZZÙ, 1985 (or. 1, 2) • J. L. CALVO MARTÍNEZ, 1988 (or. 1–15) • C. CAREY, 1989 (or. 1, 3, 7, 14, 31, 32) • M. WEISSENBERGER, 1987 (or. 16, 25, 26, 31).
EINZELNE REDEN (JÜNGERE AUSG.): or. 1: P. VIANELLO DE CORDOVA, 1980 • or. 10: M. HILLGRUBER, 1988 • or. 12: G. AVEZZÙ, 1991 • Ders., 1992 • or. 16: V. UGENTI, 1991.
LIT.: BLASS, 1, 339–644 • K. J. DOVER, L. and the Corpus Lysiacum, 1968 • P. GRAU, Prooemiengestaltung bei L., 1971 • H. M. HAGEN, Ethopoiia, 1966 • K. SCHÖN, Die Scheinargumente bei L., 1918 • M. L. SOSOWER, Pal. Gr. 88 and the Manuscript Tradition of L., 1987 • S. USHER, L. and his Clients, in: GRBS 17, 1976, 31–40 • TH. N. WINTER, On the Corpus of L., in: CJ 69, 1973, 34–40.
ZU EINZELNEN REDEN: or. 1: G. HERMAN, Tribal and Civic Codes of Behaviour in L., in: CQ 43, 1993, 406–419 • M. WEISSENBERGER, Die erste Rede des L., in: AU 36(3), 1993, 55–71 • or. 6: M. CATAUDELLA, Su Ps.-L. 6 (Contra Andocidem), cronologia e interpretazione, in: Anales de

Historia Antigua y Medieval 20, 1977–1979, 44–56 • or. 7: E. HEITSCH, Recht und Taktik in der siebten Rede des L., in: MH 18, 1961, 204–219 • or. 9: D. M. MACDOWELL, The Case of the Rude Soldier (L. 9), in: G. THÜR (Hrsg.), Symposion 1993, 1994, 153–164 • or. 12: P. KRENTZ, Was Eratosthenes Responsible for the Death of Polemarchos?, in: PdP 39, 1984, 23–32 • TH.C. LOENING, The Autobiographical Speeches of L. and the Biographical Trad., in: Hermes 109, 1981, 280–294 • or. 21: TH. SCHMITZ, Die 21. Rede des L. und ihre Aktualität, in: AU 38(3), 1995, 72–96 • or. 22: TH.J. FIGUEIRA, Sitopolai and Sitophylakes in L.' »Against the Graindealers«, in: Phoenix 40, 1986, 149–171 • or. 24: C. CAREY, Structure and Strategy in L. XXIV, in: G&R 37, 1990, 44–51 • or. 25: T. M. MURPHY, L. 25 and the Intractable Democratic Abuses, in: AJPh 113, 1992, 543–558 • or. 30: ST. TODD, L. against Nikomachos, in: L. FOXHALL, A. D. E. LEWIS (Hrsg.), Greek Law in Its Political Setting, 1996, 101–131 • or. 33: H.-G. KLEINOW, Die Überwindung der Polis im frühen 4. Jh. v. Chr. Zu den panhellenischen Reden bei L., 1981 • or. 35: A. W. H. ADKINS, The »Speech of L.« in Plato's Phaedrus, in: R. B. LOUDEN, P. SCHOLLMEIER, (Hrsg.), The Greeks and Us. Essays in Honor of A. W. H. Adkins, 1996, 224–240 • H. GÖRGEMANNS, Ein neues Argument für die Echtheit des lysianischen Erotikos, in: RhM 131, 1988, 108–113. M.W.

**[2]** Athener, wurde im J. 406/5 v. Chr. zum *stratēgós* nachgewählt und befehligte in der Schlacht bei den → Arginusai 15 Trieren des rechten Flügels. Sein Schiff wurde vom spartan. Nauarchos → Kallikratidas [1] versenkt. Wie seine Kollegen wurde L. anschließend aus seinem Amt entfernt, verurteilt und hingerichtet (Xen. hell. 1,6,30; 7,1–35; Diod. 13,74,1; 99,3; 101–2; Philochoros FGrH 328 F 142).

DEVELIN, 1849. HA.BE.

**[3]** Versperrte 286 v. Chr. als Offizier des Seleukos I. dem aus Kleinasien vertriebenen Demetrios [2] Poliorketes den Übergang über den Tauros nach Syrien (Polyain. 4,9,5).

**[4]** Der 248/7 v. Chr. als → *próxenos* in Delphoi nachgewiesene Makedone L., Sohn des Philomelos, war Dynast im sö Phrygien, gründete dort wohl Städte (Lysias, Philomelion) und kämpfte um 225 gegen Attalos I. von Pergamon (SGDI 2736; OGIS 272; 277). Falls L. ident. mit Lysanias ist, half er 226 dem erdbebengeschädigten Rhodos (Pol. 5,90,1). L.' Sohn Philomelos machte dem Apollon-Heiligtum in Didyma eine Stiftung und plünderte 189 zusammen mit Termessos das Stadtgebiet von Isinda ([1. 277]; Pol. 21,35,2) [2. 156].

1 A. REHM, Inschr. von Didyma, 1958 2 ROBERT, Villes.

**[5]** Suchte als Mitglied einer Gesandtschaft Antiochos' [5] III. in Rom die Meinung des Senats zum Vorgehen seines Herrn im westlichen Kleinasien und in Thrakien zu erfahren und verhandelte 196 v. Chr. mit T. → Quinctius Flamininus in Korinth und in Lysimacheia (Pol. 18,47,1–4; 50,1–3; App. Syr. 6,21–23).

**[6]** Wurde unter Antiochos [6] IV. 165 v. Chr. Verweser der westlichen Reichshälfte und erlitt eine Niederlage gegen → Iudas [1] Makkabaios (1 Makk 3,32 f.; 4,26–35; Ios. ant. Iud. 12,313–315). Nach Antiochos' Tod eroberte er als Kanzler und Vormund Antiochos' [7] V. Bethsura und 163/2 → Jerusalem, dessen Befestigung er zerstörte. Den Hohepriester Menelaos tötete er, bestätigte aber den jüd. Kult, da sich der wohl noch von Antiochos IV. zum Kanzler eingesetzte Philippos gegen ihn erhoben hatte. L. siegte über Philippos (1 Makk 6,28 ff.; 2 Makk 11,22–33; 13,14; Ios. ant. Iud. 12,360–386; 20,235). Die Ermordung des Cn. Octavius durch → Leptines [6] versuchte L. in Rom entschuldigen zu lassen (Pol. 31,11(19),1–2; Zon. 9,25). Von Demetrios [7] I. wurden L. und Antiochos V. im J. 162 getötet (1 Makk 7,1–4; Ios. ant. Iud. 12,389 f.; App. Syr. 47,242).

E. BEVAN, The House of Seleucus, 1902 • WILL. A.ME.

**[7] L. Aniketos** (mittelind. *Lisi(k)a*). Einer der späten indogriech. Könige, wohl in Paropamisadai (h. Ost-Afghanistan) E. des 2. oder im 1. Jh. v. Chr.; nur durch seine Mz. belegt.

BOPEARACHCHI, 93–95, 266–270. K.K.

**[8]** Sohn des Pyrrhandros, Bildhauer aus Chios. Als Nachweis seines Ruhms galt in der Ant. die Wiederaufstellung seiner Quadriga mit Apollon und Artemis durch Augustus am Palatin. Seine Signatur ist in Lindos auf zwei Basen aus dem 2. Jh. v. Chr. zu lesen, eine mit den Ansätzen einer Heraklesstatue.

OVERBECK, Nr. 2100 • LIPPOLD, 352 • G. A. MANSUELLI, s. v. L. (2), EAA 4, 1961, 754. R.N.

**[9]** Griech. Arzt des 1. Jh. v. oder n. Chr.; Erfinder eines Heilmittels gegen vereiterte Arterien (Gal. de compositione medicamentorum secundum locos 7,2 = 13,49 K.). Vergleichbare Mittel gegen Blutungen, Erkältung und Magenleiden schreibt eine Hs. des → Caelius [II 11] Aurelianus (De morbis chronicis 2,59; 2,111, 4,79: CML 6,1,578 611, 819) dem vier B. umfassenden Werk ›Über chronische Krankheiten‹ eines *Lucius* zu, dessen Namen einige Hrsg. in *Lysias* emendieren. Da jedoch auch Soranos Gynaikeia 3,2 einen Lucius, Anhänger des Asklepiades, als Verf. eines gleichnamigen Werkes in 3 B. erwähnt, ist diese Emendation nicht zwingend.

V.N./Ü: J.DE.

**Lysidike** (Λυσιδίκη).

**[1]** Tochter des → Pelops und der → Hippodameia [1], Frau des Mestor, Mutter der Hippothoe (Apollod. 2,50). Nach einer von Paus. 8,14,2 verworfenen Trad. Mutter des → Amphitryon und damit Frau des Alkaios. Nach schol. Pind. O. 7,49 Frau des Elektryon, Mutter der → Alkmene (vgl. auch Plut. Theseus 7,1 und schol. Pind. O. 7,50). Alle in der Überl. erscheinenden Ehemänner der L. sind Söhne des → Perseus.

**[2]** Auf der sog. Françoisvase (570–565 v. Chr.) inschr. Bezeichnung einer der Gefährtinnen von → Theseus und → Ariadne bei der Rückkehr aus Kreta [3].

**[3]** Tochter des Lapithen → Koronos, Frau des Telamoniers → Aias [1], Mutter des Philios (Tzetz. schol. Lykophr. 53).

1 H. LAMER, s. v. L., RE 13, 2544–2550 2 SCHIRMER, s. v. L., ROSCHER 2, 2211 3 R. WACHTER, The Inscriptions on the François Vase, in: MH 48, 1991, 88–113. K. WA.

**Lysikles** (Λυσικλῆς). L. war ein Freund des → Perikles und wie dieser Vertreter einer offensiven athen. Politik gegenüber Sparta (Aristoph. Equ. 765: Kleon-Vorgänger). Ein L. war (432 v. Chr. ?) Antragsteller eines Dekrets über Seerüstungen bzw. über den Apollon von Delos (IG I² 128 Z. 3; Ergänzungen in SEG 21, 37, IG I³ 130a). Nach 429 v. Chr. heiratete L. Perikles' Witwe → Aspasia (Plut. Perikles 24), 428/7 fiel er als Stratege in Karien (Thuk. 3,19,1 f.). Aristophanes läßt ihn in den ›Rittern‹ als Kleinvieh(groß)händler auftreten (Aristoph. Equ. 132 mit schol.).

PA 9417 • TRAILL, PAA 614815. W. W.

**Lysikratesmonument** s. Athenai

**Lysimache** (Λυσιμάχη). Tochter des → Abas [1], Enkelin des → Melampus (nach Antimachos in schol. Eur. Phoen. 150 Tochter des Kerkyon, Enkelin des Poseidon), Frau des argiv. Königs Talaos, Mutter des → Adrastos [1], Parthenopaios, Pronax, Mekisteus, Aristomachos und der Eriphyle (Apollod. 1,103). K. WA.

**Lysimacheia** (Λυσιμάχεια).

**[1]** Stadt, die der Diadoche Lysimachos anstelle der von ihm zerstörten Stadt Kardia auf der thrak. Chersonesos an der Südküste des → Melas Kolpos beim h. Bakla Burnu 309 v. Chr. als Hauptort der thrak. Chersonesos und Regierungssitz gründete (Strab. 7, fr. 51; Liv. 23,38,11; Ptol. 3,11). L. war in hell. Zeit der wichtigste Umschlagshafen zum thrak. Hinterland. Bed. Münzstätte: Die Gold- und Silberemissionen von L. waren lange Zeit die führende Währung auf dem Balkan und in den nordpont. Gebieten. Nach der Niederlage des Lysimachos [2] versuchte Seleukos I. 280 v. Chr., seine Herrschaft nach Europa auszudehnen, wurde aber von Ptolemaios Keraunos in L. ermordet (Iust. 17,1; App. civ. 4,88). 278 v. Chr. bedrohten Galatai L., konnten aber vertrieben werden (Liv. 38,16; Iust. 25,1; Diog. Laert. 2,141). Nach einem kurzen Zwischenspiel ägypt. Einflusses um die Mitte des 3. Jh. v. Chr. wurde L. Mitglied des Aitolischen Bundes (Pol. 18,3,11; 15,23,8). 200 v. Chr. nahm Philippos V. L. und weitere Städte der Chersonesos ein, was zu erfolglosen Protesten der Aitoloi in Rom führte. Kurz danach wurde L. von Thrakes angegriffen und zerstört (Liv. 38,8; Pol. 18,4,5; 51,7). 196 v. Chr. nahm Antiochos [5] III. L. ein (Pol. 18,48,3 f.; Liv. 36,71,5) und baute sie wieder vollständig auf; er holte außer den früheren Bewohnern auch zahlreiche Neusiedler und finanzierte den wirtschaftlichen und mil. Neubeginn. Kurz darauf von L. Cornelius [I 72] Scipio erobert, wurde L. 188 v. Chr. an Pergamon abgetreten (Pol. 21,46,9). Etwa 144 v. Chr. eroberten die thrak. Kainoi unter ihrem König → Diegylis L. und zerstörten sie endgültig (Diod. 33,14). I. v. B.

**[2]** Stadt in Aitolia 3 km südl. des h. Ortes Lysimachia und südwestl. des gleichnamigen Sees. Östl. von L. befindet sich die Klisura-Schlucht, die Engstelle auf dem Weg vom Golf von Patrai zur Binnenebene. Die Gründung oder eher Umbenennung einer bestehenden Stadt (Name unbekannt) in L. erfolgte zw. 284–281 v. Chr. zu Ehren des Königs → Lysimachos [2]. L., ein Mitglied des Aitolischen Bundes (→ Aitoloi, mit Karte), wird im Zusammenhang mit den Kriegszügen Philippos' V. (Pol. 5,7,7) und Antiochos' III. (Liv. 36,11,7) erwähnt. Strab. 10,2,22 bezeichnet L. nach Apollodoros als nicht mehr vorhanden. Der gut erh. Mauerring und die Stadtanlage sind kaum untersucht [3]. Inschr.: [1] IG IX 1²,1, 130, p. 83; [2].

1 BCH 45, 1921, 24 IV 74 2 G. KLAFFENBACH, Neue Inschr. aus Aitolien, in: SPrAW 1936, 364 3 PRITCHETT 6, 136.

H. G. LOLLING, Reisenotizen aus Griechenland, bearb. von B. HEINRICH, 1989, 223–225 • D. STRAUCH, Röm. Politik und griech. Trad., 1996, 318 f. D. S.

**Lysimachides** (Λυσιμαχίδης). Griech. Grammatiker der augusteischen Zeit (geb. ca. 50 v. Chr.). L. gilt als Kritiker seines Zeitgenossen → Caecilius [III 5] aus Kale Akte [1. 168]. Aus seiner Schrift ›Über die athenischen Monate‹ (Περὶ τῶν Ἀθήνησι μηνῶν) sind in → Harpokrations [2] ›Lex. zu den zehn Rednern‹ drei Zeugnisse erhalten (FGrH 366).

1 E. OFENLOCH, Caecilii Calactini fragmenta, 1907. M. B.

**Lysimachos** (Λυσίμαχος).

**[1]** Athener, Sohn des Aristeides [1], geb. um 480 v. Chr., ist ein Dialogpartner in → Platons *Láchēs* (178 ff.), wo er als Prototyp des erfolglosen Sohnes eines ruhmreichen Vaters dargestellt ist. Ein von Demosthenes (20,115; vgl. Plut. Aristeides 27) erwähntes Dekret, das dem nach dem Tode des Vaters mittellosen L. Unterstützung durch den Staat zuerkannt haben soll, ist wohl eine Konstruktion aus dem 4. Jh.

DAVIES 1695 III-IV. E. S.-H.

**[2]** General Alexanders, Diadoche. A. ABSTAMMUNG B. DIENST UNTER ALEXANDROS D.GR. C. VOM TODE ALEXANDROS D.GR. (323) BIS IPSOS (301) D. VON IPSOS BIS KURUPEDION (281)

A. ABSTAMMUNG

L., Sohn des Agathokles aus Pella, von maked. Hochadel, geb. 361 v. Chr. (Hieronymos [6] von Kardia bei [Lukianos], Makrobioi 11). Der spätere Vorwurf gegen den Vater, er stamme aus der Sklavenschicht der → *penéstai*, fußt auf einer Verleumdung des Historikers Theopompos.

B. DIENST UNTER ALEXANDROS D.GR.

L. war *sōmatophýlax* (→ *sōmatophýlakes*) des Alexandros [4], vielleicht schon des → Philippos II., ist jedoch nie in Kommandostellen bezeugt. Er nahm an zwei Löwenjagden teil, was später novellistisch ausgesponnen wurde (bes. Iust. 15,3; richtig Curt. 8,1,17). Nach Arrianos (an. 5,13,1) zu schließen, kämpfte er gegen den Inderkönig → Poros an Alexandros' Seite. 326 in Indien verwundet, doch im Herbst des Jahres einer der *triērarchoi* (→ Trierarchie) der → Hydaspes-Flotte (Arr. Ind. 18,3). Mit anderen *sōmatophýlakes* versuchte er, die Tötung des → Kleitos [6] zu verhindern (Curt. 8,1,46). In Susa gehörte er sicher zu den mit einem goldenen Kranz Geehrten und mit iranischen Fürstentöchtern Vermählten (Arr. an. 7, 4–5). Ob er der L. war, der gegen → Kallisthenes [1] agitierte (Plut. Alexandros 55,1–2), ist nicht auszumachen. Schüler des Kallisthenes und an Philosophie interessiert (so Iust. 15,3,6, aus einer Lobschrift) war er nicht. Den L., dem → Kalanos [1] sein Pferd schenkte, unterscheidet Arrianos (7,3,4) vom Offizier. L. wird beim Gelage des → Medios [2] – und von der romanhaften Überl. während der letzten Tage des Königs öfters – an dessen Seite genannt.

C. Vom Tode Alexandros' d.Gr. (323) bis Ipsos (301)

Nach Alexandros' Tod wurde L. als Satrapie Thrake und vielleicht die Westküste des Schwarzen Meeres zugewiesen (Arr. FGrH 156 F 1,7; Diod. 18,3,2) und von → Antipatros [1] im Abkommen von → Triparadeisos 320 (→ Diadochenkriege) bestätigt. Er heiratete Antipatros' Tochter → Nikaia, die ihm Agathokles [5] und Eurydike [5] gebar. Die Ehe bestand noch (doch nicht als einzige) nach 301 (Strab. 12,4,7). In Thrake war die von Philippos II. errungene maked. Oberhoheit unter Alexandros zusammengebrochen (Curt. 10,1, 44ff.). Die Aufgabe, sie wiederherzustellen, scheint L. während der nächsten zwanzig J. erfolglos beschäftigt zu haben. 323 lieferte er dem Odrysenfürsten → Seuthes eine unentschiedene Schlacht, die Seuthes unabhängig ließ. Vielleicht kam es vorübergehend zu einem Bündnis: nach Pausanias (1,10,5) hatte L. eine odrysische Nebenfrau (vgl. aber Polyain. 6,12).

Während der nächsten J. konnte L. mehrere griech. Städte besetzen. 315 nahm er an der Koalition, die an → Antigonos [1] ultimative Forderungen stellte, teil, jedoch nicht am darauf folgenden Krieg gegen diesen. Als 313 die griech. Städte von L. abfielen, wurden sie von Antigonos und Seuthes unterstützt. L. nahm alle bis auf → Kallatis wieder ein, besiegte Seuthes (der aber unabhängig blieb) und einen Offizier des Antigonos, hielt sich aber dennoch vom Krieg gegen Antigonos fern. Am Waffenstillstand von 311 war er beteiligt, nahm aber an den darauf folgenden Kriegen zwischen den → Diadochen nicht teil. 305 nahm er mit → Kassandros [2], → Ptolemaios [1] und → Seleukos [1] im Gefolge von Antigonos den Königstitel an und unterstützte mit ihnen 304 das von Antigonos' Sohn → Demetrios [2] belagerte Rhodos mit Getreide (Diod. 20,53,4).

Demetrios' Erfolge in Griechenland (303–302) waren für L. der Wendepunkt. Hatte er in den besten Mannesjahren kaum polit. Ambitionen gezeigt, so betrat er jetzt im Alter von fast 60 J. in führender Rolle die Weltbühne. Mit Hilfe des ihm von Kassandros zur Verfügung gestellten → Prepelaos fiel er in Asien ein. Ihre Erfolge zwangen Antigonos, Demetrios aus Griechenland abzuberufen, und gaben Seleukos Zeit, ein Heer von der indischen Grenze bis nach Phrygia zu führen und sich mit L. zu vereinigen. In der Schlacht bei → Ipsos 301 v.Chr. ließ sich Demetrios vom Feld weglocken, und Antigonos verlor Schlacht und Leben. Sein Reich wurde unter den Siegern aufgeteilt, doch blieb Demetrios Herr des Meeres und der Küstenstädte.

D. Von Ipsos bis Kurupedion (281)

L. schickte nun → Amastris [3], die er vor Ipsos geheiratet hatte, nach Herakleia [7] zurück und heiratete Ptolemaios' Tochter → Arsinoe [II 3], die ihm einen Ptolemaios und zwei weitere Söhne gebar (Iust. 24,3).

In Thrake gab es weiter nur Rückschläge. Erst wurde L.' Sohn → Agathokles [5], dann er selbst (292, von → Dromichaites) gefangengenommen. Beidemal mußte die Freilassung mit Abtretung des gesamten neu erworbenen Gebiets erkauft werden. Seuthes blieb unabhängig, und in → Kabyle machte sich ein kleiner Dynast als König selbständig (IGBulg 3,1731). In Asien hatte er mehr Erfolg. Sein Anteil am früheren Reich des Antigonos umfaßte fast ganz Kleinasien, mit bisher ungeahntem Reichtum. → Lysimacheia [1], das er schon 309 zur Absicherung gegen Antigonos gegründet hatte, wurde zum Knotenpunkt von L.' Reich. Dort begann er, in großem Stil Gold- und Silbermünzen zu schlagen, ausnahmslos mit Alexandros' Kopf auf dem Av., um seine Legitimität als Nachfolger zu betonen. Die Schätze von Asien ermöglichten ihm die Anwerbung eines großen Heeres, mit dem er entscheidend und skrupellos in die Politik eingriff. Die kleinasiat. Küstenstädte konnte er, bes. nachdem Demetrios nach Kassandros' Tod Asien verlassen hatte (297), allmählich besetzen. Den Ionischen Bund unterstellte er milesischen »Freunden« (*phíloi*, s. → Hoftitel) als *stratēgoí* (Syll.$^3$ 368; SEG 35,926). Die Städte wurden gerecht, aber eigenmächtig regiert und mußten hohe Abgaben leisten. In den meisten ließ er sich vergotten.

In Makedonien mußte L. 294/3 Demetrios als König anerkennen, da er in thrakische Kriege verwickelt war (Iust. 16,1,19). Sein von Demetrios vertriebener Schwiegersohn → Antipatros [2] floh zu ihm. Erst 288 sah L. seine Chance gekommen: Er ermordete Antipatros, um selbst auf die Nachfolge Anspruch erheben zu können, fiel im Bund mit dem König von Epeiros, → Pyrrhos, in Makedonien ein und vertrieb Demetrios, der, vom Heer verlassen, sein Glück mit einem Söldnerheer in Asien versuchte. Dort fand er unter den Städten viel Anklang, wurde aber von Agathokles in einem Stellungskrieg erdrückt. Er ergab sich 286 dem Seleukos, der ihn internierte. L. bot Seleukos eine hohe Summe für die Tötung des Demetrios, doch Seleukos weigerte sich, ein nützliches Pfand aufzugeben (Diod. 21,20; Plut. Demetrios 51,3). Die Städte wurden wieder besetzt und einer härteren Ausbeutung unterworfen.

Jetzt hatte L. die Hände frei, um über Pyrrhos herzufallen: Er konnte seine Herrschaft über ganz Makedonien und fast ganz Thessalien ausdehnen und sich dann wieder Asien widmen. Angriffe auf → Zipoites von Bithynia mißlangen, doch konnte er Herakleia [7] erwerben: Als die beiden Söhne der Amastris ihn nach ihrem Tod zu Hilfe riefen, erschien er 284 in der Stadt als Freund, ließ sie sodann verhaften und als Muttermörder hinrichten.

Auf dem Höhepunkt der Macht traf ihn die Katastrophe. Agathokles, seit langem zum Thronfolger ausersehen, wurde von Arsinoe, die ihrem ältesten Sohn die Nachfolge sichern wollte, der Verschwörung beschuldigt. Ob er unschuldig war oder einen Staatsstreich plante, um Arsinoe zuvorzukommen, wissen wir nicht. Da es sich polit. verbot, ihn vor Gericht zu stellen, ließ ihn L. 282 ermorden. Seine Frau → Lysandra und seine Freunde flohen zu Seleukos, mehrere der von Agathokles eingesetzten Offiziere boten Seleukos den Übertritt an, und die Städte hofften, vom Druck des L. befreit zu werden. So konnte Seleukos Kleinasien fast widerstandslos besetzen. Bei → Kurupedion kam es 281 zur Schlacht, in der L. Reich und Leben verlor und Seleukos zum Herrn fast des ganzen Alexanderreiches wurde.
→ Diadochen und Epigonen; Diadochenkriege; Hellenistische Staatenwelt

HECKEL, 267–75 (bis Alexandros' Tod) · F. LANDUCCI GATTINONI, Lisimaco di Tracia, 1992 · H. S. LUND, Lysimachus, 1992.

**[3]** Ein Akarnane, war an der Erziehung von → Alexandros [4] d.Gr. beteiligt, folgte ihm nach Asien und soll ihn laut → Chares [2] am Antilibanon durch seine Altersschwäche in Gefahr gebracht haben. (Plut. Alexandros 5,8; 24,10–12). Ob er oder L. [2] gegen → Kallisthenes [1] agitierte (Plut. Alexandros 55, 1–2), ist nicht auszumachen. L. kann auch der nach Arrianos (an. 7,3,4) nicht mit L. [2] identische L. sein, dem → Kalanos vor seinem Tod sein Pferd schenkte.

BERVE 2, Nr. 481. E.B.

**[4]** Sohn Ptolemaios II. und der Arsinoe [II 2], wohl kurz vor → Magas [3] nach dem Regierungsantritt Ptolemaios' IV. ermordet; über weitere Tätigkeit und Rang (Strategie Zyperns? Stratege in Ägypten?) ist nichts sicher bekannt.

R. BAGNALL, The Administration of the Ptolemaic Possessions outside Egypt, 1976, 42 ff. · F. W. WALBANK, A Historical Commentary on Polybius 2, 1967, 481.

**[5]** Enkel des Lysimachos [2], Sohn des Ptolemaios (PP VI 14541), um 220 v. Chr. Dynast im lykischen → Telmissos und vermutlich als solcher Nachfolger seines Vaters als Inhaber der ptolem. *dōreá* (»Schenkung«) Telmissos. Sein Sohn Ptolemaios stand spätestens 193 auf der Seite → Antiochos' [5] III.

M. WÖRRLE, Epigraph. Forsch. zur Gesch. Lykiens II, in: Chiron 8, 1978, 222 f. · Ders., Epigraph. Forsch. zur Gesch. Lykiens III, in: Chiron 9, 1979, 84 ff. · J. KOBES, Kleine Könige, 1996, 79; 149. W.A.

**[6]** Griech. Mythograph und Grammatiker, dessen Lebenszeit aufgrund seiner Kenntnis des Periegeten → Mnaseas aus Patara um 200 v. Chr. angesetzt werden kann [3. 33], wird in schol. Apoll. Rhod. 1,558 und schol. Soph. Oid. K. 91 wohl wegen seiner Tätigkeit als (alexandrinischer) Gelehrter »der Alexandriner« (ὁ Ἀλεξανδρεύς) genannt; da L. aber auch der Verf. der (nach Ios. c. Ap. 2,14 tendenziell antisemitischen) Schrift *Aigyptiaká* sein könnte [3. 35], kann man nicht ausschließen, daß der Name auch auf L.' Herkunft verweist. In mindestens drei B. Reisesagen (Νόστοι) und in einer aus mindestens 13 B. bestehenden ›Slg. thebanischer Wundergesch.‹ (συναγωγὴ τῶν Θηβαϊκῶν παραδόξων oder Θηβαϊκὰ παράδοξα) präsentiert L. in erschöpfender Darstellung (in den Reisesagen finden sich neben den eigentlichen Irrfahrten der Helden von Troia beispielsweise auch Laokoon und die Gesch. von Aeneas und Antenor) mit genauer Angabe seiner Quellen und ohne eigene Zusätze die ältesten und zuverlässigsten griech. Sagengeschichten und stellt sie konkordanzartig nebeneinander [1; 2]. Die Scholien zu Euripides, Apollonios Rhodios, Lykophron, Sophokles, Pindar belegen ebenso wie → Eustathios, → Servius (Serv. Aen. 2,211) und die Komm. von → Didymos [1] Chalkenteros und → Theon L.' Leistung. Ein Nebenprodukt seiner Arbeit an den Mythographien sind wahrscheinlich die zwei B. ›Über die Plagiate des Ephoros‹ (Περὶ τῆς Ἐφόρου κλοπῆς).

1 FHG 3, 334–342 2 FGrH 3 B 382 3 A. GUDEMAN, s. v. L., RE 14, 32–39. GR.DA.

**[7] L. von Kos.** Griech. Arzt, wirkte E. des 2. oder Anf. des 1. Jh. v. Chr. Hippokratiker; er schrieb ein Werk in 20 B., in dem er schwierige Begriffe aus den hippokratischen Schriften (→ Hippokrates [7]) erläuterte. In drei weiteren Schriften wandte er sich gegen die Erklärungen, die der Herophileer → Kydias [4] und der Epikureer → Demetrios [21] geboten hatten. Verm. ist L. mit dem Hippokratiker Silimachus identisch (Caelius Aurelianus, De morbis chronicis 1,57) der eine »Incubus«-Epidemie in Rom beschrieb, wie auch mit Salimachus (ebd. 3,138). Unter den Gewährsleuten für tierische Arzneimittel in B. 28 seiner Naturgesch. nennt Plinius d. Ä. einen gewissen L. Er berichtet in hist. nat. 25,72, daß die Pflanze Lysimacheia ihren Namen L. verdankt, doch da sie schon → Erasistratos bekannt war, handelt es sich entweder um einen Irrtum, oder Plinius bezieht sich auf einen viel älteren gleichnamigen Arzt.

V.N./Ü: L.v.R.-B.

**[8]** Tragiker des 2. Jh. v. Chr. (TrGF I 132). B.Z.

**Lysimeleia** (Λυσιμέλεια λίμνη). L. bezeichnet nach Thukydides (6,101,1 ff.; 7,53,2) den Südteil des Sumpfgebiets in der Schwemmlandebene von → Syrakusai zw. der Nekropole von Fusco, dem Anapos und dem NW-Rand des Großen Hafens im Mündungsbereich kleinerer Wasserläufe (h. Canale Regina und Canale Pisimotta); vgl. Theokr. 16,84, (Syrakusai als ›große Stadt an den

Wassern der L.‹). Die Gleichsetzung der L. mit dem Sumpf Syrako ist dennoch umstritten [1. 1 f. und Anm. 10f.].

1 H.-P. Drögemüller, Syrakus, 1968. H.-P.Drö. u. E.O.

**Lysinia.** Pisidische Stadt am NW-Ufer des Sees von Burdur/Türkei, Reste auf dem Hügel Üveyik Burnu bei Karakent [2]. Ihr (wohl griech.) Name ist aus dem Ethnikon ΛΥΣΙΝΙΕΩΝ der Mz. erschlossen; die wenigen lit. Zeugnisse geben entstellte Formen. Erstmals bezeugt anläßlich des Zugs des → Manlius Vulso (189 v. Chr.), dem sich L. ergab (Pol. 21,36; Liv. 38,15,8); L. fehlt in den byz. Bistumslisten. Schmale Mz.-Prägung unter Septimius Severus [1].

1 Aulock 1, 35f., 109f. 2 G.E. Bean, Notes and Inscriptions from Pisidia 1, in: AS 9, 1959, 78–81.

W. Ruge, s. v. L., RE 14, 40f. P.W.

**Lysippe** (Λυσίππη). Tochter des → Proitos und der Stheneboia (Apollod. 2,25–26). Weil sie gegen die Götter gefrevelt hat, wird L. zusammen mit ihren Schwestern → Iphianassa [1] und → Iphinoe wahnsinnig, dann aber von → Melampus geheilt (Apollod. 2,26–29; vgl. Hes. cat. fr. 37,10–15; 131; 133). K.WA.

**Lysippides-Maler.** Att. sf. Vasenmaler der Spätarchaik, ca. 530–510 v. Chr.; benannt nach einer → Lieblingsinschrift (*Lysippídēs*) auf einer seiner Amphoren. L. ist der bedeutendste Schüler des → Exekias, von dem er außer der Zeichenweise auch einige Themen übernommen hat (z. B. Aias und Achilleus beim Brettspiel); ansonsten bevorzugt er → Herakles-Taten. Etwa 30 Vasen sind dem L. zugewiesen worden, v. a. Amphoren und Augenschalen. Seine Hals- und Bauchamphoren (s. → Gefäße mit Abb.), deren Formen, Dekorationsweise und Ornamente ebenfalls von Exekias abhängig sind, leiten die großen Serien der spät-sf. Einheitsamphoren ein. Bemerkenswert ist die Zusammenarbeit des L. mit dem Andokides-Maler (→ Andokides [2]), der als Erfinder der rf. Malweise gilt. Auf sechs »bilinguen« Amphoren und einer Schale sind die unterschiedlichen Techniken jeweils auf Vorder- und Rückseite einander gegenübergestellt, wobei der Vergleich z. T. noch durch übereinstimmende Themen nahegelegt wird. Es war lange Zeit sehr umstritten, ob nicht derselbe Maler hier wie bei anderen → bilinguen Vasen in zwei verschiedenen Techniken gearbeitet hat. Cohen [4. 1–193] konnte jedoch zeigen, daß sich die Diskrepanz zw. der trad.-gebundenen Malweise des L. und den unbefangenen und sensiblen rf. Bildern, trotz gegenseitiger Anpassung, nur mit dem unterschiedlichen Charakter von zwei Meistern erklären läßt. Beide haben mit dem Töpfer Andokides zusammengearbeitet.

1 Beazley, ABV, 254–257 2 Beazley, Paralipomena, 113f. 3 Beazley, Addenda², 65–67 4 B. Cohen, Attic Bilingual Vases and their Painters, 1978, 1–104 5 M. Robertson, The Art of Vase-Painting in Classical Athens, 1992, 10–15.

H.M.

**Lysippos** (Λύσιππος).

**[1]** Dichter der Alten Komödie, der vielleicht schon in den 430er Jahren v. Chr. an den → Dionysia siegte [1. test. *2] und von dem noch Siege im Jahr 409 und später bezeugt sind [1. test. 3]. Erh. sind lediglich drei Stücktitel; Fr. (außer dreien ohne Titelangabe) sind nur den ›Bakchen‹ (Βάκχαι) zugewiesen: In fr. 1 spricht ein (von seinem Vater in einen Brunnen geworfener) Mann namens Hermon mit seinem Bruder.

1 PCG V, 1986, 618–622. H.-G.NE.

**[2]** Bronzebildner aus Sikyon. Von enormer Produktivität (1500 Statuen) und langer Schaffenszeit (ca. 372 bis 306 v. Chr.), wird L. in der ant. Überl. als Neuerer charakterisiert, dem durch Proportionierung und Detailsorgfalt eine bislang unerreichte Lebensnähe der → Plastik gelang. Die Überl. zu seinen ca. 50 Werken ist reich, aber unzuverlässig; unter den vielfältigen Sujets sind männliche Statuen bevorzugt. Deren Körperkanon mit gegenüber → Polykleitos kleinerem Kopf und schlankerem Körper lag als Prototyp in der verlorenen Statue des → Kairos vor und ist ablesbar an der Statue des *Apoxyómenos* (›Schabers‹, eines Sportlers, der sich Sand und Öl abschabt), die anhand der Inschr. einer Kopie (Rom, VM) L. zugewiesen ist. Weitere Athleten- und Ehrenstatuen sind nur durch Pausanias oder Inschr.-Basen bekundet; den Beginn des Schaffens zeigt eine Statue des Troilos (Sieger im Wagenrennen 372 v. Chr) an. Von der ebenfalls nur inschr. in Pharsalos nachgewiesenen Statue des Agias ist anhand einer Wiederholung in der Familiengruppe des Daochos in Delphi (nach 338 v. Chr.) eine Vorstellung zu gewinnen (anders: [1]).

Unbekannt bleiben viele Porträts des L., etwa der Musikerin → Praxilla, die mit einer *temulenta tibicina* (Plin. nat. 34,63) identisch sein wird. Seine br. Sitzstatue des Sokrates im → Kerameikos wird mit dem Porträttypus B verbunden. Durch eine Inschr. ist das Porträt des Seleukos Nikator nachgewiesen und identifiziert. Für Alexandros [4] d.Gr. galt L. bald als einziger autorisierter Porträtist, der durch Kopfhaltung, Blick und Bewegung des Haares dessen Wesenszüge erfaßte. Allg. akzeptiert ist die Zuschreibung des nach einer Hermenkopie der Slg. Azarra (Madrid PR) benannten Porträttypus des Alexander und ein in Kleinbronzen überl. Statuentypus mit Lanze. Berühmt waren die Gruppenkompositionen des L., von Quadrigen über die *Turma Alexandri* bis zur Löwenjagd. Die *Turma Alexandri* führte 25 am Granikos gefallene Makedonen vor. Die Darstellung der Löwenjagd, bei welcher der Auftraggeber → Krateros [1] Alexander das Leben gerettet hatte, wurde 318 v. Chr. von L. und → Leochares fertiggestellt und in Delphi aufgestellt; von der Komposition gibt eine Reliefbasis in Messene eine Vorstellung.

Von den zahlreichen Götterbildern des L. waren einige von kolossaler Größe, so in Tarent ein Zeus sowie ein → Herakles als Sitzstatue, beide in Bronze. Inschr. ist L. der Typus des Herakles Farnese zugeschrieben. Weitere Statuen von Herakles und Zeus, auch in Gruppen, sowie von anderen Göttern werden in der Lit. gen., sind aber in Kopien nicht zuverlässig zu identifizieren. Ein Eros mit dem Bogen, den L. in Thespiai schuf, liegt in Kopien vor. Neben authentischen Werken wurden schon in der Ant. Nachahmungen gehandelt, zu denen ein kleinformatiger Herakles Epitrapezios zählt, der in der Kaiserzeit als berühmtes Sammlerstück zit. wird. Der Innovationskraft seines Werkes entsprechend hatte L. mehrere Schüler, zu denen auch seine Söhne zählten. Kunsthistor. wird L. als Überwinder der griech. Klassik und Vorläufer des Hell. eingeordnet.

1 W. Geominy, Zum Daochos-Weihgeschenk, in: Klio 80, 1998, 369–402.

J. Chamay (Hrsg.), Lysippe et son influence. Études de divers savants, 1987 • R. Cittadini, La Prassilla di Lisippo, in: MEFRA 107, 1995, 1165–1180 • J. Dörig, Lysippe et Alexandrie, in: Alessandria e il mondo ellenistico-romano, 1995, 299–307 • C. M. Edwards, Lysippos, in: YClS 30, 1996, 130–153 • A. Giuliano, EAA 4, 1961, 654–660 • Lippold, 276–286 • Loewy, Index • J. Marcadé, Recueil des signatures de sculpteurs grecs, 1, 1953, 66–75 • P. Moreno, Testimonianze per la teoria artistica di Lisippo, 1973 • Ders., Lisippo, 1, 1974 • Ders., Vita e arte di Lisippo, 1987 • Ders., Scultura ellenistica, 1994, 23–123 • Ders. (Hrsg.), Lisippo. L'arte e la fortuna (Catalogo della mostra Roma 1995), 1995 • A. M. Nielsen, »Fecit et Alexandrum multis operibus«. Alexander the Great and L., in: Acta archaeologica 58, 1987, 151–170 • Overbeck, Index • B. S. Ridgway, Fourth-Century Styles in Greek Sculpture, 1997, 286–320 • L. Todisco, Scultura greca del IV secolo, 1993, 112–131. R. N.

**Lysis** (Λύσις). Pythagoreer aus Tarent, der laut Aristoxenos fr. 18 Wehrli zusammen mit → Archippos [2] in jugendlichem Alter dem um 450 bzw. 440 oder 415 datierten Brandanschlag auf die Pythagoreer in Kroton entkam; anschließend soll er nach Griechenland ausgewandert und in Theben Lehrer des → Epameinondas geworden sein (vgl. Aristox. ebd.; Dion Chrys. or. 49,5 etc.; [1]). Großer Beliebtheit erfreute sich im Alt. der pseudepigraphische Brief des L. an → Hipparchos [3], in dem dieser ermahnt wird, sich an Pythagoras' Anweisungen zu halten und die »Schätze« seiner Philos. nicht öffentlich zugänglich zu machen. Der Brief dürfte zur Beglaubigung der gefälschten ›Erinnerungen‹ (ὑπομνήματα) des Pythagoras, deren angebliche Herkunft im Schlußteil skizziert wird, verfaßt und urspr. mit diesen zusammen publiziert worden sein (s. [2; 3]).
→ Pythagoreische Schule; Pseudepigraphen

1 P. Lévêque, P. Vidal-Nacquet, Épaminondas pythagoricien, in: Historia 9, 1960, 307f. 2 W. Burkert, Hell. Pseudopythagorica, in: Philologus 105, 1961, 17–28 3 A. Städele, Die Briefe des Pythagoras und der Pythagoreer, 1980, 203–251.

H. A. Brown, Philosophorum pythagoreorum collectionis specimen, 1941, 76–87 • H. Thesleff, The Pythagorean Texts of the Hellenistic Period, 1965, 110–115. C. RI.

**Lysistratos** (Λυσίστρατος).
**[1]** aus Chalkis. Tragiker, siegte nach 85 v. Chr. an den Amphiaraia (→ Amphiaraos) und → Romaia in Oropos. Schriften sind nicht erhalten. B. Z.
**[2]** Bronzebildner aus Sikyon, Bruder und Mitarbeiter des → Lysippos [2]. L. habe durch Gipsabgüsse von Lebenden die Porträtähnlichkeit verbessert, nach Tonmodellen gearbeitet und Gipsabgüsse von Statuen hergestellt. An Werken nennt die Überl. nur eine Statue der Melanippe. Zwei Basen in Theben und Tanagra mit erh. Signatur sind wegen abweichendem Ethnikon nicht sicher mit L. zu verbinden.

Lippold, 286 • Overbeck, Nr. 1513–1515 • EAA 4, s. v. L., 1961, 753 • L. Todisco, Scultura greca del IV secolo, 1993, 131. R. N.

**Lysitheides** (Λυσιθείδης).
**[1]** Ein perserfreundlicher Grieche des 5. Jh. v. Chr., erwarb sich Verdienste um das Heer des Xerxes und soll den aus Griechenland geflohenen → Themistokles bei diesem eingeführt haben (Diod. 11,56,4–8; bei Plut. Themistokles 26,4 wird aber Nikogenes statt L. erwähnt).
**[2]** Reicher Athener (Demosth. or. 21,157) mit Landbesitz im Bergwerksgebiet Attikas aus dem Demos Kikynna; Schüler des → Isokrates und mit einem goldenen Kranz für polit. Verdienste und materielle Aufwendungen für Athen ausgezeichnet (Isokr. or. 15,93); ca. 372 und 369/8 v. Chr. zweimal privater Schiedsrichter (Demosth. or. 52,14f. und 52,30); 355 Trierarch des Schiffes, auf dem eine athen. Gesandtschaft zu → Maussollos von Halikarnassos fuhr (Demosth. or. 24 hypoth. I 3; Demosth. or. 24,11–14; IG II[2] 150,4).

PA 9395 • Davies 9461, S. 356f. J. E.

**Lyson.** Griech. Familienname.
**[1]** L. aus Lilybaion. 72 v. Chr. Bekannter Ciceros, Gastgeber des → Verres, der ihm eine Statue abpreßte (Cic. Verr. 2,4,37). Cic. fam. 13,34 ist ein Empfehlungsschreiben für L.s Sohn.
**[2]** L. aus Patrai. Gastfreund Ciceros, pflegte 50 v. Chr. dessen erkrankten Sekretär Tiro (Cic. fam. 16,4,1 f.). L. war im Bürgerkrieg Pompeianer und warb 46 oder 45 nach Caesars Sieg um dessen Verzeihung (13,19; 24). JÖ. F.
**[3]** Griech. Bronzebildner. Plinius führt L. in einer pauschalen Bildhauerliste an. Von L. stammte eine nicht erh. Statue des Demos auf der Athener Agora.

G. A. Mansuelli, s. v. L. (2), EAA 4, 1961, 753 • Overbeck, Nr. 1932,4; 2068. R. N.

**Lyssa** (Λύσσα, Λύττα). Personifikation der (Kampfes-) Wut und des Wahnsinns. Als eigenständige Person erst in der Trag. des 5. Jh.; nach Eur. Herc. 822–899 stammt sie von → Nyx und dem Blut des → Uranos, das dieser bei seiner Entmannung durch Kronos vergießt. Homer erwähnt den Zustand der L., sie ist jedoch keine Person (Hom. Il. 8,299; vgl. auch 9,239; 304f.). Als solche erscheint sie erstmals bei Aischylos in den *Xántriai* (TrGF III fr. 169), wo sie die von → Dionysos mit Wahnsinn geschlagenen → Minyades anstachelt, einen Menschen zu töten, den sie für ein Opfertier halten. Bei Aischyl. Prom. 883 hält → Io ihren Wahnsinn für Einwirkung der L. → Orestes wird nicht nur von den Erinyen (→ Erinys), sondern auch von L. gejagt (Aischyl. Choeph. 288), in Eur. Or. 254, 326, 400f. u.ö. wird die Raserei des Orestes als Auswirkung der L. bezeichnet. Im ›Herakles‹ des Euripides erscheint L. in Gestalt einer Jägerin auf einem Wagen fahrend. Ihre Augen funkeln und ihr Gesicht ist von Schlangen umrahmt (Eur. Herc. 880–885). Diese Darstellung erinnert an → Gorgo [1]. In Euripides' ›Bakchen‹ handelt L. im Auftrag des → Dionysos: Sie verwirrt den Verstand des → Pentheus (Eur. Bacch. 851) und sie hetzt ihre Hunde gegen die Kadmos-Töchter, um sie anzustacheln, Pentheus zu töten (ebd. 977). Poll. 4,142 erwähnt die Maske der L., was vermuten läßt, daß sie eine gebräuchliche Bühnenfigur war. Sophokles (TrGF IV fr. 941,4) nennt als einen Namen der Kypris (→ Aphrodite) L. (vgl. auch Plat. leg. 839a; Theokr. 3,47). L. wurde auch verwendet als Bezeichnung der Tollwut bei Hunden (Xen. an. 5,7,26; Plin. nat. 29,100). L. selbst konnte als Hund dargestellt werden.

A. KOSSATZ-DEISSMANN, s. v. L., LIMC 6, 322f. (mit Bibliogr.) • K. H. LEE, The Iris-L. Scene in Euripides' Heracles, in: Antichthon 16, 1982, 44–52 • SCHIRMER, s. v. L., ROSCHER 2, 2213f. • J. SCHMIDT, s. v. L., RE 14, 69–71.
K. WA.

**Lystra** (Λύστρα), h. Hatunsaray; südwestl. von Ikonion (Türkei). Von Augustus als röm. Kolonie in der Prov. → Galatia gegr. [1. 51–53, 153–156, 195–197]. Durch den Apostel Paulus während der 1. und 2. Missionsreise christianisiert (Apg 14,6–20; 16,1–3; 2 Tim 3,11). Um 370 der neuen Prov. Lycaonia zugeschlagen. Als Bistum (Suffragan von → Ikonion) seit 380 bezeugt [2. 200].

1 B. LEVICK, Roman Colonies in Southern Asia Minor, 1967 2 BELKE.
K. BE.

**Lytaia** (Λυταία). Eine der → Hyakinthides. L. wird mit ihren Schwestern Antheis, Aigleis, Orthaia in Athen auf dem Grab des Kyklopen Geraistos geopfert, als die Stadt während der Belagerung durch Minos an Hunger und Pest leidet (Apollod. 3,212; vgl. Diod. 17,15,2). J. STE.

**Lytron** (λύτρον, meist im Plur. *lýtra* verwendet). Als *l.* wurde im Griech. das Lösegeld für → Kriegsgefangene bezeichnet (ähnlich: ἄποινα/*ápoina*); der Ausdruck wurde auch für den Freikauf von Opfern der Piraterie (→ Seeraub) gebraucht. Freikauf von Gefangenen war neben Gefangenenaustausch, Versklavung oder Tötung gängige Praxis im griech. Kriegswesen seit der Zeit Homers (Hom. Il. 6,425ff.; 11,106) bis zum Hell. Nach DUCREY [1] war Verkauf in die Sklaverei freilich häufiger als ein Freikauf, dessen Modalitäten und Preis je nach Umständen variierten. Gefangene konnten aufgrund einer bes. Vereinbarung der beteiligten Poleis im Rahmen eines Friedensvertrages (Thuk. 5,18,7; 421 v. Chr.) oder aufgrund einer individuellen Initiative (vgl. etwa Demosth. or. 53,6–10) losgekauft werden; dabei mußte das Geld meist vom Betroffenen selbst aufgebracht werden. Genannt werden Summen von einer Mine (Androtion, FGrH 324, fr. 44; 408/7 v. Chr.), zwei Minen (Hdt. 5,77,3; 505 v. Chr.) oder einem Talent (Aischin. leg. 100; 346 v. Chr.) pro Kopf. Aber auch höhere Beträge kamen vor; sie konnten nach mil. Grad, wirtschaftlicher Leistungsfähigkeit oder Status abgestuft sein (Xen. hell. 4,8,21). Wenn Gefangene ohne Lösegeld freigelassen wurden – häufig als Mittel der Diplomatie, um die Betroffenen auf die eigene Seite zu ziehen – wurde dies, da es offenbar selten geschah, speziell hervorgehoben (Xen. hell. 7,2,16; Pol. 5,10,4: 338 v. Chr.).

1 P. DUCREY, Le traitement des prisonniers de guerre dans la Grèce antique, des origines à la conquête romaine 1968, 238–246 2 W. K. PRITCHETT, The Greek State at War 5, 1991, 245–312.
LE. BU.

# M

**M (sprachwissenschaftlich).** Der Buchstabe M bezeichnet im Griech. und Lat. einen stimmhaften labialen Nasal. Im Lat. ist *-m* im Wortauslaut wohl unter Nasalierung des vorausgehenden Vokals nahezu verstummt, was sich einerseits an der regelmäßigen Verschleifung zeigt, die eine Auslautfolge »Vokal + *-m*« mit Anlautvokal des Folgewortes in der → Metrik erfährt, andererseits an seiner orthographischen Vernachlässigung in den Inschr. des 3. und frühen 2. Jh. v. Chr. Auch wenn seit der Mitte des 2. Jh. v. Chr. *-m* wieder konsequent geschrieben wird, bezeugen Priscianus und Quintilianus die weiterhin gültige bes. Aussprache von auslautendem *-m* [1].

In griech. und lat. Erbwörtern setzt *m* uridg. *m* fort, vgl. griech. dor. μάτηρ, lat. *māter* < **mátēr*, griech. θυμός, lat. *fūmus* < **dhuh₂mó-*. Die *m* betreffenden Lautentwicklungen verlaufen in beiden Sprachen weitgehend parallel: Im Anlaut vertritt griech. μ-, lat. *m-* auch *sm-* (griech. μικρός, woneben σμικρός, lat. *mīrus* < **smei̯-ro-* zur Wz. **smei̯-*) [2. 309f.; 3. 144, 190]. Geminate entsteht aus »Labial + *m*« (griech. ὄμμα, γέγραμμαι, κέκομμαι zu **op-* (< **okʷ-*), γράφω, κόπτω, lat. *summus* < **supmo-*, im äol. Griech. daneben aus *sm* (ἔμμι versus att. [ēmi] <εἰμί> aus **esmi*) [2. 322f.; 3. 201], *m* im Lat. auch durch Assimilation aus Labial vor *n* (*somnus* <

*s̯uepno-*). Andererseits wird in beiden Sprachen ererbtes *m* vor *i̯* zu *n* (griech. βαίνω, lat. *venio* < *$g^{u}$m̥-i̯e/o-*) [2. 309; 3. 214], im Anlaut vor *r* und *l* zu *b* (griech. βροτός < **mrotó-* < **mr̥tó-*, lat. *brevis* < **mreĝ$^{h}$u̯i-*, griech. βλᾱ́ξ, lat. *blandus* < **mlāndo-* zur Wz. **mlaə₂* [2. 323 f.; 3. 190; 4. 112], die Folge *m...m* schließlich im Lat. durch Ferndissimilation zu *f...m* (*formīca* versus griech. μύρμηξ) [3. 191]. Uridg. *m̥*, die silbische Variante des *m*-Phonems, erscheint im Griech. als α vor Kons. bzw. αμ vor Vok., im Lat. als *em* (griech. πόδα, lat. *pedem* < **pod-/ped-m̥*) [2. 342 f.; 3. 58].

1 ThlL VIII 1, 18.47–50 2 SCHWYZER, Gramm. 3 LEUMANN 4 G. MEISER, Histor. Laut- und Formenlehre der lat. Sprache, 1998.

GE. ME.

**M.** Abkürzung der lat. Vornamen → Marcus und (bereits in der Ant. mit Apostroph: M') → Manius. Als Zahlzeichen dient M zur Bezeichnung der Zahl 1000, ist jedoch nicht von *mille* (lat. Wort für Tausend) abgeleitet, sondern durch Umformung des griech. Großbuchstabens Φ (Phi) gewonnen, der nicht in das lat. → Alphabet aufgenommen worden war (s. dazu → D als Zahlzeichen).

W. ED.

**Ma** (griech. Μᾶ, lat. Ma-Bellona).

A. TEMPEL UND KULT IN ANATOLIEN B. ROM

Eine aus der Reihe machtvoller anatolischer Gottheiten, deren Kult auf große Tempelgüter konzentriert war (vgl. → Anaitis in Zela, → Kybele/*Mḗtēr* in Pessinus, → Men Pharnaku in Kabeira). Grundbedeutung des als weiblicher Eigenname verbreiteten Wortes [1] ist »Mutter«.

A. TEMPEL UND KULT IN ANATOLIEN

Das urspr. Kultzentrum war → Komana [1]/Hierapolis im kappadokischen → Kataonia. Der dortige Tempel war bereits zur Zeit des Suppiluliuma I. (etwa 1355–1320 v. Chr.) bedeutend (→ Ḫattusa B. 3). Ein zweiter »Tempelstaat« entstand in → Komana [2]/Hierokaisareia Pontica. Beide lagen an der pers. Königsstraße, aber abseits der wichtigen röm. Straßenverbindungen.

M. wurde mit Krieg und Sieg assoziiert: Ihr übliches Epitheton ist ἀνίκητος/*aníkētos*, »unbesiegbar«; sie wird auch als ἡ νικηφόρος/*hē nikēphóros*, »die Siegbringende«, bezeichnet. Nach der Eroberung der Region durch Alexandros [4] d. Gr. wurde die Besonderheit des Kultes nach griech. Muster definiert: → Orestes und → Iphigeneia sollen Riten und Statue der → Artemis Tauropolos aus Skythien nach Komana [1] gebracht und ihr Haar (griech. κομά-ειν/*komá-ein*, »das Haar als Gelübde wachsen lassen«) hier geweiht haben (Strab. 12,2,3; Cass. Dio 36,11). Strabon identifiziert M. mit → Enyo, Plutarch auch mit → Semele und → Athena (Plut. Sulla 9,7,457c). Dies alles, zusammen mit den in den Tempeln während der Festtage institutionalisierten »heiligen → Prostitution« (Strab. 12,3,36), deutet auf eine Gottheit hin, die mit dem Übergang zum normativen Erwachsensein in beiden Geschlechtern verbunden ist: Krieg ist für die jungen Männer, was Defloration für die Mädchen ist.

Strabon malt ein statisches Bild des Kultes im späten 1. Jh. v. Chr., obwohl die Römer bereits mehrfach im pontischen Komana [2] interveniert hatten (App. Mithr. 9,64; 17,114; Strab. 12,3,34; 12,8,9; Cic. fam. 15,4,6). Die Oberpriester beider Tempelkomplexe standen im Rang nur hinter den Königen zurück; bei der zweimal im Jahr stattfindenden *éxodos*, dem festlichen »Herausgehen« der Gottheit aus ihrem Tempel in → Hierapolis [1] – großartigen Feierlichkeiten, die selbst von fern Pilger anzogen (Strab. 12,3,36) –, trugen sie die königl. Tiara (Strab. 12,3,32). In beiden Tempeln gab es jeweils wenigstens 6000 → Hieroduloi beiderlei Geschlechts (Strab. 12,2,3; 12,3,34); davon zu unterscheiden sind die θεοφόρητοι/*theophórētoi*, die »Gott-Besessenen«. Der bes. Status des pont. Komana wurde durch das dortige Verbot des Verzehrs von Schweinefleisch markiert (Strab. 12,8,9). Nachdem Kappadokien röm. Provinz geworden war (34/5 n. Chr.), scheint die Machtstellung des Oberpriesteramtes allerdings durch seine Verteilung unter die führenden lokalen Familien verringert worden zu sein [2].

Außerhalb der beiden Komanas ist der Kult in Anatolien nur spärlich bezeugt, doch hatte er bereits unter den → Achaimenidai [2] weite Verbreitung erlangt: In einer Inschr. aus Sardeis verbietet → Artaxerxes [2] II. im 4. Jh. v. Chr. den → *neōkóroi* des »Zeus« (→ Ahura Mazdās), an den Ritualen des → Sabazios, des → Agdistis und der M. teilzunehmen [3].

B. ROM

Als die Römer M. während der → Mithradatischen Kriege begegneten, identifizierten sie die Göttin mit → Bellona, später mit → Virtus (CIL XIII 7281). Die Gewalttätigkeit der Gottheit machte auf Sulla einen starken Eindruck (Plut. Sulla 9,7,457c). Die Eigenheiten des Kultes, die die Römer am meisten schockierten, werden von Strabon nicht erwähnt: Besessenheit in der Trance, Vorhersagen der Zukunft und Selbstverwundung (Iuv. 4,123–125; Lact. inst. 1,21,16). Daß Artaxerxes [2] II. (s.o.) M. mit Sabazios und Agdistis verband, läßt aber vermuten, daß diese Elemente bereits Teil des urspr. Kultes waren, wenn sie auch möglicherweise auf die *theophórētoi* (=*fanatici*) und spezielle Anlässe beschränkt blieben. Der Körper wird hier zu einem Ort, an dem die Gott-Mensch-Grenze zeitweise überschritten wird: Die röm. Konzentration auf das Exotische des Kultes und die verbreitete Verwechslung von *Gálloi*, *fanatici* und anderen nichtröm. Priestern (Apul. met. 8,25,3; 8,27–29; → Metragyrtai) stellen Strategien dar, rel. Zielvorstellungen zu marginalisieren, die von der röm. Elite als unröm. angesehen wurden.

1 ZGUSTA, s. v. M. 2 R. P. HARPER, Tituli Commanorum Cappadociae, in: AS 18, 1968, 104, Nr. 206 3 L. ROBERT, Une nouvelle inscription grecque de Sardes, in: CRAI 1975, 306–331.

A. HARTMANN, s. v. M., RE 14, 77–91 • P. DEBORD, Aspects sociaux et économiques de la vie religieuse dans l'Anatolie gréco-romaine (EPRO 88), 1982. R. GOR./Ü: U. R.

**Ma'at** (mꜣꜥ.t) ist ein gedankliches Konzept, das im Alten Ägypten zentraler Bestandteil von Rel. und Ges. war. Grundprinzipien der M. sind Ordnung, Gerechtigkeit, Wahrheit und gemeinschaftliches Handeln. M. wird vom Schöpfergott an den König gegeben, der M. auf Erden walten läßt, sie aber auch zurück an den Schöpfergott gibt. Als ordnendes Prinzip trägt M. zum Lauf der Welt bei. Als Gottheit vorgestellt hält M. als Tochter des → Sonnengottes den Sonnenlauf in Gang und garantiert somit auch die Ordnung des Kosmos. Weiterhin kommt M. im Totengericht eine bedeutende Rolle zu.

→ Ägyptisches Recht; Herrscher

1 J. ASSMANN, Ma'at. Gerechtigkeit und Unsterblichkeit im Alten Äg., 1990 2 M. LICHTHEIM, Maat in Egyptian Autobiographies and Related Studies, 1992. J. KA.

**Mabartha** (aram. *maʿbartā*, »Furt, Durchgang«; griech. Μαβάρθα; lat. *Mamortha*). Orts- bzw. Landschaftsname in Palaestina zwischen Ebal und Garizim, in der Nähe von → Neapolis (Talmud: jTaan 4,68c,74–d,1; Ios. bell. Iud. 4,449; Plin. nat. 5,69). TH. PO.

**Macarius.** Einer der beiden Sondergesandten des Kaisers → Constans [1], die nach 343 n. Chr. in Nordafrika Spendengelder verteilen und die Spaltung zw. Donatisten (→ Donatus [1]) und Katholiken beenden sollten. Während entsprechender Maßnahmen kam es in → Bagai und Vegesela (Numidien) zu gewalttätigen Ausschreitungen, in deren Verlauf auch die Hinrichtung des → Marculus erfolgte. Die Aktion erhielt später von donatistischer Seite den Schimpfnamen *Macariana tempora* (»Macarianische Zeiten«) als Inbegriff der katholisch-kaiserlichen Verfolgung der Donatisten. Wichtigste Quelle: Optatus von Mileve, Contra Parmenianum 3,1–10.

A. MANDOUZE, Prosopographie chrétienne du Bas-Empire, Bd. 1: Afrique, 1982, 655–658 • S. LANCEL, s. v. Donatistae, Augustinus-Lexikon, Bd. 2 (im Druck). AL. SCHI.

**Macedo**

**[1]** Nach den Digesten (14,6,1) soll unter Vespasian ein M., der von seinen Gläubigern bedrängt wurde, seinen Vater getötet haben, um seine Schulden begleichen zu können. Deswegen wurde ein → *senatus consultum* erlassen, daß gegen Söhne, die in der Gewalt des Vaters stehen und ein Darlehen aufgenommen haben, auch nach dem Tod des Vaters für einen Gläubiger keine Klagemöglichkeit bestehe [1.; 2. 443 f.]. Die Benennung eines *s. c.* nach einer betroffenen Person statt nach dem beantragenden Magistrat erscheint freilich sehr auffällig.

1 PIR² M 9 2 R. TALBERT, The Senate of Imp. Rome, 1984.

**[2]** Anführer osrhoenischer Bogenschützen, der unmittelbar nach der Ermordung von Kaiser → Severus Alexander bei Mainz eine Rolle gespielt haben soll. PIR² M 10. W. E.

**Macedonicus.** Siegerbeiname des Q. → Caecilius [I 27] Metellus M. (*cos.* 143 v. Chr.). K.-L. E.

**Macedonius**

**[1]** 381 n. Chr. *comes sacrarum largitionum* (Cod. Theod. 11,30,39), spätestens 382 → *magister officiorum*. Er unterstützte die Priscillianisten (→ Priscillianus), was ihn in Gegensatz zu → Ambrosius brachte. Flüchtige Mitglieder der Zwangskorporation der *mancipes salinarum* (»Salzpächter«) bewahrte er vor einer Anklage (Symm. rel. 44). Nach dem Tode des → Gratianus [2] wurde er angeklagt und festgenommen (Symm. rel. 36), obwohl er versuchte, in eine Kirche zu flüchten. Über eine Verurteilung ist nichts bekannt.

CLAUSS, 91, 167 • PLRE 1, 526, 3. K. G.-A.

**[2]** *Vicarius Africae* 413/14 n. Chr. (Possidius, Vita Augustini 20) und Korrespondenzpartner des → Augustinus (Aug. epist. 152–155). M. erließ ein Edikt gegen die Donatisten (ebd. 155,17; → Donatus [1]) und erhielt von Augustinus die ersten drei Bücher des Werkes *De civitate Dei* (ebd. 154, 2). PLRE 2, 697. K. P. J.

**Macellum.** A. TERMINOLOGIE, DEFINITION UND TYPOLOGIE B. URSPRUNG: ROM UND ITALIEN C. DIE PROVINZEN

A. TERMINOLOGIE, DEFINITION UND TYPOLOGIE

Der Begriff M. ist zum erstenmal bei Plautus nachzuweisen; es ist anzunehmen, daß es sich um die latinisierte Version des griech. Wortes μάκελλος/*mákellos* (»Markt«) handelt, das allerdings vor der röm. Eroberung Griechenlands für diese Institution nicht und auch danach nur selten verwendet wurde. Ein M. war ein öffentlicher Baukomplex, der hofartig von einer Mauer umschlossen war. An die Mauer gebaut fanden sich, meist hinter einer Portikus, kleine Geschäfte oder Ladenparzellen. Der Hof war oft quadratisch, konnte aber mitunter auch rechteckig oder rund sein. Ein zentrales Bauwerk in der Hofmitte findet sich häufig, entweder eine → Tholos (s. Abb. Nr. 2) mit Statuen, ein Springbrunnen oder ein Wasserbecken. Von DE RUYT sind zwei Typen voneinander geschieden worden: 1. M. mit zentral orientiertem Grundriß, bei dem die Läden und Portiken einheitlich um den Hof angeordnet sind (z. B. Korinth, Cuicul); 2. axial orientiertes M., bei dem die dem Eingang gegenüberliegende Seite betont ist; häufig geschah dies durch eine – bisweilen apsidiale – → Exedra (s. Abb. Nr. 1), die von großen Sälen flankiert war (z. B. Pompeii, Puteoli, s. Abb., Thamugadi). Beide Typen waren in It. bereits in republikanischer Zeit bekannt. Das M. diente als Lebensmittelmarkt, in dem bes. Fleisch, Fisch und Delikatessen in den von Einzelhänd-

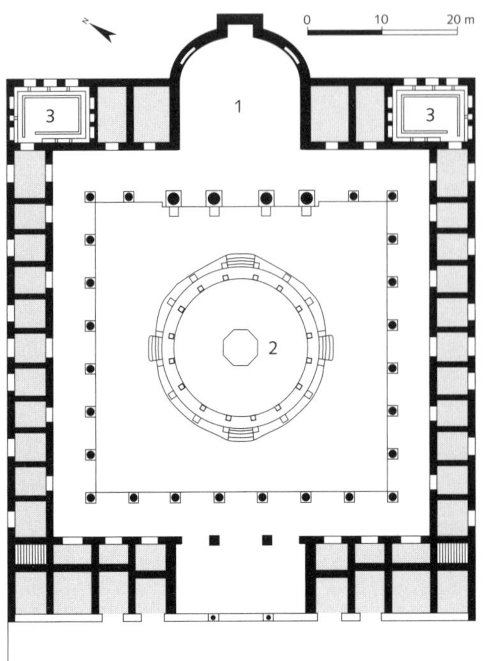


Puteoli (h. Pozzuoli), Überreste des Macellum (Grundriß).

1 Exedra
2 Tholos
3 Latrine

mehrstöckige Portiken mit Läden (tabernae)

lern angemieteten Läden verkauft wurden; in dieser Funktion bildet das M. eine Ergänzung des → Forum. Obwohl das Vorbild des M. wahrscheinlich die kommerziell-merkantile → Agora der hell. Städte war, blieb das M. in seiner Größe, aber auch in seiner Funktion dieser gegenüber beschränkt, denn der auf den *agoraí* übliche Großhandel war hier ausgeschlossen.

B. Ursprung: Rom und Italien

Es gilt als wahrscheinlich, daß der Typus des M. in It. entwickelt wurde. Das erste erwähnte M. wurde in Rom in der 2. H. des 3. Jh. v. Chr. in der Nähe des *Forum Romanum* erbaut (Plaut. Aul. 264; 373; Pseud. 169; Rud. 979; Amph. 1012; Liv. 27,11,16). Der Zweck war offenbar, den Handel aus dem polit.-rel. Zentrum zu verlegen. Es blieb in Rom das einzige M., bis Augustus das *M. Liviae* und Nero das *M. Magnum* errichteten; das alte M. wurde dann durch das *Forum Pacis* des Vespasian überbaut. Schon in republikanischer Zeit wurden auch in anderen Städten It. Macella errichtet; die frühesten gehören in die 2. H. des 2. Jh. v. Chr. (Pompeii, 1. Phase, Morgantina, Aletrium, Alba Fucens); weitere folgten im 1. Jh. v. Chr. (Brundisium, Firmum); in die Kaiserzeit datieren u. a. die M. von Saepinum und Puteoli.

C. Die Provinzen

Hier wurden die meisten M. in Nordafrika lokalisiert, was in der großen Anzahl relativ gut erh. Stadtanlagen erklärbar ist. Das früheste M. findet sich hier in → Leptis Magna (augusteisch), die meisten sind im 2. Jh. n. Chr. und später unter der Regentschaft des Septimius Severus erbaut worden (z. B. Hippo Regius, Thamugadi, Gightis). In den westl. und nördl. Prov. können M. meist nur epigraphisch nachgewiesen werden; wenige Anlagen sind arch. gesichert (z. B. Baelo, Viroconium und Aquincum). Im Osten haben sich hauptsächlich in Anatolien M. erh., sie stammen aus dem 2. Jh. n. Chr. (z. B. Aezani, Sagalassos, Perge). Insgesamt sind etwa 80 M. aus allen Teilen des röm. Reiches bekannt und geben Zeugnis von der Romanisierung der Mittelmeerwelt. An vielen Orten wurden sie bis in die Spätant. hinein benutzt, in Konstantinopel waren einige M. sogar bis ins 5. und 6. Jh. n. Chr. in Gebrauch.

A. Boëthius, J. B. Ward-Perkins, Etruscan and Roman Architecture, 1970, passim • N. Nabers, Macella. A Study in Roman Archaeology, Diss. Princeton 1967 • Ders., The Architectural Variations of the M., in: OpRom 9, 1973, 173–176 • C. de Ruyt, M. Marché alimentaire des Romains, 1983 • J. B. Ward-Perkins, From Republic to Empire: Reflections on the Early Provincial Architecture in the Roman West, in: JRS 55, 1970, 1–19. I.N./Ü: R.S.-H.

**Macer**

**[1] Licinius M., C.** s. Licinius [I 30]

**[2] Licinius M. Calvus, C.** s. Licinius [I 31]

**[3]** Korrespondent des jüngeren → Plinius (Plin. epist. 6,24). Wohl mit P. Calpurnius [II 11] identisch.

**[4] [- - -]cius Macer.** *Cos. suff.* im J. 100 n. Chr. [1. 45, 94]; eine Identifizierung mit anderen Senatoren, die in dieser Zeit den Namen M. führen, ist nicht möglich: M., *curator viae Appiae* 95; M., kaiserlicher Legat im J. 98 in Dalmatien; M., Proconsul in der Baetica. Zur Identifizierung dieser Person vgl. auch M. [3] und Q. Baebius [II 10] Macer, *cos. suff.* 103 und consularer Legat in der Provinz Dacia im J. 113 (unpubliziertes Diplom).

**1** FO[2] **2** W. Eck, s. v. Macer, RE Suppl. 14, 271 f. **3** PIR[2] M 12–14. W.E.

**[5] Q. Baebius M.** s. Baebius [II 10]

**Maceria, Maceries** s. Mauerwerk

**Machaireus** s. Neoptolemos

**Machairion** (Μαχαιρίων). Name des Spartaners (oder Mantineers), der → Epameinondas in der Schlacht bei → Mantineia (362 v. Chr.) getötet haben soll (Paus. 8,11,5; der dort auch genannte Athener → Gryllos [2] scheidet als Täter aus, da er laut Ephoros bereits gefallen war: FGrH 70 F 85). Nach Diodor (15,86) wurde Epameinondas im Zentrum des Kampfes ›durch einen Speer‹ (*dóratí*) getötet; Plutarch (Agesilaos 35), der sich auf den Epigrammatiker Dioskurides stützt, nennt dagegen einen Antikrates, dessen Nachkommen sich *Machairíones* nennen und der den Ehrenbeinamen M. wohl erhielt, weil er Epameinondas ›mit einem Schwert‹ (*machaírā*) getötet hatte. BO.D.

**Machairophoroi** (μαχαιροφόροι).

**[1]** In ptolem. Zeit Teil der Königsgarde und bes. für Gendarmeriezwecke und zum Schutz hoher Zivilbeamter benutzt (später auch beim → *kōmárchēs* oder dem *práktōr laografías*); es müssen nicht notwendig Ägypter gewesen sein (vgl. z. B. OGIS 737). In der Kaiserzeit ist der Begriff oft einfach als Synonym für »Soldat(en)« verwendet; es gab *m.* im Dienst des kaiserlichen Hausgutes, als Leibwächter bei Beamten, die mit Steuern und anderen Geldern umzugehen hatten. Zu ihrer Versorgung gab es eine eigene Steuer, das *opsṓnion tu machairofóru*.

J. J. AUBERT, Transfer of Tax-Money, in: Bulletin of the American Society of Papyrologists 24, 1987, 127 ff. W. A.

**[2]** Attribut der → Thrakes, abzuleiten von ihrer Waffe, der *máchaira*, einem einschneidigen Krummschwert, auch *skálmē* gen., irrtümlich für einen Beinamen des Stamms der Dii (Diobessi) gehalten (Xen. Kyr. 6,2,10; Thuk. 2,96,1; 2,98,4; 7,27,1; Plin. nat. 4,40). I. v. B.

**Machairus** (Μαχαιροῦς, hebr. *Mᵉkawar, Mᵉkabar*). Östl. des Toten Meeres in der südl. Peraia, an der Grenze zum Nabatäerreich (→ Nabataioi) gelegene Festung, die → Alexandros [16] Iannaios (103–76 v. Chr.) erbauen ließ (h. Ruǧm al-Mišnaqa). Nach Plin. nat. 5,16,72 war M. neben → Jerusalem die stärkste Festung Iudaeas. M. wurde während des röm. Feldzuges 63 v. Chr. durch → Pompeius (Strab. 16,763) und später durch den Proconsul Syriens → Gabinius [I 2] (57–55 v. Chr.) vollständig zerstört (Ios. ant. Iud. 14,5,4; Ios. bell. Iud. 1,8,5). Unter → Herodes [1] d. Gr. wurde die Festung erneuert und durch die Gründung einer Stadt (h. Ḫirbat al-Mukāwir) zusätzlich gesichert (Ios. bell. Iud. 7,6,2) [3]. Im Jüd. Krieg war M. neben → Masada und Herodeion eine auch nach der Eroberung Jerusalems von den → Zeloten gehaltene Festung und ergab sich erst 72 n. Chr. → Lucilius [II 2] Bassus, dem Statthalter Iudaeas (Ios. bell. Iud. 7,6,1). Nach Ios. ant. Iud. 17,5,2 wurde Iohannes der Täufer von → Herodes [4] Antipas in M. gefangengehalten und hingerichtet (vgl. Mt 14,10; Mk 6,14 ff.; dort M. nicht erwähnt!). In byz. Zeit war es bis zur arab. Eroberung christl. besiedelt.

**1** F.-M. ABEL, Croisière autour de la mer Morte, 1911, 31–37 **2** C. KOPP, Die hl. Stätten der Evangelien, ²1959, 175 f. **3** SCHÜRER 1, 511 **4** A. STROBEL, Machärus. Gesch. und Ende einer Festung im Lichte arch.-top. Betrachtungen, in: S. WAGNER (Hrsg.), Bibel und Qumran. FS für H. Bardtke, 1968, 198–225 **5** Ders., Das röm. Belagerungswerk um Machärus: Top. Unt., in: ZPalV, 90, 1974, 128–184. I. WA.

**Machanidas** (Μαχανίδας, vgl. Syll.³ 551). Als Vormund des → Pelops Machthaber in Sparta 211(?)–207 v. Chr. (Liv. 27,29,9: *tyrannus Lacedaemoniorum*; [1. 408; 2. 65]); offensiver Gegner der im 1. → Makededonischen Krieg mit → Philippos V. verbündeten → Achaioi; eroberte 209 Tegea und attackierte Argos sowie 208 während des olympischen Friedens Elis, unterlag aber in der Schlacht bei Mantineia (Spätsommer 207; Pol. 11,11–18; Plut. Philopoimen 10; [2. 66]). M. wurde am Rande des Schlachtfeldes von → Philopoimen eigenhändig getötet (Pol. 11,17,4–18,4), der dies mit einer Statuenweihung des Siegers in Delphi feierte (Syll.³ 625).

**1** H. BERVE, Die Tyrannis bei den Griechen, 1967
**2** P. CARTLEDGE, A. SPAWFORTH, Hellenistic and Roman Sparta, 1989. L.-M. G.

**Machaon** (Μαχάων). Bei Homer ist M. wie sein Bruder → Podaleirios Sohn des → Asklepios und wie jener ein »guter Arzt« und Anführer von 30 Schiffen aus Trikka, Ithome und Oichalia (Hom. Il. 2,729 ff.) in Thessalien [1. 47 ff.; 2. Bd. 2, 17 ff.; 3. Bd. 1, 225 ff.]; er heilt den von Pandaros verwundeten Menelaos mit Kräutern, die Asklepios von → Chiron erhalten hat (Hom. Il. 4,192 ff.); M. selbst wird von Paris durch einen Pfeil verwundet (ebd. 11,505 ff.) und in Nestors Zelt von Hekamede mit Mischtrunk und Bad erquickt (ebd. 11,613 ff. 832 ff.; 14,2 ff.). Nach Iliupersis fr. 1 EpGF ist M., wie sein Bruder Sohn Poseidons, erster Chirurg, Podaleirios erster Vertreter der Internistik, ja der Psychiatrik bzw. Diagnostik [1. 47; 4. 32]. Den Tod findet M. durch → Penthesileia (Apollod. epit. 5,1) oder durch → Eurypylos [2] (Ilias parva fr. 7 EpGF).

M. und Podaleirios sind berufsmäßige Feldärzte, welche vom Epos zu adligen Kriegern (M. von griech. *máchesthai*, »kämpfen« [3. Bd. 2, 226 Anm. 1]) erhöht wurden [2. Bd. 2, 5 ff.; 5. 97 f.]; die urspr. Vaterschaft (Asklepios oder Poseidon) ist nicht entscheidbar [2. Bd. 2, 15 ff.]. Aus Thessalien verdrängte Achaier nehmen M. früh in die Aiolis und (durch Nestor, der seine Gebeine überführt, Paus. 3,26,9 f.; 4,3,2) auf die Peloponnes mit [1. 52 ff.; 3. 226]. Hier erhält er Xanthe (sonst Epione, Hes. cat. 53) als Mutter und Antikleia zur Frau (Paus. 4,30,3); durch Kultüberlagerung wird er Vater der alten Heilgötter → Gorgasos und Nikomachos, → Alexanor, → Sphyros und Polemokrates (vgl. Paus. 4,30,3; 2,11,5; 2,23,4; 2,38,6 [1. 54 ff.; 2. Bd. 2, 21; 7. 182 ff.]). Als M.s Schwestern werden die Heilheroinen → Aigle [5], → Akeso, → Hygieia, Iaso und Panakeia genannt [2. Bd. 2, 87 ff.]. Dagegen ist der Asklepios-Kult auf Kos (Aristeid. 38,11 ff. 19 ff.) jung (4. Jh. [2. Bd. 2, 243; 3. Bd. 2, 226]). M. in der griech. und röm. Kunst: [8. 150–152; 9].

**1** U. v. WILAMOWITZ-MOELLENDORFF, Isyllos von Epidauros, 1886 **2** EDELSTEIN, Asclepius **3** WILAMOWITZ **4** F. KUDLIEN, Der Beginn des medizin. Denkens bei den Griechen, 1967 **5** S. LASER, Medizin und Körperpflege, 1983 (ArchHom S), 97 ff. **6** W. KULLMANN, Die Quellen der Ilias, 1960 **7** WIDE **8** M. VAN DER KOLF, s. v. M., RE 14, 144–152 **9** D. PANDERMALIS, I. LEVENTI, s. v. M., LIMC 8.1, 777–780. P. D.

**Machares** (Μαχάρης). Sohn des Mithradates VI.; M. ging schon 70 v. Chr. als *amicus et socius* zu den Römern über (Plut. Lucullus 24). Er sandte Lucullus (→ Licinius [I 26]) bei der Belagerung Sinopes Hilfstruppen und Lebensmittel. 65 versuchte er, vor Mithradates von → Pantikapaion auf die → Chersonesos [3] zu fliehen, verbrannte hinter sich die Schiffe im Hafen und beging angesichts der Aussichtslosigkeit seiner Lage Selbstmord (Memnon, FGrH 434 F 37f.; App. Mithr. 102) bzw. wurde ermordet (Cass. Dio 36,50).

V. F. Gaidukevič, Das Bosporanische Reich, 1971, 318f.

I. v. B.

**Machatas** (Μαχάτας).

**[1]** Angehöriger des maked. [1. 200] Fürstengeschlechts von → Elimeia, Bruder des → Derdas [3], über seine Schwester Phila Schwager → Philippos' II. (Satyros, FHG 3,161 fr. 5 bei Athen. 557c). Evtl. ist es dieser M., der als Vater von → Harpalos (Arr. an. 3,6,4; [2. 2,75–80 Nr. 143]), Philippos (Arr. an. 5,8,3; [2. 2,384f. Nr. 780) und Tauron (IG XII 9, 197, 4; [2. 2,371f. Nr. 741]) genannt wird.

**[2]** Aitoler, der im Auftrag des Aitolischen Bundes 220/219 v. Chr. mehrfach als Gesandter in Sparta und anschließend in Elis tätig war (Pol. 4,34–36).

**[3]** Epeirote, dessen Vater Charops in Konspiration gegen den mit → Philippos V. verbündeten Epeirotischen Bund (→ Epeiros) die Römer im 2. → Makedonischen Krieg 198 v. Chr. in einer mil. entscheidenden Situation wirksam unterstützt hatte (Liv. 32,6; 11; Diod. 30,5; Plut. Flamininus 4,5ff.). 192 suchte M. als Gesandter → Antiochos [5] III. auf (Pol. 20,3). Sein Sohn Charops knüpfte 167 als Gesandter in Rom Verbindungen zu Senatskreisen, verleumdete vor Ausbruch des 3. Maked. Krieges (171–168) makedonenfreundliche Bundespolitiker in Rom (Pol. 27,15), wollte 160 in Rom seine eigenmächtigen Regelungen in Epeiros vom Senat bestätigen lassen und starb auf der Rückreise in Brundisium (Pol. 32,5,4ff.) [3].

**1** I. I. Russu, Macedonica, in: Ephemeris Dacoromana 8, 1938, 105–232 **2** Berve **3** Th. Büttner-Wobst, s. v. Charops (11/12), RE Suppl. 1, 284f.

E. O.

**Machimoi.** Der Ausdruck *m.* (μάχιμοι, »die Streitbaren«; kampffähige Truppen) wurde von griech. Autoren vor allem für nichtgriech. Heere gebraucht. Herodotos unterscheidet die *m.* vom Troß des persischen Heeres (Hdt. 7,186,1) und bezeichnet mit diesem Wort den Stand der Berufskrieger im alten Äg. (2,164f.). In der ptolem. Armee waren M. die einheimischen Soldaten, die etwa bis Ende des 3. Jh. v. Chr. die Aufgaben von Hilfs-, Garde- und Polizeieinheiten wahrnahmen, danach aber, spätestens seit der Schlacht von Raphia 217 v. Chr., auch Kampftruppen in eigenen Einheiten mit griech. Ausrüstung bildeten (Pol. 5,65,9; 5,107,1).

LE. BU.

**Machlyes.** Libysche Nomaden, die nach Herodot (4,178; 180) westl. der Lotophagoi und östl. der Ausees (an der Kleinen Syrte?) und nach Plinius (nat. 5,28; 7,15) in der Nachbarschaft der → Nasamones an der Großen Syrte wohnten. Plinius und dessen Gewährsmann Kalliphanes – beide sehen übrigens in den M. *androgyni* (d. h. Menschen beiderlei Geschlechts) – dürften irren. Quellen: Hdt. 4,178; 180 (Μάχλυες); Nikolaos von Damaskos FGrH 90 F 103q (Ἰαλχλευεῖς die Hss.-Trad. SMA; Μαχλυεῖς corr. J. Vossius); Plin. nat. 5,28 (*Machroae*); 7,15 (*Machlyae*); Ptol. 4,3,26 (Μάχρυες); Coripp. Iohannis 3,410 (*Mecales*); Steph. Byz. s. v. Μάκρυες.
→ Libyes, Libye

J. Desanges, Catalogue des tribus africaines ..., 1962, 107 • M. Schwabe, s. v. Μάχλυες, RE 14, 157f.

W. HU.

**Machon** (Μάχων) aus Sikyon oder Korinth; lebte zur Zeit des → Apollodoros [5] von Karystos (3. Jh. v. Chr.) [1. test. 1] und war lit. in Alexandreia tätig, wo er auch starb. M. verfaßte Χρεῖαι (*Chreíai*, ›Anekdoten‹) in iambischen Trimetern (wovon insgesamt etwa 470 in Athen. *Deipnosophistaí* XIII erh. sind) über Hetären, Parasiten und Dichter (Diphilos, Euripides, Philoxenos), aber auch polit. Größen (Ptolemaios, Demetrios Poliorketes); die Stoffe, in denen Sex eine gewisse Rolle spielt, stammen aus anekdotischem Prosaschrifttum des späteren 4. und des 3. Jh. (z. B. → Lynkeus von Samos). Höher geachtet waren M.s Komödien [1. test. 3], derentwegen man ihn fast der trag. Pleiade (→ Pleias) gleichstellte [1. test. 1] und die ihm die Aufmerksamkeit des → Aristophanes [4] von Byzanz eintrugen [1. test. 1. 2]. Zwei Stücktitel (Ἄγνοια/›Die Unwissenheit‹; Ἐπιστολή/›Der Brief‹) und zwei Fr. sind erh.: In fr. 2 spricht ein Koch, der das Feinschmeckertum als wesentliches Fundament seiner Kunst bezeichnet.

**1** PCG V, 1986, 623f. **2** A. S. F. Gow, M., 1965.

H.-G. NE.

**Macra.** Fluß im Gebiet der Liguri Apuani bei → Luna [3], Grenze zw. den augusteischen Regionen Liguria und Etruria, h. Magra. Sein Oberlauf hieß evtl. Audena. Zur Mündung hin lag ein Flußhafen (Ptol. 3,1,3; Liv. 39,32,2; 40,41,3; 41,19,1; Lucan. 2,426f.; Plin. nat. 3,48–50).

G. Forni (Hrsg.), Fontes Ligurum et Liguriae antiquae, 1976, s. v. M. • S. Pesavento Mattioli, Gli scali portuali di Luni nel contesto della rotta da Roma ad Arles, in: Centro Studi Lunensi, Quaderni 10–12, 1985–1987, 626–628 • R. Ricci, M.-Audena, in: Archivio storico per le province parmensi 43, 1991, 99–108 • R. Thomsen, The Italic Regions, 1947, 124f.

G. GA./Ü: H. D.

**Macri campi.** Gelände im Appenninus 7 km westl. von Mutina im Val di Montirone beim h. Magreta (vgl. den ant. ON!). Schon in vorröm. Zeit Viehmarkt. Aus der röm. Garnison (seit 176: Liv. 41,18,5ff.) entwickelte sich ein bed. Handelszentrum (Varro rust. 2, pr. 6; Colum. 7,2,3; Strab. 5,1,11: Μακροὶ Κάμποι), das Mitte des 1. Jh. n. Chr. aufgegeben wurde [1].

1 E. GABBA, Mercati e fiere nell'Italia romana in: Studi Classici e Orientali 25, 1975, 141–163.

NISSEN 2, 265 • A. SABATINI, I Campi Macri, in: Rivista storica dell' Antichità 2, 1972, 257–260. A.SA./Ü: H.D.

**Macrianus**

**[1]** *Rex* von Alamannen am Main-Neckar, wo er sich 359 n. Chr. → Iulianus [11] unterwarf (Amm. 18,2,15–18). → Valentinianus I. mobilisierte 370 ein Burgunderheer (Amm. 28,5,8–13) gegen den inzwischen erstarkten M., der sich aber der Gefangennahme 372 durch Flucht entzog. Der vom Kaiser eingesetzte *rex* Fraomarius hielt sich nicht lange (Amm. 29,4,2–7; 30,7,11). 374 schloß der Kaiser ein → *foedus* (Amm. 30,3,3–7) mit dem fortan loyalen M. Ca. 380 kam er beim Angriff auf die Franken unter → Mallobaudes um.

B. GUTMANN, Studien zur röm. Außenpolitik in der Spätant., 1991, 9–41 • PLRE 1, 527f. Nr. 1. P.KE.

**[2] Fulvius M.** Aus dem Ritterstand, durchlief zunächst eine mil. Karriere (SHA trig. tyr. 13,3), bevor er unter → Valerianus das Amt des *a* → *rationibus* in Ägypten versah. Nach Eusebios (Eus. HE 7,10,4–7) veranlaßte er den Kaiser zu einer Christenverfolgung. Trotz einer Verwundung berief der Kaiser ihn während des Perserfeldzuges zum Präfekten der Militärkasse und der Getreideversorgung (Eus. HE 7,10,8; Petros Patrikios, Excerpta de sententiis p. 264 N. 159 BOISSEVAIN; überzogen SHA trig. tyr. 12,16). Als Valerianus 260 n. Chr. in persische Gefangenschaft geraten war, sammelte M. Truppen in Samosata und verweigerte ihm den Gehorsam (Petros Patrikios l.c.; Eus. HE 7,23,1). Auf Initiative des → Ballista wurde M. daraufhin der Purpur angetragen, den er jedoch im Hinblick auf sein Gebrechen und sein Alter zugunsten seiner Söhne Macrianus und Quietus ablehnte (SHA Gall. 1,2,5; SHA trig. tyr. 12; 14,1; Eus. HE 7,10,8; Zon. 12,24 D.). Zusammen mit dem älteren Sohn M. fiel er E. 261 im Illyricum bei einer Schlacht gegen → Aureolus (SHA Gall. 2; 3,1; 3,6; SHA trig. tyr. 11,2; 12,13f.).

KIENAST, 224f. • PFLAUM, Bd. 2, 928ff. Nr. 350 • PIR² F 549 • PLRE 1, 528,2. T.F.

**Macrina** s. Makrina

**Macrinius**

**[1] M. M. Avitus Catonius Vindex.** Sohn von M. [4]. Begann seine Laufbahn als Ritter mit den *quattuor militiae*, wobei er 169 n. Chr. von Marcus [2] Aurelius → *dona militaria* erhielt. Procurator von Dacia Malvensis. Aufnahme in den Senat, Legat von Moesia superior, vielleicht als Praetorier; Suffektconsul wohl 175; consularer Statthalter von Moesia inferior vor dem J. 177. Mit 42 J. gest., verm. während seiner Statthalterschaft in Moesia inferior (CIL VI 1449 = ILS 1107). PIR² M 22. W.E.

**[2] C. M. Decianus.** Als Statthalter von Numidia besiegte der *vir clarissimus* 259/60 n. Chr. die → Bavares (CIL VIII 2615 = ILS 1194; vgl. dazu CIL VIII 9047 = ILS 2767 und 20736). Danach hatte er das Amt des Statthalters der Prov. Noricum inne.

PIR² M 23 • B. E. THOMASSON, 189f. Nr. 69.

**[3] C. M. Sossianus.** *Vir clarissimus*, 283 n. Chr. *curator rei publicae Kalamensium* und danach *cos. suff.*; 290–294 amtierte er unter dem Proconsul → Aurelius [II 3] Aristobulos als *legatus provinciae Africae* (CIL VIII 5332 = ILS 606; CIL VIII 608+11772 = ILS 637; CIL VIII 4645 = ILS 5714; CIL VIII 5290 = ILS 5477; ILAlg I 2048; AE 1933,60).

PIR² M 24 • PLRE 1, 849,1. T.F.

**[4] M. Vindex.** Ritter, der möglicherweise aus Germania inferior oder aus Britannien stammte [1. 538; 2. 550]. Praesidialprocurator von Dacia Porolissensis im J. 154; Praetorianerpraefekt zusammen mit M. Bassaeus Rufus unter Marc Aurel und Verus. Im Kampf gegen die Marcomanni gefallen, von Marcus [2] Aurelius in Rom mit drei Statuen geehrt. PIR² M 25.

1 A. R. BIRLEY, Senators from Britain?, in: EOS, Bd. 2
2 W. ECK, Senatoren aus Germanien, Raetien, Noricum?, in: EOS, Bd. 2. W.E.

**Macrinum.** Station der adriatischen Küstenstraße im Picenum zw. Castrum Novum und Ostia Aterni (Tab. Peut. 6,1). ON wohl verderbt, im Zusammenhang mit der Mündung des bei Strab. 5,4,2 und Ptol. 3,1,17 *Matrínos* gen. Flusses.

NISSEN 2, 431 • N. ALFIERI, I fiumi adriatici, in: Athenaeum 37, 1949, 137f. G.U./Ü: H.D.

**Macrinus.** Imperator Caesar M. Opellius Severus M. Augustus. Römischer Kaiser 217–218 n. Chr. Geb. 164 (Cass. Dio 78,40,3) oder 166 n. Chr. (Chr. Pasch. I p. 498 D.) in Caesarea Mauretania, von niederer Herkunft (Cass. Dio 78,11,1; SHA Opilius Macrinus (= Macr.) 2,1). M. war zunächst als Anwalt tätig, dann Procurator des *praef. praet.* → Fulvius [II 10] Plautianus, dessen Sturz er dank der Intervention des L. → Fabius [II 6] Cilo schadlos überstand (Cass. Dio 78,11,2). → Septimius Severus ernannte ihn zum *praefectus vehiculorum per Flaminiam* (Cass. Dio 78,11,3) und ca. 208 zum Inspekteur der kaiserlichen Purpurgewänder (SHA Diadumenianus Antoninus 4,1; Cass. Dio 78,34,2).

Von → Caracalla erhielt M. einige kurzbefristete Procuraturen, u. a. die der *res privata* (Cass. Dio 78,11,3; SHA Macr. 2,1; wohl fiktiv 7,2 bzgl. der Priesterämter), und wurde von diesem 212 zum → *praefectus praetorio* ernannt (Aur. Vict. Caes. 22,1; Eutr. 8,21). Spätestens seit 216 nahm M. an der Seite des Kaisers am Krieg gegen die Parther teil (AE 1947,182; Cod. Iust. 9,51,1), erhielt Anf. 217 die *ornamenta consularia* und – zusammen mit seinem Sohn – den Titel → *vir clarissimus* (Cass. Dio 78,13,1; CIL XV 7505).

Da sich M. von Caracalla bedroht fühlte, ergriff er die Initiative, den Kaiser zu beseitigen (Cass. Dio

78,4,1–5; Herodian. 4,12,4–8), und ließ diesen am 8. April 217 durch Iulius [II 92] Martialis töten (Cass. Dio 78,5,3–6,5; Herodian. 4,13,1–6). M. gelang es, seine Beteiligung zu verheimlichen, so daß ihn die Soldaten drei Tage später (11. April 217) zum ersten nichtsenatorischen Kaiser ausriefen (Cass. Dio 78,11,6; Herodian. 4,13,7–8; 14,1–3). Ohne die Bestätigung durch den Senat abzuwarten, legte M. sich die Kaisertitel zu und erhob seinen Sohn Diadumenianus zum Caesar (Cass. Dio 78,16,2; 17,1; 19,1; Herodian. 5,2,1; SHA Macr. 7; Aur. Vict. Caes. 22,1; AE 1953, 54; 1954, 8; 1960, 36). 218 war M. *cos. ord. II* (AE 1953, 11; 1964, 229). Notgedrungen führte M. den Krieg gegen die Parther weiter, schloß aber im Frühjahr 218 mit deren König Artabanos [8] IV. unter ungünstigen Bedingungen Frieden (Cass. Dio 78,26,2–27,3; Herodian. 4,15,1–9; SHA Macr. 8). M. lehnte den vom Senat angebotenen Siegertitel *Parthicus* ab und brachte Armenien erneut in röm. Abhängigkeit (Cass. Dio 78,27,3–4). Er versuchte, durch Sparsamkeit die Staatsfinanzen zu sanieren (Cass. Dio 78,12,5–7) und die Disziplin im Heer wiederherzustellen (Cass. Dio 78,12,1–9; 28,2; 31,1).

Zu spät reagierte er mit der Erhebung seines Sohnes zum Augustus und der Auszahlung eines Donativs an die meuternden Truppen (Cass. Dio 78,34,2) auf die allg. Verbitterung; → Iulia [17] Maesa hatte bereits die Soldaten bei Emesa bestochen, die ihren Enkel → Elagabalus zum Kaiser proklamierten (Herodian. 5,4,1–4; Cass. Dio 78,30,2–36,5; SHA Macr. 9). Bei Antiocheia [1] verlor M. am 8.6.218 die Schlacht gegen die Aufständischen, floh nach Kalchedon und wurde kurz darauf ermordet; sein Name verfiel der *damnatio memoriae* (Herodian. 5,4,5–12; Cass. Dio 78,37,3–40,3; SHA Macr. 10).

Kienast, 169f. • Pflaum, 667–672 Nr. 248 • PIR² O 108.

T.F.

**Macro** s. Sutorius Macro

**Macrobius**

**[1] M., Theodosius**

A. Identifizierung B. Werk C. Nachwirkung

A. Identifizierung

Unter dem Namen Ambrosius Theodosius M., *vir clarissimus* und *illustris* (manchmal in anderer Reihenfolge aufgeführt), sind drei lat. Werke erh.: 7 B. *Saturnalia* (*Sat.*), 2 B. *Commentarii in Somnium Scipionis* (*Somn.*) und Auszüge aus *De differentiis et societatibus Graeci Latinique verbi*. Sonst ist der Autor unbekannt. Dagegen sind die Personen, die in den *Sat.* auftreten (Vettius Agorius → Praetextatus, Q. Aurelius → Symmachus und mehrere Albini), berühmte röm. Aristokraten vom E. des 4. Jh. n. Chr. Gestützt auf das Todesdatum von Praetextatus und die von M. selbst eingeräumten Anachronismen (Sat. 1,1,5) lassen sich die *Sat.* in die Zeit direkt nach 410 oder später datieren. Sucht man den Verf. unter den drei hohen Beamten, die im *Codex Theodosianus* (→ Codex II. C.) den Namen M. tragen, kann es sich nur um den *proconsul Africae* des Jahres 410 handeln [11]. Wenn man aber am Namen Theodosius festhält, läßt nur der *praef. praet.* des Jahres 430 eine annehmbare Identifikation zu [8]. Ansonsten muß der Sohn, dem die zwei Hauptwerke gewidmet sind, mit dem *praef. urbi* des Jahres 463 identifiziert werden. Schließlich führt die Notiz der Hs., die eine Textrevision durch M. Plotinus Eustathius mit Unterstützung des Memmius Symmachus (dem Schwiegervater des Boëthius) erwähnt, zur Vermutung, daß Eustathius wohl der Enkel des M. ist.

B. Werk

1. Saturnalia 2. Commentarii in Somnium Scipionis 3. De differentiis et societatibus Graeci latinique verbi

1. Saturnalia

M. verfolgt, wie er in seinem Vorwort sagt, die Absicht, seinem Sohn eine Wissens-Slg. aus verschiedenen Bereichen an die Hand zu geben und ihm mühseliges Suchen zu ersparen; um diesen »Vorratsschrank« aber ansprechend zu gestalten, präsentiert er ihn in der lit. Form eines Banketts, das unter der Schirmherrschaft Platons steht (→ Symposion-Literatur). Die *Saturnalia* wenden auf vollkommene Weise die Regeln der Gattung an: Vorwort an ›die Schubladen‹, eine Mischung aus Ernstem und Vergnüglichem; Vielfalt der Themen, die frei in die Unterhaltung eingebracht werden; Personentypen: der Trunkenbold, der Zänker/Streitsüchtige, der Zyniker; notwendige Motive: die unerwartete Ankunft eines nicht eingeladenen Gastes, der Streit usw. Abweichungen von den üblichen Topoi haben eine bestimmte Bed.: Anstelle eines lächerlichen Gastes treten nacheinander *drei* ehrwürdige Gäste auf, was die Anwesenheit *dreier* Anführer der paganen Aristokratie in Rom ebenso unterstreicht wie das gute Benehmen einer Versammlung, von der Tänzerinnen ausgeschlossen sind. Gattungstypisch dagegen sind die berühmten *Quaestiones convivales*, die Apuleius (→ Ap(p)uleius [III]) und → Plutarch gesammelt haben (Ist Huhn oder Ei das erste? Ist die Zahl der Sterne gerade oder ungerade? ...), und die in B. 2 zitierten berühmten Bonmots. Daneben steht aber eine zusammenhängende Abh. über den röm. → Kalender bis zur Reform durch Caesar.

Zwei Themen nehmen außergewöhnlich viel Platz ein: die rel.-wiss. Abh. über die Sonne von Praetextatus am E. von B. 1 und die Darstellung der universellen Überlegenheit Vergils in den B. 3–6. So zeigt sich allmählich, woran das Herz des M. hängt, an der *vetustas semper adoranda* (dem »stets verehrungswürdigen Alter«) und an der klass. röm. Rel., die durch oriental. Sonnentheologie sublimiert wird. Dem triumphierenden Christentum fügt M. die tiefste Verletzung zu, indem er es verschweigt (Boissier). Das Gesamtwerk vermittelt den Eindruck einer zwar gelehrten, aber höflichen und geistreichen Diskussion unter Weltmännern, deren lit. oder (pagan-)rel. Bildung gelegentlich gerühmt wird:

die Bildung des M. ist beeindruckend, aber aus zweiter Hand.

2. Commentarii in Somnium Scipionis

M. hat die beiden B. der *Commentarii* zu dem berühmten Text → Ciceros ebenfalls seinem (wie die schwierigen Themen zeigen: schon älteren) Sohn gewidmet. In den Offenbarungen, die Aemilius Scipio im Traum seines Großvaters und seines Adoptivvaters erhält (Cic. rep. 6,10ff.), hat M. die *universa philosophiae integritas*, das Ganze der Philos., wiedergefunden; er macht aus seinem Komm. ein wahres Kompendium für Wiss. und Philos. Nach einem kurzen Vergleich zw. dem Traum des Scipio und der Vision des → Er in Platons ›Staat‹ wird der Text Satz für Satz (wenn auch insgesamt nur zur Hälfte) kommentiert, aber sehr viel freier als in den üblichen philos. Komm. und mit ausgedehnten Exkursen: So zieht eine kurze Bemerkung Ciceros über das Todesalter des Aemilius (Macr. somn. 1,5,2: 56 Jahre = 7×8) eine ausführliche mathematische Erörterung über die ersten zehn Zahlen nach sich. Einige Kap. behandeln die Natur, den Ursprung und die Bestimmung der Seele; zwei andere die neuplatonische Theorie der Anordnung der Tugenden und Plotinos' Mißbilligung des Selbstmords (ebd. 1,8). Die Beschreibung des Himmels, wie er vom Kosmos aus (›von oben‹) erscheint, zieht eine lange Erörterung (ebd. 1,14–2,9) über Astronomie, mathematische Geographie und Sphärenmusik nach sich. Schließlich führt ein Auszug aus Platons ›Phaidon‹, der die Unsterblichkeit der Seele durch ihre Selbstbewegung beweist, zu einer Diskussion (die bereits scholastischen Charakter besitzt) über die Einwände des Aristoteles und ihre Widerlegung durch die Platoniker. Obwohl großer Bewunderer Platons und Ciceros (deren unzweifelhafte Übereinstimmung bewiesen werden soll), bezieht sich M. vor allen Dingen auf → Plotinos, den er im wesentlichen durch → Porphyrios kennt: Daß die »Quellenforschung« in eine Sackgasse geführt hat, zeigt die Originalität des M., der trotz seiner Vorlieben für Mathematisches und seiner begrenzten philos. Belesenheit verständlich, ja elegant formuliert.

3. De differentiis et societatibus Graeci latinique verbi

In verschiedenen Hss. (darunter der Cod. Parisinus Lat. 7186) sind einige Auszüge aus diesem Werk über Unterschiede und Gemeinsamkeiten des griech. und lat. Verbs erh. M. behält die klass. Einteilung der sieben Bestimmungen des Verbs bei, aber durch eine originelle Methode des systematischen Vergleichs von lat. und griech. Verben nimmt er die Arbeiten des → Priscianus im folgenden Jh. vorweg. Zur gleichen Zeit führt er in seine Grammatik die Kategorie der *Differentiae* (»Unterschiede«; → Differentiarum scriptores) ein, von denen → Isidorus [9] von Sevilla später fruchtbaren Gebrauch machte.

C. Nachwirkung

Die ersten Zit. aus dem Œuvre des M. finden sich bei → Boëthius und → Cassiodorus. Die meisten unserer Hss. gehen in die Karolingische Epoche zurück. Sie vervielfachten sich in der Folgezeit. M. ist mit → Calcidius einer der am meisten gelesenen Autoren des MA, rezipiert bei Johannes Scotus Erigena, den Platonikern aus der Schule von Chartres, Abelard, Thomas von Aquin. Paradoxerweise diente das Werk dieses rückwärts gewandten Nichtchristen als ein Lieblingsbuch im christl. MA. In der Renaissance wurden 30 Inkunabeln von M. veröffentlicht. Darauf sank das Interesse, um im Zeitalter der Aufklärung völlig nachzulassen.

Ed.: **1** J. Willis, 2 Bde., 1963. *Sat.:* **2** N. Marinone, 1967 (mit it. Übers.). *Commentarii:* **3** M. Regali, 1983/1990 (mit it. Übers.) **4** L. Scarpa, 1981 (mit it. Übers.) **5** W. H. Stahl, 1952 (engl. Übers.). *De Differentiis:* GL 5,595–655 **6** P. de Paolis, 1990.

Lit.: **7** B. C. Barker-Benfield, The Mss. of M. Commentary on the Somnium Scipionis, Diss. Oxford, 1975 **8** A. Cameron, The Date and Identity of M., in: JRS 56, 1966, 25–38 **9** P. Courcelle, Les lettres grecques en Occident de M. à Cassiodore, ²1946, 3–36 **10** P. de Paolis, Macrobio 1934–1984, in: Lustrum 28/29, 1986–87, 107–249 **11** J. Flamant, M. et le néo-platonisme latin à la fin du IVème siècle, 1977 **12** S. Gersh, Middle Platonism and Neoplatonism, 1986 **13** K. Mras, M.' Komm. zu Ciceros Somnium, SB Preuß. Akad. Wiss. 1933, 232–286 **14** M. Schedler, Die Philos. des M. und ihr Einfluß auf die Wiss. des MA, 1916 **15** W. H. Stahl, Astronomy and Geography, in: TAPhA 73, 1942, 232–255 **16** P. Wessner, s. v. M., RE 14, 170–198. J.F./Ü: U.R.

**[2]** Oström. Beamter (→ *praepositus sacri cubiculi*, kaiserl. Oberkämmerer), bezeugt 422 n. Chr. in einem Gesetz Theodosius' II. (Cod. Theod. 6,8,1), das den Rang dieses Amtes aufwertet. PLRE 2, 698 f. F.T.

**Mactaris** (neupun. *Mktʿrm*). Stadt in der röm. Prov. Africa Byzacena (→ Afrika [3]), etwa 150 km südwestl. von → Karthago, h. Maktar. M. war Zentrum des karthagischen Distrikts (*ʾrṣt Tškʿt* (»Territorien von Tuschkat«), dessen sich → Massinissa Ende der 50er J. des 2. Jh. v. Chr. bemächtigte [1. 432]. Die Zeugnisse pun. Kultur – beispielsweise über 200 neupun. Inschr. – sind zahlreich [2. 273–292]. Ein bed. Heiligtum der Stadt war *Ḥtr-Mskr* (*Hoter Miskar*) geweiht. Unter den röm. Namen Saturnus, Apollo deus patrius und Liber Pater verbergen sich die alten pun. Götter Baal Hammon, Reschep (?) und Schadrapa (→ Phönizische Religion). Die Tophet-Stelen erwähnen Baal Hammon, jedoch nicht Tinit. An der Spitze der Verwaltung der Stadt standen drei → »Sufeten« (KAI 146) – eine numidische Institution. Später hießen diese Beamten *III viri* (CIL VIII 1, 630 = Suppl. 1, 11827). Antoninus Pius oder M. Aurelius gaben der Stadt den Rang einer *colonia* (CIL VIII Suppl. 1, 11801; 11804). Bischöfe sind seit 258 n. Chr. bezeugt [3]. Die Zahl der erh. Denkmäler ist groß. Inschr.: CIL VIII 1, 619–684; Suppl. 1, 11780–11909; Suppl. 4, 23398–23594; AE 1953, 48; 1993, 1727–1730; RIL 19–32.

**1** Huss **2** C. G. Picard, Catalogue du Musée Alaoui. Nouvelle série 1,1, o. J. (= Cb 976–1052) **3** H. Dessau, s. v. M., RE 14, 199.

A. BESCHAOUCH, M., civitas de droit latin sous Trajan, in: Bull. archéologique du Comité des traveaux historiques, N.F. 23 (1990–1992), 1994, 203f. • J. GASCOU, La politique municipale de l'Empire romain en Afrique proconsulaire ..., 1972, bes. 147–151 • S. LANCEL, G. CH. PICARD, s.v. Maktar, DCPP, 270f. • C. LEPELLEY, Les cités de l'Afrique romaine ..., Bd. 2, 1981, 289–295 • A. M'CHAREK, Aspects de l'évolution démographique et sociale à Mactaris aux II[e] et III[e] siècles ap. J.C., 1982 • G.CH. PICARD, Civitas Mactaritana (Karthago 8), 1957 • K. VÖSSING, Unt. zur röm. Schule – Bildung – Schulbildung ..., 1991, 102–115. W.HU.

**Madates** (Μαδάτης, Μαδέτης). Scheich der Berg-Uxier (→ Uxii), die das Gebirge zw. Susiane und Persis durchstreiften und die Paßstraße nach → Persepolis kontrollierten. Sie waren keine Untertanen der Perser, pflegten angeblich sogar ein Wegegeld von ihnen zu erheben. Dennoch übte M. eine Art Amt (bei Curtius: *praefectus*) im Namen der achaimenidischen Reichsregierung aus. Als M. 330 v. Chr. → Alexandros [4] den Durchmarsch verwehrte, wurde er von diesem besiegt, aber in seiner Funktion belassen. M. mußte einen jährlichen Tribut von u. a. 100 Pferden entrichten (Arr. an. 3,17 und Curt. 5,3,4–13).

P. BRIANT, Rois, tributs et paysans, 1982. PE.HÖ.

**Madauros.** Numidische Stadt der späteren Prov. Africa Proconsularis (→ Afrika [3]), ca. 25 km südl. von → Tagaste beim h. Mdaourouch gelegen: Ptol. 4,3,30 (Μάδουρος); Iulius Honorius, cosmographia B 44 (*Madauros*). Nach Apul. apol. 24 gehörte M. zunächst zum Reich des → Syphax, dann zu dem des → Massinissa. In flavischer Zeit (69–96 n. Chr.) war M. Wohnort (*colonia*) von Veteranen [1. 2152]. Die kleine Stadt entwickelte sich zu einem Zentrum röm. Lebens. → Ap(p)uleius [III] wurde dort geb. (Apul. apol. 24; vgl. auch [1. 2115]), und → Augustinus studierte dort (Aug. conf. 2,3). Inschr.: [1. 2031–2818, 4007–4009; 2. 625]; AE 1989, 882; 893; es gibt keine pun. oder neupun. (→ Punisch) Inschriften.

1 S. GESELL (ed.), Inscriptions latines de l'Algérie, Bd. 1
2 J.-B. CHABOT (ed.), Recueil des inscriptions libyques, 1940/1.

H. DESSAU, s.v. M., RE 14, 201f. • C. LEPELLEY, Les cités de l'Afrique romaine ... Bd. 2, 1981, 127–139 • E. LIPIŃSKI, s.v. Madaure, DCPP, 267f. W.HU.

**Madrascha** (*madrāšā*). Name einer strophisch gegliederten syr. Gedichtform, die verschiedene Muster isosyllabischer Metren (oder *Qālē*, wörtl. »Melodien«, nach denen sie gesungen wurde) verwendet. Die M.-Dichtung, als deren größter Vertreter → Ephraem der Syrer († 373 n. Chr.) gilt, könnte die Entwicklung des → Kontakions beeinflußt haben.

A. BAUMSTARK, Gesch. der syr. Lit., 1922, 39.
S.BR./Ü: A.SCH.

**Maduateni.** Ethnikon zum ON → Madytos, oft irrtümlich als kleiner thrak. Volksstamm angesehen, nur bei Liv. 38,40,7 in Verbindung mit dem Angriff thrak. Stämme auf Cn. Manlius Vulso im J. 188 v. Chr. erwähnt. I.V.B.

**Madura** s. Mathura

**Madytos** (Μάδυτος). Stadt auf der thrak. Chersonesos zw. Elaius und Sestos, Gründung von Lesbos (6. Jh. v. Chr.; Skyl. 67, Ps.-Skymn. 709; Strab. 7, fr. 55). Nördl. von M. ließ Xerxes die Ponton-Brücke über den → Hellespontos schlagen (Hdt. 7,33; 9,120). 465 v. Chr. war M. Mitglied des → Attisch-Delischen Seebundes (Plut. Kimon 4); für 443/440 v. Chr. sind geringe Tribute verzeichnet (ATL 1,336f.). Im → Peloponnesischen Krieg diente M. der athenischen Flotte als Hafen (Xen. hell. 1,1,3). 200 v. Chr. von Philippos V. erobert (Liv. 31,16,5), 196 von Antiochos III. eingenommen, 190 zu Pergamon geschlagen (Liv. 38,39,14) und 133 v. Chr. testamentarisch den Römern übergeben. M. blieb ein wichtiger Hafen. Bischofssitz in byz. Zeit (Not. episc. 2,70; 3,61).
→ Maduateni I.V.B.

**Mäander**

**[1] Fluß** s. Maiandros

**[2]** Unter den ant. → Ornamenten ist der M. dasjenige mit der ausdauerndsten Trad. vom ersten Auftreten in urgesch. Kulturen bis in die christl. Spätant. Neolithisch und brz. begegnet der M. in den bandkeramischen Kulturen, auf dem Balkan und in It. als Umlaufmuster [1], der helladische und myk. Dekor benutzt gelegentlich den Zinnen-M. [3. 24], aber von dort gibt es keine Überl.-Kontinuität zur protogeom. und geom. Epoche, deren Hauptmotiv der M. ist. Er tritt in der Grundform (links- und rechtsläufig) und in zahlreichen Varianten als Doppel-, Dreifach-, Vielfach-, Treppen-, Haken-M. auf. Verwandt sind die Zinnen- und Swastika-Muster [5. 42–84]. Die inhaltliche Interpretation legt nahe, den geom. M. als Darstellung pflanzlicher Ranken zu verstehen [4. 328–340]. In Darstellungen des 5. Jh. v. Chr. erhält der M. gelegentlich die Bed. → »Labyrinth« [4. 262–269], seit dem späten 4. Jh. ist die Gleichsetzung mit dem Fluß → Maiandros [2] in den Münzprägungen der M.-Städte belegt [2. 152f., Taf. 1–3], dies auch der älteste Beleg der griech. Verwendung des Namens für das Ornament.

Der M. behält in hell. und röm. Zeit seine Bed. für die Ornamentik in der Bauplastik (z. B. die Reliefs der → Ara Pacis) und als Bildrahmen im → Mosaik aller Regionen des Kaiserreichs (z. B. [6. 249, s.v. M.]). Mögliche inhaltliche Bed. des M. in kaiserzeitl. und frühchristl. Darstellungen sind in der Forsch. bisher kaum erschlossen [7].

1 O. KUNKEL, Der M. in den vor- und frühgesch. Kulturen Europas, 1925 2 K. REGLING, Die Münzen von Priene, 1927 3 N. HIMMELMANN-WILDSCHÜTZ, Der M. auf geom.

Gefäßen, in: MarbWPr 1962, 10–43 **4** Ders., Über einige Bed.-Möglichkeiten des frühgriech. Ornaments, in: AAWM 1968, Nr. 7, 259–346, Taf. 1–8 **5** N. Kunisch, Ornamente geom. Vasen. Ein Kompendium, 1998 **6** M. Donderer, Die Chronologie der röm. Mosaiken in Venetien und Istrien, 1986 **7** H. Maguire, Magic and Geometry in Early Christian Floor Mosaics and Textiles, in: Jb. der Öst. Byzantinistik 44, 1994, 265–274. DI.WI.

**Maecenas** (Μαικήνας). Etr. Gentilname (vgl. *mehnate*, *mehnati* u.ä.); die Familie ist inschr. für → Perusia (h. Perugia) bezeugt und war wohl urspr. dort ansässig.

Schulze, 185; 529 · M. Pallottino, Etruskologie, 1988, 240. K.-L.E.

**[1]** Vater von M. [2], schon 44 v. Chr. unter den Freunden und Beratern Octavians (→ Augustus) erwähnt (Nikolaos von Damaskos, Vita Caesaris 31,133).

**[2]** M., seltener – mit dem Gentile der Mutter – C. Cilnius M. (Tac. ann. 6,11,2), Freund des Augustus und Förderer der Literatur (s.u. C.).

A. Leben B. Werke C. Der Maecenaskreis

A. Leben

Informationen über M. finden sich in den Gesch.-Werken der augusteischen Epoche, bes. bei → Cassius [III 1] Dio und → Suetonius, bei den Dichtern des Maecenaskreises, bes. in → Horatius' [7] Gedichten und in den mit der → *Appendix Vergiliana* überl. beiden → *Elegiae in Maecenatem*. Danach stammte M. väterlicher- wie mütterlicherseits aus führenden Familien (Hor. carm. 1,1,1 u.ö.) der Etruskerstadt → Arretium; die des Vaters war seit einigen Generationen in Rom ansässig und hatte dort die Ritterschaft (→ *equites*) erworben (Vell. 2,88,2), einen Rang, den M. selbst zeitlebens behielt.

Geb. am 13. April (Hor. carm. 4,11) um 70 v. Chr., nahm M. 43 an der Schlacht von Mutina (→ Mutinensischer Krieg), 42 (auf seiten der Triumvirn) an der von Philippi teil. Seit dem J. 40 wurde er von Octavian (→ Augustus) mit einer Reihe von bedeutenden diplomat. Missionen betraut, während er sich mil. weniger hervortat; seit 36 vertrat er in Rom, wenn nötig, den Princeps mit unbeschränkter Vollmacht. M.' staatsrechtlich nicht präzisierte Stellung paßt zu dem Bild der frühen Form des → Prinzipats. Infolge von M.' Heirat mit → Terentia (vor 23 v. Chr., vgl. Suet. Aug. 66,3; Hor. carm. 2,12) und nach dem Skandal um seinen Schwager Terentius, in den auch seine Frau verwickelt war, sowie dessen Hinrichtung kühlte sich das Verhältnis zum Princeps merklich ab, zumal Augustus der Gattin des Freundes in aufsehenerregender Weise Aufmerksamkeit schenkte. In den letzten J. vor M.' Tode (8 v. Chr.) zwangen ihn auch gesundheitliche Gründe zu einer zurückgezogenen Lebensweise.

M. verstand es, den durch seine Machtstellung erworbenen Reichtum zu genießen. Berühmt war sein prachtvoller Palast (mit Parkanlagen) auf dem Esquilin, in dessen Nähe auch einzelne Mitglieder seines Kreises wohnten. Er schätzte Schmuck und feine Kleidung (Elegia in M. 1,21 ff.) und hatte, wenn wir der moralisierenden Polemik der Nachwelt (vgl. Sen. epist. 19,9; 101,10–12; bes. 114,4–6 u.ö.) trauen dürfen, eine Schwäche für schöne Frauen und Knaben.

B. Werke

Auch in den etwa 20 Fr. der Werke des M. ist eine deutliche Individualität ausgeprägt. Einzeltitel einer Slg. von Dialogen (zumindest teilweise in der Form des → Prosimetrum, vgl. fr. 7; 14 L.) sind *Prometheus* (fr. 10), *De cultu suo* (fr. 11, autobiograph.) und *Symposium* (fr. 12), in dem Vergil, Horaz und → Valerius Messalla auftraten. Die bes. in ihrem Rhythmus manierierte Prosa der Zitate weist M. als Asianer aus (→ Asianismus). Schon bei seinen Zeitgenossen (Augustus bei Suet. Aug. 86,2), aber auch später (Sen. epist.; Quint. inst. 9,4,28) erregte seine gesuchte Dunkelheit, die sich in Neologismen (Eleg. in M. 1,67 f.), kühnen Übertragungen und einer stark gesperrten Wortstellung äußerte, Anstoß. In seinen Gedichten (vgl. [15]) – wohl z.T. Verseinlagen aus den Satiren (vgl. fr. 7) – zeigt sich M. als → Neoteriker in der Nachfolge des → Catullus, sowohl in der Metrik (Priapeen fr. 1 = Catull. 17; Galliamben fr. 4 = Catull. 63; Phalaeceen fr. 2; 3) als auch in der Thematik (fr. 2 = Catull. 14; fr. 4 = Catull. 63) und in der unverblümten Offenheit der persönlichen Aussage (fr. 1; 6). Umstritten ist die Einordnung von fr. 15 (*Elogium* auf Octavia, die Schwester Octavians?) wie von 17/18 und 21 (vgl. test. 1–3), die auf ein – autobiographisches? – Geschichtswerk deuten. Die direkte Kenntnis von M.' Schriften war jedenfalls auf das 1. Jh. n. Chr. beschränkt (vgl. [1]).

C. Der Maecenaskreis

M.' Name ist jedoch v.a. durch seine großzügige Förderung der Lit. in das Gedächtnis und den Sprachschatz der Nachwelt eingegangen [16]. In der Trad. der Nobilität des 2. Jh. v. Chr., die etwa vom älteren und jüngeren Scipio (→ Cornelius [I 71] bzw. [I 70]) und → Fulvius [I 15] Nobilior gepflegt wurde, sah es M. nach dem Zerfall der Republik als seine Aufgabe an, junge Dichter in seinem Kreis von *amici* durch Anerkennung zu ermutigen und auch materiell zu fördern. → Vergilius ([9], vgl. Verg. georg. 1,1 ff.; 2,39 ff.; 3,40 ff.), → Horatius [10; 11; 12; 14] und → Propertius sind die bekanntesten Namen. Daneben werden in diesem Kontext genannt: Varius, Plotius Tucca, Quintilius Varus, Aristius Fuscus, Valgius Rufus, Domitius Marsus und Aemilius Macer (vgl. Hor. sat. 1,5,1; 1,10,81 ff.). Darüber hinaus eine von Augustus gesteuerte, präzis definierte Kulturpolitik erkennen zu wollen, ist offenbar ein mod. Mißverständnis. Das schließt nicht aus, daß M. gelegentlich die Wünsche des Princeps (vgl. Verg. georg. 3,41), etwa nach einem Nationalepos (vgl. Hor. carm. 2,12; Prop. 3,9), zum Ausdruck brachte, wobei die unterschiedliche Distanz der Dichter zu diesem Ansinnen auch von ihrem poetologischen Programm (etwa der Nähe zu Kallimachos [3], s. Prop. 4,1,64) wie von ihrem Temperament bestimmt war.

Horaz, der 38 v. Chr. von Vergil und Varius in den M.-Kreis eingeführt worden war (vgl. Hor. sat. 1,6) und in den späten 30er J. das → Sabinum erhielt (vgl. Hor. sat. 2,6), vermittelt in seinem Werk (dem M. gewidmet sind die ersten drei Odenbücher, die Epoden, das erste Satiren- und das erste Epistelbuch; daneben sind eine Reihe einzelner Gedichte an ihn gerichtet) ein genaueres Bild einer Freundschaft, die Nähe mit innerer Unabhängigkeit verbindet (vgl. bes. Hor. carm. 2,17; 3,29 und epist. 1,7).
→ Zirkel, literarische

FR.: **1** P. LUNDERSTEDT, De C. M. fragmentis, 1911, 223–330 (mit Komm.), 1783–1787 **2** COURTNEY, 276–281 **3** FPL, 243–248.
LIT.: **4** E. NORDEN, Die ant. Kunstprosa 1, [3]1915, 292–294 **5** W. WIMMEL, Kallimachos in Rom, 1960, 43–49; 250–265 **6** R. AVALLONE, Mecenate, 1963 **7** M. ANDRÉ, Mécène, 1967 **8** Ders., Mécène écrivain, in: ANRW II 30.3, 1983, 1765–1787 **9** A. LA PENNA, s. v. M., EV 3, 1987, 410–414 **10** Ders., Enciclopedia Oraziana 1, 1996, 792–803 **11** B. K. GOLD, Literary Patronage in Greece and Rome, 1987, 115–141; 221–232 (M. und Horaz) **12** L. F. PIZZOLATO, L'amicizia con M. e l'evoluzione poetica di Orazio, in: Aevum antiquum 2, 1989, 145–182 **13** W. EVENEPOEL, M.: A Survey of Recent Literature, in: AncSoc 21, 1990, 99–117 **14** M. L. COLETTI, M. e Orazio, in: M. L. Coletti (Hrsg.), Musis amicus, 1995, 291–314 **15** S. MATTIACI, L'attività poetica di Mecenate tra neoterismo e novellismo, in: Prometheus 21, 1995, 67–86 (Bibliogr. 85 f.)
**16** F. BALLANDI, L'immagine di Mecenate protettore delle lettere nella poesia fra I e II sec. D. C., in: A&R 40, 1995, 78–101. P.L.S.

**[3]** stach 238 n. Chr. zusammen mit dem Consular Gallicanus zwei in den Sitzungszahl des Senats eingedrungene Praetorianer mit dem Schwert nieder (Herodian. 7,11,1–4; SHA Max. 20,6; SHA Gord. 22,8). PIR[2] M 36. T.F.

**[4] C. M. Melissus** s. Melissus

**Maecenaskreis** s. Maecenas [2]

**Maecianus.** Avidius M., Sohn des Usurpators → Avidius [1] Cassius. Im J. 175 n. Chr. *iuridicus Alexandriae*; von den Soldaten gegen Ende des Aufstandes getötet; seine Mutter war eine Maecia (→ Maecius).

A. R. BIRLEY, Marcus Aurelius, [2]1987, 192 • PIR[2] A 1406 • R. SYME, Avidius Cassius – His Rank, Age and Quality, in: Bonner Historia-Augusta-Colloquium 1984/85, 1987, 218. W.E.

**Maecilius.** Röm.-ital. Gentilname, etym. verm. aus dem Praen. *Maius* [1. 185]; leichte Entstellung des Namens in der hsl. Überl. bei Livius (2,58,2): L. Mecilius als Mitglied des ersten Volkstribunencollegiums 471 v. Chr. (vermutlich nachträglich in die Liste eingefügt).

1 SCHULZE.

**[1] M., Sp.** Nach Livius (4,48) beantragte M. als *tr. pl. IV* 416 v. Chr. ein Ackergesetz, das vorsah, das von Rom eroberte und vom Adel okkupierte Land »Mann für Mann« (*viritim*) zu verteilen, aber am Veto von sechs von den Patriziern für sich gewonnenen Volkstribunen scheiterte. Die Darstellung erweist sich bereits durch die in ihr vorausgesetzte, aber erst ab 287 gegebene Gesetzeskraft von → *plebiscita* (→ Hortensius [4]) als Rückprojektion der Probleme der Gracchenzeit. C.MÜ.

**Maecius.** Ital. Familienname [1. 185; 469], in unklarer Beziehung zur röm. Tribus *Maecia*. M. begegnet zuerst unter Roms latin. Nachbarn (Liv. 10,41,5), vom 2. Jh. v. Chr. an auch auf Inschriften aus Delos (ILS 9417; SEG 1,334) und Lucanien (ILS 5665).

1 SCHULZE.

I. REPUBLIKANISCHE ZEIT

**[I 1] M. Geminus.** Aus Tusculum, forderte nach der Legende T. Manlius [I 12] Imperiosus den Torquatus im Latinerkrieg 340 v. Chr. zum Zweikampf und fiel (Liv. 8,7,2–12).

**[I 2] M. Tarpa, Sp.** Entwarf 55 v. Chr. den Spielplan zur Einweihung von Pompeius' neuem Theater in Rom (dazu in komischer Verzweiflung Cic. fam. 2,1,1). M. war auch Schriftsteller (Don. vita Terentii 8, p. 9 W.). Sein Name steht bei Horaz, zu dessen Zeit M. noch gelebt zu haben scheint (Hor. sat. 1,10,38; Hor. ars 387), als Synonym für »Literaturkritiker«. JÖ.F.

II. KAISERZEIT

**[II 1] M. M. Celer.** Senator, wohl aus der Tarraconensis stammend. Ca. 94 n. Chr. Legat einer Legion in der Prov. Syria, wo er vielleicht bereits als *tribunus militum* gedient hatte (Stat. silv. 3,2, 104 ff.; 123 ff.). Im J. 101 *cos. suff.* PIR[2] M 51.

**[II 2] Q. M. Laetus.** Ritterlicher Amtsträger. Procurator von Arabia; *praefectus Aegypti* 200–201 n. Chr. [1. 512]. Praetorianerpraefekt als Nachfolger von → Fulvius [II 10] Plautianus ab 205. Im J. 215 *cos. ord. II*, entweder wegen vorausgegangener *ornamenta consularia* oder wegen einer *adlectio inter consulares*. Er gehörte zu der recht großen Gruppe von Rittern in hohen Ämtern, die unter den Severern in den Senatorenstand überwechselten und einen zweiten Konsulat erhielten. Möglicherweise bezieht sich CIL VI 1640 = 41185 auf ihn (vgl. G. ALFÖLDY im Komm. zu VI 41185). PIR[2] M 54.

1 G. BASTIANINI, Il prefetto d'Egitto, in: ANRW II 10.1, 1988, 503–517.

**[II 3] M. Marullus.** Senator mit dem Titel *vir clarissimus* (AE 1971,62). Ob er mit dem angeblichen, in SHA Gord. 2,1 genannten Vater → Gordianus' [1] zusammenhängt, muß offen bleiben.

W. ECK, s. v. M. (15a), RE Suppl. 14, 273 • PIR[2] M 56 • M.-TH. RAEPSAET-CHARLIER, Les femmes sénatoriales des II[e] et III[e] siècle dans l'Histoire Auguste, in: G. BONAMENTE u. a. (Hrsg), Historia-Augusta Colloquium Argentoratense, 1998, 277 f.

**[II 4] L. M. Postumus.** Senator, der 69 und 72 n. Chr. als *frater Arvalis* bezeugt ist (PIR[2] M 57). Er ist Vater des gleichnamigen Senators, der u. a. *quaestor Augusti* im J. 79 war, später wohl Legat einer Legion in Syrien, *frater Arvalis. Cos. suff.* 98.

W. Eck, s. v. M. (19), RE Suppl. 14, 273 • PIR[2] M 58.

**[II 5] M. M. Probus.** Suffektconsul unter Septimius Severus; *praefectus alimentorum* (als Praetorier oder Consular); Statthalter der Tarraconensis zw. 198 und 209 n. Chr.; dort starb er auch.

Leunissen, Konsuln, 156 • PIR[2] M 59.

**[II 6] M. M. Rufus.** Proconsul von Pontus et Bithynia unter Vespasianus; Suffektconsul; Proconsul von Asia unter Domitianus, wohl um 94 n. Chr. [1].

1 W. Weiser, Q. Corellius Rufus und Marcus M. Rufus in Asia: Flav. Mz. aus Hierapolis und Ephesos, in: EA 20, 1992, 117–125. W. E.

**[II 7]** Dichter, von dem 11 Epigramme aus dem »Kranz« des Philippos – erotische, anathematische und epideiktische – erh. sind (das Grabepigramm Anth. Pal. 7,635 stammt vielleicht von → Antiphilos). Dem *nomen* Μαίκιος (Μάκκιος nach dem *corrector* und dem Lemmatisten J) wird Anth. Pal. 6,89 das *praenomen* Κοίντος an die Seite gestellt, wodurch sich ihm auch das Gedicht Anth. Pal. 6,230 (einem ohne weitere Angabe bezeichneten → Quintus zugeschrieben) zuweisen läßt. M. verfaßt Verse von hohem Niveau und ist zu geistreichen und lebendigen Wendungen fähig, mit zuweilen in epigrammatischer Umgebung einzigartigen Ideen (Anth. Pal. 9,403: Aufforderung an Dionysos, an der Kelterung der Trauben teilzunehmen, vgl. Verg. georg. 2,7).

GA II 1, 278–285; 2, 310–317. M. G. A./Ü: T. H.

**Mädchenopfer** s. Menschenopfer

**Mähgerät, gallisches.** Das M. (*vallus, carpentum*) ist aus den Beschreibungen von Plinius (Plin. nat. 18,296) und Palladius (Pall. agric. 7,2,2–4) bekannt; es finden sich bildliche Darstellungen auf einigen Reliefs aus den gallischen und german. Prov., während die lit. Zeugnisse nur Gallien als Verbreitungsgebiet angeben. Das M. bestand aus einem Kasten, der an beiden Schmalseiten mit einem Rad versehen war; die Vorderseite war offen und mit einer Reihe Greifzähnen ausgestattet. An der Rückseite befanden sich zwei Deichseln, zw. denen ein Esel oder Ochse angeschirrt das M. über das Getreidefeld schob, wobei ein Mann es von hinten mit Hilfe der Deichseln lenkte. Die Ähren wurden durch die Greifzähne vom Halm abgerissen und fielen in den Kasten. Die Unterschiede zw. den bildlichen Darstellungen und der Beschreibung des M. bei Palladius legen nahe, daß zwei verschiedene Typen dieses Gerätes existierten: zum einen ein leichter Typ, der von einem Esel oder Maultier geschoben und von hinten gelenkt wurde (*vallus*), zum anderen ein schwerer Typ, der von einem

## Mähgeräte

Vallus (Trier, Rhein. Landesmuseum). Umzeichnung nach Relief.

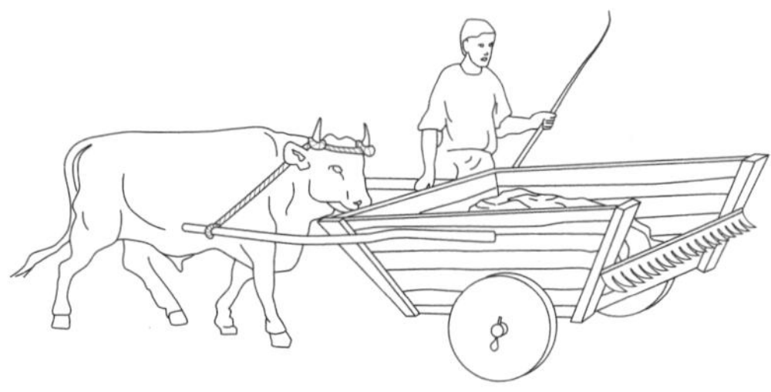

Carpentum (Rekonstruktion).

Ochsen geschoben und von der Seite aus gelenkt wurde (*carpentum*). Technisch gesehen stellte das M. eine Fortentwicklung des Handkammes (*pecten*) dar, der in Gallien bei der Hirseernte (Plin. nat. 18,297) und in It. bei der Getreideernte (Colum. 2,20,3) zum Einsatz kam.

Die Verwendung des M. unterlag gewissen Einschränkungen: Die bearbeiteten Felder mußten eben sein (Pall. agric. 7,2,2), und man mußte auf das Stroh, das auf dem Felde stehen blieb, verzichten können (Pall. agric. 7,2,4). Das M. eignete sich bes. für Speltgetreide, da sich dessen Ähren leicht vom Halm trennen ließen. Der Vorteil des M., dessen Einsatz auf den Großgrundbesitz beschränkt war (Plin. nat. 18,296), bestand in der Arbeits- und Zeitersparnis (Plin. nat. 18,300): Mit Hilfe des M. konnte ein Feld innerhalb weniger Stunden abgeerntet werden (Pall. agric. 7,2,4). Ein wichtiger Faktor für die Verbreitung des M. in den nw Prov. könnten die bes. klimatischen Bedingungen Galliens und die geringe Anzahl von Sklaven gewesen sein: Aufgrund der hohen Niederschlagsmengen zur Erntezeit mußte das reife Getreide schnell abgeerntet werden, wofür den Großgrundbesitzern in dieser Region nur wenige Sklaven und möglicherweise auch wenige freie Arbeitskräfte zur Verfügung standen.

→ Getreide; Landwirtschaft

1 F. Kiechle, Sklavenarbeit und technischer Fortschritt im Röm. Reich, 1969, 130–139 2 H. W. Pleket, Technology and Society in the Graeco-Roman World (Acta Historiae Neerlandica 2), 1967, 1–25, hier 13–16 3 G. Raepsaet, The Development of Farming Implements between the Seine and the Rhine from the Second to the Twelfth Centuries, in: G. Astill, J. Langdon (Hrsg.), Medieval Farming and Technology. The Impact of Agricultural Change in Northwest Europe (Technology and Change in History 1), 1997, 41–68 4 H. Schneider, Einführung in die ant.

Technikgesch., 1992, 61; 69 5 K.D. WHITE, Agricultural Implements of the Roman World, 1967, 157–173 und Tafel 13–16 6 WHITE, Farming, 182f. K.RU.

**Maelius.** Seltener röm. Gentilname, in der historischen Überl. nur im 5. und 4. Jh. v. Chr. bezeugt.

**[1] M., Q.** Mitverantwortlich für den Caudinischen Vertrag, gab M. als *tr. pl.* 320 v. Chr. sein Amt auf und wurde an die Samniten ausgeliefert (Liv. 9,8,13–10,2; Cic. off. 3,109).

**[2]** Nach Liv. 4,12,6–16,1 und Dion. Hal. ant. 12,1–4 gewann M., ein reicher Plebeier, in einer Hungersnot 440/39 v. Chr. durch Aufkauf und billige Abgabe von Getreide eine breite Gefolgschaft, auf die gestützt er schließlich die Königswürde anstrebte. Der Senat machte darauf L. → Quinctius Cincinnatus zum Dictator. Dessen *mag. equitum* C. → Servilius Ahala tötete M., als er sich der Vorladung vor den Senat widersetzte (eine ältere Version, bei Dion. Hal. ant. 12,4,2–5, läßt Servilius dagegen als *privatus*, jedoch im Auftrag des Senats handeln, und gibt so einen Ablauf, der dem Vorgehen des P. Cornelius [I 84] Scipio Nasica gegen Ti. → Sempronius Gracchus ähnelt). Umstritten ist, ob die Überl., die M. als prominentes Beispiel für das Streben nach Königsherrschaft (*adfectatio regni*) kennt, einen histor. Kern besitzt oder ein bloßes Aition (→ Aequimelium; → Säulenmonumente: Columna Minucia) ist. Die für 436 überl. Agitation eines *tr. pl.* Sp. M. (MRR I 60) gegen Servilius und Minucius ist verm. eine »Dublette« der früheren Vorgänge, doch wurde auch er mit M. identifiziert und der histor. Kern der Ereignisse von 440/39 ins Jahr 436 datiert.

T.J. CORNELL, The Value of the Literary Tradition, in: K.A. RAAFLAUB (Hrsg.), Social Struggles in Archaic Rome, 1986, 58–61 · GARNSEY, 70f. · P.M. MARTIN, L'idée de royauté à Rome, 1982, 339–360 · A. MOMIGLIANO, Due punti di storia romana arcaica, in: Ders., Quarto contributo alla storia degli studi classici e del mondo antico, 1969, 336–338 · A. POLLERA, La caresia del 439 a.C., in: Bolletino dell'Istituto di Diritto romano 21, 1979, 141–168. C.MÜ.

**Maelo** (griech. Μέλωνος/*Mélōnos*; Μαίλος/*Maílos*). König der → Sugambri mit keltischem Namen [1. 374], der nach Strab. 7,1,4 den Krieg gegen die Römer eröffnet haben soll; damit ist wahrscheinlich die Niederlage des M. → Lollius [II 1] 17/6 v. Chr. gemeint. Nach der Zwangsübersiedlung der Sugambri auf die linke Rheinseite (8 v. Chr.) scheint er Schutz bei Augustus gesucht zu haben (R. Gest. div. Aug. 32). Der Sohn seines Bruders Baetorix, Deidorix, wurde im Triumphzug des Germanicus [2] mitgeführt.

1 HOLDER, 2. W.SP.

**Mänaden** (Μαινάς/*Mainás*, Pl. Μαινάδες/*Mainádes*; lat. *Maenas*, Pl. *Maenades*). In der mod. Forsch. werden sowohl die mythischen Begleiterinnen (und Gegenspielerinnen) des → Dionysos als auch dessen histor. Verehrerinnen meist als M. bezeichnet. In griech. Kultterminologie jedoch heißen die Frauen, die den Gott mit einem alle drei Jahre stattfindenden Tanzritual verehren, vornehmlich *Bákchai* (Sg. *Bákchē*, lat. *Bacchae*), während das substantivierte Adj. *Mainás* (»die Rasende«, zu *maínesthai*: »rasen«), von vier hell. Inschr. mit poetischer Tendenz abgesehen [7. 52 mit Anm. 83], eine rein lit. Bezeichnung zu sein scheint.

*Bákchai* waren wohl Frauen der Oberschicht und vielleicht in dreifachen *thíasoi* (»Vereinen«) mit beschränkter Mitgliederzahl organisiert (vermutlich in Analogie zu den mythischen *thíasoi* der drei Schwestern der → Semele, welche die Göttlichkeit des Dionysos bestritten hatten; vgl. Eur. Bacch. 680–682). Ein histor. Beispiel sind die *Thyiádes*, att. Frauen, die jedes zweite Jahr nach Delphi zogen, um mit einheimischen *Bákchai* den → Parnassos zu besteigen und dort → *órgia* (»Riten«) zu Ehren des Dionysos abzuhalten (Paus. 10,4,3; 6,4; 32,7).

Das Ritual ist vom 3. Jh. v. Chr. an belegt (v. a. in Boiotien mit Theben, in Delphi, in ion. Städten Kleinasiens und verschiedenen Gegenden der Peloponnes [14. 137–146; 8; 9]; inwieweit es mänadisches Ritual in Athen gab, bleibt wegen der umstrittenen Deutung der sog. Lenäenvasen unklar [5; 6; 14. 146–150]), reicht aber wohl bis in archa. Zeit zurück; der Niedergang geschah im 2. Jh. n. Chr. Jedes zweite Jahr (Diod. 4,3,3; Paus. 10,4,3) zogen *bakcheía* (Gruppen von *Bákchai*) in einer Winternacht mit *thýrsoi* (Stäben aus einem Fenchelstengel, *nárthēx*, an dessen Spitze ein Efeubüschel befestigt war) und unter rhythmischen *eis óros, eis óros*-Rufen (›auf den Berg, auf den Berg‹) auf einen Berg, um dort zu tanzen (*oreibasía*, wörtl.: »Bergbegehung«). Nachdem sie ihr Haar gelöst und ein Hirschkalbfell (*nebrís*) angelegt hatten, brachten sie Opfer dar und tanzten unter *euhoí*- oder *euaí*-Rufen bei Fackelschein barfuß zum Klang von *týmpana* und *auloí*, speziellen Schlag- und Blasinstrumenten, bis sie erschöpft zu Boden fielen.

Auf das charakteristische Laufen, Springen und Hin- und Herbewegen des Kopfes während des Tanzes sowie das Fallen als Höhepunkt der → Ekstase, die als Trance [3; 2; 4] bzw. als Zustand angenehmer Erschöpfung ([7. 54; 8. 147]; vgl. Eur. Bacch. 66f.) verstanden wurde, bezieht sich die Begrifflichkeit des »Rasens« (*mainás, maínomai, manía*; [7. 53–54 mit Anm. 88]). Die Frauen suchten darin wohl die bes. rel. Erfahrung des Einsseins mit dem Gott [11. 209].

Mythisch ist Mänadentum offenbar schon bei Hom. Il. 22,460 (vgl. 6,389) und Hom. h. 2,386 vorausgesetzt und bis in die Spätant. durch reiches lit. und (ab dem frühen 6. Jh. v. Chr.; ab ca. 540 v. Chr. in Etrurien, → Fufluns; dann auch in röm. Bildkunst) noch reicheres ikonographisches [10] Material dokumentiert. So hatten die *Bassárai*/*Bassarídes* des Aischylos (TrGF III T 68, F 23–25) wohl schon die Zerreißung des → Orpheus durch die gleichnamigen thrakischen M. zum Gegenstand [15. 32–46]. Während → Euripides (A. 12.) in den *Bákchai* manche histor. Elemente berücksichtigt, gehören das Hantieren mit Schlangen, das Zerreißen (*sparag-*

*mós*) von Tieren und Menschen (→ Pentheus) sowie das Essen des rohen Fleisches (*ōmophagía*) in den Mythos, der das Ritual offenbar übertreibt [3. 268–275].

In der att. Tragödie werden die M. häufig als dionysisches Bild für den Wahnsinn nicht-dionysischer Figuren, selbst männlicher wie Herakles, herangezogen [12; 13].

→ Bakchos; Dionysos; Ekstase

**1** L'association dionysiaque dans les sociétés anciennes (Collection de l'école française de Rome 89), 1986 **2** A. Bélis, Musique et transe dans le cortège dionysiaque, in: P. Ghiron-Bistagne (Hrsg.), Transe et théâtre (Cahiers du GITA, 4), 1988, 9–29 **3** J. Bremmer, Greek Maenadism Reconsidered, in: ZPE 55, 1984, 267–286 **4** M.-H. Delavaud-Roux, Danse et transe. La danse au service du culte de Dionysos dans l'Antiquité grecque, in: Transe et théâtre (s. [2]), 31–53 **5** F. Frontisi-Ducroux, Le dieu-masque: Une figure du Dionysos d'Athènes, 1991 **6** Dies., Retour aux »vases des Lénéennes«, in: B. Bravo, Pannychis e simposio. Feste private notturne di donne e uomini nei testi letterari e nel culto, 1997, 123–132 **7** A. Henrichs, Der rasende Gott: Zur Psychologie des Dionysos und des Dionysischen in Mythos und Lit., in: A&A 40, 1994, 31–58 **8** Ders., Changing Dionysiac Identities, in: B. F. Meyer, E. P. Sanders (Hrsg.), Jewish and Christian Self-Definition, Bd. 3, 1982, 137–160, 213–236 **9** Ders., Greek Maenadism from Olympias to Messalina, in: HSPh 82, 1978, 121–160 **10** I. Krauskopf, E. Simon, B. Simon, s. v. Mainades, in: LIMC 8.1, 780–803; 8.2, 524–550 (Suppl.) **11** R. Osborne, The Ecstasy and the Tragedy: Varieties of Religious Experience in Art, Drama, and Society, in: Ch. Pelling (Hrsg.), Greek Tragedy and the Historian, 1997, 187–211 **12** R. Schlesier, Mixtures of Masks: Maenads as Tragic Models, in: Th.H. Carpenter, Ch.A. Faraone (Hrsg.), Masks of Dionysus, 1993, 89–114 **13** R. Seaford, Dionysus as Destroyer of the Household: Homer, Tragedy, and the Polis, in: [12], 115–146 **14** H.S. Versnel, Inconsistencies in Greek and Roman Religion, Bd. 1: Ter Unus: Isis, Dionysos, Hermes. Three Studies in Henotheism, 1990, 131–205 **15** M.L. West, The Lycurgus Trilogy, in: Ders., Studies in Aeschylus, 1991, 26–50 **16** Sh. MacNally, The Maenad in Early Greek Art, in: J. Peradotto, J. P. Sullivan (Hrsg.), Women in the Ancient World, 1984, 107–141 **17** S. Moraw, Die Mänade in der att. Vasenmalerei des 6. und 5. Jh. v. Chr. Rezeptionsästhetische Analyse eines ant. Weiblichkeitsentwurfs, 1998 **18** L.-A. Touchette, The Dancing Maenad Reliefs. Continuity and Change in Roman Copies, 1995.

T.H.

**Maenianum.** Nach dem röm. Censor M. → Maenius [I 3] benannte Galerie über den *tabernae* am → Forum Romanum in Rom, von wo aus Zuschauer die Gladiatorenkämpfe verfolgen konnten. Das hier erstmals bezeugte Prinzip, die Randbebauung eines Forums zweistöckig und im oberen Stockwerk als Tribüne bzw. Aussichtsplatz zu gestalten, fand im 2. und 1. Jh. v. Chr. in der röm. Architektur (→ Forum) weite Verbreitung; hiernach wurden später die Ränge im → Amphitheatrum als M. bezeichnet (→ Theater).

W.-H. Gross, s. v. M., KlP 3, 864.

C.HÖ.

**Maenius.** Name einer röm. plebeischen Familie, vielleicht etr. Herkunft [1. 185; 187]. Wichtigster Namensträger ist M. [I 3], im 1. Jh. v. Chr. ist die Familie polit. bedeutungslos. *Lex Maenia* ist der Titel einer Menippeischen Satire des → Varro (Varro Men. 153–155). Das Gesetz betraf die hausväterliche Gewalt; Inhalt und Datier. sind umstritten [3. 1085 – 1121]. Eine weitere, wohl vor 290 v. Chr. erlassene, *lex Maenia* ordnete an, die »Zustimmung des Senats« (*auctoritas patrum*) zu Wahlen schon vor der Verkündung des Ergebnisses einzuholen (Cic. Brut. 55).

**1** Schulze **2** Walde/Hofmann, Bd. 2 **3** J.-P. Cèbe (ed.), Varron, Satires Ménippées, Bd. 7, 1985.

K.-L.E.

I. Republikanische Zeit

**[I 1]** 184 v. Chr. verkaufte M. ein Grundstück an M. Porcius → Cato [1] für den Bau der Basilica Porcia gegen Zusicherung eines ihm über einer Säule (vermutlich in der Galerie der Basilica) reservierten Zuschauerplatzes für Gladiatorenspiele (→ *munera*). Ant. Kommentatoren (Ps.-Ascon. ad Cic. div. in Caec. 16,50; Porph. Hor. comm. ad sat. 1,3,21) bezeichnen die Säule als *columna Maenia* bzw. *Maeni*, doch ist sie nicht (wie es die Kommentatoren möglicherweise taten) mit der ebenso genannten Ehrensäule (*columna* [2] *Maenia*) für M.' Vorfahren M. [I 3] zu verwechseln. Auf diese Ehrensäule, die zumindest in spätrepublikanischer Zeit als Standort von Geldverleihern bekannt war, bezieht sich möglicherweise auch Lucilius (fr. 1203 f. M), der, um M.' fragwürdigen Lebenswandel mit dem seines Vorfahren zu kontrastieren, ihn die *columna Maenia* aufsuchen läßt.

F. Coarelli, Il Foro Romano 2, 1985, 39–53 • E. Welin, Studien zur Top. des Forum Romanum, 1953, 130–151.

**[I 2]** Nach einem verm. unhistor. Bericht suchte M. als erster Volkstribun 483 v. Chr. zur Durchsetzung eines Ackergesetzes Truppenaushebungen zu verhindern (Dion. Hal. ant. 8,87,3–5).

**[I 3] M., C.** Als *cos.* 338 v. Chr. (MRR I 138) triumphierte M. über Antium, Lavinium und Velitrae. Berühmt ist sein Sieg über Antium wegen der hierbei erbeuteten Schiffsschnäbel, die M. an der Rednerbühne auf dem Forum Romanum anbringen ließ, welche nach ihnen den Namen *rostra* (= »Schiffsschnäbel«, → Rednertribüne) trug [1. 318 f.]. Zudem wurde M. mit zwei weiteren Denkmälern, der → *columna* [2] *Maenia* (vgl. M. [I 1]) und einer Reiterstatue (Liv. 8,13,9; vgl. Eutr. 2,7) geehrt. Möglicherweise handelte es sich dabei auch um ein einziges Monument, d. h. eine Reiterstatue auf einer Säule [1. 338 f.; 2. 39–53, bes. 43 f.]. 320 soll M. als Dictator (InscrIt 13,1,36f.; 416f.) eine Unt. zu streng geführt und daher auf Druck seiner Gegner abdiziert haben (Liv. 9,34,14), doch ist diese Nachricht – ohnehin bei Livius erst in den Bericht des Jahres 310 eingeflochten – möglicherweise nur ein Vorgriff auf die Ereignisse seiner zweiten Dictatur 314 (MRR I 157; vgl. [3. 194, Anm. 173]): Zunächst eingesetzt gegen antiröm. Umtriebe in Campania, dehnte M. seine Unt. auch auf

Rom aus, wodurch er führende Kreise brüskierte. Selbst von Anklage bedroht, gab er sein Amt auf, wurde dann aber in einem Prozeß freigesprochen (Liv. 9,26,5–22; vgl. Diod. 19,76,4f.). Als Censor 318 (MRR I 155) ließ er als erster die sog. *maeniana* (→ *maenianum*) auf dem Forum anbringen (Fest. 120 L.).

1 T. Hölscher, Die Anfänge röm. Repräsentationskunst, in: MDAI(R) 85, 1978, 315–357 2 F. Coarelli, Il Foro Romano, Bd. 2, 1985 3 Hölkeskamp. C. MÜ.

**[I 4] M., C.** Als Praetor 180 v. Chr. erhielt er die Prov. Sardinia. Vorher sollte er Fälle von Giftmischerei in Italien außerhalb Roms untersuchen, was ihn derart in Anspruch nahm, daß er sich zwischen dieser Aufgabe und seiner Prov. entscheiden mußte (Liv. 40,37,4; 43,2–3).

**[I 5] M., Q.** Sohn von M. [I 6], Praetor 170 v. Chr. Führte in Abwesenheit der Consuln die Geschäfte in Rom, verabschiedete den Senatsbeschluß über → Thisbe (Syll.[3] 646) und regelte andere Ostfragen (MRR I, 420).

**[I 6] M., T.** *Praetor urbanus* 186 v. Chr. (MRR I, 371). War Legat des Q. Fulvius [I 12] Flaccus in Spanien 181 (Liv. 40,35,3). P. N.

**[I 7] M. Gemellus, C.** Klient Ciceros, ging nach einer Prozeßniederlage ins Exil nach Patrai, wurde dort Bürger und adoptierte Lyson [2]. Anlaß der Anklage gegen M. war vielleicht ein Skandal im Jahr 52 v. Chr. (Val. Max. 9,1,8). JÖ. F.

II. Kaiserzeit

**[II 1] M. M. Agrippa L. Tusidius Campester.** Ritter aus → Camerinum, der die drei ritterlichen *militiae* durchlief. Dabei wurde er als *praef. cohortis II Brittonum* von Hadrianus aus Moesia inferior in einen Krieg nach Britannien gesandt. Anschließend an die *militiae* wurde er *praefectus classis* in Britannien; dort auch Procurator. Er rühmte sich, *hospes* Hadrians gewesen zu sein. Für seine Mitbürger erreichte er Privilegien von Antoninus Pius. Sein Sohn war der Senator Tusidius Campester. PIR[2] M 67. W. E.

**Maeonius.** Ermordete 266/7 n. Chr. den palmyrenischen Fürsten → Odaenathus und dessen ältesten Sohn Herodes in Emesa (SHA trig. tyr. 15,5; 17,1; SHA Gall. 13,1; anders Synk. I p. 717; Zon. 12,24 D.; Zos. 1,39,2). PIR[2] M 71. T. F.

**Märchen** I. Begriff und Gattung II. Alter Orient III. Griechenland IV. Römische Literatur

I. Begriff und Gattung

Die Ant. kennt das M. als wohldefinierte und terminologisch eindeutig festgelegte Lit.-Gattung nicht. Da es aber zu allen Zeiten und in allen Kulturen mündliche und z. T. auch schriftlich fixierte Erzählungen gegeben hat, die im heutigen Sinne des Terminus zweifellos als M. zu bezeichnen sind, wird die Frage nach dem M. auch für die Ant. zum sinnvollen und notwendigen Thema. Das dt. Wort »M.« leitet sich von ahd. *māri*, mhd. *diu/daz maere* = »Bericht«, »Nachricht« her, also »Erzählung«, und zwar noch ganz im Sinne einer Aussage über ein für wahr gehaltenes Geschehen; erst im Spät-MA und im 15. Jh. erlangt die Diminutivform die Bed. »erfundene Geschichte« (*fabula*) im Gegensatz zum »wahren Geschehen« (*historia*). Als lit. Form gewann diese Prosagattung im europ. Barock und in der Aufklärung schnell an Beliebtheit. Doch erst die Romantik (Herder) erkannte die Mündlichkeit als primäres Charakteristikum des M. und postulierte eine strenge Trennung von »Kunstpoesie« (d. h. schriftlich verfaßter Lit.) und »Naturpoesie« (d. h. mündlicher Volksüberl.), die sich gleichsam ›von selber macht‹ (Herder). In der Folge dieses Initialimpulses entstanden die ›Kinder- und Haus-M.‹ der Brüder Grimm [1], nach deren Vorbild eine Fülle von europ. M.-Slgg. im 19. Jh. zusammengestellt wurde und die auf diese Weise die mod. M.-Forsch., die heute M. aller Zeiten und Kulturen untersucht, einleiteten.

Eine Definition des M. ist nach wie vor schwierig. Dies zeigt sich schon in der Abwesenheit eines semantisch streng deckungsgleichen Terminus in anderen Sprachen (engl. *fairy tale, folk tale*; frz. *conte*; it. *fiaba*). Grundcharakteristika sind Mündlichkeit der Erzählung, wunderbare Ereignisse als Inhalt, utopische Raumvorstellung, Zeitlosigkeit, befriedigender Abschluß mit ausgleichender Gerechtigkeit. Vom → Mythos unterscheidet sich das M. u. a. darin, daß es nicht wie dieser zur (rel.) Deutung der gegebenen histor. Welt (wie z. B. rel. Riten, gesellschaftl. Zustände, top. oder sonstiger konkreter Naturbesonderheiten) erfunden ist (→ Aitiologie), sondern jeweils rein um des Erzählens, des »Fabulierens« willen existiert – unbeschadet der Tatsache freilich, daß auch im M. sich gesellschaftl. Wirklichkeit spiegelt [2. 79f.; 3. 17f.].

Die M.-Forsch. ist in der Unt. des Materials zwei verschiedene Wege gegangen: einen lit.-wiss. und einen volkskundlich-kulturwiss. Weg. Der lit.-wiss. Ansatz wird heute im wesentlichen durch die Arbeiten der Schule des russischen Formalismus repräsentiert, namentlich von V. Propp [4; 5]: Nicht mehr der genau dokumentierte Text der mündlichen Erzählung, dessen Aufnahme noch den Brüdern Grimm so wichtig gewesen war und der in deren Nachfolge traditionell auf seine Ursprünglichkeit als »nationales« Erbe der »Frühzeit des Volkes« hin untersucht wurde, bildete hier den Fokus der Unt., sondern die Struktur der pragmatischen Handlungszusammenhänge. Diese M.-Struktur sieht eine kleine Anzahl fester Motive vor, die sich zu einer variablen Motivreihe bzw. -sequenz zusammenschließen. M.-Analyse ist damit nicht mehr Analyse von Einzeltexten, sondern von Textcorpora, die auf Grundstrukturen hin reduziert werden: z. B. ein Held zieht in die Welt, muß viele wunderbare Abenteuer bestehen, wird für tot gehalten und kommt erst im letzten Moment zurück, bevor seine Frau/Verlobte/Geliebte einen anderen heiratet. Eine Abgrenzung des M. von anderen »niederen« Gattungen (Sage, Legende, Mythos) bleibt bei diesem Ansatz schwierig [6].

Der volkskundliche Ansatz wird maßgeblich von der sog. »finnischen Schule«, namentlich A. AARNE und S. THOMPSON verfolgt. Ihr Hauptverdienst liegt in der umfassenden Materialzusammenstellung und der Erarbeitung eines »Typenkatalogs«. Er beruht auf der Erkenntnis, daß das M. nicht als »Text« greifbar ist, sondern als ein in Sinnstrukturen organisierter Stoff. Nur aus der Erfassung vieler Varianten läßt sich daher ein »Typ« abstrahieren [7; 8; 9; 10]. Neben dem »Typenkatalog« des M. läßt sich zudem auch ein Motivindex erstellen, der nicht nur M.-Motive, sondern ganze Motivkonstellationen zusammenstellt, die auch in anderen Gattungen immer wieder vorkommen [9; 10]. Laut AARNE-THOMPSON gibt es als drei Haupttypen »Tiermärchen«, »eigentl. M.« und »M.-Schwänke«; die eigentl. M. zerfallen in »Zauber-« oder »Wunder-M.«, »legendenartige«, »novellenartige M.« und »M. von dummen Teufeln oder Riesen«. Unter ihnen gibt es Ketten- oder Formel-M., die durch wiederholte Abwandlung desselben Motivs episodisch werden. Die »Schwank-M.« schließlich sind häufig als »Lügen-M.«, »verkehrte Welt«, »Münchhauseniaden« etc. realisiert [5]. Von den kulturwiss. Ansätzen sei nur die psycholog. M.-Forsch. hervorgehoben. Hier ist bes. die Schule von C. G. JUNG zu nennen: Sie sieht das M. als Symbol, als Chiffre für die Auseinandersetzung mit dem Unbewußten [11].

**1** Kinder- und Haus-M. der Brüder GRIMM, 3 Bde. (1812–1822, [7]1857: Ausgabe letzter Hand, mit einem Anhang), hrsg. von H. RÖLLEKE, 1982 **2** U. KINDL, s. v. M., HrwG 4, 78–84 **3** NILSSON, GGR I, 17–23 **4** V. PROPP, Morfologija skazki, 1928 ([2]1968) (dt.: K. EISENMACHER (Hrsg.), Morphologie des M., 1972) **5** Ders., Istoriceskie korni volsebnoj skazki, 1946 (dt.: Die histor. Wurzeln des Zauber-M., 1987) **6** A. JOLLES, Einfache Formen, 1930 ([2]1956 u.ö.) **7** A. AARNE, S. THOMPSON, The Types of the Folktale (Folklore Fellows Communications = FFC 184), 1928 ([2]1961 u.ö.) **8** A. AARNE, Leitfaden der vergleichenden M.-Forsch. (FFC 13), 1913 **9** S. THOMPSON, The Folktale, 1946 (Ndr. 1967 u.ö.) **10** Ders., Motif-Index of Folk-Literature, 6 Bde., 1955–1958 ([3]1975) **11** H. VON BEIT, Symbolik des M. Versuch einer Deutung, 3 Bde., 1952–1957 ([4]1971).

M. LÜTHI, M., [9]1996 • R. RANKE u. a., Enzyklopädie des M., Bd. 1 ff., 1975 ff.

L.K.

II. ALTER ORIENT

A. MESOPOTAMIEN B. SYRIEN/PALÄSTINA
C. HETHITER

A. MESOPOTAMIEN

In der reichen Keilschrift-Lit. sind M. eigentlich nicht überliefert. Ihre Existenz belegen aber in mythischem und epischem Kontext erh. M.-Motive: so die Fabel von ›Adler und Schlange‹ im Etana-Mythos, dort auch die »Himmelfahrt« des Helden; im → Gilgameš-Epos Episoden wie die Verwandlung von Ištars Liebhabern in Tiere (→ Kirke), die »Reise ans Ende der Welt«, der »Edelsteingarten«, das »Meer des Todes«, die Entrückung des Sintfluthelden ins »Land der Lebenden«. Ferner ist das »Lebenskraut« ein solches Motiv, das ebenfalls im sumer. Lugalbanda-Epos I erscheint, weiterhin die Siebenzahl der Brüder und Freunde, die Rettung vom Tode durch »gute Geister«; in Lugalbanda II die Hilfe durch den Anzu-Vogel u. a.m. Auch verschiedene Topoi in den Legenden über die Akkad-Herrscher, wie die Aussetzung → Sargons nach seiner Geburt und seine Errettung durch Aqqi den Wasserschöpfer, der Zug des Königs ins ›fabelhafte Purušḫanda‹ über undurchdringliche Wälder und Berge, Narām-Sîns Kampf gegen sieben Brüder usw. haben ihre Entsprechung in der Volksliteratur. Wir können also auch für Mesopot. eine reiche, uns aber nur mehr in solchen indirekten Zeugnissen erhaltene M.-Lit. voraussetzen.

B. SYRIEN/PALÄSTINA

M.-Motive sind auch in ugarit. Texten zu finden, so z. B. im → Keret-Epos Verlust und Wiedergewinnung der Kinder, die Sieben-Tage-Reise nach Udum, im Aqhat-Text die Eifersucht der Anat auf einen bes. kostbaren Bogen. Dennoch kennt auch die schriftliche Überl. aus Ugarit ebenso wie diejenige des AT keine spezifischen M.

→ Mythos

E. BRUNNER-TRAUT, Altäg. M., [6]1983 • Dies., Altäg. Tiergeschichte und Fabel, 1968 • R. M. DORSON (Hrsg.), Folklore and Folklife, 1972 • A. DUNDES (Hrsg.), Sacred Narrative: Readings in the Theory of Myth, 1984 • H. GUNKEL, Das M. im AT, 1921 • H.-J. HERMISSON, s. v. M., TRE 21, 1995, 672–677 • A. JOLLES, Einfache Formen, [2]1956 • F. KARLINGER (Hrsg.), Wege der M.-Forsch., 1973 • M. LÜTHI, M., [9]1996 • V. PROPP, Morphologie des M., 1972 • L. RÖHRICH, M. und Wirklichkeit, [3]1974 • W. RÖLLIG, Volkslit. in mesopot. Überl., in: K. HECKER, W. SOMMERFELD (Hrsg.), Keilschriftl. Lit., 1968, 81–87 • J. G. WESTENHOLZ, Legends of the Kings of Akkade, 1997.

W.R.

C. HETHITER

Im hethit. Schrifttum sind mehrere m.-hafte Erzählungen und M.-Motive erhalten. Die in den Städten Neša (→ Kaneš) und Zalpa (an der Mündung des Kızılırmak) spielende, nur teilweise erh. Erzählung von der Königin von Neša und ihren 30 Kindern enthält drei M.-Motive: 1. das Aussetzungsmotiv, 2. die Heirat zw. Brüdern und Schwestern und 3. das Motiv des jüngsten (und erfolgreichsten) Kindes [1. 805–7]. Eher als Epos denn als M. ist die in hethit., hurrit. und akkad. Sprache nur bruchstückhaft überl. Dichtung vom Jäger Kešši zu bezeichnen. Kešši heiratet die schöne Šintalimeni und versäumt darüber die Jagd und das Opfern. Schließlich begibt er sich auf die Mahnungen seiner Mutter hin ins Gebirge, wo den vom Unglück Verfolgten fremdartige Wesen aufzufressen drohen [1. 851 f.]. Die Geschichte vom reichen Appu, einer hurrit. M.-Gestalt, enthält das Motiv der zwei feindlichen Brüder [1. 848–51].

Im sog. ›Fischer-M.‹ erblickt der → Sonnengott auf der Weide eine schöne Kuh, die seine Neigungen erweckt. In Gestalt eines Jünglings steigt er vom Himmel herab und schwängert sie. Die Kuh gebiert ein Kind in menschlicher Gestalt, doch droht die wütende Mutter es zu fressen, worauf es ihr der Sonnengott entzieht; schließlich läßt er das Kind von einem kinderlosen Fischerpaar finden; die Fischerin täuscht eine Geburt vor, damit die Nachbarn den Betrug glauben und Gaben bringen. Damit schließt der noch erh. Text [1. 853–56]. In der Erzählung von Gurparanzaḫ, einer hurrit. M.-Gestalt, erlegt der Held ein Raubtier und zieht in die babylon. Stadt Akkade ein. Nach einem Festmahl besiegt er im Bogenschießen ›60 Könige und 70 Helden‹. Nachdem er zu Bett gegangen ist, tritt seine Gattin Tatizuli auf. Die Erzählung berichtet weiter, daß der personifizierte Tigris (unter seinem hurrit. Namen Aranzaḫ) sich durch die Lüfte wie ein Adler nach Akkade begibt, wo er Gurparanzaḫ trifft, der sich wegen seiner Heirat in Schwierigkeiten befindet. Aranzaḫ begibt sich deshalb zu den Schicksalsgottheiten [1. 852–853].

Typische Motive der M.-Literatur finden sich zudem in Mythen und in Beschwörungen: im Mythos vom Gott Telipinu [1. 815–821] Tiere als Hilfsgeister der Götter; im Šedammu-Mythos [1. 844–848] das Motiv des Drachenkampfes, das auch im Mythos von Illuyanka, dem tölpelhaften Drachen, und dem Wettergott [1. 808–811] enthalten ist, ferner das Motiv des verbotenen Fensters; im → Ullikummi-Mythos [1. 830–844] das steinerne Ungeheuer, welches im phryg. Agdistis-Mythos und in den ossetischen Narren-M. weiterlebt; in Beschwörungen das für die M.-Forschung bedeutsame Motiv der unlösbaren Aufgaben: Es ergeht an die »abartigen Leute« der absurde Auftrag, die langen Wege kurz und die kurzen Wege lang zu machen, die hohen Berge flach und die flachen Berge hoch zu machen, den Wolf mit bloßer Hand zu fangen, den Löwen mit den Knien zu fangen und die Strömung des Flusses anzuhalten. Als M.-Motiv mutet auch der hattische Hieros logos eines hethit. Gewitterrituals an, der berichtet, daß der Mond vom Himmel herab auf den Marktplatz fiel.

1 TUAT 3, 1994. V.H.

### III. Griechenland

Im ant. Griechenland ist das M. im oben definierten Sinne nicht greifbar: Das »Tier-M.« ist als → Fabel lit. geworden (→ Aisopos), M. im engeren Sinne sind nur als M.-Motive in anderen Gattungen erhalten (insbes. → Epos). Ob die »Kindergeschichten« bzw. die ›Geschichten, die Ammen den Kindern erzählen‹ (Plat. rep. 350e; leg. 887d etc.) tatsächlich auf M. im oben genannten Sinne verweisen, läßt sich nicht sagen: Ihr einziges Spezifikum scheint zu sein, daß sie – im Gegensatz zu dem, was sich Erwachsene erzählen – nicht wahr sind. Vollständige M. sind jedenfalls – sei es, weil sie eine rein mündliche Gattung waren, sei es, weil ihre Motive in andere Gattungen eingegangen sind – aus dem ant. Griechenland nicht erhalten.

Nachweisbar sind hingegen zahlreiche M.-Motive in griech. Mythen. Ein häufig vorkommendes M.-Motiv ist das des Abenteuers: Der Held hat eine Reihe von Kämpfen und Proben zu bestehen, Riesen und Ungeheuer zu bezwingen oder übermenschliche Aufgaben zu erfüllen (z. B. → Iason, → Herakles, → Perseus, → Theseus). Die Abenteuersequenz wird oft in eine übergeordnete Struktur eingebettet: Der Held wird von einem Feind gezwungen, die Gefahren zu bestehen und erhält als Lohn die Hand der Prinzessin (→ Andromeda, → Iole, → Hippodameia); bisweilen ist die gewonnene Frau eine verwitwete Königin, mit deren Hand der Held auch das Königreich gewinnt (→ Oidipus, → Odysseus). Manchmal hilft die verliebte Prinzessin dem Helden, zu ihr zu finden (mit dem Faden → Ariadne; mit Zauberkunst → Medeia, im modernen M.: Brotkrumen, die die Vögel fressen; Steinchen auf dem Weg). Zauberer und Hexen stellen sich dem Helden in den Weg, die die Menschen in Tiere o.ä. verwandeln (→ Kirke, → Medeia). Der Held erhält wunderbare Hilfsmittel (z. B. → Perseus: Tarnkappe, Flügelschuhe). Das Leben des Helden ist auf magische Weise an Gegenstände gebunden (→ Meleagros [1], der stirbt, sobald das Holzscheit verbrennt). Der Katalog ließe sich fast beliebig erweitern.

Wie produktiv die sensible Analyse von M.-Motiven in anderen Gattungen für die konkrete Interpretation von Texten sein kann, hat in der jüngeren Forsch. nach Vorarbeiten von L. Radermacher, D. Page (u. a. [1; 2; 3;]) insbes. U. Hölscher [4] am Beispiel von → Homers ›Odyssee‹ gezeigt, indem er die Methoden der vergleichenden M.-Forsch. konsequent darauf anwendete. Hatte die stoffgesch. Forsch. hinter diesem Epos immer Odysseus als den Helden eines Seefahrer-M. einerseits von Odysseus als dem Helden einer Heimkehrernovelle andererseits geschieden und so das »Wunderbare« der Abenteuer vom Realismus der Vorgänge auf Ithaka unterschieden [5. 108], so führt ein entschiedener Blick auf die pragmatischen Strukturen [6; 7] der Gesamt-Gesch. der ›Odyssee‹ auf einen Standardtypus von M., für den sich zahlreiche Parallelen vom altägypt. Wunder-M. über indianische M. bis zu ma. Legenden finden: Der Protagonist verläßt seine Frau, häufig um als »Sucher« oder »Helfer« Heldentaten zu vollbringen, wird lange von zu Hause ferngehalten, gerät in zahlreiche Abenteuer, die ihn bis ans Ende der Welt und ins Jenseits führen, bis er schließlich – zunächst incognito – gerade noch rechtzeitig heimkehrt, bevor seine Frau einen anderen heiratet [4]. Ein Vergleich mit der Handlung der ›Odyssee‹ macht deutlich, daß das Epos in seinem Gesamtplan dieser M.-Struktur folgt. In diese sind wiederum viele einzelne M.-Motive eingebettet: die einzelnen Abenteuer der Irrfahrt (der Riese → Polyphemos, die Hexe Kirke, Lotosesser und → Kalypso als Varianten des Totenreichs, das Bett als geheimes Erkennungszeichen, → Penelopes Webstuhllist etc.) [1]. Gerade am Beispiel der ›Odyssee‹ zeigt sich, daß der Strukturansatz Propps [6] in Verbindung mit der Motivanalyse von AARNE-THOMPSON [8; 9] auch im Griech. zu fruchtbaren Ergebnissen führt (vgl. auch → Argonautai). Das Charakteristikum der Ortslosigkeit rückt das M. zudem in die Nähe der → Utopie: Schon in der ›Odyssee‹ finden sich utopisch-märchenhafte Züge (→ Phaiakes); diese Verbindung tritt in der hell.-kaiserzeitlichen Reise-Lit. und deren Karikatur bei Lukianos (*Vera historia*) bes. hervor (z. B. → Antonios [3] Diogenes oder → Iambulos).

→ Roman; Utopie

**1** L. RADERMACHER, Die Erzählungen in der Odyssee, SB Wien Philol.-histor. Klasse 178/1, 1915 **2** Ders., Mythos und Sage bei den Griechen, [2]1934 **3** D. PAGE, Folktales in Homer's Odyssey, 1973 **4** U. HÖLSCHER, Die Odyssee. Epos zwischen M. und Roman, 1988 **5** A. LESKY, s. v. Homeros, RE Suppl. 11, 795 f. **6** V. PROPP, Morfologija skazki, 1928 ([2]1968) (dt.: K. EISENMACHER, Morphologie des M., 1972) **7** Ders., Istoriceskie korni volsebnoj skazki, 1946 (dt.: Die histor. Wurzeln des Zauber-M., 1987) **8** A. AARNE, S. THOMPSON, The Types of the Folktale, [2]1964 ff. **9** S. THOMPSON, Motif-Index of Folk-Literature, 6 Bde., 1955–1958 ([3]1975).

W. ALY, Volks-M., Sage und Novelle bei Herodot und seinen Zeitgenossen, 1921 ([2]1969) • Ders., s. v. M., RE 14, 254–281 • G. GERLAND, Altgriech. M. in der Odyssee, 1869 • K. MEULI, Odyssee und Argonautika, 1921, in: TH. GELZER (Hrsg.), Gesammelte Schriften, 1975, 593–676 • R. RANKE u. a. (Hrsg.), Enzyklopädie des M., Bd. 1 ff., 1975 ff. (s. v. der ant. Autoren und Figuren der griech. Myth.). L. K.

### IV. RÖMISCHE LITERATUR

Auch im familiären Milieu des röm. Hauses war, ähnlich wie in Griechenland, ein Erzählgut (*fabulae aniles, f. nutricularum*, »Ammen-M.«) verbreitet, dessen Motive und Formeln Berührungen mit denen der neuzeitlichen M. aufweisen (Belege ab ca. 200 v. Chr.: [1. 44–47]). Die inhaltl. Abgrenzung bes. gegenüber → Mythos und Sage ist schwierig, die Terminologie unscharf (*fabula* kann, ähnlich wie unser »Ammenmärchen«, verschiedene narrative Kleinformen bezeichnen), und die Motive liegen nur stark vereinzelt vor. Daher ist es schwer zu entscheiden, ob es in sich abgeschlossene, unabhängig von lit. Fixierung und Gestaltung mündlich überl. Texte gegeben hat, die als lat. Entsprechungen zu den Volks-M. neuzeitlicher Slgg. gelten könnten. Im wesentlichen beschränkt sich unsere Kenntnis des den Römern vertrauten M.-Gutes auf die anhand von Motiv- und Typenkatalogen mögliche Erfassung einschlägiger Elemente (z. B. Tierverwandlung und Erlösung; dankbare Tiere; eifersüchtige Schwestern und böse Stiefmutter; Jungfrau im Turm; Wunderkraut; Tischlein-deck-dich) in lat. Texten aus unterschiedlichen lit. Genera (bes. → Komödie, → Epos, → Fabel, später auch → Novelle und → Roman); auch sprichwörtliche Redensarten spielen nicht selten auf M.-Stoffe an [2. 95–97].

Eine Sonderstellung nehmen die ›Metamorphosen‹ des Apuleius (→ Ap(p)uleius [III]) ein, die neben einer Vielzahl einzelner Motive [3. 682 f.] mit der wohl absichtsvoll in ihrer Mitte (Apul. met. 4,28–6,24) eingefügten Erzählung von Amor und → Psyche das nach allg. Auffassung einzige vollständig erh. ant. M. aufweisen; trotz zahlreicher Erklärungsversuche ist aber die Frage nach der Herkunft des Stoffes, der Gattungszugehörigkeit der Erzählung sowie der von Apuleius als Erzähler (oder Erfinder?) intendierten Bed. seit der Spätant. nicht befriedigend gelöst [2; 4; 5]. Unter den Stoffen aus der ant. Lit., die in neueren M. wiederkehren, ragt wiederum der von Amor und Psyche hinsichtlich der Zahl und Verbreitung seiner Varianten heraus [6. 140–145; 7; 8; 9]. In der neueren M.-Forsch. ist umstritten, ob es sich in diesen Fällen um Manifestationen uralter Volks-M. [7; 8] oder um ›gesunkenes Kulturgut‹ handelt, das auf lit. Vorbilder zurückgeht [10].

**1** J. BOLTE, G. POLÍVKA, Anmerkungen zu den Kinder- und Haus-M. der Brüder Grimm, Bd. 4, 1930, Ndr. 1992 **2** O. WEINREICH, Das M. von Amor und Psyche und andere Volks-M. im Alt., in: FRIEDLÄNDER 4, 89–132 **3** H. VAN THIEL, s. v. Apuleius, in: Enzyklopädie des M. (=EM) 1, 680–685 **4** G. BINDER, R. MERKELBACH (Hrsg.), Amor und Psyche, 1968 **5** C. MORESCHINI, Il mito di Amore e Psiche in Apuleio, 1994 **6** A. AARNE, S. THOMPSON (Hrsg.), The Types of the Folktale, [2]1964 **7** J.-Ö. SWAHN, The Tale of Cupid and Psyche, 1955 **8** G. A. MEGAS, Das M. von Amor und Psyche in der griech. Volksüberl., 1971 **9** Ders., s. v. Amor und Psyche, in: EM 1, 464–472 (mit weiterer Lit.) **10** D. FEHLING, Amor und Psyche, 1977. H.-P. S.

## Märtyrer A. BEGRIFFSGESCHICHTE B. KULT

### A. BEGRIFFSGESCHICHTE

Um die Mitte des 2. Jh. n. Chr. hatte die christl. Reflexion über das Verfolgungsgeschick (jüdische theologische Trad. seit der Religionsverfolgung unter → Antiochos [6] IV. Epiphanes; urchristl. Spezifika: Nachfolge und Nachahmung Jesu sowie Erlebnis der Abweisung missionarischer Verkündigung; Einflüsse der griech.-röm. Umwelt in der Sicht des heroischen Todes, zum Teil vermittelt über das Judentum der → Diaspora) in der Reaktion auf extreme Erfahrungen den Punkt erreicht, daß man nach eindeutigen Benennungen suchte. Die Terminologie der stadtröm. Schrift *Pastor Hermae* (→ Hermas; Unterscheidung zw. denen, die gelitten haben und auf deren Tod man zurückblickt: *pathóntes*, und anderen Bedrängten: *thlibéntes*, jeweils mit Angabe des Grundes) setzte sich nicht durch, wohl aber die kleinasiatische, die erstmals ca. 160 n. Chr. im *Martyrium Polycarpi* begegnet: Der des Glaubens wegen Hingerichtete ist »Zeuge« (*mártys*), sein Sterben ein »Zeugnis« (*martýrion* oder *martyría*), das auch verbal als »bezeugen« (*martyreín*) ausgedrückt werden kann. Die Unterscheidung des *Pastor Hermae* blieb erhalten, indem man seit Ende des 2. Jh. n. Chr. zw. dem M. und dem »Bekenner« (*homologētḗs*, lat. *confessor*) unterschied, wobei die Grenzen zunächst jedoch fließend waren. Der griech. t.t. *mártys* gelangte als Lehnwort in das christl.

Latein (*martyr*) und in zahlreiche europäische Sprachen (z. B. dt. »Marter«); im Osten wurde er häufig in die Sprachen des christl. Orients übersetzt.

Die urspr. Bed. wurzelt wahrscheinlich im Gedankenkomplex der Übereinstimmung von Wort und Tat und deren bezeugendem Wortcharakter (→ Ignatios [1] von Antiocheia mit Einflüssen des Diasporajudentums und der Popularphilos.). Die ältere Forsch. dachte an eine kontinuierliche Veränderung der Bed. der Zeugnisterminologie im NT und sogar schon im AT oder an allzu direkte Einflüsse der Stoa.

B. Kult

Das *Martyrium Polycarpi* enthält auch die frühesten Äußerungen zur M.-Verehrung, die man im Blick auf die Anfänge am besten als Steigerungen des → Totenkultes versteht: Die christl. Gemeinde (nicht eine Familie) versammelt sich am Grab des → Polykarpos, um dort in Freude an dessen Todestag aller im Martyriumsbericht genannten M. zu gedenken. Der Brauch der Unterscheidung zw. M. und anderen Verstorbenen breitete sich in der gesamten Kirche aus, wobei die Formen im einzelnen differieren konnten. In Karthago begann man zur Zeit des Bischofs → Cyprianus [2] (Mitte 3. Jh. n. Chr.), einen Kalender der Todestage von M. zu führen; dort kannte man die Praxis, Martyriumsberichte im innerstädtischen Gottesdienst zu verlesen.

Die Apostel galten in ihrer Gesamtheit oder mit Ausnahme des Johannes als M.; ihr Gedächtnis wurde seit Ende des 2. Jh. n. Chr. in den Formen der M.-Verehrung begangen (Hervorhebung des Grabes, Gedächtnistag). Später übertraf ihre Verehrung die anderer M., u. a. weil die Berufung auf sie kirchenpolit. Bed. für das Ansehen von Gemeinden hatte. Frühe Zeugnisse für die Bestattung *ad sanctum* (»bei einem Heiligen«, i.e. in der Nähe eines M.-Grabes) stammen aus Karthago und Salona. Für → Origenes waren die M. Freunde Gottes mit dem Vorrecht der freien Rede (*parrhēsía*), die der irdischen Kirche einen Dienst leisteten. Invokationen der Apostel Petrus und Paulus als Graffiti wurden unter S. Sebastiano vor Rom (konstantinische Gründung als *basilica apostolorum*) bei Ausgrabungen an einer Stelle gefunden, an der man zu ihren Ehren das Totenmahl (*refrigerium*) beging, z. B.: *Paule Petre petite pro Erote rogate* (»Paulus, Petrus, bittet, betet für Eros«).

In nachkonstantinischer Zeit bemühten sich Bischöfe darum, die verbreitete Praxis des privaten Totenmahles an den M.-Gräbern zugunsten der gemeinsamen Eucharistiefeier zurückzudrängen. Die M. wurden immer mehr zu christl. Helden, mit denen man die alten Heroen überbieten wollte. Einzelne Praktiken des → Heroenkultes und der Götterverehrung wurden rezipiert (z. B. *incubatio*).

Zu den M. im Islam s. → Schiiten; Sunniten.

→ Acta Sanctorum; Heilige; Heroenkult; Lapsi; Märtyrerliteratur; Schiiten; Sunniten; Toleranz; Totenkult

Th. Baumeister, Genese und Entfaltung der altkirchlichen Theologie des Martyriums, 1991 (Lit.) • Ders., s. v. Heiligenverehrung I, RAC 14, 96–150 • N. Brox, Zeuge und M. Untersuchungen zur frühchristl. Zeugnis-Terminologie, 1961 • P. Gerlitz u. a., s. v. Martyrium, TRE 22, 196–220. TH. BA.

**Märtyrer von Amorion.** Bezeichung einer Gruppe von 42 Bürgern der Stadt Amorion in Phrygien (Kleinasien), die 838 n. Chr. nach der Eroberung durch die Araber nach der Kalifenresidenz Samarra am Euphrat verschleppt und dort im J. 845 hingerichtet wurden. Ihre bald danach von einem Mönch namens Euodios verfaßte griech. Vita trägt stark legendäre Züge. Das Hauptgewicht liegt darin auf theologischen Diskussionen zw. den Gefangenen und ihren Bewachern; die Hinrichtung der Märtyrer erfolgt wegen der Weigerung, zum → Islam überzutreten.

Ed.: V. Vasil'ev, P. Nikitin (ed.), Skazanija o 42 amorijskich mučenikach, 1905. AL. B.

**Märtyrerliteratur.** Von den Passionsberichten der Evangelien abgesehen, beginnt die christl. M. um die Mitte des 2. Jh. mit zwei griech. Sendschreiben verfolgter Gemeinden in Kleinasien und Gallien, dem ›Martyrium des → Polykarpos‹ und dem Brief der Gemeinden von Vienne und Lyon. Beide Briefe schildern die Ereignisse von der Verhaftung bis zur Hinrichtung. Dank etlicher Parallelen zum Kreuzweg Christi verklärt das *Martyrium Polycarpi* den Feuertod des Bischofs von Smyrna (167/8 n. Chr.?) zum vollkommenen Ende im Einklang mit den Evangelien. Der Brief von Vienne und Lyon (177 n. Chr.; Eus. HE 5,1,3–5,2,8) deutet die »Heimsuchungen« der gallischen Märtyrer als tödliche Fehde mit Satan, den sie in der Nachfolge Christi überwinden.

Andere Märtyrertexte lesen sich wie Protokolle der Gerichtsverhandlung, deren mitunter dramatische Dialoge in Bekenntnis und Todesurteil gipfeln; so die griech. Acta → Iustinos' [6] (um 165 n. Chr.) oder das älteste erh. lat. Martyrium, die Acta der Scillitanischen Märtyrer (180 n. Chr.). Gerade dieser Typus kennt Mischformen (z. B. die Acta Cypriani, 258 n. Chr.). Eine dritte Spielart begegnet uns in der → *Passio Perpetuae et Felicitatis*, dem bedeutendsten lat. Märtyrertext (203 n. Chr.; → Perpetua), unter dessen Einfluß die gesamte nordafrikanische M. steht.

Auch wo sie histor. Ereignisse schildern, darf keiner dieser frühen Texte – wenige autobiographische Notate von Märtyrern ausgenommen – als im mod. Sinn authentisches Zeugnis gelten (die nachkonstantinischen Texte sind fast alle Fiktion). So gut wie immer ist mit Überarbeitung, Literarisierung, Deutung (auch im Dienst innerkirchlicher Polemik) zu rechnen. Das Gewicht dieser Dokumente liegt freilich von Anfang an nie auf der histor. Seite. Es handelt sich um lit. Erzeugnisse für den liturgischen Gebrauch in den Gemeinden, bes. am Jahrestag der Martyrien. Sie feiern das Gedächtnis der Toten, sie suchen die verfolgte Gemeinde zu

stärken, sie erbauen ihr Publikum mit der Erinnerung an eine große Zeit der frühen Kirche (→ Heilige, Heiligenverehrung).
→ Acta Sanctorum; Märtyrer

ED.: A. A. R. BASTIAENSEN u. a., Atti e passioni dei martiri, 1987.
LIT.: TH. BAUMEISTER, M. VAN UYTFANGHE, s. v. Heiligenverehrung, RAC 14, 96–150; 150–183 • W. BERSCHIN, Biographie und Epochenstil im lat. MA, Bd. 1, 1986 • G. W. BOWERSOCK, Martyrdom and Rome, 1995 • H. DELEHAYE, Les Passions des martyrs et les genres littéraires, 1921 (²1966) • G. LANATA, Gli atti dei martiri come documenti processuali, 1973 • V. SAXER, Bible et Hagiographie. Texte et thèmes bibliques dans les Actes des martyrs authentiques des premiers siècles, 1986. PE. HA.

**Maesesses.** Stamm der → Bastetani (Liv. 28,3,3) in Ostandalusien in einer fruchtbaren Gegend mit Silbergruben. 207 v. Chr. wurde ihr Gebiet von P. → Cornelius [I 71] Scipio erobert [1]. Hier lag Orongis (wohl identisch mit Aurgi, h. Jaén [2]).

1 A. SCHULTEN (Hrsg.), Fontes Hispaniae Antiquae 3, 1935, 131 2 SCHULTEN, Landeskunde 1, 84. P. B.

**Maesius**
**[1] C. M. Aquillius Fabius Titianus.** Consul in einem unbekannten J.; möglicherweise identisch mit M. [3]. PIR² M 73.
**[2] C. M. Picatianus.** Senator; vielleicht aus Brixia stammend, wo er als Patron geehrt wurde (CIL V 4338 = InscrIt X 5, 126). Praetorischer Legat der *legio III Augusta* 163–165 n. Chr. [1. 155 f.]; Suffektconsul 165 oder 166. PIR² M 78.

1 THOMASSON, Fasti Africani, 1996.

**[3] C. M. Titianus.** *Cos. ord.* 245 n. Chr. zusammen mit dem Caesar Philippus; die Familie nahm also einen hohen Rang in der senator. Ges. dieser Zeit ein (PIR² M 82; zur Familie [1. 139 ff. = AE 1990, 129]).

1 M. G. GRANINO CECCERE, Iulii Apri e Maesii Titiani in un documento epigrafico dell'ager Tusculanus, in: MEFRA 102, 1990. W. E.

**Maevius.** Seltener italischer Eigenname, Variante von → *Mevius*.
**[1]** Komplize des → Verres auf Sizilien (Cic. Verr. 2,3,175), vielleicht der von Verres beschenkte Schreiber (2,3,176; 181; 185; 187).
**[2]** Centurio des Octavianus, 30 v. Chr. bei Alexandreia von Antonius gefangen, umsonst zum Seitenwechsel gedrängt und aus Respekt freigelassen (Val. Max. 3,8,8).
**[3] M., M.** Fiel 203 v. Chr. in Oberitalien als Militärtribun gegen Hannibals Bruder Mago (Liv. 30,18,15). JÖ. F.

**Maezaei** (Μαιζαῖοι, Ptol. 2,16,5; Μαζαῖοι, Strab. 7,5,3; Cass. Dio 55,32,4; *Mazaei*, Plin. nat. 3,142; *Maezei* in Inschr.). Stamm im Norden von Dalmatia nahe der dalmatisch-pannonischen Grenze. Nach Plin., Ptol. und Cass. Dio gehörte er zu den Dalmatini, nach Strab. zu den Pannonii. Die pannonische Herkunft der M. ist wahrscheinlicher, obwohl sie dem *conventus Salonitanus* (»Rechtsbezirk von Salona«) angegliedert waren. Ihr ausgedehntes Gebiet wurde von den Römern 12 v. Chr. unterworfen. Sie bildeten eine peregrine Gaugemeinde, die ein *praefectus Maezeiorum* (CIL IX 2564) verwaltete. Sie waren an dem pannonischen Aufstand 6–9 n. Chr. beteiligt und wurden im J. 7 n. Chr. von → Germanicus [2] geschlagen, der ihr Gebiet verheerte (Cass. Dio l.c.). In der frühen Prinzipatszeit wurden die M. in mil. Dienste berufen und in den *cohortes Dalmatarum* bzw. in der ravennatischen Flotte eingesetzt (vgl. ILS 2576; CIL XVI 14). Die Auswirkungen der Romanisierung waren beschränkt.

M. FLUSS, s. v. Maezei, RE 14, 283–286 • G. ALFÖLDY, Bevölkerung und Ges. der röm. Prov. Dalmatien, 1965, 52 • TIR L 34 Budapest, 1968, 75 f. J. BU.

**Mäzenatentum** s. Literaturbetrieb; s. Zirkel, literarische

**Magadis** s. Musikinstrumente

**Magalus** (griech. *Mágilos*, Μάγιλος). Keltischer Name aus *maglo-*, »Prinz, Fürst« [1. 234]. Boierhäuptling (→ Boii), der sich 217 v. Chr. → Hannibal [4] als Bundesgenosse und Führer über die Alpen anbot (Pol. 3,44,5; Liv. 21,29,6).

1 SCHMIDT. W. SP.

**Magarsa** (Μάγαρσα). Siedlung am rechten Ufer des Saros im Gebiet von → Mallos, 4 km südwestl. der h. Bezirkshauptstadt Karataş in der → Kilikia Pedias auf dem Kap Karataş in Dört Direkli, wo sich das Heiligtum der Athena Magarsia befand. Nach dem Ende der Perserherrschaft gehörte M. zuerst zum Alexanderreich, danach zum Seleukidenreich. Im 2. Jh. v. Chr. wurde M. mit Mallos in Antiocheia am Pyramos umbenannt. Seit 72 n. Chr. endgültig in der röm. Prov. → Cilicia. Ant. Überreste: Teile der hell. und röm. Befestigungsmauern, eines Stadions und der Theater-Cavea; inschr. sind Priester für Zeus Olympios, Zeus Polieus und Athena Polias bekannt.

HILD/HELLENKEMPER, 335 f., s. v. Magarsos. M. H. S.

**Magas** (Μάγας).
**[1]** Vater der → Berenike [1].

GEYER, s. v. M., RE 14, 292 f.

**[2]** M. wurde spätestens 320 v. Chr. als Sohn eines Philippos und der → Berenike [1] geboren, vielleicht Bruder der Theoxene (PP VI 14511), die Agathokles [2] nach 300 heiratete (eine Adoption durch Ptolemaios I. gab es nicht: SEG 18, 743; zu einem ihm gehörenden Haus in Alexandreia vgl. [1. 287]). M. eroberte für → Ptolemaios I. kurz nach 301 das abgefallene → Kyrene zurück und verwaltete es. Schon geographisch bedingt muß seine Stellung weitgehend autonom gewesen sein; nach dem Tod Ptolemaios' I. fiel M. dann von Ägypten ab (wohl erst zw. 279 und 274), nahm den Königstitel an und heiratete → Apama [3], eine Tochter Antiochos' [2] I. M. suchte das Bündnis mit kretischen Gemeinden, um der ptolem. Position auf der Insel entgegenzuwirken (StV III 468; *koinón* der Oreioi, Gortyn; vgl. zu Antiochos StV III 486). Der gemeinsame Angriff auf Ptolemaios II. war nicht gut koordiniert: Als der 1. → Syrische Krieg begann, war M.' Feldzug bereits abgebrochen. M. war bis 60 km vor Alexandreia gelangt (Taposiris), mußte dann aber wegen einer Revolte der libyschen Marmarides (→ Marmarica) umkehren (Paus. 1, 7); er behielt wohl Paraitonion (Plut. mor. 449e; 458a; vielleicht findet sich in SEG 17,817,4 (Kyrene) mit *sképtra* (Pl.!) ein Anspruch auf die Herrschaft in Äg.). Von weiteren Auseinandersetzungen ist nicht die Rede; sichtbare Einschränkungen des Handels nach Ost und West gab es nicht.

Über die Verwaltung der → Kyrenaia durch M. ist wenig bekannt; er war wenigstens einmal eponymer Priester des kyrenischen Apollon (SEG 18, 743), erhielt zu Lebzeiten einen Kult (SEG 9, 112), prägte Mz. nach ptolem. Standard mit dem Bild Ptolemaios' I., auf den er seine Legitimität gründete; unklar ist, ob lokale Mz. weiter geprägt wurden. M. gehörte zu den Königen, denen → Aśoka buddhistische Missionare schickte [2. XIII]. Kurz vor seinem Tod 250 verlobte M. seine Tochter → Berenike [3] II. mit Ptolemaios III. – eine Kehrtwende der Politik, die von Apama [3] später nicht mehr getragen wurde (Iust. 26, 3; zum Todesdatum ist FGrH 86 F 7 wichtig).

1 Mitteis/Wilcken 2 U. Schneider, Die großen Felsenedikte Aśokas, 1978.

Beloch, GG IV² 2, 186ff. • F. Chamoux, Le Roi Magas, in: RH 216, 1956, 18–34 • A. Laronde, Cyrène et la Libye hellénistique, Paris 1987, 360ff. • O. Mørkholm, Cyrene and Ptolemy I. Some Numismatic Comments, in: Chiron 10, 1980, 145–159.

**[3]** Sohn → Ptolemaios' III. und → Berenikes [3] II.; 223 oder 222 v. Chr. nach dem Tod Seleukos' III. von seinem Vater mit dem Kommando über die *prágmata* (»königlichen Angelegenheiten«) nach Asien geschickt [1. 28ff.], vielleicht um → Attalos [4] I. zu unterstützen. Der Versuch war nicht erfolgreich, aber vielleicht einer der Gründe für den 4. → Syrischen Krieg. M. wurde 221 nach dem Tod Ptolemaios' III. von Sosibios mit Hilfe des Spartaners Kleomenes getötet, weil er wegen seiner Mutter beim Heer großen Einfluß hatte.

1 T. Larsen (ed.), Pap. Graeci Haunienses 1, 1942, 6 (Ndr. 1974).

Chr. Habicht, Athen in hell. Zeit, 1994, 49f. • W. Huss, Eine Expedition nach Kleinasien, in: AncSoc 8, 1977, 187–193 • F.W. Walbank, A Historical Commentary on Polybius 1, 564. W.A.

**Magdala** (griech. Μαγδαλά < hebr. *Migdal Numayyā*, »Turm«, arab. *al-Maǧdal*). Hafenstadt am NW-Ufer des Sees Genezareth, nach der dortigen Produktion von Salzfisch auch als *Taricheai* bekannt. In hasmonäischer Zeit (→ Hasmonäer) gegr., entwickelte sich das hellenisierte M. zu einer der größten Städte → Galilaeas mit Hippodrom und Stadion. Unter Kaiser Nero wurde M. dem Reich Herodes' II. Agrippa (→ Iulius [II 5]) angegliedert. Während des ersten Jüd. Krieges war die Stadt ein Zentrum des Widerstandes und wurde 67 n. Chr. durch Titus nach heftigen Kämpfen zu Wasser und zu Land erobert. Ein großer Teil der Bevölkerung wurde hingerichtet oder versklavt. M. blieb in der Folge zwar als Ort bestehen, verlor aber seine wirtschaftliche Bed. und fiel nach dem Tod Herodes II. Agrippa der Prov. Palaestina zu. Nach der Zerstörung des Tempels ließen sich dort die Priester der Familie Ezechiel nieder.

Als Heimatort → Maria [II 2] Magdalenas wurde M. spätestens seit dem 6. Jh. n. Chr. Ziel christl. Pilger. Seit dem 8. Jh. ist eine Kirche an der Stelle des Hauses der Maria Magdalena belegt. Die von den Franziskanern durchgeführten Ausgrabungen in M. brachten ein rechteckiges, im Inneren an drei Seiten mit einer Säulenreihe versehenes Gebäude zu Tage, bei dem es sich allerdings nicht (so Corbo [2]) um eine »Mini-Synagoge«, sondern um ein Brunnenhaus handeln dürfte. Ebenso wurden röm. Villen sowie Reste eines byz. Klosters gefunden.

1 M. Aviam, s. v. M., The Oxford Encyclopedia of Archaeology in the Near East 3, 399f. 2 V. Corbo, La mini-synagogue de Magdala, in: Le Monde de la Bible 57, 1989, 15–20 3 M. Nun, Ancient Anchorages and Harbours around the Sea of Galilee, 1988 4 D. Pringle, The Churches of the Crusader Kingdom of Jerusalem 2, 1998, 28. J.P.

**Mageia** s. Magie, Magier

**Magi.** Kastell in NW-Britannia (Not. dign. occ. 40,14; 40,49) mit einem *numerus Pacensium* als Garnison (4. Jh. n. Chr.). Lage umstritten, aber ein von *vik(ani) Mag...* in Old Carlisle erbauter Altar (CIL VII 1291) ist ein Hinweis darauf. Denkbar ist aber, daß M. das Kastell in Burrow Walls war und Maglona das in Old Carlisle (Not. dign. occ. 40,13; 40,29). Beide Kastelle wurden bis ins 4. Jh. hinein gehalten.

E. Birley, The Roman Fort and Settlement at Old Carlisle, in: Transactions of the Cumberland and Westmorland Archaeological and Antiquarian Society 51, 1951, 16–39 • A. L. F. Rivet, C. Smith, The Place-Names of Roman Britain, 1979, 406. M.TO./Ü: I.S.

**Magia Polla** (auch Maia). Mutter des Dichters → Vergilius, von niederer Abkunft. Ihr Traum von der Geburt Vergils bei Sueton (Suet. de viris illustribus, Vergilius 1–3).

G. Brugnoli, Phocas, Vita di Vergilio, 1984 • Ders. (Hrsg.), Vitae Vergilianae antiquae, 1997. ME.STR.

**Magie, Magier** I. ALTER ORIENT II. JUDENTUM III. GRIECHENLAND UND ROM IV. CHRISTENTUM V. ISLAM

I. ALTER ORIENT

A. ALLGEMEIN B. MESOPOTAMIEN UND KLEINASIEN C. ÄGYPTEN

A. ALLGEMEIN

Altoriental. und äg. M. beruht auf einem Weltbild, das der Religion entgegengesetzt ist. Im mag. Weltbild sind Menschen, Götter und → Dämonen durch Sympathien und Antipathien miteinander und mit dem Kosmos verbunden, im rel. Weltbild wird alles durch die Götter zu ihrem eigenen Nutzen gestaltet; die Beziehungen zw. Mensch und Kosmos sind Folge bewußter Maßnahmen der Götter. In der rel. Praktik jedoch sind beide Weltbilder integriert und komplementär. Das rel. Weltbild manifestiert sich am klarsten im regelmäßigen → Kult, die Magie wird nur im Bedarfsfall zur Lösung öffentlicher wie privater Probleme angewandt. In der Regel wird M. defensiv angewandt; offensive M. gegen Menschen – Hexerei – wird als antisoziale Aktivität gefürchtet und bestraft. Ein Spezialfall defensiver M. richtet sich gegen Krankheiten und Krankheitsdämonen; sie ist komplementär zur medizinischen Wissenschaft (→ Medizin) und wird bei langwierigen und unklaren Beschwerden eingesetzt.

Jeder mag. Akt besteht aus einer Manipulation an und mit Objekten (→ Ritual) und einer oft in rhythmisierter Sprache gestalteten Beschwörung, die die Absicht des Rituals umsetzt. Das Ziel des mag. Aktes ist entweder die Beherrschung oder die Täuschung der bekämpften (über)natürlichen Kräfte. Dies wird gewöhnlich durch die Anfertigung eines Modells oder durch den Einsatz eines Substituts erreicht. Natürliche Substanzen (Pflanzen und Mineralien) können (über)natürliche Kräfte anziehen oder ablenken. Das Weltbild der M. ist identisch mit dem der → Divination. Beide kommen zunehmend unter den Einfluß des dominanten theistischen Systems, d. h. ihre Wirkung wird mehr und mehr als von den Göttern gelenkt und sanktioniert aufgefaßt. Mag. Rituale werden daher oft von → Gebeten zu Göttern begleitet.

B. MESOPOTAMIEN UND KLEINASIEN

Die ältesten Quellen mesopot. M. (in sumer. Sprache) stammen aus dem 27./26. Jh.; sie wurden im 2.–1. Jt. (versehen mit einer akkad. Interlinearübersetzung) weitertradiert. Mit mag. Mitteln können übernatürliche wie natürliche Übel bekämpft werden. Die Identität der natürlichen Übel ist h. oft schwer erkennbar, weil die Beschwörungen in ihrer Darstellung das Übel und seine Bekämpfung auf eine myth. Ebene übertragen. Die übernatürlichen Gegner sind Dämonen oder Geister (d. h. die »Seelen« der Verstorbenen). Die Dämonen, zumeist nur im Kollektiv von Sieben auftretend (*Sebetti*), entziehen sich der göttl. Ordnung, entbehren kult. Versorgung und plündern die Menschen aus, wo sie können. Beschwörungen gegen Dämonen verweisen oft auf eine mythische Urzeit, als Asalluḫi, der Sohn des Schöpfergottes Enki, noch auf der Erde wandelte und von seinem Vater über ihre Bekämpfung unterrichtet wurde. Neben dem Kollektiv der »Sieben« gibt es auch individualisierte Dämonen, Hypostasen von spezifischen Übeln. Bes. gefürchtet ist die kinderraubende Dämonin Lamaštu (→ Lamia [1]), vorgestellt als Hündin, Wölfin oder als Mischwesen (s. Abb.). Die Abwehr-M. gegen sie ist gut bezeugt und besteht im wesentlichen in der Anfertigung eines Tonmodells der Lamaštu und ihre Ausstattung mit einem Esel, einem Schiff und Proviant für ihre Rückreise in die Unterwelt. Das Ritual kann auch auf einem Amulett abgebildet werden und hat dann anscheinend dieselbe Wirkung.

Schutzamulett gegen die Dämonin Lamaštu

1 Kopf des apotropäischen Dämons Pazuzu. Pazuzu, der gegen die Dämonin wirkt, hält das Schutzamulett in seinen Händen.
2 Göttersymbole
3 7 Dämonen mit erhobenen Fäusten, die apotropäisch gegen Lamaštu wirken.
4 Beschwörer am Bett eines Kranken
5 Darstellung des Dämons Pazuzu
6 Darstellung der zur Unterwelt fahrenden Lamaštu auf einem Esel stehend.
7 Geschenke und Proviant für Lamaštu

Die Geister der Toten verursachen Probleme, wenn sie nicht durch ihre noch lebenden Familienmitglieder mit Speise und Trank versorgt werden, weil sie dann keine Ruhe finden und unter den Lebenden herumspuken, bis ihre Wünsche erfüllt sind; sie lenken die Aufmerksamkeit auf sich, indem sie durch das Ohr in den Kopf kriechen, wo sie Kopfschmerz und psychische Beschwerden verursachen. Die mag. Lösung besteht in einer Neubestattung des Toten in der Form eines Tonmodells. Ein Spezialfall ist die »Windsbraut«, der Geist eines unverheiratet gestorbenen Mädchens; sie kehrt als *succuba* wieder und wird durch Verheiratung mit einem übernatürlichen Partner neutralisiert. Gegner natürlicher Herkunft sind Hund, Skorpion, Schlange und Feldschädlinge. Krankheiten werden zusammen mit einem → Arzt bekämpft; öfter muß die richtige Behandlung durch einen Omendeuter festgestellt werden. Tiere sowie Krankheiten werden zuweilen dämonisiert.

Unbestimmte und langwierige Beschwerden werden als durch »Schwarze M.« verursacht angesehen. Die Gegenmaßnahme heißt »Verbrennung« (*Maqlû*): Die Hexe und ihre Zaubermittel werden in Beschwörungen identifiziert, Modelle oder symbolische Darstellungen davon angefertigt und verbrannt. Verwandt mit Ritualen gegen »Schwarze M.« sind diejenigen gegen menschliche Feinde und gegen den »Bösen Blick«. Hexe und Feind werden oft dämonisiert und durch Götter auf kosmischer Ebene bekämpft. M. gegen Menschen gilt als verbotene »Schwarze M.«, weshalb sie im offiziellen Textcorpus nicht vertreten ist. Ausnahmen sind ein Liebeszauber, der eine widerwillige Geliebte zur Einsicht bringen soll, und die in der Serie ›Beim Betreten des Palastes‹ gesammelten Sprüche und Anweisungen, die der Bekämpfung eines Prozeßgegners und von Beamten, die Menschen unterdrücken, dienten. M. wird zuweilen angewendet, wo normalerweise »Sündenbekenntnisse« und »Bußpsalmen« am Platze wären. So gibt es ein mag. Ritual gegen »Bann«, d. h. die Folgen eines Vergehens gegen rel. oder soziale Regeln. Daneben gibt es Beschwörungen und Amulette zur Beruhigung erzürnter Götter.

Die Zukunft wird vorhergesagt durch das Deuten von Zeichen (Omina; → Omen); die Folgen eines schlechten Omens können durch Anwendung eines »Lösungsrituals« (*Namburbi*; [5]) aufgehoben werden. Gewöhnlich wird entweder ein Modell des bösen Vorzeichens angefertigt und vernichtet, oder das vorhergesagte Übel wird auf eine(n) Ersatz(figur) abgelenkt. Ein Spezialfall des letzteren ist die Ablenkung der Folgen einer Eklipse (→ Finsternisse) auf einen »Ersatzkönig«: Der König, den das Übel eigentlich treffen soll, regiert dann unter dem Decknamen »Bauer«. Menschen, Bauwerke und das Volk können durch apotropäische Figuren aus Holz, Ton oder Metall geschützt werden, die die fürchterlichen → Mischwesen der Urzeit darstellen. Mag. Schutz gegen das Böse bieten → Amulette, deren Wirkung auf kosmischen Sympathien und Antipathien basiert. Im 1. Jt. werden die kosmischen Beziehungen zwischen Pflanzen, Steinen und Sternen systematisiert und schriftlich niedergelegt.

Im Kult oder im mag. Ritual benutzte Gegenstände müssen geweiht werden. Dazu gibt es bestimmte Beschwörungen, welche den Gegenstand von seinem profanen Ursprung ablösen und ihn mit seiner neuen sakralen Aufgabe vertraut machen. Ein Spezialfall dieser Weihungsrituale sind »Mundwaschung« (*Mis pî*) und »Mundöffnung« (*pīt pî*) eines Kultbildes. Die Spezialisten der M. sind Gelehrte, keine Priester. Wie andere Spezialisten dienen sie dem Staat, dem Tempel oder Privatpersonen. Bemerkenswert ist die Rolle der »alten Frau« als Spezialistin in der anatolischen M.; in Mesopot. sind Frauen nur als Hexen belegt. Die anatolischen mag. Texte der 2. H. des 2. Jt. sind in hattischer, hurrit., luw. oder hethit. Sprache verfaßt. Daneben werden mesopot. Texte herangezogen.

C. Ägypten

Die äg. M. richtet sich gegen anonyme dämonische Geister, Totengeister, spezifische Dämonen oder Götter und gegen »Schwarze M.«; Gegner natürlicher Herkunft sind Schlange und Skorpion, manchmal dämonisierte Krankheiten. Die mag. Handlung kann als Schlacht zw. Heiler und Krankheit oder zwischen den kosmischen Göttern und ihren dämonischen Gegnern (→ Seth und Apophis) vorgestellt werden. Die M. ist ein Geschenk des Schöpfergottes an die Menschheit oder ein Erzeugnis des frühen Kosmos; sie wird personifiziert in der Gottheit Heka, »Magie«. Auch Götter wenden M. an; daneben verfügen sie über »Lichtglanz«, eine Art kreativer Energie, durch die Gutes hervorgebracht und Böses vernichtet wird. Die äg. M. ist am besten im Totenritual (→ Totenkult) bezeugt; sie dient dazu, den Verstorbenen in einen Geist zu verwandeln und seine Versorgung sicherzustellen. Eine weitere gut bezeugte Verwendungsweise ist die Exekration abwesender Feinde, von denen Statuetten angefertigt und dann zerbrochen und begraben werden (→ Ächtungstexte). Ein Weihungsritual gilt der Belebung eines Kultbildes durch »Mundöffnung«. Amulette mit unterschiedlichen Kombinationen von Material, Form und Farbe dienen dem Schutz der Träger und werden im Totenritual benutzt. Stelen (*cippi*) zeigen → Horus als Kind, das gefährliche Tiere bezwingt. Anscheinend überträgt die Präsenz der Abbildung diese Eigenschaft auf den Menschen und hilft z. B. bei der Bekämpfung von Schlangenbiß oder Skorpionstich. Die mag. Spezialisten sind Experten, nicht unbedingt Gelehrte; manchmal assistiert ihnen eine »Weise Frau«. Es gibt keinen scharfen Unterschied zwischen mag. und medizinischen Spezialisten.

**1** T. Abusch (Hrsg.), Mesopotamian Magic: Textual, Historical, and Interpretative Perspectives, 1999 **2** J. F. Borghouts, H. Altenmüller, L. Kakosy, s. v. M., mag. Lit., mag. Stelen, LÄ 3, 1138–1164 **3** J. Bottéro, V. Haas, s. v. M., RLA 7, 200–255 **4** P. Eschweiler, Bildzauber im alten Äg., 1994 **5** S. M. Maul, Zukunftsbewältigung. Eine Unt. altoriental. Denkens anhand der babylon.-assyr. Löserituale, 1994 **6** G. Pinch, Magic in Ancient Egypt, 1994

7 E. Reiner, Astral Magic in Babylonia, 1995
8 D. Schwemer, Akkad. Rituale aus Hattusa, 1998. F.W.

## II. Judentum

Magische Praktiken und Texte waren im → Judentum sowohl in der Ant. als auch im MA [17] in vielfältiger Weise verbreitet, obwohl jede Form der M. in der → Bibel verboten ist (Ex 22,17; Lv 19,26 und 31; 20,6 und 27; Dt 18,10f.) und ähnliche Verbote in Mischna (Mischna Sanhedrin 7,4 und 11) und Talmud (jerusalem. Talmud Sanhedrin 7,19 [25d]; babylon. Talmud Sanhedrin 67a–68a) wiederholt werden. Neben ant. Ber. über jüd. M. (z.B. die Beschreibung eines Exorzismus bei Ios. ant. Iud. 8,2,5) gibt es zahlreiche Zeugnisse theoretischer und praktischer M. wie Traktate über das Wesen der Zauberei oder der Dämonen [12; 10. Bd. 1, Bd. 3], Hdb., medizinisch-mag. Rezepte und Amulettformulare sowie Amulette, Fluchsprüche und Zauberschalen [7; 8; 10]. Eine wichtige Quelle für die jüd. M. der Spätant. in einer Randzone des ägypt.-griech.-röm. Einflußbereichs stellt der babylon. Talmud (→ Rabbinische Literatur) dar [2; 18]. Die Dokumente angewandter M. können z.T. in die Spätant. datiert werden [7; 8; 1].

Komplizierter ist die Lage bei den in ma. Hss. überl. Texten. Zumindest ein Teil dieser Trad. kann aufgrund sprachlicher und inhaltlicher Kriterien ebenfalls in die Spätant. datiert werden [1. 343f.]. Dazu gehören z.B. die beiden mag. Hdb. ›Das Buch der Geheimnisse‹ (*Sefer ha-Rāzīm*) [5; 6] und ›Das Schwert des Mose‹ (*Ḥarbā dᵉ-Moše*) [3], die neben einer Fülle von Rezepten und Beschwörungen u.a. ein griech. Gebet an Helios und Zaubernamen griech. Herkunft in hebr. Schrift enthalten, das *Testamentum Salomonis* [1. 372ff.] und theurgische Anweisungen innerhalb der → Hekhalot-Literatur [9].

Zeugnisse jüd. M. in der Ant. finden sich auch in der Qumran-Literatur (→ Qumran, → Totes Meer, Textfunde; → Astrologie, Chiromantik und → Physiognomik) [1. 364ff.] und in den griech. → Zauberpapyri [4; 14]. Gleiches gilt für die Apokryphen (Buch Tobit; → Apokryphe Literatur) und Pseudepigraphen sowie das NT [15]. Bei allen hier gen. Beispielen läßt sich starker außerjüd. Einfluß (griech.-ägypt. oder babylon.) nachweisen, wie auch die jüd. M. ihrerseits auf die griech. mag. Texte eingewirkt hat. Die jüd. M. der Ant. ist wie die M. überhaupt synkretistisch und somit hauptsächlich durch die Sprache (hebr. und aram.), dann aber auch durch spezifisch jüd. Motive wie die reiche Angelologie, die Namens-M. (Geheimnamen Gottes, der Engel und Dämonen) und die Verwendung des Bibeltextes (*šimmūš tōrā*, *šimmūš tᵉhillīm* [10. Bd. 3]) von der M. anderer Kulturen zu unterscheiden.

1 P.S. Alexander, Incantations and Books of Magic, in: Schürer 3, 342–379 2 L. Blau, Das altjüd. Zauberwesen, 1898 3 M. Gaster (Hrsg.), The Sword of Moses, 1896 4 E.R. Goodenough, Jewish Symbols in the Greco-Roman Period 2, 1953 5 M. Margalioth (Hrsg.), Sefer ha-Razim. A Newly Recovered Book of Magic from the Talmudic Period (hebr.), 1966 6 M.A. Morgan (Übers.), Sepher ha-razim. The Book of the Mysteries, 1983 7 J. Naveh, Sh. Shaked (Hrsg.), Amulets and Magic Bowls. Aramaic Incantations of Late Antiquity, 1985 8 Dies., Magic Spells and Formulae. Aramaic Incantations of Late Antiquity, 1993 9 P. Schäfer, Die Beschwörung des sar ha-panim, in: Ders., Hekhalot-Studien, 1988, 118–153 10 Ders., Sh. Shaked (Hrsg.), Mag. Texte aus der Kairoer Geniza 1, 1994; 2, 1997; 3 (im Druck) 11 G. Scholem, Die jüd. Mystik in ihren Hauptströmungen, 1980 (zuerst 1957; Original engl.: Major Trends in Jewish Mysticism, [4]1969) 12 Ders., Some Sources of Jewish-Arabic Demonology, in: Journ. for Jewish Studies 16, 1965, 1–13 13 Ders., Kabbalah, 1974 14 M. Smith, The Jewish Elements in the Magical Papyri, in: Soc. of Biblical Literature, Seminar Papers 25, 1986, 455–462 15 M. Smith, Jesus, the Magician, 1978 16 M.D. Swartz, Scholastic Magic. Ritual and Revelation in Early Jewish Mysticism, 1996 17 J. Trachtenberg, Jewish Magic and Superstition. A Study in Folk Religion, 1939 18 G. Veltri, M. und Halacha. Ansätze zu einem empirischen Wissenschaftsbegriff im spätant. und frühma. Judentum, 1997. I.WA.

## III. Griechenland und Rom

A. Terminologie B. Grundlagen
C. Entwicklung

### A. Terminologie

1. Griechisch 2. Lateinisch

#### 1. Griechisch

Der moderner Terminologie über das lat. *magia* zugrundeliegende griech. Terminus *mageía* (μαγεία) bezeichnet das, was ein *mágos* (μάγος, »Magier«) tut und weiß. Griech. *mágos*/lat. *magus* bleibt während der gesamten Ant. ein doppeldeutiger Begriff. Die *mágoi* sind zum einen eine bes. Priesterkaste in Persien (oder persische Priester insgesamt), die eng mit dem Königtum verbunden sind: nach Hdt. 1,107f.; 1,120; 1,132; 7,19; 7,37; 7,43; 7,113f. deuten sie Träume und *portenta* (→ *prodigium*), vollziehen Opfer an Flußgötter und Tote und rezitieren → Theogonien. Spätere Autoren (Xen. Kyr. 8,3,11; [Plat.] Alkibiades maior 112 A) weiten ihre Bed. noch aus, und seit früh-hell. Zeit werden sie immer mehr zu idealen Weisen stilisiert; damit gehört der Ausdruck in den Bereich der ant. Ethnographie.

Zum anderen sind die *mágoi* innerhalb der griech. Welt seit Herakl. 22 B 14 DK rel. Spezialisten, deren Aufgaben ein weites Gebiet von nicht in die Polis eingebundenen rituellen Aktivitäten (bes. Initiation in Mysterienkulte, → Divination und → Kathartik) umfassen; dieses wird erst im Verlauf des 4. Jh. v. Chr. auf Schadenzauber und Verwandtes eingeengt. Die Genese der Terminologie in der rel.-philos. (Herakleitos, Platon) und medizinischen Diskussion (Hippokr. de morbo sacro, spätes 5. Jh. v. Chr.) weist darauf hin, daß mit ihr ein Teil der rituellen Trad. als nicht-griech. (persisch) abqualifiziert und polemisch ausgeschlossen werden sollte (bereits Herakl. B 14 ist polemisch). M. kann bis über das Ende der Ant. hinaus ein polemischer Begriff sein, der bezeichnet, was nicht als Teil der eigenen rel. Trad. verstanden werden soll, wird freilich auch in typischer Ambivalenz idealisiert (vgl. Apul. apol. 25–27).

Die lat. Entlehnung von *magus* in spätrepublikanisch-frühaugusteischer Zeit übernimmt beide griech. Bed.-Felder, wobei der ethnographische Bed.-Bereich deutlich früher belegt ist (z. B. Cic. leg. 2,26; Cic. div. 1,46; 1,91; 2,26; Catull. 90); *magia* ist auch im Lat. ein abwertend-polemischer Begriff [1].

Ein anderer, in mod. Übers. oft als Syn. behandelter Begriff für M. ist *góēs* (γόης), der seiner Herleitung von *góos* (»Totenklage«) entsprechend urspr. den professionellen Totenkläger bezeichnet, der für die Toten die Verbindung zw. Diesseits und Jenseits herstellt [2. 82–123]. Doch schon in den frühesten Belegen (Phoronis fr. 2 EpGF, Pherekydes FGrH 3 F 47) wird *góēs* zur Bezeichnung der → Daktyloi verwendet, was wichtige spätere Verbindungen anklingen läßt – zu bezaubernder Musik (die Daktyloi sind Musiker) und, bei Pherekydes, zum Bindezauber, der Tote zum Vollzug der Wünsche der Lebenden einsetzt, wie er später in den Defixionstexten bezeugt ist. Die spätere, seit klass. Zeit belegte Goetie ist mehrfach mit der Totenwelt verbunden: Die *góētes* können (1) die Toten anrufen (Plat. leg. 909b 2; vgl. 933a 2–b 3), (2) diese kontrollieren, wenn sie den Lebenden schaden (Plut. mor. fr. 126 SANDBACH = schol. Eur. Alc. 1128), und (3) Lebende in Mysterien einweihen, welche ihre Sicherheit nach dem Tod garantieren (Diod. 5,64,4). Allmählich näherte sich so die Bed. von *mágos* und von *góēs* an, vor allem in der Volkssprache; dabei kam *góēs* aber zu noch anrüchigerer Nebenbedeutung als *mágos* [3]. In der Spätant. setzten sich die Theurgen (die → Theurgie, eine Art sakraler M., praktizierten) vehement von den Goeten ab.

Die griech. Texte verwenden, insbes. vor der Kaiserzeit, häufig keinen der generellen Termini, sondern verweisen auf die einschlägigen Riten, insbes. die Bindung (*katádesmos*, lat. → *defixio* oder → *devotio*) oder Beschwörung (homer. *epaoidḗ*, später *epōidḗ* [4]). Seit Homer wird auch der Ausdruck *phármakon*, die Bezeichung für jede übermächtig im Guten wie im Schlechten wirkungsvolle Substanz, verwendet; davon leitet sich *pharmakeútriai* ab als Bezeichnung von Frauen (der myth. Prototyp ist → Medeia, etwa Soph. fr. 534 RADT; vgl. Theokrits *Pharmakeútriai*, Theokr. 2), die ihr spezielles Wissen im Bereich der Wirksubstanzen bes. zu Liebes-, aber auch Schadenzauber einsetzen.

2. LATEINISCH

Älter als die Übernahme der lat. Lehnwörter *magus* und *magia* in spätrepublikanisch-frühaugusteischer Zeit ist *veneficus, -fica* (»Giftmörder, -in«), das eine Schädigung durch chemische Substanzen ebenso wie durch mag. Riten umfaßt (Plaut. Amph. 1043; Plaut. Pseud. 870; Cic. Brut. 217); die sullanische *Lex Cornelia de sicariis et veneficis* von 81 v. Chr. wird daher zur gesetzlichen Grundlage auch von M.-Prozessen [1. 45 f.; 5]. In der Kaiserzeit tritt zunehmend der generelle Terminus *maleficus, -fica* (»Übeltäter, -in«) an die Stelle von *veneficus*. Der älteste lat. Ausdruck für das rituell mächtige Wort, das auch M. mitenthalten kann, ist *carmen*, gelegentlich spezifiziert durch *carmen malum*; bereits das Zwölftafelgesetz (→ *Tabulae duodecim*) verwendet die Ableitungen *incantare* und *excantare* zur Bezeichung von Schadenzauber (s.u. C. 4.).

B. GRUNDLAGEN

1. QUELLEN 2. SCHADEN- UND LIEBESZAUBER 3. MAGISCHE HEILUNG 4. MAGISCHE DIVINATION 5. ANTIKE THEORIEN

1. QUELLEN

Hauptquellen für die griech.-röm. M. sind zum einen die seit dem späten 6. Jh. faßbaren *Tabulae defixionum*, auf dünne Bleitäfelchen geschriebene Beschwörungen [6; 7; 8] (→ *defixio*), zum anderen die zumeist in das 3. und 4. Jh. n. Chr. datierten Papyrusbücher aus Ägypten, welche in oft zufälliger Form mag. Riten als Rezepte zusammenstellen [9; 10]; ihre oft äußerst detaillierten rituellen Angaben erlauben eine einzigartige Einsicht in die Mechanismen des mag. Rituals, in seine Ideologie und seine verschiedenartigen – ägypt., griech., jüdischen, altorientalischen – Hintergründe [11]; in der Diskussion um diese Hintergründe hat sich nach naivem Hellenozentrismus eine differenzierte, oft allerdings stark auf Ägypten konzentrierte Diskussion entwickelt [12]. Beinahe ebenso wichtig wie das Corpus der Defixionen ist dasjenige der Amulette (→ *phylaktḗrion*), von denen freilich allein späte Beispiele erh. sind; diese waren oft mit Anrufungen und Zeichnungen von Göttern und Dämonen beschrieben [13; 14]. Daneben tritt eine Vielzahl lit. Texte, die freilich oft eine eigene, durch die Inschr. nicht bestätigte lit. Stilisierung vornehmen; bes. wertvoll für die Praxis sind die Berichte über M.-Prozesse, die sich bes. in Tac. ann. (z. B. 2,27 f.; 12,22) und als eigenständige Prozeßrede in Apuleius' *Apologia* erhalten haben.

Die ethnographische Theoriebildung hat sich seit den maßgeblichen Konstruktionen von J. G. FRAZER auf keinen einheitlichen M.-Begriff festlegen können [15; 16]. Auszugehen ist bei der Definition von M. mithin von der innerkulturellen Wahrnehmung, welche freilich histor. Veränderungen unterworfen ist; der Vergleich mit anderen Kulturen und Rel. fügt Tiefenschärfe und Präzision hinzu. In der griech.-röm. Welt läßt sich entsprechend ein nicht unbeträchtlicher, in seinen Umrissen allerdings unscharfer Bereich rituellen Verhaltens isolieren, in dem vor der Kaiserzeit der Bindezauber (→ *defixio*) als Liebes- und Schadenzauber in der sozialen Realität zentral ist; in der Kaiserzeit (ab dem 1. Jh. n. Chr.) wird dazu die private → Divination immer wichtiger, weniger scharf umrissen ist der Bereich der sog. mag. Medizin.

In der neuzeitlichen Diskussion hat sich insbes. der auf E. B. TYLOR und J. G. FRAZER zurückgehende evolutionistische M.-Begriff lange gehalten, wonach M.

ein der Technik vergleichbarer, aber auf falscher Kausalität beruhender Versuch des Menschen ist, die Natur zu beherrschen. Während FRAZER diesen Versuch evolutionistisch den urtümlichen Kulturen zuschrieb, versuchte B. MALINOWSKI mit einem synchronen Erklärungsmodell, die nebeneinander existierenden Bereiche der beherrschbaren und relativ risikofreien Aktivitäten, welche Technik benutzen, von den schwer beherrschbaren Aktivitäten, welche M. zur Unterstützung verwenden, abzugrenzen. An TYLOR orientieren sich jene bes. in der röm. Religionsgeschichte verbreiteten Theorien (z.B. von H.J. ROSE), welche M. als reines, nicht oder nur lose auf eine Gottheit bezogenes rituelles Tun lesen. Daneben stehen die Ansätze, M. oder M.-Anschuldigungen als Lösungsversuche sozialer Krisen anzusehen (M. MAUSS, E.E. EVANS-PRITCHARD); in der jüngeren ethnologischen Diskussion ist der Terminus M. (zu Recht) als eurozentrisches Vorurteil grundsätzlich kritisiert worden [1].

2. SCHADEN- UND LIEBESZAUBER

Einschlägige Riten betreffen in der griech. Welt seit der Spätarchaik (ab dem 6. Jh. v. Chr.) insbes. den Bindezauber, der sich schon kulturintern auffächern läßt in die Großbereiche des Liebeszaubers (zuerst Pind. P. 4,213–219) und des eigentl. Schadenzaubers (beschrieben etwa bei Plat. rep. 2,364b). In der durch die inschr. Defixionstexte seit dem 5. Jh. v. Chr. bis an das Ende der Ant. bezeugten Praxis hat sich seit A. AUDOLLENT die Klassifikation in Gerichts-, erotische, agonistische und ökonomische Defixionen durchgesetzt [6]. In der erotischen Defixion geht es darum, sich ein widerstrebendes Objekt der erotischen Begierde gefügig zu machen (mythisches Aition ist Aphrodites Gabe der einschlägigen Riten an → Iason, um die junge Medeia zu gewinnen, Pind. P. 4,193–196); dabei dominieren im epigraphischen Material die von Männern gegenüber Frauen durchgeführten Riten, freilich mit unterschiedlicher Verteilung je nach Epoche und Region, und wenigstens in der Kaiserzeit sind homoerotische Riten ebenfalls bezeugt. Demgegenüber wollen die übrigen drei Kategorien in einer durch Unsicherheit des Ausgangs gekennzeichneten konfrontativen oder agonistischen Situation den Ausgang rituell beeinflussen [17]: Gerichtsdefixionen (s.u. C.3.), die seit dem 5. Jh. v. Chr. aus Athen belegt sind, versuchen, den Prozeßgegner bei seinen Aussagen durch Sprachverlust und Lähmung zu behindern; agonistische Defixionen, in der Kaiserzeit bes. aus dem Bereich der Pferderennen, wollen den Gegner durch massive Eingriffe am Sieg hindern, und ökonomische Defixionen wollen einen wirtschaftl. Konkurrenten ausschalten – ihr positives Gegenstück sind in den mag. Papyri erhaltene Riten, die einem neuen Geschäft Erfolg zu verschaffen suchen.

Die in diesen Texten um Intervention angerufenen übermenschlichen Mächte umfassen sowohl die traditionellen Unterweltsgottheiten der griech. Myth. (→ Persephone, → Hekate, → Hermes Chthonios; in den → Zauberpapyri erweitert um ägypt. und vorderorientalische Gottheiten wie → Anubis oder Ereškigal) sowie, wenigstens in der Kaiserzeit, alle möglichen, oft phantastischen → Dämonen.

3. MAGISCHE HEILUNG

Während in Teilen der neuzeitlichen Forsch.-Lit. die sog. mag. → Medizin als bedeutsamer Sonderbereich angesehen wird, in welchem an die Stelle wiss.-rational begründeter Eingriffe bes. auf das Gebet und die Beschwörung (*epōidḗ*, *carmen*) abgestützte, aber nicht auf sie beschränkte rituelle Handlungen treten, ist ein solcher Sonderbereich in der ant. Welt nach ihrer eigenen Definition weniger klar umrissen [18; 19]. Jedoch hat der hippokr. Autor der Schrift *De morbo sacro* (spätes 5. Jh. v. Chr.) einen unüberbrückbaren Gegensatz zwischen seiner eigenen, auf wiss. Aitiologie aufgebauten Behandlung der → Epilepsie und der kathartischen, von der Vorstellung der Besessenheit ausgehenden rituellen Behandlung derselben Krankheit festgestellt und die rituellen Heiler in den Bereich der M. abgedrängt – derselbe Gegensatz läßt sich noch bei Apuleius (apol. 43) fassen; in der Realität der ant. Gesellschaften ist der Gegensatz weniger scharf umrissen. Die auf der → Inkubation beruhende Tempelmedizin des → Asklepios steht in keinem schroffen Gegensatz zu einer wiss. Medizin, denn die aus dem Traum gewonnenen Therapien sind oftmals von denen der professionellen Ärzte nicht verschieden. Hingegen ist tendenziell der Bereich, der durch rituelle Mittel behandelt wird, der professionellen Medizin weniger zugänglich: Bei Homer werden Blutungen rituell angehalten (Hom. Od. 19,457f.) [20], wie dies für andere Kulturen bis in die frühe Neuzeit hinein belegt ist; ein beim älteren Cato (agr. 160) überliefertes Ritual mit einem langen *carmen* betrifft eine Oberschenkel-Luxation, und in den Zauberpapyri sind bes. Zahnschmerzen und Migräne Gegenstand von Heilungsriten (nur in diesem letzten Fall zeigt die Aufnahme in die Papyrusbücher die indigene Auffassung dieser Riten). Auch die Amulette haben weitgehend mit Heilung von Krankheiten zu tun. In den Bereich der M. gehören aber auch alle jene medizinischen Aitiologien, die mit der Vorstellung von Besessenheit als Krankheitsursache argumentieren und mit → Exorzismen oder kathartischen Riten antworten; im Gefolge von einschlägigen Exorzismen durch Jesus sind entsprechende Geschichten vor allem in den christl. Heiligenviten sehr wichtig geworden [21; 22].

4. MAGISCHE DIVINATION

Nach Ausweis sowohl der Papyri wie der im Cod. Theod. festgehaltenen Erlasse der christl. Kaiser des 4. Jh., aber auch der zeitgenössischen Historiker spielten private divinatorische Riten in der kaiserzeitl. M. eine zunehmend wichtige Rolle, während sie vorher mit Ausnahme von Nekromantie nicht in Erscheinung traten. An Formen ist neben letzterer und der privaten Traumsendung eine Vielzahl von Riten vertreten, bes. Lekano- oder Hydromantie (das Lesen von Zeichen in einem auf Wasser sich ausbreitenden Ölfilm) und Lychnomantie (Zeichen in der Flamme einer brennenden

Öllampe) [23]. Ebenso kommt der kaiserzeitl. Magier durch seine rituell herbeigeführte persönliche Begegnung mit einer Gottheit (*sýstasis*), wie sie vor allem, aber nicht ausschließlich, die → Theurgie [24] kennzeichnet, zu bes. Zukunftswissen.

5. Antike Theorien

Theoretische Reflexion über M. erfolgt vor allem in der polemischen Auseinandersetzung mit Aspekten der rel. Trad., welche Philosophie, Medizin und später das Christentum führten [25; 26]. In seiner rel. Gesetzgebung in den *Nómoi* erklärt Platon den in seiner Zeit gut belegten Schadenzauber (mit Hilfe von → Zauberpuppen) als eine gesellschaftliche Zerfallserscheinung, die sich wesentlich auf die Angst der Betroffenen vor der Wirksamkeit der Riten berufen kann (Plat. leg. 11,933ab); diese Angst ihrerseits ist eine Folge des gegenseitigen Mißtrauens der Menschen: M. wird damit vollständig aus dem Bereich des Religiösen ausgeblendet, ihre Realität rein psychisch erklärt. Demgegenüber gehen spätere Theorien alle von der objektiven Realität von M. aus. In Rückgriff auf eine in seiner Zeit verbreitete Vorstellung erklärt Apuleius (apol. 25) M. als »Gemeinschaft des Sprechens zw. Göttern und Menschen« (*communio loquendi cum dis*) und ordnet sie damit in die gängige rituelle Praxis ein, für welche der Sprechkontakt mit den Göttern in Gebet und Hymnus zentral war; von anderen Riten hebt sich M. allein durch den eigennützigen Zweck ab. Dieselbe Vorstellung liegt Augustinus' M.-Begriff zugrunde, doch schlägt er im Anschluß an seine semantische Sprechtheorie, wonach Reden in willkürlich gemeinsam abgesprochenen Zeichen erfolgt, eine Überwindung der M. dadurch vor, daß der Mensch mit den → Dämonen als Trägern der M. keine Zeichen mehr abspricht und damit die Kommunikation unterbricht (Aug. doctr. christ. 36f.).

C. Entwicklung

1. Archaisches Griechenland
2. Klassisches und hellenistisches Griechenland 3. Magie im griechischen Recht 4. Republikanisches Rom
5. Kaiserzeit bis Constantinus I.

1. Archaisches Griechenland

Die Entwicklung der Terminologie weist darauf hin, daß M. in der Selbstauffassung der Griechen erst durch die rel.-philos. und medizinische Reflexion seit dem späten 6. Jh. v. Chr. als Sonderbereich aus der rel. Trad. ausgeschieden wurde. Damit ist, streng genommen, M. in der archa. Zeit inexistent. Allerdings lassen sich seit Homer rituelle Tatbestände finden, welche sich mit dem anderswo als M. bezeichneten Bereich verbinden lassen. Das gilt ganz bes. für den Bereich, der mit dem Terminus der *pharmakeía* umschrieben wird; → Helenes ägypt. *phármakon* (s.o. A. 1.), das sie in einen Trunk mischt, um Menelaos und Telemachos ihre Sorgen vergessen zu lassen, oder → Kirkes *phármakon*, das Männer in Schweine verwandelt, lassen sich hier einordnen – wobei in beiden Fällen diese wirkmächtige Substanz mit ungriech. Ferne (Ägypten, die Kirke-Insel Aiaia am Rande der Welt) verbunden ist. Auch die Beschwörung, mit der Odysseus' Onkel das Blut seiner Schenkelwunde stillt (Hom. Od. 19,457f.), wird gerne der mag. (besser: rituellen) Medizin zugerechnet und hat in vielen Kulturen Entsprechungen bis in die Neuzeit hinein. Gorgias [2] war nach eigener Aussage selbst dabei anwesend, als sein Lehrer Empedokles [1] M. (*goēteía*; Gorg. bei Satyros bei Diog. Laert. 8,59) praktizierte, und Empedokles seinerseits behauptete, Heilmittel gegen Krankheit, Altersschwäche und den Tod zu kennen und das Wetter beeinflussen zu können (31 F 111 D-K) [27]; der etwa zeitgleich von Pindar erzählte aitiologische Mythos für den Liebeszauber mit Hilfe der → Iynx endlich deckt sich mit einem der zentralen Bereiche der klass. und nachklass. Defixionen [28; 29].

2. Klassisches und hellenistisches Griechenland

Seit dem späten 6. Jh. v. Chr. finden sind in allen Teilen Griechenlands, seit dem mittleren 5. Jh. v. Chr. bes. in Attika, immer zahlreichere auf Bleifolie geschriebene Defixionstexte, die – gelegentlich zusammen mit → Zauberpuppen [30] – vor allem in Gräbern, später auch in Brunnen und anderen Orten im Erdinnern gefunden wurden; etwa gleichzeitig setzen die lit. Erwähnungen von Binderiten ein, in denen nur teilweise mit Hilfe von Bleitexten und Zauberpuppen, in jedem Fall aber durch die Manipulation von mit dem Opfer zusammengehörender Substanzen (griech. *usía*), etwa von Haaren oder Kleiderfetzen, einzelne an die Unterirdischen »gebunden« (*katadeín*) werden (Aischyl. Eum. 306; 332f.; Pind. P. 4,193–196; Zauberpuppen: Plat. leg. 11,933ab, später Theokr. 2). Inwieweit das Phänomen erst zu dieser Zeit einsetzt, etwa durch erneuten mesopotamischen Einfluß [1. 169–174], ist in der Forsch. sehr umstritten. Die Mehrheit (s.u. C.3.) der Bindetexte aus Athen betrifft Gerichtsprozesse; die Prosopographie zeigt, daß auch die führenden Schichten sich dieser Riten bediente (vgl. Plat. rep. 364e). Die Texte sind relativ einfach, oft bloße Namenslisten oder kurze Invokationen der unterirdischen Götter. Einen erfolgreichen Prozeßfluch stellt dann die Inschr. eines Sarapispriesters auf Delos (mittleres 3. Jh. v. Chr.) aus der Innenperspektive dar [31].

Ebenfalls im 5. Jh. beginnen die erotischen Defixionen, die gewöhnlich von einem Mann angewandt werden, um eine Frau zu gewinnen oder wiederzugewinnen; das Umgekehrte, daß eine Frau einen Mann gewinnen oder halten möchte (freilich nie mit der Verwendung von Fluchtäfelchen), ist lit. im fehlgeschlagenen Ritus der → Deianeira in Soph. Trach. [32], inschr. etwa in einer sehr umfangreichen Defixio aus Thessalien (mittleres 4. Jh. v. Chr.) faßbar [33]. Dies wird dann auch Thema von Theokr. 2, den *Pharmakeútriai*, welche in einer Art ritueller »bricolage« literarisierte Riten in ein hell. Genrebild einfangen. Ein weiterer, diesmal lat. Reflex des hell. Interesses am

Thema findet sich bei Laevius [2] fr. 27 MOREL [34]. F.G. u. S.I.J.

3. MAGIE IM GRIECHISCHEN RECHT

Die M. war im griech. Rechtsleben bedeutsam und weit verbreitet. Dies gilt zunächst für den Eid (→ Eid II.) und den Fluch (→ Fluch II.), wobei man heute geneigt ist, die strenge Dichotomie von »Rel.« und »M.« zu überwinden [17. 17–20]. In beiden Fällen wirkten nach Meinung der Beteiligten übernatürliche Kräfte auf das menschliche Leben ein. Während der Eid, die bedingte Selbstverfluchung, in klass. Zeit zu einem Formalismus der Prozeßeinleitung (Plat. leg. 948b) oder zu einem prozeßtaktischen Winkelzug (Aristot. rhet. 1377a) verblaßte und lediglich in zw.-staatlichen Verträgen die mangelnden rechtlichen Sanktionsmittel ersetzen sollte, fanden Fluch, Liebes- und Schadenzauber als Mittel der »mag. Selbsthilfe« in allen Schichten der Bevölkerung reiche Anwendung (von aufgeklärten Geistern freilich abgelehnt, Plat. leg. 933a-e). Verfluchungen in Form einer → *defixio* hatten auch rechtliche Aspekte: einen Konkurrenten (z. B. bei einem Prozeß) durch »Binden« künftig unschädlich zu machen; Rache für einen Ermordeten auf den (zumeist unbekannten) Täter herabzubeschwören oder eine »Bitte um Gerechtigkeit« zu verstärken [45. 68–75]. Letzteres wird auch als »Tempeljustiz« bezeichnet und geht über »mag. Selbsthilfe« hinaus: Wer z. B. durch Diebstahl oder Ehrverletzung Unrecht erlitten hatte, konnte den bekannten oder unbekannten Täter unter der Sanktion eines Fluches zur Wiedergutmachung auffordern. Von göttlicher Strafe getroffen, gestehen die Täter, leisten Genugtuung und preisen die Gottheit durch eine »Beicht-Inschr.« (belegt aus Lykien in röm. Zeit [46]). Praktiken der M. standen im klass. Athen nicht unter Strafe, möglich waren allenfalls die Verfolgung wegen → *asébeia* oder, bei tödlichem Ausgang eines Liebeszaubers, wegen → *pharmakeía*; um 470 v. Chr. wurde in Teos die Anwendung von Zaubermitteln ›gegen den Staat oder einen Privatmann‹ mit den strengsten Strafen belegt (Syll.[3] 38,1–5 [47]). Zu M. in den Papyri [48. 199–202]. G.T.

4. REPUBLIKANISCHES ROM

In Rom bildet sich eine eigene Terminologie durch die Lehnwörter *magia* und *magus* erst in frühaugusteischer Zeit heraus, wohl als Folge der → Hellenisierung und der restaurativen augusteischen → Religionspolitik. M. läßt sich vorher eigentlich nur als Straftatbestand in anderen Kontexten fassen. Im Zwölftafelgesetz wird verboten, fremde Ernten auf sein eigenes Land zu »singen« (*ex-, incantare*). Dabei geht es um ein Eigentumsdelikt, wie auch der einzige Prozeßbericht zu einem solchen Fall zeigt (Prozeß gegen den Freigelassenen C. Furius Cresimus, Plin. nat. 18,41–43 = Piso, HRR fr. 33 [1. 58–61]); erst später wird der Ritus mit mag. Riten verbunden (Verg. ecl. 8,99). Die *lex Cornelia de sicariis et veneficis* von 81 v. Chr. legt dann die Grundlage dafür, Schadenzauber unter die Gewaltverbrechen einordnen zu können, was faktisch freilich selten belegt ist. Ein von Cic. Brut. 216 berichteter erster Fall von Prozeß-M. ist in seiner Einschätzung ambivalent; wenigstens Cicero nimmt dergleichen nicht ernst.

5. KAISERZEIT BIS CONSTANTINUS I.

Seit Augustus werden neue Akzente gesetzt: jetzt ist *magia* als negativ aus der rel. Trad. ausgeschlossen. Agrippa [1] läßt 33 v. Chr. »Astrologen und Hexer« (Cass. Dio 49,43,5) aus Rom vertreiben, Augustus verbannt 28 den *Pythagoricus et magus* Anaxilaos [2] von Larissa (Hier. chron., ad annum 28). Der ältere Plinius zeigt dann, wie verbreitet zur Zeit Neros (54–68 n. Chr.) mag. Riten und bes. die Angst vor Defixionen waren [1. 48–54]. Tacitus' mehrfache Berichte über Prozesse der iulisch-claudischen Jahre (der Zeit zw. Tiberius und Nero) zeigen freilich, daß der Vorwurf der → *devotio* immer eingebettet ist in eine Reihe weiterer Anklagepunkte, *per se* also kaum überzeugen konnte [35]; das *SC de Pisone patre* belegt, daß auch im Prozeß um den Tod des Germanicus [2] der Vorwurf der *devotio* zwar im Vorfeld und im Innern der Familie des Germanicus, nicht aber beim Senatsgericht aufgenommen wurde [36]. M. erweist sich mithin als nach außen wirksamer, aber juristisch problematischer Anklagepunkt. Wie ernst deshalb die Lage des sich um 158 n. Chr. selbst der M. anklagenden Apuleius (→ Ap(p)uleius [III] von Madaura) war, ist nicht leicht auszumachen; jedenfalls wurde er freigesprochen.

Die Kaiserzeit zeigt auch die rasante Ausbreitung der Defixionen auf das gesamte Reich. Inhaltlich rückt die Defixio in den Wagenrennen (→ Circus) in den Vordergrund, mit der der Lenker der gegnerischen Partei zum Mißerfolg verdammt' werden soll; das reflektiert die zentrale soziale Bed., welche die Wagenrennen in der mittleren und späteren Kaiserzeit hatten [37]. Formal werden die Texte jetzt sehr viel ausführlicher, und bes. die sog. »Sethianischen Verfluchungstafeln« (→ Sethianismus), aber auch einige Texte der mag. Papyri beinhalten ausführliche Listen von → Dämonen und detaillierte Zerstörungswünsche (die Zuschreibung dieser Texte an die sethianische → Gnosis, welche auf R. WÜNSCH zurückgeht [38], läßt sich nicht halten).

Auf das Ende des 2. Jh. fällt dann die Entstehung der → Theurgie als einer Methode des rituellen Zugangs zum Göttlichen; sie bedient sich teilweise derselben Mittel wie der Zauberer, der eine *sýstasis* zu erreichen sucht. Sie wird wichtig für → Plotinos, bes. aber für seine Nachfolger → Porphyrios und → Iamblichos [2]; in Reaktion auf Porphyrios lehnt Augustinus sie – wenn auch höherstehend als die gewöhnliche Goetie – radikal ab als falschen Weg zu Gott (Aug. civ. 10 *passim*).

## IV. CHRISTENTUM

Die Situation der M. verändert sich noch einmal im christl. Imperium nach Kaiser Constantinus I. (gest. 337). Pagane M. ist, wie Astrologie und Haruspizin, verboten; durch die paulin. Umwertung der paganen Götter zu Dämonen wurde jedes pagane Ritual zum mag. Umgang mit Dämonen; das »Heidentum« kann damit als M. abgewertet und verdammt werden [39]. Ins Visier der kaiserlichen Gesetzgebung gerät die M. aber vor allem durch ihre divinatorische Seite: Der Zugang von Privatleuten zu Zukunftswissen wird vom Kaiser radikal unterdrückt [40]. Deutlich wird aber auch, wie noch immer der Vorwurf der M. eingesetzt werden konnte, um mißliebige Persönlichkeiten zu beseitigen, wie dies noch im Fall des → Boëthius geschah [41]. Die christl. Theologen ihrerseits lehnen die M. in all ihren Spielformen, einschließlich der philos. Theurgie, als Irrweg zu Gott ab; fast noch wichtiger als der Vorwurf, daß M. mit Dämonen umgeht, der nur für die pagane Trad. greift, wird derjenige, daß die im mag. Ritus vorgegebene menschliche Aktivität ein Akt der *superbia* (»Hochmut«) ist, der christl. *humilitas* (»Demut«) radikal widerspricht (Aug. civ. 10). Das hat in der Realität christl. M. nicht verhindert, weder in der koptischen noch in der byz. Welt oder im westlichen Christentum [42; 43]. Wenn sie sich auch jetzt weitestgehend auf Schutzzauber (Amulette) und Krankheitsbewältigung beschränkt [44], sind auch die alten Anliegen durchaus noch faßbar.

→ Defixiones; Devotio; Divination; Heilgötter; Hekate; Iynx; Medizin; Opfer; Orakel; Religion; Ritus; Theurgie; Totenkult; MAGIE

**1** F. GRAF, Gottesnähe und Schadenzauber. Die M. in der griech.-röm. Ant., 1996 **2** S.I. JOHNSTON, Restless Dead. Encounters between the Living and the Dead in Ancient Greece, 1999 **3** R. BLOCH, Moses und die Scharlatane, in: F. SIEGERT, J.V. KALMS (Hrsg.), Internationales Josephus-Kolloquium Brüssel 1997 (Münsteraner Josephus-Studien 4), 1999, 142–157 **4** W.D. FURLEY, Besprechung und Behandlung. Zur Form und Funktion von ΕΠΩΙΔΑΙ in der griech. Zaubermedizin, in: G.W. MOST, H. PETERSMANN, A.M. RITTER (Hrsg.), Philanthropia kai Eusebeia. FS A. Dihle, 1993, 80–104 **5** R. GAROSI, Indagini sulla formazione del concetto di magia nella cultura romana, in: P. XELLA (Hrsg.), Magia. Studi di storia delle religioni in memoria di R. Garosi, 1976, 13–93 **6** A. AUDOLLENT, Defixionum Tabellae, 1904 **7** D.R. JORDAN, A Survey of Greek Defixiones Not Included in the Special Corpora, in: GRBS 26, 1985, 151–197 **8** J.G. GAGER (Hrsg.), Curse Tablets and Binding Spells from the Ancient World, 1992 **9** PGM **10** H.D. BETZ (Hrsg.), The Greek Magical Papyri in Translation Including the Demotic Spells, 1986 **11** W.M. BRASHEAR, The Greek Magical Papyri. An Introduction and Survey. Annotated Bibliography (1928–1994), in: ANRW II 18.5, 1995, 3380–3684 **12** R.K. RITNER, Egyptian Magical Practice under the Roman Empire, in: ANRW II 18.5, 1995, 3333–3379 **13** R. KOTANSKY, Incantations and Prayers for Salvation in Inscribed Greek Amulets, in: C.A. FARAONE, D. OBBINK (Hrsg.), Magika Hiera. Ancient Greek Magic and Rel., 1991, 107–137 **14** Ders., Greek Magical Amulets. The Inscribed Gold, Silver, Copper and Bronze Lamellae, Bd. 1, 1994 **15** H.G. KIPPENBERG, B. LUCCHESI (Hrsg.), M. Die sozialwiss. Kontroverse über das Verstehen fremden Denkens, 1978 **16** H.S. VERSNEL, Some Reflections on the Relationship Magic-Rel., in: Numen 38, 1991, 177–197 **17** C.A. FARAONE, The Agonistic Context of Early Greek Binding Spells, in: Ders., s. [13], 3–32 **18** G. LANATA, Medicina magica e religione popolare in Grecia fino all'età di Ippocrate, 1967 **19** V. LANTERNARI, Medicina, magia, religione, valori, 1994 **20** R. RENEHAN, The Staunching of Odysseus' Blood. The Healing-Powers of Magic, in: AJPh 113, 1992, 1–4 **21** H.C. KEE, Medicine, Miracle and Magic in New Testament Times, 1986 **22** P. CANIVET, A. ADNÈS, Guérisons miraculeuses et exorcismes dans l'Histoire Philotée, in: RHR 171, 1967, 53–82; 149–179 **23** S.I. JOHNSTON, Charming Children. The Use of the Child in Late Antique Divination, in: Arethusa (2001) **24** Dies., Rising to the Occasion. Theurgic Ascent in Its Cultural Milieu, in: P. SCHÄFER, H.G. KIPPENBERG (Hrsg.), Envisioning Magic, 1997, 165–194 **25** R.A. MARKUS, Augustine on Magic. A Neglected Semiotic Theory, in: Revue des Etudes Augustiniennes 40, 1994, 375–388 **26** F. GRAF, Theories of Magic in Antiquity, in: M. MEYER, P. MIRECKI (Hrsg.), Ancient Magic and Ritual Power, Bd. 2 (in Vorbereitung) **27** P. KINGSLEY, Ancient Philosophy, Mystery, and Magic. Empedocles and Pythagorean Trad., 1995, 217–227 **28** V. PIRENNE-DELFORGE, L'Iynge dans le discours mythique et les procédures magiques, in: Kernos 6, 1993, 277–289 **29** S.I. JOHNSTON, The Song of the Iynx. Magic and Rhetoric in Pythian 4, in: TAPhA 125, 1995, 177–206 **30** C.A. FARAONE, Binding and Burying the Forces of Evil, in: Classical Antiquity 10, 1991, 165–205 **31** H. ENGELMANN, The Delian Aretalogy of Sarapis, 1975 **32** C.A. FARAONE, Deianira's Mistake and the Demise of Herakles, in: Helios 21, 1994, 115–136 **33** E. VOUTIRAS, Dionysophontos Gamoi. Marital Life and Erotic Magic in Fourth-Century Pella, 1998 **34** A.-M. TUPET, La m. dans la poésie latine, Bd. 1, 1976, 212–219 **35** D. LIEBS, Strafprozesse wegen Zauberei. M. und polit. Kalkül in der röm. Gesch., in: U. MANTHE, J. v. UNGERN-STERNBERG (Hrsg.), Große Prozesse der röm. Ant., 1997, 146–158 **36** W. ECK u. a., Das Senatus Consultum de Cn. Pisone patre, 1996 **37** A. CAMERON, Circus Factions, 1976 **38** R. WÜNSCH, Sethianische Verfluchungstafeln aus Rom, 1981 **39** F.E. SHLOSSER, Pagan Into Magician, in: Byzantinoslavica 2, 1991, 49–53 **40** M.TH. FÖGEN, Die Enteignung der Wahrsager. Stud. zum kaiserl. Wissensmonopol in der Spätant., 1993 **41** PH. ROUSSEAU, The Death of Boethius. The Charge of Maleficium, in: Studi Medievali 20, 1979, 871–889 **42** M. MEYER, R. SMITH (Hrsg.), Ancient Christian Magic. Coptic Texts of Ritual Power, 1994 **43** H. MAGUIRE (Hrsg.), Byzantine Magic, 1995 **44** TH. GELZER et al., Lamella Bernensis, 1999 **45** H.S. VERSNEL, Beyond Cursing, in: [13], 60–106 **46** A. CHANIOTIS, Tempeljustiz, in: G. THÜR, J. VÉLISSAROPOULOS (Hrsg.), Symposion 1995, 1997, 353 ff. **47** R. KOERNER, Inschr. Gesetzestexte der frühen griech. Polis, 1993, 294 ff. Nr. 78 **48** H.-A. RUPPRECHT, Einführung in die Papyruskunde, 1994 **49** K. LATTE, Heiliges Recht, 1920 (Ndr. 1990) **50** G. THÜR, IPArk 8: »Gottesurteil« oder »Amnestiedekret«, in: Dike 1, 1998, 13 ff.

F.G.u.S.I.J.

## V. ISLAM

Im arab.-islam. Kulturbereich spielte die M. (*siḥr*) eine große Rolle und hat in dem geogr. riesigen Raum sehr vielfältige Formen angenommen. Schon früh ist deshalb das Bemühen der Religionsgelehrten festzustellen, das Phänomen M. systematisch zu erfassen, woraus eine Differenzierung zw. »erlaubter« und »unerlaubter« M. resultierte. Die arab. M. schöpfte z.T. aus der autochthonen arab. Trad., in der v.a. Dämonen (*ǧinn*), an deren Existenz auch → Mohammed nicht zweifelte, eine große Rolle spielten. Einen entscheidenden Impuls erfuhr sie durch die Rezeption der hell. M. Schon früh ist das Interesse der Araber an griech. Arkanwissen bezeugt: So soll Kaiser Leo IV. (775–780) dem ʿabbāsidischen Kalifen auf dessen Bitte hin ein Buch über ägypt. M. als Geschenk geschickt haben (Michael Syr. 478b Chabot). Von da an wurden unzählige mag. Schriften verfaßt, die sich als Übers. ind., kopt., nabatä. und griech. Autoren gaben und deren Authentizität sehr umstritten ist. Als bedeutendstes Kompendium dieser hell. beeinflußten M. gilt die *Ġāyat al-ḥakīm* von Pseudo-Maǧrīṭī (11. Jh.), die schon früh unter dem Titel *Picatrix* ins Lat. übersetzt wurde und großen Einfluß auf die Entwicklung der M. in Westeuropa genommen hat [1]. Von den zahlreichen mag. Schriften in der islam. Welt sei hier nur noch die gewaltige *Šams al-maʿārif* von al-Būnī (1225) gen., eine Synthese mag. Wissens im Islam.

Ed.: 1 D. Pingree (ed.), 1986.

E. Doutté, M. et Religion dans l'Afrique du Nord, 1909 • T. Fahd, s. v. Siḥr, EI 9, 1997, 567b–571b • A. Kovalenko, M. et l'Islam. Les concepts de m. (*siḥr*) et de sciences occultes (*ʿilm al-ġaib*) en Islam, 1991 • G. Ritter (ed.), Pseudo-Maǧrīṭī, Ġāyat al-ḥakīm, 1933 (Übers.: Ders., M. Plessner, 1962) • M. Ullmann, Die Natur- und Geheimwiss. im Islam (HbdOr, 1.Abt., Ergbd. 6, 2. Abschn.), 1972, 359–426. I.T.-N.

**Magische Medizin** s. Magie, Magier; Medizin

**Magister a memoria.** Lat. *memoria* (griech. *mnḗmē*) nimmt im Sinne von »dauerhaftes Zeugnis« Bezug auf die amtliche Ausfertigung von Urkunden (vgl. Aristot. pol. 1321b 39: *mnḗmones*).

Seit → Augustus ist für die vielfältigen Amtstätigkeiten des Kaisers an seinem Hofe ein Amtsbereich *a memoria* anzunehmen. Dessen Leiter ist aber erst seit dem 2. Jh. n. Chr. als *m.a.m.* oder *m. memoriae* bekundet; bei diesem Titel bleibt es bis zur Spätant. (ILS 1672; Paneg. 9,11 Baehrens; Cod. Iust. 1,23,7,1). Der Büroleiter war urspr. Freigelassener, später Angehöriger des Ritterstandes, in der Spätant. sogar im Range eines → *spectabilis*.

Der Titel ist Funktionsbezeichnung für eine Leitungsstelle in einem der späterhin vier Büros der kaiserl. → Kanzlei (in der Spätant. im Amtsbereich des → *magister officiorum*, Not. dign. or. 11,13–16 und 11,19; Cod. Iust. 12,9, tit. de magistris scriniorum), aber auch Rangbezeichnung, die neben dem Leiter des *scrinium a memoria* auch den Leitern der anderen Büros (*a → libellis, ab → epistulis, a dispositionibus*) zusteht (Cod. Iust 10,48,11). Um 450 war der *m.a.m.* verantwortlich für 62 Kanzleibeamte (Cod. Iust. 12,19,10). Die öfters wechselnde Geschäftsverteilung seines Büros sah im allg. u.a. die Bestallungs- und Gnadenerweisangelegenheiten vor, überschnitt sich aber teilweise mit der der anderen Büros (*adnotationes et preces*; vgl. Not. dign. or. 19, Not. dign. occ. 17).

Millar, Emperor, 265 f. • Hirschfeld, 435 • Jones, LRE, 367 f.; 504 f. • P.R.C. Weaver, Familia Caesaris, 1972. C.G.

**Magister equitum.** Das Amt des *m.e.* (»Reiterführeramt«) war ein dem → Dictator zugeordnetes, niemals selbständiges Amt. Es enthält wie die urspr. Bezeichnung des Dictators als *magister populi* (Cic. rep. 1,40,63; Varro ling. 5,82) das Wort *magister* (Wz. *mag-* = »Vorsteher, Anführer«) und den Hinweis auf die urspr. Funktion als Führer der Reiterei (→ *equites*).

Der *m.e.* wurde vom Dictator als untergeordneter Stellvertreter (Liv. 8,32,1–8) für die Zeit der Dictatur ernannt. Ernennung durch einen Consul (Cass. Dio 42,21) oder Wahl durch eine Volksversammlung (Liv. 22,8; Pol. 3,87) sind Ausnahmen. Sein Amt endete mit der Niederlegung der Dictatur (Liv. 4,34,5; 9,26,20); dies erforderte aber eine eigene → *abdicatio* (Liv. 4,34,5). Er unterstand der → *coercitio* des Dictators, der ihm wohl auch Amtshandlungen verbieten konnte (vgl. Liv. 8,36,1). Die Nachordnung des Amtes erklärt sich aus dem Wesen der Dictatur, nicht primär aus der taktischen Bed. der Reiterei [1. 88–100].

Seine urspr. Aufgabe des Reiterkommandos trat allmählich zurück. Der *m.e.* konnte allg. mil. Aufgaben übernehmen und als Stellvertreter des Dictators polit. dieselben Aufgaben durchführen wie dieser, ggf. unterstützt durch Consuln oder einen *praefectus urbi* (Liv. 8,36,1). Er stand im Range nach oder neben einem Praetor bzw. einem Consulartribun (Cic. leg. 3,3,8 f.; Liv. 6,39,4; 23,11,10); zu → Caesars Zeiten standen ihm die → *sella curulis*, die *toga praetexta* und sechs → Lictoren zu. Mit der Magistratsgewalt ausgestattet, konnte er ggf. selbständig auch den Senat einberufen (Plut. Antonius 8,3; Cic. leg. 3,10; Cass. Dio 42,27,2).

Das Amt blieb bis zum E. der Republik erh., verlor aber mit Einführung des Kaisertums – ebenso wie die Dictatur – seine Funktion; die Digesten (1,2,2,19) setzen den *praefectus praetorio* der Kaiserzeit mit dem *m.e.* der Republik gleich (s. → *magister militum*).

1 M. Stemmler, Eques Romanus – Reiter und Ritter, 1997.

W. Kunkel, Staatsordnung und Staatspraxis der röm. Republik (HdbA 3,2,2), 1995, 717–719 • U. v. Lübtow, Röm. Volk. Sein Staat und sein Recht, 1955, 168 ff.; 198 ff. • Mommsen, Staatsrecht 2,2, 173–180 • H. Siber, Röm. Verfassungsrecht, 1952, 108–110. C.G.

**Magister (ludi)** s. Schule (Rom)

**Magister militum.** Unter Constantius [2] II. (337–361 n. Chr.) wurden die Ämter des *magister peditum* und des *magister equitum* (zu diesem Amt in der röm. Republik → *magister equitum*) geschaffen, denen die mil. Kompetenzen der *praefecti praetorio* übertragen wurden (Zos. 2,33,3; Lyd. mag. 2,10). Diese Regelung war ein Resultat der im 3. Jh. einsetzenden Trennung von mil. und zivilen Funktionen im röm. Ämterwesen. Zunächst wurden *m. peditum* und *m. equitum* als Befehlshaber der entsprechenden Waffengattungen eingesetzt, obwohl dieses Prinzip von Anfang an nicht starr befolgt wurde. Später wurde das Amt des mil. Oberbefehlshabers als *m. utriusque militiae* oder *m.m.* bezeichnet. Die *magistri militum* besaßen den mil. Oberbefehl, das Recht zur Rekrutierung und die Strafgewalt über die Truppen (sowohl über → *comitatenses* als auch → *limitanei*) sowie über die *veterani*, während die Versorgung mit der *annona* und mit Waffen in der Kompetenz des → *praefectus praetorio* bzw. des → *magister officiorum* verblieb. Die eigentlichen Gardetruppen (*scholae*) waren ebenfalls dem Kommando des *m.m.* entzogen und unterstanden dem *magister officiorum*. Seit Constantius II. gab es zusätzlich drei *m.m.*, die den Oberbefehl über die Truppen einer Region hatten; die *m.m. praesentales* gehörten zur unmittelbaren Umgebung des Kaisers, wobei eine rangmäßige Abstufung nicht existierte.

Der *m.m.* besaß zunächst die Rangstufe eines *clarissimus* (→ *vir clarissimus*) und war *comes primi ordinis* (→ *comes*). Damit standen die *m.m.* zunächst unter den *praefecti praetorio*, die *illustrissimi* waren (→ *illustris vir*); unter Valentinianus I. erhielten sie ebenfalls den Rang eines *illustrissimus*. Erster *m.m.*, der das Consulat bekleidete, war 344 Flavius Bonosus. Später waren die *m.m.* häufig Consuln, im 5. Jh. wurde ihnen oft der Rang eines *patricius* verliehen (zuerst Flavius Constantius 414). Zur Abfassungszeit der → *Notitia dignitatum* fanden sich im Osten zwei *magistri equitum et peditum in praesenti* bzw. *m. m. praesentales*, im Westen der *m. peditum in praesenti* und der *m. equitum in praesenti* bzw. *praesentalis*. Dazu kamen im Osten die regionalen *m. equitum et peditum* bzw. *m.m. per Orientem*, *per Thracias*, *per Illyricum* und im Westen der *m. equitum per Gallias*. Die Zuordnung comitatensischer Reiter- bzw. Infanterieeinheiten zum praesentalen *m. peditum* (Not. dign. occ. 5,144 ff.) bzw. *m. equitum* (Not. dign. occ. 6,42 ff.) des Westens bestand wahrscheinlich nur im Frieden (vgl. *m. equitum per Gallias*: Not. dign. occ. 7,64 ff.).

Das *officium* (Amt) eines *m.m.* bestand aus *princeps*, *numerarius*, *commentariensis*, *primiscrinii*, *scriniarii*, *exceptores* und *apparitores*. Während im Westen → Stilicho (*m. peditum in praesenti*) durch das Besetzungsrecht für nachgeordnete *officia* die Position eines obersten Feldherrn einnehmen konnte, wurde eine solche Entwicklung im Osten lange durch die starke Position der *praefecti praetorio* bzw. *m. officiorum* hinausgezögert. Im Westen wurden die Führungspositionen im *officium* der *duces* (→ *dux*) und *comites* meistens jährlich alternierend aus den *officia* der beiden *m. m. praesentales* abkommandiert (so Not. dign. occ. 25,38), im Osten kamen sie von den → *agentes in rebus* (vgl. Not. dign. or. 28,48). Auch das Kommando des westl. *m. peditum* über einige *comites* und *duces limitum* (Not. dign. occ. 5,125 f.) hatte keine Parallelentwicklung im Osten (vgl. Cod. Iust. 12,59,8: 467/70). Ähnliches gilt für die Kontrolle über die Flotten, die *laeti* und *gentiles* des Westens (Not. dign. occ. 42,2 ff. und 33 ff.).

Während im 4. Jh. einfache Soldaten bis zum *m.m.* aufsteigen konnten, änderte sich dies im 5. Jh. grundlegend. Seit dem späten 4. Jh. bekleideten viele Germanen, v.a. Franken, Goten und Alanen, das Amt des *m.m.*; dies entspricht der Bed. dieser Stämme für die Rekrutierung des spätant. Heeres. Viele der german. *m.m.* entstammten Adels- oder Königssippen (z.B. → Ricimer); für diese Zeit ist die Herausbildung von mehreren Dyn. erkennbar, die über Generationen dieses Amt kontrollierten und durch Eheschließung mit den jeweiligen Herrscherfamilien verwandtschaftliche Beziehungen eingingen. Zu dieser Entwicklung gehörte auch die Aufstellung und der Einsatz eigener Leibwachen (*bucellarii*) vieler *m.m.* Familiäre Verbindungen zur gleichzeitigen Senatsaristokratie existierten jedoch kaum.

Bedeutsam im Osten war die alanisch-got. Gruppe mit Ardabur [2] Aspar, dessen Söhnen Ardabur [3] und Patricius sowie dem Neffen der Frau Aspars, Theoderich Strabo. Der Griff dieser Gruppe, deren polit. Einfluß in der Bekleidung von Consulaten zum Ausdruck kam (Ardabur II., *cos.* 447; Patricius, *cos.* 459), nach der Kaiserwürde wurde 471 unter Kaiser Leo [4] I. durch den Mord an Aspar und Teilen seiner Familie (Ardabur II., Patricius) verhindert; an ihrer Stelle setzte sich eine isaurisch-röm. Gruppe durch; es gelang dem isaurischen *m.m. praesentalis* → Zeno, zunächst seinen unmündigen Sohn als Leo [5] II. zum Kaiser zu machen. Auf Senatsbeschluß wurde Zeno schließlich selbst zum Augustus erhoben.

Im Westen führte die zunehmende Auflösung der kaiserlichen Autorität unter Valentinianus III. trotz des Mordes an dem übermächtigen *m.m.* Aëtius [2] zu einer dominierenden Position der praesentalen *m.m.* (vor allem Ricimer), die nach Belieben die schwachen Kaiser beherrschten. 475 machte der *m.m. praesentalis* Orestes seinen jungen Sohn Romulus zum Kaiser. Mit der Ermordung des Orestes und der Absetzung von Romulus Augustulus durch Odoacer endete 476 das westl. Kaisertum. Die Position des *m.m.* entwickelte sich im nw Gallien mehr und mehr zu einer eigenständigen polit. Macht (Aegidius, *m.m.* 457–464/5, und sein Sohn Syagrius), die das Ende des Westreiches überdauerte und erst durch den Frankenkönig Chlodwig (486 Sieg bei Soissons) beseitigt wurde. Durch die Ernennnung zum *m.m.* wurde im 5. Jh. mehrmals die Herrschaft german. Könige auf dem Gebiet des früheren Imperium Romanum legitimiert; so erhielt der westgot. König Alarich das Amt eines *m.m. per Thracias*, und unter Kaiser Zeno wurde der ostgot. Foederatenführer Theoderich zum *m.m.* ernannt; die beiden burgundischen Könige Gundowech und Gundobad waren *m. equitum per Gallias*.

**1** L. Cracco Ruggini, Les généraux francs aux IV[e]-V[e] siècles et leurs groupes aristocratiques, in: M. Rouche (Hrsg.), Clovis. Histoire et mémoire, Bd. 2, 1997, 673–688 **2** A. Demandt, s. v. m.m., RE Suppl. 12, 533–790 **3** Ders., Der spätröm. Militäradel, in: Chiron 10, 1980, 609–636 **4** Ders., Die Spätant., 1989 **5** Jones, LRE 341–344, 608–610 **6** J. M. O'Flynn, Generalissimos of the Western Roman Empire, 1983 **7** H. Wolfram, Das Reich und die Germanen – Zwischen Ant. und Mittelalter, 1990. P.H.

**Magister officiorum** A. Entstehung der Ämter B. Verhältnis zu anderen Hofämtern C. Richterliche Funktionen und Kirchenpolitik D. Cursus honorum E. Auflösung des Amtes

A. Entstehung der Ämter

Von → Constantinus [1] I. geschaffenes spätant. Amt, das zu den höchsten des röm. Reiches zählte (Not. dign. or. 11; Not. dign. occ. 9); erstmals bezeugt 320 n. Chr. (Cod. Theod. 16,10,1). Dem *m.o.*, der ständiges Mitglied des → *consistorium* war, waren wohl zunächst die großen kaiserlichen Kanzleien (→ *scrinium*) des *magister memoriae, magister epistularum* und *magister libellorum* und niedrigere Palastbeamte wie *admissionales, interpretes, mensores* (→ *mensor*), *decani* (→ *decanius*), *stratores, cursores*, → *lampadarii* sowie *notarii* (→ *notarius*) unterstellt. Er war damit Chef der Zentralverwaltung (ohne Finanzen) und Zeremonienmeister am Hof.

Im Laufe der nächsten Jahrzehnte zog der *m.o.* viele Ressorts an sich, die vorher dem → *praefectus praetorio* unterstanden hatten. Bes. seine Eigenschaft als Vorgesetzter der → *agentes in rebus*, aus deren Reihen er seit ca. 340 u.a. die Bürochefs (*principes*) hoher Dienststellen auswählte, ließ ihn bald zum kaiserl. Kontrollorgan der gesamten Reichsverwaltung werden. Die Informationen der *agentes* liefen in der *schola* zusammen, was dem *m.o.*, zusammen mit den Nachrichten aus den *scrinia*, einen Informationsvorsprung sicherte, der zur Grundlage seines Aufstiegs und seiner Macht wurde. Insofern die *agentes* neben zahlreichen anderen Aufgaben auch Spitzeldienste versahen, war der *m.o.* gleichsam auch Chef der Staatspolizei. Schon unter Constantinus I. wurde der *m.o.* auch Befehlshaber der Palastgarden (→ *scholae Palatinae*) und damit für die Sicherheit des Kaisers verantwortlich; allerdings befehligte nicht er diese Truppen im Kampf, sondern der → *magister militum*.

B. Verhältnis zu anderen Hofämtern

Bemühungen, den Einfluß auf das Militär auszudehnen, scheiterten im Westen, im Osten jedoch gelangten *agentes in rebus* als *principes officii* auch in die Büros der *duces* (→ *dux* [1]) und → *comites*. Dort erhielten im 5. Jh. die *m.o.* sogar die Aufsicht über Grenztruppen und -befestigungen. Seit → Constantius [2] II. kontrollierte der *m.o.* in Konkurrenz mit dem *praef. praet.* auch den → *cursus publicus*: Die Verfolgung bei Mißbrauch der Staatspost und die Erteilung von Nutzungsbescheinigungen (*evectiones*) oblag von nun an beiden. Unter Constantius II. erhielt sogar ein *agens in rebus* als *princeps officii* die Aufsicht in den Büros der *praef. praet.* Um 390 bekam der *m.o.* dann die Oberaufsicht über die früher dem *praef. praet.* unterstellten Waffenfabriken (→ *fabrica*). All dies lief nicht ohne innere Kämpfe ab; sie wurden bes. deutlich in der Auseinandersetzung zw. dem *m.o.* → Rufinus und dem *praef. praet.* → Tatianus E. des 4. Jh. bzw. zwischen dem *m.o.* → Tribonianus und → Iohannes [16] Cappadocius Mitte des 6. Jh. Letzterem gelang es, einige Vollmachten wieder der Praefektur zu sichern.

Berührungen mit anderen Hofämtern gab es nur insofern, als der *quaestor sacri palatii* sein Personal den *scrinia* entnahm, die dem *m.o.* unterstanden, und eine Zusammenarbeit nötig wurde, als der *m.o.* richterliche Funktionen erhielt; Kontakte zum *comes sacrarum largitionum* und *comes rerum privatarum* gab es dagegen so gut wie nicht. Schließlich hatte der *m.o.*, dem auch die Dolmetscher unterstanden, schon im 4. Jh. den Gesandtschaftsverkehr mit dem In- und Ausland abzuwickeln und somit Anteil an der Gestaltung der Außenpolitik (Amm. 26,5,7; Lyd. mag. 2,25). Im Osten erhielt der *m.o.* im J. 443 die Aufgabe der jährlichen Inspektion der Grenztruppen (→ *limitanei*, Nov. Theod. 24).

C. Richterliche Funktionen und Kirchenpolitik

Der *m.o.* hatte die Gerichtsbarkeit über die Beschäftigten (*officiales*) in den ihm unterstellten *scrinia*, jedoch gelang es ihm sehr schnell, seine Befugnisse auszudehnen, indem er die jurisdiktionelle Befugnis über die Disziplinargerichtsbarkeit hinaus erweiterte und den Kreis derer, die ein Verfahren vor ihrem Vorgesetzten verlangen konnten (*praescriptio fori*) vergrößerte, z.B. um die große Gruppe der *ministeriani* (→ *cubicularius* u.a.). Seit der 2. H. des 4. Jh. gab es keine Appellationsmöglichkeit mehr gegen seine Urteile. Darüber hinaus hatte der *m.o.* Sondergerichtsbarkeit über Senatoren. → Leo [4] I. unterstellte die *duces* und Offiziere der Grenztruppen der Gerichtsbarkeit des *m.o.* (Cod. Iust. 12,59,8), und 529 wurde der *m.o.* gemeinsam mit dem *quaestor sacri palatii* Appellationsinstanz bei Urteilen von Militärgerichten (Cod. Iust. 7,72,38).

Ein letzter Bereich, in dem der *m.o.*, wie zahlreiche andere Beamte, tätig wurde, war die Kirchenpolitik, denn er hatte den Personalapparat, um Synoden zu organisieren und deren Beschlüsse durchzusetzen; dabei nahm er häufig auch selbst an den Sitzungen teil. Als Mitglied des *consistorium* und Leiter der kaiserl. Audienzen war er auch bei Beratungen mit Kirchenvertretern anwesend und leitete zudem oft Untersuchungen gegen diese. All dies schuf häufige Kontakte mit dem Kaiser. Unter den vier Hofämtern war der *m.o.* etwa gleichrangig mit dem *quaestor sacri palatii*. 378 noch → *spectabilis*, wurde der *m.o.* bald danach → *illustris* (vir), im 6. Jh. → *gloriosus*.

D. Cursus honorum

Einen festen → *cursus honorum* für die *m.o.* gab es nicht, doch hatten diese in der Regel vorher niedrigere Hofämter inne. Im Anschluß an das Amt des *m.o.* konnten sie → *praefectus urbi* oder → *praefectus praetorio* werden; in einigen Fällen wurden gewesene *m.o.* sogar → *consul*. Seit dem 5. Jh. war aber das *magisterium officiorum* im allg. Höhepunkt und Abschluß einer Karriere.

Die Amtsdauer schwankte stark: Zunächst waren lange Amtszeiten üblich; etwa ab 370 wurden diese deutlich kürzer, bis mit → Zeno(n) (474/5) wieder eine Periode langer Amtszeiten einsetzte. Dies entspricht der

Entwicklung des *cursus honorum* insofern, als das Amt im 5. Jh. anfangs eine Station, dann der Abschluß der Karriere war. Die meisten *m.o.* kamen urspr. aus der nichtsenator. Schicht und orientierten sich deshalb als soziale Aufsteiger (→ *novus homo*) eher am Kaiser als am → *senatus*, doch wurde das Amt auch für Senatoren zunehmend attraktiv.

E. Auflösung des Amtes

Im Westreich verlor das Amt schon Anf. des 5. Jh. an Einfluß, da durch die Germaneneinfälle die Macht des → *magister militum* stieg. Im Ostreich zeichnet sich E. des 5. Jh. die Abnahme des Einflusses im Ersatz der *scholae palatinae* durch die *excubitores* ab, deren Kommando der *comes domesticorum* und nicht der *m.o.* erhielt. Das Haupttätigkeitsfeld des *m.o.* bildete von nun an die Diplomatie. Im 7. Jh. zerfiel das *magisterium officiorum* im Osten endgültig wieder in die Teilbereiche, die urspr. unter dem *m.o.* zusammengefaßt worden waren.

A. Boak, The Master of the Offices, 1924 • M. Clauss, Der m.o. in der Spätant. (4.–6. Jh.), 1981 (mit Prosopographie) • R. Delmaire, Les institutions du Bas-Empire romain de Constantin à Justinien, Bd. 1: Les institutions civiles palatines, 1995, 75–96 • P. B. Weiss, Consistorium und comites consistoriani, 1975. K.G.-A.

**Magistratus** A. Begriff B. Entwicklung C. System der Magistratur D. Niedergang der Magistratur

A. Begriff

In der Regel ein durch Volkswahl bestimmter Träger staatlicher Gewalt, gleichzeitig aber auch das konkrete Amt oder im Pl. die Summe der einzelnen Ämter röm. oder peregriner Provenienz. *M.* ist aus *magister* (*magis*, »mehr«) hervorgegangen (Varro ling. 5,82; Dig. 50,16,57; Fest. p. 113 L.; CIL I² 401: *mac[i]steratus*). Inschr. ist der Begriff seit dem 4./3. Jh. v. Chr., lit. zuerst bei Plautus bezeugt (CIL I² 25: *macistr[a]tos*; I² 401; Plaut. Amph. 74; Plaut. Persa 76; Plaut. Rud. 477; Plaut. Truc. 761). Den abstrakten Ausdruck »Magistratur« kennen die ant. Quellen nicht. Der allg. Begriff des Amtes wird gelegentlich in den überl. Wortpaaren *magistratus potestasve*, *magistratus imperiumve* u. ä. (CIL I² 593; 594; 582; 583) mit dem der spezielleren Amtsgewalt verbunden.

Zu den *m.* zählen am E. der röm. Republik (1. Jh. v. Chr.) die *consules* (→ *consul*), *praetores* (→ *praetor*), → *aediles*, *tribuni plebis* (→ *tribunus*), *quaestores* (→ *quaestor*), *vigintisexviri* bzw. → *vigintiviri* sowie das Sonderamt der → *censores* und die Ausnahmeämter des → *dictator* und *magister equitum* (→ *magister*) [1; 2]. Obwohl den beiden letztgenannten außerordentlichen Ämtern das entscheidende Kriterium der Volkswahl fehlt, werden sie aufgrund ihrer außergewöhnlichen Machtkonzentration unter den *m.* aufgeführt (z. B. CIL I² 582). Bei dem → *interrex* als Stellvertreter des *m.* und dem polit. unbedeutenden *tribunus militum* (→ *tribunus*) scheint es sich nicht um *m.* im eigentlichen Sinne zu handeln [1. 283; 12 f.].

B. Entwicklung

Da die annalist. Geschichtsschreibung (→ Annalistik) für die Frühzeit Roms wenig zuverlässig ist, ist der Ursprung des *m.* in der Forsch. umstritten. Weder ist sicher, ob es *m.* oder Vorstufen derselben bereits in der Königszeit gegeben hat, noch, ob das Oberamt in der frühen Republik ein-, zwei- oder dreistellig gewesen ist [3. 281 ff.; 4]. Da das Prinzip der Kollegialität (→ *collega*) aber erst als ein Produkt der → Ständekämpfe im 5. und 4. Jh. v. Chr. anzusehen sein dürfte [5. Bd. 1, 234 ff.], ist die Konsulatsverfassung oder eine anders geartete Doppel- bzw. Mehrstelligkeit des obersten Amtes für die Frühzeit wohl auszuschließen (anders [6; 7]). Aller Wahrscheinlichkeit nach steht nach der Entmachtung des Königtums ein Jahresmagistrat (*praetor maximus* bzw. *magister populi*) an der Spitze der Regierung. Der obersten Magistratur beigeordnet sind wohl *praetores* bzw. *tribuni militum*. Als Folge der ständischen Auseinandersetzung um das Oberamt scheint sich endlich über die Stufe des Konsulartribunats das Doppelkonsulat durchgesetzt zu haben (→ Licinius [I 43]). Einem patrizischen und einem plebeischen Consul wird nun noch ein patrizischer Praetor als *minor collega* beigestellt. Den wachsenden innen- wie außenpolit. Erfordernissen wird mit der Schaffung neuer *m.* (Censur, Aedilität) oder der Vermehrung von bereits bestehenden Ämtern (Praetur, Quaestur) Rechnung getragen. Die Volkstribunen werden mit der *lex Hortensia* 287 v. Chr. (→ Hortensius [4]) in das vorhandene Ämtersystem als ordentliche Magistratur der Gesamtgemeinde integriert.

C. System der Magistratur

1. Amtskategorien

In der seit dem 3. Jh. v. Chr. voll ausgebildeten Verfassung der klassischen Republik werden verschiedene Amtskategorien unterschieden: Die einstmals revolutionären Institutionen der → *plebs*, die plebeischen Aedilen und die Volkstribunen, sind als *m. plebeii* den ehemals nur von Patriziern bekleideten Ämtern, den *m. patricii*, gegenübergestellt (z. B. Gell. 13,15,4; Cic. leg. agr. 2,26; Liv. 3,59,4). Curulische *m.* sind diejenigen, die entsprechend ihrer jurisdiktionellen Befugnisse über die → *sella curulis* als Amtsinsignie verfügen, d. h. die Consuln und Praetoren als Oberbeamte und die beiden mit der Marktgerichtsbarkeit betrauten ehemals patrizischen Aedilen (z. B. Gell. 3,18,4; Cic. Att. 13,32,3; Fest. p. 43 L.; Liv. 23,23,5 f.). Es findet sich ferner eine Einteilung in »höhere« und »niederere« Ämter: Die *m. maiores* sind die in den → *comitia centuriata* gewählten Consuln, Praetoren und Zensoren, die *m. minores* die in den *comitia tributa* gewählten Volkstribunen, Aedilen und Quaestoren; im übrigen kann der Bezug aber auch relativ aufgefaßt werden (z. B. Gell. 13,15; 13,16,1; Cic. leg. 3,6; Liv. 3,55,9; 25,1,11; Dig. 47,10,32) [8].

2. Rechte und Funktionen

In der röm. Ges., in der der *dignitas* (d. h. dem aus den Leistungen für den Staat resultierenden sozio-polit. Ansehen) ein hoher Wert beigemessen wird, bedeutet die

Bekleidung eines *m.* eine hohe Ehre. *M.* wird daher auch als *honos* (»Ehre«, »Ehrenamt«) bezeichnet (Liv. 6,35,3f.; Suet. Aug. 26; Gai. inst. 1,96; Dig. 50,12,11). Die gewählten Beamten sind *m. populi Romani* (z.B. Cic. Manil. 55; Vell. 2,42,1; Dig. 49,3,3) und damit Repräsentanten der Hoheit des röm. Volkes (→ *maiestas*), die es zu wahren gilt. Der nichtbeamtete Bürger (→ *privatus*) hat dem Beamten, der den Willen des Volkes verkörpert, mit ausgesuchtem Respekt zu begegnen. Den *m.* sind bei den Spielen Ehrenplätze reserviert. Einzelne Ehrenrechte bleiben den curul. *m.* auch nach Ablauf ihrer Amtszeit erhalten (so haben sie u.a. das Recht, bei bestimmten Gelegenheiten die *toga praetexta* wieder anzulegen, und sogar Anspruch auf ein magistratisches Begräbnis). Mit Ausnahme der Quaestoren und der plebeischen Beamten tragen die *m.* als Zeichen ihrer Amtsgewalt die *toga praetexta* und sitzen bei ihren Amtshandlungen auf der *sella curulis*. Die Imperiumsträger verfügen über → *lictores*, die ihnen Rutenbündel (*fasces*) vorantragen, in die als Symbole ihrer Strafgewalt außerhalb Roms Beile hineingenommen werden (grundlegend [9. 372ff.]; bildliche Darstellung der Amtsinsignien bei [10; 11]).

Als Ehrenämter sind die *m.* selbstverständlich unbesoldet. Die durch die Amtsführung entstandenen Unkosten werden jedoch – ggf. über eine Pauschalsumme (→ *vasarium*) – durch die Staatskasse erstattet. Der *m.* ist außerdem befugt, im röm. Herrschaftsgebiet alles Notwendige zu requirieren (z.B. Unterkunft, Transportmittel) oder auf Staatskosten aufzukaufen. Ihm steht ein vom Staat besoldetes, ständiges Dienstpersonal (→ *apparitores*) zur Verfügung [9. 293ff., 320ff.; 1. 110ff.].

Die Amtsgewalt wird – entsprechend den sachlichen Zuständigkeiten der *m.* – mit → *imperium*, *auspicium* (→ *augures*) oder → *potestas* umschrieben [3]. Diese magistrat. Gewalt ist verschiedenen Begrenzungen und Beschränkungen unterworfen, die Eigenmacht und Willkür der Amtsträger verhindern und Kontrolle wie Kooperationswillen stärken sollen: Prinzip der Annuität (Ausnahme: *dictator*, *censor*), Prinzip der Kollegialität, Verbietungsrecht der *maior potestas* (»höheren Amtsgewalt«), Verbot der Kontinuation, der Iteration und der Kumulation. Überdies regeln gewohnheitsrechtliche und gesetzliche Bestimmungen (*leges annales*) die Ämterlaufbahn (→ *cursus honorum*; *certus ordo*, Intervall- und Altersvorschriften) [12. 99ff.; 1. 6ff., 45ff.]. Neben diesen Prinzipien und Rechtssätzen ist der *m.* durch seine Zugehörigkeit zur adligen Führungsschicht (→ *nobiles*) einer strengen sozialen Kontrolle unterworfen und somit faktisch zu Gehorsam gegenüber dem Senat (→ *senatus*) angehalten [12; 13]. Als weitere Kontroll-, aber auch Kommunikationsinstanzen dienen das dem *m.* beigegebene → *consilium*, im Bereich *militiae* auch die *legati* (→ *legatus*) und Senatsgesandtschaften.

Die staatl. Gewalt der *m.* (mit Ausnahme der plebeischen und »städtischen« Beamten) erstreckt sich auf die Amtsbereiche *domi* und *militiae* (s. → *domus*). Die Tätigkeit der *m.* ist untrennbar verbunden mit sakralen Aufgaben. Die »patrizischen« *m.* z.B. praktizieren die Vorzeichenschau (*auspicium*), um den göttlichen Willen zu erkunden. Die Oberbeamten sind wie die Volkstribunen befugt, Senat und Volksversammlung einzuberufen und zu leiten (*ius cum senatu/cum populo* bzw. *plebe agendi*). Die Imperiumsträger (→ *imperium*) haben das Recht zur → *iurisdictio*, → *coercitio* und Heerführung. Sie treffen im Bereich *militiae* frei ihre Entscheidungen, ausgehandelte Verträge oder Bündnisse bedürfen jedoch der Zustimmung von Senat und Volk [1; 12].

3. Amtsfähigkeit und Amtsführung

Zugang zu einem *m.* kann erlangen, wer röm. Vollbürger, Sohn eines freigeborenen Vaters, körperlich und geistig unversehrt, ehrbar, wohlhabend und Mitglied der Oberschicht ist. Letztlich entscheidet aber der Wahlleiter über die Zulassung des → *candidatus*, wobei auch Kriterien wie Einhaltung von Laufbahnvorschriften oder Fristen (→ *cursus honorum*) eine Rolle spielen. Unlautere Wahlkampfpraktiken werden seit dem 2. Jh. v.Chr. durch eine ebenso rege wie erfolglose → *ambitus*-Gesetzgebung bekämpft (zuletzt [14]). Amtsantritt ist seit 153 v.Chr. der 1. Januar (zuvor: 15. März) mit Ausnahme der Volkstribunen und Quaestoren (10. bzw. 5. Dezember).

Während der Amtszeit wird der *m.* traditionell nicht zur Rechenschaft gezogen, der gewesene *m.* kann jedoch für mögliche Amtsvergehen (→ *peculatus*, → *repetundarum crimen*, → *maiestas*) gerichtlich belangt werden. Eine allg. Rechenschaftspflicht besteht nicht. Eine vorzeitige Amtsniederlegung (→ *abdicatio*) – freiwillig oder erzwungen – kann erfolgen nach Beendigung der Tätigkeit (Diktatur, Zensur), aus rel. Gründen (formal fehlerhafte Wahl: *vitio creatus*) oder bei schwerstem Vergehen (z.B. *coniuratio*). Auch Absetzung (→ *abrogatio*) ist vorgekommen (133 v.Chr.: Plut. Ti. Gracchus 12; App. civ. 1,51–54) [1. 252ff.].

4. Die Promagistratur

Die Promagistratur ist dagegen kein Amt, sondern die Verlängerung der Amtsgewalt. Seit 327/6 v.Chr. erhalten *m.* nach Ablauf des Amtsjahres *pro magistratu*, d.h. »anstelle eines *m.*« (also *pro consule*, *pro praetore*) die Befehlsgewalt (*imperium*) zur Fortführung von Kriegen oder zur Verwaltung einer Provinz. Diese → *prorogatio imperii* ist ein Provisorium, um den Problemen der (Welt-)Herrschaft adäquat zu begegnen, ohne das aristokrat. Regiment durch neue *m.* zu gefährden. Die Promagistrate, darunter seit 211 v.Chr. auch *privati*, sind den ordentlichen Beamten nachgeordnet. Die Prorogation erfolgt auf Beschluß des Senats (und anfangs auch des Volks), der den Stellvertretern ihr *imperium* jederzeit wieder entziehen kann [12. 116f.].

D. Niedergang der Magistratur

In der späten Republik wird die Magistratur durch außerordentliche Kommandos (*imperia extraordinaria*), d.h. vom Amt und seinen Prinzipien völlig losgelösten Befehlsgewalten, ausgehöhlt. In der Kaiserzeit stützt der Machthaber daher seine Herrschaft neben der Bekleidung regulärer *m.* v.a. auf ein Bündel von Amtsgewalten (*imperium (pro-)consulare, tribunicia potestas*). Die *m.* verlieren durch die Allmacht des → *princeps* an polit. Bed. Der Gefahr, die jedoch weiterhin von diesen prestigeträchtigen Ämtern ausgeht, sucht der Kaiser durch Reglementierung des *cursus honorum*, durch Veränderung und Beschränkung von Kompetenzen zu begegnen. Unter besonderer Kontrolle stehen die Volkswahlen, welche durch die kaiserliche → *nominatio*, → *commendatio* und durch die seit Augustus vorgenommene → *destinatio* zur reinen Formalität verkommen (→ Tabula Hebana, → Tabula Siarensis [15. 507–547]). Gleichzeitig wird eine kaiserliche Verwaltung aufgebaut, in der besoldete Ressortbeamten als jederzeit absetzbare Mandatare des *princeps* tätig werden [16]; diese sind keine *m.* In der Spätant. haben die republikan. *m.* nach der diokletianischen Staats- und Verwaltungsreform (→ Diocletianus) keine echte Amtsbefugnis mehr. Die verbleibenden Quaestoren, Praetoren und Consuln werden jetzt zu den *dignitates* gezählt (→ Hoftitel C.) [17; 18].

In den von Rom beherrschten, einst selbständigen Städten Italiens und des Reiches finden sich *m. municipales* (Dig. 50,1,25), i.d.R. *duoviri iure dicundo* (→ *duoviri*), Aedilen und Quaestoren. Sie sind das Ergebnis einer einheitlichen Ordnung der *municipia* (→ *municipium*) und → *coloniae* zur Zeit → Caesars (→ Tabula Heracleiensis) und, was ihre Stellung angeht, gewissermaßen das Spiegelbild der *m.* in Rom [15].

→ Cursus honorum

1 W. Kunkel, Staatsordnung und Staatspraxis der röm. Republik, 2. Teil: Die Magistratur (HdbA 10,3,2,2), 1995 2 MRR 3 J. Bleicken, Zum Begriff der röm. Amtsgewalt, 1981 4 A. Momigliano, Roma arcaica, 1989, 131–163 5 F. De Martino, Storia della costituzione romana, 6 Bde., [2]1972–1990 6 A. Heuss, Gesammelte Schriften 2, 1995, 908–985 7 R. Werner, Der Beginn der röm. Republik, 1963 8 G. Lobrano, Plebei m., patricii m., m. populi Romani, in: SDHI 41, 1975, 245–277 9 Mommsen, Staatsrecht, Bd. 1 10 Th. Schäfer, Imperii insignia, 1989 11 J. Ronke, Magistratische Repräsentation, 1987 12 J. Bleicken, Die Verfassung der röm. Republik, [7]1995 13 W. Kunkel, Magistratische Gewalt und Senatsherrschaft, in: ANRW I.2, 1972, 3–22 14 P. Nadig, Ardet ambitus, 1997 15 M. H. Crawford, Roman Statutes, Bd. 1, 1996 16 F. M. Ausbüttel, Die Verwaltung des röm. Kaiserreiches, 1998 17 Noethlichs 18 A. Demandt, Die Spätantike, 1989. L.D.L.

**Magius.** Familienname oskischer Herkunft [1. 184]. Die Familie war prominent in Capua (M. [I 3], vgl. Cic. Pis. 24) und gelangte im 1. Jh. v. Chr. mit den Söhnen von M. [I 5] in den Senat.

Schulze. K.-L.E.

I. Republikanische Zeit

**[I 1]** Großvater mütterlicherseits des Dichters → Vergilius; war angeblich Amtsbote (→ *viator*; Don. vita Vergilii 1). W.K.

**[I 2] M., Cn.** Aus Larinum in Samnium, gest. ca. 88 v. Chr.; Erbe seines (Halb-?)Bruders N. Aurius. M.' eigener Erbe war der Sohn seiner Schwester Magia, → Abbius Oppianicus (Cic. Cluent. 21; 33). JÖ.F.

**[I 3] M., Decius.** Führte die röm. Partei in Capua 216 v. Chr. Von → Hannibal [4] nach Karthago geschickt, aber nach Kyrene verschlagen. Starb im ägypt. Exil (Liv. 23,7,4–8,3; 10,3–13; Vell. 2,16,2). P.N.

**[I 4] M., L.** Praetor (?), Offizier im Heer des C. Flavius [I 6] Fimbria, lief nach dessen Tod im Kampf gegen die Sullaner 85 v. Chr. mit L. Fannius [I 3] zu → Mithradates VI. über. Beide vermittelten 76 oder 75 in Spanien ein Bündnis zwischen Mithradates und Q. Sertorius (Cic. Verr. 1,87; Ps.-Ascon. 244 St.; Sall. hist. 2,79 M.), weshalb der Senat sie zu Staatsfeinden erklärte. Später verrieten sie den König, um nach Rom zurückzukehren (App. Mithr. 308).

C. F. Konrad, Plutarch's Sertorius, 1994, 191 f.

**[I 5] M., Minatus.** Aus → Aec(u)lanum, Enkel von M. [I 3] (?). M. war treuer Anhänger Roms im → Bundesgenossenkrieg [3], nahm 89 v. Chr. mit T. Didius [I 4] Herculaneum und unterstützte Sulla bei der Belagerung von Pompeii und der Einnahme von Compsa (und Aec(u)lanum?), woraufhin er als Lohn das röm. Bürgerrecht erhielt (Vell. 2,16, 2 f.; App. civ. 1,222 f.). Urgroßvater des Historikers C. → Velleius Paterculus. K.-L.E.

**[I 6] M., N.** *Praef. fabrum* des Cn. → Pompeius aus Cremona. 49 v. Chr. von Caesar gefangen und mit dem Angebot einer Konferenz beider Anführer an Pompeius zurückgeschickt. Caesar leugnet (Caes. civ. 1,24,4 f.), daß M. mit einer Antwort wiederkam, scheint genau dies aber privat bestätigt zu haben (Cic. Att. 9,13A,1; laut Cicero selbst – Cic. Att. 9,13,8 – ließ Caesar M. nicht mehr vor). JÖ.F.

**[I 7] M. Atellanus, Cn.** Verwandt mit M. [I 3], aber auch dessen polit. Gegner. Obermagistrat (*meddix tuticus*) 214 v. Chr. in Capua (Liv. 24,19,1–2), versuchte am Bündnis mit → Hannibal festzuhalten. P.N.

**[I 8] M. Cilo, P.** Freund des M. Claudius [I 15] Marcellus und sein Mitkämpfer gegen Caesar im Bürgerkrieg. Auf der Heimreise nach Rom verletzte M. am 23. Mai 45 v. Chr. Marcellus bei einem Streit im Piräus tödlich und erstach sich sofort (Val. Max. 9,11,4; Cic. fam. 4,12). Das Motiv war unklar; eine Verwicklung Caesars, der beide begnadigt hatte, wurde von M. Iunius [I 10] Brutus bestritten (Cic. Att. 13,10,3). JÖ.F.

II. Kaiserzeit

**[II 1] M. Caecilianus.** Senator praetorischen Ranges. Im J. 21 n. Chr. wurde er fälschlich der Maiestätsverletzung angeklagt; seine Ankläger wurden bestraft. PIR[2] M 87.

**[II 2] M. Celer Velleianus.** Bruder des → Velleius Paterculus, von einem M. adoptiert. Aus Capua stammend. Aufnahme in den Senat vor 9 n. Chr.; damals Legat des Tiberius in Dalmatien. Beim Triumphzug im J. 13 in der Begleitung des Tiberius; als *candidatus* des Princeps erhielt er im J. 15 die Praetur. PIR[2] M 88.

**[II 3] M. M. Maximus.** Wohl aus Aeclanum stammend, Ritter. *Praef. Aegypti* unter Augustus, ca. 12–14/5 n. Chr. Ob er zweimal als Praefekt in Ägypten weilte, ist unsicher (vgl. [1. 504; 2]).

1 G. Bastianini, Il prefetto d'Egitto, in: ANRW II 10.1, 1988, 503–517 2 PIR² M 89.

**[II 4] L. M. Valerianus.** Senator. Kommandeur der *legio III Augusta*, Statthalter von Numidia 256–258 n. Chr.

Thomasson, Fasti Africani, 188 f. W. E.

## Magna Graecia

(Μεγάλη Ἑλλάς/*Megálē Hellás*, »Großgriechenland«).
I. Geographie und Geschichte II. Religion

### I. Geographie und Geschichte

A. Begriff B. Geschichte bis zur Eroberung durch die Römer C. Römische Zeit D. Spätantike

#### A. Begriff

Aus geogr. Sicht überlagert der Begriff M. G. *Italia*, ohne jedoch damit identisch zu sein. Im 5. Jh. v. Chr. verstand man darunter die äußerste, vom Tyrrhenischen und Ion. Meer umgebene *Italía*, von → Laus [2] nach → Metapontion; nach und nach wurde M. G. für den ganzen von Griechen besiedelten Teil Süditaliens von → Taras bis → Kyme [2] geläufig. Der Ausdruck *Megálē Hellás* war schon um die Mitte des 5. Jh. v. Chr. verbreitet. Er scheint auf zwei Trad. zurückzugehen: die eine (Athenaios) verbindet M. G. mit der Fruchtbarkeit des Bodens, der Gunst des Klimas und so mit dem Reichtum der *póleis* in Süditalien; die andere (Timaios) mit den Philosophenschulen, insbes. der → pythagoreischen Schule, in den unterital. Städten. In röm. Zeit bezeichnete M. G. die »wohlhabendsten Städte« (*opulentissimae urbes*) Süditaliens.

#### B. Geschichte bis zur Eroberung durch die Römer

Seit der mittleren Brz. unterhielt Süditalien intensive Beziehungen zum ägäischen Kulturraum (Mykene, Kreta, Kypros); die myth. Trad. der → *Nóstoi* (»Heimkehrerepen«) zeugt davon. Zw. dem E. der Brz. und der frühen Eisenzeit formierten sich die verschiedenen ethnischen und kulturellen ital. Gruppierungen. Seit dem E. des 9. Jh. v. Chr. wurde auf denselben myk. Routen der Verkehr mit Griechenland wiederbelebt (»Präkolonisation«). Die eigentliche Große → Kolonisation setzte um 770 v. Chr. mit der chalkidischen Gründung von → Pithekussai auf Ischia ein, einer Art »Proto-Polis«, der die Gründung von Kyme auf den → Campi Phlegraei Mitte des 8. Jh. v. Chr. folgte. Der Zweck der euboiischen Kolonisation war die Kontrolle der Route durch die Meerenge von Messina (→ Messana; → Rhegion). Im letzten Drittel des 8. Jh. v. Chr. folgte eine achaiische Siedlungswelle (→ Kroton, → Sybaris, → Kaulonia, dann → Metapontion im 7. Jh. v. Chr.). Auf E. des 8. Jh. v. Chr. datiert man die Gründung von Taras, der einzigen spartanischen → *apoikía* im Westen. Anf. des 7. Jh. v. Chr. folgten → Siris und → Lokroi [2] Epizephyrioi. Die neuen *póleis* entwickelten sich schnell zu landwirtschaftlichen oder maritimen Größen und gründeten Subkolonien.

Die Beziehungen zw. den verschiedenen *apoikíai* in Süditalien waren oft von Rivalität geprägt: In den ersten Jahrzehnten des 6. Jh. v. Chr. zerstörte eine Koalition achaiischer *póleis* das ion. Siris; wenig später, um die Mitte des Jh., prallten Lokroi und Kroton in der Schlacht am → Sagra aufeinander; 510 v. Chr. wurde Sybaris von Kroton zerstört. Ein wichtiger Aspekt der Kolonisation war der – mehr oder weniger konfliktgeladene – Kontakt mit der einheimischen Bevölkerung, welcher deren soziale Strukturierung und die Bildung eines ethnischen Selbstbewußtseins beschleunigte. Nach der panhellenischen Gründung von → Thurioi 444 v. Chr. erweiterte sich der polit. Horizont der Städte in der M. G.: Vom 4. Jh. v. Chr. an wuchs die Aggressivität der einheimischen Bevölkerung, gegen die der bald von Taras geführte italiotische Bund ins Leben gerufen wurde, außerdem der hegemoniale Druck von Syrakusai und die Interventionsbereitschaft ausländischer Mächte (Sparta mit Archidamos 338 und Kleonymos 303 v. Chr.; Alexandros [6] 331 und Pyrrhos von Epeiros 281 v. Chr.).

#### C. Römische Zeit

Eingreifen Roms zugunsten lokaler Oligarchien führte zur allmählichen Eingliederung der Städte in die neue röm. Ordnung. Der Prozeß war mit der Eroberung von Taras 272 und von Rhegion 270 v. Chr. endgültig abgeschlossen. Seither herrschte Rom über die M. G. mit Hilfe verschiedener Verträge, die den einzelnen Städten ganz verschiedene Rechtsstellungen zuwiesen. Doch garantierten diese *foedera* (→ *foedus*) eine beachtliche Autonomie, mit der die Fortführung der eigenen Trad. (Magistraturen, Kulte) bis in die Kaiserzeit hinein möglich war. Die M. G. litt schwer unter den verheerenden Auseinandersetzungen im 2. → Punischen Krieg; um der Entvölkerung entgegenzuwirken, wurden röm. Kolonien (Luceriae, Venosa, Paestum/Poseidonia, Puteoli) gegr., die darüber hinaus die wirtschaftliche Durchdringung durch Rom und die Kontrolle über die Meeresverbindungen förderten. Auf die Dauer bewirkten das Ungleichgewicht der territorialen Infrastruktur, die Koexistenz röm. und lokalen Rechts und der wachsende Trend zu Latifundien (→ Großgrundbesitz) seit der frühen Kaiserzeit einen tiefgreifenden Niedergang: die italiotischen Städte verarmten allmählich, während auf der anderen Seite die Kultur reicher *villae rusticae* sich breit machte.

→ Sicilia

Atti dei Convegni di Studi sulla Magna Grecia, 1961 ff., insbes. Megale Hellas. Nome e immagine (1981), 1982 • J. Boardman, The Greeks Overseas, 1980 • G. Pugliese Carratelli (Hrsg.), Megale Hellas, 1983 • E. Lepore, Colonie greche dell'Occidente antico, 1989 • G. Pugliese Carratelli (Hrsg.), Italia Omnium Terrarum Parens,

1989 · E. GRECO, Archeologia della Magna Grecia, 1992 · M. AMERUOSO, Megale Hellas, 1996 · E. M. DE JULIIS, Magna Grecia, 1996 · G. PUGLIESE CARRATELLI (Hrsg.), Magna Grecia, 4 Bde., [2]1996. A. MU./Ü: H. D.

### D. SPÄTANTIKE

Mit dieser röm. Villa-Kultur war die M. G. aber keineswegs vollständig romanisiert; Unterit. und Sicilia bewahrten in der Folgezeit ihren griech. Charakter, gestützt noch durch die Jh. währende byz. Herrschaft.

Nach der Landnahme der → Vandali in Nordafrika seit 440 n. Chr. waren Unterit. und Sicilia dauernden Plünderungszügen ausgesetzt; dadurch war die Getreideversorgung von Rom schwer gefährdet. Der sizilische Adel schloß sich 491 → Theoderich an, der als Vertreter des oström. Kaisers in It. herrschte; doch beließen die → Goti der Insel weitgehend ihre Selbstverwaltung und griffen selten aktiv in die Verhältnisse der Insel ein. Sicilia fungierte in der Folge als wichtiger byz. Stützpunkt im Kampf gegen die Vandali (533) und im Krieg gegen die Goti (535–555). Innerhalb des von → Iustinianus [1] geschaffenen → Exarchats Italia erhielt Sicilia 536 eine eigene Zivil- (unter einem *praetor*) und Militär-Verwaltung (unter einem *dux*) in engem Anschluß an die Zentrale in → Konstantinopolis. Die übrigen byz. Gebiete von Unterit. waren dagegen vom Exarchen in → Ravenna direkt abhängig. Die Auseinandersetzungen der → Langobardi, die 568 in It. einfielen und bald auch nach Unterit. vordrangen, mit dem byz. Exarchen von Ravenna berührten Sicilia kaum.

Die Expansion der muslimischen → Araber ließ seit 652 Sicilia zum südöstl. Vorposten der christl. Welt werden. Die arab. Gefährdung der Insel zwang den byz. Hof dazu, Sicilia zugunsten einer stringenteren Kontrolle um 700 als eigenes → Thema zu organisieren. In der 1. H. des 8. Jh. wurden alle Bistümer der Insel dem Papst in Rom genommen und dem Patriarchat von Konstantinopolis unterstellt. Mit der Eroberung von Ravenna durch die Langobardi übernahm das Thema Sikelia (unter Einschluß der Dukate Kalabrien, Otranto und Neapel) den Schutz byz. Interessen in Italien. Seit 827 eroberten die Araber Sicilia Stück für Stück; bis 965 (Fall der Festung Rametta) konnte sich hier byz. Widerstand halten. → Katepanat

L. C. RUGGINI, La Sicilia fra Roma e Bysanzio, in: Storia della Sicilia 3, 1980, 1–96 · Q. CATAUDELLA, La cultura bizantina in Sicilia, in: Storia della Sicilia 4, 1980, 1–56.

E. O.

## II. RELIGION

A. GENERELLES B. DAS MYKENISCHE UND VORKOLONIALE ERBE C. DIE BEDÜRFNISSE DER KOLONISTEN D. VOLKSRELIGION UND RELIGION DER OBERSCHICHT E. RÖMISCHE ZEIT

### A. GENERELLES

M. G. weist keine vom übrigen Griechenland fundamental versch. Rel. auf. Angesichts des aktuellen Kenntnisstands ist die Ansicht, daß die Kulte der Griechen im Westen aufgrund möglichen Einflusses einheim. Gemeinschaften einen ganz eigenen Charakter hatten, nicht vertretbar. Ohne Existenz und Bed. des ital. Erbes zu leugnen, war das rel. Leben der Griechen in diesen Regionen gegenüber der indigenen Umgebung autonom. Man darf annehmen, daß die Kolonisten durch die Aufrechterhaltung der rel. Trad. ihrer Mutterstädte ihre kulturelle Identität als Griechen gegenüber der ansässigen Bevölkerung verteidigten. Rel. Interaktion ist am häufigsten dort anzutreffen, wo die indigenen Bevölkerungen einen Prozeß der → Hellenisierung begannen, bes. seit dem 4. Jh. v. Chr.

### B. DAS MYKENISCHE UND VORKOLONIALE ERBE

Als die Kolonisten das ägäische Griechenland ab der Mitte des 8. Jh. v. Chr. verließen (→ Kolonisation), waren die rel. Trad. ihrer Mutterstädte noch stark von Elementen myk. Ursprungs geprägt; bei ihrer Ankunft in It. landeten sie an Küsten, an denen Besucher seit myk. Zeit Spuren kultischer Betätigung hinterlassen hatten. Auch verweist der größte Teil der mit Koloniegründungen verbundenen Myth. auf die kret. Welt (die Sagen um → Minos und → Daidalos auf Sizilien, aber auch in → Iapygia), auf den Troianischen Krieg und die Heimkehrerepen, → *Nóstoi* (Kult der Athena *Iliás* in → Siris, vgl. Strab. 6,1,14 oder des Philoktetes in → Sybaris, vgl. Ps.-Aristot. de mirabilibus ausculationibus 107). Herakles ist am stärksten mit der Ausdehnung der Griechen nach Westen verbunden (Hes. theog. 287–292; Stesich. PMG fr. 181–186): Seine Wanderungen (→ Geryoneus) fallen mit den Seerouten nach Westen zusammen, auf denen Spuren myk. Seefahrer zu finden sind. Kommt in diesen Mythen und Kulten die Erinnerung an eine Kontinuität zur myk. Zeit zum Ausdruck? Möglich ist auch, daß diese Myth. in der historiograph. Trad. benutzt wurden, um die Ansiedlung griech. Kolonisten *a posteriori* zu legitimieren. So verleiht die vorgeblich kret. Herkunft der → Iapyges (Hdt. 7,170) diesen eine noch ältere und ruhmreichere Abstammung, als die Spartaner sie besaßen, die sich in → Taras (lat. Tarentum) in iapyg. Territorium niedergelassen hatten. Ähnlich gelagert ist die in der Forsch. geführte Diskussion um die außerhalb der Städte gelegenen Heiligtümer [5. 121 f.]. Der These, hierin eine Wiederaufnahme von in Erinnerung gebliebenen myk. Kulten zu sehen, steht eine polit. gegenüber: Funktion dieser Heiligtümer sei es gewesen, das neue Territorium der Kolonisten zu markieren und zugleich als Kontaktstellen zur einheim. Bevölkerung zu dienen.

Es gibt derzeit kein arch. Indiz für Kontinuität zwischen der myk. und der archa. Epoche in der M. G. Wenn sich die Kulte an denselben Orten überlagern, hat dies mit deren natürlicher Prädisposition für kultische Betätigung zu tun. Daher betont die Forsch. derzeit die Bed. vorkolonialer Kontakte zw. griech. Handelsleuten und autochthonen Bevölkerungen (→ Handel IV. A). Mit der Tatsache, daß diese Handelsleute regelmäßig die Küsten Anatoliens, Syro-Phöniziens und Kretas anliefen, läßt sich wohl die Ankunft zweier Gottheiten in It., und zwar noch vor den Gründungen der Kolonien, erklären, die im myk. Pantheon bislang fehlen: Apollon und Aphrodite. Letztere ist die Gottheit der Seefahrt und der Emporien *par excellence*. In → Lokroi [2] befindet sich ihr Heiligtum in dem Teil der Stadt, der mit dem Hafen verbunden ist und in Bezug zur U-förmigen Stoa (*centocamere*) steht, die sich vor den Stadtmauern befand und in der die mit Sakralprostitution verbundenen Riten stattfanden (Athen. 12,515e; Iust. 21,3,2). Auf dem Vorgebirge von Krimisa nördlich von → Kroton erhebt sich das Heiligtum des Apollon *Alaíos* in der Nähe einer Stadt, deren durch Strabon (6,1,3) erhaltener Name Kalasarna an Halasarna erinnert (die mysische Stadt oder auch den Demos von Kos), in dem sich ein Heiligtum des Apollon befand, das für seine Riten zu Ehren des Herakles berühmt war. Nach Ps.-Aristoteles (de mirabilibus ausculationibus 107) weihte Philoktetes Bogen und Pfeile des Herakles im Tempel des Apollon *Alaíos*; die Siedler von Kroton brachten diese Reliquien bei ihrer Stadtgründung aus dem Tempel von Krimisa in ihren eigenen Tempel. Bei Apollon handelt es sich in M. G. zu Beginn nicht um den delphischen, sondern um den ägäischen Gott, der seinen Altar, unter der Epiklese → *Archēgétēs*, am Ufer von → Naxos, der ersten euboiischen Gründung auf Sizilien, hatte (Thuk. 6,3,1).

C. Die Bedürfnisse der Kolonisten

Die Epiklese *Archēgétēs* bezeichnet den, der die Kolonialexpedition führt und der Bestimmung und Aufteilung der für das neue polit. Gebilde unverzichtbaren Herrschaft (*archḗ*) vorsteht. Apollon *Archēgétēs* ist der Beschützer derjenigen Gruppen, die im Übergang zwischen zwei Zuständen sind, der Gott des Heimatlosen und des neuen Bürgers; er steht somit außerhalb der Städte. Dadurch wird die Ansicht in Frage gestellt, die Kolonisten hätten sich darauf beschränkt, Gottheiten und Kulte ihrer Mutterstädte in ihre neuen Länder einzuführen. So führten die Phokaier nicht die Stadtgottheiten von → Phokaia, sondern die ephesische Artemis und den delphischen Apollon, die allen Ioniern gemeinsam sind, in → Massalia (h. Marseille) ein (Strab. 4,1,4).

Ebenso auch Hera in den euboiischen Gründungen [1. 19–51]: Sie ist nicht die Hauptgottheit der Euboier, sondern kann auch in achaischen Gründungen angetroffen werden (an der Mündung des Sele bei Poseidonia (lat. Paestum) oder am Vorgebirge Lakinion). Bei → Hera handelt es sich um die samische Schutzgottheit der Seefahrt, die auf → Samos auch als Göttin des → *oíkos* verehrt wird, d. h. als Göttin der Hochzeit und der Weitergabe der Güter, einheitstiftende Elemente neu entstehender Gemeinschaften. Die argiv. Hera schließlich übt die Souveränität über ein Bündnisgebiet aus. Diese Qualitäten entsprachen den Bedürfnissen der Kolonisten; so verhält sich Hera komplementär zu Apollon *Archēgétēs*. Ihre Bed. läßt sich daraus ermessen, daß ihre Heiligtümer sich sowohl an den Küsten zur Orientierung für die Seefahrt (H. Lacinia beim Vorgebirge Lakinion, → Lakinios; bei der Mündung des Sele, vgl. Strab. 6,1,1) als auch im Landesinnern (sog. Tempel *tavole Palatine* bei Metapontion/ lat. Metapontum) finden, wo sie von der einheim. Bevölkerung besucht wurden. Der archa. und polyvalente Charakter Heras kommt in zahlreichen Epiklesen zum Ausdruck [3; 5]: *Prómachos* in Poseidonia (Kriegsfunktion, normalerweise Athena vorbehalten); *Eleuthería* am Vorgebirge Lakinion: Beschützerin der Freilassungen (in Herakleia der Demeter vorbehalten); *Eileíthyia*: Beschützerin der schwangeren Frauen (sonst ist → Eileithyia eine eigene Gottheit); → *Pótnia thērōn* (normalerweise der Artemis vorbehalten); Orakelfunktion in Kyme [2] (lat. Cumae) usw. Die Vielzahl der Epiklesen, deren genaue Bed. man nicht immer kennt, und die archaisierenden Züge erscheinen als der eigentümlichste Aspekt der Rel. M. G.s [3; 5]: Zeus heißt *Aglaiós* in Metapont, *Kataibátēs* in Tarent, *Keraunós* in Rhegion, *Meilíchios* in Kroton und Pompeii, *Hórios* in Velia (Elea); Athene heißt *Skylētría* in Iapygia, *Iliás* in Siris, *Eilenía* und *Myndía* in Metapontum. Viele dieser Epiklesen verweisen auf die anatol. Welt und das vorkoloniale Erbe.

In klass. Zeit unterscheidet sich die Rel. der Poleis der M. G. nicht von der anderer griech. Städte: Die engen Beziehungen zwischen M. G. und den panhellen. Heiligtümern, bes. → Olympia (Paus. 6,19,1–15, *passim*; ML Nr. 10; 29; 57), zeigen das Gefühl der Zugehörigkeit zu derselben Kultur. Auch die Funktion des → Heroenkults, der die Erinnerung an den Oikisten bewahrt, unterscheidet sich nicht von der anderer Heroenkulte in der griech. Welt, die als Lokalkulte zur Identität der verschiedenen Städte beitrugen.

D. Volksreligion und Religion der Oberschicht

Ein spezieller Aspekt ist der Kontrast zwischen einer für die sog. chthonischen Kulte bes. empfänglichen Volksrel. – → Totenkult oder thesmophorische Riten (→ Thesmophoria) – und einer elitäreren, intellektuellen, dem Pythagoreismus verpflichteten Rel. Vom 4. Jh. v. Chr. an vervielfachen sich auf dem Land, bei Griechen wie Einheimischen, in zeitl. Entsprechung zum Bau von Landgütern, kleine Heiligtümer, die weibl. Gottheiten wie Demeter, Persephone, Artemis oder Aphrodite geweiht sind [4; 5]. Die für die agrarische Arbeit eingesetzten einheim. Arbeitskräfte waren zweifellos für diese Riten empfänglich, die sich auf die natürlichen Zyklen von Leben und Tod gründeten und allgemein genug waren, um ethnische Grenzen zu überwinden. Die Totenkulte nehmen in M. G. einen ganz besonderen Platz ein, ob es sich nun um die bemalten Gräber in osk. Gebiet und Lucania oder die großen tarentin. oder daunischen → Hypogäen handelt. Die Terracotta-Tafeln aus → Lokroi [2] und → Medma stellen ein weiteres Zeugnis für die Verbindung der Kulte des Hades, der Persephone, des Hermes, der Aphrodite und des Dionysos dar. Dionysos ist zweifellos die typischste Figur der Rel. M. G.s: Bei Sophokles (Ant. 1121) erscheint er bereits als Schutzgottheit It.s; laut Platon (leg. 1,637b) wurde er in Tarent mit einem sonst nirgendwo erreichten Enthusiasmus gefeiert. Seine Ikonographie inspiriert den größten Teil der Darstellungen auf ital. rf. Vasen. Das röm. → *senatus consultum de Bacchanalibus* von 186 v. Chr. zeigt die Vitalität seiner Anhänger zu jener Zeit.

In M. G. ist eine beträchtliche Zahl orphischer Goldblättchen (→ Orphicae lamellae) ans Licht gekommen. Bei der → Orphik könnte es sich um die rel. und myst. Version des Pythagoreismus (→ Pythagoras) handeln. Von der trad. Polisreligion weit entfernt, konnte ihre existentielle Dimension, die ein auf Gemeinschaft mit dem Göttlichen beruhendes Heilsversprechen einschloß, eine Ges. ansprechen, die gemischter und offener war als im übrigen Griechenland. Der Pythagoreismus hat → Parmenides inspiriert, dessen Denken den alten Göttern nicht mehr viel Platz einräumt. Zur Zeit des → Archytas [1] schließlich kann der Pythagoreismus als Kern der polit. Praxis die einheim. Oberschichten für sich gewinnen, auf die nichtgriech. ital. Eliten ausstrahlen [6] und gar bis nach Rom gelangen.

Hier muß auch die bedeutende Rolle hervorgehoben werden, die M. G. und insbes. Tarent in der Vermittlung der Sakralarchitektur, von Kulten und Myth. nach Mittelitalien, Latium und Rom spielten: Die → Dioskuroi, die in Tarent und Lokroi verehrt wurden [3. 38 f.; 208–210], erreichten im 6. Jh. v. Chr. Lavinium und erhielten 484 v. Chr. in Rom einen Tempel. Dispater und Proserpina wurden in Rom an einem Ort namens *Tarentum* verehrt. Nach der Überl. schmückten tarentin. Koroplasten (→ Damophilos [1] und Gorgasos) den röm. Tempel von → Liber, → Libera und → Ceres (493 v. Chr.) [7]. Es waren schließlich Griechen aus den Kolonien des Westens, wie z. B. → Stesichoros, die → Aineias [1]/Aeneas nach Italien brachten, und ein Grieche aus der Gegend um Troia namens Damastes, der im 5. Jh. v. Chr. den Heroen zum Gründer Roms machte (Dion. Hal. ant. 1,72,1).

E. Römische Zeit

Auch die röm. Hegemonie seit dem 3. Jh. und schließlich die Munizipalisierung (→ municipium) der Poleis der M. G. im 1. Jh. v. Chr. tat der rel. Kontinuität keinen Abbruch. Die intensivierte Akkulturation (→ Romanisierung) resultierte in der Erweiterung der lokalen → Panthea durch neue, »röm.« Kulte und Gottheiten (capitolinische Trias, später Mater Magna, Mithras, Isis, Kaiserkult). Daneben wurden die herkömmlichen Kulte, Priesterämter und rel. Feste weiter gepflegt, im 1. und 2. Jh. n. Chr. von den lokalen Eliten sogar mit bes. Aufmerksamkeit bedacht – wenn auch den veränderten polit. und kulturellen Rahmenbedingungen angepaßt [8. 125–141].

→ Italia; Kolonisation; Latini, Latium

**1** L. Breglia Pulci Doria (Hrsg.), Recherches sur les cultes grecs et l'Occident 1 (Cahiers du centre J. Bérard 5), 1979 **2** Dies. (Hrsg.), Recherches sur les cultes grecs et l'Occident 2 (Cahiers du centre J. Bérard 9), 1984 **3** G. Giannelli, Culti e miti della M. G., 1963 **4** F. Graf, Culti e credenze nella M. G., in: Megale Hellas. Nome e immagine (Atti del Convegno di Studi sulla M. G. 21, 1981), 1982, 157–185 **5** G. Maddoli, I culti delle »poleis« italiote, in: M. G., Bd. 3, 1988, 115–149 **6** A. Mele, Il pitagorismo e le popolazioni anelleniche d'Italia, in: AION 3, 1981, 61 ff. **7** M. Cristofani, I santuari: tradizioni decorative, in: Etruria e Lazio arcaico (Quaderni di archeologia etrusco-italica 15), 1987, 116–118 **8** K. Lomas, Rome and the Western Greeks 350 BC–AD 200, 1993.

I. Malkin, Rel. and Colonization in Ancient Greece, 1987.

J.-L. L./Ü: T. H.

**Magna Mater** s. Mater Magna

**Magnae** (oder *Magni*). Röm. Kastell am Hadrians-Wall in Nordengland (Not. dign. occ. 40,43; Geogr. Rav. 107,11) wohl aus flavischer Zeit (69–96 n. Chr.), h. Carvoran, inschr. lokalisiert (*numerus Magn(c)es(ium)* [1. 1825]), evtl. Teil der traianischen Grenzlinie im frühen 2. Jh., bevor M. nach 122 n. Chr. in den hadrianischen → Limes eingefügt wurde [2. 192–196]. Ausnahmsweise wurde das Kastell nicht in das → *vallum* eingegliedert, sondern verblieb südl. davon. Unter Hadrianus und später war die *cohors I Hamiorum* hier stationiert, bis zum 3. Jh. durch die *cohors II Delmatarum* ersetzt. 136–138 n. Chr. in Stein wiederaufgebaut. Funde: ein Getreide-Maß (*modius*) aus Br., datiert 90/1 n. Chr., eine Weihung für die → Dea Syria [1. 1791].

**1** R. G. Collingwood, R. P. Wright, The Roman Inscriptions of Britain 1, 1965 **2** E. Birley, Research on Hadrian's Wall, 1961.

D. Breeze, The Northern Frontiers of Roman Britain, 1982.

M. TO./Ü: I. S.

**Magnaten** s. Archontes (III.)

**Magnentius.** Flavius Magnus M., Usurpator, röm. Kaiser 350–353 n. Chr. Geb. ca. 303 in Amiens, nichtröm. Herkunft, nicht Christ. M. schlug eine mil. Laufbahn ein und brachte es bis zum → *comes*. Der *comes rerum privatarum* → Marcellinus [5] stachelte ihn zur Verschwörung gegen → Constans [1] auf: Am 18.1.350 erhob sich M. in Autun (Aur. Vict. epit. Caes. 42; Zos. 2,42); Constans wurde erschlagen. Bereits E. Februar wurde M. in Oberitalien, dann im ganzen Westen und in Africa als Kaiser anerkannt. Im Donauraum scheiterte dies an den Bemühungen der → Constantina, der Schwester des Constans und des Constantius [2] II., die → Vetranio zur Usurpation bewog, um den Widerstand gegen M. zu schüren. In Rom erhob sich → Nepotianus, wurde jedoch bald beseitigt.

M. bemühte sich zunächst um Anerkennung durch → Constantius [2] II. Nach dem Sturz Vetranios und der Erhebung der Rheingermanen gegen M. erhob dieser 351 den Decentius [1] zum Caesar, um seine Position zu sichern. Im Kampf gegen Constantius II. gelangen M. zunächst einige Erfolge; in der Schlacht von Mursa (28.9.351) unterlag er jedoch. Sein Versuch, von Aquileia aus ein neues Heer aufzustellen, schlug fehl, und im Sommer 352 mußte er nach Gallien fliehen (Zos. 2,53), das ihm als einziger Teil seines Herrschaftsgebietes noch geblieben war. 353 wurde M. erneut besiegt, zog sich nach Lugdunum (Lyon) zurück und beging dort angesichts seiner hoffnungslosen Lage am 10./11.8.353 Selbstmord (Sokr. 2,32; Soz. 4,7; Zon. 13,9).

M. begünstigte die Anhänger der paganen Religionen (Erlaubnis nächtlicher Opfer, vgl. Cod. Theod. 16,10,5), umwarb aber auch die orthodoxen Christen, die er gegen den eher arianisch gesinnten Constantius II. aufbringen wollte; dies zeigen v.a. die erhaltenen Mz. Beim Adel machte sich M. durch rigorose Steuermaßnahmen (Einkommenssteuer von 50%) unbeliebt. Bes. auf dem Gebiet der Organisation und Diplomatie muß M. einige Fähigkeiten besessen haben. Die Quellen beurteilen ihn sehr negativ. PLRE 1, 532.

J. Didu, Magno Magnenzio, in: Critica storica 14, 1977, 11–56 • J. Ziegler, Zur rel. Haltung der Gegenkaiser im 4. Jh. n. Chr., 1973, 53–74. K.G.-A.

**Magnes** (Μάγνης).

**[1]** Eponymer Herrscher der mittelgriech. Landschaft Magnesia. Seine Abkunft wird verschieden angegeben; das älteste Zeugnis (Hes. cat. 7) kennt ihn als Sohn des Zeus und der Deukaliontochter Thyia mit Heimat in Pieria; als sein Bruder wird hier Makedon, der mythische Stammvater der Makedonen, genannt; nach Apollod. 1,16 hat er einen Sohn namens Pieros. Diese verwandtschaftlichen Beziehungen deuten auf Landnahme der Magneter von Norden aus hin.

**[2]** Sohn des → Aiolos [1], des Eponymen des Aiolerstamms, Vater des → Diktys und → Polydektes (Hes. cat. 8; Apollod. 1,88). E.V.

**[3]** Neben → Chionides der älteste namentlich bekannte Dichter der att. Alten Komödie [1. test. 2, 8, 9]. In der Liste der Dionysiensieger [1. test. 4] steht er sechs Plätze vor → Kratinos [1]; er soll insgesamt elfmal gewonnen haben [1. test. 3, 4], und zwei dieser Siege sind für die Jahre 472 und 471 bezeugt [1. test. 5, *6]. Noch Jahrzehnte später würdigt ihn → Aristophanes [2] als ungemein erfolgreichen Dichter und rühmt die in seinen Stücken gebotene Vielseitigkeit [1. test. 7]. Die Gesamtzahl seiner Stücke liegt im Dunkeln: Schon in alexandrinischer Zeit war keines mehr erhalten, doch galten insgesamt neun Stücke damals als Pseudepigrapha [1. test. 3]. Zufälligerweise (oder auch nicht?) sind noch insgesamt neun Stücktitel überliefert (darunter ein Διόνυσος α' und β'/›Dionysos 1 und 2‹, sowie zwei, die Aristophanes-Titel vorwegnehmen: Ὄρνιθες/›Die Vögel‹, Βάτραχοι/›Die Frösche‹) und acht Fr., aus denen sich nichts zum Inhalt der Stücke entnehmen läßt.

1 PCG V, 1986, 626–631. H.-G.NE.

**Magnesia** (Μαγνησία).

**[1]** (Ethnikon Μάγνης, Μαγνῆτες/*Mágnēs, Magnḗtes*; IG IX 2,1228 b16: Dat. Pl. Μαγνείτεσσι 3. Jh. v. Chr.). Die thessal. Küstenlandschaft vom Peneios bis zum Golf von → Pagasai mit der sich weit nach Süden erstreckenden, schmalen Halbinsel, die den pagasaiischen Golf nach Osten und Süden abschließt, ganz von den Bergen → Ossa und → Pelion und ihren Ausläufern erfüllt. Die Ostküste gegen das offene Meer war hafenlos und gefürchtet; hier erlitt die Flotte des Xerxes 480 v. Chr. Schiffbruch (Hdt. 7,188 ff.). Der Südteil dieser Küstenstrecke bis zum gleichnamigen Kap im Süden (Hagios Georgios) hieß Σηπιάς/*Sēpiás*. Die wichtigsten ant. Ortschaften an der Ostseite von Ossa und Pelion waren Homole, Eurymenai, Rhizus, Meliboia und Kasthanaia. Die Ostseite der magnes. Halbinsel weist keine Ortschaften auf, an der klimatisch bevorzugten Westseite des Pelion sind → Lakereia, → Boibe, → Iolkos an der Stelle des h. Kastro von Volo und Orminion zu erwähnen, an der Westseite der magnes. Halbinsel → Methone, Korope mit dem Orakelheiligtum des Apollon Koropaios [1], Spalauthra und → Olizon.

Von Magnetes wurde nach der Überl. der gleichnamige Ort M. am Maiandros [2] gegr., im Schiffskatalog der ›Ilias‹ ist M. das Reich des → Philoktetes (Hom. Il. 2,716 ff.), der Westhang des Pelion mit Iolkos und Boibe wird zum Reich des Eumelos [1] gerechnet (Hom. Il. 2,711 ff.). Die Magnetes erscheinen im Schiffskatalog als offenbar nachträglicher Einschub am E. der gesamten Aufzählung ohne ON am Peneios und Pelion (Hom. Il. 2,756 ff.). Auch der mit den Makedones verwandte Stammesname weist auf eine Entstehungszeit des Namens nach der Einwanderung der NW-Griechen in Thessalia hin. Urtümliche Sitten erwähnen Pind. P. 4,141 ff. und Xen. hell. 6,1,7 (= Athen. 1,15 f.). Die Magnetes gehörten zu den urspr. Mitgliedern der pylaiisch-delph. Amphiktyonie (→ *amphiktyonía*) und sind daher in den delph. Inschr. oft gen., waren aber wie die anderen thessal. Randstämme von dieser abhängig (Aischin. or. 2,116; Paus. 10,8,2; Theop. FGrH 115 F 63; Aristot. pol. 1269b 5 ff.; Thuk. 2,101,2) und teilten als Untertanen der → Thessaloi deren allg. Schicksale. Mit dem Aufschwung der Tyrannen-Dyn. von Pherai wurden sie von diesen abhängig (Polyain. 6,2,1), aber nach → Pelopidas' Eingreifen 364 v. Chr. an den Boiotischen Bund angeschlossen (Diod. 15,80,6; Plut. Pelopidas 35,2). → Philippos II. konnte daher nach seinem Sieg über die Nachfolger des → Alexandros [15] die Landschaft für sich behalten und mit Befestigungen versehen (Demosth. or. 1,13; 1,22; 2,11; 6,22; Isokr. or. 5,21; Strab. 9,5,16; Speusippos 1 [2]).

Das einschneidendste Ereignis in der Gesch. von M. war die Gründung von Demetrias [1] durch Demetrios [2] nach 294 v. Chr. am Südufer des inneren Golfs von Pagasai dem h. Volo gegenüber. Fast die gesamte Landschaft wurde zum Gebiet der neuen Stadt geschlagen und die Ortschaften zu *kṓmai* von Demetrias. Es gab trotzdem noch selbständige *póleis* der Magnetes, von denen aber nur Homole ganz im Norden namhaft gemacht werden kann. Die gesamte M. blieb maked., Magnetes erscheinen daher in den Listen der delph. Amphiktyonie nicht mehr. 196 v. Chr. wurden die Magnetes von Rom für frei erklärt (Pol. 18,46,5; 47,6; Liv. 33,32,5; Plut. Titus Flamininus 10,4). Sie bildeten nun ein eigenes → *koinón* unter einem *magnētárchēs* (Liv. 35,31,11; 43,5). Die Spannung zw. Rom und dem Aitolischen Bund mit den anschließenden Ereignissen wie der Besetzung von Demetrias durch die Aitoloi und dann Antiochos III. im J. 192 v. Chr. und in den folgenden Jahren führten zu schweren Erschütterungen innerhalb des Bundes und zu vorübergehendem Anschluß an die Aitoloi. M. mußte wieder unter maked. Herrschaft zurückkehren. Nach der Auflösung des maked. Königreiches wurden die Magnetes wieder frei und konnten ihr *koinón* erneut errichten, das auch in der röm. Kaiserzeit weiterbestand. Der Bund war eine *sympoliteía* mit einem Strategen an der Spitze. Magnetes erscheinen nun auch wieder in Delphoi als *hieromnḗmones*. Die völlige Vorherrschaft von Demetrias führte im 2. Jh. v. Chr. zu Spannungen im Bunde.

1 F. Stählin, s. v. Κορόπη, RE 11, 1436f. 2 E. Bickermann, J. Sykutris, Speusipps Brief an König Philipp, 1928, 3.

W. Kendrick-Pritchett, Xerxes' Fleet at the Ovens, in: AJA 67, 1963, 1 ff. • G. Kip, Thessal. Stud., 1910, 78 ff. • Philippson/Kirsten, Bd. 1, 127 ff. • F. Stählin, Das hellenische Thessalien, 1924, 39 ff. • Ders., s. v. M., RE 14, 459 ff. • Ders. u. a., Pagasai und Demetrias, 1934, 178 ff. • G. Hourmougiadis, P. Asimakopulou-Atzaka, K. A. Makris, M., The Story of a Civilization, 1982. E. MEY.

**[2]** Stadt im südwestl. Kleinasien (3 km südl. von Ortaklar) am rechten Ufer des unteren → Maiandros [2] (Skyl. 98; Hdt. 1,161; Thuk. 1,138: Μαγνησία ἡ Ἀσιανή; später M. ἐπὶ Μαιάνδρου bei Strab. 14,1,39; Diod. 11,57,7; Ptol. 5,2,19; Plin. nat. 5,114). Gegr. vom thessal. M. [1], wurde M. im 7. Jh. v. Chr. von den → Kimmerioi zerstört. 465 v. Chr. Zufluchtsort des verbannten Themistokles (Thuk. l.c.; Nep. Themistocles 10), 400 v. Chr. an einem nahegelegenen Berg neugegr. (Diod. 14,36). Ruinen eines Tempels der Artemis Leukophryene, Inschr., Mz.

O. Kern, Die Inschr. von M. am Mäander, 1900 • K. Humann, M. am Mäander, 1904 • L. Bürchner, s. v. M. (2), RE 14, 1928, 471 f. • W. M. Calder, J. M. Cook, S. Sherwin-White, s. v. M. (1), OCD[3], 912. W. BL.

**[3] M. am Sipylos** (M. ἡ ἐπὶ Σιπύλου). Lydische Stadt am Nordfuß des Sipylos (h. Manisa Dağı) am linken Ufer des Hermos [2] (Hellanikos FGrH 4 F 191; Strab. 12,8,2; 13,3,5), h. Manisa. Im 3. Jh. v. Chr. von → *kátoikoi* und einer Garnison dominiert, nach Übertritt zu Ptolemaios III. im 3. Syr. Krieg kurz nach 243 (?) von dem Seleukos II. treugebliebenen Smyrna eingemeindet (StV 492). 216/213 v. Chr. gelangte M. unter Antiochos [5] III., 190 fand die Schlacht (Liv. 37,38–44) gegen die Scipionen (Liv. 37,37,9 f.; 38,58,9) bei M. auf der nördl. gelegenen Hyrkanischen Ebene (→ Kurupedion) statt; 189 an Eumenes [3] II. (Liv. 37,56,3), seit 133/129 in der röm. Prov. Asia, 84 durch Sulla *civitas libera* (Strab. l.c.; Paus. 1,20,5; App. Mithr. 250); im *conventus* von Smyrna (Plin. nat. 5,120). 17 n. Chr. erdbebengeschädigt, Wiederaufbauhilfe des Tiberius (Strab. 12,8,18; Tac. ann. 2,47). Südwestl. von M. befindet sich der Fels der trauernden → Niobe (Hom. Il. 24,602–617; Ov. met. 6,149–312; Paus. 1,21,3), östl. bei Akpınar das hethit. Felsrelief der Göttermutter (Taş suret, Paus. 3,22,4).

E. Akurgal, Ancient Civilizations and Ruins of Turkey, [7]1990, 132 f. • G. E. Bean, Kleinasien 1, 1969, 55 f. mit Taf. 2 • Th. Ihnken, Die Inschr. von M. am Sipylos (IK 8), 1978 • Magie, Bd. 1, 122 f.; Bd. 2, 976, 1102 f. • W. Ruge, s. v. M. (3), RE 14, 472 f. H. KA.

**Magnet** (Μαγνῆτις/*magnḗtis* bzw. Ἡρακλεία λίθος/ *Hērakleía líthos*; lat. *magnes*). Der Name *magnes* stammt angeblich von dem gleichnamigen Finder, einem Hirten auf dem Berg Ida in der Troas (nach Nikandros bei Plin. nat. 36,127), den Isid. orig. 16,4,1 zu einem Inder macht. Der M. ist der bekannte Stein aus Eisenoxid ($Fe_3O_4$), der normales → Eisen anzieht und sogar als *ferrum vivum* selbst ›magnetisiert‹ (Plin. nat. 34,147; Isid. ebd.; Lucr. 6,910–914). Plin. nat. 36,128 unterscheidet mit dem griech. Steinkundigen Sotakos fünf Arten von M. aus unterschiedlichen Gegenden, darunter sei die äthiopische die beste. Alle seien (Plin. nat. 36,130) als Augenheilmittel verwendbar, v. a. zur Stillung des Tränenflusses (*epiphorae*), gebrannt und zerrieben heilten sie Verbrennungen. Dioskurides (5,130 Wellmann = 5,147 Berendes) kennt nur die innerliche Verwendung mit Honigmet zur Abführung von dickem Schleim. Für Thales (A 1, A 3 und A 22 = Diels/Kranz 1, Nr. 11) war der M. beseelt. Empedokles [1] (A 89 = Diels/Kranz 1, Nr. 31) und Atomisten wie Demokritos [1] (A 165 = Diels/Kranz 2, Nr. 68, aus Alex. Aphr. quaestiones 2,23 [1. 2,72,28], griech. Text bei [4. 222–224]) und Lucr. (6,998–1041) versuchen eine Erklärung seiner Funktionsweise auf pneumatisch-atomistischem Wege. Theophr. de lapidibus 41 [2. 72] erwähnt, daß er auf der Drehbank bearbeitet werden kann und trotz fehlender Verwandtschaft silberähnlich ist. Als Amulett und bei physiologischen Erklärungen (z. B. der Respiration) spielte er im Sinne der Sympathie eine gewisse Rolle.

1 I. Bruns (Ed.), Scripta minora, in: Supplementum Aristotelicum, vol. 2,2, 1892 2 D. E. Eichholz (ed.), Theophrastus, De lapidibus, 1965 3 H. Rommel, s. v. M., RE 14, 474–486 4 A. Radl, Der M.-Stein in der Ant. Quellen und Zusammenhänge (Boethius Bd. 19), 1988. C. HÜ.

**Magnia Urbica.** Gattin des Kaisers → Carinus (E. 3. Jh. n. Chr.) aus der Colonia Iulia Gemella Accitana in Hispania (CIL II 3394). Sie führte die Titel *Augusta, mater castrorum* und *mater senatus ac patriae* (CIL VIII 2384; XI 6957). PIR[2] M 99.

H. Cohen, Description Historique des Monnaies frappées sous l'Empire Romain VI[2], 1886, 405–408. T. F.

**Magnillus.** Gehört in das Umfeld des → Symmachus, mit dem er korrespondierte (Symm. epist. 5,17–33). Statthalter von Ligurien; 391–393 n. Chr. → *vicarius* in Africa, danach angeklagt, freigesprochen; bis 396 bezeugt, aber nicht mehr in einem Amt, wohl kein Christ. PLRE 1, 533. H. L.

**Magnum Municipium.** Ortschaft (Tab. Peut. 5,2; Geogr. Rav. 4,16; CIL XIII 6538), die sich teils aus einer dalmatischen Siedlung bei Balina Glavica (nahe Drniš, Bosnien-Herzegovina, wohl identisch mit Sinotium/Synodium: Strab. 7,5,5; App. Ill. 78), teils aus einem *vicus* in der Nähe des Auxiliarlagers bei Umljanivići entwickelt hat. Der Auxiliareinheit rückten *beneficiarii* nach (vgl. CIL III 9790; 14957ff.). M. wurde wohl schon unter Kaiser M. Aurelius *municipium* (vgl. CIL III 9798).

M. Zaninović, Ilirsko pleme Delmati II [The Illyrian Tribe of Delmatae II], in: Godišnjak 5 (Centar za balkanološka ispitivanja 3), 1967, 12f. • G. Alföldy, s. v. Magnum, RE Suppl. 11, 931f. M.Š.K.

**Magnus.** Röm. Cognomen, das urspr. entweder körperliche Größe oder die Reihenfolge der Geburt (»der Ältere«) bezeichnete, so in republikan. Zeit bei Sp. Postumius Albinus M. (*cos.* 148 v. Chr.) und T. Roscius M. (Cic. S. Rosc. 17) [1. 275; 3. 47]. Als Übernahme des Beinamens Alexandros' [4] »d.Gr.« (ὁ μέγας/*ho mégas*, im Sinne von großer histor. Bed.) im 1. Jh. v. Chr. zuerst von Cn. Pompeius (*cos.* 70 und 55) angenommen, dann auf seine Söhne Cn. und Sex. Pompeius und deren Nachkommen vererbt. Sex. Pompeius benutzte M. auch als Praenomen bzw. Gentilname [4. 364f.]. In der Kaiserzeit häufiger Beiname.

1 Kajanto, Cognomina 2 J. Reichmuth, Die lat. Gentilicia, 1956 3 P. P. Spranger, Der Große. Unt. zur Entstehung des histor. Beinamens in der Ant., in: Saeculum 9, 1958, 22–58 4 Syme, RP 1, 1979. K.-L.E.

**[1] M. von Emesa.** Verf. von prognostischen Schriften sowie von Traktaten über Fieber und Urin; evtl. mit M. [5] von Nisibis identisch. Sein Traktat über den Urin wurde ins Arab. übers. und ist in griech. Sprache in verschiedenen Überarbeitungen und Kompilationen erh. (z.B. Gal. 19,574–601; Medici Graeci minores 1,307–316 Ideler). Obwohl die Schrift später von → Theophilos wegen ihrer Unvollständigkeit und mangelnden Praxisnähe kritisiert wurde (De urinis, praef.), sind in ihr doch allerlei über das ganze galenische Schriftencorpus verstreute Beobachtungen zu dem ersten umfassenden und gegliederten Urintraktat zusammengetragen. Sie wird wesentlich zur Ausbildung der zuerst in spätant. Zeit verbreiteten Gewohnheit beigetragen haben, die Urin-Unt. als Leitmethode ärztlicher Diagnose zu betrachten. V.N./Ü: L.v.R.-B.

**[2]** Senator und Consular, wahrscheinlich identisch mit C. Petronius Magnus aus Canusium (CIL IX 338). Er zettelte 235 n. Chr. eine Verschwörung gegen → Maximinus [2] Thrax an, in die Senatskreise und Offiziere verwickelt waren, die jedoch aufgedeckt wurde. M. wurde wohl mit anderen hingerichtet (Herodian. 7,1,4–8; SHA Max. 10).

PIR² M 100 • PIR² P 286. K.G.-A.

**[3] Flavius M.** war 354 n. Chr. *vicarius* einer Diözese (Cod. Theod. 8,5,6). Zw. 354 und 359 war er *proconsul Asiae* (ILS 733). 359 hatte er ein höheres Amt in Konstantinopel inne (Lib. epist. 84). Evtl. stammte er aus Antiocheia [1] am Orontes (Lib. or. 40,12). PLRE 1,535 Nr. 9, vgl. 534 Nr. 5.

**[4] Vindaonius M.** Schüler des → Libanios, war Rhetor und Advokat (Lib. epist. 1271f.). Er ließ unter → Iulianus [11] eine Kirche in Berytos niederbrennen, die er auf Befehl des Iovianus wieder aufbauen lassen mußte (Theod. hist. eccl. 4,22,10). 373 n. Chr. hatte er als *comes sacrarum largitionum* den Auftrag, in Alexandreia [1] nach dem Tod des Athanasios die Einsetzung des Arianers Lukios als Bischof durchzusetzen (Sokr. 4,21,3). Als *praefectus urbis Constantinopolitanae* (375–376) weihte er in Konstantinopel die Thermae Carosianae ein (Chron. min. 1,242). PLRE 1,536 Nr. 12. W.P.

**[5] M. von Nisibis.** Arzt und Lehrer in Alexandreia um 370 n. Chr. Schüler des Zenon von Zypern und Mitschüler des → Oreibasios. Er erwarb sich hohes Ansehen als Redner und Lehrer der Medizin, so daß ihm die Alexandriner einen Hörsaal zuwiesen (Eunapios, Vitae Sophistarum 497f. Boissonade). Aus dem ganzen östl. Mittelmeerraum strömten Schüler zu ihm, darunter auch ein entfernter Verwandter namens Chrysogonos, der bei Libanios in Antiocheia studiert hatte (Lib. epist. 1208, 1358). Libanios selbst versicherte sich M.' Hilfe, als er Wettkämpfer zu den Spielen des Jahres 388 nach Daphne brachte (epist. 843). Zu seinen Schriften ist vielleicht ein Epigramm auf Galenos (Anth. Pal. 16,270) zu rechnen (vgl. M. [9]), sowie verm. einige → Akrosticha in den ›Kyraniden‹ [1]. Ein B. über Urin aus M.' Feder, womöglich dasselbe, das man M. [1] von Emesa zuschreibt, findet wegen seines Aufbaus und seiner Eleganz Theophilos' Lob (De urinis, praef.); zugleich verwirft dieser es aber, weil es unvollständig und wenig praxisnah sei.

1 M. L. West, M. and Marcellinus: Unnoticed Acrostics in the Cyranides, in: CQ N. S. 32, 1982, 480f.

V.N./Ü: L.v.R.-B.

**[6]** Gallischer Aristokrat aus Narbo, Verwandter des Kaisers → Avitus [1]; unter Kaiser → Maiorianus *magister officiorum* in Spanien, 458 *praefectus praetorio Galliarum* und 460 *consul*, Freund des → Sidonius Apollinaris (Sidon. epist. 1,11,10f.; carm. 14,2; 23,455–63; 24,90–94; vgl. 5,558–61; 15,150–57). PLRE 2, 700f.; 1318.

J. Harries, Sidonius Apollinaris and the Fall of Rome, 1994.

**[7]** *Comes*, Reiterführer unter → Belisarios im Gotenkrieg Kaiser Iustinianus' [1]; 536 an der Eroberung Neapels beteiligt, kommandierte er 537 in Perusia, besetzte Tibur und wurde 544 von → Totila in Auximum belagert (Prok. BG 1,5; 1,10; 2,4; 2,28; 3,11; Iord. Get. 60,312). PLRE 3B, 804f. K.P.J.

**[8] M. aus Carrhae** (Ḥarran) verfaßte als Teilnehmer ein Geschichtswerk über den Perserfeldzug des → Iulianus [11]. Erhalten ist davon ein längeres Exzerpt bei Iohannes Malalas (Chronographia, p. 328,20–332,9 Dindorf; FHG IV,4–6; FGrH 225). Evtl. ist er identisch mit einem *tribunus* gleichen Namens, der sich auf dem Feldzug durch seine Tapferkeit auszeichnete (Amm. 24,4, 23f.; Zos. 3,22,4). PLRE 1,534 Nr. 3, vgl. Nr. 2. W.P.

**[9]** Verf. eines griech. Epigramms, das jene Zeit rühmt, in der die heilende Hand des → Galenos die Sterblichen unsterblich machte (Anth. Pal. 16,270). Der Lemmatist versichert, daß M. selbst Arzt war; in diesem Fall könnte es sich um den M. handeln, der – in analoger und wahrscheinlich ironischer Übertreibung – von → Palladas gerühmt wird (Anth. Pal. 11,281: tatsächlich lebte einer der zahlreichen Ärzte dieses Namens, M. [5], E. des 4. Jh. n. Chr. in Alexandreia; vgl. Eun. vit. soph. 497 Boissonade).

A. Cameron, The Greek Anthology from Meleager to Planudes, 1993, 67. M.G.A./Ü: T.H.

**Magnus Sinus** (μέγας κόλπος/*mégas kólpos*, Ptol. 7,2,1; 7,3,1). Ein großer Meerbusen in *India extra Gangem*, angrenzend an die Sinae, d.h. Südostasien, mit drei Flüssen: Daonas, Dorias und Seros (Ptol. 7,2,7). Während die Geographie Südostasiens bei Ptolemaios gänzlich entstellt erscheint und alle Deutungen dortiger Ortsnamen sehr hypothetisch bleiben, läßt sich doch der M. S. mit den Gewässern zwischen der Malakka-Halbinsel und Südchina gleichsetzen.

H. Treidler, s. v. Μέγας κόλπος, RE Suppl. 10, 385 ff. K.K.

**Mago** (**Mgn* = »(Gottes)gabe«; griech. Μάγων).

**[1]** Karthager, führende Persönlichkeit (König?) in der 2. H. des 6. Jh. v. Chr.; Nachfolger des → Malchos [1], effizienter Förderer der karthag. Macht (Iust. 18,7,19; 19,1,1; [1. 173 f.; 2. 475 f.]), dem irrigerweise eine große Heeresreform mit dem Ziel des Einsatzes von Söldnern zugeschrieben wird [3. 184–187]. Als Vater (?) des → Hamilkar [1] und Hasdrubal (Iust. 19,1,2) gilt M. als Ahnherr der sog. Magoniden (s. Stemma); da aber nach Herodot (7,165) Hamilkar Sohn eines Hanno war und Iustinus (prol. 19) statt auf M. auf → Hanno [2] Sabellus verweist, ist eine Verschreibung Iustinus' erwägenswert, so daß M. mit Hanno identisch wäre.

**[2]** Karthag. Feldherr 397–375 v. Chr. gegen → Dionysios [1] I., der sich 397/6 als siegreicher Nauarch (»Flottenkommandant«) und auch bei Katane auszeichnete (Diod. 14,59–61). Er blieb auch nach dem Tod des Oberkommandierenden → Himilkon [1] in Sizilien, wo er 393/2 als Strategos zwar diplomatische Erfolge bei den Sikulern hatte, aber nach mil. Niederlagen (u.a. bei → Agyrion) einen für Karthago ungünstigen Frieden schließen mußte (Diod. 14,90,2–4; 95 f.). Als M. im folgenden Feldzug (seit 382) bei Kabala im Jahre 375 fiel (Diod. 15,15,2–16,2), übernahm sein Sohn Himilkon das Kommando [1. 175–177; 2. 134 f.,138].

**[3]** Karthag. Feldherr in Sizilien, der 344/3 v. Chr. als Führer eines Expeditionsheeres gegen die aufständischen Campaner in Entella von → Hiketas [1] gegen die Intervention → Timoleons zu Hilfe gerufen wurde und mit Heer und Flotte vor Syrakus erschien, aber angesichts der Verständigung der dortigen Bürgerkriegsparteien wieder in den von Karthago besetzten westlichen Teil von Sizilien (Epikratie) abzog (Diod. 16,67–69; Plut. Timoleon 17–20; [1. 177–179; 4. 74 f.]). M. soll bei der Rückkehr nach Karthago Selbstmord begangen haben, sein Leichnam soll zur Strafe für sein Versagen gekreuzigt worden sein (Plut. Timoleon 22,8).

**[4]** Karthag. Nauarch, der 279 v. Chr. mit seinem Hilfsangebot an die Römer in ihrem Krieg gegen → Pyrrhos abgewiesen wurde und anschließend bei jenem dessen weitere Absichten sondierte (Iust. 18,2,1–4; Val. Max. 3,7,11; [1. 180 f.; 2. 211,36]).

**[5]** Jüngster Sohn von → Hamilkar [3] Barkas (um 240 v. Chr. geboren), der 218 mit seinem Bruder → Hannibal [4] (→ Barkiden, mit Stemma) nach Italien zog und 216 bei → Cannae mit ihm im Zentrum kämpfte (Pol. 3,114,7; Liv. 22,46,7; [5. 193]), nachdem er schon früher (bei Placentia, an der Trebia, beim Vormarsch nach Etrurien) mit wichtigen Aufgaben betraut worden war [vgl. 1. 181 f.; 5. 126, 128, 148] (2. → Punischer Krieg). Im Herbst 216 legte M. dem karthagischen Senat die bisherigen Erfolge Hannibals dar und erhielt die zur weiteren Kriegführung beantragten Mittel, so daß er in den folgenden Monaten neue Kontingente anwerben konnte (Liv. 23,11,7–12; 12,5; 13,6–8; [1. 182; 5. 215 f.]). Im Frühjahr 215 wurde M. nach Spanien de-

## Die Magoniden

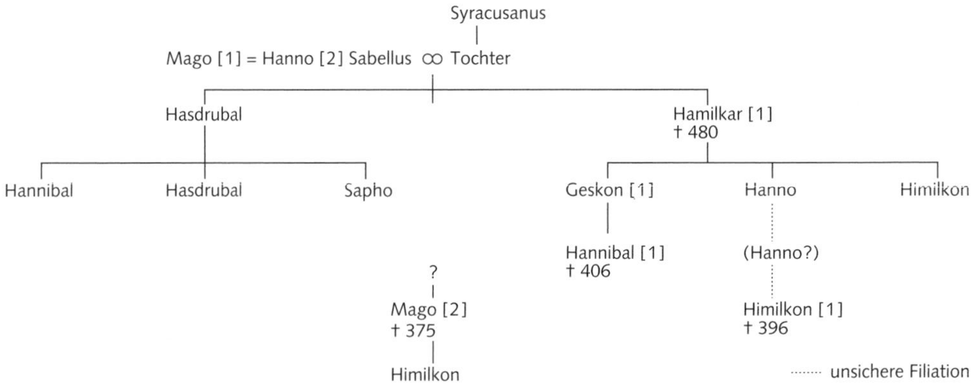

legiert (Liv. 23,32), wo ihm und seinem Bruder → Hasdrubal [3], den M. bei den wechselhaften Kämpfen gegen Iberer und Römer unterstützte (Liv. 23,49,5–12; 24,41–43; App. Ib. 24,94–25,100), gemeinsam mit → Hasdrubal [5] erst 211 bedeutsame Erfolge über Cn. und P. → Cornelius [I 77; I 68] Scipio gelangen (Liv. 25,32; 34–36; [1. 183; 5. 251, 266, 318–320]).

In der Folgezeit agierte M. in SW-Iberien [5. 351[62]] und warb in Keltiberien, NW-Afrika und auf den Balearen neue Söldner (Liv. 27,20,3–8; 28,1–4; 16,13; 23,6–8; [1. 184; 5. 393, 406]). M., seit dem Italienzug des Bruders Hasdrubal (208) Stratege in Iberien, zog sich 206 vor dem erfolgreichen P. → Cornelius [I 71] Scipio nach Gades (h. Cadiz) zurück, wo er eine proröm. Verschwörung aufdeckte (Liv. 28,30,1–5). Obwohl M. nochmals vom karthag. Senat Gelder für Iberien erhielt, mußte er doch auf Weisung aus Karthago, nämlich infolge des Abfalls von → Massinissa, noch im Herbst 206 Spanien verlassen, um sich Hannibal in It. anzuschließen (Liv. 28,31; 36–37; [1. 185; 5. 407f.]). Im Jahre 205 traf M. in Ligurien ein, wo er sein Heer verstärkte, kam aber nicht dem Befehl zum Vorrücken auf Rom nach und ignorierte die Chancen, das romfeindliche Etrurien zu gewinnen (Liv. 28,46,7–11; 29,4,6; 5,3–9; 36,10–12; [1. 185f.; 5. 418, 422, 427f., 435]). Im Jahre 203 folgte M. dem Befehl zur Rückkehr nach Karthago und soll auf der Rückfahrt bei Sardinien an einer Verletzung gestorben sein (Liv. 30,18–19,5); eine andere Überl. berichtet von seiner fortgesetzten Kriegführung in It. (Zon. 9,13,10 D.), von seiner Verbannung aus Karthago und seinem (gewaltsamen?) Tod im Jahre 193 (Nep. Hann. 7,3f.; 8,1f.), was aber eher unglaubwürdig ist [1. 186f.; 5. 448[63]; 463].

**[6]** Verwandter der → Barkiden, evtl. Sohn des → Hasdrubal [2]; geriet 215 v. Chr. auf Sardinien zusammen mit → Hasdrubal [4] in röm. Kriegsgefangenschaft (Liv. 23,41,1f.; [1. 188f.]).

**[7]** Karthag. Gesandter → Hannibals [4] zu → Philippos V. gemeinsam mit → Bostar [3] und → Geskon [4]; angeblich von den Römern abgefangen (Liv. 23,34; 38,1–9), evtl. identisch mit → Magonos [1. 188; 5. 244–246].

**[8]** M., beigenannt »der Samnite« (ὁ Σαμνίτης; Pol. 9,25,4); Karthager, ein (notorisch habgieriger?) Jugendfreund → Hannibals [4] (Pol. 9,25), der im 2. → Punischen Krieg als hoher Offizier erfolgreich in Bruttium kämpfte, 212 v. Chr. → Thurioi gewann, den Ti. → Sempronius Gracchus in einem Hinterhalt tötete (Liv. 25,16,7–24; Diod. 26,16,1; [2. 364f.; 6. 61f.]) und im Jahre 208 → Lokroi [2] verteidigte (Liv. 27,28,14–17; 1. 189f.; 6. 119f.]). M. ist kaum identisch mit einem in Capua agierenden M. (Liv. 25,18,1; [1. 188, 1114]).

**[9]** Karthag. Stadtkommandant von → Carthago Nova, das er 209 v. Chr. nach viertägigem tapferem Kampf an P. → Cornelius [I 71] Scipio verlor (Pol. 10,12–15; Liv. 26,44–46; App. Ib. 20,78–23,90; [5. 353–355]); mit anderen vornehmen Kriegsgefangenen wurde M. von C. Laelius [I 1] nach Rom gebracht (Pol. 10,18,1; Liv. 26,51,2; [1. 190f.]).

**[10]** Karthag. Gesandter, der 149 v. Chr. mit → Geskon [5] und → Hamilkar [5] das karthagische Dedikationsangebot nach Rom brachte (Pol. 36,3,7; [1. 191]).

**[11]** M., beigenannt »der Bruttier« (ὁ Βρέττιος); karthag. Senator, der 149 v. Chr. bei der Rückkehr der Gesandten aus Rom für die Annahme der röm. Bedingungen plädierte (Pol. 36,5,1–5; [1. 191f.]).

1 Geus 2 Huss 3 W. Ameling, Karthago, 1993 4 L. M. Hans, Karthago und Sizilien, 1983 5 J. Seibert, Hannibal, 1993 6 D. A. Kukofka, Süditalien im Zweiten Punischen Krieg, 1990.

L.-M. G.

**[12]** Der Karthager M., der von Plinius als »Feldherr« bezeichnet wird (*dux*, Plin. nat. 18,22), über dessen Leben aber sonst keine näheren Angaben vorliegen, war Autor einer in pun. Sprache verfaßten, nicht überl. Schrift über die Landwirtschaft (L.); aufgrund dieser Quellenlage hielt die Forsch. M. teilweise für den Auftraggeber, der das Wissen zur L. zusammenstellen ließ, oder für einen fiktiven Autor, dem verschiedene Schriften zugeschrieben wurden. Die Übereinstimmung der bei M. behandelten Themen mit der aufgrund arch. Funde erkennbaren Agrarentwicklung in der Umgebung Karthagos legt eine Datier. der Schrift in die 2. H. des 3. Jh. bzw. 1. H. des 2. Jh. v. Chr. nahe. Nach der Eroberung Karthagos 146 v. Chr. wurde das 28 B. umfassende Werk M.s auf Senatsbeschluß unter Leitung von Dec. Iunius Silanus in die lat. Sprache übertragen; ein Motiv für die Übers. mag der Wunsch gewesen sein, Informationen über den Anbau in den ariden Gebieten Africas zu erhalten. Die griech. Übers. von → Cassius [III 2] Dionysius aus Utica stellt eine stark gekürzte Bearbeitung in 20 B. dar; eine weitere Version stammt von Diophanes aus Nikaia (nach 63 v. Chr.; vgl. Plin. nat. 18,22; Varro rust. 1,1,8; 1,1,10f.; Colum. 1,1,10).

Wie Erwähnungen bei Cicero und Varro zeigen, war die Schrift M.s in der späten Republik ein anerkanntes Hdb. zur L. (Cic. de orat. 1,249 ; Varro rust. 2,5,18; vgl. Colum. 1,1,6). Die röm. → Agrarschriftsteller schätzten M. hoch: Varro beendet seine Liste der älteren Autoren mit der Bemerkung, diese seien sämtlich von M. übertroffen worden, und Columella bezeichnet M. als »Vater der Landwirtschaftslehre« (Varro rust. 1,1,10; Colum. 1,1,13). Plinius hat für seine Darstellung der L. die griech. Übers. von Cassius Dionysius und Diophanes benutzt (Plin. nat. 8; 14; 15; 17; 18).

In der Einleitung seiner Schrift fordert M. programmatisch, daß derjenige, der ein Landgut erworben hat, sein Stadthaus verkaufen solle (Colum. 1,1,18; Plin. nat. 18,35); seine Ausführungen richteten sich demnach an Gutsbesitzer, die bereit waren, sich intensiv um ihre Ländereien zu kümmern, und sollten die für eine erfolgreiche Gutswirtschaft notwendigen Informationen bieten. Ausführlich hat M. den → Weinbau (Colum. 3,12,5; 3,15,4; 4,10,1; 5,5,4), Ölbaumpflanzungen (→ Öl, Ölbaum; Plin. nat. 17,93; 17,128), Viehhaltung (Varro rust. 2,1,27; Colum. 6,1,2; 6,26; 6,37,3) und Tiermedizin (Varro rust. 2,5,18), → Bienenzucht (Co-

lum. 9,14,6) sowie die Lagerung und Konservierung von Früchten (Colum. 12,4,2; 12,46,5) behandelt. Wegen der klimatischen Unterschiede waren allerdings nicht alle Empfehlungen pun. Agrarschriftsteller in It. anwendbar (Colum. 1,1,6). Durch die lat. Übers. der röm. Oberschicht vermittelt, hat M.s systematische Darstellung der L. starken Einfluß auf die Entwicklung der röm. Agronomie und damit wohl auch der ital. Gutswirtschaft ausgeübt.
→ Landwirtschaft

ED.: F. SPERANZA, Scriptorum Romanorum de re rustica reliquiae 1, 1974, 76–119.
LIT.: 1 W. AMELING, Karthago, 1993, 259f. 2 ESAR 1, 285f. 3 J. A. GREENE, D. P. KEHOE, M. the Carthaginian, in: Actes du IIIe Congrès International des Études Phéniciennes et Puniques. Tunis 11.–16. Novembre 1991, Bd. 2, 1995, 110–117 4 J. HEURGON, L'agronome Carthaginois Magon et ses traducteurs en Latin et en Grec, in: CRAI 1976, 441–456 5 W. RICHTER (Hrsg.), L. J. Columella, 12 B. über Landwirtschaft, Bd. 3, 1983, 576f., 622f. 6 WHITE, Farming, 18 7 K. D. WHITE, Roman Agricultural Writers 1: Varro and his Predecessors, in: ANRW I.4, 1973, 439–497, hier 470–471. K.RU.

**[13]** Handelsstadt mit vorzüglichem Hafen auf der Insula Minor (h. Menorca) der → Baliares, h. Mahón, wohl nach → M. [5], Hannibals Bruder, benannt, der 206 v. Chr. nach seiner Flucht aus Gades die Insel besetzte (Liv. 28,37,8–10) und das *castellum* M. (Mela 2,124) errichtete (Plin. nat. 3,77; Ptol. 2,6,73; CIL II 3708–3710; 3712).

TOVAR 3, 277. P.B.

**Magog.** In Ez 38,2 ist M. der Name des Landes des Großfürsten Gog, den Gott zusammen mit seiner Heeresmacht gegen Israel heranziehen läßt, um dieses zu überfallen; dabei wird er aber umkommen (zum Text Ez 38,1–39,29 und seinen einzelnen Schichtungen vgl. [1]; s. auch Gn 10,2, wo M. zu den Söhnen Jafets gezählt wird). Es wurde erwogen, ob Gog mit einer histor. Gestalt wie z. B. dem Lyderkönig → Gyges in Verbindung steht, der in den Nachrichten Assurbanipals unter dem Namen *Gug(g)u* erscheint. M. wäre dann mit Lydien gleichzusetzen.

Die Episode erfuhr eine breite Auslegung: Iosephos sah in Gog und M. die Skythen, die um 630 v. Chr. in Vorderasien einfielen (Ios. ant. Iud. 1,123). Apk 20,8f. faßt Gog und M. zu einem Doppelnamen für das mythische Völkerheer, das auf Befehl des Satans gegen das Gottesvolk anstürmt und die Friedenszeit des Tausendjährigen Reiches beendet. Auch die rabbinische Überl. redet im Kontext der apokalyptischen Ereignisse der messianischen Zeit vom Krieg Gogs und M. (vgl. die Zusammenstellung des umfangreichen Materials bei [3. 831–840]).

1 W. ZIMMERLI, Ezechiel. 2. Teilbd., ²1979, 921–975
2 L. GINZBERG, The Legends of the Jews, 7 Bde., 1909–1938, s. v. Gog and M. 3 H. L. STRACK, P. BILLERBECK, Komm. zum Neuen Testament aus Talmud und Midrasch, Bd. 3, ⁸1985, 831–840. B.E.

**Magoniden** s. Mago

**Magonos** (Μάγωνος), richtiger: Mago [1. 188,1113], karthagischer Ratsherr im Heer → Hannibals [4] und 215 v. Chr. Eidesleister beim karthagisch-maked. Vertrag (Pol. 7,9,1); umstritten ist M.s Identität mit → Mago [7] [1. 14,53].

1 GEUS. L.-M. G.

**Magos** s. Magie, Magier

**Magulaba.** Nach Ptol. 6,7,37 (Μαγουλάβα, auch Μαγούλαυα) Stadt in → Arabia Felix zw. Silaion und → Menambis. Entspricht wahrscheinlich dem h. al-Maḥǧar al-ʿAlā.

H. v. WISSMANN, Zur Gesch. und Landeskunde von Altsüdarabien (SAWW, Phil.-histor. Klasse 246), 1964, 417 (Karte) · Ders., M. HÖFNER, Beitr. zur histor. Geogr. des vorislam. Arabien (AAWM, Geistes- und sozialwiss. Klasse), 1952, Nr. 4, 37. I. T.-N.

**Magulnius.** Name einer der führenden, nur inschr. bezeugten Familien von Praeneste bis 82 v. Chr. (CIL I² 188–191 u. ö.). Die berühmte Ficoronische → Cista ist von einer Dindia Magcolnia (= »Frau des M.«) ihrer Tochter geschenkt worden (ILS 8562). K.-L. E.

**Magusum.** Eine der nach Plin. nat. 6,160 von Aelius [II 11] Gallus 24 v. Chr. zerstörten Städte. M. lag danach im h. Ǧauf (im h. Jemen) und entspricht wahrscheinlich dem h. Maǧzīr südl. von Yaṯill im Wādī 'l-Farḍa.

H. v. WISSMANN, Zur Gesch. und Landeskunde von Altsüdarabien (SAWW, Phil.-histor. Klasse 246), 1964, 84 (Karte), 140 · J. F. BRETON, Les fortifications d'Arabie Méridionale du 7e au 1er siècle avant nôtre ère (Arch. Ber. aus dem Yemen 8), 1994, 100 (Karte). I. T.-N.

**Mahanajim** (hebr. *maḥ*ᵃ*nayim*, wörtl. »Doppellager«, vgl. ugarit. *mḫnm* [3. 3,4] aufgrund scheinbarer Dualform zu *maḥ*ᵃ*næh*; Gn 32,8; 11; 1 Kg 2,8; vgl. auch Ios. ant. Iud. 7,10; Eus. On. 130,4); schon belegt in der Liste besiegter »Asiaten« des äg. Königs Schoschenk I. (ANET 263, Nr. 22) als *m-ḥ-n-m*. Die Stadt östl. des Jordan erscheint als Grenzpunkt zwischen den Territorien der Stämme Gad und Manasse auf der israelitisch-aram. Grenze zwischen Penuel und dem Gebirge Gilead; nach Ios. ant. Iud. 21,38 eine Levitenstadt. Nach den biblischen Berichten diente M. als mil. Stützpunkt Išbaals (2 Sam 2,8) und Davids (2 Sam 17,24ff); nach 1 Kg 4,14 war M. ein israelitisches Verwaltungszentrum. Als mögl. Lokalisierungen werden Tall Haǧǧāǧ, Tulūl aḏ-Ḏahab und Ḫirbat Rēšūnī diskutiert.

1 D. V. EDELMAN, s. v. Mahanaim, Anchor Bible Dictionary 4, 1992, 472–473 (Lit.) 2 E. A. KNAUF, s. v. M., Neues Bibel-Lex. 2, 1995, 687 3 C. VIROLLEAUD (Hrsg.), Palais Royal d'Ugarit 2, 1957. TH. PO.

**Maharbal** (*Mhrb'l = »Diener des B'l«; griech. Μαάρβας/*Maárbas*).

**[1]** Karthagischer Feldherr zweifelhafter Historizität, der aufständische Libyer mittels präparierten Weines überlistet und besiegt haben soll (Frontin. strat. 2,5,12; vgl. Polyain. 5,10,1; [1. 193 f.]).

**[2]** Karthager, Sohn eines Himilkon, führte 219 v. Chr. als Kommandant → Hannibals [4] in dessen Abwesenheit die Belagerung von → Saguntum durch (Liv. 21,12,1–3); identisch mit dem herausragenden Offizier der ersten Jahre des 2. → Punischen Krieges, der berühmt geworden ist für den Ausspruch *vincere scis, Hannibal, victoria uti nescis* (›zu siegen verstehst du, Hannibal, den Sieg zu nutzen verstehst du nicht‹, Liv. 22,51,1–4; Amm. 18,5,6; [2. 198–201]), als Hannibal nach dem Sieg bei → Cannae (216) nicht auf Rom marschierte; das Dictum schreibt Florus (Flor. epit. 1,22,19) fälschlicherweise einem M., Sohn eines Bomilkar, zu (vgl. [1. 194,1146; 195,1162]). M., der bei Cannae die Reiterei auf dem rechten Flügel kommandierte (Liv. 22,46,7; App. Hann. 20,91; 21,95; vgl. Pol. 3,114,7), war nicht nur bereits vor und nach der Schlacht am Trasimenischen See (217) als erfolgreicher Reiterführer insbesondere bei Plünderungen aufgefallen (im Jahre 218: Liv. 21,45,2–4; im Jahre 217: Pol. 3,86,4 f.; vgl. App. Hann. 11,45–47; Liv. 22,13,9 f.), sondern auch durch die Gefangennahme von 6000 Römern, mit denen er ein über seine Kompetenzen hinausgehendes, von Hannibal kritisiertes Abkommen getroffen hatte (Pol. 3,84,14–85,3; [2. 154,82]). Nach dem erfolglosen Angriff auf Casilinum (216/5) wird M. nicht mehr erwähnt (Liv. 23,18,4; [1. 194–196]).

1 Geus 2 J. Seibert, Hannibal, 1993. L.-M. G.

**Mahlzeiten.** M., regelmäßig zu bestimmten Stunden eingenommene Speisen und Getränke, stehen im Zentrum der ant. → Eßkultur. Art und Abfolge der M. sowie ihre Stellung innerhalb der M.-Ordnung und des übergeordneten Lebensrhythmus sind so komplex, daß sie hier nicht in ihrer ganzen strukturellen, räumlichen und zeitlichen Differenziertheit erörtert werden können.

In der griech. wie der röm. Welt unterlagen die alltäglichen M. einer festen Ordnung, die sich zunächst primär an der natürlichen Umwelt, insbes. am Aufgang und Untergang der Sonne (s. die Namen der M. ἄριστον/*áriston*, Morphem: »in der Frühe« und *vesperna*, Morphem: »Abend«) orientierte. Später wurde sie auch den Zwängen der Arbeitswelt unterworfen. Die homer. Ges. sah drei M. am Tag vor, das leichte Frühstück (*áriston*) bei Tagesanbruch, das Mittagessen (δεῖπνον, *deípnon*) und das Abendessen bei Sonnenuntergang (δόρπον, *dórpon*), wobei der Zeitpunkt der Haupt-M. schwankte. Auch in klass. und hell. Zeit nahmen die Griechen drei M. am Tag zu sich, das leichte Frühstück (ἀκράτισμα, *akrátisma*), das bescheidene, zumeist warme Mittagessen (*áriston*) und ein mehrgängiges Essen am frühen Abend (*deípnon*). Die beiden letztgenannten M. waren aus dem Frühstück und Mittagessen der homer. Zeit entstanden, wobei das nun am Tagesende liegende *deípnon* die Haupt-M. bildete.

Eine ähnliche Entwicklung machte die Ordnung der alltäglichen M. in Rom durch (vgl. Plut. symp. 8,6,5,726e-f). In der frühen Republik nahmen die Menschen drei M. am Tag ein, das bescheidene Frühstück (*ientaculum* bzw. *ieientaculum* bei Plaut. Curc. 72–73) nach Sonnenaufgang, die mittägliche Haupt-M. (*cena*) und ein leichtes Essen am Abend (*vesperna*). Am Spätnachmittag kannte man (bes. auf dem Land) noch eine Art Vesperbrot, *merenda* (vgl. Plaut. Vid. 52). Seit der späten Republik folgte dem leichten Frühstück (*ientaculum*) gegen Mittag ein kaum weniger schlichtes, kaltes oder warmes Essen (*prandium*), eine Art zweites Frühstück ohne Gangfolge. Die alte *vesperna* wurde jetzt durch die → *cena*, die regelmäßig mehrgängige Haupt-M. des Tages, ersetzt (Fest. 54). Diese begann am späten Nachmittag und konnte sich bis in die späte Nacht hinziehen. Bis zum Ausgang der Ant. und darüber hinaus blieb diese Ordnung der alltäglichen M. in Kraft. Reiche Leute nahmen aber statt drei gern vier oder mehr M. zu sich (Suet. Nero 27,2; Suet. Vit. 13,1), während Arme oft nur für eine M. am Tage das Geld besaßen oder hungerten (→ Ernährung, → Diätetik, → Hunger).

Die Ordnung der M. beschränkte sich nicht auf alltägliche M., die im Kreis der Familie eingenommen wurden; sie schloß auch öffentl. M. ein, die entweder im eigenen Haushalt zusammen mit Gästen oder in öffentl. Räumen (Tempel, Marktplatz, Versammlungsraum) in zumeist größeren sozialen Gruppen stattfanden. Viele dieser öffentl. M. resultierten aus dem übergeordneten Lebensrhythmus, der von Brauchtum, Religion oder gesellschaftl. Zwängen bestimmt wurde. So ergab sich der jährliche Rhythmus vieler öffentl. M. aus dem städtischen Festkalender. Fast alle rel. Feste wie etwa die → Panathenaia oder → Saturnalia waren mit einem Festmahl (ἑστίασις/*hestíasis*, δημοθοινία/*dēmothoinía*; lat. *epulum*) verbunden, bei dem das Fleisch der Opfertiere an die städtische Bevölkerung ausgeteilt wurde. Männer einiger griech. Gemeinwesen (insbes. Sparta und Kreta) kamen regelmäßig zu einem Gemeinschaftsmahl (συσσιτία, *syssitía*) zusammen, und Berufskollegien und Kultvereinigungen hielten meist im Monatsrhythmus Tischgemeinschaft. Andere M. wiederum waren verbunden mit der Geburt eines Kindes, des Namensgebungsfestes, des Geburtstages, der Hochzeit oder des Totenkultes (περίδειπνον/*perídeipnon*, *cena feralis*, *silicernium*); Anlässe zu M. konnten aber auch die Ankunft oder Abreise von Fremden (*cena viatica*) oder einfach der Wunsch des Hausherrn sein, mit Freunden ein Fest zu feiern.

Die innere Struktur der einzelnen privaten und öffentl. M. zu ermitteln, ist wegen der Quellenlage in vielen Fällen fast unmöglich. Das gilt bes. für die alltägl. M., aber auch für die meisten öffentl. M. Vergleichsweise gut informiert sind wir nur über das private

→ Gastmahl (σύνδειπνον/*sýndeipnon*, συμπόσιον/*sympósion*; lat. *convivium*).

Das Gastmahl stand in der Hierarchie der M. wohl an erster Stelle, fand aber längst nicht so oft statt, wie man nach seiner häufigen Erwähnung in den Quellen glauben könnte. Es begnügte sich mehr als andere M. nicht damit, nur den Hunger der Teilnehmer zu stillen. Seine ant. Namen mit den Präfixen συν- bzw. *con-* (»mit«, »zusammen«) weisen auf seine entscheidende Funktion hin, nämlich Gemeinschaft herzustellen. Tageszeitlich gesehen, trat das Gastmahl an die Stelle der täglichen Haupt-M., doch wurde ein viel größerer Aufwand getrieben. So dauerte das Essen länger, und die Speisen und Weine waren ausgesuchter. Außerdem schloß sich häufig ein Trinkgelage an (Symposion, → *comissatio*), bei dem Musik, Tanz und andere Darbietungen für die Unterhaltung der Gäste sorgten (*cena recta*, »förmliche Mahlzeit«; Mart. 2,69,7). Der großen sozialen Bed. des Gastmahls entsprach sein hoher Grad an Ritualisierung mit formaler Einladung, fester Sitzordnung oder bestimmten Gesprächsthemen.
→ Ernährung; Eßkultur; Gastmahl

H. Blümner, Die röm. Privataltertümer, 1911 • G. Bruns, Küchenwesen und M. (ArchHom Q), 1970 • A. Dalby, Essen und Trinken im alten Griechenland, 1998 • J. N. Davidson, Courtesans & Fishcakes. The Consuming Passions of Classical Athens, 1997 • K. F. Hermann, H. Blümner, Lehrbuch der Griech. Privataltertümer, 31882 • A. Mau, s. v. Cena (2), RE 3, 1895–1897 • Ders., s. v. Convivium, RE 4, 1201–1208 • C. Morel, E. Saglio, s. v. Coena, DS 1, 1269–1282 • I. Nielsen, H. S. Nielsen (Hrsg.), Meals in a Social Context. Aspects of the Communal Meal in the Hellenistic and Roman World, 1998 • P. Schmitt-Pantel, La cité au banquet. Histoire des repas publics dans les cités grecques, 1992. A. G.

## Maia

**[1]** (Μαῖα, Μαίας, Μαίη). Tochter des → Atlas [2] und der Pleione, von → Zeus Mutter des → Hermes, der deshalb *Maiadeús* oder *Maías hyiós* bzw. *país* genannt wird (z. B. Hom. h. 4,2f.,73; Aischyl. Choeph. 814). Nymphe des arkad. Kyllene-Gebirges. Bei Homer wird sie nur einmal als Mutter des Hermes erwähnt (Hom. Od. 14,435). Hesiod bezeichnet sie als Tochter des Atlas (Hes. theog. 938) und zählt sie zu den Pleiaden (Hes. cat. fr. 169; vgl. auch Sim. PMG fr. 555). Die Erzählung von der Zeugung und Geburt des Hermes auf dem Berg Kyllene [1] findet sich am ausführlichsten im homer. Hermes-Hymnos, während das Ereignis in anderen Quellen nur kurz erwähnt wird (Hes. cat. fr. 170; Apollod. 3,110–112). In Sophokles' Satyrspiel *Ichneutai* (TrGF 4, fr. 314, 272) wird von der Bergnymphe Kyllene gesagt, sie habe als Amme des Hermes gewirkt, als seine Mutter krank war. Nach Apollod. 3,101 ist M. Pflegemutter des → Arkas, weil dessen Mutter → Kallisto stirbt. Es gibt im griech. Bereich keine Zeugnisse für eine kult. Verehrung der M. So wird sie von Pausanias im Bericht über seinen Besuch des Hermestempels auf dem Berg Kyllene nicht erwähnt (Paus. 8,17,1).

Lat. Autoren hingegen berichten, daß M. eine wichtige röm. Göttin war, deren Fest alljährlich im Mai zusammen mit jenem des → Mercurius in dessen Tempel im Circus Maximus gefeiert wurde (CIL IX 421; InscrIt XIII 2, 458–459). Es gab eine Diskussion über die angebliche Ableitung des → Monatsnamens aus dem Namen der Göttin (Ov. fast. 5,81–106; Macr. Sat. 1,12,18–19; Auson. eclogarum liber 10,9–10). Bezeugt ist außerdem die Verbindung der M. mit dem Gott Volcanus (Gell. 13,23,2.; Macr. Sat. 1,12,18) und daß der *flamen Volcanalis* an den Kalenden des Mai der Göttin opferte. Nach Macr. Sat. 1,12,20 erhielt M. eine trächtige Sau als Opfertier; ebd. 1,12,21 wird M. mit der → Bona Dea gleichgesetzt. In der lat. Lit. ist M. seit Vergil die Mutter des Hermes (Verg. Aen. 8,138–141; 1,297; Hor. carm. 1,2,43; Hor. sat. 2,6,5; Ov. met. 2,685f.; 11,303; Ov. fast. 5,87f. u.ö.). Bei Verg. georg. 1,225 ist sie zusammen mit den Pleiaden als Stern genannt (→ Sternsagen).

F. Bömer, P. Ovidius Naso. Die Fasten, Bd. 2, 1958, 295f. • H. Ch. Link, s. v. M., RE 14, 527ff. • R. Peter, s. v. M. (2), Roscher 2, 2235–2240 • B. Rafn, s. v. M., LIMC 6.1, 333–334 (mit Bibliogr.) • P. Weizsäcker, s. v. M. (1), Roscher 2, 2234–2235. K. WA.

**[2]** s. Geburtshilfe; Gynäkologie; Iatromaia

## Maiandrios (Μαιάνδριος).

**[1] M. aus Samos.** Vertrauter des Tyrannen → Polykrates, führte für diesen Verhandlungen mit dem persischen Satrapen → Oroites (Hdt. 3,123; vgl. Lukian. Charidemos 14). Nach dem Tod des Polykrates erlangte M. um das J. 521 v. Chr. selbst die Tyrannis, mußte aber bald dem von den Persern eingesetzten → Syloson weichen (Hdt. 3,142–6). Er floh nach Sparta, wurde aber von den Ephoren aufgrund seines Reichtums des Landes verwiesen (Hdt. 3,148; Plut. mor. 224a-b).

J. Roisman, M. of Samos, in: Historia 34, 1985, 275–7. HA. BE.

**[2] M. aus Milet,** griech. Historiker frühhell. Zeit, Verf. von *Historíai* bzw. *Milesiaká*, falls der Name des z. B. von → Kallimachos [3] mehrfach zit. Leandr(i)os tatsächlich durch Korruptel aus M. entstanden ist (so z. B. Jacoby). Die gesicherten Fr. betreffen Gesch. und Brauchtum von Milet sowie homerische Fragen. FGrH 491 bzw. 492 mit Komm. K. MEI.

## Maiandros (Μαίανδρος).

**[1]** Gott des gleichnamigen Flusses M. [2], der in der Bucht von Milet ins Meer mündet; Sohn des → Okeanos und der → Tethys (Hes. theog. 339); u. a. Vater der Samia und der Kyanee, die dem Miletos die Zwillinge → Byblis und → Kaunos [1] gebiert (Ov. met. 9,450ff.). Die Söhne des M. sind u. a. → Kalamos [1] (Nonn. Dion. 11,464ff.) und → Marsyas [1]. AL. FR.

**[2]** Längster Fluß im südwestl. Kleinasien (h. Menderes), entspringt bei Kelainai und nimmt nach kurzem Lauf den → Marsyas auf (Hdt. 5,118; Xen. an. 1,2,7f.).

Weitere Nebenflüsse: von Süden der Morsynos, der → Harpasos [1] und ein weiterer Marsyas (h. Çine Çayı). In stark gewundenem (daher dt. »mäandern«) Lauf mündet der M. zw. Priene und Miletos durch ein breites, von ihm angeschwemmtes Gebiet (→ *Maiándru pedíon*) in das Ikarische Meer. Der M. war schon früh bekannt (Hom. Il. 2,869, später Skyl. 98; Hdt. 2,29; Strab. 13,4,12 ff.; Ptol. 5,2,8; Plin. nat. 5,106).

W. Ruge, s. v. M. (1), RE 14, 535–540 · W. M. Calder, J. M. Cook, s. v. Maeander, OCD³, 907. W. BL.

**Maiandru pedion** (Μαιάνδρου πεδίον). Die vom → Maiandros [2] (h. Menderes) an seinem Unterlauf angeschwemmte Ebene (Hdt. 1,18; 161; Thuk. 3,19; Xen. hell. 3,2,17; Strab. 14,1,42); bekannt war ihre Fruchtbarkeit.

L. Bürchner, s. v. M. P., RE 14, 540. W. BL.

**Maiatai** (Μαιάται, lat. *Meatae*). Stammesgruppe in Süd-Schottland, spätes 2. oder frühes 3. Jh. n. Chr., südl. der Caledonii, nördl. des Antoninus-Walls. Die ON Dumyat und Myot Hill bei Stirling dürften sich von den M. ableiten. M. mag »größeres Volk« oder »Bewohner des größeren Teils« bedeuten. Die M. brachen ihren Vertrag mit Rom und revoltierten z.Z. des Septimius Severus 210 n. Chr. Nach und nach niedergekämpft, schlossen sie schließlich 212 mit Caracalla Frieden (Xiphilinos 321; vgl. Cass. Dio 76,12; Iord. Get. 2,14).
→ Limes (II. Britannia)

G. Maxwell, The Romans in Scotland, 1989 · I. A. Richmond, Roman and Native in North Britain, 1958. M. TO./Ü: I. S.

**Maidoi** (Μαῖδοι, Μαίδοι, *M(a)edi*). Thrak. Stammesverband am mittleren Lauf des Strymon, zw. Kresna und Rupel (h. Makedonien). Nach dem frühesten Beleg (Thuk. 2,98) Nachbarn der Sintoi und Paiones. 429 v. Chr. zog → Sitalkes durch ihr Gebiet, das nicht zum Reich der Odrysai gehörte, gegen die Makedones. Nach dem Rückzug des Sitalkes erweiterten die M. ihr Stammesgebiet nach Norden, unterwarfen wahrscheinlich die Dentheletai und gründeten die befestigte Stadt Iamphorynna (im h. Kreis Kjustendil, Bulgarien). Dem stellten sich die Makedones entgegen: 340 v. Chr. gründete Alexander d.Gr. in ihrem Gebiet Alexandrupolis. Bis E. des 4. Jh. v. Chr. oder sogar bis zum Einfall der Keltoi (280 v. Chr.) standen die M. dann unter maked. Herrschaft. Nach ihnen ist die hell. Strategie *Maidikḗ* benannt (Ptol. 3,11,6). Es wird von vielen mil. Konflikten mit den Makedones berichtet (z. B. Pol. 10,41,4). Philippos V. unternahm drei Feldzüge gegen die M. (211, 209 und 181 v. Chr.; Liv. 26,25,6 ff.; 40,22,1), die Petra am Nordhang des Olympos erobert hatten. 172 v. Chr. schlossen die M. zusammen mit anderen Thrakes einen Bund mit Rom gegen die Makedones (Liv. 42,19,6). 117 v. Chr. kamen sie mit ihrem Dynasten Tipas den in Makedonia einfallenden Skordiskoi zu Hilfe (Syll.³ 700). 86 v. Chr. zog Sulla durch das Gebiet der M. (Plut. Sulla 23), 29 v. Chr. wurden sie endgültig von Rom unterworfen (Cass. Dio 51,23,2–27,2).

F. Papazoglu, L'onomastique dardanien, in: Recueil de travaux de la faculté de philosophie Belgrad 8,1, 1964, 54 · B. Gerov, Proučvanija vărhu zapadnotrakijskite zemi 1, 1959/1969, 159–165. I. v. B.

**Maiesta.** Nach Calpurnius Piso fr. 42 Peter = 10 Forsythe die Gattin des → Volcanus, sonst nicht belegt. Angenommener osk. Ursprung [1] trägt zur Klärung wenig bei. Möglich ist, daß Piso gegen eine zeitgenössische Identifizierung von → Maia als Gattin des Volcanus und Namensgeberin des Monats Mai (faßbar bei Gell. 13,23; Cincius fr. 8 GRF bei Macr. Sat. 1,12,18; Ov. fast. 5,81–106) den Monatsnamen von einer Göttin M. herleitet, wobei M. ihrerseits wohl aus lat. *maiestas* (letzteres nennt Ov. fast. 5,11–53 als mögliches Eponym des Monatsnamens) gebildet ist. Weitergehende Vermutungen zur Realität von M. [2] bleiben Konjektur.
→ Annalistik; Monatsnamen

**1** G. Radke, Zur Entwicklung der Gottesvorstellung und der Gottesverehrung in Rom, 1987, 189 **2** G. Forsythe, The Historian L. Calpurnius Piso Frugi, 1994, 144–150. A. BEN.

**Maiestas** A. Definition B. Religiöser und familiärer Bereich C. Politischer Bereich

A. Definition

Als Subst. zum Adj. *maius* (»zunehmend«, »größer«) bezeichnet *m.* allg. eine außergewöhnliche, fraglos überlegene und zu respektierende Macht und Würde, speziell 1. die Heiligkeit der Götter oder Gottes (Cic. div. 1,82; christl.: Cod. Iust. 1,1,1, pr.), 2. die → *patria potestas* des *pater familias* gegenüber den ihm untergeordneten Verwandten und Sklaven (Liv. 4,45,8; Val. Max. 7,7,5; Cod. Iust. 6,20,12; s.u. B.) und bes. 3. die Hoheit des *populus Romanus* (Cic. Balb. 35; Cic. part. 105; Dig. 48,4,1,1), der *res publica* (Cic. de orat. 2,164) und ihrer höchsten Ämter (Consul: Cic. Vatin. 22; Praetor: Dig. 2,1,9) und Beschlußorgane (Senat: Val. Max. 1,8,1; 9,5,1), später des Kaisers (Dig. 48,4,7,3; Cod. Iust. 9,8,6) (s. C.). Allen Arten der *m.* war traditionell eine gewisse – öfters mit den Worten *sacer*, *sacratus* bezeichnete – Sakralität gemeinsam. Ihre Verletzung galt als schwerer Rechtsverstoß – *maiestatis minutio* bzw. *contemptio*, *crimen laesae maiestatis* oder *contra maiestatem commissum* – und öfters als → *sacrilegium*; denn trotz histor. Veränderungen blieben sie in der Republik und in der Kaiserzeit, auch unter christl. Vorzeichen, Fundamente der polit.-rel. Ideologie und allg. staatsbürgerlichen Loyalität.

B. Religiöser und familiärer Bereich

1) Die Schändung von Tempeln bzw. von Kirchen und die Entwendung oder Entweihung sakraler Gegenstände konnten schwerste Strafen, etwa Bergwerksarbeit (*metallum*) oder Verbannung (*deportatio*) nach sich ziehen (Dig. 48,13,7; Cod. Iust. 1,3,10; s. → Sakralrecht).

2) Der Vater- und generell der Verwandtenmord (→ *parricidium*) wurde mit einer bes. grausamen Todesstrafe geahndet (Cod. Iust. 9,17,1); Respektlosigkeiten gegenüber der väterlichen Autorität konnten vom Vater selbst – in früherer Zeit nach dem ihm zustehenden Recht, über Leben und Tod der Angehörigen seiner → Familie (IV. B.) zu entscheiden (*ius vitae necisque*), in einem familiengerichtlichen Verfahren (Cic. leg. 3,8,19) – oder wie der Verwandtenmord gerichtlich (Cod. Iust. 9,15,1) geahndet werden.

C. Politischer Bereich

1. Crimen maiestatis

Die Todesstrafe oder schwerste andere Strafen standen auf das »gegen das röm Volk und seine Sicherheit« gerichtete *crimen maiestatis* (*adversus populum Romanum vel securitatem eius*), das von Römern oder unterworfenen Provinzialen etwa durch geplante Tötung eines Magistrats, durch bewaffneten Aufruhr oder seine Vorbereitung, durch Gefangenen- oder Geiselbefreiung, durch Besetzung öffentl. und sakraler Gebäude oder durch Kooperation mit einer Feindmacht (*hostis*) begangen werden konnte (Dig. 48,4,1,1).

2. Contemptus maiestatis

Die Vereitelung oder Erschwerung der Tätigkeit eines Amtsinhabers konnte ein *contemptus m.* sein und pflegte hohe Geldstrafen zur Folge zu haben (Dig. 2,1,2; 2,1,7 pr. und 2,1,9), nicht dagegen der bloße Ungehorsam; auch dieser wurde allerdings zumeist mit Strafen und – in Gerichtsverfahren – mit prozessualen Nachteilen geahndet (Dig. 2,3; 2,5,2).

3. Crimen laesae maiestatis

Im *crimen laesae m.* gegenüber dem Kaiser verbanden sich Aspekte des Ungehorsams und des Widerstands gegen die Staatsgewalt, der Beleidigung hoheitlicher Symbole und staatlicher Traditionen, der Staatsgefährdung, des Hoch- und Landesverrats zu einem für die Öffentlichkeit unkalkulierbaren Gesamtstraftatbestand, der je nach im Einzelfall erkanntem Unrecht einerseits geringfügige Strafen oder Straferlaß, andererseits die Todesstrafe zur Folge haben konnte (Cod. Theod. 16,10,12; Dig. 48,4; Cod. Iust. 9,8: tit. ad legem Iuliam maiestatis). In innenpolit. angespannten Situationen der Kaiserzeit (öfters etwa in den Anfangsjahrzehnten der Prinzipatszeit oder im 3. und 4. Jh. n. Chr.), wenn die kaiserliche Machtausübung in Frage gestellt schien bzw. war, konnten z. B. bloße kaiserkritische öffentl. Äußerungen, Mißachtungs- und Illoyalitätsgesten oder an sich geringfügige Vergehen als *crimen laesae m.* aufgefaßt und schwer bestraft werden; der polit. Charakter des Delatorenwesens, der entsprechenden Strafprozesse und ihre Einschüchterungswirkung wird von zeitgenössischen Schriftstellern hervorgehoben (Sen. benef. 3,26; Suet. Tib. 58; Tac. ann. 6,18; Amm. 27,7 und 28,1; 29,2,4).

Die Verfahren wurden dabei gelegentlich vom Kaiser an sich gezogen oder vor speziell eingesetzten Gerichten geführt. Bei der Aufklärung konnten sonst übliche Prozeßnormen unbeachtet bleiben, die die Anzeige und Zeugenbefragung etwa von Sklaven oder Infamen verboten oder die → Folter für statusfreie Beschuldigte ausschlossen (Cod. Theod. 9,6,2; Dig. 48,4,7; 48,4,8; Cod. Iust. 5,17,8,6; 9,1,20). Die *constitutio Quisquis* des Kaisers → Arcadius im J. 397 (Cod. Theod. 9,14,3 = Cod. Iust. 9,8,5) stellte nicht nur die Vorbereitung und den Versuch, sondern bereits die Erwägung eines *crimen laesae m.* unter Todesstrafe: *quisquis. . .vel. . . scelestam inierit factionem. . .vel. . .de nece. . . cogitarit (eadem enim severitate voluntatem sceleris qua effectum puniri iura voluerunt). . . utpote maiestatis reus gladio feriatur.* Ferner ist die Vermögenskonfiskation und der Verlust der Ämter und Ehrenrechte unter prinzipieller und dauernder Einbeziehung auch der Kinder und nahestehender Mitwisser vorgesehen; nur Töchter und Ehefrauen erfahren eine gewisse Schonung.

Dem gelegentlich souverän ausgeübten Strafrechtsterror steht in spannungslosen Zeiten allerdings auch eine Praxis der Schonung polit. Gegner oder zumindest der Verhältnismäßigkeit bei ihrer Bestrafung gegenüber (z. B. Plin. paneg. 42; SHA Pert. 8,6,8; Cod. Iust. 9,8,3).

4. Nachwirken in Mittelalter und Neuzeit

Bei der ma. Rezeption des röm. Strafrechts wird die ant. Majestäts-Schutzgesetzgebung übernommen (z. B. in den staufischen Konstitutionen von Melfi) und wirkt insoweit auch in späteren absolutistischen Majestäts-Schutzgesetzen, ja bis in die totalitär-justiziellen »Terror«-Maßnahmen der neuzeitl. europäischen Gesch. nach.

Kaser, RPR 1, 60–65; 2, 202–206 • Latte, 50–63 • U. v. Lübtow, Röm. Volk. Sein Staat und sein Recht, 1955, 21 • E. Meyer, Röm. Staat und Staatsgedanke, [4]1975, 175; 266; 320; 424 • Mommsen, Strafrecht, 537–594; 612 • P. G. Stein, Röm. Recht und Europa, 1997, 110. C. G.

**Maieutik,** von griech. μαιευτική (*maieutikḗ*, sc. *téchnē*), »Hebammenkunst«. In Platons Dialog *Theaítētos* (148e–151d) vergleicht Sokrates sein Vermögen, bei anderen zu erkennen, ob in ihnen verborgenes Wissen schlummert, und ihnen ggf. dabei behilflich zu sein, es zutage zu fördern, mit der Kunst seiner Mutter, der Hebamme (*maía*) → Phainarete, und der Hebammen insgesamt, Schwangerschaften zu erkennen und Geburtshilfe zu leisten. Ob schon der histor. Sokrates diesen Vergleich benutzte, ist umstritten, die stärkeren Gründe sprechen jedoch dagegen. Im → Mittelplatonismus interpretierte man die M. des Sokrates als seine Fähigkeit, andere durch geeignetes Fragen dazu zu bringen, ihr latent vorhandenes Ideenwissen durch → *anámnēsis* (»Wiedererinnerung«) zu aktivieren (Plut. Platonicae quaestiones 1,1000e; Anon. in Plat. Tht. col. XLVII 24–XLVIII 7, CPF III 392). Heutzutage wird mit dem Begriff M. in allgemeinerer Weise ein didaktisches Vorgehen bezeichnet, bei dem der Lehrer durch geschicktes Fragen erreicht, daß der Schüler durch eigenes Nachdenken zu neuen Erkenntnissen gelangt. K. D.

**Maiistas** (Μαΐστας). Verf. (vielleicht ägypt. Namens) der hexametrischen Sarapis-Aretalogie. Diese bildet den zweiten Teil (Z. 29–84) einer Inschr. (3. Jh. v. Chr.) auf einer Säule im Serapeion von Delos, welche die Gesch. des Kultes des Gottes von den Anfängen bis zum Bau des ersten Tempels enthält [1]. Zu Beginn der Inschr. (Z. 1–28) steht die Prosachronik des Priesters Apollonios II. Bei dem nachfolgenden Text des M. kann es sich um eine griech. und für Griechen bestimmte Aretalogie oder ein Zeugnis des rel. Lebens Ägyptens handeln. M.' Sprache verbindet homer. Wendungen, trag. (insbes. euripideisches) Vokabular und zeitgenössische Wörter.

1 H. ENGELMANN, The Delian Aretalogy of Sarapis, 1975 (mit älterer Lit.).

S. FO./Ü: T. H.

**Maʿīn** s. Minaioi

**Mainades** s. Mänaden

**Mainake** (Μαινάκη, lat. *Menace*), südspanische Stadt. Name wohl abgeleitet von μαίνη/*maínē* oder lat. *maena*, einem Pökelfisch (Avien. 426–431 verwechselt M. mit → Malaca [1. 80]; Skymn. 147; Steph. Byz. s. v. M., wo M. als kelt. bezeichnet wird). Nach Strab. 3,4,2 war M. eine Kolonie von → Phokaia, die zu seiner Zeit nicht mehr existierte. SCHULTEN [2. 35–38] hat ihre Lage westl. der Mündung des Vélez auf dem Hügel Cerro del Peñón angenommen. Diese Meinung wird von der Forsch. großenteils wohl zu Unrecht geteilt. Die von NIEMEYER durchgeführten Ausgrabungen auf dem Gelände von → Toscanos am Westufer der Vélez-Mündung (Prov. Málaga) ergaben nämlich, daß die vermeintliche griech. *pólis* M. eine uns namentlich nicht bekannte phöniz. Niederlassung war ([3. 165 ff.; 4. 11 ff.]; → Kolonisation, mit Karte). Der Siedlungsbeginn von Toscanos läßt sich parallel zu anderen vergleichbaren phöniz. Niederlassungen in Südspanien bis in das 8. Jh. v. Chr. zurückverfolgen. Importfunde aus dieser Zeit belegen einen engen Kontakt der phöniz. Niederlassung mit dem Mutterland, aber auch mit Städten der Ägäis und des zentralen Mittelmeerraumes. Mitte des 6. Jh. v. Chr. wurde die Siedlung zerstört bzw. verlassen und erst in augusteisch-frühtiberischer Zeit wieder belebt. Aus der Regelmäßigkeit der nur noch in Ruinen faßbaren Stadtanlage schlossen die griech. Autoren auf griech. Herkunft [3. 179 ff.].

1 A. SCHULTEN (Hrsg.), Fontes Hispaniae Antiquae 1, 1955 2 Ders., M., 1922 3 H. G. NIEMEYER, Auf der Suche nach M., in: Historia 29, 1980, 165–185 4 P. BARCELÓ, Aspekte der griech. Präsenz im westl. Mittelmeerraum, in: Tyche 3, 1988, 11–24.

SCHULTEN, Landeskunde 1², 321 • TOVAR 2, 79 f.

P. B.

**Mainalon** (Μαίναλον, Μαίναλος, Μαινάλιον). Etwa 30 km langes Kalkgebirge zw. der ostarkadischen Ebene und dem Helisson-Tal, bis 1981 m hoch, mit ausgedehnten Tannenwäldern; h. ohne einheitlichen Namen; an seinem Südfuß das h. Tripolis. Dem → Pan heilig, der danach »mainalisch« hieß; bei Dichtern oft gen., daher auch stellvertretend für »arkadisch«. Ebenso erscheint das Gebirge als Jagdgebiet der → Atalante und der → Artemis. M. ist auch Name des Hauptorts der oberen Helisson-Senke, dessen Lage nicht sicher bekannt ist, am ehesten in der Ortslage bei Apano-Davia am oberen Helisson. Gegen E. des 5. Jh. v. Chr. geriet der nördl. Teil der Landschaft in Abhängigkeit von → Mantineia (Thuk. 5,29,1; 67,2; 77,1, dazu 8,9,3 f.), während der südl. Teil mit Oresthasion bei Sparta blieb (Thuk. 4,1; 5,64,3; 67,1). Bei der Gründung von → Megale Polis wurde das ganze Gebiet der neuen Stadt einverleibt (Paus. 8,27,3); in → Megale Polis gab es eine *phylḗ Mainalíōn* (φυλὴ Μαιναλίων, IG V 2,452). Belegt sind auch Spiele ἐμ Μαινάλωι (SEG 17,150). Strab. 8,8,2 nennt M. unter den arkad. Städten, die zu seiner Zeit ganz oder fast verschwunden waren. Aus M. stammte der Erzgießer Nikodamos. Belegstellen: Paus. 3,11,7; 6,7,9; 8,3,4; 36,5; 7 f.; Steph. Byz. s. v. Μαίναλος; Syll.³ 183,15.

E. MEYER, s. v. M.(os), RE 14, 576 f. • Ders., s. v. Mainalos(on) (1), RE 14, 577 f.

C. L. u. E. MEY.

**Maiocariri.** Befestigter Ort im Gebirge an der Straße von Mardin nach → Amida (Diyarbakır). Amm. 18,6,6 schildert die Lage von M. in einer bewaldeten Region mit Wein- und Obstanbau. Nach Amm. 18,10,1 zog Šābuhr vor der Belagerung von Amida 359 n. Chr. von Horra (Horren) über M. nach Carcha (Kerh). Die Not. dign. or. 36,36 nennt als Besatzung die *Cohors XIV Valeria Zabdenorum*. Der Name M. bedeutet aram. »kaltes Wasser«. M. läßt sich noch nicht exakt lokalisieren, ist aber etwa beim h. Ceyhan zu suchen.

L. DILLEMANN, Haute Mésopotamie Orientale et pays adjacents, 1962, 157–159 • F. H. WEISSBACH, s. v. M., RE 14, 578 f.

K. KE.

**Maion** (Μαίων; lat. Maeon).

**[1]** Sohn eines Haimon, Führer der 50 Thebaner, die dem von einer Gesandtschaft zurückkehrenden → Tydeus auflauern; von diesem, der alle anderen erschlägt, allein verschont. Zum Dank begräbt M. später den vor Theben Gefallenen (Hom. Il. 4,390–398; 14,114; Apollod. 3,67; Paus. 9,18,2; Stat. Theb. 2,690–703; 3,40–113). Bei Statius gibt M., von Tydeus als Zeuge der Katastrophe zurückgeschickt, → Eteokles [1] die Schuld an allem Unheil und entleibt sich.

**[2]** Kind des Kreonsohnes → Haimon [5] und der → Antigone [3] aus beider ehelichen (Eur. Antigone; Hypothesis des Aristophanes von Byzanz zu Soph. Ant.) oder heimlichen (Hyg. fab. 72) Verbindung. Nach Hyginus, der wohl nicht auf Euripides, sondern vielleicht auf der ›Antigone‹ des Astydamas [2] fußt, kommt der von seiner Mutter bei den Hirten aufgezogene Knabe zum Agon nach Theben; ein Körpermal verrät seine Abstammung und damit den Ungehorsam Haimons, der Antigone wegen der Bestattung des Polyneikes hätte töten sollen (Darstellung auf apulischen Vasen [2. Nr. 14–16]).

→ Sieben gegen Theben; Thebanischer Sagenkreis

1 D. VESSEY, Statius and the Thebaid, 1973, 110–116
2 I. KRAUSKOPF, s.v. Antigone, LIMC 1.1, 819, 823, 826.

CL.K.

**Maionia** (Μαιονία, lat. *Maeonia*).

**[1]** Landschaft in Lydia um die → Gygaia Limne, zu Füßen des → Tmolos (Hom. Il. 3,401, vgl. 2,864ff.; 10,431); vorwiegend als älterer Landes- bzw. Stammesname aufgefaßt (Μηίονες, Hdt. 1,7; 7,74; Diod. 4,31,5; Dion. Hal. 1,27,1; Plin. nat. 5,110). Urspr. umfaßte M. die → Katakekaumene [1] (Strab. 12,8,13; 13,4,11) mit dem Grenzgebiet zu Phrygia (Plin. nat. 5,146; Ptol. 5,2,16), das Tal des Kogamos (h. Alaşehir Çayı), das Gebiet um → Sardeis (Plin. nat. 5,110f.) mit dem Hermos-Tal bis westl. des Sipylos (dort einst Tantalis Vorort von M., Plin. nat. 5,117, vgl. 2,205), das Tal des → Kaystros bis → Larisa [7] (Strab. 13,3,2) und schließlich ganz Lydia. Als Maiones galten noch die Kabaleis (Hdt. 7,77), deren Hauptstadt → Kibyra [1], südöstl. an der Grenze zu Lykia und Pisidia, eine lyd. Gründung war (Strab. 13,4,17). In poetischer Sprache wurde M. oft für Lydia gesetzt (Verg. Aen. 10,141; Ov. met. 6,5; 103; Ov. fast. 2,310; Sil. 5,10). Die Gleichsetzung von Maiones und Lydoi wurde zwar im Alt. nicht einhellig bejaht (Strab. 12,8,3; 8,13; Dion Chrys. 78,31), galt aber als plausiblere Lösung (Strab. 13,4,5) des bis h. ungelösten Problems (Maiones als die ältere ethnische Gruppe?).

**[2]** Stadt in der gleichnamigen Landschaft M. [1] in der → Katakekaumene [1]; gehörte zum *conventus* von Sardeis (Plin. nat. 5,111), in spätant. Zeit zur Eparchie Lydia (Hierokles Synekdemos 670,1). Siedlungsreste bei Gökçeören in Merye.

BMC, Gr, Lydia LXVIf., 127f. • K. BURESCH, Aus Lydien, 1898, 194f. • F. IMHOOF-BLUMER, Lydische Stadt-Mz., 1897 (Ndr. 1977), 92f. • J. KEIL, A. v. PREMERSTEIN, in: Denkschr. Akad. Wiss. Wien 53,2, 1908, Nr. 96, 165, 175; 54,2, 1911, Nr. 196; 57,1, 1914, Nr. 12f. • J. G. PEDLEY, Ancient Literary Sources on Sardis, 1972, Index s. Maeonia, Maeonians • W. M. RAMSAY, The Historical Geography of Asia Minor, 1890 (Ndr. 1972), 123, 168 • W. RUGE, s.v. M. (1–2), RE 14, 582ff. • E. SCHWERTHEIM, Forsch. in Lydien, 1995 • L. BORSAY, Lydia, Its Land and History, 1965.

H.KA.

**Maiorianus**

**[1] Iulius M.** 457–461 n. Chr. Kaiser im Westen. Er diente unter → Aetius [2] in Gallien, zog sich auf seine Güter zurück und war dann wohl als *comes domesticorum* zumindest bei → Valentinianus III. tätig. Mit → Ricimer führte er den Sturz des → Avitus [1] herbei. Vom oström. Kaiser zum Heermeister ernannt, wurde er am 28. Dez. 457 zum Augustus ausgerufen (zum Datum [1. 180–188]; gegen stufenweise Ernennung [1. 185f.]); er betonte seine Unterstützung durch Senat und Heer, wurde aber vom Ostkaiser → Leo(n) [4] I. nicht anerkannt. Die meisten Maßnahmen seiner energischen Politik zur Wiederherstellung der alten Größe Roms (etwa Nov. Maioriani 4) dienten der Verbesserung des Steuersystems und der Verwaltung. Obwohl Christ, schränkte er auch kirchliche Rechte ein.

In Gallien und auf der Iberischen Halbinsel vermochte er die kaiserliche Autorität wiederherzustellen und fühlte sich danach stark genug, um einen Feldzug gegen die Wandalen (→ Vandali) zu beginnen. Doch zwang ihn der Verlust großer Teile seiner Flotte durch Verrat, einen demütigenden Frieden mit den Germanen zu schließen. Dies bot Ricimer, den die selbständige Politik des M. gestört haben dürfte, den Anlaß, ihn zu stürzen. Am 7. Juli 461 oder kurz davor (zum Datum: [1. 186ff.]) wurde er bei Dertona hingerichtet. M. war wohl der letzte weström. Kaiser, der sich in der Lage fühlte, eine eigene polit. Linie zu verfolgen (PLRE II 702f.). → Sidonius Apollinaris verfaßte einen Panegyricus auf ihn (carm. 4/5).

1 R. SCHARF, Zu einigen Daten der Kaiser Libius Severus und Maiorian, in: RhM 139, 1996, 180–188.

**[2]** 379 n. Chr. *magister utriusque militiae* unter → Theodosius I., Großvater von M. [1]. PLRE I 537. H.L.

**Maiorina** (lat., vollständig *pecunia m.* oder *nummus maior*). Ant. Name für »größere« Bronze (Æ)/Billon-Mz. (→ Billon) des 4. Jh. n. Chr. Ein Teil der mod. Lit. vermeidet wegen der häufigen Veränderungen im Münzsystem die ant. Namen. M. hießen wohl das nur kurz geprägte größte Æ-Nominal der → Münzreform von 348 n. Chr. (ca. 5 ¼ g, 2,8 % Silber) und auch die etwas kleinere Mz. der J. 349–352 [2. 64f.]. Das Edikt Cod. Theod. 9,21,6 von 349 verbot das Ausscheiden von Silber aus den M., ein Edikt von 356 (Cod. Theod. 9,23,1) den Verkauf der M. und des → Centenionalis von einer Prov. in die andere, wohl um Spekulationsgeschäfte zu unterbinden [3. 292]. Ob die beiden Nominale auch zu den in dem Edikt außer Kurs gesetzten Mz. gehören, ist nicht eindeutig [2. 67; 3. 294]. M. hießen vielleicht auch die großen Bronzen von 363–365 [1], die wohl 371 demonetisiert wurden (Cod. Theod. 11,21,1) [3. 472], ebenso die nach der Reform von 379 oder 381 geprägten großen Æ-Mz. (ca. 5 ¼ g, geringer Anteil Silber). Ihre Prägung endete im Westen um 388, im Osten um 395 oder 400. Ein Edikt von 395 bestimmte den Centenionalis zur einzig geltenden Mz., nachdem die *maior pecunia* schon seit längerem nicht mehr geprägt worden sei. Der *decargyrus nummus* – offenbar die M. – wurde demonetisiert (Cod. Theod. 9,23,2). Ob das Edikt nur den Westen oder das ganze Reich betraf, ist umstritten [2. 91, 94; 3. 474f.].

→ Centenionalis

1 A. CHASTAGNOL, Un nouveau document sur la majorina, in: Bull. de la Soc. Française de Numismatique 30, 1975, 854–857 2 G. DEPEYROT, Le système monétaire de Dioclétien à la fin de l'Empire Romain, in: RBN 138, 1992, 33–106 3 M. F. HENDY, Stud. in the Byzantine Monetary Economy, 1985, 291–294, 451–453, 469–474 4 J. P. C. KENT, The Family of Constantine I (The Roman Imperial Coinage, Bd. 8), 1981, 34–36, 61, 64f. 5 C. E. KING, The Fourth Century Coinage, in: L'»inflazione« nel quarto secolo d.C., 1993, 1–87 6 SCHRÖTTER, 492f. DI.K.

**Maiorinus.** *Praefectus praetorio Orientis* unter Constantius II. Leben und Laufbahn sind schlecht bezeugt. Aus einer kurialen Familie des Ostens stammend, machte er eine steile Karriere (Lib. epist. 1510), die in der Praetorianerpraefektur gipfelte. Dieses Amt übte er verm. zwischen Sommer 344 und dem 28.7.346 n. Chr. (Cod. Theod. 11,22,1: erster sicherer Beleg für seinen mutmaßlichen Nachfolger Flavius Philippus) mit Sitz in Antiocheia [1] aus. Er starb kurz vor 357 (Lib. epist. 560) und wurde in Buṣrā 'l-Ḥarīr (Syrien) bestattet [1. 302–305]. Er war wahrscheinlich Christ (PLRE 1, 537f.).

1 L. Robert, Epigrammes de Syrie, in: Hellenica 11–12, 1960. A.G.

**Maiotai** (Μαιῶται). Griech. Sammelname für die Stämme an der Ostküste der → Maiotis und am Unter- und Mittellauf des Kuban/NW-Kaukasos (Hdt. 4,123; Strab. 11,2,2–4; 11). Dazu gehören die wahrscheinlich iran. und kaukasischen Stämme der → Sindoi, → Kerketai, Toretai, Dandarioi, Psessioi u. a. Ackerbau und Fischfang bildeten ihren hauptsächlichen Lebensunterhalt (Strab. 11,2,4). Regen Handel betrieben sie v. a. mit → Tanais. Die M. waren dem → Regnum Bosporanum tributpflichtig (Xen. mem. 2,1,10; Polyain. 8,55). Bes. die Stadt → Theodosia betrieb eine expansive Politik auf der asiat. Seite des kimmerischen → Bosporos [2]. Seit dem 1. Jh. v. Chr. ist eine kulturelle und ethnische Annäherung an die → Sarmatae zu beobachten.

V. F. Gaidukevič, Das Bosporanische Reich, $^{2}$1971, 71 f., 293 • V. P. Silov, O rasselenii meotskih plemen, in: Sovetskaja arheologija 14, 1950, 110ff. I. v. B.

**Maiotis** (Μαιῶτις, lat. *lacus* oder *palus Maeotis*). Das Asowsche Meer nordöstl. der Krim mit einer Fläche von ca. 38 000 km², im Süden mit einen Ausfluß zum Schwarzen Meer (→ Pontos Euxeinos) durch den Kimmerischen → Bosporos [2], im NO Mündung des → Tanais in die M. Die M. ist außerordentlich flach (mittlere Tiefe 9 m), so daß sie leicht zufriert. Im Frühjahr treiben SW-Winde das Wasser des Pontos Euxeinos in die M. Viele Flüsse münden in die fischreiche M. (Strab. 7,4,6). Die Größe der M. wurde in der Ant. weit überschätzt (vgl. etwa Hdt. 4,86: nicht viel kleiner als der Pontos Euxeinos). An der europ. Küste lebten → Skythai, an den asiat. die → Maiotai.

Ch. Danov, s. v. Pontos Euxeinos, RE Suppl. 9, 879–881 (mit Lit.). I. v. B.

**Maipha.** Nach Ptol. 6,7,41 (Μαίφα μητρόπολις) Stadt im Innern von → Arabia Felix. Entspricht entgegen der lautlichen Form wohl dem inschr. bezeugten MYFʿT, das einst die Hauptstadt → Ḥaḍramauts war, deren h. Ruinen Naqab al-Ḥağar gen. werden. M. verdankte seine Bed. – die Stadt war massiv befestigt – seiner strategischen Lage auf dem Handelsweg von dem Hafen → Kane nach Innerarabien.

H. v. Wissmann, M. Höfner, Beitr. zur histor. Geogr. des vorislam. Südarabien (AAWM, Geistes- und Sozialwiss. Klasse), 1952, Nr. 4, 76, 82, 85f., 95, 104 und Karten • H. v. Wissmann, Zur Gesch. und Landeskunde von Altsüdarabien (SAWW, Phil. -histor. Klasse 246), 1964, 189, 416 • A. H. Al-Sheiba, Die Ortsnamen in den altsüdarab. Inschr. (Arch. Ber. aus dem Yemen 4), 1987, 56 • S.-F. Breton, Les fortifications D'Arabie Méridionale du 7$^{e}$ au 1$^{er}$ siècle avant notre ère (Arch. Ber. aus dem Yemen 8), 1994, 135–137, 51 (Karte) u.ö. I. T.-N.

**Maiphath.** Nach Ptol. 6,7,10 (Μαιφάθ κώμη) Ort im Gebiet der Ἀδραμῖται/*Adramítai* (Küstenbewohner → Ḥaḍramauts) nahe der Küste nordöstl. von dem Hafen → Kane. Befand sich wohl im Wādī Maifaʿ und ist nicht zu verwechseln mit dem im Wādī Maifaʿa gelegenen → Maipha. I. T.-N.

**Maira** (Μαῖρα).

**[1]** Nach den → *Nóstoi* (EpGF fr. 5) ist M. Tochter des → Proitos, des Sohnes des Thersandros (des Sohnes des → Sisyphos), und stirbt als Jungfrau. Bei Hom. Od. 11,326 ist lediglich ihr Name erwähnt, zusammen mit Klymene und Eriphyle. Bei Pherekydes (FGrH 3 F 170 mit Jacoby z.St.), der als ihre Mutter Anteia nennt (nach Hom. Il. 6,160 Gattin des Proitos von Argos), ist sie eine Gefährtin der → Artemis. Von dieser wird sie erschossen, als sie von Zeus → Lokros [2] gebiert.

**[2]** Arkad. Heroine, Tochter des → Atlas [2], Frau des Tegeates in Tegea. Dort befinden sich die Gräber des Königspaares (Paus. 8,48,6). In Mantineia wurde ein Grab der M. gezeigt und es gab einen Tanzplatz der M. (Paus. 8,8,1).

**[3]** Die Hündin, die zusammen mit → Erigone [1] den toten → Ikarios [1] findet. Sie wird nach Hyg. fab. 130 und astr. 2,4 mit den beteiligten Personen zusammen verstirnt.

**[4]** → Nereide (Hom. Il. 18,48).

P. Müller, s. v. M., LIMC 6.1, 341 • W. Oldfather, M. van der Kolf, s. v. M., RE 14, 604–605 • Schirmer, s. v. M., Roscher 2, 2285–2286. K. WA.

**[5]** Dorf im Gebiet von → Mantineia an der Grenze zu Orchomenos, zu Pausanias' (8,12,7) Zeit in Trümmern. Lage unsicher, verm. beim h. Artemision (ehemals Kakuri) im nordöstl. Teil der Ebene von Mantineia.

S. und H. Hodkinson, Mantineia and the Mantinike, in: ABSA 76, 1981, 248–250 • Jost, 139. Y. L.

**Maisades** (Μαισάδης). Odrysischer Fürst, der Ende des 4. Jh. v. Chr. unter der Oberherrschaft → Seuthes' I. die Gebiete der Melanditen, Thyner und Tranipser regierte, das sog. thrak. Delta. Nach seinem Tod wurde sein Sohn, → Seuthes II., von → Medokos aufgezogen (Xen. an. 7,2,32; 7,5,1).
→ Odrysai U. P.

**Maisaimaneis** (Μαισαιμανεῖς, Var. Μναισαιμανεῖς/*Mnaisaimaneís*, Ptol. 6,7,21). Eine in NW-Arabien unmittelbar westl. des Zamēs-Gebirges in der Nachbarschaft der Thamydenoi siedelnde Völkerschaft; sicherlich gleichzusetzen mit den bei Agatharchides (De mari Erythraeo 92) in derselben Region erwähnten Batmizomaneis (Var. *Banizomeneis*, Diod. 3,44,2) und mit den in den Annalen Sargons II. von Assyrien aus dem Jahre 715 v. Chr. nach den Tamudi genannten, die Wüste bewohnenden, keinem König tributpflichtigen und zu den fernen Arabern zählenden Marsimani. Der Name des entlang der → Weihrauchstraße zeltenden midianitischen Stammes (→ Midian) dürfte demnach wohl als *Banī/Bar Sīmān/Saimān* zu rekonstruieren sein.

1 E. A. Knauf, Midian, 1988, 85 2 H. von Wissmann, s. v. Madiama, RE Suppl. 12, 531–538. W. W. M. u. A. D.

**Maisis** (Μαῖσις). Sohn des Hyraios, Enkel des → Aigeus. Mit seinen Brüdern → Laias [1] und Europas gründet er in Sparta Heroenheiligtümer für seine Vorfahren Aigeus (der dort geboren sein soll), Oiolykos, Kadmos und Amphilochos (Paus. 3,15,8).
→ Aigeidai I. BAN.

**Maisolia** (Μαισωλία, Ptol. 7,1,15; *Masalia*, peripl. m. r. 62); das Land der Maisoloi (Ptol. 7,1;79; 93) an der Ostküste Indiens. Für den Namen und die Lage s. → Maisolos. Von einem ungenannten dortigen Hafen fuhren nach Ptolemaios die Schiffe nach → Chryse Chersonesos (Malakka) ab.

1 B. Chatterjee, The Point of Departure for Ships Bound for »Suvarnabhumi«, in: Journ. of Ancient Indian History 11, 1977–1978, 49–52. K. K.

**Maisolos** (Μαισῶλος). Indischer Fluß, entspringt im Orudia-Gebirge (unklar laut [1]) und fließt nach Süden zum gangetischen Meerbusen (Ptol. 7,1,15; 37). Entweder h. Godavari oder eher Kistna (Krischna), an dessen Delta noch heute die Stadt Masulipatam liegt. Dey [2] gleicht den Namen des Flusses M. weiter mit altindisch *Mahāósāla*, einem Wallfahrtsort am Godavari.

1 O. Stein, s. v. Ὀρούδια, RE 18, 1526f. 2 N. L. Dey, The Geographical Dictionary of Ancient and Mediaeval India, 1927. K. K.

**Maison** (Μαίσων). Im Maskenkatalog des → Iulius [IV 17] Pollux (4,148; 150) wird M. unter den Sklavenfiguren der Neuen Komödie als Kahlkopf mit rotem Haarkranz [1] aufgeführt. Athenaios (14,659a) spezifiziert den Maskentypus als einheimischen Koch (im Gegensatz zu dem aus der Fremde stammenden → Tettix) und nennt als Quelle Aristophanes von Byzanz (fr. 363 Slater). Dieser leitet M. von einem Schauspieler gleichen Namens aus Megara her (wobei man seit der Ant. streitet, ob die griech. Mutterstadt oder die sizilische Kolonie gemeint ist), der diesen Sklaventypus erfunden habe. Daraus hat man eine Verbindung zu den dor. Anfängen des komischen Spiels herleiten wollen, sicherlich zu Unrecht [2. 87–95]. Bei Epicharmos und in der Alten Komödie ist zwar viel vom Essen die Rede, doch den Typus des M. kannte man noch nicht. Auch das Bildmaterial setzt erst im 4. Jh. v. Chr. ein [3]. Vermutlich sind zahlreiche Köche bei → Menandros [4] in der Maske des M. aufgetreten.
→ Komödie; Maske

1 T. B. L. Webster, J. R. Green, A. Seeberg, Monuments Illustrating New Comedy, ³1995, Bd. 1, 30–32
2 L. Breitholtz, Die dor. Farce im griech. Mutterland vor dem 5. Jh., 1960 3 R. Green, E. Handley, Images of the Greek Theatre, 1995, 67, Abb. 42. H.-D. B.

**Maius.** Röm. Familienname und Cognomen [1. 61; 2. 13].

1 Kajanto, Cognomina 2 Walde/Hofmann 2. K.-L. E.

**Majuskel.** M. werden im Gegensatz zu den → Minuskeln jene Schriftarten genannt, in denen die Buchstaben des Alphabetes zw. zwei oft nur ideal vorgestellte waagerechte Linien einbeschrieben sind.

A. Griechische Schrift B. Lateinische Schrift

A. Griechische Schrift

In der griech. Paläographie bezeichnet man die M. auch als Kapitale und Unziale, wobei letzterer Begriff sehr umstritten ist. Theoretisch müßte man alle griech. Schriftarten vor dem Aufkommen der Minuskel als M. bezeichnen (nicht nur die eigentlichen und die stilisierten Buchschriften, sondern auch die Halbkursive, die Kursive und die Urkundenschrift [1. 132–133, 137], da sich davor keine wesentlichen Anzeichen eines Ausbrechens aus dem Zwei-Linien-Schema zeigen. Dies geschah erst im 4. Jh. n. Chr. unter dem Einfluß der lat. Minuskel mit ihrem Vier-Linien-Schema.

Die Entwicklung der griech. Buch-M. vollzog sich nur langsam: die ältesten erh. Schriften des 4. Jh. v. Chr. auf Pap. orientieren sich noch an den Inschr. auf Stein (→ Inschriftenstil); erst im folgenden Jh. werden die Buchstaben weicher. Eine eigenständige Entwicklung der Buchschrift beginnt erst im 1. Jh. v. Chr.; danach beginnen sich aus kalligraphischen Formen allmählich kanonisierte Schrifttypen herauszubilden, wie die röm. → Unziale (Mitte des 1. Jh. bis 2./3. Jh. n. Chr.). Die Spätant. und die byz. Zeit kannten drei bzw. vier kanonisierte M., deren Studium vom Mangel an datierten Hss. vor 800 (Cod. Vatican. gr. 1666, nur der Cod. Vindob. Med. gr. ist auf ca. 512 datierbar) äußerst erschwert wird: die Bibelmajuskel (→ Unziale; 2./3.–8./9. Jh.), die alexandrinische M. (früher als Unziale koptischen Stils bezeichnet, 4.–10. Jh.), die ogivale (spitzbogige) M., die man in einer rechts geneigten und in einer senkrechten Variante unterscheidet (2./3.–10. Jh. bzw. 5.–11. Jh.) und schließlich die liturgische M. (9.–11. Jh.). Die alexandrinische M. und die senkrechte ogivale M. (auch konstantinopolitanische M. genannt) wurden auch als → Auszeichnungsschriften verwendet. Die Ausbildung kanonischer Schriftformen von Jh. zu Jh. ist ein Zeichen der Krise der traditionellen buchschriftli-

chen Schreibtechnik, von der aus die Gesch. der spätant. griech. M. ihren Ausgang nimmt [2. 5]
→ Auszeichnungsschrift; Inschriftenstil; Kapitale; Minuskel; Papyri; Schriftstile; Unziale; Urkundenschrift; Paläographie

**1** G. Cavallo, Fenomenologia »libraria« della maiuscola greca: stile, canone, mimesi grafica, in: BICS 19, 1972, 131–140 **2** Ders., Scritture ma non solo libri, in: Ders. u. a. (Hrsg.), Scrivere libri e documenti nel mondo antico (Papyrologica Florentina 30), 1998, 3–12 **3** E. G. Turner, Greek Manuscripts of the Ancient World, ²1987 (hrsg. von P. J. Parsons).

P. Canart, Paleografia e codicologia greca. Una rassegna bibliografica, 1991 • M. Norsa, La scrittura letteraria greca dal secolo IV a.C. all' VIII d.C., 1939 • R. Seider, Paläographie der griech. Papyri, I. Tafeln, 1. Teil: Urkunden, 1967; II. Tafeln, 2. Teil: Lit. Papyri, 1970; III.1 Text, Urkundenschrift 1, 1990.

G. M. u. P. E.

B. Lateinische Schrift

Die frühesten Belege für die lat. M.-Schrift gehen auf das 7. bis 4. Jh. v. Chr. zurück: Die erh. Texte, in einem archa. lat. → Alphabet auf haltbarem Material (Stein, Metall, Elfenbein, Terracotta) geschrieben, haben feierlichen, offiziellen und sakralen Charakter; man verwendete eine monumentale Schrift mit »langsamem« Duktus und einzeln gesetzten Buchstaben. Diese M. mit einigen Ungenauigkeiten in der Linienführung sowie Unregelmäßigkeiten der Ausführung der Buchstaben bestand bis zum Ende des 3. Jh. v. Chr. Zu dieser Zeit entwickelte sich unter dem Einfluß der griech. Inschr.-Schrift die sog. *Capitalis quadrata* der lat. Inschr., deren Linienführung und Buchstabenform regelmäßiger war, bis dann im 2.–1. Jh. v. Chr. ein genauer Buchstaben-Kanon fixiert wurde. Neben dieser und der *Scriptura actuaria* in den mit dem Pinsel aufgetragenen Inschr. lassen sich die *Capitalis rustica* und die sog. *Capitalis elegans* (→ Kapitale) in der Buchschrift feststellen. Bei letzterer jedoch handelt es sich nur um eine künstliche Nachahmung epigraphischer Vorbilder. Als Schrift des Alltags (auf Holz- und Wachstafeln, Graffiti und *tabellae defixionum* sowie Pap.) wurde auch die ältere röm. Kursive (auch Majuskel- oder Capitalis-Kursive genannt) verwendet. Die letzte ant. Buchschrift, die von der zeitgleich gebrauchten griech. Schrift beeinflußt und bes. für christl. Texte benutzt wurde, ist die → Unziale (4.–8./9. Jh.); sie zählt insofern dazu, als sie die charakteristischen Zeichen der neuen vierlinigen Minuskelschrift (entstanden zw. 2. und 3. Jh. n. Chr.) in ihr Zwei-Linien-System übernimmt.

Als → Auszeichnungsschrift wurde das Alphabet der *Capitalis* auch in späteren Schriften übernommen und umgestaltet: in der → westgotischen Schrift (unter arab. Einfluß), in der insularen Schrift (vielleicht auch unter Einfluß der Runen), in der karolingischen → Minuskel (zuweilen im Zusammenhang mit der Halbunziale) und in der → gotischen Schrift; die *Capitalis* wurde auch im it. Humanismus nachgeahmt.

B. Bischoff, Paläographie des röm. Alt. und des abendländischen MA, ²1986, bes. 76–98 (it.: G. P. Mantovani, S. Zamponi (Hrsg.), 1992, bes. 76–101) • L. E. Boyle, Paleografia latina medievale. Introduzione bibliografica, 1999 • E. A. Lowe, Codices latini antiquiores, I-XI und Supplementum, 1934–1971.

G. M. u. P. E.

**Makai** (Μάκαι).

**[1]** Nach Ptol. 6,7,14 ein Volk im östl. Arabien im Hinterland der Buchten um das h. Ra's Musandam an der Straße von Hormuz. Ebenfalls erwähnt bei Strab. 13,765f., Plin. nat. 6,98.152 und Mela 3,79; demnach siedelten die M. gegenüber dem Karmanischem Vorgebirge. Nach Arr. Ind. war Μακέτα/*Makéta* (Rā's Musandam) wichtiger Umschlagplatz für den Gewürzhandel (→ Gewürze) am Pers. Golf. I. T.-N.

**[2]** (*Macae*). Ein großer nomadischer Stamm oder Stammesverband, der westl. des Gebiets der → Nasamones (beiderseits des Flusses → Kinyps) seine zentralen Weidegebiete hatte (Hdt. 4,175; Ps.-Skyl. 109 [GGM 1,84f.]; Diod. 3,49,1; Plin. nat. 5,34; Sil. 2,60; 3,275). Ptolemaios nennt die M. *Makaíoi Syrtítai* (Μακαῖοι Συρτῖται, 4,3,27) und versetzt sie (unter dem Namen Μακκόοι/*Makkóoi* bzw. Μακόαι/*Makóai*) dennoch ins Innere von Libya (4,6,18) – vielleicht deswegen, weil sie im Sommer mit ihren Herden in die Berge südwestl. der Großen Syrte zogen. In der Zeit des Versuchs des → Dorieus [1], sich am Kinyps festzusetzen, riefen sie die Karthager zu Hilfe. Gemeinsam mit diesen verhinderten sie die weitere Expansion von Griechen auf afrikan. Boden (Hdt. 5,42,3). Wenn die M. mit den Μακκοῖοι/*Makkoíoi* von Pol. 3,33,15 zu identifizieren sind, dienten Truppen der M. im Heer Hannibals. Silius nennt die M. *Cinyphii Macae* (3,275; vgl. 2,60) und läßt sie mit Bumerangen (*cateiae*) bewaffnet sein (3,277; vgl. auch Sil. 5,194; 9,11; 9,89; 9,222; 15,670; außerdem Liber generationis 1, Chron. min. 1, 102,145; SEG IX 356, Z. 50f.; 414, Z. 1; Excerpta barbari Scaligeri p. 202,16; Chronica Alexandrina, Chron. min. 1, 102,117).

J. Desanges, Catalogue des tribus africaines..., 1962, 106f.

W. HU.

**Makareai** (Μακαρέαι). Ort westl. von → Megale polis, zu dessen Gebiet gehörig, in der Ebene links des Alpheios, zu Pausanias' (8,3,3; 27,4; 36,9) Zeit in Ruinen; Reste nicht bekannt. Y. L.

**Makar(eus)** (Μάκαρ, Μακαρεύς; lat. Macareus). Mythischer König von Lesbos, der diese Insel nach ihrer Entvölkerung durch die Deukalionische Flut (→ Deukalion) neu besiedelte und ihr so den Namen Makaria gab; bereits von Homer wird Lesbos als »Sitz des Makar« bezeichnet (Hom. Il. 24,544; Hom. h. 1,37). An der letztgenannten Stelle ist noch die Angabe »Sohn des Aiolos« hinzugesetzt; dieses Patronymikon dürfte ein Reflex der aiol. Besiedlung von Lesbos sein.

Die ausführlichste Darstellung zu M. gibt Diod. 5,81f.: Hiernach war M. ein Enkel des Zeus (so schon bei Hesiod) und lebte urspr. im achaiischen, damals noch ion. besiedelten Olenos; daher werden M.s Gefolgsleute als Ioner bezeichnet. Auf Lesbos erläßt M. gute Gesetze und schafft in der östlichen Ägäis ein Inselreich, das er durch seine Söhne als Statthalter verwalten läßt; seine Töchter Mytilene und Methymna geben den beiden Hauptorten von Lesbos ihren Namen. Ailianos kennt die Gesch. eines Dionysospriesters M. aus Mytilene, der in seinem Tempel einen Fremden erschlagen hatte und dafür mit seiner Familie vernichtet wurde (Ail. var. 13, 2).

Diesen eher von histor. Gegebenheiten beeinflußten Angaben zu M. steht eine Sagen-Trad. gegenüber, wonach M. Sohn des Windgottes → Aiolos [2] ist. Wie die anderen Aiolos-Söhne sei auch M. mit einer seiner Schwestern verheiratet gewesen (Hom. Od. 10,1–7); für sie wird in späteren Texten der Name → Kanake überliefert. Diese Beziehung ist Stoff der Euripides-Tragödie ›Aiolos‹ (TGF fr. 14–41; weitere erhaltene lit. Ausgestaltung bei Ov. epist. 11); hier wird der Inzest jedoch nicht mehr akzeptiert, sondern Aiolos zwingt seine Tochter wegen ihrer Liebe zu M. zum Selbstmord, woraufhin sich auch M. selbst tötet (Hyg. fab. 242).

M. VAN DER KOLF, s. v. Makareus, RE 14, 617–622 • M. LABATE, La Canace ovidiana e l' Eolo di Euripide, in: ASNP 3, 7.2, 1977, 583–593 • S. JÄKEL, The Aiolos of Euripides, in: Grazer Beiträge 8, 1979, 101–118. E.V.

**Makaria** (Μακαρία).

**[1]** Tochter des → Herakles und der → Deianeira; opfert sich freiwillig im Krieg der Athener und der → Herakleidai gegen → Eurystheus zur Sicherung des Sieges (→ Menschenopfer): so zuerst bei Eur. Heraclid., jedoch ohne Nennung ihres Namens; möglicherweise schon bei Aischylos oder in athen. Lokalmythos [1. XVI, XXXI-XXXIII, 111f.]

1 J. WILKINS (ed.), Euripides, Heraclidae, 1993 (Einf. und Komm.). L.K.

**[2]** Quelle bei → Trikorythos im Norden der Ebene von Marathon, benannt nach der Heraklestochter M. [1], die sich im Kampf gegen Eurystheus geopfert hatte, h. Megalomati bei Kato Souli. Belegstellen: Paus. 1,32,6; Strab. 8,6,19; schol. Aristoph. Equ. 1151; schol. Plat. Hipp. mai. 1,293a; Zenob. 2,61.

W. M. LEAKE, Die Demen von Attika, 1840, 80 • A. MILCHHOEFER, Karten von Attika. Erläuternder Text 3/6, 1889, 49 • W. WREDE, s. v. M. (5), RE 14, 624. E. MEY. u. H. LO.

**[3]** Die vom Pamisos durchflossene, bes. fruchtbare untere messenische Ebene (Strab. 8,4,6).

F. BÖLTE, s. v. M. (6), RE 14, 625f. C.L. u. E.MEY.

**Makarios** (Μακάριος).

**[1]** Spartiat, nahm 426/5 v. Chr. im Kriegsrat des Eurylochos [2] am Feldzug einer Streitmacht spartan. Bundesgenossen gegen → Naupaktos und die → Akarnanes teil und fiel bei Olpai (Thuk. 3,100,2; 109,1).

J. ROISMAN, The General Demosthenes and his Use of Military Surprise, 1993, 27ff. K.-W. WEL.

**[2] M. von Alexandreia.** Nach der → *Historia monachorum in Aegypto* [1. § 23] errichtete ein gewisser M. (4. Jh. n. Chr.) als erster eine Einsiedelei in der Sketis, er trägt dort den Beinamen ὁ πολιτικός (= *urbanus*, »der Städter«) – nach Soz. 3,14,1, weil er aus Alexandreia stammte. Einige hagiographische Episoden aus dem Leben des M. werden in der *Historia monachorum* (§ 23,2–4) überl., eine ganze weitere Anzahl in der *Historia Lausiaca* des → Palladios (Pall. Laus. § 17 und v. a. § 18). Über sein Leben orientiert weiter eine kopt. [2] und eine lat. Vita [3] sowie diverse griech. Überl. [4].

Die unter seinem Namen überl. lat. Texte (eine Mönchsregel, CPL 1842, und zwei Briefe, CPL 1843 bzw. 1843a) stammen wohl aus dem gall. Mönchtum des 5. bis 8. Jh., ebenso stammen die ihm zugeschriebenen griech. und syr. Texte (CPG 2, 2400–2402) mutmaßlich nicht von ihm.
→ Mönchtum

1 A.-J. FESTUGIÈRE (ed.), Historia monachorum in Aegypto (Subsidia Hagiographica 34), 1961, 123f. 2 E. AMÉLINEAU (ed.), Bibliotheca Hagiographica Orientalis 577, 1910, 235–261 3 Soc. des Bollandistes, Bibliotheca Hagiographica Latina, [2]1992, 5099, 5099c 4 F. HALKIN (ed.), Bibliotheca Hagiographica Graeca, [3]1957, 999y, 999yb, 999z–999zc.

QUELLEN: CPG 2, 2400–2403 • CPL 1842–1843a.
LIT.: E. AMÉLINEAU, Histoire des monastères de la Basse Égypte, in: Annales du Musée Guimet 25, 1894, 235–261 • G. BUNGE, Évagre le Pontique et les deux Macaire, in: Irénicon 56, 1983, 215–227 • W. STROTHMANN, Die syr. Überl. der Schriften des M. (Göttinger Orientforsch. 21/1–2), 1981.

**[3] M. Magnes.** Autor eines in der 2. H. des 4. Jh. abgefaßten *Apokritikós ē monogenḗs* (Ἀποκριτικὸς ἢ μονογενής), der 1876 von C. BLONDEL (und postum von P. FOUCART) aus einer seither verlorenen Athener Hs. ediert wurde [1]; außerdem sind Fr. (u. a. aus einer Genesis-Homilie: CPG 3, 6116) erh. Das Stichwort *Monogenḗs* aus dem Titel bezieht sich auf den Christus-Titel (vgl. 3,8; 3,9; 3,13f.; 3,23 und 3,27). Der Text gibt sich als wörtliches Protokoll eines Streitgespräches zw. dem Verf. und einem gelehrten griech. Kritiker des Christentums; dabei sind höchstwahrscheinlich Passagen aus einem Exzerpt der Schrift *Katá Christianṓn* (Κατὰ Χριστιανῶν) des → Porphyrios verwendet. Vielleicht ist der Autor mit einem bei → Photios (bibl. cod. 59) bezeugten Bischof von Magnesia (am Mäander?) identisch.

1 C. BLONDEL (ed.), Macarii Magnetis quae supersunt ex inedito codice, 1876 2 J. B. PITRA (ed.), Spicilegium Solesmense 1, 1852, 302–335.

QUELLEN: CPG 3, 6115–6117.
LIT.: T. D. BARNES, Porphyry Against the Christians: Date and the Attribution of Fragments, in: Journ. of Theological Studies 24, 1973, 424–442 • A. v. HARNACK, Kritik des NT von einem griech. Philosophen des 3. Jh. (TU 37/4), 1911 • J. PALM, Textkritisches zum »Apokritikos« des M. Magnes, 1961 • G. SCHALKHAUSSER, Zu den Schriften des M. von Magnesia (TU 31/4), 1907 • R. WAELKENS, L'économie, thème apologétique et principe herméneutique dans l'Apocriticos de Macarios Magnès (Recueil de travaux d'histoire et de philologie. 6e sér. Fasc. 4), 1974. C.M.

**Makaron Nesoi** (αἱ τῶν μακάρων νῆσοι, lat. *insulae fortunatae*, »Inseln der Seligen«).

**[1]** Seit Hes. erg. 167–173 das myth. Land, in das Heroen – statt in den finsteren, modrigen → Hades, wie »normale Menschen« – versetzt werden, wenn ihr Leben auf Erden beendet ist. Die Vorstellung von den *m.n.* ist eng mit der Vorstellung vom → Elysion (Hom. Od. 4,561 ff.) als Wohnort der Glückseligen nach dem Tod verknüpft (vgl. Pind. O. 2,68–80; Hdt. 3,26; Aristoph. Vesp. 640; Eur. Hel. 1677; Aristot. protreptikos fr. 43 R.; Plat. symp. 179e 2; 180b 5; Plat. Gorg. 523b 1; 8; 524a 3; Plat. Mx. 235c 4; Plat. rep. 519c 5; 540b 7; Plat. epin. 992b 8; Demosth. epit. 34 etc.). Zur Myth. und zum rel. Konzept der *m.n.* s. auch → Elysion. L.K.

**[2]** Urspr. das mythische Land der Seligen, von der frühen griech. Dichtung mit eschatologischen Vorstellungen in den fernen Westen verlegt (Hom. Od. 4,563 ff.; Hes. erg. 167 ff.; Pind. O. 2,68 ff.). Als mit den Erkundungsfahrten der Phoiniker und Karthager diese Weltgegend immer deutlicher Gestalt annahm, identifizierte man die *m. n.* anfangs mit Madeira und Porto Santo (vgl. Diod. 5,19 f.; Plut. Sertorius 8), später mit den Islas Canarias (Kanarische Inseln), die Iuba II. erforscht und beschrieben hat (FGrH 275 F 44; danach Plin. nat. 6,202–205; Mela 3,102). Plutarch und Plinius l.c. beschreiben die *m. n.* als klimatisch bes. begünstigt (warm, geringe Niederschläge) und daher sehr fruchtbar; Plinius l.c. kennt acht der Inseln (Ptol. 4,6,14 nur sechs), von denen sich Canaria (Gran Canaria), Capraria (Fuerteventura), Ninguaria (Tenerife), Pluvialia/Ombrios (Lanzarote), identifizieren lassen. Belege: Ptol. 1,12,11; 14,9; 7,5,13; 8,15,10; 27,13; Plin. nat. 6,202–205; Sall. hist. 1,61; Mela 3,102; Solin. 212,3 ff.; Mart. Cap. 6,702; Geogr. Rav. 443 f.

C.TH. FISCHER, s.v. Fortunatae Insulae (1), RE 7, 42 f.

E.O.

**Makartatos** (Μακάρτατος).

**[1]** Die Athener M. und Melanopos fielen 458/7 oder ca. 410 v. Chr. als Reiter im Kampf gegen Lakedaimonier und Boioter im Grenzgebiet zw. Tanagra und Eleon. Eine beiden gewidmete Stele sah Pausanias (1,29,6) im → Kerameikos. Ein Rest des Sockels dieser Stele scheint gefunden (IG I³ 1288).

PA 9658 • TRAILL, PAA 631475.

**[2]** Athener, verkaufte (wahrscheinlich vor 378 v. Chr.) seinen Landbesitz in Prospalta, kaufte eine Triere und fuhr nach Kreta aus. Die Athener fürchteten deswegen um den Frieden mit Sparta. M. verlor bei der Fahrt Schiff und Leben; um sein Erbe wurde ein Prozeß geführt (Isaios 11,48 f.; Lys. fr. 86 THALHEIM) [1; 2].

1 DAVIES, 85 f. 2 L. CASSON, A Trireme for Hire (Is. 11.48), in: CQ 45, 1995, 241–245.

PA 9660 • TRAILL, PAA 631490.

**[3]** Sohn des → Theopompos aus Oion und der Schwester des M. [2], der in das Erbe des kinderlos verstorbenen M. eingesetzt wurde (Isaios 11,49). Nach seines Vaters Tod fiel ihm, da er inzwischen in die Familie seines leiblichen Vaters zurückgekehrt war, das in mehreren Prozessen umkämpfte Erbe des Hagnias zu, das ihm um 340 v. Chr. in einem Gerichtsverfahren erneut streitig gemacht wurde ([Demosth.] or. 43).

PA 9659 • TRAILL, PAA 631480.

W.S.

**Makeda** (hebr. *Maqqēdā*; LXX, Eus. On. 126,22 Μακηδά; Ios. ant. Iud. 5,61 Μακχίδα; äg. *mḳt*). Ort im südl. Teil des westjudäischen Hügellandes, durch eine Höhle (Ios. ant. Iud. 10,10 ff.) bekannt, unter Josia zum Gau von Laḫiš gehörend (Ios. ant. Iud. 15,41); nach Eus. On. 8 *milia passum* östl. von Eleutheropolis (= Bēt Ǧibrīn), deshalb möglicherweise mit Bēt Maqdum 11 km sö von Bēt Ǧibrīn zu identifizieren.

K. ELLIGER, Josua in Juda, in: Paläst. Jb. 30, 1934, 55–58.

ER.K.

**Makedon** (Μακεδών). Stammheros und Eponym der Makedonen. Es gibt mehrere Genealogien:

**[1]** Sohn des Zeus und der Thyia (der Tochter des → Deukalion), Bruder des → Magnes [1] (Hes. fr. 7). Seine Gattin ist Oreithyia, seine Söhne sind u. a. Europos (Steph. Byz. s. v. Εὐρωπός), Pieros, Amathos: ebenfalls Eponyme für maked. Städte (schol. Hom. Il. 14,226).

**[2]** Sohn des Aiolos, des Sohnes des → Hellen und Bruders von Doros und Xuthos; dadurch verbindet M. sein Volk mit den hellenischen Stammbäumen (Steph. Byz. s. v. Μακεδονία).

**[3]** Sohn des → Lykaon; dadurch Verbindung mit den Pelasgern (Ail. nat. 10,48; Apollod. 3,97: Μάκεδνος).

**[4]** Sohn des → Osiris; M. begleitet den Vater mit seinem Bruder Anubis auf dessen Eroberungszug um die Welt und wird von ihm als Herrscher in Makedonien zurückgelassen. AL.FR.

**Makedonia, Makedones** (Μακεδονία, Μακεδόνες, lat. *Macedonia, Macedones*).

I. GEOGRAPHIE, WIRTSCHAFT, ETHNOGENESE
II. POLITISCHE GESCHICHTE III. POLITISCHE, SOZIALE UND MILITÄRISCHE STRUKTUREN
IV. STÄDTEWESEN
V. PROVINZ, DIÖZESE UND THEMA
VI. ARCHÄOLOGIE

## I. GEOGRAPHIE, WIRTSCHAFT, ETHNOGENESE

Kerngebiet des ant. maked. Staates bildeten die Ebenen unmittelbar östl. und nördl. des Olympos-Massivs. Von ihrer Hauptstadt → Aigai [1] aus eroberten die Makedones vom 7. Jh. v. Chr. an nach und nach Pieria (südl. des unteren → Haliakmon), Bottiaia (zwischen Haliakmon und → Axios), → Almopia, Mygdonia (im Becken des → Bolbe-Sees), Krestonia (nördl. der Mygdonia), Anthemus (südl. der Mygdonia); später wurden die obermaked. Landschaften → Elimeia, → Eordaia, → Lynkos, Orestis und → Pelagonia erobert oder auf andere Weise in den Staat eingegliedert. Dieser Raum, erst im 4. Jh. v. Chr. unter → Philippos II. polit. geeint, spielte eine Brücken- oder, je nach Gesichtspunkt, Puffer-Funktion zw. den nicht-griech. Stämmen im Westen an der Adriaküste, im Osten in Thrake sowie im Norden bis hin zum unteren Istros (Donau) und der Welt der griech. Kleinstaaten (*póleis*) im ägäischen Raum. Vier wichtige Landwege kreuzten M.: Vom → Istros [2] über das Morava-Tal und das Axios-Tal, von der Adria über Lynkos, von Thrake über Mygdonia und vom Süden über → Tempe. Hohe Berge bes. im Westen und im Süden trennten M. von den Nachbarn.

Da M. sowohl Kontinentalklimazonen aufweist als auch in den Küstenregionen vom Mittelmeer beeinflußt wird, brachte es typische landwirtschaftliche Produkte beider Regionen hervor: Pferde, Rinder und Schafe bzw. Ziegen sowie Schiffbauholz, aber auch Getreide, Obst, Olivenöl und Wein. In den Bergen wurden außerdem Eisen, Silber und Gold gewonnen (→ Gold, mit Karte, z. B. → Pangaion).

Die Bevölkerung war wohl z.Z. der maked. Eroberung unterschiedlichen Ursprungs, doch galten die Makedones selbst schon für Hes. fr. 5 als ein griech. Stamm von Pferdeliebhabern, von Zeus abstammend, der um Pieria und Olympos ansässig war. Die erste königliche Dyn., die → Argeadai, beanspruchte Abstammung von den Temenidai aus dem peloponnes. Argos [II 1], und Alexandros [2] konnte so die Schiedsrichter in Olympia von seinem Griechentum überzeugen (Hdt. 5,22). Wenn dennoch bes. z.Z. der Auseinandersetzungen mit Athen im 4. Jh. einige Südgriechen behaupteten, die Makedones – bis auf das königliche Geschlecht – seien keine Griechen (vgl. Isokr. or. 5,107), dürfte dies nicht nur aus aktuellem polit. Interesse geschehen sein, sondern auch die histor. schwer faßbare Entstehungsphase des maked. Staates sowie die unterschiedlichen staatlichen und sozialen Strukturen gegenüber den *póleis* widerspiegeln. Diese konnten zumeist auf eine viel längere staatliche Gesch. zurückblicken; die Athener behaupteten sogar, sie seien autochthon, d. h. immer da gewesen. Kein griech. Staat zu dieser Zeit kannte noch das allmächtige Königtum; und der maked. Dial. (→ Makedonisch), der zwar wohl grundsätzlich griech., aber offenbar mit illyr. und thrak. Wörtern und Wendungen durchsetzt war, galt als unverständlich, also nichtgriech. [1; 2]. Die Ethnogenese der Makedones war eben viel jünger und komplexer als diejenige der südgriech. Staaten.

### II. Politische Geschichte



#### A. Entwicklung vom 7. Jh. bis 359 v. Chr.

Histor. läßt sich die Entwicklung von M. nur über Könige und Eroberungen zeichnen. Die Königsliste, die Hdt. 8,137 überliefert, umfaßt vor Alexandros [2] I., »dem Philhellenen« (ca. 498–454 v. Chr.), nur sechs Namen: Perdikkas, Argaios, Philippos, Aeropos, Alketas sowie Alexandros' Vater Amyntas. Die Liste führt also kaum weiter zurück als in die Mitte des 7. Jh. v. Chr. Von der Zeit vor → Perdikkas wußten somit die Makedones selbst nichts. → Amyntas oder wohl eher Alexandros paktierte mit dem nach Europa expandierenden Perserreich unter Dareios und Xerxes; nach dem Scheitern des Xerxes-Feldzuges im J. 479 dürfte Alexandros seine Macht über Mygdonia bis zum Strymon ausgedehnt sowie den Anfang einer stärkeren Einflußnahme in Ober-M. gemacht haben (Thuk. 2,99,2).

In der Zeit zw. dem Tod Alexandros' I. (ca. 454 v. Chr.) und dem Thronantritt Philippos' II. (359) litt M. unter seiner Randlage. Der Aufstieg Athens im 5. Jh. v. Chr. zur Flottenmacht in der Ägäis brachte zwar erhöhten Absatz des maked. Schiffbauholzes und damit zunehmenden Wohlstand, doch gleichzeitig wurde M. in die Querelen der südl. Griechen hineingezogen, bes. während des → Peloponnesischen Krieges (431–404), als → Perdikkas II. und → Archelaos [1] große Schwierigkeiten bes. wegen Athens Kriegführung auf der Chalkidike hatten, aber auch wegen eigener Versuche, bis dahin weitgehend selbständige Fürstentümer in Ober-M. in den Argeaden-Staat einzubinden. Archelaos ging schließlich auch neue Wege, indem er ein staatliches Investitionsprogramm durchführte, das infrastrukturelle Verbesserungen, die bes. dem Heerwesen zugute kommen sollten, vorsah – Straßenbau, Waffenarsenale, Forts und Stützpunkte wurden mehr als je zuvor gefördert (Thuk. 2,100). Auch gründete er maked. Festspiele nach griech. Muster in → Dion [II 2], und der Ausbau der zentral gelegenen Stadt → Pella zur Residenzstadt geht auf ihn zurück. Nach seiner Ermordung (399 v. Chr.) wurde M. sowohl von Illyrioi als auch von verschiedenen griech. Staaten – Athen, Sparta, Theben sowie dem Chalkidischen Bund – existentiell bedroht, bis Philippos II. gleich nach seinem Thronantritt (359) die Illyrioi vernichtend schlug und daran ging, den maked. Staat systematisch zu konsolidieren und zur größten Macht im Balkanraum auszubauen.

#### B. Makedonia unter Philippos II. und Alexander d.Gr.

Bis zu Ermordung Philippos' II. 336 v. Chr. war eine Machtstruktur in M. entstanden, die im wesentlichen bis 196 v. Chr. Bestand hatte, als unter röm. Diktat mit deren Abbau begonnen wurde. Zentrale Anliegen Philippos' waren sichere Grenzen, die er über polit. und soziale Konsolidierung im Innern sowie die Beseitigung von unmittelbar an den Grenzen lauernden Feinden erreichte: Im Osten wurden die Grenzen bis zum Nestos vorgeschoben, die Chalkidike nach der Zerstörung von → Olynthos in M. integriert; im Norden wurden die → Paiones im Axios-Tal geschlagen und integriert, im Westen die Illyrioi eingeschüchtert; über die Ehe mit → Olympias wurde eine dynastische Bindung mit den epeirotischen Molossoi geknüpft (→ Epeiros). Im Sü-

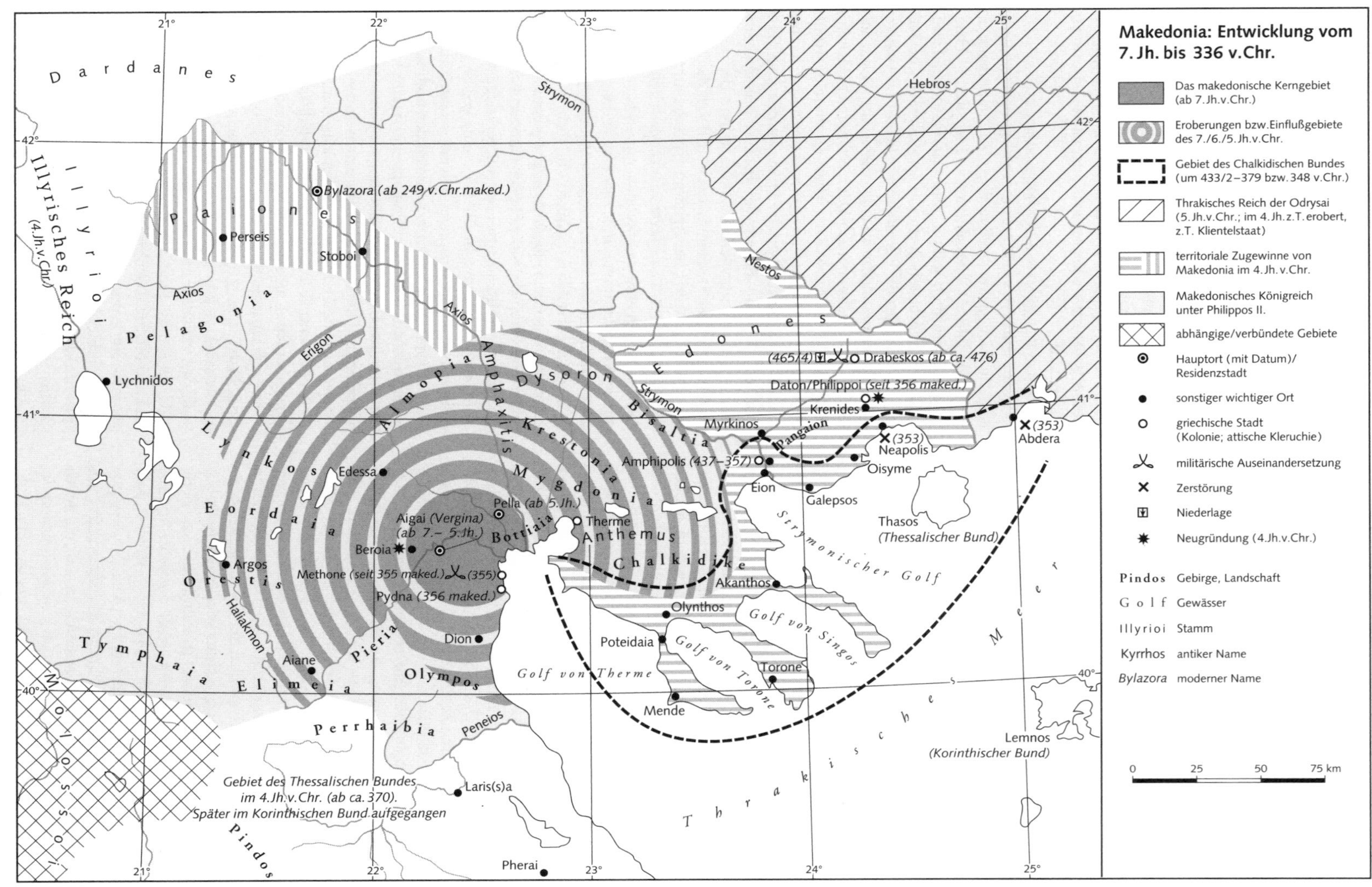
Makedonia: Entwicklung vom 7. Jh. bis 336 v.Chr.
Das makedonische Kerngebiet (ab 7.Jh.v.Chr.)
Eroberungen bzw.Einflußgebiete des 7./6./5.Jh.v.Chr.
Gebiet des Chalkidischen Bundes (um 433/2–379 bzw. 348 v.Chr.)
Thrakisches Reich der Odrysai (5.Jh.v.Chr.; im 4.Jh.z.T.erobert, z.T. Klientelstaat)
territoriale Zugewinne von Makedonia im 4.Jh.v.Chr.
Makedonisches Königreich unter Philippos II.
abhängige/verbündete Gebiete
Hauptort (mit Datum)/Residenzstadt
sonstiger wichtiger Ort
griechische Stadt (Kolonie; attische Kleruchie)
militärische Auseinandersetzung
Zerstörung
Niederlage
Neugründung (4.Jh.v.Chr.)
Pindos Gebirge, Landschaft
Golf Gewässer
Illyrioi Stamm
Kyrrhos antiker Name
Bylazora moderner Name
0 25 50 75 km
Dardanes
Illyrioi
Illyrisches Reich (4.Jh.v.Chr.)
Paiones
Pelagonia
Lynkos
Eordaia
Orestis
Elimeia
Tymphaia
Molossoi
Perrhaibia
Pieria
Olympos
Almopia
Amphaxitis
Bottiaia
Mygdonia
Krestonia
Bisaltia
Anthemus
Chalkidike
Edones
Dysoron
Pangaion
Thrakisches Meer
Strymonischer Golf
Golf von Singos
Golf von Torone
Golf von Therme
Lychnidos
Perseis
Bylazora (ab 249 v.Chr.maked.)
Stoboi
Edessa
Argos
Aiane
Beroia
Aigai (Vergina) (ab 7.–5.Jh.)
Pella (ab 5.Jh.)
Methone (seit 355 maked.) (355)
Pydna (356 maked.)
Dion
Therme
Amphipolis (437–357)
Olynthos
Poteidaia
Mende
Torone
Akanthos
Eion
Myrkinos
Galepsos
Oisyme
Neapolis (353)
Krenides
Daton/Philippoi (seit 356 maked.)
(465/4) Drabeskos (ab ca. 476)
Abdera (353)
Thasos (Thessalischer Bund)
Lemnos (Korinthischer Bund)
Laris(s)a
Pherai
Gebiet des Thessalischen Bundes im 4.Jh.v.Chr. (ab ca. 370). Später im Korinthischen Bund aufgegangen
Hebros
Nestos
Strymon
Axios
Erigon
Haliakmon
Peneios
Pindos

den wurde Thessalia zur sicheren Pufferzone gegenüber Griechenland gestaltet, wobei Philippos zeitweilig wohl Archon des Thessalischen Bundes wurde. Nach der Schlacht bei → Chaironeia (338) konnte M. auch über die meisten griech. Staaten gebieten, doch wurde die maked. Herrschaft durch die Gründung eines Bundes, den der maked. König führte (→ »Korinthischer Bund«), formal verschleiert. Im Innern wurde ein schlagkräftiges Heer geschaffen, das den einzelnen Makedones Dienst- und Aufstiegsmöglichkeiten bot und die Integration der letzten auf ihre Selbständigkeit pochenden obermaked. Fürsten förderte. In den Grenzgebieten im Westen sowie in den »neu-maked.« Ländern im Osten (bes. auf der Chalkidike und in Mygdonia, um Amphipolis herum und v.a. bei Philippos' Neugründung Philippoi) wurden durch königliche Landschenkungen an Makedones und andere Siedlungswillige personelle Bindungen geschaffen, welche den inneren Zusammenhalt des Staates förderten und eine Loyalitätsbasis gegenüber dem Königshaus schufen, ohne die der Eroberungszug Alexandros' d.Gr. (→ Alexandros [4], mit Karte) kaum möglich gewesen wäre.

C. Hellenistische Zeit

Für M. war es eine Katastrophe, daß 323 Alexandros plötzlich in Babylon starb, nachdem er mit seinem maked. Heer das Perserreich niedergekämpft hatte und bis nach India vorgedrungen war. Ersatz für die kämpfende Truppe war ihm immer wieder aus M. geschickt worden. Alexandros' Tod verursachte einen langjährigen Kampf unter seinen ehemaligen Generälen um die Herrschaft über die eroberten Gebiete sowie über M. selbst (→ »Diadochenkriege«). Dort wurden 310 v. Chr. die letzten Vertreter des Argeadenhauses ermordet, und erst nach weiteren 30 J. Bürgerkrieg und polit. Chaos ging im J. 276 der Enkel des Alexander-Offiziers Antigonos [1] Monophthalmos, Antigonos [2] Gonatas, als Sieger und neuer Dynastiegründer hervor (→ Antigonos, mit Stemma). Wesensbestimmend für die polit. Gesch. der Regierungszeit der Antigoniden, die bis 168 v. Chr. herrschten, waren: 1) der Kampf um die Wiederherstellung bzw. die Aufrechterhaltung der Herrschaft über die Griechen, die zunehmend unwillens waren, dies zu dulden, und dabei immer wieder Hilfe erhielten von den aus dem Alexanderreich hervorgegangenen maked. Monarchien in Ägypten (den Ptolemaiern, → Ptolemaios) sowie in Syrien und Kleinasien (den Seleukiden, → Seleukos, vgl. auch → Hellenistische Staatenwelt, mit Karte); 2) der Kampf gegen Rom, den → Philippos V. 215 v. Chr. über einen Kooperationsvertrag mit → Hannibal [4] leichtfertig provozierte und dadurch drei Kriege (→ »Makedonische Kriege«) verursachte. Im ersten Krieg (214–205), der mit dem Kompromißfrieden von Phoinike zu Ende ging, war das röm. Kriegsziel darauf begrenzt, zu verhindern, daß Philippos Hannibal helfen konnte. Im zweiten Krieg (200–196), der gewissermaßen als eine Fortsetzung des Hannibal-Krieges gesehen werden kann, zielte Rom konsequent auf die Demontage der maked. Machtstellung außerhalb der traditionellen Grenzen. Nach der Schlacht bei → Kynoskephalai in Thessalia (197) erklärten die Römer unter dem Proconsul T. → Quinctius Flamininus Thessalia und Orestis sowie alle weiteren maked. Außenbesitzungen für selbständig, eine Maßnahme, die Flamininus öffentlichkeitswirksam bei den Isthmischen Spielen 196 als die Gewährung der »Freiheit der Griechen« verkündete. Nach einer Periode von zunehmend spannungsgeladener Allianz mit Rom und den röm. Bundesgenossen wurde im dritten Krieg (171–168), der mit der Niederlage des → Perseus gegen Aemilius [I 32] bei Pydna endete, die maked. Monarchie abgeschafft.

D. Unter römischer Herrschaft

Rom teilte M. zunächst in vier Regionen auf (*merídes*), die sich jeweils selbst über Versammlungen in → Amphipolis, → Thessalonike, → Pella und → Herakleia [2] verwalten sollten, aber keinerlei Kontakt zueinander unterhalten durften. Diese unpraktische Regelung schuf große Unzufriedenheit und provozierte schließlich einen Aufstand (150–148 v. Chr.), nach dessen Niederschlagung durch Q. Caecilius [I 27] Metellus (Macedonicus) M. als röm. Prov. organisiert wurde, wobei die vier *merídes* nur als Gerichtsbezirke erh. blieben. Bei der Einrichtung der Prov. wurden jene Teile von Süd-Illyricum, die 167 von Perseus' Bundesgenossen → Genthios annektiert worden waren, der neuen *provincia Macedonia* zugeschlagen, so daß sich die riesige Prov. von der Adria bei Apollonia [1] bis zum Hebros erstreckte. Die bald angelegte → *via Egnatia* verband die Adria-Häfen Apollonia und Epidamnos (Dyrrhachium) mit dem Sitz des röm. Gouverneurs in → Thessalonike; später wurde sie bis Byzantion weitergebaut [3].

Zunächst war M. Grenzprov. und diente als Schutzgebiet für Griechenland, wobei der Gouverneur auch ordnungsschaffende Aufgaben in Griechenland selbst wahrnahm. Während der röm. Bürgerkriege war M. Aufmarschgebiet sowohl für Pompeius gegen Caesar (Schlacht bei → Pharsalos, 48 v. Chr.) als auch für die Caesarmörder gegen M. Antonius und den nachmaligen Augustus (Schlacht bei → Philippoi, 42 v. Chr.), doch mit der zunehmenden Verlagerung von röm. mil. Tätigkeit an die Donau unter Augustus sowie der Einrichtung einer neuen Grenzprov. Moesia 45/6 n. Chr. verlor M. die zentrale Schutzfunktion im Balkanraum, die es jahrhundertelang ausgeübt hatte, und wurde herabgestuft zur senatorischen Prov. (Cass. Dio 60,24). Zur röm. Prov. s.u. V. (s. auch → Achaia, → Epeiros, → Thessalia).

E. Spätantike und byzantinische Zeit

Unter Roms Herrschaft war M. nur so sicher wie das Reich selbst. Hatte schon 196 v. Chr. T. Quinctius Flamininus die Notwendigkeit des Weiterbestehens des maked. Königreichs mit dem Argument begründet, Griechenland brauche dessen Schutz gegen die Balkanstämme (Pol. 18,37,8 f.), und herrschte diese Funktion bis zur Schaffung der Prov. Moesia vor (vgl. Cic. Pis.

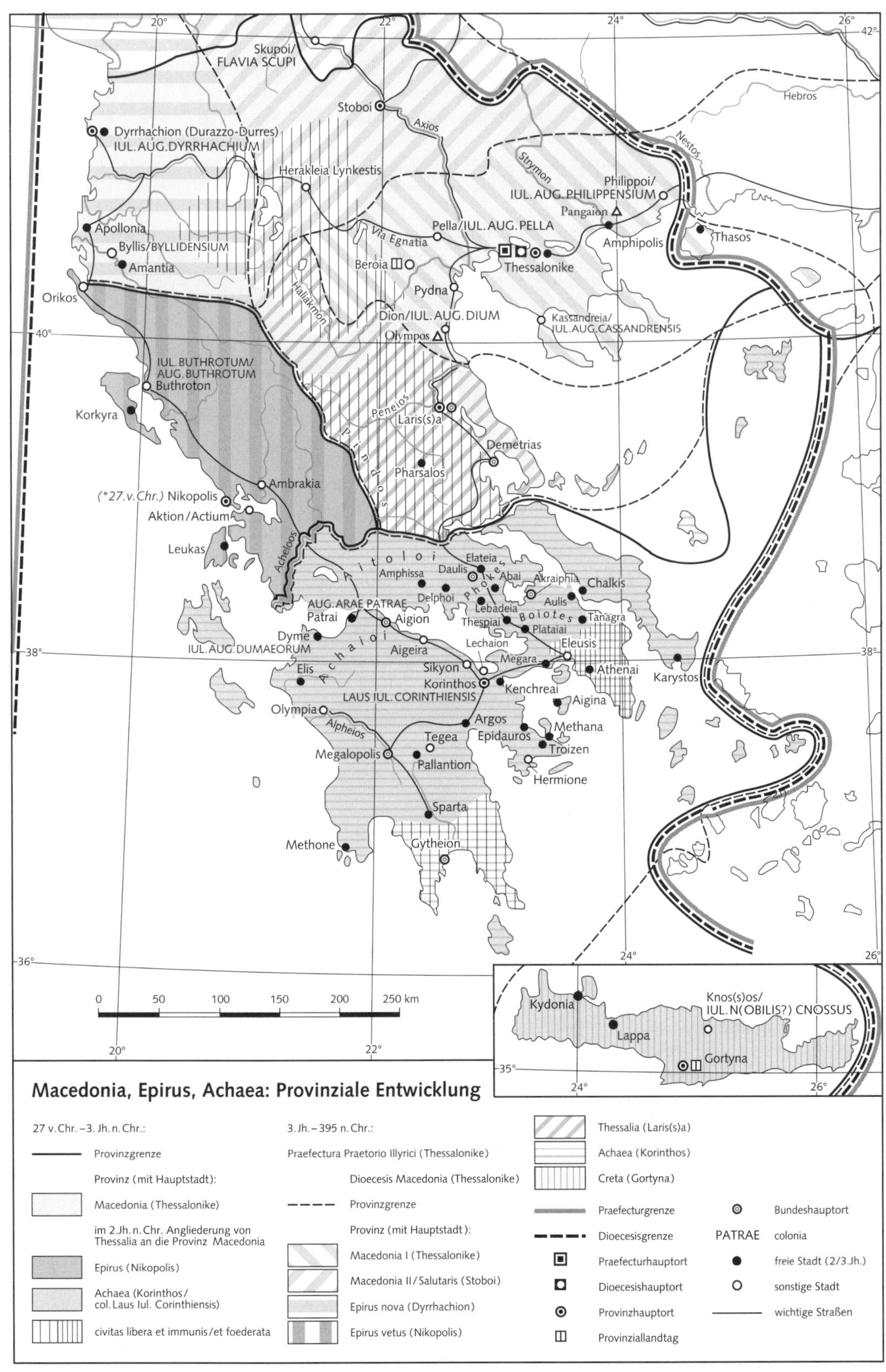
Skupoi/
FLAVIA SCUPI
Stoboi
Axios
Dyrrhachion (Durazzo-Durres)
IUL. AUG. DYRRHACHIUM
Herakleia Lynkestis
Strymon
Nestos
Hebros
Philippoi/
IUL. AUG. PHILIPPENSIUM
Pangaion
Amphipolis
Thasos
Apollonia
Byllis/BYLLIDENSIUM
Amantia
Via Egnatia
Pella/IUL. AUG. PELLA
Beroia
Thessalonike
Orikos
Haliakmon
Pydna
Dion/IUL. AUG. DIUM
Olympos
Kassandreia/
IUL. AUG. CASSANDRENSIS
IUL. BUTHROTUM/
AUG. BUTHROTUM
Buthroton
Korkyra
Peneios
Laris(s)a
Demetrias
Pindos
Pharsalos
Ambrakia
(*27 v. Chr.) Nikopolis
Aktion/Actium
Leukas
Acheloos
Aitoloi
Elateia
Daulis
Amphissa
Abai
Akraiphia
Chalkis
Delphoi
Phokes
Aulis
AUG. ARAE PATRAE
Patrai
Lebadeia
Thespiai
Boiotes
Tanagra
Plataiai
Aigion
Dyme
IUL. AUG. DUMAEORUM
Achaioi
Aigeira
Lechaion
Eleusis
Megara
Elis
Sikyon
Athenai
Karystos
Korinthos
LAUS IUL. CORINTHIENSIS
Kenchreai
Aigina
Olympia
Alpheios
Argos
Methana
Tegea
Epidauros
Troizen
Megalopolis
Pallantion
Hermione
Sparta
Methone
Gytheion
Kydonia
Knos(s)os/
IUL. N(OBILIS?) CNOSSUS
Lappa
Gortyna
20° 22° 24° 26°
42° 40° 38° 36° 35°
0 50 100 150 200 250 km
Macedonia, Epirus, Achaea: Provinziale Entwicklung
27 v. Chr. – 3. Jh. n. Chr.:
Provinzgrenze
Provinz (mit Hauptstadt):
Macedonia (Thessalonike)
im 2. Jh. n. Chr. Angliederung von Thessalia an die Provinz Macedonia
Epirus (Nikopolis)
Achaea (Korinthos/ col. Laus Iul. Corinthiensis)
civitas libera et immunis/et foederata
3. Jh. – 395 n. Chr.:
Praefectura Praetorio Illyrici (Thessalonike)
Dioecesis Macedonia (Thessalonike)
Provinzgrenze
Provinz (mit Hauptstadt):
Macedonia I (Thessalonike)
Macedonia II/Salutaris (Stoboi)
Epirus nova (Dyrrhachion)
Epirus vetus (Nikopolis)
Thessalia (Laris(s)a)
Achaea (Korinthos)
Creta (Gortyna)
Praefecturgrenze
Dioecesisgrenze
Praefecturhauptort
Dioecesishauptort
Provinzhauptort
Provinziallandtag
Bundeshauptort
PATRAE colonia
freie Stadt (2/3. Jh.)
sonstige Stadt
wichtige Straßen

38), so litt dann vom 3. Jh. n. Chr. an auch M., als die Istros-Grenze immer wieder von sarmatischen und german. Stämmen durchbrochen wurde. Schon unter Gallienus oder Claudius Gothicus (268 oder 269) kamen → Goti und andere Völkerstämme nach M., belagerten Kassandreia (→ Poteidaia) und → Thessalonike und stießen plündernd die *via Egnatia* entlang nach Westen vor (Zos. 1,43). Am schlimmsten aber traf es M. nach der Schlacht bei Hadrianopolis [3] (378), als die siegreichen Goti durch den ganzen Balkanraum plündernd und raubend zogen und selbst die Umgebung von Thessalonike unsicher machten (Zos. 4,24f.). Auch später konnte M. nicht vor den Goti des Alaricus [2] geschützt werden, die sich 397 auf maked. Boden sogar für einige Jahre niederlassen durften (Claud. Bellum Geticum 497). Unter Kaiser Zenon wurden Kämpfe mit und zw. den zwei Gotenführern Theoderich (Sohn des Triarius) und Theoderich (»d.Gr.«; Sohn des Theodemir), der nach dem Tode seines Vaters (ca. 474 n. Chr.) bei → Kyrrhos [1] zum Gotenkönig ausgerufen wurde (Iord. Get. 287f.), auf maked. Boden ausgetragen.

Iustinianus soll, wie überall, auch in M. umfangreiche Reparaturen an der mil. Infrastruktur vorgenommen haben (Prok. aed. 4,4), doch konnten diese Anstrengungen, wenn überhaupt histor., nicht verhindern, daß schon vor E. des 6. Jh. Slaven und Avaren vor Thessalonike erschienen, im folgenden Jh. die maked. Städte immer wieder bedrohten und dann auf dem Lande selbst ansässig wurden (Miracula Sancti Demetrii [10]). Erst im 8. Jh. wurde mit der Schaffung des maked. → Themas eine effektivere byz. Verwaltung wiederhergestellt (Theophanes 475,22).

### III. Politische, soziale und militärische Strukturen

Vor 168 v. Chr. kontrollierte die monarchische Verwaltung das Leben in M., wobei das Königtum als Institution anscheinend nie in Frage gestellt wurde. Das lag zum einen am symbiotischen Verhältnis zw. König und Adel, zum anderen aber am volksnahen Auftreten der Könige. Sie sollten dem gemeinen Mann zugänglich sein (und waren es meistens auch), da es eine regelmäßig tagende Volksversammlung in M. nicht gab. Der Staat wurde von den Königen sowie den jeweils maßgeblichen Adligen regiert, die auch bei der Thronfolge mitredeten, selbst dann, wenn ein erwachsener Sohn des Verstorbenen – soweit vorhanden – die Nachfolge antreten konnte. Königliche Berater waren seine »Gefährten« (*hetaíroi*) oder später einfach »Freunde« (*phíloi*), die er selbst bestimmte. Die Außenpolitik hatte der König in der Hand, da er Staatsverträge im eigenen Namen abschloß, Verhandlungen persönlich führte oder polit. Ehen (gelegentlich, je nach Neigung, mehrfach) einging. Die dauerhafte Bindung des Adels an den Hof – in der Frühzeit gab es in Ober-M. (etwa in Elimeia, Orestis, Lynkos oder Pelagonia) lokale Königsdyn., die erst unter Philippos II. ihre Selbständigkeit, aber nicht ihren Einfluß, verloren – erfolgte bes. über den mil. Dienst (seit Philippos II. von zunehmenden Erfolgen gekrönt, welche das Ansehen und die Attraktivität wesentlich erhöhten) sowie über die Beteiligung der adeligen Jugend am von Philippos II. gegr. Pagenkorps. Diese Bindungen wurden auch durch großzügige Landschenkungen an verdiente oder einflußreiche Personen in den eroberten und zunächst als Königsland behandelten neuen maked. Gebieten weiter gefestigt.

Von zentraler Bed. im maked. Heerwesen war schon unter Alexandros I. die Kavallerie gewesen, aber vor der Neuordnung der Infanterie-Phalanx unter Philippos II. gab es offenbar kein regelmäßiges Exerzieren der Infanterie. Philippos führte dies nach dem Modell von Theben ein, hinzu kam eine gleichmäßige Bewaffnung mit der → Sarissa, einer 5 m langen Stoßlanze, sowie mit Helm, Beinschienen, Schwert und Schild. Das Heer bestand regulär aus 20000–30000 Mann (im Notfall evtl. mehr), die zu bestimmten Zeiten bes. im 4. und 3. Jh. v. Chr. fast Berufssoldaten wurden und sich dementsprechend bes. gegen die Soldaten der kleineren griech. Staaten fast immer durchsetzen konnten. An der Spitze des Heeres im Felde stand der König persönlich, genauso wie im mil. Bereich seine »Freunde« die hohen Offiziere waren. Eine bed. Flotte besaß M. nie. Auch sonst wurde der Staat zentralistisch vom König regiert: Die uns bekannten Verwaltungsbeamten scheinen allesamt königliche Beauftragte gewesen zu sein. Das Steuerwesen bestand vornehmlich aus einer Erntesteuer, die unter Perseus 200 Talente jährlich einbrachte (Plut. Aemilius Paullus 28,3) und die zentral von der königlichen Verwaltung organisiert wurde, der die Erträge zuflossen. Außerdem waren das Bergwerkswesen sowie der Holzexport königliche Monopole. Die Städte verfügten möglicherweise über Hafen- und Marktgebühren.

Auch das kulturelle Leben dürfte weitgehend vom Hof bestimmt gewesen sein, wo die Könige sich gerne als Patrone von Künstlern und Intellektuellen zeigten – so schrieb z. B. Euripides [1] seine ›Bakchen‹ bei einem Aufenthalt in Pella; Aristoteles [6] diente als Erzieher für den jungen Alexandros [4] (d.Gr.) –, auch dann noch, als mit zunehmendem Reichtum insbes. in 3. und 2. Jh. v. Chr. das Städtewesen in M. aufblühte und auch dort mit einer kulturellen Infrastruktur (Theater, Gymnasien, Tempeln sowie entsprechenden örtlichen Veranstaltungen) zu rechnen ist. Im Bereich der Architektur und Malerei, in dem Ausgrabungen immer wieder Neues zutage fördern, ist in M. ein Sinn für hohe künstlerische Qualität spätestens seit E. des 5. Jh. v. Chr. nachweisbar, als Archelaos den Maler → Zeuxis für die Ausgestaltung seines neuen Palastes in Pella gewann. Qualitätsvolle Grabbeigaben bes. aus Sindos und Derveni (im Museum von Thessaloniki), sowie die mit kunstvollen Mosaiken ausgeschmückten Peristylhäuser in Pella und die bemalten Grabhäuser, bes. die »Königsgräber« in Vergina (→ Aigai [1]), belegen dies mit aller Deutlichkeit (s.u. VI. Archäologie).

IV. Städtewesen

Eine bed., langfristige Entwicklung in M. war die Urbanisierung und die damit verbundene Anpassung der Lebensbedingungen vieler Makedones an die Urbanität, die in den meisten Teilen der griech. Welt vorherrschte und die für die griech.-röm. Zivilisation charakteristisch war. Die Theorodoken-Liste aus Epidauros (ca. 360 v. Chr.) kennt aus M. als anerkannte Gemeinden, die den hl. Gesandten (*theōroí*) des Asklepios Aufnahme gewährten (IG IV$^2$ 1, 94), nur Namen alter griech. Kolonien sowie den König selbst. Gegen E. des 3. Jh. wurden in einer entsprechenden Liste von *theōrodókoi* aus Delphoi in M. 31 Gemeinden, viele davon im Binnenland, anerkannt [4]. Die Zahl der urbanen Zentren mit gewissen Selbstverwaltungsfunktionen wuchs also von der Zeit Philippos' II. stark an, der offenbar als erster König versuchte, von ihm eroberte Städte in den maked. Staat einzugliedern (z. B. → Amphipolis) sowie in den eroberten Gebieten entweder als *póleis* konzipierte Siedlungen zu gründen (z. B. → Philippoi, → Apollonia [3], → Herakleia [2]), oder über eine umfangreiche Vergabe von Ländereien an Makedones die wirtschaftlichen Voraussetzungen für eine spätere Polisbildung zu schaffen (z. B. → Kalindoia).

Urbane Zentren brauchten eine ortsnahe Verwaltung, die in den meisten griech. *póleis* (die sich in ihrer Entstehungsphase nicht mit einer übergeordneten Territorialmacht auseinandersetzen mußten) im 4. Jh. v. Chr. von einer Volksversammlung (*ekklēsía*), einem ihr vorgeschalteten kleineren Rat (*bulḗ*) sowie von Amtsträgern, die nur kurzfristig (z. B. auf ein Jahr) sowie ehrenamtlich tätig waren, wahrgenommen wurde. Dieses »demokratische« Modell existierte schon in Amphipolis, als Philippos II. die Stadt eroberte, und es wurde von ihm als für eine reine Ortsverwaltung geeignet akzeptiert, allerdings gelegentlich von einem königlichen Aufseher (evtl. *epistátēs* gen.) oder einem Garnisonskommandeur in ihrem Tätigkeitsdrang dort gebremst, wo gesamtstaatliche Interessen tangiert waren. Es hatte den Vorteil, wenig zu kosten und den Bewohnern die Befriedigung zu gewähren, nicht von der Zentralverwaltung des Königreiches in ihren rein lokalen Angelegenheiten bevormundet zu sein. Sie besaßen also einen Tätigkeitsbereich, wo sie lokalen Stolz entfalten konnten, genossen sowohl die Vorteile der lokalen Autonomie als auch die des übergeordneten monarchischen Territorialstaats, in dem die Ärmeren einträglichen Heeresdienst leisten und die führenden Mitglieder einen viel größeren Rahmen für ihren polit. Ehrgeiz genießen konnten.

Zeigte Philippos II. den Weg, so folgten ihm sein Sohn Alexandros, der die Gründung griech. *póleis* und die Ansiedlung griech. Kolonisten geradezu zum herrschaftssichernden Instrument in Asien erhob, sowie alle → Diadochen. Unter Alexandros' maked. Nachfolgern blühte das Städtewesen auf wie nie zuvor, es entstanden auch in M. selbst neue Städte, entweder als Neugründungen (z. B. Kassandreia, Thessalonike) oder als Gruppierungen von zu einer Stadt zusammengefaßten ländlichen Siedlungen (z. B. Kalindoia) [5. 91–106]. Dieser Prozeß war langsam, gewiß regional unterschiedlich; dörfliche bzw. stammesgebundene Siedlungs- und Organisationsstrukturen hielten sich bes. in den Bergregionen von Ober-M. lange, lösten sich vielleicht nie gänzlich auf (vgl. SEG 30, 568). Aber bis zum E. der Monarchie waren Städte zu den maßgeblichen Untereinheiten der Verwaltung geworden, so daß nach der Schlacht bei → Pydna 168 v. Chr. der Sieger L. Aemilius [I 32] Paullus die röm. Verwaltung von M. damit einleitete, daß er jede Stadt aufforderte, zehn Vertreter als Unterhändler zu ihm zu entsenden (Liv. 45,29,1). Städtische Verwaltungen waren also bis dahin so verbreitet, daß sie zum Basiselement der röm. Provinzialorganisation gemacht werden konnten. Eine neuartige Behörde, die *politárchai*, erscheint in vielen maked. Städten der röm. Zeit, und selbst wenn die allerersten *politárchai* königliche Beauftragte gewesen sein sollten, verrät ihre Verbreitung die Vereinheitlichungstendenzen der röm. Provinzialverwaltung [6. 99 f.]. Nach den röm. Bürgerkriegen wurde der Bestand an Städten durch die Gründung von röm. Veteranenkolonien in Dion, Kassandreia, Philippoi und bei Pella, mit entsprechendem Zufluß von allerdings Lat. sprechenden Siedlern, verstärkt. Eine Prov.-Versammlung (*koinón*) tagte in der Kaiserzeit in → Beroia [1].

Auch in M. waren Städte nicht nur Verwaltungseinheiten, sondern auch Lebensräume und Kulturträger. Die wichtigste Institution dieser Art war wohl das → Gymnasion als gemeingriech. städtische Bildungseinrichtung, die allen, die daran teilnahmen, das Bewußtsein kultureller Gemeinsamkeit über Stadtgrenzen hinweg einflößte. Den uns am besten bekannten Gymnasion-Betrieb gab es in Beroia, wo ein einmaliges Gesetz, wohl kurz nach 168 v. Chr. verabschiedet, darüber informiert [7]. Gymnasien gab es offensichtlich viele, sie funktionierten in der Königszeit allerdings nicht ohne gelegentliche königliche Einmischung [8. Bd. 2, Nr. 16]. Ein städtischer Gymnasion-Betrieb, der nicht nur körperliche, sondern auch intellektuelle, insbes. philos. Anregungen bot, war ohne eine gewisse Offenheit gegenüber anderen Städten aus demselben Kulturkreis nicht aufrechtzuerhalten.

Spätestens seit der Gründung von Thessalonike (315 v. Chr.) hatte M. einen bed. Seehafen, der die Stadt schnell zu einer der wichtigsten Handelsstädte des Mittelmeerraumes machte und dadurch die Öffnung von M. für die intellektuellen und rel. Strömungen der hell. und röm. Zeit förderte. Schon im 3. Jh. v. Chr. ist der neue ägypt. Gott → Sarapis in M. nachweisbar, in Thessalonike war bis 187 sein Tempel so wohlhabend, daß der König selbst den Zugang zum Tempelschatz meinte regeln zu müssen [9. Bd. 2 Nr. 110]. Der Bau der *via Egnatia* verbesserte außerdem die Verbindung mit It., so daß etwa Cicero als Ort des Exils u. a. wegen des guten Nachrichtenverkehrs von und nach It. Thessalonike wählte (Cic. Att. 3,10–22, bes. 14,2). Aber auch einfa-

chere Leute kamen im 2. und 1. Jh. v. Chr. nach M., etwa jene Juden, die im Rahmen der Diasporabewegung (→ Diaspora) den geistigen Nährboden für die Tätigkeit des Apostel → Paulus in Philippoi, Beroia und Thessalonike bildeten und dort die ersten christl. Gemeinden Europas entstehen ließen. Die Christianisierung, genauso wie die Aufnahme etwa der ägypt. Kulte, ist ein Merkmal der allmählichen Integration von M. in das ostmittelmeerische kulturelle Kontinuum, die »griech.-röm. Zivilisation«. Sobald im 4. Jh. n. Chr. das Christentum im Reich gefördert wurde, spielten auch maked. Bischöfe eine mitprägende Rolle, etwa bei der Reichssynode von → Nikaia (325), wo Stoboi und Thessalonike vertreten waren, oder etwa Acholios von Thessalonike, der als Täufer des Kaisers Theodosius 379/380 bei seinem Aufenthalt in Thessalonike und als Berater bei der Vorbereitung für die → Synode von Konstantinopel 381 diente. Spätestens dann war M. nicht mehr eine Randerscheinung, sondern ein maßgeblicher Bereich des Imperium Romanum geworden.
→ Balkanhalbinsel, Sprachen; Makedonisch; MAKEDONIEN

1 J. N. KALLÉRIS, Les anciens Macédoniens 1, 1954; 2, 1976 2 O. MASSON, s. v. Macedonian Language, OCD³, 905 f. 3 L. GOUNAROPOULOU, M. B. HATZOPOULOS, Les milliaires de la voie egnatienne ..., 1985 4 A. PLASSART, Inscriptions de Delphes. La liste des Théorodokes, in: BCH 45, 1921, 1–87 5 G. M. COHEN, The Hellenistic Settlements in Europe, the Islands and Asia Minor, 1995 6 G. H. R. HORSLEY, The Politarchs in M. and Beyond, in: Mediterranean Archaeology 7, 1994, 99–126 7 PH. GAUTHIER, M. B. HATZOPOULOS, La loi gymnasiarche de Béroia, 1993 8 M. B. HATZOPOULOS, Macedonian Institutions under the Kings, 2 Bde., 1996 9 MORETTI 10 P. LEMERLE, Les plus anciens recueils de saint Démétrius, 2 Bd., 1979–1981.

E. N. BORZA, In the Shadow of Olympus, 1990 • ERRINGTON • HM • F. PAPAZOGLOU, Les villes de Macédoine, 1988. MA. ER.

KARTEN-LIT.: S. E. ALCOCK, Graecia capta, the Landscapes of Roman Greece, 1993 • T. BECHERT, Die Provinzen des Röm. Reiches, 1999 • K. BUSCHMANN u. a., Östl. Mittelmeerraum und Mesopotamien. Von Antoninus Pius bis zum E. des Parthischen Reiches (138–224 n. Chr.), TAVO B V 9, 1992 • ERRINGTON • B. GEROV, Die Grenzen der röm. Provinz Thracia bis zur Gründung des Aurelianischen Dakien, in: ANRW II 7.1, 1979, 213–240 • R. GINOUVÈS (Hrsg.), Macedonia from Philip II to the Roman Conquest, 1994 • M. B. HATZOPOULOS, L. D. LOUKOPOULOS (Hrsg.), Philip of Macedon, 1980 • E. KETTENHOFEN, Vorderer Orient. Römer und Sasaniden in der Zeit der Reichskrise (224–284 n. Chr.), TAVO B V 11, 1982 • Ders., Östl. Mittelmeerraum und Mesopotamien. Die Neuordnung des Orients in diokletianisch-konstantinischer Zeit (284–337 n. Chr.), TAVO B VI 1, 1984 • F. PAPAZOGLU, Quelques aspects de l'histoire de la province de Macédonie, in: ANRW II 7.1, 1979, 302–369 • I. PILL-RADEMACHER u. a., Vorderer Orient. Römer und Parther (14 bis 138 n. Chr.), TAVO B V 8, 1988 • J. WAGNER, Östl. Mittelmeerraum und Mesopotamien. Die Neuordnung des Orients von Pompeius bis Augustus (67 v. Chr. bis 14 n. Chr.), TAVO B V 7, 1983.

### V. PROVINZ, DIÖZESE UND THEMA

Die röm. Prov. Macedonia (M.) überlebte die administrative Reform – von Aurelianus angefangen und von → Diocletianus (mit Karte) und Constantinus I. zu Ende gebracht – als Teil einer der zwölf Diözesen (und zwar der Moesiae), allerdings territorial geschmälert (vgl. *Laterculus Veronensis*, 292–297 n. Chr.; zur möglichen Teilung der Diözese Moesiae in die Diözesen M. und Dacia vgl. [3. 134; 6. 21]). → Festus [4] Rufius zufolge (Breviarium 8,3) wurde die Diözese M. in die Prov. M., Thessalia, Achaïa, Epiri duae, Praevalis und Creta eingeteilt [1. 13].

In der → *Notitia dignitatum* (379–408) erscheint zum ersten Mal die Prov. *M. salutaris*, die sich teils in der Diözese M., teils in der Diözese Dacia befindet. Im Unterschied zu den Diözesen Dacia und Pannoniae unterstand die Diözese M. einem → *vicarius*. Mit der Teilung der Diözese Moesiae in die Diözesen M. und Dacia wurde auch die Prov. M. in die – größere – *M. prima* (Θεσσαλονίκη, *Thessalonike*) und die nordwestl. von ihr liegende *M. salutaris* (Στόβοι, Stobi) gespalten. Die *M. salutaris* wurde gegen 386 eingerichtet [4. 768] und bestand nur wenige Jahrzehnte [2. 135]. Aus ihr entstand die *M. secunda* (Στόβοι, h. Pustogradsko; [11. 987]; vgl. Hierokles, Synekdemos 641,1 [5. 15]; anders [11. 987]). Hierokles' Werk, entstanden zu Anf. der Regierungszeit des → Iustinianus [1] am röm. Kaiserhof, ist die letzte offizielle Quelle, die uns Auskunft über die administrative Lage der M. gibt. Die *Descriptio orbis Romani* des Georgios von Kypros (Anf. 7. Jh.) erwähnt M. nicht mehr [7. 81–82]. Im Vergleich zur *M. prima*, die unter einem κονσουλάριος/*konsulários* (*consularis*) stand [5. 14], wurde die *M. secunda* durch einen ἡγεμών/*hēgemōn* (*praeses*) verwaltet [5. 15]. Die Provinzialgliederung von Byzanz wurde unter der wachsenden Gefahr arab., slav. und avarischer Angriffe zugunsten der Themenordnung (→ *théma*) grundlegend umgestaltet. Die Jurisdiktion der *M. secunda* bestand jedoch auf dem Territorium der Präfektur Illyricum während des 7. Jh. weiter (PG 116,1276).

In den Subskriptionslisten der 6. ökumenischen → Synode zu Konstantinopel (680–681) und des Quinisextum (692) sind zwei Titularbischöfe von Stobi eingetragen, offensichtlich wie viele andere ohne Sprengel geblieben [8. 227f.]. Nach arch. Ausgrabungen wurde Stobi gegen E. des 6. Jh. wegen der slav. Einwanderung und in Verbindung mit einem Erdbeben und der zunehmenden Dürre von seinen Bewohnern verlassen [10. 308–310]; der h. Name Pustogradsko bedeutet »verlassene Stadt«. Die Präfektur Illyricum wurde wegen der slav. Einwanderung auf die Balkanhalbinsel auf → Thessalonike und seine Umgebung sowie seine Küstenplätze reduziert, was Grundlage der späteren Themeneinteilung sein dürfte [7. 123]. M. wird jedoch bei der Aufzählung der slav. und avarisch besetzten Prov. (PG 116,1361b) nicht erwähnt, da es offensichtlich nicht ganz besetzt wurde. Die Weiterbildung von Themen, die gleichzeitig Armeebezirke und Zivil-Prov. waren, wurde gegen E. des 8. Jh. im Rahmen der erneuten Hellenisierung der Balkanhalbinsel fortgesetzt [9. 132]. Das neue *théma Makedonía tēs Thráikēs* entstand auf westthrak. Gebieten und trennte sich vom Thema Thracia zwischen 783 (Theophanes 456,27 f.) und 802 (Theophanes 475,22 f.) ab, Hauptstadt war → Hadrianopolis [3].

1 M.-P. Arnaud-Lindet, Festus, Abrégé des hauts faits du peuple romain, 1994, XVI Anm. 47, 13 2 J. Bury, The Notitia Dignitatum, in: JRS 10, 1920, 131–154 3 Ders., The Provincial List of Verona, in: JRS 13, 1923, 127–151, bes. 134 4 F. Geyer, s. v. M., RE 14, 638–771 5 E. Honigmann, Le synekdémos d'Hiéroclès et l'opuscule de Georges de Chypre, 1939 6 A. Jones, The Date and Value of the Verona List, in: JRS 44, 1954, 21–29 7 P. Lemerle, Philippe et la Macédoine orientale à l'époque chrétienne et byzantine, 1945 8 H. Ohme, Das Concilium Quinisextum und seine Bischofsliste, 1990 9 G. Ostrogorsky, Gesch. des byz. Staates, 1963 10 J. Wiseman, The City in Macedonia Secunda, in: Villes et peuplement dans l'Illyricum protobyzantin, 1984, 289–314 11 P. Soustal, B. Schellewald, L. Theis, s. v. Makedonien, RBK, 983–1220.

E. Christophilopoulou, Byzantini Makedonia, in: Byzantina 12, 1983, 10–63 • Διεθνές Συμπόσιο Βυζαντινή Μακεδονία (324–1480 μ.Χ.), Θεσσαλονίκη 29–31. Okt. 1992, 1995 • B. Filow, Die Teilung des aurelianischen Dakiens, in: Klio 12, 1912, 234–239 • Th. Mommsen, Verzeichnis der röm. Prov. angesetzt um 297, in: Ders., Gesammelte Schriften 5, 1908, 561–588 • P. Soustal, s. v. M., LMA 6, 152–154 (mit Lit.). L.D.

## VI. Archäologie

A. Spätbronze- bis geometrische Zeit
B. Archaische bis römische Zeit

### A. Spätbronze- bis geometrische Zeit

Die Kultur der Bewohner von M. ist von der späten Bronze- bis zur frühen Eisenzeit eine wechselnde Kombination von myk. bis geometr. Elementen des Südens mit balkanischen des Nordens.

M. gehörte in der 2. H. des 2. Jt. v. Chr. ebenso wie → Epeiros nicht zur Zone der myk. Palaststaaten. Die Menschen wohnten zumeist auf künstlichen Siedlungshügeln (Toumben), die durch kontinuierliche Besiedlung z. T. seit dem Neolithikum entstanden waren. Zu den größten unter ihnen zählen die Toumba von → Thessalonike mit einer Basisfläche von 1,3 ha und Hagios Mamas mit 1,5 ha, wobei aber die in der Spätbrz. besiedelten Flächen erheblich kleiner waren. Somit handelte es sich um kleinere Siedlungen im Vergleich zu den südgriech. Burgen von → Tiryns (2 ha) und → Mykene (3 ha; vgl. auch die Siedlungsfläche rund um die Burgen/Paläste: → Pylos 12,4 ha, Tiryns 25 ha). Auf manchen maked. Toumben (Thessalonike und Assiros) konnten umfangreiche Terrassierungs- und z. T. auch Befestigungsmaßnahmen nachgewiesen werden.

Die Ökonomie der maked. Spätbrz. unterschied sich während des 14. und 13. Jh. v. Chr. ganz grundlegend von der zentralisierten redistributiven Palastwirtschaft (→ Minoische Kultur und Archäologie) des myk. Südens. Hinweise auf Paläste und eine staatliche Bürokratie mit Schriftverwendung fehlen für M. völlig. Gemeinschaftliche Vorratshaltung betrieb man zwar u. a. auf den Toumben von Assiros und Thessalonike, aber jeweils nicht für eine große Region. Angebaut wurden v. a. Gerste, Emmer und Einkorn, Hirse, eine Anzahl von Hülsenfrüchten sowie Lein und Mohn. Wein hat man kultiviert, die Olive jedoch nicht. Tierische Nahrungsmittel lieferten Rind, Schaf und Ziege sowie das Schwein in etwa gleichem Maße. Zur Zeit der myk. Palaststaaten (→ Mykenische Kultur und Archäologie) trat durch Übernutzung der pflanzlichen (Einkornmonokulturen) und tierischen Ressourcen eine ökologische und ökonomische Krisensituation ein, die nur langsam überwunden wurde (Kastanas).

Schon vor der Mitte des 2. Jt. v. Chr. bestanden Austauschkontakte von der Peloponnes nach M.: minyische Keramik in Hagios Mamas, ein Ring aus Golddraht in Kastanas, frühmyk. Keramik in → Torone einerseits, Beigaben in den Schachtgräbern von Mykene aus Silber von der Chalkidike andererseits. Diese Südkontakte führten in M. schnell zur Übernahme der Lehmziegelarchitektur sowie spätestens ab E. des 14. Jh. zu einer lokalen Produktion myk. Drehscheibenkeramik (geringe Mengen gegenüber den unbemalten, ritzverzierten, inkrustierten oder mattbemalten handgemachten Waren).

Die Toten wurden in der Brz. in West- und Nord-M. in Kistengräbern bestattet, in Kastri auf → Thasos dagegen in niedrigen Grabbauten für Mehrfachbestattungen und im Norden von Ost-M. in Tumuli (→ Tumulus). Spuren myk. Rel. sind spärlich: eine anthropomorphe Terrakottafigur aus Ano Komi/Kosani und Terrakottatierfigurinen aus Hagios Mamas.

Der Übergang zur Eisenzeit am E. des 2. Jt. v. Chr. ist durch eine starke Regionalisierung mit je unterschiedlich intensiven Kontakten zum Balkan und zur Südägäis gekennzeichnet. In Kastanas wechselten sich z. B. südl. wirkende Lehmziegel- mit balkanisch erscheinenden Holzbauphasen ab. Charakteristisch für die Eisenzeit sind die oft am Fuße brz. Toumben entstandenen großen Flachsiedlungen (*tables*): z. B. Axiochori, Anchialos, Thessalonike.

Die Speisegewohnheiten änderten sich, die agrarische Krise der Spätbrz. war überwunden. Rinder wurden wichtiger als Schweine, Schafe und Ziegen; man betrieb nun auch Gartenbau (Kastanas). Protogeom. Keramik löste die Keramik myk. Stils nur langsam ab. Eine früheisenzeitliche Innovation war die sog. Graue (Drehscheiben-)Ware.

Soziale Ungleichheit belegen die qualitativ wie quantitativ sehr unterschiedlich mit Br.-Schmuck bzw. Eisenwaffen und -geräten ausgestatteten Gräber in den Tumuli von Vergina. Während es sich dort ganz über-

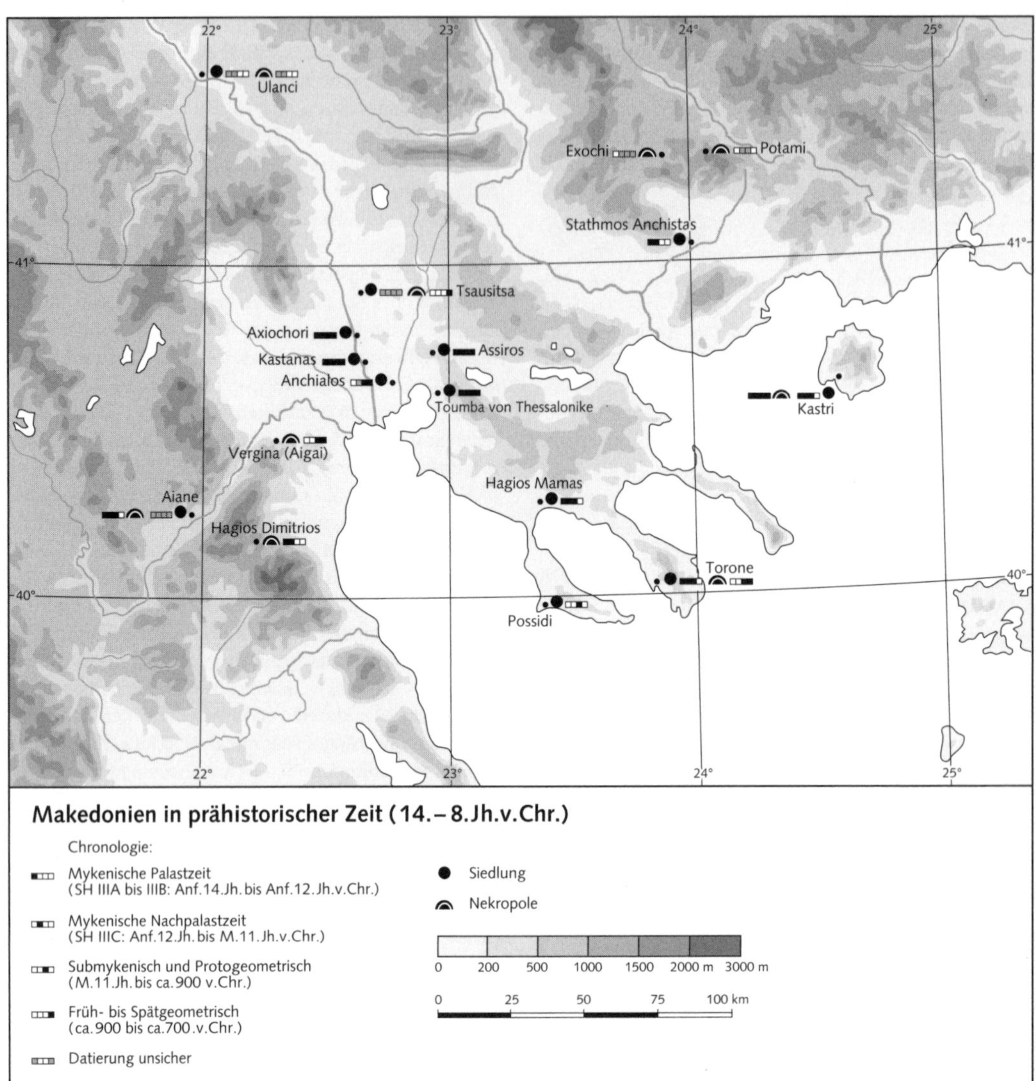

**Makedonien in prähistorischer Zeit (14.–8.Jh.v.Chr.)**

wiegend um Skelettgräber handelte, ebenso wie in Tsausitsa und auch in den eisenzeitl. Grabbauten von Kastri auf Thasos, dominierten in der Nekropole von Torone die Brandbestattungen. Vom breit fließenden Axios, aus Amydon (= Axiochori), kommen in der ›Ilias‹ die → Paionen, die unter → Pyraichmes und → Asteropaios auf der Seite der Troianer kämpfen (Hom. Il. 2,848–850; 16,287–288; 21,140ff.).

St. Andreou, M. Fotiadis, K. Kotsakis, Review of Aegean Prehistory V: The Neolithic and Bronze Age of Northern Greece, in: AJA 100, 1996, 537–597 • M. Andronikos, Βεργίνα. Τὸ νεκροταφεῖον τῶν τύμβων, 1969 • W. A. Heurtley, Prehistoric Macedonia, 1939 • B. Hänsel (Hrsg.), Kastanas: Ausgrabungen in einem Siedlungshügel der Bronze- und Eisenzeit Makedoniens, 1975–1979, 6 Bde. in der Reihe Prähistor. Arch. in Südosteuropa (PAS), 1983–1989 • Ch. Koukouli-Chryssanthaki, Προϊστορική Θάσος. Τα νεκροταφεία του οικισμού Καστρί. Δημοσιεύματα του αρχαιολογικού Δελτίου (Beiheft zu AD) 45, 1992 • D. Mitrevski, Protoistoriskite zaednici vo Makedonija, 1997 • J. K. Papadopoulos, Euboians in Macedonia? A Closer Look, in: Oxford Journal of Archaeology 15, 1996, 151–181 • K. Rhomiopoulou, I. Kilian-Dirlmeier, Neue Funde aus der eisenzeitl. Hügelnekropole von Vergina, Griech. Makedonien, in: PrZ 64, 1989, 86–151 • Z. A. Stos-Gale, C. F. Macdonald, Sources of Metals and Trade in the Bronze Age Aegean, in: N. H. Gale (Hrsg.), Bronze Age Trade in the Mediterranean. Papers Presented at the Conference Held at Oxford in Dec. 1989 (Stud. in Mediterranean Archaeology 90), 1991, 249–288 • K. A. Wardle, Mycenaean Trade and Influence in Northern Greece, in: C. Zerner u. a. (Hrsg.), Proc. of the International Conference Wace and Blegen. Pottery ... 1939–1989, 1993, 117–141.

R.J.

B. Archaische bis römische Zeit

Die noch spärlichen arch. Zeugnisse stammen vorwiegend aus Zentral- und Ost-M., darunter Wohnbauten mit steinernem Sockel und Holzwänden sowie Lehmziegelbauten (Axiochori), später auch Apsidenhäuser (Assiros). Wichtigste Informationen liefern die Nekropolen (z. B. Hagios Dimitrios, Sykia und Torone); sie zeigen Grabhügel (→ Tumulus) als charakteristische Grabform, Körper- und Brandbestattungen mit zahlreichen Grabbeigaben. Einflüsse lassen sich aus dem Süden Griechenlands sowie Zentraleuropa und dem Balkan nachweisen. In der Keramik zeigt sich eine Fortsetzung der brz. Trad. Parallel dazu werden neue Keramiksorten eingeführt: Schwarzgefärbte Keramik mit kannelierter Verzierung, graue Drehscheibenkeramik mit waagerechten Kanneluren, Mattkeramik hauptsächlich aus West-M. sowie protogeom. Keramik, die bis ins 6. Jh. v. Chr. reicht. Waffen, v. a. Schwerter, sind meistens aus Eisen, der Schmuck dagegen vorwiegend aus Bronze: Halsringe, Bogen- und Brillenfibeln, Gürtelschmuck, Armbänder und Anhänger. Viele Schmuckformen bleiben im Gebrauch bis in das 5. Jh. v. Chr. Die Siedlungen liegen in archa. und frühklass. Zeit zumeist auf Hügeln, wie z. B. → Aigai [1] (h. Vergina) und → Aiane. Spätere Städte wie → Pella bevorzugen flachere Areale, damit Gebäude, Plätze und Heiligtümer in einer Ebene liegen können.

Erst in klass. Zeit gewann M. eine immer stärker werdende kulturelle Eigenständigkeit. Im 4. Jh. v. Chr. war es in Metallverarbeitung (→ Metallurgie) und → Waffen-Herstellung, aber auch auf dem Gebiet der → Wandmalerei und → Mosaiktechnik eine – durch Adaption vorwiegend der att. Kunst – führende Landschaft.

Die wichtigste Bestattungsform war in M. das Kammergrab [1]. Es besteht in der Regel aus Vor- und Hauptraum; die Decke wird durch echte → Gewölbe gebildet. Die frühesten Beispiele stammen aus der 2. H. des 4. Jh. v. Chr. und finden sich in Vergina. Die in M. entwickelte → Grabmalerei war im südl. Griechenland unbekannt. Bei reicheren Kammergräbern sind sowohl die Innenräume als auch die Fassaden ausgemalt. Die Grabbeigaben bestanden aus Edelmetall- und Metallgefäßen, Goldkränzen, Elfenbeinarbeiten und → Purpurgewändern.

Vergina, dessen Identifizierung mit dem alten maked. Königssitz → Aigai [1] als gesichert gelten kann, war von etwa 1000 v. Chr. bis in die röm. Kaiserzeit wohl ununterbrochen besiedelt. Die bislang erforschten baulichen Reste der Stadtsiedlung gehören allerdings frühestens dem 3. Jh. v. Chr. an. Im SO des h. Dorfes fanden sich die Ruinen eines zweigeschossigen Palastes wohl aus dem 3. Jh. Um seinen Peristylhof von 45 m auf 45 m liegen Speisezimmer und andere Repräsentationsräume, deren Mosaikböden z. T. noch erh. sind. In der Nähe des Palastes befinden sich Reste eines kleinen Tempels und eines nicht sehr großen Theaters. Ein Hügelgräberfeld mit über 300 Tumuli bildet die Nekropole der Zeit zw. 1000 und 700 v. Chr. Aus dem 4. und 3. Jh. v. Chr. sind zahlreiche Kammergräber belegt, darunter das zweikammrige sog. Philippsgrab (Abb. s. → Grabbauten) von 9,5 m auf 4,5 m. Im Grab wurden zwei goldene Larnakes (→ Sarkophage; → Urna) entdeckt. Die größere der beiden enthielt verm. die Skelettreste Philippos' II. von M. (dazu [2]). Neben der Larnax lag ein großer Eichenkranz aus Gold. In der zweiten, kleineren Larnax fand man das verbrannte und in Brokatstoff gehüllte Skelett einer Frau sowie ein feines, goldenes Diadem. Zahlreiche Grabbeigaben aus Gold, Silber, Eisen und Bronze lagen in beiden Räumen des Grabes, ferner prächtige Elfenbeingegenstände: ein Prunkschild, verziert mit Glas- und Goldplättchen, sowie Elfenbeinköpfe und -reliefs, die Holzklinen verzierten. Das sog. Philippsgrab lag zusammen mit dem sog. Persephonegrab, das nur aus einer flach gedeckten Kammer ohne Tür bestand, und dem sog. Prinzengrab, einer Doppelkammeranlage mit gewölbtem Dach, unter einem großen Grabhügel von über 110 m Dm und 20 m H.

→ Pella wurde gegen 410 v. Chr. am Nordrand der maked. Tiefebene gegründet und löste sehr bald Aigai als Hauptstadt des maked. Reiches ab. Eine große Agora von 250 m × 200 m lag inmitten eines rechtwinkligen Straßenrasters mit reich ausgestatteten Wohnhäusern, Heiligtümern und Brunnen. In den Häusern freigelegte Fußbodenmosaike mit großer Themenvielfalt bestehen aus schwarzen, weißen und farbigen Naturkieseln [3]. Einige Häuser besaßen bemalte Wände. Die älteste Bauphase eines großen Palastkomplexes im Norden der Stadt datiert in die Zeit Philippos' II. Bautätigkeit ist in Pella noch bis zum Anf. des 1. Jh. v. Chr. nachweisbar. Im 2. Jh. n. Chr. wurde die Stadt aufgegeben (→ Thessalonike).

→ Dion [II 2], am Fuß des Olymp gelegen, bildete die südlichste Stadt des maked. Reiches und war Sitz des bedeutendsten Heiligtums der M. Neuere Grabungen legten große Teile der gut erh. Stadtmauer, ein hell. und röm. Theater, ein Stadion, mehrere Heiligtümer und Reste der Wasserversorgung frei. Außerhalb der Stadt wurden mehrere Gräber makedon. Typs gefunden.

→ Aiane liegt in Zentral-M. sö von Kozani auf einem Hügel. Mehrere freigelegte große öffentl. Gebäude, eine Agora, eine Zisterne und eine Vielzahl rf. Scherben legen nahe, daß Aiane schon vor der Mitte des 5. Jh. v. Chr. eine bed. Stadt war. Wegen systematischer Zerstörung bzw. Steinraub nach Aufgabe der Siedlung im 1. Jh. v. Chr. sind bes. auf dem obersten Plateau nur noch geringe Mauerreste vorhanden. Um den Siedlungshügel liegen ausgedehnte Nekropolen und Gräbergruppen. Die Gräber sind teilweise von Umfassungsmauern umgeben. In den drei größten Gräbern fanden sich Belege für die Ausübung von Totenkult.

Lefkadia (ant. → Mieza) ist neben → Beroia eine der bedeutendsten Siedlungen am Westrand der maked. Tiefebene, die noch in röm. Zeit eine beschränkte Verwaltungsautonomie besaß. Die erh. Gebäudereste stammen aus hell. Zeit. Das Theater des 2. Jh. v. Chr. verfügte verm. über 1500–2000 Sitze. Ein Gebäude wurde als das Nymphaion (→ Nymphaeum) der Schule des Aristoteles identifiziert. In der Umgebung von Lefkadia wurden sechs maked. Kammergräber aus hell. Zeit mit teilweise gut erh. Malereien innen und außen entdeckt. Das gesamte Siedlungsgebiet zeigt eine Kontinuität von der späten Brz. bis in röm. Zeit.

Bei Derveni, nö von Thessalonike, liegt eine maked. Nekropole des 4. und 3. Jh. v. Chr. Brand- und Körperbestattungen treten in Kammer-, Kisten-, und Grubengräbern offensichtlich gleichzeitig auf. Die Innenwände der Kisten- und Kammergräber waren in üblicher Manier stuckiert und in Freskotechnik ausgemalt. Bes. bekannt ist der gegen 300 v. Chr. angelegte Grabhügel B, der an Beigaben u. a. ein mehrteiliges Silbergeschirr, ein br. Weinmischgefäß, überreich mit plastischen Figuren und Reliefs verziert (der sog. Krater von Derveni), und den einzigen bis h. in Griechenland gefundenen (1964) Papyrus der klass. Zeit (4. Jh. v. Chr.) mit einem Komm. zur Orphischen Lehre (→ Orphik) enthielt (sog. Derveni-Papyrus).

Sindos ist bis h. nur durch seine Nekropole bekannt. Die meisten der über hundert Gräber sind in die archa. bis frühklass. Zeit zu datieren. Einige Grabanlagen gehören aber noch in das letzte Viertel des 5. Jh. v. Chr. Stein- und Holzsarkophage sowie Kisten- und einfache Erdgräber dienten ausnahmslos für Einzelbestattungen: Die Männer wurden mit dem Kopf nach Westen, die Frauen mit dem Kopf nach Osten gelagert beigesetzt. Auffällige Grabbeigaben sind goldene Masken und eiserne Miniaturnachbildungen von Möbeln und Wagen. In späterer Zeit wurde das Areal nicht mehr als Nekropole genutzt: Es fanden sich keramische Werkstätten mit vier Öfen des 4. Jh. v. Chr.

Mit der Anlage der *via Egnatia* am E. des 2. Jh. v. Chr. zeigt sich zunehmende Prosperität der maked. Städte im Hinblick auf Bevölkerungszuwachs und Wirtschaftswachstum. Die Hauptstadt der röm. Prov. M., → Thessalonike, wurde in große Insulae unterteilt, mit einem Forum versehen und einer Stadtmauer befestigt. Während der 2. Tetrarchie (305–306 n. Chr.) kam es zu erneuter Blüte: Thessalonike wurde Residenz des Tetrarchen Galerius [5] (Palast, Ehrenbogen für seinen Persersieg 297 n. Chr., Mausoleum, Erweiterung der Mauer, Hippodrom, Prachtstraßen). Typisch für die Kunst der Zeit: Porträts von Würdenträgern bei Grab- und Ehrendenkmälern. Ähnliche Stadtbilder zeigen noch → Dion, → Beroia (Grab- und Ehrendenkmäler, Villen mit Fußbodenmosaiken sowie zahlreiche Inschr.).

→ Philippoi erhielt das nach 42 v. Chr. (nach Octavians Erhebung zum → Augustus) Koloniestatus (Colonia Augusta Iulia Philippensium). Aus dieser Zeit ist Münzprägung belegt, und gibt es prächtige Bauten: Forum und Verwaltungsgebäude, Thermen, Gymnasium, Theater am Burgberg und Villen. Gegen Ende der röm. Herrschaft weisen Heiligtümer und Inschr. auf die Verbreitung oriental. und ägypt. Mysterienkulte (z. B. Mithras) hin. Das Christentum läßt sich verhältnismäßig früh nachweisen. 49 n. Chr. besuchte der Apostel → Paulus die Stadt. Am ant. Heroengrab aus hell. Zeit entstand der erste christl. Bau, der dem Apostel Paulus geweiht war. Im 6. Jh. n. Chr. wurde die große Basilika errichtet. Durch Erdbeben im 6./7. Jh. und Barbareneinfälle im 8. Jh. n. Chr. verlor die Stadt an Bedeutung.

→ MAKEDONIEN

1 B. GOSSEL, Maked. Kammergräber, Diss. 1980 2 N. G. L. HAMMOND, The Royal Tombs at Vergina: Evolution and Identities, BSA 86, 1991, 69–82 3 D. SALZMANN, Unt. zu den ant. Kieselmosaiken, 1982.

ALLGEMEIN: M. HATZOPOULOS, L. LOUKOPOULOS (Hrsg.), Philipp von M., 1980 • LAUFFER, Griechenland • I. VOKOTOPOULOU (Hrsg.), Makedonen. Die Griechen des Nordens, 1994.

VERGINA (AIGAI): M. ANDRONICOS, Vergina. The Royal Tombs and the Ancient City, 1984 • A. PEKRIDOU-GORECKI, Zum Fries des sog. Philippsgrab in Vergina, in: F. BLAKOLMER u. a. (Hrsg.), Fremde Zeiten. FS J. Borchhardt, Bd. 2, 1996, 89–103.

PELLA: PH. PETSAS, Pella. Alexander the Great's Capital, 1978.

DION: D. PANDERMALIS, Ανασκαφή Δίου, in: Το αρχαιολογικό έργο στη Μακεδονία και Θράκη 5, 1991, 137–144.

AIANE: K. SIAMOPOULOS, Αιανή. Ιστορία – Τοπογραφία – Αρχαιολογία, 1974.

LEFKADIA (MIEZA): K. RHOMIOPOULOU, Lefkadia. Ancient Mieza, 1997.

DERVENI: P. THEMELIS, G. TOURATSOGLOU, Οι τάφοι τού Δερβενίου, 1997.

SINDOS: I. VOKOTOPOULOU u. a., Σίνδος. Κατάλογος της έκθεσης, 1985.

H. v. M.

**Makedonianer.** Zunächst Bezeichung für die um Bischof Makedonios von Konstantinopel († vor 364 n. Chr.) Mitte des 4. Jh. gesammelten arianischen Gruppierungen (→ Arianismus). Später geht der Name über auf die → *pneumatomáchoi*, d. h. all jene, auch Nichtarianer, die die Gottheit des Hl. Geistes bestreiten. Der Namensgeber wurde – zunächst in ständiger Konkurrenz zum mehrfach exilierten nizänischen Bischof Paulos – 342 Bischof von Konstantinopel. Nach Paulos' endgültiger Vertreibung (351) alleiniger Bischof, unterstützte Makedonios die arianische Kirchenpartei der Homöusianer (Kernaussage: ὅμοιος κατ' οὐσίαν/ *hómoios kat'usían*, »der Sohn ist dem Vater wesensähnlich«), auf deren Seite er an der Synode von Seleukeia (359) teilnahm. Kurz darauf setzte ihn im J. 360 eine in Konstantinopel tagende Synode ab. Die Quellen geben nur vage Auskunft über die Verwendung der Bezeichnung M. Demnach dürfte sie zunächst für die nach der Absetzung des Makedonios in Konstantinopel und der näheren Umgebung verbleibenden Parteigänger homöusianischer Prägung verwendet worden sein. Erstmals im Westen (*Tomus Damasi* [1]; vgl. Hier. chron. ad ann. 342) greifbar, werden ab 380 (so [3. 41; 2. 237]; für 383 plädiert mit Cod. Theod. 16,5,11 [4. 1073]) auch die Pneumatomachen M. gen., und der ältere Name wird zusehends verdrängt. Den Hintergrund bilden wohl die bereits um 360 im Kreis um Makedonios vorhandenen pneumatomachischen Vorstellungen [2. 238].

1 EOMIA 1, 285 2 W.-D. HAUSCHILD, Die Pneumatomachen, Diss. Hamburg 1967, 236–239
3 F. LOOFS, s. v. Macedonius und die Macedonianer, Realencyclopädie für protestantische Theologie und Kirche 12, ³1903 (Ndr. 1971), 41–48 4 P. MEINHOLD, s. v. Pneumatomachoi, RE 21, 1066–1101, bes. 1067–1078
5 W. TELFER, Paul of Constantinople, in: Harvard Theological Rev. 43, 1950, 31–92. J.RI.

**Makedonios** (Μακεδόνιος).

**[1]** Dichter eines inschr. (1. Jh. v. Chr.) in Delphi überlieferten → Paians an Apollon und Asklepios, Abfassung vielleicht schon um 300 v. Chr. [1; 2], in daktylischem Metrum [3]. Wohl nicht identisch mit M. [2] (so noch [4]). Inhalt und Aufbau des Paians erfolgen in engem Anschluß an den → Erythräischen Paian und → Isyllos; vgl. → Ariphron.

1 W. PEEK, Att. Versinschr. (Abh. der Sächs. Akad. der Wiss. Leipzig, Philol.-histor. Klasse 69/2), 1980, 45 f. (Text)
2 L. KÄPPEL, Paian, 1992, 200–206, 383 f. (Text, Übers., Interpretation, Lit.) 3 M. WEST, Greek Metre, 1982, 141
4 U. v. WILAMOWITZ-MOELLENDORFF, Griech. Verskunst, 1921, 133 Anm. 1. L.K.

**[2]** M. von Thessalonike. Epigrammatiker des »Kranzes« des Philippos, von dem drei Gedichte erh. sind: Das Ethnikon wird nur im Lemma des scharfen und bissigen Epigramms Anth. Pal. 11,39 genannt; dies könnte also nahelegen, daß es sich um einen anderen Dichter als den Verf. der farblosen Epigramme 9,275 und 11,27 handelt. Die Gleichsetzung mit dem homonymen M. [1] (Coll. Alex. 138–140 = Paian 41 KÄPPEL) bleibt jedoch eine Hypothese, die sich auf die Seltenheit des Namens M. in der Zeit des → Philippos von Thessalonike (1. Jh. n. Chr.) gründet.

1 L. KÄPPEL, Paian, 1992 2 GA II.1, 286 f.; 2,317–319.

**[3]** Hoher Beamter am kaiserlichen Hof, Honorarkonsul (*cos. honorarius*), vielleicht gleichzusetzen mit einem *curator dominicae domus* des J. 531 n. Chr. Eleganter Epigrammatiker, stand wahrscheinlich mit → Paulos Silentiarios, der in Anth. Pal. 7,604 eine Zwölfjährige (dem Lemma zufolge die Tochter des Paulos) namens Makedonia erwähnt, in Verbindung. Erh. sind insgesamt 41 Gedichte im »Kyklos« des Agathias: Weihe- und Liebesepigramme, dazu epideiktische, protreptische, sympotische und satirische. Das Grabepigramm kennt M. nicht: Anth. Pal. 7,566 ist nur eine düstere Reflexion über die *conditio humana*. Die Liebe wird besungen unter Heranziehung traditioneller Themen des hell., bes. des meleagrischen Epigramms (abgesehen von dem der Knabenliebe): die Unbeständigkeit der Frau (Anth. Pal. 5,247: Die Protagonistin des Gedichts trägt den antiphrastischen Namen *Parmenís*, »Beständigkeit«), Pfeile und Wunden (5,224: ein nüchternes Einzeldistichon, mit dem M., der normalerweise sechs, acht oder zehn Verse schreibt, Eros anfleht, nicht mehr auf ihn zu schießen; 5,225, dessen erster Vers zum Sprichwort wurde, vgl. Apostolius, Coll. paroemiorum 7,3), die entstellende Wirkung des Alters (5,271, doch in 5,227 behauptet er nachdrücklich, daß er als Liebhaber die »Ranke von Falten« der Geliebten ertragen wird, vgl. Paulos Silentiarios, Anth. Pal. 5,258).

Unverkennbar ist der Einfluß des Leonidas [3] von Tarent in den Weihepigrammen, des Palladas in den gnomisch-satirischen (vgl. Anth. Pal. 10,71; 11,375), des Nonnos und v. a. des Homer (der zuweilen erwähnt wird, vgl. Anth. Pal. 9,625; 11,380), bes. in den sympotischen Gedichten. M. handhabt die *imitatio* (zusammen mit myth. Bildungsgut ein grundlegender Bestandteil des Epigramms iustinianischer Zeit, vgl. → Epigramm I. G.) mit raffinierter Meisterschaft, ist Neologismen nicht abgeneigt und läßt seinen Geist zuweilen geradezu aufblitzen (vgl. auch Anth. Pal. 11,58; 11, 366).

J. A. MADDEN, Macedonius Consul. The Epigrams, 1995 (Ed., engl. Übers., Komm.) • Av. und A. CAMERON, The Cycle of Agathias, in: JHS 86, 1966, 17 • B. BALDWIN, The Fate of Macedonius Consul, in: Eranos 79, 1981, 145–146 • I. G. GALLI CALDERINI, Tradizione e struttura retorica negli epigrammi di Macedonio Console, in: Koinonia 9, 1985, 53–66. M.G.A./Ü: T.H.

**Makedonisch.** Über Charakter und Herkunft des M. (μακεδονίζειν »maked. sprechen«, μακεδονιστί »auf maked.«) ist ein zuverlässiges Urteil kaum möglich, da es sich um eine Trümmersprache handelt. Trotz einiger weniger erst jüngst gefundener Inschr., die möglicherweise auf maked. abgefaßt sind (u. a. eine → *defixio* aus Pella, 4. Jh. v. Chr.), bleiben wir vorerst ganz auf das uns v. a. durch griech. Lexikographen und Historiker überkommene Wortgut angewiesen, darunter knapp 140 als M. bezeichnete oder nur als solche in Anspruch genommene Glossen, die z. T. der Sammlung des → Amerias entstammen, dazu auf Namen von Personen mit maked. Herkunft sowie Toponyme und Hydronyme aus dem ant. Makedonien.

Das maked. Sprachgut läßt sich *grosso modo* in zwei Gruppen sondern: Deren erste umfaßt Wörter und Namen, die – wenngleich in Lautgestalt, Wortbildung oder Bed. mehr oder minder stark abweichend – Gegenstükke im Griech. haben, z. B. maked. σαυτορία »Rettung«, entsprechend griech. σωτηρία; maked. ἰνδέα »Mittag«, vgl. griech. ἔνδιος »mittäglich«; maked. ἀκρουνοί »Grenzsteine«, vgl. griech. ἄκρον »Spitze, Ende«; maked. ἀργίπους »Adler«, vgl. griech. homer. ἀργίπους »schnellfüßig«; maked. νικάτωρ »Sieger« als hell. Herrschertitel, im Pl. als Ehrenbezeichnung der königlichen maked. Leibgarde (Akk. *nicatoras*, Liv. 43,19,11), vgl. griech. νικητήρ; dazu mittels des Griech. deutbare Namen, z. B. PN maked. Ἀλέξανδρος (schon myk. fem. *a-re-ka-sa-da-ra*), maked. Πτολεμαῖος (schon homer.), ON maked. Εἰδομένη und der Flußname maked. Ἀλιάκμων.

Gewiß enthält diese Gruppe auch Lw. aus dem Griech., doch sind deren nur zwei Schichten faßbar, eine relativ junge, zu der z. B. mil. t.t. wie ἑταῖροι »Angehörige der königlichen Kavalleriegarde« gehören, und eine andere mit nur oberflächlich makedonisierten griech. Namen wie PN maked. Βίλιππος für griech. Φίλιππος, maked. Βερενίκα für griech. Φερενίκη; ON maked. Βέροια für griech. Φέροια. Dabei fällt eine schon in der Ant. bemerkte phonetische Eigenheit des M. auf: maked. β δ γ, wahrscheinlich [b d g], entsprechen griech. φ θ χ [$p^h$ $t^h$ $k^h$], zeigen also gegenüber dem Griech. Stimmhaftigkeit und Fehlen der Aspiration, z. B. maked. κεβαλά, κεβαλή »Kopf«, entsprechend griech. κεφαλή; maked. ἀδῆ »Himmel«, entsprechend griech. αἰθήρ.

Zu einer zweiten Gruppe zählen Wörter und Namen, die nichtgriech. Aussehen zeigen, teils Anknüpfungen in anderen idg. Sprachen haben mögen, so vielleicht ἀβροῦτες »Augenbrauen«, mit *-t*-Erweiterung entsprechend jungavestisch *bruuaṯ.biiąm* (Dat. Du.) »Augenbrauen« (falls nicht aus ἀβροῦϝες verderbt und dann in die erste Gruppe gehörig), teils einen nichtidg. Eindruck machen, z. B. ἄβαγνα »Rosen«; βαβρήν »Bodensatz des Olivenöls«.

Dementsprechend gehen die Ansichten über die genetische Zuordnung des M. erheblich auseinander, doch ist unbestritten, daß es eine Sprache idg. Herkunft ist. Sofern es nicht als selbständige idg. Sprache erachtet wird, wird ein Anschluß des M. an eine seiner Nachbarsprachen gesucht, so an das Illyrische oder das Thrakische (die freilich ebenso unzureichend bekannt sind wie das M. selbst) oder – häufiger – an das → Griechische, dies in dem Sinne, daß es entweder als dem Griech. nahestehend bzw. als dessen Schwestersprache betrachtet wird oder daß in ihm ein griech. Dial. *sui generis* gesehen wird, dessen Beziehungen zu anderen griech. Dial. dann wiederum unterschiedlich beurteilt werden (Thessalisch, nordwestgriech. Dial. u. a.). Das vorherrschend griech. Gepräge des maked. PN- und Wortschatzes kann wohl für einen ›altertümlichen, dem der griech. »Gebirgsstämme« nahestehenden griech. Dial.‹ sprechen, ›der, früh abgesondert, durch die fremde Umgebung und Unterschicht wichtige fremde Züge erhielt‹ [5. 70]. Die nichtgriech. Bestandteile des maked. Wortgutes wären dann möglicherweise den Adstrat- bzw. Substratsprachen (Illyrisch, Thrakisch u. a.) zuzuschreiben, mit denen das M., zumal bei seinem Vordringen in neue Gebiete, in Kontakt kam.

Zweifellos wurde das M. in einem langwährenden Prozeß, der zunächst die Oberschicht erfaßte, immer stärker hellenisiert, bis es schließlich ganz vom Griech. abgelöst wurde und damit ausstarb. Wann dies geschah, ist nicht zu ermitteln. Mit dem h. M., das mit dem Bulgar. zur östl. Gruppe der südslav. Sprachen zählt, steht das ant. M. in keinerlei Beziehung.

→ Balkanhalbinsel, Sprachen (mit Karte); Griechisch (I. B.)

1 C. Brixhe, A. Panayotou, Le macédonien, in: F. Bader, Langues indo-européennes, 1994, 205–220
2 O. Hoffmann, Die Makedonen, ihre Sprache und ihr Volkstum, 1906 3 J. N. Kalléris, Les anciens Macédoniens. Ét. linguistique et historique, Bd. 1, 1954; Bd. 2,1, 1976
4 R. Katičić, Ancient Languages of the Balkans, Bd. 1, 1976, 100–116 5 Schwyzer, Gramm., 69–71. C. H.

**Makedonische Dynastie.** Byz. Herrscherhaus 867–1056 n. Chr., begründet von dem aus der Provinz (*théma*) Makedonien stammenden → Basileios [5] I. durch Ermordung Michaels III. (→ Amorische Dynastie). Auf Basileios folgten 886 dessen zweiter Sohn Leo [9] VI. (bis 912) sowie dessen Bruder Alexandros [20] (bis 913), dann Leos Sohn Constantinus [9] VII. (913–959; geb. 905), an dessen Stelle zunächst wechselnde Regenten und ab 920 sein Schwiegervater Romanos I. herrschten; erst ab Januar 945 regierte Constantinus selbständig. Sein Sohn Romanos II. hinterließ bei seinem frühen Tod (963) Basileios [6] II. als minderjährigen Nachfolger, für den bis 976 zwei Kaiser aus anderen Familien, Nikephoros II. und Iohannes [35] I., regierten. Als Basileios 1025 kinderlos starb, folgte ihm sein Bruder Constantinus [10] VIII. bis 1028. Mit diesem erlosch die männliche Linie der Dyn. Constantinus' Tochter und Erbin → Zoe, die 1050 kinderlos starb, überließ nacheinander ihrem ersten und zweiten Gatten Romanos III. und Michael IV., dann ihrem Adoptivsohn Michael V. und schließlich ihrem dritten Gatten Constantinus [11] IX. (1042–1055) die Herrschaft. Diesem folgte auf dem Thron → Theodora, Zoes jüngere Schwester, mit deren Tod 1056 die Dyn. endete.

Die frühen Makedonenkaiser trugen zur Neuorganisation des byz. Staates durch Straffung der Verwaltung, Reform des Rechtssystems und Ausbau der Armee, aber auch durch Förderung der Kultur, unter Rückgriff auf spätant. Traditionen, erheblich bei. Für die bildende Kunst wurde der umstrittene Begriff → »Makedonische Renaissance« geprägt, der sich auf die Schriftkultur nur unter Einbeziehung der wichtigen Neuansätze vor und während der Amorischen Dyn. übertragen läßt. Außenpolitisch verzeichnete die Dyn. (einschließlich der »Interimskaiser«) große Erfolge, v. a. in Kriegen mit den → Arabern und den seit 864 christianisierten Bulgaren (→ Bulgaroi). Im Inneren suchten die Makedonenkaiser im 10. Jh., auf die Dauer vergeblich, die wachsende Ausbreitung des → Großgrundbesitzes einzudämmen. Diese war eine der Ursachen für den Machtverlust der Reichszentrale Konstantinopolis im 11. Jh., durch den aber ein erneutes Aufblühen von Kultur, Handel und Gewerbe eher gefördert als behindert wurde.

→ Konstantinopolis; Makedonische Renaissance

ODB 2, 1262 f. • P. Schreiner, Byzanz, [1]1986, [2]1994. F. T.

**Makedonische Kriege.** Bezeichnung für die drei Kriege zw. Rom und den maked. Königen → Philippos V. (215–205 und 200–197 v. Chr.) und → Perseus (171–168).

A. Der 1. Makedonische Krieg

Der Ursprung des 1. M.K. liegt in konkurrierenden Interessen beider Mächte an der adriatisch-illyrischen Küste. 229/8 führte Rom gegen das illyr. Reich der Königin → Teuta zur Unterdrückung der Seeräuberplage (→ Seeraub) erfolgreich Krieg und begründete freundschaftliche Beziehungen mit Städten, Stämmen und Dynasten dieses Raumes. 219 geriet Rom mit einem dieser Dynasten, Demetrios von Pharos, in Konflikt und vertrieb ihn, 217 versuchte → Philippos V., ihn im Zuge seiner auf Gewinnung der illyr. Adriaküste gerichteten Politik zurückzuführen, doch wich Philipp vor einer drohenden röm. Flottenintervention 216 zurück. Unmittelbarer Anlaß zum 1. M.K. war das 215 geschlossene Kooperationsabkommen zw. → Hannibal [4] und Philipp (StV III 528). Rom versuchte, die adriatische Gegenküste Italiens durch Stationierung eines Flottengeschwaders in Orikos zu kontrollieren, und schloß nach der Einnahme von Lissos durch Philipp 212 oder 211 ein Bündnis mit dem Aitolischen Bund (StV III 536; s. → Aitoloi, mit Karte), der zusammen mit Sparta, Elis und Messenien bereits in einen Krieg mit Philipp verwickelt war. Nachdem Aitolien vertragswidrig 206 aus dem Krieg ausgeschieden war, brach auch Rom den Krieg ab und schloß den Frieden von Phoinike (StV III 543: Sommer 205) auf der Grundlage des Status quo (demzufolge verblieb das Gebiet der illyr. Atintanen im maked. Einflußbereich), um alle Kräfte auf den Endkampf gegen Hannibal zu konzentrieren.

B. Der 2. Makedonische Krieg

Nach Beendigung des 2. Pun. Krieges (→ Punische Kriege) nahm Rom den Kampf mit Philipp V. gegen den anfänglichen Widerstand der Volksversammlung nach einer diplomat. Vorbereitung in Griechenland wieder auf (Herbst 200). Damit griff es in einen Konflikt der → hellenistischen Staatenwelt ein, der durch den Tod → Ptolemaios' IV. (gest. 204) und die dadurch bedingte Schwäche des Ptolemäerreichs ausgelöst wurde. Philipp V. und → Antiochos [5] III. waren daran gegangen, die ptolem. Nebenländer, Koilesyrien und Streubesitz in Kleinasien und in der Ägäis, zu erobern, und hatten in diesem Zusammenhang einen Kooperationsvertrag geschlossen (StV III 547). Philipp V. setzte sich an den Meerengen und im westl. Kleinasien fest; er war in Konflikt mit einer von → Attalos [4] I. von Pergamon und Rhodos geführten Koalition geraten, der sich im Frühjahr 200 auch das aus anderem Anlaß im Kriegszustand mit Philipp befindliche Athen anschloß. Schon Ende 201 hatte eine attalidisch-rhodische Gesandtschaft versucht, Rom unter Hinweis auf das maked.-seleukidische Abkommen in den Krieg zu ziehen, und war damit auf offene Ohren gestoßen.

Die röm. Motive sind umstritten (Auflistung der Forschungsmeinung bei [8. Bd. 2, 382ff.]). Fraglich ist die von M. Holleaux [11. 306ff.] begründete These, daß die Furcht vor einer durch die drohende Aufteilung des Ptolemäerreiches bewirkten Machtverschiebung Rom zum Kriegseintritt bewogen habe. Abgesehen davon, daß die Existenz [12] oder der Inhalt [4; 5] des maked.-seleukid. Abkommens strittig ist: Rom war nicht an der Frage einer Störung des Machtgleichgewichts im östl. Mittelmeerraum interessiert, sondern allein an einem Kriegsgrund gegen Philipp, den es aus einer Verletzung des Friedens von Phoinike nicht herleiten konnte. Klar ist, daß Rom nicht für bedrohte Bundesgenossen zu den Waffen griff, und auch die These [11], daß Rom sein im 1. M.K. angeschlagenes Prestige bei den Griechen wiederherstellen wollte, kann nicht als hinreichende Motivierung gelten. Erst recht ging es weder um territoriale Forderungen noch um Gewinn von Ruhm und Beute (mochte letzteres auch die Disposition zur Kriegsentscheidung begünstigen [9]), und ganz gewiß handelte Rom nicht aus Furcht vor der maked. Macht.

Als polit. Hauptmotiv bietet sich die Absicht an, den durch den Frieden von Phoinike abgebrochenen Krieg mit dem Ziel weiterzuführen, Makedonien ähnlich wie → Karthago auf den Status einer Mittelmacht herabzudrücken, die zur Kriegsführung in großem Stil nicht mehr in der Lage sein würde. Dies ließ sich nur durch Krieg erreichen, denn es war von vornherein klar, daß Philipp das ihm zuerst mittelbar, dann im Hochsommer 200 direkt übermittelte Ultimatum, das ihn aufforderte, auf Kriegsführung mit Griechen zu verzichten und sich in allen Streitfragen mit Attalos und Rhodos einem unabhängigen Schiedsgericht zu unterwerfen (Pol. 16,27–34), nicht annehmen konnte. Die im Herbst 200 eröffneten mil. Operationen brachten in den beiden ersten Kriegsjahren keine Entscheidung. Erst im Sommer zwang T. → Quinctius Flamininus Philipp, die Riegelstellung am Aoosfluß bei Antigoneia aufzugeben, und erreichte im Oktober den Bündniswechsel des Achaiischen Bundes (→ Achaioi, mit Karte); der Aitolische Bund hatte sich schon 199 dem antimaked. Bündnis angeschlossen. Die Friedensverhandlungen, die im Winter 198/7 im lokrischen Nikaia stattfanden, führten wegen überhöhter Forderungen griech. Verbündeter der Römer zu keinem Ergebnis. So fiel die Entscheidung im Juni 197 in der Schlacht bei Kynoskephalai (vgl. Karte bei → Aitoloi). Flamininus setzte gegenüber den von aitol. Seite erhobenen Forderungen nach der Vernichtung Makedoniens dessen Erhaltung durch, aber Philipp mußte auf alle griech. Besitzungen (Thessalien mit Demetrias, Korinth und Chalkis) verzichten, die Flotte bis auf sechs Schiffe ausliefern und eine Kriegsentschädigung von 1000 Talenten zahlen.

C. Der 3. Makedonische Krieg

Die von Flamininus im Frühjahr 196 proklamierte »Freiheit aller Griechen« brachte die röm. Ostpolitik in das Spannungsfeld von Philhellenismus und (informeller) Hegemonie (grundlegend hierzu [6]; vgl. [2]) und verwickelte sie in die komplizierten Probleme, die die Realisierung des Prinzips der griech. Freiheit aufwarfen, u.a. in den Krieg mit Antiochos [5] III. (190–188). Rom wurde zur Schlichtung zahlreicher inner- und zwischenstaatlicher Konflikte der griech. Welt angerufen, und es war unvermeidlich, daß die Unzufriedenheit wuchs, mochte sich Rom der geforderten Intervention entziehen oder Entscheidungen treffen, die zumindest eine der streitenden Parteien enttäuschte.

Auf der anderen Seite erholte sich Makedonien von der Niederlage und gewann insbesondere seit der Thronbesteigung des Perseus (179) an Ansehen in Griechenland. Auf den neuen König setzten viele Griechen – so in Thessalien, Boiotien und Aitolien – große Hoffnungen, selbst der Achaiische Bund erwog ein Bündnis mit ihm. Perseus war unvorsichtig genug, mit einem Heer – in friedlicher Absicht – nach Delphi zu ziehen und hier seine Macht zu demonstrieren (174). Das virulente röm. Mißtrauen wurde 172 durch Klagen und Verleumdungen → Eumenes' [3] II. von Pergamon weiter angefacht. Ohnehin war auf röm. Seite die Neigung gewachsen, den Schwierigkeiten, die sich aus der hegemonialen Stellung ergaben, durch den Einsatz mil. Gewalt zu entgehen (glänzend analysiert in [10]). Rom bereitete diplomatisch und propagandistisch den Krieg vor (die in Delphi publizierte röm. Kriegsproklamation ist teilweise erhalten: Syll.[3] 643). Ohne rechtlich stichhaltigen Grund begann Rom den Krieg mit dem Ziel, den potentiellen Rivalen, die vermeintliche Ursache der Probleme im griech. Raum, zu vernichten. Ein Frieden wurde Perseus verweigert. Nach langer erfolgreicher Verteidigung wurde er am 22.6.168 von L. → Aemilius [I 32] Paullus bei Pydna vernichtend geschlagen. Die maked. Monarchie und die Einheit des Landes wurden beseitigt. Makedonien wurde in vier selbständige Bezirke mit den Vororten Amphipolis, Thessalonike, Pella und Pelagonia zerschlagen. Den vier Republiken wurden → *conubium* und → *commercium* sowie die Nutzung ihrer wichtigsten Ressourcen (Edelmetallminen und Schiffbauholz) untersagt (Liv. 45,18), aber noch immer verzichtete Rom auf Annexionen.

→ Makedonia, Makedones

**1** E. Badian, Notes on Roman Policy in Illyria (230–201 B.C.), in: PBSR 20, 1952, 72–93 **2** E. Badian, Titus Quinctius Flamininus. Philhellenism and Realpolitik, 1970 **3** CAH 8[2] (mit Quellenangaben) **4** R. M. Errington, The Alleged Syro-Macedonian Pact and the Origins of the Second Macedonian War, in: Athenaeum 49, 1971, 336–354 **5** Ders., Antiochos III., Zeuxis und Euromos, in: EA 8, 1986, 1–8 **6** J.-L. Ferrary, Philhellénisme et impérialisme, 1988 **7** H. G. Gehrke, Gesch. des Hell., 1990, 110–112, 114ff., 206f., 208ff. **8** Gruen, Rome **9** Harris
**10** W. Hoffmann, Die röm. Politik des 2. Jh. und das Ende Karthagos, in: Historia 9, 1960, 309–344 **11** M. Holleaux, Rome, la Grèce et les monarchies hellénistiques au III[eme] siècle, 1921 **12** D. Magie, The »Agreement« between Philip V and Antiochos III for the Partition of the Egyptian Empire, in: JRS 29, 1939, 32–44 **13** L. Raditsa, Bella Macedonica, in: ANRW I 1, 1972, 564–589 **14** F. W. Walbank, The Causes of the Third Macedonian War: Recent Views, in: Archaia Makedonia 2, 1977, 81–94.

K.BR.

## Makedonische Renaissance

A. Charakteristik B. Literatur C. Recht

### A. Charakteristik

Mit M. R. bezeichnet man in der byz. Kulturgesch. gewöhnlich das klassizistische Revival, das weitgehend zur Zeit der → Makedonischen Dynastie (867–1056) stattfand. Sie ist benannt nach ihrem Begründer, dem im Thema Makedonia geborenen Kaiser → Basileios [5] I. (867–886). In dieser Epoche erlebte Byzanz auch die größte Ausdehnung seit Iustinianus. Anzeichen für eine kulturelle Renaissance (auch der Kunst) sind jedoch schon unter Theophilos (829–842) (vgl. den Philosophen → Leon [10]) und bes. unter → Michael III. (842–867; Neugründung der Schule im Magnaura-Palast durch den *Kaísar* → Bardas 855/6) sichtbar.

### B. Literatur

Drei überragende Schlüsselfiguren prägen diese Epoche. Der Patriarch → Photios (ca. 810–893) lieferte mit seiner sog. *Bibliothḗkē* eine umfangreiche Beschreibung der von ihm gelesenen Bücher (279 Codices mit Angaben zu 386 Werken) und schuf so eine Fundgrube lit.-gesch. Informationen zu vielen h. verlorenen ant. Schriften. Seine philol.-exegetische Fähigkeit ist auch in seinen 329 *Amphilóchia* spürbar, in denen er ein breites Spektrum biblischer und theologischer Probleme erörtert. Sein ›Lexikon‹ sollte eine konkrete Hilfe zum Schreiben und zur Lektüre ant. Autoren, bes. der Alten Komödie darstellen, von der es viele Fr. erhalten hat.

→ Arethas, der Erzbischof von Kaisareia in Kappadokien (Mitte 9. Jh.–932/944), spielte eine oft entscheidende Rolle in der Überl. klass. und christl. Autoren: Er ließ Hss. abschreiben (die er gelegentlich selbst mit Scholien versah). Mindestens acht davon sind noch erhalten; sie enthalten Eukleides [3], Platon (24 Dialoge), Aristoteles [6] (›Organon‹), Lukianos, Ailios Aristeides [3], christl. Apologeten (Clemens [3] von Alexandreia, Iustinos usw.), Kirchenrecht, theol. Traktate mit Ps.-Aristoteles.

Als eine der bedeutendsten Leistungen des Kaisers → Konstantinos [1] VII. Porphyrogennetos (905–959) darf das enzyklopädische Sammelwerk (53 nur fragmentarisch erh. Abschnitte) gelten, in dem er das ant. und byz. Wissen der verschiedensten Gebiete (Gesch., Gesandtschaftsberichte, Medizin, → Hippiatrika, Landwirtschaft, Zoologie usw.) systematisch kodifiziert ist.

Die klassizistischen Tendenzen dieser Epoche zeigen sich in der antikisierenden Dichtung sowie generell in der Anlage der *Anthologia Palatina* (→ Anthologie [1]), einer großartigen Slg. ant. und frühbyz. → Epigramme und Gedichte, durch Konstantinos Kephalas um 900 zusammengestellt und etwa ein halbes Jh. später erweitert und in 15 B. eingeteilt. Zu erwähnen ist auch die gegen E. des 10. Jh. entstandene → Suda, ein riesiges »Konversations-Lex.« von ca. 30 000 Lemmata.

In den ersten Jahrzehnten der M. R. vervollständigt sich der *metacharaktērismós*, d. h. die »Transliteration« der → Majuskel-Hss. in → Minuskel (erstes Beispiel 835).

Bemerkenswert ist die sog. philos. Slg. (Mitte des 9. Jh.), wozu mindestens 12 Codices meist philos. Inhalts (Platon und Aristoteles samt Kommentatoren, aber auch ein Exemplar mit geographischen, paradoxographischen und epistolographischen Texten) gehören, die aus paläographischen und kodikologischen Gründen einem einzigen, wohl konstantinopolitanischen Scriptorium zuzuweisen sind. Aus der M. R. stammen auch viele wichtige Hss. (zuweilen Archetypen) der Überl. klass. Autoren.

C. Recht

In dieser Periode wurde das iustinianische Recht aus polit. und verwaltungsmäßigen Gründen wiederbelebt und (so hieß es) von den Texten der isaurischen Epoche (→ Isaurische Kaiser) »gereinigt«: Der frühen maked. Periode gehören u. a. der *Prócheiros Nómos* (zw. 870–879 oder eher 907; Privatrecht mit Strafrecht und Verteilung der Kriegsbeute), die auf den Patriarchen Photios zurückgehende *Epanagogḗ* (*Eisagōgḗ*, nicht promulgiert; darin auch das öffentliche Recht), die *Basiliká* (eine von → Leo [9] VI. in den ersten Regierungsjahren abschließend veröffentlichte Systematisierung und Vereinigung des iustinianischen *Corpus iuris* in griech. Sprache) und die unter Leo VI. verfaßte Novellen-Slg. Danach entstanden u. a. die *Epitome legum* (920; Kompilation der Rechtslit. vom 6. bis 9. Jh.) und eine ganze Reihe von Kompendien und Erläuterungen bes. der *Basiliká*. Für das Kirchenrecht ist hier die Bearbeitung des *Syntagma canonum* (882/3) zu erwähnen. Schließlich sei hier auch auf Geschichtsschreibung (→ Georgios [5] Monachos, → Symeon Logothetes, → Leon [11] Diakonos), Hagiographie (das → *Mēnológion* des Symeon Metaphrastes) sowie auf Spuren volkstümlicher Lit. hingewiesen.

→ Textgeschichte

P. Lemerle, Le premier humanisme byzantin, 1971 • W. Treadgold, The Macedonian Renaissance, in: Ders., (Hrsg.), Renaissances before the Renaissance, 1984, 75–98 • N. G. Wilson, Scholars of Byzantium, ²1996, 79–147.

P.E.

**Makella** (Μάκελλα; lat. *Macela*, ILS 65, Z. 4). Sizil. Binnenstadt, nicht lokalisierbar. Nach dem Seesieg bei Mylai 260 v. Chr. von C. → Duilius [1] erobert, im 2. → Punischen Krieg zeitweise auf pun. Seite, im Sklavenkrieg 102 v. Chr. Standquartier des Athenion [2]. Plin. nat. 3,91 rechnet die *Magellini* unter die *stipendiarii*. Belegstellen: Pol. 1,24,2; Liv. 26,21; Diod. 23,4,2; Cass. Dio fr. 93,4; Ptol. 3,4,14.

BTCGI 9, 300–304.

GI.F.

**Makestos, Mekestos** (Μέγιστος). Neben → Rhyndakos und Tarsios der größte Fluß in Nord-Mysia (vgl. Strab. 12,8,11; Plin. nat. 5,142; Pol. 5,77,8), h. Simav Çayı, der wie der Tarsios nördl. von → Miletupolis in den Rhyndakos mündet. Am M. lagerte nördl. des Pelekas-Gebirges → Attalos [4] I. mit den galatischen Aigosages auf seinem Zug gegen Achaios [5], wo er am 1. Januar 218 v. Chr. eine Mondfinsternis erlebte. Ein Relief des Apollon Mekastenos erinnert wohl ebenfalls an diesen Fluß [1].

1 F. W. Hasluck, Unpublished Inscriptions from the Cyzicus Neighbourhood, in: JHS 24, 1904, 20, Nr. 1.

A. Philippson, Reisen und Forsch. im westl. Kleinasien 3 (Petermanns Geogr. Mitt. Ergh. 177), 1913, 3 • L. Robert, Études Anatoliennes, 1937, 187 (Ndr. 1970) • W. Ruge, s. v. M., RE 14, 773.

E.SCH.

**Makiston, -os** (Μάκιστον, -ος). Ortschaft in → Triphylia (West-Peloponnes) am Südfuß des Kaiapha, zu deren Gebiet das Heiligtum des »samischen« Poseidon [1. 37–42] an der Westspitze des Gebirges sowie weitere Heiligtümer am Minthe-Gebirge (h. Alvena) und in der Küstenebene südl. des Kaiapha gehörten. Bei Xenophon wird M. um 400 v. Chr. noch als bestehende Stadt erwähnt (Xen. an. 7,4,16; Xen. hell. 3,2,25; 30), später weiß man nichts mehr von ihr, und schon die hell. Homererklärer konnten ihre Lage nicht mehr angeben. Evtl. ist sie in hell. Zeit mit → Samikon zu identifizieren [2]. Einzelne Homererklärer setzten M. mit einem ebenfalls unbekannten Πλατανιστοῦς/*Platanistús* gleich (Strab. 8,3,16). Apollodoros (bei Strab. 8,3,13f.; 24f.) benutzt den Landschaftsnamen Μακιστία/*Makistía* als Bezeichnung für Triphylia südl. des Alpheios, Artemidoros (bei Strab. 8,3,15) nur für den Teil südl. des Kaiapha – beides künstliche Behelfsbezeichnungen, von denen die zweite immerhin den bekannten Tatsachen besser entspricht. Nach schol. Eur. Or. 4 Schwartz wohnten Atreus und Thyestes in M. nach ihrer Vertreibung aus Pisa. Hdt. 4,148 bezeichnet M. als Gründung der → Minyer nach Vertreibung der Kaukones (Strab. 8,3,13f.; 16; 18; 21, Heiligtum des Herakles Μακιστιός; 6,1,6; 10,1,10; Aristot. fr. 611,55 R; Paus. 6,22,4; Plin. nat. 4,20; Steph. Byz. s. v. Μάκιστος).

1 A. M. Biraschi, Strabone e Omero, in: Dies. (Hrsg.), Strabone e la Grecia, 1994, 25–57 2 F. Carinci, s. v. Elide (1), EAA², 1994, 448f.

Y.L.

**Makkala** (Μάκκαλα). Nach Ptol. 6,7,41 eine Stadt in → Arabia Felix. Die naheliegende Identifizierung mit der h. Hafenstadt Mukallā/Jemen an der Südküste ist wohl abzulehnen, da sie im Widerspruch zur Ortsnamenfolge bei Ptolemaios steht. Entspricht eher Manqal im Hinterland des *Mélan óros* (Μέλαν ὄρος, arab. *as-Saudā'*).

H. v. Wissmann, Zur Gesch. und Landeskunde von Altsüdarabien (SAWW, Phil.-histor. Klasse 246), 1964, 417 (Karte).

I.T.-N.

**Makna** (Μάκνα, Ptol. 6,7,27) lag an der Stelle der h. Oase Maqnā am Golf von ʿAqaba. A.D.

**Makoraba** (Μακοράβα). Nach Ptol. 6,7,32 Stadt in der nordwestl. → Arabia Felix, schon früh mit → Mekka gleichgesetzt. Beruht auf der südsemit. Wurzel *mkrb* (»Tempel, Heiligtum«, aber auch »Altar«). Im vorislam. Mekka befand sich ein Tempel des Mondgottes Hubal, der von den Stämmen der Umgebung verehrt wurde.

H. v. WISSMANN, Zur Gesch. und Landeskunde von Altsüdarabien (SAWW, Phil.-histor. Klasse 246), 1964, 185, Anm. 380. I.T.-N.

**Makra Kome** (Μακρὰ κώμη). Ort im oberen Spercheios-Tal, 198 v. Chr. von den Aitoloi bei einem Raubzug nach Thessalia erobert (Liv. 32,13,10). M. K. wird bei den Ruinen des h. Dorfes M. K. (ehemals Varibopi) am Nordufer des → Spercheios lokalisiert.

Y. BÉQUIGNON, La vallée du Spercheios, 1937, 316ff. • B. HELLY, Incursions chez les Dolopes, in: I. BLUM (Hrsg.), Top. antique et géographie historique en pays grec, 1992, 67 • F. STÄHLIN, s. v. M.k., RE 14, 808f. HE.KR.

**Makrele** (σκόμβρος/*skómbros*, σκομβρίς/*skombrís*, lat. *scomber*, κολίας/*kolías* mit ungeklärter Etym. nach [1], lat. *colias*), der wegen der Verwandtschaft mit dem → Thunfisch oft mit ihm verwechselte räuberisch lebende Meeresfisch Scomber scombrus L. der Unterordnung der Scombroidea. Die M., welche nach Plin. nat. 9,49 im Wasser von schwefelgelber Farbe (*sulpureus color*) ist, kommt nach Aristot. hist. an. 7(8),13,599a 1–3 in großen Schwärmen zum Laichen an die Meeresküsten. Ihr Fang (Einzelheiten bei Opp. hal. 3,576–595) war v. a. lohnend im Schwarzen Meer (Plin. nat. 9,49), im Marmarameer, in der Propontis (Aristot. ebd. 598a 24–26 und b 27f.), bei Byzanz und Paros (Athen. 3,116b-c; Plin. nat. 32,146), an der Straße von Gibraltar (Plin. nat. 31,94) und bei Karthago (Strab. 3,4,6). Die M. diente meist als Salz- bzw. Pökelfisch (Athen. 3,116a; 118d) oder wurde zur Fischsoße *garum* (→ Fischspeisen; → *liquamen*) verwendet (Plin. nat. 31,94; Martial. 13,102; Athen. 3,121a mit Zitat aus Strab. 3,4,6) und war deshalb in Athen (Aristoph. Equ. 1008) ebenso wie in Rom (Plaut. Capt. 851) sehr billig. Deshalb können Catull. 95,8 und Mart. 3,50,9 bzw. 4,86,8 schlechte lit. Werke wie die Annalen des Volusius als lockere Umhüllung (*laxae tunicae*) für M. bezeichnen. Der Nährwert und Geschmack wurde unterschiedlich beurteilt (schol. zu Opp. hal. 3,576; Athen. 3,121a und 7,321a). Colum. 8,17,12 empfiehlt u. a. die Eingeweide als Fischfutter in Teichen zur Zucht von Meeresfischen.
→ Fische

1 FRISK s. v. κολιάς, σκόμβρος C.HÜ.

**Makrina.** Geb. um 327 n. Chr., Schwester von → Basileios [1] d.Gr., Petros von Sebaste und → Gregorios [2] von Nyssa. Tochter des Rhetors Basileios und der Emmelia, Enkelin der älteren M. (ca. 270–ca. 340). M. lebte nach dem Tod ihres Bräutigams auf einem Familienbesitz am Iris in Pontos ein asketisches Leben; gest. um 380. Ihr Bruder Gregorios schrieb eine Biographie M.s (*Vita M. iunioris*; Greg. Nyss. opera ascetica 8,1, p. 370–414) und ließ sie in seinem Werk *De anima et resurrectione* (PG 46, 12–160) als Lehrmeisterin seine theolog. Fragen beantworten. K.G.-A.

**Makris** (Μάκρις). Tochter des → Aristaios [1], Amme des → Dionysos auf Euboia. Nach ihrer Vertreibung durch Hera wohnt sie auf Korkyra, das nach ihr auch M. heißt, in einer Grotte, die später Ort der Vermählung von → Iason und → Medeia ist (Apoll. Rhod. 4,540; 990; 1130ff.). L.K.

**Makrobioi** (Μακρόβιοι, lat. *Macrobii*).
**[1]** Nach Herodot hatte Kambyses die Absicht, auch gegen die ›langlebigen Aithiopen‹ (μακροβίους Αἰθίοπας, Hdt. 3,17,1) zu ziehen, die am ›südlichen Meer‹ (νοτίῃ θαλάσσῃ, Hdt. l.c.) wohnten (vgl. auch Hdt. 3,21–23). Da sich diese *notíēi thálassa* (νοτίῃ θαλάσσῃ) Herodots in einem mythischen Dunkel verliert, ist es müßig, sich über die Wohnsitze der ›langlebigen Aithiopen‹, die gelegentlich zu Unrecht von den anderen Aithiopen geschieden worden sind, Gedanken zu machen. Manche ant. Autoren haben dies – unter den Voraussetzungen ihres Weltbilds – dennoch getan, z. B. Plin. nat. 6,190: *ex adverso in Africae parte*; Anon. (Geographiae veteris scriptores Graeci minores 4, G. 38 HUDSON): Εἶτα ὁ… Ἀστάπους καὶ Ἀσταβόρας… ἑνοῦνται ὡς εἷς τῷ Μεγάλῳ ποταμῷ κατὰ τοὺς Μακροβίους καλουμένους (›Es vereinigen sich der Astapus und der Astaboras wie ein einziger Fluß in dem Großen Strom [Nil] bei den sog. M.‹). Mela 3,85 und Paus. 1,33,4 identifizieren die M. mit einem gewissen Recht mit den meroïtischen Aithiopes.

D. HERMINGHAUSEN, Herodots Angaben über Äthiopien, 1964, 26–33 • I. HOFMANN, A. VORBICHLER, Der Äthiopenlogos bei Herodot (Beitr. zur Afrikanistik 3), 1979, 45–50. W.HU.

**[2]** Plin. nat. 4,37 kennt ein Apollonia auf der Akte (→ Athos), dessen Einwohner *Macrobii* gen. würden. In 7,27 führt er die Langlebigkeit der Athosbewohner und ihre Freiheit von Ungeziefer auf den Genuß von Vipernfleisch zurück. Mela 2,32 (= Solin. 11,34) gibt den Namen M. den Bürgern einer Stadt Akrothoon auf dem Athosgipfel. Vgl. Lukian. Macrobii 5; Ail. var. 9,10.

B. LENK, s. v. M. (2), RE 14, 814. M.Z.

**Makrokephaloi** (Μακροκέφαλοι, »die Großköpfigen«). Angeblich ein Stamm westl. der → Kolchis (Hes. fr. 153). Der Name stammt aber wohl aus mythischen bzw. fiktiven Berichten über die Völker am → Pontos Euxeinos (vgl. Strab. 7,3,6 als Beispiel seiner Mythenkritik), auch wenn er weiterhin von Geographen gebraucht wurde (Mela 1,19; Plin. nat. 6,2). Nach Skyl. 37 sind sie mit den → Makrones identisch. I.v.B.

**Makron** (Μάκρων). Att. rf. Vasenmaler, um 490–470 v. Chr. tätig. Er gründete zusammen mit dem wohl etwas älteren Töpfer Hieron eine der vier großen Schalenwerkstätten des 5. Jh. (→ Kodros-Maler). Den überwiegenden Teil der gut 600 erh. Vasen bilden Kylikes (→ Gefäße), die oft vom Töpfer auf der Henkelinnenseite, einem ungewohnten Ort, signiert sind, während man M.s sichere Signatur nur vom Skyphos in Boston, MFA 13.186, her kennt. Meist tragen nur die ausgearbeiteten Bilder Beischriften; darunter einige Kalos-Preisungen (→ Lieblingsinschriften), etwa an Hippodamas. Neben dem → Brygos-Maler ist M. der einzige, der die Unterhenkelzonen der Schalen nicht durchgehend symmetrisch gestaltet: Einem eingeschlafenen Knaben liegt ein Krater, Geißböcken eine Palmettengirlande gegenüber, sogar der Berg Nysa wird zum Henkelfüller. Später setzte M. übergroße Efeublätter dorthin, die zw. den Friesen eine auffällige, dionysische Zäsur bilden. Bereits in seiner Frühzeit erscheinen die typischen, seine Karriere begleitenden Themen: Alltagsszenen von Symposion und → Komos, von Musikschule und → Palaistra und die Begegnungen der Geschlechter. Als sein Markenzeichen gelten → Mänaden-Gestalten: ihren Chitonen gab er teils in Reliefinie, teils mit dem Pinsel eine so unterschiedliche Färbung und Durchsichtigkeit, daß die bewegten Glieder in immer neuen Varianten aufleuchten. Wenn sie nicht gerade den groß belaubten Thyrsos schwingen, greifen sie oft mit den Händen in die Chitonärmel, jeder Berührung mit der Außenwelt entrückt. Das Bild der Mänaden, die auf der Schale Berlin, SM F 2290, Dionysos Dendrites umtanzen, gehört zu den eindrücklichsten, die uns zum Kult um den Weingott überl. sind.

Unter den mythischen Bildern zog M. troianische Themen vor, wie auf einer zweiten Schale in Berlin, SM F 2291, auf deren einer Seite die Entführung der → Helene durch → Paris, auf der anderen die Vorgesch. dazu erzählt wird. Daß der troianische Prinz der von Eroten umflatterten Aphrodite den Preis zusprach, versteht sich bei ihrem Anblick von selbst. Des M. originellste Darstellung jedoch findet sich in einer kleinen Schale in Bochum, Univ.-Slg. S 1178: Herakles, der Kleidung entledigt, trägt anstelle von Atlas das Himmelsgewölbe.

Beazley, ARV², 458–482 • Beazley, Paralipomena, 377–379 • Beazley, Addenda², 243–247 • N. Kunisch, M., 1997.

A.L.-H.

**Makrones** (Μάκρωνες). Bergvolk, bereits von Hekat. FGrH 1 F 206 erwähnt, gehörte zum 19. Steuerbezirk unter Dareios [1] (Hdt. 3,94; 7,78; hier zw. den Tibarenoi und den Mossynoikoi gen.). Nach Xen. (an. 4,7,24; 8,1–22) lag ihr Gebiet südwestl. von → Trapezus. Der h. Meryemana Deresi (rechter Nebenfluß des Maçka Dere) bildete danach den Grenzfluß zw. M. und Skythai; vor Cevrilik befand sich die Grenzfestung der Kolchoi. Kolchischer Einfluß ist aus der Übernahme der Beschneidung abzuleiten (Hdt. 2,104,3). Nach Strab. 12,3,18 wurden die M. später → Sannoi gen. (*Machorones*, Plin. nat. 6,11 f.; er nennt beide). Amm. 22,8,21 nennt die M. ›einen Stamm, mit dem wir keinen Umgang haben und der deswegen unbekannt ist‹. Evtl. mit den → Makrokephaloi identisch.

O. Lendle, Komm. zur Xenophons Anabasis, 1995, 273 f.

I.v.B.

**Maktorion** (Μακτώριον). Sizilische Stadt im Norden von → Gela, in die sich zu unbestimmter Zeit in einem Bürgerkrieg gegen Großgrundbesitzer verdrängte Bürger von Gela flüchteten. Einem Vorfahren Gelons, Telines, gelang es, sie zur Rückkehr zu bewegen (Hdt. 7,153; vgl. auch Philistos, FGrH 556 F 3). Nach Steph. Byz. s. v. Μακτώριον soll M. von einem sonst unbekannten Μόνων/*Mónōn* im 7./6. Jh. v. Chr. gegr. worden sein. Der Name einer Vorgängersiedlung lebte im sikulisch-protolatin. Stamm des ON fort [1. 49[152]]. M. ist bei Butera (Adamesteanu) oder eher bei dem ca. 20 km nördl. von Gela gelegenen Monte Bubbonia (Orlandini) zu lokalisieren.

1 G. Alessi, Fortuna della Grecità linguistica in Sicilia, 1970.

BTCGI 9, 1991, 304–307.

D.SA./Ü: H.D.

**Makynia** (Μακυνία, Μακύνεια; Ethnikon Μακυνιεύς). Küstenstadt in Westlokris nordwestl. von Antirrhion im Gebiet von Mamakou, möglicherweise auf dem Paleokastro, in kurzer Entfernung vom Taphiassos (h. Klokova; Strab. 10,2,4; 6; 21; Plin. nat. 4,6; Steph. Byz. s. v. M.); Reste der Stadtmauern (etwa aus dem 4./3. Jh. v. Chr.), wahrscheinlich errichtet nach der Eingliederung von M. in den Aitolischen Bund (338 v. Chr.; → Aitoloi). Nach Plut. qu. Gr. 15, der Archytas [3] zitiert, stammt die Epiklese Ozolis für die Westlokrer vom zarten Geruch der Blumen in M. (zu abweichenden Aitiologien → Lokris). Inschr.: IG IX I² 13; 22.

W. A. Oldfather, s. v. M., RE 14, 816–818 • L. Lérat, Les Locriens de l'ouest 1, 1952, 189–191; 2, 61 • Philippson/Kirsten 2, 322 • R. Scheer, s. v. M., in: Lauffer, Griechenland, 403.

G.D.R./Ü: H.D.

**Malaca** (Μαλάκη). Stadt an der span. Ostküste, h. Málaga (Name wohl semit., nicht von hebr. *malkah*, »Königin«, sondern von phöniz. *mlkt*, »Stätte der Arbeit« [1. 574²]; bei [2. 574; 4. 76] ist die Möglichkeit semantischen Bezugs zur Fischverarbeitung erwähnt); wohl erst im frühen 6. Jh. v. Chr. als Ersatz für die 200 J. ältere, wegen Verlandung aufgegebene phöniz. Niederlassung auf dem Cerro del Villar am westl. benachbarten Fluß Guadalhorce gegr. Siedlung (Avien. 181; 426 verwechselt M. mit → Mainake [3. 197]). Aus vorröm. Zeit ist über M. wenig bekannt [12. 66–69]. Nach Vertreibung der Karthager aus Hispania (206 v. Chr.; → Punische Kriege) kam M. unter röm. Herrschaft. M. beteiligte sich 197 v. Chr. am Aufstand des Culchas (Liv. 33,21,6). Nach Plin. nat. 3,8 war M. *civitas foederata* (die Malacitani gehörten zur *tribus Quirina*), nach Strab. 3,4,3 wichtiger Handelsplatz für die afrikan. Nordküste. 170 n. Chr. wurde M. von afrikan. Piraten zerstört [4. 77] (vgl. weiter Plut. Crassus 6; Bell. Alex. 64,2; Plin. nat. 5,19; Itin. Anton. 404,2; Steph. Byz. s. v. M.).

Die Bed. von M. wird durch Mz. und Inschr. erwiesen, bes. durch die Br.-Tafel mit der *lex municipii Malacitani* von 82–84 n. Chr., die zusammen mit der *lex municipii Salpensani* bei M. gefunden wurde [5. 175 ff.,

259ff.]; zum Theater vgl. [4. 77]. M. verfügte über eine bed. Thunfischverarbeitung [2. 574] und einen wichtigen Exporthafen für Erze aus der Sierra Morena. Inschr. und Funde bezeugen die weiten Handelsverbindungen (CIL II 251; VI 9677; XV 4203; [6; 12]). Das Christentum fand früh Eingang. Bei der Synode von Illiberis um 306 n. Chr. unterschrieb ein Bischof aus M. (*episcopus Malacitanus* [7; 10. 221, 234, 252, 288, 294, 305, 313, 348]). Etwa von 555 bis 570 n. Chr. stand M. unter byz. Herrschaft, wurde dann von → Leowigild dem westgot. Reiche einverleibt [8. 137f., 411, 150f.]. M. war seit dem 2. → Punischen Krieg Münzstätte [9]. In den J. 711–1487 befand M. sich unter arab. Herrschaft [11].

**1** E. LITTMANN, in: SCHULTEN, Landeskunde 2 **2** SCHULTEN, Landeskunde 1² **3** A. SCHULTEN (Hrsg.), Fontes Hispaniae Antiquae 1, ²1955 **4** TOVAR 2 **5** J. L. LÓPEZ CASTRO, Hispania Poena, 1995 **6** A. SCHULTEN, Forsch. in Spanien, in: AA 1933, 3/4, 564f. **7** Ders. (Hrsg.), Fontes Hispaniae Antiquae 8, 1958, 59f. **8** Ders. (Hrsg.), Fontes Hispaniae Antiquae 9, 1947 **9** A. MATEU Y LLOPIS, La ceca visigoda de M., in: Ampurias 7–8, 1945–1947, 243f. **10** A. SCHULTEN (Hrsg.), Fontes Hispaniae Antiquae 9, 1947 **11** A. SCHULTEN (Hrsg.), Forsch. in Spanien, in: AA 1940, 1/2, 96 **12** J. A. MARTÍN RUIZ, Catálogo documental de los Fenicios en Andalucía, 1995.

SCHULTEN, Landeskunde 1², 322 · TOVAR 2, 14f., 74, 76–79 · S. GIMÉNEZ REYNA, Memoria arqueológica de la provincia de Málaga (Informes y Memorias 12), 1946.

P. B. u. H. G. N.

**Malachbelos** (aram. *mlkbl*, »Bote des Bel«). Palmyrenischer, in → Palmyra und im röm. Reich (Rom [3], Dakien [8], Nordafrika [4]) in verschiedener Gestalt und mit stets anderen Gottheiten abgebildeter oder inschr. überl. Gott.

In Palmyra wurde M. mit Aglibol im sog. »heiligen Garten« verehrt, einem inschr. (z. B. [6. Nr. 0197, 0314]), durch Tesserae [7. 155–161] und durch ein Relief [2. Taf. 4,1] bekannten Tempel. Letzteres, das sog. Dexiosis-Relief der »heiligen Brüder«, auf dem die zwei Götter sich die Hände reichen, begegnet auch in Rom und in der nordwestl. Umgebung Palmyras [2. Taf. 38f.]. Auf einem Altar mit seinem Namen aus dem Baalšamīn-Tempel in Palmyra (1. Jh. n. Chr.) wird M. in einem Wagen von zwei Greifen gezogen und vom Altarstifter bekränzt [2. Taf. 44; 6. Nr. 0181]. Die Hypothese, daß M. als → Sonnengott und der Mondgott Aglibol in Palmyra eine Trias mit Baalšamīn bildeten, wird durch die Inschr. nicht gestützt. Beide Götter sind in einigen Texten neben dem sog. Anonymen Gott erwähnt, von dem angenommen wird, daß er einen Aspekt Baalšamīns repräsentiere [6. Nr. 0327, 0347; 5. 2629–2631]. M. wird auf Tesserae mit Gad Taimis [7. 135, 273–277, 279] sowie inschr. mit Atargatis [6. Nr. 0273] assoziiert.

Bekannt ist der Altar von Trastevere in Rom (Anf. 2. Jh. n. Chr.) mit vier Reliefs und einer Bilingue [2. Taf. 40–43; 6. Nr. 0248]. Auf der Seite mit der aram. Inschr. »M. und den palmyren. Göttern geweiht« ist ein Gott in der Greifenquadriga abgebildet. Die anderen Seiten zeigen eine Büste mit Sonnenkranz, Adler und der lat. Inschr. *Soli sanctissimo sacrum*, eine bärtige Büste mit Schleier und Sichel, und eine Zypresse, aus der ein Kind mit Ziege erscheint. Die vier Seiten beziehen sich vielleicht auf die Entwicklung des Charakters M.' von einer Vegetationsgottheit zum Boten des Hauptgottes und dann zum Sonnengott [5. 2635], obwohl es nicht sicher ist, daß jede Seite M. repräsentiert. Die Charakterisierung M.' als Sonnengott, der man bei palmyren. Soldaten außerhalb Palmyras begegnet, ist sekundär und sollte mit dem Einfluß rel. Vorstellungen zur Rolle des Sonnengottes in der röm. Armee erklärt werden [1].
→ Baal; Palmyrenische Religion

**1** L. DIRVEN, The Palmyrenes of Dura-Europos, 1999 **2** H. DRIJVERS, The Religion of Palmyra, 1976 **3** E. EQUINI SCHNEIDER, Il santuario di Bel e delle divinità di Palmira. Comunità e tradizioni religiose dei Palmireni a Roma, in: Dialoghi di Archeologia 5, 1987, 69–85 **4** Ders., Palmireni in Africa, in: L'Africa romana 5, 1988, 394f. **5** M. GAWLIKOWSKI, Les dieux de Palmyre, in: ANRW II 18.4, 1990, 2605–2658 **6** D. HILLERS, E. CUSSINI, Palmyrene Aramaic Texts, 1996 **7** H. INGHOLT u. a., Recueil des tessères de Palmyre, 1955 **8** S. SANIE, Die syr. und palmyren. Kulte im röm. Dakien, in: ANRW II 18.2, 1989, 1233ff.

T. KAI.

**Malangitai** (Μαλαγγῖται). Nach Ptol. 6,7,23 ein Volk in Zentralarabien, das an den *Máreitha órē* (Μάρειθα Ὄρη) wohnte, d. h. am ʿĀriḍ. Entspricht wahrscheinlich dem Stamm der Maḏḥiğ, die von Imruʾ al-Qais, dem König der → Lachmiden, um ca. 300 n. Chr. vertrieben wurden.

H. v. WISSMANN, Zur Gesch. und Landeskunde von Altsüdarabien (SAWW, Phil.-histor. Klasse 246), 1964, 175, 195f., 404–406.

I. T.-N.

**Malaria.** Der Begriff M. deckt einen polymorphen Komplex von Fiebererkrankungen ab, die ursächlich auf den Parasiten *Plasmodium* zurückgehen, der von der Anopheles-Mücke übertragen wird. In der Ant. ließ sich die M. an einigen ihrer Symptome bestimmen: rekurrierende, insbes. drei- und viertägige Fieberanfälle, Anschwellen der Milz (Splenomegalie) oder schwarzer Urin. Aitiologisch wurden die Fiebererkrankungen mit Sumpfregionen in Zusammenhang gesetzt, insbes. im Rahmen der klimatischen Medizin. Die Therapie war symptomatisch und erstreckte sich v. a. auf die Fieberanfälle (antipyretische Wirkstoffe) und die Milz (diuretische Mittel).

Die M. ist wohl eine Zoonose, die ihren Ursprung in den Wäldern des tropischen Afrikas hat, von wo sie sich nach Mesopotamien ausgebreitet haben soll (evtl. war das Niltal der Korridor zum Mittelmeer). Ihre Gesch. während der Ant. bleibt unklar: Zweifellos schon von alters her in Griechenland präsent, hielt die M. sich bis zum 5. Jh. v. Chr. auf einem sehr niedrigen Niveau. Um 430 v. Chr. soll sie infolge der Wiedereinschleppung des Parasiten *Plasmodium falciparum* wieder in Erscheinung getreten sein, wobei die Krankheitsherde zunächst begrenzt waren; dann erscheint sie in den hippokratischen ›Epidemien‹ 1 (um 410 [?]) und 2 (E. 5./Anf. 4. Jh. v. Chr.) in maligner Form. In hell. Zeit soll sie sich ausgebreitet haben, um in der röm. Epoche und bis zu Galens Zeit das Stadium der Hyperendemie zu erreichen. Danach soll sie auf niedriges Niveau zurückgegangen sein, das sie während der byz. Epoche beibehielt.

Man hat die M. als direkte Ursache des Niedergangs der ant. Kultur und des Todes zahlreicher berühmter Männer angesehen, darunter auch Alexanders d.Gr. [1]. Ihre Verbreitung scheint in der Tat mit dem Niedergang der Landverwaltung in der Spätant. sowie mit Verarmung, Geburtenrückgang und somit ökonomischer, sozialer und polit. Schwäche in Zusammenhang zu stehen, ohne daß sie notwendigerweise die erste Ursache einer solchen Entwicklung darstellt.

1 D. Engels, A Note on Alexander's Death, in: CPh 73, 1978, 224–228.

L.J. Bruce-Chwatt, J. de Zulueta, The Rise and Fall of M. in Europe, 1980 · M.D. Grmek, Les maladies à l'aube de la civilisation occidentale, 1983, 355–407 · Ders., La m. dans la Méditerranée orientale préhistorique et antique, in: Parasitologia 36, 1994, 1–6 · Ders., Bibliographie chronologique des études originales sur la m. ..., in: Lettre d'info. J. Palerne 24, 1994, 1–7 · F.E. Kind, s.v. M., RE 27, 1928, 830–846. A.TO./Ü: T.H.

**Malarich.** Franke, trat 355 n. Chr. als *tribunus gentilium* der → *scholae Palatinae* für den der Usurpationsplanung bezichtigten *magister peditum* → Silvanus ein (s. auch → Mallobaudes). 363 lehnte M. die Ernennung zum *magister equitum per Gallias* ab (Amm. 15,5,6; 25,8,11; 10,6). PLRE 1, 538. P.KE.

**Malatha** (Μάλαθα, Ios. ant. Iud. 18,147; *Moleatha*, Not. dign. or. 34,45), h. arab. Tall al-Milḥ (»Salzhügel«) oder hebr. Tel Malḥatā; im Zentrum des Beeršeba-Beckens im nordöstl. Negev am Zusammenfluß zweier Wadis gelegene Siedlung. Aufgrund des Brunnenreichtums der Gegend wurde auf dem Hügel schon in der Mittel-Brz. eine größere befestigte Siedlung angelegt, die Teil einer südl. Verteidigungslinie war. Von den Ägyptern zerstört, im 10. Jh. v. Chr. offenbar unter → Salomon wiederhergestellt, blieb M. nach seiner erneuten Zerstörung im 6. Jh. v. Chr. infolge der babylon. Eroberung bis in röm. Zeit unbesiedelt. Als Sitz der *cohors prima Flavia* wurde M. dann zur Festung ausgebaut. Die neueren Ausgrabungen des byz. M. brachten größere private und öffentliche Gebäude sowie eine ausgedehnte Nekropole zutage, die auf die Bed. M.s als Verkehrsknotenpunkt sowie rel. und landwirtschaftliches Zentrum hinweisen.

Y. Baumgarten, I. Eldar, M. Kochavi, s.v. Tel Malḥata, The New Encyclopedia of Archaeological Excavations in the Holy Land 3, 1993, 934–939 · O. Keel, M. Küchler, Orte und Landschaften der Bibel 2, 1982, 351–354. J.P.

**Malatya** s. Kleinasien (III.C.)

**Malchos** (**Mlk* = »König«; griech. Μάλκος; lat. *Malchus, Maleus, Mazeus*).

**[1]** Karthager, Vater des → Karthalo [1]. Historizität und Interpretation des einzigen Quellentextes über M. als erste histor. faßbare Persönlichkeit → Karthagos bei Iustin (18,7; vgl. Oros. 4,6,6–9) sind bis heute vielfach und heftig umstritten, angefangen vom titularen Charakter des Namens und einer chronologischen Einordnung in das (frühe?) 6. Jh. v. Chr. M. soll als Feldherr in Libyen und Sizilien erfolgreich, in Sardinien erfolglos gekämpft haben, was zu seiner und seiner Bürgertruppen Verbannung sowie in Reaktion darauf zur Belagerung Karthagos durch M. führte; den um Vermittlung bemühten Sohn und Priester soll M. hingerichtet haben, ebenso wie nach der Einnahme der Stadt zehn »Senatoren«. Vor der Volksversammlung rechtfertigte sich M. mit Erfolg und ließ die Verfassung unverändert; später wurde er des Strebens nach Tyrannis angeklagt und hingerichtet [1. 196–198; 2. 59f., 62f., 459]. Höchstwahrscheinlich spiegeln diese Ereignisse einen Machtkampf zwischen dem ehrgeizigen M. als König mit begrenzten Kompetenzen und ambitionierten Aristokraten, darunter M.' Nachfolger → Mago [1] [3. 73–80].

1 Geus 2 Huss 3 W. Ameling, Karthago, 1993. L.-M.G.

**[2]** M., nabatäisch *Maliku* [*mlkw*], König der Nabatäer (→ Nabataioi), ca. 57–29 v. Chr., wurde 55 von A. → Gabinius [I 2], dem Statthalter Syriens, angegriffen (Ios. ant. Iud. 14,103), sandte 47 Caesar Hilfstruppen nach Alexandreia (Bell. Alex. 1; Ios. ant. Iud. 14,128), verweigerte 40 → Herodes [1] d.Gr. bei dessen Flucht vor den Parthern die Aufnahme (Ios. ant. Iud. 14,370–373) und wurde 39 wegen Unterstützung der Parther von P. → Ventidius mit einer Geldbuße belegt (Cass. Dio 48,41,5). Im J. 34 schenkte M. → Antonius [I 9] → Kleopatra [II 12] nabatä. Gebiet am Golf von ʿAqaba, das M. zurückpachtete; für die Pachtzahlung mußte Herodes garantieren (Ios. ant. Iud. 15,96 mit 132). M. schickte Antonius Hilfstruppen für den Krieg bei Actium (→ Aktion; Plut. Antonius 61 f.), doch griff Herodes ihn 32 auf Antonius' Geheiß an, weil er mit den Pachtzahlungen in Rückstand war, und besiegte ihn 31 (Ios. ant. Iud. 15, 107–160). 30 ließ M. die Schiffe verbrennen, die Kleopatra über die Meerenge in den Golf von Suez hatte ziehen lassen (Plut. Antonius 69,3; Cass. Dio 51,7,1), und sicherte sich so das Wohlwollen des siegreichen Octavian (→ Augustus).

**[3] M. II.**, Sohn und Nachfolger → Aretas' [4] IV., 40/41 bis 70 n. Chr., durch Mz. bis zum 23., durch nach ihm datierte Inschr. bis zum 25. Regierungsjahr erwähnt. M. schickte 67 Vespasian 1000 Reiter und 5000 Fußsoldaten, meist Bogenschützen, für den Jüd. Krieg nach Ptolemais (Ios. bell. Iud. 3,68). Der Peripl. m.r. 19 nennt ihn anläßlich der Erwähnung einer Handelsstraße von → Leuke Kome nach Petra.

G. W. BOWERSOCK, Roman Arabia, 1983, 35–43 · SCHÜRER, Bd. 1 · J. STARCKY, Pétra et la Nabatène (DB Suppl. 7), 1966, Col. 909–911, 916–919. K. BR.

**[4]** Byz. Historiker des späten 5. Jh. n. Chr., stammte aus → Philadelpheia in Syrien und lebte später als Lehrer der Rhetorik in Konstantinopel. In seinen *Byzantiaká* (Βυζαντιακά, ›Byz. Geschichte‹) schildert er im Anschluß an den Historiker Priskos die Zeit von 473 bis zum Tod des weström. Kaisers Iulius → Nepos im J. 480. Von dem stilistisch in der Trad. des Attizismus (→ Zweite Sophistik) stehenden Werk sind nur Fr. bei → Konstantinos [1] VII. Porphyrogennetos und in der → Suda erh., wo sie teilweise auch dem isaurischen Historiker Kandidos zugeschrieben werden.

ED.: R. C. BLOCKLEY, The Fragmentary Classicising Historians of the Later Roman Empire, Bd. 1, 1981, 71–83, 124–127; Bd. 2, 1983, 402–462 · L. R. CRESCI (ed.), Malco di Filadelfia, Frammenti, 1982.
LIT.: B. BALDWIN, Malchus of Philadelphia, in: Dumbarton Oaks Papers 31, 1977, 89–107. AL. B.

**Maldras.** Sohn des Massilia, wurde nach der Ermordung des → Rechiarius durch den Westgotenkönig → Theoderich II. 456 n. Chr. zum König der Sueben erhoben, mußte sich aber auch gegen andere Prätendenten zur Wehr setzen [1. 124]. 457 plünderte er Olisipo (Lissabon) und verwüstete Gallaecia, 459 Lusitania und Portumcale Castrum (Oporto). In demselben J. ermordete er seinen Bruder, wurde dann aber selbst 460 getötet (Chron. min. 2,29–31 MOMMSEN). PLRE 2, 704.

1 D. CLAUDE, Gesch. der Westgoten, 1970. M. MEI.

**Malea**

**[1]** (Μαλέα ἄκρα, Μάλεια, Μαλέαι, ἀκρωτήριον Μαλέας, Μαλειάων ὄρος, vgl. Hom. Od. 3,287; 19,187; neuere Bezeichnungen Κάβο Μαλιάς, Ἅγιος Ἄγγελος). Das in Alt. wie Neuzeit gefürchtete SO-Kap der Peloponnesos, südl. Ausläufer des → Parnon (vgl. das von Strab. 8,6,20 überl. Sprichwort ›wenn du um M. fährst, vergiß die daheim‹; [1. 262 ff.]). Die Hauptschwierigkeit für die ant. Segelschiffahrt lag in den oft tage- und wochenlang dauernden, heftigen, stürmischen Gegenwinden, die im Sommer v. a. aus Westen, im Winter aus Norden bis Osten wehen, während die Durchfahrt zw. M. und Kythera ansonsten hindernisfrei ist. Das Kap selbst ist der Abbruch eines etwa 500 m hohen, West-Ost gerichteten und bes. nach Süden in steilen Wänden abstürzenden Kalkplateaus. Die dunklen, kahlen, hohen Felswände am Kap trugen zum Ruf seiner Gefährlichkeit bei wie der Umstand, daß in der Nähe des Kaps kein Hafen Zuflucht bot. Trotzdem war der Verkehr um das Kap lebhaft und bei günstigen Verhältnissen ohne Schwierigkeiten; ein kaiserzeitlicher Kaufmann aus Kleinasien rühmt sich, M. 72 Mal umfahren zu haben (Syll.[3] 1229). Die Ruderschiffe hatten die Windverhältnisse im allg. nicht zu fürchten. M. war auch Bezeichnung für die weitere Umgebung des Kaps, in der v. a. der Kult des Apollon Lithesios bezeugt ist [2. 863 f.], vielleicht sogar der ganzen Parnon-Halbinsel. M. galt als Geburtsstätte des → Silen (Paus. 3,25,2 [2. 864]; vgl. Strab. 8,5,2; 6,20; Paus. 3,23,2).

1 R. BALADIÉ, Le Péloponnèse de Strabon, 1980
2 F. BÖLTE, s. v. M. (1), RE 14, 859–865. C. L. u. E. MEY.

**[2]** Name verschiedener Orte bes. auf der Peloponnesos, danach benannt der urspr. selbständige, dann mit Apollon gleichgesetzte Gott → Maleatas mit Hauptkultstätten auf dem Berg Kynortion über dem Asklepios-Heiligtum von Epidauros und an der Ostküste der Parnon-Halbinsel wohl bei Tyros (Lakonia) nördl. von Leonidi. Inschr.: IG V 1, 927; 929; 929c.

K. A. RHOMAIOS, Ἱερὸν Ἀπόλλωνος Τυρίτου, in: Praktika 1911, 1912, 254–276 · H. WATERHOUSE, R. HOPE SIMPSON, Prehistoric Laconia: Part 2, in: ABSA 56, 1961, 131. Y. L.

**Maleatas** (Μαλεάτας). Die Epiklese M. für → Apollon leitet sich vom Ortsnamen → Malea [1] ab, dem wegen seiner Stürme gefürchteten Kap im SO der Peloponnes (der Mani) (Hom. Od. 3,287 u. ö.). → Poseidon besaß dort einen Kult (Eur. Cycl. 293; Paus. 3,23,2). Doch typischerweise trägt Apollon, nicht Poseidon, in der östl. Peloponnes diese Epiklese und, von dort ausstrahlend, etwa im Piräus (IG II[2] 4962); hier erhält M. eigene Voropfer zusätzlich zu Apollon vor → Asklepios. Eine Verbindung mit → Heilkult besteht auch in Trikka (Paus. 2,27,7), das schon bei Homer (Il. 2,729) als die Heimat des Asklepios gilt. Das wichtigste Heiligtum des Apollon M. ist das hoch über → Epidauros gelegene, das an der Stelle eines myk. Heiligtums angelegt ist und dem Heilgott Asklepios auch in der Funktion vorausgeht [1]. → Malos

1 V. LAMBRINUDAKIS, Remains of the Mycenaean Period in the Sanctuary of Apollon M., in: R. HÄGG, N. MARINATOS (Hrsg.), Sanctuaries and Cults in the Aegean Bronze Age, 1981, 59–65. C. A.

**Maleficium** s. Magie, Magier

**Malekidas** (Μαλεκίδας, auch Μαλκίτης). Thebaner, → Boiotarch während der Thebanischen Hegemonie (IG VII 2408), führte nach dem Tod des → Pelopidas im Jahr 364 v. Chr. zusammen mit Diogeiton ein Heer von 7000 Hopliten und 700 Reitern gegen → Alexandros [15] von Pherai, der zum Verzicht auf die Herrschaft über die thessal. Städte und zur Heeresfolge gezwungen wurde (Plut. Pelopidas 35). M. ist offenbar mit dem bei Pausanias (9,13,6) in der Schlacht von Leuktra genannten Boiotarchen Malgis identisch.

J. BUCKLER, The Theban Hegemony, 1980, 137. HA. BE.

**Maleos** (Μάλεως, Μάλεος). Die spätant. Mythographie hat mehrere Personen des Namens gemischt [1].

**[1]** Ein Fels, der den Hafen von Phaistos auf Kreta schützt, soll von einem M. dem → Poseidon gestiftet worden sein (schol. Hom. Od. 3,296; Suda s. v. M.); die schon in der Odyssee gezogene Verbindung zum Kap

→ Malea [1] läßt sich auch in dem kaiserzeitlichen Grabepigramm Anth. Pal. 7,275 erkennen.
**[2]** Als Name eines der tyrrhenischen Räuber wird M. (oder Μαλεώτης/*Maleṓtēs*) zum Vater der Aletis (Hesych. s.v.) alias → Erigone [1], die sonst Tochter des → Ikarios heißt und zu dem ländlichen Festteil der → Anthesteria gehört (→ Aiora).
**[3]** Ähnlich als König vorgriech. Bevölkerung ist der Pelasgerkönig M. (auch lat. *Maleus*) in It. zu sehen (Strab. 5,2,8; schol. Stat. Theb. 4,224 und 6,382). M. gilt dort auch als Erfinder der Trompete (*salpinx*), der bei schol. Hom. Il. 18,219 *Melas* heißt.

1 A. Burckhardt, s.v. M., RE 14, 875–881. C.A.

**Maler** s. Künstler

**Malerei** (ζωγραφία/*zōgraphía*, lat. *pictura* bzw. *ars pingendi*).
I. Griechische Malerei II. Römische Malerei

I. Griechische Malerei
Die frühesten Zeugnisse ant. M. finden sich auf den qualitätvollen monumentalen Wandfresken (→ Wandmalerei, → Freskotechnik) des kret.-myk. Kulturkreises in → Palästen und Häusern auf → Kreta und → Thera [1]. Die spätesten Beispiele stammen aus byz. Zeit [2].

A. Quellenlage und Forschungsgeschichte
B. Gattungen, Medien und Techniken
C. Funktionsbereiche und Bildinhalte
D. Entwicklung der malerischen Mittel

A. Quellenlage und Forschungsgeschichte
Bes. nachteilig für die Beurteilung und Erforschung gerade der »großen« griech. M. ist die spärliche und, wenn überhaupt, meist schlechte Überl. originaler Werke. Primäres Anschauungsmaterial liefern → Grabmalerei, → Mosaiken, und, sehr viel seltener, → Wandmalerei in Häusern [3; 4]. Zwar gaben einige wenige spektakuläre Neufunde sowie eine generelle Materialvermehrung in den vergangenen 20 J. immer wieder *missing links* zur Lösung bestimmter, oft nur sekundär bezeugter Probleme ikonographischer oder technischer Natur, und mod. naturwiss. Unt.-Methoden wie UVR- und UVA-Photographie oder chemische Werkstoffanalysen an vorhandenen Überresten trugen ebenfalls zur besseren Kenntnis bei [5; 6]; doch wiegt beispielsweise der vollständige Verlust der Tafel-M. schwer. Diese lückenhafte Überl. ist umso bedauerlicher, als zeitgenössische lit. Quellen den hohen Stellenwert der M. noch vor der Plastik immer wieder betonten. So kennt man zwar zahlreiche Künstlernamen und Titel oder Thematik der Werke, eine genaue Vorstellung vom tatsächlichen Aussehen der Bilder muß jedoch letztlich weitgehend spekulativ bleiben [7. 100; 8. 7–40].

Die heutige Kenntnis der griech. M. beruht auf den wenigen Originalen und verschiedenen, von der Forsch. miteinander kombinierten sekundären Quellen. Von den lit. Quellen läßt sich bes. das 35. B. der *Naturalis historia* (›Naturgeschichte‹) des Plinius, eigentlich den Farben gewidmet, wie eine Künstler-Gesch. oder ein Themenkatalog benutzen [9]. Dazu kommen zahlreiche andere Schriften unterschiedlichster Art und Zeitstellung mit verstreuten Hinweisen zu Bed. oder Wert der Bilder, dem Anbringungsort, dem oder den Auftraggeber(n), zur gesellschaftl. Stellung der Maler. Kunstkritik und -theorien diverser Epochen zu Ästhetik und Gehalt spiegeln diese Quellen ebenso wider wie die Wirkung der Gemälde auf den Betrachter. Philos. und wiss. Texte (→ Platon, → Aristoteles [6]) zeigen den Einfluß der M. auf den intellektuellen Diskurs [10; 11; 12; 13] (→ Kunsttheorie; → Mimesis). Nur frg. läßt sich aus all diesen Schriften die Fachlit. der Maler selbst zu ihrem Werk und bestimmten künstlerischen Problemen rekonstruieren; v.a. die eher philol. orientierte Kunstwiss. des 19. und frühen 20. Jh. versuchte vorwiegend anhand der lit. Überl., eine Kunst- und Stilgesch. der griech. M. nachzuzeichnen; h. beurteilt man diese Methode wegen der Eigengesetzlichkeit der lit. Gattungen kritischer.

Neben die philos. Kunstwiss. trat bald ein weiterer wichtiger Überl.-Strang, die → Vasenmalerei [14]. Seit geom. Zeit bis ins 3. Jh. v. Chr. sind bemalte Keramikgefäße aus diversen griech. und ital. Kunstlandschaften kontinuierlich vertreten. Die in vielen Zügen verwandte Gattung gibt wichtige Hinweise auf die zeitgenössische große M., da sie deren Entwicklungen aufnahm und reflektiert, aber v.a. auch, weil sie, gestalterisch und formal betrachtet, im Prinzip auf den gleichen Grundlagen aufbaut. Die früher gültige strikte Trennung von M. und Zeichnung ist bei dieser Betrachtungsweise aufzugeben, weil sie bei genauer Anschauung und im Vergleich der Denkmäler nicht vorhanden ist [15. 4ff.]. Daß die Vasen-M. sowohl in rein maltechnischer als auch künstlerisch-gestalterischer Hinsicht gleichwertig herangezogen wird, ist jedoch erst ein Anliegen der jüngeren Forsch. und wird nach wie vor kontrovers beurteilt.

Ebenso umstritten ist der Zeugniswert der röm.-kampanischen → Wandmalerei zur Rekonstruktion der Entwicklung griech. M. [16]. Zwar verwendeten röm. und pompeianische Wandmaler zuweilen Vorbilder aus der griech. Klassik und Spätklassik, und manche Themen und Motive lassen sich mit Hilfe der Schriftquellen auch einem bekannten griech. Maler zuweisen, doch bleibt das fehlende Original letztlich den Beweis schuldig. Auch sind die betreffenden Bilder so oft vom jeweiligen Zeitstil und -geschmack beeinflußt, daß es schwierig ist, die häufig nur versatzstückartig verwendeten originalen Züge herauszufiltern [17; 18]. Die gleiche Problematik ergibt sich beim Versuch, andere Gattungen heranzuziehen, u.a. bei reliefierten oder gravierten Werken ant. → Toreutik. Doch sind auch auf diesem Gebiet, v.a. in der älteren Forschung, immer wieder Versuche unternommen worden, verlorene

Originale zu rekonstruieren. Hinter all dem steht die Frage nach Übermittlung der Vorbilder, wie und durch welche Medien Themen oder Motive der großen M. zu den Kunsthandwerkern gelangten. Die früher häufiger postulierten Muster-Bücher müssen Hypothese bleiben.

B. Gattungen, Medien und Techniken

Das Material der Bildträger ist vielfältig. Ihr Erhaltungsgrad ist jedoch sehr unterschiedlich, und an manchen sind infolge von Verwitterung oder geringer Haltbarkeit der → Farben nur mehr Spuren ihrer einstigen Bemalung sichtbar, die aber mittels neuerer Methoden rekonstruierbar sind.

Bes. in archa. Zeit (7. und 6. Jh. v. Chr.) war M. auf Tontafeln (→ Pinax, → Exekias) verbreitet. Sie dienten als → Metopen in der Tempelarchitektur, als Wandverkleidung, wurden in Nekropolen oder Heiligtümern aufgehängt oder -gestellt. Sie waren in der »schwarzfigurigen« Technik zeitgenössischer Vasen, deren Farbwirkung nur mit keramischen Mitteln erzeugt wurde, bemalt. Mit dem Aufkommen der Tafel-M. im frühen 5. Jh. v. Chr. und ihrer Vorherrschaft bis ins 3. Jh. verlor die M. auf Ton an Bed., da sie mit ihrer begrenzten Technik nicht an die Wirkung der hölzernen Bilder heranreichte. Diese waren in Tempera oder enkaustisch (→ Enkaustik), also mit in heißem Wachs gelösten Farben ausgeführt. Als Untergrund schätzte man Buchsbaumholz wegen seiner Härte, ebenso sind Nadelhölzer überl. Einzige erh. Zeugnisse dieser ansonsten verlorenen Gattung sind die ägypt. → Mumienporträts, an denen sich sowohl das Verfahren als auch seine bes. Wirkung auf die Leucht- und Ausdruckskraft der Farben nachvollziehen lassen. M. auf Leinwand ist erst aus der röm. Kaiserzeit überl.; für die Bearbeitung dieser und der Holzbilder benutzte man Staffeleien, die den heutigen ähneln. Wandbilder in Pompeii zeigen das.

Daneben existierte stets → Wandmalerei [19], bei der die großflächigen Gemälde direkt auf Putz oder sogar Fels aufgetragen wurden; sie findet sich in den verschiedensten Kontexten. Auch hier wurde mit Tempera- oder → Freskotechnik oder einer Mischung aus beiden gearbeitet. Wichtig war Stein, hauptsächlich Marmor, auch als Untergrund in begrenzterem Format in anderen Fundzusammenhängen. Davon zeugen u. a. Grab- und Votivstelen, die ganz oder teilweise in M. ausgeführt waren. Auch als Baudekor konnten solche → Marmorbilder dienen, doch bildeten sie als Ausstattungsobjekte auch eine eigenständige Gattung. Zu erwähnen ist in diesem Zusammenhang die polychrome Fassung von Statuen (→ Polychromie), die reiche Bemalung repräsentativer Monumentalarchitektur ([20]; s.a. → Architektur) und der ornamentale oder figürliche Dekor von Marmorgerät in der ant. Kunst. Während man früher annahm, für die M. auf Marmor sei v. a. → Enkaustik zur Anwendung gekommen, ließ sich diese nur sehr selten nachweisen; häufiger waren auf verschiedenen Bindemitteln beruhende Temperatechniken. Bes. bedauerlich wirkt sich der Verlust der Originale hinsichtlich unserer Kenntnis ihres Kolorits aus, v. a. für die gerühmte Tafel-M. Doch lassen sich Zusammensetzung, Auswahl und Wirkung der → Farben durch chemische Feinanalysen des Erh. und das Studium der Schriftquellen h. besser beurteilen [21; 22]. So hat es, entgegen anderslautenden Meinungen, schon seit archa. Zeit Blau- und Grüntöne gegeben, und die für verschiedene Epochen lit. bezeugte Beschränkung auf Schwarz, Weiß, Rot und Gelb, die »Vierfarbmalerei«, war ein bewußt eingesetztes Stilelement, das die Virtuosität der sie anwendenden Maler unterstreichen sollte.

Zur Aufbewahrung und Aufbereitung der organischen und anorganischen Farbstoffe verwandte man Holz- und Metallkistchen mit einzelnen Näpfchen und Fächern; die kreidigen Farbklumpen wurden zur Weiterverarbeitung pulverisiert und danach in diversen Lösungsmitteln verflüssigt. Man kannte noch keine Paletten zur Mischung, sondern Schälchen oder Muscheln, wie aus bildlicher und materieller Überl. hervorgeht.

C. Funktionsbereiche und Bildinhalte

Schriftquellen und Grabungsbefunde verweisen auf Totenkult, Heiligtum, städtischen öffentl. Raum und Privathaus als die vier Hauptgebiete, für die die Maler, weisungsgebunden an ihre jeweiligen Auftraggeber, arbeiteten (s. → Künstler; → Kunst; → Kunstinteresse). Neuerdings hat man vermehrt die für diese Bereiche jeweils spezifische Bildersprache im histor. Kontext analysiert und versucht, die dahinterstehenden Wertvorstellungen, die dem Betrachter vermittelt werden sollten, zu entschlüsseln. Dieses Vorgehen birgt jedoch die Gefahr vereinfachender Analogieschlüsse aus der Sicht des mod. Betrachters. Auch lassen sich die einzelnen Sparten nicht genau trennen, viele Motive eigneten sich gleichermaßen für Heiligtümer und den profanen städtischen Bereich.

Die meisten Bildwerke stammen aus Nekropolen und Grabkontexten verschiedenster Regionen und Epochen (→ Grabmalerei). Die Darstellungen beziehen sich auf den Totenkult oder auf charakteristische Situationen aus der Lebenswelt der Verstorbenen, zeigen aber auch die mythischen Bewohner der Unterwelt. Der griech. M. stilistisch verwandte Beispiele für die archa. und klass. Zeit finden sich v. a. in Etrurien (→ Etrusci C.), prominente spätere Vertreter sind Wandbilder makedonischer Kammergräber des 4. Jh. v. Chr., v. a. der »Königsgräber« in Vergina (→ Aigai [1]) [23].

Die Kenntnis der M. in Heiligtümern, dem zweiten Funktionsbereich, verdanken wir hauptsächlich der schriftl. Überl. und erh. Vorrichtungen zum Anbringen oder Einlassen von Bildern. Diese befanden sich im Kultbezirk (→ *témenos*) und Umfeld der Tempel, entweder als Ausstattungsobjekte oder als Weihgaben (→ Weihung). Die Gebäude, beeindruckend oft schon durch farbigen Skulpturen- und Baudekor, konnten darüber hinaus selbst zu Bildträgern werden. Wände und Einzelteile wie Säulenschäfte oder Deckenkassetten trugen Bilder oder gemalte Ornamente. Zusätzlich wurden mancherorts bei großem Raumbedarf spezielle → Pinakotheken gebaut. Kostbare und witterungsanfällige Bilder waren in Schatzhäusern (→ Thesauros) verwahrt, einfachere Ton- und Marmorpinakes (→ Pinax) hingen im Freien, wie aus Vasenbildern hervorgeht.

Die Bildinhalte bezogen sich auf die im Heiligtum verehrte Gottheit und ihren Sagenkreis, sowie auf lokale Kulttraditionen. Auch bes. Feierlichkeiten mit Opferhandlungen, Prozessionen, → Tanz und anderen rituellen Handlungen wurden thematisiert. Überall verbreitet waren Bilderzählungen über mythische Helden und Heroen aus der Vorzeit, deren beispielhafte Taten und Schicksale seit dem 5. Jh. v. Chr. verstärkt mit aktuellen histor. Ereignissen parallelisiert wurden, um diese zu verdeutlichen (→ Historienmalerei). Ähnliche Inhalte mit noch deutlicherer polit. Aussage fanden sich auch im öffentl. Bereich der Polisgemeinschaft, beispielsweise auf der → Agora oder im → Gymnasion. Reste der Architekturen, in denen den Quellen nach die Gemälde aufgehängt oder direkt auf die Wand aufgetragen waren, sind h. noch sichtbar, das Inventar ist jedoch vergangen. Als Initiatoren solcher Stiftungen sind Politiker, hohe Militärs und andere verdiente Bürger gen. (→ Euergetes; → Euergetismus). Auch die Städte selbst konnten Standort und Themen bestimmen und Künstler ihrer Wahl beauftragen.

Die Bildersprache des öffentl. Raumes vermittelte allg. gesellschaftl. Wertvorstellungen und Ideale aus dem aristokratischen Tugendkanon. Dafür waren Kriegs-, Jagd- und Sportbilder, die das agonale Prinzip vertraten, geeignet. Aber auch Machtanspruch und ideologische Propaganda der gerade herrschenden polit. Klasse und Ereignisse aus der jüngeren Gesch. wurden thematisiert. Diese »Botschaften« waren in Schlachtengemälden, Herrscher- oder Dynastienporträts und in allegorischen Bildnissen personifizierter abstrakter Begriffe ablesbar. Zuweilen wurden sie auch noch durch die Kombination mit Bildern der altbekannten, paradigmatisch zu verstehenden Mythen verstärkt. Gerade diese Bilder können wohl auch dem ant. Betrachter oft nur durch ihre in den Quellen erwähnten Beischriften verständlich geworden sein [24].

Am wenigsten ist über die Ausstattung der Privathäuser mit M. bekannt. Bis ins späte 5. Jh. v. Chr. war sie wohl nur die Ausnahme, erst danach und verstärkt im Hell. gibt es Zeugnisse dafür [4; 25]. Neben einfacherer Wanddekoration im Felderstil, die in der frühen röm.-kampanischen Wand-M. weiterlebte [26], dürften auch Tafel- oder transportable Klapptürbilder zum Einsatz gekommen sein. Die Thematik war vielfältig und dürfte sich aus all den bisher gen. Bereichen rekrutiert haben, war jedoch individueller und weniger offiziell. Dazu kamen Alltagsszenen aus dem Bereich des Symposion (→ Gastmahl) und Liebesleben der Aristokratie, aber auch der Lebenswelt der Handwerker und Händler; ebenso Genre-M. [27], Stilleben, Pflanzen- und Tierdarstellungen und humoristische Szenen.

### D. Entwicklung der malerischen Mittel

Eine Stil- und Kunstgesch. der griech. und röm. M. kann in einem Überblicksartikel nicht gegeben werden, doch sollen einige Hinweise nicht fehlen. Zweifellos war die der natürlichen Gestalt nahekommende Darstellung von Figuren und Gegenständen sowie ihre ausgewogene Komposition im Bildraum Hauptanliegen der griech. M. Diesem Ziel näherte sich die M. im Lauf des 5. Jh. v. Chr. durch die Kombination verschiedener gestalterischer Mittel. Das 4. Jh., wegen berühmten Künstlerpersönlichkeiten wie z. B. → Pausias, → Nikias und → Apelles [4] allg. als Blütezeit apostrophiert, verfeinerte und optimierte die bis dahin errungenen Techniken durch größere Raffinesse in einzelnen Details. Es bildeten sich mehrere, miteinander konkurrierende M.-Schulen, die Attische, Ionische und Sikyonische. Der Ursprung der »großen« M. lag im späten 7. Jh. v. Chr. in Korinth und Kleonai [21; 28; 29].

Grundlegend für die Anlage des Bildgegenstandes war der zeichnerische Umriß [30], der durch Binnendetails konkretisiert und dann mit Farbe ausgefüllt wurde. Dieses Prinzip findet sich bereits auf geom. Vasen und wird bis in den Hell. und die röm. Epochen beibehalten. Schon die Kontur verhalf der Figur durch die Art der Linienführung (An- und Absetzen der Linie; lineare Schraffuren am Umriß) zu einer gewissen Plastizität, die durch perspektivische Verkürzung (→ Perspektive) einzelner Teile erhöht werden konnte. Die meisterliche Beherrschung der Linien- und damit Zeichenkunst, für die v. a. → Parrhasios in der 2. H. des 5. Jh. gelobt wurde, findet sich auf zeitgenössischen Vasen wieder. Die Grundlagen dafür hatten schon im frühen 5. Jh. v. Chr. → Kimon [4] und nach ihm → Polygnotos geschaffen. Damit konnten wohl bereits die für diese beiden überl. und auch in Zeugnissen erh. individualisierenden Gesichtsdetails und Emotionen ausgedrückt werden.

Dazu kam der Einsatz der Farbe und der damit verbundenen Möglichkeiten von Schattierungen und Aufhöhungen, die die Plastizität erhöhten und andererseits auch die materielle Beschaffenheit eines Motivs festlegten. Für die Einführung der → Schattenmalerei (*skiagraphía*) wird → Zeuxis im letzten Viertel des 5. Jh. angeführt, aber erh. Beispiele zeigen, daß sie zu der Zeit schon souverän gehandhabt wurde. Auch hierbei steht die Naturnachahmung im Vordergrund: Stufenweise dunkle Abschattierungen in Kontrast mit hellen, glanzlichtartigen Aufhöhungen und Reflexen lassen die Bildelemente räumlich erscheinen. Lasurartiger Auftrag der Farben, wie für das 4. Jh. und → Apelles [4] überl. und üblich, dürfte zu einer raffinierteren Wirkung der Hell-Dunkel-M. beigetragen haben. Durch Angabe der Schlagschatten wird dieser Eindruck verstärkt.

Tiefengestaffelte Kompositionsweise und sich überschneidende Anordnung der Gegenstände in der Fläche erzeugen einen Bildraum, den die Figuren einerseits durch ihre eigene Körperlichkeit erschließen, durch ihre Bezugnahme auf weiter vorne oder hinten befindliche Bildpartikel andererseits aber auch als ganzen sichtbar machen. Darin muß die vielgepriesene *symmetría* oder *dispositio* einiger Vertreter der Sikyonischen Schule wie z.B. → Pamphilos oder → Melanthios [5] gelegen haben. Die Nachrichten über »Erfindungen« bestimmter Techniken oder deren chronologische Entwicklung sind zeitlich nicht immer deckungsgleich mit dem erh. Originalbestand: manches findet sich früher schon; auch deuten manche weniger gelungene Bilder auf Experimentierphasen hin, in denen sich die Maler kontinuierlich einer künstlerischen Problembewältigung näherten [8; 14; 31; 32; 33].

## II. Römische Malerei

Zeugnisse der röm. M. haben sich in fast allen Gebieten des röm. Reiches, v.a. in Rom selbst und in Campania (→ Pompeii; → Herculaneum), erh. [17; 34; 35; 36; 37; 38]. Gerade in jüngster Zeit kommt wegen der verstärkten Grabungsaktivitäten bedeutendes Material aus allen Prov. hinzu [39]. Es reicht von späthell. Zeit bis in die Spätantike.

Hauptmedium ist die → Wandmalerei (zu Stilentwicklung und histor. Bed. der einzelnen Bereiche s. dort). Doch dürften auch schriftlich überl. Tafelbilder, von denen jedoch nur Bsp. auf Marmor erh. sind, bedeutend gewesen sein. Durch Kunstraub kamen seit republikanischer Zeit viele griech. Originale nach Rom und in die Landsitze der Senatsaristokratie, ein Brauch, der in der Kaiserzeit fortgesetzt wurde. Zudem wurden griech. Maler als Sklaven nach Rom gebracht, die wegen ihrer Fähigkeiten dort arbeiten und Unterricht geben mußten. Aber auch eigenständige röm. Künstler werden in den Texten, z.B. bei Plinius und Vitruvius, überliefert. Lange Zeit galt die röm. M. in der Forsch. nur als dekoratives Ausstattungskunsthandwerk oder Kopie der griech. und wurde deswegen gar nicht auf die ihr eigenen Qualitäten befragt, doch hat sich dies seit den neueren geistesgesch. Stud. zu Wohnkultur und Stadtbild des öffentl. Raums verändert.

Die Bereiche, in denen M. vorkam, sind weitgehend die gleichen wie für die griech. M.: Heiligtümer, Grabanlagen und -bauten (s.a. → Katakomben) sowie öffentl. Gebäude tragen M. Dazu kommen nun vermehrt solche, die dem Vergnügen und Wohlergehen der Bevölkerung dienten, wie → Thermen, → Gymnasien und andere Sport- und Kulturstätten. Doch stammt im Gegensatz zu Griechenland nun v.a. reiches und teilweise noch sehr gut erh. Material aus → Villen, Privathäusern und -wohnungen. Auch die kaiserl. Residenzen, seien es städtische [40] oder solche auf dem Lande, waren reich ausgemalt. Überhaupt ist davon auszugehen, daß die Wand-M. in allen Winkeln öffentl. und privater Architektur Einzug gehalten hatte.

Mit der überwiegenden Verwendung von M. als Ausstattung des Wohnambientes ändern sich teilweise Bildinhalte und Darstellungsformen. So sind einige großformatige Frieserzählungen erh., deren Herkunft oder Vorbild, Intention und Deutung umstritten ist (→ Pompeii, Villa dei Misteri; → Boscoreale, Odysseefresken) [41]. Die Ausmalung der Räume hängt eng mit deren multifunktionaler Nutzung zusammen [43]. Auch kann man nun in manchen Bereichen auf den Wänden von echter Genre- und → Landschaftsmalerei sprechen [27; 42].

→ Buchmalerei; Bühnenmalerei; Etruria, Etrusci (II. C. 3. Grabmalerei); Farben; Freskotechnik; Grabmalerei; Historienmalerei; Katakomben; Künstler; Kunstinteresse; Landschaftsmalerei; Marmorbilder; Monochromata; Mosaik; Mumienporträts; Rotfigurige Vasenmalerei; Schattenmalerei; Schwarzfigurige Vasenmalerei; Stilleben; Triumphalgemälde; Vasenmalerei; Wandmalerei; Malerei

**1** C. Doumas, The Wall Paintings of Thera, 1992 **2** M. A. Cheimastou-Potamianou, Greek Art. Byzantine Wall-Paintings, 1994 **3** D. S. Corlàita (Hrsg.), I temi figurativi della pittura parietale antica, 1997 **4** F. Alabe, Intérieurs de maisons hellénistiques, in: RA 1995, 191–197 **5** V. v. Graeve, B. Helly, Recherches récentes sur la peinture grecque, in: PACT 17, 1987, 17–33 **6** V. v. Graeve, Neue Methoden zur Erforschung ant. M., in: Jb. der Universität Bochum 19, 1988, 81–93 **7** A. Rouveret, Profilo della pittura parietale greca, in: G. Pugliese Caratelli (Hrsg.), I Greci in Occidente, 1996, 100–108 **8** I. Scheibler, Griech. M. der Ant., 1994 **9** J. Isager, Pliny on Art and Society, 1991 **10** S. Goldhill (Hrsg.), Art and Text in Ancient Greek Culture, 1994, passim **11** J. J. Pollitt, The Ancient View of Greek Art, 1974 **12** J. Elsner, Art and Text in Roman Culture, 1996, passim **13** F. Graf, Ekphrasis, 1998, passim **14** A. Rouveret u. a., Céramique et Peinture Greques, 1999 (bes.: C. et grande peinture, 217–255) **15** N. Hoesch, Bilder apul. Vasen und ihr Zeugniswert für die Entwicklung der griech. M., 1983 **16** H. Lauter-Bufe, Zur Stilgesch. der figürlichen pompejanischen Fresken, 1969 **17** A. Donati (Hrsg.), Romana Pictura, 1998 **18** A. Allroggen-Bedel, Lokalstile in der campanischen Wand-M., in: Kölner Jb. für Vor- und Frühgesch. 24, 1991, 35–41 **19** S. A. Immerwahr, Aegean Painting in the Bronze Age, 1990 **20** V. Brinkmann, Die Friese des Siphnierschatzhauses, 1994 **21** N. Koch, De Picturae Initiis, 1996 **22** H. Blum, Purpur als Statussymbol in der griech. Welt, 1998 **23** M. Andronikos, Vergina 2, 1994 **24** R. Krumeich, Bildnisse griech. Herrscher und Staatsmänner im 5. Jh. v. Chr., 1997 **25** W. Höpfner (Hrsg.), Gesch. des Wohnens 1, 1999, passim **26** P. Guldager Bilde, The »International Style«. Aspects of Pompeian First Style and its Eastern Equivalents, in: Acta Hyperboraea 5, 1993, 151–177 **27** B. Gaethgens (Hrsg.), Genre-M., 1999 **28** G. Rembado, Il problema delle origini della pittura corinzia, in: Sandalion 8–9, 1985/86, 109–119 **29** E. G. Pemberton, The Beginning of Monumental Painting in Mainland Greece, in: R. I. Curtis (Hrsg.), Studia Pompeiana et classica, FS für W. F. Jashemski 2, 1989, 181–197 **30** B. Holtzmann, Le graphisme dans l'art grec, in: Histoire de l'Art 24, 1993, 3–11 **31** A. Rouveret, Histoire et imaginaire de la peinture ancienne, 1989 **32** R. Bianchi Bandinelli (Hrsg.), Pittura e Pittori nell'antichità, 1966 (Exzerpt aus EAA) **33** P. Moreno, Pittura greca, 1987 **34** I. Bragantini, Problemi di pittura romana, in: AION 2, 1995, 175–197 **35** R. Ling, Roman Painting, 1991 **36** F. G. Andersen, Roman Figural Painting

in the Hellenistic Age, in: Acta Hyperboraea 5, 1993, 179–190 37 R. THOMAS, Die Dekorationssysteme der röm. Wand-M. von augusteischer bis in trajanische Zeit, 1995
38 A. DE FRANCISCIS u.a., La peinture de Pompéi, 1993
39 H. BOGLI, Pictores per Provincias, 1987
40 P. MEYBOOM, Famulus and the Painters' Workshops of the Domus Aurea, in: MededRom 54, 1995, 229–244
41 F. COARELLI, The Odyssey Frescoes, in: Journ. of the British School of Rome 66, 1998 42 J.C. CLARKE, Landscape Paintings in the Villa of Oplontis, in: Journ. of Roman Archaeology 9, 1996, 81–107 43 E. M. MOORMANN (Hrsg.), Functional and Spatial Analysis of Wall Painting, 1993 (Babesch Suppl. 3). N.H.

**Malia** s. Mal(l)ia

**Malichai** (Μαλῖχαι). Nach Ptol. 6,7,23 Volk in → Arabia Felix im Hinterland des Roten Meeres. Die M. entsprechen wohl den Banū Malik in ʿAṣīr im h. Saudi-Arabien (vgl. auch die *Baramalacum*, Plin. nat. 6,157). I.T.-N.

**Malichos** (Μάλιχος, Namensvariante: Malchos, Μάλχος). Vertrauter und heimlicher Rivale des → Antipatros [4], diente diesem 57 v. Chr. als Truppenführer gegen den hasmonäischen Prinzen Alexandros (Ios. bell. Iud. 1,162; Ios. ant. Iud. 14,84) und 43 bei der Eintreibung der vom Caesarmörder C. → Cassius [I 10] geforderten Tribute (Ios. bell. Iud. 1,220; Ios. ant. Iud. 14,273–276). In demselben Jahr ließ er Antipatros vergiften (Ios. bell. Iud. 1,226; Ios. ant. Iud. 14,281) und fiel der Rache des Sohnes, → Herodes' [1] d.Gr., zum Opfer (Ios. bell. Iud. 1,234; Ios. ant. Iud. 14,288–293).

P. RICHARDSON, Herod. King of the Jews and Friend of the Romans, 1996, 115–117. K.BR.

**Malichu insula** (Plin. nat. 6,175 nach Iuba). Vor der Westküste von → Arabia Felix im südl. Roten Meer gelegen; diente den Seefahrern nach dem Passieren von Exusta (→ Katakekaumene [2]) als nächster Orientierungspunkt. M. ist wohl mit der Insel Ḫanīš al-kubrā (13° 43′ N, 42° 45′ O) zu identifizieren, die 407 m hoch ansteigt. Wenn Ptol. 6,7,44 Malichu (Μαλίχου, Var. Μαλιάχου δύο, d.h. die beiden Inseln des Malichos) erwähnt, so dürften damit die beiden Ḫanīš-Inseln, d.h. die große und die nördl. davon gelegene kleine, Ḫanīš aṣ-ṣuġrā, gemeint sein. W.W.M.u.A.D.

**Malieis** (Μαλιεῖς). Bei Homer noch nicht gen. Stamm in der Mündungsebene des → Spercheios an dem nach ihm benannten Meerbusen, im Spercheios-Tal im Westen an die Ainianes grenzend. Sie gehörten zu den urspr. Mitgliedern der pylaiisch-delph. Amphiktyonie (→ *amphiktyonía*), deren erster Mittelpunkt, das Demeter-Heiligtum von Anthele, in ihrem Gebiet lag (Aischin. or. 2,116; Paus. 10,8,2; Theop. FGrH 115 F 63). Ihre archa. Sitten werden mehrfach erwähnt (Aristot. pol. 1297b 14ff., fr. 512 USENER 1870), nach älteren Ber. stellten sie v.a. Leichtbewaffnete (Paus. 1,23,4; Thuk. 4,100,1), zu Alexanders Heer auch Reiter (Diod. 17,57,3).

Bei Herodot (s.u.) umfaßt ihr Gebiet noch den Südteil der Spercheios-Ebene bis ins Gebirge, ihr Hauptort war → Trachis. Dementsprechend untergliedert Thuk. 3,92,1 den Stamm in die Paralioi, Hiereis und Trachinioi. Sie mußten sich 480 v. Chr. wie die übrigen nordgriech. Stämme dem Heer des Xerxes anschließen (→ Perserkriege). Durch die benachbarten Oitaioi bedrängt, wandten sie sich 426 v. Chr. um Hilfe an die Spartaner, die anstelle von Trachis in der Nachbarschaft Herakleia [1] gründeten (Thuk. 3,92), woraus aber Verwicklungen mit den anderen M. und den Nachbarstämmen entstanden (Thuk. 5,51). Im 4. Jh. waren sie bis zum Ausbruch des → Korinthischen Krieges (Xen. hell. 4,2,17) von Sparta abhängig (Xen. hell. 3,5,6; 4,3,9). Der Kampf gegen Sparta führte zum Verlust des Gebiets südl. des Spercheios; Herakleia [1] fiel an die Oitaioi (Skyl. 62; Paus. 10,23,13). Neues Zentrum des Landes wurde Lamia [2] nördl. des Spercheios (evtl. auf urspr. achaiischem Gebiet), das nun fast ausnahmslos die → *hieromnḗmones* in der → *amphiktyonía* stellte. Die M. standen nun auf der Seite von Theben (Xen. hell. 6,5,23; Diod. 15,85,2). Sie sind mit den Oitaioi und Ainianes zusammen in der Liste des Korinth. Bundes Phillippos' II. gen. (Syll.³ 260b 9) und gehörten seit etwa 235 v. Chr. zum Aitolischen Bund (→ Aitoloi, Karte). 189 v. Chr. wurde ihr Gebiet an Thessalia angeschlossen, genauer an die Landschaft Achaia Phthiotis, und blieb in der Kaiserzeit damit vereinigt, so daß die kaiserzeitlichen Geographen die M. zu Thessalia rechnen.

G. DAUX, Delphes au IIᵉ et au Iᵉʳ siècle, 1936, 309f., 673 • R. FLACELIÈRE, Les Aitoliens à Delphes, 1937, 36, 40, 247, 358 • G. KIP, Thessal. Stud., 1910, 42ff. • F. STÄHLIN, Das hellenische Thessalien, 1924, 212ff. • Ders., s.v. M., RE 14, 900ff. HE.KR.u.E.MEY.

**Malleolus**

**[1]** s. Pfeil

**[2]** Cognomen (von *malleus*, »Hammer«) in der Familie der Publicii in republikanischer Zeit.

1 KAJANTO, Cognomina, 342. K.-L.E.

**Mal(l)ia.** Eine der min. Palastanlagen auf Kreta, an der Nordküste ca. 40 km östl. von Heraklion, mit zwei Hafenbuchten. Der relativ geringe Grad ant. Überbauung und späterer Rekonstruktion ermöglicht einen authentischen Einblick in die min. Palastarchitektur. Wie bei den Palästen von → Knosos, → Phaistos und → Zakros gruppieren sich die Gebäude um einen großen Mittelhof. Auch die Gesch. des Palastes mit den einzelnen Bauphasen entspricht der Entwicklung der anderen Paläste. Die erste Anlage entstand Anf. des 2. Jt. v. Chr. Eine Zerstörung um 1700 v. Chr. ist verm. durch Erdbeben verursacht worden. Die definitive, zur Aufgabe des Palastes führende Zerstörung (um 1450 v. Chr.) dürfte kaum von dem zeitlich früher anzusetzenden Vulkanausbruch auf Thera (Santorin) mit anschließen-

der Flutwelle verursacht worden sein. Die den Palast umgebende Wohnstadt ist gut erforscht. Am Meer Nekropolen mit reichen, u. a. auch Goldfunden (Chrysolakkos). Westl. des Palastes Funde aus röm. Zeit, die auf eine große *villa* hindeuten, dazu eine Basilika und eine Therme.
→ Minoische Kultur und Archäologie

H. VON EFFENTERRE, Le palais de M. et la cité minoenne, 2 Bde., 1980 • J. W. MYERS u. a., Aerial Atlas of Ancient Crete, 1992, 175–185 • O. PELON, Guide de Malia. Le palais et la nécropole de Chrysolakkos, École française d'Athènes. Sites et monuments 9, 1992 • J.-C. POURSAT, Guide de Malia au temps des premiers palais. Le quartier Mu, École française d'Athènes. Sites et monuments 8, 1992 • I. F. SANDERS, Roman Crete, 1982, 147. H.SO.

**Mallius.** Röm. Gentilname (hsl. häufiger mit Manlius und Manilius verwechselt).
**[1] M. Maximus, Cn.** *Homo novus* (Cic. Planc. 12), Praetor spätestens 108 v. Chr., Consul 105 zus. mit P. → Rutilius Rufus und beauftragt mit dem Krieg gegen die Kimbern (→ Cimbri) im Rhonegebiet. Da sein Amtsvorgänger, der Proconsul Q. → Servilius Caepio, sich nicht seinem Oberkommando fügen wollte und die Kimbern zum Angriff reizte, wurden ihre beiden Armeen bei Arausio nacheinander schwer geschlagen, zuletzt M. am 5. Okt. 105; unter den 70000 Toten waren auch seine beiden Söhne und der Legat M. Aurelius [I 18] Scaurus (Liv. per. 67; Granius Licinianus p. 10f. CRINITI; Cass. Dio 27, fr. 91; Oros. 5,16,1–7; MRR 1,555). M. wurde ebenso wie Caepio 103 angeklagt, trotz der Verteidigung durch den Redner M. Antonius [I 7] verurteilt und ging ins Exil (Cic. de orat 2,125; Liv. per. 67; Granius p. 12).
**[2] M. Pantolabus** (Spottname »Raffke«). Ärmlicher Possenreißer (*scurra*) in vornehmen Häusern Roms im 1. Jh. v. Chr., von Horaz verspottet (Hor. sat. 1,8,11 mit Porphyrio z. St.; 2,1,22). K.-L.E.

**Mallobaudes** schlug als *comes domesticorum et rex Francorum* 378 n. Chr. bei Argentaria (Horburg/Elsaß) die Alamannen und nahm wohl an → Gratianus' [2] rechtsrhein. Expedition [1. 600] zu deren Unterwerfung teil (Amm. 31,10,6–17). Im Frankenland tötete er später den eingefallenen Alamannenkönig → Macrianus [1] (Amm. 30,3,7). Die Identität mit dem fränk. *tribunus armaturarum*, der 354 → Constantius [5] Gallus verhörte (Amm. 14,11,21) und 355 mit → Malarich für → Silvanus eintrat (Amm. 15,5,6), ist umstritten [2].

1 P. KEHNE, s. v. Gratian, RGA 12, 598–601 2 M. WAAS, Germanen im röm. Dienst, [2]1971, 91f. 3 PLRE 1, 539.
P.KE.

**Malloi** (Μαλλοί). Indisches Volk am Zusammenfluß der Pandschab-Flüsse → Hydaspes, → Akesines [2] und → Hydraotes, mit mehreren befestigten Städten. Im Bund mit den → Oxydrakai leisteten sie heftigen Widerstand gegen Alexander d.Gr. Sie sind wohl die altindischen Mālava, die später nach Osten eingewandert und numismatisch und epigraphisch in Rājasthān (2. Jh. v. Chr.) und in Madhya Pradesh belegt sind. Dort ist ihr Name noch als Mālwā erhalten.

K. K. DAS GUPTA, The Mālava, 1966. K.K.

**Mal(l)oia.** Stadt in der thessal. Landschaft Perrhaibia (→ Perrhaiboi) im Tal des Titaresios, gleichgesetzt mit der Ruine Paliokastro bei Sykia. Sie wird als Nachbarort von Chyretiai nur während der Kriege zu Anf. des 2. Jh. v. Chr. und nur von Livius gen.: 199 und 191 auf aitol. Seite übergetreten, wurde M. jeweils von Philippos V. zurückerobert (Liv. 31,41,5; 36,10,5; 13,4), der sie aber 185 an Perrhaibia zurückgeben mußte (Liv. 39,25,16). 171 v. Chr. ergab sich M. König Perseus (Liv. 42,53,8) und wurde bald darauf vom röm. Heer erobert und geplündert (Liv. 42,67,7).

J.-CL. DECOURT, La vallée de l'Enipeus en Thessalie, 1990, 117ff. • F. STÄHLIN, s. v. M., RE 14, 913ff. HE.KR.

**Mal(l)orix.** Keltisches Namenskompos. mit *mall-*, »langsam« [1. 236]. Zusammen mit Verritus bat M. 58 n. Chr. in Rom als König(?) der → Frisii um die Zustimmung zur Umsiedlung des Stammes auf röm. Gebiet, nahm im Pompeius-Theater unter den Senatoren Platz und wurde von Nero mit dem Bürgerrecht beschenkt (Tac. ann. 13,54; Suet. Claud. 25).

1 SCHMIDT.
W.SP.

**Mallos** (Μαλλός). Eine der ältesten Städte der → Kilikia Pedias (Ptol. 5,8,4; 8,17,44; Skyl. 102; Stadiasmus maris magni 162f.; Plin. nat. 5,22). Die genaue Lokalisierung steht noch aus; sie wird aufgrund von Inschr. beim h. Kızıltahta und am Westufer des → Pyramos vermutet [1. 665], wo Reste eines kaiserzeitlichen Gebäudes erkennbar sind. Nördl. davon befinden sich Ruinen einer röm. Brücke [2. 337]. Hier überschritt Alexander d.Gr. 333 den Pyramos (Arr. an. 2,5). Wohl im 2. Jh. v. Chr. wurde M. in Antiocheia am Pyramos umbenannt [3. 547], zusammen mit Magarsa. Pompeius siedelte in M. Piraten an (Ära von M. ab 67/6 v. Chr.). Als Etappenstation der Sāsāniden-Feldzüge im 3. Jh. n. Chr. unter Severus Alexander wurde die Stadt röm. *colonia* [4. 183]. 260 von Šapur I. erobert und verwüstet [5. 312f.]. Seit Anf. des 5. Jh. in der *Cilicia I* (Hierokles, Synekdemos 704,8). Bischöfe von M. sind auf den Synoden von Ephesos belegt. Aus Mallos stammten → Krates [5], → Zenodotos und → Moschion.

1 H. TH. BOSSERT, Vorber. über die arch. Unt. von Karataş, in: Belleten 14, 1950, 664–666 2 HILD/HELLENKEMPER, 337, s. v. M. 3 M. GOUGH, s. v. M., PE, 547 4 R. ZIEGLER, Wann wurde M. zur röm. Kolonie, in: E. SCHWERTHEIM (Hrsg.), Stud. zum ant. Kleinasien 2, 1992, 181–183 5 A. MARICQ, Classica et Orientalia. 5. Res Gestae Divi Saporis, in: Syria 35, 1958, 295–360.

L. ROBERT, Contribution à la top. de villes de l'Asie Mineure Méridionale, in: CRAI 1951, 256–258. M.H.S.

**Mallovendus.** Keltischer Name (vgl. → Mal(l)orix). Fürst der → Marsi, der sich den Römern unterworfen hatte und → Germanicus [2] 15 n. Chr. das Versteck des Adlers einer der untergegangenen Legionen des → Quinctilius Varus verriet (Tac. ann. 2,25). W.SP.

**Malophoros** (Μαλοφόρος). Dor. »Apfel-« oder »Schafträgerin«, Beiname der → Demeter in → Megara, wo ihr Tempel im Hafenvorort lag (Paus. 1,44,3). In der megarischen Kolonie → Selinus auf Sizilien besaß sie ein außerstädtisches Heiligtum [1]. Dem Gründungsmythos zufolge erhielt Demeter den Namen von den ersten Schafzüchtern Megaras (Paus. 1,44,3). Die Forsch. hat das Epitheton M. entweder auf Schafe [2] oder auf das Mysteriensymbol des → Granatapfels bezogen [1]. Doch ist das Wort möglicherweise bewußt doppeldeutig und zielt auf Äpfel, die man der Göttin bei ihrem Erntefest zur Zeit der → Opora (vgl. Theokr. 7,144; Paus. 9,19,5) weihte und wie im boiotischen Herakleskult durch Einstecken von Hölzchen zu Schafen stilisierte (Hesych. s. v. Μήλων Ἡρακλῆς; Poll. 1,30f.).

1 M. Dewailly, Les statuettes aux parures du sanctuaire de la M. à Sélinonte, 1992 2 E. Mantzoulinou-Richards, Demeter M.: the Divine Sheep-Bringer, in: Ancient World 13, 1986, 15–22. G.B.

**Malos**

**[1]** (Μᾶλος). Sohn des Amphiktyon, Eponym der → Malieis und ihrer Stadt Malieus (Androtion bei Steph. Byz. s. v. Μαλιεύς). In den Gedichten des → Isyllos aus Epidauros (CollAlex 132–135 = [1. 380–383 Nr. 40]) führt M. als epidaurischer König den Kult des Apollon → Maleatas ein. Damit ist M. wohl epidaurische Erfindung zur Etym. von Maleatas. Bei Isyllos heiratet M. durch die Vermittlung des Zeus die Muse Erato und wird Vater der Kleophema, damit Großvater der → Aigle [5] und Urgroßvater des → Asklepios.

1 L. Käppel, Paian, 1992.

U. v. Wilamowitz-Moellendorff, Isyllos von Epidauros, 1886 (Ndr. 1967), 188. K.v.S.

**[2]** (Μάλος). Dorf in Galatia, h. Kalecik, in der Landschaft Kalmizene (Inschr. b, 251 n. Chr. [1. 205]); bed. Weinproduktion; Sitz einer montanistischen Gemeinde (→ Montanismus), jüd. Synagoge [1. 209B], in der Nähe Martyrion des hl. Theodotos von Ankyra (gest. 312); ca. 13 km nordwestl. Heiligtum des Zeus Bussurigios ([1. 201, 203 f.], h. Karahüyük).

1 S. Mitchell, Regional Epigraphic Catalogues of Asia Minor. 2: The Ankara District. The Inscriptions of North Galatia, 1982.

S. Mitchell, The Life of Saint Theodotos of Ancyra, in: AS 32, 1982, 93–113 · Mitchell, Bd. 2, 18, 49, 93 · Belke, 201 f. K.ST.

**Malta** s. Melite [7]

**Maluginensis.** Cognomen in der Familie der Cornelii (→ Cornelius [I 57/58], [II 30]).

Kajanto, Cognomina, 210. K.-L.E.

**Malum Punicum** s. Granatapfel

**Malus** (Μαλοῦς). Arkadischer Fluß südwestl. von → Megale polis (Paus. 8,35,1), der zuvor den Syros aufnimmt, bevor er linkerhand in den → Alpheios [1] mündet; h. wohl der Bach von Neohori ([1]; anders zuvor [2]).

1 F. Geyer, s. v. Syros (1), RE 3 A, 690 2 F. Bölte, s. v. M. (1), RE 14, 942–947. E.O.

**Malve** (μαλάχη/*maláchē*, μολόχη/*molóchē* Dioskurides, lat. *malva*). In der Ant. gab es verschiedene Arten (vgl. Plin. nat. 20,222) aus der Familie der Malvaceae mit rosenähnlichen Blüten sowie den Eibisch (→ *althaia* [2], Althaea officinalis, ἀλθαία, ἐβίσκος, lat. *hibiscus*, *althaea malva agrestis*, Isid. orig. 17,9,75) mit weißen oder rosafarbenen Blüten. Als wenig magenfreundliches Gemüse (Dioskurides 2,118 Wellmann = 2,144 Berendes) spielte etwa die Garten-M. kaum eine Rolle, wurde aber (seit Hes. erg. 41) bis in die Neuzeit als Heilmittel verwendet. Die Wurzel enthält neben Schleim, der in Wasser eine Art Gallerte bildet (Theophr. h. plant. 9,18,1; Plin. nat. 20,230), Stärke und etwas Asparagin. Neben ihr wurden die Samen und Blätter, innerlich (z. B. bei Husten: Plin. nat. 20,225) und äußerlich bei Entzündungen und Wunden aller Art (Theophr. h. plant. 9,18,1; Dioskurides 3,146 Wellmann = 3,153 Berendes: Eibisch [1. Abb. 225]; *hibiscus*: Plin. nat. 20,29; *malva*: Plin. nat. 20,222–230 mit Anwendung gegen Insektenstiche, als Aphrodisiakum und Abortivum) empfohlen.

1 H. Baumann, Die griech. Pflanzenwelt, 1982.

P. Wagler, s. v. Althaia (3), RE 1, 1694–1696. C.HÜ.

**Mamala.** Nach Ptol. 6,7,6 (Μάμαλα κώμη) Ortschaft der → Kassanitai an der Westküste Arabiens. Entspricht wohl Ṣalīf oder Lōḥiyya. Nicht zu verwechseln mit → Mamali.

H. v. Wissmann, De mari Erythraeo (Stuttgarter Geogr. Stud. 69), 1957, 300, 42b. I.T.-N.

**Mamali.** In einem bei Theophr. h. plant. 9,4,2 (Μαμάλι) teilweise erh. Flottenbericht von 323 v. Chr. gen. Land in Südarabien, wohl Maʿmal beim h. ʿAṣīr in Saudi-Arabien an der Küste.

H. v. Wissmann, De mari Erythraeo (Stuttgarter Geogr. Stud. 69), 1957, 300 Anm. 42b · Ders., M. Höfner, Beitr. zur histor. Geogr. des vorislam. Südarabien (AAWM, Geistes- und sozialwiss. Klasse), 1952 Nr. 4, 76, 82, 85 f., 95, 104 und Karten · Ders., Zur Gesch. und Landeskunde von Altsüdarabien (SAWW, Philos.-histor. Klasse 246), 1964, 189, 416. I.T.-N.

**Mamercinus.** Cognomen in republikanischer Zeit in den Familien der Aemilii (→ Aemilius [I 18–26]) und Pinarii.

KAJANTO, Cognomina, 176. K.-L. E.

**Mamercus.** Ausschließlich von der patrizischen *gens* der → Aemilii gebrauchtes → Praenomen (dort auch als → Cognomen verwendet, doch nie für Freigelassene); Sigle: *Mam.*; griech. Μάμερκος. Zuerst belegt beim Vater des Aemilius [I 25], zurückgeführt auf M., Sohn des → Numa (Plut. Numa 8,18f.). Der Name kommt auch im Oskischen (Μαμερεκς) und im Etr. (*Mamarce, Mamerce, Mamurke*, 7.–5. Jh. v. Chr.) als Praen. vor und ist von dem ital. Götternamen abgeleitet, der im Osk. (Dat. Μαμερτει) und jetzt auch im Lat. (*Mamartei* auf dem → Lapis Satricanus) belegt ist. Wie → Marcus wurde er wohl vornehmlich für im März (osk. *Mamerttio-*) Geborene verwendet.

KAJANTO, Cognomina 176 · SALOMIES, 34f., 240. H.R.

**Mamerkos** (Μάμερκος). Bei Plut. Timoleion 31,1 erwähnter Tragiker des 4. Jh. v. Chr. (TrGF I 87). B.Z.

**Mamers.** Nach Festus (116,2; 150,34) die osk. Form von → Mars. Das Vorkommen von M. in osk. Weihinschr. (VETTER 196; [1. Nr. 177, 179]: 3./2. Jh. v. Chr.) sowie die osk. Wurzeln der seit dem 4. Jh. v. Chr. bedeutsamen → Mamertini schienen Festus zu bestätigen [2. 155, 167, 172]; dies führte zur Marginalisierung des varronischen Postulats sabin. Herkunft des M. (Varro ling. 5,73). Der sog. → Lapis Satricanus (AE 1979, 136), in Satricum 50 km sö von Rom gefunden, eine Weihinschr. *Mamartei* (»für Mamars«), beweist die Existenz einer latinisierten Form ca. 500 v. Chr. Ob osk. und sabin. M. aber damit von einem lat.-röm. Mars herzuleiten sind [3. 293–295] und die verwirrende Vielfalt weiterer Dialektformen von hier ihren Ausgang genommen hat, bleibt fraglich. Möglicherweise muß bei Mamars in Satricum eher mit sprachlicher Beeinflussung aus dem Sabin. gerechnet werden [4. 85–87].

1 P. POCCETTI, Nuovi documenti italici, 1979 2 E. T. SALMON, Samnium and the Samnites, 1967 3 G. RADKE, Zur Entwicklung der Gottesvorstellung und Gottesverehrung in Rom, 1987, 293–295 4 C. DE SIMONE, L'aspetto linguistico, in: C. M. STIBBE u. a., Lapis Satricanus, 1980, 71–94.

U. W. SCHOLZ, Stud. zum altital. und altröm. Marskult und Marsmythos, 1970, 46–79 · WALDE/HOFMANN 2, 43–45. C.R.P.

**Mamertina** s. Messana

**Mamertini.** Ehemalige oskische, vorwiegend aus → Campania stammende Söldner des → Agathokles [2] von Syrakus, die nach dessen Tod (289 v. Chr.) zw. 288 und 283 die Stadt Messana in ihre Gewalt brachten, sich M. nach dem Kriegsgott → Mamers, der osk. Form von Mars, nannten (Diod. 21,18,1; Cass. Dio fr. 40,8; Fest. 150,30–35) und weiträumig plünderten und Tribute erzwangen (Pol. 1,7,2–5; 8,1; Plut. Pyrrhos 23,1). Nachdem die M. große Teile NO-Siziliens unterworfen hatten (Diod. 22,13,1–2), schlossen sie 279/8 mit Karthago ein Bündnis gegen den mil. überlegenen → Pyrrhos (Diod. 22,7,4; Plut. Pyrrhos 23,1).

Nach dem Anschluß sizilischer Griechenstädte [1. 109f.] konnten sie diesem 275 in Unteritalien eine schwere Niederlage zufügen (Plut. Pyrrhos 23,5; 24,2) und desertierte campanische Hilfstruppen der Römer in Rhegion als Verbündete gewinnen (Pol. 1,7,6–8; Diod. 22,1,2–3; Dion. Hal. ant. 20,4–5; Liv. per. 15; Cass. Dio fr. 40,7–12). Nach einer röm. Strafaktion gegen diese Deserteure und dem teilweisen Verlust ihres Herrschaftsbereiches an → Hieron [2] II. von Syrakus (Pol. 1,8,2), der sie 269 am Longanos entscheidend schlug (Pol. 1,9,7–8), rettete nur eine karthag. Besatzung in Messana die M. vor der Vernichtung (Diod. 22,13,7–8).

Nach Polybios (1,10,1–11,3) bat nach der Schlacht am Longanos ein Teil der M. die Karthager um Hilfe gegen Hieron, ein anderer bot den Römern die Dedition (→ *deditio*) an, doch gehören diese Hilfegesuche zeitlich und sachlich offenbar nicht zusammen. Wahrscheinlich haben die M. 264 mit Unterstützung einer röm. Vorhut unter dem Militärtribunen C. Claudius entweder die schon seit 269 in Messana stehende karthag. Garnison zum Abzug gezwungen oder aber eine kurz vorher neu aufgenommene karthag. »Schutztruppe« vertrieben und so die Landung eines consularischen Heeres unter App. Claudius [I 3] in Sizilien ermöglicht (Cass. Dio fr. 43,5–10; Zon. 8,8,8–9), was den Auftakt zum 1. → Punischen Krieg bildete. Nach dem Frieden mit Hieron (263) gewährten die Römer offenbar den M. ein Bündnis (*foedus*: [2. 57f.]; Cic. Verr. 5,50–51) und privilegierten sie damit vor sizil. Gemeinwesen, die eine *societas sine foedere* erhielten [3. 352f.].

1 P. GAROUFALIAS, Pyrrhus, King of Epirus, 1979
2 W. DAHLHEIM, Struktur und Entwicklung des röm. Völkerrechts im dritten und zweiten Jh. v. Chr., 1968
3 D. KIENAST, Entstehung und Aufbau des röm. Reiches, in: ZRG 85, 1968.

W. HOFFMANN, Das Hilfegesuch der Mamertiner am Vorabend des Ersten Punischen Krieges, in: Historia 18, 1969, 153–180 · B. D. HOYOS, Unplanned Wars. The Origins of the First and Second Punic Wars, 1998, 11–115 · E. SANTAGATI RUGGIERI, Un re tra Cartagine e i M.: Pirro e la Sicilia, 1998. K.-W. WEL.

**Mamilius.** Latin. Name der alten Herrscherfamilie aus → Tusculum (hsl. häufig mit *Manilius* und *Manlius* verwechselt). Da die Stadt als Gründung des → Telegonos, des Sohnes des Odysseus und der Kirke, galt, führten sich die Mamilii spätestens seit dem frühen 2. Jh. v. Chr. über Mamilia, die Tochter des Telegonos, auf Odysseus zurück (Mz.: RRC 149; 362; lit. seit augusteischer Zeit: Fest. 116f. L; Liv. 1,49,9; Dion. Hal. ant. 4,45,1). Im 5. Jh. v. Chr. wurde die Familie mit M. [I 1] in Rom aufgenommen, erlangten Angehörige der M. mehrfach das Consulat (M. [5–7]; wohl im 1. Jh. v. Chr. ausgestorben.

MÜNZER, 65–68 • SCHULZE, 442 • T. P. WISEMAN, Roman Studies, 1987, 209.

**[1] M., L.** Sohn von M. [2], brachte 460 v. Chr. als Dictator von Tusculum den Römern im Kampf gegen Appius Herdonius [1] unaufgefordert Hilfe und erhielt deswegen 458 das röm. Bürgerrecht (Liv. 3,18,2–4; 29,6; Dion. Hal. ant. 10,16,4). K.-L. E.

**[2] M., Octav(i)us.** Die Überl. gibt M.' Praen. überwiegend als Octavius an, doch lautete er verm. Octavus [1. 119]. Herr von Tusculum und Schwiegersohn des L. → Tarquinius Superbus, zu dem sich dieser nach seiner Vertreibung und gescheiterten Rückführung durch → Porsenna begab. Auch M. versuchte, die Tarquinier zurückzuführen, agitierte bei den Latinern gegen Rom und fand als deren Feldherr im Kampf gegen Rom in der Schlacht am → Lacus Regillus (499 oder 496 v. Chr.) den Tod (Liv. 1,49,9; 2,15,2; 18,3; 19,7–10; 20,8 f.; Dion. Hal. ant. 5,50,1; 51,2; 61,1–3; 6,2,1; 5,3–5; 11,3–12,4). Trotz aller Ausschmückungen (vgl. Dion. Hal. ant. 6,4,1: Möglicherweise war nicht M., sondern sein Sohn der latinische Feldherr) steht hinter M.' lit. Gestalt vermutlich eine histor. Person.

1 SALOMIES. C. MÜ.

**[3] M. Atellus, C.** Wurde 209 v. Chr. als erster Plebeier → *curio* [2] *maximus* und starb 174 (MRR 1,289). Das Amt setzte ein Alter von 50 J. voraus und war mit Magistraturen außerhalb Italiens nicht vereinbar. Deswegen ist M. Atellus von einem weiteren C. Mamilius, plebeischer Aedil 208, Praetor 207 (Sicilia) und Mitglied einer Gesandtschaft an Philipp V. von Makedonien 203, zu unterscheiden.

R. FEIG VISHNIA, State, Society and Popular Leaders in Mid-Republican Rome 241–167 B. C., 1996, 229 Anm. 182. TA. S.

**[4] M. Limetanus, C.** Setzte als Volkstribun 109 v. Chr. ein Sondergericht (*quaestio Mamiliana*) ein, vor dem fünf röm. Politiker wegen angeblicher Begünstigung des Numiderkönigs → Iugurtha abgeurteilt wurden (Sall. Iug. 40,1 f.; Cic. Brut. 127; MRR 1,546). K.-L. E.

**[5] M. Turrinus, C.** Consul 239 v. Chr. (MRR 1,221). Er oder sein Vater wurden zwischen 260 und 254 ins Augurencollegium kooptiert. 207 war ein Q. M. Turrinus, vermutlich ein Sohn des Consuls, plebeischer Aedil und 206 Praetor, zunächst angeblich *peregrinus*, dann mit Oberbefehl zum Schutz gegen Hasdrubal [5]. Letzteres gehört zur wenig glaubhaften Überl. über eine damalige dauerhafte Präsenz röm. Truppen in der Po-Ebene. Auf beiden Laufbahnstufen folgt er C. M. – seinem Bruder? – unmittelbar.

J. SEIBERT, Forsch. zu Hannibal, 1993, 246–252.

**[6] M. Vitulus, L. (?).** Aus verderbter Überl. rekonstruierter Name eines der Consuln von 265 v. Chr. (MRR 1,201).

**[7] Q. Vitulus, M.** Eroberte als Consul 262 v. Chr. mit seinem Kollegen L. Postumius Megellus nach längerer Belagerung → Akragas auf Sizilien (MRR 1,204).

D. HOYOS, Unplanned Wars, 1998, 108–110. TA. S.

**Mammius.** L. M. Pollio. Senator, der auf Drängen der → Agrippina [3] als *consul designatus* im J. 49 n. Chr. im Senat den Antrag einbrachte, Claudius [III 1] möge seine Tochter dem Sohn Agrippinas [3], dem späteren Kaiser Nero, vermählen (Tac. ann. 12,9). Im Mai desselben J. als Consul bezeugt. PIR² M 126. W. E.

**Mamre.** Nach biblischer Überl. (wahrscheinlich von hebr. Wz. *mr'*, »fett werden, mästen«, als »Ort, der fett ist/macht«; griech. Μάμβρη; lat. *Mambre*) ein Eichenhain, an dem → Abraham [1] einen Altar erbaute (Gn 13,18) und wo ihm bei der gastlichen Aufnahme dreier Männer, als Gotteserscheinung gedeutet, die Geburt seines Sohnes → Isaak [1] angekündigt wurde (Gn 18). Nach biblischen Angaben ist diese Ortslage mit → Hebron identisch (so Gn 23,17 u. a.; vgl. aber Gen 13,18: »in« bzw. »bei Hebron«). Ab dem 2. Jh. v. Chr. wird M. in der Nähe Hebrons lokalisiert (vgl. z. B. Jubiläenbuch 14,10; Ios. bell. Iud. 4,533). Die Anfänge M.s liegen im Dunkeln, mit großer Wahrscheinlichkeit handelt es sich aber um ein altes Baumheiligtum. Bei Ausgrabungen in den Jahren 1926–1928 fand A. E. MADER an der Stelle des h. Ramet al-Ḫalīl (ca. 3 km nördl. des h. Hebron) neben einigen brz. Gefäßen (Frühbrz. I) und eisenzeitlichen Mauer- und Keramikresten (Eisenzeit II) ein rechteckiges Temenos aus herodianischer Zeit, das während des 1. Jüd. Aufstandes (66–70 n. Chr.) verwüstet worden war. Das auf diesen Trümmern durch Kaiser Hadrian (117–138) errichtete Temenos war dem Hermes geweiht. Spätestens seit Hadrian war M. auch ein bed. Marktplatz, an dem von Juden, Christen und Andersgläubige gemeinsam ein Fest gefeiert wurde (Soz. 2,4,2ff; GCS 50,54 f.). Während des Bar-Kochba-Aufstandes (132–135 n. Chr., → Bar Kochba) diente M. als Umschlagplatz für den Sklavenhandel (Hier. comm. in Zachariam 11,4f; CCL 76A, 851). Unter Constantinus d.Gr. entstand im Ostteil dieses Bezirkes eine Basilika (vgl. Eus. vita Const. 3,51–53); diese wurde 614 n. Chr. beim Einfall der Perser zerstört. Auf der Madabakarte (→ Kartographie) wird der Ort durch einen Baum und ein Kirchengebäude gekennzeichnet. Für die christl. Ikonographie wurde das Motiv der Bewirtung der drei Männer bestimmend.

1 O. KEEL, M. KÜCHLER, Orte und Landschaften der Bibel. Bd. 2: Der Süden, 1982, 697–713 2 A. E. MADER, Mambre. Die Ergebnisse der Ausgrabungen im hl. Bezirk Ramet el-Halil in Südpalästina 1926–28, 1957 3 Y. MAGEN, Elonei M. – Herodian Cult Site, in: Qadmoniot 24, 1991, 46–55
4 A. NEGEV, s. v. M., Arch. Bibellex. 1991, 288
5 P. WELTEN, s. v. M., TRE 22, 11–13. B. E.

**Mamucium.** Röm. Kastell bei Manchester an der Straße von Deva nach Eboracum, erstmals in flavischer Zeit (69–96 n. Chr.), wohl unter Cn. Iulius [II 3] Agricola, besetzt. Im frühen 2. Jh. renoviert [1]. Eine Inschr. an einem severischen Bau läßt einen weiteren Ausbau im 3. Jh. vermuten [2. 581]. M. gewann im 4. Jh. bes. strategische Bed., bevor es nach 370 n. Chr. aufgegeben wurde. Ein großer *vicus* lag außerhalb des Kastells.

1 G. D. B. Jones, S. Grealey, Roman Manchester, 1974
2 R. G. Collingwood, R. P. Wight, The Roman Inscriptions of Britain 1, 1965. M. TO./Ü: I. S.

**Mamurius Veturius.** Schmied unter König → Numa, der elf Kopien eines bronzenen Schildes herstellt, um diesen, welcher während einer Seuche vom Himmel gefallen ist, vor der Entwendung zu schützen. M. wurde mit Erwähnung im → Carmen Saliare belohnt; die Priesterschaft der → Salii bewahrte die Schilde und verwendete sie bei ihren Tänzen (Dion. Hal. ant. 2,71; Ov. fast. 3,383–392; Plut. Numa 13; Min. Fel. 24,11; Paul. Fest. 117,13 L.). M. soll auch eine Bronzestatue des Gottes → Vertumnus gefertigt haben (Prop. 4,2,61). Fehlende Erwähnung in Livius (1,20,3 f.), Varro und Vergil hat zu der Vermutung geführt, M. sei ein Konstrukt augusteischer Zeit [2. 160–165]. [4. 98 f.] gilt M. als Erfindung nach dem in seiner Deutung umstrittenen *Mamuri Veturi* im → Carmen Saliare (Varro ling. 6,49) und als Aitiologie zu den Schildtänzen einer alten, weitverbreiteten Priesterschaft.

Die Überl. über M. enthält vielleicht einen histor. Kern: Veturii lassen sich bis ins 7. Jh. v. Chr. zurückverfolgen [3. 306, 458 Anm. 34]; die röm. *gens Veturia* stellte einen Consul 499 v. Chr. (Liv. 2,19,1, falls authentisch: [4. 284; 5. 294–296]) und bewahrte möglicherweise ihre eigene Familientrad. über M. Da Livius sich über → Valerius Antias auf die Trad. der *gens Valeria* stützt [4. 12–16], mag das Fehlen des M. in Livius diese Trad. widerspiegeln. Bei Ennius (ann. 114) findet sich eine Variante, nach der Numa die Schilde von der Nymphe → Egeria erhielt. Diese Varianten deuten vielleicht auf eine frühe myth. Trad. [1], deren Existenz freilich fraglich ist.

Das Fest der Mamuralia (14. März in den späten Kalendern anstelle der Equirria) beinhaltete in späterer Zeit die Vertreibung eines in Fell gekleideten Mannes aus der Stadt (Lyd. mens. 4,49; [2. 162]); es hatte bis in byz. Zeit Bestand.

1 M. Beard, Acca Larentia Gains a Son. Myths and Priesthood at Rome, in: M. M. Mackenzie, Ch. Roueché, Images of Authority, 1989, 41–61 2 J. N. Bremmer, Three Roman Aetiological Myths, in: F. Graf (Hrsg.), Mythos in mythenloser Ges., 1993, 158–174 3 T. P. Cornell, The Beginnings of Rome, 1995 4 R. M. Ogilvie, A Historical Commentary on Livy 1–4, 1965 5 R. E. A. Palmer, The Archaic Community of the Romans, 1970. C. R. P.

**Mamurra.** Seltener ital. Eigenname, bekannt durch den röm. Ritter M. aus Formiae (Catull. 43,5 u. a.; Hor. sat. 1,5,37), einen Geschäftspartner von Pompeius ca. 66 v. Chr, von Caesar in Spanien 61 und dessen *praefectus fabrum* in Gallien seit 58 (Catull. 29,18–24). Etwa 55/4 hielt M. sich zeitweise in Rom auf, wo sein Luxushaus Furore machte (Plin. nat. 36,48). Als skandalöser Kriegsgewinnler und (angeblich mit Caesar liierter: Catull. 57) Schürzenjäger (Catull. 41) erscheint er bei seinem Rivalen *in eroticis* → Catullus [1]. Caesars Umgang mit M. erregte Kritik (Suet. Iul. 73; wohl auch Cic. Att. 13,52,1, oft als Indiz für M.s Tod Ende 45 gesehen). M.s Güter fielen später an das Kaiserhaus (ILS 1586). Ein Beleg des *cognomen* M. bei den in Formiae häufigen Vitruvii (ILS 5566) läßt Verwandtschaft mit dem Architekten → Vitruvius vermuten.

W. C. McDermott, M., eques Formianus, in: RhM 126, 1983, 292–307. JÖ. F.

**Mana genita** s. Genita Mana

**Manaemos** (Μανάημος). Griech. Form des hebr. EN Menaḥem (»der Tröster«), der im AT (2 Kg 15,14 ff.) und in anderen semit. Sprachen belegt ist.

**[1]** → Essener (1. Jh. v. Chr.), der → Herodes [1] d. Gr. in dessen Jugendjahren die Königsherrschaft, seinen Abfall von Gottesfurcht und Gerechtigkeit sowie bei einer zweiten Prophezeiung die Dauer seiner Regentschaft vorhersagte (Ios. ant. Iud. 15,10,5). Wird auch wie M. [3], der Sohn des Judas Galilaios, mit dem Schriftgelehrten M. identifiziert; [1; 2].

**[2]** Jugendgefährte des → Herodes [4] Antipas, der als einer der fünf Propheten und Lehrer, denen die Leitung der jüd.-hell. Gemeinde in → Antiocheia [1] oblag, bezeichnet wird (Apg 13,1); [3].

1 P. Richardson, Herod. King of the Jews and Friend of the Romans, 1999, 256 ff. 2 Schürer 2, 574, 587
3 N. Kokkinos, The Herodian Dynasty. Origins, Role in Society and Eclipse, 1998, 270. I. WA.

**[3]** s. Menaḥem ben Yehuda

**Manaichmos** aus Alopekonnesos oder Prokonnesos, platonischer Philosoph, bekannt lediglich aus einer Notiz der Suda (2,317,22 ff. = [1. 44; 2. 118, fr. 2]). Er schrieb neben anderen philos. Werken auch drei B. zu Platons ›Staat‹.

Eine Identifizierung mit dem Mathematiker Menaichmos [2. 546 f.] ist auszuschließen [1. 203], eine Gleichsetzung mit dem von Photios (Bibl. cod. 167 p. 114b 8) genannten Menaichmos fraglich [3. 699 f.].

1 Dörrie/Baltes 3, 1993 2 F. Lasserre, De Léodamas de Thasos à Philippe d'Oponte. Témoignages et fragments, 1987 3 K. Fiehn, s. v. Menaichmos, RE 15, 699–700.
M. BA. u. M.-L. L.

**Manalis lapis.** Gegenstand und Funktion sind schon im 1. Jh. v. Chr. obsolet und damit erklärungsbedürftig. Paul. Fest. 115 L. kennt zwei Erklärungen: (1) der *m.l.* sei ein Eingang zur Unterwelt gewesen, durch den die Seelen der Unterirdischen alias Di → Manes in die Oberwelt »strömten« (*manāre*); (2) der *m.l.* sei ein beim Tempel des Mars außerhalb der Porta Capena in Rom gelegener Stein (bzw. ein Wasserkrug: Varro bei Non. 547 mit fragwürdiger Rationalisierung) gewesen, den die Pontifices (→ Pontifex) bei Dürre in die Stadt zogen (vgl. Paul. Fest. 2 L. mit der Assoziation von *m.l.* und → *aquaelicium*). Wegen der sekundären etym. Verbindung der Di Manes mit *manāre* ist (1) trotz [1. 275–281] kaum haltbar. Die Mehrheit der ant. Erklärer leitet den *m.l.* denn auch von intransitivem (Serv. Aen. 3,175) oder transitivem (Paul. Fest. 115 L.) *manāre* ab und verbindet ihn mit einem Bittritual um Regen.

Von den rel.-wiss. Modellen des ausgehenden 19. Jh. wurde der *m.l.* für eine frühe Entwicklungsstufe der röm. Rel. reklamiert, mit dem »Regengott« → Iuppiter Elicius verbunden [5] und zum »Fetisch« eines »Regenzaubers« [2. 65 ff.; 4. 78 f.] oder speziell eines »Nachahmungszaubers«, bei dem ein Stein mit Wasser übergossen wurde [3. 970 f.]. Hier verleitete der fiktive Gegensatz von Rel. und Magie zu ungesicherten Hypothesen, die sich zudem auf eine im 1. Jh. v. Chr. geformte [1. 270–273] und somit späte ant. Überl. stützen mußten.

→ Magie; Prozession; Religion

1 F. BÖMER, Der sogenannte l.m., in: ARW 33, 1936, 270–281 2 W. FIEDLER, Ant. Wetterzauber (Würzburger Stud. zur Altertumswiss. 1), 1931 3 W. KROLL, s. v. m.l., RE 27, 969–971 4 LATTE 5 G. WISSOWA, s. v. m.l., ROSCHER 2.2, 2308 f. A. BEN.

**Manasse** (hebr. *Menaššе*; griech. Μανασσῆ(ς)).

**[1]** Israelitischer Stamm in Mittelpalästina und östl. des Jordan (→ Juda und Israel).

**[2]** König von Juda. In seiner ungewöhnlich langen Regierungszeit (ca. 696–642 v. Chr.) war Juda nach den assyr. Eroberungen von 701 v. Chr. (→ Juda und Israel) auf Jerusalem mit Umland beschränkt, regenerierte sich aber zunehmend politisch und ökonomisch [2. 169–181]. M. (keilschriftlich *Me-na-se-e/si-i* bzw. *Mi-in-se-e*) war als loyaler Vasall der Assyrer diesen zu regelmäßigem Tribut und mil. Hilfe verpflichtet. Nach einer Inschr. Asarhaddons (680–669 v. Chr.) lieferte M. Baumaterial nach → Ninive [5. 397], und nach einer Inschr. Assurbanipals (668–627 v. Chr.) nahm er an einem assyr. Feldzug gegen Äg. teil (ANET 294). Die at. Darstellung ist tendenziös [1. 31–44]; sie stellt M. als Kontrastfigur zum »Reformator« Josia (2 Kg 22 f.) dar, macht ihn aus späterer Sicht allein für die Katastrophe → Jerusalems 597 v. Chr. verantwortlich (2 Kg 21,10–15; 23,26 f.; 24,3 f., Jer 15,4) und wirft ihm in einer Art Lasterkatalog – z. T. ältere Überl. aufnehmend – Kultpervertierungen, magisch-mantische Praktiken und Terrorherrschaft vor (2 Kg 21,1–18). In dem einige Jh. später entstandenen Text 2 Chr 33,11–17 wird die Geschichtsdeutung legendarisch fortgeführt, indem mit Deportation (nach Babylon!), Bekehrung, Rückkehr nach Jerusalem und Reform die Folgen der ›Sünde Manasses‹ (2 Kg 24,3, vgl. 17,21 f.) und theologische Erklärungen für die lange Regierungszeit narrativ entfaltet werden. Deutlicher sind die Trad. in apokryphen Schriften, die den Märtyrertod des Propheten Jesaja unter M. (Martyrium Jesajas 1,1; 6–13, vgl. auch Ios. ant. Iud. 10,98) und ein Gebet M.s um Vergebung (OrMan 13) als Paraphrase von 2 Kg 21,16 und 2 Chr 33,13; 18 f. mitteilen.

E. BEN-ZVI, Prelude to a Reconstruction of the Historical Manassic Judah, in: Biblische Notizen 81, 1996, 31–44 • I. FINKELSTEIN, The Archaeology of the Days of Manasseh, in: M. COOGAN u. a. (Hrsg.), Scripture and Other Artifacts. FS Ph. J. King, 1994, 169–187 • A. SCHOORS, Die Königreiche Israel und Juda im 8. und 7. Jh. v. Chr., 1998 • H. SPIECKERMANN, Juda unter Assur in der Sargonidenzeit, 1982 • TUAT, Bd. 1. R. L.

**[3]** Bruder des Jerusalemer Hohepriesters Jaddua und, da dieser keine Kinder hatte, sein präsumptiver Nachfolger. Die Tatsache, daß M. mit Nikaso, der Tochter des von Dareios [3] III. in Samaria eingesetzten Statthalters Sanballat, verheiratet war, führte zu seiner Flucht nach → Samaria, wo Sanballat ihm den Bau eines Jahwe-Tempels auf dem Berg Garizim als Konkurrenz zu Jerusalem versprach (Ios. ant. Iud. 11,302 f.; 306 ff.). Unsicher ist, wann (im 4. Jh. v. Chr.) dieser (128 v. Chr. von Iohannes → Hyrkanos [2] zerstörte) Tempel errichtet wurde.

H. H. ROWLEY, Men of God, 1963, 246–276 • B. PORTEN, s. v. History. Kingdoms of Juda and Israel, Encyclopaedia Judaica 8, 1971, 624. ER. K. u. J. RE.

**Manates.** Archa. Volk in Latium, evtl. identisch mit den an die Forcti Gabini angrenzenden Sanates Tiburtes, die sich nach Plin. nat. 3,69 als einer der 30 *pagi* der *populi Albenses* zu Opferhandlungen auf dem Mons Albanus versammelten.

NISSEN 2, 555–557 • M. PALLOTTINO, Le origini di Roma, in: ArchCl 12, 1960, 27 • A. ALFÖLDI, Early Rome and the Latins, 1963, 13. G. U./Ü: H. D.

**Manaua** (Μάναυα). Ortschaft in West-Kilikia nahe der Mündung des Melas (→ Pamphylia), mit Flußhafen auch für Side [1. 17–20], h. Manavgat. In der Spätant. auch Bezeichnung für eine isaurische Bergregion (*klíma*; Georgios von Kypros, 855). Bistum der *Pamphylia I* [2].

1 J. NOLLÉ, Side im Altertum 1, 1993 2 J. DARROUZÈS, Notitiae episcopatuum Ecclesiae Constantinopolitanae, 1981. F. H.

**Manceps.** Der Begriff *m.* (gebildet aus *manus* und *capere*) bezeichnet eine Person, die die Hand auf eine Sache legt, um sie zu erwerben, sowie denjenigen, der eine Sache durch einen → Pachtvertrag übernimmt oder bei einer öffentlichen Versteigerung erwirbt.

Der Begriff konnte auch auf Unternehmer angewendet werden, die Privatverträge abschlossen. Suetonius bezeichnet etwa den Urgroßvater von Vespasianus, den Vater des T. Flavius Petro, als *m. operarum*, der in Umbria ganze Mannschaften von Landarbeitern rekrutierte und sie als Saisonarbeiter an die Großgrundbesitzer im Sabinerland vemietete (Suet. Vesp. 1,4; vgl. Plaut. Curc. 515; Plin. epist. 2,14,4; → Lohnarbeit). Der Begriff bezeichnet außerdem den Käufer von Gütern, die etwa im Zuge der → Proskriptionen von der Republik verkauft wurden (Cic. S. Rosc. 21).

In den meisten Fällen waren die *mancipes* jedoch Personen, die mit der Stadt oder dem Staat Verträge schlossen, um öffentliche Aufgaben, die *publica*, zu übernehmen (Steuereinziehung, v.a. in der Prov. Asia; Lieferungen an das Heer; Ausführung öffentlicher Arbeiten; Bewirtschaftung von öffentlichen Besitzungen wie Bergwerken und Salinen). Der *m.* unterzeichnete den Vertrag und konnte damit je nach Kontext *redemptor, emptor* oder *conductor* genannt werden: *M. dicitur qui quid a populo emit conducitve, quia manu sublata significat se auctorem emptionis esse* (Fest. 137). Es konnte einen einzigen oder mehrere Auftragnehmer geben; bei der Vergabe der Instandhaltungsarbeiten des Castor-Tempels im Jahre 75 v. Chr. war ein gewisser P. Iunius der einzige *m.* (Cic. Verr. 2,1,141).

Der *m.* oder die *mancipes* hatten Bürgen (*praedes*) zu stellen. Die *lex parieti faciendo* aus Puteoli (105 v. Chr.), ein Verzeichnis der Arbeiten, die von der Stadt vergeben wurden, endet mit der Aufzählung von fünf Namen; der erste ist der des Auftragnehmers C. Blossius (*qui redemerit*), die vier anderen Namen sind die der vom *m.* gestellten Bürgen (*praedes*): Q. Fuficius, Cn. Tetteius, C. Granius, Ti. Crassicius (CIL X 1781 = ILS 5317).

Einige *publica* wurden mit einzelnen Verträgen an mehrere *m.* vergeben, die jeweils einen bestimmten Teil des gesamten Werkes übernahmen. Aus einer Inschr. des 1. Jh. v. Chr. geht hervor, daß die Reparatur der *Via Caecilia* etwa von vier *m.* ausgeführt wurde, die getrennte Verträge abgeschlossen hatten. Jeder *m.* war für einen Bereich von 20000 Schritt zuständig und erhielt dafür die Summe von 150000 Sesterzen (CIL I² 808 = ILS 5799 = ILLRP 465). In anderen Fällen wurden die *m.* gemeinsam mit der gesamten Aufgabe betraut; sie bildeten durch einen Vertrag eine *societas* (Pächtergesellschaft). Der oder die *m.* konnten auch andere Gesellschafter (*socii*) haben, die nicht unbedingt selbst Auftragnehmer waren.

Das Wort *m.* wird aber nicht in Zusammenhang mit den großen Publicanengesellschaften der späten Republik verwendet. So spricht Cicero von *auctores*, nicht von *m.*; er bezeichnet den Vater des Cn. Plancius als *maximarum societatum auctor* (Cic. Planc. 32). Es ist nicht zu klären, ob die *auctores* eine andere Funktion als die *m.* hatten oder ob es sich nur um einen anderen Begriff für diejenigen handelte, die den Vertrag unterzeichneten. Dabei ist *m.* keineswegs identisch mit dem Wort *publicanus* (→ *publicani*); der Begriff war vielmehr den eigentlichen Auftragnehmern vorbehalten. *M.* waren in der Prinzipatszeit für die Instandhaltung einzelner Straßen zuständig (Tac. ann. 3,31,5; CIL VI 8468 = ILS 1471: *m. viae Appiae*); ein *m. aedis per annos XIII* ist für Praeneste inschr. belegt (CIL XIV 2864 = ILS 3688a).

In der Spätant. hatten die *m.* die Aufsicht über verschiedene öffentliche Einrichtungen; sie leiteten die *stationes* des → *cursus publicus* (Cod. Theod. 8,5,36: Anwesenheitspflicht; Dienstzeit), waren für die Versorgung der stadtröm. Thermen mit Holz verantwortlich (Cod. Theod. 14,5,1; vgl. 11,20,3) und überwachten die Brotherstellung in Rom (Sokr. 5,18; Cod. Theod. 14,3,18).

→ Heeresversorgung; Pacht; Steuern

1 C. Nicolet, Deux remarques sur l'organisation des sociétés de publicains à la fin de la république romaine, in: H. Van Effenterre, (Hrsg.), Points de vue sur la fiscalité antique, 1979, 69–95 2 Ders., »Frumentum mancipale«, en Sicilie et ailleurs, in: A. Giovannini, (Hrsg.), Nourrir la plèbe, 1991, 119–141.

J.A./Ü: C.P.

**Manching** A. Allgemeines B. Erforschung C. Geschichte D. Bebauung E. Funde

A. Allgemeines

Kelt. Großsiedlung (→ Oppidum) südl. Ingolstadt (Oberbayern) an verkehrsgünstigem Platz auf einem trockenen, zw. Donau und Feuchtgebieten (Donaumoos) sich von West nach Ost erstreckenden Schotterrücken gelegen, nahe einem Flußübergang und früher auch von Donauarmen (Hafen?) erreicht. Die ebene Siedlungsfläche ist etwa kreisförmig mit 2,5 km Dm und umfaßt 380 ha Fläche; sie wird von einer alten Verkehrsachse, die hier südl. der Donau (→ Istros [2]) verläuft, durchzogen (vgl. Lageplan).

B. Erforschung

Der Ringwall von M. ist schon seit dem MA als »Pfahl« bekannt. Um 1900 wurde im Dorfbereich M. ein früh- bis mittellatènezeitl. Gräberfeld (Steinbichel) entdeckt (ca. 4./3. Jh. v. Chr.). Erstmals vor dem 2. Weltkrieg und dann in großem Umfang seit den 50er J. wurden Ausgrabungen durchgeführt. 1937 wurde ein zweites Gräberfeld östl. von M. entdeckt (Hundsrukken). Insgesamt sind bisher ca. 13,5 ha (3,5% der Gesamtfläche) arch. untersucht; damit ist M. eines der am besten untersuchten kelt. Oppida. M. entspricht in vielen Punkten den Angaben → Caesars zu den gallischen Oppida und wird auch als Hauptort der → Vindelici bezeichnet; es gibt jedoch keinerlei Überl. zu dem Platz.

C. Geschichte

Die kelt. Siedlung bestand rund 200 J.; sie begann mit der mittleren → Latènezeit (Mitte 3. Jh. v. Chr.) an dem alten Verkehrsknotenpunkt zunächst als größere unbefestigte Siedlung mit Hinweisen auf großflächige Gehöfte und auch Gewerbeanlagen; zu dieser Siedlung gehören auch die jüngeren Bestattungen der beiden Nekropolen.

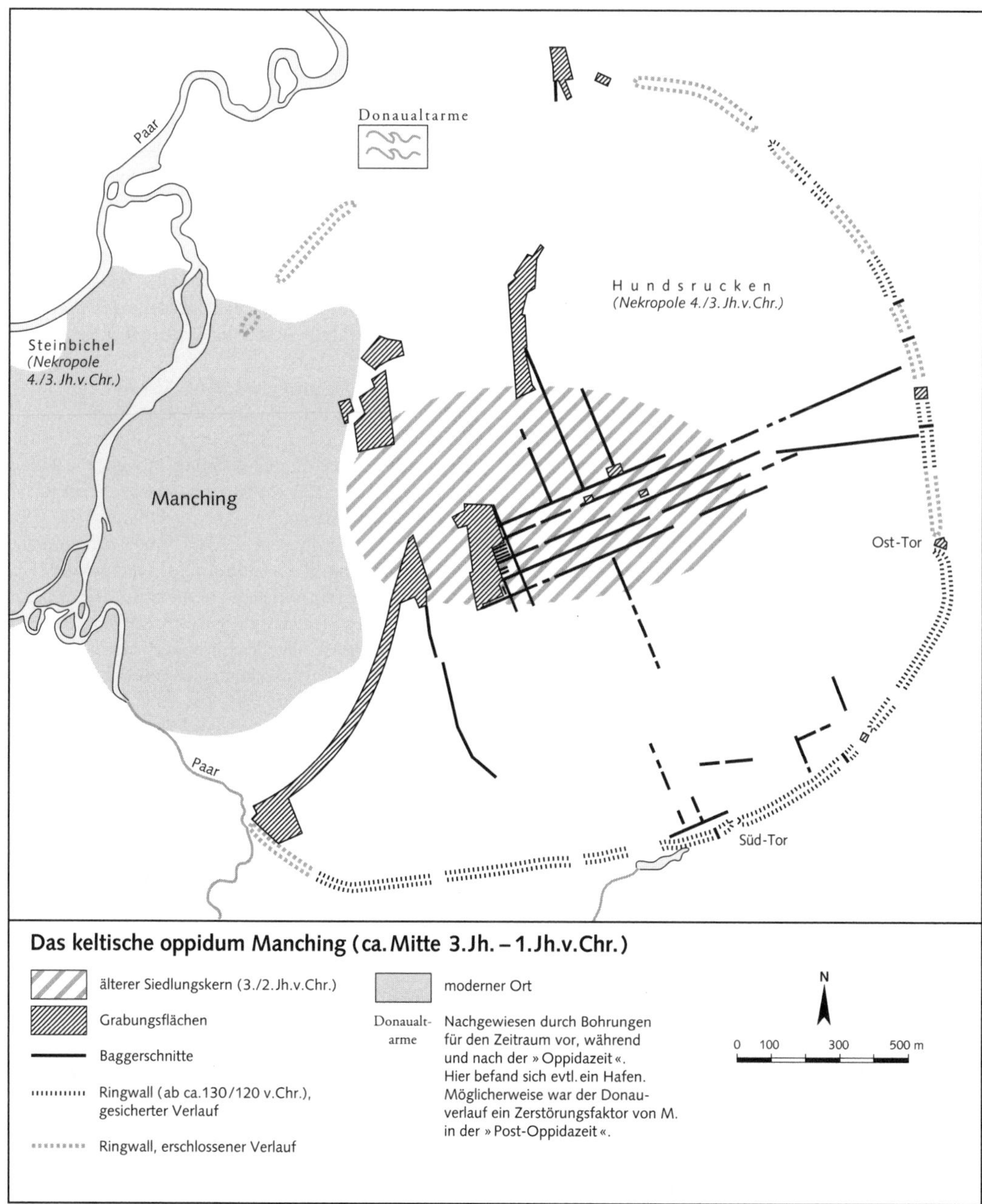


Am Übergang zur Spätlatènezeit (ca. 130/120 v. Chr.) wurde M. nach Hinweisen auf Unruhezeiten und Zerstörungen räumlich stark erweitert, umstrukturiert und erstmals mit einer Befestigung umgeben. Es wurde ein ca. 7,2 km langer Mauerring zunächst in → *murus gallicus*-Technik errichtet mit vier Toren (Ost- und Südtor erh.), die auf die Verkehrsachsen bezogen waren. Schon gegen E. des 2. Jh. v. Chr. wurde die Mauer in der heimischen »Pfostenschlitz«-Bauweise (→ Befestigungswesen) komplett erneuert und in gleicher Technik im letzten Jh. v. Chr. nochmals ersetzt. Die drei Befestigungsphasen sind auch an dem vollständig ausgegrabenen Osttor nachgewiesen. Enorme Materialtransport- und Organisationsleistungen lassen sich lediglich für die Befestigung errechnen.

D. Bebauung

Die Bebauungstruktur ist großflächig und einheitlich auf die Ost-West-Wegeachse bezogen, mit z. T. großen, von Querwegen und Zäunen begrenzten Grundstückseinheiten. Diese sind mit verschiedenartigen Pfostenbauten (Fachwerk) in je nach Funktion unterschiedlicher Anordnung bebaut. In der Siedlung lassen sich mehrere Nutzungsbereiche nachweisen; diese umfassen z. T. landwirtschaftliche Gehöfte, aber auch Anhäufungen von Speicherbauten (am Donaualtarm), Fein- und Grobschmieden, Töpfereien, Glasschmelzerwerkstätten, Münzprägestätten usw. Ackerbau und Viehhaltung erfolgten zumindest teilweise auch im Siedlungsraum. Die Eisenverhüttung selbst wird außerhalb des Oppidums im südl. gelegenen »Feilenmoos« (außerhalb des abgebildeten Plans) angenommen. Mehrfach sind in der Siedlung kleinere, bes. abgegrenzte »tempelähnliche« Bauten als Kultplätze verteilt; zusätzlich ist auch die ca. 2 km südl. von M. gelegene → Viereckschanze als zugehöriger Kultplatz in Betracht zu ziehen.

E. FUNDE

Das reichhaltige Fundmaterial gibt detaillierte Einblicke in das spätkelt. Alltagsleben einer stadtähnlich organisierten Großsiedlung mit einer wohl mehrtausendköpfigen Bewohnerschaft. Die Nahrungsversorgung (Fleisch, Getreide usw.), die Haushaltsausstattung mit Keramik und Gerätschaften, die Rohstoffe und Werkzeuge für die Handwerke, eine Münzwirtschaft und andere Lebensbereiche sind durch interdisziplinäre Unt. rekonstruierbar. Weitreichende Handelsbeziehungen zum german. Bereich, v.a. aber zum mediterranen Raum sind durch röm. → Amphoren, campanische Keramik, ital. Gläser usw. belegt.

Gräber der zahlreichen Bewohnerschaft sind bisher – wie auch für andere Oppida – unbekannt. Im Zuge erneuter Unruhen (endgültige Zerstörung des Osttors durch Brand) fand M. um die Mitte des letzten Jh. v. Chr. – also deutlich vor der röm. Eroberung des Gebiets 15 v. Chr. – sein Ende. Der Platz wurde erst wieder nach längerer Siedlungsunterbrechung als röm. Straßenstation → »Vallatum« (!) im 1.–3. Jh. n. Chr. genutzt.

→ Glas; Keltische Archäologie; Keramikherstellung; Münzwesen

R. GEBHARD, Ergebnisse der Ausgrabungen in M., in: H. DANNHEIMER, R. GEBHARD (Hrsg.), Das kelt. Jt., 1993, 113–119 • W. KRÄMER, Zwanzig Jahre Ausgrabungen in M., 1955 bis 1974, in: Ausgrabungen in Deutschland, Teil 1, 1975, 287–297 • Ders., F. MAIER (Hrsg.), Die Ausgrabungen in M., Bd. 1–15, 1970–1992 • S. SIEVERS, Vorber. über die Ausgrabungen 1996–1997 im Oppidum von M., in: Germania 76, 1998, 619–672. V.P.

**Mancinus.** Cognomen in der Familie der Hostilii (Hostilius [7–9]). K.-L.E.

**Mancipatio** begegnet erstmals bei Plinius (nat. 9,35,117 *mancupatio*) an Stelle von → *mancipium* (*mancupium*) zur Bezeichnung eines röm. altzivilen Rechtsakts zur Begründung einer Gewalt über Personen (→ *mancipium*) oder Sachen (→ *dominium*).

Der Hergang der *m.* wird für das 2. Jh. n. Chr. wie folgt geschildert (Gai. inst. 1,119): Im Beisein von fünf Zeugen und einem Waagehalter (*libripens*), alle mündige röm. Bürger (→ *quirites*), spricht derjenige, der die Sache empfängt, aus: a) Er sage, daß er quiritischer Eigentümer sei, und: b) Die Sache solle ihm gekauft sein mit diesem Kupfer und dieser kupfernen Waage. Daraufhin schlägt er mit einem Kupferstück an die Waage und gibt es demjenigen, von dem er das *mancipium* empfängt, gleichsam als Kaufpreis. Was hier geschildert wird, die *m. nummo uno* (für eine Münze), ist die *m.* in einer bereits fortgebildeten Gestalt; aus der Sicht des 2. Jh. n. Chr. erscheint sie als *imaginaria quaedam venditio* (symbolischer Verkauf). Sie betrifft Sklaven, Freie (→ *emancipatio*), Tiere und ital. Grundstücke (Gai. inst. 1,120). Die *m.* führt zum zivilen Eigentum des Erwerbers, andernfalls, ist der Verkäufer nicht Eigentümer gewesen, zu dessen Haftung auf Gewährschaft und auf das Doppelte des Kaufpreises.

Merkwürdig ist die aktive Rolle des Erwerbers, die eher passive des Veräußerers, rätselhaft ist das Manzipationsformular mit der Eigentumsbehauptung des Erwerbers und seiner »Kaufanordnung«. Vielfach hält man in der mod. Lit. die *m.* für einen einseitigen Zugriffsakt des Erwerbers unter schweigender Duldung des Veräußerers. Die Manzipationsformel drückt jedoch nicht eine Begründung des Eigentums aus, vielmehr bereits dessen Bestand. Das Ritual der *m.* »überlistet« gleichsam das Recht, nach welchem die betroffenen Gegenstände – zur *familia* gehörende Personen und Arbeitstiere der bäuerlichen Wirtschaft (die ital. Grundstücke kommen erst später dazu) – unveräußerlich sind; die *m.* ist ›Veräußerung des Unveräußerlichen‹ [3]. Die Behauptung des Erwerbers, schon Eigentümer zu sein, verhüllt den Veräußerungsvorgang. Seine »Kaufanordnung« rechtfertigt den Empfang des Kaufpreises durch den Veräußerer unter der Voraussetzung des Erwerbereigentums. Abwandlungen des Manzipationsformulars begegnen bei der → *coemptio* (Übertragung der *manus*-Gewalt, Gai. inst. 1,113), ferner beim *testamentum per aes et libram* (Gai. inst. 2,104, → Testament). Die *m.* kann Zusätze aufnehmen (*lex in mancipio dicta*). Unter Verwendung der *m.* werden später die → *emancipatio* und die → *adoptio* als neue zusammengesetzte Geschäfte gebildet. Im Laufe des 2./3. Jh. n. Chr. verschwindet die *m.* aus dem praktischen Rechtsleben. Iustinian hat sie gleich der → *in iure cessio* aus den klass. Quellen getilgt.

→ Lex II

1 KASER, RPR I 43–48, 131–134, 403 f., 413–415, 438 f.; RPR II 274 f. 2 WIEACKER, RRG 1, 332–340 3 J. G. WOLF, Funktion und Struktur der M., in: M. HUMBERT (Hrsg.), Mél. A. Magdelain, 1998, 501–524. D.SCH.

**Mancipium** (urspr. *mancupium*) bezeichnet anfangs den später → *mancipatio* genannten röm. Rechtsakt. *M.* ist eines der ›uralten röm. Rechtswörter von durchsichtiger Klarheit‹ [2]; es scheint einen Handgriffsakt zu bezeichnen. So sieht es die ant. Etym. (Varro ling. 6,85; Gai. inst. 1,121). Wahrscheinlicher ist jedoch eine andere Deutung: Wie *aucupium* (Vogelfang) sich von *auceps* ableitet, so *mancupium* von *manceps*; *auceps* bezeichnet den Vogelfänger (*avem capiens*), *manceps* eher den die Hausgewalt Ergreifenden (*manum capiens*) als den mit der Hand Ergreifenden (*manu capiens*). *M.* ist danach der Rechtsakt, durch welchen die Hausgewalt (→ *manus*) erworben wird; zur Ehefrau *in manu mancipioque* Gell. 4,3,3; 18,6,9. Das Hauskind, welches beim Vater *in potestate* steht (→ *patria potestas*), befindet sich bei jemandem, dem es z. B. wegen eines von ihm angerichteten Schadens manzipiert worden ist, *in m.* und *servorum loco* (an Sklavenstelle, Gai. inst. 1,123; 4,79). Der Praetor erzwingt die Freilassung, wenn das Kind seine Schuld abgetragen hat (Papin., Coll. 2,3,1). *Manus, m., potestas* sind verschiedene Formen der Gewalt des → *pater familias* (Gai. inst. 1,49). Sklaven werden als *m.* bezeichnet, weil sie häufig durch *mancipatio* erworben werden; anders Florentinus Dig. 1,5,4,3: *mancipia vero dicta, quod ab hostibus manu capiuntur* (›sie werden *m.* genannt, weil sie von Feinden gefangengenommen werden‹). Das *m.* verschwindet nach dem 3. Jh. n. Chr. im Westen und wird von Iustinian aus den Quellen getilgt.

1 Kaser, RPR I 43f., 56f., 69.; RPR II 131, 142
2 Mommsen, Schriften, Bd. 3, 145–149 3 J. G. Wolf, Funktion und Struktur der Mancipatio, in: M. Humbert (Hrsg.), Mél. A. Magdelain, 1998, 501–524. D.SCH.

**Mandäer** (»Wissende«, von aram. *manda*, »Wissen, Gnosis«). Bezeichnung einer alten vorderoriental., h. noch existierenden Rel.-Gemeinde, die im südl. Iraq (Mesene) und südwestl. Iran (Ḫuzistān) bereits in vorislam. Zeit ansässig war, h. infolge der Golfkriege (1980/1986, 1990/1) aber auch in den USA, Australien und Europa. Im Arab. sind sie als »Ṣābier« (*ṣābiʿūn*, »Täufer«) oder *Muġtasila* (»die sich Waschenden«) bekannt, in der älteren europ. Lit. als »Jünger des Täufers Johannes« oder »Johanneschristen«. Die alten Selbstbezeichnungen sind: »Naṣoräer« (»Observanten« von Riten und Lehren), »Erwählte der Gerechtigkeit« oder »Stamm des Lebens«; unter M. versteht man die Laien gegenüber den Priestern (*tarmidi*, »Jünger, Schüler«).

Ihre in einem eigenen ost-aram. Dial. und eigener Schrift überl. Lit. umfaßt verschiedene Werke und Gattungen: die umfangreiche Slg. theologisch-myth. und poetischer Texte, gen. »Schatz« (*ginza*) oder »Großes Buch« (*sidra rba*), die ergänzenden »Lehren der Könige (Engel)« (*drašia ḏmalkia*) oder »des (Täufers) Johannes« (*ḏYahya*), das Ritualbuch für die Taufe und Seelenmesse (*qolasta*), die »1012 Fragen« (*alf trisar šuialia*) für den Priesterunterricht, und zahlreiche, oft bebilderte und teilweise noch unedierte Rollen. Außerdem existieren Zaubertexte auf Tonschalen, Bleilamellen oder Papier, deren älteste Stücke sich auf das 4.–7. Jh. n. Chr. datieren lassen. Der Kern der Lit. gehört zweifellos in die vorislam. Zeit und reicht verm. bis in das 1.– 2. Jh. n. Chr., wo er weltanschaulich im Kontext der oriental. → Gnosis steht. Der kult. Bereich (wiederholte Taufen und Waschungen) läßt sich im baptistischen Milieu frühjüd. Gruppen verankern. Spätestens im 3. Jh. n. Chr. sind die M. sukzessive aus dem syr.-palästin. Jordangebiet über → Ḥarran nach Mesopot. gewandert.

Obgleich die zentralen Lehraussagen einen strengen Dualismus zw. Licht und Finsternis, dem guten Gott des »Lebens« (*haiji*) und dem »Geist« (*ruha*) und Herrn der Finsternis voraussetzen, Erde (*tibil*) und Mensch (*adam*) von einem gefallenen Demiurgen geschaffen wurden, und allein die Befreiung der »Seele« (*nišimta*) Thema der Erlösung ist, haben die M. keine asketische Lebenspraxis entwickelt, so daß sie sich bis h., neben → Judentum, → Christentum und → Islam als eigenständig behaupten. Man kann h. mit weltweit ca. 40000 bis 50000 Anhängern rechnen.

W. Foerster (Hrsg.), Die Gnosis. 2: Kopt. und mandäische Quellen (Einl. und Übers. von M. Krause und K. Rudolph), ²1995 • E. S. Drower, The Mandaeans of Iraq and Iran, 1937, ²1962 • E. Lupieri, I Mandei. Gli ultimi gnostici, 1993 • K. Rudolph, Die M., 2 Bde., 1960/1 • Ders., Theogonie, Kosmogonie und Anthropogonie in den mandäischen Schriften, 1965 • Ders., Mandaeism, (Iconography of Religions 21), 1978 • Ders., Gnosis und spätant. Religionsgesch., 1996, 301–626 • S. A. Pallis, Mandaean Bibliography 1560–1930, 1933 (Ndr. 1974) • G. Widengren (Hrsg.), Der Mandäismus, 1982. KU.R.

**Mandane** (Μανδάνη).

**[1]** Nach Hdt. 1,107, Xen. Kyr. 1,2,1 und Iust. 1,4,4 Tochter des Mederkönigs → Astyages, Gattin des Persers Kambyses [1] und Mutter des Kyros [2]. Es hat den Anschein, als ob die so überl. dynastische Verbindung im nachhinein die Ansprüche des Kyros auf den medischen (und, wenn M.s Mutter die lyd. Prinzessin Aryenis (Hdt. 1,74) gewesen sein sollte, auch auf den lyd.) Thron legitimieren sollte.

**[2]** Nach der bei Diod. 11,57,1–5 überl. Hoferzählung Tochter Dareios' [1] I. und Schwester Xerxes' I.

Briant, 34f., 907, 929. J.W.

**[3]** Ort an der Küste der Kilikia Tracheia (Stadiasmus Maris Magni 192–194; → Kilikes), 18 km westl. von Kelenderis, h. Akyaka.

Hild/Hellenkemper, 340f. F.H.

**Mandatum.**
A. Begriff B. Rechte und Pflichten
C. Sonderformen

A. Begriff

Das *m.* ist im röm. Recht ein Auftragsvertrag. Dadurch verpflichtet sich der Auftragnehmer (Mandatar) gegenüber dem Auftraggeber (Mandant) zur unentgeltlichen Führung eines Geschäftes für diesen (Dig. 17,1; Cod. Iust. 4,35; Gai. inst. 3,155–162; Inst. Iust. 3,26); wird hingegen für die Leistungserbringung Lohn (*merces*) vereinbart, liegt ein Werk- oder Dienstvertrag (→ *locatio conductio operis* oder *operarum*) vor.

Das *m.* ist ein Konsensualvertrag (→ *consensus*) und kommt somit durch formlose Willenseinigung der Vertragsparteien zustande. Das zu besorgende Geschäft kann von rechtlicher (z. B. Übernahme einer Bürgschaft für den Mandanten) oder faktischer Natur sein (z. B. Pflege eines Gartens), darf nicht gegen die guten Sitten verstoßen und muß (zumindest teilweise) im Interesse des Mandanten liegen. Ein »Auftrag«, der im ausschließlichen Interesse des Auftragnehmers liegt (sog. *m. tua gratia*, Gai. inst. 3,156; Dig. 17,1,2,6), wird als bloß unverbindlicher Ratschlag (*consilium*) qualifiziert.

Als Motivation, das unentgeltliche *m.* auszuführen, wird in den röm. Quellen die → *amicitia* (»Freundschaft«) genannt (Dig. 17,1,1,4); so wird die in der röm. Oberschicht übliche unentgeltliche Übernahme von Aufträgen, wie z. B. Leistungen im Rahmen der → *artes liberales* (etwa Rhet.-Unterricht) als *m.* aufgefaßt [5. 13–37]; die Annahme einer im Gegenzug angebotenen Ehrengabe (*salarium, honorarium*) ändert nichts an der Qualifikation eines solchen Vertrages als *m.*

Im Prinzipat eröffnet der Kaiser unter bestimmten Voraussetzungen eine fallweise Einklagbarkeit versprochener *salaria* im Wege des Kognitionsverfahrens (→ *cognitio*, vgl. Cod. Iust. 4,35,1) [5. 319–338].

B. Rechte und Pflichten

Die Klagen aus dem *m.* zählen zu denjenigen aus Treu und Glauben (*bonae fidei iudicia*; → *fides*). Mittels der *actio mandati directa* verlangt der Auftraggeber eine vereinbarungsgemäße Ausführung des *m.* und Herausgabe des Erlangten. Der Auftragnehmer haftet jedenfalls für → *dolus* (Vorsatz) und wohl auch für diesem nahekommende grobe Fahrlässigkeit; eine weitgehende → *culpa*-Haftung für jede Fahrlässigkeit in klass. Zeit wird wegen des Charakters des *m.* als unentgeltlichem Freundschaftsgeschäft heute überwiegend abgelehnt [2. 339]. Die Rechtsfolgen bei Überschreitung der vereinbarten Grenzen des *m.* waren kontrovers (Gai. inst. 3,161; Dig. 17,1,4). Eine Verurteilung aus der *actio mandati directa* führt zur → *infamia* (Gai. inst. 4,182). Sind dem Auftragnehmer im Zuge der ordnungsgemäßen Ausführungen des *m.* mandatsspezifische Aufwendungen oder Schäden entstanden, kann er dafür mittels der *actio mandati contraria* vom Auftraggeber Ersatz fordern.

Das *m.* erzeugt keine Vertretungsmacht gegenüber Dritten und findet sich daher bloß als Mittel zur indirekten Stellvertretung; der Auftragnehmer muß die Wirkungen eines zw. ihm und dem Dritten abgeschlossenen Geschäftes in einem weiteren Rechtsakt auf den Auftraggeber übertragen.

Das *m.* erlischt u. a. durch Kündigung oder durch Tod einer der Vertragsparteien. Kündigung (*revocatio*, → *renuntiatio*) ist möglich, solange *res integra* vorliegt, d. h. die Ausführung des *m.* noch nicht begonnen wurde bzw. seine Beendigung nicht zu einem Vertrauensschaden der Parteien führt. Kündigung zur Unzeit macht schadenersatzpflichtig. *M. morte solvitur* (›Das *m.* wird durch Tod aufgelöst‹): Aufgrund des höchst persönlichen Charakters des röm. *m.* kommt es zu keiner Übertragung der Rechte und Pflichten auf die Erben; wurde bereits mit der Ausführung des *m.* begonnen, muß der Erbe des Auftraggebers die bis zum Tod entstandenen Aufwendungen ersetzen sowie der Auftragnehmer bis dahin aus dem *m.* Erlangtes herausgeben.

Die Veränderungen seit dem 3. Jh. (Wegfall der notwendigen Unentgeltlichkeit, somit stärkere Bindung der Parteien bezügl. Beendigung des *m.* und verschärfte Haftung des Auftragnehmers) werden von Iustinian weitgehend wieder beseitigt (Inst. Iust. 3,26,13). Die bereits in der klass. Terminologie unscharfe Abgrenzung zum – v. a. bei Aufträgen rechtsgeschäftlichen Inhalts oft parallel erteilten – nach außen ermächtigenden → *iussum* erscheint in der Spätant. gänzlich verschwommen.

C. Sonderformen

Das Kreditmandat (nachantik *m. qualificatum*) ist der Auftrag, einem Dritten auf Namen und Rechnung des Auftragnehmers einen Kredit zu gewähren; der Auftragnehmer verpflichtet sich dabei lediglich zum Ersatz eines evtl. Ausfalls im Zuge der Rückzahlung, weshalb ein bürgschaftsähnliches Verhältnis vorliegt. Mittels *m. ad agendum in rem suam* (Prozeßmandat in eigener Sache) erzielt man den Effekt einer Abtretung (→ *cessio*). Eine Form kaiserlicher → *constitutiones* stellen die *mandata principis*, interne Dienstanweisungen an Beamte, dar.

→ Fides; Revocare

1 Honsell/Mayer-Maly/Selb, 335 ff. 2 Kaser, RPR I, 577 ff.; II, 415 ff. 3 H. T. Klami, Teneor mandati, 1976
4 V. Marotta, Mandata principum, 1991 5 D. Nörr, S. Nishimura (Hrsg.), M. und Verwandtes, 1993
6 A. Watson, Contract of Mandate in Roman Law, 1961
7 R. Zimmermann, The Law of Obligations, 1990, 413 ff.

V. T. H.

**Mandela.** *Pagus* (»Gau«) im Land der Sabini (Hor. epist. 1,18,105) am Zusammenfluß von Digentia und Anio, später Massa Mandelana (CIL XIV 3482), h. Mandela bei Vicovaro. Bei M. chalkolithische Grabkammern, eine röm. *villa.*

G. Lugli, La villa sabina di Orazio, in: Monumenti antichi, pubblicati dall' Accademia dei Lincei 31, 1926, 457–598 • C. F. Giuliani, in: Tibur 2, 1966, 67–77.

G. U./Ü: H. D.

**Mandelbaum** s. Amygdale

**Mandonius.** Iberer. Wie sein Bruder → Indibilis, mit dem gemeinsam er zumeist erwähnt ist, war er Fürst der → Ilergetes; er wechselte im 2. → Punischen Krieg als Verbündeter zunächst der Karthager, dann der Römer mehrfach die Seiten: Dem P. → Cornelius [I 71] Scipio schloß er sich im Jahre 208 v. Chr. an, da jener M.' als Geisel genommene Gattin und Verwandte gut behandelt hatte (Pol. 10,18,7–15; 35,6–8; Liv. 26,49,11–16; 27,17,3). Später wurde er trotz seines Abfalls im J. 206 wieder in das Bündnis mit Rom aufgenommen (Liv. 28,31,3–7; 34,3–11), dessen Bruch 205 er nach dem Sieg von L. → Cornelius [I 36] Lentulus und L. → Manlius Acidinus über die aufständischen Ausetaner und Sedetaner mit seiner Hinrichtung büßte (Liv. 29,3,1–5).

L.-M. G.

**Mandrobulos** (Μανδρόβουλος). Der theophore Name ist von dem eines – erschlossenen – kleinasiatischen Gottes »Mandros« abgeleitet. Nach M. ist ein Drama des → Kleophon und ein Dialog des → Speusippos benannt. Das Sprichwort ἐπὶ τὰ Μανδροβούλου χωρεῖ τὸ πρᾶγμα wurde schon im Alt. nicht mehr verstanden; zu seiner Erklärung boten die ant. → Paroimiographen Vermutungen, so Suda ε 2659, 2716, es bezöge sich auf Wendungen zum Schlechteren.

W. KROLL, s. v. Mandroboulos, RE 14, 1039f. H. A. G.

**Mandrokleidas** (Μανδροκλείδας).
**[1]** Spartiat (Μανδρικλείδας in guten Hss.). Plutarch (Plut. Pyrrhus 26,24) überliefert eine denkwürdige Äußerung des M., der 272 v. Chr. versucht haben soll, → Pyrrhos vom spartan. Widerstandswillen zu überzeugen, um weitere Plünderungen in Lakonien durch dessen Truppen zu verhindern [1. 128f.].
**[2]** Spartiat (wohl nicht identisch mit M. [1], polit.), geschickter Anhänger des → Agis [4] IV., dessen Reformpläne er 243/42 v. Chr. vor der spartanischen Volksversammlung energisch unterstützte. Von den neuen Ephoren des Amtsjahres 242/41 wurde er angeklagt (Plut. Agis 6; 9; 12). Sein Schicksal nach dem Tod des Agis IV. ist nicht bekannt.

1 P. GAROUFALIAS, Pyrrhus, King of Epirus, 1979.
K.-W. WEL.

**Mandrokles** Architekt aus Samos, baute gegen ein beträchtliches Honorar für → Dareios [1] I. im Jahr 513/2 v. Chr. im Kontext des Skythen-Feldzuges die Schiffsbrücke über den Bosporus (Hdt. 4,87,1 ff.). Berühmtheit erlangte M. durch ein in das Heraion von → Samos gestiftetes Weihgeschenk: ein von Herodot (4,88,1–89,2) detailliert beschriebenes Tafelgemälde, das die (Ponton-)Brücke darstellte und den Erbauer in einem Epigramm rühmte.

H. SVENSON-EVERS, Die griech. Architekten archa. und klass. Zeit, 1996, 59–66 (mit weiterer Lit.). C. HÖ.

**Mandubii.** Gallische Völkerschaft, die nur Caes. Gall. 7,68,1 und Strab. 4,2,3 erwähnen. Hauptort → Alesia (*oppidum Mandubiorum*). Ihr Gebiet deckt sich wohl mit der h. Landschaft Auxois (*pagus Alisiensis* im MA). In röm. Zeit scheinen die M. im Volk der → Haedui aufgegangen zu sein.

P.-M. DUVAL, Chronique gallo-romaine, in: REA 61, 1959, 368–370. Y. L.

**Mandubracius.** König der → Trinobantes im sö Britannien, der anläßlich der Ermordung seines Vaters durch → Cassivellaunus auf das Festland zu Caesar geflohen war. Bei Caesars zweiter Invasion in Britannien 54 v. Chr. konnte M. gegen Gestellung von Geiseln und Getreide zu seinem Stamm zurückkehren (Caes. Gall. 5,20; 22,5; Oros. 6,9,8).

EVANS, 100ff. W. SP.

**Manducus.** Röm. Maskenfigur mit etym. durchsichtigem Namen (vom Verbum *mandere/manducare* abgeleitet, bedeutet er »Kauer«, »Fresser«), doch von ungeklärter Herkunft. Nach Paul. Fest. 115 L. wurde M. im feierlichen Umzug bei den Circusspielen (*pompa circensis*; vgl. [1]) als ein Gelächter und Schrecken erregender, mit den Kiefern knirschender Unhold mitgeführt. Wenn wir Varro (ling. 7,95) folgen, scheint dieser M. nachträglich Eingang in die improvisatorische → *Atellana fabula* gefunden zu haben, wo er mit dem Typus des → Dossennus [1] (dessen Name durch Konjektur hergestellt ist) gleichgesetzt wurde. Demnach wäre aus der urspr. Schreckgestalt die Possenfigur eines Vielfraßes geworden (vgl. Hor. epist. 2,1,173). In den Titeln und Fragmenten der lit. Atellane taucht M. allerdings nicht auf.
→ Maske

1 LATTE, 248–251.

J.-G. PRÉVAUX, M., in: M. RENARD (Hrsg.), FS A. Grenier, 1962, 1282–1292 (= Coll. Latomus 58 III) • J. B. LOWE, Plautus' Parasites and the Atellana, in: G. VOGT-SPIRA (Hrsg.), Studien zur vorlit. Periode im frühen Rom, 1989, 161–169. H.-D. B.

**Mandulis.** Ortsgott von Kalabscha (Talmis), belegt in mehreren Tempeln des → Dodekaschoinos und in Philai. Sicher nicht-äg. Herkunft, vermutlich ein Blemmyer-Gott (→ Blem(m)yes). Der Name, in äg. Wiedergabe *mrwl*, *mnrwl*, *mntwl*, in griech. Form M., könnte → meroitisch sein und ist seit ptolem. Zeit belegt. Dem → Sonnengott und Himmelsherrn wurde unter Augustus der bedeutende Tempel von Kalabscha erbaut. M. wurde menschengestaltig als Erwachsener oder als Kind, aber auch als Falke mit Menschenkopf (*Ba*) dargestellt. Von den Griechen wurde er mit → Apollon identifiziert, der zur Rechten der → Isis vom Olymp nach Nubien kommt. Nach griech. Inschr. in Kalabscha sind M. und ein sonst unbekannter Breith ein göttl. Brüderpaar (Sonne-Mond).

C. DESROCHES-NOBLECOURT, Les zélateurs de M. et les maîtres de Ballana et de Qustul, in: P. POSENER-KRIÉGER (Hrsg.), Mélanges G. E. Mokhtar, 1985, 199–218 • E. KORMYSHEVA, Götterglaube in Meroe, in: Meroitica 18 (im Druck). A. LO.

**Manduria.** Stadt der Messapii und Sallentini südöstl. von → Taras (Tab. Peut. 7,1; Steph. Byz. s. v. Μανδύριον; *Manduris*, Geogr. Rav. 4,31; 5,1; *Amandrinum*, Guido 72), mit Quelle (Plin. nat. 2,226; [2; 5]). Nach Parteinahme für Karthago 209 v. Chr. von den Römern zurückerobert (Liv. 27,15,4: 3000 Gefangene und große Beute). 338 v. Chr. wurde bei M. der spartanische König → Archidamos [2] getötet (Plut. Agis 3,2); h. Manduria. Messapische Inschriftenfunde [3; 5]; wichtige arch. Überreste: dreifacher Mauerring (des 5., 4. und 3. Jh. v. Chr.), große Nekropole (meist des 4.–3. Jh. v. Chr.) [1; 4].

1 A. ALESSIO, M., in: F. D'ANDRIA (Hrsg.), Archeologia dei Messapi, 1990, 307–321 2 BTCGI 9, 1991, 327–330 3 C. SANTORO, M. nell'ambito della civiltà messapica, in: Studi Linguistici Salentini 20, 1993, 157–186 4 A. ALESSIO (Hrsg.), Oltre le mura, 1997 5 J.-L. LAMBOLEY, Recherches sur les Messapiens, 1996, 141–151. M.L.

**Maneros** (Μανερῶς Hdt. 2,79; Μανέρως Plut. Is. 17,367 etc.). Nach Hdt. l.c. ist M. der einzige Sohn des ersten Königs von Ägypten, der nach seinem frühen Tod mit einem Klagelied »M.«, das dem griech. → Linos-Lied entsprochen habe, geehrt werde. M. bedeutet entweder ägypt. *mniw-rȝ* »Gänsehirt« (CERNY) oder *r jmntt r jmntt* »nach Westen, nach Westen« (LLOYD), ein Ruf, der bei Bestattungen erschallte. Welcher ägypt. Name oder welche ägypt. Wortfolge zu der griech. Form M. verballhornt wurde, ist unklar [1. 338].

1 A. B. LLOYD, Herodotus, Book 2. Commentary 1–98, 1976. L.K.

**Manes, Di.** Die röm. Totengeister, im bes. die *animae* (»Seelen«) der einzelnen Verstorbenen. Sie gehören der Unterwelt an und werden auch als *di* → *inferi* bezeichnet (z. B. CIL X 2936; VI 13388) und den oberirdischen Göttern (*di superi*) gegenübergestellt; sie können in Metonymie für die Unterwelt als solche stehen. Die antiquarische Lit. erklärt die *di m.* euphemistisch als »die Guten« (Paul. Fest. 132 L.; Serv. Aen. 1,143) und verbindet sie mit lat. *mane*, »der Morgen«, mit → Mania oder mit → Mater Matuta (Paul. Fest. 109 L.). Die auf Grabsteinen und Gedenkinschr. häufige Anrede *dis manibus* im Dat. Pl. gefolgt vom Namen einer Person im Gen. Sg. bezeichnet den Verstorbenen, dem das entsprechende Denkmal gewidmet ist. Der Begriff *m.* wird stets im Pl. verwendet, auch wenn er sich nur auf eine Person bezieht; dies zeigt, daß die *di m.* als Kollektiv empfunden wurden.

Mit den Riten des Trauerzuges (*funus*) und der Totenbestattung wurde der Verstorbene unter die *di m.* aufgenommen [1. 392–395]. Die unbegrabenen Toten (*insepulti*) gehörten demzufolge nicht zu ihnen [2. 137]. Varro referiert die Vorstellung, der Verstorbene werde von seinen Nachkommen als Gott angesehen (antiquitates rerum divinarum fr. 211 CARDAUNS bei Plut. qu.R. 14; Plin. nat. 7,56). Im Kult kam diese Vorstellung aber nicht zum Ausdruck [3. 193–198]. Für die *di m.* wurden öffentliche und private Gedenkfeiern veranstaltet (→ Parentalia). Dabei wurden ihnen Tieropfer, aber auch einfache Opfergaben dargebracht ([1. 193 ff.]; Ov. fast. 2,535).

Kein deutlicher Unterschied besteht zw. den *di m.* und den *di parentes* [4. 17–26]; letztere Bezeichnung betont die Verbindung zu den Nachkommen. Die *m.* wurden anderen Geistern gleichgesetzt, die als Seelen der Verstorbenen galten. Apuleius (de deo Socratis 15,152) bezeichnet alle Geister als → Lemures: von diesen seien die *di m.* diejenigen, die dank eines gut geführten Lebens Götter geworden sind. Auch der → Genius, die Verkörperung der aktiven Kraft der Lebenden, ist mit den *di m.* in Verbindung gesetzt worden (Serv. Aen. 6,743). Verbreitet war die Vorstellung, daß die *m.* den Lebenden als Gespenster (Sen. Herc. f. 187, 648, 765; Herc. O. 1062, 1525) oder im Traum (Tib. 2,6,37) erscheinen und sie erschrecken.

→ Bestattung; Jenseitsvorstellungen; Lemures, Lemuria; Totenkult; Vergöttlichung

1 F. CUMONT, Lux perpetua, 1949 2 M. DUCOS, Le tombeau, locus religiosus, in: F. HINARD (Hrsg.), La mort au quotidien, 1995, 135–144 3 J. SCHEID, Die Parentalien für die verstorbenen Caesaren als Modell für den röm. Totenkult, in: Klio 75, 1993, 188–201 4 F. BÖMER, Ahnenkult und Ahnenglaube im alten Rom, 1943.

H. LAVAGNE, Le tombeau, mémoire du mort, in: F. HINARD (Hrsg.), La mort, les morts et l'au-delà dans le monde romain, 1987, 159–165 • C. PASCAL, Le credenze dell'oltretomba nelle opere letterarie dell'antichità, 1912.

FR. P.

**Manethon**

**[1]** Nach unsicherer Überl. war M. (s. [1]) ein Priester aus Sebennytos, der unter Ptolemaios I. und II. lebte und bei der Einführung des Sarapiskultes (→ Sarapis) eine Rolle spielte [2]. Als hellenisierter Ägypter schrieb er in griech. Sprache über äg. Themen. Überliefert sind einige isolierte Zitate aus maximal acht Schriften, darunter ein Werk über die Zubereitung von Kyphi (Räucherwerk), ferner ein *hierá bíblos* über äg. Rel. sowie ein Buch über Rituale. Die Authentizität dieser Werke ist offen; nachweislich pseudepigraph. sind ein astrologisches Lehrgedicht und die → Königsliste des Sothisbuches [8]. Heute gilt M.s Geschichte Äg.s (*Aigyptiaká*) als sein wichtigstes Werk, das jedoch bei Griechen und Römern keine Beachtung fand. Es waren der jüd. Historiker Iosephos [4] und christl. Chronographen, die M.s *Aigyptiaká* im Interesse biblischer Apologetik und Chronologie benutzten und dadurch auszugsweise überlieferten. Das Originalwerk ist verloren.

In der *Eklogḗ Chronographías* des → Synkellos Georgios (Ende 8. Jh. n. Chr.) sind Exzerpte aus dem Gesamtwerk der *Aigyptiaká* (FGrH 609; engl. Übers. [8]) erh., und zwar in Form einer Königsliste mit Herrschernamen und Regierungslängen. Die Listen verteilen sich auf drei B.: 1) Götterdynastien bis zur 11. Dyn. (bis 1992 v. Chr.); 2) 12. bis 18. Dyn. (1991–1305); 3) 19. bis 30. Dyn. (1305–342); die 31. (persische) Dyn. (342–332) gilt als nicht-manethonischer Nachtrag. Synkellos stützte sich auf Exzerpte der christl. Chronographen → Sextus Iulius Africanus und → Eusebios [7], die verändernd und glossierend in den Text eingegriffen haben. Diese heute im Original größtenteils verlorenen Exzerpte beruhten ihrerseits vermutlich auf einem von unbekannter Hand gemachten Auszug (Epitome) aus den *Aigyptiaká*, der sich auf die Königsliste beschränkte [1].

Reste einer neben der Königsliste stehenden Geschichtserzählung vermutet man in den bei Flavios Iosephos in *Contra Apionem* (1,26–33) erhaltenen Exzerpten, die sich nur auf die 15. bis 19. Dyn. (1650–1197) beziehen. Diese fabelhaften und geschichtsklitternden Erzählungen berichten in antisemitischer Tendenz über das Bündnis der asiatischen → Hyksos mit äg. Aussätzigen, die unter Führung eines Priesters Osarseph stehen, der mit dem biblischen Moses identifiziert wird. Wenn hier keine Beispiele originaler manethonischer Historiographie vorliegen [6], dann handelt es sich in der Hauptsache um pseudo-manethonische Fabeleien aus dem 1. Jh. n. Chr. [5]. Mit dieser offenen Frage hängt es zusammen, ob zu M.s Quellen eine annalistische Geschichtsdarstellung gehörte oder ob ihm lediglich eine Königsliste zur Verfügung stand. Während die Trad. der Königslisten in Äg. gut bezeugt ist [3], gibt es für die Existenz einer annalistischen Trad. zwar zahlreiche Hinweise, aber keine Textreste [4]. Form und Inhalt der äg. Annalen sind mithin offen. Daher lassen sich auch über die Eigenart der möglichen annalistischen Quellen M.s keine eindeutigen Aussagen machen.

→ Geschichtsschreibung

**1** J. von Beckerath, Unt. zur polit. Gesch. der Zweiten Zwischenzeit in Äg., 1964, 11–13 **2** P.M. Fraser, Ptolemaic Alexandria 1, 1972, 505f. **3** W. Helck, Unt. zu M. und den äg. Königslisten, 1956 **4** Ders., s.v. Annalen, LÄ 1, 278–280 **5** R. Krauss, Das Ende der Amarnazeit, 1978, 204–231 **6** P. Schäfer, Die M.-Fragmente bei Josephus und die Anfänge des ant. »Antisemitismus«, in: G. Most (Hrsg.), Aporemata 1, 1997, 186–206 **7** H.J. Thissen, Der Name M., in: Enchoria 15, 1987, 93–96 **8** W.G. Waddell, M., 1956, XIVf.

R.K.

**[2]** Verf. eines astrologischen hexametrischen Lehrgedichts Ἀποτελεσματικά (*Apotelesmatiká*) in 6 B., nach seinem eigenen Horoskop in der → Sphragis (6,738–750) am 28.5.80 n. Chr. geb. Das an einen Ptolemaios in Äg. gerichtete Werk ist aus heterogenen Teilen zusammengesetzt und die Reihenfolge der vielleicht von verschiedenen Verf. stammenden B. ist gestört. Zum ältesten Kern gehören die B. 2 (Fixsternhimmel), 3 (Planetenkonstellationen), 6 (Nativitäten), später hinzugekommen sind B. 4, 1 und 5 (ὅρια/*hória*, Planetenkonstellationen in regelloser Folge). Am E. von B. 6 erscheinen auch einige Pentameter. M. schöpft aus → Anubion (vgl. Pentameter) und wird von → Hephaistion [3] zitiert.

Ed.: A. Köchly, Manetho, 1851 (ed. maior), dazu Fr. PSI Nr. 157 • W. und H.G. Gundel, Astrologumena, 1966, 159–164 • O. Neugebauer, H.B. van Hoesen, Greek Horoscopes, 1959, 92 Nr. L 80.

W.H.

## Mangelernährung/Hunger

I. Terminologie und Ursachen II. Massnahmen gegen Hunger und Mangelernährung III. Gesetze und Institutionen zur Sicherung der Nahrungsmittelversorgung IV. Mangelernährung und Hunger in Stadt und Land V. Mangelernährung und Infektionskrankheiten VI. Archäologische Zeugnisse

### I. Terminologie und Ursachen

Die Begriffe Hungersnot, Versorgungskrise, Hunger sowie M. sind keineswegs identisch, obwohl sie sich auf ähnliche Tatbestände beziehen. Hungersnot ist ein mod. Begriff, der sich nur schlecht ins Griech. und Lat. übersetzen läßt. λιμός (*limós*) und *fames* sind Bezeichnungen für H., können aber ebenfalls für Nahrungsmittelknappheit stehen, die dazu führt, daß Menschen hungern müssen. Cicero unterscheidet in seinen Bemerkungen zur Situation im Sept. 57 v. Chr. zw. *inopia*, *fames* und *caritas* (»Mangel«, »Hunger«, »Teuerung«; Cic. dom. 11 f.); Hungersnot ist nicht mit H. gleichzusetzen, sei es nun mit episodisch auftretendem H. als Konsequenz einer Nahrungsmittelknappheit, oder mit chronischem Hunger, also chronischer M., die durch eine langfristig unzureichende Nahrungsmittelversorgung bedingt ist. Hungersnot ist auch nicht dasselbe wie Mangel. Es handelt sich in beiden Fällen um Versorgungskrisen, die aber unterschiedlich schwere Auswirkungen haben. Historiker neigen dazu, Hungersnot mit Mangel oder mit ähnlichen Begriffen wie Teuerung, Knappheit oder H. gleichzusetzen. Diese Ungenauigkeit der Terminologie erschwert eine vergleichende histor. Analyse der Hungersnot. Nicht zufällig halten deswegen viele Historiker die Hungersnot fälschlich für eine in vorindustriellen Ges. häufige Erscheinung – was Nahrungsmittelknappheit auch tatsächlich war. Versteht man unter dem Begriff Hungersnot jedoch eine bes. akute Versorgungskrise, die aufgrund von H. zu einer beträchtlichen Erhöhung der Sterblichkeitsziffer in einer Stadt oder Region führte und den Zusammenbruch der sozialen, polit. und moralischen Ordnung bewirkte, dann muß Hungersnot in der Ant. als relativ seltenes Ereignis gelten.

Ursachen für die häufig auftretende Nahrungsmittelknappheit waren geogr. Faktoren wie Klima, Oberflächengestalt und Bodenqualität im Mittelmeerraum, ferner die geringe Produktivität der ant. → Landwirtschaft, die eher begrenzten Kapazitäten des Transportwesens sowie der geringe Handlungsspielraum der lokalen und überregionalen Verwaltung. Dies hatte zur Folge, daß → Getreide, das wichtigste Grundnahrungsmittel, im Mittelmeerraum relativ knapp blieb. Darüber hinaus führten Trockenheit und Dürre zu Mißernten; Heuschrecken konnten ganze Ernten vernichten. Unter diesen Voraussetzungen kam es oft zu einem kurzfristigen Zusammenbruch der Nahrungsmittelversorgung; gleichzeitig waren diese Zusammenbrüche aber nur von vorübergehender Dauer. Üblicherweise griffen die Amtsträger der lokalen oder überregionalen Verwaltung ebenso wie in der Spätant. der Klerus ein, bevor sich eine Krise zu einer wirklichen Katastrophe entwickeln konnte.

II. Massnahmen gegen Hunger und Mangelernährung

Die Kapazitäten zur Bewältigung der Versorgungskrisen waren in verschiedenen Regionen ganz unterschiedlich entwickelt. Städte im Landesinneren hatten schlechtere Voraussetzungen als Küstenstädte, um Hilfslieferungen zu erhalten, wie Gregor von Nazianz anläßlich einer Versorgungskrise in Kaisareia in Kappadokia feststellte (Greg. Naz. or. 43,34–35). Allerdings ist zuzugestehen, daß die Kosten für einen → Landtransport den Weizenpreis in Zeiten des Preisanstiegs eher geringfügig beeinflußten; zudem waren die herrschenden Eliten im Landesinneren, die meist aus vermögenden Grundbesitzern bestanden, sich durchaus auch ihrer Verpflichtung bewußt, eigene Mittel zur Abwendung des H. einzusetzen.

Wo sich die lokalen Ressourcen als nicht ausreichend oder die lokalen Eliten als unfähig erwiesen, blieb zumindest im Imperium Romanum als letzte Möglichkeit das Eingreifen der Zentralgewalt: So versuchte ein Provinzstatthalter in der Zeit des Domitianus (81–96 n. Chr.), die Getreideversorgung von Antiocheia [5] in Pisidia zu sichern, indem er die Hortung von Getreide unter Strafe stellte (AE 1925, 126), und im 2. Jh. gestattete Hadrianus, Getreide aus Ägypten nach Ephesos zu liefern (Syll.[3] 839; vgl. AE 1968, 478). Ein anderer Fall zeigt, daß die Präsenz des Kaisers jedoch auch H. hervorrufen konnte: Antiocheia [1] war eine prosperierende Stadt, die als Hauptstadt der Prov. Syria und Stützpunkt für Kriege gegen die Perser häufig von Kaisern besucht wurde. Heer und Gefolge des Kaisers verursachten 361/2 Versorgungsschwierigkeiten, als Iulianus sich in der Stadt aufhielt und die zw. ihm und den Curialen herrschenden Spannungen einer schnellen Lösung der Krise im Weg standen. Iulianus, der nur unzureichendes Verständnis wirtschaftlicher Vorgänge besaß, versuchte die Versorgungskrise zu beenden, indem er Getreide aus kaiserlichen Vorräten zu einem festen, unter dem Marktwert liegenden Preis in Antiocheia zum Verkauf anbot. Da sein billiges Getreide nicht rationiert war, wurde es schnell von Spekulanten aufgekauft und im Umland oder gar in entfernten Regionen zu einem hohen Preis wieder abgesetzt (Amm. 22,14,1–2; Lib. or. 1,126; 15,8 ff.; Iul. mis. 368c). Es bestand jedoch weder in diesem noch in anderen Fällen jemals die Gefahr, daß die Leiden der Bevölkerung ein Ausmaß wie später in Edessa erreichten, wo in den Jahren 499–502 eine schreckliche Hungersnot herrschte. Der Kaiser Anastasios ließ den unglücklichen Einwohnern der Stadt zwar Geld und Getreide schicken, jedoch zu spät und zu wenig, um den H. wirklich zu lindern.

III. Gesetze und Institutionen zur Sicherung der Nahrungsmittelversorgung

In der Ant. waren die Städte des Mittelmeerraumes gezwungen, Verfahren zu entwickeln oder Institutionen zu schaffen, die geeignet waren, eine Nahrungsmittelknappheit abzuwenden oder zu überwinden. Hierzu gehörten Spenden der lokalen Eliten und der Herrscher (→ Euergetismus), Fonds für den Getreidekauf, die Einsetzung von Beamten zum Aufkauf und zur Verteilung von Getreide, seltener die Errichtung von Getreidespeichern und Preiskontrollen.

In Athen gab es im 5. Jh. v. Chr. zunächst keine Institutionen zur Sicherung der Getreideversorgung. Die Stärke seiner Flotte sowie der Besitz strategisch wichtiger Punkte in der Ägäis, insbesondere am Hellespont, boten die Gewähr dafür, daß genügend Getreide nach Attika importiert werden konnte; außerdem war der Getreidemarkt in Athen aufgrund der großen Zahl von Konsumenten für die Kaufleute sehr attraktiv. Nachdem Athen im 4. Jh. v. Chr. seine Hegemonialstellung verloren hatte, kam es auch zu Versorgungskrisen. In dieser Zeit ergriffen die Athener zum ersten Mal bes. Maßnahmen, um Händler zu veranlassen, den Hafen in Peiraieus anzulaufen, um deren Fahrten und Routen zu kontrollieren und die immer noch zahlreiche Bevölkerung vor den preistreibenden Spekulationen der Kleinhändler und Bäcker zu schützen (Lys. 22; Demosth. or. 34,37; 35,51; Aristot. Ath. pol. 51,3).

Nur für die Stadt Rom wurde ein umfassendes administratives System der Getreideversorgung und -verteilung entwickelt, für das die Ressourcen des gesamten Mittelmeerraumes genutzt wurden; in der Spätant. wurde dieses System auf die neue Residenz Konstantinopel übertragen. Das röm. System der Getreideversorgung (*annona*; → *cura annonae*) ist aus den Konflikten der späten Republik hervorgegangen; die Verteilung verbilligten Getreides an die stadtröm. Bevölkerung wurde zuerst durch die popularen → Frumentargesetze geregelt (lex Sempronia 123/122 v. Chr.: Cic. off. 2,72; Cic. Tusc. 3,48; Cic. Sest. 103); seit 58 v. Chr. war das Getreide für die *plebs* kostenlos. Unter Augustus wurde die Getreideversorgung als *curatio annonae* (R. Gest. div. Aug. 5) organisiert. Getreideknappheit und steigende Getreidepreise führten in der späten Republik mehrmals zu Unruhen (zum Jahr 57 v. Chr. vgl. Cic. dom. 10 ff.); selbst im frühen Prinzipat kam es aufgrund von Mißernten und witterungsbedingten Störungen der Schiffahrt zu Schwierigkeiten in der Getreideversorgung Roms (Suet. Claud. 18,2).

IV. Mangelernährung und Hunger in Stadt und Land

H. und M. waren keinesfalls auf die Städte beschränkt, sie gehörten vielmehr zu den gravierenden Erfahrungen einer bäuerlichen Ges. Harte Arbeit ist bereits bei Hesiodos das Mittel, um H. zu vermeiden (Hes. erg. 299–307; 391–395); gleichzeitig war ein sparsamer Umgang mit den knappen Vorräten notwendig, wenn diese bis zur nächsten Ernte reichen sollten (Hes. erg. 361–369).

Obwohl die Bewohner der Städte hinsichtlich der Lebensmittelversorgung letztlich von der Landbevölkerung abhängig waren (Lib. or. 50,33 f.), hatten sie dieser gegenüber dennoch entscheidende Vorteile: den privilegierten Zugang zu dem Getreide, das von reichen Einzelpersonen oder von Herrschern gespendet wurde, denn der klass. Euergetismus konzentrierte sich (wie auch die christl. Wohltätigkeit der Spätant.) vornehmlich auf die Städte.

Die strukturelle Benachteiligung der Landbevölkerung hat → Galenos von Pergamon, selbst ein Stadtbewohner, durchaus wahrgenommen. Bemerkenswert ist seine Feststellung, daß ›die Stadtbewohner die Angewohnheit hatten, direkt nach der Ernte genug Getreide für das ganze folgende Jahr einzuziehen und zu lagern, und der Landbevölkerung nur das ließen, was übrig blieb, nämlich Hülsenfrüchte verschiedener Art, von denen sie ebenfalls eine Menge mit in die Stadt nahmen‹ (Gal. 6,749 KÜHN). Galenos betrachtet dies als weitverbreitetes Phänomen, das bei ›vielen Völkern, die Rom unterworfen waren, zu finden sei‹. Natürlich setzte die Landbevölkerung, sobald sie mit Nahrungsmittelknappheit rechnen mußte, ein komplexes System von Überlebensstrategien in Gang: Sie stützte sich auf die sozialen Netzwerke innerhalb der Bauernschaft, die Verwandtschaft, Nachbarschaft sowie Freundschaft einschlossen, und zudem auf Patronats- oder Abhängigkeitsverhältnisse, die sie mit den Großgrundbesitzern eingegangen waren. Außerdem griff sie mehr als gewöhnlich auf wildwachsende Pflanzen sowie auf wenig nahrhafte Lebensmittel oder sogar auf Früchte, die nur in Zeiten der Hungersnot verzehrt wurden, zurück. Aus der Schrift des Galenos ›Über die Eigenschaften der Nahrungsmittel‹ läßt sich eine beeindruckende Liste von Feldfrüchten (Wicken, Knollen, Disteln etc.), die normalerweise als Futter für Tiere und nur in Notfällen als Nahrung für Menschen dienten, zusammenstellen (z. B. Gal. 6,522–523; 546; 551; vgl. ähnlich Colum. 2,10,1).

Galenos, dessen medizinisches Interesse vor allem den Folgen einer M. galt, beschreibt die Ernährung der Bauern im Winter, die v. a. aus Hülsenfrüchten bestand, sowie den Übergang zu einer Ernährung mit verschiedenen »ungesunden« Nahrungsmitteln im Frühjahr: ›Sie aßen Zweige und Schößlinge von Bäumen und Büschen, sowie Knollen und Wurzeln unverdaulicher Pflanzen; sie füllten sich mit wilden Kräutern und kochten frisches Gras.‹ (Gal. 6,749). An anderer Stelle erwähnt er im Zusammenhang mit einer Nahrungsmittelknappheit in der thrakischen Stadt Ainos den Verzehr giftiger Wicken (Comm. in Hippokr. Epid. II = CMG V 126,4–6L). Die Symptome, die in diesem Text umrissen werden, nämlich Muskelschwäche und Lähmung, deuten auf Lathyrismus (Vergiftung) hin. Giftstoffe in der Nahrung sowie darauf zurückzuführende Erkrankungen waren eine Folgeerscheinung der Knappheit an Nahrungsmitteln, da Bauern und Bäcker Mehl zu sparen versuchten, indem sie schädliche Samenkörner (Lolch, αἰγίλωψ/*aigílōps*) und andere Fremdstoffe nicht entfernten (Gal. 7,285). Die letzte Zuflucht der ländlichen Bevölkerung bestand jedoch darin, sich in großer Zahl in die Städte zu begeben, wie es die Bauern im Gebiet um Edessa taten (Chron. Iosua Stylites 40; 43).

Schließlich aber muß man über die Stadt/Land-Dichotomie hinausgehen, um die Heftigkeit dieser Versorgungskrisen zu verstehen. In beiden Bereichen nämlich gab es Risikogruppen: die arbeitslosen oder unterbeschäftigten Armen der Städte, die Tagelöhner auf dem Land sowie in den Städten und auf dem Land gleichermaßen Frauen und kleine Kinder.

### V. Mangelernährung und Infektionskrankheiten

Chronische M. ist ein sehr viel schlechter erforschtes Phänomen als die zeitlich begrenzten Versorgungskrisen, dennoch spricht viel für ihre weite Verbreitung in den ant. Ges. M. war ein pathologischer Zustand, der auf einen Mangel an bestimmten Nährstoffen, Vitaminen oder Spurenelementen zurückzuführen war; die in vielen Texten erwähnten Augenkrankheiten lassen etwa auf einen Mangel an Vitamin A schließen (→ Krankheiten). Auf Nahrungsmittelknappheit folgte oft der Ausbruch von Epidemien (→ Epidemische Krankheiten) und Seuchen, da die körpereigene Abwehr durch M. und H. geschwächt war. In den Quellen erscheinen deswegen Seuchen und H. nicht selten zusammen (*pestilentia fameque*: Obseq. 13, 165 v. Chr.; vgl. 22, 142 v. Chr.). Mangelerscheinungen konnten andererseits auch durch Infektionskrankheiten hervorgerufen bzw. verschlimmert werden. Reiche wie Arme waren für derartige durch Krankheit hervorgerufene Mangelerscheinungen gleichermaßen anfällig, da eine ausreichende Ernährung nicht vor Infektionen schützte; allerdings war die reiche Oberschicht weniger mit Krankheiten, die durch eine M. hervorgerufen waren, konfrontiert. Die extrem hohe Infektionsanfälligkeit von Kleinkindern in der schwierigen Übergangsphase zur Ernährung der Erwachsenen bestand in allen sozialen Schichten der ant. Ges.

### VI. Archäologische Zeugnisse

Die arch. Nachweise für M. beruhen hauptsächlich auf Untersuchungen an menschlichen Skeletten. Eine systematische Zusammenstellung des gesamten Materials steht jedoch bislang noch aus. Die wiss. Analyse menschlicher Knochen ist eine relativ neue Vorgehensweise; Methoden und Interpretationen werden ständig weiterentwickelt, und die Datenbestände wachsen stetig an.

→ Ernährung; Getreidehandel, Getreideimport

**1** T. GALLANT, Risk and Survival in Ancient Greece, 1991 **2** P. GARNSEY, Famine and Food Supply in the Graeco-Roman World, 1988 **3** Ders., Cities, Peasants and Food in Classical Antiquity, 1998 **4** Ders., Food and Society in Classical Antiquity, 1999 **5** Ders., C. R. WHITTAKER (Hrsg.), Trade and Famine in Classical Antiquity, 1983 **6** P. GAUTHIER, De Lysias à Aristote (Ath. pol. 51,4): le commerce du grain à Athènes et les fonctions des sitophylaques, in: Revue historique de droit français et étranger 59, 1981, 5–28 **7** P. Herz, Stud. zur röm. Wirtschaftsgesetzgebung: Die Lebensmittelversorgung, 1988 **8** H. P. Kohns, Versorgungskrisen und Hungerrevolten im spätant. Rom, 1961 **9** Ders., Hungersnot und Hungerbewältigung in der Ant., in: H. Kloft (Hrsg.), Sozialmaßnahmen und Fürsorge: Zur Eigenart ant. Sozialpolitik, 1988, 103–121 **10** L. Migeotte, Le pain quotidien dans les cités hellénistiques: à propos des fonds permanents pour l'approvisionnement en grain, in: Cahiers du Centre G. Glotz 2, 1991, 19–41 **11** I. Morris, Death-Ritual and Social Structure in Classical Antiquity, 1992 **12** R. Stroud, The Athenian Grain-Tax Law of 374/3 BC (Hesperia Suppl. 29), 1988 **13** C. Virlouvet, Famines et émeutes à Rome des origines de la République à la mort de Néron, 1985.

P. GA./Ü: A. H.

**Mani, Manichäer** A. Quellen
B. Anfänge (Mani) und Geschichte
C. Grundgedanken und Nachwirkung

A. Quellen

Bis Anfang des 20 Jh. basierte die Kenntnis des Manichäismus (= Mm.) primär auf der antimanichäischen Lit., seien es die Edikte der röm. Kaiserzeit (seit → Diocletianus), die christl. (z. B. → Ephraem von Edessa, → Epiphanios [1] von Salamis, → Augustinus, Theodor bar Konai) und islam. Häresiologen (Muḥammad ibn an-Nadīm, al-Birūnī, Šahrastānī) oder der einflußreiche Roman *Acta Archelai* des → Hegemonios (4. Jh.). Eine frühe Quelle ist die Polemik des Neuplatonikers Alexandros von Lykopolis (*pros tas Manichaíu dóxas*, um 300). Aus dem 6. Jh. stammen zwei griech. Abschwörungsformeln.

Durch die Ausgrabungen in Turkestan (Turfan, Bäzäklik, Chotscho) zw. 1902 und 1914 kamen erstmalig manichäische Originaltexte in iran. Dialekten, Alttürkisch (Uigurisch) und Chinesisch ans Tageslicht, die teilweise auch bebildert sind (6.–12. Jh.); ihre Ed. dauert noch heute an. Seit 1918 besitzen wir das Frg. eines lat. Textes manichäischer Herkunft (sog. Tebessa Codex, 4. Jh.). Um 1930/31 kam es dann zum Erwerb von *Manichaica* in kopt. Sprache (4. Jh.), die aus der Oase → Fajum stammen. Aus Ägypten kommt auch der bisher einzige griech. Originaltext, der sog. Kölner-M.-Codex. Inzwischen sind weitere Funde in der ägypt. Dakhleh Oase (ant. Kellis) gemacht worden. Diese Quellen haben die Forsch. auf eine solide Basis gestellt und das Bild des Mm. grundlegend verändert.

B. Anfänge (Mani) und Geschichte

Der Mm. ist die einzige ant. Rel., die bewußt als eine überregionale Rel. von dem Gründer M. geschaffen wurde. »M. der Lebendige« (griech. *Manichaíos*, aram. *mani haija*, »Gefäß/Geist des Lebens«) wurde am 14. April 216 n. Chr. in der Nähe von → Seleukeia/Ktesiphon am Tigris geboren, wuchs in einer Täufergemeinde auf, von der er sich ca. 240 im Streit trennte, nachdem er seine erste Offenbarung erlebt hatte. Es gelang ihm bald, eine Gemeinde zu gründen und Missionsreisen nach Osten (Medien, Kuschan, Indien, Turan) zu unternehmen. 242 war er am Hof des Königs Šābuhr I. (→ Sapor) tätig, was ihm in der Folgezeit dienlich war. Einige fähige Jünger (Apostel) sandte er nach Ägypten, Syrien, Parthien aus, wo Gemeinden entstanden. Unter König Bahrām I. (273–276) endete sein Erfolg in Persien; er wurde gefangengesetzt und starb am 14. (oder 28.) Febr. 276 im Gefängnis, was seine Anhänger als seine »Kreuzigung« deuteten (vermutlich wurde sein Leichnam am Kreuz ausgestellt).

Die anschließende Verfolgung der manichäischen »Kirche« im Iran führte zu ihrer Abwanderung in die zentralasiat. Gebiete, aber auch nach Westen. Von 763 bis 840 war der Mm. Staatsrel. im Uigurenreich. Auch nach China drang der Mm. im 7. Jh. vor und wurde zum Konkurrent von Buddhismus und nestorianischem Christentum (→ Nestorianismus). 843/44 machte eine Verfolgung dem ein Ende, ohne daß der Mm. bis zum 17. Jh. völlig aus China verschwand (letzter bis heute erh. Tempel in Fukien). Auch im Röm. Reich kam es anfangs zu großen Erfolgen: Ägypten, Nordafrika, Italien, Spanien. Die kaiserlichen Edikte (297, 372, 379 n. Chr.) und ihre bes. durch die christl. Kaiser erfolgte Durchsetzung, unterstützt durch die Polemik des einstigen Manichäers → Augustinus (ab 388), führten zum Ende des Mm. im Westen. Sein Name blieb allerdings in den Ketzerkatalogen für seine dualistischen Nachfolger (Bogomilen, Katharer bzw. Albigenser) immer parat, auch im islam. Osten.

C. Grundgedanken und Nachwirkung

Der Mm. basiert auf gnostischer Grundlage (→ Gnosis), integriert aber stärker iran.-zoroastrische (→ Zoroastrismus) und christl., im Osten auch buddhist. Züge. Dies zeigt sich in einer für ihn typischen Anpassung an die rel. Vorstellungswelt der jeweiligen Missionsgebiete und die Übernahme ihrer Terminologie. Dieses Verfahren geht offenbar schon auf M. zurück, der im Unterschied zu seinen Vorgängern → Zoroastres, Buddha und → Jesus betont, daß er sowohl einen Kanon von Schriften als auch eine feste Gemeindestruktur (»Kirche«) schuf.

Von seinen nicht oder nur fr. in Übers. erh. Werken gelten fünf als kanonisch: das ›Große (oder: Lebendige) Evangelium‹, der ›Schatz des Lebens‹, das ›Buch der Mysterien‹, die *Pragmateía* sowie das ›Buch der Giganten‹. Hinzu kommen ›Das dem Šābuhr gewidmete Buch‹ (*Šābuhragan*), eine Slg. von Sendschreiben M.s, eine liturgische Slg. von Gebeten und Hymnen, und ein sog. ›Bilderbuch‹ (*Eikōn, Ardhang*).

Der bruchstückhafte Zustand läßt es bis heute nicht zu, die urspr. Lehre M.s näher zu rekonstruieren, aber mit Hilfe der literar- und trad.-krit. Analyse der erh. Lit. läßt sich als Grundstruktur die Lehre von den »zwei Prinzipien und den drei Zeiten« erkennen: d. h. der Gegensatz von Geist und Körper, Licht und Finsternis, Gut und Böse, sowie die dreiteilige Heilsgesch., d. h. die Periode des Getrenntseins von Licht und Finsternis, die der Vermischung und die der Entmischung bzw. der

Wiederherstellung des Urzustandes. Die recht myth. ausgestaltete Kosmologie dient allein der Soteriologie: Um der Befreiung der in die Finsternis gelangten (fünfteiligen) »Seele« des vom »Vater der Größe« gesandten Urmenschen willen wird parallel zur Kosmogonie der Erlösungsprozeß in Gang gesetzt, in dem der »Licht-*Nús*« bzw. der »Glanz-Jesus« und der Mensch eine zentrale Rolle spielen. Die durch die »Apostel des Lichts« (endgültig durch M.) geweckte »Vernunft« (griech. *nús*) führt zur sukzessiven Befreiung der »leidenden Seele« (Gottes), bis am Ende der Zeit die Lichtmächte selbst die Finsternis besiegen und endgültig vernichten. Die »Kirche« M.s war die dafür geschaffene Heilsanstalt; in Form der streng asketisch lebenden *electi* (»die Auserwählten«) oder *perfecti*, aus denen sich die Hierarchie rekrutiert, und der sie unterstützenden Laien (*auditores*, *katechúmenoi*), versah sie auf Erden durch Predigt, Gesang und Abschreiben bzw. Malen ihrer Bücher das Werk ihres Meisters und sorgte insofern für das (wenn auch nur lit.) Nachleben – kunsthistor. auch in der neupers. Miniaturmalerei.

→ Gnosis; Häresie; Häresiologie; Mandäer; Religion; Synkretismus; Zoroastres; Zoroastrismus; MANICHÄISMUS

BIBLIOGR. UND TEXTE IN ÜBERS.: G. B. MIKKELSEN, Bibliographia Manichaica (Corpus Fontium Manichaeorum. Subsidia, Bd. 1), 1997 · A. ADAM, Texte zum Mm., ²1969 · J. P. ASMUSSEN, A. BÖHLIG, Die Gnosis, Bd. 3. Der Mm., (1980) ²1995 (Lit.) · H. J. KLIMKEIT, Hymnen und Gebete der Rel. des Lichts (Abh. der Rheinisch-Westfälischen Akad. der Wiss. 79), 1989 · Ders., Gnosis on the Silk Road, 1993.
LIT.: A. BÖHLIG, Gnosis und Synkretismus, 2 Teile, 1989 · P. BRYDER (Hrsg.), Manichaean Studies, 1988 · F. DECRET, L'Afrique manichéenne, 2 Bde., 1978 · I. M. F. GARDNER, S. N. C. LIEU, Manichaean Documents from Roman Egypt, in: JRS 86, 1996, 146–169 · M. HEUSER, H. J. KLIMKEIT, Studies in Manichaean Literature and Art, 1998 · O. KLIMA, M.s Zeit und Leben, 1962 · P. MIRECKI, J. BEDUHN (Hrsg.), Emerging from Darkness, 1997 · C. RÖMER, M., 1993 · S. N. C. LIEU, Manichaeism in the Later Roman Empire and Medieval China, ²1992 (Lit.) · Ders., Manichaeism in Mesopotamia and the Roman East, (1994) ²1999 · The Oasis Papers: Proc. of the 1st International Symposium of the Dakhleh Oasis Project, 1999 · H. J. POLOTSKY, Abriß des manichäischen Systems, 1935 (= RE Suppl. 6, 241–272) · H. J. PUECH, Le Manichéisme, 1949 · A. VAN TONGERLOO, S. GIVERSEN (Hrsg.), Manichaica Selecta. FS J. Ries, 1991 · G. WIDENGREN (Hrsg.), Der Mm. (Wege der Forsch. 168), 1977 · G. WIESSNER, H. J. KLIMKEIT (Hrsg.), Studia Manichaica, 1992. KU. R.

**Mania** (Μανία).

**[1]** Griech. Personifikation des Wahnsinns. Als *Maníai* (Plural!) im gleichnamigen Ort bei Megalopolis kultisch verehrt. Nach Paus. 8,34,1–3 ist → Orestes dort wahnsinnig geworden (Identifikation mit Erinyen/Eumeniden? → Erinys). Im Sg. ist M. nur bei Q. Smyrn. 5,451 ff. für die Raserei des → Aias [1] belegt. Auf einer unterit. Vase des → Asteas erscheint sie mit Namensbeischrift bei Herakles' Kindermord (→ Lyssa, → Oistros). L. K.

**[2]** Weiterer Name der röm. Göttin → Larunda oder Mater Larum (Varro ling. 9,61; Arnob. 3,41). Die beiden frühesten inschr. Zeugnisse für den Namen sind umstritten: Ein Graffito aus dem 6. Jh. v. Chr. bezieht sich möglicherweise auf das gleichlautende weibliche Praenomen [1]; der Eintrag zum 11. Mai in den spätrepublikanischen → Fasti Antiates maiores ist unvollständig, die Ergänzung *MA*[niae] Konjektur (InscrIt 13,2 p. 456). In der Lit. wird M. als Mutter oder Großmutter der → Larvae und der → Manes bezeichnet (Fest. 114 L.). Der → Genita Mana, die mit M. gleichgesetzt werden kann, wurde ein Hund geopfert (Plin. nat. 29,58). Sie galt als Göttin der Geburt und des Todes (Plut. qu.R. 52; [2]).

Die Maniae sind entweder schreckliche Gespenster, mit denen Großmütter ihren Enkelkindern drohten, oder Personen, deren häßliches Aussehen erschreckt (Paul. Fest. 128,20 L.; schol. Pers. 6,56). Als Maniae werden zugleich auch die Püppchen aus Mehl (Fest. 114 L.) oder aus Wolle (Paul. Fest. 273 L.) bezeichnet, die während der → Compitalia für M. und die → Laren an den Wegkreuzungen aufgehängt wurden (Macr. Sat. 1,7,35).

1 C. DE SIMONE, Graffiti e iscrizioni provenienti dall'Acqua Acetosa Laurentina, in: PdP 36, 1981, 141 f. Nr. 6
2 E. TABELING, Mater Larum, 1932, 89–102. FR. P.

**[3]** Satrapin der Aiolis (Nordwest-Kleinasien), von → Pharnabazos eingesetzt und gefördert; ihr Geschlecht stammte aus Dardanos. Mit griech. Söldnern, die sie im Wagen zu begleiten pflegte, griff sie die Troas an und fügte einige Küstenstädte ihrer Satrapie hinzu. Sie wurde von ihrem Schwiegersohn Meidias von Skepsis ermordet; ihre Satrapie wurde 399 v. Chr. von dem Spartaner → Derkylidas erobert, der auch die in Skepsis und Gergis verwahrten Schätze an sich nahm (Xen. hell. 3,1,10–15).

D. M. LEWIS, Sparta and Persia, 1977. PE. HÖ.

**[4]** Zusammen mit zwei anderen Frauen bei Polyainos (8,50) als Freundin → Berenikes [2] I. erwähnt, die Berenikes Tod vertuscht haben sollen, um den Feldzug Ptolemaios' III. zu ermöglichen. Wohl unhistor., da die Geschichte auf seleukidischer Propaganda zu beruhen scheint.

B. BEYER-ROTTHOFF, Unt. zur Außenpolitik Ptolemaios' III., 1993, 22 A. 25 · M. HOLLEAUX, Études, Bd. 3, 1968, 306. W. A.

**[5]** M., eigentlich Melitta oder Demo, war eine für witzige Äußerungen bekannte athen. Hetäre und zeitweise Geliebte des → Demetrios [2] Poliorketes (Machon bei Athen. 13,578b–579d; Plut. Demetrios 27,9). A. ME.

**Manicae** (χειρίς/*cheirís*). A. Ärmel B. Armschutz C. Handschuh D. Handfesseln

A. Ärmel

Bereits die minoisch-myk. → Kleidung wies sowohl bis an die Handwurzel als auch kürzere bis zur Ellenbeuge oder nur bis zum Oberarm reichende Ärmel auf; in der archa. und klass. Zeit war der → Chiton mit Ärmeln bei »Barbaren« (Perser, Skythen u.a.) üblich, wurde aber auch von Griechen getragen. An der röm. Tracht waren M. anfänglich ein Zeichen der Verweichlichung (→ Tunica) – so wird noch → Commodus gerügt, weil er eine Tunica mit Ärmeln trug (Cass. Dio 72,17, vgl. SHA Heliog. 26,3). Mit der Übernahme iran. Ärmelmäntel in die offiziöse und die Beamtentracht seit dem 3. Jh. n. Chr. tritt ein Wandel ein, so daß M. an den Gewändern seit dem 4. Jh. n. Chr. nahezu üblich sind (→ Dalmatica, → Kleidung).

B. Armschutz

Oberarmschutz am Soldatenpanzer aus Leder, oftmals mit Metall beschlagen. Auch → Gladiatoren (*retiarii*) trugen M., jedoch nicht nur metallene, sondern auch aus Riemen gewickelte.

C. Handschuh

Nur in Ausnahmefällen trugen Griechen und Römer Handschuhe (Plin. epist. 3,5,15), so z.B. Ärzte und mitunter Arbeiter auf dem Feld (Hom. Od. 24,230).

D. Handfesseln

Sie wurden Sklaven und Kriegsgefangenen angelegt; im Mythos ist → Andromeda am Felsen angekettet. Handfesseln sind verschiedentlich erhalten.

zu A.: E. Knauer, Ex oriente vestimenta. Trachtgeschichtl. Beobachtungen zu Ärmelmantel und Ärmeljacke, in: ANRW II 12.3, 1985, 578–741 • A. Pekridou-Gorecki, Mode im ant. Griechenland, 1989, 77 f. • A. Stauffer, Textilien aus Ägypten, Ausstellung Fribourg 1991–1992, 1991.

zu C.: Sp. Marinatos, Kleidung, Haar- und Barttracht (ArchHom I H), 1967, 14.

zu D.: E. Künzl, Schlösser und Fesseln (J 25–30), in: Ders., Die Alamannenbeute aus dem Rhein bei Neupotz. Plünderungsgut aus dem röm. Gallien, 1993, 365–378.

R.H.

**Manierismus.** Gesamteurop. Epochenbegriff für den Übergang von der Renaissance zum Barock (1530–1630). Ästhetik: antinaturalistischer Affekt, Irrationalismus. Stilprinzip: *discordia concors* (Vereinigung des Unvereinbaren). Sprachl. Verrätselung durch Tropen, Metaphern, Concetti und Hypertrophierung asianistischer Stilmittel, indem in kurzen Sätzen Bizarr-Monströses mit Pathos und Elementen der Gegenwartssprache zu Überraschungseffekten gesteigert wird. 1948 übernahm E. R. Curtius den Begriff M. in die Vergleichende Lit.-Wissenschaft als bis h. umstrittene ›Komplementär-Erscheinung zur Klassik aller Epochen‹. → Asianismus ist demnach der erste europ. M., → Attizismus erster europ. → Klassizismus. Danach sieht [2] M. in Hell., Silberner Latinität, spätem MA, im »bewußtem« M. der Romantik und in der Mod. 1880–1950.

1 E. R. Curtius, Europ. Lit. und lat. MA, [8]1973 2 G. R. Hocke, M. in der Lit., 1967.

G.F.S.

**Manieristen.** Die M. sind eine große Gruppe von mehr als 15 att.-rf. Vasenmalern, deren gezierter Stil Elemente des Archa. beibehält. Die M. waren von ca. 480 v. Chr. bis fast ans E. des 5. Jh. tätig. Sie bevorzugten die Bemalung von Kolonettenkrateren, Hydrien und Peliken (→ Gefäße) in altertümlicher Manier: überlängte Figuren mit kleinen Köpfen, deren Gewandung in Gruppen von Treppenfalten angelegt ist, Bildrahmen mit sf. Ornament und antiquierte Themen wie Achilleus und Aias beim Brettspiel. Ihre Figuren gestikulieren oft in exaltierter Gebärdensprache, so daß ihre Handlung theatralisch wirkt, oder sie erscheinen starr und in unbeholfener Pose. Dionysisches – Komoi (→ Komos) und Symposionszenen – sind die bevorzugten Themen; entsprechend groß ist ihr Interesse an der Darstellung von Tanz und Musik. In der zweiten Generation wurden – durch den Einfluß zeitgenössischer Vasenmaler – häusliche Szenen beliebt. Gelegentlich griffen die M. auch seltene Mythen auf, darunter das einzige bekannte Vasenbild vom Wahnsinn des → Salmoneus.

Die frühesten M. (ca. 480–450 v. Chr.) kommen aus der Werkstatt des Myson, der bedeutendste war der → Pan-Maler; nennenswert sind auch der Schweine-Maler, der Leningrad-Maler und der Agrigent-Maler. Die führenden Vertreter der folgenden Generation (ca. 450–425 v. Chr.) sind der Nausikaa-Maler und der Hephaistos-Maler; nach ihnen wurde die aus sieben Malern bestehende »Nausikaa-Hephaistos-Group« benannt. Der Akademie-Maler und der Maler von Athen 1183 stehen für das letzte Aufleuchten der Trad. gegen E. des 5. Jh.

Beazley, ARV[2], 562–588, 1106–1125, 1659–1660, 1683–1684, 1701, 1703 • J. Boardman, Rf. Vasen aus Athen. Die archa. Zeit, 1981, 195–210 • T. Mannack, s.v. Mannerist Workshop, The Dictionary of Art 32, 1996, 56 • J. Boardman, Rf. Vasen aus Athen. Die klass. Zeit, 1989, 100 f., 109–112 • M. Robertson, The Art of Vase-Painting in Classical Athens, 1992, 126 f., 143–152, 216 f.

J.O.

**Manilius.** Röm. Gentilname, wohl abgeleitet vom Vornamen → Manius, hsl. häufig verwechselt mit Mallius, Manilius, Manlius. Bedeutend war die Familie im 2. Jh. v. Chr. mit M. [I 3] und [I 4].

J. Reichmuth, Die lat. Gentilicia, Diss. Zürich 1956, 116 • Schulze, 166; 442.

K.-L.E.

I. Republikanische Zeit

**[I 1] M. (oder Manlius?), L.** Senator 97 v. Chr, schrieb über den Vogel → Phoinix (als erster auf Lat.: Plin. nat. 10,4 f.), über Naturwunder und Sakralrecht.

Schanz/Hosius 1, 605 f.

**[I 2] M., C.** Volkstribun 66 v. Chr., popularer Politiker (MRR 2,153). Sein erstes Gesetz, das die Einschreibung Freigelassener in alle → *tribus* gleichermaßen vorsah, sicherte M. großen Zulauf und passierte am 31.12.67 die Volksversammlung, wurde aber vom Senat unter formalem Vorwand annulliert (Cass. Dio 36,42,2f.). In den folgenden Straßenschlachten gegen senatstreue Banden unter L. Domitius [I 8] Ahenobarbus kamen viele Anhänger M.' ums Leben (Ascon. 45; 65 C.). Erfolg hatte dagegen der als *lex Manilia* bekannte Antrag, Pompeius zusätzlich zum Kommando gegen die Piraten auch den Oberbefehl gegen → Mithradates VI. zu verleihen (Cic. Manil. passim). Nach M.' Amtszeit erhob man E. 66 gegen ihn Anklage wegen Unterschlagung, die Cicero als zuständiger Beamter verschleppte, angeblich in M.' Interesse (Plut. Cicero 9,5–7; Q. Cicero, Commentariolum petitionis 51). Organisierte Unruhen im Januar 65, die »1. Catilinarische Verschwörung«, sprengten den Prozeß (Cass. Dio 36,44,1–4); eine zweite Klage wegen → *maiestas* (Schol. Bobiensia p. 119 Stangl) führte im Schutz von Ahenobarbus' Banden zu M.' Verurteilung in Abwesenheit und seinem Exil (Ascon. 60 C.; Schol. Gronoviana p. 322 St.; [1]).

1 J.T. Ramsay, The Prosecution of C.M. in 66 B.C. and Cicero's Pro Manilio, in: Phoenix 34, 1980, 323–336.

JÖ.F.

**[I 3] M., M'.** (bes. in der livianischen Trad. statt dessen Vorname M.). Senator und bedeutender Jurist des 2. Jh. v.Chr. Obwohl M. 155 (oder 154) v.Chr. als Praetor in Hispania ulterior durch die Lusitanier eine verlustreiche Niederlage hinnehmen mußte (App. Ib. 234), wurde er – vielleicht wegen seines Ansehens als Rechtsgelehrter – 149 Consul (MRR 1,458) und eröffnete zusammen mit seinem Kollegen L. Marcius [I 7] Censorinus den 3. → Punischen Krieg als Führer des Landheeres (App. Lib. 349). Als die Karthager, die zunächst ihre Unterwerfung erklärt hatten, auf das Ultimatum der röm. Feldherren (im Detail verschieden Diod. 32,6,3 und App. Lib. 377), die Stadt zu verlassen, mit erbittertem Widerstand reagierten, hatte der kriegsunerfahrene M. bei der Belagerung Karthagos und später beim Kampf gegen das pun. Feldheer unter → Hasdrubal [7] keinen entscheidenden Erfolg. Er wurde sogar vor gefährlichen Rückschlägen nur durch beherztes Eingreifen des *tr. mil.* P. Cornelius [I 70] Scipio Aemilianus bewahrt (Liv. per. 49; App. Lib. 469; 484–492: vgl. [1. 444–6]). Nach dem Consulat trat M. anscheinend polit. nicht mehr in Erscheinung; der Consular Μάλλιος/*Mállios*, der 133 Ti. → Sempronius Gracchus vor gewalttätigem Vorgehen gewarnt haben soll (Plut. Gracchi 11,2–3), war wohl kaum M. [2. 348]. Da Cicero ihn am Gespräch von *De re publica* teilnehmen läßt (Cic. rep. 1,18), dürfte er mindestens bis 129 gelebt haben. Cic. Brut. 108 vergleicht M. als Redner mit P. → Mucius Scaevola, den er durch Fülle des Ausdrucks (*copia*) übertroffen haben soll. Seine Bed. als Rechtsgelehrter wurde noch höher eingeschätzt. Pomponius (Dig. 1,2,2,39) zählt ihn mit P. Mucius und M. Iunius [III 1] Brutus zu den Begründern des → *ius civile*. Er gab regelmäßig Rechtsauskünfte (Cic. de orat. 3,133) und hinterließ mehrere juristische Schriften, darunter die *Actiones* (Varro rust. 2,5,11; 2,7,6), offenbar eine Sammlung von Verkaufsformularen (Cic. de orat. 1,246 *venalium vendendorum leges*), und die *Monumenta*, deren Inhalt ganz ungeklärt ist (= *commentarii*? [3. 542]).

1 Huss, 440–447 2 A.E. Astin, Scipio Aemilianus, 1967 (Index) 3 Wieacker, RRG, 541f.

W.K.

**[I 4] M., A.** *Cos.* 120 v. Chr (InscrIt 13,1,163; MRR I, 523). Er war wahrscheinlich ein Sohn des P. Manilius, der im J. 167 mit einer Senatskommission nach Illyrien ging (MRR I, 435) und Bruder von M. [I 3]. P.N.

**[I 5] M., Sex.** 449 v.Chr. mit M. Oppius Führer der röm. Armee in der Auseinandersetzung mit den → *decemviri* [1] (Liv. 3,51,2–10; Dion. Hal. ant. 11,43,5).

K.-L.E.

II. Kaiserzeit

**[II 1] M.** Vermutlich Senator, dem von → Caracalla, angeblich weil er als → *delator* tätig war, in Rom die τῶν τροφῶν διάδοσις (»die Verteilung von Lebensmitteln«) anvertraut wurde (Cass. Dio 78,22,1). Möglicherweise wurde er mit der Aufsicht über die Wasserversorgung und z.T. Getreidelieferung (*curator aquarum et Miniciae*) betraut [1. 185, Anm. 175]. Von Macrinus auf eine Insel relegiert. PIR² M 128.

1 W. Eck, Die staatl. Organisation Italiens in der hohen Kaiserzeit, 1979.

**[II 2] Ti. M. Fuscus.** Senator. 191–193 n.Chr. Legionslegat in Dacia (→ Dakoi); Anschluß an → Septimius Severus, der ihn 194 zum praetor. Statthalter der neuen Prov. Syria Phoenice ernannte. Suffektconsul 195 oder 196, vermutlich in der Prov. Als *magister* der → *quindecimviri sacris faciundis* verkündete er 203 die Säkularspiele (CIL VI 32326, Z. 6; → *saeculum*). *Cos. II* 225. PIR² M 137.

**[II 3] M. M. Vopiscus.** Suffektconsul im J. 60 n.Chr., einer der frühen Senatoren von der iberischen Halbinsel. Sein Nachkomme ist M. [II 4]. PIR² M 140.

**[II 4] P. (?) M. Vopiscus.** Wohl Sohn von M. [II 3]. Ob er Senator wurde, ist unbekannt. Nach Statius (silv. 1 prooem. und silv. 1,3) war er ein *amicus* → Domitianus' und schrieb Gedichte; Statius beschreibt seine Villa bei Tusculum.

Syme, RP 6, 465f. • PIR² M 141.

**[II 5] P.M. Vopiscus Vicinillianus L. Elufrius Severus Iulius Quadratus Bassus.** Patrizier. *Triumvir monetalis*, Militärtribun der *legio IV Scythica* um 100 n.Chr., als A. Iulius [II 119] Quadratus Statthalter von Syrien war [1. 99]. Quaestor des → Traianus, Praetor, *cos. ord.* im J. 114. Wohl aus Spanien stammend [1. 465f.]. PIR² M 142.

1 Syme, RP 4.

W.E.

III. Dichter
**[III 1]** Röm. Lehrdichter
A. Leben B. Werk C. Wirkungsgeschichte

A. Leben
Über das Leben des Autors wissen wir so gut wie nichts. Unter den verschiedenen Namensangaben der Hss. ist M. Manilius die wahrscheinlichste. Die Schaffenszeit fällt in das E. der Regierung des Augustus und an den Anf. der des Tiberius; *terminus post quem* ist die Varusschlacht 9 n. Chr. (Manil. 1,899f.), Augustus ist zunächst lebender Adressat (1,384f.; 2,507–509), wird aber dann von Tiberius abgelöst (4,764–766).

B. Werk
Die *Astronomica* sind die älteste der Intention nach geschlossene Darstellung des Systems der hell. → Astrologie. Das unkriegerische Universalgedicht (2,24 *pacis opus*) verbindet als eine Art »Gegenlucrez« [2. 136, Anm. 3] die astrologische Lehre mit dem Weltbild der Stoa, das dieser Lehre zugrunde liegt und schon für → Aratos [4] maßgebend war. Für manche Einzellehren bietet M. die älteste, wenn nicht sogar die einzige Quelle [7. 144–149]. Seine Vorlagen waren griech. Texte, und zwar sowohl dichterische – Hesiod (Manil. 2,12), Arat (Manil. 1) – als auch prosaische: → Nechepso-Petosiris (Manil. 1,41; 1,47), → Teukros von Babylon (Manil. 5). Einige Details entstammen der ägypt. Kultur. Während Poseidonios in der neueren Forsch. kaum noch als Quelle angenommen wird [1; 12. 13–21, 159–161], sind immer mehr Elemente des hermetischen Schrifttums (→ Corpus Hermeticum) zutage getreten, vgl. Manil. 1,30 *Cyllenie* ([7. 134, Anm. 30]; zu negativ [12. 21–26]).

B. 1 schildert die Anfänge der Welt, → Sternbilder, Himmelskreise (→ Kykloi) und Kometen; B. 2 die Tierkreiszeichen und deren Relationen zu anderen Dingen sowie die Lehre von den 12 »Häusern« (Sektoren der täglichen Rotation); B. 3 die 12 *áthla*, ein der Häuserlehre ähnliches System, das stärker auf den Beginn bestimmter Handlungen (*katarchai*) gerichtet zu sein scheint, den *locus fortunae*, die diffizile Bestimmung des Aszendenten, die Zeitabschnitte regierenden Chronokratoren und behandelt die Aufgangszeit der Tierkreiszeichen sowie Lebenserwartung und Jahreszeiten; B. 4 die Wirkungen der Tierkreiszeichen und die zodiakale Geographie, die aus nichtastrologischen geo- und ethnographischen Quellen erweitert wird; B. 5 die Wirkungen der → Paranatellonten (extrazodiakalen Sternbilder) und die sechs Sternklassen. Die Planeten hat M. in der Nachfolge Arats wohl aus poetischen Erwägungen übergangen. Vieles, was andere Astrologen planetar definieren, bestimmt M. zodiakal. Daher hat er die Planeten wohl ebensowenig in der von Scaliger entdeckten (teilweise in ihrem Umfang überschätzten) Lücke nach Manil. 5,709 behandelt wie die Untergänge der Paranatellonten. Ein hsl. bezeugtes B. 6 hat es wohl nicht gegeben (zuletzt [3]). Statt durch die Planetensphären ist M. auf andere Weise dreimal von der Fixsternsphäre auf die Erde herabgestiegen: in B. 1 zu Kometen, Pest und Bürgerkriegen, in B. 2–4 zur Geo- und Ethnographie, in B. 5 zur bunten Alltagswelt [7. 245–268]. Die bes. geschätzten philos. Randpartien gliedern das Werk: Das Proömium zu B. 4 über das Schicksal (*fatum*) verknüpft den himmlischen (B. 1–3) mit dem irdischen Teil (B. 4–5), das Proömium zu B. 2 über die kosmische Sympathie und das Finale von B. 4 über die Mikrokosmosidee rahmen den mittleren »Abstieg« (*descensus*) und legen den philos. Grund für das Lehrgebäude.

Der Stil ist weniger argumentativ als der des → Lucretius. Wie Arat geht M. ekphrasisartig, beschreibend vor (4,438): *tantum monstranda figura* – ›die Gestalt ist nur zu zeigen‹. M. hatte größtenteils griech. Prosa in lat. Hexameter umzusetzen; Schwierigkeiten machten bes. die griech. Nominalkomposita. Die Metrik ist rein, eingewirkt haben die Hexametriker Catull, *Culex*- und *Ciris*-Dichter, Tibull und Ovid, vielleicht auch Horaz und Properz, v. a. aber Lukrez und Vergil, dessen *Georgica* auch kompositorisches Vorbild sind. M.' Stilfiguren grenzen an Ovidische Formulierungskunst und können astrologische Relevanz haben [7. 214–227]. Zu den griech. Ausdrücken kommen einige Archaismen und Elemente der lat. Vulgärsprache, bes. bei der mit einem *realismo avanti lettera* [4. 36, vgl. 91] beschriebenen Alltagswelt in B. 4–5, als deren Vorbild das astrologisch begründete Spiegelmotiv der Komödien Menanders dient (5,470–476) [7. 189–191, 267].

C. Wirkungsgeschichte
Benutzt wurden einzelne V. des M. von → Germanicus [2] (der nach dem Urteil der meisten Forscher der Rezipierende ist), dem *Aetna*-Dichter, Lucan, Seneca tragicus, Valerius Maximus, Iuvenal, Nemesian, Dracontius und vielleicht auch von Claudian. Sachlich schöpft → Firmicus Maternus aus M.' B. 5, wobei er allerdings auch die dem M. vorliegende Quelle mitbenutzt haben muß [7. 139–144]. Columbanus kennt M. nur noch aus Florilegien.

Wiederentdeckt wurde M. zusammen mit Lucretius 1417 von Poggio. Er hatte sofort einen gewaltigen Erfolg: Hrsg. wurde er 1473 von Regiomontanus und 1484 von L. Bonincontri, der Verse hinzudichtete und den Dichter öffentlich in Florenz erklärte. In M.' Geist verfaßte letzterer zwei kosmologische ›Weltgedichte‹, ebenso wie sein berühmterer Freund Pontano die *Urania*. Beide ergänzten u. a. die von M. ausgelassenen Planeten oder Untergänge der Paranatellonten. J. J. Scaligers M.-Komm. ([1]1579, [3]1655) galt lange als Hdb. der Astrologie. Noch Goethe beschäftigte sich im Zuge seiner Naturdichtung mit M. [12. 145f.; 7. 265[441]]. Die astrologiehistor. Erforschung des Gedichts begann zögerlich am E. des 19. Jh. mit F. Boll, die philol. erst in den 1970er Jahren, bes. in It.

→ Astrologie; Lehrgedicht; Lehrgedicht

**1** R. Blum, M.' Quelle im ersten B. der Astronomica, 1934 **2** F. Boll, Stud. über Claudius Ptolemäus, in: Jb. für class. Philol., Suppl. 21, 1894, 49–243 **3** S. Costanza, Ci fu un sesto libro degli Astronomica di Manilio?, in: S. Boldrini (Hrsg.), Filologia e forme letterarie, FS F. Della Corte, Bd. 3, 1987, 223–263 **4** E. Flores, Contributi di filologia Maniliana, 1966 **5** W. Hübner, Die Rezeption des astrologischen Lehrgedichts des M. in der it. Renaissance, in: R. Schmitz, F. Kraft (Hrsg.), Humanismus und Naturwiss., 1980, 39–67 **6** Ders., Die Eigenschaften der Tierkreiszeichen in der Ant., 1982 **7** Ders., M. als Astrologe und Dichter, in: ANRW II 32.1, 1984, 126–320 **8** F.-F. Lühr, Ratio und Fatum, Dichtung und Lehre bei M., 1969 **9** A. Maranini, Filologia fantastica, 1994 **10** M. Pauer, Zur Frage der Datier. des astrologischen Lehrgedichtes des M., 1951 **11** E. Romano, Struttura degli Astronomica di Manilio, 1979 **12** C. Salemme, Introduzione agli Astronomica di Manilio, 1983 **13** B. Soldati, La poesia astrologica nel Quattrocento, 1906 **14** E. Zinn, Die Dichter des alten Rom und die Anf. des Weltgedichts, in: A&A 5, 1956, 7–26. W. H.

**Maniolai nesoi** (Μανιόλαι νῆσοι). Eine Indien vorgelagerte Inselgruppe jenseits des Ganges (Ptol. 7,2,31). Daneben in der griech. Lit. nur bei Pseudo- → Palladios (*Perí tōn tēs Indíēs ethnōn* 1,5) belegt, aber bei ihm in der Nähe von Sri Lanka (etwa Malediven oder in den gefährlichen Gewässern um die Südspitze Indiens) lokalisiert, später oft von Arabern, Persern etc. genannt. Seit Ptolemaios glaubte man, daß diese Inseln so magnetisch seien, daß sie die eisernen Nägel aus Schiffen herauszögen.

A. Herrmann, s. v. Μανιόλαι νῆσοι, RE 14, 1145f. • W. Berghoff (Hrsg.), Palladius. De Gentibus Indiae et Bragmanibus (Beitr. zur klass. Philol. 24), 1967. K. K.

**Manipulus.** Der *m.* (Manipel) wurde als taktische Einheit der röm. Legion im 4. Jh. v. Chr. eingeführt (Liv. 8,8,3: *et quod antea phalanges similes Macedonicis, hoc postea manipulatim structa acies coepit esse*); auf diese Weise konnten die Truppen für die Schlacht flexibler aufgestellt werden als in der Formation der → Phalanx. Die Soldaten, die mit dem → *pilum* (Wurfspeer) ausgerüstet waren, erhielten so mehr Raum für ihre Operationen. Die Legion wurde in drei Reihen zur Schlacht aufgestellt (*hastati, principes,* → *triarii*), wobei jede der ersten beiden Reihen aus zehn *manipuli* mit je 120 Mann bestand, während die Reihe der *triarii* aus zehn *m.* mit jeweils 60 Mann gebildet wurde. Leichtbewaffnete Soldaten (→ *velites*) gehörten ebenfalls zu den *m.* Jeder *m.* hatte zwei → *centuriae*, und der dienstälteste → *centurio* befehligte die gesamte Einheit. Bei der Aufstellung zur Schlacht blieb ein Abstand zwischen den *m.* bestehen; diese Zwischenräume wurden in der Schlacht geschlossen. So war es möglich, eine zurückweichende Schlachtreihe in die hintere Reihe aufzunehmen (Liv. 8,8,9f.). Zur Zeit Caesars war der *m.* durch eine größere taktische Einheit, die Cohorte, die aus drei *m.* bestand, ersetzt worden; die Titel der Centurionen einer Legion orientierten sich jedoch weiterhin an der urspr. Aufstellung in *m.* Das Wort *m.* wurde in der Prinzipatszeit auch im übertragenden Sinn verwendet und bezeichnete dann eine beliebige Gruppe von Soldaten.
→ Cohors; Legio

**1** A. K. Goldworthy, The Roman Army at War, 100 BC – AD 200, 1996 **2** L. Keppie, The Making of the Roman Army, ²1998. J. CA./Ü: A. H.

**Manius.** Seltenes röm. → Praenomen, hauptsächlich von den patrizischen Familien der Aemilii, Sergii und Valerii und von der plebeischen der Acilii verwendet, dazu öfter in Oberitalien (selten Gentilname: ILS 6230 und unten M. [I 2]); Sigle: ein fünfstrichiges M ( , , im Druck *M'*.). Für die Herkunft des Namens werden seit dem Alt. zwei Alternativen vertreten: Ableitung von *mane* »morgens« (Varro ling. 6,60; Fest. 135 L.; liber de praenominibus 5: »der morgens Geborene«) oder von *manus* »gut« bzw. von den *di* → *manes*, euphemistisch die »guten Götter« (Zos. 2,3,2); keine der beiden ist bisher überzeugend begründet worden.

Salomies, 36f. H. R.

**[I 1]** (Altlat. *Manios*). Verfertiger oder Auftraggeber der berühmten Gewandspange aus Praeneste (Fibula Praenestina) aus dem 6. Jh. v. Chr. (CIL I² 3; → Nadel).

A. E. Gordon, The Inscribed Fibula Praenestina, 1975, 17. K.-L. E.

**[I 2]** Kontaktmann des M. Antonius in Italien, der mit Fulvia [2] und L. Antonius [I 4] den Perusinischen Krieg gegen Octavianus 41/40 v. Chr. entfesselte (App. civ. 5,75; 112) und ihnen als Bote diente (App. civ. 5,128–133). Im Zuge des Ausgleichs der Triumvirn wurde M. 40 oder 39 als Sündenbock hingerichtet (App. civ. 5,278). JÖ. F.

**Manlia Scantilla.** Frau von Didius [II 6] Iulianus, der ihr unmittelbar nach seiner Ausrufung zum Kaiser (193 n. Chr.) den Titel *Augusta* verlieh. Nach der Historia Augusta (HA Did. 8,9f.) überlebte sie ihren Mann. PIR² M 166. W. E.

**Manliana.** Name zweier Straßenstationen in It.: an der Via Aemilia Scauri nahe Populonia (Tab. Peut. 4,2; Geogr. Rav. 4,32; Itin. Anton. 292,4) und an der Straße von Siena nach Chiusi (Tab. Peut. 4,4; Geogr. Rav. 4,36; Ptol. 3,1,49). H. SO.

**Manlius** (griech. meist Μάλλιος, hsl. oft mit Mallius und Manilius verwechselt). Name einer röm. patrizischen Familie, wohl etr. Herkunft [1. 227]. In den Zweigen der Vulsones und Capitolini (fortgesetzt von den Torquati) erreichte sie im 5. und 4. Jh. v. Chr. einen frühen polit. Höhepunkt; die Überl. verbindet die Familiengesch. v. a. mit der Abwehr der Kelten (→ M. [I 8] und [I 12]; Stammbäume – im einzelnen unsicher: [2. 1157f., 1166]). Nach einer Phase des Niedergangs bis um 260 v. Chr. traten die jüngere Linie der Vulsones und neu die Acidini hervor, die aber im 2. Jh. v. Chr. ausstarben. Die Torquati stellten mit M. [I 19] einen der führenden Politiker des 2. → Punischen Kriegs, verloren dann aber an Bedeutung, die sie auch im 1. Jh.

v. Chr. trotz M. [I 17] nicht wiedererlangen konnten (Stammbaum: [2. 1182]). In der frühen Kaiserzeit starben die patrizischen Manlii aus, der Name war aber bereits auf plebeische Träger übergegangen.

1 Sommer 2 F. Münzer, s. v. M., RE 14, 1149–52. K.-L. E.

I. Republikanische Zeit

**[I 1] M., C.** Centurio unter P. Cornelius [I 90] Sulla. Nach einem ruinösen Zivilleben (Cic. Catil. 2,14; 20) sammelte M. im Herbst 63 v. Chr. mehrere tausend Bewaffnete bei Faesulae für → Catilina (Sall. Catil. 56,1 f.) und begann am 27.10. den Aufstand (Cic. Catil. 1,7), worauf er geächtet wurde (Sall. Catil. 36,2). Im Januar 62 befehligte M. Catilinas rechten Flügel bei Pistoria und fiel (Sall. Catil. 59,3; 60,6). JÖ. F.

**[I 2] M., Cn.** Als erster seines Geschlechts gelangte M. 480 v. Chr. zum Konsulat, während dessen er im Kampf gegen Veii fiel (Liv. 2,43,11; 47,1–7; Dion. Hal. ant. 9,5,1; 9,11,1–12,2). Soweit es genannt wird, geben ihm die Quellen das Cogn. *Cincinnatus*, das sonst jedoch nur in der *gens Quinctia* vorkommt (InscrIt 13,1,89; 356 f.). C. MÜ.

**[I 3] M., C.** Mit → Cato [1] befreundeter Gutsbesitzer und Olivenzüchter (Cato agr. 144 f.); 191 vielleicht sein Begleiter auf dem Feldzug in Griechenland (Plut. Cato 13,2).

**[I 4] M., L.** 78 v. Chr. Statthalter von Gallia Transalpina, zog gegen → Sertorius, wurde aber von L. → Hirtuleius geschlagen (Caes. Gall. 3,20,1; Liv. per. 90).

**[I 5] M. (Vulso?), P.** Seit 196 v. Chr. *triumvir epulo* (→ Septemviri). Kämpfte als Praetor 195 unter dem Consul M. Porcius → Cato [1] in Spanien (MRR 1, 340). 184 von diesem aus dem Senat ausgestoßen (Plut. Cato 17,7), wurde M. 182 erneut zum Praetor gewählt und brachte Verstärkungen nach Hispania Ulterior (MRR 1,382). Nach verlängertem Kommando 181 starb er 180 in Rom an einer Seuche (Liv. 40,42,7).

**[I 6] M. Acidinus, L.** 210 v. Chr. *Praetor urbanus*, 208 Gesandter nach Griechenland, sicherte 207 die umbr. Pässe gegen Hasdrubal [5] und ging E. 206 mit proconsularischem Imperium als Nachfolger des P. Cornelius [I 71] Scipio nach Spanien, wo er bis 199 blieb (MRR 1,293; 296; 300).

**[I 7] M. Acidinus Fulvianus, L.** Leiblicher Sohn des Q. Fulvius [I 10] Flaccus und der Sulpicia, wurde durch Adoption durch M. [I 6] wohl als erster Plebeier zum Patrizier. Praetor 188 v. Chr. in Hispania Citerior, wo er mit proconsularischem Imperium bis 185 blieb (nach der Rückkehr *ovatio de Celtiberis*). 183 Gesandter zu den Kelten jenseits der Alpen und mit P. Cornelius [I 81] Scipio Nasica und C. Flaminius [2] Triumvir zur Gründung der Kolonie → Aquileia [1] (ILLRP 324; MRR 1,380). 179 Consul mit seinem leiblichen Bruder Q. Fulvius [I 12] Flaccus (MRR 1,391 f.). K.-L. E.

**[I 8] M. Capitolinus, M.** Consul 392 v. Chr. (→ *ovatio* für einen Sieg über die Aequer; MRR 1,92) und → *interrex* 387 (Liv. 6,5,6 f.). Bekannt ist M. jedoch zum einen als Verteidiger des Kapitols (→ Capitolium), der bei der Plünderung Roms durch die Gallier 387 (nach anderer Datier. 390) dessen Einnahme bei einem nächtlichen Überraschungsangriff dadurch verhindert haben soll, daß er – alarmiert durch das Geschnatter der Gänse – die ersten Angreifer in die Tiefe stürzte; zum anderen aber (neben Sp. → Cassius [I 19] und Sp. → Maelius [2]; vgl. Cic. Phil. 2,87; 114) auch als Beispiel für Streben nach der Königsherrschaft (*adfectatio regni*): Angeblich wurde M. 384 verurteilt und hingerichtet, weil er sich durch Hilfe für wirtschaftlich bedrängte Plebeier eine Gefolgschaft zu verschaffen suchte, auf die gestützt er die Königsherrschaft anstrebte. Auf Volksbeschluß soll danach M.' Haus zerstört worden sein und die *gens Manlia* den Beschluß gefaßt haben, künftig das Praen. Marcus nicht mehr zu vergeben (Liv. 5,47; 6,11; 6,14–20; Dion. Hal. ant. 13,7,3–8,2; 14,4; Plut. Camillus 27; 36; Cass. Dio fr. 25,10; 26,1–3; Vir. ill. 24; Diod. 14,116, 5–7, nach dessen Formulierung in 15,35,3 M. jedoch nicht zum Tode verurteilt, sondern gewaltsam beseitigt wurde.)

M. K. Jaeger, Custodia Fidelis Memoriae: Livy's Story of M. Manlius Capitolinus, in: Latomus 52, 1993, 350–363 • P. M. Martin, L'idée de royauté à Rome 1, 1982, 351–354 • T. P. Wiseman, Topography and Rhetoric: The Trial of Manlius, in: Historia 28, 1979, 32–50.

**[I 9] M. Capitolinus, P.** Als Consulartribun 379 v. Chr. erlitt M. eine Niederlage gegen die Volsker (Liv. 6,30,2–6). 368 während der inneren Auseinandersetzungen um die *leges Liciniae Sextiae* (→ Licinius [I 43]) zum Dictator ernannt, wählte er zum *magister equitum* einen C. Licinius, den ersten Plebeier in diesem Amt (MRR 1,112) – ein deutliches Indiz für M.' auf Ausgleich bedachte Haltung, aufgrund derer er wohl auch in das letzte Consulartribunencollegium von 367 gewählt wurde (Liv. 6,42,3; Fast. Capitolini).

**[I 10] M. Capitolinus Imperiosus, Cn.** *Cos.* 359 und 357 v. Chr. (InscrIt 13,1,402 f.; Identität der beiden Consuln wegen fehlender Iterationszahl jedoch nicht gesichert); → *interrex* 356 (Liv. 7,17,11; vermutlich unhistor.). 351 war M. Censor mit C. Marcius Rutilus, M.' Kollegen in seinem zweiten Konsulat (MRR 1,127), 345 *magister equitum* des Dictators L. Furius Camillus (Liv. 7,28,2–6).

**[I 11] M. (Capitolinus) Imperiosus, L.** Als Dictator 363 v. Chr. *clavi figendi causa* (›zum Einschlag des Jahresnagels‹; MRR 1,117) soll M. Kritik auf sich gezogen haben, weil er nicht unmittelbar hiernach abdizierte. Kaum glaubhaft sind der in der Überl. hiermit verwobene Vorwurf des *tr. pl.* M. Pomponius gegen M., seinen Sohn (→ M. [I 12]) schlecht zu behandeln, und die hieraus gesponnenen Verwicklungen (Cic. off. 3,112; Liv. 7,3,9–5,9; Val. Max. 5,4,3; 6,9,1; Sen. benef. 3,37,4).

S. P. Oakley, A Commentary on Livy Books VI-X, Bd. 2, 1998, 72–95.

**[I 12] M. Imperiosus Torquatus, T.** Der berühmteste Angehörige seiner *gens* (vgl. Cic. Sull. 32). Dictator 353, 349, 320 v. Chr. (MRR 1,125, 129, 153; zumindest die ersten beiden Dictaturen mit guten Gründen angezweifelt bei [1. 65]) und *cos.* 347, 344 und 340 (InscrIt 13,1,106f.; 406–409). In seinem dritten Konsulat errang M. einen entscheidenden Sieg und Triumph über die Latiner und Campaner (Liv. 8,11,11–14; Diod. 16,90,2; vgl. InscrIt 13,1,69). M.' Gestalt wurde schon früh mit legendären Zügen ausgestaltet: Zunächst soll er wegen der Vorwürfe des *tr. pl.* M. Pomponius gegen seinen Vater M. [I 11] diesen mit dem Tode bedroht haben, was die Quellen z. T. aber nicht als Vergehen gegen die Unverletzlichkeit eines *tr. pl.*, sondern als Ausdruck der Ehrerbietung (*pietas*) gegenüber dem Vater werten (!) (Cic. off. 3,112; Liv. 7,5; Val. Max. 5,4,3; App. Samn. 2; Sen. benef. 3,37,4; Vir. ill. 28,1f.). Als *tr. mil.* soll M. 361 (mit Unstimmigkeiten in der ant. Datier.; vgl. Liv. 6,42,5f.) seinen berühmten Zweikampf gegen einen Gallier bestritten haben, der ihm als Siegesbeute eine Halskette (*torquis*) und das (von seinen Nachkommen übernommene) Cogn. Torquatus eintrug (Claudius Quadr. fr. 10b HRR [= Gell. 9,13]; Liv. 7,9,8–10,14; Vir. ill. 28,3; MRR 1,119f. mit weiteren Quellen; vgl. [2. 113–48]). Schließlich verbindet sich mit M. auch die bekannte Erzählung, daß er als *cos. III* 340 den eigenen Sohn hinrichten ließ, weil dieser zwar siegreich, aber gegen seinen ausdrücklichen Befehl einen Zweikampf bestritten hatte (Liv. 8,6,14–7,22; Zon. 7,26,3–5; Cic. fin. 1,23; 34f.; Val. Max. 2,7,6; vgl. [2. 436–51]).

1 Beloch, RG 2 S. P. Oakley, A Commentary on Livy Books VI-X, Bd. 2, 1998. C. MÜ.

**[I 13] M. Mancinus, T.** Verschaffte als Volkstribun 109 v. Chr. C. Marius [I 1] das Oberkommando im Krieg gegen → Iugurtha (Sall. Iug. 73,7) und griff dessen Vorgänger Q. Caecilius [I 30] Metellus heftig an (Gell. 7,11,2f.). K.-L. E.

**[I 14] M. Torquatus.** Abkömmling einer alten patrizischen Familie, wahrscheinlich ohne polit. Amt, aber tüchtiger Prozeßredner (Hor. epist. 1,5,9 in Verbindung mit Sen. contr. 2,5,13), befreundet mit Horaz, der epist. 1,5 und carm. 4,7 an ihn richtete.

Syme, AA, 395f. W. K.

**[I 15] M. Torquatus, A.** Ging als Praetor 167 v. Chr. nicht in seine Prov. Sardinien, weil ihn der Senat mit der Unt. von Kapitalverbrechen beauftragte (Liv. 45,16,4). *Cos.* 164 als Nachfolger seines Bruders M. [I 20]. Er ist wohl der im Senatsbeschluß über Tibur (ILS 19) erwähnte Urkundenzeuge und der plötzlich verstorbene Consular bei Plin. nat. 7,183. P. N.

**[I 16] M. Torquatus, A.** Praetor ca. 70 v. Chr., danach polit. erfolglos, bekämpfte 67 als Pompeius' Legat die Piraten bei den Balearen (Flor. epit. 1,41,9). 52 leitete M. den Prozeß gegen T. Annius [I 14] Milo (Ascon. 39; 54C), ehe er 49 mit Pompeius Rom verließ. Noch 46/5 wartete M. in Athen auf einen Gnadenakt Caesars (Cic. fam. 6,1–4). 42 erscheint er als Anhänger der Caesarmörder auf Samothrake (Nep. Att. 11,2).

**[I 17] M. Torquatus, L.** Ca. 108 – vor 50 v. Chr.; Proquaestor Sullas in Griechenland und Italien (MRR 2,61), Praetor 68 (?), danach Statthalter in Asia. M. verdrängte, wiewohl in der Wahl unterlegen, dank der Klage seines Sohnes M. [I 18] P. Cornelius [I 89] Sulla als *cos.* 65, entkam den angeblichen Mordplänen der »1. Catilinarischen Verschwörung« (Cic. Sull. 11) und erwarb 64/63 als *procos.* von Macedonia den Imperatortitel (Cic. Pis. 44). 58 setzte er sich vergebens für Cicero ein (Cic. Pis. 77f.); 54 entging ihm die Anklage gegen A. Gabinius [I 2] (Cic. ad Q. fr. 3,3,2). Cic. fin. 1,39; 2,62 setzt den Tod des M. voraus.

**[I 18] M. Torquatus, L.** Ca. 90–46 v. Chr., Sohn von [I 17], zu dessen Gunsten er 66 den *cos. des.* für 65, P. Cornelius [I 89] Sulla, erfolgreich verklagte; bald darauf war M. Münzmeister (MRR 2,445) und erreichte ein Priesteramt (MRR 2,485). Seine zweite Anklage gegen Sulla scheiterte 62 an Ciceros Verteidigung (Cic. Sulla passim). M., erst 49 Praetor (Cic. fin. 2,74), trug 48 bei Dyrrhachium zum Beinahe-Sieg des Pompeius gegen Caesars Truppen viel bei (Caes. civ. 3,66,1–70,2). Auf der Flucht nach Spanien wurde M.' Schiff 46 bei Hippo Regius von den Caesarianern geentert, er selbst getötet (Oros. 6,16,5 gegen Bell. Afr. 96,1). M., wahrscheinlich Adressat von Catullus' Epithalamion (Catull. 61) und selbst Gelegenheitsdichter (Plin. epist. 5,3,5), tritt bei Cicero (fin. 1 und 2; vgl. Brut. 265) als überzeugter Advokat Epikurs auf. JÖ. F.

**[I 19] M. Torquatus, T.** Triumphierte als Consul 235 v. Chr. über Sardinien (MRR 1,223). Mit Q. Fulvius [I 10] Flaccus mußte er 231 wegen eines Formfehlers bei der Wahl von der Censur zurücktreten. 224 siegten beide als Consuln entscheidend über die Boier. 215 bekämpfte er auf Sardinien für den erkrankten Praetor unter den Auspizien wiederum des Flaccus – damals Stadtpraetor – erfolgreich einen Aufstand. 212 scheiterten beide bei der Wahl zum Pontifex Maximus an P. Licinius [I 18] Crassus. 211 erklärte M. nach der Wahl durch die *centuria praerogativa* angeblich freiwillig den Verzicht auf ein drittes Konsulat. 210 gab er im Senat als erster die Stimme ab, stand aber dennoch 209 bei der Neubestimmung des *princeps senatus* wieder angeblich freiwillig hinter Fabius [I 30] Maximus zurück. 208 führte er als Dictator nach dem Tod der Consuln Wahlen durch, veranstaltete Spiele und gelobte neue für 203; er starb 202. In der Überl. gilt er als Exempel nicht mehr zeitgemäßer Strenge, da er beantragte, die 216 im Kampf gegen → Hannibal [4] bei → Cannae gefangenen Römer nicht loszukaufen, und Widerstand dagegen leistete, die im Krieg gefallenen Senatoren auch durch Latiner zu ersetzen (Liv. 22,60f.; 23,22,7). Außerdem wird er mit der in der Republik einzigen Schließung des → Ianus-Tempels 235 verbunden (Varro ling. 1,165; Liv. 1,19,3) – eine früh in der Annalistik aufgetretene Verwechslung mit M. [I 21], denn die Zeremonie wird zugleich und zu Recht mit dem Frieden des J. 241 zusammengebracht. TA. S.

**[I 20] M. Torquatus, T.** War wohl der Enkel von M. [I 19] und Bruder von M. [I 15]. Seit 170 Pontifex, *cos.* 165 (MRR 1,438). Ging 162 mit Cn. Cornelius Merula nach Ägypten, um die Brüder Ptolemaios VI., Philometor und Ptolemaios VIII. zu versöhnen (Pol. 31,10,9–10; 17–19). Sprach im J. 140 seinen eigenen, von D. Iunius [I 28] Silanus adoptierten Sohn wegen Amtsmißbrauchs in Makedonien schuldig.

**[I 21] M. Torquatus Atticus, A.** Censor 247 v. Chr. und *cos.* 244 und 241. In seinem zweiten Konsulat schlug er den Faliskeraufstand nieder und feierte einen Triumph (MRR 1,219). Er ließ (zum ersten und einzigen Mal in der republikanischen Zeit) den → Ianus-Tempel schließen (→ M. [I 19]). P.N.

**[I 22] M. Vulso, A.** Als *cos.* 474 v. Chr. soll M. eine → *ovatio* gefeiert und einen 40jährigen Frieden mit → Veii geschlossen haben (MRR 1,28). Wegen der Nichtdurchführung des Ackergesetzes des Sp. Cassius [I 19] angeblich 473 vom *tr. pl.* Cn. Genucius [2] angeklagt, soll er einem Prozeß nur durch dessen Beseitigung entgangen sein (Liv. 2,54,2–55,2; Dion. Hal. ant. 9,37,3–38,3). 454 war M. Mitglied einer Dreiergesandtschaft nach Griechenland zum Studium der dortigen Gesetze (Liv. 3,33,3; 33,5; Dion. Hal. ant. 10,56,2), wozu gut paßt, daß er einer der → *decemviri* [4] *legibus scribundis* 451 war (InscrIt 13,1,27; 364 f.). C.MÜ.

**[I 23] M. Vulso, A.** Triumvir von 194 bis 192 v. Chr. zur Besiedlung des Ager Thurinus (MRR 1,345). Wohl Praetor suffectus 189 (MRR 3,137). Obwohl er als Consul 178 Gallien zur Prov. erhielt, zog er gegen die Histri (→ Histria, Histri) an der nördl. Adria, denen er unterlag, und mußte durch seinen Kollegen D. Iunius Brutus entsetzt werden (Liv. 41,1–7). 177 zogen beide erneut gegen die Histri, bis sie der Consul C. Claudius [I 27] Pulcher ablöste. P.N.

**[I 24] M. Vulso, Cn.** Veranstaltete 197 v. Chr. als curul. Aedil die → *ludi Romani* aufwendiger denn je, amtierte 195 als Praetor auf Sizilien und wurde 189 nach mehreren vergeblichen Anläufen Consul. Als Demonstration röm. Macht im ehemaligen Einflußbereich → Antiochos' [5] III. führte er einen ebenso erfolgreichen wie brutalen Feldzug durch das sw Kleinasien und gegen die Galater. Dieser wurde von einem Teilnehmer lit. als *Anábasis* gestaltet und fand so über Polybios (21,33–39) Eingang in die Überl. (Liv. 38,12–27 u. a.; MRR 1,360). Polemik gegen das Unternehmen prägt eine verlorene Kampfschrift Hannibals [4]. Aber auch angebliche Orakel, der Widerstand gegen seinen Triumph und die Datier. des beginnenden röm. Sittenverfalls auf 189 durch L. Calpurnius [III 1] Piso sind Spuren von Kontroversen über sein Wirken schon bei den Zeitgenossen, Griechen wie Römern. Als *procos.* 188 beschwor M. den Frieden von Apameia, und mit → Antiochos [5] III. regelte er zusammen mit einer zehnköpfigen Senatsdelegation die Erfüllung der Bedingungen und die Konsequenzen (Pol. 21,40–45; Liv. 38,37–39; MRR 1,366). Auf dem Rückmarsch wurden die beutebeladenen Truppen in Thrakien überfallen. M. wurde 187 zwar ein Triumph bewilligt, aber über eine weitere Karriere ist nichts bekannt: Die Bewerbung um die Censur 184 scheiterte.

J. GRAINGER, The Campaign of Cn. M. Vulso in Asia Minor, in: AS 45, 1995, 33–42 • GRUEN, Rome, Index s. v. M. TA.S.

**[I 25] M. Vulso, L.** Als *praetor peregrinus* 218 v. Chr. von den Boiern in Cannetum belagert (Pol. 3,40,11–14). In der Schlacht von Cannae 216 wohl gefallen.

**[I 26] M. Vulso, L.** Praetor 197 v. Chr. (Sicilia). Im J. 189 war er Legat seines Bruders M. [I 24] im Krieg gegen die Galater (MRR 1,364). 188 zu Antiochos [5] III. zur Eidesabnahme entsandt (Liv. 38,39,1 f.). P.N.

**[I 27] M. Vulso Longus, L.** War 256 v. Chr. und 250 zusammen mit je einem der Brüder M. und C. Atilius [I 21 und 17] Regulus Consul, mit denen er jeweils gemeinsam operierte (Pol. 1,25–29). Er feierte 256 nach dem Sieg bei → Eknomon über die Karthager und nach der vom Senat angeordneten Rückkehr von der Invasion Afrikas einen Seetriumph, während sein Kollege mit einem Teil der Truppen im Feindesland zurückblieb (MRR 1,208). 250 gelang es trotz erbitterter Anstrengungen nicht, den Karthagern → Lilybaion zu entreißen (MRR 1,213).

→ Punische Kriege TA.S.

II. KAISERZEIT

**[II 1] M.** Wohl aus vornehmer Familie stammend; er wurde im J. 17 n. Chr. wegen Ehebruchs mit Appuleia Varilla, einer Verwandten des Kaiserhauses, zur Verbannung verurteilt. PIR² M 151.

**[II 2] Q. M. Ancharius Tarquitius Saturninus.** Suffektconsul im J. 62 n. Chr. [1. 20; 34; 2. 227 ff.]. Proconsul von Africa 72/3 [3. 300]. PIR² M 153.

1 H. ENGELMANN, D. KNIBBE, Das Zollgesetz der Prov. Asia. Eine neue Inschr. aus Ephesos, in: EA 14, 1989, 1–206
2 W. ECK, Miscellanea Prosopographica, in: ZPE 42, 1981, 227–256 3 J. REYNOLDS u. a. (ed.), The Inscriptions of Roman Tripolitania, 1952.

THOMASSON, Fasti Africani, 43.

**[II 3] L. M. Patruinus.** Senator, der im J. 70 n. Chr. in der *colonia Seniensis* von der Bevölkerung attackiert wurde. 74 Suffektconsul. PIR² M 156.

**[II 4] C. M. Valens.** Senator, um das J. 6 n. Chr. geb. Als Legionslegat erlitt er 51/2 in Britannien eine Niederlage gegen die Siluren; schon damals für einen Legionslegaten recht alt, wurde seine Laufbahn weiter verzögert. Im Revolutionsjahr 69 wiederum Legionslegat, auf seiten des → Vitellius, der ihn wegen Verleumdungen durch Fabius [II 21] Valens jedoch nicht zum Konsulat zuließ. Von Domitian 96 n. Chr. mit 90 J. zum ordentlichen Konsulat zugelassen; kurz nach E. des Konsulats starb er (Cass. Dio 67,14,5). PIR² M 163. W.E.

**Mannus** (*mannulus*) oder *buricus* (nach Porph. Hor. comm. epod. 4,14; Veg. mulomedicina 3,2,2; zum Namen [1. 2, 29]) hieß das aus Gallien (zur Herkunft

[2. 289]) im 1. Jh. v. Chr. nach Rom als Luxus-Tier importierte Kleinpferd oder Pony (Lucr. 3,1063; Plin. epist. 4,2,3: *mannulus*; Hier. epist. 66,8), v.a. für prunksüchtige Damen (Hor. carm. 3,27,7; Prop. 4,8,15; Ov. am. 2,16,49 f.). Man spannte das kleine, schnelle und temperamentvolle Tier gerne vor die zweirädrige Kutsche (»Gig«, *parva esseda, carpentum, covinnus*; [3. 416, 464]: Mart. 12,24,8) oder ritt auf ihm (Sen. epist. 87,9; Auson. epist. 8,7). Mit seinem aufgelegten Mist wurden offene Wunden behandelt (Q. Serenus, Liber medicinalis 804 f.).
→ Pferd

1 WALDE/HOFMANN 2 O. ANTONIUS, Grundzüge einer Stammesgesch. der Haustiere, 1922 3 BLÜMNER, PrAlt. C.HÜ.

**Mansio.** Abgeleitet von *manēre* (»bleiben«) bezeichnet *m.* den Aufenthalt (Cic. Att. 8,15,2; 9,5,1) sowie den zur Rast und Verproviantierung dienenden Aufenthaltsort an einer röm. Straße (Plin. nat. 6,96; 6,102), dann die Unterkunft (SEG 26, 1392 Z. 23; Suet. Tit. 10,1); daher steht *m.* außerdem für die Strecke zwischen zwei Stationen (Plin. nat. 12,52; Lact. mort. pers. 45) oder die dafür notwendige Reisezeit, eine Tagesreise (Plin. nat. 12,64; CIL V 2108 = ILS 8453). Daneben erhielt *m.* auch die Bed. Gebäude (CIL VI 30745 = ILS 4353; CIL VI 2158 = ILS 4944). Seit dem 3. Jh. steht *m.* als t.t. für ein Rasthaus mit Herberge vor allem des → *cursus publicus* (Itin. Anton.; Dig. 50,4,18,10; Cod. Theod. 8,5,1; 8,5,35). Die öffentlichen Einrichtungen dienten neben der Rast vor allem zum Wechsel der Zugtiere. Die *mansiones* lagen an den Hauptstraßen ca. 37 km voneinander entfernt, dazwischen mehrere einfache Wechselstationen, *mutationes*.

1 H.-C. SCHNEIDER, Altstraßenforschung, 1982, 95–101 2 P. STOFFEL, Über die Staatspost, die Ochsengespanne und die requirierten Ochsengespanne, 1994, 16–17 3 E.W. BLACK, Cursus Publicus, 1995. A.K.

**Mantele** (*mantellum, mantelium*, χειρόμακτρον/*cheirómaktron*). Ein rechteckiges Tuch aus Leinen mit Borten und Fransen; es diente bei Kulthandlungen als Handtuch, das die Opferdiener bei sich trugen, bei Mahlzeiten zum Reinigen der Hände (z. B. Xen. Kyr. 1,3,5) und als Tischtuch (Mart. 12,28). Bei Sappho (99 DIEHL) wird das *cheirómaktron* als Kopfschmuck erwähnt. In seinen hauptsächlichen Funktionen als Tisch- und Handtuch entspricht das *m.* der *mappa*, die zudem ein beliebtes Geschenk an den Saturnalien war (Mart. 5,18,1). Seit Nero (Suet. Nero 22) ist bezeugt, daß mit einer *mappa* (Flagge) das Signal zum Beginnen der Spiele im Circus gegeben wurde. Die *mappa* (vgl. Mart. 7,72; 10,87; 12,29,11 f.) war kleiner als das *m.*, wurde deshalb als Tuch zu Tische mitgebracht (Serviette; vgl. Mart. 12,28). Sie wurde im Unterschied zum *m.* nicht im Kult verwendet.
→ Tafelausstattung

F. FLESS, Opferdiener und Kultmusiker auf stadtröm. histor. Reliefs, 1995, 17. R.H.

**Mantennius**

**[1] L. M. Sabinus.** Senator. 214 n. Chr. als *magister tertium* der → *sodales Augustales Claudiales* bekannt (CIL XIV 2391); er muß damit bereits ein älteres Mitglied der Sodalität gewesen sein. Nach einem Suffektkonsulat wurde er Legat von Moesia inferior, wo er 227–229 bezeugt ist (AE 1972, 526 = [1. 13]). PIR² M 172.

1 V. BOŽILOA, J. KOLENDO, L. MROZEWICZ, Inscriptions latines de Novae, 1992.

**[2] L. M. Sabinus.** Ritter. Vater von M. [1] und M. [3]. Praetorianertribun; noch unter → Commodus als Praefekt nach Äg. gesandt, wo er bis 194 bezeugt ist (PIR² M 173). Verheiratet mit der Tochter des Procurators T. Flavius Germanus.

**[3] L. M. Severus.** Senator. Sohn von M. [2]. Er wurde von seinem Großvater mütterlicherseits T. Flavius Germanus in Praeneste bestattet (CIL XIV 2955). PIR² M 174. W.E.

**Manthurea** (Μανθ(ο)υρέα). M. bezeichnet sowohl den südwestl. Teil der ostarkadischen Ebene bei → Tegea als auch einen Demos von Tegea (Μανθυρεῖς). In M. gab es urspr. einen Kult der Athena Hippia, den Tegea z.Z. des Augustus mitsamt dem Kultbild übernahm. Belegstellen: Paus. 8,44,7; 45,1; 47,1; Steph. Byz. s. v. M.

F. BÖLTE, s. v. M., RE 14, 1255 f. C.L. u. E.O.

**Mantias** (Μαντίας).

**[1]** Sohn des Mantitheos aus Thorikos; 377/76 v. Chr. → Tamias der Werften (IG II² 1622,435f); 360/359 v. Chr. athenischer Stratege einer Flottenabteilung und Hilfstruppe, die dem maked. Prätendenten Argaios gegen → Philippos II. zur Hilfe geschickt wurde; M. war durch sein Warten in Methone an der Niederlage des Argaios mitschuldig (Diod. 16,2,6 und 16,3,5; ca. 358/7); durch *diabolḗ* (»böse Verleumdung, Verunglimpfung«) verzerrt sind Details über seine Familie bei Demosthenes (or. 39 und 40). Zu seinen Trierarchien vgl. IG II² 1604,10 und 46 sowie 1609,61 f.

DAVIES, 364–368 • DEVELIN, Nr. 1907 • PA 9667 • TRAILL, PAA 632545. J.E.

**[2]** Griech. Pharmakologe, 2. H. des 2. Jh. v. Chr., Anhänger des → Herophilos [1]; Lehrer des → Herakleides [27] von Tarent. Galen nennt ihn den ersten bedeutenden Verf. über Arzneimittelmischungen (De temperamentis medicamentorum simplicium et facultate 6, prooem. = 11,794–795 K.). M.' Porträt erscheint in dem Pantheon der großen Pharmakologen des Wiener Dioskurides-Codex (Cod. med. gr. 1, fol. 2). M.' Schrift ›Über Arzneimittelheilkunde‹ wurde von späteren Pharmakologen häufig zitiert [1]. In einer weiteren Abh. ›Der Apotheker oder in der Sprechstunde‹ äußert sich M. über weitergehende medizinische Themen, etwa das Anlegen von Verbänden und vielleicht den Aderlaß, den er sehr bevorzugte (Gal. de venae sectione adversus Erasistratum 5 = 11,163 K.). Er schrieb auch

über Diät und Gynäkologie und vertrat die Anwendung von Flötenspiel und Trommel gegen plötzliche Anfälle hysterischer Beklemmungen (Soran. 3,4; → Hysterie).
→ Pharmakologie

1 STADEN, 515–518. V.N./Ü: J.DE.

**Mantica.** Ein röm. Sack aus Leder, um Gepäck aller Art oder Nahrungsmittel (Apul. met. 1,18) zu transportieren. Man trug die *m.* auf der Schulter, so daß sie über Rücken und Brust lag (Pers. 4,24; Hor. sat. 1,6,106), oder bei Reisen zu Pferd hinter sich quer über der Kruppe des Pferdes. Eine *manticula*, den kleinen Ledersack, trugen ärmere Leute; daher bedeutet *manticulare* auch »stehlen« und »betrügen«, und den Betrüger (»Beutelschneider«) nannte man *manticulator* (*-arius*). R.H.

**Mantichoras** (μαντιχώρας, auch Martichoras, μαρτιχώρας). Nach Ktesias (bei Aristot. hist. an. 2,1, 501a 24ff.) ein indisches Tier mit der Gestalt eines Löwen und dem Gesicht eines Menschen, das über dreifache Zahnreihen verfüge. Das Fell sei zinnoberrot, der Schwanz wie beim Skorpion geformt, wobei der *m.* die tödlichen Stacheln wie Pfeile abschießen könne. Die Stimme klinge wie eine Mischung aus Hirtenpfeife und Trompete. Der *m.* wird als schnell, wild und menschenfressend (letzteres bedeutet der aus Persien stammende Name; vgl. Ail. nat. 4,21) bezeichnet. Laut Ailianos will Ktesias einen *m.* in Persien gesehen haben. Paus. 9,21,4 identifiziert das Fabelwesen mit dem Tiger und weist seine außergewöhnlichen Eigenschaften als Gerüchte zurück. J.STE.

**Mantik** s. Divination

**Mantiklos** (Μάντικλος). Das Heiligtum des → Herakles M. in → Messana sei, so Pausanias (4,23,10; 26,3), von M. gestiftet worden. M. mag eine aus einer Epiklese rekonstruierte fiktive Person sein, wie überhaupt der 1. → Messenische (Aristomenes-)Krieg (etwa 500/489 v.Chr.), mit dem M. verbunden wird, fiktive Historie enthält [1. 169–181]: Als Sohn eines → Mantis (Sehers) Theoklos sei M. von → Aristomenes [1] neben dessen Sohn zum Kolonisten der Messenier bei ihrer Flucht nach Sizilien ausersehen worden.
→ Kolonisation; Messenische Kriege

1 F. JACOBY, FGrH IIIa, [2]1954, 100–195.

F. KIECHLE, Messenische Stud., 1959 • I. MALKIN, Rel. and Colonization in Ancient Greece, 1987, 92–113. C.A.

**Mantineia** (Μαντίνεια).
I. NAME UND LANDSCHAFT II. TOPOGRAPHIE
III. GESCHICHTE

I. NAME UND LANDSCHAFT

Ältere Namensform Μαντινέα, att. und danach lit. Μαντίνεια, Ethnikon οἱ Μαντινεῖς; der Stammesname ist primär, der Stadtname davon abgeleitet. Die Stadt liegt im Nordteil der großen ostarkad. Hochebene etwa 12 km nördl. von → Tripolis (630 m H). Der Boden der großen Ebene von M. ist wie die ganze Hochebene fast völlig eben, hauptsächlich Lehmboden und daher sehr fruchtbar, aber wegen der Höhenlage mit rauhem und niederschlagsreichem Klima, so daß die typisch mediterranen Gewächse nicht mehr gedeihen und auch der Baumwuchs h. recht spärlich ist [1]. Die ganze Hochebene ist oberirdisch abflußlos und wird nur durch Katavothren entwässert. Bes. der NW-Teil der Ebene ist daher versumpft und steht im Winter h. unter Wasser. Tiefer als der Südteil der Ebene von M. (13 × 4–7 km) mit Tegea und dem h. Tripolis liegt der Nordteil mit M. Im Alt. wurde der Versumpfung durch Abzugsgräben und Offenhalten der Katavothren entgegengewirkt. Der südlichste Teil der Ebene von M. war im Alt. von einem großen Eichenwald, dem Pelagos, eingenommen.

II. TOPOGRAPHIE

Die h. sichtbare Stadtanlage, fast genau im Mittelpunkt des Gebiets, ist wohl die Gründung von 368/7 v.Chr., die Stadt des 5. Jh. lag offenbar an der gleichen Stelle. Erh. Reste außer der Stadtmauer sind spärlich, zumeist röm. Die gut erh. Stadtmauer in der Form einer Ellipse [2. 176] hat einen Umfang von 3942 m mit 10 Toren und etwa 105 Türmen; Steinsockel von 4,20 m bis 4,70 m Dm und 1 m bis 1,80 m H, Lehmziegeloberbau. Von den Bauten ist bes. das Theater des 4. Jh. v.Chr. an der Westseite der etwa 85 × 150 m großen Agora zu nennen, die übrigen hier ausgegrabenen Bauten sind mit den von Pausanias (8,71–12,1) gen. nicht sicher zu identifizieren.

III. GESCHICHTE
A. ARCHAISCHE UND KLASSISCHE ZEIT
B. HELLENISTISCHE UND RÖMISCHE ZEIT

A. ARCHAISCHE UND KLASSISCHE ZEIT

Der urspr. Stammbund bestand aus fünf *dḗmoi* (→ *dḗmos* [2]), der natürlichen Gliederung der Landschaft entsprechend, mit einem Mittelpunkt, der *ptólis* (Paus. 8,12,7), auf einer Kalkkuppe, evtl. dem h. Hügel Gurtzuli etwa 1 km nördl. der späteren Stadt [3. 47–56; 4]. ›Lieblich‹ wird M. bei Hom. Il. 2,607 gen. Um 550 v.Chr. berief Kyrene → Demonax [1] aus M. als seinen Gesetzgeber (Hdt. 4,161f.; Diod. 8,30,2; Athen. 4,154d-e). Bei Thermopylai 480 v.Chr. standen 500 Hopliten aus M. als spartanische Verbündete (Hdt. 7,202); da bei der Schlacht bei Plataiai 479 zu spät gekommen (Hdt. 9,77), auf der Schlangensäule (Syll.[3] 31) nicht gen. (→ Perserkriege). Auch weiterhin auf seiten von Sparta (Hdt. 9,35,2; Paus. 8,8,6; Thuk. 3,107–113; Xen. hell. 5,2,3). Nicht datierbar ist ein Sieg, für den M. eine Nike in Olympia weihte (Paus. 5,26,6). Der von Strab. 8,3,2 erwähnte *synoikismós* aus fünf *dḗmoi* gehört wohl in die Zeit 478–473 v.Chr. [5. 140–151]. In den 20er J. des 5. Jh. v.Chr. erfolgte die Verfassungsreform des → Nikodoros (Ail. var. 2,23). Sie war im wesentlichen demokratisch (Thuk. 5,29,1; Xen. hell. 5,2,6f.; Aristot. pol. 1318b 23ff.). Die Mantineis galten als ›mit sehr guten Gesetzen‹ versehen (εὐνομώτατοι, Ail. var. 2,22), daher die Rolle der → Diotima aus M. in Platons *Sympósion* (symp. 201d; 211d).

Mit der Reform hängt wohl auch die Ausdehnung der Herrschaft über die westl. benachbarten Gebiete zusammen, die M. in Konflikt mit Sparta brachte. Daher schloß sich M. an das Bündnis gegen Sparta 420 v. Chr. an (Thuk. 5,29; IG I³ 83). Nach einem Krieg wurde ein Friede geschlossen, in dem M. die eroberten Gebiete herausgeben mußte (Thuk. 5,64–81; Xen. hell. 5,2,2; IG V 1, 1124?). Das Verhältnis zu Sparta blieb gespannt, weshalb Sparta 385 die Aufgabe der Stadt und die Rücksiedlung auf die Dörfer erzwang, zugleich mit einer aristokratischen Verfassungsänderung (Xen. hell. 5,2,1–7; 6,4,18; Isokr. 4,126; 8,100; Diod. 15,5; 12; Plat. symp. 193a). Nach der spartanischen Niederlage bei Leuktra wurde die Stadt 371/0 v. Chr. neu gegr. (Xen. hell. 6,5,3–5; 8f.; 10ff.; Paus. 8,8,10) [5. 251–256]. Die Verfassung war wieder demokratisch, die Bürgerschaft wurde in fünf nach Göttern benannte *phýlai* eingeteilt (IG V 2,271 [6. 133–135; 7]), neue Mz. wurden geprägt. M. war unter Führung des → Lykomedes [4] Hauptverfechter der arkad. Einheit und stand so wie in seiner ganzen Gesch. im Gegensatz zu → Tegea (Xen. hell. 7,1,23ff.; 4,2f.; 4,33ff.; Diod. 15,59; 62ff.; 82,2ff.; Paus. 8,27,2). Beim Zerfall des Arkad. Bundes (→ Arkades mit Karte), der zur Schlacht von M. führte (362 v. Chr.) [8. 63–66], schloß sich M. an Sparta an (Xen. hell. 7,5,1ff.; Diod. 15,82ff.).

B. Hellenistische und römische Zeit

303 v. Chr. kam es zum erfolgreichen Widerstand gegen → Demetrios [2] (Plut. Demetrios 25,1); um 270 v. Chr. zum Bündnis mit Areus [1] von Sparta (IG II², 686f.; Syll.³ 434,24; 38; StV 3, 476). M.s weiteres Schicksal läßt sich angesichts der verworrenen Quellenlage nur vage nachzeichnen: Um 230 v. Chr. war M. Mitglied des Achaiischen Bundes (Pol. 2,57,1; Mz.), dann schloß es sich dem Aitolischen Bund an (Pol. l.c.; 2,46,2). 229/8 v. Chr. bemächtigte sich Kleomenes [6] III. der Stadt, aber schon 227 wurde sie von Aratos [2] zurückerobert (Plut. Aratos 36,2; Plut. Kleomenes 5,1; Paus. 2,8,6; Pol. 2,57,2ff.). M. erhielt eine achaiische Besatzung (Pol. 2,57,3; Plut. Aratos 36,2). Schon 226 v. Chr. erfolgte ein neuer Umsturz zugunsten des Kleomenes, wobei die achaiischen Kolonisten ermordet wurden (Pol. 2,58,4ff.; Plut. Aratos 39,1; Plut. Kleomenes 14,1). Das führte zur größten Katastrophe der Stadt: 223 v. Chr. eroberte → Antigonos [3] M., die Bürgerschaft wurde zur Vergeltung für diese Morde hingerichtet, nach Makedonia verschleppt oder in die Sklaverei verkauft (Pol. 2,54,11f.; 58,12; 62,11f.; Plut. Aratos 45,4f.).

M. wurde unter dem Namen Antigoneia neu besiedelt (Plut. Aratos 45,6; Paus. 8,8,11; IG V 2, 299). Als solche war die Stadt Mitglied des Achaiischen Bundes. Der alte Name blieb weiterhin gebräuchlich. 207 v. Chr. erlitt Machanidas bei M. im Kampf gegen Philopoimen eine Niederlage (Pol. 11,11ff.; Plut. Philopoimen 10) [8. 66–68]. An der Schlacht bei → Aktion (31 v. Chr.) nahm M. auf seiten des nachmaligen Augustus (Paus. 8,8,12; 9,6) teil.

Strab. 8,8,2 nennt M. unter den Städten, die ganz verschwunden oder nur noch in Spuren zu erkennen seien. Das wird für das 2. Jh. n. Chr. widerlegt durch die Schilderung des Pausanias (l.c.), die erh. Reste und die bis ins 3. Jh. n. Chr. reichenden Inschr., darunter Ehreninschr. (1. Jh. v. Chr.) für Priesterinnen (IG V 2, 265f.) [9] und für L. Verus (IG V 2,303). Der Besuch des Kaisers Hadrianus 125 n. Chr. gab der Stadt außer sonstiger Förderung den alten Namen wieder (Paus. 8,8,12; 10,2; 11,8). Antinoos [2] erhielt Tempel und Kult in M. (Paus. 8,9,7f.), ebenso Hadrianus (IG V 2,302; SEG 11, 1090; fraglich, ob es sich um denselben Tempel handelt). Es gab im 1. Jh. n. Chr. röm. Kaufleute in M. (IG V 2, 307), für 212 n. Chr. ist eine Synagoge belegt (IG V 2, 295). In der Severerzeit (193–235) wurden neue Mz. geprägt. Erwähnt ist M. noch bei Hierokles, Synekdemos 647,7 (Μαντίνα), in der späten Ortsliste IG IV 619,8 (= SEG 16,254, Μαντίνια, so auch IG XIV 1102,35). Beim Slaveneinfall floh ein Teil der Bevölkerung nach Messenia, wo südöstl. von Kalamata h. noch zwei Dörfer Mandinia heißen. Mehrere byz. Kirchenruinen beweisen das Weiterbestehen einer Siedlung. Inschr.: IG V 2, 261–342a; [10. 660–663]. Mz.: HN² 418; 449f.

1 Philippson/Kirsten 3,1, 245–259 2 J.-P. Adam, L'architecture militaire grecque, 1982 3 M. Moggi, Processi di urbanizzazione nel libro di Pausania sull'Arcadia, in: RFIC 119, 1991, 46–62 4 T. Karaghiorga-Stathakopoulou, in: Πελοποννησιακά, Suppl. 19, 1992/3, 97–115 (Grabungsber.) 5 M. Moggi, I sinecismi interstatali greci 1, 1976 6 N. F. Jones, Public Organization in Ancient Greece, 1987 7 J. Roy, Polis and Tribe in Classical Arkadia, in: M. H. Hansen, K. Raaflaub (Hrsg.), More Studies in the Ancient Greek Polis, 1996, 107–112 8 Pritchett 2, 1969 9 M. Jost, Évergétisme et tradition religieuse à M. au Ier s. av. J.-C., in: A. Chastagnol u. a. (Hrsg.), Splendidissima civitas, 1996, 193–200 10 Schwyzer, Dial.

F. Carinci, s. v. Arcadia, EAA², 1994, 334f. • S. und H. Hodkinson, M. and the Mantinike, in: ABSA 76, 1981, 239–296 • R. Howell, A Survey of Eastern Arcadia in Prehistory, in: ABSA 65, 1970, 85–88 • Jost, 124–142 • W. F. Wyatt, s. v. M., PE, 549f. E. MEY. u. Y. L.

**Mantios** (Μάντιος).
Sohn des Sehers → Melampus, Bruder des → Antiphates, Vater des → Kleitos [1] und des Sehers → Polypheides (Hom. Od. 15,242ff.), nach Paus. 6,17,6 auch des → Oïkles (der nach Hom. ebd. sein Neffe ist), Großvater des → Theoklymenos. L. K.

**Mantis** (μάντις), das gebräuchlichste griech. Wort für »Seher«, »Weissager«, ist seit Homer für die ganze Ant. belegt. Ein *m.* ist normalerweise ein Mensch. Jedoch wird in Heiligtümern mit prophetischer Funktion regelmäßig der Gott selbst als *m.* bezeichnet (z.B. Aischyl. Choeph. 559); Sterbliche dienen ihm lediglich als Sprachrohr. Diese Beziehung zw. Gottheit und inspiriertem Menschen bringt Pindar in seiner Anrufung der Muse zum Ausdruck: ›Sage weis, Muse, ich werde Dein Sprachrohr sein‹ (fr. 150 SNELL). Da die μαντικὴ τέχνη/ *mantikḗ téchnē*, »Weissagekunst«, potentiell ein göttliches Attribut ist, könnte man erwarten, daß Sterbliche sie nur insoweit demonstrierten, als sie durch Inspiration Zugang zum überlegenen Wissen der Götter hatten [1]: So leiteten die Griechen *m.* von *maínesthai*, »wahnsinnig sein«, ab und evozierten damit die Vorstellung prophetischen Wahnsinns bzw. prophetischer, und im Anschluß daran auch dichterischer, Inspiration (Eur. Bacch. 299; Plat. Phaidr. 244c). Platon spricht oft von den Prophezeiungen des »wahren« oder »göttlich inspirierten« *m.* als eines Beispiels für Einsicht, die nicht durch rationale Verfahren erworben wurde (Plat. apol. 22a; Plat. Men. 99f.; Plat. Tim. 71e; [2]). Doch während dem *m.* in Mythos und Lit. gelegentlich besondere, göttl. inspirierte Einsicht zugeschrieben wurde, waren die *mánteis* in histor. Zeit (Prosopographie: [6]) nicht als inspirierte → Propheten tätig, sondern operierten durch die Interpretation von Zeichen (Paus. 1,34,4). Ihre wichtigste Technik war die Eingeweideschau, die Interpretation der Eingeweide von Opfertieren (→ Opfer), doch deuteten sie auch aus spontan auftretenden Zeichen wie dem Vogelflug, Träumen (→ Traumdeutung) und Omina (→ Divination). *Chrēsmológoi*, »Orakeldeuter« (→ Orakel), übten, wie es scheint, eine zwar verwandte, doch deutlich abgegrenzte Tätigkeit aus, auch wenn späte Quellen sie oft mit *m.* verwechseln.

Der Mythos kannte Familien von *mánteis* wie z.B. die Melampodidai (→ Melampus [1]) und die Iamidai (→ Iamos), in denen die Weissagekunst vererbt wurde. Noch im 5. Jh. v. Chr. soll es Familien gegeben haben, die diese Kunst ausübten (die Iamidai und → Telliadai: Hdt. 9,37, evtl. auch die → Klytiadai). Die Verbindung der Iamidai zum »prophetischen Altar« des Zeus in Olympia (Pind. O. 6,5; 64–72; [3]) war erblich. Normalerweise waren *mánteis* aber nicht mit spezifischen Heiligtümern verbunden, sondern arbeiteten sozusagen als Selbständige, indem sie denjenigen, die zu ihnen kamen, gegen Entgelt (Hdt. 9,38,1; 9,95) Rat erteilten. Man könnte meinen, die Beziehung des *m.* zum Militär sei stärker institutionalisiert gewesen, da die Armeen aller griech. Staaten von zumindest einem *m.* begleitet werden mußten [4]; jedoch gab es keine offizielle Stellung etwa eines »*m.* der Athener«. Wahrscheinlich war es die Aufgabe des jeweiligen Feldherrn, sich der Dienste eines *m.* für einen bestimmten Feldzug zu versichern. Natürlich konnten Individuen und Staaten regelmäßig die Dienste eines bestimmten *m.* in Anspruch nehmen, der auf diese Weise Prestige und Einfluß erwerben konnte: Berühmte Beispiele sind etwa → Teisamenos von Elis, dessen Rat nach Herodot (9,33) den Spartanern zu fünf Siegen im Krieg verhalf, so daß diese ihm als einzigem Nicht-Spartaner das Bürgerrecht verliehen; im perikleischen Athen → Lampon [2], der in engem Zusammenhang mit der Gründung von → Thurioi stand [5. 131–139]; und → Aristandros [1] von Telmessos, der berühmte Seher Alexandros' [4] d.Gr.

In der ›Odyssee‹ (Hom. Od. 17,382–384) ist der *m.* ein Spezialist, der von außerhalb herbeigerufen wird. Teisamenos und Aristandros sind in histor. Zeit Beispiele für solche importierten rel. Experten. Noch im 4. Jh. v. Chr. hören wir von wandernden *mánteis* (Isokr. 19,6). Jedoch ist die weit verbreitete Meinung, daß *mánteis* typischerweise aus entlegenen, rückständigen Regionen der griech. Welt kamen, nicht haltbar [4. 52f.; 6]: Athenische *mánteis* waren normalerweise Bürger Athens und oft gebildete Leute wie z.B. Miltas, ein Mitglied von Platons Akademie (Plut. Dion 22,6), oder der Atthidograph → Philochoros.

*Mánteis* (und *chrēsmológoi*) lebten als rel. Spezialisten von der Religion, wie es ansonsten unüblich war. Dementsprechend wurden sie in der Komödie, anders als etwa → Priester, wegen ihrer Käuflichkeit attackiert [7]. Umgekehrt setzt sich der archetypische *m.* → Teiresias in der Trag. in einer Weise für die Rel. ein, wie Priester es kaum taten (Soph. Ant., Oid. T.; Eur. Bacch.; [8; 9]). Nach Cicero (div. 1,95) suchten die Athener den Rat von *mánteis*, wann immer eine öffentliche Entscheidung anstand; die Entsendung von Kolonisten war zusammen mit der Kriegsführung ein Bereich, in den sie bes. eingebunden waren [5; 10]. Doch hören wir von keinem histor. *m.*, der eine eigene rel. Politik verfolgt oder sich im Namen der Götter gegen die Entscheidungen der Stadt gestellt hätte.

→ Prophet; Vates

1 L. ZIEHEN, s.v. M., RE 14, 1345–1355 2 E.R. DODDS, The Greeks and the Irrational, 1951, 64–101 (dt.: Die Griechen und das Irrationale, 1970) 3 L. WENIGER, Die Seher von Olympia, in: ARW 18, 1915, 53–115 4 W.K. PRITCHETT, The Greek State at War, Bd. 3, 1979, 47–90 5 W. LESCHHORN, Gründer der Stadt, 1984 6 P. KETTS, Prosopographie der histor. griech. Manteis bis auf die Zeit Alexanders des Gr., 1966 7 N.D. SMITH, Diviners and Divination in Aristophanic Comedy, in: Classical Antiquity 8, 1989, 140–158 8 R. STAEHLIN, Das Motiv der Mantik im ant. Drama, 1912/13 9 J. JOUANNA, Oracles et devins chez Sophocle, in: J.-G. HEINTZ (Hrsg.), Oracles et prophéties dans l'antiquité (Actes du Colloque de Strasbourg 15–17 juin 1995), 1997, 283–320 10 M.H. JAMESON, Sacrifice before Battle, in: V.D. HANSON (Hrsg.), Hoplites, 1991, 197–227.

R.PA./Ü: T.H.

**Mantitheos** (Μαντίθεος).

**[1]** Athener, als Ratsherr 415 v. Chr. in den → Hermokopidenfrevel verwickelt (And. 1,43,4), floh nach Sparta, von dort wie → Alkibiades [3] nach Kleinasien und geriet mit diesem in Sardeis in Haft; beide konnten 411 nach Klazomenai entkommen (Xen. hell. 1,1,10). 409 ist M. als Mitglied einer Gesandtschaft zum Perserkönig genannt (Xen. hell. 1,3,13), 408 wurde er mit der Aufsicht (s. → *epimelētaí*) über die athen. Eroberungen am Hellespont betraut, als Alkibiades nach Athen zurückkehrte.

M. OSTWALD, From Popular Sovereignty to the Sovereignty of Law, 1986, 548.

**[2]** Athener aus nicht vermögender Familie, dessen Lebenslauf durch die Verteidigungsrede des Lysias [1] für M. (Lys. 16) bekannt ist. Er blieb Athen bis kurz vor dem Ende der Herrschaft der »Dreißig« (→ *triákonta*) fern und bewährte sich als Hoplit in den J. 395/4 (Lys. 16,13; 15f.). Zwischen 391 und 389 mußte er sich bei der Eingangsprüfung (→ *dokimasía*) zum Amt des Ratsherrn des Vorwurfs erwehren, er habe als Reiter die »Dreißig« unterstützt. Vielleicht Großvater von M. [3] (skeptisch [1. 364f.]).

1 DAVIES 2 PA 9674 3 TRAILL, PAA 632630.

**[3]** Athener, Sohn des → Mantias [1], vermutlich aus dessen zweiter Ehe mit einer Tochter des Polyaratos aus Thorikos. Seine langwierigen namens- und erbrechtlichen Auseinandersetzungen mit seinem Halbbruder Boiotos, der sich ebenfalls M. nannte, sind aus zwei Reden des Demosthenes (or. 39 und 40) bekannt. In bezug auf das Namensrecht war er offenbar erfolglos (s. IG II$^2$ 1622, 435).

DAVIES, 364–368 · PA 9675, 9676 · SCHÄFER 3, 211ff. · TRAILL, PAA 632700, 632705; vgl. 267790. BO.D.

**Manto** (Μαντώ). Tochter des → Teiresias, aus Theben, wie ihr Vater mit seherischer Begabung versehen, Priesterin des Apollon Ismenios (Eur. Phoen. 834ff.). Als die → Epigonoi [2] Theben erobern, wird M. dem Apollon in Delphi geweiht (Apollod. 3,85; Paus. 9,33,2; schol. Apoll. Rhod. 1,308). Diod. 4,66,5f. nennt sie Daphne [2] und bezeichnet sie als vorzügliche Dichterin, von der sogar Homer einige Verse übernommen habe. Später nimmt M. an der Gründung der Kolonie → Kolophon [1] in Kleinasien (mit dem Orakelheiligtum des Apollon in → Klaros [1]) teil. Dort heiratet sie Rhakios (Mela 1,88) und gebiert (von Apollon) → Mopsos, der ebenfalls Seher wird (Paus. 7,31; Apollod. epit. 6,3; Strab. 14,5,16). Während M.s Aufenthalt in Delphi soll sie von → Alkmaion [1] zwei Kinder gehabt haben, → Amphilochos [2] und → Teisiphone. Alkmaion übergibt diese → Kreon [2] von Korinth (Apollod. 3,94 nach Eur. Alkmaion in Korinth). L.K.

**Mantua** (Μάντουα). Kleine (Strab. 5,1,6), befestigte (Plin. nat. 3,130; Serv. Aen. 10,198) Stadt der 10. Region zw. den Sümpfen am Mittellauf des → Mincius, h. Mantova (etr. Ursprung des Namens ist ausgeschlossen, Zusammenhang mit lokalen Gewässernamen denkbar – vgl. die Namen *Abdua*, *Padua*, *Meduacus*). Für Plin. nat. 3,130 war M. eine etr. Gründung. Tatsächlich war M. – durch eine Wasserstraße mit dem → Padus, durch mehrere Straßen mit der Ebene und den Alpen verbunden – während der etr. Expansion in der Ebene des Padus [2. 18–35] eine bis zum 1. Jh. v. Chr. nicht keltisierte Handelsniederlassung. Seit den → Punischen Kriegen bestanden gute Beziehungen zu Rom; Mitte des 1. Jh. v. Chr. war M. *civitas*, unter Augustus in der *tribus Sabatina*. Während des Bürgerkriegs nach Caesars Tod war ihr Territorium, obwohl ohnehin schon klein (weniger als 1000 km$^2$; [3. 53f.]), von den Konfiskationen landwirtschaftlich genutzter Flächen von Cremona betroffen, die nicht ausreichten, die Veteranen zufriedenzustellen: daher die Klagen Vergils (ecl. 9,28; georg. 2,198). M. lag an zweitrangigen Verkehrsverbindungen [4. 286], wie z.B. von → Verona nach → Hostilia (Tab. Peut. 4,4; Geogr. Rav. 4,30; Guido 15). M. wird als Produktionsstätte für Rüstungen (Not. dign. occ. 9,26) gen., ein *collegium nautarum* ist belegt (CIL V Suppl. 669). Spärliche arch. Reste: Spuren einer Mauer [5. 535f.]. M. war Geburtsort des → Vergilius Maro (vgl. Ov. am. 3,15,7; Mart. 1,61; 2,14; 195,2; Sil. 8,535).

1 NISSEN 2, 202–204 2 R. DE MARINIS, in: R. BUSSI (Hrsg.), Misurare la terra. 4: Il caso mantovano, 1984 3 P. TOZZI, Storia padana antica, 1972 4 MILLER 5 A.M. TAMASSIA, s.v. M., in: EAA Suppl., 1995. A.SA./Ü: H.D.

**Manturanum** (h. San Giuliano). Etr. Siedlung bei Barbarano Romano (südl. Viterbo) auf einem Tuffplateau am Zusammenfluß zweier Wasserläufe. Der Name M. bzw. Marturanum ist außer auf einer etr. Scherbe mit Inschr. bei ma. Geographen überliefert. Hauptblüte des agrarischen Zentrums, das vom 8. bis 3. Jh. v. Chr. existierte, war das 6. Jh.; Nachblüte in hell. Zeit. An den Steilhängen gegenüber der Wohnsiedlung San Giuliano liegen Felsgräber mit Kammern, die sich wie in → Blera (Bieda) hinter den meist würfelförmigen Fassaden befinden; auf den umliegenden Hochflächen auch → Tumuli mit Kammergräbern, die Ähnlichkeiten mit den Gräbern in Cerveteri (→ Caere) und Orvieto aufweisen. Vor dem monumentalen Tumulus der Tomba Cima ein Monument mit 18 aus dem anstehenden Tuff gehauenen → Cippi, das wohl dem Totenkult diente.
→ Castel d'Asso; Grabbauten (C. 1); Norchia; Volsinii

A. GARGANA, La necropoli rupestre di S. G., in: Monumenti antichi 33, 1929, 297–467 · G. RAVERA, La nécropole rupestre de San Giuliano, in: Archeologia 170, 1982, 77–78 · S. STEINGRÄBER, Etr. Monumentalcippi, in: ArchCl 43, 1991, 1079–1102. M.M.

**Manturna.** Eine von Varro, antiquitates rerum divinarum fr. 149 CARDAUNS (bei Aug. civ. 6,9) wohl den → *indigitamenta* der *pontifices* (→ *pontifex*) entnommene, dort als »Hochzeitsgöttin« klassifizierte Gottheit, welche angerufen wurde, damit die Gattin beim Mann bleibe. Die sonst nicht belegte M. ist nach [1] mit dem etr. Gott → Mantus zu verknüpfen, wobei eine für das Etr. charakteristische Suffixerweiterung vorläge.
→ Etruskisch; Sondergötter

1 RADKE, 198. K.v.S.

**Mantus.** Etr. Gott, Eponym von → Mantua, jedoch unter diesem Namen in etr. Quellen nicht belegt. Nach Servius und schol. Veronense (zu Verg. Aen. 10,198–200) ist M. der etr. Name des röm. Unterweltgottes

→ Dis Pater, der Entsprechung des griech. → Hades; Tarchon habe ihm die etr. Stadt Mantua geweiht und nach ihm benannt. Wie Hades erhielt auch M. keinen Kult. Vielleicht galt M. auch in Etrurien als Gott der Unterwelt, falls er mit etr. *Aita* (< Hades) zu identifizieren ist, der mit *Φersipnai* (→ Persephone) in der etr. Grabmalerei erscheint [1].

1 S. Steingräber, Etr. Wandmalerei, 1985, 337f. Nr. 93–95 Abb. 251 und 286–294 Nr. 32 Abb. 43.

Pfiffig, 320–322. L.A.-F.

**Mantzikert** s. Türken

**Manuale.** Tragbares Lesepult aus Holz. *M.* war urspr. wahrscheinlich Adjektiv zu *lectorium*; substantiviert nahm es dann die Bed. (Lese)Pult an [1]. Den einzigen schriftlichen Beleg bietet Mart. 14,84. Ein M. wird auf zwei Reliefs von Neumagen [1. Abb. 15–16] und im Cod. Romanus des Vergil (Cod. Vaticanus Latinus 3867, VI) dargestellt. Zwei Arten von Lesepulten sind bezeugt: eine mit Sockel und eine ohne. Nur letzteres kann als M. i.e.S. definiert werden. Hier handelt es sich um ein Holzbrettchen, dessen Enden so gebogen waren, daß in den zwei Vertiefungen der schon gelesene und aufgerollte Teil der Rolle sowie der noch zu lesende festgehalten wurden. Dadurch brauchte man die Rolle nicht mit beiden Händen zu halten und schützte sie vor Abnutzung.

1 E. Puglia, La cura del libro nel mondo antico, 1998, 70–74. T.D./Ü: P.P.

**Manubiae** s. Kriegsbeute

**Manumissio.** Der t.t. für die röm. → Freilassung (C.). G.S.

**Manus.** *M.* wird im röm. Recht im Sinne der »beherrschenden und schützenden Hand« als Ausdruck für ein familienrechtliches Herrschaftsverhältnis verwendet. Urspr. dürfte *m.* die Hausgewalt des Familienoberhaupts (→ *pater familias*) sowohl über seine Kinder (→ *patria potestas*) als auch über seine Ehefrau bezeichnet haben. Schon im Zwölftafelgesetz (5. Jh. v. Chr.) wird aber die väterliche Gewalt gesondert behandelt. So verengt sich die Bedeutung von *m.* auf die Machtstellung des Mannes gegenüber der Ehefrau. Am besten unterrichtet werden wir über die *m.* durch die ›Institutionen‹ des → Gaius (2. Jh. n. Chr.). In den → ›Digesta‹ Iustinians und somit auch in der maßgeblichen Quelle des gemeinen Rechts seit dem Hoch-MA ist die *m.* aus den klass. Texten getilgt worden. Sie war zu dieser Zeit (6. Jh. n. Chr.) schon lange nicht mehr üblich. Im 5. Jh. v. Chr. dürfte die *m.* des Mannes über die Frau hingegen die Regel gewesen sein. Aber auch eine Ehe ohne *m.* hat es offenbar damals schon gegeben (vgl. Gai. inst. 1,111 vermutlich zu 6,3 Lex XII tab.).

Begründet wurde die *m.* der Ehefrau u. a. durch die förmlichen Geschäfte der → *coemptio* (»Brautkauf«) oder der → *confarreatio* (gemeinsames »Brotopfer«). Da die Ehe selbst in keiner eigenen rechtlichen Form geschlossen wurde (→ Ehe III.C.), konzentrierte sich die Feierlichkeit und gesellschaftliche Aufmerksamkeit für den Beginn eines Hausstandes auf die rituellen Akte zur Begründung der *m.* (→ Hochzeitsbräuche). Ohne Einhaltung eines solchen Ritus erwarb der Ehemann nach einem Jahr des Zusammenlebens mit einer Frau durch *usus* (»Gebrauch« der Ehe) die *m.* Dies konnte die Frau jedoch durch ein *trinoctium* (Fernbleiben vom Mann in drei aufeinanderfolgenden Nächten) spätestens jeweils vor Ablauf eines Jahres verhindern. Die drei Arten zur Begründung der *m.* wurden als *conventio in manum* (»Überführung« – nämlich aus der väterlichen Gewalt in der Herkunftsfamilie – in die *m.* des Ehemannes) zusammengefaßt (Gai. inst. 1,110). Demgegenüber begründete die bloße *deductio in domum mariti* (wohl feierliches »Geleit ins Haus des Mannes«) keine *m.*

Da die *m.* durch *usus* schon z.Z. des Gaius (inst. 1,111 Ende) teils gesetzlich aufgehoben, teils außer Gebrauch gekommen war, ist davon auszugehen, daß die Ehe in der röm. Kaiserzeit regelmäßig *m.*-frei war. Dadurch erhielt die Frau freilich nicht die eigene Rechtsfähigkeit (*sui iuris*). In der Regel blieb sie in der *patria potestas* ihres Vaters. War sie auch aus dessen Gewalt entlassen (→ *emancipatio*), bedurfte sie herkömmlicherweise eines Geschlechtsvormundes (→ Familie B.2.; → *tutela*), war von diesem Erfordernis seit den Ehegesetzen des Augustus (1. Jh. v. Chr.) aber befreit, wenn sie drei (als Freigelassene: vier) eheliche Kinder hatte (→ *ius* E.2.).

Der Jurist Gaius bezeichnet die Wirkungen der *m.* für die Frau mit einem vermutlich alten jurist. t.t. als *filiae loco* (»in der Rechtsstellung einer Tochter«). Personenrechtlich bedeutet dies, daß die Frau der rechtlich uneingeschränkten Herrschaft des Mannes unterworfen war. Sie umfaßte urspr. das *ius vitae necisque* (Recht über Leben und Tod), erst recht die Befugnis zu körperlichen Strafen und zur Verstoßung. Eklatante Mißbräuche unterlagen jedoch den Sanktionen des → Sakralrechts, später der Sittenaufsicht (*regimen morum*) des Censors (→ *censores*). Erbrechtlich stand die *in manu* verheiratete Frau nach dem Tode des Mannes einer Tochter gleich. Vermögensrechtlich schließlich war sie wie die gewaltunterworfenen Kinder nicht dazu fähig, etwas für sich selbst zu erwerben. War sie vor der Eheschließung gewaltfrei und hatte eigenes Vermögen, ging dies auf den »Eheherrn« über. Ein → *peculium* (Sondervermögen), wie es Haussöhnen vielfach überlassen wurde, ist für Ehefrauen nicht überliefert und wegen der Hausgemeinschaft mit dem Mann auch nicht wahrscheinlich. Unterstand der Ehemann selbst (noch) der Herrschaft seines Vaters, erstreckte sich dessen Gewalt auf die Schwiegertochter.

→ Ehe; Frau II.; Familie (IV. B. 3); Matrimonium; Mater familias

HONSELL/MAYER-MALY/SELB, 396ff. • KASER, RPR I 56f., 72ff., 76ff., 323f., 330f. • TREGGIARI, 16–32. G.S.

**Manus ferrea** s. Schiffahrt

**Manus iniectio.** »Handanlegung«, begegnet im Zusammenhang mit dem ältesten röm. Prozeßtypus, dem Verfahren der → *legis actio*, gleich zweimal: Zum einen kann, wer einen anderen verklagen will, den Prozeßgegner, der sich weigert, vor dem → Praetor zu erscheinen, mittels *m.i.*, also Gewaltanwendung, zum Erscheinen zwingen. Dem kann sich der andere nur durch einen → *vindex* (Gestellungsbürgen) entziehen (s. Lex XII tab. 1–4).

Zum zweiten kam ein solcher Zwang wie auch ein *vindex* bei der Vollstreckung einer feststehenden Schuld vor (*legis actio per manus iniectionem*, Lex XII tab. 3,1–6). Dazu mußte die Pflicht des Schuldners zur Zahlung einer Geldsumme durch Urteil festgestellt oder anderweitig – etwa durch → *confessio* (Geständis, Anerkenntnis) oder bei offenkundigem Diebstahl – unstreitig sein. Wenn der Schuldner nicht binnen 30 Tagen zahlte, konnte der Gläubiger vor dem Praetor Hand an ihn legen und erhielt ihn nach dem Sprechen einer bestimmten Formel (Gai. inst. 4,21) zugesprochen (→ *addicere*). Zur Befreiung von dieser Haftung benötigte der Schuldner entweder auch hier einen *vindex*, der das Zugriffsrecht des Gläubigers erfolgreich abstritt (*manum depellere*), oder aber jemand anderen, der für ihn zahlte. Um ihm dies zu ermöglichen, hatte der Gläubiger den Schuldner, den er in seiner – detailliert reglementierten – Privathaft (→ *addictus*; → Gefängnisstrafe) hielt, an drei aufeinander folgenden Markttagen zum Amtssitz des Praetors zu bringen und dort die Höhe der geschuldeten Summe auszurufen. Zahlte niemand, durfte der Gläubiger den Schuldner sodann *trans Tiberim* verkaufen, ihn töten (mehrere Gläubiger konnten ihn in Teile schneiden, Lex XII tab. 3,6), oder als Schuldknecht bis zur Abarbeitung der Summe behalten (Festlegungen dazu in einer *lex Poetelia* wohl von 326 v.Chr.).
→ Obligatio; Schulden, Verschuldung

M. KASER, K. HACKL, Das röm. Zivilprozeßrecht, [2]1996, 66, 131ff. • W. WALDSTEIN, Haftung und dare oportere, in: FS G. Wesener, 1992, 519ff. C.PA.

**Maon**

**[1]** (hebr. *ma'on* »(verstecktes) Lager, Wohnung«). Ort 13 km südl. von → Hebron auf der Ḫirbet Ma'īn am Rande der judäischen Wüste (1 Sam 23,24f.; 25,1f.; LXX Μαων/Μααν), auch in den → Arad-Ostraka [1. Nr. 25] genannt. Eus. On. 130,12 erwähnt M. als Siedlung östl. von Daroma. Hier entlang verlief die röm. Straße von Hebron nach Mampsis und Elath. In den Grabungskampagnen der Jahre 1987–88 wurde eine auf der Nord-Süd-Achse erbaute Synagoge des 4.–7. Jh. freigelegt, ebenso Münzen der Epoche Valentinians I. (364–365 n.Chr.) und Bruchstücke mehrerer Menorah-Leuchter, deren Schaft von Löwen flankiert wird.

**[2]** (griech. Μαών, Eus. On. 134,16; mit hebr. *bêt ba'al m''ôn* in Jos 13,17 zu identifizieren), entspricht dem heutigen Mā'īn, ca. 8 km sw von → Medaba. Nach der Inschr. des moabitischen Königs Meša (→ Moab) (KAI 181, Z. 30 u.ö.) *ba'al m''ôn*; vgl. Nm 32,38; Ez 25,9; 1 Chr 5,8 (LXX und Eus. On. 44,21 Βεελμεών / Βεελμαών / οικος Βεελμων / οικος Μαών). Schon im 9. Jh. v. Chr. von König Meša befestigt. Ein Mosaik aus dem 6./7. Jh. stellt u.a. wohl die Kirche des Ortes dar.

1 Y. AHARONI, Arad Inscriptions, 1981.

Z. ILAN, D. AMIT, s.v. M., NEAEHL 3, 942–944 • L.F. DE VRIES, s.v. M., Anchor Bible Dictionary 4, 1992, 512–513 (Lit.). TH.PO.

**Mapalia.** Spätestens seit Sall. Iug. 18,8 und Verg. georg. 3,340 war *m.* auch für die Römer der gängige Ausdruck für die Strohhütten der Numider. Daneben wurden nordafrikan. Landstriche als M. bezeichnet: 1) eine kaiserliche Domäne, die zw. → Hippo [6] Regius und → Calama lag (Aug. epist. 66); 2) eine wohl ebenfalls kaiserliche Domäne im Bagradas-Tal (CIL VIII Suppl. 4, 25902); 3) eine *dioecesis Mappaliensis* als Bezirk eines numidischen Bistums (PL 67,198).

H. DESSAU, s.v. M., RE 14, 1403 • M.M. MAGALHÃES, C.A. SERTÁ, M., lo spazio urbano e il nomadismo, in: A. MASTINO, P. RUGGERI (Hrsg.), L'Africa romana. Atti del X convegno di studio 1, 1994, 499–502. W.HU.

**Mapharitis** (Μαφαρῖτις, peripl. m. r. 22). Ein im Inneren der sw Arabia Felix liegendes Land, in dessen drei Tagereisen vom Hafen → Muza entfernt liegender Hauptstadt Saye (Σαυη) ein Fürst namens Cholaibos (Χόλαιβος) residierte (Mitte 1. Jh. n. Chr.). Hierzu ist die zeitgenössische sabäische Inschrift Sharḡabi-as-Sawā 1 (Abk. der Inschr. nach [1] und [2]) zu vergleichen, nach welcher Kulayb Yuha'min, Stammesführer von Ma'āfirum, unterhalb der Stadt Śawām einen Tempel erbauen ließ. Zur damaligen Zeit standen auch Teile des ostafrik. Azania unter der Verwaltung des Fürsten von M. (peripl. m. r. 16; 31).

Die früheste Bezeugung von M. findet sich zu Beginn des 7. Jh. v. Chr. im Tatenbericht des sabäischen Königs Karib'il Watar, der alle Städte von Ma'āfirān niederbrannte (Répertoire Épigraphique Sémitique 3945,3). Die Bewohner jener Region sind die Mapharitai (Μαφαρῖται; Ptol. 6,7,25) bzw. Amphryaei (Plin. nat. 6,158), welche in der Nachbarschaft der Homeriten siedeln. In der sabäischen Inschrift Jamme 631,33 werden für die Zeit von König Ša'irum Awtar im ersten Viertel des 3. Jh. n. Chr. Bogenschützen aus Ma'āfirum erwähnt, welche auf seiten der Abessinier gegen die Ḥimyar kämpfen. Der Stamm Ḏū-Ma'āfirim wird auch in der Inschrift Mi'sāl 3,9 (Mitte 3. Jh.) genannt, und Angehörige der Ma'āfir werden aufgezählt im sabäischen Text Fakhry 74,5 aus dem Jahre 499 und in der spätsabäischen christl. Inschr. Istanbul 7608bis,10 aus der Zeit um 530. Der jemenitische Gelehrte al-Hamdānī

(10. Jh.) beschreibt noch eingehend die Grenzen und Siedlungen der Stammesregion von Ma'āfir [2]. Es ist jenes Gebiet südl. der h. Stadt Taǧizz, das seit dem 14. Jh. n. Chr. mit dem Namen al-Ḥuǧarīya bezeichnet wird.
→ Arabia

1 Y. M. Abdallah, The City of Sawā in the Periplus of the Erythraean Sea, in: Arabian Archaeology and Epigraphy 6/4, 1995, 259–269 2 D. H. Müller (Hrsg.), Ṣifat ǧazīrat al-'Arab, 1884, 99 f. W. W. M. u. A. D.

**Mappa** s. Mantele; Tafelausstattung

**Mar Aba** (*Mār Āḇā*, Μὰρ Ἀβᾶ). → Katholikos von → Seleukeia/→ Ktesiphon [2] 540–552 n. Chr. Vom → Zoroastrismus zum Christentum konvertiert, studierte M. in → Nisibis und unternahm anschließend ausgedehnte Reisen im Röm. Reich. In Alexandreia [1] beeindruckte er → Kosmas [2] Indikopleustes durch seine Gelehrsamkeit (dieser nennt ihn, in der hellenisierten Form seines Namens, *Patríkios*, vgl. Topographia Christiana 2,2). Obwohl er lange Zeit seines Katholikats im Exil oder, als Bekenner, im Gefängnis verbrachte, blieb er dennoch überaus aktiv in der kirchlichen Verwaltung und im Vorantreiben von Reformen, die im einzelnen im *Synodikon Orientale* der »Kirche des Ostens« (→ Nestorianismus) überl. sind (Synode von 544).

O. Braun, Ausgewählte Akten pers. Märtyrer, 1915, 188–220 • J. B. Chabot, Synodicon Orientale, 1902, 318–351, 540–561 • W. Wolska, La topographie chrétienne de Cosmas Indicopleuste, 1962, 63–73. S. BR./Ü: A. SCH.

**Mara**
**[1]** s. Mariaba
**[2]** Nach Ptol. 6,7,37 (Μάρα μητρόπολις) Stadt im Innern von → Arabia Felix, wird zumeist mit der sabäischen Hauptstadt Mārib (→ Mariaba) identifiziert.

H. v. Wissmann, Zur Gesch. und Landeskunde von Altsüdarabien (SAWW, Philos.-histor. Klasse 246), 1964, 417 (Karte). I. T.-N.

**Marakanda** (Μαράκανδα; ἡ Μαρακάνδα), h. »Afrasiab«/Samarkand. M. wurde Ende des 14. Jh. v. Chr. in der fruchtbaren Ebene des → Polytimetos (h. Serafšān) als Oasenstadt gegründet; alte Hauptstadt der → Sogdiana (Arr. an. 3,30,6) mit 60 Stadien Umfang (Curt. 7,6,10), Umschlagplatz für den Handel nach Norden und Osten (Funde aus der T'ang-Zeit). Nachrichten über die Zeit vor Alexandros [4] d.Gr. liegen kaum vor. Nach Eroberung durch Alexandros d.Gr. 329 v. Chr. war M. für 2 J. Basis seiner Unternehmen gegen die Transoxanier; bei einem Gelage in ihrer Burg wurde → Kleitos [6] ermordet. Dennoch war M. nicht Hauptort der neuen Satrapie Sogdiana-Baktrien. Später war M. wohl ein wichtiger Ort des Euthydemos-Reiches (→ Euthydemos [2]), war aber bereits 150 v. Chr. im Besitz der Yuezhi (→ Indoskythen) und schwindet aus dem ant. Gesichtskreis. Im 5. Jh. n. Chr. war die Stadt Mittelpunkt eines sich bildenden Hephthalitenreiches (→ Hephthalitai); um die Mitte des 6. Jh. nahm der westtürkische Khan von ihr Besitz, 711 wurde sie durch Kutaiba ben Muslim endgültig der islam. Herrschaft zugeführt. Zeugnisse über die Entwicklung der Stadt geben fast ausschließlich arab. Quellen (Dinawarī, Tabarī).

Grabungen legten vor der Zitadelle die qarachanidische (10.–13. Jh.) Freitagsmoschee frei, unter der ein massiver Ziegelbau entdeckt wurde, vermutl. der sogdische Zentraltempel. Im Stadtgebiet fanden sich Räume omajjadischer Paläste (?), mehrere Stadtmauerringe und Tore. Ein weiterer sogdischer Tempel dürfte unter dem bereits in qarachanidischer Zeit als Heiligtum ausgebauten Kult- und Grabbezirk timuridischer Zeit (15. Jh. n. Chr; Schah-i Sinda) liegen. Die alexandrinischen und graeco-baktrischen Schichten waren 1990 noch nicht erreicht. Der bisher wertvollste Bestand an Kunstwerken lag in den Ruinen eines sogdischen Stadtpalastes: In einem Saal (10 × 10 m) des 7. Jh. n. Chr. wurden historisierende Wandmalereien gefunden, die u. a. Türken, Chinesen, Bergbewohner, Koreaner u. a. m. darstellen; außerdem die einzige Darstellung → Yazdgirds III.
→ Graeco-Baktrien (mit Karten)

L. I. Al'baum, Uivopis' Afrasiaba, 1975 • F. Altheim, Gesch. der Hunnen, bes. Bd. 2, 1960 (Ndr. 1969) • M. Mode, Sogdien und die Herrscher der Welt: Türken, Sasaniden und Chinesen in Historiengemälden des 7. Jh. n. Chr. aus Alt-Samarkand, 1993 • I. M. Muminov (Hrsg.), Istorija Samarkanda, 2 Bde., 1969 • G. A. Pugacenkova, Samarkand, Buchara, 1975. B. B. u. G. WI.

**Maranitai** (Μαρανῖται). Nach Agatharchides (de mari Erythraeo 88 GGM 1,177) arab. Stamm, der am Küstenstrich des Roten Meeres siedelte. Überl. ist ihr Konflikt mit den *Garindaneís* (Γαρινδανεῖς), die eine Abwesenheit der M. nutzten, um Besitz und Ländereien der M. hinterhältig an sich zu reißen. I. T.-N.

**Marathesion** (Μαραθήσιον). Stadt an der West-Küste von Kleinasien (Ruinen am Ambar Tepe [1]); gehörte nach einer Tauschaktion mit Samos zum Territorium von Ephesos (Skyl. 98; Steph. Byz. s. v. M.; Plin. nat. 5,114). Seit 478/7 v. Chr. Mitglied des → Attisch-Delischen Seebundes (ATL 1,336 f.; 515; 2,80; 3,204; 307).

R. Meriç u. a. (Hrsg.), IK 17,1, 1981, 111 (mit Inschr. 3112–3114), 100 (Karte).

Magie 2, 886. H. SO.

**Marathon** (Μαραθών). Großer att. Paralia-Demos der Phyle Aiantis, 10 (?) → *buleutaí*, in einem weiten Küstenhof an der Ostküste von Attika, Hauptort der att. Tetrapolis (M., Oinoe, Probalinthos, Trikorynthos), nicht identisch mit dem h. Marathonas; der Name ist vorgriech. Bed. prähistor., ant. und frühchristl. Reste an verschiedenen Stellen der Ebene (Karte [10. 223 Abb.

271]): neolithische und FH Siedlung bei Nea Makri (Probalinthos?) [8; 9; 10. 219], FH Siedlung bei Kato Souli (Trikorynthos); der Ringwall oberhalb ist nicht prähistor. [5. 37ff.], sondern ma. Befestigte FH Siedlung bei Plasi [10. 216 Abb. 272], FH und myk. Nekropole bei Tsepi [10. 216f. Abb. 273–280]. Bed. MH und myk. Nekropole einer lokalen Dyn. in Vrana [10. 217 Abb. 281–288]. Der zugehörige Fürstensitz ist nicht lokalisiert. Zur Panshöhle (Paus. 1,32,2) s. → Oinoe. Die Lage des ant. Demenzentrum von M. ist umstritten [10. 219], aufgrund der Siedlungsstruktur von Attika ist mit mehr als einer dörflichen Siedlung zu rechnen. Heiligtümer: Gymnasion und Temenos des Herakles bei Valaria [10. 219 Abb. 311], Temenos der Athena [10. Abb. 314], Gipfelheiligtum (Statuenplattform?) auf dem Stavrokoraki [4. 152f.], kaiserzeitliches Heiligtum der Isis und Badeanlage bei Vrexisa [1; 2; 10. 218f. Abb. 306–312]. In der Kaiserzeit Latifundium des → Herodes [15] Atticus aus M., der hier starb (Mandra tis Graias [10. 218 Abb. 304, 305]).

Im NO der Bucht von M. befindet sich die Kynosura [2], an der 490 v. Chr. die pers. Flotte vor der berühmten Schlacht von M. landete, in der Athener und Plataier unter Miltiades die zahlenmäßig überlegenen Perser besiegten [3; 10. 216, 219f.] (→ Perserkriege). Zum Grab des Miltiades und zum Tropaion (Paus. 1,32,4f.) vgl. [10. 254 Abb. 315f.; 11]. Das Schlachtgemälde in der Stoa Poikile in Athenai (Paus. 1,15,3) stellte u.a. auch den Heros M. dar. Der Grabhügel der gefallenen Athener (τύμβος, Paus. 1,32,3, h. Soros) liegt mitten in der Ebene, wo sich die Schlacht entschied (Hdt. 6,107ff. [10. 216 Abb. 270]). Er war 9 m hoch und trug Stelen mit den Namen der Gefallenen. Die Identifizierung des Grabhügels der Plataier bei Vrana ist umstritten [6]. Aus M. stammt der Philosoph → Boëthos [3].

→ Attika (mit Karte); Makaria; Marathonlauf; MARATHON; SCHLACHTORTE

1 S. ALBERSMEIER, Ägyptisierende Statuen aus M., in: M. MINAS (Hrsg.), Aspekte spätägypt. Kultur. FS E. Winter, 1994, 9–21 2 X. ARAPOGIANNI, Το ρωμαϊκό βαλανείο στην Βρεξίζα του Μαραθώνος, in: ArchE 132, 1993, 133–186 3 J. A. S. EVANS, Herodotus and the Battle of M., in: Historia 42, 1993, 279–307 4 H. LAUTER, Der Kultplatz auf dem Turkovuni, 1985 5 J. R. McCREDIE, Fortified Military Camps in Attica (Hesperia Suppl. 11), 1966 6 A. MERSCH, Arch. Komm. zu den »Gräbern der Athener und Plataier« in der Marathonia, in: Klio 77, 1995, 55–64 7 A. ONASOGLOU, Τα ιερά της τετραπόλεως του Μαραθώνα, in: Archaiología 39, 1991, 62–66 8 M. PANTELIDOU GOFA, Η νεολιθική Νέα Μάκρη. Η κεραμεική, 1995 9 D. THEOCHARIS, Ἀνασκαφὴ νεολιθικοῦ συνοικισμοῦ ἐν Νέᾳ Μάκρῃ (Ἀττικῆς), in: MDAI(A) 71, 1956, 1–29 10 TRAVLOS, Attika (mit Lit. bis 1982) 11 E. VANDERPOOL, A Monument to the Battle of M., in: Hesperia 35, 1966, 93–106.

B.CH. PETRAKOS, M., 1998 • TRAILL, Attica, 22, 53, 62, 67, 111 Nr. 87, Tab. 9 • WHITEHEAD, Index s. v. M. H.LO.

**Marathonlauf.** M. als agonistische Disziplin ist eine Erfindung der Neuzeit. Längere → Laufwettbewerbe als den → *dólichos* (max. 24 Stadien = ca. 4,6 km) kannte die Ant. nicht. So wie der *dólichos* urspr. im Kontext der Ausbildung von Meldeläufern (*hēmerodrómoi; dromokérykes*) stand, gehörte auch der M. letztlich zur (mil.) Nachrichtenübermittlung.

Die ant. Überl. zur Erzählung vom singulären M. nach der Perserschlacht (490 v. Chr.) ist dünn: Nach Plutarch (mor. 347c) lief ein athenischer Hoplit in Rüstung (→ *hoplítai*) vom Schlachtfeld bei → Marathon nach Athen, verkündete vor dem Prytaneion den Sieg und brach tot zusammen; den ›meisten‹ zufolge habe der Bote Eukle(ë)s geheißen, nur Herakleides Pontikos (d. Ä.) (fr. 156 WEHRLI) nenne einen Thersippos aus dem Demos Erchia. Bei Lukianos (Pro lapsu inter salutandum 3) tritt dagegen ein sterbender *hēmerodrómos* namens Philippides auf.

Die Entstehung der patriotischen Episode ist nicht vollends zu erhellen. Das Erzählmuster erscheint in Ursprungssagen lokaler Waffenläufe (Philostr. de gymnastica 7) und im Bericht über Euchidas von Plataiai, der nach der dortigen Schlacht (479 v. Chr.) nach Delphi und zurück lief (ca. 180 km) und starb (Plut. Aristeides 20,4–6). Gerade im Rahmen der Schlacht von Marathon sind Ausnahmeleistungen von Laufenden, wie der »Laufschritt« der Hopliten (Hdt. 6,112; 116), v. a. aber der Lauf des → Pheidippides mit einem Hilfegesuch nach Sparta *vor* dem Kampf (Hdt. 6,105f.) überliefert; die verbreitete Variante Philippides ist dann in den Passus des Lukianos eingeflossen.

Die Legende vom heroischen Läufer erwies sich als langlebig. Bei den Ersten Olympischen Spielen der Neuzeit (Athen 1896) wurde, angeregt durch den Altphilologen M. BRÉAL, ein M. auf dem ca. 40 km langen vermeintl. Originalkurs ins Programm aufgenommen. Erstmals lief man in London 1908 (4. Olympiade) eine Strecke von 42,195 km, die 1921 als offizielle Distanz für den mod. M. bestätigt wurde.

→ SPORT

W. DECKER, Sport in der griech. Ant., 1995, 73 • F. J. FROST, The Dubious Origins of the »Marathon«, in: AJAH 4, 1979, 159–163 • Y. KEMPEN, Krieger, Boten und Athleten, 1992, 96ff. • I. KERTÉSZ, Schlacht und »Lauf« bei Marathon, in: Nikephoros 4, 1991, 155–160 • P. SIEWERT, Die Namen der ant. Marathonläufer, in: Nikephoros 3, 1990, 121–126.

T.FR.

**Marathos,** h. ʿAmrīt; bed. Stadt im nördl. Phönizien südl. von → Arados [1], dem sie im J. 333/2 v. Chr. (Arr. an. 2,13,8; 14,1; 15,6; Curt. 4,1,6) wie auch 218 (Pol. 5,68,7) unterstand. Um die Mitte des 2. Jh. war M. unabhängig und konnte sich gegen die Aradier wehren (Diod. 33,5f.). Nach Strab. 16,2,12 war M. zerstört und sein Land an Siedler aus Arados aufgeteilt, doch muß die Stadt noch weiter existiert haben (Mela 1,67; Plin. nat. 5,78; 12,124; Ptol. 5,15,16; Dion. Per. 914). Grabungen von M. DUNAND erbrachten Reste (u. a. hell. Grabanlagen; ein Quell-Heiligtum) aus dem 6.–2. Jh. v. Chr.

R. DUSSAUD, Top. historique de la Syrie antique et medievale, 1927, 123 ff. • E. HONIGMANN, s. v. M. (2), RE 14, 1431–1435 • G. LEHMANN, Unt. zur späten Eisenzeit in Syrien und Libanon, 1996, 105 f. • TAVO B IV 9.1, 9.2, 1991. H.J.N.

**Marathus(s)a** (Μαραθοῦσσα, »Fenchelinsel«). Südlichste der Inseln vor → Klazomenai im SW des Golfs von Smyrna, h. Hekim bzw. Çiçek adaları. Geringe Reste. Belegstellen: Thuk. 8,31,3; Strab. 14,1,36; Plin. nat. 5,137; Steph. Byz. s. v. Μαράθουσα.

G. WINKLER, R. KÖNIG (Hrsg.), C. Plinius Secundus d. Ä., Naturkunde, B. 5, 1993, 262 f. (Komm.). H.KA.

**Marbod** s. Maroboduus

**Marcella**

**[1]** Röm. christl. Aristokratin, ca. 335–410/1, gründete als junge Witwe auf dem Aventin eine klösterl. Frauengemeinschaft, zog 383/385 → Hieronymus als Lehrer bei; er schrieb an sie die Briefe 23–29, 32, 34, 37, 38, 40–44, 46 (im Namen Paulas und Eustochiums), 59, 97 (an M. und Pammachius); wichtige röm. Partnerin in den origenischen Streitigkeiten (vgl. Hier. epist. 97, Rufin. apologia contra Hieronymum 2,20 f., Hier. apologia contra Rufinum). Ferner erwähnt ist sie in Hieronymus' Gal- und Eph-Komm., epist. 47,3; 48,4; 54,18; 65,2; 107,3, Jon-, Dan- und Ez-Komm. Nekrolog: Hier. epist. 127.
→ Frau (IV. Christentum); Mönchtum; Origenes; Paula; Rufinus

S. LETSCH-BRUNNER, M. Discipula et Magistra, 1998.

**[2]** Gattin des → Porphyrios. S.L.-B.

**Marcellianus.** Sohn des *praef. praet. Galliarum* → Maximinus [3], durch dessen Einfluß er um 373 n. Chr. zum *dux Valeriae* ernannt wurde. Er beförderte einen von → Valentinianus I. angeordneten Festungsbau auf dem Gebiet der → Quadi. 374 ließ er deren König Gabinius [II 5] heimtückisch ermorden (Amm. 29,6,3–5; bei Zos. 4,16,4 lautet sein Name Celestius). PLRE 1, 543 f. Nr. 2 und 190 (Celestius). W.P.

**Marcellina.** Schwester des Mailänder Bischofs → Ambrosius, lebte zusammen mit der verwitweten Mutter im elterlichen Gut in Rom, auch nach ihrer Jungfrauenweihe durch Papst → Liberius [1] (352–366) an einem 6. Januar. Ambrosius widmete M. seine Schrift *De Virginibus* (›Über die Jungfrauen‹; begonnen am 21.1.376); seine Briefe 20 (April 386), 22 (Juni 386) und 41 (Ende 388) sind an sie (und durch sie an die röm. Christen) adressiert. M. war wichtige Informantin für den Ambrosiusbiographen → Paulinus. M. starb bald nach Ambrosius († 397). Vermutl. ist sie identisch mit der von Hier. epist. 45,7 genannten M.

S. LETSCH-BRUNNER, Marcella. Discipula et Magistra, 1998, 58–63. S.L.-B.

**Marcellinus.** Siehe auch → Markellinos.

**[1]** Röm. Bischof seit 296 n. Chr., laut Liber Pontificalis 1,61 aus Rom gebürtig; nach Eus. HE 7,32 soll er während der Verfolgung unter → Diocletianus am 24.10.304 hingerichtet worden sein. Seine Haltung in der Verfolgungszeit ist jedoch umstritten. Sein Name fehlt im → Chronograph von 354 (MGH AA 9,1,70). Augustinus verteidigt M. gegenüber den → Donatisten, die ihn des Verrats bezichtigen (contra litteras Petiliani 2,92,102; de unico baptismo 16,27), nennt jedoch in seiner Bischofsliste (epist. 53,4) anstelle von M. den unbekannten Marcellus.

A. DI BERARDINO, s. v. M., Papst, LThK[3] 6, 1300 (Lit.) • M. CHRISTOL, s. v. Marcellin, Dictionnaire Historique de la Papauté, 1994, 1086 f. O.WER.

**[2] Antonius M.** 313 n. Chr. *praeses Lugdunensis primae* (Cod. Theod. 11,3,1); 340–342 *praefectus praetorio* des → Constans [1] (Cod. Theod. 6,22,3; 11,12,1) zunächst allein, dann mit Fabius Titianus (CIL III 12330); 341 *consul ordinarius*. PLRE 1, 548 f.,16; vgl. 1,545,5. B.BL.

**[3] M. Aurelius M.,** ritterlicher Abstammung, *vir perfectissimus*; ließ 265 n. Chr. die Stadtmauer von Verona erbauen (CIL V 3329 = ILS 544). Möglicherweise ist er identisch mit dem von Zosimos (1,60,1) erwähnten Statthalter Mesopotamiens und *rector Orientis*, den die Palmyrener zum Kaiser ausrufen wollten, der aber ablehnte. 275 war M. zusammen mit Kaiser → Aurelianus [3] *consul ordinarius* (CIL VI 10060; 30976; VIII 5515 = 18845; fraglich AE 1934,183).

A. STEIN, Der röm. Ritterstand, 1927, 244 • PIR[2] M 178 • PLRE I 544,1; 545,2; 549,17. T.F.

**[4]** Stieg zw. 340 und 350 n. Chr. während des Aufenthalts des → Constantius [2] II. in Antiocheia zum *praeses Phoenices* und zum *comes Orientis* auf. Er gehörte zur Kommission hoher Beamter, die 351 in Sirmium die Häresie des Photinus zu untersuchen hatten (Epiphanios, Haereses 71,1). PLRE 1, 545 f., 6 und 7.

**[5]** Als *comes rei privatae* des Constans [1] maßgeblich an der Erhebung des → Magnentius beteiligt (Zos. 2,42, 2–3). Von diesem wurde er zum → *magister officiorum* befördert und blieb sein wichtigster Berater (Zos. 2, 46,3; Iul. or. 2,57d–59b). Er wurde mit der Niederschlagung des Aufstands des → Nepotianus betraut und fiel wohl 351 n. Chr. in der Schlacht von Mursa. PLRE 1, 546, 8.

**[6]** Nach Petros Patrikios (FHG 4, 190 fr. 16) als *stratēlátēs*, d. h. *magister militum*, an einer Gesandtschaft des → Magnentius und des → Vetranio zu Constantius [2] II. beteiligt (350 n. Chr.). Vermutlich hat Petros die Amtsbezeichnung *magister* in seiner lat. Vorlage falsch verstanden, so daß Identität mit M. [5] anzunehmen ist (anders PLRE 1, 546, 9).

B. BLECKMANN, Constantina, Vetranio und Gallus Caesar, in: Chiron 24, 1994, 55. B.BL.

**[7]** 313 n. Chr. *praeses* der Prov. Lugdunensis I; 340/1 *praef. praet. Italiae*; 341 *consul ordinarius*; Großvater der hl. → Melania (d. Ä.). PLRE 1, 548 f., 16.
**[8]** 349/50 n. Chr. *comes rerum privatarum* des Kaisers → Constans [1]; zettelte die Verschwörung gegen diesen an und erhob am 18. Jan. 350 → Magnentius zum Kaiser, dessen *magister officiorum* er wurde. M. kämpfte anschließend gegen → Nepotianus, den er nach der Eroberung Roms am 30. Juni 350 hinrichten ließ. In der Schlacht bei Mursa (28. Sept. 351) verschwand M.; vermutlich wurde er getötet, sein Körper allerdings nie gefunden.

CLAUSS, 168–169 · PLRE 1, 546, 8.

**[9]** *Magister militum* des → Magnentius; Teilnehmer an einer gemeinsamen Gesandtschaft des Magnentius und → Vetranio an Constantius [2] II., der fast alle Teilnehmer gefangennehmen ließ. PLRE 1, 546, 9.
**[10]** Bruder und *comes* des Usurpators Magnus → Maximus [I 7]; während dessen Erhebung hielt er sich in It. auf und geriet in die Hände → Valentinianus' II., der ihn im Zusammenhang mit der zweiten Gesandtschaft des → Ambrosius freigab. M. verlor 388 n. Chr. als Feldherr seines Bruders die Feldschlacht bei Poetovio gegen → Theodosius I. PLRE 1, 547, 12.
**[11]** 405/06 n. Chr. *praeses* der Cyrenaica; von Synes. epist. 62 gerühmt wegen seiner Gerechtigkeit und weil er die Bevölkerung vor Übergriffen des Militärs schützte. K.G.-A.
**[12] Flavius M.,** *tribunus et notarius*. 410 n. Chr. wurde M. von Kaiser Honorius [3] zur Schlichtung des Donatistenstreits (→ Donatus [1]) nach Africa geschickt. Er leitete ein Religionsgespräch zwischen Katholiken und Donatisten. Letztere wurden am Ende erwartungsgemäß verurteilt und danach mit aller Härte bekämpft. Ein Appell der Donatisten an den Kaiser blieb ohne Erfolg. Er scheint in den Aufstand des → Heraclianus verwikkelt gewesen zu sein und wurde trotz Intervention des → Augustinus 413 von → Marinus [1] hingerichtet, später rehabilitiert. M. war getauft, persönlich fromm und hatte eine strenge Lebensführung. Er war auch theologisch interessiert: So korrespondierte er mit → Hieronymus (Hier. epist. 126 = Aug. epist. 165) und Augustinus (von M. epist. 136, an M. gerichtet epist. 128 f.; 133; 138 f.; 143). Mehrere Schriften des Augustinus, u. a. *De civitate Dei*, sind M. gewidmet. PLRE II 711 f.
**[13]** Vornehmer Römer, der 454 n. Chr. mit → Valentinianus III. brach und in Dalmatien eine nahezu selbständige Herrschaft errichtete. Er verzichtete auf die ihm wohl angetragene Kaiserwürde und kämpfte als *magister utriusque militiae*, später auch als *patricius* verschiedentlich für → Maiorianus und Anthemius (→ Anthemios [2]) erfolgreich v. a. gegen die Vandalen (→ Vandali); M. stand über lange Zeit im Einvernehmen mit Leo [4] I. 467 wurde er, evtl. auf Betreiben → Ricimers, ermordet. Paganer. PLRE II 708–710. H.L.
**[14] M. Comes.** *Cancellarius* Kaiser Iustinians I. Er verfaßte in Konstantinopel eine lat. Weltchronik, die Cassiodor in dem *De historicis christianis* betitelten Kap. (Cassiod. inst. 1,17) empfiehlt. M. C. setzte die → Hieronymus-Chronik bis 518 n. Chr. fort, wurde dann aber seinerseits von einem Anon. bis 548 erweitert. Deutlich ist die zunehmende Akzentuierung der Zeitgesch., die sich allg. in dieser Zeit innerhalb der lat. Chronistik durchzusetzen beginnt [1]. M. C. blieb von geringer Bed. Nur → Beda Venerabilis hat u. a. auf ihn für seine Weltchronik zurückgegriffen.

1 S. MUHLBERGER, The Fifth Century Chroniclers. Prosper, Hydatius and the Gallic Chronicler of 452 (= ARCA 27), 1990.

ED.: TH. MOMMSEN, Chronica minora saec. IV. V. VI. VII. (= MGH AA 11), Bd. 2, 37–109. U.E.

**Marcellus.** Deminutivum des röm. Vornamens Marcus, Cognomen in der Familie der Claudii (→ Claudius [I 7–15; II 42–44]); bekanntester Namensträger ist der Neffe des Augustus, C. Claudius [II 42] M. Griech. Namensträger → Markellos.

KAJANTO, Cognomina, 39, 173. K.-L.E.

**[1]** Ein M. wird in zwei Inschr. aus Africa als *proconsul* genannt: ILAlg 591 und [1. 304]. Da in ILAlg wohl C. Iulius [II 48] Cornutus Tertullus als Vorgänger (116/7? n. Chr.) erwähnt ist, gehört der Prokonsulat in die Zeit danach; möglicherweise ist der Senator mit M. → Vitorius M., *cos. suff.* 105, oder M. Asinius [II 10] M., *cos. ord.* 104, identisch. PIR² M 190.

1 J. REYNOLDS u. a. (ed.), The Inscriptions of Roman Tripolitania, 1952.

THOMASSON, Fasti Africani, 53 f.

**[2] M.** Er wurde von Vitellius, dem Legaten von Syrien, im J. 36 oder Anf. 37 n. Chr. nach Iudaea gesandt, um → Pontius Pilatus zu ersetzen. Da er bei Iosephos (ant. Iud. 18,89) als *epimelētḗs* (→ *epimelētai*) bezeichnet wird, ist nicht sicher, ob er rechtlich als *praefectus Iudaeae* anzusehen ist. Doch erfüllte er bis zur Ankunft des Marullus im J. 37 sicher diese Funktion. PIR² M 193. W.E.
**[3]** Stammte aus → Serdica, war 356/357 n. Chr. unter Constantius [2] II. *magister equitum per Gallias* und mit der Aufgabe betraut, den Caesar → Iulianus [11] zu überwachen. Als Iulianus in Sens von Franken eingeschlossen war, verweigerte er seine Hilfe. Constantius ersetzte ihn durch Severus. Daraufhin versuchte M. vergeblich, am Hof gegen Iulianus zu intrigieren (Amm. 16,4,3; 7,1–3; Zos. 3,2,2; Iul. epist. ad Athen. 278B). Sein Sohn beteiligte sich an einer Verschwörung gegen den Kaiser Iulianus und wurde hingerichtet (Amm. 22,11,2). PLRE 1, 550 f. Nr. 3.
**[4]** Verwandter des Usurpators → Prokopios und von diesem zum *protector* ernannt (365–366 n. Chr.). Er eroberte Kyzikos und beseitigte Serenianus, den *comes domesticorum* des → Valens. Nach dem Tod des Prokopios ließ er sich in Kalchedon zum Kaiser ausrufen, wurde jedoch bald vom *magister militum* Equitius [2] gefangen-

genommen und hingerichtet (Amm. 26,10,1–5; Zos. 4,6,4; 4,8,3–4). PLRE 1, 551 Nr. 5. W.P.

**[5]** Hochrangiger oström. Offizier; führte 530 n. Chr. unter → Belisarios die Kavallerie gegen die Perser und 533 eine Abteilung Föderaten gegen die Vandalen. Er blieb nach dem Sieg über diese in Afrika und wurde 536 *dux Numidiae* (PLRE 3B, 814 Nr. 2).

**[6]** Zunächst Richter, 541–552 n. Chr. *comes excubitorum* (Gardechef) in Konstantinopel. Er berief 540 auf Befehl → Iustinianus' [1] I. → Belisarios aus Italien zurück. 549 vereitelte er einen Anschlag auf den Kaiser und Belisarios (PLRE 3B, 814–816 Nr. 3).

**[7]** Oström. General, Sohn der → Vigilantia, der Schwester → Iustinianus' [1] I., Bruder → Iustinus' [4] II.; kämpfte seit 544 n. Chr. als *magister militum* im Perserkrieg, 562 gegen die Hunnen in Thrakien, wurde *patricius* 565 (PLRE 3B, 816f. Nr. 5). F.T.

**[8] M. Empiricus.** Verf. einer Schrift *De medicamentis*, der im Titel als → *magister officiorum Theodosii senioris* bezeichnet wird. M. E. soll in Burdigala (h. Bordeaux) gelebt haben und Christ gewesen sein, ohne daß sich diese Angaben nachprüfen ließen. Man setzt ihn mit dem M. aus Cod. Theod. 16,5,29 gleich, der 395 n. Chr. von Arcadius mit dem Kampf gegen die Heiden beauftragt wurde (vgl. auch 6,29,8), und mit dem M., der in der Suda (μ 203) erwähnt wird und Verwaltungsaufgaben im Orient wahrnahm. Die Bezeichnung *empiricus* stammt aus der Renaissance und verweist auf den Begriff *expertum* (»geprüft«), der sich auf die von M. erwähnten Medikamente bezieht. M. E. war kein Anhänger der Empirikerschule, und zwar umso weniger, als er kein Arzt gewesen zu sein scheint.

Die den Söhnen des M. E. gewidmete, nach 408 abgeschlossene Schrift *De medicamentis* wird im Vorwort als Kompilation präsentiert, die aus der Lektüre des Verf. hervorging und Bestand und Zusammensetzung der in jener Zeit eingesetzten Medikamente kodifizieren sollte. Die Rezepte werden »von Kopf bis Fuß« aufgelistet, mehr nach dem Prinzip der Akkumulation als der Selektion. Vorangestellt sind eine Abh. *De mensuris et ponderibus* (›Über Maße und Gewichte‹) und ein Corpus echter oder fiktiver Briefe von Ärzten.

Quellen: 1. die → *Medicina Plinii*, Ps.-Apuleius (*Herbarium* des sog. Apuleius Platonicus, 6. Jh. n. Chr.) und mehrere spätant. Werke, von denen man nicht weiß, ob sie direkt oder über vorangehende Kompilationen benutzt wurden; 2. die röm. Volksmedizin mit ihrem ganzen Arsenal, bes. der symbolischen Interpretation; sie hat dem Werk den Ruf einer Slg. von »abergläubischen« Vorstellungen eingebracht, die in den Kontext des Niedergangs der klass. Medizin gehöre.

Die Abh. war vielleicht schon Sextus → Placitus bekannt, auf jeden Fall aber → Theodorus Priscianus, und wurde in weiteren spätant. Werken als Quelle herangezogen. Textzeugen sind eine Hs. des 9. und zwei Hss. des 9./10. Jh., die *Editio princeps* wurde 1536 von Janus Cornarius herausgegeben.

E. Liechtenhan u. a., M., De medicamentis (ed. M. Niedermann), 2 Bde. (CML 5,1–2), ²1968 • M. Niedermann (ed.), M., De medicamentis liber, 1916, V-XXXV • C. Opsomer, R. Halleux, M. ou le mythe empirique, in: Ph. Mudry (ed.), Les écoles médicales à Rome, 1991, 159–178 • Schanz/Hosius 4,2, 1920, § 608, 2. A.TO./Ü: T.H.

## Marcia

**[1]** Vielleicht Tochter von Q. Marcius [I 16] Philippus (*cos.* 281 v. Chr.), Frau des M. Atilius [I 21] Regulus, Mutter zweier Söhne (Sil. 6,403–409; 576). Die Witwe soll sich an zwei Karthagern gerächt haben, die ihrem Mann Schutz versprochen hatten (Diod. 24,12; HRR I 144f. fr. 5).

**[2]** Nach Suet. Iul. 6,1 aus dem königlichen Geschlecht der Marcii Reges, Großmutter Caesars.

**[3]** Wahrscheinlich Tochter des Q. Marcius [I 21] Rex, Vestalin, wurde 114 v. Chr. mit → Aemilia [2] und → Licinia [4] wegen Inzest zum Tod verurteilt (Cass. Dio 26 fr. 87,1–5).

**[4]** Tochter des L. Marcius [I 14] Philippus (*cos.* 56 v. Chr.), Frau des M. → Porcius Cato Uticensis, der sie auf Bitten des Redners Hortensius [7] an diesen abtrat (App. civ. 2,99; Plut. Cato minor 25; zur Hochzeit zw. 55 und 52 v. Chr. vgl. [1. 201[34]]) und nach dessen Tod im J. 50 wieder heiratete (Plut. Cato minor 52,5f.; Lucan. 2,326–330; Strab. 11,9,1; vgl. Plut. Cato minor 52,7). Aus der Ehe stammen ein Sohn und zwei Töchter (Lucan. 2,331; App. civ. 2,99).

1 R. Fehrle, Cato Uticensis, 1983.

**[5]** Tochter des L. Marcius [I 15] Philippus (*cos. suff.* 38 v. Chr.) und der Atia [2] (der Schwester der Mutter des Augustus, Ov. Pont. 1,2,140; zur Person Ov. fast. 6,802–810). M. war seit ca. 15 v. Chr. Frau des Paullus Fabius [II 14] Maximus, dessen Tod sie durch Indiskretion (Bericht über den Besuch des Augustus bei Agrippa [2] Postumus auf Planasia an Livia) verschuldet haben soll (Tac. ann. 1,5,1f., nach [1. 336 [978]] unglaubwürdig). Die Kinder der beiden waren Paullus Fabius [II 16] Persicus und verm. Fabia [5] Numantina.

1 Vogel-Weidemann 2 PIR² M 257.

**[6]** Bewahrte die Bücher ihres Vaters A. → Cremutius Cordus (Cass. Dio 57,24,4; Sen. dial. 6,1,2), die verbrannt werden sollten (→ Zensur), heimlich auf und machte sie mit Zustimmung Caligulas der Öffentlichkeit zugänglich (Suet. Cal. 16,1; Sen. dial. 6,1,3). Aus der Ehe mit einem Metilius gingen zwei Söhne, die sie beide überlebte, und zwei Töchter, Metilia Marcia und Metilia Rufina, hervor. Zum Tod eines ihrer Söhne (38 n. Chr. oder nicht vor 47) richtete → Seneca d. J. eine Trostschrift an sie (Sen. dial. 6: *Ad Marciam de consolatione*). PIR² M 256, vgl. PIR² M 535.

**[7] M. Aurelia Ceionia Demetrias** (ILS 406), Tochter des M. Aurelius Sabinianus, Freigelassene ([Aur. Vict.] epit. Caes. 17,5). M. war erst *concubina* des M. Ummidius Quadratus, nach dessen Tod im J. 182 n. Chr. des

→ Commodus (Cass. Dio 72,4,6; SHA Comm. 8,6; 17,1; Herodian. 1,16,4), von dem sie, vielleicht selbst Christin (Cass. Dio 72,4,7), die Rückberufung verbannter Christen erreichte (Hippolytos, refutatio omnium haeresium 9,12,12). Von einem Aufstand gegen diesen unterrichtete ihn wohl M., nicht seine Schwester (bei Cass. Dio 72,13,5; anders Herodian. 1,13,1). Als Commodus M., ihren späteren Ehemann → Eklektos und Aemilius [II 6] Laetus beseitigen lassen wollte, betrieben sie erfolgreich seine Ermordung (Herodian. 1,16,4–17,11; 2,1,3; Cass. Dio 72,22,1 und 4; SHA Comm. 17,1f.). 193 ließ M. den eben zum Kaiser erhobenen → Didius [II 6] Iulianus umbringen (Cass. Dio 73,16,4; SHA Did. 6,2). PIR² M 261. ME.STR.

**[8]** M. lautete möglicherweise der Name der Frau des älteren M. Ulpius Traianus und Mutter des späteren Kaisers → Traianus. Sie könnte eine Schwester der M. [9] Furnilla, der zweiten Frau von Titus, gewesen sein. Ihr gehöriger Grundbesitz lag am Zusammenfluß von Tiber und Nar [1. 257–264; 2. 13; 308]. Ein Kolossalporträt, das offensichtlich auf dem Forum Traiani in Rom gefunden wurde, dürfte ihr zuzuweisen sein [3. 473–81].

1 E. Champlin, Figlinae Marcianae, in: Athenaeum 61, 1983 2 A. Birley, Hadrian, 1997 3 D. Boschung, W. Eck, Ein Bildnis der Mutter Traians?, in: AA 1998. W.E.

**[9] M. Furnilla.** Tochter des Q. Marcius [II 3] Barea Sura und der Antonia Furnilla (CIL VI 31766), zweite Frau des → Titus (seit 65 n. Chr.), der sie aber verstieß (Suet. Tit. 4,2). Aus der Ehe stammt eine Tochter Iulia.

E. Champlin, Figlinae Marcianae, in: Athenaeum 61, 1983, 257–263, bes. 260–263 • Kienast, ²1996, 112f. • PIR² M 265 • Raepsaet-Charlier, 525 • Vogel-Weidemann, 133 Anm. 738; 137; 431f.; 435.

**[10] M. Otacilia Severa Augusta** (zur Namensform vgl. [1]), Frau des Kaisers M. → Philippus Arabs, Mutter des M. → Iulius [II 107] Severus Philippus (AE 1944, 40; 54), seit 244 n. Chr. *Augusta, mater Caesaris, mater castrorum et senatus et patriae* (ILS 507; 513; AE 1954, 110, vgl. auch MAMA 8,331; IGR 1,695; 757; AE 1969/70, 496; 497; AE 1978, 721–723; ILS 509). M. hatte Münzrecht (CIL III 12270; Basis eines Ehrendenkmals: CIL VIII 20139). Eusebios erwähnt einen Brief des Origenes an das Ehepaar (Eus. HE 6,36,3). M. kam wohl mit ihrer Familie 249 um.

1 RIC, Bd. 4.3, 72–81 Nr. 30, 39, 43, 64, 109–111; 82–86; 92–95.

Kienast, ²1996, 200f. • PIR² M 266 • M. Wegner, Das röm. Herrscherbild, Bd. 3, 1979, 57ff. ME.STR.

**Marciana.** Ulpia M., geb. in der 2. H. des August (vgl. Feriale Duranum) ca. 50 n. Chr., Tochter des M. → Ulpius Traianus (*pater*), Schwester des Kaisers M. Ulpius → Traianus, verheiratet mit dem Senator C. Salonius → Matidius Patruinus, verwitwet um 78; lebte im Haus Traians mit der einzigen Tochter Salonia → Matidia [1]. Im J. 100 von Plinius (paneg. 84) gepriesen; seit etwa 102 zur *Augusta* erhoben; doch erst 112 setzten Emissionen entsprechender Mz. ein, auf deren Rückseite M.s Tochter Matidia als *Augustae filia* bezeichnet wird (RIC 2, 299). Die Städte Marcianopolis und Colonia Marciana Traiana → Thamugadi (Timgad) sind nach ihr benannt. M. starb am 29. Aug. 112, wurde konsekriert (→ *consecratio*) und erhielt am 3. Sept. ein *funus censorium* (s. Fast. Ostienses); Prägung von Konsekrationsmünzen für M. [4. 256f.]; später auch Konsekration ihres Vaters. Alle Ehrungen dienten der charismatischen Erhöhung von Traians ulpischer Familie und waren bedeutsam für die Anwartschaft Hadrians, des Ehemannes ihrer Enkelin Vibia → Sabina, auf die Nachfolge.

1 W. Eck, s. v. Ulpius (56a), RE Suppl. 15, 932–934 2 Kienast, 125f. 3 Raepsaet-Charlier, Nr. 824 4 H. Temporini, Die Frauen am Hofe Trajans, 1978, 184–261. H.T.-V.

## Marcianus

**[1]** s. Icelus

**[2]** Proconsul der Baetica etwa 22 n. Chr., dessen voller Name wohl M. Granius M. lautete (CIL IX 2335 = ILS 961 = AE 1990, 222). W.E.

**[3]** M. besiegte als General des → Gallienus ca. 262/3 n. Chr. mehrfach die Goten in Achaia und war 268 an der Verschwörung gegen den Kaiser bei Mediolanum beteiligt (Zos. 1,1,40,1f.; SHA Gall. 6,1; 13,10; 14,1; 14,7; 15,2; SHA Claud. 6,1; 18,1; AE 1965, 114 = 1975, 770c). PIR² M 204. T.F.

**[4]** Novatianer, konnte als Lehrer der Töchter des Kaisers Valens für seine Glaubensfreunde wirken; 384–395 n. Chr. Bischof der Novatianer in Konstantinopel (→ Novatianus). Sein Sohn Chrysanthos erhielt später gleichfalls das Bischofsamt. Die Identität mit dem bei Libanios (epist. 54) genannten M. ist fraglich. PLRE I 554.

**[5]** Gehörte zum Kreis um → Symmachus (an ihn gerichtet Symm. epist. 8,9; 23; 54; 58; 73); 384 n. Chr. *vicarius* im Westen, 393/4 angeblich nach einer Konversion zum »Heidentum« unter Eugenius [1] *proconsul Africae*; 409/410 unter Attalus [11] Stadtpräfekt von Rom. Unsicher, ob mit Iulius Agrius Tarrutenius M. auf CIL VI 1735 identisch. PLRE I 555f. H.L.

**[6]** Oström. Kaiser (450–457 n. Chr.), geb. ca. 392 als Sohn eines thrak. Soldaten, gest. in Konstantinopel am 27.1.457. Er begann seine Karriere im Kriegsdienst auf dem Balkan und kämpfte, wohl schon als *tribunus*, 421 gegen die Perser. Seit ca. 430 war er nacheinander *domesticus* (persönlicher Adjutant) der *magistri militum* (Vater und Sohn) Ardaburius d. Ä. und Aspar (→ Ardabur [1] und [2]). Im Vandalenkrieg 431–434 geriet er vorübergehend in die Gefangenschaft Geiserichs (→ Geisericus). Den Thron verdankte er Aspar und der frommen Augusta → Pulcheria, der älteren Schwester des Theodosius II., die mit ihm nach des Bruders Tod eine Josephsehe einging. So legitimiert, wurde er am 25.8. 450 durch Senat, Heer und Volk zum Kaiser ausgerufen.

Seine kühne Entscheidung, dem übermächtigen → Attila den bislang gezahlten Jahrestribut von ca. 150000 Goldsolidi zu verweigern und so den Fiskus erheblich zu entlasten, blieb ungeahndet, weil das Hunnenheer bis zum Tod des Tyrannen 453 seine Angriffe auf das westl. Reichsgebiet konzentrierte. Zur Sicherung der Grenzen organisierte M. kleinere mil. Unternehmungen in Äg. gegen die Blemmyer, in Syrien und Palaestina gegen die Araber und im östl. Schwarzmeerbereich gegen das Königreich der Lazen unter → Gobazes, das er der Klientel Ostroms unterstellte. Die Beziehungen zu Persien und zum Vandalenreich waren von friedlicher Diplomatie bestimmt. Die Ostgoten und Gepiden in Pannonien wurden als Föderaten dem Reich verpflichtet. Als 455 mit der Ermordung → Valentinianus' III. im westl. Reichsteil die theodosianische Dyn. erloschen war, verstand M. sich in deren Namen als Herrscher über das Gesamtreich und verweigerte den dynastisch nicht legitimierten Kaisern → Petronius Maximus und → Avitus [1] die Anerkennung, doch unternahm er nichts gegen den Vandaleneinfall in Italien 455.

M. war ein umsichtiger Finanzpolitiker. Dank der Einsparung des Hunnentributs konnte er die Senatsaristokratie von Steuerlasten aus der Zeit seines Vorgängers befreien. Gegen die Steuerhinterziehung der Großgrundbesitzer und die Korruption der Beamten, welche dem Staat und den Stadtgemeinden erheblichen Schaden zugefügt hatten, schritt er energisch ein und gebot den Consuln, das bisher bei ihrer Amtserhebung an das Volk verteilte Geld für die Sanierung der Wasserleitungen in Konstantinopel zu hinterlegen. Bei seinem Tod hinterließ er einen Staatsschatz von über 7 Millionen Goldsolidi.

Unter dem Einfluß der Pulcheria versuchte M., die kirchenpolit. Macht des monophysitischen (→ Monophysitismus) Patriarchen → Dioskoros [1] von Alexandreia zu brechen, der seit seiner Amtserhebung 444 erhebliche Unruhe im Reich gestiftet hatte. Er berief 451 ein Konzil nach Nikaia ein, das im Oktober des Jahres, nunmehr in → Kalchedon, eröffnet wurde und zu dem auch der anfangs widerstrebende Papst → Leo [3] I. Legaten entsandte. Am 25.10.451 wurde auf Betreiben des Kaiserpaares die von Papst Leo I. konzipierte Glaubensformel von den zwei Naturen Jesu Christi verabschiedet, was M. den Ruf eines Schützers der Orthodoxie einbrachte.

Aus seiner Zeit ist in Konstantinopel ein Säulenmonument erhalten, das laut Inschrift einst den Mittelpunkt eines Forums bildete. Eine erh. Kaiserstatue, der sog. »Koloß von Barletta«, stellt wahrscheinlich nicht M., sondern eher Leo [4] I. dar.

ODB 2, 1296f. • PLRE 2, 714f. Nr. 8 • F.A. Bauer, Stadt, Platz und Denkmal in der Spätantike, 1996, 213–216 (zur Säule und zum Forum des M. sowie zum Koloß von Barletta) • A. Demandt, Die Krise im Ostreich (450–518), in: HdbA III/6, 183f. • Stein, Spätröm.R. 1, 465–471, 495, 520–523.

**[7] M., Flavius**. Sohn des Kaisers → Anthemius [2] und der Aelia Marcia Euphemia, der Tochter des Kaisers M. [6], *consul* 469 und 472 n. Chr., *magister militum praesentalis* und *patricius* seit ca. 471–474. Er revoltierte gegen Kaiser → Zenon 475/76 als Anhänger des → Basiliskos, 479 erfolglos in eigener Sache (unter Berufung auf seine Ehe mit Leontia, einer Tochter → Leos [4] I., diesem – anders als ihre ältere Schwester Ariadne, die Gattin Zenons – geboren, als Leo bereits Kaiser war) und 484 nochmals mit → Illos und → Leontios (PLRE 2, 717f. Nr. 17).

**[8]** Sohn einer Schwester → Iustinianus' [1] I., oström. General unter → Iustinus [4] II.; sehr vermögend, 572 n. Chr. *patricius* und *magister militum per Orientem* im Krieg gegen die Perser, 573 auf kaiserlichen Befehl abberufen. PLRE 3B, 821–823 Nr. 7. F.T.

**[9]** s. Markianos

**Marcias.** Gote, Befehlshaber der Truppen im got. Teil Galliens, der 536/7 n. Chr. von → Vitigis aufgegeben wurde (Prok. BG 1,13,15–16; 29). M. wurde von dort zur Belagerung Roms gerufen (Prok. BG 1,19,12; PLRE 3B, 823f.) WE.LÜ.

**Marcina.** Etr. Stadt im *ager Picentinus* (vgl. Plin. nat. 3,70), später von Samnites bewohnt, 120 Stadien von Pompeii entfernt (Strab. 5,4,13); daher wohl mit Vietri sul Mare (Salerno) zu identifizieren (archa. Gräber).

B. D'Agostino, M.?, in: Dialoghi d'Archeologia 2, 1968, 139–151 • M. Frederiksen, Campania, 1984, 33.
G.U./Ü: H.D.

**Marcius.** Alter röm. Gentilname, abgeleitet vom Vornamen → Marcus. Die Überl. kennt einen patrizischen Zweig mit dem (myth.) König Ancus M. [I 3] und Cn. M. → Coriolanus als bedeutendsten Angehörigen. Die jüngeren Angehörigen der Familie (seit dem 3. Jh.) waren plebeisch, ohne daß die Verbindung zu den patrizischen Marcii deutlich ist. Bedeutende Familien waren die Rutili, dann die Censorini, Tremuli, Reges und Rallae. In der späten Republik berief sich die Familie auf ihre Herkunft von den Königen Ancus M. und Numa Pompilius (daher das Cogn. *Rex*, s. M. [I 5]; RRC 346; 425; Suet. Iul. 6,1; [4. 154]), vielleicht auch auf eine Verwandtschaft mit dem mythischen Italerkönig Marsyas (Solin. 1,7; Plin. nat. 3,108; [1. 113–119]).

1 F. Coarelli, Il Foro Romano. Periodo repubblicano ed augusteo, 1985 2 J. Reichmuth, Die lat. Gentilica, 1956, 94 3 Schulze, 188, 466 4 T.P. Wiseman, Legendary Genealogies in the Late Republic, in: G&R 21, 1974, 153–164.
K.-L.E.

I. Republikanische Zeit

**[I 1] Marcii,** nach röm. Überl. (Liv. 1,40f.; Dion. Hal. ant. 3,73; 4,4f.) die beiden Söhne des Königs Ancus → Marcius [I 3] und Urheber der Ermordung seines Nachfolgers → Tarquinius Priscus mit dem Ziel, die Thronfolge von Tarquinius' Vertrauten Servius → Tullius zu verhindern. Die Marcii fehlen in der etr. Trad. (→ Mastarna); dort wird der wahrscheinlich mit Tarquinius Priscus identische röm. Anführer *Cneve Tarchunies Rumach* (»Cn. Tarquinius von Rom«) in der Auseinandersetzung mit Mastarna alias Servius Tullius aus Vulci, seinem späteren Nachfolger als Herrscher von Rom, und anderen Vulcenern getötet. Das Auftauchen der Marcii in der röm. Überl. erklärt sich aus dem historiograph. Versuch, die Trad. einer auf Konsens gegründeten und intern geregelten Thronfolge in Roms Frühzeit mit dem gewaltsamen Tod des Tarquinius Priscus und der Sukzession des (nach röm. Überl. von einer Sklavin geborenen) Außenseiters Servius Tullius in Einklang zu bringen.

T. P. CORNELL, The Beginnings of Rome, 1995, 119–150 · R. THOMSEN, King Servius Tullius, 1980, 57–114. A.BEN.

**[I 2]** Angeblich ein oder mehrere Seher (→ *vates*), deren Weissagungen (*carmina Marciana*) 212 v.Chr. die Einrichtung der *ludi Apollinares* (→ *ludi*) veranlaßten (Cic. div. 1,89; 113; Liv. 25,12; Serv. Aen. 6,70). K.-L.E.

**[I 3] Ancus M.,** nach röm. Überl. vierter der sieben myth. Könige Roms und Enkel des → Numa Pompilius (Liv. 1,32,1; Cic. rep. 2,33). Die röm. Annalistik stellt ihn seinem Vorgänger Tullus → Hostilius [4] antipodisch gegenüber: Während letzterer durch nicht vorschriftsgemäßen Vollzug der von Numa aufgezeichneten Riten zu Tode kommt, umfaßt M.' Restauration der Sakralordnung Roms u.a. den Auftrag an den *pontifex*, die Bestimmungen Numas öffentl. zugänglich zu machen (Liv. 1,32,2). Ihm werden u.a. zugeschrieben (vgl. [2]): Erweiterung der röm. Bürgerschaft durch die im Krieg eroberten Latinergemeinden, deren Bewohner er auf dem Aventin und dem Palatin ansiedelt; territoriale Erweiterung Roms mit Gründung → Ostias; Einführung der rituellen Kriegserklärung durch die → *fetiales* [3].

1 D. BRIQUEL, Le règne d'Ancus M. Un problème de comparaison indo-européenne, in: MEFRA 107, 1995, 183–195 2 R.M. OGILVIE, A Commentary on Livy I-V, 1965, 125–145 3 J. RÜPKE, Domi militiae, 1990, 105–108. C.F.

**[I 4] M., Cn.** Nach Livius (6,1,6) klagte M. als *tr. pl.* 389 v.Chr. den Q. → Fabius [I 11] Ambustus an, da er 391 als Gesandter zu den Galliern völkerrechtswidrig mit diesen in einen Kampf geriet und so den gallischen Angriff im J. 390 (→ Allia) auf Rom mitverschuldete.

**[I 5] M., Numa.** Nach der legendären Überl. war M. der Vater des Königs Ancus M. [I 3], der aus M.' Verbindung mit Pompilia, der Tochter des → Numa Pompilius, entstammte. Mit diesem war M. schon durch seinen Vater M. (?) Marcius, den Stammvater der *gens Marcia*, verbunden, der nach Plutarch ein Verwandter und Vertrauter des Numa Pompilius (und nach dessen Tod ein Kandidat für die Königswürde) war. Zudem soll M. von Numa Pompilius zum *pontifex* und von Tullus → Hostilius [4] zum *praef. urbi* ernannt worden sein (Plut. Numa 5,4; 6,1; 21,4–6; Liv. 1,20,5; 32,1; Tac. ann. 6,11,1). C.MÜ.

**[I 6] M. Censorinus, C.** Anhänger des C. Marius [I 1]. 88 v.Chr. Münzmeister (RRC 346); ließ den Consul Cn. → Octavius ermorden (App. civ. 1,327f.); 82 von Cn. → Pompeius bei Sena Gallica geschlagen, wurde er nach der Schlacht an der Porta Collina von P. Cornelius [I 90] Sulla gefangen und getötet (App. civ. 1,401; 414; 433; Cic. Brut. 311; vgl. 237). K.-L.E.

**[I 7] M. Censorinus, L.** Ließ 160 v.Chr. als curulischer Aedil, wohl bei den *ludi Romani*, die *Hecyra* des → Terentius aufführen (Didascaliae ad Ter. Hec.), war spätestens 152 Praetor und erreichte 149 das Consulat (MRR 1,458). Im 3. → Punischen Krieg erhielt er das Flottenkommando, sein Kollege M'. Manilius [I 3] die Führung des Landheers (App. Lib. 349). Im Lager vor Utica war er an der perfiden Taktik beteiligt, die Karthager zunächst zu entwaffnen und dann zum Verlassen ihrer Stadt zu zwingen (im Detail abweichend App. Lib. 377 und Diod. 32,6,3). Als die Karthager verzweifelt ihre Stadt verteidigten, belagerte M. sie ohne durchschlagenden Erfolg von der Südseite; nach kleineren Flottenoperationen im Sommer (Zon. 9,27) kehrte er im Herbst nach Rom zurück, um die Wahlen abzuhalten (App. Lib. 468). 147 war M. Censor (MRR 1,463); Einzelheiten sind darüber nicht bekannt. M. war anscheinend aufgeschlossen für griech. Bildung, denn der Akademiker → Kleitomachos [1] widmete ihm eine seiner Schriften (Cic. ac. 2,102). W.K.

**[I 8] M. Censorinus, L.** Neffe von M. [I 6], suchte Caesar am 15.3.44 v.Chr. vergebens zu schützen (FGrH 90 F 130, p. 410). Als *praetor urbanus* von 43 folgte er M. Antonius [I 9] ins *bellum Mutinense* und wurde vom Senat geächtet (Cic. Phil. 11,36 u.ö.). M. kaufte das Stadthaus des proskribierten Cicero (Vell. 2,14,3) und war 42–40 Propraetor von Achaia und Macedonia (IG II/III[2] 4113). Sein Consulat (MRR 2,386; PIR[2] M 223) begann am 1.1.39 mit einem Triumph *ex Macedonia*. Wahrscheinlich ist M. 17 v.Chr. bei den *ludi saeculares* belegt (CIL VI 32323, Z. 44) und überlebte Antonius' Ende.

**[I 9] M. Coriolanus, Cn.** s. Coriolanus

**[I 10] M. Crispus, Q.** Legat von L. Calpurnius [I 19] Piso in Macedonia 57–55 v.Chr., Praetor ca. 54 (?) (MRR 3,138); befehligte 46 drei Kohorten Caesars bei Thapsus (Bell. Afr. 77,2). 45 erhielt M. als *procos.* Bithynia (Cic. Phil. 11,30), belagerte 44/43 Q. Caecilius [I 5] in Apameia und verlor 43 seine Armee an den Caesarmörder C. Cassius [I 10]. JÖ.F.

**[I 11] M. Figulus, C.** Kämpfte 169 v.Chr. als Praetor erfolglos zur See gegen → Perseus; *cos.* 162 mit P. Cornelius [I 83] Scipio Nasica Corculum; als die Wahl für ungültig erklärt wurde, dankten beide Consuln ab (MRR 1,441f.). 156 erneut Consul, kämpfte M. gegen die in Illyrien eingefallenen Dalmater (MRR 1,447). K.-L.E.

**[I 12] M. Figulus (Thermus?), C.** *Cos.* 64 v.Chr., evtl. identisch mit Minucius Thermus und ein M. durch Adoption (MRR 3,138). M. half Cicero 63 gegen → Catilina (Cic. Phil. 2,12). Zu seinem Grab Cic. leg. 2,62. Ein L. Figulus, wohl M.' Sohn, sammelte 43 eine

Flotte für L. Cornelius [I 29] Dolabella (App. civ. 4,60,258; vgl. Cic. fam. 12,13,3). JÖ.F.

**[I 13] M. Philippus, L.** Münzmeister 113 oder 112 v. Chr. (RRC 293), brachte ca. 104 als Volkstribun ein Agrargesetz ein, zog es aber aufgrund des Widerstands des Senats zurück (Cic. off. 2,73). Wohl nach Auslassen von Ämtern (Cic. off. 2,59) wurde M. spätestens 96 Praetor und nach zwei Wahlniederlagen 91 Consul mit Sex. Iulius [I 9] Caesar. Er war entschiedener Gegner der vom konservativen Teil des Senats unterstützten Reformgesetze des Volkstribunen M. Livius [I 7] Drusus (Cic. de orat. 1,24; 3,2) und konnte (auch durch sein Amt als Augur) nach dem Tod des Förderers des Drusus, L. Licinius [I 10] Crassus, die Aufhebung der Gesetze durchsetzen (Cic. leg. 2,31; Ascon. 61 C.). Diese Haltung wurde nach der Ermordung des Drusus durch den Ausbruch des → Bundesgenossenkrieges [3] bestärkt. Im anschließenden Bürgerkrieg zw. → Marius [I 1] und → Cornelius [I 90] Sulla arrangierte er sich wohl durch seine popularen Neigungen mit Marius und wurde 86 mit M. Perperna Censor. 86 verteidigte er den jungen Cn. → Pompeius, 82 trat er auf die Seite Sullas über und gewann für ihn Sardinien. Nach Sullas Tod war er der wichtigste röm. Politiker, bekämpfte 78 den Versuch der Abschaffung der sullanischen Verfassung durch M. Aemilius [I 11] Lepidus (Sall. hist. 1,77M) und beantragte ein außerordentliches Kommando für Pompeius zum Kampf gegen → Sertorius; wohl bald danach gestorben. Als bedeutender Stegreifredner (der deshalb nichts publizierte) war M. späterhin v.a. durch seine Wortwitze bekannt (Cic. Brut. 173). K.-L.E.

**[I 14] M. Philippus, L.** Geb. ca. 102 v. Chr., gest. nach 43, Sohn von M. [I 13], Stiefvater des Augustus und Schwiegervater des jüngeren M. → Porcius Cato. M. war 62 Praetor und verwaltete 61–60 Syria für → Pompeius; 58 heiratete er in zweiter Ehe Atia [1]. Wiewohl nun mit Caesar verwandt, zeigte M., ein Meister im Doppelspiel, als *cos.* 56 mitunter noch Distanz zu ihm (Cic. prov. 39; Cass. Dio 39,25,2); im Bürgerkrieg nahm M. trotz Mißtrauensgesten des Senats (Caes. civ. 1,6,5) nicht offen Partei, womöglich mit Caesars Zustimmung als »gutes Beispiel« für andere (Cic. Att. 10,4,10). Im Jahr 44 riet M., jetzt einer der *principes civitatis* (Cic. Phil. 8,28), seinem Stiefsohn öffentlich, die Erbschaft Caesars auszuschlagen, stützte Octavians (→ Augustus) Entschluß zur Annahme aber sofort durch Desinformation (Cic. Att. 15,12,2), Intrigen, sein großes Vermögen (vgl. Macr. Sat. 3,15,6), das Sammeln mächtiger Caesarianer und die Einführung des Erben etwa bei Cicero (Cic. Att. 14,12,2). Mit M. Antonius [I 9] brach M. betont spät, angeblich einem möglichen Consulat seines Sohnes M. [I 15] zuliebe (Cic. fam. 12,2,2); er zählte zu der Senatsgesandtschaft, der Anfang 43 die Versöhnung mit Antonius mißlang, und lud dadurch Ciceros Groll auf sich (Cic. Phil. 9,1; Cic. fam. 12,4,1). Im Sommer 43 zog M. sich aus der Politik zurück (Cic. epist. fr. 23B [15] SH.B.), nicht ohne als Octavians Lehrmeister in Durchtriebenheit einen langen Schatten zu werfen. Sein jüngerer Sohn ist vielleicht Q. M. L. f., *cos. suff.* 36 (AE 1991, 894 mit InscrIt 13,1,58 f.).

**[I 15] M. Philippus, L.** Sohn von M. [I 14] aus erster Ehe, ca. 80 – nach 33 v. Chr., vielleicht *IIIvir monetalis* ca. 56 (MRR 2,445). Als Volkstribun wirkte M. 49 vorsichtig procaesarisch (Caes. civ. 1,6,4), als Praetor widersprach er 44 M. Antonius' Plänen zur Provinzvergabe (Cic. Phil. 3,25). M. hielt fortan zu Octavian (→ Augustus), war 38 *cos. suff.* (InscrIt 13,1,342 f.) und 34–33 *procos.* in Spanien, triumphierte am 27.4.33 *ex Hispania* (InscrIt 13,1,282; 291) und errichtete aus der Beute die *porticus Philippi* (Tac. ann. 3,72; Ov. fast. 6,796; 801; [1. 146–148]). Verheiratet war M. mit seiner Stieftante Atia [2]. PIR² M 241a.

1 A. Vicogliosi, s. v. Porticus Philippi, LTUR 4, 1999. JÖ.F.

**[I 16] M. Philippus, Q.** Triumphierte als Consul 281 v. Chr. über die Etrusker (MRR 1,190) und stellte erstmals *proletarii* ins Heer ein. Censor 269; war 263 *magister equitum* des für die hundertjährige Nagelschlagung bestellten Dictators Cn. Fulvius [I 14] Maximus Centumalus (InscrIt 13,1,73). Er trug als erster bedeutender Vertreter seiner *gens* den Beinamen *Philippus*.

Münzer, 64. P.N.

**[I 17] M. Philippus, Q.** Wohl Enkel von M. [I 16], 188 v. Chr. Praetor (Sicilia), bereits 186 Consul mit Sp. Postumius Albinus. Beide untersuchten den berühmten Bacchanalienskandal (→ Bacchanal(ia)). M. erlitt dann in Ligurien im Gebiet der Apuaner eine schwere Niederlage (MRR 1,370). 183 wurde er – wohl aufgrund älterer familiärer Kontakte zum maked. Königshaus – Gesandter nach Makedonien und auf die Peloponnes. Seit 180 → *decemvir* [4] *sacris faciundis*, brachte er 174 feierliche Gelübde für das Erlöschen der Pest dar. 172 führte er eine Fünfergesandtschaft nach Griechenland und erreichte mit A. Atilius [I 24] Serranus durch einen (nur zum Schein ausgehandelten und deshalb in Rom umstrittenen) Waffenstillstand mit König → Perseus, daß Rom die Kriegsvorbereitungen gegen Makedonien abschließen konnte (Liv. 38,38–42). 169 wurde er *cos. II* und erhielt das Kommando gegen Perseus. Seine risikoreiche Offensive nach Süd-Makedonien (in Begleitung des Historikers → Polybios) brachte keinen Erfolg (Pol. 28,13; Liv. 44,1–9 u. ö.; Syll.³ 649; Weihung nach Delos: IDélos 3,1429 A 31 f.), so daß M. 168 durch M. Aemilius [I 32] Paullus abgelöst wurde. 164 mit diesem Censor.

→ Makedonische Kriege

Gruen, Rome, Index s. v. M. K.-L.E.

**[I 18] M. Philippus, Q.** *Procos.* von Cilicia 47 v. Chr. [1] und Empfänger von Cic. fam. 13,73 f. Seine Identität mit dem Begleiter des Cn. Pompeius Strabo im J. 89 ist ungewiß (MRR 3,139).

1 Syme, RP 1, 120–148. JÖ.F.

**[I 19] M. Ralla, M.** War *praetor urbanus* 214 v. Chr. Im J. 203 schützte er die ital. Küsten mit einer Flotte von vierzig Schiffen (Liv. 30,2,5). Kämpfte 202 unter Cornelius [I 71] Scipio in Africa und begleitete nach dem Sieg von Zama die karthagische Friedensgesandtschaft nach Rom (Liv. 30,38,4).

**[I 20] M. Ralla, Q.** Setzte als Volkstribun 194 v. Chr. die Ratifikation des Friedens mit Philippos V. von Makedonien durch (Liv. 33,25,6–7). 194 weihte er einen Tempel der Fortuna Primigenia auf dem Quirinal und 192 angeblich zwei, wahrscheinlich aber wohl nur einen Tempel des Iuppiter auf dem Capitol (MRR 1,346; 353).

**[I 21] M. Rex, Q.** Setzte als *praetor urbanus* 144 v. Chr. die Wasserleitungen Aqua Appia und Anio Vetus instand (Frontin. aqu. 1,7). Zudem erbaute er die → Aqua Marcia, die für ihre Wasserqualität bekannt war; ihre Ursprünge wurden dem myth. König Ancus → Marcius [I 3] zugeschrieben (Plin. nat. 31,41–42). Der Versuch, den Bau unter Berufung auf die Sibyllinischen Bücher zu hintertreiben, scheiterte (Liv. per. Oxyrhynchia 54). Als *propraetor* setzte er 143 seine Arbeit fort.

**[I 22] M. Rex, Q.** Consul 118 v. Chr. Den Tod seines einzigen Sohnes ertrug er mit großer Fassung und hielt noch am Tage des Begräbisses eine gesetzliche Senatssitzung ab (Val. Max. 5,10,3). Zog gegen die Stoener in Ligurien und triumphierte 117 über sie (MRR 1,527; 529). Später wohl angeklagt und von M. Antonius [I 7] erfolgreich verteidigt.

ALEXANDER, 33f. • MÜNZER, 386–389. P.N.

**[I 23] M. Rex, Q.** Ca. 114 – ca. 61 v. Chr., *praetor* 71, als *cos.* 68 die meiste Zeit ohne Kollegen im Amt (Cass. Dio 36,4,1), verheiratet mit Clodia [3]. Als *procos.* von Cilicia 67 lehnte M. Hilfe für L. Licinius [I 26] Lucullus gegen Mithradates VI. von Pontos ab und nahm seinen Schwager Clodius [I 4], der gegen Lucullus intrigiert hatte, auf. M., der vielleicht eine neue röm. Syrienpolitik einleiten sollte [1], wurde 66 vorzeitig durch → Pompeius abgelöst (→ Manilius [I 2]) und wartete jahrelang umsonst auf den erhofften Triumph. 63 setzte der Senat ihn gegen die Catilinarier um C. Manlius [I 1] ein (Sall. Catil. 32,3–34,1). Bald darauf starb M. (vgl. Cic. Att. 1,16,10 vom Mai 61).

1 G. DOWNEY, The Occupation of Syria by the Romans, in: TAPhA 82, 1951, 149–163.

**[I 24] M. Rufus.** Quaestor 49 v. Chr.; sicherte die Überfahrt des Heeres von C. Scribonius Curio nach Utica (Caes. civ. 2,23,5; 24,1) und suchte Reste der Armee vor dem Untergang zu retten (ebd. 2,43,1–4). JÖ.F.

**[I 25] M. Rutilus, C.** Stieg als erster der plebeiischen Marcii zum Consulat auf, das er 357, 352, 344 und 342 v. Chr. bekleidete (MRR 1,122, 125, 132–134). Als *cos. I* siegte und triumphierte er über → Privernum (Liv. 7,16,3–6; InscrIt 13,1,69), als *cos. II* war er möglicherweise Urheber einer bei Gaius (inst. 4,23) genannten *lex Marcia* über Zinswucher, als *cos. IV* soll er durch geschicktes Vorgehen einen Soldatenaufstand in Campanien verhindert haben (Liv. 7,38,8–39,7; Dion. Hal. ant. 15,3,10–12). M. war 356 der erste plebeische → Dictator (MRR 1,123) und errang einen großen Sieg gegen die Etrusker (Liv. 7,17,6–9; Eutr. 2,5,3), wofür ihm nach Livius (7,17,9; 10,37,10) ›ohne Genehmigung des Senats auf Geheiß des Volkes‹ (vgl. hierzu [1. 720f.]) ein – in der Forsch. umstrittener [2. 89, Anm. 96] – Triumph gewährt wurde. Ebenfalls als erster Plebeier bekleidete M. 351 zusammen mit Cn. Manlius [I 10] Capitolinus, seinem Kollegen im ersten Consulat, die Zensur (InscrIt 13,1,405).

1 S. P. OAKLEY, A Commentary on Livy Books VI-X, Bd. 1, 1997 2 HÖLKESKAMP.

**[I 26] M., Rutilus Censorinus, C.** Sohn von M. [I 25]. Als *tr. pl.* 311 v. Chr. brachte er mit seinem Kollegen L. Atilius [I 3] ein Gesetz durch, nach dem künftig nicht mehr 6, sondern 16 Kriegstribunen vom Volk gewählt werden sollten (Liv. 9,30,3 [1. 152]). Als *cos.* 310 (MRR 1,161f.) eroberte er → Allifae (Diod. 20,35,1f.; Liv. 9,38,1). Nach der Öffnung der großen Priesterkollegien für Plebeier im J. 300 (*lex Ogulnia*) wurde M. gleichzeitig Pontifex und Augur (Liv. 10,9,2) – ein deutliches Indiz für sein Ansehen, von dem auch seine zweimalige Bekleidung der Censur in den Jahren 294 und 265 zeugt, die ihm (und seinen Nachkommen) das Cogn. Censorinus eintrug (InscrIt 13,1,426f.; 432).

1 HÖLKESKAMP. C.MÜ.

**[I 27] M. Septimus, L.** Militärtribun 211 v. Chr., übernahm nach dem Tod der Brüder P. und Cn. Cornelius [I 68 und 77] Scipio in Spanien mit dem Legaten Ti. Fonteius [I 4] das Kommando über das führerlose Heer und übergab es an den *propraetor* C. Claudius [I 17] Nero (Liv. 25,37–39 mit maßloser Übertreibung der Verdienste des M.). 206 Unterfeldherr unter P. Cornelius [I 71] Scipio (Teilnahme an der Schlacht bei Ilipa; Abschluß eines Bündnisses mit Gades; Cic. Balb. 34). K.-L.E.

**[I 28] M., Tremulus, Q.** Consul 306 und 288 v. Chr. (MRR 1,165f., 185). In seinem ersten Consulat besiegte M. die Herniker, die unter der Führung von → Anagnia Rom den Krieg erklärt hatten, und errang zusammen mit seinem Kollegen P. Cornelius [I 5] Arvina einen bedeutenden Sieg über die Samniten. Er feierte einen Triumph über die Herniker und wurde zudem mit einem Reiterstandbild geehrt (Liv. 9,42,10–43,22; Diod. 20,80,1–4; InscrIt 13,1,69); zu M.' Reiterstandbild [1. 19, 57f.; 2. 57–60]).

1 G. LAHUSEN, Unt. zur Ehrenstatue in Rom. Lit. und epigraph. Zeugnisse, 1983 2 M. SEHLMEYER, Stadtröm. Ehrenstatuen der republikan. Zeit, 1999. C.MÜ.

II. KAISERZEIT

**[II 1] Q. M. Barea Soranus.** Senator. Verwandt mit Artorius Geminus. Suffektconsul 34 n. Chr., Proconsul in Africa von 41–43; Mitglied bei den → *quindecimviri* *sacris faciundis* und *fetialis* (→ *fetiales*); Vater von M. [II 2] und M. [II 3]. PIR² M 218 (mit Stemma).

VOGEL-WEIDEMANN, 135–138.

**[II 2] Q. M. Barea Soranus.** Sohn von M. [II 1]. Suffektconsul im J. 52 n. Chr. [1. 266]. Als designierter Consul stellte er den Antrag, den kaiserl. Freigelassenen → Pallas mit den *ornamenta praetoria* und 15 Mill. Sesterzen zu ehren (Tac. ann. 12,53). Proconsul von Asia, wohl 61/2. Im J. 66 im Senat angeklagt; er und seine Tochter Servilia wurden verurteilt; die Todesart wurde ihnen überlassen; zu den polit. Implikationen des Prozesses [2. 429–438]. PIR² B 55.

1 G. CAMODECA, L'archivio puteolano dei Sulpicii, 1992
2 VOGEL-WEIDEMANN.

**[II 3] Q. M. Barea Sura.** Sohn von M. [II 1], Bruder von M. [II 2]. Seine Tochter war Marcia [9] Furnilla; es bestand offensichtlich eine polit. Verbindung mit der Familie der Flavii. PIR² M 219.

**[II 4] L. M. Celer M. Calpurnius Longus** (PIR² M 221) s. → Calpurnius [II 10].

**[II 5] C. M. Censorinus.** Sohn des Consuls von 39 v. Chr. *Triumvir monetalis* um 18/7 v. Chr.; Legat in Asia wohl unter → Agrippa [1]; dabei erließ er ein Edikt über die Kultausübung der Juden (Ios. ant. Iud. 16,165). Suffektconsul 8 v. Chr. Proconsul von Asia 2/3 n. Chr., wo er noch im Amt starb. Er ist der letzte bekannte Senator, zu dessen Ehren Festspiele eingerichtet wurden (SEG 2, 549). Ein Sohn von ihm ist nicht bekannt, da CIL VI 877a sich nicht auf die Säkularspiele des Claudius bezieht (AE 1988, 20). PIR² M 222.

**[II 6] M. Claudius Agrippa.** M. soll als ehemaliger Sklave den Aufstieg in den Ritterstand geschafft haben. Wegen Vergehen als *advocatus fisci* auf eine Insel verbannt, wurde er von → Caracalla zurückberufen und mit den Aufgaben eines *a cognitionibus* und *ab* → *epistulis* betraut. Da er mil. Dienststellungen verkaufte, wurde er »zur Strafe« unter die Praetorier versetzt. An der Verschwörung gegen Caracalla beteiligt; deshalb von → Macrinus mit den *ornamenta consularia* beschenkt und zum Statthalter von Pannonia inferior, Dacia und Moesia inferior ernannt. Ob er die Statthalterschaften teilweise kumulierte, ist umstritten; in Moesia ist er durch Mz. bezeugt, alles andere beruht auf Cassius Dio (79,13,2–4) und der Historia Augusta (HA Carac. 6,7); bes. die Wertungen sind deshalb mit Skepsis zu betrachten.

D. BOTEVA, Legati Augusti pro praetore Moesiae Inferioris, in: ZPE 110, 1996, 246f. • ECK, Statthalter, 204f. • PISO, FDP 1, 1993, 182–86 • PIR² M 224.

**[II 7] Q. M. Dioga.** Ritter aus → Leptis Magna, der nach [1] seine Laufbahn unter Marcus [2] Aurelius begann, sodann über zahlreiche procuratorische Ämter bis zur Praefektur der *annonae* (s. → cura annonae II.) am Anf. der Herrschaft → Caracallas gelangte. Das letzte bekannte Amt ist die *praefectura vigilum* vor 215–217 n. Chr.; vgl. [2]. PIR² M 231.

1 M. CHRISTOL, Un fidèle de Caracalla: Q. M. Dioga, in: Cahiers du Centre G. Glotz 2, 1991, 165–188.

R. SABLAYROLLES, Libertinus miles, 1996.

**[II 8] M. Festus.** Nach InscrIt IV 1, 180 Ritter, [*a cubiculo* ?] *et a memoria* des Caracalla, der von Rat und Volk von → Tibur geehrt wurde. Aller Wahrscheinlichkeit nach ist er mit dem Festus identisch, der von Herodian (4,8,4f.) als Freigelassener → Caracallas bezeichnet wird; er habe den Kaiser nach dem Osten begleitet, doch sei er in Troia gestorben. Dort habe ihm Caracalla ein prächtiges Leichenbegängnis ausrichten lassen; Vorbild seien dabei die Leichenspiele des → Achilleus für Patroklos gewesen. Wenn die Identifizierung zutrifft, muß durch kaiserl. Gnadenakt rückwirkend eine Erhebung in den Status eines Freigeborenen (*restitutio natalium*) erfolgt sein. Festus kann dann auch nicht *libertus* des Kaisers gewesen sein; vielleicht war er Sklave der Marcia [7], der Konkubine des Commodus, gewesen. PIR² M 234.

**[II 9] M. M. Hortalus.** Senator, dessen Name bei Tacitus (ann. 2,37,1) als Marcus Hortalus überl. ist. Doch aufgrund von AE 1987, 163 lautet sein Name Marcius, nicht Hortensius, wie z. B. in PIR² H 210 verm. wurde. M. war Enkel des Redners Hortensius [7], der aber das *nomen gentile* der Großmutter führte, da auf diese Weise die Verwandtschaft mit Augustus betont werden konnte. Im J. 16 n. Chr. bat er im Senat Tiberius um finanzielle Unterstützung, die er auch schon von Augustus erhalten hatte; schließlich habe er auf dessen Aufforderung vier Söhne aufgezogen (vgl. → Hortensius [6]; Tac. ann. 2,37f.). Tiberius gewährte ihm, allerdings unter demütigenden Umständen, eine Geldsumme. Zu den Problemen der Genealogie ([1. 655–701; 2. 249f.; 3. 251–260] = AE 1991, 1568–1571; 1994, 1757–1759).

1 M. CORBIER, La descendance d'Hortensius et de Marcia, in: MEFRA 103, 1992 2 J. BRISCOE, The Grandson of Hortensius, in: ZPE 95, 1993 3 W. ECK, M. Hortalus, nobilis iuvenis und seine Söhne, in: ZPE 95, 1993.

**[II 10] M. Hortalus.** *Praetor peregrinus* im J. 25 n. Chr. (AE 1987, 163). Er könnte theoretisch mit dem gleichnamigen Senator M. [II 9] identisch sein (vgl. AE 1991, 1568ff.; 1994, 1757). Doch ist er eher einer von dessen vier Söhnen, die im J. 16 die Bitten des Vaters im Senat unterstützten [1. 251–260].

1 W. ECK, M. Hortalus, nobilis iuvenis und seine Söhne, in: ZPE 95, 1993.

**[II 11] M. [Hor]tensinus.** Proconsul von → Cyprus unter → Tiberius. In einer Statuendedikation für Tiberius verweist er auf seinen Vorfahren, den Redner Hortensius [7] (SEG 30, 1635 = AE 1991, 1568 = [1. 251–60]; vgl. AE 1994, 1759). Er war entweder ein Sohn oder Bruder von M. [II 9], sodann entweder Bruder oder Onkel von M. [II 10] (AE 1994, 1575–1759; PIR² H 206 ist überholt).

1 W. ECK, M. Hortalus, nobilis iuvenis und seine Söhne, in: ZPE 95, 1993.

**[II 12] Sex. M. Priscus.** Statthalter der Prov. → Lycia von Nero bis in die erste Zeit Vespasians [1. 65–75]. Suffektconsul mit Cn. Pinarius Aemilius Cicatricula im Dez. 71 oder 72 n. Chr. PIR² M 242.

1 W. ECK, Die Legaten von Lykien und Pamphylien unter Vespasian, in: ZPE 6, 1970. W. E.

**[II 13] M. Salutaris.** Ein hoher Staatsbeamter (*vir perfectissimus*, nach Iulius [IV 19] Romanus' Bezeichnung bei Char. p. 297,8 B), der in der Finanzverwaltung in Ägypten um die Mitte des 3. Jh. n. Chr. wirkte. Derselbe Iulius Romanus überl. zwei Vergilinterpretationen von M. (ebd. und p. 262,10 B.). Mehr als ein Vergilkomm. scheint sein Werk eine Grammatikkompilation für die Schule gewesen zu sein.

SCHANZ/HOSIUS, Bd. 3, 175 • A. STEIN, P. WESSNER, s. v. M. (99), RE 14, 1590f. P. G./Ü: TH. G.

**[II 14] Q. M. Turbo Fronto Publicius Severus.** Ritter aus → Epidaurum in Dalmatien (AE 1955, 225). M. begann als *centurio* bei der *legio II adiutrix* in Aquincum, wo er möglicherweise mit Hadrian bekannt wurde. *Praefectus vehiculorum* unter → Traianus; *tribunus equitum singularium*; *primus pilus*. Als *procurator ludi magni* begann er die procuratorische Laufbahn, wurde Praefekt der Flotte von Misenum, nahm am → Partherkrieg teil und wurde mit *dona militaria* geehrt. Traian ordnete ihn nach Äg. ab, um die aufständischen Juden in Alexandreia [1] zu bekämpfen; möglicherweise erhielt er dabei die Rangabzeichen eines *praefectus Aegypti*, nicht jedoch das Amt selbst. Dann bereits von Hadrian mit der Niederschlagung eines Aufstandes in Mauretanien beauftragt. Wohl noch 117 n. Chr., spätestens Anf. 118 erhielt er ein Sonderkommando in Pannonia inferior und Dacia [1. 21], möglicherweise bereits als *praef. praet.* ([2. 247ff.] = AE 1993, 1361); die verschiedenen Texte der Überl. sind schwer miteinander vereinbar ([3. 91f.] mit Lit.). Als Praetorianerpraefekt in → Sarmizegetusa und → Tibiscum (nach 128) geehrt, ebenso in Utica. M. war sehr eng mit Hadrian verbunden, der ihn möglicherweise ab 121 für lange Zeit als alleinigen *praef. praet.* im Amt ließ. Abgelöst wurde M. erst ca. 136/7, da er offensichtlich mit der »Opposition« gegen die Ernennung des Aelius Caesar (→ Ceionius [3]) verbunden war. PIR² M 249.

Möglicherweise seine Adoptivsöhne sind Flavius [II 29] und T. Flavius Priscus Gallonius Fronto Q. M. Turbo, der eine ritterliche Laufbahn bis zur Statthalterschaft von Mauretania Caesariensis absolvierte [4. 201f.; 5. 238ff.].

1 RMD I 2 W. ECK, in: K. DIETZ, D. HENNIG, H. KALETSCH (Hrsg.), Klass. Alt., Spätant. und frühes Christentum. FS A. Lippold, 1993 3 A. BIRLEY, Hadrian, 1997
4 THOMASSON, Fasti Africani 5 W. ECK, Zu Inschr. von Prokuratoren, in: ZPE 124, 1999, 228–241.

**[II 15] Q. M. Victor Felix Maximilianus.** Legionslegat unter Septimius Severus und Caracalla in Dacia; sein Sohn ist M. [II 16]. PIR² M 253.

**[II 16] P. M. Victor Maximillianus.** Sohn von M. [II 15]. Im → Album [2] von Canusium wohl als Praetorier genannt (CIL IX 338, Z. 29). Er dürfte mit dem M. Maximillianus identisch sein, der 240 n. Chr. consularer Legat von Pannonia superior war [1. 100ff.]; vielleicht auch ident. mit dem Proconsul von Asia [– –]us Maximillianus im J. 253/4 (IGR IV 1381 = TAM V 230). PIR² M 254 und 390.

1 W. ECK, M. M. ROXAN, Zwei Entlassungsurkunden – tabulae honestae missionis – für Soldaten der röm. Auxilien, in: Arch. Korrespondenzblatt 28, 1998. W. E.

**Marcodurum.** Ort im westl. Gebiet der → Ubii, evtl. h. Düren oder eher Merken bei Düren, wo *cohortes Ubiorum* beim Aufstand des Iulius [II 43] Civilis 69 n. Chr. vernichtet wurden (Tac. hist. 4,28,2).

A. FRANKE, s. v. M., RE 14, 1680f. • C. B. RÜGER, Germania Inferior, 1968, 82. RA. WI.

**Marcomagus.** Station (Itin. Anton. 373,2; Tab. Peut. 3,1) an der röm. Straße von Augusta [6] Treverorum nach Colonia Agrippinensis, h. Nettersheim-Marmagen, Kreis Euskirchen. Evtl. knüpft sie an einen im Urfttal südl. von Nettersheim gelegenen *vicus* an, der wohl in der 2. H. des 3. Jh. n. Chr. aufgelassen wurde (vgl. [1; 2]; CIL XVII 2, 554 von 350–353 n. Chr.).

1 A.-B. FOLLMANN-SCHULZ, Die röm. Tempelanlagen in der Prov. Germania inferior, in: ANRW II 18.1, 1986, 750–753 2 J. HAGEN, Römerstraßen der Rheinprov., ²1931, 124–131.

H. G. WACKERNAGEL, s. v. M. vicus, RE 14, 1609 • O. KLEEMANN, Zur älteren Gesch. des Dorfes Nettersheim in der Eifel, in: BJ 163, 1963, 212–220 • H. G. HORN, Nettersheim, in: Ders. (Hrsg.), Die Römer in Nordrhein-Westfalen, 1987, 571–575. RA. WI.

**Marcomanni.** Zu den → Suebi gehöriger german. Stamm (»Grenzleute« [26. 161f.]), der wohl durch die Wanderungen von → Cimbri und → Teutones von der mittleren Elbe in die obere und mittlere Mainregion abgedrängt wurde. Die M. stellten Söldner: ab 72 v. Chr. den → Sequani im Kampf gegen die Haedui, 60 v. Chr. den → Dakoi bei der Zerstörung des Reichs der → Boii in Böhmen, 58 dem → Ariovistus gegen Caesar (Caes. Gall. 1,51,2). Von Claudius [II 24] Drusus vermutlich 9 v. Chr. schwer geschlagen (Oros. 6,21,15; Flor. 2,30,23; vgl. Cass. Dio 55,1,2), wichen sie unter König Marbod (→ Maroboduus) nach Böhmen aus (Vell. 2,108,2), wo sie vielleicht die Reste der Boii besiegten (Tac. Germ. 42,1), und überließen ihr bisheriges Siedlungsgebiet den → Hermunduri (Cass. Dio 55,10a,2 [1. 314–316]); ein anderer Teil der M. wurde wohl in Flandern angesiedelt (Suet. Aug. 21,1; R. Gest. div. Aug. 32). Mit Marbods Großreich waren die → Lugii, → Semnones, → Langobardi u. a. verbündet.

›Da es in Germanien nichts mehr zu besiegen gab als den Stamm der M.‹ (Vell. 2,108,1), rückte Tiberius 6 n. Chr. von → Carnuntum evtl. über Mušov [2; 3] und

C. Sentius Saturninus von → Mogontiacum aus vielleicht über Marktbreit [1; 4] nach Böhmen vor. Wegen des pannonisch-dalmatischen Aufstands schloß Rom Frieden (Vell. 2,109,5; 110,1 f.; Tac. ann. 2,46; Cass. Dio 55,28). Marbods Neutralität im röm. Konflikt mit → Arminius führte 17 n. Chr. nach dem Abfall der Semnones und Langobardi (Tac. ann. 2,45,1; 46,3) zum unentschiedenen Kampf zw. Arminius und Marbod, aus welchem sich letzterer ›auf die Hügel‹ zurückzog. Kurz danach wurde Marbod durch → Catualda und dieser durch die Hermunduri vertrieben (Tac. ann. 2,62 f.), woraufhin → Drusus [II 1] d.J. die Gefolgschaften der beiden Führer zw. March und → Cusus (Waag?) ansiedelte (Tac. ann. 2,63,6 [5]) und ihnen den Quaden → Vannius als König gab (Tac. ann. 12,29,1). Das von Rom gestützte *Vannianum regnum* (Plin. nat. 4,81) erstreckte sich über die in Böhmen verbliebenen M. und die → Quadi in Mähren [6; 7; 8. 40–42; 9. 270–277]; die M. waren Rom zur Stellung von Hilfskontingenten verpflichtet (Cass. Dio 67,7,1; zur Frage der Klientelstaatlichkeit generell [10]). Nach 30 J. wurde Vannius durch die Lugii und die Hermunduri vertrieben, und seine Schwestersöhne → Vangio und → Sido teilten sich die Herrschaft (Tac. ann. 12,29,3–30,2), die sich die Römer mit Geld freundlich erhielten (Tac. Germ. 42,2; vgl. Tac. hist. 3,5,1; 21,2).

In den J. 89 und 92–93 kam es zu Waffengängen des Domitianus [1] mit M., → Quadi und → Iazyges, die den Römern herbe Niederlagen einbrachten; erst nach einem weiteren Einfall in Pannonia wurden die »Suebi« unter Nerva im J. 97 besiegt [11. 84 f.]. Doch auch in der Folgezeit blieb Pannonia Superior von Invasionen der nördl. Anrainer nicht verschont, so 118 und 136–140/4 [11. 87]. Von bes. Bed. war der Handelsaustausch der M. mit dem Reich [8. 41 f.; 12; 13; 14. 123 f.] bei gleichzeitiger intensiver röm. Einflußnahme [15; 16. 695 ff.]. Die von ca. 167 bis 182 (→ Burii) währenden drei Germanenkriege der röm. Kaiser Marcus [2] Aurelius und des Commodus ([17; 18] vgl. [11. 133–198]) brachten Rom in die Defensive, wobei die M. eine führende Rolle spielten (z.B. SHA Aur. 12,13; 13,1; 17,2; SHA Avid. 3,6; Eutr. 8,12,2). Doch Marcus Aurelius zwang die M. 173 und 174 zum Frieden [11. 158 ff.]. Erneuter Vertragsbruch führte abermals zum Krieg (177–180 n. Chr.; [19]) und zum Eid des Kaisers, M. und Quadi zur → *deditio* zu zwingen (Cass. Dio 72,18), evtl. mit der Absicht, eine Prov. Marcomannia zu errichten (SHA Aur. 27,10; vgl. die arch. Indizien [20; 21]). Als er starb, standen 20 000 röm. Soldaten im Land der M. und Quadi; Commodus beendete den Krieg auf der Grundlage des Friedens von 174/5 [22], was zum neuerlichen Waffengang mit den Buri(i) führte. Szenen der M.-Kriege sind auf der Marcus-Säule in Rom abgebildet [23; 24]. Gefangene M. wurden bei Ravenna angesiedelt, nach Unruhen aber in Prov., v.a. nach Gallien, gebracht (Cass. Dio 71,11,4 f.).

Septimius Severus, der in Carnuntum zum Kaiser ausgerufen wurde, suchte die ›im Norden den Römern unterworfenen Völker‹ mit Zusagen ruhig zu stellen (Herodian. 2,9,12). Caracalla hetzte M. gegen die → Vandali auf (Cass. Dio 77,20,3). Der Plan des Elagabalus, gegen die M. zu ziehen, wurde aufgegeben (SHA Heliog. 9,1 f.). Gemeinsam mit → Skythai verwüsteten M. 253 röm. Reichsgebiet (Zos. 1,29,2). Gallienus sah sich gezwungen, sie unter König Attalus in Pannonia Superior anzusiedeln (Epit. de Caes. 33,1). Diocletianus konnte im J. 299 die M. besiegen (Aur. Vict. 39,43; Fasti Hydatiani a. 299 MGH AA 9,1,230). Als Valentinianus I. 374/5 die Quadi bekämpfte, waren auch deren Nachbarn betroffen (Amm. 29,6,1). Noch E. des 4. Jh. unternahmen M. Einfälle ins Imperium (Claud. carm. 5,26 ff.), jedoch konnte 396 Bischof Ambrosius die M. über ihre bereits christl. Königin Fritigil zu einem Vertrag mit → Stilicho bewegen (Paulinus von Mailand, Vita Ambrosii 36). Die *Notitia* nennt einen *tribunus gentis Marcomannorum* (Not. dign. occ. 34,24), doch dienten M. als röm. Söldner auch in Italia (ebd. 5,198 f. = 7,38) und Afrika (Synesios von Kyrene, epist. 110, Epistolographi Graeci Hercher für das J. 405; PLRE 2 s. v. Chilas p. 284). 451 kämpften M. mit Attila auf den → Campi Catalauni (Paul. Diaconus, Historia Romana 14,2, MGH AA 2,201). Im 5. und 6. Jh. erfolgte eine zunehmende Entvölkerung Böhmens durch gruppenweise Abwanderung nach Süden (vgl. [25]). Wieweit M. bei der Ethnogenese der → Baiovarii beteiligt waren, ist ungewiß.

**1** M. Pietsch u. a., Das augusteische Truppenlager Marktbreit, in: BRGK 72, 1991, 263–324 **2** T. Kolník, Zu den ersten Römern und Germanen an der mittleren Donau, in: R. Asskamp, S. Berke (Red.), Die röm. Okkupation nördl. der Alpen z.Z. des Augustus, 1990, 71–84 **3** M. Bálek, O. Šedo, Das frühkaiserzeitl. Lager bei Mušov, in: Germania 74, 1996, 399–414 **4** F.X. Herrmann, Das Römerlager bei Marktbreit, in: Gymnasium 99, 1992, 546–564 **5** J. Tejral, Die älteste Phase der german. Besiedlung zw. Donau und March, in: Ausklang der Latène-Zivilsation und Anf. der german. Besiedlung im mittleren Donauraum, 1977, 307–342 **6** T. Kolník, Anf. der german. Besiedlung in der Südwestslowakei und das Regnum Vannianum, in: Ausklang ... (s. [5]), 1977, 143–171 **7** A. Leube, Das regnum Vannianum im Spiegel neuer Forschungsergebnisse, in: A. Scheel (Hrsg.), Rom und Germanien. FS W. Hartke, 1982, 52–55
**8** R. Wolters, Der Waren- und Dienstleistungsaustausch zw. dem Röm. Reich und dem Freien Germanien, in: MBAH 9/1, 1990, 14–44 **9** Ders., Röm. Eroberung und Herrschaftsorganisation in Gallien und Germanien, 1990 **10** P. Kehne, Die Eroberung Galliens ..., in: Germania 75, 1997, 265–284 **11** M. T. Schmid, Die röm. Außenpolitik des 2. Jh. n. Chr., 1997 **12** U.-B. Dittrich, Die Wirtschaftsstruktur der Quaden, Markomannen und Sarmaten im mittleren Donauraum und ihre Handelsbeziehungen mit Rom, in: MBAH 6/1, 1987, 9–30 **13** A. Stuppner, Terra Sigillata im nördl. Niederösterreich, in: MBAH 13/2, 1994, 70–94 **14** K. Tausend, Bemerkungen zum Wandaleneinfall des J. 271, in: Historia 48, 1999, 119–127 **15** T. Kolník, Q. Atilius Primus, in: Acta Archaeologica Academiae Scientiarum Hungaricae 30, 1978, 61–75 **16** K. Genser, Der österr. Donaulimes in der

Römerzeit, 1986 17 H. Friesinger u. a. (Hrsg.), Markomannenkriege, 1995 18 G. Dobesch, Aus der Vor- und Nachgesch. der Markomannenkriege, in: AAWW 131, 1994, 67–125 19 C. M. Hüssen, J. Raitár, Zur Frage arch. Zeugnisse der Markomannenkriege in der Slowakei, in: [17], 217–232 20 J. Tejral, New Contributions to the Research on Roman Military Disposition North of the Middle Danube, in: Eirene 30, 1994, 123–154 21 Ders. u. a., The Fortification of the Roman Military Station at Mušov near Mikulov, in: Archeologia (Warschau) 45, 1994, 57–68 22 M. Stahl, Zw. Abgrenzung und Integration, in: Chiron 19, 1989, 289–317 23 M. Jordan-Ruwe, Zur Rekonstruktion und Datier. der Marcussäule, in: Boreas 13, 1990, 53–69 24 H. Wolff, Welchen Zeitraum stellt der Bilderfries der Marcus-Säule dar?, in: Ostbair. Grenzmarken 32, 1990, 9–29 25 H. Castritius, Barbari – antiqui barbari. Zur Besiedlungsgesch. Südostnorikums und Südpannoniens in der Spätant., in: FMS 29, 1995, 72–85 26 Schönfeld.

TIR M 33,55–58 • U.-B. Dittrich, Die Beziehungen Roms zu den Sarmaten und Quaden im 4. Jh., 1984, 26–47.

K.DI.

**Marcomannus.** Verf. eines u. a. auf → Hermagoras [1] (von Temnos) basierenden Komm. zu Ciceros rhet. Schriften, aus dem → Marius [II 21] Victorinus, z. T. polemisierend, zit. [1. 173, Z. 25ff.; 299, Z. 13ff.], benutzt auch in den Rhetoriken des → Consultus Fortunatianus [1. p. 98,26f.] und → Sulpicius Victor [1. p. 339,2ff.; 340,14–341,28] und (nach Titel und Subskription) des → Iulius [IV 24] Victor, die z. T. noch in das 4. Jh. gehören. Da sich Victorinus mit M. als direktem Vorgänger auseinanderzusetzen scheint, empfiehlt sich eine Datier. auch des M. in das 4. Jh. n. Chr.; dazu paßt auch der german. Name.

1 C. Halm, Rhetores Latini Minores, 1863.

D. Matthes, Hermagoras, in: Lustrum 3, 1958, 78 Anm. 2; 122 Anm. 6 • P. L. Schmidt, in: HLL, Bd. 5, § 522.8.

P.L.S.

**Marcomer.** Fränk. *dux*, später *rex*, durchbrach 388 n. Chr. den Limes und vernichtete wohl das von → Quintinus geführte Strafexpeditionsheer. Er verhandelte 389 mit → Valentinianus II. und stellte Geiseln. 391/2 wich M. dem Angriff des → Arbogastes aus und schloß 392 mit Eugenius [1] ein → *foedus* (Greg. Tur. Franc. 2,9). Vermutl. 395 zu → Stilicho geflüchtet oder von ihm verhaftet, wurde er in Etrurien interniert (Claud. carm. 8; 18; 21). PLRE 1, 557. P.KE.

**Marculus.** Donatistischer (→ Donatus [1]) Bischof in Numidien, mit einer Delegation von Bischöfen in Vegesela (Numidien) von → Macarius mißhandelt. M. wurde gefangengenommen und – wahrscheinlich am 29. Nov. 347 n. Chr. – hingerichtet, gemäß der donatistischen Märtyrerakte [1] durch Hinabstoßen von einem hohen Felsen. Als Märtyrer in Nova Petra bestattet und von den Donatisten verehrt. Eine *memoria domni Marchuli* ist arch. nachgewiesen in Vegesela (Ksar el Kelb in Algerien).

1 J.-L. Maier, Le dossier du donatisme, Bd. 1: Des origines à la mort de Constance II (303–361), 1987, 275–291
2 A. Mandouze, Prosopographie chrétienne du Bas-Empire, Bd. 1: Afrique, 1982, 696f.

AL.SCHI.

**Marcus.** Eines der häufigsten röm. Praenomina, wohl auch im Umbrischen (Abkürzung *Ma.*) und gelegentlich im Etr. (*Marce*) gebraucht; Sigle: *M.*; griech. in republikanischer Zeit Μααρκος, später Μάρκος. Der Name ist vom Götternamen *Mars* (Gen. *Martis*) abgeleitet und wurde wohl gerne für im März Geborene verwendet. Zum Evangelisten → Markos.
→ Mamercus

Salomies, 37f.

H.R.

**[1]** Der Evangelist → Markos [1].

**[2] Marcus Aurelius.** Röm. Kaiser 161–180 n. Chr.
A. Unter Hadrian B. Unter Antoninus Pius
C. Gemeinsame Herrschaft mit Lucius Verus
D. Vom Tod des Verus bis zum Aufstand des Avidius Cassius E. Vom Aufstand des Avidius Cassius bis zu Marcus' Tod 180 n. Chr.
F. Verhältnis zu den Christen
G. Die ›Selbstbetrachtungen‹

A. Unter Hadrian

M. wurde in Rom am 26.4.121 als Sohn von Annius [II 16] Verus und Domitia [8] Lucilla geb.; sein urspr. Name war M. Annius Verus. Nach Galen (7,478) soll er zunächst auch den Namen seines mütterlichen Urgroßvaters Catilius Severus getragen haben. Nach dem frühen Tod des Vaters wurde M. vom gleichnamigen Urgroßvater, Annius [II 15], adoptiert; dieser, *cos. III* im J. 126 und *praef. urbi*, nahm unter Hadrian eine herausragende Stellung ein. So wurde auch Hadrian bald auf den jungen Senatorensohn aufmerksam; scherzhaft soll er ihn *Verissimus* genannt haben (Cass. Dio 69,21,1f.). Er stellte ihn in der Öffentlichkeit heraus durch Verleihung des *equus publicus* (→ *equites*; möglicherweise dies ein Mißverständnis des Autors von HA Aur. 4,1) und durch Aufnahme in die Priesterschaft der → Salii.

Nach dem Elementarunterricht wurde M. in die Grammatik sowie in die lat. und griech. Sprache und Lit. eingeführt. Diognetos, der ihn im Malen unterrichtete, lenkte ihn als erster zur Philos. hin. M. veränderte deshalb mit etwa zwölf J. auch seinen äußeren Lebensstil, den er sehr bescheiden gestaltete. Mit 14 J. erhielt er die *toga virilis*; wohl im J. 136 wurde er auf Veranlassung Hadrians mit Ceionia [1] Fabia, der Tochter von → Ceionius [3] Commodus, den der Kaiser noch im selben J. adoptierte, verlobt. Vermutlich gehörte die geplante Heirat zu Hadrians dynastischen Plänen. Als Hadrian nach Aelius Caesars (= Ceionius [3]) Tod im Februar 138 T. Aurelius → Antoninus [1] Pius adoptierte, hatte dieser auch M. und den Sohn des verstorbenen Aelius Caesar, Lucius → Verus, zu adoptieren; Antoninus war M.' Onkel mütterlicherseits.

B. Unter Antoninus Pius

Nach Hadrians Tod wurde die Verlobung aufgelöst und M. mit der Tochter seines Adoptivvaters Annia Galeria → Faustina [3], die zuvor mit Lucius Verus verlobt gewesen war, verbunden. Dies war eine klare Aussage, wer Pius' Erbe sein sollte. 139 wurde M. Quaestor, 140 zum ersten Mal Consul, 145 zum zweiten Mal. Ebenfalls 139 wurde er *princeps iuventutis* (→ *princeps*) und Mitglied in allen Priesterkollegien. 145 folgte die Verheiratung mit Faustina. Als im November 147 das erste Kind geboren wurde, erhielt M. am 1. Dez. die *tribunicia potestas*, vielleicht auch ein *imperium proconsulare*; Faustina erhielt das Cognomen *Augusta* (Fast. Ostienses zum J. 147).

Obwohl M. somit klar die Stellung unmittelbar nach Antoninus Pius einnahm, wurde seine Ausbildung fortgesetzt. Cornelius → Fronto [6], *cos. suff.* 143, und Claudius → Herodes [16] Atticus, *cos. ord.* 143, wurden seine Lehrer in lat. und griech. Rhetorik. Wichtig ist seine volle Hinwendung zur Philosophie, beeinflußt durch Iunius [II 28] Rusticus und → Epiktetos [2]. Einblick in seine rhet. und geistig-moralische Entwicklung gewinnt man v.a. durch den Briefwechsel mit Fronto, der auch viele Details des Familienlebens erkennen läßt (etwa M.' Verbundenheit mit seiner Mutter, die Sorge um die zahlreichen Kinder, von denen einige sehr jung starben). Das Verhältnis zu Pius muß herzlich und vertrauensvoll gewesen sein (M. Aur. 1,16).

C. Gemeinsame Herrschaft mit Lucius Verus

Antoninus Pius hatte M. offensichtlich als alleinigen Herrscher vorgesehen. Als er am 7.3.161 starb, folgte M. ihm in der Herrschaft. Sein Name lautete jetzt M. Aurelius Antoninus Augustus. Nur er übernahm das Cogn. Antoninus des Adoptivvaters, nicht auch Verus. Dennoch übertrug M. dem Lucius Verus sofort die *tribunicia potestas* und das *imperium proconsulare*, wie auch Hadrian in ihm den zukünftigen Augustus gesehen hatte. Nur *pontifex maximus* blieb M. allein; *pater patriae* wurde Verus nach der Rückkehr aus dem Osten 166. Auch verlobte M. seine älteste Tochter → Lucilla mit Verus. Formal gab es somit zwei Augusti; doch war M.' führende Stellung unbestritten. Diese wurde noch unterstrichen, als Faustina im August 161 zwei Söhne gebar, von denen → Commodus schließlich M.' Nachfolger wurde.

M.' Verhältnis zu den führenden senatorischen Familien und zum Senat als Ganzem war äußerst harmonisch, so daß es beim Beginn seiner Herrschaft keinerlei innere Probleme gab. Von Anfang an aber hatte er, der sich vor 161 nie in den Prov. und beim Heer aufgehalten hatte, sich in heftigen und langjährigen Kriegen mit Feinden außerhalb des Reiches auseinanderzusetzen. Noch unter Pius hatte es Spannungen mit den Parthern im Osten gegeben; 161 drangen diese in Armenien ein und vernichteten vermutlich die *legio IX Hispana* unter der Führung des Statthalters von Kappadokia, Sedatius Severianus. Das Expeditionscorps, das 162 im Osten gesammelt wurde, führte nominell Lucius Verus, tatsächlich jedoch erfahrene senatorische Kommandeure wie der Statthalter von Kappadokia, Statius Priscus, und Pontius Laelianus als *comes* des Verus; M. behielt aber auch für die Vorgänge im Osten die Oberleitung (Fronto epist. ad M. Antoninum 2,2,2). Nach Siegen seiner Generäle nahm Verus schnell die Siegesnamen Armeniacus, Medicus, Parthicus Maximus an, die M. nur zögernd und jeweils erst später seiner Titulatur anfügte. Obwohl Verus auch nach seiner Heirat mit Lucilla ein sehr freizügiges Leben führte, änderte M. an dessen offizieller Stellung nichts. Als im Osten eine Seuche ausbrach und an der Donaufront die Spannungen sich verstärkten, wurde Verus zurückgerufen. Am 12.10.166 feierte er zusammen mit M. einen Triumph über die Parther. M. übertrug ihm auch die Bezeichnung *pater patriae* und hob so die offiziell gleiche Stellung beider in der Herrschaft noch stärker heraus. Nach HA Verus 8,6–9,1 soll es allerdings zu Spannungen gekommen sein, da Verus den selbstverständlichen Vorrang des M. nicht mehr einfachhin anerkennen wollte.

Der Druck an der Donaufront war schon während des → Partherkrieges angestiegen. Gleichzeitig hatte die Seuche ganz Italien und Rom mit schweren Menschenverlusten erfaßt. Wohl um die Folgen zu lindern, setzte M. in It. *iuridici* (→ *iuridicus*) ein, die die freiwillige Gerichtsbarkeit, darunter auch die Tutorenbestellung für verwaiste Kinder, erleichtern sollten; unmittelbar vorher ernannte er dafür in Rom einen eigenen *praetor tutelaris* (ILS 1118).

Für den Kampf gegen die eingebrochenen Germanen, vielleicht aber schon als Vorbereitung zur Einrichtung neuer Prov. nördlich der Donau, ließ M. zwei Legionen, die *II* und *III Italica*, aufstellen. Nach Einbrüchen german. Völker in Dakien und Pannonien zog M. zusammen mit Verus nach dem Norden, wo eine eigene Verteidigungslinie, die *praetentura Italiae et Alpium*, aufgebaut wurde (ILS 8977). Im Winter 168/9 leitete M. von Aquileia [1] aus, wo die Seuche schwere Opfer forderte, das mil. Geschehen. Verus, der nach Rom zurück wollte, starb im Februar 169 während der Rückreise. Den Verstorbenen ließ M. divinisieren (→ Vergöttlichung).

D. Vom Tod des Verus bis zum Aufstand des Avidius Cassius

Nach weiteren Vorbereitungen kehrte M. nach dem Norden zurück, um die Germanen zurückzuschlagen. Eine erste Offensive schlug fehl, da die → Marcomanni und → Quadi die röm. Heere umgingen, u.a. Rätien plünderten, bis nach Oberitalien durchbrachen und Aquileia belagerten. Damals wurde nach Rätien und Noricum je eine Legion gelegt, um die Abwehr zu verstärken; die Folge war der Wechsel von einem ritterlichen Präsidialprocurator zu einem senator. *legatus Augusti pro praetore* als Statthalter. Einzelne Heeresgruppen befreiten die Provinzen von den eingedrungenen Germanen; der spätere Kaiser Pertinax und einer der Schwiegersöhne des M., Claudius [II 54] Pompeianus, waren dabei führend.

Gleichzeitig wurde jedoch der gesamte Balkan von den → Kostobokoi überrannt, die plündernd bis nach Griechenland vorstießen. M. verlegte zunächst sein Hauptquartier nach → Carnuntum, gegenüber den Gebieten der Markomannen und Quaden, 174 nach Sirmium, als er v.a. gegen die → Iazyges kämpfte. Dort war dann auch das polit.-administrative Zentrum des Reiches, wo u.a. wichtige Prozesse vor dem Kaisergericht stattfanden, z.B. der gegen Herodes Atticus. Sieg und Niederlage wechselten sich ab. Ab 172 drangen die Römer über die Donau ins Markomannenland vor. In Dakien aber wurde ein röm. Heer von den Quaden eingeschlossen und drohte zu verdursten; die Rettung durch ein »Regenwunder« reklamierten Pagane und Christen jeweils als Zeichen der Macht ihrer Religion. Seit 173 wurden die Germanen langsam zurückgedrängt, ein endgültiger Sieg schien möglich; doch der Aufstand des → Avidius [1] Cassius im Osten zwang M. zu einem überstürzten Frieden.

E. Vom Aufstand des Avidius Cassius bis zu Marcus' Tod 180 n. Chr.

Der Aufstand im April 175, wohl verursacht durch das falsche Gerücht von M.' Tod und einer Absprache zwischen Faustina und Avidius Cassius, wurde schnell niedergeworfen. Dennoch zog M. mit seinem Sohn Commodus, der *princeps iuventutis* wurde, und Faustina nach dem Osten; Faustina starb in Kleinasien. Ihren Sterbeort erhob M. zu einer Stadt: → Faustinupolis. Nach einem Besuch in Alexandreia [1] kehrte M. über Athen nach Rom zurück, wo er, zusammen mit Commodus, am 23. Dez. 176 einen Triumph über die Germanen feierte. Mitte 177 erhob er seinen Sohn zum Augustus, der damit zum Nachfolger bestimmt wurde, obwohl M. dessen Persönlichkeitsdefekte kannte. Doch das dynast. Denken war zu natürlich und selbstverständlich; die Idee der »Adoption des Besten« (s. → Adoptivkaiser) hatte dagegen keine reelle Chance.

Da die Donaugrenze nicht ruhig blieb, wurden die Feldzüge wieder aufgenommen. M. hielt sich in Viminacium bzw. Sirmium auf, wo er am 17.3.180 starb, nachdem er seinen Sohn seinen senator. Freunden und Heerführern anvertraut hatte. Durch den Senat wurde M. divinisiert, anschließend im → Mausoleum Hadriani beigesetzt. Für Cassius Dio (71,36,4), der in dieser Zeit bereits dem Senat angehörte, ging mit M. eine Epoche zu Ende; das ist jedenfalls sein Urteil im Rückblick auf M.' Tod und auf den Übergang der Herrschaft auf Commodus.

F. Verhältnis zu den Christen

In der späteren christl. Geschichtsschreibung galt M. nicht als Feind der Christen. M. hatte Kenntnis von dieser neuen Religion, doch schätzte er ihre Anhänger nicht einmal wegen ihrer Todesbereitschaft, da diese nicht überlegt und ernsthaft sei (M. Aur. 11,3). Ob M. spezielle Anweisungen gegen Christen erlassen hat, ist umstritten (vgl. Meliton von Sardeis bei Eus. HE 4,26,5f.). Doch könnten Bestimmungen des *SC de pretiis gladiatorum minuendis* (FIRA I² Nr. 49) gegen Christen verwendet worden sein. Dadurch wären vielleicht auch die Verfolgungsmaßnahmen in Lyon (Lugdunum) im J. 177 (oder später), in deren Verlauf auch M. mit einem Schreiben eingriff, zu erklären (Eus. HE 5,1; [1. 320ff.]; → Märtyrerliteratur). An M. war u.a. die Apologie des Meliton [3] von Sardeis gerichtet. Wohl im J. 178 wurde auch die Schrift des → Kelsos gegen die Christen publiziert, in der die feindselige Erregung der Gesellschaften des Reiches gegen die junge Rel. überdeutlich zu fassen ist, ebenso auch der Vorwurf der bürgerlichen Verantwortungslosigkeit. Dies könnte im Sinne von M. gewesen sein.

G. Die ›Selbstbetrachtungen‹

M.' Persönlichkeit war unter den röm. Kaisern außergewöhnlich. Von der Philos. der Stoa (→ Stoizismus; → Epiktetos [2]) war er zutiefst durchdrungen. Der Weg dorthin ist noch in dem Briefwechsel mit Fronto [6] erkennbar. Sein eigentlicher Lehrer in der Philos. wurde Iunius [II 28] Rusticus, der aufgrund seiner Familientradition von der stoischen Opposition gegen verschiedene Kaiser des 1. Jh. geprägt war. Die Stoa mit ihrer Ausrichtung auf Rationalität und Pflichterfüllung hatte sich in dieser Zeit in bes. Maß zu einer Philos. der praktischen Politik entwickelt, der sich M. verpflichtet fühlte. Sein Handeln gegenüber seinem Bruder Lucius Verus, der senator. Führungsschicht, aber auch den Städten des Reiches war davon geprägt, ohne daß er deshalb die traditionellen Regeln mißachtete. Die Verpflichtung zum rechten Handeln und die Möglichkeit der Verwirklichung desselben war die Grunderkenntnis, die ihn in allem leitete – trotz eines in seinen ›Selbstbetrachtungen‹ erkennbaren Pessimismus, der aber nicht zu einer Verachtung der Welt führte, sondern zur Erkenntnis der Unvollkommenheit, v.a. der eigenen. Das hinderte M. daran, äußere Dinge zu überschätzen; allein die »Tugend« (*aretḗ*) hatte unveränderlichen Wert.

Seine Reflexionen hat M. in seinen ohne Titel überl., in griech. Sprache verfaßten ›Selbstbetrachtungen‹ (*Eis heautón* in einer der Hss. ist nicht original), mod. in 12 B. eingeteilt, niedergelegt. Sie sind in knappem, sentenzenartigem Stil gehalten. Geschrieben hat er sie wohl weitgehend im höheren Alter, v.a. während der langdauernden Aufenthalte an der Donau ab 170. Mit Ausnahme von B. 1, das die Personen schildert, die ihn geprägt haben und mit denen er zusammenlebte, sind es Gedankensplitter stoischer Provenienz, über die richtigen moralischen Entscheidungen, über Pflichten gegenüber Göttern, dem Einzelnen und der Gemeinschaft. All dies wird in generalisierter Form geboten, so daß M.' Persönlichkeit zumeist nur indirekt greifbar wird. In Aussagen wie ›Hüte Dich, daß Du nicht verkaiserst‹ (6,30) wird jedoch deutlich, daß seine Aussagen einen Selbstbezug haben. PIR² A 697.

→ Epiktetos [2]; Partherkriege; Säulenmonumente (Marc-Aurel-Säule); Stoizismus; Stoizismus

1 J.H. Oliver, R.E.A. Palmer, Minutes of an Act of the Roman Senate, in: Hesperia 24, 1955.

G. Alföldy, Konsulat und Senatorenstand unter den Antoninen, 1977 • W. Ameling, Die Kinder des Marc Aurel und die Bildnistypen der Faustina Minor, in: ZPE 90, 1992, 147–166 • E. Asmis, The Stoicism of M. Aurelius, in: ANRW II 36.3, 1989, 2228–2252 • A. R. Birley, M. Aurelius. A Biography, [2]1987 • P. A. Brunt, M. Aurelius and the Christians, in: C. Deroux (Hrsg.), Stud. in Latin Literature and Roman History, Bd. 1, 1979, 483 ff. • E. Champlin, Fronto and Antonine Rome, 1980 • R. P. Duncan-Jones, The Impact of the Antonine Plague, in: Journal of Roman Archeology 9, 1996, 108–136 • R. Klein (Hrsg.), Marc Aurel, 1979 • F. Pirson, Style and Message on the Column of M. Aurelius, in: PBSR 64, 1996, 139–179 • K. Rosen, Die angebliche Samtherrschaft von Marc Aurel und Lucius Verus, in: Historia-Augusta-Colloquium, Colloquium Parisinum 1990, 1991, 271 ff. • Ders., Marc Aurel, 1997 • G. R. Stanton, M. Aurelius, Lucius Verus, and Commodus: 1962–1972, in: ANRW II 2, 1975, 478–549 • W. Szaivert, Die Münzprägung der Kaiser M. Aurelius, Lucius Verus und Commodus, 161–192, 1986.
Zu den Briefen M.': M. P. J. van den Hout, M. Cornelius Fronto, Epistulae, [2]1988.
Zu den ›Selbstbetrachtungen‹:
Ed.: J. Dalfen, [2]1987 • R. Michel, [2]1992 (griech.-dt.).
Lit.: P. A. Brunt, M. Aurelius and His Meditations, in: JRS 64, 1974, 1–20 • P. Hadot, La citadelle interieure. Introduction aux Pensées de Marc Aurele, 1992 (dt. 1997) • R. B. Rutherford, The Meditations of M. Aurelius: A Study, 1989 (dazu Rez.: P. A. Brunt, in: JRS 80, 1990, 218 f.). W. E.

**[3]** 406 n. Chr. von Soldaten in Britannien zum Kaiser gegen → Honorius [3] ausgerufen, 407 beseitigt. PLRE II 719 f.
**[4]** Sohn des Usurpators → Basiliskos und der → Zenonis. Als Kind 475 n. Chr. zum Caesar seines Vaters gemacht, bald auch zum Augustus ausgerufen. Nach der Rückkehr des Kaisers → Zenon 476 zusammen mit seinem Vater nach Kappadokien vertrieben und dort getötet. PLRE II 720. H. L.

**Marde** (Μάρδη, Μάρδις, lat. *Maride*). Festung am Südrand des → Izala-Gebirges (Ṭūr ʿAbdīn), h. Mardin. Abgesehen von einer zweifelhaften Gleichsetzung mit der altoriental. Siedlung Mardaman existieren keine Hinweise auf eine größere Bedeutung von M. vor der Spätant. Bei Amm. 19,9,4 ist M. eins der *castella praesidiaria* gegen die Perser. Unter Iustinianus (527–565 n. Chr.) wurde M. erneut befestigt (Prok. aed. 2,4,14) und war nach byz., syr. und und armen. Quellen weiterhin ein wichtiger Stützpunkt gegen die Perser.
→ Syrien

L. Dillemann, Haute Mésopotamie Orientale et pays adjacents, 1962, 214,216 • F. H. Weissbach, s. v. M., RE 14, 1648. K. KE.

**Marder.** Inwiefern die beiden Arten, der Haus- oder Stein-M. (Martes foina, mit weißem Kehlfleck) und der Baum-M. (M. martes, mit gelbem Kehlfleck), der Ant. bekannt waren, muß wegen fehlender Beschreibungen unsicher bleiben. Hom. Il. 10,335 und 458 κτιδέην κυνέην/*ktidéēn kynéēn* könnte mit »Helm aus M.-Fell« [1. 1,160] übers. werden. Vielleicht ist ἴκτις/*íktis* (Aristot. hist. an. 2,1,500b 24; wie bei Plin. nat. 29,60: *mustelarum genus silvestre*) ein → Wiesel. Aristoph. Ach. 880 erwähnt Felle der *íktis* auf dem Markt in Athen, Nik. Ther. 196 schildert sie als geflügelmordend, was für einen M. spricht. Aristot. hist. an. 8(9),6,612b 10–17 beschreibt offenbar einen Stein-M. ([2. 903; nach [1. 1,162] ein Honigwiesel, M. boccamela) von der Größe eines Zwergspitzes (→ Hund [1]), der allerdings nicht nur Vögeln nachstellt, sondern auch Honig liebt.
→ Frettchen; Iltis

1 Keller 2 A. Steier, s. v. Mustela, RE 16,903–908. C. HÜ.

**Mardion.** (Μαρδίων). Sklave oder Staatsmann Kleopatras VII. Er wird als Eunuch von Octavians Propaganda für die äg. Staatslenkung verantwortlich gemacht (PP VI 14615). W. A.

**Mardoi** (Μάρδοι). Vorderasiat. Stämme in Armenia (Ptol. 5,12,9), Media bzw. Hyrkania südl. des Kaspischen Meeres im h. Elburz-Gebirge/Nordiran (Strab. 11,13,3), hier Amardoi gen. (Strab. 11,6,1; 7,1; Plin. nat. 6,36; Steph. Byz. s. v. Ἀμαρδοί, s. v. M.), in Margiane (Strab. 11,8,8; Plin. nat. 6,47); auch einer der vier pers. Nomadenstämme (Hdt. 1,125,4) oberhalb der Elymaïs (Strab. 11,13,6; Plin. nat. 6,134; Arr. Ind. 40,6) im h. Anṣan. Pers. M. dienten im Achaimenidenheer (Hdt. 1,84,2; Aischyl. Pers. 994), armen. M. als Söldner des Orontas (Xen. an. 4,3,4). Die medischen M. wurden von Alexander d. Gr. (Arr. an. 3,24,1–3; 4,18,2) unterworfen. Die armen. M. unterwarf 176/171 → Phraates I. (Iustin. 41,5,9). M. erscheinen als Gegner der Römer im J. 68 (Plut. Lucullus 31,9) und 36 v. Chr. (Strab. 11,13,3), sowie 59/60 n. Chr. (Tac. ann. 14,23,3). Es ist wenig wahrscheinlich, daß alle M. urspr. miteinander verwandt, ihre verschiedenen Wohnsitze nur Ergebnis ihres Nomadentums waren.

A. B. Bosworth, A Historical Commentary on Arrian's History of Alexander, Bd. 1, 1980, 299, 351 ff. • R. N. Frye, The History of Ancient Iran, 1984, 89 f., 210 • O. Lendle, Komm. zu Xenophons Anabasis, 1995, 209 • J. Seibert, Die Eroberung des Perserreiches (Beih. TAVO Nr. 68), 1985, 107, 117 f., 141 • G. Wirth, O. von Hinüber, Arrian, griech.-dt., 1985, 879 f. H. KA.

**Mardonios** (Μαρδόνιος < altpers. *Marduniya*).
**[1]** Vornehmer Perser, Sohn des mit → Dareios [1] I. gegen Gaumāta verschworenen → Gobryas [3] (Gaubaruva; Hdt. 6,43,1 u.ö.) und einer Schwester des Dareios (Hdt. 7,5,1), Enkel des M. [3. DB IV 84], Gatte der Dareios-Tochter Artazostra (Hdt. 6,43,1; [2. PFa 5,1 f., 110, 118]) und Vater des Artontes (Hdt. 9,84,1). Im Auftrag des Großkönigs ordnete er als junger Mann (Hdt. 6,43,1) nach der Niederschlagung des → Ionischen Aufstandes 494 v. Chr. die polit. Verhältnisse in den ion.

Städten neu (Hdt. 6,43,3: δημοκρατίας κατίστα), unterwarf erneut Thrakien (Verwundung bei einem Überfall der Bryger: Hdt. 6,45,1) und Thasos und machte Makedonien zum zweiten Mal zum Vasallenstaat. Ein Großteil seiner Flotte scheiterte (bei der Rückfahrt) am Berg Athos (Hdt. 6,44,2–3). Als Vetter und Schwager des → Xerxes I. soll er großen Einfluß auf diesen ausgeübt (Hdt. 7,5,1; Ktesias FGrH 688 F 13) und aus eigensüchtigen Motiven zum Kampf gegen Griechenland geraten haben (Hdt. 7,6,1). Ursprünglich einer der sechs *stratēgoí* (Hdt. 7,82) auf dem Feldzug, übernahm er nach der Schlacht von Salamis (480) den Oberbefehl über die in Griechenland verbliebenen pers. Truppen (Hdt. 8,107,1), überwinterte in Thessalien, verhandelte vergeblich mit den Athenern, zerstörte ihre Stadt zum zweiten Mal (Hdt. 8,130–9,14; Plut. Aristides 10–19) und trat schließlich bei Plataiai (497 v. Chr.) zur Schlacht gegen die verbündeten Griechen unter Pausanias an (Hdt. 9,31–89), bei der er vom Spartaner Arimnestos getötet wurde (Hdt. 9,64,2; Plut. Aristides 19,1). M. soll auf einer Marmorsäule der sog. »Pers. Halle« in Sparta abgebildet gewesen sein (Paus. 3,11,3).
→ Perserkriege

1 Briant, s. v. 2 R. T. Hallock, Selected Fortification Texts, in: Cahiers de la Délégation archéologique française en Iran 8, 1978, 109–136 3 R. Kent, Old Persian, 1953.

J. W.

**[2]** Skythischer Eunuch, Lehrer der Basilina, der Mutter des Kaisers → Iulianus [11], ab 338 n. Chr. auch von diesem selbst. PLRE 1,558, 1.
**[3]** Eunuch, *primicerius sacri cubiculi* unter → Valens; 388 n. Chr. wohl *praepositus sacri cubiculi* unter → Arcadius; Adressat mehrerer Briefe des → Libanios; Besitzer des Gutes Kosilaukome nahe Chalkedon, wohin Valens das angebliche Haupt Johannes des Täufers bringen ließ. PLRE 1, 558, 2. K. G.-A.

**Marduk.** Der Stadt- und Hauptgott → Babylons war vor dem polit. Aufstieg der Stadt unter → Ḫammurapi (18. Jh. v. Chr.) nur ein Lokalgott von untergeordneter Bedeutung. Der Name »M.« (vielleicht besser: Maruduk) gehört wohl einer unbekannten mesopot. Substratsprache an, obgleich er von babylon. Gelehrten vor dem Hintergrund der sumer. Sprache als »Jungstier des Sonnengottes« gedeutet wurde. Schon früh wurde M. mit dem sumer. Gott der Heil- und Beschwörungskunst Asalluḫi gleichgesetzt und galt dann wie dieser als Sohn des Weisheitsgottes Enki/Ea. M.s urspr. Charakter läßt sich nicht mehr mit Sicherheit bestimmen. Sein Emblem, ein Spaten mit dreieckigem Blatt, mag als Hinweis darauf gelten, daß M. urspr. Züge eines Bewässerungs- und Vegetationsgottes hatte.

Mit dem Aufstieg Babylons vom Stadtstaat zur Hauptstadt des babylon. Reiches wurde M. zum obersten Gott Babyloniens und sein Tempel → Esagil, in dem das Kultbild des M. und das seiner Gattin Zarpanitum verehrt wurde, zum wichtigsten Heiligtum des Reiches. M. wurde nun mit dem in Nippur verehrten sumer. Götterkönig → Enlil gleichgesetzt. Diese in der mesopot. Religionsgesch. beispiellose Erhöhung eines Gottes fußt auf der theologischen »Erkenntnis«, daß M. von den Göttern der von Ḫammurapi unterworfenen Stadtstaaten zu ihrem Herrscher erkoren worden sei.

Die wichtigste Quelle für die M.-Theologie ist das Epos → *Enūma eliš*. Dieses schildert unter Verwendung alter Mytheme, die urspr. anderen Gottheiten zugeordnet waren, M. als Schöpfer der Welt, der die durch die Mächte des Chaos bedrohten Götter in einem heldenhaften Kampf gerettet, den Kosmos geordnet und den Menschen erschaffen hat. Die Kernaussage des *Enūma eliš* und anderer theologischer Texte ist, daß alle Göttlichkeit auf M. zurückgeht und alle Götter letztlich Erscheinungsformen des M. sind. Das im *Enūma eliš* geschilderte Ordnungswerk des M. war das Handlungsparadigma der babylon. Könige, die sich als Hüter der von M. geschaffenen Ordnung verstanden und daraus ihren Weltherrschaftsanspruch herleiteten. Im babylon. Neujahrsfest wurde die von M. geschaffene Weltordnung jährlich rituell erneuert. Der babylon. Henotheismus hat die assyr. und möglicherweise auch die jüd. Theologie stark beeinflußt. Im 1. Jt. v. Chr. wurde der Name M. zunehmend tabuisiert und durch den Ehrentitel *Bēl* (»Herr«) weitgehend ersetzt.
→ Akītu-Fest

W. Sommerfeld, Der Aufstieg M.s (AOAT 213), 1982 • Ders., s. v. M., RLA 7, 360–370 • W. G. Lambert, Studies in M., in: BSOAS 47, 1984, 1–9 • W. von Soden, Monotheistische Tendenzen und Traditionalismus im Kult in Babylonien im 1. Jt. v. Chr. (Studi e materiali di Storia delle Religioni 51), 1985, 5–19. S. M.

**Marduk-apla-iddin(a).**
Name zweier babylon. Könige.
**[1] M. I.** Drittletzter König der Dynastie der Kassiten (1171–1159 v. Chr.; → Kossaioi).
**[2] M. II.** (721–710 v. Chr. und 703) aus dem Chaldäer-Stamm (→ Chaldaioi) Bīt Jakīn; der Merodachbaladan des AT (bei Ptolemaios: Μαρδοκέμπαδος/*Mardokémpados*). Nachdem er als König des Meerlandes 729 dem Assyrer → Tiglatpilesar III. Tribut entrichtet hatte, gelang es ihm, sich im Zusammenhang mit den Wirren bei der Machtübernahme → Sargons II. als Führer einer antiassyr. Koalition 721 in Babylon als König zu etablieren und bis 710 zu halten. Nach mil. Niederlage mußte er sich zurückziehen, konnte aber 703 den von → Sanherib in Babylon eingesetzten Marduk-zākir-šumi beseitigen. Nach zweiter neunmonatiger Regierungszeit floh er in Folge einer erneuten Niederlage zunächst nach dem Süden Mesopotamiens. Von dort wurde er schließlich (700: Feldzug Sanheribs ins Meerland) nach → Elam vertrieben, wo er – wahrscheinlich vor 694 – verstarb. Die im AT überlieferte Botschaft an Hiskia von Juda (2 Kg 20,12–19; Jes 39,1 ff.) ist Teil seiner antiassyr. Aktivitäten. Einige Nachkommen waren später als Führer des antiassyr. Widerstandes in Babylonien aktiv. Einer

Keilschrifttafel zufolge legte er einen Garten mit exotischen Bäumen an.

J. A. BRINKMAN, s. v. M., RLA 7, 374 f. J. OE.

**Mardus** s. Gaumata

**Mare Germanicum** (Nordsee). Dieses Schelf-Meer, ein Randmeer des Atlantik (→ Okeanos), besitzt seine h. Gestalt seit dem Jura; im Westen ist es gegen den Atlantik durch die Meerenge von Dover, im NW durch die Linie der Orkney- und Shetland-Inseln, gegen die Ostsee (→ *mare Suebicum*) im Osten durch das Skagerrak abgeschlossen, wenige begrenzende Inselgruppen befinden sich in NW und SO.

Das *m.G.* hat h. eine Fläche von 0,58 Mio km², eine Wassermenge von 0,054 km³, die mittlere Tiefe liegt bei 94 m, die größte Tiefe 725 m bei Arendal in der Norwegischen Rinne. Es liegt im Bereich der Westwindtrift, weshalb im Winter häufig heftige Stürme auftreten; oft Nebel im Herbst. Das *m.G.* hat ein gemäßigtes, feuchtes Klima; mittlere Lufttemperaturen liegen im Winter bis 6°C im NW, bis 2°C im NO bzw. im Sommer um 17°C im SO und 14°C im Norden. Das *m.G.* hat über die Straße von Dover (35,5 km) und die 475 km breite Öffnung im NW einen intensiven Wasseraustausch mit dem Atlantik. Der Salzgehalt des Wassers liegt im Norden bis über 35 ‰, im Süden bei 32–24 ‰ (Einwirkung der Süßwasser führenden Flüsse). Die Gezeiten werden zum kleineren Teil direkt durch den Einfluß des Mondes, zum größeren Teil durch den Zufluß aus dem Atlantik verursacht, sie sind daher auch im Norden intensiver; der Tidenhub beträgt an der engl. Küste 3 bis 6 m (Springtidenhub bis 6,5 m), an der europ. Küste 2 bis 4 m (Springtidenhub bis 4 m), an der Nordküste von Jütland nur noch 0,5 m. Auflandige Stürme rufen Sturmfluten hervor, Gezeitenströme entlang der Küsten weisen Geschwindigkeiten bis zu 2,5 Seemeilen/Stunde, zw. Schottland und den Orkney-Inseln bis zu 10 Seemeilen/Stunde auf. Durch die Vertikalzirkulation und den intensiven Wasseraustausch mit dem Atlantik ist das *m.G.* bes. fischreich.

In der Ant. verlief die Küste vom Ärmelkanal bis nach Jütland näher an den Friesischen Inseln (Plin. nat. 4,97, u. a. *Burcana*, h. Borkum) geradlinig, unterbrochen durch die Lagunen des → Rhenus (Rhein), des lacus Flevo (Ijsselmeer, → Flevum), der → Amisia (Ems), der → Visurgis (Weser) und der → Albis (Elbe). Früheste Nachrichten vom *m.G.* finden sich im Bericht des → Pytheas von Massalia, der E. des 4. Jh. v. Chr. die britannische Ostküste, die norwegische Westküste und die germ. Nordküste abfuhr (Strab. 1,4,2; vgl. → Thule). Caesars Flotte landete 55 v. Chr. an der britannischen Küste des *m.G.* und wurde 54 vor der erneuten Landung in das *m.G.* hineingetrieben (Caes. Gall. 5,8,2). In mehreren Feldzügen (56 und 53 v. Chr.) gegen die german. → Menapii drang Caesar zu Land bis an die Rheinmündung vor (Caes. Gall. 3,28 f.; 6,5 f.). Die früheste Erwähnung des *m.G.* findet sich wohl mit *septentrionalis Oceanus* bei Plin. nat. 2,167, der auch schon den Namen *m.G.* kennt (nat. 4,103). Mit der britannischen und der linksrheinischen german. Küste war das Imperium Romanum bis ins 5. Jh. Anrainer des *m.G.*

G. DIETRICH, Allg. Meereskunde, 1965 • Westermann Lex. der Geogr. 3, 1970, 588–590, s. v. Nordsee • A. FRANKE, s. v. Nordsee, RE 17, 935–963 • A. R. LEWIS, Shipping and Commerce in Northern Europe A. D. 300–1100, 1958. E. O.

**Mare Nostrum** (μεγάλη θάλασσα/*megálē thálassa*, Mittelmeer). Infolge verschiedener, bis h. nicht zur Ruhe gekommener Erdbewegungen (Hebungen, Senkungen; Entstehung zahlreicher Inseln wie dem Archipel zw. Griechenland und Anatolien wie Zypern, Kreta, Sizilien, Sardinien, Korsika, den Balearen, noch h. tätige Vulkane, Erdbeben) nahm das *m.n.* im jüngeren Tertiär (Miozän, vor mehr als 7 bis 23 Mio J.) mit stets wechselnder Gestalt (Verbindungen zu verschiedenen Nachbarmeeren wie dem Atlantik, den Miozänmeeren im nördl. Alpenvorland bzw. Südasien) nach der Auffaltung des Süd-Appennin sowie schließlich der Bildung des Ägäis- und des Marmara-Beckens die uns vertraute Gestalt an mit seinen verschiedenen Teilbereichen – z. B. dem Tyrrhenischen Meer (→ *mare Tyrrhenum*), dem Pamphylischen Meer (→ *mare Pamphylium*) und Nebenmeeren wie dem Ionischen Meer (→ *Iónios kólpos*), der Ägäis (→ *Aigaíon pélagos*) samt → Ikarischem Meer (*Ikários póntos*) und → Myrtoischem Meer (*Myrtṓon pélagos*), dem Marmarameer (→ *Propontis*), dem Schwarzen Meer (→ *póntos eúxeinos*). Das *m.n.* liegt im eurasisch-afrikan. Bruchgürtel mit zahlreichen kesselartigen, von den Küsten steil abfallenden Becken, an nur wenigen Stellen breiten, seichten Schelf-Flächen (Golf von Lion und von Valencia, Kleine und Große Syrte, vor dem Nil-Delta mit jährlichem Wachstum von 33 m). Zur Küstengestalt in der Ant. und der Einwirkung der eustatischen Meeresspiegelschwankungen s. → Küstenverlaufsveränderungen.

Das *m.n.* hat h. eine Fläche von 2,97 Mio km², eine Wassermenge von 4,24 km³, die mittlere Tiefe liegt bei 1429 m, die größte Tiefe (westl. der Peloponnes) bei 5121 m. Man unterscheidet ein westl. und ein östl. Bekken (beiderseits der Linie Rā's aṭ-Ṭib/Tunesien – Capo Boeo/Sizilien – Punta di Faro/Nordausgang des Stretto di Messina).

Den klimatischen Bedingungen der griech.-röm. Ant. entsprechen bis ins 8. Jh. n. Chr. die h. im wesentlichen: milde, niederschlagsreiche Winter, heiße, trokkene Sommer (mittlere Lufttemperaturen im Winter bis 16 °C im Osten, bis 11 °C im Westen bzw. im Sommer 26 °C im Osten und 23 °C im Westen), die Niederschlagsmengen nehmen von Osten nach Westen zu. Das östl. Becken ist durch seine sehr beständige Wetterlage gekennzeichnet. Das westl. *m.n.* liegt in der Westwindtrift, weshalb im Golf von Lion und im *Iónios kólpos* im Winter schwere NW-Stürme auftreten. Während dieser Zeit war die Schiffahrt grundsätzlich bes.

problematisch; man sprach vom *mare clausum* (»verschlossene See«) und meinte nach dem theoretischen Ansatz bei Veg. mil. 4,39 die Zeit zw. dem 11. November und dem 10. März (vgl. [1]). Zw. Azoren-Hoch und Rußland-Tief herrschen nördl. Winde vor (sommerliche → Etesien, h. sog. Meltemia) in der Ägäis. An der Oberfläche liegt die Wassertemperatur meist über der Lufttemperatur. Der Salzgehalt des Wassers liegt bei 38/39 ‰. Die Gezeitenbewegung ist unerheblich (Springtidenhub von 0,5 m in der Kleinen Syrte und im *Iónios kólpos*). Gezeitenströme sind nur im Bereich einiger Meerengen (Euripos, Messina) nennenswert. Eine generelle Meeresströmung verläuft vor der Südküste nach Osten und vor der Nordküste nach Westen; sie wurde von der küstenparallelen Hochsee-Schiffahrt der Ant. durchaus genutzt. Ungünstig für die Fischerei waren die geringe Vertikalzirkulation (Nährstoffarmut) und der schwache Zustrom aus dem Atlantik.

Über die Entstehung des *m.n.* haben ant. Autoren sich verschiedentlich geäußert; man erklärte sich die Entstehung von Inseln, Meerengen, Buchten und den Untergang ganzer Landesteile durch die immer wieder zu beobachtenden Einwirkung von Flüssen, Strömungen, Erdbeben, Vulkanen und Unwetterkatastrophen; Hinweise auf frühere Meeresstände gaben Salzwasserseen, Landfunde von Seemuscheln sowie Felsabdrükke von Fischen und Meerespflanzen (Belege bei [2; 3]).

Eine geschlossene geogr. Behandlung des *m.n.* liegt nur in dem anon. *Stadiasmós ḗtoi períplus tē̂s megálēs thalássēs* (›Vermessung oder Umfahrung des großen Meeres‹, GGM 1,427–514) vor, einer gediegenen Beschreibung der Mittelmeerküsten aus hell. Zeit in byz. Bearbeitung. Dieser Stadiasmos läßt die bes. Intensität der Küsten-Schiffahrt auf dem *m.n.* erkennen; auch Hochsee-Schiffahrt wurde – etwa auf den Strecken Alexandreia – Puteoli oder Brundisium – Dyrrhachium – betrieben. Deshalb empfand man das Meer weniger als trennendes Element, sondern als Brücke zw. den Anrainerländern; so verlief die Demarkationslinie zw. den beiden großen Verwaltungseinheiten des röm. Reichs von Norden nach Süden durch Scodra, nicht etwa von Westen nach Osten, Italia und Africa galten verschiedentlich als eine Verwaltungseinheit. Die früheste Erwähnung des *m.n.* findet sich in der griech. Lit. als »das große Meer« (μεγάλη θάλασσα) bei Hekat. FGrH 1 F 26; infolge des erweiterten geogr. Kenntnisstandes in hell. Zeit als ἡ εἴσω θάλασσα/*hē eísō thálassa* bzw. ἡ ἐντὸς θ./*hē entós th.* (»das innere Meer«; Aristot. meteor. 354a 11), wovon sich *mare internum* bzw. *mare intestinum* (Plin. nat. 2,173 bzw. Flor. 2,13,293) abgeleitet hat. *m.n.* begegnet als Begriff röm. Herrschaftsdenkens erstmals bei Caes. Gall. 5,1,2, während *mare mediterraneum* eine ma. Wortbildung ist (vgl. Isid. orig. 13,6,1).

1 E. De Saint-Denis, Mare clausum, in: REL 25, 1947, 196–214 2 A. Forbiger, Hdb. der alten Geogr. 1, 1842, 644ff. 3 H. Berger, Gesch. der wiss. Erdkunde der Griechen, 1903, 284ff.

G. Dietrich, Allg. Meereskunde, 1965 • V. Burr, Nostrum Mare, 1932 • Westermann Lex. der Geogr. 3, 1970, 1000–1002, s.v. Mittelmeer • E. Olshausen, Einführung in die Histor. Geogr. der Alten Welt, 1991, 17, 156f. (Lit.) • J. Rougé, M.N., 1986. E.O.

**Mare Pamphylium.** Tief einschneidende Meeresbucht an der kleinasiat. Südküste am lyk., pamphyl. und kilik. Küstensaum zw. den Vorgebirgen Hiera Akra (h. Gelidonya Burun) und → Anemurion (vgl. Plin. nat. 5,96; 102; 129), h. Golf von Antalya. Gelegentlich wurde der Golf von Iskenderun (→ Alexandreia [3]) mit einbezogen (Dion. Per. 508 = GGM 2,135), oder das *m. P.* wurde sogar mit dem *Aigýption pélagos* (Αἰγύπτιον πέλαγος, App. prooim. 6f.) gleichgesetzt. Schiffswracks bei Ulu Burun und Gelidonya Burnu dokumentieren den auch in ant. Quellen überl. stürmischen Charakter des M.P. [1].

1 J. Nollé, Pamphyl. Stud. 1–5, in: Chiron 16, 1986, 209–212. W.MA.

**Mare Suebicum** (Ostsee). Flaches Nebenmeer des Atlantik bzw. der Nordsee (→ *mare Germanicum*); seit etwa 8000 v. Chr. war die Verbindung mit der Nordsee verschiedentlich unterbrochen. Teilbereiche sind das flache Kattegat und die flache Bælt-See, die eigentliche Ostsee mit verschiedenen Becken und Tiefen bis zu 50 m (westl. von Bornholm), 100 m (östl. von Bornholm), 249 m (östl. von Gotland), 459 m (östl. von Landort, maximale Tiefe des *m.S.*) und größeren Inseln (Fyn und Sjæland im Westen, Bornholm, Öland, Gotland, Åland, Saaremaa und Hirumaa), der Rigaische, Finnische und Bottnische Meerbusen; die mittlere Tiefe beträgt 55 m.

Das *m.S.* hat h. eine Fläche von 0,42 Mio km², eine Wassermenge von 0,023 km³. Es liegt im Bereich der Westwindtrift, ist nicht so stürmisch wie die Nordsee, dafür ist der Seegang oft kürzer und steiler (im westl. *m.S.* selten bis zu 3 m, im zentralen *m.S.* bis zu 5 m); im Herbst und Winter gibt es häufig sich nur langsam auflösende Nebel (Hindernis für die Seefahrt) in landnahen Gebieten, im Frühjahr auch auf der hohen See. Da mit der Nordsee durch den flachen und engen Bælt nur geringer Wasseraustausch stattfindet und etwa 250 Flüsse in das *m.S.* münden, liegt der Salzgehalt bei nur 6–8 ‰. Stürmische Wetterlagen wälzen das nicht sehr tiefe Meer von Grund auf um (starke Vertikalzirkulation, daher Fischreichtum). Die Oberflächentemperaturen liegen im Sommer an den Küsten bei 17/18°C, auf der offenen See bei 15/16°C, Teilmeere (Bottnischer und Finnischer Meerbusen) vereisen im Winter. Geringe Tidenhübe (im Kattegat nicht mehr als 0,5 m, weiter östl. nur wenige cm). Luftdruckschwankungen und windbedingter Wasserstau schaukeln die See bis zu 1 m Höhe auf, Sturmfluten bis über 3 m. Die Strömungsgeschwindigkeit zur Nordsee hin beträgt 2 bis 4 Seemeilen/Stunde.

Der Handel mit → Bernstein vom *m.S.*, der die Alte Welt durchweg zu Lande erreichte, hat den Römern erste Informationen über dieses Meer geliefert (Plin. nat. 37,45). Weitere Nachrichten vom *m.S.* erreichten Rom durch den späteren Kaiser Tiberius, der 5 n. Chr. mit einer Flotte ostwärts an Jütland vorbeifuhr (R. Gest. div. Aug. 26; Vell. 2,106; Plin. nat. 2,167). So konnte der Geograph → Philemon in seinem Periplus wie später Plinius d. Ä. (FHG 4,474 bzw. Plin. nat. 2,167; vgl. Tac. Germ. 45) ausführlicher vom *m.S.* berichten. Bei Tac. Germ. 45 begegnet das Meer erstmals als *m.S.*.

G. Dietrich, Allg. Meereskunde, 1965 · S. G. Segerstråle, The Baltic Sea, 1957 · Westermann Lex. der Geogr. 3, 1970, 710–712, s. v. Ostsee · O. Kunkel, s. v. Ostsee, RE 18, 1689–1854. E.O.

**Mare Tyrrhenum.** Das Tyrrhenische Meer, der westl. Teil des Mittelmeeres (→ Mare Nostrum), begrenzt durch die ital. Westküste, die sizilische Nordküste und durch Corsica und Sardinia. Der Name geht zurück auf die griech. Bezeichnung für die Etrusker (Τυρσανοί/ *Tyrsanoí*; Τυρσηνικὸν πέλαγος bei Thuk. 4,24). Die Römer sprachen vom *Tuscum mare* (Varro rust. 3,9,17; Cic. orat. 3,19,69; Liv. 5,33,8) oder, im Gegensatz zum *mare superum* (Adria), vom *mare inferum* (Cic. Att. 9,5,1). Vor der in den → Punischen Kriegen etablierten Herrschaft der Römer war das *m. T.* häufig Schauplatz von Auseinandersetzungen rivalisierender Handelsmächte (Etrusker, Griechen, Karthager; z. B. in der Seeschlacht bei Alalia/→ Aleria 545 v. Chr.: Hdt. 1,166). Bereits die Etrusker legten zahlreiche Häfen an der campanischen Küste an.

V. Burr, Nostrum Mare, 1932 · H. M. Denham, Das Tyrrhenische Meer, [4]1984 · M. Pallottino, Italien vor der Römerzeit, 1987. H.SO.

**Marea.** Ort westl. von Alexandreia [1], am Südufer des Mareotis-Sees in einem berühmten Weinbaugebiet gelegen (Strab. 17,799); äg. *mrt*, heute Kaum al-Idrīs, in den äg. Tempellisten zum 3. unteräg. Gau zählend, in röm. Zeit aber selbst Hauptstadt der Mareotis. M. ist zuerst bei Hdt. 2,18 bezeugt, demzufolge sich die Bewohner als Libyer fühlten. Von Beginn der 26. Dyn. bis in die Perserzeit lag in M. die Grenzgarnison gegen Libyen. Von hier ging der Aufstand des libyschen Fürsten → Inaros gegen Artaxerxes I. aus (463–454 v. Chr.; Thuk. 1,1104ff.; Diod. 11,71ff.). Bei M. fand nach Diod. 1,68 die Entscheidungsschlacht zwischen Apries und Amasis statt, aber das ist zweifelhaft (→ Momemphis). In frühchristl. Zeit galt die Gegend wegen beständiger Überfälle von Räubern und Beduinen als bes. gefährlich. In spätröm. Zeit ist auch eine rechtliche Sonderstellung der Mareoten gegenüber den Ägyptern bezeugt, unter Iustinianus I. (527–565) wurde die Gegend von Äg. abgetrennt und Libyen zugeteilt. Kurz nach der arab. Eroberung gehörte sie aber wieder zu Ägypten.

1 H. Kees, s. v. M. Mareotis, RE 14, 1676–1678 2 S. Timm, Das christl.-kopt. Äg. in arab. Zeit, Bd. 4, 1988, 1593–1603, s. v. Maryūṭ. K.J.-W.

**Mares**

**[1]** (Μᾶρες). Einer der fünf Volksstämme, die den 19. Steuerbezirk unter → Dareios [1] bildeten, wohl westl. von → Kolchis. Erwähnt nur von Hekataios (FGrH 1 F 205) und Hdt. 3,94,2; 7,79, wo sie zusammen mit den Moschoi, Tibarenoi, Makrones und Mossynoikoi als Leichtbewaffnete mit kleinen Lederschilden und Wurfspeeren beschrieben sind. I.V.B.

**[2]** (Μάρης). Stammvater der → Ausones. Weil seine kentaurenartige Gestalt zu fabelhaft scheint, wird er zum Erfinder des Reitens gemacht (Ail. var. 9,16). M. könnte auch gleich dem etr. Gott → Maris sein, der mit → Mars identifiziert wird.

Radke, 199. I.BAN.

**Marganeis** (Μαργανεῖς). Kleine Gemeinde westl. von → Olympia in der Ebene nördl. des Alpheios zw. den h. Dörfern Phloka und Strephi, als → *períoikoi* von Elis abhängig. Genaue Lage unbekannt. Im Krieg der Spartaner gegen Elis 401 v. Chr. auf spartan. Seite (Xen. hell. 3,2,25; Diod. 15,77,4, Μάργανα), im Frieden von 400 autonom (Xen. hell. 3,2,30), 294 in der Schlacht am Nemea-Bach wieder auf Seiten der Spartaner (Xen. hell. 4,2,16), aber von Elis beansprucht (Xen. hell. 6,5,2). Zuletzt 364 v. Chr. als Verbündete der Arkades bei der Besetzung von Olympia erwähnt (Xen. hell. 7,4,14). Sonstige Erwähnungen bei Steph. Byz. s. v. Μάργανα und Strab. 8,3,24 (Μαργάλαι, Μαργάλα). Y.L.

**Margarita** s. Perle

**Margiana** (Μαργιανή < altpers. *Marguš* > neupers. *Marv*). Vom Murġāb durchflossene fruchtbare ostiran. Landschaft (Ptol. 6,10,1; Plin. nat. 6,16; Strab. 2,1,14; 11,10,1; im Avesta wird M. den schönsten von → Ahura Mazdā geschaffenen Ländern zugerechnet) im h. Turkmenistan. Ptol. 6,10 bezeichnet die Derbikkai, Massagetai, Parnoi (→ Parner), → Daai und Topuroi als Bewohner von M. und nennt auch einzelne Städte, unter denen das von → Antiochos [2] I. (neu)gegründete Antiocheia [7] Margiane (Giaur-Qalʿa mit der urspr. achäm. Zitadelle und späteren parth. Befestigungen 30 km östl. des h. Marv/→ Merw) die bedeutendste war. Der von dem Margianer Frāda gegen Dareios [1] I. geführte Aufstand wurde am 28.12.521 v. Chr. von dessen baktrischem Satrapen Dādaršiš blutig niedergeschlagen [1. DB III 12–19]. Nach M., deren administrative Zuordnung in achäm. Zeit unsicher bleibt und die wohl unter Mithradates I. parth. wurde, soll Orodes II. nach der Schlacht bei Karrhai (53 v. Chr.; → Ḥarran) 10000 röm. Kriegsgefangene deportiert haben (Plin. nat. 6,16).

1 R. Kent, Old Persian, 1953 2 R. Schmitt, s. v. M., RLA 7, 380–381 3 Ausgrabungsberichte in der Zeitschrift Iran seit 1963. J.W.

**Margidunum.** An der großen Römerstraße des *Fosse Way* zw. Lincoln und Leicester lagen verschiedene röm. Siedlungen; eine der größten war M., nahe East Bridgeford, Nottinghamshire. Urspr. röm. Kastell (spätclaudische/frühneronische Zeit), aufgegeben um 70 n. Chr. [1; 2]. M. dürfte als mil. Nachschubbasis gedient haben, denn das lokale Eisenerz wurde intensiv verhüttet. Nach dem Ende der mil. Besetzung ging die zivile Besiedlung beiderseits des *Fosse Way* weiter, möglicherweise in Verbindung mit einer → *mansio* (oder *mutatio*). Wohn- und andere Bauten waren bescheiden. Das Siedlungszentrum wurde im späten 2. Jh. mit Erdbefestigungen versehen, Mitte/Ende des 3. Jh. wurde ein Steinwall hinzugefügt [3]. Die Besiedlung dauerte bis ins frühe 5. Jh. an und endete dann abrupt; keine Nachfolgesiedlung.
→ Britannia (mit Karten)

1 F. Oswald, The Commandant's House at M., 1948
2 Ders., Excavation of a Traverse at M., 1952 3 M. Todd, The Roman Settlement at M., in: Transactions of the Thoroton Society 73, 1969.

M. Todd, The Coritani, ²1991. M. TO./Ü: I. S.

**Margites** (Μαργίτης < μάργος/*márgos*, »verrückt«). Griech. Scherzgedicht, zuerst von Aristoteles (Poet. 1448b 30ff.; Eth. Nic. 1141a 14) aus Gründen literarhistor. Konstruktion dem → Homeros [1] zugeschrieben, wohl frühestens aus dem 6. Jh. v. Chr. (die Nachr. des byz. Kommentators Eustratios CAG 20 p. 320,36, bereits Archilochos und Kratinos bezeugten den homer. Ursprung, ist wertlos; das Zitat im Ps.-Plat. Alk. 2, 147c nicht vor Aristoteles). Der *M.* ist in Hexametern verfaßt mit (einzelnen?) eingestreuten Iamben (vgl. die Inschr. des Nestorbechers und Xenophanes B 14 DK) und handelt von einem sorglosen und unerfahrenen (fr. 6) Antihelden (Gegenbild zum leidgeprüften und lebenserfahrenen Odysseus), der keinerlei Handwerk versteht (fr. 2–3) und als Prototyp des gutmütigen Dummkopfs gelten kann (Kontamination mit anderen Dummen: fr. 4a). Das Gedicht gibt sich als Werk eines alten ep. Sängers (also nicht als Jugendwerk Homers, wie die Viten fingieren), das in Kolophon vorgetragen wurde (fr. 1) – eine Verfasserschaft des (verbannten) Xenophanes [4. 39ff.] scheidet damit aus. Kern oder zumindest Höhepunkt der Handlung ist die Beschreibung der Hochzeitsnacht, in der M. von der Braut handgreiflich belehrt werden muß, was zu tun sei (fr. 4). Falls das unregelmäßig hexametrisch-iambische Bruchstück POxy. 2309 (fr. 7) dem *M.* zuzuschreiben ist, enthielt die Darstellung drastische bis aischrologische Elemente. Zwei weitere Bruchstücke (POxy 3963–3964 = fr. 8–9) scheinen ebenfalls auf die Hochzeitsnacht zu weisen, wobei das zweite mit der Beschreibung eines ausgelassenen Festes möglicherweise den Schluß des *M.* bildete. Somit dürfte (eher als eine episodische Reihung von »Abenteuern«) eine einheitliche Handlung anzunehmen sein, die Aristoteles dazu bewog, im *M.* die »Urkomödie« zu sehen und Homer als deren Urheber zu propagieren.

Test., Fr.: 1 IEG 2, 69–77.
Lit.: 2 H. Langerbeck, M., in: HSPh 63, 1958, 33–63
3 M. Forderer, Zum homer. M., 1960 4 F. Bossi, Studi sul Margite, 1986 5 D. J. Jakob, Die Stellung des M. in der Entwicklung der Komödie, in: Hellenika 43, 1993, 275–279.
R. GL.

**Margos** (Μάργος).
**[1]** M. aus Karyneia fiel, wohl als Nauarch des achaischen Flottenkontingents, während des illyr. Kriegs 229 v. Chr. vor Paxoi ›nach treuen Diensten für das Koinon der → Achaioi‹ (Pol. 2,10). Während der Neuformierung des Bundes hatte er 275 den Tyrannen von Bura getötet und so Iseas, den Tyrannen von Karyneia, veranlaßt, zurückzutreten und seine Stadt dem Bund zuzuführen (Pol. 2,41). Vor → Aratos [2] spielte er eine herausgehobene Rolle und wurde 255 als erster zum alleinigen Strategen gewählt (Pol. 2,43). J. CO.
**[2]** M. amtierte 273 v. Chr. als ptolem. Stratege in Karien.

J. u. L. Robert, Fouilles d'Amyzon, Bd. 1, 1983, 118ff.
W. A.

**Margus** (Μάργος).
**[1]** Der bedeutendste Fluß von Moesia Superior, der vom Süden her westl. von Viminacium in den Danubius (Donau) mündet (h. Morava). Er war ab Horrea Margi schiffbar (*Margus*, Iord. Get. 300; Geogr. Rav. 4,16; 212,4; Plin. nat. 3,149; Μάργος, Βάργιος, Strab. 7,5,12).
**[2]** Kastell, Hafen und Handels- sowie Zollstation (CIL III 8140) in Moesia Superior in der Nähe von Viminacium, h. Orašje in Serbien, Kreis Požarevac. *Municipium* in der 2. H. des 2. Jh. n. Chr. (CIL III 8111; 8223, vgl. 8113). In der Nähe von M. wurde Carinus von Diocletianus geschlagen (285 n. Chr.). Noch um 400 war M. bed. Flottenstation (*Margus/Margum*, Eutr. 9,20,2; SHA Car. 18,2; Not. dign. or. 41,33; Aur. Vict. 39,11; *Margo*, Itin. Anton. 132,4; Not. dign. or. 41,24,39; Iord. Get. 58,300).

M. Fluss, s. v. M., RE 14, 1709–1710 · TIR L 34 Budapest, 1968, 77f.
J. BU.

**Mari** (syr. Stadt, h. Tall Ḥarīrī, am Euphrat, 15 km von der Grenze zum Iraq entfernt). Französische Ausgrabungen seit 1933 dokumentieren drei Perioden: Die präsargonische Epoche (24. Jh. v. Chr.) mit einem enorm großen Palast (daraus ca. 40 Verwaltungsurkunden, die denen der Archive aus → Ebla gleichen) und verschiedenen Tempeln (mit zahlreichen Beterstatuetten, z. T. mit Inschr.). Zeitgleich mit der 3. Dyn. von Ur im südl. Mesopot. (21. Jh.) ist die zweite bedeutende, aber schlecht dokumentierte Periode, in der M. Sitz einer unabhängigen Dyn. war. Am besten dokumentiert sind dank eines umfangreichen Palastarchivs von ca. 20000 Tontafeln und Tafelfrg. (ausgegraben v. a. zw. 1934 und 1937) die letzten 50 J. der Gesch. von M. (1. H. 18. Jh. v. Chr.).

Die Texte erlauben es, nicht nur die Gesch. von M., sondern auch die Gesch. → Syriens in beachtlicher Detailgenauigkeit zu rekonstruieren: Jaḫdun-Lim, aus nomadischem Geschlecht, übernahm die Herrschaft in M., ein Nachfolger Sumu-Jamam wurde nach zweijähriger Herrschaft (ca. 1796) von Šamši-Adad, einem Herrscher nomadischer Herkunft, vertrieben. Dieser begründete von Ekallatum (am Tigris nördl. von Assur) aus das »Königreich von Obermesopot.«, das entlang des Tigris bis hin nach M. am mittleren Euphrat reichte. Sein in M. eingesetzter jüngerer Sohn Jasmaḫ-Adad wurde nach achtjähriger Regentschaft von Zimrilim, einem Neffen Sumu-Jamams, vertrieben; die 14 J. seiner Regierung sind umfassend dokumentiert. 1761 beendete → Ḫammurapi von Babylon Zimrilims Herrschaft und befahl die Zerstörung des Palastes, nachdem er alles, was ihm interessant erschien, hatte abtransportieren lassen: Unbeabsichtigt trug er dadurch dazu bei, daß die umfangreichen Archive erh. geblieben sind. Zwei Typen von Texten finden sich darin: zum einen z. T. in äußerst lebendiger Sprache verfaßte Briefe (darin zahlreiche Entwürfe von → Staatsverträgen), zum anderen Verwaltungsurkunden. Dokumentiert sind das polit. Leben des Vorderen Orients von Hazor in Palaestina bis nach Bahrein, von Ḫattusa in Anatolien bis nach Anšan im Iran, das tägliche Leben im Palast (mit 25.000 m² einer der größten des Vorderen Orients), Rel. und Wirtschaft. Große Beachtung haben – wegen ihrer Beziehung zum AT – die Dossiers gefunden, die das Phänomen der Prophetie (→ Prophet) und den Nomadismus (→ Nomaden) beleuchten.

J.-M. Durand, Les documents épistolaires du palais de M., Bd. 1, 1997; Bd. 2, 1998; Bd. 3 im Druck • J.-G. Heintz, Bibliographie de MARI [1933–1988], 1990 (Ergänzungen jährlich seit 1992 in der Zschr. Akkadica) • J.-R. Kupper, A. Spycket, s. v. M., RLA 7, 382–418 • MARI, Annales de Recherches Interdisciplinaires, 8 Bd. seit 1982. D. CH.

## Maria

I. Römerinnen

**[I 1]** Name zweier Schwestern des C. Marius [I 1]; eine war die Ehefrau des M. Gratidius [2] und Mutter des C. Marius [I 7] Gratidianus, die andere Mutter des C. Lusius [I 1]. K.-L. E.

**[I 2]** Erwähnt bei Claudianus (Laus Serenae 69), vielleicht Ehefrau des → Honorius [2], des Bruders → Theodosius' I., somit Mutter der → Serena und → Thermantia.

J. R. Martindale, Notes on the Consuls of 381 and 382, in: Historia 16, 1967, 254–256 • PLRE 1, 558.

**[I 3]** Geb. um 385 n. Chr., Tochter des → Stilicho und der → Serena; 398 mit → Honorius [3] verheiratet (Claud. Epithalamium [carm. 10] 118 f.); kinderlos gest. 407/8. Ihre Schwester → Thermantia wurde ihre Nachfolgerin als Ehefrau des Kaisers. PLRE 2, 720, 1. K. G.-A.

II. Biblische Personen

**[II 1]** Mutter Jesu. Bereits in den nt. Schriften läßt sich ein Anwachsen des Interesses an der Person M.s beobachten. → Paulus erwähnt nur, daß → Jesus von einer Frau (*ek gynaikós*) geboren worden sei (Gal 4,4); zwei Evangelien (Mt 1,18–25; Lk 1,26–38) liefern mit ihren Berichten über die Jungfräulichkeit M.s bei der Empfängnis Jesu die Grundlage für die spätere Ausweitung der Verehrung. Der nach at. Vorbildern gestaltete Lobgesang M.s (Lk 1,46–55) deutet auf das Einwirken prophetischer Traditionen bei der Ausgestaltung ihrer Person hin. Nur bei Jo 19,25–27 wird ihre Anwesenheit bei der Kreuzigung Jesu erwähnt. Nach Apg 1,14 gehörte sie zu den Gliedern der nachösterlichen Gemeinde, ohne hierin jedoch eine herausgehobene Rolle einzunehmen. Neben diesen positiven Bezügen kennt das NT auch eine Zurückweisung der Mutter Jesu, insofern Jesus die familiären Bande zugunsten der Nachfolgegemeinschaft abwertet (Mk 3,31–35; Mt 12,46–50; Lk 8,19–21).

Apokryphe Schriften wie das sog. Protevangelium des Iakobos (→ Neutestamentliche Apokryphen) aus der Mitte des 2. Jh. sowie Berichte über den sog. Transitus Mariae (Tod und Aufnahme M.s in den Himmel), die in verschiedenen Überlieferungen seit dem 4. Jh. nachweisbar sind, beschreiben das Leben und Sterben M.s ausführlich und weisen auf die steigende Aufmerksamkeit ihrer Person gegenüber hin. Das Protevangelium des Iakobos führt bereits die Geburt M.s auf direktes göttliches Einwirken zurück: Nach langer Kinderlosigkeit verkündet ein Engel ihren Eltern Joachim und Anna das ersehnte Kind. Während das NT die genaueren Umstände der jungfräulichen Geburt Jesu nicht erwähnt, beschreibt das Protevangelium die Untersuchung M.s nach der Geburt durch eine Hebamme, die ihre körperliche Unversehrtheit bestätigt. Die altkirchlichen Bekenntnisse, das Apostolicum und das → Nicaeno-Constantinopolitanum, halten im Kontext ihrer christologischen Aussagen fest, daß Christus von der Jungfrau (*parthénos*) M. geboren wurde.

Vor allem hymnische und poetische Texte der → Kirchenväter breiten das M.-Lob mit einer Fülle von Bildern und Symbolen aus, ohne jedoch auf eine dogmatische Festlegung abzuzielen. → Iustinos [6] der Märtyrer und Irenaeus von Lyon (→ Eirenaios [2]) entfalten eine Eva-M.-Typologie, die in Parallele zu Adam-Christus steht. Irenaeus schreibt, daß ›der Sohn Gottes durch die Jungfrau Mensch geworden ist, damit der Ungehorsam, der von der Schlange ausging, auf demselben Weg sein Ende finde, auf dem er seinen Ursprung genommen‹ (Iren. adversus haereses 3,22,4).

Die Bezeichnung M.s als »Gottesgebärerin« (*theotókos*) begegnet zu Beginn des 4. Jh. bei Alexandros von Alexandreia, um dann langsam immer mehr an Bedeutung zu gewinnen. Die Hochschätzung der Virginität M.s und die Betonung ihrer immerwährenden Jungfräulichkeit steht im Zusammenhang der sich ausbreitenden asketischen Bewegung. Das Epitheton *Aeí Par-*

*thénos* (»Immer Jungfrau«) für M., das u. a. bei → Athanasios, Didymos [5] dem Blinden und → Epiphanios [1] von Salamis begegnet, gehört in den östl. Kirchen neben dem Gottesmutter-Titel zu den hervorstechenden Kennzeichen der M.-Verehrung. Allerdings kennzeichnet eine gewisse Zurückhaltung im Hinblick auf die genaueren Umstände der immerwährenden Jungfräulichkeit die Aussagen der Kirchenväter (vgl. → Basileios [1] von Kaisareia, Homilia in Sanctam Christi Generationem 5). Im beginnenden → Mönchtum des späten 3. und 4. Jh. gilt M. neben anderen Frauen als Vorbild der Tugend und Jungfräulichkeit, um dann allmählich zum vorherrschenden Typus der Virginität aufzusteigen (vgl. Athanasios, Brief an die Jungfrauen [syr./kopt.]).

Die auf dem Konzil von Ephesos (Anathema 1) 431 festgelegte Definition M.s als »Gottesgebärerin« (*theotókos*) steht im Kontext der altkirchlichen christologischen Auseinandersetzungen und dient dem Festhalten an der Göttlichkeit Christi. Wenn auch einige Kirchenväter Kritik an diesem M.-Titel üben, da sie die Gefahr sehen, diese als Göttin zu überhöhen, setzt sich dieses Epitheton vor allem in den östl. Kirchen durch. Zwar läßt sich seit der Mitte des 5. Jh. ein Aufblühen der Marienverehrung beobachten, die Konzilsentscheidung von 431 darf dabei allerdings nicht überschätzt werden. Die unter Papst Sixtus III. (432–440) in Rom der M. geweihte S. M.-Maggiore-Kirche stellt die erste nachweisliche Marienkirche des Westens dar.

Während M. im NT noch als Glied der nachösterlichen Gemeinde gilt, wird sie zunehmend zum Prototyp der Gläubigen und zum Symbol für die Kirche. Diese Interpretationslinie wird vor allem im Westen entwickelt. Aug. de sancta virginitate 6,6, schreibt: Christus als Haupt der Kirche sei aus einer Jungfrau geboren worden als Zeichen dafür, daß die Christen als Glieder der Kirche aus einer Jungfrau, nämlich der Kirche, geboren würden. M.-Feste werden seit dem 5. Jh. im Osten und seit dem 7. Jh. auch im Westen gefeiert.

Während bildliche Darstellungen M.s in christologischen Szenen seit dem 3. Jh. belegt sind, erweitert sich im 5./6. Jh. das Programm unter Aufnahme der apokryphen Erzählungen und löst sich damit aus der strengen Bezogenheit auf Christus. Im weiteren Verlauf der Verehrung M.s läßt sich eine zunehmende Angleichung an ihren göttlichen Sohn feststellen. Das 1854 von der röm.-katholischen Kirche verkündete Dogma der Unbefleckten Empfängnis M.s von ihrer Mutter Anna kann auch als Ausdruck dieser Tendenz gesehen werden. Obwohl bereits in der Alten Kirche die Auffassung von der Sündlosigkeit M.s vertreten wurde, ging es hierbei nicht um die Frage der Freiheit von der Erbsünde. Vielmehr stand diese Diskussion im Zeichen der Verehrung der Göttlichkeit Christi, dessen Mutter nicht durch Sünde verunreinigt sein konnte.

Feministische Rekonstruktionsversuche sehen in dem Aufblühen der Marienverehrung ein Fortleben des Kultes ant. weiblicher Gottheiten, die durch das Christentum verdrängt worden waren. Parallelen bes. der Bildtypen (→ Isis; → Muttergottheiten) sind auffällig, eine direkte Anknüpfung läßt sich jedoch nicht nachweisen.

→ Marienverehrung

W. Beinert, H. Petri (Hrsg.), Hdb. der Marienkunde 1–2, [2]1996–1997 • S. Benko, The Virgin Goddess. Studies in the Pagan And Christian Roots of Mariology, 1993 • R. Brown u. a. (Hrsg.), M. im NT. Eine Gemeinschaftsstudie von protestantischen und römisch-katholischen Gelehrten, 1981 • L. Heiser, M. in der Christus-Verkündigung des orthodoxen Kirchenjahres, 1981 • T. Klauser, s. v. Gottesgebärerin, RAC 11, 1071–1103 • L. Langener, Isis lactans – M. lactans: Untersuchungen zur kopt. Ikonographie, 1996 • C. Mulack, M.: die geheime Göttin im Christentum, [4]1991 • J. Pelikan, Mary Through the Centuries. Her Place in the History of Culture, 1996 • K. Ruhl, Isis lactans – M. lactans: das Bild der stillenden Gottesmutter im Äg. der Pharaonen, in der kopt. Kunst und in den Darstellungen des späten MA, 1998 • M. Warner, M. Geburt, Triumph, Niedergang – Rückkehr eines Mythos?, 1982 (engl. Alone of All Her Sex, 1976) • J. Zmijewski, M. im Neuen Testament, in: ANRW II 26.1, 1992, 596–716.

R. A.

**[II 2] M. Magdalena**. Jüngerin Jesu aus → Magdala am See Genezareth. Im NT ist M.M. primär mit den Überl. von Kreuzigung (Mk 15,40f.; Mt 27,55f.; Lk 23,49; Jo 19,25), Grablegung (Mk 15,47; Mt 27,61; Lk 23,55f.), Auffindung des leeren Grabes (Mk 16,1–8; Mt 28,1–10; Lk 24,1–11; Jo 20,1f.) und Erscheinung des Auferstandenen verbunden (Mt 28,9f.; Jo 20,11–18: hier erste Zeugin der Auferstehung; Mk 16,9–11); in den synoptischen Evangelien ist sie stets als erste in einer Frauengruppe genannt, bei Jo auch allein. Im paulinischen Sinne ist sie Apostelin (vgl. Jo 20,18 mit 1 Kor 9,1). Lk 8,1ff. berichtet, daß sie mit anderen Frauen Jesus nachfolgte und von ihm geheilt wurde. In christl.-gnostischen Texten des 2./3. Jh. (den Evangelien nach Maria, Thomas und Philippos; dem Dialog des Erlösers; der → Pistis Sophia u. a.; s. → Gnosis, → Neutestamentliche Apokryphen) tritt M.M. als Empfängerin geheimer Offenbarungen, Dialogpartnerin und Lieblingsjüngerin Jesu hervor. Ab dem 4. Jh. wird M.M. zunehmend mit der Sünderin aus Lk 7,36–50 und Maria von Bethanien (Jo 12,1–8) identifiziert und verwandelt sich damit im Lauf der Zeit im allg. Bewußtsein aus der Zeugin von Kreuzigung und Auferstehung in eine reuige Prostituierte.

→ Gnosis; Jesus; Neues Testament

R. Atwood, Mary Magdalene in the New Testament Gospels and Early Trad., 1993 • D. Bader (Hrsg.), M. M. – Zu einem Bild der Frau in der christl. Verkündigung, 1990 • I. Maisch, M. M. zwischen Verachtung und Verehrung. Das Bild einer Frau im Spiegel der Jh., 1996 • A. Marjanen, The Woman Jesus Loved. Mary Magdalene in the Nag Hammadi Library and Related Documents, 1996 • S. Petersen, »Zerstört die Werke der Weiblichkeit!« M. M., Salome und andere Jüngerinnen Jesu in christl.-gnostischen Schriften, 1999.

S. P.

**Mariaba** (Μαρίαβα). Hauptstadt des Sabäerreichs in der sw → Arabia Felix, der heutige Ort Mārib (15° 26′ N, 45° 16′ O). M. wird als Metropole der Sabäer erwähnt bei Strab. 16,768 nach Eratosthenes und bei Strab. 16,778 nach Artemidor. In der Form *Mariba* findet es sich bei Plin. nat. 6,160 sowie in den R. Gest. div. Aug. 26; Ptol. 6,7,37 führt die Metropole Μαράβα/*Marába* (Nebenform Μάρα/*Mára*, Βάραβα/*Báraba*) auf. Die Namensform → Marsyaba (Strab. 16,782) ist sicherlich eine Kontamination aus Mariaba und Saba. In den sabäischen Inschr. wird der Name ebenfalls auf zwei Weisen wiedergegeben; bis zum 2. Jh. n. Chr. ist die Form *mryb*, Maryab bzw. Marīb, belegt, später ausschließlich die Form *mrb*, Marīb bzw. Mārib.

Die ant. Stadt M. liegt in einer sich 1160–1200 m über dem Meeresspiegel erhebenden Ebene im Trokkendelta des Wādī Adhana. Vor der Flußoase von M. durchbricht dieses Wadi eine Enge zwischen den Bergen; durch den Bau eines Dammes wurde eine umfassende Kultivierung ermöglicht. Neuere Unt. haben ergeben, daß die Anfänge der Bewässerung in der Oase bis in das Ende des 3. Jt. zurückreichen. Nach der im 6. Jh. v. Chr. durchgeführten Errichtung des großen Dammes, der 16 m hoch war und eine Länge von 620 m hatte, betrug die bewässerte Fläche etwa 9600 ha. Die günstige Lage prädestinierte M. zur Metropole des Sabäerreiches, die mit einer ummauerten Fläche von etwa 110 ha die größte Stadt des ant. Südarabien war. In ihr befand sich auch die häufig erwähnte berühmte Königsburg Salḥīn [2]. Außerdem war M. eine wichtige Station an der Karawanenstraße, welche die Weihrauchregion mit dem Mittelmeer verband (→ Weihrauchstraße). Aus M. und seiner Umgebung stammen auch die frühesten sabäischen Inschr., die in das 8. Jh. v. Chr. zu datieren sind. Im Jahre 24. v. Chr. hielt M. der Belagerung durch ein röm. Heer unter → Aelius [II 11] Gallus stand, das bis vor die Tore der Stadt gelangt war.

M. war auch in rel. Hinsicht von Bed., denn mit dem großen Tempel Awām, dem heutigen Maḥram Bilqīs, des Gottes Almaqah in der südl. Oasenhälfte besaß es die zentrale Kultstätte des Reiches, in welcher zahlreiche Votivinschr. aufgestellt wurden. Nach mehreren Dammbrüchen in der Zeit vom 4.–6. Jh. n. Chr., deren Behebung besonders durch die langen Dammbauinschr. CIS IV, 540 aus dem Jahre 450 und CIS IV, 541 aus dem Jahre 542 dokumentiert ist, fand wohl zu Beginn des 7. Jh. die endgültige Katastrophe statt, die im Koran (34,16) als die Dammflut erwähnt wird, in deren Folge die Oase verödete und M. zur Bedeutungslosigkeit herabsank.

→ Saba, Sabaioi

**1** A. Jamme, Sabaean Inscriptions from Maḥram Bilqîs, Mârib, 1962 **2** W. W. Müller, s. v. M., EI 6, 559–567 **3** J. Schmidt (Hrsg.), Ant. Technologie – Die sabäische Wasserwirtschaft von Mārib, 1991/1995 **4** H. von Wissmann, Die Gesch. von Saba'. Bd. 2: Das Großreich der Sabäer bis zu seinem Ende im frühen 4. Jh. v. Chr., 1982.

W. W. M. u. A. D.

**Mariades** (Μαριάδης). Bürger und Ratsherr von Antiocheia am Orontes; wurde wegen Veruntreuung öffentlicher Gelder aus der → *bulḗ* ausgeschlossen, flüchtete ins Perserreich und verriet die Stadt beim Einfall des → Sapor um 260 n. Chr. Dieser ließ ihn bald darauf hinrichten. Or. Sib. 13, 89–102; SHA Trig. tyr. 2,2–3; Amm. 23,5,3; Zos. 1,27; 3,32,5; Ioh. Mal. 12,295–296. PIR² M 273.

K. G.-A.

**Mariamme**

**[1]** (hebr. *Mirjam*; die Form *Mariamne* in Fr. Hebbels Drama ist Korruptel späterer Hss.); Enkelin des → Aristobulos [2] II. und des Iohannes → Hyrkanos [3] II. Geb. um 53/52 v. Chr. wurde M., eine berühmte Schönheit, mit → Herodes [1] d.Gr. verheiratet und geriet in die Intrigen und Konflikte zw. → Hasmonäern und Herodeern. 29 ließ Herodes sie aufgrund der Verleumdungen seiner Schwester → Salome wegen Verdachts der Untreue hinrichten (Ios. ant. Iud. 15,218–236).

A. Schalit, König Herodes, 1969, 566ff.

K. Br.

**[2]** (oder Mariamne). Einer der drei Türme (Hippikos, → Phasaelis, M.) des Palastes → Herodes' [1] d.Gr. in → Jerusalem, der nach M. [1], Herodes' Frau, benannt war (Ios. ant. Iud. 15,9,3; Ios. bell. Iud. 5,4,4). Einzig diese Türme sowie ein Teil der westl. Stadtmauer wurden von der vollständigen Zerstörung Jerusalems durch die röm. Truppen (70 n. Chr.) ausgenommen, um als Erinnerung an die gewaltigen Verteidigungsanlagen zu dienen (Ios. bell. Iud. 6,9,1; 7,1,1). Die genaue Lage ist ungeklärt; alle drei Türme befanden sich aber auf dem h. als »Zitadelle« und »Davids Turm« bezeichneten Gelände am Jaffa-Tor.

R. Amiran, A. Eitan, Excavations in the Courtyard of the Citadel, Jerusalem, in: Israel Exploration Journal 20, 1970, 9–17 • M. Broshi, Excavations along the Western and Southern Wall of the Old City of Jerusalem, in: H. Geva, Ancient Jerusalem Revealed, 1994 • C. N. Johns, The Citadel, Jerusalem – A Summary of Works since 1934, in: Quarterly of the Department of Antiquities in Palestine 14, 1950, 121–190 • Schürer 1, 304f. • G. A. Smith, Jerusalem. The Topography, Economics and History from the Earliest Times to A. D. 70, Bd. 2, 1908, 492ff.

I. Wa.

**[3]** (Μαριάμμη; auch Mariamne). Von mehreren Orten dieses Namens in Syrien und Phönizien ist das h. syr. Marǧamīn südl. von Rafanīya zw. Ḥimṣ und dem Mittelmeer der wichtigste. Die Gründung am Fluß Eleutheros geht möglicherweise auf Alexander d.Gr. zurück (Arr. an. 2,13). Name und strategische Position verweisen auf einen Ausbau unter Herodes d.Gr. Bischöfe und eine Kirche sind zw. 451 und 536 n. Chr. bezeugt.

Jones, Cities, 267, 543, Taf. 2.

T. L.

**Mariana.** Stadt auf dem Plateau von La Marana an der tyrrhenischen Küste im NO → Corsicas, am linken Ufer des Guola (h. Golo), 2 Meilen östl. der Mündung (Ptol.

3,2,5). Deduktion einer Kolonie von Veteranen unter Marius [I 1] um 100 v. Chr. (Plin. nat. 3,12,1; Mela 2,122; Sen. dial. 7,9; Solin. 3,2,5). Top.: In der Nähe der *insula episcopalis* von La Canonica befindet sich der *decumanus* mit *porticus*, auf den sich Läden und Häuser der hohen Kaiserzeit öffnen. Kaiserzeitliche Nekropolen im Westen und Osten des Stadtzentrums; bis jetzt fehlen Gräber, die man der republikanischen Siedlung (durch schwarz lackierte Keramik und Mz. belegt) zuschreiben kann.

G. Moracchini-Mazel, Les monuments paléochrétiens de la Corse, 1967, 7–88, 99–102 • Fouilles de Mariana I-VIII, in: Cahiers Corsica, 4–7; 9–12 (1971); 17 (1972); 25–26, 32 (1973); 37–39 (1974); 92 (1981) • Ph. Pergola, La Corse, in: N. Gauthier (Hrsg.), Top. chrétienne des cités de la Gaule 2,1, 1986, 99–102. R. Z./Ü: H. D.

**Mariandynoi** (Μαριανδυνοί). Urspr. plāïsch-sprachige (paphlagonische) Bevölkerung in Nordanatolien, von thrak.-stämmigen Gruppen überschichtet; Siedlungsgebiet: östl. der Wasserscheide zw. unterem Sangarios und Hypios [1], südl. der Küstenlandschaft Thyni(a)s (bis Kales), westl. der Kaukones im Bereich des unteren Billaios und des paphlagonischen Gebiets am mittleren Ladon, nördl. von Abant und Köroğlu Dağları (Strab. 8,3,17; 12,3,4). Von → Kroisos unterworfen, dann Teil der pers. Satrapie Katpatuka (vgl. Hdt. 1,28; 3,90,2) [1. 41 ff., 60; 2. 192 ff., 203 f.]. Das Kaukonengebiet wird verschiedentlich zur Mariandynia gerechnet (Ptol. 5,1,3). Teile der M. mußten sich Herakleia [7] Pontike unterwerfen und waren als abhängige → *períoikoi* oder als landbebauende Bevölkerung im Status wie → Heloten oder → *penestaí* dem Territorium von Herakleia (bzw. Kieros) einverleibt [3]. Südl. der Akçakoca Dağları und des Nordteils des Beckens von Düzce lebten die freien M. (seit 281 v. Chr. schrittweise Eingliederung in Bithynia).
→ Klaudiupolis [1]

1 K. Strobel, Galatien und seine Grenzregionen, in: E. Schwertheim (Hrsg.), Forsch. in Galatien (Asia Minor Stud. 12), 1994, 29–65 2 Ders., Die Galater 1, 1996 3 A. Bittner, Eine Polis zw. Tyrannis und Selbstverwaltung, 1998.

D. Asheri, Über die Frühgesch. von Herakleia, in: Forsch. an der N.-Küste Kleinasiens 1 (ETAM 5), 1972, 9–34 • A. Avram, Bemerkungen zu den M., in: Studii Clasice 22, 1984, 19–28 • K. Belke, Paphlagonien und Honorias, 1996, 251 • W. Ruge, s. v. M., RE 14, 1747–1749. K. ST.

**Mariandynos** (Μαριανδυνός). Aioler (Steph. Byz. s. v. Μαριανδυνία), Sohn des Phineus und der Idaia [3] (Tochter des Dardanos) oder einer skythischen Frau; auch Sohn des Kimmerios oder des Phrixos (schol. Apoll. Rhod. 1,1126; 2,140. 723. 780). Als Sohn des Titias hat er zwei Brüder: Priolas und → Bormos, nach dessen Tod M. die Aulodie (Gesang zur Flöte) pflegt, worin er den → Hyagnis unterrichtet (schol. Aischyl. Pers. 940). M. herrscht über einen Teil Paphlagoniens, dann über das Land der Bebryker in Bithynien, das nach ihm benannt ist (Strab. 12,3,4; Theop. FGrH 115 F 388).

Preller/Robert II[4] 816. I. BAN.

**Marianos**

**[1]** Frühbyz. Dichter zur Zeit des Kaisers Anastasios I. (491–518 n. Chr.). Nach Suda s. v. M. verfaßte M., der (urspr. aus einer röm. Senatorenfamilie stammend) mit seinem Vater nach Eleutheropolis in Palaestina ausgewandert und unter Anastasios → *Patríkios* war, jambische Paraphrasen zu Werken hell. Autoren (→ Theokritos; → Apollonios [2] Rhodios' ›Argonautika‹; → Kallimachos' ›Hekale‹, ›Hymnen‹, ›Epigramme‹; → Aratos [4]; → Nikandros' ›Theriaka‹). Möglicherweise identisch mit M. [2].

1 J. Geffcken, s. v. M., RE 14, 1750. GR. DA.

**[2] M. Scholastikos**. Epigrammatiker des »Kyklos« des Agathias. Erh. sind sechs rhet. Gedichte epideiktischer Natur: Die aitiologische Genese eines Bades namens »Eros« (Anth. Pal. 9,626 f.), die Verherrlichung eines Palasts, der für Kaiserin Sophia errichtet wurde (ebd. 9,657: in das Jahr 566/7 zu datieren, von Zon. 14,10 irrtümlich Agathias zugeschrieben), die Beschreibung eines Parks (Anth. Pal. 9,668 f.) und einer Statue des Eros unter Heranziehung neuplatonischer Symbolik (ebd. 16,201). Unwahrscheinlich ist die traditionelle Gleichsetzung mit → M. [1] von Eleutheropolis.

Av. und A. Cameron, The Cycle of Agathias, in: JHS 86, 1966, 17, 21 • Av. Cameron, Notes on the Sophiae, the Sophianae and the Harbour of Sophia, in: Byzantion 37, 1967, 11–20. M. G. A./Ü: T. H.

**Marianus.** Fünf verderbte iambische Dimeter werden unter diesem Namen von Filagrius zu Verg. ecl. 1,19 angegeben. Der Autor wird von den Hss. als *poeta Lupercorum* oder *Lupercanorum* beschrieben; man denkt gewöhnlich, daß der tatsächliche Titel *Lupercalia* war. Die Zeilen behaupten, daß Roms Name von dem seiner Gründerin Roma, der Tochter des Aesculapius, abgeleitet wurde. Nichts ist über den Autor bekannt, jedoch läßt die Ähnlichkeit zu → Alfius [4] Avitus in Metrik und Topik einen Zeitpunkt in der 1. H. des 3. Jh. n. Chr. vermuten.

Courtney, 405. ED. C./Ü: TH. G.

**Mārib** s. Mariaba

**Marica.** Göttin, die in einem → Hain zw. der Mündung des → Liris und → Minturnae (h. Minturno) wahrscheinlich schon im frühen 7. Jh. v. Chr. verehrt wurde. Ein Tempel läßt sich ins späte 6. Jh. datieren; er wurde noch in spätrepublikanischer Zeit frequentiert. Nach Plutarch (Marius 39) durfte einmal Hineingetragenes aus dem Tempel nicht mehr entfernt werden. Arch. Funde – u. a. anatomische Votivgaben (→ Weihung) und Darstellungen von Wickelkindern (→ Kurotrophos) – sowie die extraurbane Lage des Heiligtums in Küstennähe lassen auf einen weitgefächerten Wirkungsbereich schließen. 207 v. Chr. wurde der Hain vom Blitz getroffen, was als Prodigium nach Rom gemeldet wurde (Liv. 27,37,2f.). Weihinschr. für M. finden sich in Minturnae (CIL I² 2438 = ILLRP 216; AE 1908, 83) und in → Pisaurum (CIL I² 374 = ILLRP 19: wahrscheinlich 3. Jh. v. Chr.). In der antiquarischen Trad. wurde M. mit Venus (Serv. Aen. 7,47), Diana (schol. Aug. civ. 2,23 BOLL) oder, als angebliche Quellnymphe, mit Circe (Serv. Aen. 12,164; Lact. inst. 1,21,23) und der Mutter des Latinus [1] (Verg. Aen. 7,47) gleichgesetzt.

J. W. BOUMA, Religio votiva, Bd. 3, 1996, 54f. • P. MINGAZZINI, Il santuario della dea M. alle foci del Garigliano, in: Monumenti Antichi Reale Accademia dei Lincei 37, 1938, 693–981 • RADKE, 199 • F. TROTTA, Minturnae preromana e il culto di M., in: F. COARELLI (Hrsg.), Minturnae, 1989, 11–28. K. v. S.

**Mariccus.** Boier; er zettelte 69 n. Chr. als selbsternannter »Retter und Schutzgott« Galliens im Haeduergebiet einen Aufstand an, der von → Vitellius niedergeschlagen wurde. M. wurde hingerichtet (Tac. hist. 2,61). → Haedui; Boii W. SP.

**Marina**

**[1] M. Severa**. Erste Gemahlin → Valentinianus' I., Mutter des Kaisers → Gratianus [2], dessen Erhebung zum Augustus sie förderte; noch vor 370 n. Chr. wegen eines Betruges vom Hof entfernt und geschieden, 375 von Gratianus an den Hof zurückgerufen. PLRE I, 828, 2.

**[2]** Jüngste Tochter des → Arcadius und der → Eudoxia [1], geb. 403, gest. 449 n. Chr.; erbaute einen Palast in Konstantinopel; weihte sich nach dem Beispiel ihrer Schwester → Pulcheria einem jungfräulichen Leben. → Kyrillos [2] von Alexandreia widmete ihr und ihren Schwestern eine Schrift über den rechten Glauben. PLRE 2, 723,1. K. G.-A.

**Marinianus**

**[1]** Jurist aus Galatien in Kleinasien, gehörte dem Kreis um → Symmachus an, war Rechtslehrer in Rom (Symm. epist. 3,23,2) und 383 n. Chr. Vicarius Hispaniae (Cod. Theod. 9,1,14). PLRE I, 559f.

D. LIEBS, Die Jurisprudenz im spätant. It., 1987, 64, 98. T. G.

**[2] Flavius Avitus M.** 422 n. Chr. als Praetorianerpraefekt von Italien, Illyrien und Africa bezeugt, 423 Consul, vielleicht *patricius*. Zusammen mit seiner Frau an der Erneuerung der Petrusbasilika unter Papst → Leo [4] I. beteiligt (ILS 8989). PLRE 2, 723f. H. L.

**[3] (Licinius Egnatius) M.** Naher Verwandter, wenn nicht sogar Sohn des → Gallienus, wahrscheinlich 268 n. Chr. auf Veranlassung des Senats zusammen mit dem Kaiser getötet (Zon. 12,26 D.). Es ist fraglich, ob er mit dem *cos. ord.* des Jahres 268 zu identifizieren ist (CIL III 3525 = 10492 = ILS 2457 = AE 1944,85; VIII 18842).

A. ALFÖLDI, Stud. zur Weltkrise des 3. Jh. n. Chr., 1967, 109f. • KIENAST, 222 • I. KÖNIG, Die gall. Usurpatoren, 1981, 127f. • PIR² L 198 • PLRE I, 559,1. T. F.

**Marinos** (Μαρῖνος).

**[1] M. aus Tyros.** Griech. Geograph, bekannt nur durch seinen unmittelbaren Nachfolger Klaudios → Ptolemaios, der ihn als Quelle nennt in seiner ›Einführung in die Darstellung der Erde‹ (γεωγραφικὴ ὑφήγησις/*geōgraphikḗ hyphḗgēsis*, = G.). Arab. Texte, die M. erwähnen, gehen sämtlich auf die ›G.‹ zurück [8. 189].

Das Werk des M. läßt sich mit Hilfe der von ihm verwendeten ON als zw. 107 und 114/5 n. Chr. entstanden datieren; denn erwähnt werden dort Städte mit dem Namen des Traianus, die auf seine Dakerkriege (107 n. Chr. beendet) verweisen, nicht aber Städtenamen, die auf seine Partherkriege (114–116) zurückgehen [2. 1767f.; 5. 95]. Ptolemaios hat sich in seiner ›G.‹, durch die die Werke des M. in Vergessenheit gerieten, eingehend mit M. auseinandergesetzt (so G. 1,6ff., bes. G. 1,18f.; [7. 695–710, 753–757]), er behielt die im ganzen Werk des M. wirkende wiss. Zielsetzung (γνώμη/*gnṓmē*) bei (G. 1,19,1), korrigierte aber auf astronomischer Basis dessen Kartographie und auch Entfernungsangaben ([7. 806–811]; er betont die Leistung des M. stark [6]). Ptolemaios beschreibt das wiss. Werk des M. mit ›Berichtigung des geogr. Atlas‹ (ἡ τοῦ γεωγραφικοῦ πίνακος διόρθωσις, G. 1,6,1; [7. 806], anders [6. 795]), dem er sich in mehreren Abhandlungen bzw. Ausgaben (συντάξεις bzw. ἐκδόσεις) widmete. M. erarbeitete unter Verwendung vieler Einzelinformationen (G. 1,6,1) Angaben zur Herstellung einer Karte (→ Kartographie); umstritten ist, ob jeder Abhandlung eine solche beigegeben war; Ptolemaios dürfte keine gekannt haben ([7. 806], anders [6. 795]); die letzte Abhandlung hatte jedenfalls keine (G. 1,17,1). M. legte wohl größeren Wert auf Entfernungs- und Richtungsangaben und auf ihre Verwendung für die Bestimmung jedes Ortes als auf die Ausführung der Karte selbst. Man kann sich sein Vorgehen als Erstellung verschiedener Listen von ON vorstellen, die nach Prov. und Ländern gruppiert waren, jeder einzelne ON begleitet von einer topothetischen Notiz [3. 1027], die allerdings meistens unvollständig war und aus anderen Listen ergänzt werden mußte (G. 1,18,4).

Immerhin konnte HONIGMANN [2. 1785f.] nach den (aus des Ptolemaios ›G.‹ zu erschließenden) Angaben des M. eine Plattkarte der → Oikumene zeichnen. Danach [2. 1771–1799; 8. 162, 164] erstreckt sich diese als Rechteck zu beiden Seiten des mitten durchs Mittelmeer verlaufenden nördl. Breitengrades von Rhodos (= 36°); er – nicht der Äquator – bildet für M. die Orientierungslinie. Sein Null-Meridian verläuft im Westen durch die → Makaron Nesoi (Madeira – Porto Santo [4. 37,1]). Auf dem Breitengrad von Rhodos zählt M. dann nach Osten 15 Stundenabschnitte (ὡριαία διαστήματα), sie sind jeweils von den Meridianen begrenzt, unter denen der Auf- und Niedergang der Sonne um eine Stunde (= 15°) verschieden ist. Die West-Ost-Erstreckung der Oikumene bis nach China (→ Kattigara, → Sera, → Sinai) beträgt bei ihm somit 225°, das wären (1° auf dem Rhodos -Breitengrad = ca. 400 Stadien, G. 1,11,2) 90000 Stadien (Ptolemaios selbst, G. 1,14,8, reduziert auf 180° = 72 000 Stadien). Parallel zum rhodischen Breitengrad sind sieben Breitenstreifen/Zonen (κλίμακα/*klímaka*) angesetzt, die sich jeweils durch die Dauer des längsten Tages um 30 Minuten unterscheiden [8. 164]; so wird z.B. das 4. *klíma* durch die Breitengrade begrenzt, die durch den Hellespontos und Rhodos verlaufen [2. 1780]. Für die Nord-Süd-Erstrekkung der Oikumene nahm M. 87° (= 43 500 Stadien) an (G. 1,7,2), markiert durch die Ortsangaben → Thule und → Agisymba bzw. Kap → Prason, somit eine stärkere Ausdehnung der Oikumene nach Süden als nach Norden. Daraus ergibt sich eine Karte mit rechtwinkligem Gitternetz von Breitenkreisen und Meridianen, obwohl letztere doch zum Pol hin konvergieren. M. hielt ja entgegen anderen früheren Projektionsansätzen an der Zylinderprojektion fest. Mit Recht wirft ihm hier Ptolemaios (G. 1,20,3–7) den kartographischen Fehler vor, daß die Abschnitte auf den verschiedenen Breitenkreisen seiner Karte ganz unterschiedliche Entfernungen darstellten [2. 1779f.].

Das Verdienst des M. bestand v.a. im Zusammentragen von Einzelinformationen über die Lage von Orten. Dabei stützte er sich bes. auf Reiseberichte und bestimmte so die Entfernungen von Orten mehr vermittels Wegemessungen und Marsch- und Schiffahrtstagen als durch astronomische Beobachtungen; das paßt zu seinem kartographischen System, bei dem die Bestimmungen durch Gradangaben nur einen äußeren Ordnungsrahmen bilden [3. 1028]. Freilich ist die Zuweisung von geogr. Angaben an M. nur aus der direkten Kritik des Ptolemaios (in G. 1) sicher. So kennen wir als Quellen des M. für den Seeweg nach Indien Diodoros von Samos, für die Fahrt bis Kattigara einen Alexandros, für Innerlibyen bis Agisymba nahe beim Tschadsee Septimius Flaccus und Iulius Maternus (z.Z. des Claudius), für die libysche Ostküste bis Sansibar Diogenes, Theophilos und Dioskoros, für die serische Handelsstraße den maked. Kaufmann Maēs, für Irlands nordwestl. Länge den Geographen Philemon und dessen Gewährsleute; ferner übernahm M. von Timosthenes die zwölfarmige Windrose ([4. 32]; → Winde) und von → Hipparchos [6] astronomische Ansätze [2. 1790f.; 3. 1028].
→ Geographie II.; Kartographie; Oikumene

1 O.A.W. Dilke, Greek and Roman Maps, 1985, 72–86
2 E. Honigmann, s.v. M., RE 14, 1767–1796
3 F. Lasserre, s.v. M., KlP 3, 1026–1029 4 H.v. Mžik, Des Klaudios Ptolemaios Einf. in die darstellende Erdkunde. Theorie und Grundlagen (I und II Vorwort), 1938 (Übers. und Komm.) 5 E. Olshausen, Einf. in die histor. Geogr. der Alten Welt, 1991 6 N.G. Photinos, s.v. M., RE Suppl. 12, 791–838 7 E. Polaschek, s.v. Klaudios Ptolemaios. Das geogr. Werk, RE Suppl. 10, 680–833 8 R. Wieber, M. von Tyros in der arab. Überl., in: M. Weinmann-Walser (Hrsg.), Histor. Interpretationen, 1995, 161–190. H.A.G.

**[2] M. aus Alexandreia.** Anatomischer Arzt und Lehrer, um 120 n.Chr. → Galenos, der ihm die Wiederbelebung der → Anatomie nach Jh. der Vernachlässigung zuschreibt, epitomierte M.' 20bändiges Hauptwerk über die Anatomie in 4 B.; davon sind nur noch die Überschriften der Hauptkapitel erh. (Gal. de libriis propriis 3 = 19,25–30 K.). Diese Abh. ist wohl identisch mit der von Galen gelobten Schrift über M.' eigene anatomische Praxismethoden (administrationes anatomicae 1 = 2,290,283 K.). Auch Galens Hinweise auf ein Werk des M. über Muskeln und Nerven beziehen sich wohl auf M.' umfangreiches Hauptwerk. Weiterhin erwähnt Galen Erklärungen des M. zu Abschnitten in → Hippokrates' [6] ›Aphorismen‹ (Gal. 18B 113, 123 K.), die wohl aus einem Komm. des M. stammen, sowie solche zu dessen *Epidemiae* II (CMG 5,10,1,312), wobei M. die grundsätzliche Richtigkeit der Ansichten des Hippokrates zur Anatomie nachwies.

M. war Lehrer von → Quintus, Galen (Gal. (?) 15, 136 K.) und Antigenes, den Galen ca. 163 n.Chr. in Rom traf (Gal. (?) 14,613 K.). Falls M. tatsächlich der von → Andromachos [5] d.J. erwähnte Autor des Werkes über Blutbahnen (*Artēriaká*) sein sollte (Gal. de compositione medicorum secundum locos 7,2 = 13,25 K.), könnte M.' ärztliche Tätigkeit spätestens in den 90er Jahren des 1. Jh. n. Chr. eingesetzt haben; doch ist diese Gleichsetzung unsicher. V.N./Ü: J.DE.

**[3]** Arianischer Bischof in Konstantinopel. Nach dem Tod des Demophilos (386 n.Chr.) wurde der Thraker M. sein Nachfolger als Bischof der Arianer (→ Arianismus) in der Hauptstadt. Nach den Schilderungen bei Sokrates (5,12,5–8; 23,1–11) und Sozomenos (7,14,4; 17,9–14) führten wenig später seine Verdrängung durch den aus → Antiocheia [1] gekommenen Dorotheos sowie dogmatische Streitigkeiten zum Schisma unter den Arianern. So lehrte M., daß die erste göttliche Person auch vor der Existenz des Sohnes als »Vater« zu bezeichnen sei. Demgegenüber wollte Dorotheos erst danach von einem »Vater« sprechen. In der Folge erichteten die Anhänger des M. eigene Gebetsstätten. Wegen des Berufes eines ihrer eifrigsten Parteigänger, des syr. Backwerkverkäufers (*psathyropṓlēs*) Theoktistos, wurden sie als *psathyrianoí* bezeichnet. Auch war die Bezeichnung »Goten«, so Sozomenos (7,17,11, τῶν Γότθων), für sie gebräuchlich, da deren Bischof Selinas ihren Ansichten zustimmte. Später kam es innerhalb dieser Gruppe zum Konflikt zw. M. und dem von ihm als arianischen Bischof von Ephesos eingesetzten Agapios, für den auch die Goten Partei ergriffen.
→ Arianismus

M. Simonetti, s.v. Marino di Costantinopoli, in: A. Di Berardino (Hrsg.), Dizionario patristico e di antichità cristiane 2, 2119f. J.RI.

**[4]** Neuplatonischer Philosoph aus Neapolis in Samaria, Ende 5. Jh. n. Chr. Nach Damaskios (vita Isidori 141) war M. vom jüd. Glauben abgekommen und hatte sich dem Hell. zugewandt. Möglicherweise ist dies ein Hinweis darauf, daß M. in der Theologie des Einen, des höchsten Gottes der Neuplatoniker, Abrahams Verehrung des einen Gottes wiedererkannte, und erklärt seine Übersiedlung nach Athen; wann und wie M. → Proklos' Schüler in der neuplatonischen Schule wurde, ist jedoch unbekannt. Dieser widmete ihm seinen bedeutenden Komm. über den Mythos des Er in Platons ›Staat‹ (Prokl. in Plat. rep. 2, S. 96,2). Proklos erwähnt auch eine Aussage M.' über den Vergleich des sich bewegenden Himmelskreises mit Trieren (ebd. S. 200,30). M. muß einer der treuesten Schüler des Proklos gewesen sein, da dieser in erster Linie an M. als seinen Nachfolger dachte.

Als Proklos 485 n. Chr. starb, trat M. seine Nachfolge an, wenn auch wahrscheinlich nur für wenige Jahre; ihm folgte Isidoros [7]. Am ersten Jahrestag des Todes seines Lehrers hielt M. seinen Nachruf, der unter dem Titel ›Proklos oder Über das Glück‹ erhalten ist. Diese Rede ist das wichtigste Dokument zur Gesch. des philos. Unterrichts in Athen im 5. Jh. n. Chr. Isidoros lehnte M.' Auslegung des platonischen ›Philebos‹ so stark ab, daß dieser sein Exemplar verbrannte (Damaskios, vita Isidori 1–42); Isidoros kritisierte auch M.' Auffassung, Gegenstand des platonischen ›Parmenides‹ seien nicht die Götter, wie Syrianos und Proklos festgelegt hatten, sondern die Ideen (vita Isidori fr. 245). M. verfaßte einen Komm. zur Eukleides' ›Data‹, von dem nur die Vorrede erhalten ist, und äußerte den Wunsch, die Philos. möge so exakt sein wie die Mathematik (Elias, Prolegomena philosophiae 10, S. 28,29 Busse). Sein größtes Verdienst liegt darin, einer der Lehrer des Isidoros und des → Damaskios für Logik und Naturwiss. gewesen zu sein. Einige seiner Auffassungen werden noch bei Damaskios in Plat. Parm., p. 294,14 Ruelle und Stephanos von Alexandreia, in Aristot. an., p. 535,31, wo er den handelnden Intellekt als Engel zw. der ersten Ursache und den Menschen sieht, zitiert. Diese Lehre wurde in der arab. Philos. von Al-Farabi und Ibn Sina wiederaufgenommen.

→ Neuplatonismus

Ed.: J.Fr. Boissonade (ed.), Marini Vita Procli, 1814 · R. Masullo (ed.), Marino, Vita di Proclo, 1985 · H.D. Saffrey, A.Ph. Segonds (ed.), Marinus, Proclus ou Sur le bonheur (Coll. des Univ. de France) (in Vorbereitung). Übers.: Ch. Faraggiana di Sarzana (ed.), Marino di Neapoli, Vita di Proclo, in: Proclo... (I Classici del pensiero), 1985, 257–322 (it.)
Lit.: GGPh[1], 631–632 · H.J. Blumenthal, Marinus' Life of Proclus, Neoplatonist Biography, in: Byzantion 54, 1984, 469–494 · Ders., Neoplatonic Elements in the »de anima« Commentaries, in: R. Sorabji (Hrsg.), Aristotle Transformed, 1990, 319–320 · K. Hult, Marinus the Samaritan, in CeM 43, 1992, 163–178. · J. Mansfeld, Prolegomena Mathematica from Apollonius of Perga to the Late Neoplatonists (Philosophia Antiqua 80), 1998, 61–65 · M. Michaux, Le commentaire de Marinus aux »Data« d'Euclide, 1947 · J. Mogenet, Holstenius et l'horoscope de Proclus, in: Collectanea Vaticana in honorem ... Albareda (Studi e Testi 220), 1962, 281–308 · O. Neugebauer, H.B. Van Hoesen, Greek Horoscopes, 1959, 135–136 · Sh. Sambursky, Proklos und sein Nachfolger M. (SHAW, Mathematisch-naturwiss. Klasse 2, 1985), 1985 · O. Schissel von Fleschenberg, M. von Neapolis und die neuplatonischen Tugendgrade, 1928 (rez. von W. Theiler, in: Gnomon 5, 1929, 307–317) · R. Walzer, Lost Neoplatonic Thought in the Arabic Trad., in: Le Néoplatonisme, 1971, 319–328. H.SA./Ü: S.P.

## Marinus

**[1]** Besiegte als *comes (Africae?)* 413 n. Chr. → Heraclianus, exekutierte das Todesurteil gegen ihn und ging gegen dessen Anhänger mit großer Härte vor, u. a. wurde → Marcellinus [12] hingerichtet. Wohl noch 413 selbst seines Amtes enthoben. Christ. Seine Identität mit dem in Cod. Theod. 15,11,1 erwähnten Maurianus (PLRE 2, 737) ist fraglich. PLRE 2, 724. H.L.

**[2]** M. aus Apameia (Syrien). Oström. Beamter, Anhänger der monophysitischen Christologie (→ Monophysitismus); bezeugt seit ca. 498 n. Chr., zunächst als Steueraufseher in Antiocheia [1], bald aber als finanz- und religionspolit. Berater → Anastasios' [1] I. Unter seinem Einfluß übertrug der Kaiser die Zuständigkeit für die staatlichen Einnahmen von den Kurialen auf Steuerpächter (*vindices*) und ergänzte 512 die Anrufung Gottes im *Trishagion*-Hymnos durch einen monophysitischen Zusatz. 512–515/17 bekleidete M. das hohe Amt eines → *praefectus praetorio*. 515 vernichtete er die Flotte des Usurpators → Vitalianus, der Konstantinopel bedrohte, durch den Einsatz schwefelhaltiger Feuerwerfer. Unter → Iustinus [1] I. 519 noch einmal als *praefectus praetorio* bezeugt, fiel er bei diesem (spätestens 521) als Monophysit in Ungnade und verlor sein Amt. Sein Tod ist nicht später als 539 anzusetzen.

PLRE 2, 726–728 Nr. 7 · Stein, Spätröm. R. 2, 177, 184, 194, 204, 210f., 213, 224, 244f., 783. F.T.

## Marion

**[1]** Der 43/2 v. Chr. von → Cassius [I 10] Longinus als Stadtherr (»Tyrannos«) von Tyros eingesetzte M. half dem aus dem Exil zurückgekehrten Hasmonäer → Antigonos [5] bei dessen Versuch, in Galilaea und Iudaea gegen → Herodes [1] wieder Fuß zu fassen. Dabei wurde M. von Herodes aus Galilaea vertrieben, und ein Teil seiner in Gefangenschaft geratenen tyrischen Soldaten von Herodes mit Geschenken nach Hause geschickt (Ios. bell. Iud. 1,238f.; ant. Iud. 14,297f.).

Schürer, Bd. 1, 277f. A.ME.

**[2]** (Μάριον). Hauptstadt eines lokalen Königreichs an der NW-Küste von → Kypros bei der h. Polis tis Chrysochou. Die Mz. tragen neben dem Namen des Dynasten z. T. auch den der Stadt [1]. Funde reichen bis in geom. Zeit (900–700 v. Chr.) zurück. Export von Kupfer aus

den Minen des nahen h. Limniti intensivierte den Kontakt mit Griechenland, bes. mit Athen (vgl. IG II² 1675 Z. 18), den auch Funde in den ausgedehnten Nekropolen und die klass. Tonfiguren eigener Produktion zeigen [2]. Der Ort wurde 449 v. Chr. durch Kimon [2] erobert (Diod. 12,3,3). Der letzte König Stasioikos II., zunächst auf Seiten des Antigonos [1] und des Seleukos (Diod. 19,59,1; 62,6), wurde 312 v. Chr. von Ptolemaios verhaftet, die Stadt zerstört und die Bevölkerung nach Nea Paphos umgesiedelt (Diod. 19,79,4). Die Neugründung erfolgte unter dem Namen Arsinoe, wohl durch Ptolemaios II. ca. 270 v. Chr. (vgl. Strab. 14,6,3, der einen hl. Hain des Zeus erwähnt). In christl. Zeit Bischofssitz. Erh. sind Reste ant. Hafenanlagen; durch Ausgrabungen sind Nekropolen mit kypro-syllabischen Epitaphien, Heiligtümer, die Stadtbefestigung und eine byz. Basilika bekannt [3].
→ Kyprisch; Kyprische Schrift; Paphos

1 BMC, Gr Cyprus LV-LXII, 32–34 2 P. Herrmann, Das Gräberfeld von M. auf Cypern, 1888 3 W. A. P. Childs, First Preliminary Report on Excavations at Polis Chrysochous by Princeton University, in: RDAC 1988, 121–130.

G. Hirschfeld, s. v. Arsinoe (9), RE 2, 1278 • Masson, 150–185 • E. Oberhummer, s. v. M. (1), RE 14, 1802f. • J. A. R. Munro, H. A. Tubbs, Excavations in Cyprus, 1889, in: JHS 11, 1890, 1–82 • N. Serwint, The Terracotta Sculpture from M., in: R. Laffineur, F. Vandenabeele (Hrsg.), Cypriote Terracottas, 1991, 213–219. R. SE.

**Maris** (Μάρις). Sohn des Königs Amisodaros. Kämpft mit seinem Bruder → Atymnios [1] auf Troias Seite unter Sarpedon. Als er versucht, seinen Bruder zu rächen, der von Nestors Sohn → Antilochos getötet worden ist, wird er von dessen Bruder → Thrasymedes getötet (Hom. Il. 16,317ff.). I. BAN.

**Marissa** (hebr. *Mārēʾšā*, *Mārešā*, »Siedlung auf der Höhe«; griech. Μάρισ(σ)α). Stadt im SW Iudaeas (→ Palaestina). Neben zahlreichen Erwähnungen im AT (Jos 15,44; 2 Chr 14,8f.; 20,37 u. a.) ist der wohl als Verwaltungszentrum wichtige Ort, der nach dem Exil edomitisch (→ Edom) wurde, durch außerbiblische Zeugnisse (u. a. Iosephos Flavios) und die reichen Grabungsfunde des ca. 2 km südlich des h. Bet-Guvrin gelegenen Tell Sandaḥanna (»Hügel der Hl. Anna«; auch Tell Mārēšā gen.) bekannt geworden. Handelsbeziehungen und polit. Kontakte sind nachgewiesen für das ptolem. Äg. (Zenon-Archiv) sowie Phönizien (sog. Sidoniergräber) und Idumaea. In nachbiblischer Zeit kennt Eus. On. 130,10f. die Lage des einstigen M. als ἔρημος/*érēmos* zwei Meilen von Eleutheriopolis, der röm. Nachfolgerin von M., entfernt.

G. Hölscher, s. v. Maris(s)a, RE 14, 1808f. • O. Keel, M. Küchler, Orte und Landschaften der Bibel 2, 1982, 854–880 • A. Kloner, s. v. Mareshah (Marisa), in: NEAEHL 3, 948–957. J. RI.

**Maritima** (*M. Avaticorum*, Mela 2,78; *oppidum M.*, Plin. nat. 3,34; Μαρίτιμα κολωνία, Ptol. 2,10,5; *colonia M.*, Geogr. Rav. 5,3; 4,28). Hauptort der Avatici (Gallia Narbonensis). Vorgängersiedlung war ein vorröm. *oppidum*, dessen Name nicht bekannt ist. Evtl. war M. eine unter Caesar oder Augustus gegr. *colonia*. Die Lage ist nicht genau bekannt: am Étang de la Valduc oder am Étang de Berre bei Miramas oder besser bei Martigues. Wichtiger Durchgangsort auf der Handelsstraße von → Massalia nach → Arelate, über Saint-Blaise und La Crau.

G. Barruol, Les peuples préromains du Sud-Est de la Gaule, 1969, 195f. • J. Chausserie-Laprée, Martigues, 1995. Y. L.

**Marius.** Osk. Praen. (→ Egnatius [I 3]). Als röm. Gentilname seit dem 2. Jh. v. Chr. bezeugt. Bedeutendster Angehöriger ist der siebenfache Consul M. [I 1]; der prominente Namensträger der Kaiserzeit aus Spanien M. [II 3] ist wohl Nachkomme von dessen Familienangehörigen.

Salomies, 76 • J. Reichmuth, Die lat. Gentilicia, 1956, 99 • Schulze 189, 360.

I. Republikanische Zeit

**[I 1] M., C.** Der siebenfache Consul; Sieger über Iugurtha sowie die Cimbern und Teutonen.

A. Der politische Aufstieg B. Der Krieg gegen Iugurtha und die Siege über die Cimbern und Teutonen C. Die Rückkehr in die römische Innenpolitik D. Der Bürgerkrieg zwischen Marius und Sulla E. Persönlichkeit und politisches Wirken

A. Der politische Aufstieg

Geb. ca. 157 v. Chr. bei Arpinum, aus ritterständischer (aber keineswegs »bäuerischer«, wie die Überl. will) Familie mit Verbindungen nach Rom. Er erwarb früh mil. Erfahrung: 134 diente er mit bes. Auszeichnung unter P. Cornelius [I 70] Scipio in Spanien vor Numantia (Bekanntschaft mit → Iugurtha), wurde Militärtribun und kämpfte vielleicht unter M'. Aquillius [I 3] oder seinen Nachfolgern in Asia [6. 30f.]. Etwa 123 Quaestor. 119 erlangte er (wohl mit Unterstützung der Caecilii Metelli) das Volkstribunat, brachte aber gegen den heftigen Widerstand des Consuls L. Caecilius [I 24] Metellus Delmaticus ein Gesetz durch, das die direkte Beeinflussung der Wähler bei der Abstimmungsprozedur verhindern sollte (Cic. leg. 3,38f.; → *comitia*). Die Bewerbung 117 um die Ädilität scheiterte wohl deshalb. M. konnte allerdings ein Jahr später seine Wahl zum *praetor urbanus* 115 sichern, überstand aber selbst nur knapp ein Verfahren wegen Amtserschleichung (→ *ambitus*). Als *propr.* 114 sorgte er erfolgreich in Hispania citerior für Ruhe; seinen Angehörigen gelang es wohl, Zugriff auf die Bergwerke der Prov. zu erlangen [5. 23], die den Grundstein für den Reichtum der Nachkommen legten (→ M. [II 3]). Ca. 110 heiratete er Iulia [1] aus der patrizischen Familie der Iulii Caesares (die spätere Tante Caesars), die ihm 109 den Sohn C.M. [I 2] gebar. 109 wählte ihn Q. Caecilius [I 30] Metellus Numidicus als Legaten und Stellvertreter für den Krieg gegen Iugurtha in Afrika, in dem M. sich erneut auszeichnete.

B. Der Krieg gegen Iugurtha und die Siege über die Cimbern und Teutonen

Als M. sich 108 in Rom um das Konsulat bewerben wollte, verweigerte ihm zunächst Metellus die Freistellung, was zu einem schweren Zerwürfnis zwischen beiden Männern führte (Sall. Iug. 63–65). Als M. sich schließlich bewerben konnte, griff er Metellus (wegen der angeblich erfolglosen Kriegführung) und die ihn stützende Nobilität scharf an und sicherte sich durch die Unterstützung des Volkes und der Ritter (die ihre Wirtschaftsinteressen durch den Krieg beeinträchtigt sahen; → *equites Romani*) damit für 107 das Konsulat. Durch ein Plebiszit erhielt er den Oberbefehl gegen Iugurtha, obwohl der Senat das Kommando des Metellus bereits verlängert hatte. M. baute die Armee in Afrika neu auf, indem er auf besitzlose Freiwillige zurückgriff (Sall. Iug. 86,2). Die Feldzüge 107–105 verliefen allerdings ohne endgültige Entscheidung, bis es M.' Quaestor, P. → Cornelius [I 90] Sulla, gelang, König Bocchus [1] I. von Mauretanien zur Auslieferung des Iugurtha zu bewegen (weshalb Sulla später den Erfolg im Krieg für sich beanspruchte).

Die von den Cimbern und Teutonen (→ Cimbri) verursachten schweren röm. Niederlagen in Gallien führten dann zur Wahl des M. in Abwesenheit und gegen die Regeln des → *cursus honorum* zum *cos. II* 104. Nach dem Triumph über Iugurtha am 1. Jan. 104 übernahm M. die Reste der röm. Armee in Oberitalien, die bereits von P. → Rutilius Rufus reorganisiert worden war, und verbesserte – bis 100 fortwährend zum Consul gewählt – Training und Ausstattung der Truppen, so daß er dadurch und durch die Aufnahme von Freiwilligen zum Schöpfer der röm. Berufsarmee wurde (sog. »marianische Heeresreform«; [8], → Heerwesen). Erst 102 schlug er die Teutonen und Ambronen bei Aquae Sextiae (Aix-en-Provence), 101 dann zusammen mit Q. Lutatius [I 3] Catulus die über die Alpen gelangten Cimbern bei Vercellae (bei Rovigo in Oberitalien); beide feierten einen gemeinsamen Triumph.

C. Die Rückkehr in die römische Innenpolitik

Nach Rom zurückgekehrt, war M. im Senat weitgehend isoliert, da er für seine innenpolit. Ziele keine hinreichenden Verbündeten hatte, während Volk und Ritter weiter auf seiner Seite standen. Bereits 103 hatte er sich daher der Hilfe des Volkstribunen L. Appuleius [I 11] Saturninus bedient, um Land für die Veteranen des Afrikafeldzuges zu erhalten; 100 setzte Appuleius mit nachdrücklicher Unterstützung des M. (und gegen den Widerstand des Metellus Numidicus, der deshalb ins Exil gehen mußte) erneut die Anlage von Kolonien durch. Er suchte dann aber mit seinem Verbündeten, dem Praetor C. → Servilius Glaucia, der das Konsulat für 99 anstrebte, eigene polit. Ziele mit Gewalt durchzusetzen, worauf M. die Erhebung unterdrücken ließ und Saturninus, Glaucia und ihre Anhänger umkamen. Dennoch verbesserte sich M.' Verhältnis zum Senat nicht, da er die Rückkehr des Metellus hartnäckig verhinderte. Die Hoffnung auf eine Censur zerschlug sich, und M. ging nach Kleinasien, verhandelte mit → Mithradates VI. und wurde in Abwesenheit Augur. Nach der Rückkehr 97 scheint M. kaum öffentlich Anteil an der Innenpolitik genommen zu haben, bezeugt ist nur der Einsatz für einige seiner Anhänger vor Gericht. Er scheint den Wunsch der Italiker nach Bürgerrecht unterstützt zu haben, ebenso die polit. Ansprüche der Ritter und war wohl deshalb 91 Gegner des konservativen Reformprogramms des Volkstribunen M. Livius [I 7] Drusus [1]. Als allerdings der Senat in diesem Jahr König Bocchus I. gestattete, eine Statuengruppe auf dem Capitol zu weihen, die die Auslieferung Iugurthas an Sulla zeigte, hinderte nur der plötzliche Ausbruch des → Bundesgenossenkrieges [3] M. daran, gewaltsam dagegen vorzugehen. Hier kämpfte er erfolgreich gegen die Marser, scheint sich aber – anders als Sulla – für weitere mil. Kommandos (auch aufgrund seines hohen Alters) nicht mehr empfohlen zu haben.

D. Der Bürgerkrieg zwischen Marius und Sulla

Als sich der Bundesgenossenkrieg dem Ende zuneigte, zeichnete sich bereits der Krieg im Osten gegen Mithradates VI. ab. Das mil. Kommando sollte M.' Karriere noch einmal Auftrieb geben, doch wurde sein jüngerer Rivale Sulla 88 Consul und erhielt den Oberbefehl. Als dieser bereits beim Heer war, entzog ihm ein gewaltsam durchgesetztes Plebiszit des von M. unterstützten Volkstribunen P. → Sulpicius das Kommando und übertrug es auf M. Völlig überraschend ignorierte Sulla den Volksbeschluß, führte sein Heer gegen Rom und ließ seine Gegner umbringen. Auf dramatischer Flucht entkam M. den Verfolgungen, wobei er in Minturnae nur knapp der Hinrichtung entging (Cic. Planc. 26; Cic. Sest. 50; Cic. Pis. 43 u.ö.), und gelangte schließlich wie sein Sohn nach Afrika zu seinen Veteranen. Als 87 der Consul und Gegner Sullas, L. Cornelius [I 18] Cinna, aus Rom vertrieben worden war, nutzte M. die Gelegenheit zur Rückkehr mit den eigenen Anhängern. Er organisierte die Eroberung Roms und übte mit Cinna grausame Rache an ihren – tatsächlichen und vermeintlichen – polit. Gegnern. Für 86 zum siebten Mal (zusammen mit Cinna) zum Consul bestimmt, starb M. am 13. Jan. desselben Jahres im Alter von 70 J. (Augenzeugenbericht des Poseidonios über den kranken M. bei Plut. Marius 45).

E. Persönlichkeit und politisches Wirken

Als → *novus homo* mußte M. trotz bedeutender mil. Erfolge in der röm. Innenpolitik scheitern, da es ihm nie gelang, innerhalb der Nobilität langfristig Verbündete zu finden. Schwerwiegend war das Zerwürfnis mit seinen früheren Unterstützern, den Caecilii Metelli, die daraufhin M.' Gegner Sulla förderten. Innenpolit. Reformvorstellungen entwickelte M. nicht. Zwar freigebig in der Verleihung des röm. Bürgerrechtes als Feldherr auf dem Schlachtfeld (Cic. Balb. 46; Val. Max. 5,2,46), war andererseits seine Haltung zur Forderung der Italiker nach Bürgerrecht von taktischem Kalkül bestimmt (App. civ. 1,306). Sein persönlicher Ehrgeiz und die Fehleinschätzung des Charakters Sullas lösten schließlich den ersten großen Bürgerkrieg in Rom aus, der Sulla (und später Caesar) den Weg zum Einsatz der Armee in der Innenpoltik wies (die sog. Heeresreform vollendete wohl nur den Weg zu einer professionellen Freiwilligenarmee). Ohne die Brüche in seiner Laufbahn zu überdecken, galt M. dennoch in der späten Republik (Cicero) und frühen Kaiserzeit (Elogium: InscrIt 13,3 Nr. 83) als der »zweite Retter Roms« und führender Angehöriger der röm. Herrschaftsschicht. Hauptquellen: zahlreiche Erwähnungen bei Cicero (z.T. aus persönl. Erinnerung, Gedicht *Marius*); Sall. Iug.; Liv. per. 66–80; Elogium (InscIt 13,3, Nr. 83: *cursus honorum*); App. civ. 1,130–346; Plut. Marius; Quellensammlung: [7].

1 BADIAN, Clientelae, 192–225 2 E. BADIAN, Stud. in Greek and Roman History, 1963 3 Ders., Marius and the Nobles, in: Durham University Journal 25, 1963/64, 141–154 4 CAH 9, ²1995, Index s. v. M. 5 T. F. CARNEY, A Biography of C. M., 1961 6 R. J. EVANS, Gaius M., 1994 (Lit.) 7 A. H. J. GREENIDGE, A. M. CLAY, Sources for Roman History 133–70 B. C., ²1960 8 E. GABBA, Republican Rome, the Army and the Allies, 1976, 1–19 9 J. VAN OOTHEGEM, Gaius M., 1964 10 V. WERNER, Quantum bello optimus, tantum pace pessimus. Stud. zum M.-Bild in der ant. Geschichtsschreibung, 1995 11 R. WEYNAND, s. v. M. (14), RE Suppl. 6, 1363–1425 (Quellen).

**[I 2] M., C.** Sohn von M. [I 1], geb. 109 v. Chr., 93 verheiratet mit Licinia [6], Tochter des M. Licinius [I 10] Crassus. 90 und 89 diente er im → Bundesgenossenkrieg [3]. Beim Marsch des L. → Cornelius [I 90] Sulla 88 auf Rom floh er mit seinem Vater aus der Stadt und gelangte nach Afrika. Vom Numiderkönig → Hiempsal [2] dort festgesetzt, gelang ihm die Flucht, und er konnte 87 mit seinem Vater nach Rom zurückkehren (Nep. Att. 2; Plut. Marius 35,8–12; Liv. per. 77). Als 82 die Rückkehr Sullas bevorstand, wurde M. (erst 27jährig) Consul. Er befestigte Praeneste und ordnete noch vor dem Endkampf die Ermordung der führenden Mitglieder der Aristokratie in Rom an. Von Sulla bei Sacriportus geschlagen, floh er nach Praeneste und wurde dort von dessen Legaten Q. Lucretius [I 6] Afella belagert. Ein Befreiungsversuch durch die Samniten scheiterte, so daß M. auf der Flucht aus Praeneste getötet wurde (Sall. hist. 1,35 f. M.; Liv. per. 86–88; Vell. 2,26,1; App. civ. 1,8–94; MRR 2,65 f.). K.-L.E.

**[I 3] M., C.** Der »falsche M.« (für seine Echtheit s. jedoch [1] mit Quellen), trat 45 v. Chr. in Rom als Enkel von M. [I 2] auf. Caesar verbannte ihn im Herbst aus Italien; im März 44 kam M. zurück, opferte dem toten Caesar und sammelte Anhänger, worauf M. Antonius den Rivalen im April unter großem Blutvergießen ergreifen und ohne Prozeß töten ließ.

1 F. J. MEIJER, M.' Grandson, in: Mnemosyne 39, 1986, 112–121.

**[I 4] M., L.** *Tribunus plebis* 62 v. Chr., legte gemeinsam mit M. → Porcius Cato ein Gesetz gegen überzogene Siegesberichte vor; 61 Legat des C. Pomptinus in der Narbonensis (Val. Max. 2,8,1; Cass. Dio 37, 48,1 f.). Der Nebenkläger gegen M. Aemilius [I 38] Scaurus könnte M.' Sohn sein (Ascon. 22; 29c). JÖ.F.

**[I 5] M., M.** Quaestor wohl spätestens 82 v. Chr. Spätestens 76 Offizier des Q. → Sertorius in Spanien; von diesem 75 zu König → Mithradates VI. nach Asia gesandt, kämpfte auf dessen Seite, wurde aber 72 von L. Licinius [I 26] Lucullus bei Lemnos geschlagen (Plut. Sertorius 24,2; Plut. Lucullus 12,5; App. Mithr. 332–338).

C. F. KONRAD, Plutarch's Sertorius, 1994, 200–202. K.-L.E.

**[I 6] M., M.** Kultivierter enger Freund, evtl. sogar Verwandter → Ciceros, der ihm fam. 7,1–4 schrieb; wohnhaft in Campania und wegen seiner Gicht selten auf Reisen (Cic. ad Q. fr. 2,8,2 f.). JÖ.F.

**[I 7] M. Gratidianus, M.** Leiblicher Sohn des M. Gratidius [2] aus Arpinum und der Maria [1], Schwester des C. Marius [I 1], adoptiert von deren Bruder M. M. (Praetor 102 v. Chr. [?] in Hispania, MRR 1,568) und damit Verwandter Ciceros. Ursprünglich Geschäftsmann aus dem Ritterstand, wurde M. 87 als begabter Redner (Cic. Brut. 223) unter der Herrschaft des L. Cornelius [I 18] Cinna Volkstribun, wobei er als für den Selbstmord des Q. Lutatius [I 3] Catulus verantwortlich galt (Liv. per. 79; Schol. Bernensia Lucan. 2,173 p. 61 U.; MRR 2,27; 52). Als Praetor 85 erließ er ein Edikt, durch das die minderwertigen, seit 91 ausgegebenen Denare (→ Livius [I 7]) eingezogen und Strafen gegen Mißbrauch des stark schwankenden Geldwertes eingeführt wurden [1]. Dies machte ihn so populär, daß die stadtröm. Bevölkerung in den Vierteln Statuen des M. aufstellte, an denen sie opferte (Cic. off. 3,80; Plin. nat. 33,132; 34,27), und er 84 erneut Praetor wurde. Bei der Eroberung Roms durch die Sullaner (→ Cornelius [I 90] Sulla) im Nov. 82 wurde M. gefangengenommen und beim Grabmal des Catulus unter maßgeblicher Beteiligung des L. Sergius → Catilina grausam ermordet (Q. Cicero, Commentariolum petitionis 10; Sall. hist. 1,44; 55,14 M.; Liv. per. 88; Ascon. 87; 90 C. u. a.).

1 M. H. CRAWFORD, The Edict of M. M. Gratidianus, in: PCPhS N. S. 14, 1969, 1–4. K.-L.E.

## II. KAISERZEIT

**[II 1] Imperator Caesar M. Aurelius Marius Augustus.** Wohl im Mai oder Juni 269 n. Chr. zum Augustus als Nachfolger von → Postumus in Gallien erhoben, nach wenigen Monaten ermordet (PIR[2] A 1555; PLRE 1, 562).

RIC 5,2, 374–378 • A. CHASTAGNOL, L'empereur gaulois M. dans l'Histoire Auguste, in: A. ALFÖLDI (Hrsg.), Historia-Augusta Colloquium 1971, 1974, 51–58 • KIENAST, [2]1996, 245. A.B.

**[II 2] P. M.** *Consul ordinarius* im J. 62 n. Chr.; *curator aquarum* 64–66. Das Cogn. *Celsus*, das ihm lange Zeit zugeschrieben wurde, trug er nicht [1. 334]. PIR[2] M 294.

1 W. ECK, Ergänzungen zu den Fasti Consulares des 1. und 2. Jh. n. Chr., in: Historia 24, 1975.

**[II 3] S. M.** Reicher Bürger aus Corduba in der Hispania Baetica, dessen Vermögen v. a. aus den Gold- und Silberminen in den *montes Mariani* (Sierra Morena) stammte. *Amicus* des → Tiberius. 25 n. Chr. wurde er von einem Landsmann angeklagt, aber von Tiberius geschützt. Als er im J. 33 angeblich seine Tochter Tiberius nicht überließ, wurde er von diesem angeklagt und nach seiner Verurteilung vom Tarpeischen Felsen (→ Tarpeium saxum) gestürzt; sein Vermögen wurde für den Fiscus eingezogen (Tac. ann. 6,19,1). Ob ein S. M. in einem Hospitiumvertrag ([1. 217–222] = AE 1991, 1017) mit ihm identisch ist, muß unsicher bleiben. PIR[2] M 295.

1 W. ECK, F. FERNÁNDEZ, Sex. Marius in einem Hospitiumvertrag aus der Baetica, in: ZPE 85, 1991.

**[II 4] A. M. Celsus.** Legat der *legio XV Apollinaris*; 63 n. Chr. führte er diese in den Krieg gegen die Parther (→ Partherkriege). → Galba zog ihn als Berater heran und wollte durch ihn die Revolte der Praetorianer im Jan. 69 niederschlagen, aber ohne Erfolg. Gegen die Wut der gegen Galba revoltierenden Soldaten wurde M. von → Otho geschützt, der ihn seinerseits unter seine *amici* aufnahm. Als einer der Anführer des othonischen Heeres gegen Vitellius riet er in der Schlacht von Bedriacum den Soldaten, den Kampf aufzugeben. Wohl auch deswegen wurde er von → Vitellius nicht bestraft; vielmehr beließ dieser ihm den Suffektkonsulat Juli/August 69, wozu er bereits von Nero bestimmt worden war. Es gelang M., das Vertrauen des → Vespasianus zu gewinnen, der ihn wohl im Frühjahr 71 zum Kommandeur des niedergermanischen Heeres ernannte. Unter M.' Leitung wurde im Frühj. 73 von der *legio VI Victrix* ein Siegesmonument nahe bei Xanten errichtet ([1. 195 ff.] = AE 1979, 413). Unmittelbar danach wurde er als consularer Legat nach Syrien versetzt, wo er noch 73 oder Anf. 74 durch Ulpius → Traianus ersetzt wurde; vielleicht war M. in Syrien verstorben. M. war wohl Sohn von M. [II 5]. PIR[2] M 296.

1 C. B. RÜGER, Ein Siegesdenkmal der legio VI victrix, in: BJ 179, 1979 2 ECK, Statthalter, 137 f.

**[II 5] Q. M. Celsus.** *Praetor peregrinus* im J. 31 n. Chr.; vielleicht Vater von M. [II 4]. PIR[2] M 297.

ECK, Statthalter, 137 f.

**[II 6] M. Cordus.** M. könnte zu Beginn der Regierung Neros ein Amt in der Prov. Asia bekleidet haben; möglicherweise ersetzte er den durch Agrippina [3] oder Nero ermordeten Iunius [II 38] Silanus.

PIR[2] M 299 • G. R. STUMPF, Numismatische Stud., 1986, 171–173 • VOGEL-WEIDEMANN, 400–405 • W. WEISER, Namen röm. Statthalter auf Mz. Kleinasiens. Corrigenda et Addenda zu Gerd Stumpfs Münzcorpus, in: ZPE 123, 1998, 278 f.

**[II 7] C. M. Etruscus Galianus.** Senator; Militärtribun bei der *legio II Adiutrix* in Pannonia und damals zum Quaestor designiert.

L. KOCSIS, in: Budapest Regisegei 28, 1992, 120.

**[II 8] M. Maturus.** Praesidialprocurator der → Alpes maritimae im J. 69 n. Chr., der die Anhänger des → Otho abzuhalten versuchte, sich seiner Prov. zu bemächtigen. Er stand zu → Vitellius bis zum Spätherbst 69, vereidigte aber dann seine Truppen auf → Vespasianus. Von diesem wurde er zum Procurator in der Hispania Tarraconensis befördert, wo er an einem Rechtsstreit zusammen mit dem Statthalter Aurelius [II 14] Fulvus beteiligt war (AE 1952, 122). PIR[2] M 306.

**[II 9] L. M. Maximus.** *Cos. ord.* im J. 232 n. Chr.; wohl Sohn von M. [II 10]. PIR[2] M 307.

**[II 10] L. M. Maximus Perpetuus Aurelianus.** Sohn von M. [II 12], Bruder von M. [II 13]. Senator. M.' Laufbahn, die unter Commodus begann, ist vollständig in CIL VI 1450 = ILS 2935 überl. Im J. 193 n. Chr. Legionslegat in Moesia inferior; damals schloß er sich → Septimius Severus an, der ihn in den Bürgerkriegen als mil. Führer einsetzte, sowohl vor Byzanz gegen → Pescennius Niger als auch bei Lugdunum gegen → Clodius [II 1] Albinus. Anschließend praetorischer Statthalter der Belgica, danach Suffektconsul 198 oder 199; consularer Legat von Germania inferior, danach (im J. 208 bezeugt) in Syria Coele (→ Koile Syria), wo er oft in den Papyri von Dura Europos erwähnt ist. Schließlich wurde er Proconsul von Africa, ebenso in Asia, dort sogar für zwei J.; die Amtszeiten fallen unter → Caracalla, doch ist die Abfolge umstritten (s. zuletzt [1. 84 f.]). Zum *praefectus urbi* durch Macrinus ernannt; *cos. ord. II* im J. 223.

In seinem Haus auf dem Mons Caelius in Rom wurde M. von verschiedenen Personen mit Statuen geehrt. Er war als Schriftsteller tätig, v. a. als Historiker, dessen Werke noch in der Zeit → Ammianus' sehr verbreitet waren. Umstritten ist, wie weit seine biographische Darstellung röm. Kaiser seit Traian in der → *Historia Augusta* verarbeitet wurde (dazu z. B. [2. 30–45], der M. nur als Nebenquelle betrachtet; M. als Basis der HA dagegen zuletzt [3. 2679–2757]). PIR[2] M 308.

1 THOMASSON, Fasti Africani 2 R. SYME, Historia Augusta Papers, 1983 3 A. R. BIRLEY, Marius Maximus: The Consular Biographer, in: ANRW II 34.3, 1997.

**[II 11] Q. M. Nepos.** Senator, der → Tiberius um finanzielle Unterstützung bat; der Kaiser kam der Bitte nach, stellte ihn aber vor der Öffentlichkeit bloß; später aus dem Senat entfernt (Sen. benef. 2,7,1 f.; Tac. ann. 2,48,3). PIR[2] M 309.

**[II 12] L. M. Perpetuus.** Ritterlicher Procurator, vielleicht aus Africa stammend; Sohn des gleichnamigen *scriba librarius* (ILAlg 592); Vater von M. [II 10] und M. [II 13]. Seinen Aufstieg verdankte M. wohl u. a. dem Praetorianerpraefekten Gavius [II 6] Maximus [1. 157 ff.]. Er war *procurator monetae, procur. vicesimae hereditatium, procur. stationis hereditatium, procur. provinciae Lugdunensis et Aquitaniae.* PIR[2] M 313.

1 W. Eck, in: Picus 8, 1988, 157–162.

**[II 13] L. M. Perpetuus.** Sohn von M. [II 12], Bruder von M. [II 10]. M.' senatorische Laufbahn begann unter Commodus. Militärtribun in Syria, dann *quaestor Augusti*, unsicher, ob bereits unter → Septimius Severus. Legionslegat in Syria Coele (→ Koile Syria), Statthalter von Arabia unter Septimius Severus; die Zeit ist umstritten. Suffektconsul, consularer Legat von Moesia inferior, Statthalter der Tres Daciae, im J. 214 n. Chr. bezeugt. Später Proconsul von Asia oder Africa (AE 1987, 69 = CIL VI 41188; vgl. auch 41187; Piso, FPD I 169–77). PIR[2] M 311.

**[II 14] L. M. Perpetuus.** Sohn von M. [II 13]. *Cos. ord.* 237. PIR[2] M 312.

**[II 15] M. Priscus.** Aus der Prov. Hispania Baetica stammend; unter Nero (oder Galba oder Vespasian) Aufnahme in den Senat. Suffektconsul unter → Domitianus um das J. 85 n. Chr.; Proconsul von Africa, wohl 97/8. Da er sich dort in Gerichtsverfahren massiv bestechen ließ, wurde er vor dem Senat angeklagt. Plinius (epist. 2,11,17–24; 2,12,1; 3,9,3; 6,29,9) berichtet über den Prozeß E. 99/Anf. 100, in dem er und Tacitus die Anklage vertraten. Die Bestechungsgelder wurden dem → *aerarium* zugewiesen, M. selbst verlor den senatorischen Rang und mußte in die Verbannung außerhalb Italiens gehen. PIR[2] M 315.

Thomasson, Fasti Africani, 49.

**[II 16] M. Pudens.** Procurator in der Narbonensis oder des *patrimonium* in Rom unter Marcus [2] Aurelius. Er wurde von Domitius Marsianus abgelöst (AE 1962, 183 = [1. 349–366]). Möglicherweise Bruder von M. [II 12]. PIR[2] M 316.

1 H.-G. Pflaum, Une lettre de promotion de l'empereur Marc Aurèle pour un procurateur ducénaire de Gaul Narbonnaise, in: BJ 171, 1971.

W. Eck, in: Picus 8, 1988, 157 ff.

**[II 17] M. Secundus.** Verm. ritterlichen Ranges, verwaltete im J. 217 n. Chr., als Macrinus zur Macht kam, ein Amt in Äg. Macrinus nahm ihn in den Senat auf und machte ihn zum praetorischen Statthalter von Syria Phoenice, wo er beim Aufstand gegen Macrinus umkam (Cass. Dio 79,35,1 ff.). PIR[2] M 318.

**[II 18] M. Siculus.** Aus Urvinum Mataurense stammend, wo er munizipale Ämter übernahm. Ferner *tribunus militum legionis XII, praefectus duorum principum* (wobei unsicher ist, in welchem Zusammenhang) und *praefectus* in der Flotte des Cn. Lentulus auf Sizilien (CIL XI 6058); identisch mit dem T. Marius bei Valerius Maximus (7,8,6), der während seines gesamten Lebens betont habe, er werde Augustus, durch den er höchste mil. Ämter und großen Reichtum erlangt hatte, zu seinem Erben machen. Tatsächlich erwähnte er ihn nicht einmal in seinem Testament. PIR[2] M 319.

Demougin, 38 ff. Nr. 25.

**[II 19] L. M. Vegetinus Marcianus Minicianus Myrtilianus.** Senator, der vielleicht aus der Hispania Baetica stammte. Nach einer nicht sehr imponierenden Laufbahn, deren höchstes Amt die *praefectura frumenti dandi* gewesen zu sein scheint, gelangte er zum Suffektkonsulat, nicht vor dem 3. Jh. n. Chr.

Caballos, Senadores 1, 208 ff. · PIR[2] M 323. W.E.

**[II 20] Claudius M. Victor (oder Victorius).** Rhet.-Lehrer in Marseille (tätig in den 420er/430er J. n. Chr.), Autor der *Alethia*, eines Epos zum AT in 3 B. Es beginnt mit der Schöpfung und endet mit der Zerstörung von Sodom und Gomorrha. Wenn Gennadius' Notiz (Vir. ill. 61) richtig ist, ist ein 4. B., das den biblischen Ber. bis zum Tod Abrahams fortführte, verloren. Daß der Autor umfassenden Gebrauch von christl. Exegese macht, verleiht der Dichtung den Charakter eines in Versen verfaßten Komm. Dagegen lassen seine Vertrautheit mit philos. Terminologie und seine anthropologischen Exkurse den Einfluß von → Lucretius [III 1] vermuten: Ein Gebet (*precatio*), das dem Gedicht vorangestellt ist, definiert das Werk als Lehrgedicht für die Jugend. Die *Alethia* ist nur in einer Hs. des 9. Jh. erh. M. V. dürfte das Bibelepos des Alcimus Ecdicius → Avitus [2] beeinflußt haben, ist aber selbst im MA nur selten gelesen worden. → Bibeldichtung

Ed.: C. Schenkl, CSEL 16, 1888, 335–498 · P. F. Hovingh, CCL 128, 1960, 115–193, 269–299.
Lit.: H. H. Homey, Stud. zur Alethia des C. M. V., 1972.
M.RO./Ü: U.R.

**[II 21] C. M. Victorinus.** A. Biographie B. Werke C. Philosophie und Theologie

A. Biographie

M. V. wurde wohl gegen E. des 3. Jh. n. Chr. in Africa geboren (*Afer*) und gab seit etwa 340 in Rom Rhet.-Unterricht. Unter Kaiser Constantius [2] II. (337–361) hatte er den röm. Rhet.-Lehrstuhl inne und trug den Titel *vir clarissimus*; im vorgerückten Alter konvertierte der prominente Wissenschaftler zum Christentum (etwa im J. 355/6; Aug. conf. 8,2,1–3,5), was offenbar große öffentliche Aufmerksamkeit erregte. M. V. hat zur Ausbildung einer lat. Fachsprache der Philos. beigetragen; er ist zugleich der erste lat. Christ, dessen

Werke neuplatonische Einflüsse zeigen, und der erste lat. → Paulus-Kommentator. Er starb längere Zeit vor 386 (Aug. conf. 8,2,3), nachdem er aufgrund der antichristl. Maßnahmen des → Iulianus [11] schon 362 seine Lehrtätigkeit eingestellt hatte.

B. Werke

M.V. hat v.a. gramm., rhet., dialektische und nach der Konversion auch theologische Beiträge vorgelegt (vgl. Cassiod. inst. p. 128,14–129,12 Mynors; Hier. contra Rufinum 1,16; Aug. conf. 8,2,3). Zur ersten Gruppe zählt eine *Ars grammatica*, die mit der Grammatik des → Asmonius verschmolzen wurde (CPL 1543). Aus der zweiten Gruppe ist ein Komm. zu Ciceros *De inventione* unter dem Titel *Explanatio in Rhetoricam Ciceronis* erh., in der einzelne Begriffe und Sätze erläutert werden (CPL 1544). Die Schriften der dritten Gruppe sind weitgehend verloren; sie umfaßten (anders [10. 187–190]) Übers. und Komm. zur Kategorienschrift des Aristoteles und ihrer Einleitung von Porphyrios sowie zu den Dialogen Ciceros und zu ›platonischen Büchern‹. Nach der Konversion entstanden seine theologischen Werke; dazu zählen seine Komm. zum Paulinischen Galater-, Philipper- und zum Epheserbrief (CPL 98), die nicht an griech. christl. Vorbilder (→ Origenes), sondern an philos. Komm.-Techniken anknüpfen. Ferner sind neun trinitätstheologische Traktate zu nennen, darunter vier antiarianische (→ Arianismus) Bücher *Ad Candidum Arrianum* (CPL 95; [5. 95–173]); der Traktat *De generatione divini verbi ad Candidum* [5. 15–48] und drei Hymnen *De trinitate* [5. 285–305]. Der Arianer Candidus ist dabei von M.V. fingiert; sein zweiter Brief (CPL 681) enthält zudem zwei Übers. griech. Quellen zum arianischen Streit (CPG 2, 2025a/2045a).

C. Philosophie und Theologie

M.V. hat fundamentale Prinzipien des (porphyrianischen) → Neuplatonismus aufgenommen, sie aber unauflöslich mit seinem spezifischen Entwurf einer christl. Trinitätstheologie und einer personalen Gottesvorstellung verknüpft [10]. Dabei hat er einige Spezifika des → Porphyrios, z.B. dessen Triade Eines/Sein, Leben und Denken (*esse, vita, sapientia*: Mar. Victorin. adversus Arium 1,26 und 4,7) und seine Unterscheidung von reinem, unbestimmtem Sein (*esse*) und dem determinierten, intelligiblen Sein (*sic esse*: ebd. 1,29) als Interpretation der zwei »Hypostasen« des → Plotinos rezipiert. Der Geist ist ein Band zwischen Vater und Sohn (*patris et filii copula*: Hymnus 1,4). M.V. verwendet den porphyrianischen Neuplatonismus, um das in Nikaia zw. Vater und Sohn bekannte ὁμοούσιος/*homoúsios* (»wesensgleich«) zu explizieren; er gibt der christl. Trinität also die Struktur der porphyrianischen Triade. M.V. betont in seinen Paulus-Komm. die paulinische Abweisung der Werke: *ipsa enim fides sola iustificationem dat* (›der Glaube selbst gewährt allein Rechtfertigung‹, ad Gal. 2,15), weil er sie vor dem platonischen Hintergrund des Gegensatzes von intellektueller *vita contemplativa* und *vita activa* (»theoretischer« und praktischer Lebensführung) versteht. Wahrscheinlich hat M.V. durch seinen Freund Simplicianus indirekt eine wichtige Rolle bei der Entstehung eines Mailänder Kreises von christl. Neuplatonikern gespielt, dem wiederum → Ambrosius und → Augustinus wichtige Anregungen verdanken.

Ed.: **1** A. Locher, 2 Bde., 1972/1976 (dazu kritisch P. Hadot, in: Latomus 35, 1976, 133–142) **2** I. Mariotti, Marii Victorini ars grammatica, 1967, 65–96 **3** C. Halm, Rhetores Latini Minores, 1863, 155–304 Explanatio **4** F. Gori, CSEL 83/2, 1986 (Komm. Gal, Phil, Eph) **5** P. Henry, P. Hadot, CSEL 83/1, 1971, 54–277 (Theol.).
Lit.: **6** K. Bergner, Der Sapientia-Begriff im Komm. des M.V. zu Ciceros Jugendwerk De inventione, 1994 **7** E. Benz, M.V. und die Entwicklung der abendländischen Willensmetaphysik (= Forschungen zur Kirchen- und Geistesgesch. 1), 1932 **8** St.A. Cooper, Metaphysics and Morals in M.V.' Commentary on the Letter to the Ephesians, 1995 **9** W. Erdt, M.V. Afer, der erste lat. Pauluskommentator, 1980 **10** P. Hadot, M.V., 1971 **11** G. Madec, P.L. Schmidt, in: HLL, Bd. 5, § 564 **12** W. Steinmann, Die Seelenmetaphysik des M.V., 1990 **13** A. Ziegenaus, Die trinitarische Ausprägung der göttlichen Seinsfülle nach M.V., 1972. C.M.

**[II 22]** Bischof von Aventicum (Avenches, der Bischofssitz wurde später nach Lausanne verlegt) von 574 bis 594; geb. 530/1, wahrscheinlich in Autun aus einer vornehmen röm. Familie. M. verfaßte eine Weltchronik, welche → Prosper Tiro von Aquitanien von 455 bis 581 fortsetzt. Quellen: Konsularlisten; *Annales Gallici*; *Annales Ravennates* für 455–467; eine lombardische Quelle für 532–579; eine burgundisch-fränkische für 500–581; für 571–581 eigene Erlebnisse. M. berichtet über die Ereignisse in It. mit bes. Berücksichtigung der → Langobarden; wertvoll sind v.a. die Nachrichten zur Zeitgesch. seiner Heimat sowie zu den Burgundern. Sein Werk, das ein sprachliches Zeugnis der Auflösung des Kasussystems ist, blieb ohne Nachwirkung im MA.

Ed.: PL 72, 791–802 · Th. Mommsen, MGH AA 11, 1894, 225–239 · J. Favrod, La chronique de M. d'Avenches (455–581), 1991.
Bibl.: W. Arndt, Bischof M. v. Aventicum, 1875 · C. Santschi, La chronique de l'évêque M., in: Rev. Historique Vaudoise 76 (1968), 17–34 · J. Favrod, Les sources et la chronologie de M. d'Avenches, in: Francia 17,1, 1990, 1–21 · S. Teillet, Des Goths à la nation gothique, 1984, 406f. J.M.A.-N.

**[II 23] M. Mercator.** Gegner der Pelagianer im 5. Jh. n. Chr., über dessen Vita wenig bekannt ist (Quellen: Aug. epist. 193; Hier. epist. 154,3.). Er stammte wahrscheinlich aus Campanien. Vor 418 lernte er auf einer Reise nach Africa → Augustinus kennen und verfaßte zwei verlorene Schriften gegen → Pelagius und Caelestius. U.a. mit Hieronymus bereitete er die Einladungsschreiben, *Tractoria* (CPL 1645), von Papst Zosimus (417/8) vor. In den nur in der *Collectio Palatina* (Pal.) erh. Schriften und Übers. eines gegen → Nestorios gerichteten Dossiers aus den Jahren 429/430, die er kurz nach dem Konzil von Ephesos (431) zusammengestellt oder redigiert hat, begegnet er als Mönch in der Nähe von Konstantinopel. Im Streit gegen den Pelagianismus (CPL 780; 781) folgt er weitgehend Augustinus, im Streit gegen Nestorios dem → Kyrillos [2] von Alexandreia, beruft sich aber gegen die Pelagianer auf Nestorios (Pal. 30–35). Der Kompilator der im Streit um → Origenes um 543/550 entstandenen, gegen die antiochenische Christologie gerichteten Pal. griff M. auf, da M. den Pelagianismus auf die Lehre von → Theodoros von Mopsuestia zurückführte (vgl. dazu Pal. 51: CPG 3860), die durch → Rufinus den Syrer (CPL 200) nach Rom gebracht worden sei (Pal. 3; 15). Mit Bezug auf Pelagius (CPL 754) bezeugt M. (CPL 781; Pal. 36: 69,17–29), daß die Differenz auch auf dem seit dem 4. Jh. veränderten Kirchenbegriff beruht. Die Antwort auf die sog. Gegenanathematismen des Nestorios (CPG 5761) in Pal. 37 mit einer Übers. der Anathematismen des Kyrillos [2] (CPG 5317) stammt wohl von M., während die in Pal. 37 folgenden kritischen Bemerkungen auf den Kompilator von Pal. zurückgehen (CPL 664b), der Nestorios – gegen M. (Pal. 18) – nicht mit Paulos von Samosata, sondern mit Photeinos von Sirmium in Verbindung bringt (81,39–83,8).

P. Chiesa, Ad verbum o ad sensum?, in: Medioevo & Rinascimento 1, 1987, 1–51 • A. Lepska, L'originalité des répliques de M. M. à Julien d'Eclane, in: Revue d'Histoire Ecclésiastique 27, 1931, 572–579 • B. Nisters, Die Collectio Palatina, in: Theologische Quartalsschrift 113, 1932, 119–137 • S. Prete, Mario Mercatore polemista antipelagiano, in: Scrinium Theologicum 11, 1958 • Ders., Il »Commonitorium« nella letteratura christiana antica, 1962 • J. Speigl, Der Pelagianismus auf dem Konzil von Ephesus, in: Annuarium historiae conciliorum 1, 1969, 1–14 • O. Wermelinger, Rom und Pelagius, Diss. 1975 • Ders., M. M. Denkschrift in der Angelegenheit des Caelestius, in: Adversus tempus. Mélanges W. Rordorf, 1983, 62–71.

K.U.

**Mark Aurel** s. Marcus [2] Aurelius

**Markellinos** (Μαρκελλῖνος).

**[1]** Griech. Autor einer Abh. über den Puls. Seine Erwähnung von Anhängern des → Archigenes legt eine Abfassung frühestens gegen E. des 1. oder das 2. Jh. n. Chr. nahe. Eine genauere Datier. wäre möglich, wenn er der Autor eines Rezeptes ist, das Galenos (de compositione medicamentorum secundum locos 7,5 = 13,90 K.) von → Andromachos [5] d. J. zit., doch die Identifizierung ist unsicher. M.' stilisiertes Vorwort bezieht sich auf frühere Koryphäen der Pulslehre, bes. → Aigimios [3], → Hippokrates [6], → Herophilos [1] und → Erasistratos, wobei M. seinen eigenen eklektischen Ansatz verfolgt. Er definiert den Puls, erklärt die Pulsabnahme und das Erkennen verschiedener Pulse (wobei zu seiner Zeit die Wasseruhr des Herophilos bereits außer Gebrauch ist; Kap. 11) und führt dann kurz die je nach Verfassung des Patienten unterschiedlichen Pulsarten auf. Die knappe Beschreibung der Pulstypen und die daraus abzuleitende Diagnose schließen das Werk ab.

H. Schöne, M.' Pulslehre. Ein griech. Anekdoton, in: FS zur 49. Versammlung dt. Philologen und Schulmänner in Basel im J. 1907, 448–472 • H. von Staden, Les Manuscrits du De Pulsibus de Marcellinus, in: J. Jouanna, A. Garzya (Hrsg.), Storia e Ecdotica dei Testi medici greci, 1996, 406–425.

V.N./Ü: J.DE.

**[2]** Verf. oder Redaktor einer umfangreichen Biographie des → Thukydides (vgl. Cod. E, Palatina Heidelberg. 252; 10./11. Jh.), die ihm seit dem 10. Jh. n. Chr. zugeschrieben wird (vgl. Suda s. v. ἀπήλαυσε, ἀπολαύειν und μέτριος); vielleicht identisch mit dem Hermogenes-Scholiasten → M. [3] [2. 539]. Uneinheitlichkeiten in Inhalt, Stil und Disposition des Werkes (wohl aus dem 5./6. Jh. n. Chr.) deuten aber darauf hin, daß die Vita eine Kontamination mehrerer, an Stil und Biographie des Thukydides interessierter Texte darstellt, die auf verschiedene Verf. zurückgehen, zum Teil durch Vermittlung des Grammatikers → Didymos [1] Chalkenteros [3. 1453–1486]. Die Biographie enthält neben der Einleitung (Kap. 1) drei Hauptteile, die nur unter Vorbehalt jeweils einem bestimmten Autor zugewiesen werden können [4. 557]. Der erste Abschnitt (Kap. 2–44/45?), der wichtigste und ausführlichste Teil der Vita, ist vielleicht eine Bearbeitung einer Thukydides-Vita aus → Proklos' ›Chrestomathie‹ [3. 1472]. Der zweite Abschnitt (Kap. 45–53) setzt sich v. a. mit dem Stil des Thukydides auseinander; eine Zuweisung an → Caecilius [III 5] von Kale Akte ist nicht auszuschließen. Ob der dritte Abschnitt (Kap. 54–58) von → Zosimos von Askalon oder Caecilius stammt, bleibt fraglich.

Ed.: **1** O. Luschnat (Hrsg.), Thukydides, 1, 1954, [2]1960 **2** L. Piccirilli (Hrsg.), Storie dello storico Tucidide, 1985.
Lit.: **3** E. Bux, s. v. Marcellinus (49), RE 14, 1450–1487 **4** J. Maitland, Marcellinus' Life of Thucydides: Criticism and Criteria in the Biographical Trad., in: CQ 46, 1996, 538–558.

GR.DA.

**[3]** Verf. eines Komm. zu → Hermogenes' Abh. ›Über die Stasislehre‹ (Περὶ τῶν στάσεων). Die wohl aus dem 5. Jh. n. Chr. stammende Schrift ist zusammen mit den Komm. des Neuplatonikers → Sopatros und des → Syrianos in einer → Katene überliefert [1]. Auch die ›Prolegomena‹ des Komm. mit einer allg. Einf. in die Rhet. gehen zu einem großen Teil auf M. zurück [2].

**1** Walz 4, 1833 **2** H. Rabe, Aus Rhetoren-Hss., in: RhM 64, 1909, 539–590, 584 ff.

G. A. Kennedy, Greek Rhetoric under Christian Emperors, 1983, 112–115.

M.B.

**Markellos** (Μαρκέλλος).

**[1]** Allein durch eine kurze Notiz in der Suda bekannter Rhetor aus Pergamon, der ein Buch (oder mehrere B.) mit dem Titel Ἀδριανὸς ἢ περὶ βασιλείας/*Adrianós ē perí* *basileías* (›Hadrian oder über die Monarchie‹) geschrieben haben soll. Seine Lebenszeit dürfte demnach in die 1. H. des 2. Jh. fallen; ob Dions [I 3] an Traian gerichtete Reden *perì basileías* als Vorbild benutzt wurden, ist ungewiß. M.W.

**[2]** M. aus Side. Berühmter Arzt und Dichter des 2. Jh. n. Chr., Verf. von 42 B. *Iatriká* in Hexametern über Heilmittel, von dem drei Fr. über Fische überliefert sind, die in Teilen mit den sog. *Koiranídes* des → *Corpus Hermeticum* übereinstimmen; ein Abschnitt ging über die Lykanthropie (→ Werwolf). In dem Grabepigramm Anth. Pal. 7,158 werden dem Werk 40 B. mit dem Titel *Chironides* zugewiesen, welche Hadrian und Antoninus Pius in den Bibliotheken Roms aufstellen ließen. Im Jahr 160 beauftragte → Herodes [16] Atticus M. mit der Abfassung zweier Gedichte (59 bzw. 39 Hexameter, von guter dichterischer Qualität) zum Gedächtnis an seine Gattin Regilla, die in sein Triopion eingemeißelt werden sollten [2; 5].

**1** E. Heitsch, Die griech. Dichterfragmente der röm. Kaiserzeit, Bd. 2, 1964, 16–22 **2** W. Ameling, Herodes Atticus, Bd. 2, 1983, Nr. 146 (mit Lit. und Komm.) **3** E. L. Bowie, The Greek Renaissance in the Roman Empire, in: BICS Suppl. 55, 1989, 201–202 **4** M. Wellmann, Marcellus von Side als Arzt und die Koiranides des Hermes Trismegistos (Philologus Suppl. 27,2), 1934, 1–50 **5** U. v. Wilamowitz-Moellendorff, Marcellus von Side (1928), in: Ders., KS, 2, 1941, 192–228. S.FO./Ü: T.H.

**[3]** Verf. von *Aithiopiká*, aus denen bei Proklos (in Plat. Tim. 1,177; 181) zwei Nachrichten über Atlantis überl. sind (FGrH 671). P.L.S.

**[4]** Bischof von Ankyra († 374). Um 280 geb. und erstmals 314 als Bischof erwähnt, bekämpfte M. auf dem Konzil von → Nikaia im J. 325 sowohl → Areios (→ Arianismus) als auch die Anhänger des → Eusebios [8] von Nikomedeia und → Eusebios [7] von Kaisareia. Später griff eine Kaiser Constantinus persönlich übergebene Schrift (CPG 2800; Fr. bei [4. 2–121]) den Sophisten → Asterios [2] und die beiden Eusebioi scharf an (Replik des Eusebios von Kaisareia [1. 13–61]). Nach der Verurteilung des Werkes und zweimaliger Verbannung begab sich M. nach Rom (341 Rehabilitierung durch die röm. Synode; ebenso 342 durch die westl. Teilsynode in Serdica). Ein 340/1 an den röm. Bischof Iulius [III 1] gerichteter Brief (*Epistula ad Iulium*: [4. 124–129]) enthält das älteste Zeugnis des altröm. Glaubensbekenntnisses (Verf. vielleicht M., so [3. 407]). Nach seiner Rückkehr in den Osten zunehmend isoliert, wurde M. erneut mehrfach verurteilt (u.a. 344 zusammen mit seinem Schüler Photinos von Sirmium, postum 381 in Konstantinopel). In seiner Theologie betonte er die Einzigkeit Gottes in einer hypostatischen Einheit (*monás*), die durch Schöpfung und Inkarnation nicht aufgehoben werde. Verschiedene Schriften (CPG 2800–2806) – z. T. umstritten – werden M. zugeschrieben.

**1** G. Feige, Die Lehre Markells von Ankyra in der Darstellung seiner Gegner, 1991 **2** K. Seibt, Die Theologie des Markell von Ankyra, 1994 **3** M. Vinzent, Die Entstehung des »Röm. Glaubensbekenntnisses«, in: W. Kinzig u. a., Tauffragen und Bekenntnis, 1999, 185–409 **4** Ders. (Hrsg.), Markell von Ancyra: Die Fragmente. Der Brief an Julius von Rom (Suppl. to Vigiliae Christianae 39), 1997 (Lit.: CIII-CXI). J.RI.

**[5]** Bischof von → Apameia [3] am Orontes z.Z. des → Theodosius I.; unter seiner Anleitung wurde der Tempel des Zeus Belos am Ort zerstört (nach Theod. hist. eccl. 5,21,5–15 gingen erfolglose Versuche des Praetorialpraefekten voraus; vgl. auch Lib. epist. 1351 = 9, 400,10–12 Foerster]). Ein Briefwechsel mit pers. (?) Märtyrern (Theod. hist. eccl. 5,21,16; vgl. auch 5,27,3) ist verloren. Als M. auch den Tempel von Aulon (El Gub) zerstören wollte, fand er selbst den Märtyrertod (Soz. 7,15,12–15; Theod. hist. eccl. 5,21,16; Theophanes, chron. ad annum 5883, p. 71,31–33 de Boor).

J. Geffcken, Der Ausgang des griech.-röm. Heidentums (Religionswiss. Bibl. 6), 1963 (Ndr. von 1929), 154, 158. C.M.

**Markianos** (Μαρκιανός). Geograph aus → Herakleia [7] zw. 200 (er benutzt den Geographen Protagoras) und 530 n. Chr. (er wird von Steph. Byz. häufig zitiert), evtl. nach 400 (GGM 1, CXXX; [2. 272; 3. 997; 6. 156f.]) oder noch näher an Steph. Byz. [1. 46]. Nachrichten über seine Person sind nicht vorhanden.

Von seiner *Epitomḗ* der elf Bücher der *Geōgraphía* des → Artemidoros [3] von Ephesos sind nur 21 Zitate bei Steph. Byz. und eines als Schol. Apoll. Rhod. 3,859 (GGM 1, 574–576) überl., ausführlichere Exzerpte dagegen aus seinem ›Periplus des äußeren Meeres‹ (= Per.; 2 B., GGM 1, 515–562) und geringerer Auszüge aus der ›*Epitomḗ* des Periplus des inneren Meeres, den in drei Büchern Menippos von Pergamon verfaßt hat‹ (= Epit. Per. Menipp.; 3 B., GGM 1, 563–573; Titel von Müller konjiziert).

Die *Geōgraphúmena*, das geogr. Werk des Artemidoros, legte M. wegen dessen bes. Genauigkeit (Epit. Per. Menipp. 1,3 f.) seiner der Beschreibung des inneren Meeres – d. h. des Mittelmeeres und des Schwarzen Meeres (→ Mare Nostrum, → Pontos Euxeinos) – dienenden *Epitomḗ* zugrunde. Vom ›Periplus des äußeren Meeres‹, auf den M. bes. stolz war (Epit. Per. Menipp. 4), sind erh.: a) der Hinweis auf M.' Autoritäten → Artemidoros [3], Klaudios → Ptolemaios [5. 772–789] und den Geographen → Protagoras [7. 22]; b) die Gliederung des Werkes in B. 1: östl. (und südl.), B. 2: westl. (und nördl.) Okeanos (Per. 1,1); c) ein Exkurs über die Ursachen der unterschiedlichen Entfernungsangaben seiner Gewährsleute (Per. 1,2; vgl. Epit. per. Menipp. 5: M. gibt zum Auffinden eines Mittelwertes – ebenso wie Protagoras – jeweils die größte und die geringste Entfernung an); d) M. geht dann (Per. 1,3) vom Mittelmeer aus, bringt (1,4 ff.) die Messung des Erdumfangs nach → Eratosthenes [2] und Ptolemaios, die

Maße der Festländer, die Größe der Oikumene (1,6), weiter die bedeutendsten Inseln. Es folgt (ab 1,11) in einer Richtung der Periplus an der ostafrikan. Küste entlang und (ab 1,15) in der anderen Richtung der Periplus der Arab. Halbinsel, des Pers. Golfs und des Ind. Ozeans bis China. B. 2 behandelt dann, von den »Säulen des Herakles« ausgehend (per. 2,3), in der einen Richtung den Periplus des Atlantischen Ozeans von der span. Westküste bis zur Weichsel und Sarmatia (Baltikum) (2,37–40), die britannischen Inseln werden einbezogen (2,41–45). Der Periplus in der anderen Richtung um das westl. Afrika (2,46) herum ist fast ganz verloren [6. 169]. Systematik ist auch sonst bei M. nachweisbar: Er läßt jeweils auf eine regionenumgreifende Beschreibung (περιγραφή) die Detailbeschreibung (τὰ κατὰ μέρη) folgen [6. 171].

M. orientiert sich an einer Erdkarte; er kennt (Per. 1,4) die kartographische Erfassung der Erde durch Klaudios Ptolemaios (→ Kartographie). Sein → Periplus beruht nicht auf selbsterlebter Seefahrt; er ist von der Perspektive des Theoretikers bestimmt [4. 81–87, bes. 85; 6. 162–164]; das im Hell. lit. weit entfaltete Genus wird auf die möglichst genaue Angabe von Entfernungen reduziert, weitergehende geogr. Informationen sind nur bisweilen zu finden [3. 997; 6. 174; 7. 19–24].

Erkennbar ist M.' Plan, mit Hilfe der drei Werke in einheitlichem Stil von den Küsten ausgehend eine umfassende und genaue Information über die Oikumene zu bieten. Interessant ist, daß dabei Rom als Zentrum des mit der → Oikumene nicht identischen → Römischen Reiches am Ende von Per. 2 bes. berücksichtigt war. Sicher schöpfte M. nur aus seinen Vorlagen; angesichts der spätant. Zersplitterung der gelehrten Trad. ist M.' Plan aber der Achtung würdig.

→ Geographie; Okeanos; Periplus; Ptolemaios (Klaudios); Stephanos von Byzantion

1 A. Diller, The Trad. of the Minor Greek Geographers, 1952 2 F. Gisinger, s. v. Marcianus (27a), RE Suppl. 6, 271–281 3 F. Lasserre, s. v. Marcianus (9), KlP 3, 996f. 4 E. Olshausen, Einführung in die histor. Geogr. der alten Welt, 1991 5 E. Polaschek, s. v. Klaudios Ptolemaios, RE Suppl. 10, 680–833 6 G. Hartinger, Die Peripluslit., Diss. Salzburg 1992 7 E. A. Wagner, Die Erdbeschreibung des Timosthenes von Rhodus, Diss. Leipzig 1888. H. A. G.

**Markianupolis** (Μαρκιανούπολις). Die von Traianus gegr. und nach seiner Schwester Marcia benannte Stadt (vgl. Zos. 1,42,1; 4,10,3; *Marcianopolis* bei lat. Autoren; h. Reka Devnia in NO-Bulgarien, etwa 20 km westl. von Odessos, h. Warna) bildete das Verwaltungszentrum der *Moesia inferior*. M. war Knotenpunkt strategisch wichtiger Landstraßen: von Konstantinopolis nach Durostorum, von Odessos nach Nikopolis (h. Nikiup) und von M. nach Noviodunum (Amm. 27,5,6, h. Babadag).

Unter Commodus erhielt M. das Mz.-Prägerecht; die autonome Prägung entfaltete sich bes. in severischer Zeit und bildet h. eine wichtige Quelle für die Kenntnis der örtlichen Kulte (u. a. für Zeus, Sarapis, Asklepios, Concordia) und der Provinzialverwaltung. Seit 238 n. Chr. hatten die Stadtbewohner gegen die Angriffe der Goti und anderer Stämme aus der *Scythia minor* und der benachbarten Gebiete zu kämpfen. Bes. erfolgreich war der Statthalter Tullius Menophilus (238–240 n. Chr.) im Kampf gegen die → Carpi. Im 4. Jh. n. Chr. gewann M. als Hauptstadt der Prov. *Moesia II* wieder an Bed.; sie galt als größte Stadt in Thracia (Zos. 4,10,3). 332 n. Chr. war Constantinus I. in M. (Cod. Theod. 3,5,4f.). In den J. 366–370 residierte Valens in der Stadt, die ihm als Aufmarschpunkt gegen die Goti dienen sollte. Im J. 368 feierte er hier seine *quinquennalia* (Them. or. 8; ILS 770). Im J. 377 erlitt der *comes* Lupicinus [2] bei M. eine Niederlage im Kampf gegen die Goti (Amm. 31,5,9). Zu E. des 4./Anf. des 5. Jh. ist in M. eine Waffenfabrik bezeugt (Not. dign. or. 11,34). Iustinianus stellte M. nach Zerstörungen wieder her und befestigte die Stadt (Prok. aed. 4,11). M. war Bischofssitz.

M. Fluss, s. v. M., RE 14,2, 1505–1511 • V. Velkov, Roman Cities in Bulgaria, 1980. J. BU.

**Markion.** Christl. Häretiker, * ca. 85, † ca. 160. M. stammte aus Sinope im Pontos, war ein reicher *nauclerus* (Schiffseigner/Überseehändler, Tert. de praescriptione haereticorum 30,1; → *naúklēros*, → Schiffahrt). Um 140 trat er der röm. Gemeinde bei, mit der es aber 144 zum Bruch kam (ebd. 30,2). M. gründete daraufhin eine Gegenkirche (Tert. adversus Marcionem 4,5,3), die sich trotz sofort einsetzender Bekämpfung rasch ausbreitete. Die Auseinandersetzung mit M. zwang zur Reflexion über Grundlagen und Inhalte des christl. Glaubens. Zwar setzte sich die Großkirche durch, doch hatte M.s Kirche im Westen bis ins 4., im Osten sogar bis ins 5. Jh. hinein Bestand. Von M. selbst ist nichts direkt überliefert, unser Wissen basiert allein auf der gegen ihn und seine Kirche gerichteten Lit., in erster Linie auf → Tertullianus. Harnack [3] hat M.s Lehre anhand der Quellen rekonstruiert, doch bedarf sein M.-Bild als das eines nicht ant. denkenden Theologen der Revision.

Der Dissens zw. Großkirche und M. bestand in der Bewertung der christl. Überl., die M. für grundlegend verfälscht hielt: Das AT sage nichts über den transzendenten, guten Gott des Evangeliums, sondern berichte von einem nur gerechten Weltschöpfer (Tert. adversus Marcionem 2,29,1). Für den Glauben sei das AT ohne Belang und sollte nicht allegorisch interpretiert werden (ebd. 5,18,10). Allein ein Kanon aus Lk-Evangelium und 10 Paulusbriefen, die M. mit Methoden ant. Textkritik von Hinweisen auf den at. Gott reinigt [2], gebe über den christl. Gott Auskunft. M. begründet seine Hermeneutik mit ›Antithesen‹ (so der Titel seiner Schrift; Begriff nur bei Tertullian): Die Gegenüberstellung von Gesetz und Evangelium decke das unterschiedliche Wesen beider Götter auf (ebd. 1,19,4f.); der Schöpfer offenbare sich in der unzulänglichen Welt und im Gesetz, das den Menschen, weil er aus Furcht vor Strafe dem Schöpfer gefallen will, zur Sünde verleitet (ebd. 1,27,3). Ohne Forderungen zu stellen (ebd. 1,27,1), befreie der gute Gott durch Christus die Seele von der Bindung an den Schöpfer. Wer glaubt und sich taufen läßt, drückt seine Distanz zur Welt in radikaler Askese aus (ebd. 1,29,1).

Der Unterschied zwischen den beiden Göttern, die Abwertung der Welt und Kritik am AT verrät M.s Nähe zur → Gnosis, doch gibt es bei ihm keine myth.-kosmologische Spekulation. Vermutlich hat die Spannung zwischen philos. (Gott hat mit dem Übel nichts zu tun, Plat. rep. 379c) und at. Gottesbild mit zu M.s Unterscheidung der beiden Götter beigetragen (gegen [3]).
→ Häresie; Häresiologie; Kanon

1 B. Aland, s.v. M./Marcioniten, TRE 22, 89–101 (Lit.) 2 R. M. Grant, Heresy and Criticism. The Search for Authenticity in Early Christian Literature, 1993, 33–47 3 A. v. Harnack, M. Das Evangelium vom fremden Gott, [2]1924 4 G. May, Marcione nel suo tempo, in: Cristianesimo nella Storia 14, 1993, 205–220 5 U. Schmid, M. und sein Apostolos, 1995 6 M. Vinzent, Christ's Resurrection: the Pauline Basis of M.'s Teaching, in: Studia Patristica 31, 1997, 225–233.

K. GRE.

**Markos** (Μάρκος).

**[1]** (lat. Marcus). Der Verf. des zweiten → Evangeliums (Mk) könnte ein im NT vor allem im Umfeld des → Paulus (Apg 12,12.25; Phm 24 u.a.) oft genannter Missionar (Iohannes) M. sein (so zuerst → Papias um 130 n. Chr., s. Eus. HE 3,39,15). Dagegen spricht, daß eine Nähe zur paulinischen Theologie kaum nachgewiesen werden kann [3], dafür aber die Einfachheit dieser Annahme, da die biographischen Angaben und die angenommene Abfassungszeit übereinstimmen [1]. Der griech. schreibende Verf. scheint zugleich die aramäische und die lat. Sprache zu beherrschen. Während die lat. Wörter (z. B. Mk 6,27; 15,15) auf Rom als Abfassungsort hinweisen könnten, zeigen die aramäischen Begriffe (z. B. 5,41; 7,34; 15,34) wie auch die Erklärungen jüd. Sitten (z. B. 7,3 f.; 14,12), daß der Verfasser mit dem palästinischen → Judentum vertraut ist. Vermutlich schreibt M. als jüd. → Jesus-Anhänger für vorwiegend nichtjüd., an Christus glaubende Adressaten. Das Mk wird mehrheitlich um 70 n. Chr. datiert, allerdings sind Vorschläge zur Frühdatierung um 40 n. Chr. nie ganz verstummt [6]. Seit dem 19./20. Jh. wird das Mk meist als das früheste Evangelium betrachtet. Der in namhaften Textzeugen fehlende Schluß (16,9–20) scheint nicht zu seinem urspr. Umfang gehört zu haben.

Das Mk ist in zwei Teile gegliedert (1,14–8,26; 9,14–16,8; vgl. [2]), deren Auftakte streng parallel gebildet sind (1,1–1,13; 8,27–9,13): Christustitel (1,1; 8,27–30), der Täufer und Erfüllung prophetischer Weissagungen (1,2–8; 9,9–13), Bestätigung der Gottessohnschaft (1,9–11; 9,2–8), Versuchung durch → Satan (1,12 f.; 8,31–9,1). Der erste Teil des Mk stellt die Frage: Wer ist dieser Jesus? (4,41; 8,27). Der zweite beginnt mit der Antwort: der »Christus« (8,28 f.; → Messias), um nun bis zum Schluß diese Antwort daraufhin auszudeuten, daß der Christus leiden muß. Eine Blindenheilung in zwei Schritten am Übergang vom ersten zum zweiten Teil (8,22–26) zeigt: Wer Jesus als den Christus sieht, erkennt ihn erst verschwommen; deutlich sieht erst, wer Christus im Leiden als den Sohn Gottes erkennt (so als erster ein röm. [!] Hauptmann in 15,39). Die zweite Blindenheilung (10,46–52) erfolgt sofort und ganz, denn sie steht unmittelbar vor der beginnenden Passion.

Das sog. »Messiasgeheimnis« [5] gestaltet das Mk theologisch: Der schrittweisen Offenbarung der Messianität Jesu durch Wort und Tat stehen Unverständnis (z. B. 4,13; 7,18), Verhüllungsstrategien (4,11 f.) und Schweigegebote (z. B. 1,44; 3,12) gegenüber, um den Christus zugleich als den Leidenden zu offenbaren. Die Adressaten des Mk werden durch den Ruf in die (Leidens-)Nachfolge in diese Konzeption miteingebunden. Diese Nachfolgetheologie [3] enthält einen gemeinschaftlichen Aspekt (Gemeinde) und führt zum rechten Handeln (Ethik; vgl. [4]).
→ Bibel; Evangelium; Iohannes [1]; Lukas; Matthaios

1 M. Hengel, Probleme des Markusevangeliums, in: P. Stuhlmacher (Hrsg.), Das Evangelium und die Evangelien (WUNT 28), 1983, 221–265 2 P. Lamarche, Evangile de Marc, 1996 3 L. Schenke, Das Markusevangelium, 1988 4 T. Söding (Hrsg.), Der Evangelist als Theologe (Stuttgarter Bibelstudien 163), 1995, 167–195 5 W. Wrede, Das Messiasgeheimnis in den Evangelien, [3]1963 6 G. Zuntz, Wann wurde das Evangelium Marci geschrieben?, in: H. Cancik (Hrsg.), Markus-Philol. (WUNT 33), 1984, 47–71.

H. Cancik (Hrsg.), Markus-Philol. (WUNT 33), 1984.

P. WI.

**[2]** Reicher Sophist aus Byzantion, der seine Herkunft auf Byzas, den Gründer der Stadt, zurückführte; wahrscheinlich jener Memmius M., durch dessen Magistraturen sich byz. Mz., die Byzas darstellen, aus der Zeit von Antoninus Pius, Marcus Aurelius und Commodus datieren lassen ([1], zu einem Sarkophag seines Sohnes – oder Sklaven? – [2]); möglicherweise Rhet.-Lehrer des Marcus Aurelius (SHA Aur. 2,4, vgl. [3]). Das rhet. Können des M., eines Schülers des Isaios von Assyrien, wurde (trotz seiner ungepflegten Erscheinung) nicht nur von → Polemon bewundert, sondern auch von Hadrian, als ihn M. im Auftrag der Stadt Byzanz als Gesandter besuchte (Philostr. soph. 1,24,529–530).
→ Philostratos; Zweite Sophistik

1 I. N. Sworonos, Νομισματικὰ Ἀνάλεκτα, in: Ἐφεμερίς Ἀρχαιολογική 3, 1889, 114–115 2 BE 1968, Nr. 342 3 A. R. Birley, Marcus Aurelius, [2]1987, 66 4 PIR M 465.

E. BO./Ü: T. H.

**[3]** Bischof von Arethusa (Syrien), gehört zu den führenden orientalischen Bischöfen, Teilnehmer an den Synoden von Antiocheia (341), Serdica (342/3), Sirmium (351) und Seleukeia (359). Im Sommer 341 reiste er als Mitglied der Viererdelegation nach Trier (Augusta [6] Treverorum), um Kaiser Constans die sog. vierte Formel der Kirchweihsynode von Antiocheia zu überreichen (Athan. de synodis 25,1; Sokr. 2,18,1; Soz. 3,10,4). In Serdica 342/3 nahm er auf der Seite der östlichen Konzilsteilnehmer Partei gegen die westliche proathanasianische Synode (→ Athanasios). In Seleukeia (359) vertrat er die Positionen des Homöers → Akakios [2] (Epiphanios, Panarion 73,20,1); er gilt als Redaktor der zwischen Homöern und Homöusianern (→ Arianismus) ausgehandelten vierten sirmischen Formel vom 22.5.359 (Sokr. 2,37,17; Hil. Collectanea antiariana B 6,3). Unter Iulianus [11] Apostata erlitt er Verfolgungen (Lib. epist. 819; Greg. Naz. or. 4,88–91) und wurde im griech. Heiligenkalender am 28.3. als *confessor* (»Bekenner«) aufgeführt (Propylaeum ad Acta Sanctorum Novembris 565 ff.).

H. C. Brennecke, Stud. zur Gesch. der Homöer (Beitr. zur Histor. Theologie 63), 1988.

O. WER.

**[4] M. Eremites.** J. Kunze [6] wies 1895 nach, daß eine Reihe von asketischen Traktaten (CPG III, 6090–6100 = PG 65, 905–1140) und ein gegen → Nestorios gerichteter *Lógos dogmatikós* (CPG 6101: [6. 6–30]) von einem Mönch in der 1. H. des 5. Jh. verfaßt wurden, der nach einer späten Nachricht bei Georgios [5] Monachos (chronicon p. 599,5 de Boor = PG 110, 734 B) ein Schüler des → Iohannes [4] Chrysostomos war und zunächst in der Nähe des Asketen → Neilos von Ankyra bei Ankyra/Galatien lebte, sich aber dann in einer anderen Wüstengegend als Asket (→ Askese) niederließ (Palästina oder Syrien). M. war ein angesehener Mönchslehrer, kämpfte trotz gewisser inhaltlicher Abhängigkeiten energisch gegen die asketische östl. Mönchsbewegung der Messalianer [1] und vertrat eine ›vornestorianische (kappadozische?) Christologie mit alexandrinischer Ausrichtung‹ [4. 97]; der vierte Traktat, *De baptismo* (CPG 6093 = PG 65, 985–1028), ist nach dem nestorianischen Theologen Babai († 628) gegen Makarios/Symeon und seine Anhänger gerichtet [2. 253]. Die zusammengehörigen ersten beiden *logoi* enthalten 412 Sentenzen über das »geistliche Gesetz« von Röm 7,14; der zehnte Traktat richtet sich gegen die Melchisedekianer (eine häresiologische Sammelbezeichnung für Gruppen, in denen Melchisedek [vgl. Ps 109,4; Hebr 7,3] bes. verehrt und mit bes. theologischer Würde ausgestattet wurde; s. bes. Epiphanius, Adversus haereses 55,1,1–55,9,18).

Lit.: 1 K. Fitschen, Messalianismus und Antimessalianismus, 1998 2 W. Frankenberg (Hrsg.), Euagrius Ponticus (= AAWG 13/2), 1912 3 O. Hesse, M. E. und Symeon von Mesopotamien, 1973 4 Ders., Erwägungen zur Christologie des M. E., in: Paul de Lagarde und die syrische Kirchengesch., 1968, 90–99 5 Ders., s. v. M. E., in: TRE 22, 1992, 101–104 6 J. Kunze, M. E., 1895.
Übers.: 7 O. Hesse, Marcus Eremita, Bibl. der Griech. Lit. 19, 1985.

C. M.

**Markt** I. Alter Orient und Ägypten II. Klassische Antike III. Frühes Mittelalter

## I. Alter Orient und Ägypten

Das Konzept des M.s wird in der Altorientalistik und der Ägyptologie kontrovers diskutiert, da es weder im mesopot. Raum noch in Äg. ein Wort dafür gab, das eindeutig den M. als Ort und als Operationsmodus bezeichnet. Hintergrund der Diskussion sind auf der einen Seite die von K. Polanyi inspirierten Forsch. zu vormod. Gesellschaften (u. a. für die klass. Welt von M. Finley), wonach ein M. als ein System von Angebot und Nachfrage mit dem Resultat von Preisbildung nicht existiert habe. Auf der anderen Seite stehen die Forscher, die z. T. eher unreflektiert mod., von der neoklass. Wirtschaftstheorie geprägte Vorstellungen auf die Wirtschaften des Alten Orients (Mesopot.s und Äg.s) übertragen.

Wenn man die Frage nach der Existenz von M.-Mechanismen oder M.-Geschehen in den altoriental. Gesellschaften stellt, muß dies auf dem Hintergrund der vorherrschenden ökonomischen Strukturen geschehen. Sowohl die Wirtschaft Mesopot.s als auch Äg.s waren als Agrarwirtschaften bestimmt von institutionellen Haushalten (Tempel, Palast), die mehr oder weniger vollständig die gesamte Bevölkerung integrierten (→ Oikos-Wirtschaft), d. h. daß nahezu alle Bedürfnisse des einzelnen Menschen durch den *oikos* befriedigt wurden. Selbst in den Fällen, in denen Teile der Bevölkerung individuell Ackerbau zu ihrer Selbstversorgung betrieben (→ Subsistenzproduktion), blieb kaum Raum für M.-Tausch, da alles, was produziert wurde, auch selbst verbraucht wurde. Die individuelle Produktion von sog. *cash crops* (d. h. Produktion zum Zwecke des M.-Tausches) läßt sich nicht nachweisen. Insofern gab es nur rudimentäre Ansätze von M. in einem Sinne, wie er sich etwa in der athenischen → Agora manifestierte.
→ Geld, Geldwirtschaft; Handel; Oikos-Wirtschaft; Wirtschaft

1 M. Finley, The Ancient Economy, [2]1985 2 J. Renger, Formen des Zugangs zu den lebensnotwendigen Gütern: Die Austauschverhältnisse in der altbabylon. Zeit, in: Altoriental. Forsch. 20, 1993, 87–114 (mit ausführl. Bibliogr.) 3 Ders., On Economic Structures in Ancient Mesopotamia, in: Orientalia NS 63, 1994, 157–208 (mit Lit.) 4 P. Vargyas, The Problem of Private Economy in the Ancient Near East, in: Bibliotheca Orientalis 44, 1987, 376–385.

J. RE.

## II. Klassische Antike

Das Wort M. kann entweder als Platz, dessen wesentliche Funktion der Güteraustausch ist, oder als ein Austauschsystem, in dem Angebot und Nachfrage aufeinandertreffen, verstanden werden. Inwieweit sich ein M. im letzteren Sinne in der griech.-röm. Ant. herausbildete, ist umstritten. M. werden in vorarcha. Zeit in Herrschaftszentren, bes. in Palastnähe, vermutet (ἀγορή, *agorḗ*: Hom. Il. 8,489–99; 11,807–8), etablierten sich aber im Zuge der Entstehung der → Polis im Laufe des 8. Jh. v. Chr. in Küstennähe (ἐμπόριον, → *empórion*) und innerhalb städtischer Zentren (griech. ἀγορά, → *agorá*; lat. → *forum*; → *macellum*). Periodische M. und Messen sind seit Beginn der klass. Zeit bis zur Spätant. in ländlichen Gebieten und anläßlich rel. Feste nachgewiesen (griech. πανήγυρις, *panḗgyris*; lat. *nundinae, conventus, mercatus*). M. konnten auch spontan, z. B. zur Versorgung von Soldaten auf Feldzügen, eingerichtet werden (vgl. etwa Thuk. 6,44,2 f., 415 v. Chr.; Xen. an. 2,3,24 ff.; 3,2,20 f.; 4,8,23 f.). Eine röm. Sonderentwicklung waren private M. auf großen Landgütern; gegen die Einrichtung solcher → *nundinae*, die unter Aufsicht eines Großgrundbesitzers standen, konnte eine benachbarte Stadt Einspruch erheben (Plin. epist. 5,4). Ferner dienten private Häuser, Werkstätten und Läden (*tabernae*), die nicht an einen M. gebunden waren, als Orte des Austauschs.

A. GRIECHENLAND

In Griechenland bildeten sich permanente M. auf den städtischen *agoraí*, sie blieben jedoch der polit. Funktion dieser öffentlichen → Versammlungsorte untergeordnet. Da Kauf-, Tausch- und Bankgeschäfte weitgehend in Buden (σκηναί, *skēnaí*) und über Tische (τράπεζαι, *trápezai*, »Banken«) abgewickelt wurden, ist die Entwicklung des kommerziellen Aspekts der *agorá* arch. schwer feststellbar. Allerdings sind für die athenische *Agorá* einige Läden, Werkstätten und die öffentliche Münzwerkstatt seit dem späten 6./frühen 5. Jh. v. Chr. aufgrund von Materialresten und Münzfunden nachgewiesen. Permanente Gebäude, bes. mit Kolonnaden versehene Markthallen (*mákelloi*), wurden erst seit dem 3. Jh. v. Chr errichtet. Das Handeln auf dem M. war, von Sonderregelungen abgesehen, einer Steuer (τέλος, *télos*) unterworfen, die für Städte oder Herrscher eine nicht unbeträchtliche Einnahmequelle darstellten. Aufsichtspersonen (→ *agoranómoi, metronómoi*) sorgten für Ordnung und die Gültigkeit von Maßen und Gewichten. Darüber hinaus scheinen griech. M., abgesehen von Getreide-M., die unter der Aufsicht von → *sitophýlakes* oder *agoranómoi* standen, nicht kontrolliert worden zu sein.

Periodische M. und Messen fanden in ländlichen Gebieten (Demosth. or. 23,39) und anläßlich regionaler und überregionaler Zusammenkünfte statt. Wiederum sind letztere im Detail schwer nachweisbar, doch werden sie in hell. und röm. Zeit als selbstverständliches Ereignis bei größeren Festen vorausgesetzt (Men. fr. 416 KÖRTE = fr. 481 KOCK); Polybios erwähnt eine jährliche *agorá* und *panḗgyris* des Aitolischen Bundes, was bisweilen als Hinweis auf einen kommerziellen M. anläßlich der Bundeswahlen verstanden worden ist (Pol. 5,8,4ff; vgl. Cic. Tusc. 5,3; Strab. 10,5,4: Delos). Ferner sind anläßlich von Festen abgehaltene M. indirekt über inschr. überl. Bestimmungen zur Marktaufsicht greifbar. So sind für Tegea *hieromnḗmones* (ἱερομνήμονες, »Tempelaufseher«) belegt, die ›alles in Bezug auf die Waren‹ bei dem Fest der Athena Alea in Tegea zu arrangieren hatten (frühes 4. Jh. v. Chr., LSCG 67,26–27). Ein für die → Panathenaia gewählter *agoranómos*, der die Getreidepreise niedrig hielt ›und die anderen Waren‹ beaufsichtigte, wird in einer Inschr. aus Ilion erwähnt (3. Jh. v. Chr., I. Ilion 3, vgl. LSCG 65,99; Andania, 92–91 v. Chr.). Seit dem 2. Jh. v. Chr. ist das Amt des *panēgyriárchēs* (πανηγυριάρχης, »Vorsteher der *panḗgyris*«) epigraphisch bezeugt [4. 1522], doch bleibt ungewiß, ob dieses Amt allein oder nur zum Teil der Aufsicht des M. diente. Immerhin bestimmt eine Inschr. aus dem lyk. Oinoanda (SEG 38, 1462, 124/5 n. Chr.), daß drei *panēgyriárchai* auf der alle vier J. stattfindenden *panḗgyris* für die Ordnung der *agorá*, die Lebensmittelversorgung der Besucher, Beaufsichtigung der Preise, Untersuchung der Waren und Bestrafung der Zuwiderhandelnden zu sorgen hätten. Schließlich deuten auch die Bestimmungen zur Steuerbefreiung (ἀτέλεια, *atéleia*) für Teilnehmer einer *panḗgyris* auf deren Funktion als M. hin (LSCG 65,101; Andania, 92–91 v. Chr.). Es ist allerdings ungeklärt, inwieweit die M. der *panēgýreis* allgemeine Messen darstellten oder sich auf die Versorgung der Festbesucher beschränkten.

B. ROM

Die Entwicklung in Rom ist insofern von jener in griech. Städten unterschieden, als die ältesten *fora* (→ *forum*) Lebensmittel-M. gewesen zu sein scheinen (*Forum Boarium:* Rindermarkt; *Forum Holitorium*: Gemüsemarkt). Erst das spätere → *Forum Romanum* vereinigte kommerzielle, rel., polit. und gerichtliche Funktionen. Allerdings wurden Lebensmittel und Vieh spätestens im 1. Jh. v. Chr. wieder auf bes. M. (*macella* bzw. spezialisierte *fora*; vgl. Varro ling. 5,145–146) verdrängt. Die *mercati Traianei* (Traiansmärkte), die oberhalb des → *Forum Traiani*, aber getrennt von diesem erbaut wurden, beherbergten sowohl temporäre Buden und Tische als auch permanente Läden in einer Markthalle. Die Marktaufsicht oblag unter röm. Herrschaft den Aedilen (→ *aediles*), die wie die *agoranómoi* Maße, Gewichte, Preise knapper Waren und die Einhaltung von Vorschriften oder Bezahlung von Ladenmieten kontrollierten.

Von bes. Bedeutung für die wirtschaftliche Verbindung von Stadt und Hinterland waren die *nundinae*, die zunächst als Markttage zu verstehen sind, die in regelmäßigen Abständen (›jeden neunten Tag‹ = alle acht Tage) stattfanden; seit dem 2. Jh. wurden aber auch weniger häufige Messen oder dauerhafte M. als *nundinae* bezeichnet. Da *nundinae* auch für Städte mit einem *macellum* nachgewiesen sind, wird angenommen, daß *macellum* und *nundinae* verschiedene Funktionen gehabt haben (→ *macellum* mit Abb.). *Nundinae* dienten vor allem der ländlichen Bevölkerung, die so die Möglichkeit erhielt, mit Städtern, Händlern und öffentlichen Angelegenheiten in Kontakt zu kommen. Bes. guten Einblick in die Praxis der *nundinae* bietet eine Serie von Marktkalendern (*indices nundinarii*) aus Südlatium, Campanien und Samnium, die auf das 1. Jh. n. Chr. datiert werden. Diese Kalender lassen auf eine interregionale

Verbindung oder sogar ein koordiniertes Netz von M. schließen; M. waren demnach mehr als nur lokale Versorgungszentren innerhalb einer Subsistenzwirtschaft. Die Einbeziehung stadtröm. *nundinae* in die Marktkalender macht es darüberhinaus wahrscheinlich, daß durch die *nundinae* das Hinterland mit Rom wirtschaftlich verbunden war. Ferner sind die 25 in den Kalendern erscheinenden Orte zu einem großen Teil auch als Gerichts- und Verwaltungszentren (*praefecturae*) bekannt, was eine Verbindung von M.- und Gerichtstagen und außerdem eine beträchtliche Kontinuität einzelner *nundinae* vermuten läßt.

→ Forum; Handel; Wirtschaft

**1** J. M. Camp, The Athenian Agora, 1986 **2** J. M. Frayn, Markets and Fairs in Roman Italy, 1993 **3** L. de Ligt, Fairs and Markets in the Roman Empire, 1993 **4** L. de Ligt, P. W. de Neeve, Ancient Periodic Markets. Festivals and Fairs, in: Athenaeum 66, 1988, 391–416 **5** R. MacMullen, Market-Days in the Roman Empire, in: Phoenix 24, 1970, 333–341 **6** R. Martin, Recherches sur l'agora grecque, 1951 **7** J. Nollé, Nundinas instituere et habere, 1982.

S.V.R.

III. Frühes Mittelalter

A. Definition und Forschungslage

B. Grundzüge der Entwicklung

A. Definition und Forschungslage

Die schriftlichen Überl.-Spuren aus den Jh. des Übergangs von der Spätant. zum Früh-MA, die auf Marktorte bzw. Marktgeschehen hinweisen (*forum, nundinae, mercatus; cambio, emptio, venundatio* u. a.), sind in der Forsch. seit jeher umstritten. Doch bestehen h. deutlich bessere Chancen, marktgesch. zu neuen Ergebnissen zu gelangen: Ertragreiche Siedlungs- und Handelsplatzgrabungen, eine geldgesch. orientierte Numismatik, rechts- und verfassungsgesch. Verfeinerungen, regionalgesch. Profilierungen, die histor. Semantik leitender Begriffe sowie wirtschaftsgeogr. und anthropologische Theorierezeption haben dazu beigetragen.

Analytisch bedeutet dies vor allem Distanz zu Modernismen wie dem abstrakten Angebot-Nachfrage-Modell oder der Theorie der auf Produktionskosten basierenden Wert- bzw. Preisbildung. »Märkte« waren zu festen Zeiten aufgesuchte Plätze für kontrollierten direkten Gütertausch und variierten stark nach Zweck, Beteiligung, Dauer sowie Kontrollform. Ein Desiderat bleibt bislang eine valide Typologie der frühma. Marktplätze; gleiches gilt für das markteigene Tauschgeschehen, da es – bis auf Spuren in Rechtstexten zum Kaufrecht – an zeitgenössischen Reflexionen darüber mangelt.

B. Grundzüge der Entwicklung

Auszugehen ist vom Fortleben, aber auch der Schrumpfung des traditionellen Verbunds von z. T. sehr alten Jahrmärkten an Kreuzungen, von Marktterminen in den *villae rusticae*, von wöchentlichen *nundinae* in den *vici* und von Tagesmärkten in den *civitates*; für feste überregionale Marktorte und Markttermine war der Seehandel nicht pünktlich genug. Dazu kamen Grenzmärkte. Dieses sich ausdünnende und abschwächende Gefüge wurde seit dem 7. Jh. durch Neuerungen maßgeblich modifiziert: Mit der Verlagerung der Fernhandelsrichtungen in den Norden entstanden entlang der Nord- und Ostseeküste, aber auch an den Flußläufen Dutzende von Fernhandelsplätzen/Ufermärkten (Dorestad, Hamwih, Haitabu, Birka u. a.), die im 8.–10. Jh. eine z. T. rasante Entwicklung nahmen, ohne sich zu präurbanen Dauersiedlungen zu verfestigen; viele Plätze verschwanden ganz. Daneben bildeten sich vielerorts grundherrliche Verteilungs- bzw. Sammelmärkte sowie klösterliche Verbrauchsmärkte heraus, die von den fränkischen Herrschern schrittweise mit Münzprägungs- und Zollbefreiungs- bzw. Zollerhebungslizenzen ausgestattet wurden. Die Märkte waren Kontrollstätten des Gütertransfers und vielfältige Gebührenquellen. All dies läßt den Zusammenhang zwischen Herrschaft und Marktgeschehen erkennen. In Verbindung mit den »alten« bildeten diese neuen Marktorte ein neuartiges Konglomerat, aus dem dann diskontinuierlich das typisch ma. Stadt-Land-Muster hervorwuchs.

→ Geld, Geldwirtschaft; Handel; Preis

**1** H. Adam, Das Zollwesen im fränkischen Reich und das spätkarolingische Wirtschaftsleben, 1966 **2** P. Contamine u. a., L'économie médiévale, 1997 **3** R. Hodges, Primitive and Peasant Markets, 1988 **4** L. de Ligt, Fairs and Markets in the Roman Empire, 1993 **5** Mercati e mercanti nell' alto medioevo: l'area euroasiatica e l'area mediterranea, 1993 **6** M. Mitterauer, M. und Stadt im MA, 1980 **7** K. Polanyi, C. M. Arensberg, H. W. Pearson (Hrsg.), Trade and Market in Early Empires. Economies in History and Theory, 1957 **8** H. Siems, Handel und Wucher im Spiegel frühma. Rechtsquellen, 1992 **9** K. Düwel, C. Dietrich u. a. (Hrsg.), Unt. zu Handel und Verkehr der vor- und frühgesch. Zeit in Mittel- und Nordeuropa, Bd. 1–6 (AAWG), 1985–1989.

LU.KU.

**Marktanlagen** s. Agora; Forum; Macellum; Markt

**Marktaufsicht** s. Aediles; Agoranomoi; Markt; Metronomoi

**Marmarica** (Μαρμαρική). Gebiet an der Nordküste von Afrika zw. Äg. und der → Kyrenaia, dessen Grenzen im Laufe der Zeit verschieden angesetzt wurden. In der Zeit der 30. Dyn. (380–342 v. Chr.) erstreckte sich das Gebiet der Marmaridai von der Grenze des libyschen Gaus (bei Apis) westwärts (Ps.-Skyl. 108 [GGM 1,82–84]). Ptol. 4,5,2–4 dagegen ließ die Ostgrenze des Gaus M. (sic!) erst bei *Pétras Mégas Limḗn* (westl. von → *Katabathmós Mégas*) beginnen, d. h. am westlichsten Punkt von Äg. Die westl. Grenze der M. setzt Ptol. (4,4,2; 5 f.) östl. von Darnis an, der Verfasser des Itin. Anton. westl. von Limniade und Darnis (70,7–9).

Die Bewohner dieses Gebiets erscheinen seit Ps.-Skyl. 108 (GGM 1,82) im allg. unter dem Namen Marmaridai [1. 164 f.]. Danach dehnten sie ihre Wohnsitze bis nach (Eu-)Hesperides aus, nach späteren Autoren bewohnten sie nur die östl. und südöstl. Kyrenaia (vgl. auch Diod. 3,49,1; Strab. 2,5,33; 17,1,13; 3,1; 3,23; Plin. nat. 5,39; anders 5,33).

Die M., die vielfach als unsicherer Besitz der Herrscher Ägyptens bzw. der Kyrenaia galt, taucht gelegentlich in der großen Politik auf. Nach Hdt. 3,13,3 f. unterwarfen sich ›die benachbarten Libyes‹ (προσεχέες Λίβυες), unter denen wohl in erster Linie die Marmaridai zu verstehen sind, dem → Kambyses [2]. → Magas von Kyrene wurde während des Zugs nach Äg. (274 v. Chr.) im Rücken von den Marmaridai bedroht und zum Rückzug gezwungen (Polyain. 2,28,2). Nach Flor. epit. 2,31 unterwarf P. Sulpicius Quirinius – wohl als Statthalter von → Creta et Cyrenae – die Marmaridai zur gleichen Zeit wie die → Garamantes (vielleicht im J. 2 n. Chr.; vgl. auch OGIS 2,767. Lucan. 4,680 bezeichnet sie übrigens nicht unpassend als *Marmaridae volucres*, »geflügelte M.«). Auch Probus – wahrscheinlich der *praef. Aegypti*, nicht der spätere Kaiser – kämpfte um das J. 269 erfolgreich gegen die Marmaridai und stellte Claudiopolis (= Kyrene?) wieder her (SHA Probus 9,1; 12,3; SEG IX 9).

Bei der Neuordnung von Äg. durch Diocletianus (297 n. Chr.) scheint die M. zunächst in der neugeschaffenen Prov. Libya aufgegangen, später jedoch als Libya Sicca von der → Pentapolis getrennt worden zu sein (Amm. Marc. 22,16,1; außerdem Liber generationis 2 anni 334, Chron. min. 1,102,83 f.). Nach Philostorgios 1,9 und Theod. hist. eccl. 1,7,14 bildete die M. ein christl. Bistum. Um die Wende vom 4. zum 5. Jh. drangen libysche Stämme zunächst in das Gebiet der Libya Superior, dann aber auch in das der Libya Inferior ein. Iustinianus gelang noch einmal eine Beruhigung der Lage. Er stellte die alten Festungsanlagen wieder her und erbaute neue (Prok. aed. 6,2).

→ Libyes, Libye

1 J. Desanges, Catalogue des tribus africaines ..., 1962.

H. Kees, s. v. M., RE 14, 1881–1883. W. HU.

**Marmarion** (Μαρμάριον). Hafen an der SW-Küste von → Euboia, der wohl für die Ausfuhr des Marmors aus den Brüchen von Karystos [1] diente; h. Marmara, wo bei der Kapelle des Hl. Nikolaos Bauteile eines Heiligtums des Apollon Marmarios liegen. Belegstellen: Strab. 10,1,6; Steph. Byz. s. v. M.; Nonn. Dion. 13,164; Eust. Ilias 281,4.

F. Geyer, Top. und Gesch. der Insel Euboia, 1, 1903, 106. H. KAL.

**Marmax** (Μάρμαξ). Freier der → Hippodameia [1], der als erster von → Oinomaos getötet wird (Hes. fr. 259a). Zusammen mit M. werden seine Pferde Parthenia und Eripha bestattet. M. wurde auch Mermnes (schol. Pind. O. 1,127b) oder Mermnon genannt. AL. FR.

**Marmor** I. Terminologie, Eigenschaften, Identifizierung II. Vorkommen III. Eigentum und Verwaltung der Brüche IV. Abbau und Transport V. Lagerung, Verbreitung, Preise VI. Techniken der Bearbeitung VII. Marmorarii VIII. Verwendung IX. Ideologische Aspekte

I. Terminologie, Eigenschaften, Identifizierung

Geologisch ist M. ein metamorphisches Gestein von kristalliner Struktur (durchschnittliche Kristallgröße 0,3 bis 1,0 mm) und unterschiedlicher Lichtdurchlässigkeit, das aus Kalkstein und Dolomit durch Metamorphose mittleren bis hohen Grades entstanden ist [21. 17–20]. Die ant. Begriffe μάρμαρον/*mármaron* (urspr. mask. μάρμαρος = »glänzender Stein«; später in allen drei Genera bezeugt) und lat. *marmor* bezeichnen hingegen alle polierfähigen weißen und bunten Gesteine, auch Hartgesteine wie → Granit, Grauwacke und Porphyr – in diesem Sinne ist M. hier gebraucht. Als natürlicher Werkstoff war M. wie kaum ein anderes Gestein geeignet. M. war weit und reichlich verfügbar, in verschiedensten Qualitäten und Farben lieferbar, oft gut und äußerst genau bearbeitbar, hoch polierbar, groß dimensionierbar, je nach Sorte und Verwendung ausreichend belastbar (verglichen mit anderen Steinen war metamorphischer M. geradezu elastisch), relativ haltbar und wurde aus ästhetischen wie ideologischen Gründen sehr geschätzt. M. ist extrem schwer und wiegt pro Kubikmeter etwa 2,75 Tonnen und mehr.

Polychrome M. sind aufgrund ihrer distinktiven Farbigkeit und Muster in ihrer Herkunft oft eindeutig zu bestimmen und daher unmittelbar zugängliche histor. Zeugnisse. Schwieriger und oft noch unsicher ist die Zuweisung der monochromen, bes. der vielen weißfarbigen M. Fortschritte bei ihrer Identifizierung wurden durch die Kombination von arch. und naturwiss. Methoden (wie der Isotopen-Analyse, der Unt. von Spurenelementen und dem Verfahren der Kathodolumineszenz) erzielt [21. 32–45; 34. 19–25]. Eine umfassende Beschreibung des Vorkommens und der Eigenschaften verschiedener M. sowie ihrer Verwendung in Skulptur und Architektur gibt Plinius (Plin. nat. 36,1–74).

II. Vorkommen

Der Mittelmeerraum besitzt reiche M.-Vorkommen [14. 153–159]. Die wichtigsten Brüche weißfarbiger Export-M. lagen in Griechenland, Kleinasien und Italien (im folgenden mit Angabe entweder des ant. oder mod. Namens und der Kernzeiten des Abbaus):

Griechenland: Athen: (*marmor*) *Pentelicum*, der berühmte pentelische M. (Cic. Att. 1,8,2; vgl. Plut. Poplicola 15), und *marmor Hymettium* (Plin. nat. 17,6; 36,7), jeweils 5. Jh. v. Chr. bis spätröm. Zeit; Paros: Παρία λίθος/*Paría líthos* (Strab. 10,5,7; vgl. Plin. nat. 4,67), *marmor a Paro*, der berühmte parische M. (Vitr. 10,2,15),

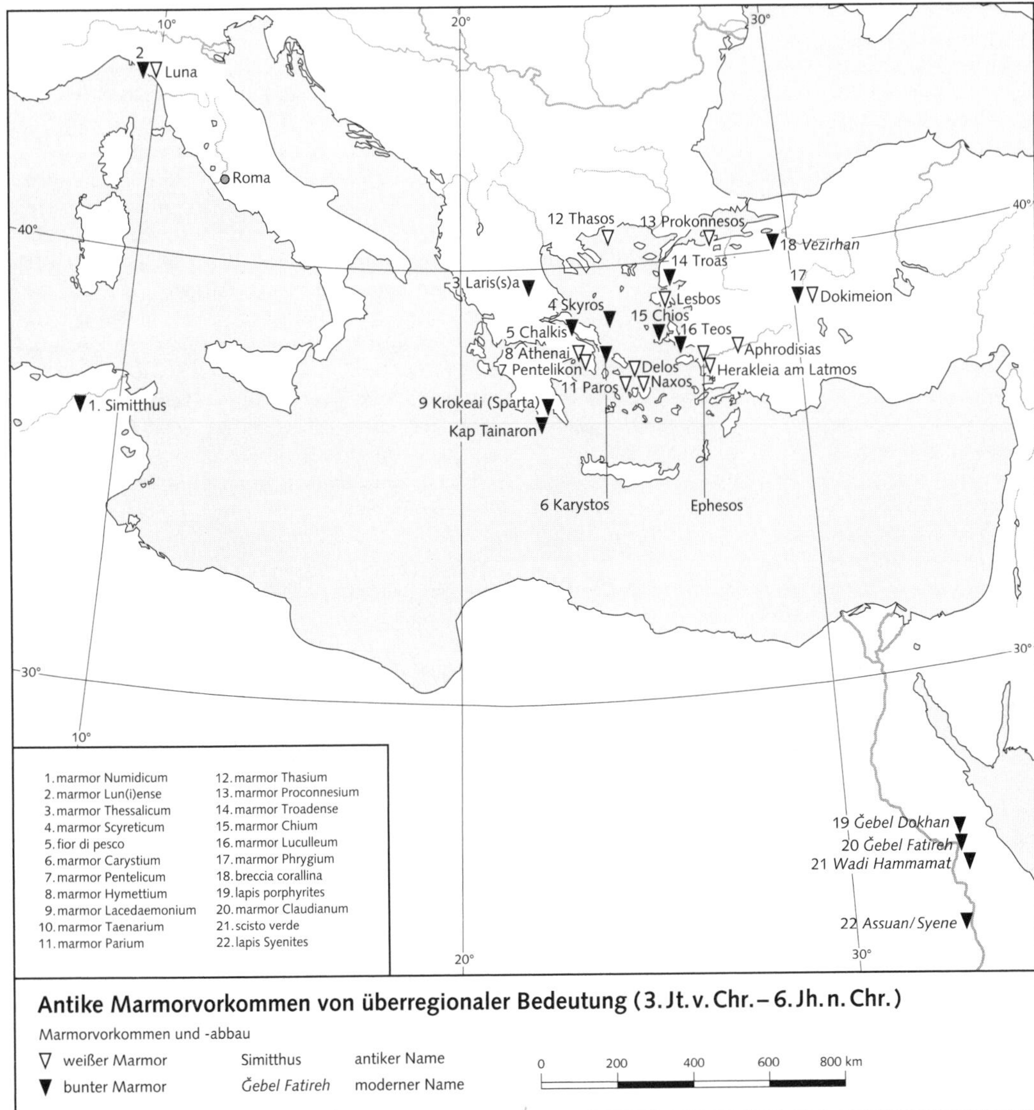


*lychnites* (Plin. nat. 36,14;), 6. Jh. v. Chr. bis röm. Zeit; Naxos: 7. Jh. v. Chr. bis röm. Zeit; Delos: griech. und röm. Zeit; Lesbos: μάρμαρον Λέσβου/*mármaron Lésbu* (Edictum Diocletiani (= ED) 33,16), Datier. unsicher; Thasos: *marmor a/e Thas(i)o* (Vitr. 10,2,15; Plin. nat. 36, 44), *Thasius lapis* (Sen. epist. 86,6), μάρμαρον Θάσιον/*mármaron Thásion* (ED 33,17), 6. Jh. v.–6. Jh. n. Chr.

Kleinasien: Prokonnesos: *marmor Proconnesium* (Vitr. 2,8,10; 10,2,15; Plin. nat. 36,47), μάρμαρον Προκοννήσιον/*mármaron Prokonnḗsion* (ED 33,7), 6. Jh. v.–6. Jh. n. Chr.; Herakleia am Latmos und Ephesos: jeweils 6.(?)/5. Jh. v.–6. Jh. n. Chr.; Dokimeion: 4.(?) Jh. v.–6. Jh. n. Chr.; Aphrodisias: hell. bis spätröm. Zeit.

Italien: Luna: *marmor Lun(i)ense* (Plin. nat. 36,14; 36,48), ca. 50 v. – 3. Jh. n. Chr.

Unter Augustus begannen die Römer, bunten M. systematisch auszubeuten. Die bedeutendsten Steinbrüche waren in Griechenland: Karystos: (μάρμαρον) Καρύστιον/(*mármaron*) *Karýstion* (Strab. 9,5,16; 10,1,6), *marmor Carystium* (Plin. nat. 36,48), 1. Jh. v. Chr. bis spätröm. Zeit; Chalkis: *fior di pesco*, spätes 1. Jh. v. Chr. bis spätröm. Zeit; Laris(s)a: λίθος Θετταλή/*líthos Thettalḗ* (Poll. 7,100), (μάρμαρον) Θεσσαλικόν/(*mármaron*) *Thessalikón* (Paulos Silentiarios, Hagia Sophia 388), frühes 2. Jh.–6. Jh. n. Chr.; Chios: *marmor Chium* (Plin. nat. 5,136), spätes 1. Jh. v. Chr. bis (spät?-)röm. Zeit; Skyros: λίθος Σκυρία/*lithós Skyría* (Strab. 9,5,16), *(marmor) Scyreticum* (Plin. nat. 31,29), 1. Jh. v. Chr. bis spätröm. Zeit; Krokeai: *marmor Lacedaemonium* (Plin. nat. 36,55), μάρμαρον Λακεδαιμόνιον/*mármaron Lakedaimónion* (ED 33,2), spätes 1. Jh. v. Chr. bis spätröm. Zeit; Kap Tainaron: (*marmor*) *Taenarium* (Prop. 3,2,11), 1. Jh. v. Chr. bis (spät?–)röm. Zeit.

Kleinasien: Troas: *marmor Troadense* [43. 467, Z. 5], 2. Jh. v.–6. Jh. n. Chr.; Teos: (wahrscheinlich) λίθος λευκολλεία/*líthos leukolleía* (Strab. 9,5,16; vgl. ED 33,4), *marmor Luculleum* (Plin. nat. 36,49–50), 1. Jh. v. Chr. bis spätröm. Zeit; Dokimeion: λίθος Δοκιμαίος/*líthos Dokimaíos* bzw. Συνναδικός/*Synnadikós* (Strab. 9,5,16; 12,8, 14), (*marmor*) *Phrygium* (Tib. 3,3,13), 1. Jh. v.– 6. Jh. n. Chr.; Vezirhan (und andere Orte des Mittelmeerraumes): *breccia corallina*, 1. Jh. v. Chr. bis spätröm. Zeit.

Nordafrika: Simitthus: *marmor Numidicum* (Plin. nat. 5,22; 36,49), 2. Jh. v.– Ende 3. Jh. n. Chr.

Ägypten: Ǧebel Dokhan: (*lapis*) *porphyrites* oder *leptopsephos* (Plin. nat. 36,57), 1. Jh. n. Chr. bis spätröm. Zeit; Ǧebel Fatireh: μάρμαρον Κλαυδιανόν/*mármaron Klaudianón* (ED 33,6), 1. Jh. v. Chr. bis spätröm. Zeit; Wādī Ḥammāmāt: *scisto verde* (Grauwacke), 3. Jt. v. Chr. bis spätröm. Zeit; Assuan: *lapis Thebaicus*, auch *Syenites* und *pyrrhopoecilus* genannt (Plin. nat. 36,63), 3. Jt. v. Chr. bis spätröm. Zeit.

Hinzu kommt ein reiches Spektrum weiterer buntfarbiger Steine, v. a. verschiedene Sorten von Alabaster, Muschelkalk und Brekzien, die in der röm. Kaiserzeit z. T. weit verbreitet waren [33. 37–52]. Ebenso wichtig, aber noch wenig erforscht sind die zahllosen kleine(re)n M.-Vorkommen (über 40 allein bei Ephesos) von lokaler Bed. [34. 304], die wesentlich zur Entwicklung der urbanen Infrastruktur des Mittelmeerraumes beigetragen haben.

III. Eigentum und Verwaltung der Brüche

In griech. Zeit befanden sich M.-Brüche entweder im Besitz der Polis oder in privater Hand; die meist nur auf bestimmte Bauprojekte und bestimmte Zeiten konzentrierte Ausbeutung erfolgte durch vertraglich bestellte Unternehmer. Ähnliche Formen der Organisation galten wohl auch für die meisten kleineren Vorkommen von lokaler Bed. in der röm. Kaiserzeit. Mehrere Indizien sprechen dafür, daß die wichtigsten Brüche der weiß- und buntfarbigen Export-M. wohl seit iulisch-claudischer Zeit dem *patrimonium Caesaris* einverleibt wurden (hierzu und zum folgenden vgl. [31. 17–25]). In der röm. Kaiserzeit konnten extrahierte M.-Blöcke nach komplexen Gesichtspunkten (mit großen lokalen Unterschieden) beschriftet werden (häufig verbunden mit der internen Organisation im → Steinbruch und/oder der Rechenschaft der Betreiber gegenüber der kaiserlichen Administration), oftmals mit Angabe des Konsulats (solche sind 64 bis 236 n. Chr. belegt). Nach diesen Zeugnissen besorgten vielfach kaiserliche Sklaven und Freigelassene als Unternehmer und Verwalter, die z. T. für mehrere Steinbrüche in weit auseinanderliegenden Gebieten zuständig waren, die Administration.

IV. Abbau und Transport

Die Technik des M.-Abbaus durchlief verschiedene Stadien [32. 47–72]. In Ägypten wurden etwa seit 3000 v. Chr. die weicheren Sand- und Kalksteine erstmalig durch Schrotgräben vom übrigen Gestein getrennt und durch Keilspaltung vom Untergrund gelöst (oft Holzkeile; die frühen Kupferkeile wurden später durch solche aus Bronze, dann aus Eisen ersetzt; zugleich wurde die Spalttechnik durch differenziertere Spurenfolge der Keillöcher weiterentwickelt); die extremen Hartgesteine wie Granit hat man wohl mit Hilfe scharfkantiger Steinhämmer aus Dolorit durch das Ausschlagen etwa mannsbreiter Spurrillen extrahiert. Nach der Einführung von Eisenkeilen im 1. Jt. v. Chr. setzte sich die Keillochspaltung mehr und mehr durch (in griech. M.-Brüchen seit der Zeit um 600 v. Chr., in den äg. Hartgesteinbrüchen spätestens seit Beginn der Prinzipatszeit). In der Spätant. geschah der Abbau gelegentlich auch durch Sägen [44. 31]. In der Regel wurden Rohblöcke entweder so geliefert, wie sie die Bruchverhältnisse hergaben, oder entsprechend ihrer vorgesehenen Verwendung dimensioniert bzw. im Steinbruch von spezialisierten Steinmetzen vor-, z. T. auch ausgearbeitet, u. a. um Transportgewicht zu sparen. Die in der Ant. gewonnenen M.-Mengen waren gewaltig: Der Abbau von pentelischem M. wird auf etwa 400000 m³ [52. 861] mit einem Gewicht von ca. 1,1 Mio Tonnen von dem sehr teuren numidischen M. auf mindestens 250000 m³ mit ca. 700000 Tonnen Gewicht geschätzt.

Enorme Blöcke und große Mengen von M. wurden in Griechenland seit dem späteren 7. Jh. v. Chr. über längere Strecken transportiert, in archa. Zeit bereits Blöcke von über 70 Tonnen Gewicht. Der oftmals lange → Landtransport (z. B. etwa 120 km vom Steinbruch des *marmor Claudianum* bis zum Nil) wurde durch z. T. entsprechend hergerichtete Straßen, Drehhebel, Holzschlitten, Wagen, Zugtiere, die Verladung auf Schiffe durch besondere Kräne ermöglicht [21. 97–142; 29]. Aufgrund des hohen Eigengewichtes von M. und des großen Bedarfs an importierten M. ist pro Jahr der Einsatz vieler Frachtschiffe (durchschnittliche Ladekapazität etwa 100 bis 450 Tonnen) vorauszusetzen. Der Transport der großen, aus *Syenites* gefertigten Obelisken, von denen der größte, h. vor dem Lateran stehende über 32 m hoch war und mehr als 455 Tonnen wog, nach Rom erforderte besonderen Aufwand einschließlich des Baus von riesigen Spezialschiffen (Plin. nat. 36, 70–71).

V. Lagerung, Verbreitung, Preise

Während im spätminoischen Palast von → Knosos kleine Mengen bunter Import-M. bevorratet wurden [53. 290–292], scheinen für die spätere griech. Zeit Hinweise auf M.-Lager zu fehlen. Darin manifestiert sich ein grundsätzlicher Unterschied zu Rom: Während M. in griech. Zeit üblicherweise wohl nur für konkrete Vorhaben bestellt, gebrochen und bezahlt wurde (etwa für den nicht vollendeten Vor-Parthenon bis zur zweiten/dritten Säulentrommel über 15000 Tonnen an pentelischem M. [28. 8]), avancierte M. unter den Römern zum Massenprodukt. Reich sortierte M.-Lager gab es erst in der Prinzipatszeit, wahrscheinlich seit Augustus; die wichtigsten und größten befanden sich – jeweils verbunden mit M.-Werkstätten – in Ostia (Portus) und Rom; sie bildeten hier einen einzigartigen imperialen Thesaurus. Quantität, Qualität und Diversität der gelagerten M. sprechen für ein differenziertes Produktionsmodell: Rohe Blöcke, etwa für kleinere Bauten und Skulpturen sowie Fußboden- und Wand-→ Inkrustation, und Säulenschäfte gängiger Größen (Länge etwa 9–18 röm. Fuß?) wurden serienweise extrahiert und bevorratet, aufwendigere Architekturglieder und größere Säulenschäfte (Länge über 30 röm. Fuß?) wohl in der Regel für konkrete Bauprojekte bestellt, aber nicht immer in diesem Kontext verwendet [31. 24–25, 157–159].

Lagerung, Verkauf und Weiterverwendung importierter M. in Ostia und Rom unterlagen offenbar kaum einschneidenden kaiserlichen Restriktionen. Die zahlreichen Belege für importierten M. aus den großen (kaiserlichen) Steinbrüchen allein auf dem röm. Kreta legt vielmehr auch hier (und damit zugleich in anderen röm. Prov.) die Annahme von M.-Lagern nahe und weist auf eher flexible Mechanismen in der M.-Distribution [37]. Der intensive, reichsweite Transport und Handel mit den Schwerstlasten von M. und M.-Objekten war eine der größten technischen (und ideologischen) Leistungen Roms (vgl. Strab. 12,8,14; Plin. nat. 36,1–3) – eine Errungenschaft, die so nie wieder realisiert wurde.

Die Höchstpreise der wichtigsten bunten (und einiger weißfarbiger) M. sind für das frühe 4. Jh. durch das 301 n. Chr. erlassene *Edictum Diocletiani* bekannt; die Kosten betrugen maximal für einen Fuß *m. porphyreticum* und *m. Lacedaemonium* je 250 Denare, für *m. Numidicum* und *m. Phrygium* je 200 Denare, *m. Luculleum* und *m. Thessalicum* je 150 Denare, *m. Claudianum* 100 Denare, *m. Carystium* 50 Denare, *m. Proconnesium* und *m. Scyreticum* je 40 Denare (ED 33,1–18). Maßeinheit für diese Preise war wahrscheinlich ein Quadratfuß gesägter M.-Platte, entsprechend dem geläufigsten Verwendungszweck bunter M. zu dieser Zeit; für große Skulpturenblöcke, Architekturteile und Säulenschäfte aus bunten M. galten offenbar andere Bedingungen. Nachfrage und Preis für M. stiegen wahrscheinlich im 4. Jh. an, so daß Iulianus [11] den Abbau von M. ausdrücklich förderte (Cod. Theod. 10,19,2).

## VI. Techniken der Bearbeitung

Die Beherrschung der Eisentechnologie im griech. Raum seit dem ausgehenden 2. Jt. v. Chr. war Voraussetzung dafür, daß mit dem 7. Jh. v. Chr. allmählich die später üblichen, je nach M.-Art an der Spitze gehärteten Werkzeuge wie (Spitz-)Hammer, Spitzeisen, Zahneisen, Flacheisen, Bohrer und Raspel zur M.-Bearbeitung eingeführt werden konnten [7; 21. 177–194]. Unterschiedliche Eigenschaften prägen die Bearbeitbarkeit der verschiedenen M.-Sorten: Parischer *lychnites* und weißfarbiger M. aus Aphrodisias sind z. B. relativ weich, pentelischer M. ist etwas härter, bunte M. sind häufiger hart, weißfarbiger thasischer M. ist fast so hart wie die extrem schwer zu bearbeitenden Arten Granit, Porphyr und Grauwacke [46. 17–24].

Aufwendig war die Kannelierung von → Säulen, ausgefallen die von monolithen Schäften aus bunten M. wie etwa der Säulen aus numidischem M. im → Pantheon. Noch arbeitsintensiver war es, M.-Oberflächen unterschiedlich fein zu schleifen und zu polieren [43. 227 f.]; als Schleifmittel wurden Korund, → Bimsstein und feiner Sand in verschiedenen Körnungen verwendet. Die *politores* der Prinzipatszeit entwickelten bes. im 2. Jh. n. Chr. subtilste Polierpraktiken von mattschimmernder bis hochglänzender Wirkung [7. 313–315]. Beim Planen von M.-Flächen wurde z. T. extreme Genauigkeit erreicht, bei einzelnen Säulentrommeln des Pantheon in den Anschlußflächen bis zu 1/1000 mm. Die dünnen M.-Platten für Fußböden (ca. 30 mm), Innenwände (ca. 10 mm) und figürliche Inkrustationen (nur ca. 4–5 mm) wurden mit Hilfe eiserner Sägen und eines speziellen Sandes direkt an der Baustelle zugeschnitten (Plin. nat. 36,51–53). Die für Reparaturen und arbeitsteilige Produktion (z. B. von Kopf und Körper) wichtige Technik der Anstückung ist in der griech.-röm. Plastik seit dem 6. Jh. v. Chr. nachweisbar [32. 135–162].

## VII. Marmorarii

Während griech. M.-Arbeiter gewöhnlich λιθουργός/*lithurgós* und λιθοξόος/*lithoxóos*, seltener μαρμαροποιός/*marmaropoiós* hießen, wurde für röm. M.-Arbeiter der neue Begriff *marmorarius* geprägt (ins Griech. offenbar als μαρμαράριος/*marmarários* übernommen), den eine große Zahl lat. und griech. Inschriften belegen (etwa ILS 4681; 5442; 6331; 7539; 7678). *Marmorarii* (oftmals Freigelassene) führten – von anderen Spezialhandwerkern im Steinbruch [8], in der Bildhauerwerkstatt oder auf der Baustelle unterstützt – alle Arten von M.-Arbeiten aus, selbst das Meißeln von Inschriften (ILS 7679). Sie zählten zusammen mit den *pictores* (Malern) und *statuarii* (Bildgießern) zu den Handwerkern von Luxusgütern (Sen. epist. 88,18). Im *Edictum Diocletiani* wird der tägliche Höchstlohn des *marmarários/marmorarius* auf 60 Denare festgesetzt, der des »einfacheren« *lithurgós techneítēs* bzw. *lapidarius structor* hingegen auf 50 Denare pro Tag beschränkt (ED 7,2; 7,5). Bis zum 4. Jh. n. Chr. reisten *marmorarii* häufig mit den von ihnen zu bearbeitenden M. Später waren sie per Gesetz stärker örtlich gebunden, um dringende Restaurierungsaufgaben in ihrem lokalen Umfeld zu besorgen [19. 322]. In der Spätantike wurden die M.-Arbeiter gleichzeitig mit anderen hochqualifizierten Handwerkern von den *munera* (→ *munus*) befreit (Cod. Theod. 13,4,2).

## VIII. Verwendung

In der frühen Bronzezeit (3. Jt. v. Chr.) bildeten die Kykladen das Zentrum einer weit verbreiteten und hochgradig spezialisierten M.-Produktion, vornehmlich von kleinen Gefäßen und Skulpturen. In min.-myk. Zeit wurden Siegel, Gefäße, Möbel, Architekturverkleidung und Säulenbasen aus buntem M. gefertigt, u. a. *m. Taenarium* und *m. Lacedaemonium* [53. 287–295]; als Baumaterial und für Skulptur ist M. hier nicht belegt.

Vom 7. Jh. v. Chr. an kamen im griech. Kulturraum weißfarbige M. zum Einsatz, zunächst in der Skulptur (hier wird mit mindestens 60000 Statuen archa. Kurai/Korai [49. 21] gerechnet), seit dem frühen 6. Jh. v. Chr. auch in der Architektur. Seit klass. Zeit wurden öffentliche Bauten und ihr Reliefschmuck zunehmend in weißfarbigen M. ausgeführt, Rundplastik hingegen häufiger in Bronze.

In Rom sind weißfarbige griech. M. seit 146 v. Chr. (Tempel des Iuppiter Stator; Vell. 1,11,5), bunte M. in bes. aufwendigen Kontexten seit dem 1. Jh. v. Chr. bezeugt [47. 144–148]. Unter Augustus erlebte Rom eine M.-Revolution (vgl. Suet. Aug. 28,3), die seit dem 1. Jh. n. Chr. auf das ganze Reich übergriff. Der öffentliche, z. T. auch häusliche Lebensraum in Rom und später in den Prov. wurde durch den systematischen Einsatz großer Mengen nicht nur von ital. *m. Lunense*, sondern auch von weiß- und buntfarbigen Export-M. (Bauwerke, Skulpturen, Prachtkratere, Kandelaber, Puteale etc.) grundsätzlich verändert [23; 47. 148 f.; 54. 319–328]. Neue ästhetische und ideologische Horizonte erschlossen bes. die vielen bunten M., die seit Augustus erstmals gezielt in der Architektur – bei dem Bau von Tempeln, Foren, Thermen, Theatern, Nymphaeen, Verwaltungsbauten, Häusern – und in der Skulptur für fast alle Themen (einen Schwerpunkt setzen überlebensgroße Statuen von Orientalen und Dakern) sowie für große Prachtwannen verwendet wurden (→ Roma). Zur selben Zeit wurden die ersten äg. → Obelisken aus *Syenites* nach Rom verbracht und an zentralen Orten aufgestellt (Plin. nat. 36,70–74: *Mausoleum Augusti, Solarium Augusti, Circus maximus*). Diese Praxis blieb, mit unterschiedlicher Intensität und Akzentsetzung, mindestens bis zum 3. Jh. in Geltung. Zentrale Objekte der Rekonstruktion von Werkstätten, M.-Produktion und -Handel sind Kapitelle, → Sarkophage und Kaiserporträts. Reiche Verwendung von weiß- und buntfarbigen (oftmals kaiserlichen) Export-M. läßt sich in dieser Zeit auch in röm. Prov. nachweisen, bis hin zur Imitation bunter M. in Wandmalerei und auf Mosaiken [11. 271 f.; 40. 155–170].

In spätant. und frühbyz. Zeit wurden von den traditionellen, häufig wiederverwendeten weiß- und buntfarbigen M. in Architektur und Skulptur bevorzugt *m. Proconnesium*, weißfarbiger M. von Dokimeion, *lapis porphyrites*, *m. Thessalicum*, *m. Carystium* und *m. Troadense* ausgebeutet. Gesteinsspezifische Verwendung belegen die in der röm. Kaiserzeit bevorzugten monolithen Säulen: Schaftlängen aus M. und Brekzien konnten kaum mehr als 30 röm. Fuß (ca. 9 m), aus Granit (*Syenites/m. Claudianum*) hingegen mindestens 60 röm. Fuß (ca. 18 m) erreichen [31. 143–147]. Andere Gesteine, wie das *m. Lacedaemonium*, lieferten nur kleine Blöcke von maximal etwa 0,5 × 0,5 × 1,0 m Größe [48. 245].

IX. Ideologische Aspekte

Komplementär zum stets hohen Repräsentationswert von M. wirkten je nach Kulturraum, Kontext und Zeitstellung verschiedene ideologische Aspekte, die am besten in der röm. Kaiserzeit zu fassen sind. Einerseits wurde die Verwendung von M. für Privathäuser von Plinius nachdrücklich kritisiert (Plin. nat. 36,2–8) und von Iuvenalis als Ausdruck der Verschwendungssucht (→ *luxus*) reicher Oberschichtsangehöriger gewertet (Iuv. 14,86–95). Andererseits waren bes. die teuren und exotischen bunten M., die unter größtem Aufwand von den Rändern der röm. Welt transportiert und nach Bedarf in höchster Perfektion modelliert und blank poliert wurden, ein greifbares Symbol der überlegenen Kultur Roms, dessen Präsenz beständig zunahm, zentrale Lebensräume im röm. Reich immer deutlicher bestimmte und damit zugleich stärker aufeinander bezog.

Seit der Zeit Hadrians gewann dieser ideologische Kontext eine weitere Dimension: Monolithe Säulen aus buntem M. (zu imperialen Konnotationen Strab. 12,8,14; Stat. silv. 4,2,18–29) begannen, eine entscheidende Rolle in einer kaiserlichen *gift economy* zu spielen, offenbar mit dem Ziel, die polit. Loyalität der Eliten in den Prov. zum Kaiser in Rom sichtbar zu vertiefen [37]. Bei den aus bunten M. gearbeiteten Skulpturen gab es darüber hinaus direkte Bezüge zwischen der Farbe des M. und dem Thema der Darstellung im Sinne einer zugespitzten Interpretation von Realität [47. 139–160].

**1** A. M. Abraldes, Pentelethen: The Export of Pentelic Marble and Its Use in Architectural and Epigraphical Monuments, 1997 **2** Adam, 23–60 **3** A. Ambrogi, Vasche di età romana in marmi bianchi e colorati, 1995 **4** N. Asgari, The Proconnesian Production of Architectural Elements in Late Antiquity, Based on Evidence from the Marble Quarries, in: C. Mango (Hrsg.), Constantinople and Its Hinterland. Papers from the Twenty-Seventh Spring Symposium of Byzantine Stud. in Oxford, 1995, 263–288 **5** R. Belli Pasqua, Sculture di età romana in basalto, 1994 **6** G. Borghini (Hrsg.), Marmi antichi, 1989 **7** M. L. Bruto, C. Vannicola, Strumenti e tecniche di lavorazione dei marmi antichi, in: ArchCl 42, 1990, 287–324 **8** A. Bülow-Jacobsen, On Smiths and Quarries, in: B. Kramer u. a., Akten des 21. Internationalen Papyrologenkongresses 1, 1997, 139–145 **9** I. Calabi Limentani, s. v. Marmorarius, EAA 4, 870–875 **10** A. Claridge, Roman Methods of Fluting Corinthian Columns and Pilasters, in: Città e architettura nella Roma imperiale (Analecta Romana Instituti Danici, Suppl. 10), 1983, 119–128 **11** S. Corcoran, J. DeLaine, The Unit of Measurement of Marble in Diocletian's Prices Edict, in: Journal of Roman Archaeology 7, 1994, 263–273 **12** J. J. Coulton, Lifting in Early Greek Architecture, in: JHS 94, 1974, 1–19 **13** H. Cuvigny, The Amount of Wages to the Quarry-Workers at Mons Claudianus, in: JRS 86, 1996, 139–145 **14** H. Dodge (Hrsg.), Marble in Antiquity. Collected Papers of J. B. Ward-Perkins, 1992 **15** E. Dolci, Carrara. Cave antiche, 1980 **16** Dies. (Hrsg.), Il marmo nella civiltà romana, 1989 **17** A. Dworakowska, Quarries in Ancient Greece, 1975 **18** Dies., Quarries in Roman Provinces, 1983 **19** M. L. Fischer, Marble, Marble Trade and *marmorarii*, in: R. Katzoff (Hrsg.), Classical Stud. in Honor of D. Sohlberg, 1996, 319–336 **20** Ders., Marble Studies: Roman Palestine and the Marble Trade, 1999 **21** R. Francovich (Hrsg.), Archeologia delle attività estrattive e metallurgiche, 1993 **22** R. Gnoli, Marmora

Romana, 1971, [2]1988 **23** T. M. GOLDA, Puteale und verwandte Monumente, 1997 **24** G. GRUBEN, Anfänge des Monumentalbaus auf Naxos, in: A. HOFFMANN u. a. (Hrsg.), Bautechnik der Ant., 1991, 63–71 **25** W. V. HARRIS (Hrsg.), The Inscribed Economy. Production and Distribution in the Roman Empire in the Light of *instrumentum domesticum* (Journal of Roman Archaeology, Suppl. 6), 1993
**26** N. HERZ, E. G. GARRISON, Geological Methods for Archaeology, 1998 **27** M. J. KLEIN, Unt. zu den kaiserlichen Steinbrüchen am Mons Porphyrites und Mons Claudianus in der östl. Wüste Ägyptens, 1988 **28** M. KORRES, Vom Penteli zum Parthenon. Werdegang eines Kapitells zwischen Steinbruch und Tempel, 1992
**29** V. LAMBRINOUDAKIS, The Sanctuary of Iria on Naxos and the Birth of Monumental Greek Architecture, in: D. BUITRON-OLIVER (Hrsg.), New Perspectives in Early Greek Art, 1991, 173–188 **30** Y. LINTZ, D. DECROUEZ, J. CHAMAY, Les marbres blancs dans l'antiquité, 1991
**31** M. MAISCHBERGER, M. in Rom. Anlieferung, Lager- und Werkplätze in der Kaiserzeit, 1997 **32** Marble. Art, Historical and Scientific Perspectives on Ancient Sculpture (Symposion ... J. Paul Getty Museum, 1988), 1990
**33** H. MIELSCH, Buntmarmore aus Rom im Antikenmuseum Berlin, 1985 **34** M. MOLTESEN, The Lepsius Marble Samples, 1994 **35** S. MROZEK, Einige wirtschaftliche Aspekte der Herstellung von Inschr. in der frühen röm. Kaiserzeit, in: H. SOLIN u. a. (Hrsg.), Acta Colloquii Epigraphici Latini Helsingiae, 1995, 303–312
**36** C. NAPOLEONE, s. v. Marmo, EAA suppl. secondo, Bd. 3, 547–553 **37** S. PATON, R. M. SCHNEIDER, Imperial Splendour in the Province: Imported Marble on Roman Crete, in: A. CHANIOTIS (Hrsg.), From Minoan Farmers to Roman Traders. Sidelights on the Economy of Crete, 1999, 279–304 **38** D. P. S. PEACOCK, Roman Stones, in: Journal of Roman Archaeology 7, 1994, 361–363 **39** Ders., V. A. MAXFIELD, Survey and Excavations: Mons Claudianus 1987–1993, Bd. 1. Topography and Quarries, 1997
**40** P. PENSABENE (Hrsg.), Marmi Antichi. Problemi d'impiego, di restauro e d'identificazione, 1985 **41** Ders., Le vie del marmo. I blocchi di cava di Roma e di Ostia: Il fenomeno del marmo nella Roma antica, 1995 **42** Ders., Marmi antichi II, 1998 **43** M. PFANNER, Über das Herstellen von Porträts, in: JDAI 104, 1989, 157–257 **44** F. RAKOB (Hrsg.), Simitthus I. Die Steinbrüche und die ant. Stadt, 1993 **45** J. M. REYNOLDS, J. B. WARD PERKINS, The Inscriptions of Roman Tripolitania, 1952 **46** P. ROCKWELL, The Art of Stoneworking. A Reference Guide, 1993
**47** R. M. SCHNEIDER, Bunte Barbaren. Orientalenstatuen aus farbigem M. in der röm. Repräsentationskunst, 1986
**48** Ders., Kolossale Dakerstatuen aus grünem Porphyr, in: MDAI(R) 97, 1990, 235–260 **49** A. M. SNODGRASS, Heavy Freight in Archaic Greece, in: P. GARNSEY u. a. (Hrsg.), Trade in the Ancient Economy, 1983, 16–26
**50** D. VANHOVE, Roman Marble Quarries in Southern Euboea and the Associated Road Networks, 1996
**51** M. WAELKENS, s. v. Cave di marmo, EAA suppl. secondo, Bd. 2, 71–88 **52** J. B. WARD PERKINS, s. v. Marmo, EAA 4, 1961, 860–870 **53** P. WARREN, Lapis Lacedaemonius, in: J. A. SANDERS (Hrsg.), ΦΙΛΟΛΑΚΩΝ. Lakonian Stud. in Honour of H. Catling, 1992, 285–296 **54** P. ZANKER, Augustus und die Macht der Bilder, 1987. R. M. S.

KARTEN-LIT.: R. GNOLI, Marmora Romana, 1971 • N. HERZ, M. WAELKENS (Hrsg.), Classical Marble: Geochemistry, Technology, Trade, 1988 • M. MAISCHBERGER, M. in Rom, 1997, bes. 14 • G. BORGHINI (Hrsg.), Marmi antichi, 1989.

**Marmor Parium.** Hell. Marmorchronik aus → Paros; zwei umfangreiche Partien sind erhalten: Frg. A (Z. 1–93) kam im J. 1627 aus Smyrna in den Besitz des Grafen Thomas Howard von Arundel, doch gingen Z. 1–45 während der Wirren unter Karl I. verloren und sind nur aus der *Editio princeps* von J. SELDEN [1] bekannt; Z. 46–93 befinden sich seit 1667 in Oxford. 1897 wurde auf Paros Frg. B (Z. 101–132, FHG 1, 542–555) entdeckt, es wird h. im dortigen Museum aufbewahrt.

Beim M. P. handelt es sich um eine griech. Universalchronik, die der Unterrichtung und Unterhaltung einer breiten Öffentlichkeit diente. Die Inschr. wurde 264/3 v. Chr. aufgestellt und gibt stichwortartige Hinweise auf Ereignisse der griech. (vornehmlich athenischen) Gesch., beginnend mit → Kekrops 1581/0), endend mit dem athen. Archon Diognetos 264/3. Das Erhaltene bricht mit dem J. 299/8 ab.

Alle Abschnitte sind nach demselben Schema angelegt, indem sie den zeitlichen Abstand der jeweiligen Begebenheit bis zum J. 264/3 angeben. Neben polit. Ereignissen finden sich auffallend viele kulturhistor. Daten, v. a. zu den großen griech. Festen (mit Ausnahme der Olympischen Spiele) und zur Lit.-Gesch. Beispiele: A 59 (zu 456/5): ›Seitdem der Dichter Aischylos, der 69 Jahre lebte, in Gela starb, 193 Jahre, als der ältere Kallias in Athen Archon war.‹; B 8 (zu 324/3): ›Seit dem Hinscheiden Alexanders und der Machtergreifung des Ptolemaios 60 J., als Hegesias in Athen Archon war.‹

Wegen der korrupten Überl. des Einleitungssatzes ist der Verf. der Chronik unbekannt, doch dürfte es sich um einen Inselgriechen, vielleicht sogar einen Parier, handeln. Zugrunde liegen verschiedene Geschichtswerke, bes. atthidographische (→ Atthis) Literatur.

**1** J. SELDEN (ed.), Marmora Arundelliana, 1628, 1 ff.

IG XIII 5, Nr. 444 (1903) sowie IG XII Suppl. (1939), p. 110 • FGrH 239 (mit Komm.) • F. JACOBY, Das Marmor Parium, 1904 (Ndr. 1980) • TOD, 205 • R. M. ERRINGTON, Diodorus Siculus and the Chronology of the Early Diadochoi, 320–311 B. C., in: Hermes 105, 1977, 478–504 • O. LENDLE, Einführung in die griech. Geschichtsschreibung, 1992, 280 f. K. MEI.

**Marmorarius** s. Marmor

**Marmorbilder.** In der griech. und röm. → Malerei war Stein, bes. → Marmor, ein beliebter Malgrund, geeignet für Darstellungen unterschiedlicher Zweckbestimmung. Bilder für den Totenkult, h. meist nur noch rudimentär erh., gab es seit archa. Zeit bis in den Hell. in vielen Gebieten des Mittelmeerraumes auf marmornen Grabplatten. Sie standen, wie die ebenfalls farbig gefaßten Reliefstelen (→ Polychromie), in den Nekropolen. Man kombinierte auch → Relief und Malerei, indem entweder Details und Attribute auf skulptierten und geglätteten Flächen malerisch ausgeführt, oder unter einer

Reliefszene ein kleines gemaltes »Predellabild« angefügt wurde. Obwohl → Grabmalerei gattungsbedingt inhaltlich reglementiert war und daher oft nur handwerkliches Niveau hatte, sind auch berühmte Maler, wie z. B. → Nikias von Athen, als Urheber schriftlich überl. (Paus. 7,22,6; Plin. nat. 35,132). Ähnliches läßt sich für Votivbilder und -reliefs griech. Heiligtümer erschließen. Bemalte Marmormetopen in architektonischem Zusammenhang sind ebenfalls aus vielen Epochen bekannt. Auch Geräte und Möbel wie z. B. die Rückenlehne eines Marmorthrones aus einem Grab in Vergina oder Sarkophage dienten als Bildträger.

Die auf M. angewandten ant. Malverfahren und -mittel wurden jüngst durch spezielle Fototechniken (UVR, Infrarot) sowie chemische Analysen verifiziert und rekonstruiert. Grundlagen boten sowohl die bis dato für enkaustisch (→ Enkaustik) gehaltenen hell. Grabstelen aus → Demetrias [1], für die nun eine Eitemperatechnik nachweisbar ist, als auch die griech. Tafelbildern nachempfundenen röm. M. aus Herculaneum, die der Gattung ihren Namen gaben. Die dort gefundenen, von dem Athener Maler Alexandros signierten Tafeln mit Sujets aus Mythos, Genre und Schauspiel galten früher wegen des verblaßten Erhaltungszustandes als → monochrome Gemälde. Mikroskopisch lassen sich jedoch etliche Pigmente nachweisen, die einer vielfarbigen Darstellung entstammen. Die einzelnen Abfolgen des Malvorgangs sind ebenfalls erkennbar: Ohne Grundierung wurden Konturen und Binnengliederung dunkel vorgezeichnet, darüber kam ein mittlerer, bereits leicht modellierender Farbton, zuletzt wurden differenzierende Buntwerte, Schatten und Lichter hinzugefügt. Bis h. ist nicht eindeutig geklärt, ob die Signatur den Kopisten meint oder ob sie von diesem vom Original des späten 5. Jh. v. Chr. übernommen wurde. Das berühmteste Bild der Serie, die ›Knöchelspielerinnen‹, wurde noch von CANOVA als Vorbild für eines seiner Werke gewählt.

V. v. GRAEVE, M. aus Herculaneum und Pompeji, in: Dialoghi di Archeologia 2, 1984, 89–113 • Ders., F. PREUSSER, C. WOLTERS, M. auf griech. Grabsteinen, in: Restauro 1, 1981, 11–34 • Ders., F. PREUSSER, Zur Technik griech. M. auf Marmor, in: JDAI 96, 1981, 120–156 • I. SCHEIBLER, Griech. Malerei der Ant., 1994, 2 ff., 132 ff. • C. SCHWANZAR, Ein Bild des Athener Malers Alexandros, in: W. ALZINGER (Hrsg.), Pro Arte Antiqua, FS H. Kenner, Bd. 2, 1985, 312–318 • K. SISMANIDIS, Klines ke klinoïdisis kataskeves ton makedonikon taphon, 1997. N. H.

**Marmorplastik.** Das kristalline Kalkgestein Marmor (Ma.) war in der griech.-röm. → Plastik bevorzugtes Steinmaterial. Ma. wurde teilweise bemalt oder vergoldet, sonst mit einem Auftrag aus Wachs und Öl (*gánōsis*) imprägniert. Bunt-Ma. wurde farbgerecht für Gewand und Haare verwendet, malerischer Effekt durch Metallanfügung von Schmuck, Waffen, Haarteilen und Augen erreicht. Bei umfangreichen Mischtechniken spricht man von → Akrolithon. Stuck wurde oft zur Einsparung von Material oder Arbeit angefügt. Die Maße der Quader verlangten oft Stückungstechniken mit Dübeln und Klebstoffen und die Zusammensetzung aus mehreren Teilen. Ant. Lob von Werken »aus einem Stein« (*ex uno lapide*) erweist sich bei nachprüfbaren Fällen meist als unberechtigt. Die Statuen wurden an den Füßen mit einer Standplatte (Plinthe) gearbeitet, die mittels Bleiverguß in die Basis eingesetzt wurde.

M. begegnet schon in der Kykladenkultur (3. Jt.) in kleinem Format. Mit dem Beginn griech. Plastik im 7. Jh. werden, ausgehend von der Insel Naxos, sofort möglichst große Formate versucht. In der Archaik ist Ma. – mit reicher Bemalung und Mischtechnik – das bevorzugte Material. Ab dem 5. Jh. entstehen marmorne Kolossalstatuen überwiegend als Akrolithe. Die Rundplastik verwendet fortan häufiger Br. als Ma.; dieser bleibt jedoch in der Bauplastik das fast ausschließliche Material. In It. erscheint Ma. ab dem mittleren 2. Jh. v. Chr. als Material für Plastik; neben importiertem parischen und pentelischem Ma. decken ab Mitte 1. Jh. v. Chr. v. a. die Brüche von Luna [3] den Bedarf für Statuen und Schmuckreliefs (→ Marmor). Die überwiegend private Käuferschaft führt zur Spezialisierung in → Kopienwesen und Reparatur und zu Mobilität der Werkstätten im Mittelmeerraum. Daneben entstehen exportorientierte Werkstätten an den Brüchen von → Aphrodisias [1] und zur Sarkophagproduktion bei Prokonnesos und Dokimeion/Kleinasien. Nach dem 3. Jh. n. Chr. wird Ma. für den nachlassenden Bedarf an neuen Werken durch Umarbeitung und Wiederverwendung gewonnen.

A. MORETTI, J. B. WARD-PERKINS, s. v. Marmo, EAA 4, 1961, 860–870 • P. PENSABENE (Hrsg.), Marmi antichi. Problemi d'impiego, di restauro e d'identificazione, 1985 • R. GNOLI, Marmora romana, 1988 • N. HERZ (Hrsg.), Classical Marble: Geochemistry, Technology, Trade, 1988 • Marble. Art Historical and Scientific Perspectives on Ancient Sculpture (Symposium ... J. Paul Getty Museum 1988), 1990 • Y. LINTZ (Hrsg.), Les marbres blancs dans l'antiquité, 1991 • J. B. WARD-PERKINS, Marble in Antiquity. Collected Papers, 1992. R. N.

**Marne-Kultur.** Kelt. Kulturgruppe der Frühlatènezeit (5. Jh. v. Chr.) im Einzugsbereich der Flüsse Marne, Seine und Aisne (Champagne). In der franz. Forsch. wird sie auch »Aisne-Marne-Kultur« gen.; sie wurde schon im vorigen Jh. als »Marnien« an Hand zahlreicher Grabfunde (über hundert Nekropolen mit mehreren Tausend Gräbern) als eigenständige Gruppe am Nordwestrand der frühen → Latène-Kultur herausgestellt. Typisch sind v. a. die Körperbestattungen in Flachgrabnekropolen, die Waffen (Schwert, Lanze), bes. Schmuck (Halsringe; → Torques) als Grabbeigaben und Speisen (Tierskelett-Teile), die typische mit kantiger Wandungsprofilierung, mit geom. Ritz- oder Malmustern versehene Keramik, usw. Reiche Gräber (→ Fürstengräber) sind durch die Beigabe von zweirädrigen → Streitwagen, prunkvollem Pferdegeschirr, mediterranen Br.-Gefäßen und → Helmen ausgezeichnet.

Teilweise wird in der Forsch. auch die späte → Hallstatt- und die Frühlatène-Kultur (6.–4. Jh. v. Chr.) zur M. gerechnet. Um 400 v. Chr. ist ein deutlicher Rückgang der Bestattungen festzustellen (Beginn der kelt. Wanderungen?), und erst in der 2. H. des 4. Jh. nehmen die Grabzahlen wieder zu. Es beginnen aber auch neue Grabsitten, wie erste Brandbestattungen, Grabeinhegungen usw. zeigen. Siedlungen sind bisher für die M. kaum bekannt.

→ Grabbauten; Hallstatt-Kultur; Keltische Archäologie; Latène-Kultur

J.-P. Demoule, Chronologie et société dans les nécropoles celtiques de la culture Aisne-M., du VI^e au III^e siècle avant notre ère, 1999 • M. Green (Hrsg.), The Celtic World, 1995, bes. 555–557 • H. Lorenz, Totenbrauchtum und Tracht. Unt. zur regionalen Gliederung in der frühen Latènezeit, in: BRGK 59, 1978, bes. 220–224 • S. Moscati (Hrsg.), I Celti, 1991, 147–154; 243–250. V.P.

**Maroboduus.** König der → Marcomanni aus edlem Geschlecht (*genere nobilis*, Vell. 2,108,2). In Rom empfing M. – mehr ist nicht bekannt – früh »Wohltaten« des Augustus (Strab. 7,1,3). Nach der Rückkehr zu seinem Volk erhob M. sich zum König (Vell. 2,108,2) und zog mit den Markomannen und anderen suebischen Gruppen nach 9 v. Chr. – wohl mit röm. Zustimmung – aus der Maingegend in das nach dem Abzug der → Boii siedlungsarme Böhmen (→ Boiohaemum, Strab. 7,1,3; Tac. Germ. 42,1). M. vergrößerte durch Unterwerfung und Verträge mit den → Lugii, Zumern, Butonen, Sibinern und → Semnones sein straff organisiertes Reich (Strab. 7,1,3; Vell. 2,108,2,). Dabei stützte er sich auf ein gut geübtes, beinahe röm. diszipliniertes Heer von 70000 Fußsoldaten und 4000 Reitern (Vell. 2,109,1 f.).

Die Beziehungen zu Rom, die auch regen Handelsverkehr einschlossen (Tac. ann. 2,62,3), waren anfangs gut. Ohne Rom direkt zu reizen, demonstrierte M. selbstbewußt Stärke. Seine Gesandten traten als Bittsteller auf, aber auch mit dem Anspruch der Gleichrangigkeit (*pro pari*). Bei M. suchten sogar einzelne von Rom abgefallene Stämme und Personen Zuflucht (Vell. 2,109,1–2). Ob der beträchtliche Machtzuwachs, den Velleius Paterculus beschreibt, wirklich eine Bedrohung Italiens oder der benachbarten Gebiete Noricum, Pannonien und Germanien darstellte, ist zu bezweifeln. Velleius scheint es eher um die Rechtfertigung eines Präventivkrieges gegen den potentiellen Anführer einer antiröm. Koalition zu gehen [1. 158 f.; 2. 193]. Denn in einem groß angelegten Zangenangriff zielten 6 n. Chr. C. → Sentius Saturninus von Mogontiacum (Mainz) durch das Chattengebiet und Tiberius von Carnuntum aus auf den Machtkern M.' (Vell. 2,109,5). Vor der Vereinigung der Heere erzwang der Ausbruch des illyrisch-pannonischen Aufstandes den Abbruch der Offensive von zwölf Legionen und eine Verständigung mit M. Der vielleicht vertraglich abgesicherte Frieden [2. 270] sicherte M. zunächst Autonomie und Gleichrangigkeit (Tac. ann. 2,26; 46), brachte ihm aber im Rückblick des → Arminius den Ruf des »Verräters« der german. Sache ein (Tac. ann. 2,45). Auch in der Folgezeit blieb M. bei seiner abwartenden und neutralen Politik: Das 9 n. Chr. als »Einladung« zu einem Bündnis übersandte abgetrennte Haupt des P. → Quinctilius Varus schickte er zur Bestattung nach Rom (Vell. 2,119,5). M. unterstützte nach 9 n. Chr. aber anscheinend auch nicht die röm. Seite bei den Feldzügen des Tiberius und Germanicus (Tac. ann. 2,46,5).

In den Kämpfen nach der Abberufung des → Germanicus [2] stehen sich 17 n. Chr. M. und Arminius – von Tacitus eindrucksvoll in Szene gesetzt (Tac. ann. 2,45; 46) – als Kontrahenten gegenüber. Dabei hebt sich das Bild M.' in der Perspektive eines angeblichen german. Nationalbewußtseins negativ von dem des Arminius ab. Nach dem Abfall der Semnonen und Langobarden von M. schien das Kräfteverhältnis ausgeglichen, da → Inguiomerus, der Onkel des Arminius, zu M. übertrat (Tac. ann. 2,45,1) und von diesem als eigentlicher Varusbezwinger gefeiert wurde (Tac. ann. 2,46,1). In der Schlacht zum Rückzug gezwungen, wandte sich M. an Tiberius, der an die frühere unsichere Haltung M.' erinnerte und das Hilfegesuch ablehnte (ebd. 2,46,5). Der *princeps* schickte seinen Sohn Drusus [II 1] an die Donau, um die völlige Entmachtung M.' einzuleiten (ebd. 2,62,1).

Markomannische Konkurrenten, bes. der einst von M. verfolgte → Catualda, erhoben sich 18 n. Chr. gegen M. und zwangen ihn nach der Einnahme seiner Königsburg (ebd. 2,62) zur Flucht ins röm. Reich. Tiberius verweigerte wiederum Unterstützung und wies M. Ravenna als Aufenthaltsort zu, wo er noch 18 J. lebte. Die Gefolge M.' und des später vertriebenen Catualda siedelte man im *regnum Vannianum* (→ Vannius) nördlich der Donau im Bereich der March an (Tac. ann. 2,63).

In einer auch der Selbstdarstellung verpflichteten Rede des Tiberius erscheint M. in einer Reihe großer Herrscher des Alt. – gefährlicher als Philipp II., Pyrrhos und Antiochos [5] III. (ebd. 2,63). Diese Einschätzung wird der mehrfach bewiesenen unabhängigen Stellung M.', der Größe seiner Reichsbildung und materiellen Ressourcen und der konsequenten und beachtlichen Reichsorganisation [2. 273] durchaus gerecht. Diese Akzente gilt es gegenüber dem nationalgeschichtlich geprägten Vergleich des »Verräters« M. mit dem »Befreier« Arminius in der älteren dt. Forschung hervorzuheben.

1 J. Dobiáš, King Maroboduus as a Politician, in: Klio 38, 1960, 155–166 2 R. Wolters, Röm. Eroberung und Herrschaftsorganisation in Gallien und Germanien, 1990.
V.L.

**Maron** (Μάρων). Apollonpriester der thrak. Stadt → Ismaros; zuerst erwähnt im Zusammenhang mit der odysseischen Kikonenepisode: Für die Schonung beim Raubzug von Odysseus' Kriegern schenkt M. dem Odysseus u. a. einen schweren Wein, mit dem Odysseus später den → Kyklopen betäuben kann (Hom. Od.

9,39–61; 196–211). M.s Name scheint aus dem Namen der thrak. Stadt Maroneia [1] abgeleitet zu sein, deren Umland für guten Wein bekannt war (Hom. Od. 9,45; Archil. fr. 2); hier existierte auch ein numismatisch dokumentierter M.-Kult. Aufgrund dieser ›Odyssee‹-Stelle wird M. später mit dem Bereich des Dionysos verbunden und enthält einen dementsprechenden Stammbaum (bei Hes. cat. 238 ist er Enkel des → Oinopion und Urenkel des Dionysos). In Nonnos' *Dionysiaká* wird er mehrfach als Wagenlenker des Dionysos genannt und tritt in einem Tanzwettstreit mit Silenos besonders hervor (19, 159–224; 295–348).

B. GR. KRUSE, s. v. M., RE 14, 1911–1912. E. V.

**Maroneia** (Μαρώνεια).
**[1]** Nordägäische Stadt auf den südwestl. Hängen des Ismaros, h. Maronia. Gründung von Chios (1. H. des 7. Jh. v. Chr.; Skyl. 678) im Stammesgebiet der → Kikones. Die Mythographie verbindet M. mit dem homer. *Márōn* (Hom. Od. 9,197); erstmals von Hekat. FGrH 1 F 159 erwähnt. Wichtigste Erwerbszweige waren Weinbau und Schafzucht. Ab 529 v. Chr. prägte M. Silbermz., als die Ausbeutung der Silbermine südl. des h. Agios Georgios begann. Die athen. Tributquotenlisten von 454 bis 424 v. Chr. und 418/7 v. Chr. zeigen den wirtschaftlichen Aufschwung von M.: Urspr. mußte die Stadt 1 Talent und 3000 Drachmen zahlen; 437 v. Chr. waren es bereits 3 Talente (ATL 1, 116; 157; 207 fr. 38). Quelle dieses Reichtums waren v. a. die engen wirtschaftl. Beziehungen zu den → Odrysai wie überhaupt zum thrak. Hinterland, wo M. etliche Emporia nutzte. Die Bürgerzahl muß damals etwa 1200 betragen haben. Zeitweilig befand sich M. wie Abdera und Neapolis (h. Kauala) im Herrschaftsbereich des Odrysenkönigs Amadokos II., blieb aber autonom, solange M. sowohl den Odrysai als auch dem → Attisch-Delischen Seebund Tribut zahlte (IG II 2, 126; Syll.[3] vom J. 358). Eine thrak. Festung befand sich unweit der Stadt (h. Agios Georgios). M. war Münzstätte der Odrysenherrscher Medokos, Amadokos II. und Teres II. Die wichtigsten Stadtgötter waren Apollon, Dionysos, Zeus und → Maron. Im 4. Jh. v. Chr. baute man den Hafen aus. 376 hatte M. unter dem Einfall der → Triballoi zu leiden (Diod. 15,36). In hell. Zeit erhielt M. ein großräumiges Theater, das in röm. Zeit noch ausgebaut wurde.

In der 2. H. des 3. Jh. v. Chr. kam M. in ptolem. Besitz; 200 v. Chr. von Philippos V. erobert. Kurz vor 196 v. Chr. wurde M. (mit Ainos) von Rom Antiochos III. überschrieben. So wurde dieser Küstenstreifen zum Zankapfel zw. Philippos V. und Eumenes [3] (Liv. 39,27 f.). 184 v. Chr. überfielen Thrakes die Stadt (Pol. 22,13). Nach 167 v. Chr. kam M. zum ersten Bezirk der maked. *merídes* (μερίδες, Diod. 31,8,8). M. erhielt von den Römern den Status einer *civitas libera* (Liv. 37,60,7). In röm. Zeit schwand seine Bed., doch besaß es unter Hadrianus etliche Privilegien (IGR 1, 830). Neuen Aufschwung erlebte M. wieder in frühchristl. und byz. Zeit. Arch. Unt. werden seit 1960 durchgeführt.

E. SCHÖNERT-GEISS, Griech. Münzwerk. Die Münzprägung von M., 1987 • CH. KARADIMA-MATSA, Η ανασκαφική έρευνα στη M., in: Archaia Thrake 2, 1997, 557–565. I. v. B.

**[2]** Bergbaurevier im → Laureion, wohl zum Demos Thorikos gehörig [2. 102 ff.], dessen Erschließung 483 v. Chr. – nach einer Vermutung von [1. 313] durch Erreichen der Erzvorkommen in der 3. Kontaktzone von Marmor und Schiefer (durch Neueinführung? des Schachtabbaus?) – das Schiffsbauprogramm des Themistokles (Aristot. Ath. pol. 22,7; Hdt. 7,144; Plut. Themistokles 4; Nep. Themistocles 2) ermöglichte [3. 277 ff.]. Im 4. Jh. v. Chr. ging die Bed. von M. stark zurück [2. 103].

1 R. J. HOPPER, The Laurion Mines, in: ABSA 63, 1968, 293–326 2 H. LOHMANN, Atene, 1993 3 P. RHODES, A Commentary on the Aristotelian Athenaion Politeia, 1981.
H. LO.

**Maroniten.** Christl. Religionsgemeinschaft, zurückgehend auf den syr. Eremiten Maro(n) (Μάρω(ν), syr. *Morun*; 4./5 Jh. n. Chr.), den Namenspatron eines Klosters am → Orontes bei → Apameia [3] in Syrien, das zum Zentrum des Widerstandes gegen den → Monophysitismus wurde. Nach dem Tod des Patriarchen Anastasios II. († 609) blieb der antiochenische (→ Antiocheia [1]) Patriarchatsthron vakant (Persereinfälle); 636 kam das Gebiet unter arab. Herrschaft. Die geogr. und kirchenpolit. bedingte Abgeschiedenheit führte zur Abkopplung von der dogmatischen Entwicklung der Kirche. Unter Kaiser → Herakleios [7] schlossen sich die M. mit Berufung auf Dokumente der 5. ökumen. Synode von Konstantinopel, die auf der 6. Synode als Fälschung galten, dem → Monotheletismus an.

M. BREYDY, Gesch. der syro-arab. Lit. der M. vom VII. bis XVI. Jh., 1985. K. SA.

**Marpessa** (Μάρπησσα, »die Geraubte«).
**[1]** Tochter des aitol. Flußgottes Euenos [3]. Sie wird von → Idas geraubt, der mit Hilfe seines Vaters Poseidon dem Verfolger Euenos entkommt. M.s Vater stürzt sich in den Fluß, der nach ihm den Namen trägt. M. wird daraufhin dem Idas von Apollon entführt, und es kommt zw. ihm und dem Gott zum Kampf, in dessen Verlauf Idas dem Gott den Bogen abnimmt (Hom. Il. 9,555 ff.). Zeus schlichtet den Streit, indem er M. die Wahl läßt, die auf Idas fällt, damit sie nicht im Alter von Apollon verlassen werden kann (Sim. fr. 58, PMG 563 PAGE). Idas und M. nennen ihre Tochter Alkyone, in Erinnerung an M.s Entführung (Hom. l.c.). Der Name M. steht in Zusammenhang mit griech. *márptein* »rauben«, »raffen«. AL. FR.
**[2]** Name des beherrschenden Gebirgsstockes auf der Insel Paros, durch seinen Marmor berühmt (Steph. Byz. s. v. M.).

H. KALETSCH, s. v. Marpissa, in: LAUFFER, Griechenland, 409. H. KAL.

**Marpessos** (Μάρπεσσος; *Marmessos, Marmi(y)ssos*). Der Ort in der Troas galt als Heimat der kleinasiat. → Sibylle (Paus. 10,12,3). Seine Lage ist durch Paus. l.c. (›240 Stadien von → Alexandreia [2] Troas entfernt‹) und Lact. inst. 1,6 (*circa oppidum Gergithum*) bestimmt. Nachdem Leaf [1. 106] daraus auf die Umgebung des Ballı Dağı schloß, scheint nun durch Cook [2. 281–283] die Lage bei Dam Kale nahe Zerdalli, ca. 8 km nördl. von Gergis, gesichert.

1 W. Leaf, Strabo on the Troad, 1923 2 J. M. Cook, The Troad, 1973, 280–283.

W. Ruge, s. v. M., RE 14, 1918. E. SCH.

**Marrucini.** Sabellischer Stamm an der Adria-Küste am unteren → Aternus (Ptol. 3,1,20) mit dem Hauptort Teate (Plin. nat. 3,106; auch *Teate Marrucinorum*, CIL VI 2379, und *Teate Marrucino*, Itin. Anton. 310), h. Chieti; Nachbarn der → Vestini, → Paeligni und → Frentani (Strab. 5,4,2). Sie schlossen 304 v. Chr. Frieden mit Rom und ein Bündnis (Liv. 9,45,18), das sie bis zum Anf. des → Bundesgenossenkrieges [3] (91 v. Chr.) aufrechterhielten (App. civ. 1,39). Zusammen mit den Vestini, Marsi und Frentani gehörten die M. zu einer der sieben Abteilungen, in die die Verbündeten Roms 225 v. Chr. eingetragen waren (Pol. 2,24,12). Ein Hinweis auf die Abstammung der *gens Asinia* (→ Asinius) von den M. ergibt sich aus dem an Asinius Marrucinus gerichteten Gedicht Catull. 12.

J. Perin, s. v. M., in: E. Forcellini, Onomasticon totius latinitatis, 1920 • G. Tagliamonte, I Sanniti, Caudini, Irpini, Pentri, Carricini, Frentani, 1996, 145, 150.
A. BO./Ü: C. EI.

**Marruvium** (Μαρούιον). *Vicus*, später *municipium* in Mittelitalien am → Lacus Fucinus mit Hafensiedlung am Aternus, h. S. Benedetto dei Marsi. Von sabellischen Marrubii oder → Marsi bewohnt [2. 76], seit dem 2. Jh. v. Chr. Hauptort der umliegenden Siedlungen (Strab. 5,4,2; Sil. 8,510), wohlhabend (Plin. nat. 3,106). Für den ON hielt man verschiedene Etym. bereit [8]: das Meer (Serv. Aen. 7,750), einen eponymen Feldherrn (Cato bei Prisc. 2,487,10; Serv. Aen. 7,750; 10,388; Sil. 8,505), den Stammvater Marsia, der das Auguralwesen (→ *augures*) begründet haben soll [2. 25–46], für das die Marsi bekannt waren (Plin. nat. 3,108; Isid. orig. 9,2,88). Den Bürgern von M. wurde die Kenntnis von magischen Fertigkeiten nachgesagt, übertragen von → Kirke oder der Medea-Angitia (Serv. Aen. 7,750). Arch. Überreste: städtebauliche Anlage mit rechtwinkligem Grundriß, öffentliche Gebäude (Amphitheater, *capitolium*, zwei Monumentalgräber [9]). Nur durch Statuenfunde ist ein Theater bezeugt. Gegen [1; 3] kennt man keine Befestigungsanlagen, da wiederverwendete Mauerbruchstücke [9] der städtischen Terrassierung zugeschrieben werden müssen. Inschr. Belege für das *municipium* bei [2. 94], für städtische Institutionen [2. passim], Kulte der → Venus [2. 35], der → Minerva, der → Penates [2. 72], des → Vertumnus [2. 104; 5. 38 f.] und der → Bona Dea [2. 92] sowie für die Sozialstruktur der Stadt [2; 4; 5; 6; 7].

1 C. Letta, I Marsi e il Fucino nell'antichità, 1972 2 Ders., S. D'Amato, Epigrafia della regione dei Marsi, 1975, 20–130 3 A. La Regina, s. v. M., in: PE, 553 4 I. Valdiserri Paoletti, Cippi funerari cilindrici dal territorio di M., in: RAL 35, 1980, 193–216 5 G. Pani (Hrsg.), Inscriptiones Christianae Italiae, septimo saeculo anteriores (Regio IV), 1986, 38 f. 6 S. Segenni, I liberti a M., in: Studi Classici e Orientali 37, 1987, 439–494 7 Dies., Iscrizioni inedite della IV regio, in: Epigraphica 51, 1989, 141–160 8 R. Maltby, A Lexicon of Ancient Latin Etymologies, 1991, 369 9 P. Sommella, s. v. M., in: EAA, Suppl. 2 (1971–1994), 1996, 555. M. I. G./Ü: H. D.

**Mars** I. Kult und Mythos II. Ikonographie

I. Kult und Mythos
A. Name B. Funktionen C. Mars Ultor
D. Identifikationen

Mars ist eine der ältesten ital.-röm. Gottheiten. Seine urspr. Funktionen sind derart überlagert von der des Kriegsgottes, daß es heute schwierig, wenn nicht unmöglich ist, zu entscheiden, welche Vorstellungen die ital.-röm. Völker von ihm hatten. Die Beschränkung seiner Funktion auf den Aspekt des Krieges entsprach dem Interesse der röm. Aristokratie, die soziale Bed. und den Nutzen der Kriegsführung zu kontrollieren.

A. Name

Von den verschiedenen Namensformen war *Mārs* wahrscheinlich die früheste, da sie in It. so früh und so weit verbreitet war, daß sie nicht vom Lat. beeinflußt worden sein kann (z. B. Tabulae Iguvinae Ia 11; VIb 1). Der Arvalhymnos (→ Carmen Arvale; CIL $I^2$ 2 = ILLRP 4) enthält *Marma(r), Mar(s), Ma(r)mor*; der sog. → Lapis Satricanus (CIL $I^2$ 2832a: ca. 500 v. Chr.), der vermutlich in röm. Lat. verfaßt wurde, hat *Mamartei*, nom. **Mamars*. Laut Varro (ling. 5,73) ist → *Mamers* die sabin., laut Verrius Flaccus die osk. Form (Fest. 116,2; Paul. Fest. 117,3; 23). In Südetrurien und Campanien kommen die verwandten Formen *Mamarc-*, *Mamerc-* als Personennamen vor. Diese reduplizierten Formen wurden möglicherweise für förmliche Anlässe wie Gebete und Votive zu einem frühen Zeitpunkt als bes. ausdrucksstark bevorzugt [1. 378–381]. Die Form *Mavors* (CIL $I^2$ 991 = ILLRP 217; Enn. ann. 104) kann eine auf Volksetym. basierende analoge Prägung sein (vgl. *magna vertere*, »Großes umwälzen«, d. h. »vernichten«: Cic. nat. deor. 3,62). Wie das verwandte **Maurs* (Dat. *Maurte*) in CIL $I^2$ 49 = ILLRP 221 (Tusculum) findet sich *Mavors* nur in Latium ([2. 209 f.] identifiziert *Maurte* fälschlich als F.). Die Formen *Marspiter, Maspiter* basieren offensichtlich auf → *Iuppiter* (CIL VI 487 = ILLRP 220; Varro ling. 10,65).

Die röm. antiquarische Etym. war *quod maribus in bello praeest*, »weil er den Männern im Krieg befiehlt«

(Varro ling. 5,73). Es gibt keine allg. akzeptierte mod. Etym., der Name ist möglicherweise nicht einmal indeur. [3].

B. Funktionen
1. Krieg 2. »Italischer« Mars
3. Mars und andere Götter

In histor. Zeit ist M. nahezu ausschließlich als Kriegsgott bekannt und wird bes. mit der organisierten → Phalanx und dem Kriegsglück assoziiert. Diese Funktion, die aus frühester Zeit stammen muß, stellt eine Verengung eines urspr. weiteren Bed.-Feldes dar, dessen genauer Bereich viel diskutiert worden ist und der wahrscheinlich mit der Etablierung und Kontrolle von Grenzen, im wörtlichen wie im übertragenen Sinne, zu tun hatte.

1. Krieg

Mehrere Indizien sprechen dafür, daß M. schon in der frühen röm. Republik eine bedeutende Rolle in der rituellen Bestimmung der Kriegsführung gespielt hat. Eine Sequenz ant. mit M. verbundener Feste markierte den Beginn der Kriegszeit im März, wobei die → Salii ihren Tanz aufführten (Dion. Hal. ant. 2,70,2; [4. 144 f.]). Die → *suovetaurilia* beim censorischen → *lustrum* (ebd. 4,22,1) und die → *lustratio exercitus*, *lustratio classis* (Cic. div. 1,102; App. civ. 5,96) wurden M. zu Ehren durchgeführt. Der M.-Tempel außerhalb der Porta Capena in Rom (dediziert 388 v. Chr.) war der Ausgangspunkt der jährlichen → *transvectio equitum* (Dion. Hal. ant. 6,13,4).

Bis in augusteische Zeit war der einzige eng mit M. verbundene Ort innerhalb des → Pomerium ein Raum in der → Regia, wo die *hastae Martis* (»die Speere des M.«) aufbewahrt wurden, deren »spontane« Bewegungen im 2. Jh. v. Chr. Prodigien vermittelten (Liv. 40, 19,2; Gell. 4,6,2). Hier wurde durch ein Ritual unbekannten Alters eine bes. Verbindung zw. Kommandeuren und M. geschaffen, bei dem der Heerführer, bevor er die Stadt verließ, einen der Speere berührte und die Worte *Mars vigila*, »Mars, erwache!« sprach (Serv. Aen. 8,3; Plut. Romulus 29,1; [5. 133–135]). Eine Reihe von Weihungen aus der mittleren Republik (CIL $1^2$ 609: M. Claudius Marcellus, *cos. III* 214; Tempel für M. Gradivus im Campus Martius von D. Iunius Brutus, *cos.* 138: Plin. nat. 36,26; Prop. 4,3,71) wie auch Erzählungen von M.' Intervention in Schlachten (C. Fabricius Luscinus, *cos.* 282: Val. Max. 1,8,6) weisen auf dieselbe Verbindung. Der Myth. von M. als Vater des → Romulus (Liv. 1,4,2; Dion. Hal. ant. 1,76,1 f.; 2,2,3; Hor. carm. 3,3,16) verlieh den expansionistischen Ambitionen der Epoche einen Hauch von Prädestination. Q. Fabius [I 24] Maximus Allobrogicus, *cos.* 121 v. Chr., scheint als erster General dem M. ein Heiligtum auf einem Schlachtfeld außerhalb It. geweiht zu haben (Strab. 4,1,11).

Informelle Identifikationen von M. und dem griech. → Ares müssen dem ersten → *lectisternium* der → Zwölfgötter 217 v. Chr. vorausgegangen sein, da M. dort mit → Venus ein Paar bildete (Liv. 22,10,9). Diese Identifikation hatte eine Sicht des Krieges als eines idealtypisch männlichen Unterfangens zur Folge (vgl. Plaut. Mil. 11 f.), die die ikonograph. und lit. Darstellungen fortan dominierte und auch der üblichen Antonomasie M. = Krieg (Quint. inst. 8,6,24) bzw. dessen Ergebnis zugrundeliegt (z. B. *M. communis*, das von allen geteilte Los/Geschick im Krieg: Liv. 10,28,1).

Epigraph. Zeugnisse deuten auf Änderungen in der Votivpraxis (→ Weihung) im Kontext einer generellen Kontinuität zw. später Republik und Prinzipat hin. Wie die großen republikanischen Generäle (Sulla in Sikyon: CIL $1^2$ 2828 = ILLRP 224; Caesar: App. civ. 2,68; Octavian in Aktion (= Actium)/Nikopolis: AE 1992, 1534; vgl. Plut. Marius 46, 433e; Prop. 2,34b,56) riefen die Kaiser M. regelmäßig an, sowohl nach einem Sieg als zunehmend auch angesichts eines bevorstehenden Sieges (z. B. Traian in Parthia, BMCRE 3,262 Nr. 258). Bei der öffentl. Feier zum 1. Januar wurde er als *Pater* (»Vater«) und *Victor* (»Sieger«) angerufen. Auf diese Weise erhielt er wichtigen Anteil an der kaiserlichen Theologie des Sieges (M. Augustus: z. B. AE 1992, 1770; 1994, 589). Andererseits wurde M. als eine Art Heeresgott institutionalisiert: Bei mil. Weihungen wurde er oft unmittelbar im Anschluß an die Capitolinische Trias genannt (vgl. CIL VII 1114; VIII 2465; ILS 2181; AE 1994, 1446); am 7. Januar, wenn die Truppen entlassen wurden, erhielt er Opfer; zudem listet das → Feriale Duranum für den 1. März (*feriae Martis*: 1.20; vgl. CIL II 4083) ein Opfer für M. im Lager auf. Trotz der lit. Trad. (z. B. Dion. Hal. ant. 4,70,5) gibt es kaum Anzeichen für Votivgaben individueller Soldaten nur für M. (CIL III 3470).

2. »Italischer« Mars

Wenige röm. Gottheiten haben innerhalb der vergangenen 150 Jahre derart häufige Neubewertungen erfahren wie M. [6. 1–18].

Es gibt drei Hauptgründe für die Annahme, daß M. in früher Zeit nicht ausschließlich Kriegsgott war: 1) Manche seiner Handlungsbereiche haben keinen typisch mil. Charakter. M. wurde z. B. in einer → *lustratio agri* aus dem 2. Jh. v. Chr. als Schutzgott der Felder und Tiere eines agrar. Gutes angerufen (Cato agr. 141). Auch der Arvalhymnos (*Carmen Arvale*) scheint M. mit dem Schutz von Grenzen vor Verunreinigung in Verbindung zu bringen. Es besteht außerdem kein Grund, die zahlreichen lokalen und gentilizischen ital. *Martes* als hauptsächlich mil. zu deuten (z. B. CIL $1^2$ 33 = ILLRP 248; ebd. 1513 = 573; CIL XI 5805; AE 1995, 248). 2) Das → *ver sacrum*, bei dem in Notfällen der gesamte menschl., tierische sowie pflanzliche Ertrag eines Jahres den Göttern geweiht wurde, stand mit M. in enger Verbindung: Es waren oft die ihm heiligen Tiere (z. B. *picus*, »Specht«; *hirpus*, »Wolf«), die den von dem Ritus des *ver sacrum* betroffenen Exilanten den Weg wiesen (→ Hirpini; → Picentes: Strab. 5,4,2; 12; vgl. Dion. Hal. ant. 1,16). 3) Archa. ikonograph. Zeugnisse legen nahe, daß

M. mit der Aufnahme von Kindern in die Familie verbunden wurde [7]. Der Lapis Satricanus (s.o.), wohl eine Weihung für M. von den *sodales*, »Gefährten« eines P. Valerius, impliziert möglicherweise eine bes. Beziehung zu Jungkriegern (»Epheben«). M. könnte, einer jüngeren Forschungsposition zufolge, in prä- und protohistor. Epochen eine Gottheit gewesen sein, die, analog zu → Apollon, die Grenze zw. Ordnung (im Inneren) und Unordnung (Außen) verkörperte und den Zyklus der Erneuerung kontrollierte [8]. Dies bleibt aber Spekulation.

3. Mars und andere Götter

In histor. Zeit überlagerte M.' Beziehung zu → Venus frühere Assoziationen mit → Nerio (Gell. 13,23) und → Bellona (Liv. 8,9,6). Die Assimilation von → Quirinus an Romulus führte in der späteren Republik zu Spekulationen, daß Quirinus eine Art *M. tranquillus* (»gelassen«, »friedfertig«; Serv. Aen. 1,292) oder sogar der sabinische M.-Enyalios war (Dion. Hal. ant. 2,48,2) [9. 246–271]. Diese Überlegungen brachten zwei Götter in Verbindung, deren ant. Priesteramt (→ *flamines*) unverständlich geworden war. Durch die Identifizierung mit Ares wurde M. als Sohn von → Iuno/Hera aufgefaßt (Ov. fast. 5,229–260).

C. Mars Ultor

Die Absicht C. Iulius Caesars, M. einen Tempel zu weihen (Suet. Iul. 44,1), wurde von seinem Erben Octavianus (→ Augustus) wahrscheinlich 42 v. Chr. übernommen (Ov. fast. 5,573; RRC 494/7–9), aber nicht ausgeführt, ehe die Parther 19 v. Chr. die bei Carrhae (= → Ḥarran) verlorenen Legionsstandarten zurückgaben. Der Tempel war urspr. für das Capitolium geplant gewesen (Cass. Dio 54,8,3), wurde aber schließlich in das Forum [III 1] Augustum integriert (geweiht am 12. Mai 2 v. Chr.; Suet. Aug. 29,2) [10. 83–95]. Dessen Programm mit dem M.-Tempel im Zentrum übersetzte sowohl die neue polit. Realität als auch Augustus' rel.- und kulturpolit. Praxis in bildliche Form [11]; es wurde in einer Reihe von Provinzstädten imitiert (z.B. Emerita, Tarracona). Der neue M.-Tempel ersetzte die → Regia als das symbol. Zentrum von Roms mil. Macht (Cass. Dio 55,10,2–5). Der Kult war jedoch nicht ausschließlich offizieller Natur: einige Votive von Privatleuten sind bekannt (CIL IX 4108).

D. Identifikationen

Abgesehen von der Assimilation an Ares wurde M. mit einer großen Anzahl lokaler Gottheiten identifiziert, in erster Linie im röm. Gallien und Germanien. In Weihungen erscheint M. allein, mit indigenen Beinamen oder mit einheim. Göttern verbunden [12]. Von diesen Gottheiten sind in den allermeisten Fällen ausschließlich die Namen bekannt, aber der keltische Kriegsgott war, wie der frühe M., ebenfalls Schutzherr natürlicher Fruchtbarkeit. M. stellt so ein wichtiges Bindeglied bei der Übertragung zw. röm. und indigenen Panthea (→ Pantheon) dar [13. 94–111].

**1** Wachter **2** Radke **3** A.G. Ramat, Studi intorno ai nomi del dio Marte, in: Archivio Glottologico Italiano 47, 1962, 112–142 **4** G. Wissowa, Rel. und Kultus der Römer, ²1912 **5** J. Rüpke, Domi militiae, 1990 **6** U.W. Scholz, Stud. zum altital. und altröm. Marskult und Marsmythos, 1970 **7** L. Arcella, L'iscrizione di Satricum e il mito di P. Valerio, in: SMSR 58, 1992, 219–247 **8** H.S. Versnel, Apollo and M. One Hundred Years after Roscher, in: VisRel 4–5, 1985–1986, 134–172 (= Ders., Inconsistencies in Greek and Roman Rel., Bd. 2, 1993, 289–334 **9** Dumézil **10** J.W. Rich, Augustus' Parthian Honours, in: PBSR n.s. 53, 1998, 71–128 **11** E. La Rocca, Il programma figurativo del Foro di Augusto, in: Ders. u.a. (Hrsg.), I luoghi del consenso imperiale: il Foro di Augusto, il Foro di Traiano, 1995, 74–87 **12** H. Merten, Der Kult des M. im Trevererraum, in: TZ 48, 1985, 7–113 **13** T. Derks, Gods, Temples and Ritual Practices, 1998.

J.H. Croon, Die Ideologie des Marskultes unter dem Prinzipat und ihre Vorgesch., in: ANRW II 17.1, 1981, 246–275 • Simon, GR, 135–145 • J.H. Vangaard, The October Horse, in: Temenos 15, 1979, 81–95. R.GOR.

II. Ikonographie

Ital. Bronzestatuetten des 6.–4. Jh. v. Chr. überliefern M. als Lanzenschwinger mit Schild und Lanze, nackt und nur behelmt oder voll gewappnet, mit Helm, Beinschienen und (verziertem) Panzer, meist ohne Bart; seit etwa Mitte des 5. Jh. v. Chr. kommt der ruhig stehende Typus mit aufgestellter Lanze und Patera hinzu. Einzige großplastische Überl. aus republikanischer Zeit ist der ähnlich gerüstete ›M. von Todi‹, ebenfalls mit Opferschale in seiner Rechten (etrusk. Bronzestatue, Rom, VM, um 400 v. Chr.; Identifizierung mit M. wahrscheinlich); früheste inschr. gesicherte Darstellung des bewaffneten Gottes auf der Cista von Praeneste (Berlin, SM, letztes Drittel des 4. Jh. v. Chr.; → Praenestinische Cisten). Unter den zahlreichen Bronzestatuetten aus den Prov. (1. Jh. v. Chr. bis 2./3. Jh. n. Chr.) findet sich ein Typus, der hauptsächlich durch Mz. und Gemmen bekannt ist: M., bartlos, mit bewegtem, um die Hüfte geschlungenem Tuch, in tänzerischer Haltung, mit Helm, Lanze oder Schwert und → Tropaion (Siegeszeichen) bzw. Signum (Feldzeichen) – evtl. in Anlehnung an den kult. Tanz der → Salii, vgl. hell. Darstellungen von Waffentänzern (Pyrrhichisten). Dieser Typus gilt als Schutzgott des Praetorianerlagers; gleiche M.-Ikonographie auf Mz. der *signis-receptis*-Emissionen, die nach der Rückgewinnung der an die Parther verlorenen röm. Feldzeichen 19–16/15 v. Chr. geprägt wurden.

Die nicht erh. Kultstatue des M.-Ultor-Tempels auf dem 2 v. Chr. geweihten → Forum Augustum in Rom ist aus späterer Überl. zu erschließen; neben Münzbildern, Gemmen und Bronzestatuetten sind dies bes. die Kolossalstatue vom Nervaforum (Rom, KM, domitianische Kopie, um 90 n. Chr.), das Marmorrelief Algier (NM, frühe Kaiserzeit) und die Marmorbasis Sorrent (Mus. Correale; frühes 1. Jh. n. Chr.): Charakteristisch sind der volle gelockte Bart, Panzerung, Schild und Lanze. Auf der → Ara Pacis Augustae erscheint M. mit Romulus und Remus, bärtig und gepanzert, als Vater des Staatsgründers und damit auch Ahnherr Roms (Relief an der Eingangstreppe im Westen, 13–9 v. Chr.). Als Kriegs- und Schutzgottheit der Kaiser und deren Unternehmungen ist er auf weiteren Staatsreliefs zu verstehen: Cancelleria-Reliefs, Fries A (Rom, VM, 94/96 n. Chr.), Traiansbogen von Benevent (Stadt- und Landseite, 114 n. Chr.), Konstantinsbogen in Rom (Platten vom Marc Aurel-Bogen, 176 n. Chr.).

Darstellungen des M. mit anderen Göttern und bes. mit → Venus als eines der zentralen Themen staatlicher und privater röm. Bildkunst fanden weite Verbreitung auf Weih- und Sarkophagreliefs, Mosaiken, Mz., Gemmen, Medaillons und v. a. in der pompeiian. → Wandmalerei.

Inschr. aus den NW-Prov. des röm. Reiches belegen die große Verehrung des M. mit einheimischen Beinamen; es gibt zahlreiche Darstellungen, die ihn in erster Linie als Kriegsgott in Waffen zeigen (zu röm. Kopien/Umbildungen griech. Ares-Statuen s. → Ares, Ikonographie).

H. J. Martin, Zur Kultbildgruppe im M.-Ultor-Tempel, Wiss. Zschr. der Wilhelm-Pieck-Univ. Rostock, Ges. und sprachwiss. Reihe 37, 1988, 55–64 • M. Siebler, Studien zum augusteischen M. Ultor, 1988 • E. Simon, G. Bauchhenss, s. v. Ares/M., LIMC II, 505–580 (mit weiterer Lit.) • H. S. Versnel, Apollo and M. One Hundred Years after Roscher, in: Visible Rel. 4–5, 1985–86, 134–172 (= Ders., Inconsistencies in Greek and Roman Rel., Bd. 2, 1993, 289–334). A. L.

**Marsanes.** Titel eines sehr frg. erh. gnostischen Textes aus → Nag Hammadi (Codex X,1) in koptischer Sprache (subachmimisch). Der Name M. ist außerdem bezeugt im *Anonymum Brucianum*, wo M. neben Nikotheos als Prophet der höchsten Wahrheit erscheint [1. 235], und bei Epiphanios (adv. haereses 40,7,6) im Zusammenhang der Beschreibung der Archontiker (hier in der Form *Marsianes*; → Archontes [II]): Er sei zum Himmel entrückt worden und nach drei Tagen zurückgekehrt. So wird auch in NHCod X,1 ein Aufstieg in die göttl. Sphäre beschrieben: Der Autor unterscheidet dreizehn Stufen der Erkenntnis, symbolisch als Siegel beschrieben. An der Spitze steht der nichtseiende, schweigende Vater, der mit drei Kräften begabte unsichtbare Geist, die Barbelo (eine weibliche Hypostase Gottes) und der ungezeugte Geist. Der Mittelteil des Textes enthält Spekulationen über den Zusammenhang von Buchstaben, Seele und den himmlischen Mächten. Der Schlußteil ist stark zerstört.

Der Text gehört evtl. zu den sethianischen (→ Sethianismus) gnostischen Schriften; es kannten ihn möglicherweise die Gnostiker, mit denen sich → Plotinos auseinandersetzte (s. Porph. vita Plotini 16: »Apokalypsen von Zoroastres, Zostrianos und anderen«). Die Begrifflichkeit weist deutliche Bezüge zu neuplatonischen Schriften auf [2; 3], möglicherweise liegen auch theurgische Praktiken zugrunde (→ Theurgie).
→ Gnosis, Gnostiker

1 C. Schmidt, V. MacDermot, The Books of Jeu and the Untitled Text in the Bruce Codex (NHS 13), 1978
2 B. A. Pearson, The Tractate Marsanes and the Platonic Tradition, in: B. Aland (Hrsg.), Gnosis. FS H. Jonas, 1978, 373–384 3 Ders., Gnosticism, Judaism and Egyptian Christianity, 1990, 148–164.

Text und Übers.: B. A. Pearson, Nag Hammadi Codices IX and X (NHS 15), 1981, 211–352 • J. M. Robinson, R. Smith, The Nag Hammadi Library in English, [3]1988, 460–471 • G. Lüdemann, M. Janssen, Bibel der Häretiker, 1997, 535–550. J. HO.

**Marschgepäck.** Zwei lat. Wörter, *impedimenta* und *sarcina*, bezeichneten das M. der röm. Legionen. Bei den *impedimenta* handelte es sich um das schwere Gepäck, das der Versorgung und Ausrüstung der gesamten Legion diente und von Tragtieren befördert wurde (Pol. 6,27; 6,40; Liv. 28,45; Caes. Gall. 5,31,6). Es umfaßte die Zelte, das Gepäck der Offiziere, die Handmühlen für das Getreide, die Nahrungsmittel, die Waffen und, nach einem Sieg, das Geld und die → Kriegsbeute. Anfangs bezog sich das Wort *impedimenta* nur auf Sachen, im Verlauf der Entwicklung wurde es auch für Menschen und Tiere verwendet, so für die Verletzten und Kranken, sogar für Frauen und Kinder, die die Legionen auf ihrem Marsch begleiteten; auch Lasttiere sowie die unerläßlichen Karren (etwa für Verletztentransporte) gehörten dazu (SHA Alex. 47,2–3). Die *impedimenta* hatten nicht nur einen bedeutenden materiellen Wert, sondern auch einen psychologischen; zum Schutz des M. mußten die Feldherrn – bes. während einer Schlacht – Wachposten aufstellen.

Die *calones* sorgten auf dem Marsch und im Lager für die *impedimenta* (Veg. mil. 3,6; vgl. Caes. Gall. 6,36,3; Suet. Cal. 51,2). Normalerweise waren die *calones* unbewaffnet und nahmen nur ausnahmsweise am Kampf teil (Liv. 27,18,12; Caes. Gall. 2,24,2); sie wurden bisweilen eingesetzt, um Versorgungsgüter für die Truppen zu beschaffen (Tac. hist. 3,20,3).

Der Begriff *sarcina* wurde vor allem für das Gepäck der einzelnen Soldaten, für ihre Werkzeuge, aber bes. für ihre Waffen (→ Bewaffnung) und ihren Proviant verwendet (Ios. bell. Iud. 3,93 ff.; Veg. mil. 1,19; 2,23). Bei Übungsmärschen wurden Lebensmittel für 3 Tage, bei Feldzügen für bis zu 17 Tage mitgeführt (Ios. bell. Iud. 3,95; SHA Alex. 47,1). Um den Troß zu entlasten und die Bewegungsfähigkeit seines Heeres zu vergrößern, ordnete Marius [I 1] an, daß jeder Soldat seine *sarcina* selbst tragen müsse, statt sie von Lasttieren befördern zu lassen (Frontin. strat. 4,1,7: *vasa* und *cibaria*). Die Soldaten bezeichneten sich daher als *muli Mariani*, »Maultiere des Marius«. Ingesamt hatte dieses Gepäck nach Angaben ant. Autoren ein Gewicht von 30 bis 50 kg je Soldat. Manchmal wurden die Männer zur Durchführung eines sehr schnellen Marsches vorübergehend von ihrem Gepäck befreit: Der *miles* war dann *expeditus* (Bell. Afr. 75).

1 N. Fuentes, The Mule of a Soldier, in: Journal of the Roman Military Equipment Studies 2, 1991, 65–99
2 F. Stolle, Der röm. Legionär und sein Gepäck (mulus marianus), 1914, 67 f. Y. L. B./Ü: C. P.

**Marsi**

**[1]** Volksstamm im mittelitalienischen Appenninus im Gebiet des → Lacus Fucinus (Strab. 5,2,1; Ptol. 3,1,57), galt als tapfer und kriegerisch (Strab. 5,4,2; Plin. nat. 3,106; Liv. 8,29,4; Verg. georg. 2,167; vgl. die etym. Ableitung von »Mars«). Als Nachkommen eines Sohnes der → Kirke sollen sie gegen Schlangengift immun gewesen sein (Plin. nat. 7,15; 21,78; 25,11; 28,30; Gell. 16,11,1; vgl. auch Cic. div. 1,132; 2,70; Hor. epod. 17,29; Hor. carm. 2,20,18). Charakteristisch für das Land der M. war der Kräuter- und Gemüseanbau (vgl. dazu Plin. nat. 25,48; Colum. 2,9,8; 6,5,3; 12,10,1). Durch das Gebiet der M. führte die Via Valeria (Strab. 5,3,11). Als marsische Städte werden gen.: Anxa (h. Gallipoli), → Antinum, Lucus Fucens (h. Luco), → Marruvium (San Benedetto; Plin. nat. 3,106) und Archippe (Plin. nat. 3,108). Die M. traten früh in freundschaftliche Beziehungen zu Rom: 308/7 v. Chr. gewährten die Consuln den M. gegen die → Samnites Unterstützung (Diod. 20,44,8); 304/3 v. Chr. kam ein Bündnis mit Rom zustande (Diod. 20,101,5; Liv. 9,45,18). Der → Bundesgenossenkrieg [3] (91–89 v. Chr.) wurde nach seinen Urhebern *bellum Marsicum* gen. (so Diod. 37,1; Strab. 5,4,2; Diod. 37,2; Liv. per. 72–76; Vell. 2,15).

Nissen 2, 454 • R. Sclocchi, Storia dei M. 1–3, 1911 • G. Devoto, Gli antichi Italici, 1931, 335 ff. • C. Letta, I M. e il Fucino nell'antichità, 1972 • Ders., S. D'Amato, Epigrafia della regione dei M., 1975. S. D. V./Ü: H. D.

**[2]** German. Stamm, der zunächst am Rhein siedelte, sich jedoch bis 8 v. Chr. weiter ›ins Landesinnere‹ zurückzog (Strab. 7,1,3). Später lebten die M. zw. Ruhr und Lippe. Ihre Abstammung wurde auf einen der eponymen Göttersöhne der Mannusgenealogie zurückgeführt (Tac. Germ. 2,2). In der Varusschlacht kämpften sie offenbar auf german. Seite. 14 n. Chr. wurde bei einem Überraschungsangriff des → Germanicus [2] ihr Land verwüstet und das berühmte Heiligtum der Tamfana zerstört (Tac. ann. 1,50 f.). Im folgenden Frühjahr konnte Caecina [II 8] einen Angriff der M. abweisen (Tac. ann. 1,56,5). 16 n. Chr. unternahm Germanicus einen erneuten Feldzug gegen die M., deren Führer → Mallovendus sich kurz zuvor unterworfen hatte. Dabei wurde der zweite der 9 n. Chr. bei den M. verlorenen Legionsadler zurückgewonnen (Tac. ann. 2,25,1 f.; vgl. 1,60,3). Umstritten ist die Mitteilung bei Cass. Dio 60,8,7, wonach Gabinius [II 3] 41 n. Chr. bei den *Marúsioi* den dritten verlorenen Legionsadler aufgegriffen habe; daß hier die M. gemeint sind, ist eher unwahrscheinlich (vgl. auch Suet. Claud. 24,3; Strab. 7,1,4).

M. Schönfeld, s. v. M. (2), RE 14, 1979 f. 2 D. Timpe, Die Söhne des Mannus, in: Chiron 21, 1991, 69–125, bes. 104–106. RA. WI.

**Marsigni.** German. Stamm, der ›im Rücken‹, d. h. im N bzw. NO der Marcomanni und Quadi siedelte (Tac. Germ. 43,1).

E. Schwarz, German. Stammeskunde, 1956, 164 • G. Perl, Tacitus, Germania, in: J. Herrmann (Hrsg.), Griech. und lat. Quellen zur Frühgesch. Mitteleuropas bis zur Mitte des 1. Jt. u. Z., 2. Teil, 1990, 245. RA. WI.

**Marsiliana d'Albegna.** Von der etr. Siedlung (in der Ant. vielleicht Caletra) am Zusammenfluß von Albegna und Elsa in den Maremmen/Süd-Etrurien sind nur die Nekropolen bekannt, die das Bestehen eines bedeutenden agrarischen Zentrums für das späte 8. bis 6. Jh. v. Chr. belegen. Früheste Phase: spätvillanovazeitliche Pozzettogräber für Brand- sowie Fossagräber für Körperbestattungen. Spätere Fossagräber, die dann durch Kammergräber abgelöst werden, sind in einem Steinkreis aus Travertinplatten gelegen. Aus dem reichen Circolo degli Avori (2. H. 7. Jh.) stammt eine Elfenbeinschreibtafel mit einem Musteralphabet, das auch die im Etr. nicht verwendeten Buchstaben b und d enthält und das die Übernahme des westgriech. Alphabets durch die Etrusker widerspiegelt.
→ Ager Caletranus; Italien, Alphabetschriften (mit Abb.)

M. Michelucci, s. v. M., EAA Suppl. 2, 1971–1994, Bd. 3, 1995, 558–559 • A. Minto, M. d'A., 1921. M. M.

**Marsonia.** Kastell und Siedlung in → Pannonia Inferior am Savus an der Straße Siscia – Sirmium, h. Slavonski Brod in Kroatien. Die von Siscia ausgehende Straße teilte sich nördl. von M. in zwei Richtungen; der nördl. Zweig erreichte Sirmium über Cibalae, der südl. über M. und Saldis. Als Besatzung von M. werden in der Spätant. *auxilia ascarii* gen. (Not. dign. occ. 32,43).

M. Fluss, s. v. M., RE 14, 1981 • TIR L 34, Budapest, 1968, 78. J. BU.

**Marsup(p)ium** s. Geldbeutel

**Marsus.** Isaurer, oströn. General, Ehrenkonsul 484 n. Chr.; kämpfte 468 gegen die Vandalen, folgte 481 → Illos nach Antiocheia und starb 484 als Teilnehmer an dessen Revolte gegen Kaiser → Zenon.

PLRE 2, 728 f. Nr. 2 • Stein, Spätröm. R. 1, 577 f. F. T.

**Marsyaba** (Μαρσύαβα, Var. Μαρσίαβα, Μαρσυαβαί Strab. 16,782). Stadt des Stammes der Rhammamitai (Ῥαμμαμῖται) in → Arabia Felix, welche dem Ilasaros (Ἰλασάρος) untertan war und die 24 v. Chr. vom röm. Heer sechs Tage erfolglos belagert wurde (→ Aelius [II 11] Gallus). Hierzu ist die zeitgenössische sabäische Inschr. Répertoire Épigraphique Sémitique 4085 zu vergleichen, nach welcher der Anführer des Stammes der Raimāniter für seinen Herrn Ilšaraḥ Bewässerungsanlagen errichtete. In den anderen Feldzugsberichten (R. Gest. div. Aug. 26; Plin. nat. 6,160) wird der Name der Stadt als Mariba angegeben, an zwei weiteren Stellen bei Strabon (16,768 und 778) als → Mariaba (dort auch zur Namensform).

1 H. von Wissmann, Die Gesch. des Sabäerreiches und der Feldzug des Aelius Gallus, in: ANRW II 9.1, 1976, 396–400. W.W.M. u. A.D.

**Marsyas** (Μαρσύας).

**[1]** Phrygischer Flußgott und Schutzgottheit von → Kelainai, dargestellt als → Satyr oder → Silen. Der Name ist aus einem im kleinasiatisch-syr. Raum mehrfach vorkommenden Toponym abgeleitet; auch der Fluß, an dessen Quelle Kelainai liegt, trägt diesen Namen (M. [5]). M. galt als Entdecker des Flötenspiels (*aulós*), Erfinder der Binde, die beim Flötespielen verwendet wurde (*phorbeiá*) und von Liedern zur Verehrung der Göttin → Kybele. Dem Mythos zufolge ist die Möglichkeit, mit einer Flöte Musik zu machen, von Athene entdeckt worden, doch verwirft sie ihre Entdeckung, als sie feststellt, daß sich dabei ihr Gesicht entstellt. M. übernimmt die Flöte und fordert dann im Vertrauen auf seine musikalischen Fähigkeiten → Apollon zu einem Wettstreit heraus, in dem er allerdings unterliegt; zur Strafe, weil er den Gott herausgefordert hat, wird er an einen Baum gehängt und geschunden.

Die frühesten lit. Belege für diesen Mythos stammen aus dem 5. Jh. v. Chr. (Melanippides von Melos, PMG 758; Hdt. 7,26; vermutlich auch ein Satyrspiel des Euripides); in diese Zeit gehört auch → Myrons Skulpturengruppe mit M. und Athene; die Beliebtheit des Motivs hängt mit der wachsenden Bedeutung des Flötenspiels und der phrygischen Musik in der Erziehung dieser Zeit zusammen. Nach diesen primär aitiologisch orientierten Fassungen des Mythos wird ab dem 4. Jh. v. Chr. stärker M.' Hybris gegenüber Apollon betont (Plat. symp. 215b; Diod. 3,59,2 ff.); in der hell. und röm. Lit. tritt die Darstellung der Bestrafung stärker in den Vordergrund (Anth. Pal. 7,696; 9,266; 16,6; Alexandros Polyhistor FGrH 273 F 76; Ov. met. 6,382–400; Apul. flor. 3); diese findet auch in der bildenden Kunst des Hell. eine intensive Rezeption.

O. Jessen, s. v. M., ML 2, 2439–2460 • I. Weiler, Der Agon im Mythos, 1974, 37–59 • P. Rawson, The Myth of M. in the Roman Visual Arts: An Iconographic Study, 1987 • A. Weiss, s. v. M., LIMC 6.1, 367–378 • J. P. Small, Cacus and M. in Etrusco-Roman Legend, 1982, 68–92; 127–142 • F. Fühmann, M. Mythos und Traum, 1993. E.V.

**[2]** Die Suda (s. v. M., Nr. 227–229 Adler) nennt drei als Historiker bezeichnete Männer namens M.: den Sohn des Periandros aus Pella und Bruder (mütterlicherseits) des → Antigonos [1] (vgl. Plut. mor. 182c), den Sohn des Kritophemos aus Philippoi (als »d. J.« bezeichnet) und den Sohn des Marsos aus Tabai.

(a) Der erste, ein *sýntrophos* von → Alexandros [4] d. Gr. (d. h. mit ihm aufgewachsen), schrieb eine Gesch. von Makedonien (*Makedoniká*) in zehn B. (bis zu Alexandros' Rückkehr von Äg. nach Syria), ein Werk über Alexandros' *agōgḗ* (Titel wohl *Alexándru agōgḗ*), das möglicherweise dessen Erziehung und Aufwachsen behandelte, und eine Gesch. von Athen (*Attiká*) in 12 B. (nie zitiert). (b) Dem zweiten M. wird nichts zugeschrieben: Man muß den Verlust einer Liste annehmen. (c) Der dritte M. schrieb eine ›Alte Geschichte‹ (*Archaiología*) in 12 B., eine ›Mythologie‹ (*Mythikḗ*) in sechs B. und einige Werke über seine Vaterstadt → Tabai.

Daß der zweite M. (b) ebenfalls eine maked. Gesch. geschrieben hat (weshalb er vom ersten manchmal als »d. J.« unterschieden wird), ist aus vier Fr. (FGrH 135–136 F 4–7) klar (auch F 8 kann aus dieser kommen). Der dritte, M. aus Tabai (c), dem kein Zitat namentlich zugeschrieben wird, wird von Forschern oft als bloßer Fehler gestrichen (s. [1. 450]), doch ohne guten Grund. Die M. d. J. (b) zugeschriebene Gesch. von Phaon und Aphrodite (Athen. 2,69d) würde besser zum Tabener (c) passen (ebenso F 19, das einen M. ohne genauere Spezifizierung nennt). Das Werk des M. von Tabai wurde in der späteren Ant. anscheinend nicht mehr gelesen; man kannte nur Zitate aus späteren Werken (oft – soweit wir sie besitzen – nur als *von M.* gekennzeichnet).

Welcher M. nun der Priester des Herakles war (Athen. 11,467c), wissen wir nicht; das Fr. beschreibt ein Königsritual. Zwei Zitate (FGrH 135–136 F 2–3), exakt einer ›Gesch. von Alexandros B. 5‹ zugeschrieben, kommen wohl aus einem zweiten der in der Suda verlorenen Werke von M. d. J. (b). Sie passen nicht zur *Agōgḗ* (so Jacoby FGrH 135–136 vor F 2 und Komm.). Die meisten Fr. kann man jedoch keinem der drei mit Wahrscheinlichkeit zuweisen.

1 W. Heckel, M. of Pella, Historian of Macedon, in: Hermes 108, 1980, 444–462 (hauptsächlich über (a); mit Bibl.).

Ed.: FGrH 135–136 F 1–25 mit Komm. (FGrH II D). E.B.

**[3]** Μαρσύας nennt Pol. 5,45,8 ff.; 61,7, Μαρσσύας Strab. 16,753; 755; 756 die fruchtbare Ebene des Orontes zw. Laodikeia [2] und Chalkis, die sonst meist als → *Koile Syria* bezeichnet wird. H.J.N. u. K.Z.

Name mehrerer Flüsse:

**[4]** Linker Nebenfluß des → Maiandros in SW-Kleinasien, entspringt in der karischen Landschaft → Idrias (Hdt. 5,118); h. Çine Çayı.

**[5]** Weiterer Nebenfluß des Maiandros, umströmt zusammen mit Obrimas und Orbas die Stadt Apameia [2] (Plin. nat. 5,106); h. Dinar Suyu. Xen. an. 1,2,8 bezeugt an den Quellen dieses M. nahe → Kelainai ein Schloß des pers. Großkönigs.

**[6]** Östl. Nebenfluß des → Orontes, Grenze zw. Apameia [3] und der Tetrarchie der Nazerini (Plin. nat. 5,81), h. Nahr Marzbān.

**[7]** Westl. Nebenfluß des Euphrates, zw. Samosata und Zeugma (Plin. nat. 5,86); h. Merzumen Dere. H.SO.

**Marsyas-Maler.** Einer der bedeutendsten att. rf. Vasenmaler des 4. Jh. v. Chr. in der Gruppe der Maler der → Kertscher Vasen. Seinen Namen erhielt er von der Darstellung des → Marsyas auf der Pelike St. Petersburg St. 1795. Etwa 13 seiner Werke waren bisher erh., v. a.

große Gefäße (Lebetes gamikoi, Peliken, Hydrien, Lekanides u. a.); P. VALAVANIS fügte hierzu kürzlich noch 10 → Panathenäische Amphoren aus Eretria hinzu, womit er zur Klärung chronologischer Probleme dieser Epoche wesentlich beitrug. Die Themen des M. stammen aus der Welt der Frauen, Götter und der Sterblichen (Dionysos, Ariadne, Demeter und Kore, Thetis und Peleus u. a.). Seine Gestalten sind harmonisch und gleichzeitig monumental und mit sicherem, durchgezogenem Pinselstrich wiedergegeben. Zusammenziehungen und Verkürzungen tragen zur räumlichen Wiedergabe der Gestalten, aber auch zu ihrer statuarischen Charakterisierung bei. Die nackten Teile der Gestalten sind mit Genauigkeit wiedergegeben, während Detailreichtum und besonderes Volumen die Stoffe der Gewänder kennzeichnen. In seinen Werken ragt der Lebes gamikos St. Petersburg, ER 15 592 heraus mit der Darstellung der *epaúlia*, dem Fest der jung vermählten Ehefrau. P. VALAVANIS ist der Auffassung, daß sich das Werk zeitlich über die Jahrzehnte zw. 370 v. Chr. und 340–330 v. Chr. erstreckt und daß der M. mit dem Eleusinischen Maler gleichzuzetzen sei; diese Frage bleibt offen.

BEAZLEY, ARV², 1474 f. • BEAZLEY, Paralipomena, 495 ff. • BEAZLEY, Addenda², 381 • P. VALAVANIS, Panathenaikoi amphoreis apo ten Eretria, 1991. S. DR.

**Martha.** Syrische Wahrsagerin, die 105 v. Chr. nach Rom kam und – trotz Betätigungsverbots durch den Senat – durch ihre richtigen Voraussagen des Ausgangs von Gladiatorenkämpfen Zugang zu hochgestellten Adligen fand. Iulia [1] sandte sie 102 zu ihrem Mann C. Marius [I 1] nach Gallien, wo sie zur Hebung der Kampfmoral der röm. Truppen gegen die Germanen beitrug (Plut. Marius 17,2–5 nach Poseidonios).

K.-L. E.

**Martialis**

**[1] M. Valerius M.,** der röm. Dichter Martial.
A. BIOGRAPHIE B. WERK
C. WIRKUNGSGESCHICHTE

A. BIOGRAPHIE

Der Epigramm-Dichter M. wurde zw. 38 und 41 n. Chr. (vgl. Mart. 10,24: 57. Geburtstag) in Bilbilis in der Prov. Hispania Tarraconensis geb. Etwa 64 kam er nach Rom (10,103), wo er wahrscheinlich zunächst im Kreise → Senecas gefördert wurde. Seine poetische Produktion wird für uns erst wesentlich später faßbar mit dem nur in Auszügen überl. Epigramm-B. zur Einweihung des *amphitheatrum Flavium* (→ Kolosseum) im J. 80 (modern *De spectaculis* oder *Epigrammaton liber*). Es folgen die später als B. 13 und 14 gezählten B. *Xenia* und *Apophoreta* (ca. 83–85). Die 12 B. *Epigrammata* entstanden sukzessive in den J. 86 bis ca. 102. B. 12 entstand in Spanien, wohin M. 98 zurückkehrte; dort lebte er auf einem Landgut, das er einer Gönnerin namens Marcella zu verdanken hatte. Plinius d. J. schreibt in seinem Brief 3,21 einen Nachruf auf M., aus dem sich ein Todesdatum spätestens 104 n. Chr. ergibt. M. erhielt aufgrund eines verliehenen Titulartribunats den Rang eines röm. Ritters (3,95,9; 5,13); er besaß ein Landgut nordöstl. von Rom bei Nomentum und später auch ein Haus in Rom. Seine Selbstdarstellung als »Bettelpoet« ist nicht eng autobiographisch zu sehen. Von Titus erhielt er das später von Domitian erneuerte *ius trium liberorum*, die Privilegien eines Vaters von drei Kindern; verheiratet war er höchstwahrscheinlich nicht.

B. WERK

M. sah auf eine bereits langwährende Gattungsgesch. des griech. und des lat. → Epigramms (Ep.) zurück, doch erst er hat den Begriff *epigramma* mit Nachdruck zu einem eigentlichen Gattungsbegriff erhoben. Während in der zeitgenössischen röm. Ges. das Ep. als nebenbei gepflegte Dilettantenpoesie galt, dem in der Hierarchie der Gattungen der unterste Platz zukam (12,94,9), reklamiert M., der sich dem Ep. als alleinigem Lebenswerk verpflichtet, für die Gattung auf Grund ästhetischer Qualität einen Anspruch auf lit. Geltung. Als lat. Vorgänger nennt er bes. → Catullus [1], → Domitius [III 2] Marsus und → Albinovanus [5] Pedo. Aus der Gesch. des griech. Ep. sind v. a. die Autoren der unmittelbar vorangehenden Jahrzehnte benutzt, bes. → Lukillios, der erstmals dem Spott-Ep. eine maßgebende Rolle zugewiesen hatte. Thematik und Form sind bei M. jedoch insgesamt weitgehend selbständig.

In seinen frühen Ep.-B. pflegt M. die Variation eines jeweils einzigen Themenbereichs. In *De spectaculis* beschreibt und komm. er die einzelnen Darbietungen im Amphitheater; die *Xenia* und *Apophoreta*, bei denen der Umfang mit jeweils zwei Versen immer der gleiche ist, geben aufschriftartige kurze Charakterisierungen von Gegenständen. Vielfalt der Themen und des Umfangs sowie des Metrums charakterisiert dagegen die späteren 12 B.; Variation bestimmt auch die Komposition der einzelnen B. Das Spott-Ep. spielt insgesamt eine bedeutsame Rolle, es dominiert aber nicht so einseitig, wie man es aufgrund der spätant. und nachant. Rezeption annehmen könnte. Auch andere Unterarten der Ep.-Trad. sowie viele weitere Themen greift M. immer wieder auf: u. a. Grab-Ep., Ep. auf Gegenstände, Kunstwerke und Villen, Huldigungen an den Kaiser, Lob verschiedener Freunde und Gönner, histor. Exempla, merkwürdige Vorfälle, Reflexionen zum Leben, Poetologisches u. a. Insgesamt zeichnet M. ein Bild des Alltagslebens im Rom seiner Zeit (vgl. 8,3,20; 10,4,10: *hominem pagina nostra sapit*; ›nach dem Menschen schmeckt mein Text‹). Die Lebensnähe seiner Ep. kontrastiert er mit der Lebensferne myth. Dichtung (9,50; 10,4). Die großen Gattungen genießen mehr Ansehen, doch er verweist auf die Beliebtheit seiner Gedichte beim Publikum (4,49). Die Obszönität ist nach M.' Äußerungen ein gattungsbedingter wesentlicher Bestandteil seiner Gedichte (1 praef.); sie fehlt jedoch in den B. 5 und 8.

Der Spott richtet sich – anders als etwa bei Catull – nicht gegen namentlich benannte Zeitgenossen, sondern gegen menschliche Verhaltensweisen, die unter

Verwendung fiktiver Namen beschrieben werden (1 praef.; 10,33,10: *parcere personis, dicere de vitiis*: ›Personen schonen, von Fehlern sprechen‹). Gegenüber den festumrissenen Typen und Berufsgruppen, die Lukillios verspottet, sind M.' Menschen differenzierter, konkreter und vielfältiger. Die Freunde und Gönner nennt M. mit ihren wirklichen Namen. Daß bei M.' panegyrischen Ep. auf Kaiser Domitianus kritische Nebentöne mitlesbar sind, wurde in der neueren Forsch. zwar mehrfach vermutet, doch bleibt die These umstritten. Nach dem Tod des Domitianus (96 n. Chr.) weist M. die personifizierten Schmeicheleien (*blanditiae*) programmatisch von sich (10,72, an Nerva) – was natürlich selbst wieder eine dem neuen Regime angepaßte Form der Kaiserhuldigung ist.

M.' bevorzugte Metren sind das elegische Distichon und der v.a. von Catull angeregte Hendekasyllabus; weitere gelegentlich verwendete Versmaße wie der Choliambus sowie vereinzelt Iamben oder sogar Hexameter (6,64) tragen zum Abwechslungsreichtum auch in diesem Bereich bei (→ Metrik). Der Lebensnähe des Inhalts entsprechend sind vielfach Elemente der Umgangssprache verwendet. M.' bes. Leistung liegt in seiner Formkunst, bei der sich Tendenzen der Gattungstrad. mit der zeitgenössischen Vorliebe für Pointierung zu einem Höhepunkt antiker Ep.-Dichtung verbinden. Charakteristisch ist die Gliederung der einzelnen Ep. in einen ersten, einen Sachverhalt beschreibenden Teil und einen knapp pointierten, oft mit einem Überraschungseffekt einhergehenden, kommentierenden Schlußteil. Gegenüber LESSINGS Benennung dieser Teile als »Erwartung« und »Aufschluß« ist mit der neueren Forsch. festzuhalten, daß der erste Teil nicht nur der Vorbereitung einer etwa allein wichtigen Schlußpointe dient, sondern als detailfreudige, lebendige Beschreibung wesentlicher Bestandteil in M.' Konzeption des Ep. ist.

C. WIRKUNGSGESCHICHTE

Vom Erfolg seiner Ep. bei den Zeitgenossen spricht M. öfter. Plinius d.J. äußert sich jedoch in seinem Nachruf zurückhaltend über M.' möglichen Nachruhm (epist. 3,21,6). → Iuvenalis, der M. persönlich gekannt hatte, verwendet Motive aus dessen Ep. in seinen Satiren. In der Spätant. ist M. bekannt und wird gelegentlich zit.; auch bei Ep.-Dichtern wie → Ausonius und → Luxurius ist M. verwendet, doch insgesamt geht die Gattung in dieser Epoche eher andere Wege. Daß M. v.a. als Vertreter des Spott-Ep. galt, zeigt die Formulierung *mordax sine fine Martialis* (›der unablässig bissige Martial‹) bei → Sidonius Apollinaris (carm. 9,268) sowie die Benennung als *satyricus* bei → Theodorus Priscianus (libri de physicis fragmentum p. 251 ROSE), die die spätant. Ausweitung dieses Begriffs über die Grenzen der Gattung → Satire hinaus zur Grundlage hat. Für M. selbst waren Ep. und Satire noch zwei verschiedene Gattungen (12,94,7–9).

Eine der drei Rezensionen, in denen M.' Text im MA überl. wird, geht nach Ausweis der *subscriptio* auf eine Ausgabe des Torquatus Gennadius aus dem Jahre 401 n. Chr. zurück. Seit dem 11. Jh. erhält M. den Beinamen Cocus. Im hohen MA wird M. als moralisch-satirischer Dichter rezipiert. GODEFRID VON WINCHESTERS (ca. 1050–1107) *Liber proverbiorum*, der in diesem Sinne von M. angeregt ist, wird z.T. sogar unter dem Namen M.' trad. und seinem echten Werk als 15. B. angefügt.

Der Humanismus führt zu einer neuen Beschäftigung mit M., bei der zunächst z.T. auch gerade die Obszönität nachgeahmt wird (ANTONIUS PANORMITA, 15. Jh.). M. bildet eine wichtige Grundlage für die neulat. und die volkssprachliche Ep.-Dichtung vom 15. bis zum 18. Jh. und für die Ep.-Theorie. Dabei muß er in der Wertschätzung allerdings mit Catull und der griech. Anthologie konkurrieren. ANDREA NAVAGERO (1483–1529) soll jedes Jahr ein M.-Exemplar verbrannt haben. Manche Ausgaben seit dem 16. Jh., bes. solche der Jesuiten, lassen die obszönen Gedichte weg. M.' Pointierung findet bes. in jenen Epochen Anklang, die – wie z.B. der Barock – selbst der Pointierung große Bed. zumessen. Der neulat. Epigrammatiker John OWEN (1564–1622) gilt als engl. M.; LESSINGS Ep.-Theorie basiert wesentlich auf M., während sich HERDER dem griech. Ep. zuwendet. GOETHE und SCHILLER entnehmen den Titel ihrer ›Xenien‹ dem M.

Neben dem einseitig auf Antiquarisches gerichteten Komm. von FRIEDLÄNDER behalten die älteren Komm. wie die von COLLESSO oder Matthaeus RADER ihre Bed.; erst zu einigen Einzel-B. liegen moderne Komm. vor. Eine eigentliche lit. Würdigung ist in den letzten Jahren neu in Gang gekommen.

→ Epigramm; Satire; EPIGRAMMATIK; SATIRE

ED.: W.M. LINDSAY, [2]1929 • W. HERAEUS, I. BOROVSKIJ, 1976 • D.R. SHACKLETON BAILEY, 1990.
ÜBERS.: W. HOFMANN, M., Epigramme, 1997 • P. BARIÉ, W. SCHINDLER, M. V. M., Epigramme, 1999.
KOMM.: M. RADER, 1602 • V. COLLESSO, 1680 • L. FRIEDLÄNDER, 1886 • U. WALTER, 1996 (Auswahl).
ZU EINZELNEN BÜCHERN: B. 1: M. CITRONI, 1975 • P. HOWELL, 1980 • B. 5: Ders., 1995 • B. 6: F. GREWING, 1997 • B. 11: N.M. KAY, 1985 • B. 14: T.J. LEARY, 1996.
LIT.: K. BARWICK, M. und die zeitgenössische Rhet., 1959 • W. BURNIKEL, Unt. zur Struktur des Witz-Ep. bei Lukillios und M., 1980 • C.J. CLASSEN, M., in: Gymnasium 92, 1985, 329–349 (Ndr. in: Ders., Die Welt der Römer, 1993, 207–224) • F. GREWING (Hrsg.), Toto notus in orbe. Perspektiven der M.-Interpretation, 1998 • N. HOLZBERG, Neuansatz zu einer M.-Interpretation, in: WJA 12, 1986, 197–215 • Ders., M., 1988 • P. LAURENS, L'abeille dans l'ambre. Célébration de l'épigramme de l'époque alexandrine à la fin de la Renaissance, 1989 • M. LAUSBERG, M.: Ep., in: H.V. GEPPERT (Hrsg.), Große Werke der Lit., Bd. 2, 1992, 41–62 • H.P. OBERMAYER, M. und der Diskurs über männliche 'Homosexualität' in der Lit. der frühen Kaiserzeit, 1998 • M. PUELMA, Dichter und Gönner bei M., in: Labor et Lima, 1995, 415–466 • Ders., Epigramma: osservazioni sulla storia di un termine greco-latino, in: Maia N.S. 49, 1997, 189–213 • E. SIEDSCHLAG, Zur Form von M.s Ep., 1977 • J.P. SULLIVAN, M. the Unexpected Classic, 1991 • B.W. SWANN, M.'s Catullus, 1994.

ZUR REZEPTION: M. CITRONI, La teoria lessinghiana dell'epigramma e le interpretazioni moderne di Marziale, in: Maia 21, 1969, 215–243 • R. E. COLTON, Juvenal's Use of M.'s Epigrams, 1991 • F.-R. HAUSMANN, M. in It., in: Studi medievali 17, 1976, 173–248 • Ders., M., in: F. E. CRANZ, P. O. KRISTELLER (Hrsg.), Catalogus Translationum et Commentariorum 4, 1980, 249–296 • W. MAAZ, Lat. Epigrammatik im hohen MA, 1992 • J. P. SULLIVAN (Hrsg.), M., 1993. MA. L.

**[2] Flavius Areobindus M.** Oström. Beamter, war → *magister officiorum* 449 n. Chr. und vielleicht auch 457. Die Quellen erwähnen ihn im Zusammenhang der Politik gegen → Attila und als Teilnehmer am Konzil von Kalchedon 451. PLRE 2, 729. F. T.

**Martianus Capella.** Martianus Minneus Felix Capella, der Verf. eines lat. enzyklopädischen Werkes in 9 B. mit dem Titel *De nuptiis Philologiae et Mercurii* (›Philologias Vermählung mit Merkur‹), das er seinem Sohn gewidmet hat [11. 1], stammte nach den Subskriptionen der Hss. aus Karthago. Einige Bemerkungen im Werk (Mart. Cap. §§ 577, 999) deuten darauf hin, daß er Jurist war. Die Abfassungszeit wird h. in die 420er Jahre [3. 98–111] oder (eher) um 470 n. Chr. [2. 309 f.; 11. 21–28; vgl. auch 14. 165] angesetzt, geschrieben vielleicht eher in Rom als in Karthago [3]. Der Text, dessen Titel nicht authentisch, sondern erstmals bei Fulgentius [1] (Expositio sermonum antiquorum p. 123,4f. HELM) bezeugt ist, weist die Form einer Menippeischen → Satire auf und bietet eine Mischung aus Prosa und Vers mit nicht weniger als 15 verschiedenen Metren. Der Raum, der diesen in den einzelnen B. eingeräumt wird, ist völlig ungleich verteilt: in den B. 1 und 3–8 sind lyrische Partien seltener, in B. 2 singt jede der neun Musen in einem anderen Metrum. Die klass. Prosodie setzt M. C. mit großem Geschick ein (u. a. Hexameter, Pentameter, iambischer Dimeter und Senar, trochäischer Tetrameter, Asklepiadeen und Hendekasyllaboi; s. → Metrik).

Inhaltlich will die Schrift wohl ein Lehrbuch der → *artes liberales* sein, das durch die allegorische Szenerie einer hl. Hochzeit eingeleitet wird. B. 1 und 2 schildern die Brautschau des Merkur. Vergeblich hat er sich um die im Virginitätsstreben aufgehende Sophia (Weisheit), die mit Apollo verlobte Mantice (Divination) und die spröde Psyche (Seele) bemüht, die auf Cupido (Begehren) ein Auge geworfen hat. So wendet er sich auf den Rat der Virtus (Tugend) hin hilfesuchend an Apollo, der ihm die vornehme und gelehrte, aber sterbliche Jungfrau Philologia (→ Philologie) ans Herz legt. Dem Hochzeitswunsch muß erst eine Götterversammlung ihre Zustimmung erteilen. Diese willigt unter der Bedingung ein, daß die Braut vor dem Ehestand den Makel ihrer irdischen Existenz ablege. So wird Philologia zu göttlichen Ehren erhöht und erhält als Hochzeitsgabe die Dienerinnen Merkurs, nämlich die Personifikationen der sieben Freien Künste: Jede der in Kleidung und Auftreten sorgfältig geschilderten Damen huldigt ihr durch eine Selbstdarstellung, in der sie in verkürzter Form – und auf sehr niedrigem fachlichen Niveau – die von ihr jeweils vertretene Wissenschaft erklärt: Zu Wort kommen also Grammatik, Dialektik, Rhet., Geometrie, Arithmetik, Astronomie und Musik; als zu irdisch und der sterblichen Menschheit zu eng verbunden werden Architektur und Medizin ausgeschieden (§ 891). Neuplatonische Elemente, die Würdigung der Chaldäischen Orakel (→ *oracula Chaldaica*) und der → Theurgie sowie der große Hang zur Dämonenlehre (§§ 7, 22, 80, 82) ließen die Ansicht aufkommen, es handle sich bei *De nuptiis* um eine verhüllte antichristl. Propagandaschrift [11. 17–24, 172 f.; vgl. aber 3. 107]. Die rel. Ausrichtung läßt sich aber nicht sicher bestimmen.

Der Form nach bietet M. C. durchaus Neues, obgleich Vorläufer und Vorbilder fortwährend durchschimmern. Unter den lit. Ahnherren muß an erster Stelle M. Terentius → Varro als Musterautor der Menippeischen Satire gen. werden, dem M. C. auch mehrmals seine Reverenz zu erweisen scheint (§§ 335, 578, 817). Die Komposition des Stoffes zeigt allerdings wenig Einfluß der Varronischen *Disciplinarum libri*. Die Darbietungen der personifizierten *artes* schöpfen u. a. aus *De figuris* des Aquila [5] Romanus (Rhet.), Eukleides [3] und Nikomachos (Arithmetik), Plinius d. Ä. und Solinus (Geometrie); auch aus → Aristeides [7] Quintilianus und evtl. den → Anonymi Bellermann (Musik). Die Schilderung der über die Ehewünsche des Kollegen beratenden Götterversammlung nimmt Anleihen bei Senecas *Apocolocyntosis* und Apuleius' *Metamorphoses* (→ Ap(p)uleius [III]), auch der Einfluß von Lukianos' [1] *Concilium deorum* und Iulianus' [11] *Caesares* ist denkbar. Mit Recht wurde auch auf den Einfluß der → Symposion-Literatur im Stile eines Athenaios [3] und Macrobius [1] hingewiesen [2. 311]. Heftig umstritten ist, ob und wie profund M. C. des Griech. mächtig war [11. 5 f.].

Der allseits in Abrede gestellte lit. Reiz der Schrift hat in jüngster Zeit Fürsprache erfahren [7]: Gerade die formale und inhaltliche Vielschichtigkeit und die schwierige literarhistor. Einordnung der Mischung aus Lehrbuch, → Enzyklopädie und philos. Abh. seien M. C.s Dichterruhm abträglich gewesen [8. 211–213]; doch allem Schwulst (Häufung von Attributen, Vorliebe zu Abstrakta), Mangel an Form- und Stilgefühl (Satzungetüme wie §§ 3, 69, 200–204, 436) und den evidenten sachlichen Defiziten in den Fachdisziplinen zum Trotz: Die Wissensfülle der *artes liberales* wird gegenüber ähnlichen Schriften des Alt. überschaubar und unterhaltsam dargelegt [5. 55–58], die Wirkung auf die abendländische Bildungslandschaft des MA und der frühen Neuzeit und der Einfluß auf spätere Autoren waren mangels anderer in ähnlicher Weise programmatisch umfassender Werke gewaltig. JOHANNES SCOTTUS [10. bes. 35–48] hat das Werk komm., ein Komm. des REMIGIUS VON AUXERRE wurde selbst ein wichtiger Text [6; 9; 13]; Nachwirkung ist greifbar bei MARTIN VON LAON und ALANUS VON LILLE. NOTKER DER DEUTSCHE übers. B. 1 und 2 ins Althochdt. [1]. Seit dem Hoch-MA verebbte das Interesse an der Schrift zusehends, doch kein geringerer als HUGO GROTIUS besorgte noch als 16jähriger 1599 eine Edition.

→ Artes liberales; Enzyklopädie; Fachliteratur; ENZYKLOPÄDIE

**1** H. BACKES, Die Hochzeit Merkurs und der Philologia. Stud. zu Notkers M.-Übers., 1982 **2** B. BALDWIN, Rezension zu [11] (SHANZER), in: MLatJb 23, 1988, 309–312 **3** I. B. BARNISH, M. C. and Rome in the Late Fifth Century, in: Hermes 114, 1986, 98–111 **4** A. CAMERON, M. and His First Editor, in: CPh 81, 1986, 320–328 **5** B. ENGLISCH, Die Artes liberales im frühen MA, 1994 **6** M. L. W. LAISTNER, M. C. and His 9th Cent. Commentators, in: Bull. of the John Rylands Library (Manchester) 9, 1925, 130–138 **7** F. LEMOINE, M. C., 1972 **8** Ders., Judging the Beauty of Diversity, in: CJ 67, 1971/2, 209–215 **9** C. E. LUTZ, The Commentary of Remigius of Auxerre on M. C., in: Mediaeval Stud. 19, 1957, 137–156 **10** G. SCHRIMPF, Das Werk des Johannes Scottus Eriugena im Rahmen des Wiss.-Verständnisses seiner Zeit, 1982 **11** D. SHANZER, A Philosophical and Literary Commentary on M. C.'s De Nuptiis Philologiae et Mercurii Book 1, 1986 **12** H. J. WESTRA, The Juxtaposition of the Ridiculous and the Sublime in M. C., in: Florilegium 3, 1981, 198–214 **13** Ders. (Hrsg.), The Berlin Commentary on M. C.'s De nuptiis Philologiae et Mercurii 1, 1994 **14** J. A. WILLIS, M. C. und die ma. Schulbildung, in: Altertum 19, 1973, 164–174 **15** C. E. LUTZ, M. C., in: P. O. KRISTELLER, Catalogus translationum et commentariorum, Bd. 2, 1971, 367–381 **16** Dies., M. C. Addenda et Corrigenda, in: F. E. CRANZ, P. O. KRISTELLER, Catalogus translationum et commentariorum, Bd. 3, 1976, 449–452 **17** J. MITTELSTRASS, s. v. M. C., Enzyklopädie der Philos. und Wiss.-Theorie 2, 1995, 773 f.

ED.: J. WILLIS, 1983.
ÜBERS.: W. H. STAHL, R. JOHNSON, E. L. BURGE, M. C. and the Seven Liberal Arts, 2 Bde., 1971–77.
KOMM.: B. 1: SHANZER (s.o. [11]) • B. 2: L. LENAZ, Martiani Capellae De nuptiis Philologiae et Mercurii liber secundus, 1975 • B. 9: L. CRISTANTE, Martiani Capellae De nuptiis Philologiae et Mercurii liber IX, 1987. G.K.

**Martina.** In Zusammenhang mit dem plötzlichen Tod des → Germanicus [2] in Syrien im J. 19 n. Chr. wird M. als diejenige genannt, die das Gift für seinen Tod bereitet habe; mit → Munatia Plancina, der Frau des Cn. → Calpurnius [II 16] Piso, des Gegenspielers des Germanicus, war sie angeblich befreundet. Von Cn. Sentius, dem Nachfolger des Calpurnius Piso in Syrien, wurde sie nach Rom gesandt, doch starb sie während der Reise plötzlich in Brundisium (Tac. ann. 2,74,2; 3,7,2). Da die Giftmordaffäre um Germanicus eine Erfindung ist, sind auch die Vorwürfe gegen M. ohne Fundament (vgl. [1. 153; 154 f.]).

**1** W. ECK, A. CABALLOS, F. FERNÁNDEZ, Das Senatus consultum de Cn. Pisone patre, 1996. W.E.

**Martinianus.** *Magister officiorum* des → Licinius [II 4]; nach der Niederlage von Hadrianopolis [3] (3.7.324 n. Chr.) von diesem zum Augustus (in den lit. Quellen fälschlich: Caesar) erhoben. Nach der Kapitulation des Licinius wurde M. nach Kappadokien verbannt und dort 325 hingerichtet.

PLRE 1, 563 • M. CLAUSS, Der magister officiorum in der Spätant. (4.–6. Jh.), 1980, 171. B.BL.

**Martinus**

**[1]** Bischof von Tours (Caesarodunum (Turonum)), christl. Mönch und → Wundertäter, geb. 316/7 in Sabaria/Pannonien; gest. 8.11.397 in Candes/Loire. Laut → Sulpicius Severus' *Vita Martini* (geschrieben 396/7, ergänzt durch 3 Briefe und 2 (3) Dialoge) war M. Sohn eines röm. Tribuns und leistete seinen Militärdienst unter den Kaisern → Constantius [2] II. und → Iulianus [11] Apostata; in dieser Zeit Bekehrung zum Christentum (»Mantelteilung« bei Amiens, Vita 3), Abschied vom Militär (356 ?). M. lebte dann in asketischer Zurückgezogenheit in der Umgebung des Bischofs → Hilarius [1] von Poitiers. 370/1 überraschende Wahl zum Bischof von Tours, Klostergründung Marmoutier (Vita 9–10). M.' bischöfliches Wirken war vorrangig von Mission und Organisation der Kirche bestimmt. In der Auseinandersetzung um den Spanier → Priscillianus (kirchlich verurteilter Häretiker) wehrte sich M. gegen die staatliche Verfolgung und Hinrichtung durch den Usurpator → Maximus [7] (Sulp. Sev. dialogi 3,11–13).

Die M.-Schriften des Sulpicius Severus, in klass. Trad. geschrieben, stehen am Anfang der christl. lat. Hagiographie. Ihr histor. Wert ist umstritten. Die Forschungsdiskussion betrifft die Chronologie und die apologetisch-polemische Tendenz, die aus dem Asketen M. den exemplarischen Bischof macht, den Verteidiger des rechten Glaubens und den vorbildlichen Mönchsvater, der die Heroen des östl. Mönchtums (z. B. Antonios [5]) weit übertrifft. Das Grab des als → Heiligen Verehrten in Tours wurde zum Ziel zahlreicher Pilger (→ Pilgerschaft), neben dem Grab wurde die *cappa* (»Mantel«; davon abgeleitet die Begriffe Kapelle und Kaplan) des Hl. zur vielverehrten Reliquie; unter den Merowingern wurde sie zur Reichsreliquie, M. selbst Schutzherr der fränk. Könige und des fränk. Reiches.

→ Mönchtum

ED. (Sulp. Sev., Vita Martini): K. HALM, CSEL 1, 1866 • J. FONTAINE, SChr 133–135, 1967–1969.
LIT.: T. D. BARNES, The Military Career of Martin of Tours, in: Analecta Bollandiana 114, 1996, 23–33 • V. BURRUS, The Making of a Heretic. Gender, Authority and the Priscillianist Controversy, 1995 • R. VAN-DAM, Saints and Their Miracles in Late Antique Gaul, 1993 • C. STANCLIFFE, St. Martin and His Hagiographer. History and Miracle in Sulpicius Severus, 1983 • L. PIETRI, La ville de Tours du IVe au VIe siècle, 1983 • F. PRINZ, Frühes Mönchtum im Frankenreich, 1965 (²1988). K.-S.F.

**[2]** Thraker, oström. Offizier unter → Iustinianus [1] I. Erwähnt zuerst als Offizier im Perserkrieg 531 n. Chr.; 533 befehligte er im Vandalenkrieg (→ Vandali) eine Abteilung der Föderaten und blieb nach dem Sieg bei Tricamarum bis 536 in Afrika. Als *magister militum* stand er seit 537 dem in Rom vom Gotenkönig → Vitigis belagerten General → Belisarios bis zum Ende der Belagerung (März 538) zur Seite. Nach dem Fall Ravennas folgte er 540 dem abberufenen Belisarios nach Konstantinopel und wurde nun wieder an die persische Front geschickt, wo er 543 Belisarios als *magister militum per Orientem* ablöste. Auf kaiserlichen Befehl fiel er in Persarmenien ein, wo er in der Schlacht bei Anglon vernichtend geschlagen wurde. 544 befreite er Edessa durch Zahlung einer Summe von 500 röm. Pfund (160 kg) Gold von persischer Belagerung. 551–554 kämpfte er in → Lazika unter dem Kommando des → Bessas, den er 555 als *magister militum per Armeniam* ablöste. 556 befreite er Phasis von seinen persischen Belagerern, scheiterte aber mit einer Expedition in das Landesinnere von Lazika. Deshalb und wegen Beteiligung an der Ermordung des Lazenkönigs → Gobazes (555) enthob ihn Kaiser Iustinianus I. 556 seines Amtes. PLRE 3, 839–848 Nr. 2. F.T.

**[3] M. von Bracara** (M. Dumiensis), * in Pannonien, ca. 515–580. Als Mönch kam er 550 nach Gallaecia im Suebenreich. In Dumio bei Bracara Augusta (h. Braga) gründete er ein Kloster, wurde dessen Abt und 556 Bischof, dann Erzbischof von Braga. Er war Teilnehmer des ersten Konzils von Braga (561) und leitete das zweite (572). M. bekehrte die arianischen Sueben (→ Arianismus) zum Katholizismus. Moralphilos. Werke: *De ira* (›Über den Zorn‹), an Bischof Vitimer von Aurea (Vorbild ist Seneca) und *Formulae vitae honestae*, an den suebischen König Miro. Asketische Schriften: *Pro repellenda iactantia, De superbia* und *Exhortatio humilitatis*. Die Pastoralinstruktion *De correctione rusticorum*, auf Anregung von Bischof Polemius von Astorga verfaßt, bekämpft Reste von alter Religion bei den neubekehrten Sueben. *Sententia patrum Aegyptiorum* (Bearbeitung der → *Apophthegmata patrum*); *De pascha*; *De trina mersione* (Verteidigung seiner Taufpraxis). Weiteres: *Acta* der beiden Konzilien; die *Canones Martini*; drei Versinschr. Seine Werke hatten in Europa, etwa bei → Gregorius [4] von Tours, → Venantius Fortunatus und → Isidorus [9] von Sevilla, beträchtlichen Einfluß.

Ed.: PL 72, 17–52; 74, 381–394; 84, 569–586 • C.W. Barlow, 1950.
Bibliogr.: S. Bodelón, M. of Braga and John of Biclaro in Recent Scholarship, in: MLatJb 31, 1996, 199–204.
Lit.: J. Fontán, M.B., Un testigo de la tradición clásica y cristiana, in: Anuario de Estudios Medievales 9, 1974–1979, 331–341 • Ders., San Martín de Braga una luz en la penumbra, in: Cuadernos de filología clásica 20, 1986f., 185–199 • J. Orlandis, D. Ramos-Lissón, Die Synoden auf der Iberischen Halbinsel, 1981, 78, 86–89. J.M.A.-N.

**Martis, ad.** Verschiedene Stationen leiten ihren Namen von einer Kultstätte des Mars *ad* (*fanum*) *Martis* ab.

**[1]** Station an der Straße durch die → Alpes Cottiae oberhalb von Segusio an der Mündung des Bardonecchia in die Dora Riparia, h. Oulx.

**[2]** Station in Etruria bei Pescia an der *via Cassia* zw. Pistoriae und Luca.

**[3]** Station in Umbria an der *via Flaminia* 74 Meilen von Rom entfernt, zw. Narnia und Mevania (*vicus Martis Tudertium*, CIL XI 4744–4751), h. S. Maria in Pantano nahe Massa Martana.

Miller, 229, 289, 304. G.U./Ü: H.D.

**Martius**

**[1] L. M. Macer.** Senator, der wohl aus Arretium stammte. M. begann seine Laufbahn unter Tiberius; zwischen 41 und 44 n. Chr. war er Unterstatthalter von Moesia unter dem Generalkommando des Memmius [II 4] Regulus. Schließlich Proconsul von Achaia durch direkte Ernennung. PIR² M 343.

M. Torelli, in: EOS 2, 289.

**[2] L. M. Macer.** Seine Laufbahn mit drei Ämtern des Vigintivirats führte ihn bis zur Praetur; da er auch *Salius Palatinus* (→ *Salii*) war, muß er Patrizier gewesen sein; doch ist unsicher, ob er selbst erst in den Patriziat aufgenommen wurde (CIL XI 1837). Ob er oder M. [1] mit dem Marcius Macer zu identifizieren ist, der in der Schlacht bei Bedriacum auf Seiten Othos teilnahm, bleibt unsicher. PIR² M 344.

**[3] P. M. Sergius Saturninus.** Sohn von M. [4]. Patrizier; 180 n. Chr. unter die → Salii aufgenommen. *Cos. ord.* 198. PIR² M 346.

**[4] P. M. Verus.** Senator. Als Legionslegat nahm M. am → Partherkrieg des Lucius → Verus teil; M. schrieb darüber → *commentarii*, die Verus an Cornelius → Fronto [6] weiterleiten sollte, da dieser eine Gesch. des Feldzuges verfassen wollte. 166 n. Chr. Suffektconsul; von 172–175 Legat von Cappadocia. Von dort aus benachrichtigte er Marcus [2] Aurelius vom Abfall des Avidius [1] Cassius, gegen den er sofort seine eigenen Truppen in Bewegung setzte. In Syria wurde M. noch 175 dessen Nachfolger bis 178; am 1.1.179 trat er seinen 2. Konsulat an. Möglicherweise wurde er unter die Patrizier aufgenommen; er starb wohl im J. 190. PIR² M 348.

E. Dąbrowa, The Governors of Roman Syria, 1998, 117ff. W.E.

**Martyria** (μαρτυρία). Im griech. Recht das Ablegen eines Prozeßzeugnisses sowie dessen Inhalt oder die zu diesem Zweck errichtete Urkunde. Zeugen (μάρτυρες, *mártyres*; Synonyme [2. 2032f.]) wurden zu Geschäften förmlich hinzugezogen, zu Unrechtstaten vom Verletzten oder dem Rächer herbeigerufen. Im Prozeß zur Zeit der att. Redner (5./4. Jh. v. Chr.) bestätigten sie unvereidigt, einen vom Beweisführer aufgesetzten formelhaften Satz »zu wissen« oder bei einem Ereignis »dabeigewesen zu sein«. Lediglich im Blutprozeß (→ Mord) hatten die Zeugen denselben Eid wie die Parteien auf Schuld oder Unschuld des Beklagten zu leisten (→ *diōmosía*), was sie Eideshelfern gleichstellt [2. 2034–37]. Gleichwohl waren die athenischen Gerichtshöfe an eine *m.* formal nicht gebunden; jeder Geschworene konnte sich in seiner geheimen Stimmabgabe darüber hinwegsetzen. Solcher Bindung waren allenfalls Amtsträger unterworfen, die für ihre Entscheidung persönlich einstehen mußten (→ *diamartyría*). Auch in → Gortyn (III.) gab es die bindende, streitbeendende *m.*, wobei Zahl und Qualifikation der Zeugen genau festgelegt waren. In Athen waren volljährige, männliche, unbescholtene Freie zur *m.* berechtigt, Frauen legten eine *m.* durch ihren → *kýrios* (»Vormund«) ab oder leisteten außergerichtlich einen Eid. Sklaven waren zur *m.* unfähig; sie wurden über ein der *m.* entsprechend formuliertes Thema auf der → Folter befragt, ebenfalls außergerichtlich und unter Mitwirkung des Beweisgegners.

Wer von einer Prozeßpartei als Zeuge geladen wurde, hatte die Möglichkeit, außergerichtlich einen Eid zu schwören, die zu beweisende Tatsache »nicht zu wissen« (→ *exōmosía*), was keine rechtlichen Konsequenzen nach sich zog, oder vor Gericht das Beweisthema zu bestätigen. Nur in diesem Fall haftete der Zeuge wegen falscher Aussage (→ *pseudomartyriṓn díkē*). Erschien er, ohne sich freigeschworen zu haben, nicht vor Gericht, konnte er mit → *lipomartyríu díkē* belangt werden. Verboten war eine *m.* vom Hörensagen, allerdings konnte die *m.* eines Kranken oder Verreisten schriftlich, durch eine *ekmartyría* (Bestätigung durch einen weiteren Zeugen) vorgelegt werden. Der Übergang von der »mündlichen« *m.* zur »schriftlichen« (um 370 v. Chr.) brachte keine Änderung des Zeugnisformulars oder Beweisverfahrens; die Parteien durften vor Gericht nur eine *m.* verwenden, die schon im Vorverfahren vorgelegt wurde (→ *diaitētaí* [2]).

1 A. R. W. Harrison, The Law of Athens, Bd. 2: Procedure, 1971 2 K. Latte, s. v. M., RE 14, 2032–2039 3 G. Thür, Beweisführung vor den Schwurgerichtshöfen Athens, 1977, 315 ff. 4 Ders., in: IPArk, 238–243 (Nr. 17).

G. T.

**Martyrius.** Lat. Grammatiker, der zeitlich vor → Cassiodorus angesiedelt wird, wahrscheinlich der ersten H. des 6. Jh. n. Chr. M. war Sohn eines gewissen Adamantius, dem er seine Ausbildung verdankte, so daß er in den Hss. *Adamanti(i) sive Martyrii* und bei Cassiodorus *Adamantius Martyrius* gen. wird. In einer hsl. *subscriptio* erscheint die Benennung *Sardianus grammaticus*, vielleicht nach Sardeis (Lydien). Er ist der Verf. einer Abh. *De B muta et V vocali* in 4 Teilen, überl. in 5 Hss. aus humanistischer Zeit, die auf zwei verlorene Codices zurückgehen (einer aus Bobbio, der andere aus Venedig). Der Text wurde fast vollständig von Cassiodorus in *De orthographia* (GL 7,167–199) übernommen, jedoch weicht diese Überl. etwas von der direkt überl. Version ab. Das Werk sucht Regeln für den Gebrauch der Konsonanten *B* und *V* aufzustellen und ist, wenn auch von geringem theoretischen Interesse, sprachgesch. interessant. Daß M. dafür zweisprachige griech.-lat. Glossare (oder umgekehrt) verwendet hat, ist sicher.

Ed.: GL 7,165–199 (unterer Seitenteil; der obere Teil der S. 167–199 beinhaltet die *excerpta* des Cassiodorus) • Schanz/Hosius 4.2, 219–221 • P. Wessner, s. v. Martyrios (23), RE 14,2041–2043.

P. G./Ü: TH. G.

**Martyrologium Edessenum.** Früher Märtyrer-Kalender (syr.), erh. in einer im November 411 n. Chr. in → Edessa [2] kopierten Hs. Der Hauptteil des Textes ist aus einem griech. Kalender, der Verbindungen zu → Nikomedeia aufweist, übersetzt; er ist jedoch vervollständigt um die Beigabe von Namen pers. Märtyrer.

F. Nau, Les ménologes des Évangeliaires coptes-arabes (Patrologia Orientalis 10,2), 1923, 5–26 (Ndr. 1973).

S. BR./Ü: A. SCH.

**Martys** s. Märtyrer

**Marullus**

**[1]** Röm. Redelehrer des 1. Jh. v. Chr. aus Corduba, Lehrer des älteren → Seneca (Sen. contr. 1, praef. 22–24) und dessen Freundes M. → Porcius Latro (ebd., praef. 24; 2,2,7; 7,2,11); seine Unterrichtsmethode bestand in isolierten Übungen auf einzelnen Gebieten der *inventio* und *elocutio* (s. ebd. praef. 23; → *partes orationis*). Während Latro M.' Sentenzen schätzte (ebd. 1,2,17), charakterisiert ihn Seneca, der eine Reihe von *sententiae* und *colores* zit., als ›trockenen Kerl, der kaum Hübsches bietet, aber sich auch nicht gemeiner Sprache bedient‹ (*non vulgato genere dicens*, ebd. praef. 22); kritisiert wurde auch seine strikt funktionale Figurenverwendung (ebd. praef. 23).

H. Bornecque, Les déclamations et les déclamateurs, 1902, 179 f. • L. A. Sussman, The Elder Seneca, 1978, 20 f. • J. Fairweather, Seneca the Elder, 1981, 256 f. und passim.

P. L. S.

**[2]** Lit. Mimograph der Zeit des → Marcus [2] Aurelius (SHA Aur. 8,1), von dem ein Wortspiel bei Serv. Aen. 7,499 und Serv. ecl. 7,26 zit. wird (vgl. noch SHA Aur. 29,1 f.). Sein Ruhm ist (über Donat?) noch bei Hier. adversus Rufinum 2,20 lebendig.

Fr.: M. Bonaria, Romani Mimi, 1965, 81 f., vgl. 136.
Lit.: Ders., Marullo, in: Dioniso 35, 1961, 3 f., 16–27 • P. L. Schmidt, in: HLL, Bd. 4, § 496.

P. L. S.

**Marus.** Linker Nebenfluß des → Istros (Donau), h. March in Moravia (Tac. ann. 2,63; Plin. nat. 4,81); der Name bedeutet german. »langsam«; nicht zu verwechseln mit *Máris* bei Hdt. 4,48 oder mit *Márisos* bei Strab. 7,3,13. Bed. Handelsstraße nordwärts zum Mare Balticum. Nach der Kapitulation des → Maroboduus 19 n. Chr. siedelten die Römer die → Marcomanni zw. dem M. und der → Cusus unter der Herrschaft des Königs Vannius, eines Quaden, an (Tac. 2,63). Nach Plin. nat. 4,81 trennte der M. die Suebi und das Reich des Vannius von den Bastarnae und anderen german. Stämmen.

M. Fluss, s. v. M., RE 14, 2054.

PI. CA./Ü: S. F.

**Maruthas** (Μαρουθᾶς, syr. *Mārūṯā*).

**[1]** Bischof von Maiperqaṭ (Martyropolis, in der h. SO-Türkei), war kaiserlicher Gesandter an den Sāsāniden-

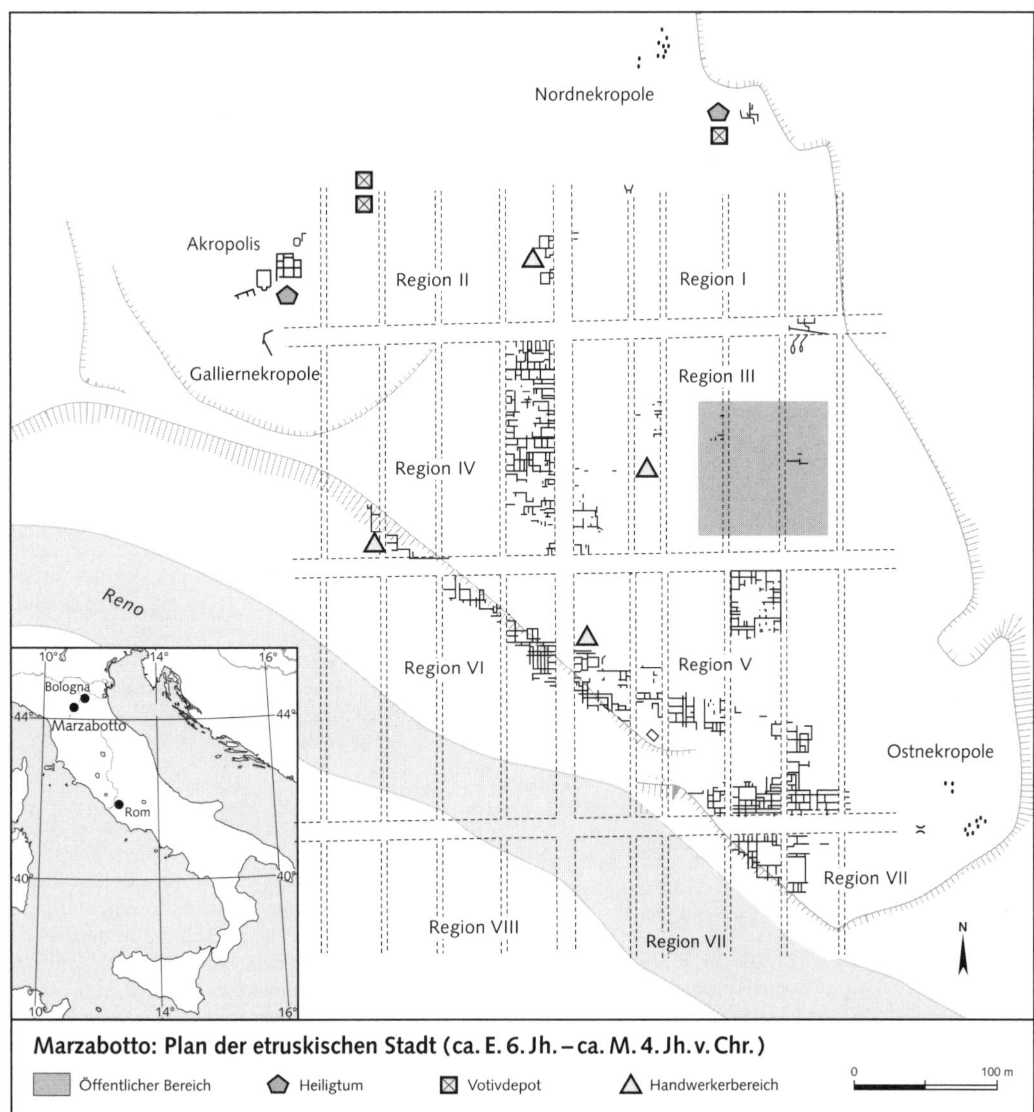


**Marzabotto: Plan der etruskischen Stadt (ca. E. 6. Jh. – ca. M. 4. Jh. v. Chr.)**

Öffentlicher Bereich · Heiligtum · Votivdepot · Handwerkerbereich

hof bei mindestens zwei Anlässen. Er nahm im J. 410 n. Chr. an der Synode von → Seleukeia/→ Ktesiphon teil, bei der die »Kirche des Ostens« die Kanones des Konzils von → Nikaia rezipierte; ihm ist es zu verdanken, daß Nachrichten von den pers. Märtyrern unter Šābuhr II. (→ Sapor) ins Röm. Reich gelangten. Von den zahlreichen ihm zugeschriebenen Werken ist möglicherweise eine Homilie auf den »Weißen Sonntag« echt; die ›Kanones des Mārūṯā‹ sind mit Sicherheit später anzusetzen [1; 2; 3].

[2] Syr.-orthodoxer Metropolit von Tagrīṯ/Mesopotamien († 649 n. Chr.). Ernannt z.Z. der Invasion des Kaisers → Herakleios [7] ins Sāsānidenreich (628/9), leitete er zahlreiche Reformen ein und entfaltete eine rege Bautätigkeit. Seine erh. Werke sind liturgischen Inhalts; eine aufschlußreiche Biographie, die sein Nachfolger Denḥā verfaßt hat, ist ebenfalls erhalten [4].

1 M. Ensslin, s. v. M., RE 14, 2054–2056 2 J. M. Fiey, M. d'après Ibn al-Azraq, in: Analecta Bollandiana 94, 1976, 35–45 3 A. Vööbus, The Canons ascribed to M., 1982 4 F. Nau, Histoire d'Ahoudemmeh et de Marouta (Patrologia Orientalis 3,1), 1905, 61–96 (Ndr. 1982).

S. BR./Ü: A. SCH.

**Marzabotto.** Die etr. Stadt lag ca. 30 km südl. vom h. Bologna auf der Hochfläche des Pian di Misano oberhalb des Flusses Reno in den nördl. Ausläufern des emilian. Apennin. Die it. Ausgrabungen seit dem 19. Jh. haben große Teile der Stadt und der westl. auf dem Misanello-Hügel gelegenen Akropolis freigelegt. Die im letzten Viertel des 6. Jh. v. Chr. exakt nach den Himmelsrichtungen ausgerichtete Stadt mit orthogonaler Anlage (vgl. Lageplan) besaß als Vorgängersiedlung nur eine kleine Ansammlung von Hütten der Mitte des 6. Jh. Nach einer Blüte im 5. Jh. folgte die Eroberung durch die Kelten in der Mitte des 4. Jh., die zum Ende der Stadt am Anf. des 3. Jh. führte.

Auf der Akropolis liegen vier nach Süden orientierte Sakralbauten, von denen Bau B, eine Plattform mit zentralem Opferschacht, wohl dem Kult des → Dis Pater geweiht war, der nach den *libri rituales* (Cic. div. 1,72; vgl. 2,49; → Divination) mit den Gründungsriten einer Stadt verbunden ist. Bau C ist ein großer, sehr breit gelagerter, dreizelliger Tempel mit vorgelagertem Pronaos (→ Tempel). Oberhalb der Tempel befindet sich ein Platz, wohl ein *auguraculum*. Die Stadt ist durch einen Haupt-→ *cardo* und mehrere Neben-*cardines* sowie drei breite *decumani* (→ *decumanus*) von je 15 m Breite gegliedert. Die Hausgrundrisse in den *insulae* (→ *insula*) variieren. Das Grundschema ist ein langer Korridor, der zu einem Hof führt, um den sich die Räume gruppieren. Erste Ansätze zum Atriumhaus mit zentralem *tablinum* sowie Ähnlichkeiten mit den Häusern in → Olynthos sind erkennbar (→ Haus).

Die frühere Theorie einer Kolonisierung durch → Clusium oder → Volsinii (Orvieto) ist wohl falsch, da die zahlreich bezeugten Gentilnamen auf *-alu* auf eine Herkunft der Bevölkerung aus der Po-Ebene, bes. aus → Bononia (Felsina), hinweisen. Die Bed. von M. lag wohl im Handel mit Rohmetall aus → Populonia sowie Br.-Produkten eigener Herstellung in die Po-Ebene und darüber hinaus nach Norden.
→ Haus II. C. (etr.)

G. A. MANSUELLI, G. SASSATELLI, s. v. M., EAA Suppl. 2, 1971–1994, Bd. 3, 1995, 559–562 · G. SASSATELLI, Bologna e M. Storia di un problema, in: Studi sulla città antica. L'Emilia Romagna, 1983, 104–127.
KARTEN-LIT.: L. BANTI, Die Welt der Etrusker, 1960, bes. 27, Abb. · G. PUGLIESE CARRATELLI (Hrsg.), Rasenna, Storia e civiltà degli Etruschi, 1986, Taf. nach 306. M. M.

**Masada** (griech. Μασάδα, hebr. *mṣdh*, arab. *Tall as-Sabʿ*). Name nur griech. und lat. überl., wahrscheinlich von aram. *mʿṣādā* (»Festung«) abgeleitet. Isoliert am Westufer des Toten Meeres anstehendes Felsplateau, rautenartig mit 600 m nordsüdlicher Länge und 300 m westöstlicher Breite; 50 m über NN mit steilen Felsabhängen, im Osten ca. 350 m, im Westen ca. 150 m über Grund. Eine ausführliche Beschreibung liefert Ios. bell. Iud. 7,280–294, eine Nennung findet sich bei Plin. nat. 5,73 und Strab. 16,2,44. 1838 wurde M. von E. ROBINSON und E. SMITH identifiziert, danach mehrfach untersucht und schließlich 1963–1965 unter Yigael YADIN ausgegraben.

Entweder von Jonathan (Ios. bell. Iud. 7,285) oder → Alexandros [16] Iannaios (bell. Iud. 4,399) als Festung errichtet, wurde M. von → Herodes [1] d. Gr. in großem Stil ausgebaut: ringsum eine Kasemattenmauer mit zwei Toranlagen nach Westen und Osten, große unterirdische Zisternen, mehrere Palastanlagen mit Badehäusern und Vorratslagern. 66 n. Chr. von den Aufständischen besetzt und 73/4 von den Römern unter → Flavius [II 44] Silva belagert und erobert (bell. Iud. 7,275–407). Danach war M. Stützpunkt einer röm. Garnison; in byz. Zeit gab es eine kleine Ansiedelung von Mönchen.

Die mythische Überhöhung der Verteidigung und der von → Iosephos [4] Flavios geschildete kollektive Selbstmord der Verteidiger wurden von der jüngeren arch. und histor. Forsch. falsifiziert und in den lit. Kontext gestellt [3; 4; 5].

GRABUNGSBER.: 1 M.: The Yigael Yadin Excavations 1963–1965. Final Reports 1–6, 1989–1999.
LIT.: 2 E. NETZER, s. v. M., The New Encyclopedia of Excavations in the Holy Land 3, 1993, 973–985 3 SH. J. D. COHEN, M.: Literary Tradition, Archaeological Remains, and the Credibility of Josephus, in: Journal of Jewish Studies 33, 1982, 385–405 4 N. BEN-YEHUDA, The M. Myth. Collection Memory and Mythmaking in Israel, 1995
5 M. HADAS-LEBEL, Massada. Der Untergang des jüd. Königreichs oder die andere Gesch. von Herodes, [2]1997.
H. BL.

**Masaesyli** (Μασαισύλιοι). Westnumidischer Volksstamm in der → Mauretania Caesariensis (zw. dem Fluß Mulucha und dem Cap Bougaroun): Pol. 3,33,15; Liv. 28,17,5; Strab. 17,3,9; Plin. nat. 5,19; 52; 21,77. Lokalisierung in der Mauretania Tingitana: Plin. nat. 5,17; Ptol. 4,2,17. Könige der M. waren → Syphax (pun. *Spq*), Vermina (pun. *Wrmnd*) und Arcobarzanes.
→ Libyes, Libye

J. DESANGES, Catalogue des tribus africaines ..., 1962, 62.
W. HU.

**Mascezel.** Christ, Sohn des Maurenkönigs Nubel; unterstützte 374 n. Chr. die Usurpation seines Bruders → Firmus [3] gegen → Valentinianus I., die aber scheiterte. 397 floh er vor seinem anderen Bruder → Gildo, der versucht hatte, ihn umzubringen, und seine Söhne töten ließ, nach Italien. 398 kämpfte er im Auftrag → Stilichos gegen Gildo und gewann (angeblich durch ein Wunder) trotz zahlenmäßiger Unterlegenheit. Bald danach soll er von Stilicho ertränkt worden sein. PLRE 1, 566. K. G.-A.

**Maschalismos** s. Bestattung

**Mascula.** Stadt in Numidia, an der Straße zw. Thamugadi und Theveste inmitten des fruchtbaren Lands der Musulamii, h. Khenchela (Itin. Anton. 33,6). M. stand unter pun. Einfluß [1. 163–177]. In severischer Zeit (193–235 n. Chr.) war M. *municipium*: CIL VIII 1, 2248. Bischöfe sind seit dem J. 256 bezeugt: Cypr. sententiae episcoporum 79. Inschr.: CIL VIII 1, 2228–2274; 2, 10184–10188; Suppl. 2, 17668–17719; 3, 22281; 22282; AE 1989, 882.

1 M. LEGLAY, Saturne africain. Monuments 2, 1966.

H. DESSAU, s. v. M. (1), RE 14, 2064. W. HU.

**Mases** (Μάσης). Ort und Hafenbucht an der SW-Küste der argolischen Halbinsel, am Ostrand der Bucht von Koilada im NW des h. Dorfes Kampo, mit geringen ant. Resten. Schon bei Hom. Il. 2,562 erwähnt, in histor. Zeit Hafen von → Hermion(e). Belegstellen: Strab. 8,6,17; Paus. 2,35,11; 36,1 f.; Steph. Byz. s. v. M.; Eust. in Hom. Il. 288,11.

R. Baladié, Le Péloponnèse de Strabon, 1980, 240f. • M. Jameson, Inscriptions of the Peloponnesos, in: Hesperia 22, 1953, 167f. • C. N. Runnels, T. H. van Andel, The Evolution of Settlement in the Southern Argolid, in: Hesperia 56, 1987, 303–334. Y. L.

**Masices** (Μάσικες, Μάζικες). Name mehrerer nordafrikan. Völker (Anon. cosmographia 1,39 = GLM 88). Er entspricht etwa der h. Bezeichnung »Berber«. Lokalisiert werden die M. in der → Mauretania Tingitana (südl. des Gebiets der Metagonitai; Ptol. 4,1,10), in der Mauretania Caesariensis (CIL VIII 1, 2786; 2, 9613; Ptol. 4,2,19; Provinciarum omnium laterculus Veronensis 14,3 = GLM 129; Amm. 29,5,17; 21; 25f.; 51; Iulius Honorius, Cosmographia A 48) oder südl. der Prov. Africa (Liber generationis, Chron. min. 1,107,197: zw. *Afri qui et Barbares* [= *Bavares*] und *Garamantes qui et Marmaridae*; Expositio totius mundi 62). In spätant. Zeit unternahmen M. Raubzüge in der Tripolitania und in den ägypt. Oasen (Philostorgios 11,8). Bei Veg. mil. 3,23 werden diese M. als Kameltreiber bezeichnet.

J. Desanges, Catalogue des tribus africaines..., 1962, 34, 63, 112f. • J. Desanges, S. Lancel, L'apport des nouvelles Lettres..., in: Les lettres de saint Augustin découvertes par Johannes Divjak, 1983, 87–98 bzw. 99, hier 90f. • Ph. Leveau, L'aile des Thraces, la tribu des Mazices et les praefecti gentis en Afrique du Nord, in: Antiquités africaines 7, 1973, 153–191. W. HU.

**Masintha.** Junger adliger Numider, der sich den Tributforderungen König → Hiempsals [2] II. durch Flucht nach Rom entzog. Caesar vertrat ihn vor Gericht gegen Hiempsals Sohn → Iuba [1], versteckte M. später und nahm ihn 61 v. Chr. mit nach Spanien; man vermutete wohl sexuelle Motive (Suet. Iul. 71). Laut einer Lesart von Vitr. 8,3,25 [1. 31–33] besaß M. das Gebiet um Ismuc, unweit von Zama, und kämpfte 46 mit seinem Sohn C. Iulius auf Caesars Seite gegen Iuba.

1 K. Jeppesen, Vitruvius in Africa, in: H. Geertman, J. J. de Jong (Hrsg.), Munus non ingratum (BABesch Suppl. 2), 1989, 31–33. JÖ. F.

**Masistes** (Μασίστης). Nach Hdt. 7,82 Sohn des Dareios [1] I. und der Atossa [1], Satrap von Baktrien (Hdt. 9,113) und pers. Truppenbefehlshaber (Hdt. 7,82). Nach dem grausamen Ende seiner Frau soll M., mit Aufstandsplänen nach Baktrien unterwegs, 479/8 v. Chr. zusammen mit seinen Söhnen von königlichen Truppen getötet worden sein (Hdt. 9,107–113). Vermutlich gibt der Name M. altpers. *maθišta-* (griech. μέγιστος/*mégistos*, »der Größte«) wieder. Iust. 2,10,1–11 und Plut. mor. 173b-c; 488d-f berichten vom älteren Xerxes-Bruder Ariamenes, dem Xerxes I. – gegen Anerkennung seines Königtums – den Rang eines παρ' αὐτῷ μέγιστος (›des Größten an seinem [= Xerxes'] Hof‹) bzw. τὴν δευτέραν μεθ' ἑαυτόν (›einen Rang, der nur von ihm selbst [= Xerxes] übertroffen wurde‹) verliehen habe.

1 Briant, 540f. 2 H. Sancisi-Weerdenburg, Yaunā en Persai, 1980, 48–83. J. W.

**Masistios** (Μασίστιος). Nach Hdt. 7,79 Sohn des Siromitres, gefallen bei Plataiai (479 v. Chr.) als pers. Reiterkommandant (Hdt. 9,20–22; Plut. Aristeides 14; Diod. 11,30,4). Den Panzer des ›bei König und Volk angesehensten Persers nach → Mardonios‹ (Hdt. 9,24) weihten die Athener der Athena Polias (Paus. 1,27,1).
→ Perserkriege J. W.

**Maskas** (Μάσκας). Xen. an. 1,5,4 erwähnt südl. der Einmündung des Chaboras (→ Ḫabur) in den Euphrat den Fluß M., der die in der Wüste gelegene Stadt → Korsote umfloß. Es kann sich allenfalls um einen Kanal handeln. Etym. liegt vielleicht akkad. *mašqû*, »Tränke, Wasserstelle« vor. Ein neuassyr. Ort Mašqite lag nördl. von Anat.

R. D. Barnett, Xenophon and the Wall of Media, in: JHS 73, 1963, 4f. • F. H. Weissbach, s. v. M., RE 14, 2069f. K. KE.

**Maske** I. Phönizien
II. Griechenland und Rom

I. Phönizien

Gesichts-M. und Kopfprotomen (ggf. den Hals- oder Schulterabschnitt einbeziehende, abgekürzte Bilder des Menschen) sind eine seit dem 9./8. Jh. v. Chr. häufige Denkmälergattung in der phöniz.-pun. Welt. Sie ist von der Levante (hier bis in das 2. Jt. zurückreichend, u. a. in Tall Qāṣila, sonst aus Tyros, ʿAmrīt, Akhzib, Hazor, Sarepta usw.) über Zypern, Karthago, Sizilien (Motye), Sardinien und Ibiza bis in den Fernen Westen (Cadiz) verbreitet. Die M. (mit Augen- und Mundöffnung) zeigen zumeist einen grimassierenden Typus, wohl mit dämonischer Bed. Bei den v. a. im Westen bezeugten Protomen (mit verschlossener Rückseite und Gesicht ohne Öffnungen) überwiegen, zumal seit dem 5. Jh. v. Chr., in griech. Formensprache idealisierte Frauengesichter. Die Fundorte der M., die aus Gräbern und Heiligtümern stammen, weisen auf eine kult. und apotropäische Funktion.
→ Kolonisation (III. mit Karte)

W. Culican, Some Phoenician Masks and Other Terracottas, in: Berytus 24, 1975–76, 47–87 (Ders., Opera Selecta, 1986, 391–431) • E. Gubel, s. v. M., DCPP, 277–279. H. G. N.

II. Griechenland und Rom
A. Begriff B. Wirkung und Verbreitung
C. Entwicklung der Theatermaske
D. Theaterpraxis

A. Begriff

Griech. πρόσωπον (*prósōpon*, »was man ansieht«): Gesicht, Fassade, M., dann übertragen Bühnenfigur, Person (daneben προσωπεῖον, »zum Gesicht gehörig«: M.); lat. *persona* (etr. Herkunft; nicht zu *personare*, »hindurchtönen«, so Gavius [I 2] Bassus bei Gell. 5,7).

B. Wirkung und Verbreitung

Die M. erlaubt es dem Menschen, aus seiner Persönlichkeit herauszutreten (→ Ekstase) und durch Verwandlung – etwa zum Gott oder zum Tier – übernatürliche Kräfte zu gewinnen; sie bewirkt aber auch die Wandlung ins Lächerliche und aggressiv Obszöne [1] oder dient (z. B. in Initiationsriten) der Erzeugung von Schrecken. Das Tragen von M. ist in verschiedenen griech. Kulten bezeugt, so in dem der Artemis Orthia in Sparta ([2. 161, 489]; [3]) oder der arkad. Demeter Kidaria [2. 477f.]. Als der M.-Gott schlechthin aber gilt → Dionysos [4; 5]. Die M. ist Symbol seiner Präsenz und zugleich Kultbild [6. 276–279]: Auf den sog. Lenäen-Vasen wird er in Gestalt einer an einem Baum oder einer Säule befestigten M. von Mänaden umtanzt und verehrt [7]. In Gräbern und auf Sarkophagen haben M. eschatologische Bed. und verweisen auf dionysische → Mysterien [8].

Während die Sänger der dionysischen Kultlieder (→ Dithyrambos) unmaskiert auftraten, setzen die dramatischen Gattungen Satyrspiel, Trag. und Komödie allesamt M. für Chor und Schauspieler voraus: sei es, daß sie um der theatralischen Wirkung willen »erfunden« oder aus dem Kult übernommen wurden. Auf Tänzer in Bocksgestalt deuten die Ursprünge der → Tragödie; Hähne oder Huckepackreiter auf sf. att. Vasen vom Beginn des 5. Jh. werden auf die → Komödie bezogen, als diese noch nicht Teil der städtischen Agone war [9]. Wie sich Sänger oder Schauspieler unter dem Einfluß der M. verändern, zeigt der sog. Pronomos-Krater (→ Pronomos-Maler): Auf ihm sind alle an einem → Satyrspiel beteiligten Personen um den im Bildzentrum gelagerten Dionysos herum angeordnet; während einige Choreuten mit der M. in der Hand noch plaudern, beginnt ein Maskierter schon ergriffen zu tanzen [10]. In den ›Bakchen‹ preist → Euripides die Macht des Gottes und treibt dabei ein ambivalentes Spiel mit Schein und Sein, mit göttl. Präsenz und dramatischer Fiktion. Dionysos tritt in Gestalt und M. eines Fremden auf (Eur. Bacch. 4; 53–54) und überredet seinen Widersacher Pentheus, mit ihm ins Gebirge zu ziehen. Als Mänade verkleidet, mit veränderter M. (ebd. 831–833) läuft Pentheus in die Katastrophe, die am Ende durch die → Epiphanie des Dionysos enthüllt wird.

C. Entwicklung der Theatermaske

→ Thespis, der als erster dem trag. Chor als Sprecher gegenübertrat, soll zunächst mit Bleiweiß geschminkt, dann mit M. aufgetreten sein. Vasenbilder bezeugen, daß bis gegen E. des 5. Jh. v. Chr. wenige Merkmale genügten, um eine trag. M. nach Geschlecht, Alter und Stand typologisch festzulegen; ebenmäßige Züge und kaum geöffnete Lippen verrieten keine Leidenschaft. Worin das Dionysische einer solch neutralen M. lag, ist schwer auszumachen [11]. Im 4. Jh. setzte eine Entwicklung zu größerem Realismus und pathetischem Ausdruck ein, der im Hell. voll zum Durchbruch kam und seitdem das gängige M.-Bild bestimmt. Über der Stirn erhob sich nun ein hoher, bogenförmiger Haaraufsatz (ὄγκος, *ónkos*), und die seitwärts herabfallende Mähne verlieh der M. eine starre, fremdartige Würde. Die dargestellten Mythen mußten den Zuschauern schrecklich und wirklichkeitsfern erscheinen.

Die Schauspieler im Satyrspiel behielten die M. der Trag. bei und standen so im krassen Gegensatz zum Chor der Satyrn, dem animalischen Gefolge des Gottes. Deren M. war durch Stülpnase und spitze Tierohren gekennzeichnet, wie es zahlreiche Vasenbilder bezeugen.

Eher lassen sich die M. der Alten Komödie mit dionysischer Ekstase vereinbaren. Sie zeigen vergröbernde, oft das Groteske streifende Gesichtszüge und weit geöffnete Münder; den Kontrast zur trag. M. verdeutlichen paratragodische Szenen wie die Geiselnahme des → Telephos [12. Abb. 1,102 und 11,4]. Daß Zeitgenossen auf der komischen Bühne mit der Porträt-M. vorgeführt sein sollen, wie es Aristoph. Equ. 230–233 witzig suggeriert, scheint technisch ausgeschlossen [13]. Erst spät werden die Komödien-M. verhaltener im Ausdruck, dem Charakter der aufblühenden Neuen Komödie angemessen. Nunmehr bilden sich feste M.-Typen heraus, unterschieden nach Haar- und Barttracht, Gesichtsfarbe und mimischem Ausdruck der Brauen und der Mundpartie (→ Mimik). Der Grammatiker → Iulius [IV 17] Pollux (4,133–154) hat in einem auf hell. Material basierenden Katalog 28 M. für die Trag. und 44 für die Neue Komödie aufgezählt, letztere geordnet nach alten Männern, Jünglingen, Sklaven, alten und jungen Frauen [14; 15]. Reiche Terrakotta-Funde (M. und Schauspieler-Statuetten des 4. und 3. Jh. v. Chr.) aus der Nekropole von Lipari [16] und die Texte des Menandros [4] übertreffen jedoch das Typenschema des Pollux an Variantenreichtum und Komplexität [17].

In Syrakus gab es seit Aischylos griech. Trag.-Aufführungen; in Süditalien verband die Phlyakenposse (→ *phlýakes*) des 4. Jh. Elemente der att. Alten Komödie mit solchen einheimischer Stegreifspiele [12]. Von hier wurden die Römer mit dem M.-Spiel vertraut. Sie übernahmen die M. zunächst nur für die derbe → *Atellana fabula*; da diente sie nicht der Verwandlung, sondern dem Verbergen der eigenen Person, denn die Spieler mußten als freie röm. Bürger anonym bleiben. Anders

## Tragödie

a) Klassische Zeit

b) Hellenismus

## Satyrspiel

Satyr

Papposilen

## Mittlere und Neuere Komödie

Alte Männer

Junge Frau

Jüngling

Hetären

Sklaven

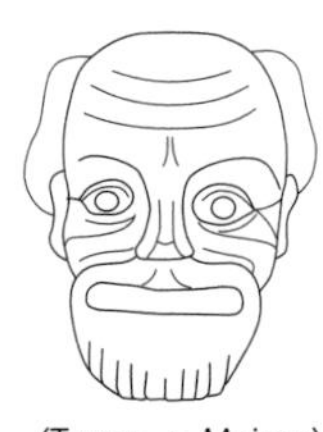

(Typus → Maison)

Griechische Theatermasken

in Trag. und Komödie (seit 240 v. Chr. eingeführt): Sie waren zwar rel. Festen, doch keinem spezifischen M.-Kult zugeordnet, und weil hier Freigelassene und Sklaven agierten, brauchte man keine M. Diese hat vielleicht erst → Cincius [4] Faliscus oder Q. → Roscius hinzugefügt. Unverzichtbar aber waren wechselnde M. für den Pantomimen-Tänzer der Kaiserzeit, der sämtliche Personen eines Mythos allein darstellte (Lukian. de saltatione 66). Im Gegensatz zu den furchterregenden M. der Trag. waren die des Pantomimus prächtig [18].

D. Theaterpraxis

Man sah die M. als theatralisches Requisit an und bezeichnete den M.-Bildner darum mit dem allg. Ausdruck σκευοποιός (*skeuopoiós*: »Hersteller der Ausrüstung«). Die aus Leinen und Gips gefertigte und dann bemalte M. wurde wie ein Visierhelm über den Kopf gestülpt; schneller M.-Wechsel war angesichts der Beschränkung auf drei Schauspieler (→ Hypokrites) vor allem für die Komödie unverzichtbar. Da einige Rollen sogar szenenweise auf verschiedene Sprecher verteilt werden mußten, war die M. zwar mit einer bestimmten Figur, nicht aber mit einem Darsteller und seiner Stimme identifizierbar. In bes. Situationen kehrten Personen mit veränderter M. auf die Bühne zurück: Geblendete (Oidipus; Polymestor) oder Trauernde mit geschorenem Haar (Admetos). Hinweise im Text auf Mienenspiel oder Gesichtsausdruck appellieren an die Phantasie der Zuschauer [19]. Vieles mußte durch → Gebärden verdeutlicht werden; so wurden Schmerz oder Scham durch das Verhüllen des Hauptes ausgedrückt (Hippolytos).

Siegreiche Choregen (→ Choregos) oder Protagonisten haben M. als Weihgaben im Tempel des Dionysos aufgehängt [20]. Daraus mag der Brauch entstanden sein, M. als dekoratives Bau-Element (nicht nur an Theatern) zu verwenden [21; 22]. Zahlreiche M.-Darstellungen auf Fresken und Mosaiken vermitteln uns einen Eindruck von den verlorenen Originalen.

1 Burkert, 171 2 Nilsson, GGR, Bd. 1 3 J.B. Carter, The Masks of Ortheia, in: AJA 91, 1987, 355–383 4 W. Wrede, Der M.gott, in: MDAI(A) 53, 1928, 66–95 5 F. Frontisi-Ducroux, Le dieu-masque: Une figure du Dionysos d'Athènes, 1991 6 Simon, GG, 1969 (³1985) 7 Deubner, 127–134 8 R. Merkelbach, Die Hirten des Dionysos, 1988 9 G.M. Sifakis, Parabasis and Animal Choruses, 1971 10 P.E. Arias, B.B. Shefton, M. Hirmer, A History of Greek Vase Painting, 1962, Taf. 218f. 11 S. Halliwell, The Function and Aesthetics of Greek Tragic Masks, in: Drama 2, 1993, 195–211 12 O. Taplin, Comic Angels, 1993 13 K.J. Dover, Portrait-Masks in Aristophanes, in: R.E.H. Westendorp Boerma (Hrsg.), Komoidotragemata, Studia Aristophanea (FS W.J.W. Koster), 1967, 16–28 14 C. Robert, Die M. der neueren att. Komödie, 1911 15 T.B.L. Webster, J.R. Green, A. Seeberg, Monuments Illustrating New Comedy, Bd. 1, ³1995, 6–51 16 L. Bernabò-Brea, Menandro e il teatro greco nelle terracotte liparesi, 1981 17 P.G. McC. Brown, Masks, Names and Characters in New Comedy, in: Hermes 115, 1987, 181–202 18 M. Kokolakis, Pantomimus and the Treatise περὶ ὀρχήσεως, in: Platon 11, 1959, 3–56 19 R. Löhrer, Mienenspiel und M. in der griech. Trag., 1927 20 J.R. Green, Dedication of Masks, in: RA 1982, 237–248 21 J.-C. Moretti, Des masques et des théâtres en Grèce et en Asie Mineure, in: REA 95, 1993, 207–223 22 H.-U. Cain, Chronologie, Ikonographie und Bed. der röm. M.reliefs, in: BJ 188, 1988, 107–221.

L. Bernabò-Brea, Le maschere ellenistiche della tragedia greca (Cahiers du Centre J. Bérard 19), 1998 • M. Bieber, s.v. M., RE 14, 2070–2120 • H.-D. Blume, Einführung in das ant. Theaterwesen, ³1991, 88–95 • C. Calame, Le récit en Grèce ancienne, 1986, Kap. 4 • F. Frontisi-Ducroux, Du masque au visage. Aspects de l'identité en Grèce ancienne, 1995 • K. Meuli, Altröm. M.-Brauch, in: MH 12, 1955, 206–235 = Gesammelte Schriften, Bd. 1, 251–282 • Pickard-Cambridge/Gould/Lewis • D. Wiles, The Masks of Menander, 1991.

H.-D.B.

**Maskelli Maskello** (Μασκελλι Μασκελλω). Die ersten beiden »Namen« in einem der gebräuchlichsten *lógoi* (→ *lógos* II. 2) in graeco-ägyptischen magischen Texten (→ Magie). Der *lógos* tritt hauptsächlich in sog. *agṓgima* (gewaltsamen Liebeszaubern; z.B. PGM IV 2755–2757, XIXa 10f.) auf, erscheint jedoch auch in anderen Gattungen (nicht bei Schutz verleihenden Amuletten) und wird oft ausdrücklich als eine Formel der »Notwendigkeit« identifiziert (z.B. *katá tēs pikrás Anánkēs*, ›gemäß der bitteren *Anánkē*‹, PGM VII 302; vgl. XII 290f.). Der Vorschlag, M.M. sei von hebr. *mśkel*, »Lobpsalm« abgeleitet und stelle eine Art »rezitatorischen Vermerk« dar [1], ist zu bezweifeln: M.M. erscheint z.B. nicht in den aramäischen Beschwörungsschalen. Der *lógos* ist aus zwei Gründen signifikant: Er gehört zu den wenigen Formeln, die griech. und dem Griech. ähnliche Worte inkorporieren; und die Spannbreite der formalen Variationen zeigt, daß die *lógoi* idealerweise zwar fixiert, in der Praxis aber den expressiven Bedürfnissen des Kontexts untergeordnet waren.

→ Magie

1 H.J. Thissen, Ägyptolog. Beitr. zu den griech. magischen Papyri, in: Rel. und Philos. im alten Ägypten. FS für Ph. Derchain (Orientalia Lovaniensia Analecta 39), 1991, 298f.

Z. Ritoók, Ein neuer griech. Zauberpapyrus, in: Acta Antiqua Academiae Scientiarum Hungaricae 26, 1978, 433–456, hier 437–442.

R.GOR.

**Masonitai.** Nach Ptol. 6,7,25 (Μασονῖται) Stamm südwestl. des *Klímax óros* (Κλῖμαξ ὄρος, h. Ǧabal Išbīl) in → Arabia Felix. Hängt wohl mit *maṣanī* (»Festungen«) zusammen.

H. v. Wissmann, Zur Gesch. und Landeskunde von Altsüdarabien (SAWW, Philos.-histor. Klasse 246), 1964, 415.

I.T.-N.

**Masora, Masoreten.** Weil das hebräische Alphabet ein Kons.-Alphabet ist und somit keine Vok. ausdrückt, können geschriebene Wörter häufig unterschiedlich ausgesprochen und gedeutet werden. Um diesem Problem zu begegnen, wurden bereits früh einzelne Kons.-Zeichen auch als Vokalzeichen (*matres lectiones*) benutzt (sog. Plene-Schreibung; vgl. schon für das 9. Jh. v. Chr. in aram. Dokumenten oder in der Siloah-Inschr. aus dem 7. Jh. v. Chr.). Zu einer definitiven Sicherung der Aussprache des hl. Textes wurde darüber hinaus die sog. M. (»Überlieferung«, von hebr. *msr*, »überliefern«) entwickelt, die sowohl die Vokalzeichen und Akzente des Bibeltextes selbst als auch verschiedene Randbemerkungen zum Bibeltext umfaßt. Ab ca. dem 6. Jh. n. Chr. benutzten jüd. Gelehrte, Masoreten gen., nach dem Vorbild der älteren syr. Vokalisation diakritische Zeichen zur Festlegung des Vokalbestandes und der Qualität einzelner Kons. Am Anf. entstanden relativ einfache Systeme, die die Vok. oberhalb des entsprechenden Kons. markieren (»supralineare Punktation«), wobei man sich in Babylonien und Palaestina unterschiedlicher Zeichen bediente. Vom ausgehenden 8. bis zum Beginn des 10. Jh. n. Chr. war → Tiberias das Zentrum der masoretischen Arbeit; hier wurde die sog. tiberische Punktation geschaffen, die die Vok. in der Regel unterhalb der Kons. plaziert und die, da sie auch Längen und Kürzen beachtet, weitaus differenzierter ist als die früheren Systeme. Am bedeutendsten innerhalb der tiberischen Schulen war die Familie Ben Ascher; ihr Punktationssystem findet sich in der Biblia Hebraica Stuttgartensia, die auf dem Cod. Firkowitsch (früher Cod. Leningradensis) aus dem Jahre 1008 basiert.

Die Bemerkungen der Masoreten, die neben dem Bibeltext abgedruckt sind, bilden die M. im engeren Sinne. Dabei unterscheidet man zw. der Rand-M. mit *M. Magna* und *M. Parva* sowie der Schluß-M. In der *M. Parva*, die sich am rechten bzw. linken Rande des biblischen Textes befindet, wird angemerkt, wenn ein Begriff anders gelesen werden muß, als dies der traditionelle Text festschreibt (sog. K^e^tīḇ-Q^e^rē); außerdem ist festgehalten, wie häufig bestimmte Worte und Formen in der Schrift erscheinen und wo exegetisch auffällige Begriffe vorliegen. Die *M. Magna* – urspr. am oberen und unteren Rand (Ausgabe [1]) vorliegend – führt die betreffenden Stellen in Listen auf. Die Schluß-M. endlich macht – jeweils am E. eines B. – Angaben über die Anzahl der in dem betreffenden B. verwendeten Worte und Buchstaben. Auf diese Art und Weise soll der biblische Text vor Veränderungen jeglicher Art, wie sie v. a. beim Abschreiben auftreten könnten, geschützt werden.

→ Bibel

1 A. Dotan, s. v. Masorah, Encyclopaedia Judaica 16, 1971, 1402–1482 2 E. Tov, Der Text der Hebr. Bibel. Hdb. der Textkritik, 1997, Index s. v. M. 3 G. E. Weil (ed.), Massorah Gedolah iuxta codicem Lenigradensem B19a, Bd. 1: Catalogi, 1971 4 E. Würthwein, Der Text des Alten Testaments. Einführung in die Biblia Hebraica, [5]1988, 13–37. B. E.

**Massa** (lat. für »Klumpen«); formlose Masse bes. von Rohmetall (wie *m. auri, obryzae, argenti, ferri,* etc.) im Gegensatz zu *ramentum* (kleines Stück) und *regula* (Barren). Das bei der röm. kaiserlichen Kasse eingehende Rohgold war einer *scrinium aureae massae* gen. Behörde mit einem *primicerius sacrae m.* unter der Aufsicht des *comes sacrarum largitionum* (→ Comes A.) anvertraut (Cod. Iust. 12,23,7,7; 12,23,7,16 von 384; Not. dign. occ. 11,92; 11,95; Not. dign. or. 13,26; 13,29); das Rohsilber dem *scrinium ab argento*.

1 W. Ensslin, s. v. M. (3), RE 14, 2122 2 Schrötter, 376. DI. K.

**Massa Veternensis.** Stadt in Etruria, Geburtsort des Constantius [5] (Amm. 14,11,27), evtl. die bei Massa Marittima (Grosseto) nachgewiesene ant. Siedlung auf dem Gebiet von Vetulonia mit Nekropolen am Lago dell'Accesa im Bergbaurevier Colline Metallifere, in dem man Kupfer, Eisen, Blei und Silber gewann. Belege aus dem Neolithikum sind spärlich, etwas reichhaltiger dagegen aus dem Äneolithikum und der Brz., bes. zahlreich aber von der Eisenzeit bis zur röm. Kaiserzeit. Gleichzeitig mit dem Niedergang von → Vetulonia wird die Siedlung um den Lago dell'Accesa wie andere aus dem Hinterland von Vetulonia im 6./5. Jh. v. Chr. verlassen worden sein. Aber das Leben in M. V. sollte sich auf dem Poggio Castiglione von neuem entfalten: Im 4./3. Jh. v. Chr. wurde ein ca. 1 ha großes Gebiet urbanistisch erschlossen (Mauer, Gebäude an senkrecht zueinander verlaufenden Straßen). Der arch. Befund (Terra Sigillata, Öllampen, Gläser) reicht in den beiden Gebieten von Accesa und Poggio Castiglione bis in die hohe Kaiserzeit.

D. Levi, La necropoli etrusca del Lago dell'Accesa, in: Monumenti Antichi 35, 1933, 11 ff. • G. Camporeale (Hrsg.), L'Etruria mineraria, 1985 • Ders. (Hrsg.), Massa Marittima. Museo Archeologico, 1993 • Ders. (Hrsg.), L'abitato etrusco dell'Accesa. Il quartiere B, 1997. GI. C./Ü: H. D.

**Massabatai** (Μασσαβάται, Μεσσαβάται, lat. *Messabatae*). Bewohner der nach ihnen benannten Landschaft Massabatike (Μασσαβατική, Μεσ(σ)αβατική) in der südl. → Media bzw. nördl. Elymaïs (Strab. 11,13,6; 16,1,18; Plin. nat. 6,134), oder – weniger wahrscheinlich – südl. der Elymaïs im nördlichsten Teil der → Persis (Ptol. 6,4,3; vgl. Plin. nat. 6,135).

R. N. Frye, The History of Ancient Iran, 1984, 89. H. KA.

**Massaga** (Massaka). Hauptstadt der Assakenoi im h. Swat westl. des Indus, altindisch Maśakāvatī; von Alexander d. Gr. erobert. Bei Ausgrabungen an Nachbarstätten wurden u. a. hell. Mauerreste gefunden.

P. Callieri u. a., Bir-Kot-Ghwandai 1990–1992 (Annali. Istituto Universitario Orientale 52, Suppl. 73), 1994. K. K.

**Massalia** (Μασσαλία, lat. *Massilia*), h. Marseille.
A. Gründung
B. Entwicklung bis ins 3. Jh. v. Chr.
C. Massalia und Rom

A. Gründung

Gegen 600 v. Chr. gründeten Phokaioi M. (→ Kolonisation IV.), beeindruckt von den Möglichkeiten, die sich aus der Nähe der Rhône und der Felsbucht Lakydon für die Anlage und Sicherung des Hafens ergaben (Gründungslegenden bei Aristot. fr. 549 Rose = Athen. 13,576a; Iust. 43,3,4–13). Die Anf. von M. lassen sich top. schwer fassen; vor Ankunft der griech. Siedler gab es wohl keine feste Siedlungsanlage. Die ersten phokaiischen Siedler nahmen offenbar nur einen Teil des nachmaligen Stadtgebiets in Anspruch (Fort Saint-Jean, s. Lageplan Nr. 1, und Anhöhe des Butte Saint-Laurent, s. Lageplan Nr. 2–4); sehr schnell aber dehnte sich die Stadt zur benachbarten Butte des Moulins und ab E. des 6. Jh. v. Chr. bis zur Butte des Carmes (s. Lageplan Nr. 28) und zum h. Börsenviertel (s. Lageplan Nr. 33) aus, wo Spuren einer archa. Befestigungsanlage (ca. 510–500 v. Chr.) [1. 186–190] gefunden wurden. Der Status dieser ersten Siedlung – → *empórion* oder Kolonie – bleibt strittig wie auch die Rolle der Phokaioi, die nach der Einnahme von → Phokaia durch die Perser (zw. 545 und 540 v. Chr.) [2; 3] nach M. gekommen waren. In diesen Jahren setzten die Herstellung von Amphoren [4] und die Mz.-Prägung ein [5. 245–260]. M. entwickelte sich schnell zu einer wirtschaftlichen Macht, gefördert durch das Fehlen größerer Nachbarstädte (griech., etr. oder phöniz.) und durch das fruchtbare Hinterland (Wein, Oliven, Getreide). Darüber, wie weit die Stadt ihr Umland beherrschte, läßt sich nur wenig sagen; ihre geopolit. Lage ermöglichte es ihr, den Handel zw. der iberischen Welt und den griech. Siedlungen ebenso wie die Zugangswege ins Zentrum des kelt. Europa zu kontrollieren. Nach der Schlacht bei Alalia (→ Aleria; 537 v. Chr.) mußte M. die iberischen Positionen an → Karthago abtreten. Eine Schenkung (Apollon-Statue, Paus. 10,18,6) an das Heiligtum von Delphoi im J. 525 v. Chr. macht deutlich, wie wohlhabend M. damals dennoch gewesen sein muß.

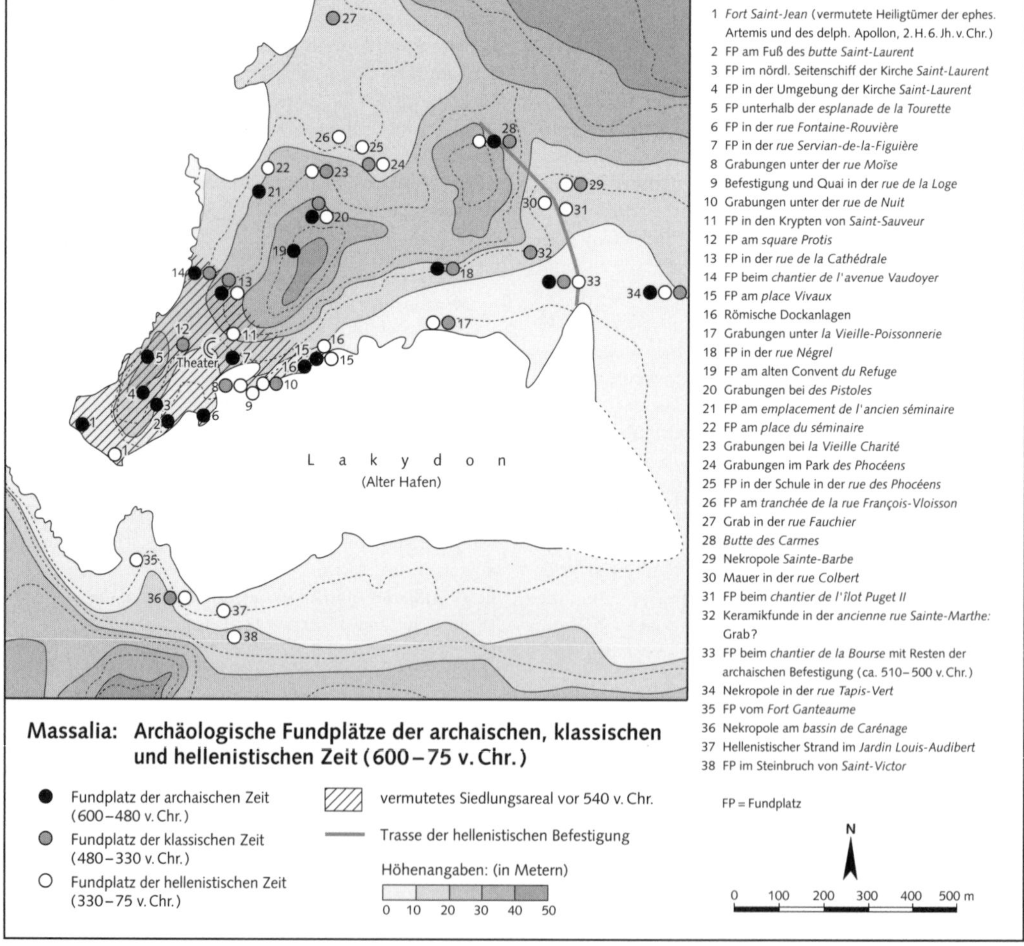


**Massalia: Archäologische Fundplätze der archaischen, klassischen und hellenistischen Zeit (600–75 v. Chr.)**

B. Entwicklung bis ins 3. Jh. v. Chr.

Nach einer Zeit wirtschaftlicher und polit. Stagnation im 5. Jh. v. Chr., verursacht durch die Expansion von Karthago, entwickelte sich M. bedeutend. Die Top. der Stadt bleibt zwar größtenteils im dunkeln, aber man weiß, daß das Gebiet von M. ca. 50 ha umfaßte – M. war somit eine der größten Städte im westl. Mittelmeerraum. M. breitete sich gegen 300 v. Chr. weiter nach Norden aus (rue Leca) und erreichte so die Ausdehnung, die es bis zum E. des Alt. und darüber hinaus behielt. Im 3. und 2. Jh. v. Chr. war M. von einer großen Mauer umgeben; Mauern untergliederten auch die Stadt selbst in drei Bereiche. Nach Strab. 4,1,4 gab es in M. Heiligtümer der Artemis von Ephesos und des Apollon von Delphoi, wohl dort, wo h. das Fort Saint-Jean liegt [1. 193]. Die Kalender von Lampsakos und Phokaia nennen die Namen weiterer Gottheiten: Dionysos, Apollon Thargelios, Leukothea, Kybele [5. 141–150]. M. wurde von einer Kaufmanns-Oligarchie mit einem Rat von 600 *timúchoi* unter der Führung eines fünfzehnköpfigen Vorstands geleitet (Strab. 4,1,5). Im 4. Jh. v. Chr. erforschte → Pytheas aus M. die gallische Atlantik-Küste und segelte die bretonischen Küste entlang. Im 3. Jh. v. Chr. beherrschte M. das ganze Rhône-Delta. M. hatte außerdem seit dem 6. Jh. v. Chr. Stützpunkte an den Küsten und im Landesinneren gegr., so Emporion (→ Emporiae) an der iberischen Küste, an der gallischen Küste → Agatha, Tauroeis bzw. Tauroention (h. Le Brusc-Six-Fours), Olbia, → Antipolis (Antibes) und Nikaia (Nice), im Landesinneren Theline (→ Arelate), Rhodanusia (Espeyran?), Avennion (h. Avignon) und Kaballion (Cavaillon). Durch diese Gründungen trug M. wesentlich dazu bei, Süd- und Mittel-Gallien an den Wirtschaftsraum und an die kulturellen Zentren am Mittelmeer anzubinden.

C. Massalia und Rom

Die Gesch. der Beziehungen zw. M. und Rom war stark von M.s geostrategischer Position zw. It. und Spanien geprägt, ferner durch seine Nachbarschaft zu bestimmten Völkern (→ Ligures, → Vocontii, → Salluvii), die M. bedrohten, was M. durch die Errichtung einer neuen Befestigung im 2. Jh. v. Chr. [1. 194ff.] beantwortete. Die Beziehungen zw. M. und Rom waren über einen langen Zeitraum sehr positiv: M. stand Rom gegen → Hannibal bei (so anläßlich des röm. Siegs am Ebro 217 v. Chr. [5. 58–61], → Punische Kriege) und unterstützte Roms diplomatische Bemühungen in der Region; M. rief die Römer ab Anf. des 2. Jh. v. Chr. mehrfach zu Hilfe (181, um sich der ligurischen Piraten zu entledigen; 154 gegen die Oxybii und die → Deciates, die Nikaia und Antipolis belagerten). Diese Interventionen zugunsten M.s lagen auch im Interesse Roms, sich die Passage von It. nach Spanien zu sichern. 125 v. Chr. bat M. um Hilfe gegen die Salluvii, die das Territorium der Stadt verwüsteten. Der Feldzug, den die Römer daraufhin unternahmen und an dem wahrscheinlich Kontingente aus M. beteiligt waren, sollte zur Unterwerfung der ganzen Region führen, die künftig nur noch den Status einer röm. Prov. (Gallia Transalpina) hatte. Die Stellung von M. blieb ungeschmälert, aber Rom konnte jetzt zwei Haupthandelswege kontrollieren: den Rhône-Korridor und die alte Zinn-Straße (die Achse Aude – Garonne – Gironde). Im J. 49 v. Chr. belagerte Caesar die Stadt, die sich auf die Seite des Pompeius geschlagen hatte (Caes. civ. 1,34–36; 56–58; 2,1–16; 22). Sie verlor wesentliche Teile ihres Territoriums, bewahrte jedoch ihre Autonomie und stellte während der Kaiserzeit immer wieder ihre Vitalität unter Beweis, selbst als sie in den Schatten von Narbo Martius (Narbonne) und Arelate (Arles) geriet.

Ant. Bauwerke: Wasserbauten (Thermen, Quellfassungen, Zisternen, Aquädukte, Kanalisation), ein röm. Theater, Hafenanlagen (von archa. bis in röm. Zeit) [1. 196; 5. 109–121; 6], Begräbnisstätten aus allen Epochen. Quellen: Strab. 4,1,4f.; Aristot. pol. 1305b; 1321a; Plin. nat. 3,34.

1 H. Tréziny, Marseille grecque, in: Rev. Archéologique 1997, 185–200 2 J. Brunel, Marseille et les fugitifs de Phocée, in: REA 50, 1948, 5–26 3 M. Gras, L'arrivée d'immigrés à Marseille au milieu du VI[e] s. av. J.-C., in: P. Arcelin (Hrsg.), Sur les pas des Grecs en Occident (Ét. Massaliètes 4), 1995, 363–366 4 M. Bats (Hrsg.), Les amphores de Marseille grecque (Ét. Massaliètes 2), 1990 5 Ders. u. a. (Hrsg.), Marseille grecque et la Gaule (Ét. Massaliètes 3), 1992 6 A. Hesnard, Les ports antiques de Marseille, Place Jules-Verne, in: Journ. of Roman Archaeology 8, 1995, 65–78.

M. Bats, Commerce et politique massaliètes aux IV[e] et III[e] s. av. J.-C., in: PdP 37, 1982, 256–268 • A. Brugnone, In margine alle tradizioni ecistiche di M., in: PdP 50, 1995, 46–66 • M. Clavel-Lévêque, Marseille grecque, 1977 • D. und Y. Romand, Histoire de la Gaule, 1997 • F. Salviat, s. v. M., PE, 557f. Y.L./Ü: S.F.

Karten-Lit.: M. Bats u. a. (Hrsg.), Marseille grecque et la Gaule (Ét. Massaliètes 3), 1992, passim, bes. 73, 78, 84. • R. Chevallier, Gallia Narbonensis, ANRW II.3, 686–828, bes. 713, Abb. 9; 747, Abb. 35.

## Maße

I. Alter Orient II. Klassische Antike

### I. Alter Orient

Auch wenn die einzelnen grundlegenden M.-Systeme, Längen-, → Hohl-Maße und → Gewichte, unabhängig voneinander entstanden und definiert sind, so wurden doch zumindest in Mesopot. wechselseitige Relationen etabliert.

Die Bezeichnungen für Längen-M. beruhen im Alten Orient wie anderswo auf Körperteilen (Elle, Hand- und Fingerbreite), während der Fuß hier nicht begegnet. Zudem sind regionale und zeitliche Differenzen zu berücksichtigen.

Die babylon. »Elle« (sumer. kùš, akkad. *ammatu*, üblicherweise ca. 50 cm; im 1. Jt. v. Chr. daneben die »große Elle« zu 75 cm) wird in 30 »Finger« unterteilt, im 1. Jt. auch in 24 Finger (je 2,083 cm). Letztere Einteilung der »Elle« (*'mh*, etwa 50 cm?) kennt auch das Längen-M.-System des AT (= 2 Spannen = 6 Handbreiten). »Spannen« und »Handbreiten« begegnen nur selten in mesopot. Texten. Ähnlich setzt sich das äg. Basismaß, die seit der 3. Dyn. (2635–2570 v. Chr.) belegbare »Elle« (*mḥ*) zu ca. 52,5 cm aus 7 Handbreiten zu je 4 Fingerbreiten (je 1,87 cm) zusammen.

Größere Längen-M. leiten sich in Äg. von der Elle ab (100– bzw. 1000faches), das größte Längen-M. *jtrw* beträgt etw 20000 Ellen = 10,5 km. Das *nbj*-Maß als Längen-M. der Handwerker wird wie andere Längen-M. in seiner exakten Bestimmung noch diskutiert. In Mesopot. ist das gesamte Längenmaß-System auf die Elle beziehbar, etwa: 1 »Rohr« = 6 Ellen (3 m) im frühen Babylonien (3.–2. Jt.), 7 Ellen (3,5 m) in Nordmesopot. und im 1. Jt.; 2 Rohr = 1 »Rute«; 1 »Meßleine« = 120 Ellen (60 m); die »Meile« (*bēru* = 1800 Ruten = 21 600 Ellen, 10,8 km) als größtes Längen-M.

Von den hethit. Längen-M. ist nur der »Finger« (*kalulupa*) als kleinste Einheit sicher deutbar; *gipeššar* entspricht wohl der Elle (daher ca. 50 cm), größere Längen-M. betragen das 30– bzw. 3000fache. Das AT kennt für größere Strecken nur Alltagswerte wie »Tagesreise« oder »Bogenschuß«.

Das Messen von Längen erfolgte mit Meßstäben, von denen aus Babylonien (E. 3. Jt.) und insbes. aus Äg. einige Exemplare erh. sind, für größere Strecken mit Meßleinen.

In Mesopot. gingen Längen-M. in zwei Systemen in die Astronomie ein: 1 Elle entspricht 5 Sonnendurchmessern (2,5°); bzw. 1 »Meile« = 30° = 2 Stunden (identische Zeit Wegstrecke bzw. Weg der Sonne). Zeitmessung konnte jedoch auch in Gewicht erfolgen (Wasseruhr).

In Mesopot., Äg. und bei den Hethitern werden von den Längen-M. → Flächen-Maße abgeleitet, von diesen wiederum die selten bezeugten Raum-M. Hohl-M. bilden ein eigenes System, das urspr. von (normierten) Behältern abgeleitet wurde. Das Standard-System Mesopot.s dürfte Hohl- und Raum-M. verbinden, zudem scheint eine Relation zwischen Hohl-M. und Gewicht zu bestehen. Eine enge Zusammengehörigkeit besteht auch zw. Hohl- und Flächen-M. aufgrund der erforderlichen Menge an Saatgut.

→ Mathematik

D. Ahrens, R. C. A. Rottländer (Hrsg.), Ordo et Mensura IV-V, 1998 • H. Büsing, Metrologische Beiträge, in: JDAI 97, 1982, 1–45 • W. Helck, S. Vleeming, s. v. M. und Gewichte, LÄ 3, 1199–1214 • M. A. Powell, s. v. Weights and Measures, Anchor Bible Dictionary 6, 1992, 897–908 • Ders., Th. van den Hout, s. v. M. und Gewichte, RLA 7, 458–530 • E. Roik, Das Längen-M.-System im alten Äg., 1993. WA. SA.

Über das System der Längen-M. im achaimenidischen Iran ist wenig bekannt. Keine Angaben finden sich in den elamitischen Verwaltungsurkunden aus Persepolis. Aus arch. Befunden (Ziegel-M., Gründungstafeln usw.) hat man ein Verhältnis zw. Fuß und Elle von 2:3 erschlossen. Die Ergebnisse hinsichtlich der Länge von Fuß (± 34 cm) und Elle (± 51 cm) schwanken. Griech. Autoren (z. B. Xen. an.) nennen die → Parasange (ca. 5–6 km). Ein größeres Längen-M. (»Bogen« zu etwa 19 km) wird aus der aram. Inschr. des Aśoka erschlossen. Die spätere iran. Überl. im Avesta kennt die Namen von Längen-M. (wie Elle, Fuß, Schritt, Faden, Rohr).

A. D. H. Bivar, Achaemenid Coins, Weights and Measures, in: Cambridge History of Iran 2, 1985, 625–630. J. RE.

## II. Klassische Antike

Wie im Alten Orient und in Ägypten, so basierten auch die verschiedenen Maßsysteme der klass. Ant. auf Einheiten, die zunächst weitgehend auf Körperteile oder andere natürliche Parameter zurückführbar sind. Insbes. ist dies bei den Längenmaßen und den hiervon unmittelbar abgeleiteten → Flächenmaßen der Fall; ob und in welchem Umfang → Gewichte und → Hohlmaße im Sinne heutiger geschlossener metrologischer Systeme ebenfalls mit den Längenmaßen korrelierten, wird in der Forsch. kontrovers diskutiert. C. HÖ.

### A. Längenmasse

Längenmaße stehen am Beginn aller metrologischen Systeme, noch bevor von den Menschen Gegenstände gewogen oder Flüssiges abgemessen wurde. Während man mit den Maßen von Finger, Arm oder Fuß kleinere Einheiten erfassen konnte, orientierten sich die größeren Dimensionen an den Bedürfnissen der Menschen, indem man sie in Schritten oder Tagereisen definierte. Metrologische Reliefs zeigen Teile einer männlichen Gestalt mit ausgebreiteten Armen, neben der noch ein Unterarm, ein Fuß und eine gespreizte Hand mit Fingern sowie ein Maßstab zu erkennen sind, aus deren Ausmessung u. a. Einheiten für Spanne, Fuß und Elle ermittelt werden können.

Grundeinheit der Längen-M. ist die Elle (πῆχυς/ → *pḗchys*, lat. → *cubitus*), die den Unterarm bis zur Spitze des Mittelfingers umfaßt und nach Hultsch 46,2 cm [6. 697 Tab. II B], nach Nissen 44,4 cm [7. 836 Tab. II] mißt. Sie ist unterteilt in 2 Spannen (σπιθαμή/→ *spithamḗ*; das Maß der gespreizten Hand von der Daumenspitze bis zur Spitze des kleinen Fingers zu ca. 23 cm), ferner in 6 Handbreiten (παλαιστή/→ *palaistḗ*, lat. *palmus*) zu ca. 7,5 cm sowie in 24 Fingerbreiten (δάκτυλος/ → *dáktylos*, lat. *digitus*) zu ca. 1,9 cm.

Zweite Grundeinheit neben der Elle ist der Fuß (πούς/→ *pus*, lat. → *pes*), der bei den Griechen und Römern mit ⅔ der Elle angesetzt wird. Er mißt nach Hultsch in Griechenland 30,7 cm [6. 697 Tab. II B] und in Rom 29,5 cm [6. 700 Tab. VI B], nach Nissen 29,6 cm [7. 836 Tab. II] und entspricht 4 Hand- bzw. 16 Fingerbreiten. Als gängige Vielfache des Fußes finden sich (in der Regel für Angaben von Entfernungen): → *passus* (βῆμα διπλοῦν/*bḗma diplún*) zu 5 Fuß (1,48 m), → *decempeda* (ἄκαινα/→ *ákaina*, κάλαμος/*kálamos*) zu 10 Fuß (2,96 m) sowie *milia* (μίλιον, *mílion*) zu 5000 Fuß (1481,5 m) [6. 701 Tab. VII; 7. 838 Tab. III A-C]. Daneben existieren im Griech. mit Variationen nach dem verwandten Fußmaß: πλέθρον (→ *pléthron*) zu 100 Fuß (HULTSCH 30,8 m/NISSEN 29,6 m), στάδιον (→ *stádion*) zu 600 Fuß (HULTSCH 185 m/NISSEN 177 m) sowie ἱππικόν (*hippikón*) zu 2 400 Fuß (HULTSCH 740 m/NISSEN 708 m) [6. 697–698 Tab. II B, III A; 7. 836 Tab. II], wobei Entfernungen auch nach der für einen bestimmten Weg zu bemessenden Zeit angegeben wurden, z. B. Zweiminutenweg (στάδιον/*stádion*) oder Wegstunde (σχοῖνος/→ *schoínos*, ca. 6300 m). Röm. Wegmaße sind die Meile (*mille passus*, Pl. *milia passuum*, Abk. MP) zu 1481,5 m sowie die in Gallien und Germanien verbreitete → *leuga* (Abk. L) zu 2200 m, entsprechend 1½ Meilen.

An Instrumenten zur Messung von Längen existieren aus röm. Zeit Klappmaßstäbe aus Messing (»Bronze«), seltener aus Holz oder Bein, die in ihrer Länge dem röm. Fuß zu 29,6 cm entsprechen und skalierte Unterteilungen in 16 *digiti* oder nach dem unzialen System in 12 *unciae* aufweisen. Letzteres teilt den röm. Fuß nach dem Duodezimalsystem in 12 Teile zu jeweils 2,47 cm [1. 35–36]. Ein Fußmaß in Stein, das ebenfalls in 16 *digiti* unterteilt ist, wurde in Gortyn gefunden [5. 473 und Abb. 115].

→ Flächenmaße; MASSE UND GEWICHTE; METROLOGIE

1 K. W. BEINHAUER (Hrsg.), Die Sache mit Hand und Fuß – 8000 Jahre Messen und Wiegen, 1994 2 H. BÜSING, Metrologische Beiträge, in: JDAI 97, 1982, 1–45
3 H. CHANTRAINE, H.-J. SCHULZKI, Bemerkungen zur kritischen Neuaufnahme ant. Maße und Gewichte, in: Saalburg-Jahrbuch 48, 1995, 129–138
4 I. DEKOULAKOU-SIDERIS, A Metrological Relief from Salamis, in: AJA 94, 1990, 445–451 5 M. GUARDUCCI, Epigrafia Greca 2, 1969 6 F. HULTSCH, Griech. und röm. Metrologie, ²1882 (Ndr. 1972) 7 H. NISSEN, Griech. und röm. Metrologie, in: Hdb. der klass. Alt.wiss. 1, ²1892
8 R. C. A. ROTTLÄNDER, Ant. Längenmaße – Unt. über ihre Zusammenhänge, 1979 9 Ders., Die Standardfehler der Methoden der überkommenen Histor. Metrologie, in: D. AHRENS, R. C. A. ROTTLÄNDER (Hrsg.), Ordo et Mensura V. (5. Internationaler Interdisziplinärer Kongreß für Histor. Metrologie München 1996), 1998
10 H. WITTHÖFT, Zur Feststellung der Maße seit der Ant., in: D. AHRENS, R. C. A. ROTTLÄNDER (Hrsg.), Ordo et Mensura III. (3. Internationaler Interdisziplinärer Kongreß für Histor. Metrologie Trier 1993), 1995. H.-J. S.

## B. LÄNGENMASSE IN DER ANTIKEN ARCHITEKTUR

Verschiedene teils frg., teils recht vollständig erh., von der jüngeren arch. Bauforschung viel diskutierte griech. Bauinschr. dokumentieren die erhebliche Bed. von Längenmaßen, bes. des Fußmaßes (→ *pus*), im Kontext von Bauplanung und Baurealisation (z. B. die Bauinschriften aus Eleusis [1] und Epidauros sowie die *syngraphḗ* zum Arsenal des → Philon im Piräus; vgl. auch → Bauwesen). Es existiert jedoch bis h. allein in Gestalt der Erechtheion-Bauurkunden (IG I² 372 ff., → Athenai [1]) ein hinreichend exakt dokumentierter Fall, aus dem über einen Zusammenschluß von erh. Inschr. und dem gleichermaßen erh. Bauwerk Klarheit über das zur Errichtung verwendete Fußmaß gewonnen werden konnte; der »Erechtheion-Fuß« betrug im Mittelwert (gemessen an den mit 4×2×1,5 Fuß verzeichneten, vielfach ausgeführten Norm-Quadern der Wand des Bauwerks) ca. 32,7 cm bei einer maximal zu konstatierenden Schwankung von 2 cm.

Im Zuge mod. Vermessungen ant. Architekturen, die sich indessen meist nicht schlüssig in ein ant. Maß- bzw. Proportionsgefüge rückübertragen lassen (→ Proportionen), gilt als gesicherte Erkenntnis, daß mindestens im Kontext der griech. Säulen- und Quader-Architektur des 6.–4. Jh. v. Chr. verschiedene Fußmaße Anwendung gefunden haben; mithin muß die griech. Polis-Welt (wie etwa auch im Bereich der → Gewichte) entsprechend den dt. Kleinstaaten des 18. und frühen 19. Jh. über verschiedene, durchaus miteinander inkompatible Maßsysteme verfügt haben. Fundamentaler Forschungsdissens herrscht jedoch zum einen in der Frage nach der Anzahl und der präzisen Definition dieser Maße, zum anderen bezüglich verschiedentlich gut begründeter Überlegungen, Architekturen dieser Zeit seien nicht ausschließlich nach Fuß-, sondern bisweilen auch nach Modul-Maßen (Embateren) konzipiert und realisiert worden, wie etwa Vitruv sie für das röm. Bauwesen beschrieben hat (→ Vitruvius). So läßt sich etwa das insgesamt hochkomplizierte, dabei beim Bau vielfach recht ungenau ausgeführte Maßgefüge des → Parthenon auf der Athener Akropolis vermittels eines *modulus* von 28,627 cm weitaus widerspruchsfreier beschreiben als direkt und unmittelbar mit jedem bislang erwogenen, vermeintlich authentischen ant.-griech. Fußmaß – ein Grundmaß, das exakt 14/16 (= 14 → *dáktyloi*) des auf der Akropolis definitiv belegten Erechteion-Fußes von ca. 32,7 cm betragen hat (→ Parthenon).

Anders als im ant. Griechenland findet sich im zentralistisch und dirigistisch organisierten ant. Rom ein Fußmaß von ca. 29,5 cm, das im Bereich der Architektur bzw. der Bauplanung als Grundmaß weitestgehende Verbindlichkeit erfahren hat.

→ Flächenmaße; Gewichte; Hohlmaße; MASSE UND GEWICHTE; METROLOGIE

H. BANKEL, Zum Fußmaß att. Bauten des 5. Jh. v. Chr., in: MDAI(A) 98, 1983, 65–99 • Ders., Moduli an den Tempeln von Tegea und Stratos? Grenzen der Fußmaßbestimmung, in: AA 1984, 413–430 • Ders., Akropolis-Fußmaße, in: AA 1991, 151–163 • H. BÜSING, Metrologische Beitr., in: JDAI 97, 1982, 1–45 • Ders., Zur Bauplanung att.-ion. Säulenfronten, in: MDAI(A) 100, 1985, 159–202 • CH. HÖCKER, Planung und Konzeption der klass. Ringhallentempel von Agrigent, 1993, 36–59 • W. KOENIGS, Maße und Proportionen in der griech. Baukunst, in: H. BECK (Hrsg.), Polyklet. Der Bildhauer der griech. Klassik, Ausst.-Kat. Frankfurt/Main 1990, 121–134 • D. MERTENS, Entgegnungen zu den Entwurfshypothesen von J. de Waele, in: AA 1981, 426–430 • Ders., Der Tempel von Segesta und die dor. Tempelbaukunst des griech. Westens in klass. Zeit, 1984, 43–45; 175–186 • L. SCHNEIDER, CH. HÖCKER, Die Akropolis von Athen, 1990, 129–137 • J. DE WAELE, Der Entwurf der dor. Tempel von Akragas, in: AA

1980, 180–241 • B. WESENBERG, Zum metrologischen Relief in Oxford, in: MarbWPr 1975/76, 15–22 • Ders., Beiträge zur Rekonstruktion griech. Architektur nach lit. Quellen, 9. Beih. MDAI(A), 1983. C.HÖ.

**Massieni** (Mastieni). Iberischer Stamm an der span. SO-Küste (Avien. 422; 425; 450), mit Wohnsitzen vom Flusse Chrysus (h. Guadiaro) bis → Carthago Nova [1. 52, 197, 186f.]. Hauptort war Mastia (vgl. Pol. 3,24,2; 4, hier Ταρσήιον/*Tarséion* gen., gehörte also wohl zum Einflußbereich von → Tartessos). Möglicherweise gründete → Hasdrubal [2] um 221 v.Chr. Carthago Nova auf dem Boden von Mastia. An die Stelle der M. traten später die → Bastetani, die evtl. mit ihnen zu identifizieren sind [2].

1 A. SCHULTEN (Hrsg.), Fontes Hispaniae Antiquae $1^2$, 1955 2 TOVAR 2, 26.

TOVAR 2, 27f. P.B.

**Massinissa** (lat. M. oder Masinissa, griech. Μασσανάσσης (Pol.), Μασαννάσας (inschr.), numid. Namensform Massanassa). M. lebte ca. 230–148 v.Chr. (Pol. 36,16); Sohn des ostnumid. Massylerfürsten (→ Massyli) Gaia (IG XI 4, 1116; 1115 = Syll.[3] 652: Delos kurz vor 167 v.Chr.; IDélos 1577; Liv. 24,49,1); in Karthago erzogen (App. Lib. 10,37). Seit 212 v.Chr. war er in Spanien Kommandeur eines numidischen Kavalleriecorps im Dienst → Hasdrubals [3]. Hier siegte er bei → Castulo 211 v.Chr. über die röm. Truppen (App. Lib. 10,37; Liv. 25,32–36). 208 operierte er bei → Carthago Nova (Liv. 27,20).

Die Schlacht von → Ilipa (206 v.Chr.) beendete die karthag. Herrschaft in Spanien; M.s Neffe → Massiva [1] verhandelte mit Rom; M. versprach Scipio für den Africafeldzug mil. Unterstützung (Liv. 28,35; App. Ib. 37,149f.) [1. 285ff.]. M.s Absicht war es, nach der Rückkehr aus Spanien 206 sein Erbe als Sohn Gaias gegen eine Gruppe um den eigenen Bruder Oezalces und dessen Sohn Capussa zu erkämpfen, die die Herrschaft bei den Massylern übernommen hatte. Gegen die beiden um die Macht konkurrierenden Gruppen gewann jedoch → Syphax, Fürst der westnumid. → Masaesyli, die Kontrolle auch über die Massyler; M. wurde aus dem Land verdrängt [4. 46–51; 5. 2156]. 203 griff er zusammen mit Laelius [I 1] das Lager des Syphax an. Nach dem Sieg auf den »Großen Feldern« über Syphax und karthag. Truppen hielten beide Fühlung mit dem Gegner (Pol. 14,1–10; 15,4; Liv. 30,3–9; Diod. 27,6); bei → Cirta wurde Syphax geschlagen und gefangengenommen (Liv. 30,9–12).

M. kontrollierte nunmehr beide numid. Stammesgebiete und wurde nach der Schlacht von → Zama (202 v.Chr.) durch Rom als ihr Herrscher bestätigt (Liv. 30,44,12). Nach der Einnahme Cirtas fiel Syphax' Frau → Sophoniba, Tochter Hasdrubals [5] und Enkelin Geskons [3], in M.s Hand; vor ihrer Vermählung mit Syphax 205 soll sie mit M. verlobt gewesen sein und nach ihrer Heirat mit Syphax dessen Loyalität gegenüber Karthago gesichert haben. Als die Römer ihre Auslieferung verlangten, soll M. sie ermordet haben. Die überl. Geschichte der Sophoniba ist fiktional angereichert (Liv. 30,12–15; Diod. 27,7).

M.s numid. Reiter waren in der Schlacht von Zama entscheidend für den röm. Erfolg (Pol. 15,14). Am Ende des 2. → Punischen Kriegs konnte sich M. als röm. Klientelkönig Gesamtnumidiens etablieren. Seine Beziehungen zu Cornelius [I 71] Scipio sicherten die Kontinuität seiner Dyn. (Pol. 36,16) [4. 51–53]. Umstritten ist, inwiefern M. nach 203 souverän [7; 8. 231; 9] oder als abhängiger Klientelkönig herrschte [6. 24–84]. Für das in seiner polit.-mil. Entscheidungsfreiheit beschränkte → Karthago (Pol. 15,18) war M. als Herrscher über Cirta und Siga nach 201 der maßgebliche Regionalkonkurrent, der auf Kosten Karthagos sein Reich sicherte und erweiterte, gestützt auf die Anerkennung von Besitzrechten seiner Familie im röm.-karthag. Friedensvertrag von 201. M. erwarb 195–161 v.Chr. die Kontrolle über zuvor von Karthago abhängige *empória* (→ *empórion*) an der Kleinen Syrte und setzte sich in den Besitz ihres Hinterlandes, abgesichert durch röm. Schiedssprüche, die seine Besitzrechte anerkannten (Pol. 31,21; Liv. 33,47,7; 34,62; 40,17,1–6; 42,23–24; Strab. 17,3). M. wurde so zum Anlaß für den 3. → Punischen Krieg zw. Rom und Karthago, das 150 v.Chr. ohne röm. Autorisierung mit mil. Mitteln gegen M.s Expansion vorzugehen begann. Noch vor Ausbruch dieses Krieges starb M. (App. Lib. 105,496ff.); Diod. 32,16; Polyb. 36,16).

M. veränderte die polit. und sozialen Verhältnisse der von ihm beherrschten Gebiete, förderte Urbanisierung und Gewerbe, intensivierte den Ackerbau, wohl durch die Übernahme karthag. Techniken, und sorgte für die Ansiedlung zuvor nomadisierender Tierzüchter (Pol. 36,16; Strab. 17,3,15; App. Lib. 106,499; → Nomaden). Als hell. König unterstützte M. 179 v.Chr. Delos durch Getreidespenden. Den Einfluß griech. und röm. Kultur auf Tischsitten und Musikgeschmack des Königs bezeugt Ptolemaios VIII. Euergetes II., der M. wohl aus persönlichem Umgang kannte (FGrH 234 F 7–8). → Polybios lernte M. in der Umgebung Scipios kennen: Sein lit. Nachruf auf den König begründete das Bild M.s als eines kultivierten und zivilisierenden Staatsgründers der Numidier (Pol. 36,16).

→ Cornelius [I 71] Scipio; Karthago; Numidia; Punische Kriege; Sophoniba; Syphax

1 C. LEIDL, Appians Darstellung des 2. Punischen Krieges in Spanien, 1996 2 P. G. WALSH, M., in: JRS 55, 1965, 149–160 3 T. KOTULA, Masynissa, 1976 4 M.-R. ALFÖLDI, Die Gesch. des numidischen Königreiches und seiner Nachfolger, in: H. G. HORN, C. B. RÜGER (Hrsg.), Die Numider, 1979, 43–74 5 W. SCHUR, s. v. M., RE 14, 2154–2165 6 H. W. RITTER, Rom und Numidien. Unt. zur rechtlichen Stellung abhängiger Könige, 1987 7 D. TIMPE, Herrschaftsidee und Klientelstaatenpolitik in Sallusts Bellum Jugurthinum, in: Hermes 90, 1962, 334–375

8 W. DAHLHEIM, Struktur und Entwicklung des röm. Völkerrechts im 3. und 2. Jh. v. Chr., 1968 9 C. SAUMAGNE, La Numidie et Rome. M. et Jugurtha, 1966.

A. BERTHIER, La Numidie. Rome et le Maghreb, 1981 • S. GSELL, Histoire ancienne de l'Afrique du Nord, Bd. 3, [3]1928 • C. A. JULIEN, Histoire de l'Afrique du Nord, [2]1956 • F. RAKOB, Architecture royale numide. Architecture et société de l'archaisme grec à la fin de la république romaine (Collection de l'École française de Rome 66), 1983, 325–348. B. M.

**Massiva**

**[1]** Neffe des → Massinissa, Enkel des Gaia. M. geriet 209 v. Chr. im 2. → Punischen Krieg als Kommandeur einer Reitertruppe in karthag. Diensten in röm. Kriegsgefangenschaft. Um den Kontakt zu Massinissa anzubahnen, ließ ihn Cornelius [I 71] Scipio frei (Liv. 27,19,8–12; 28,35,8–13).

→ Numidia

M.-R. ALFÖLDI, Die Gesch. des numid. Königreiches und seiner Nachfolger, in: H. G. HORN, C. B. RÜGER (Hrsg.), Die Numider, 1979, 43–74 • C. SAUMAGNE, La Numidie et Rome. Masinissa et Jugurtha, 1966.

**[2]** Enkel des → Massinissa, Sohn des → Gulussa. M. ging 112 v. Chr. nach → Adherbals [4] Ermordung nach Rom, wo er Anspruch auf → Iugurthas numidisches Reich erhob. Sp. Postumius Albinus unterstützte M.s Auftreten gegen Iugurtha vor dem Senat, um einen Krieg zu provozieren. Iugurtha ließ M. durch seinen Vertrauten Bomilkar ermorden; die Verschwörung wurde publik (Sall. Iug. 35; Liv. per. 64; Flor. epit. 1,36,8 (3,1,8); App. Num. fr. 1).

M.-R. ALFÖLDI, Die Gesch. des numid. Königreiches und seiner Nachfolger, in: H. G. HORN, C. B. RÜGER (Hrsg.), Die Numider, 1979, 43–74. B. M.

**Massyli** (Μασσύλιοι u. ä.). Ostnumidischer Volksstamm, östl. des Caps Bougaroun. Belegstellen: Hesianax FGrH 763 F 1; Pol. 3,33,15; Strab. 17,3,9; Plin. nat. 5,30; Sil. 16,170–172 (mit Verwechslung von M. und → Masaesyli); App. Lib. 10,37; 27,110; 46,195. Im 2. Jh. v. Chr. reichte die Herrschaft der M. zeitweise vom Fluß Mulucha bis zur Großen Syrte (mit Ausnahme der Prov. Africa). Massyl. Könige waren – vom »Sufeten« Zilalsan (numid. *Zllsn*) abgesehen – Gaia (numid. *Gjj*), dessen Sohn → Massinissa (pun. *Msnsn*), dessen Söhne → Micipsa (pun. *Mkwsn*), → Gulussa (pun. *Glsn*) und → Mastanabal (pun. *Mstnʿbʾ*), deren Nachfolger → Adherbal [4] (pun. *ʾdrbʿl*), → Hiempsal [1] I. und → Iugurtha sowie deren Nachfolger → Gauda. Nach Gaudas Tod (vor 88 v. Chr.) scheint die Herrschaft und das Reich zw. Masteabar (Ostmasaisylia und Westmassylia) und → Hiempsal [2] II. (Ostmassylia und Emporia) geteilt worden zu sein. Der letzte westmassyl. König war Arabion (44–41/40 v. Chr.), der letzte (regierende) ostmassyl. König → Iuba [1] I. (vor 50 bis 46 v. Chr.). Insgesamt wurde das massyl. Herrschaftsgebiet – wie es scheint – fünfmal geteilt: 118 v. Chr. (?), nach 118 v. Chr., 105 v. Chr., 88 v. Chr. und 46 v. Chr.

→ Libyes, Libye

G. CAMPS, Origines du royaume massyle, in: Revue d'histoire et de civilisation du Maghreb 3, 1967, 29–38 • F. DECRET, M. FANTAR, L'Afrique du Nord dans l'Antiquité, 1981, 99–115 • J. DESANGES, Catalogue des tribus africaines ..., 1962, 109 f. • W. HUSS, Die westmassyl. Könige, in: AncSoc 20, 1989, 209–220. W. HU.

**Mastaba** (arab. »Bank«). Grundtypus des äg. Grabes nichtköniglicher Personen im AR. Die Entstehung der M.-Form wird zu Beginn der 1. Dyn. (3000–2870 v. Chr.) im memphitischen Raum faßbar. Es sind langrechteckige, Nord-Süd-orientierte, hohe und massiv verfüllte Baublöcke mit geböschten Seitenwänden, die elementar stilisiert die Grundform eines Hauses wiedergeben. Urspr. bedeckte der Baublock die in einer Grube darunter angelegte Grabkammer definitiv, aber schon im Laufe der 1. Dyn. wird diese durch einen Treppenzugang von Osten, dann von Norden, ab der 4. Dyn. (2570–2450 v. Chr.) durch vertikale Schächte zugänglich gehalten. Der Baublock selbst war in den monumentalsten Anlagen anfangs außen durch ein kompliziertes Nischenmuster gegliedert, das den Bauschmuck von Palast- und Sakralbauten übernimmt. Später sind die Wandflächen in der Regel glatt, nur in der Ost-Seite sind die Kultstellen durch zwei Nischen (»Scheintüren«) markiert, die der Fokus bildl. und textl. Dekoration waren. Mit der 3. Dyn. (2635–2570 v. Chr.) werden diese anderenfalls durch Kapellen- und Korridorvorbauten geschützten Kultstellen bevorzugt in kleine, ggf. allseitig dekorierte Kammern in den Baublock hereingenommen. Bis auf die dekorierten Steinbauteile der

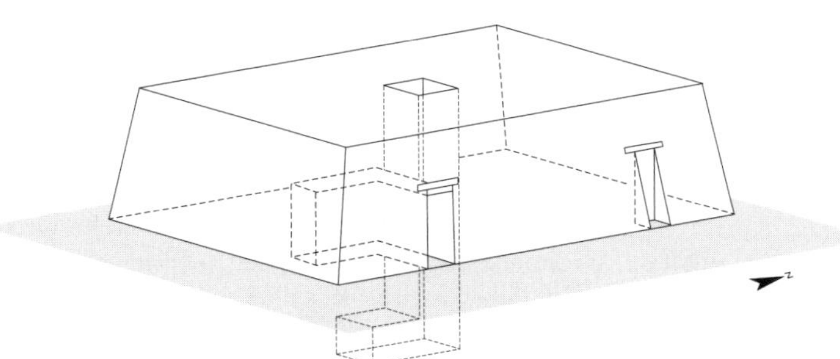

Isometrische Schemazeichnung eines Mastabagrabes (4. Dyn.). In der östlichen Front des Oberbaublocks eine Nebenkultnische im Norden und die Kultkapelle im Süden. Der Grabschacht führt vom Dach des Oberbaublocks zur unterirdischen Grabkammer.

Kultstellen wurden die Gräber urspr. aus Schlammziegeln gebaut; mit der 4. Dyn. wird auf den Residenzfriedhöfen massive Steinbauweise üblich.

Im späten AR führen das Bestreben, die dekorierbaren Wandflächen durch Anlage von immer mehr Räumen im M.-Körper zu vergrößern, und der Wunsch, zahlreiche Grabschächte für Familienmitglieder vorzusehen, zu einer Auflösung der kompakten Form. Die Baublöcke werden in der Folge zu Kapellen, die nur die Kultstelle umschließen, und die Grabschächte können in losem Kontakt dazu angelegt werden. Auch durch die Konkurrenz zu dem bes. in Oberäg. modischen Typ des Felsgrabes wird die M.-Form obsolet. Im MR wurden verschiedentlich deutlich archaistische M.-Bauten errichtet, während sonst die Orientierung an den Formen der Tempelarchitektur die weitere Entwicklung des Privatgrabtyps bestimmt.

→ Grabbauten; Bestattung; Totenkult

1 G. A. Reisner, The Development of the Egyptian Tomb, 1936 2 J. Vandier, Manuel d'archéologie égyptienne 2,1, 1954, 251–292. S. S.

**Mastanabal.** Jüngster erbberechtigter Sohn → Massinissas; Mitregent → Micipsas und Gulussas nach Massinissas Tod 148 v. Chr., Inhaber der obersten Gerichtsautorität. M.s Söhne waren → Iugurtha und → Gauda (Sall. Iug. 5; Liv. per. 50; App. Lib. 106; Zon. 9,27 D.).

→ Numidia

M.-R. Alföldi, Die Gesch. des numid. Königreiches und seiner Nachfolger, in: H. G. Horn, C. B. Rüger (Hrsg.), Die Numider, 1979, 43–74 · H. W. Ritter, Rom und Numidien. Unt. zur rechtlichen Stellung abhängiger Könige, 1987 · C. Saumagne, La Numidie et Rome. Masinissa et Jugurtha, 1966. B. M.

**Mastarna** (Varianten: Maxtarna, Macstrna). Myth. oder histor. Etrusker unbekannter Herkunft, Freund und Mitstreiter von Angehörigen oder legendären Vorfahren der *gens Vipina/ Vibenna* in Vulci, der nach Rom kam und dort unter dem neuen Namen Servius → Tullius König wurde. Etr. *Macstrna* soll der lat. Amtsbezeichnung → *magister* entsprechen [1. 199–231]. Es kann aber ebenso ein Subst. mit der Bed. »Befehlshaber« sein (ET Ager Tarquiniensis 1,1). Über M. haben wir eine etr. und eine röm. Überl. Auf einem Wandgemälde im Grab der *gens Saties* in Vulci (sog. Tomba François, etwa 330 v. Chr. [2]) durchschneidet M. die Fesseln des Freundes Caile Vipinas (etr. Überl. bei Kaiser → Claudius [III 1], CIL XIII 1668 Z. 19, in seiner Rede vor den Lugdunensern), eines etr. Anführers (Dion. Hal. ant. 2,36,2; Varro ling. 5,46; Tac. ann. 4,65,1f.) aus Vulci (Fest. 486,15f. L., von R. Garrucci und K. O. Müller ergänzt), während dessen Bruder Avle Vipina und weitere Vulcener Helden die Heerführer anderer etr. Städte (Velzna/→ Volsinii, Sveam/Suana) und Roms töten. Die bei Claudius (CIL XIII 1668 Z. 20–27) erwähnte Vertreibung des M. aus Etrurien, seine Ankunft in Rom, die Benennung des Mons Caelius nach dem Namen des Freundes und seine weiteren Erfolge sowie die zahlreichen Varianten der Überl. verraten deren Herkunft aus röm. Milieu. Ein Grundstock echter Überl. ist jedoch vorhanden und bezieht sich auf das Wirken einer *gens Vipina*, deren Heldentaten ab dem 6. und noch im 3. Jh. in Etrurien dargestellt wurden [3. 234f.].

1 A. Alföldi, Early Rome and the Latins, 1963, 176–235
2 S. Steingräber, Etr. Wandmalerei, 1985, 385 Nr. 178 Abb. 184 3 F. Buranelli u. a., La Tomba François di Vulci, 1987, 234f. L. A.-F.

**Mastaura** (Μάσταυρα). Stadt in Lydia am Südhang der → Mes(s)ogis (Strab. 14,1,47; Plin. nat. 5,120; Steph. Byz. s. v. M.; Anth. Pal. 11,230, dort Wortspiel mit dem ON), Ruinen nördl. von Nazilli. Aus röm. Zeit sind städtische Institutionen und Kulte inschr. und durch Mz. bekannt. In christl. Zeit Bischofssitz, auf den Konzilien von Ephesos 431 und Kalchedon 451 vertreten (Hierokles, Synekdemos 659,8; Not. episc. 1,101; 3,21; 7,91; 8,108; 9,15; 10,156).

K. Buresch, Aus Lydien, 1898 · Jones, Cities, 78 · Liebenam, 561 · W. M. Ramsay, A Historical Geography of Asia Minor, 1890, 104. H. KA.

**Mastigophoroi** (μαστιγοφόροι, »Peitschenträger«). In Sparta junge Männer (ἡβῶντες, *hēbṓntes*), die die → *paidonómoi* in der → *agōgḗ* der Knaben unterstützten (Xen. Lak. pol. 2,2); in Athen 404 v. Chr. 300 berüchtigte Polizeidiener der Dreißig (→ *triákonta*; Aristot. Ath. pol. 35,1); in Kerkyra 425 Mannschaften zur Bewachung von Gefangenen (Thuk. 4,47,3); im hell. Ägypten Diener hoher Funktionsträger, z. B. des *oikonómos*, des Vertreters des Königs in den *nomoí* (PTebtunis 121,58; vgl. PCZ 80,4). K.-W. WEL.

**Mastix** (μαστίχη, lat. *mastiche*, *mastix*). Wohlriechendes Harz des M.-Baumes (*schínos*; Pistacia lentiscus L.) und des aus den Beeren gewonnenen Öles. Name wohl von *masásthai*, »kauen«, da man das Harz wegen seines guten Geschmackes und seiner Härte zur Zahnpflege und Bekämpfung von Mundgeruch gerne kaute, wie man auch Stäbchen aus M.-Holz als Zahnstocher gebrauchte. Der immergrüne, niedrige M.-Baum (und -Strauch) wurde im ganzen Mittelmeergebiet angepflanzt und kultiviert, doch war sein Harz nicht überall von Qualität. Das beste M.-Harz stammte von der Insel → Chios, wobei das farblose am meisten geschätzt (Plin. nat. 12,72) und das gelblich-grünliche geringer erachtet wurde. Das Öl, das man aus dem Harz gewann, wurde gegen Darm- und Magenleiden eingesetzt, half u. a. gegen Husten und Schnupfen und konnte die Kopfhaare rot färben (Plin. nat. 32,67). Das Holz des M.-Baumes und seine Beeren wurden zu einem Medizinalwein (Plin. nat. 14,112) verkocht, das Öl der Beeren wurde zu einer Salbe verarbeitet. Ebenso nützlich waren Absude aus Rinde, Samen und Blättern des M. gegen Verdauungsbeschwerden. Daneben nutzte man die Zweige zur Verbesserung der Raumluft, Beeren auch als Vogelfutter, die jungen

Triebe als Ziegenfutter. In Kult und Mythos spielte M. nur eine geringe Rolle; so versteckte sich → Pentheus in den Zweigen des M.-Baumes (Theokr. 26,11), und bei Kall. (h. 3,201) schmücken sich die Nymphen der Artemis mit M.-Zweigen.

A. Steier, s. v. M., RE 14, 1930, 2168–2175. R. H.

**Mastos** s. Gefäßformen

**Mastramela.** Stadt der Salluvii (Gallia Narbonensis) an einer gleichnamigen Lagune (h. Étang de Berre) oder auf einer diese überragenden Erhebung zw. Rhodanus (Rhône) und Massalia. Die Identifizierung mit Saint-Blaise ist nicht gesichert. Evtl. wurde → Maritima Avaticorum von den Bewohnern von M. gegr. Belegstellen: Artemidoros bei Steph. Byz. s. v. Μαστραμέλη (πόλις καὶ λίμνη τῆς Κελτικῆς); Plin. nat. 3,34 (*stagnum M.*); Avien. ora maritima 701 (*oppidum Mastrabalae priscum*).

G. Barruol, Les peuples préromains du Sud-Est de la Gaule, 1969, 196f. • F. Gateau u. a., Carte archéologique de la Gaule (13/1: Étang de Berre), 1996. Y. L.

**Mastroi** (μαστροί, »Sucher«, »Aufspürer«) werden in einigen griech. Städten Rechnungsbeamte mit ähnlichen Funktionen wie die *eúthynoi* (→ *eúthynai*) oder → *logistaí* genannt (z. B. Delphi: Syll.[3] 672; Pallene: Aristot. fr. 657 Rose). Der Rechenschaftsvorgang heißt *mastráa/mastreía*, z. B. in Elis (IvOl 2 = Buck 61) und Messenien (IG V 1, 1433,15–16), der Rechenschaftspflichtige *hypómastros*, z. B. in Messenien (IG V 1, 1390 = Syll.[3] 736,51,58). Nach dem → Synoikismos von Rhodos blieben die Ratsgremien der drei urspr. Städte Ialysos, Kamiros und Lindos unter der Bezeichnung *m.* bestehen. Möglicherweise geht auch das Amt des röm. Quaestors auf das Vorbild der *m.* in unter-it. Griechenstädten zurück (so [1]).

**1** Busolt/Swoboda 1, 487–488 **2** K. Latte, The Origin of the Roman Quaestorship, in: TAPhA 67, 1936, 24–33. P. J. R.

**Mastruca** (auch *mastruga*). Sardisches Wort (Quint. inst. 1,5) für ein aus (Schaf-)Fell gefertigtes Gewand, eng am Körper liegend, ärmellos und bis auf die Oberschenkel reichend. Seine Träger galten bei den Römern als unzivilisiert (Cic. Scaur. 45d; Cic. prov. 15), so Alaricus bei Prud. in Symm. 1,659f. Bei Plaut. Poen. 1310–1313 auch als Schimpfwort verwendet. R. H.

**Mastusia** (Μαστουσία, Μαζουσία). Nicht lokalisierbarer Ort an der Südspitze der thrak. Chersonesos [1] (Strab. 7, fr. 52; Ptol. 3,2,9; 12,1; Mela 2,2,25). I. v. B.

**Matalon** (Μάταλον). Ort an der Südküste von Kreta (Strab. 10,4,11; Stadiasmus maris magni 323), erst Hafen von → Phaistos (Pol. 4,55,6), später von → Gortyn; h. Matala. Nach einem Mythos ging hier Zeus mit der entführten Europa an Land. Nur wenige ant. Reste aus röm. Zeit. An der Nordseite der Bucht frühchristl. Felsgräber, h. teilweise unter dem Meeresspiegel.

H. Buhmann, s. v. Matala, in: Lauffer, Griechenland, 410 • I. F. Sanders, Roman Crete, 1982, 161. H. SO.

**Matasuntha.** Enkelin → Theoderichs d. Gr.; 536 n. Chr. von → Vitigis zur Ehe gezwungen, versuchte sie 538, Ravenna an die Byzantiner zu verraten, angeblich, um → Belisarios (?) zu heiraten (Prok. BG 2,10,11). 540 wurde sie zusammen mit Vitigis (gest. 542) nach Konstantinopel gebracht und ehelichte 549/550 → Germanus [1] (gest. 550). Geburt des Sohnes Germanus 550/1. M. führte den ungewöhnlichen Titel einer *patricia* (Iord. Get. 81).

PLRE 3B, 851f. • H. Wolfram, Die Goten, 1990, 343, 347, 357. WE. LÜ.

**Mataurus** (Μέταυρος). Fluß (Plin. nat. 3,73), h. Petrace, und Stadt (*Taurianum*, Mela 2,68; Geogr. Rav. 4,36) in Bruttium (→ Bruttii) am tyrrhenischen Meer, von Zankle (Solin. 2,11) oder Lokroi (Steph. Byz., s. v. M.) gegr. Heimat des Dichters → Stesichoros (Steph. Byz.; Suda s. v. Στησίχορος) [2], h. Gioia Tauro. Arch. Überreste einer Nekropole (archa. Zeit und Kaiserzeit) in Contrada Pietra [1; 4]; architektonische Terrakotta-Funde archa. Zeit [4].

**1** A. De Franciscis, Μέταυρος, in: Atti e memorie della Società Magna Grecia N. S. 3, 1960, 21–67 **2** D. Musti, Problemi della storia di Locri Epizefirii, in: A. Stazio (Hrsg.), Atti XVI Convegno sulla Magna Grecia, 1977, 23–145 **3** Cl. Sabbione, M., in: E. Lattanzi (Hrsg.), Il Museo Nazionale di Reggio Calabria, 1987, 108–114 **4** BTCGI 8, s. v. Gioia Tauro, 1990, 142–152. M. L.

**Matella** s. Nachttopf

**Mater familias.** Während das Wort → *pater familias* eine klar definierte Rechtsstellung bezeichnet, wird die röm. Familienmutter mit *m. f.* eher ges. als juristisch gekennzeichnet. Zunächst war *m. f.* der Ehrentitel für die Ehefrau, die in der → *manus* (Hausgewalt) ihres Mannes lebte und mit ihm Kinder hatte. Ihre soziale Stellung war im Gegensatz (und in Kompensation) zu ihrer Rechtsstellung (→ *manus*) hoch. Sie hatte den Vorrang vor allen anderen Hausgenossen außer ihrem Ehemann. Später, als die *manus*-Ehe schon außer Gebrauch war, verlor der Ausdruck *m. f.* – nun im wörtlichen Sinne der Familienmutter – offenbar auch an sozialer Unterscheidungskraft. So heißt es bei Ulp. Dig. 50,16,46,1 (Anf. 3. Jh. n. Chr.), *m. f.* sei jede Frau, die ein sittsames Leben führe, gleichgültig ob verheiratet oder verwitwet, frei geboren oder freigelassen.
→ Ehe; Frau G. S.

**Mater Larum** s. Larunda; Mania

**Mater Magna**

**[1]** Ausführlich *Mater Deum Magna Idaea* (zum Namen [1]), die Göttin *Mḗtēr*/→ Kybele, die 205/4 v. Chr. auf Geheiß der → *Sibyllini libri* und mit Hilfe → Attalos' [4] I. von Pergamon nach Rom überführt wurde. Der genaue Herkunftsort ist schon in der Ant. umstritten: → Pessinus (Liv. 29,10,5; 11,7), Pergamon (Varro ling. 6,15) oder der Gebirgszug → Ida [2] in der Troas (Ov. fast. 4,263 f.). An allen drei Orten ist die Verehrung der *Mḗtēr*/Kybele belegt. Die Forsch. favorisiert Herkunft vom Ida [2. 16–20] oder aus Pessinus [3. 318] – jeweils unter Vermittlung von Pergamon. M. M., deren Kultbild nach der Überl. ein heiliger Stein war, wurde bis zur Fertigstellung ihres Heiligtums im sw Bereich des Palatin im Tempel der → Victoria untergebracht (Liv. 39,27,2) und am 11. April 191 in ihren Tempel (*aedes*) überführt (Liv. 36,36,3 f.; [4]). Das Fest der M. M., die *ludi Megalenses* vom 4. bis 10. April (InscrIt 13,2 p. 435–438), wurde 194 (Liv. 34,54,3; Val. Max. 2,4,3) oder 191 v. Chr. (Liv. 36,36,4 nach Valerius Antias) um szenische Aufführungen ergänzt. Die Treppenstufen des Tempels und der freie Platz davor wurden für Aufführungen während der *ludi scaenici* genutzt (Cic. har. resp. 24; Liv. 36,36,4 f.; [5. 206; 6]).

Augustus zeigte bes. Interesse an der Göttin aus der Troas, die mit → Aineias [1], dem troianischen Vorfahren der Römer, und mit der *gens Iulia*, die sich ihrerseits auf → Venus, die göttl. Mutter des Aineias, zurückführte (→ Iulius), verbunden wurde [7]: Die Augustus auf der sog. *gemma Augustea* krönende Göttin ist ikonograph. die M. M. mit Mauerkrone (*dea turrigera*). Mit [8] läßt sich die top. Beschreibung des Weges vom röm. Forum Boarium über das Lupercal (→ Lupercalia), den *clivus Victoriae* und die archa. (»Romuleische«) Mauer des *caput imperii* zum palatin. Tempel der M. M. und dem Haus des Augustus in Vergil (Aen. 776–795) als Abfolge eines Programms lesen (→ Roma): Romulus der Gründer (ebd. 776–780), Imperium und Zitadellenmauer (ebd. 781–783), M. M. und ihre Nachkommenschaft (ebd. 784–787), Rom und die Iulii (ebd. 788–790), schließlich Caesar Augustus als der Neugründer des Imperiums (ebd. 791–795). Im top. Zusammenhang von M. M.-Tempel und (dem Tempel des palatin. Apollo verbundener) *domus Augusti* im sw Bereich des Palatin erhält dieses Programm sichtbaren Ausdruck.

Der M. M.-Tempel ist auf einem Relief der sog. *ara pietatis* (43 n. Chr.) abgebildet [9. Bd. 3, Nr. 2]: Gezeigt wird ein Tempel im korinth. Hexastil, die Göttin selbst ist nur durch ihre Mauerkrone auf einer *sella* (Thron) präsentiert, die auf beiden Seiten von je einem Korybanten (→ Kureten) und Löwen flankiert wird. Der durch Feuer 111 v. Chr. zerstörte urspr. Tempel wurde in den darauffolgenden Jahren von einem Metellus (Ov. fast. 4,347 f.) erneuert; die genaue Identifizierung ist umstritten (Q. Caecilius [I 30] Metellus Numidicus oder Q. Caecilius [I 21] Metellus Caprarius: vgl. [10]). Nach erneutem Brand (Ov. fast. 4,347 f.; Val. Max. 1,8,1; Obsequens 39) ließ Augustus den Tempel wiederherstellen (R. Gest. div. Aug. 19). Die umfangreichen Ausgrabungen im Tempelbereich ([5] mit Lit.) haben u. a. Terracottafiguren des → Attis zutage gefördert, die möglicherweise schon aus dem 2. Jh. v. Chr. stammen ([11]; Datier.: [12]). Medaillons aus der Zeit des Antoninus Pius [13. Taf. 15 f.] zeigen ein Heiligtum der M. M. Dieses ist mit einem von Martial erwähnten *tholus Cybelis* (»Rotunda« der Kybele; Mart. 1,70,9 f.) identifiziert und in der Nähe des Titusbogens an der → Via Sacra lokalisiert worden. Die Identifizierung ist allerdings fraglich, nachdem Martials *tholus* zuletzt auf den palatin. Tempel bezogen worden ist ([5. 207 f.] mit Lit.). Eine Statue der M. M. stand auch im Circus Maximus ([9. Bd. 3, Nr. 252]; Tert. de spectaculis 8).

Münzabbildungen [13] zeigen, daß die Ikonographie der M. M. im wesentlichen die der Kybele war. Bei Lukrez gehen beide Göttinnen letztlich ineinander über; dies legt nahe, daß sie von den Römern nicht unbedingt unterschieden wurden. Inschr. [5] sind meist allg. gehalten; toponym. Beinamen wie *Idaea*, *Phrygia* oder *Palatina* kommen aber in einigen Prov. verstärkt vor und scheinen auf eine bewußte Differenzierung hinzudeuten (→ Polytheismus). Zum Kult der M. M. s. → Kybele C 2.

**1** K. Ziegler, M. M. oder Magna Mater?, in: J. Bibauw (Hrsg.), Hommages à M. Renard (Coll. Latomus 102), 1969, 845–855 **2** E. S. Gruen, Studies in Greek Culture and Roman Policy, 1990, 5–33 **3** G. Wissowa, Rel. und Kultus der Römer, ²1912 **4** J. Rüpke, Fehler und Fehlinterpretationen in der Datier. des *dies natalis* des stadtröm. M. M.-Tempels, in: ZPE 102, 1994, 237–240 **5** P. Pensabene, s. v. Magna Mater, aedes, LIMC 3, 206–208, 456–458 **6** S. M. Goldberg, Plautus on the Palatine, in: JRS 88, 1998, 1–20 **7** R. M. Wilhelm, Cybele: the Great Mother of Augustan Order, in: Vergilius 34, 1988, 77–101 **8** T. P. Wiseman, Cybele, Vergil and Augustus, in: T. Woodman, D. West (Hrsg.), Poetry and Politics in the Age of Augustus, 1984, 117–128 **9** M. J. Vermaseren, Corpus cultus Cybelae Attidisque, 7 Bde. (EPRO 50.1–7), 1977–1989 **10** M. G. Morgan, Villa publica and M. M., in: Klio 55, 1973, 231–245 **11** P. Romanelli, M. M. e Attis sul Palatino, in: M. Renard (Hrsg.), Hommages à J. Bayet, 1964, 619–626 **12** F. Coarelli, Public Building in Rome between the Second Punic War and Sulla, in: PBSR 45, 1977, 1–23 **13** R. Turcan, Numismatique romaine du culte métroaque, 1983.

L. E. Roller, In Search of God the Mother, 1999, 261–343 • S. A. Tacacs, Mater Deum Magna Idaea, Cybele, and Catullus' Attis, in: E. Lane (Hrsg.), Cybele, Attis, and related Cults, 1996, 367–386. Weitere Titel s. Kybele. S. TA.

**[2]** Station an der *via Herculia* in Hirpinia, benannt nach einem Heiligtum der M. M. [1] (Itin. Anton. 103).

Miller, 377. G. U./Ü: H. D.

**Mater Matuta.** In It. und Rom verehrte Göttin des Frühlichts (Lucr. 5,655 f.), deren Name, in Form eines Adj., wie lat. *maturus*, »zur guten (rechten) Zeit«, über den Stamm **mātū-* auf √**mā*, »gut«, zurückgeht [1]. Statuetten, die die Göttin mit einer Sonnenscheibe auf dem Kopf und einem Kind in den Armen darstellen (→ Kurotrophos), und der ihr geweihte Tempel in Satricum (h.

Le Ferriere) in Latium (mit anatomischen Votivgaben: [5. Bd. 1–2]) gehen in das 7. Jh. v. Chr. zurück [2; 3; 4]. Ihr Tempel beim Forum Boarium (S. Omobono) in Rom (Votive s. [5. Bd. 3, 84–86; 6. 45–60]) läßt sich in das 2. Viertel des 6. Jh. v. Chr. datieren. Die historiograph. Trad. schreibt seine Gründung Servius → Tullius (Liv. 5,19,6), seine Restaurierung M. → Furius [I 13] Camillus (396 v. Chr.: Liv. 5,23,7; Plut. Camillus 5,1) zu. Der Tempel war Teil eines sakralen Komplexes, der auch einen Zwillingstempel der → Fortuna umfaßte [7. 205–244]. Der → *natalis templi* beider Heiligtümer fiel auf den 11. Juni, an dem das Fest der M. M., die → Matralia, gefeiert wurden [8. 341–388]. Der von den Matronen vollzogene Ritus hob die Eigenschaften der Göttin als Aurora und als Schützerin der Kinder hervor.

Dumézil hat einen Vergleich zw. dem Kult der M. M. und dem vedischen Mythos der Aurora gezogen [9]. Die → *interpretatio Graeca* setzt M. M. der Ino-Leukothea (z. B. Ov. fast. 6,545) gleich.

→ Matralia; Muttergottheiten; Votivreligion

1 Walde/Hofmann 2, 54 2 Simon, GR, 152–157 3 R. R. Knoop, Antefixa Satricana, 1987 4 P. S. Lulof, The Ridge-Pole Statues from the Late Archaic Temple at Satricum, 1996 5 J. W. Bouma, Religio votiva, Bd. 1–3, 1996 6 Il viver quotidiano in Roma arcaica, 1989
7 F. Coarelli, Il foro boario, 1988 8 N. Böels-Janssen, La vie religieuse des matrones dans la Rome archaïque, 1993
9 G. Dumézil, Déesses latines et mythes védiques, in: Coll. Latomus 25, 1956, 9–43.

M. Halberstadt, M. M., 1934. Fr. P.

**Materialismus.** Der Begriff M. erscheint erst in der 1. H. des 18. Jh., zunächst polemisch im Zusammenhang der Kritik materialistischer Strömungen der Aufklärungsphilos. und als Gegenbegriff zu Idealismus bzw. Spiritualismus (Kant). Als M. seien hier nur solche Lehren bezeichnet, die (a) einen Monismus derart vertreten, daß alles Seiende sich auf ein oder mehrere materielle Prinzipien zurückführen läßt, während (b) das immateriell Scheinende entweder Epiphänomen des Materiellen ist oder aus bes. feiner Materie besteht, und (c) die getrennte Existenz immaterieller (unkörperlicher) Wesenheiten systematisch bestritten wird.

Dieser Begriffsbestimmung entspricht die frühe ion. → Naturphilosophie (→ Milesische Schule; → Anaximenes [1]; → Thales) noch nicht; zwar wird zur Erklärung der sichtbaren (materiellen) Welt ein entsprechendes (materielles) Prinzip (Wasser, Luft etc.) angesetzt, aber dies geschieht weder in ausdrücklicher Antithese, noch ist ausgeschlossen, daß die Natur (φύσις, *phýsis*), um deren Erkenntnis es geht, oder ihre konstitutiven, elementaren Prinzipien beseelt seien. Auch der M. der Stoa (→ Stoizismus) kann hier nur bedingt entsprechen, da die Stoiker zwar einen Monismus lehrten, genauer aber nicht einen solchen der Materie, sondern der Körperlichkeit; spekulativ postulierten sie eine qualitätslose Urmaterie (wie auch Aristoteles), nahmen aber dennoch ein dem Körper immanentes, von der Materie aber unterschiedenes, aktives Prinzip an, das die Materie allererst qualifiziert (→ Materie).

Das erste entschiedene und konsequente philos. System des M. tritt mit dem → Atomismus auf, den → Leukippos [5] und sein Schüler → Demokritos [1] entwickelten und dem → Epikuros seine klass. Gestalt gab. Der griech. Atomismus ist (a) monistisch, indem das Seiende als das Volle (πλῆρες, *plḗres*) ausschließlich aus qualitätslosen, sich nur nach Größe, Gestalt und evtl. Schwere (seit Epikuros sicher) unterscheidenden, körperlichen, kleinsten, unteilbaren Teilchen, den »Atomen« (ἄτομα/*átoma*, ἀδιαίρετα/*adihaíreta*), besteht. Das Leere (κενόν, *kenón*), das für deren Bewegung erforderlich ist, ist das Nichtseiende. Kosmogenese und Ontogenese werden reduktionistisch allein durch die Bewegung der Atome im Leeren und ihre Gestalt erklärt; gleichartige Atome verbinden sich nach mechanischer Notwendigkeit miteinander und bilden so makroskopische Konglomerate.

Auch die Gnoseologie der griech. Monisten ist strikt materialistisch-sensualistisch: Von den Dingen lösen sich ununterbrochen feinstoffliche Abbilder (εἴδωλα, *eídōla*), die die Sinne affizieren; echte Erkenntnis (γνώμη γνησίη, *gnṓmē gnēsíē*) ermöglicht jedoch allenfalls die Nus-Seele, die, selbst aus feinsten Atomen bestehend (b), den gesamten Organismus durchdringt. Eine materialistische Ethik wird v. a. (c) auf alle transzendenten Begründungen (die Götter, die unsterbliche Seele) verzichten müssen, positiv gewendet streng diesseitig ausgerichtet sein. Bei Demokritos läßt sich davon noch nicht sprechen, es sei denn, man interpretiert die Warnungen vor den großen Seelenbewegungen und vor dem Zuviel und Zuwenig (fr. 191) nicht metaphorisch; aber die Deutung der Glückseligkeit als Freude (εὐθυμία, *euthymía*) und Freiheit von Furcht oder Leidenschaften (ἀθαμβία, *athambía*) verweist bereits auf Epikuros' hedonistische Ethik. Epikuros spricht die Bedeutungslosigkeit sowohl der Götter als auch des Todes für das menschliche Leben deutlich aus. Stattdessen ist es die leiblich-seelische Verfaßtheit, die nichts anderes ist als die Mischung der Atome, an der der Mensch sein Handeln zu orientieren hat. Ganz zu Unrecht wurde in der späteren polemischen Rezeption der Hedonismus als Ethik der (Sinnen-)Lust denunziert. Denn die epikureische ἡδονή (*hēdonḗ*, → Lust) ist primär durch Vermeidung von Schmerz (λύπη, *lýpē*) charakterisiert (›negativer Hedonismus‹: H. Marcuse); die Freuden sind, wie schon bei Demokritos, eher bescheidener Natur. Entsprechend bewertet Epikuros die gelegentlichen Hochstimmungen (χαρά/*chará*, εὐφροσύνη/*euphrosýnē*) weitaus geringer als die zuständliche (katastematische) Gelassenheit (ἀταραξία/*ataraxía*), in der das zu erstrebende Glück besteht (deutlicher Unterschied zum Hedonismus des Aristippos [3] von Kyrene).

Aristoteles urteilt über den frühen Atomismus differenziert: Mehrfach lobt er die Naturphilos., weil sie wiss. methodisch ist und ihren Ausgangspunkt gemäß der Natur nimmt (vgl. Aristot. gen. corr. 325b 35ff.).

Der M. scheint ihn nicht zu irritieren, wohl aber der Verstoß der Atomlehre gegen die Konzeption des Kontinuums (συνεχές, *synechés*) und die Behauptung der Leere. Was den Atomisten (mechanistische) Naturnotwendigkeit schien, war für Aristoteles wegen des Fehlens einer Finalursache purer Zufall (τύχη, *týchē*).

Die Wahrnehmungs- und Erkenntnislehre wird von den Peripatetikern wohl zu Recht als unzureichend kritisiert. In hell. Zeit lebte der Atomismus als Epikureismus durch zahlreiche Schulgründungen fort; bewahrt wurde er durch das große Lehrgedicht *De rerum natura* des → Lucretius [III 1] und zahlreiche Berichte bei → Cicero (*De finibus*, *De natura deorum* u.a.), welche nach langer Zeit der Anfeindung zu einem Wiederaufleben bei einigen Renaissancehumanisten (L. Valla, B. Telesio) und v.a. Petrus Gassendi führten. Bekämpft wurde in der Ant. kaum einmal der M. (Ausnahme: Plot. Enneades 6,9,5), sondern seitens der Peripatetiker der Verstoß gegen ontologische Grundannahmen und seitens der christl. Trad. die anti-metaphysische, diesseitige Ethik. Unterlag die Ethik des Epikuros weitgehend dem (unzutreffenden) Verdikt der Lustorientierung und der philos. Rechtfertigung der niederen Triebe der Menschen (Ausnahme: Kant), so erfuhren Ontologie und Gnoseologie zunächst in der Zeit der Aufklärung (v.a. Helvétius, D'Holbach, Delamettrie), sodann durch K. Marx und den histor.-dialektischen M. vorübergehende neue Blütezeiten.

→ Epikuros; Ethik; Materie; Prinzip; Raum; Atomistik; Materialismus

C. Bailey, The Greek Atomists and Epicurus, 1928 · E. Bignone, Epicuro, 1920 · J. Bollack, A. Laks (Hrsg.), Études sur l'épicureisme antique, 1976 · D. Clay, Lucretius and Epicurus, 1983 · M. Forschner, Die stoische Ethik. Über den Zusammenhang von Natur-, Sprach- und Moralphilos. im altstoischen System, 1981 · M. Hossenfelder, Epikur, 1991 · H. A. K. Hunt, Physical Interpretation of the Universe. The Doctrines of Zeno the Stoic, 1976 · F. A. Lange, Gesch. des M., 1866 (Ndr. 1974) · D. Lemke, Die Theologie Epikurs, 1973 · H. Ludwig, M. und Metaphysik. Studien zur epikureischen Philos. bei T. Lucretius Carus, 1976 · Ph. Merlan, Studies in Epicurus and Aristotle, 1960 · J. Schmidt, Lukrez und die Stoiker. Quellenuntersuchungen zu De rerum Natura, 1975. NO.SCH.

**Materiarius** s. Holz

**Materiatio**

A. Begriff B. Griechenland C. Rom

A. Begriff

Bei Vitruv (4,2,1) benutzter Sammelbegriff für alle Arten des Holzbaus bzw. der im Bauwesen notwendigen Gewerke des Zimmermannshandwerks; M. umfaßt dabei sowohl den Bereich des konstruktiven Holzbaus im Sinne der Errichtung von Fachwerken, Dachstühlen (→ Überdachung), Galerien oder Zwischendecken wie auch die Herstellung einzelner, für den Holzbau technisch notwendiger Hilfsmittel (Dübel, Holznägel; Keile; Sparren; Pflöcke) sowie schließlich die Erstellung von temporär benötigten Gerüsten für den Steinversatz im Hochbau sowie der hölzernen Hilfskonstruktionen für den griech. Materialtransport und den röm. Gußmörtelbau (→ *opus caementicium*; → Bautechnik), z.B. Schal- und Lehrgerüste.

B. Griechenland

Neben der im ant. Griechenland weit verbreiteten Verwendung von Holz im Kontext der Errichtung von Lehm- und Flechtwerkmauern sowie als Ankermaterial im → Mauerwerk wurde ein spezialisiertes, holzbearbeitendes Tischlerhandwerk im späten 8. und 7. Jh. v. Chr. für die Errichtung hölzerner → Tempel, im späteren Steinbau dann in erster Linie für die Konstruktion von Dachstühlen und Baugerüsten benötigt. Die Verwendung von → Holz im griech. Hochbau, bes. im Säulen- und Quaderbau, ist für den Bereich der → Überdachung sowie für die Konstruktion von eingezogenen Zwischendecken durch Balkenlöcher, Einlaßspuren und Dübellöcher, zudem verschiedentlich auch durch erh. → Bauinschriften gut belegt, jedoch in nur wenigen Ausnahmefällen im arch. Befund konkret bezeugt. Holz wurde im griech. Tempelbau in großem Umfang verwendet; die in der ant. Lit. mannigfach geschilderten Brände prominenter Tempelbauten sind so erklärbar. Spannweiten bis zu gut 11 m (Cella des → Parthenon) machten erhebliche Querschnitte der Balken notwendig; bezeugt ist ein Querschnitt von 29 × 26 cm für eine 7 m überspannende Geschoßdecke in einem Wohnhaus in Ammotopos; Querschnitte von über 30 × 30, ja über 40 × 40 cm (Delphi; Brauron) waren keine Seltenheit. Die Bevorratung und Bearbeitung von Holz (üblicherweise mittels Beil, seltener mittels Säge) war ein wesentlicher Kosten- und Arbeitskraft-Faktor bei der Errichtung öffentlicher Bauten.

Ebenfalls nur indirekt aus Einlaßspuren (Propyläen der Athener Akropolis) oder aus lit. Beschreibungen sind Holz-Gerüste bekannt, die für den Versatz von Steinquadern und Säulentrommeln, aber auch bezüglich der Arbeitsvorgänge für die Glättung und ggf. Bemalung der Bauten mannigfach notwendig waren; gleiches gilt für die zahlreichen, im griech. Bauwesen benötigten technischen Hilfsmittel (Kräne, Flaschenzüge, Vorrichtungen für den Transport des Baumaterials vom Steinbruch zur Baustelle; → Hebegeräte). Aufwendige Holzkonstruktionen finden sich an den temporären Bauten der hell. Zeremonial-Architektur; erinnert sei an verschiedene prunkvolle Zeltkonstruktionen, entstanden etwa unter Ptolemaios II. (Athen. 5,196a–197c), aber auch an »schwimmende« oder »fahrende« Bauten wie das Nilschiff des Ptolemaios IV. (Athen. 5,203e–206a) bzw. das Prunkschiff Hierons II. oder den Leichenwagen Alexanders d.Gr.

C. Rom

Eine hochspezialisierte M. ist im ant. Rom bereits für republikan. Zeit gesichert; die Verwendung temporär aufgebauter, hölzerner Architekturen etwa für Theater-

und Gladiatorenspiele wie auch für die dabei benötigten Kulissen ist mannigfach durch die ant. Lit., aber auch durch Bodenbefunde (Pfostenlöcher von Tribünenbauten, z. B. auf dem → Forum Romanum in Rom) belegt. Beil, Säge und Hobel, aber auch Stechbeitel sowie verschiedene Materialien zur Härtung und Imprägnierung des Holzes fanden gleichermaßen routinierte Anwendung. Im röm.-campanischen Hausbau spielte Holz ebenfalls eine gewichtige Rolle – sowohl im Rahmen von Fachwerk-Architekturen als auch im Rahmen der Binnengliederung von Bauten. In erheblichem Umfang haben sich, aufgrund der besonderen Umstände der Verschüttung, Reste ant. Holzkonstruktionen an den Häusern des 79 n. Chr. von Vesuv-Lava begrabenen → Herculaneum erh. Die spezifischen Eigenheiten röm. → Bautechnik (→ *opus caementicium*; → Ziegel) setzten in hohem Maße spezialisiertes Zimmermannshandwerk und entwickelte Techniken der Holzbearbeitung voraus, etwa für die Verschalung von Mauern, Gewölbe und Kuppeln (→ Gewölbe- und Bogenbau; → Kuppel, Kuppelbau) sowie für Lehr- und Führungsgerüste bei der Überbrückung von Tälern und Flüssen im Straßen- und Wasserleitungsbau (→ Straßenbau; → Wasserleitung). Zu den wenigen erh. architektonisch und dekorativ-künstlerisch gleichermaßen bedeutenden ant. Holz-Elementen zählen die Türen von St. Sabina in Rom und St. Barbara in Kairo, beide aus dem 5. Jh. n. Chr.

Zur künstlerischen Gestaltung von Holz vgl. → Holz (C. Holz in Malerei und Plastik); s. auch → Schiffbau.

L. Haselberger, Dächer griech. Wehrtürme, in: MDAI(A) 94, 1979, 93–112 • H. von Hesberg, Temporäre Bilder oder die Grenzen der Kunst, in: JDAI 104, 1989, 61–82 • A. T. Hodge, The Woodwork of Greek Roofs, 1960 • M. Hülsemann, Theater, Kult und bürgerlicher Widerstand im ant. Rom, 1987 • R. Kroes, Woodwork in the Foundations of Stone-Built Roman Bridges, in: BABesch 65, 1990, 97–105 • H. Lauter, Die Architektur des Hell., 1986, 48–63 • J. Liversidge, Woodwork, in: D. Strong (Hrsg.), Roman Crafts, Ausst.-Kat. London 1976, 155–165 • R. Martin, Manuel d'architecture grecque I: Matériaux et techniques, 1965 • R. Meiggs, Trees and Timber in the Ancient Mediterranean World, 1982 • W. Müller-Wiener, Griech. Bauwesen in der Ant., 1988, 216, s. v. Holz • A. K. Orlandos, Les matériaux de construction et la technique architecturale des anciens Grecs Bd. 1, 1966; Bd. 2, 1968 • J. V. Thirgood, Man and the Mediterranean Forrest. A History of Resource Depletion, 1981. C. HÖ.

**Materie** (griech. ὕλη/*hýlē*, lat. *materia*).
A. Begriffsbestimmung B. Begriffsgeschichte
C. Wirkungsgeschichte

A. Begriffsbestimmung

Mit *materia* übersetzt Cicero *hýlē* (ὕλη) bei Aristoteles und den Stoikern. Aristoteles verwendet *hýlē* sowohl für sein eigenes stoffliches → Prinzip als auch für die Prinzipien (ἀρχαί/*archaí*) der → Vorsokratiker und den »Raum« (χώρα/*chṓra*) Platons. *Hýlē* wie *materia* stehen urspr. für Bau- und Nutzholz, das »Material«, aus dem etwas gestaltet werden kann (so noch bei Platon). Erst bei Aristoteles wird der Begriff zum t.t., voll ausgebildet in der ›Physik‹, wo dem Gegensatzpaar M. – Form (ὕλη – εἶδος/*hýlē* – *eídos*, lat. *materia* – *forma*) jenes von Möglichkeit – Wirklichkeit (δύναμις – ἐνέργεια/*dýnamis* – *enérgeia*, lat. *potentia* – *actus*) korrespondiert. Die aristotelische Bestimmung der *hýlē* als »Woraus des Entstehens« (τὸ ἐξ οὗ, Aristot. phys. 7,3 u.ö.) leitet die weitere Begriffs-Gesch., sie steht im deutlichen Gegensatz zur platonischen *chṓra* als »Worin des Entstehens« (τὸ ἐν ᾧ γίγνεται, Plat. Tim. 50d 1).

B. Begriffsgeschichte

Von M. wird gesprochen, wo philos. Erkenntnis der sichtbaren und veränderlichen Welt erstrebt wird. Die kosmogonisch interessierte frühe ion. → Naturphilosophie (s. auch → Milesische Schule) suchte nach dem → »Prinzip« (ἀρχή/*archḗ*); hier von M. zu sprechen, hieße, der unhistor. verfahrenden Doxographie des Aristoteles zu folgen (vgl. Aristot. metaph. 1,3–10), auch wenn in der Regel stoffliche Prinzipien ermittelt werden, die bei allen Unterschieden stets als unvergänglich, lebendig und höchst wandlungsfähig beschrieben sind. Spätere Spekulationen sind von → Parmenides und der → Eleatischen Schule stark beeinflußt worden, indem den Grundsätzen der Unveränderlichkeit und der Unmöglichkeit des Hervorgangs von Vielem aus urspr. Einem in unterschiedlicher Weise Rechnung getragen wird. Weiterführend sind duale Konzeptionen, durch die Prozessualität in der sichtbaren Körperwelt erklärbar wird; so stellt → Empedokles den vier Elementen Streit und Liebe (νεῖκος καὶ φιλία/*neíkos kai philía*) als aktiv trennende und verbindende Kräfte zur Seite; → Anaxagoras [2] versteht Geist (νοῦς/*nus*) als bewegende Ursache für den kosmischen Stoff.

Bei allem Gegensatz am konsequentesten eleatisch denken die Atomisten → Leukippos [5] und → Demokritos [1] (→ Atomismus), die die letzten, unteilbaren Körper (ἄτομα, *átoma*) mit den wesentlichen Attributen des parmenideischen Seienden ausstatten: Unvergänglichkeit, Unteilbarkeit, Homogenität und Unveränderlichkeit. Das Problem der Prozessualität, das beim Verzicht auf ein formales, aktives Prinzip auftritt, kann dieser frühe materialistische Monismus freilich noch nicht lösen. Eine eigene Weiterführung des Eleatismus wählt Platon im ›Timaios‹, indem der Raum (χώρα/*chṓra*; τόπος/*tópos*) die Funktion des stofflichen Substrats einnimmt; dieser ist jedoch weder leerer Raum noch Material, sondern eher nach Analogie eines mathematischen Kontinuumfeldes zu denken (weshalb die mod. Physik gerne an diese Konzeption anknüpft). Die *chṓra* wird von den → Ideen (den unveränderlich Seienden) derart affiziert, daß sie deren Nachbilder auf- und anzunehmen vermag, während sie selbst bestimmungslos, unvergänglich und nicht wahrnehmbar ist. Durch die in der späteren Trad. entwickelten Bestimmungen der M.

(Passivität, Affektibilität und Rezeptivität) wird der Raum zum Bereich des Werdens der sinnlichen Welt und diese durch Teilhabe an den Ideen (μέθεξις/*méthexis*) – anders als bei Parmenides – vor dem strikten Nichtsein bewahrt. Die wahrnehmbaren Körper selbst sind dabei aus geometrisch konzipierten Elementarkörpern aufgebaut, die ihrerseits nicht mehr in Körper, sondern nur noch in grundlegendere mathematische Strukturen (Flächen) teilbar sind (vgl. Plat. Tim. 48e-68d).

Aristoteles entwickelt den Begriff der M. maßgeblich im Kontext seiner Naturphilos. als Reflexionsbegriff, der relativ zu bestimmten Substanzen bzw. Prozessen eingeführt wird; von dort überträgt er ihn auf andere Bereiche wie → Logik, Seelenlehre etc. Die Physik erstrebt Erkenntnis der ersten Prinzipien und Ursachen ihres Gegenstandsbereichs, des prozeßhaft Seienden; folglich müssen die Prinzipien dieses Seienden und der Prozessualität ermittelt werden. Veränderung vollzieht sich auf einer Skala von einem relativen Anfangs- zu einem Endzustand, die Aristoteles »Form« und »Beraubung« nennt (εἶδος und στέρησις/*eídos* und *stérēsis*, lat. *forma* und *privatio*); insofern diese Bestimmungen sind, bedarf es eines Zugrundeliegenden (ὑποκείμενον/*hypokeímenon*) als Bestimmbaren. Das letzte Zugrundeliegende aller Veränderung ist die nur abstraktiv zu gewinnende erste oder äußerste M. (πρώτη, ἐσχάτη ὕλη/*prṓtē, eschátē hýlē*), die frei von jeder Form, mithin völlig bestimmungslos ist. Dennoch ist sie nicht schlechthin Nichtseiendes, sondern ihr ontologischer Status ist der eines der Möglichkeit nach Seienden (δυνάμει ὄν/*dynámei on*). Der Aufbau der physischen Welt erfolgt durch die sukzessive Überformung der M., wobei auf jeder Seinsstufe das jeweils zu Bestimmende M. heißt; so ergibt sich eine kontinuierliche Skala von Seins- und Gegenstandsbereichen der Natur, wobei jeweils die Entitäten der relativ niederen Sphäre die M. für diejenigen der höheren Sphäre bilden, indem auf jeder Stufe neue Formen hinzutreten. Die erste Formung erfährt die M. durch die Formen der Elementarqualitäten (warm-kalt, feucht-trocken), durch deren Kombination sich die Elementarkörper (στοιχεία/*stoicheía*; → *stoicheíon*) bilden, die ihrerseits im Verhältnis von Kontinuität und Gegensatz stehen, so daß zw. ihnen Wechselwirkung möglich ist. Das Gesagte trifft nur auf die sublunare Sphäre zu; die supralunaren Gestirne entstehen und vergehen nicht, sie bestehen aus einem eigenen Element, dem Äther.

Neben der Tradierung des Aristotelismus finden sich in der Folge auch monistische Positionen. → Epikuros führt Demokritos weiter, v.a. löst er das Problem der Prozessualität, indem er den Atomen neben Größe und Gestalt als dritte Eigenschaft Schwere (βάρος/*báros*) zukommen läßt; wegweisend sind seine Konzeptionen der einfachen atomaren Verbindung und des Raumes als absolutem Bezugssystem der Atombewegungen. Für den → Stoizismus zeichnet sich das Seiende durch die Fähigkeit zu wirken und zu erleiden aus, die allein Körpern zukommt; so ist das Seiende durchaus körperlich bzw. materiell, allerdings handelt es sich nicht um eine strikt materialistische Position, da der M.-Form-Dualismus der M. immanent ist. In der M. werden ein aktives und ein passives (M. im engeren Sinne, *hýlē*) Prinzip unterschieden, letzteres wird als qualitätsloser Körper (ἄποιον σῶμα, *ápoion sṓma*) verstanden, der auch als träge und bewegungslos bezeichnet wird. Die Funktion der Form kommt dem → Pneuma zu (πνεῦμα, auch λόγος/*lógos*, θεός/*theós*), das aufgrund seiner feinstofflichen Natur die M. durchdringen kann.

Bei → Plotinos ist M. kein Prinzip, sondern aus dem obersten Seinsgrund, dem Einen und Guten, auf dem Wege der → Emanation hervorgegangen; die entäußerte M. findet sich auf jeder Seinsstufe, so z.B. auf der Ebene des Nus die intelligible M. (ὕλη νοητή, *hýlē noētḗ*). Die sinnliche M. der untersten Ebene steht im strengsten Gegensatz zum höchsten Prinzip, ist mithin Nichtseiendes, Vieles und Übles (πρῶτον κακόν, *prṓton kakón*; Plot. Enneades 2,4).

Cicero (*De natura deorum*) überliefert Elemente sowohl der epikureischen als auch der stoischen Naturphilos., die beide einer akad.-skeptischen Kritik unterzogen werden; für ihn wie für das frühe MA gilt, daß das naturphilos. Interesse gering war und nur beiläufig Platz in anderen Zusammenhängen fand. Die neuplatonischen Vorstellungen, vornehmlich des Proklos, werden dem frühen christl. MA zunächst durch Ps.-Dionysios Areopagita (*De coelesti hierarchia*, dann auch durch Augustinus (v.a. *De genesi ad litteram*) übermittelt. Eine erste große Synthese gelingt JOHANNES SCOTUS ERIUGENA (*De divinitate naturae*), der eine zwar durchaus neuplatonische, aber dennoch eigenständige und umfassende Naturphilos. vorlegt. Der neuplatonische Gedanke der emanativ hervorgebrachten, kontinuierlich gestuften Welt, in der die M. den niedersten Platz einnimmt, gewinnt durch die spätere Begegnung mit der peripatetischen Philos. (Spät-MA) eine neue Gestalt.

C. WIRKUNGSGESCHICHTE

Die unterschiedlichen Konzeptionen werden in den jeweiligen Schulen weiterentwickelt, wobei im frühen MA der Platonismus durch die frühe Kenntnis des ›Timaios‹ dominiert, während nach der Rezeption der aristotelischen Naturphilos. zunächst die peripatetische Konzeption leitend wird. Von großem Einfluß waren zudem die Komm. von Avicenna (Ibn Sînâ) und Averroes (Ibn Rušd). Im Hoch-MA lassen sich grob zwei Schulen unterscheiden: Die vorwiegend dominikanisch geprägte Richtung (ALBERTUS MAGNUS, THOMAS VON AQUIN) versteht M. primär als stoffliches Substrat, das Vergänglichkeit und Unbestimmtheit in das Seiende einträgt, weshalb z.B. die Himmelskörper und die unsterblichen Seelen nur im analogen Sinne materiell sein können (unter dem Einfluß des → Neuplatonismus lehrt der Anti-Thomist DIETRICH VON FREIBERG später die reine Immaterialität des Himmels). Dagegen argumentiert die franziskanische Schule (BONAVENTURA, DUNS SCOTUS) unter dem Einfluß von Avicebron (Ibn

Gebirol) eher hylemorphistisch und stellt den Zusammenhang der gesamten geschaffenen Welt in den Vordergrund (Augustinus), der vermittelst der durchgängigen Materialität gewährleistet ist; wobei freilich zahlreiche Distinktionen, wie jene zw. einer *materia corporalis* und *spiritualis* (körperliche und geistige M.), die Sonderstellung der supralunaren Sphären wahren. Das Fundament moderner Naturwissenschaft wird zu Beginn des 14. Jh. von dem Franziskaner Franciscus de Marchia gelegt, der erstmals für die gesamte Schöpfung eine einheitliche, und zwar quantitativ bestimmte M. postuliert.

→ Materialismus; Prinzip; Materialismus

C. Baeumker, Das Problem der M. in der griech. Philos., 1890 (Ndr. 1963) • H. Benz, M. und Wahrnehmung in der Philos. Plotins, 1990 • L. Bloos, Probleme der stoischen Physik, 1973 • I. Craemer-Ruegenberg, Die Naturphilos. des Aristoteles, 1980 • H. Happ, Hyle. Studien zum aristotelischen Materiebegriff, 1971 • E. A. Moody, Studies in Medieval Philosophy, Science and Logic, 1975 • E. McMullin, The Concept of Matter in Greek and Medieval Philosophy, 1965 • S. Sambursky, Physics of the Stoics, 1959 • N. Schneider, Die Kosmologie des Franciscus de Marcia. Texte, Quellen und Untersuchungen zur Naturphilos. des 14. Jh., 1991 • D. J. Schulz, Das Problem der M. in Platons Timaios, 1966.

NO. SCH.

**Maternum.** Station in Etruria an der *via Clodia*, 12 Meilen von Tuscana und 18 Meilen von Saturnia entfernt (Tab. Peut. 5,1); nicht genauer lokalisierbar.

Miller, 296. G. U./Ü: H. D.

**Maternus**

**[1]** Ehemals röm. Soldat, dann Anführer einer Gruppe von Rebellen, mit denen er in Gallia und Hispania durch Überfälle erheblichen Einfluß ausübte. Wenn das *bellum desertorum* (»Krieg der Deserteure«) mit ihm zu verbinden ist, kämpfte die *legio VIII Augusta*, die in Argentorate stationiert war, gegen ihn. Als M. versuchte, → Commodus selbst zu töten, soll er von anderen Mitgliedern seiner Bewegung verraten und hingerichtet worden sein (HA Comm. 16,2; Herodian. 1,10; 11,5; [1. 178 ff.]; vgl. auch [2. 69 f.]). PIR² M 363.

**1** Th. Grünewald, Räuber, Rebellen, Rivalen, Rächer, 1999 **2** J. C. Wilmanns, Die Doppelurkunde von Rottweil und ihr Beitrag zum Städtewesen in Obergermanien (Epigraph. Stud. 12), 1981, 69 f.

**[2]** Aus Bilbilis in Spanien stammend, Bekannter des Dichters → Martialis [1], der als → *iuris consultus* in Rom tätig war (PIR² M 362). Er ist nicht mit M. Cornelius Nigrinus Curiatus Maternus zu verbinden, da dessen Hauptcognomen Nigrinus lautete. W. E.

**[3]** s. Firmicus Maternus

**Mathematik** I. Mesopotamien II. Ägypten III. Mesopotamische und ägyptische Einflüsse auf die griechische Mathematik IV. Klassische Antike

I. Mesopotamien

Die Existenz math. Könnens wird aus den ersten Schriftzeugnissen aus → Uruk in den Urkunden einer komplexen Verwaltungsorganisation greifbar. Aus der Zeit um 2700 v. Chr. stammen außer den ersten lit. Texten auch Beispiele von nicht-praxisbezogenen math. Aufgaben, z. B. Divisionen von sehr großen runden Zahlen oder Maßen mit Divisoren, die mit der Struktur von Zahlensystem und Metrologie nicht harmonieren. Nicht-praxisbezogene Aufgaben finden sich auch unter den Texten des 24./23. Jh. und aus dem 21. Jh. Im 21. Jh. scheint andererseits das auf der Grundzahl 60 basierende sexagesimale Stellenwert-System geschaffen worden zu sein. Nützlich konnte dieses System erst dann werden, wenn Multiplikations- und Reziprokentabellen (Division durch *n* als Multiplikation mit $1/n$) nebst tabellierten technischen Konstanten und metrologischen Konvertierungen zur Verfügung standen; seine Entwicklung wurde vermutlich nur im Rahmen einer zentralisierten Verwaltung möglich. Da die Notation nicht mit den Äquivalenten der Null und des Dezimalkommas ausgestattet war, konnte 𒌍𒐈𒎙𒁹 (30+3 – 20+1) sowohl $33;21 = {}^{21}/_{60} = 33+{}^{21}/_{60}$ als auch $33{,}60 = 33 \times 60+21$ (oder $33{,}0;21 = 33 \times 60+{}^{21}/_{60}$ usw.) bedeuten; sie war deshalb nur für Zwischenrechnungen und Schulübungen verwendbar, bei denen die Größenordnung schon vorher bekannt war.

Aus dem ersten Drittel des 2. Jt. sind Hunderte von Beispielen nicht-praxisbezogener mesopot. M. überliefert. Ihr Kern war eine auf Geometrie basierende »Algebra« zweiten Grades, für welche die folgende Aufgabe als Beispiel dienen kann: Von zwei Zahlen aus der Reziprokentabelle, *igûm* und *igibûm* (»das Reziproke« und dessen Reziprokes), ist so gegeben, daß der *igibûm* den *igûm* um 7 übersteigt. Das Produkt beider wird als ein Rechteck mit der Fläche 60 vorgestellt, und die äußere Hälfte des Überschusses 7 über das Quadrat auf dem *igûm* abgeschnitten und so an der längeren Seite angefügt, daß ein Gnomon (noch mit der Fläche 60) entsteht. Durch Hinzufügung des kleinen Quadrats $3\frac{1}{2} \times 3\frac{1}{2} = 12\frac{1}{4}$ wird der Gnomon dann zu einem Quadrat mit der Fläche $72\frac{1}{4}$ (und deshalb mit den Seiten $8\frac{1}{2}$) ergänzt. Aus einer der Seiten wird das umgelegte Stück $3\frac{1}{2}$ »herausgerissen«, so daß der *igûm* übrig bleibt als $8\frac{1}{2} - 3\frac{1}{2} = 5$; danach wird es der anderen Seite wieder hinzugefügt, woraus der *igibûm* als $8\frac{1}{2}+3\frac{1}{2} = 12$ gefunden wird. Die numerischen Schritte sind genau diejenigen der Lösung eines mod. Gleichungssystems, und auch die »analytische« Methode ist ähnlich: Die gesuchten Größen werden als bekannt repräsentiert und behandelt. Der einzige Unterschied ist, daß die Repräsentation aus »Längen«, »Breiten«, »Quadrat-Seiten« und »Flächen« besteht, nicht aus für Zahlen stehenden

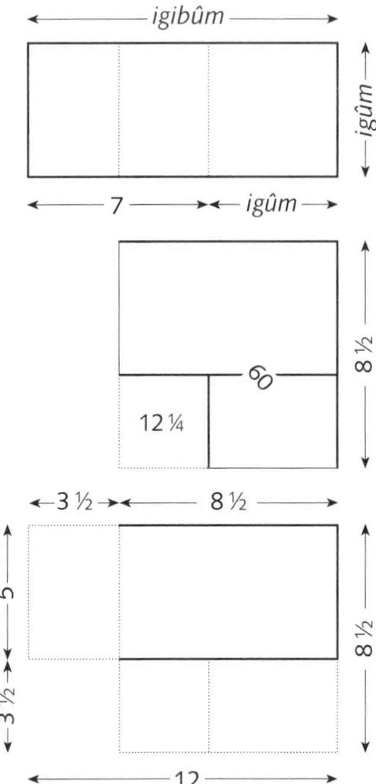


Buchstaben. Die Strecken werden aber genau wie heutige abstrakte Zahlen als Repräsentanten für andere Größen benutzt – seien es Zahlen, Preise und Arbeitstage oder geom. Größen. Ein formaler Nachweis der Richtigkeit der Prozedur existiert nicht, aber wie in der mod. Gleichungsalgebra »sieht« man unmittelbar und in »naiver« Weise, daß alles stimmt.

Dank der Repräsentation von Flächen durch Strecken sind einige Gleichungen, welche direkt in geom. Repräsentation formuliert sind, auch solche höheren Grades, jedoch biquadratisch lösbar; einige gemischte Probleme dritten Grades werden auch mittels Faktorisierung gelöst.

Vermutlich stand am Anfang babylon. M. eine kleine Gruppe von geom. Rätseln, die unter Landvermessern um 2000 v. Chr. zirkulierten: Aus der Summe ›der vier Seiten und der Fläche‹ eines Quadrats dessen Seite zu finden, aus der Fläche und der Summe der Seiten eines Rechtecks dessen Länge und Breite zu bestimmen u. ä. Die Anzahl dieser Rätsel (die im Umfeld der Landvermesser bis in das Spät-MA weiterlebten) war aber eng begrenzt; sie dienten nie als algebraische Repräsentation. Erst die altbabylon. Schule machte daraus eine Algebra und eine Disziplin. Das Ziel war kaum math. Forschung, sondern mit dem Ideal des »Schreiber-Humanismus« verbunden: virtuose Ausübung der professionellen Tätigkeit weit über das täglich Notwendige hinaus. Im täglichen Verwaltungsablauf war man z. B. in der Lage (praktisch) rechteckige Flächen als das Produkt von Länge und Breite sowie entsprechend die Flächen von (praktisch) rechtwinkligen Dreiecken und Trapezen zu bestimmen. Zur Berechnung der Fläche nicht ganz rechteckiger Vierecke wurde die »Landvermesser-Formel« benutzt (Durchschnittslänge × Durchschnittsbreite); schiefere Figuren wurden aufgeteilt in praktisch rechteckige Teilflächen. Der Durchmesser eines Kreises wurde als ⅓ seines Umfangs bestimmt, die Fläche damit übereinstimmend als $1/12$ des Quadrats des Umfangs (die Fläche des Halbkreises dagegen als ¼ des Produkts von Durchmesser und Bogen). Volumina wurden in der Flächenmetrologie gemessen, unter der stillschweigenden Voraussetzung, daß die Flächen mit einer Dicke von 1 Elle ausgestattet waren. Prismatische Volumina wurden berechnet, indem die virtuelle Dicke der Grundfläche zur wahren Höhe »gehoben« wurde. Dieser Vorgang war so grundlegend, daß »Hebung« zum allg. Terminus für alle auf Proportionalität basierenden Multiplikationen wurde. Kegel- und Pyramidenstümpfe wurden zuweilen annähernd (und nicht sehr genau) als Mitte-Querschnitt × Höhe bestimmt, in einem Fall korrekt (ob zufällig, ist unsicher). Die Böschung einer schiefen Ebene wurde durch den Rücksprung angegeben. Ein allg. Maß für die gegenseitige Neigung zweier Linien (einen quantifizierten Winkelbegriff) gab es nicht, gewiß aber die Unterscheidung zwischen praktisch rechten und schiefen Ecken.

Nach dem Ende der altbabylon. Zeit (etwa 1600 v. Chr.) existieren erst aus dem 4.–6. Jh. v. Chr. wieder eine Handvoll math. Texte, die im Gelehrtenmilieu entstanden sind. Abgesehen von vielstelligen Reziprokentafeln (vermutlich für astronomische Berechnungen) gibt es in dem spärlichen Material kaum grundlegende Änderungen. Algebra kommt noch vor. Abgesehen von einigen Reziproken/*igûm-igibûm*-Aufgaben scheint es aber (u. a. aus terminologischen Gründen), daß es sich um eine neue Entlehnung von den Landvermessern und nicht um eine Weiterführung einer alten Schreiber-Trad. handelt – und da über die Reziproken-Aufgaben hinaus Repräsentation nicht vorkommt, darf man eigentlich nicht länger von »Algebra« sprechen. Zwei Tafeln aus der Seleukidenzeit enthalten auf diesem Gebiet gewisse charakteristische Innovationen in Methode und Fragestellung, die auch anderswo auftauchen.

## II. Ägypten

Die erste Dokumentation pharaonisch-äg. M. ist die früh- oder vielleicht spät-vordyn. »Narmer-Palette« (ca. 3500 v. Chr.), auf welcher u. a. 1 422 000 (sicherlich erbeutete) Ziegen und 120 000 Gefangene numerisch dargestellt werden. Die Entwicklung der äg. M. im 3. Jt. war eng an die Staatsverwaltung geknüpft: Beginnend mit der 1. Dyn. wurde die jährliche Nilhöhe beobachtet, zweifellos um daraus die mögliche Ernte abzuschätzen. Ansonsten ist über die math. Techniken des 3. Jt. wenig bekannt. Das System der ganzen Zahlen ist schon auf der Narmer-Palette voll entwickelt. Für einige Brüche gab es bes. Zeichen, d. h. für ⅔, ½, ⅓ und ¼; sonst wurden metrologische Untereinteilungen benutzt. Die ersten Spuren der späteren *ro*-Stammbrüche (nämlich ¼,

⅕ und ⅙; s.u.) finden sich im 24. Jh. Aus der Art ihrer Verwendung wird klar, daß das spätere charakteristische »System« noch nicht existierte; ebenso die Geometrie des Tempel- und Pyramidenbaus und des »kanonischen Systems«, wobei die Proportionierung menschlicher Körper in der Bildkunst innerhalb eines Quadrat-Netzes erfolgte. Es basierte anscheinend auf der Metrologie und ihren Untereinteilungen; beides fängt spätestens frühdyn. (Ende 4. Jt.) an.

Äg. M. im eigentlichen Sinn beginnt erst im MR (Anfang 2. Jt.), vermutlich als Konsequenz der Einrichtung der Schreiberschule(n). Die Hauptquellen für deren Kenntnis sind zwei große Papyri, der »math. Pap. Rhind« (RMP) und der »Moskauer Papyrus« (MP). RMP ist eine Art Lehrer-Hdb., MP eine vom Lehrer korrigierte Schülerarbeit. Kern der RMP/MP-M. war ein System von ganzen Zahlen und Stammbrüchen, die daran geknüpften arithmetischen Techniken und ein Zugang, der auf Additivität und Proportionalität beruhte (letzterer in dem Sinn, daß jede Quantität als »Zahl« verstanden wurde und jede Zahl jede andere zählen oder von ihr gemessen werden konnte). Ganze Zahlen wurden durch Wiederholung der Zeichen für 1, 10, 100, ..., 100 000 geschrieben. Für ⅔, ½ und ⅓ gab es besondere Zeichen (hier als $3''$, $2'$ und $3'$ wiedergegeben); andere Stammbrüche wurden mit einem Zeichen *ro*, »Teil«, über der entsprechenden Zahl geschrieben (als $\overline{n}$ wiedergegeben). In einer Zahl durfte derselbe Stammbruch nicht mehr als einmal vorkommen; $\overline{5}\ \overline{5}$ war deshalb keine Zahlenangabe (im 24. Jh. wurde es dagegen im Sinne von ⅖ benutzt); stattdessen war es ein Problem mit der Lösung $3'\ \overline{15}$.

Als erstes Beispiel kann man die Multiplikation von $8\ 3''\ \overline{6}\ \overline{18} = 8\frac{8}{9}$ mit sich selbst (RMP 42) betrachten:

| | |
|---|---|
| 1 | $8\ 3''\ \overline{6}\ \overline{18}$ |
| 2 | $17\ 3''\ \overline{9}$ |
| 4 | $35\ 2'\ \overline{18}$ |
| /8 | 71 9 |
| /$3''$ | $5\ 3''\ \overline{6}\ \overline{18}\ \overline{27}$ |
| $3'$ | $2\ 3''\ \overline{6}\ \overline{12}\ \overline{36}\ \overline{54}$ |
| /6 | $1\ 3'\ \overline{12}\ \overline{24}\ \overline{72}\ \overline{108}$ |
| /18 | $3'\ \overline{9}\ \overline{27}\ \overline{108}\ \overline{324}$ |
| Summe | $79\ \overline{108}\ \overline{324}$ |

Die Bedeutung ist die folgende: »1« von $8\ 3''\ \overline{6}\ \overline{18}$ ist $8\ 3''\ \overline{6}\ \overline{18}$; »2«, »4« und »8« davon werden durch fortgesetzte Verdoppelung gefunden. Die erste Verdoppelung stellt kein Problem dar, an der zweiten wird schon ein Hauptproblem der äg. Zahldarstellung sichtbar: da $\overline{9}$ nicht als $\overline{9}\ \overline{9}$, sondern nur als $\overline{6}\ \overline{18}$ verdoppelt werden darf, ergibt die ganze Verdoppelung $35\ 3'\ \overline{6}\ \overline{18}$, wo $3'\ \overline{6}$ dann in $2'$ verwandelt wird. Das Bestimmen von »$3''$«, »$\overline{6}$« und »$\overline{18}$« von $8\ 3''\ \overline{6}\ \overline{18}$ illustriert die Vorliebe der Rechner für die Hauptbrüche $3''$ und $2'$ und für das Bestimmen kleinerer Teile durch fortgesetztes Halbieren (das nicht immer möglich war). Die Addition der resultierenden Stammbrüche $\overline{9}\ 3''\ \overline{6}\ \overline{18}\ \overline{27}\ 3'\ \overline{12}\ \overline{24}\ \overline{72}\ \overline{108}\ 3'\ \overline{9}\ \overline{27}\ \overline{108}\ \overline{324}$ wurde dadurch erreicht, daß alle als Anteile einer passenden Referenz-Größe (funktionell einem gemeinsamen Nenner ähnlich) aufgefaßt wurden, z. B. von 108; $3''$ davon ist 72, $\overline{6}$ ist 18, ..., 24 ist 4½, ...; insgesamt erhält man 217⅓ = 216+1⅓; 216 ist 2 von 108, 1⅓ ist $\overline{108}\ \overline{324}$ davon.

Das Schema für Division war demjenigen der Multiplikation ähnlich – nur wurde hier der Dividend durch fortgesetzte Verdoppelung und Stammbruch-Anteile des Divisors »ausgeleert«. RMP beginnt mit einer »Tabelle« $2/n$, $n = 3, 5, \ldots, 101$, die solchen Multiplikationen und Divisionen dienen sollte. Da nicht nur die Ergebnisse, sondern auch die Berechnungen gegeben werden, ist diese Tabelle das umfangreichste bekannte Stück zusammenhängender äg. M.

Für praktische Zwecke war dieses System kaum besser als die Verwendung metrologischer Unterteilungen. Auch trifft man in Verwaltungsurkunden manchmal sehr grobe Annäherungen. Die Vorteile dieses Systems zeigen sich erst innerhalb eines Schul-Kontextes: Es erlaubt a) Exaktheit, und damit die Entscheidung ob der Schüler ›richtig gefunden hat‹; b) die theoretische Integration aller Techniken. Daß eine solche erstrebt wurde, ist offensichtlich – nach der $2/n$ Tabelle sind die ersten 34 Aufgaben alle abstrakt formuliert, in Zahlen, Stammbrüchen und unbestimmten »Quantitäten«. Ihre Anwendung läßt c) die Ausübung von rechnerischer Virtuosität zu. Was die altbabylon. Schule mittels Algebra erzielte, erreichte die äg. mit ihren Stammbrüchen. Die praktisch-arithmetischen Aufgaben, die im RMP und MP mit arithmetischen Techniken gelöst werden, ähneln der Gesellschafts- und Mischungsrechnung modernerer Zeit. Das Lösungsprinzip ist oft eine Variante des »einfachen falschen Ansatzes«.

In geom. Berechnungen wurde die Fläche eines Rechtecks als Produkt von dessen Länge und Breite gefunden, die eines gleichschenkligen Dreiecks als Mittellinie (d. h. Höhe) × halbierte Grundlinie, mit der ausdrücklichen Begründung, daß dadurch das Dreieck in sein Rechteck verwandelt wird. Die Fläche des Kreises wurde als das Quadrat von $\frac{8}{9}$ des Durchmessers bestimmt; der interessante Parameter war also nicht das Verhältnis zwischen Umfang und Durchmesser ($\pi$), sondern das Verhältnis von Fläche und Durchmesser ($\sqrt{\pi/4}$), das (recht gut) mit $\frac{8}{9}$ angenähert wurde. Prismatische Volumina wurden als Produkt von Grundfläche und Höhe (nach weiterer Multiplikation mit einem metrologischen Korrektionsfaktor) gefunden; eine Aufgabe im MP berechnet (korrekt) das Volumen eines Pyramidenstumpfs. Wie in Mesopot. wurden Böschungen mittels des Rücksprungs gemessen. Mit quantifizierten Winkeln wurde nicht gerechnet.

Weitere Dokumente von der Art wie RMP und MP gibt es erst aus der demotischen (d. h. griech.-röm.) Zeit. Grundlegend hat sich nicht viel verändert, obwohl terminologische Neuerungen und eine gewisse Lockerung der strikten Regeln der Arithmetik nachweisbar sind (so gibt es Tabellen $m/n$, in denen $m$ bis 10 geht). Interessant ist aber die vermutliche Übernahme einer

Reihe von Formeln und Aufgaben aus Mesopot., z.B. der Landvermesserformel; der Berechnung der Kreisfläche als ¼ des Produkts von Umfang und Durchmesser und der Annahme, daß ersterer das Dreifache von letzterem beträgt; die Bestimmung des Volumens eines Kegelstumpfes als Mitte-Querschnitt × Höhe; und von Aufgaben, die charakteristische Innovationen der Seleukidenzeit zeigen. Die Herrschaft der Assyrer und Achämeniden und die Tätigkeit ihrer Militärschreiber und Beamten sind also möglicherweise nicht ohne Einfluß auf die äg. M. geblieben. Weder in den Texten des 2. Jt. noch in den demot. Texten gibt es formelle Beweise; wie in Mesopot. ist jedoch klar, daß die oft recht komplizierten Berechnungen auf Einsicht und nicht nur auf zufälliger Erfahrung beruhen.

### III. Mesopotamische und ägyptische Einflüsse auf die griechische Mathematik

Ohne Zweifel haben die Griechen die Stammbrüche der Ägypter übernommen, so wie auch die Sexagesimalbrüche der hell. Astronomie der babylon. Astronomie entstammen. Wenig glaubwürdig scheint dagegen die Behauptung des → Herodotos [1] und anderer griech. Autoren, daß die griech. Geometrie auf der Landvermessung der Ägypter fuße. Nach der ersten Entschlüsselung der babylon. Algebra Anfang des 20. Jh., als diese noch als rein arithmetische Technik aufgefaßt wurde, schlug Neugebauer um 1935 vor, die Geometrie des 2. Buchs der euklidischen ›Elemente‹ (→ Eukleides [3]) als geom. Übersetzung der babylon. Ergebnisse zu verstehen – notwendig geworden durch die Entdeckung der Irrationalität. Diese These wurde allg. akzeptiert. Seit 1970 wurde dagegen eingewandt, daß die Konzeptualisierung der griech. Geometrie völlig verschieden von derjenigen einer arithmetischen Algebra sei; daß alle babylon. Texte Aufgaben lösen und Zahlen finden, während das 2. Buch der ›Elemente‹ Lehrsätze beweise, die bestenfalls als algebraische Identitäten aufgefaßt werden können. Die geom. Deutung der babylon. Algebra und die Entdeckung der weiterlebenden Landvermesser-Trad. (die unzweifelhafte Spuren in den pseudo-heronischen *Geometrica* hinterlassen hat; → Heron) stellt die ganze Frage in ein neues Licht. Die Griechen brauchten keine geom. Übersetzung vorzunehmen; die Figur, die der Lösung der *igûm-igibûm*-Aufgabe (s. Abb.) zugrunde lag, müßte mit derjenigen von Eukl. elem. 2,6 praktisch identisch gewesen sein. Nur die Diagonale, die bei Euklid dazu diente, die Figur beweisbar korrekt zu konstruieren, statt »naiv« ihre Teile anders anzuordnen, fehlte wohl in der babylon. Trad. Statt Übersetzung sind Eukl. elem. 2,1–10 (in quasi-kantianischem Sinne) eine »Kritik« der alten, aber noch bekannten Landvermesserlösungen, nämlich eine Unt., warum und unter welchen Bedingungen sie gelten. Zu diesen Zweck müssen die ›Elemente‹ (z.B.) den rechten Winkel definieren (Def. 10) – und danach postulieren (Post. 4), daß alle rechten Winkel gleich sind, da dies aus der Definition nicht folgt. Grundsätzlich wird also die Neugebauer-These bestätigt: Die Geometrie des 2. Buchs der ›Elemente‹ ist eine Umformung einer Technik, wie sie durch die altbabylon. Tontafeln bekannt ist. Die griech. Geometer kannten sie aber sicherlich aus einer lebendigen Trad. (wie Neugebauer später behauptet hat) und nicht aus den Tontafeln. Da diese Trad. in der klass. Epoche auch Äg. erreicht hatte, ist es deshalb nicht auszuschließen, daß auch Herodot recht hat.

→ Astronomie; Wissenschaft

**1** J. Høyrup, Algebra and Naive Geometry. An Investigation of Some Basic Aspects of Old Babylonian Mathematical Thought, in: Altoriental. Forsch. 17, 1990, 27–69, 262–354 (mit Hinweisen auf Quellen und Sekundärlit.) **2** P. Damerow, R. K. Englund, H.J. Nissen, Frühe Schrift und Techniken der Wirtschaftsverwaltung im Alten Orient, 1990 **3** R.K. Englund, Organisation und Verwaltung der Ur III-Fischerei, 1990 **4** J. Friberg, s. v. M., RLA 7, 531–85 **5** O. Neugebauer, Math. Keilschrifttexte, 3 Bd. 1935/7 **6** W. F. Reinecke, s. v. M., LÄ 3, 1237–45 (mit Lit.) **7** B. L. van der Waerden, Erwachende Wiss., 2 Bde., [2]1966/1980 **8** O. Neugebauer, Vorlesungen über Geschichte der ant. math. Wissenschaft. Vorgriech. M., Bd. 1, [2]1969 **9** Ders., The Exact Sciences in Antiquity, [2]1969 **10** K. Vogel, Vorgriech. M., 2 Bde., 1958–1959 **11** R. J. Gillings, Mathematics in the Time of the Pharaohs.

JE. HØ.

## IV. Klassische Antike

A. Griechenland B. Rom und Mittelalter

### A. Griechenland

Ausgehend von den Pythagoreern (→ Pythagoras, → Pythagoreische Schule) verstand man in der griech. Ant. unter μαθήματα/*mathḗmata* oder μαθηματικὴ τέχνη/*mathēmatikḗ téchnē* die vier Disziplinen Arithmetik, Geometrie, Astronomie und Musik(-theorie). Die Einengung des Begriffs in Richtung auf die heutige Bed. setzt bei Aristoteles [6] ein. Im Lat. bezeichnet M. (nach Gell. 1,9,6) die Wissenschaften, die arithmetischer und geometrischer Operationen bedürfen.

Obwohl die Griechen von den Kenntnissen der Babylonier und Ägypter (s.o. I.-II.) Gebrauch machten, haben sie die M. in einer bes. Weise weiterentwickelt. Ihr Wissen enthält gegenüber der vorgriech. M. neuartige logische und systematische Ansätze. Die Griechen erkannten die Notwendigkeit, mathematische Aussagen zu beweisen, und schufen das dafür notwendige Instrumentarium. Die frühe Entwicklung der M. ist mit der Philos. eng verbunden. Das logische Schließen und der indirekte Beweis (→ Eleatische Schule) wurden auf die M. angewandt. Die Griechen erkannten, daß man bei der Beweisführung von Definitionen und Axiomen ausgehen müsse. Dadurch wurde die griech. M. zum Vorbild der mod. M.

Man kann die griech. M. in drei Perioden einteilen: die Frühphase (vor → Eukleides [3], um 300 v. Chr.), deren Werke nur aus späteren Erwähnungen oder Zusammenfassungen bekannt sind; die klass. Periode, die durch die großen Werke von Euklid, → Archimedes [1] und → Apollonios [13] charakterisiert ist; und die Spätphase (1.–6. Jh. n. Chr.), in der u. a. → Pappos, → Theon von Alexandreia, → Diophantos [4] und → Proklos gewirkt haben. Theon hat wichtige Texte der klass. Mathematiker in eine Standardform gebracht, in der sie in der byz. Zeit verbreitet wurden. Einige griech. Texte sind nur durch Übers. bzw. Bearbeitungen in arab. Sprache erhalten.

Neben der wiss. M. der Griechen gab es selbstverständlich auch praxisbezogene Arithmetik und Geometrie, die aber wesentlich schlechter dokumentiert ist.

Die folgende Einteilung in Teildisziplinen orientiert sich an den mod. Begriffen.

1. Theoretische Arithmetik 2. Rechenkunst 3. Algebra 4. Geometrie 5. Sphärik und Trigonometrie

### 1. Theoretische Arithmetik

Die Arithmetik (ἀριθμητικὴ τέχνη/*arithmētikḗ téchnē*) ist für die Griechen die Lehre von den ganzen Zahlen und ihren Beziehungen zueinander. Ausgehend von der Vorstellung, daß die Welt auf der Zahl aufgebaut ist, gelangten die Pythagoreer zu bedeutenden zahlentheoretischen Kenntnissen. Sie setzten aus Steinchen (*psḗphoi*) Figuren in Form von Dreiecken, Quadraten, anderen Polygonen und Rechtecken zusammen (figurierte Zahlen; Polygonalzahlen) und knüpften daran arithmetische Untersuchungen an, die u. a. zu den Summenformeln für natürliche Zahlen, Quadrat- und Kubikzahlen führten. Die Pythagoreer interessierten sich bes. für Primzahlen, vollkommene Zahlen (die gleich der Summe ihrer echten Teiler sind) und befreundete Zahlen (von denen jede gleich der Summe der echten Teiler der anderen ist). Die pythagoreische Arithmetik ist v. a. in den B. 7–9 von Euklids ›Elementen‹ wiedergegeben. Die Pythagoreer bewiesen, daß es unendlich viele Primzahlen gibt (Eukl. elem. 9,20), und gaben ein Verfahren an, um vollkommene Zahlen zu finden (ebd. 9,36).

Die Musiktheorie (→ Musik) führte zur Beschäftigung mit Proportionen und zum Verfahren der »Wechselwegnahme« (ἀνθυφαίρεσις/*anthyphaíresis*), mit deren Hilfe der größte gemeinsame Teiler von zwei Zahlen gefunden werden kann. Durch Anwendung der Wechselwegnahme auf allg. Größen (speziell: auf Diagonale und Seite des Quadrats oder Fünfecks) entdeckte verm. → Hippasos [5] im 5. Jh. v. Chr., daß es Größen gibt, die kein gemeinsames Maß haben (wir würden sagen: die Existenz der irrationalen Zahlen wie $\sqrt{2}$ und $\sqrt{5}$). Dies führte dazu, daß die alte Theorie der Proportionen, die nur für natürliche Zahlen galt (dargelegt in Eukl. elem. B. 7), durch eine neue, für beliebige Größen geeignete Proportionenlehre ersetzt wurde (→ Eudoxos [1]; übernommen von Eukl. elem. B. 5). Grundlegend hierfür ist ein Meßbarkeitsaxiom (formuliert in Eukl. elem. 5, Def. 4). Auf einer anderen Form dieses Axioms (ebd. B. 10,1) beruht die sog. Exhaustionsmethode, mit der die griechischen Mathematiker infinitesimale Probleme lösten und die v. a. → Archimedes [1] virtuos handhabte. → Theaitetos klassifizierte die verschiedenen Typen der Irrationalitäten (übernommen von Eukl. elem. B. 10) und zeigte ihren Zusammenhang mit den fünf regulären Polyedern (s. Eukl. elem. B. 13; vgl. u. 4. Geometrie). – Die pythagoreische Zahlentheorie (v. a. ihre Erkenntnisse über Primzahlen, befreundete, vollkommene und figurierte Zahlen) und ihre Proportionenlehre wurde von → Nikomachos von Gerasa zusammengefaßt und war in der Bearbeitung durch → Boëthius während des ganzen MA auch im Westen bekannt.

### 2. Rechenkunst

Der wiss. Arithmetik der Griechen stand das praktische Rechnen, die »Logistik« (λογιστικὴ τέχνη/*logistikḗ téchnē*), gegenüber. Unser Wissen über dieses Gebiet beruht fast ausschließlich auf byz. Quellen (s. [7]). Die griech. Mathematiker benutzten für die Schreibweise der Zahlen ein alphabetisches System, bei dem für die 9 Einer, 9 Zehner und 9 Hunderter die 24 Buchstaben des griech. Alphabets sowie drei weitere, nicht mehr gebräuchliche Zeichen verwendet wurden (→ Zahlensysteme). Dieses System erlaubte zwar eine kurze Darstellung der Zahlen, war aber für das Rechnen schlecht geeignet. Speziell Multiplikationen und Divisionen waren unübersichtlich. Zur Erleichterung benutzte man Einmaleinstabellen. Bei den Brüchen spielten (wie bei den Ägyptern) die Stammbrüche ($1/n$) eine besondere Rolle; man kannte aber auch den allg. Bruch. Die Astronomen benutzten für ihre Rechnungen die Sexagesimalbrüche, die auf die Babylonier zurückgehen. Da diese Brüche auf dem Stellenwertprinzip beruhen, konnten auch kompliziertere Rechnungen leicht durchgeführt werden.

Für das praktische Rechnen besser geeignet als die Buchstabenziffern der Griechen war das Rechenbrett (ἀβάκιον/*abákion*, → *abacus*). Erh. sind eine Rechentafel, die auf der Insel Salamis gefunden wurde, sowie die bildliche Darstellung des Rechnens auf einer Vase [2. 104–111]. Das Rechenbrett war durch Linien in Spalten eingeteilt, in die Rechensteine gelegt wurden. Jede Spalte hatte einen speziellen Wert, der durch Zahlzeichen bezeichnet wurde; außer den Zehnerpotenzen (1, 10, 100, 1000) gab es auch Spalten für die Fünfer (5, 50, 500) und für Bruchteile. Der Wert eines Rechensteins (*psḗphos*) hing von der Spalte ab, in die er gelegt wurde. Das Rechnen auf dem Rechenbrett war einfach zu lernen, da man nur Steine hinzufügen oder wegnehmen mußte. Wenn mehr als 4 Steine in den Zehnerspalten (bzw. mehr als 1 Stein in den Fünferspalten) zusammenkamen, mußte man sie durch einen Stein in der nächsten Spalte ersetzen; bei der Subtraktion wurde ggf. ein höherer Stein in mehrere der nächstniedrigeren Einheit aufgelöst.

Auch die Römer haben das praktische Rechnen auf Rechenbrettern durchgeführt, die auf demselben Prinzip wie die griech. Rechentafel beruhen (→ *abacus*). Für das schriftliche Rechnen gab es außerdem Hilfstafeln. Erh. ist der *calculus* des Victorius aus der Mitte des 5. Jh., der die Vielfachen der mit röm. Ziffern geschriebenen Zahlen (einschließlich der Brüche) angibt.

3. Algebra

Die Algebra (der Name stammt von einer arab. Schrift des al-Ḫwārizmī, 9. Jh.) war bei den Griechen keine eigenständige math. Teildisziplin. Verm. beeinflußt von den Babyloniern (s.o. III), wurden algebraische Sachverhalte in geom. Einkleidung behandelt (»geometrische Algebra«): Flächenverwandlungen waren das Äquivalent algebraischer Umformungen (Eukl. elem. B. 2). Für die Lösung der drei Typen der quadratischen Gleichungen benutzte man Flächenanlegungen (s. Eukl. elem. B. 6). Für Gleichungen dritten und höheren Grades gab es keine allg. Theorie; Aufgaben, die auf kubische oder biquadratische Gleichungen führten (z.B. Würfelverdopplung, Winkeldreiteilung, Kugelteilung, Konstruktion des Siebenecks), wurden individuell mit Hilfe von Einschiebungen (νεῦσις/*neúsis*), Kegelschnitten oder höheren Kurven gelöst. Die Rechenoperationen werden durch Worte angegeben. Eine Ausnahme bildet Diophantos [4], der algebraische Symbole benutzte, um bestimmte und unbestimmte Gleichungen ersten, zweiten und höheren Grades zu lösen. Anders als bei seinen Vorgängern ist Diophantos' Algebra ganz vom Geometrischen gelöst.

4. Geometrie

Der Begriff »Geometrie« (γεωμετρία), der im Griech. urspr. die Feldmessung bezeichnete, wird schon bei Aristoteles zur Bezeichnung einer exakten, axiomatisch aufgebauten Wiss. verwendet, die sich im Gegensatz zur Geodäsie mit sinnlich nicht wahrnehmbaren Figuren befaßt (Aristot. metaph. 2,997b 26). Elemente der Geometrie, d.h. eine geordnete Zusammenstellung des im Bereich der Elementargeometrie Bekannten, haben schon → Hippokrates [5] von Chios und → Leon [6] verfaßt. Das grundlegende geom. Werk, das bis in die Neuzeit gewirkt hat, waren die ›Elemente‹ des Eukleides [3].

Die griech. Geometrie beginnt mit → Thales von Milet, der Sätze formulierte, die zumeist mit dem Kreis und seinen Symmetrieverhältnissen zusammenhängen. Er benutzte verschiedene Arten von Winkeln und erkannte die Notwendigkeit, geom. Sätze zu beweisen. Den sog. »Satz des Pythagoras« haben die Griechen verm. von den Babyloniern übernommen. Die Pythagoreer beschäftigten sich intensiv mit der Geometrie. Um 440 v.Chr. war der Grund für die gesamte Elementargeometrie einschließlich der Lehre vom Kreis gelegt und durch Beweise abgesichert. Die planimetrischen Bücher 1–4 des Euklid gehen wesentlich auf die Pythagoreer zurück. Man wußte, daß es nicht mehr als fünf reguläre Körper (reguläre Polyeder; Platonische Körper) geben kann; drei von ihnen (Tetraeder, Hexaeder = Würfel, Dodekaeder) waren bereits den Pythagoreern bekannt, die restlichen (Oktaeder, Ikosaeder) hat verm. Theaitetos gefunden. Die Beziehungen zw. den Polyedern und den Beweis, daß es nur fünf derartige Körper gibt, findet man später in B. 13 von Euklids ›Elementen‹.

Die Beschäftigung mit den regulären Polygonen, insbesondere mit dem Quadrat und dem Fünfeck, führte schon im 5. Jh. v. Chr. zur Entdeckung irrationaler Größen (s.o. 1. Theoretische Arithmetik). Die zur Konstruktion des regulären Fünfecks erforderliche stetige Teilung (später »Goldener Schnitt« gen.) setzt die Lösung der quadratischen Gleichung $x^2 + ax = a^2$ voraus, die geom. ein Sonderfall der »Flächenanlegung« ist. Dieses Verfahren ist altpythagoreisch und hängt eng mit der babylon. Lösung quadratischer Gleichungen zusammen (s.o. 3. Algebra). Die Entdeckung irrationaler Größen führte zu einer systematischen Ausbildung einer »geometrischen Algebra« für den linearen und quadratischen Bereich.

Das Wissen seiner Vorgänger und Zeitgenossen hat Euklid um 300 v. Chr. zusammengefaßt und in eine systematische Ordnung gebracht. Ausgehend von Definitionen, Postulaten und Axiomen, errichtet er in seinen ›Elementen‹ ein Gebäude aus Lehrsätzen und Konstruktionen, die logisch aufeinander aufbauen. Die ›Elemente‹ behandeln nicht nur geom. Fragestellungen, sondern (v.a. in den B. 5 und 7–9) Arithmetik und Proportionenlehre und (in B. 2) die »geometrische Algebra«. Sie sind keine Gesamtdarstellung der griech. M.; es fehlen die Kegelschnitte, die höheren Kurven und die praktische M.

Schon im 5. Jh. v. Chr. beschäftigten sich die Griechen auch mit höheren geom. Problemen, insbesondere mit den drei »klassischen Problemen«: Kreisquadratur, Würfelverdopplung, Winkeldreiteilung. Sie sind elementargeom. mit Zirkel und Lineal nicht zu lösen, da die letzten beiden auf kubische Gleichungen führen und die Kreisquadratur mit der transzendenten Zahl π zusammenhängt. → Hippokrates [5] von Chios zeigte, daß spezielle Möndchen, d.h. von zwei Kreisbögen begrenzte Figuren, in flächengleiche Quadrate verwandelt werden können (s. Abb. zu → Hippokrates [5]). Das Problem der Verdopplung eines gegebenen Würfels (das sog. »Delische Problem«) führte er auf die Einschaltung zweier mittlerer Proportionalen zw. zwei gegebenen Strecken zurück. Diese Idee war folgenreich: Spätere Gelehrte verwendeten zur Bestimmung dieser mittleren Proportionalen mechanische Geräte (→ Mesolabion), Einschiebungen, transzendente Kurven (z.B. die Quadratrix; → Hippias [5]) oder Kegelschnitte (→ Menaichmos [3]). Die Lehre von den Kegelschnitten wurde auch unabhängig von den »klassischen Problemen« weiterentwickelt; den Höhepunkt bildeten die *Kōniká* des → Apollonios [13], in denen die Theorie der Kegelschnitte umfassend und systematisch behandelt wurde.

Die Kreisfläche wurde schon von → Antiphon [4] durch einbeschriebene Polygone wachsender Seitenzahl approximiert (»ausgeschöpft«), während → Bryson den Kreis zw. ein- und umbeschriebene Vielecke ein-

## Zweidimensionale geometrische Figuren und ihre Bezeichnungen nach den Definitionen Euklids

| | | | griech. Bezeichnung | | lat. Bezeichnung |
|---|---|---|---|---|---|
| KREIS | | Kreis | κύκλος | kýklos | *circulus* |
| | | Umfangslinie | περιφέρεια | periphéreia | *circumferentia* |
| | | Durchmesser | διάμετρος | diámetros | *diametrus* |
| | | Radius | ἡ ἀπὸ τοῦ κέντρου πρὸς τὴν περιφέρειαν | hē apó tu kéntru pros tēn periphéreian | *radius* |
| | | Halbkreis | ἡμικύκλιον | hēmikýklion | *semicirculus* |
| | | Ausschnitt | τομεύς | tomeús | *sector* |
| DREIECK | | Dreieck | τρίγωνον | trígōnon | *triangulum* |
| | | gleichseitig | ἰσόπλευρον | isópleuron | *aequilaterum* |
| | | gleichschenklig | ἰσοσκελές | isoskelés | *isosceles; aequicrurium* |
| | | ungleichschenklig | σκαληνόν | skalēnón | *scalenum* |
| | | rechtwinklig | ὀρϑογώνιον | orthogṓnion | *orthogonium; rectangulum* |
| | | stumpfwinklig | ἀμβλυγώνιον | amblygṓnion | *amblygonium; obtusangulum* |
| | | spitzwinklig | ὀξυγώνιον | oxygṓnion | *oxygonium; acutangulum* |
| VIERECK | | Viereck | τετράγωνον | tetrágōnon | *tetragonum* |
| | | Quadrat | ἰσόπλευρον | isópleuron | *quadratum* |
| | | Rechteck | ἑτερόμηκες; ὀρϑογώνιον | heterómēkes; orthogṓnion | *parte altera longior; rectangulus* |
| | | Raute | ῥόμβος | rhómbos | *rhombus* |
| | | Parallelogramm | ῥομβοειδές | rhomboeidés | *rhomboides* |
| | | unregelmäßiges Viereck | τραπέζιον | trapézion | *trapezium* |

Zum Kreis vgl. Eukleides, Buch 1, Definitionen 15–19, zum Dreieck 20f., zum Viereck 22. M. Haa.

schloß. Dabei verwendete er eine Art Stetigkeitsprinzip. Dieses Verfahren wurde durch Archimedes [1] vervollkommnet, der mit Hilfe des ein- und umbeschriebenen regelmäßigen 96-Ecks zeigte, daß die Kreiszahl π zw. 3 $\frac{10}{71}$ und 3 $\frac{1}{7}$ liegt. Mit Hilfe des Meßbarkeitsaxioms (s.o. 1. Theoretische Arithmetik) hatte schon → Eudoxos [1] ein Verfahren entwickelt, um infinitesimale Prozesse zu behandeln. Archimedes brachte dieses Verfahren (die sog. »Exhaustionsmethode«) zu einer Virtuosität und berechnete mit ihrer Hilfe Flächen, Volumina, Bögen und Schwerpunkte krummlinig begrenzter Flächen und Körper. Zur heuristischen Ableitung seiner Formeln bediente er sich der → mechanischen Methode, deren Ergebnisse er dann mit exakten infinitesimalen Verfahren bestätigte.

Neben der wiss. Geometrie gab es auch praktische Verfahren, die uns v.a. durch die Schriften → Herons bekannt sind. Einige von ihnen (z.B. die Bestimmung der Dreiecks- und Vierecksflächen) gehen auf ägypt. und babylon. Methoden zurück (s. I.) und waren, bes. durch die Werke der röm. Feldmesser, auch im westl. MA bis ins 16. Jh. wirksam.

5. Sphärik und Trigonometrie

Die Geometrie auf der Kugel, die für astronomische Zwecke wichtig war, wurde von → Autolykos [3], → Theodosios und → Menelaos [6] entwickelt und von den beiden letzten rein geom. dargestellt. Um Rechnungen auf der Kugel durchzuführen, war es notwendig, statt mit Winkeln und Bögen mit Strecken zu rechnen, die jenen Winkeln bzw. Bögen zugeordnet sind. Die griech. Mathematiker haben dafür die Sehne gewählt, die ein Kreisbogen aufspannt; die h. übliche Sinustrigonometrie, die mit Halbsehnen arbeitet, wurde erst von den Indern und Arabern entwickelt. Anders als Arithmetik und Geometrie erfuhr die griech. Trigonometrie ihre volle Entfaltung erst in nachchristl. Zeit, v.a. durch Menelaos und Klaudios → Ptolemaios.

Schon im 4. Jh. v. Chr. benutzte man Abschätzungen trigonometrischer Funktionswerte. Zur Begründung einer praktisch brauchbaren Wiss. war die Konstruktion einer numerischen Tafel der trigonometrischen Funktionen erforderlich, und hierzu benötigte man Hilfssätze. Zu ihnen gehört ein Satz, der in arab. Quellen Archimedes zugeschrieben wird (»Archimedische Prämisse«), und der »Satz des Ptolemaios«, der im ›Almagest‹ 1,10 formuliert ist. Dort findet man auch eine Sehnentafel, die von 30 zu 30 Minuten fortschreitet (1,11). Mit Hilfe dieser Sehnentrigonometrie waren die Griechen in der Lage, alle astronomischen Aufgaben auf der Himmelskugel zu lösen.

B. Rom und Mittelalter

Das griech. math. Wissen wurde von den Römern nicht weiterentwickelt. Von den math. Werken der Griechen wurden nur wenige ins Lat. übers.; erh. sind nur (Teile von) Übersetzungen des → Boëthius. Größere Bed. hatten die praktischen Anwendungen der M., bes. im Vermessungswesen (→ Feldmesser; → Limitation). In der Trad. des → Heron stehen Vermessungstraktate, die in der Spätant. im *Corpus agrimensorum* zusammengefaßt wurden (→ Feldmesser). Die wichtigsten math. Schriften in dieser Slg. stammen von → Frontinus (1. Jh. n. Chr.), Balbus (um 100) und Epaphroditus sowie → Vitruvius Rufus (2. Jh.?). Auch Auszüge bei → Columella (B. 5) und das *Fragmentum Censorini* (→ Censorinus) gehören dieser Trad. an. Die Schriften der Agrimensoren waren als Leitfäden für Praktiker gedacht; sie geben Regeln ohne Beweise und sind vom Niveau her nicht mit den Werken der großen griech. Mathematiker vergleichbar. Sie bildeten aber den Anf. der westl. Geometrie des MA; die Geometrie von Gerbert († 1003) und Schriften zur *Geometria practica* des Spät-MA (z. B. von Hugo von St. Victor und Dominicus de Clavasio) beruhen auf ihnen.

Durch Marcus Terentius → Varros *De disciplinis* fanden die Geometrie und die Arithmetik auch Eingang in die enzyklopädischen Schriften der Römer (→ Enzyklopädie); einige geometrische Fr., die in Agrimensoren-Hss. überl. werden, stammen vielleicht aus Varros Enzyklopädie. Auch in späteren derartigen Schriften (→ Martianus Capella, → Macrobius, → Cassiodorus) haben Arithmetik und Geometrie ihren Platz. Zusammen mit der Astronomie und Musiktheorie wurden sie seit Boëthius unter dem Namen *quadrivium* zusammengefaßt und bildeten seit der Spätant. mit dem *trivium* (Grammatik, Dialektik, Rhetorik) die sog. → *Artes liberales*. Boëthius übersetzte die Arithmetik des Nikomachos und die ›Elemente‹ des Eukleides. Im Lehrplan für den Unterricht in den Klöstern, den Cassiodor entwarf, hatten die *Artes liberales* und somit auch die M. ihren festen Platz, und seit dem 12. Jh. wurden Arithmetik und Geometrie im Rahmen der *Artes liberales* auch an den Universitäten gelehrt.

Die wiss. M. der Griechen wurde in Byzanz weiter tradiert und seit dem 9. Jh. auch bei den Arabern durch Übersetzungen bekannt. Im 12. Jh. wurden die meisten aus dem Griech. stammenden math. Schriften aus dem Arab. ins Lat. übers. und konnten seit dieser Zeit im Westen weiterwirken. Abgesehen von Ausnahmen (vereinzelte Übers. aus dem Griech. im 12. Jh. in Sizilien; Wilhelm von Moerbeke, um 1269), wurden die griech. Originaltexte der math. Schriften erst seit dem 15. Jh. wieder im Westen zugänglich.

→ Mathematik

**1** O. Becker, Das math. Denken der Ant., 1957
**2** G. Friedlein, Die Zahlzeichen und das elementare Rechnen der Griechen und Römer und des christl. Abendlandes vom 7. bis 13. Jh., 1869 **3** H. Gericke, M. in Ant. und Orient, 1984 **4** T. L. Heath, History of Greek Mathematics, 1921, 2 Bde. **5** J. L. Heiberg, Gesch. der M. und Naturwissenschaften im Alt., 1925 (Ndr. 1960)
**6** K. Menninger, Zahlwort und Ziffer, Bd. 2, 1958
**7** K. Vogel, Beitr. zur griech. Logistik. Erster Teil (SBAW), 1936 **8** B. L. van der Waerden, Erwachende Wissenschaft, 1956 **9** H. G. Zeuthen, Gesch. der M. im Alt. und MA, 1896.

M. F.

**Mathia** (Μαθία). Bergzug oberhalb von → Korone in Messenia (Paus. 4,34,4); h. Likodimo.

F. Bölte, s. v. M., RE 14, 2195.

C. L.

**Mathos** (Μάθως). Libyer, Offizier der Karthager im 1. → Punischen Krieg in Sizilien, 241–238/7 v. Chr. mit → Spendius Führer der 70000 (?) Aufständischen im sog. → Söldnerkrieg, den M. bei Libyern und Numidern als Freiheitskampf gegen Karthago propagierte. M. belagerte und eroberte → Hippo [5], belagerte Karthago und verteidigte sich lange in seinem festen Stützpunkt → Tunes, bis schließlich nach wechselvollen Kämpfen Hamilkar [3] und Hanno [6] gemeinsam den Libyschen Krieg beenden konnten; der gefangene M. wurde zu Tode gefoltert (Pol. 1,69–88; Diod. 25,5; [1. 255–266; 2]). Das auf den ΛΙΒΥΩΝ-Mz. der Aufständischen häufige Beizeichen in Gestalt des pun. Buchstabens *mem* ist auf M. zu beziehen, was seine eminente Rolle unterstreicht [2. 97–112; 3. 30f.]. Eine nachdrückliche lit. Gestaltung erfuhr M. in G. Flauberts Roman ›Salammbô‹ (von 1862).

**1** Huss **2** L. Loreto, La grande insurrezione Libica contro Cartagine del 241–237 a.C., 1995 **3** W. Huss, Die Libyer Mathos und Zarzas und der Kelte Autaritos als Prägeherrn, in: SM 38, 1988, 30–33.

L.-M. G.

**Mathurā.** Der altindische Name M. bezeichnet zwei Städte.

**[1]** Das nördl. M. (wovon auch Methora/Μέθωρα bei Megasthenes fr. 13a bei Arr. Ind. 8,5) im Land der Śūrasena am Zusammenfluß von Yamuna und Ganges; ein altes und wichtiges Zentrum des Kṛṣṇa-, aber auch des indischen Herakles-Kults; allerdings darf man Herakles nicht ohne weiteres mit Kṛṣṇa identifizieren. Ptol. 7,1,50 kannte die Stadt als Modura im Land der Kaspiraioi (→ Kaspeira).

**[2]** Das südl. M., Hauptstadt des Pāṇḍya-Reiches (Pandion) im Süden des Tamil Nadu; dem Ptol. (7,1,89) ebenfalls als Modura bekannt.

1 K. Karttunen, India in Early Greek Literature, 1989, 210ff. 2 G. Wirth, O. von Hinüber (Hrsg. und Übers.), Arrian, Der Alexanderzug – Indische Gesch., 1985, 1107ff. K.K.

**Matiane,** ion. Matiene (Ματιανή, Ματιηνή); die Bewohner Matienoi (Ματιηνοί). Nach Hdt. 5,49; 52 Landschaft östl. von Armenien und dem Quellgebiet des Kleinen Zab (Zabatos), nach Hdt. 1,202 auch des → Gyndes und des → Araxes [2] (anders Strab. 11,14, 13). Nach Strab. 2,1,14; 11,7,2; 11,8,8 und Steph. Byz. s.v. M. gehörte M. zu → Media, nach Strab. 11,13,2; 7 dürfte sie sich vom Südufer des Urmiasees bis ins Quellgebiet von Kleinem Zab und Gyndes erstreckt haben (zu den Entfernungen auf der Königsstraße vgl. Hdt. 5,52 mit Komm.). In Herodots Tributliste (3,94) zählen die Matienoi, die auch am Xerxeszug teilgenommen haben sollen (Hdt. 7,72), zusammen mit Saspeirern (→ Saspeires) und Alarodiern zum 18. Nomos des Achämenidenreiches. J.W.

**Matidia**

**[1] Salonia M.** Geb. am 4. Juli (s. Feriale Duranum) vor 69 n. Chr. als Tochter der Ulpia → Marciana und des Senators C. Salonius → Matidius Patruinus aus Vicetia. Am 29. Aug. 112 wurde sie nach dem Tod und der Konsekration Marcianas zur *Augusta* erhoben (s. Fast. Ostienses). Sie war mindestens zweimal verheiratet, mit einem Mindius und mit L. → Vibius Sabinus, und lebte lange Zeit als Witwe im Hause Traians; ihre Töchter sind (Mindia) Matidia [2] und Vibia → Sabina, die Gattin Hadrians. Durch Mz. geehrt als *Matidia Augusta divae Marcianae filia* (RIC II, 300f.). M. begleitete Traian und → Plotina auf dem Partherfeldzug (113–117). Sie starb im Dez. 119, Leichenrede durch Hadrian (CIL XIV 3579), Konsekration und andere postume Ehrungen (u.a. ein großer Tempel in Rom) wegen ihrer dyn. Bedeutung.

Kienast, 126f. • Raepsaet-Charlier, Nr. 681.

**[2] (Mindia) M.** Enkelin der → Marciana, Tochter der älteren Matidia [1] und wohl eines Mindius; Schwester der → Sabina, dadurch Schwägerin Hadrians und Tante (*matertera*) des → Antoninus [1] Pius; offenbar unverheiratet und kinderlos. Sie besaß ein riesiges Vermögen, das ihr verschiedene Stiftungen ermöglichte (*summo genere, summis opibus nobilissima femina*, Fronto ad M. Caesarem 2, 16; ad amicos 1, 14 = Haines 2,94ff.); M. lebte noch unter Antoninus Pius.

W. Eck, s.v. Matidia, RE Suppl. 15, 131–134 • S. Mratschek-Halfmann, Divites et praepotentes (Historia Einzelschriften 70), 1993, 70f.; 377 Nr. 326 • Raepsaet-Charlier, Nr. 533 • A. M. Andermahr, Totus in praediis (Antiquitas 3,37), 1998, 332–336 Nr. 331. H.T.-V.

**Matidianus** s. Mindius

**Matidius.** C. Salonius Matidius Patruinus. Senator, der aus Vicetia in Oberitalien stammte. Er war Praetor vor dem J. 78 n. Chr., als er als *magister* der → *Arvales fratres* fungierte; im selben J. starb er (CIL VI 2056). In einer Inschr. aus Vicetia ist ein weiterer Senator bezeugt, der von Claudius in den Senat aufgenommen wurde; ob er gleichzeitig auch Patrizier wurde, ist umstritten [1; 2. 324ff.]. Dieser ist entweder der Vater des M. oder mit ihm identisch. M. war mit der Schwester Traians, Ulpia → Marciana, verheiratet; ihre Tochter war → Matidia [1] d. Ä. PIR² M 365; 366.

1 G. Alföldy, Ein Senator aus Vicetia, in: ZPE 39, 1980, 255–266 2 Scheid, Collège. W.E.

**Matisco.** Stadt der Prov. → Lugdunensis am Arar (Saône) im Gebiet der → Haedui, 70 km nördl. von Lugdunum, h. Mâcon (Saône-et-Loire). Kelt. Spuren auch in der Umgegend, z.B. in Varennes-lès-Mâcon. 52 v. Chr. war M. Etappenstation (Caes. Gall. 7,90,7; 8,4), in der röm. Kaiserzeit Ausgangspunkt der Straße nach Augustodunum. Bau eines *castrum* im 4. Jh. n. Chr.; Nekropole. Belegstellen: Itin. Anton. 359; Tab. Peut. 2,5 (*Matiscone*); Notitia Galliarum 1,5; Geogr. Rav. 4,26 (*Matiscum*). Inschr.: CIL XIII 2581–2595.

A. Barthélémy, L'oppidum de M., in: Rev. Archéologique de l'Est 24, 1973, 307–318 • A. Rebourg, Carte archéologique de la Gaule (71/3–4: Saône-et-Loire), 1994 • C. Rolley, s.v. M., PE, 559. Y.L.

**Matius**

**[1] M., C.** Altersgenosse und Freund Ciceros (Cic. fam. 11,27f.) und Caesars, eine Art Mittlerrolle zw. beiden ausübend. 53 v. Chr. in Gallien (Cic. fam. 7,15,2) bei Caesar, dem M. auch nach Ausbruch des Bürgerkriegs ein dienstbarer, eher im Hintergrund wirkender Helfer blieb. Im Sommer 47 war M. der Adressat der sprichwörtlich gewordenen Botschaft von Caesars Sieg bei Zela (›ich kam, sah, siegte‹/ *veni, vidi, vici*, Plut. Caesar 50,3: Name korrumpiert zu Amantios). Nach den Iden des März 44 von düsteren Ahnungen erfüllt (Cic. Att. 14,1,1), schloß M. sich bald Octavian (→ Augustus) an, den er bei der Ausrichtung der *ludi Victoriae Caesaris* unterstützte (Cic. Att. 15,2,3; Cic. fam. 11,27,7; 28,6).

C. Cichorius, Röm. Studien, 1922, 245ff. • A. Heuss, Cicero und M., in: Historia 5, 1956, 53–73 • Ders., M. als Zeuge von Caesars staatsmännischer Größe, in: Historia 11, 1962, 118–122 • B. Kytzler, M. und Cicero, in: Historia 9, 1960, 96–121 • Ders., Beobachtungen zu den M.-Briefen, in: Philologus 104, 1960, 48ff. • J. T. Ramsey, A. Lewis Licht, The Comet of 44 BC and Caesar's Funeral Games, 1997, 5; 20; 24; 170f.

**[2] M., C.** Sohn von M. [1]; von Augustus geschätzter (Plin. nat. 12,13; Tac. ann. 12,60) Verf. hauswirtschaftlicher Lehrbücher (*Cocus*, *Cellarius*, *Salgamarius*: Colum. 12,4,2). Auch in der Praxis bekannt als Veredler von Apfelsorten (*mala Matiana*: Plin. nat. 15,49; Colum.

5,10,19; 12,47,5) und Schöpfer eines Schweinefrikassees (Apicius 4,3,4).

SCHANZ/HOSIUS 1,604f. T.FR.

**[3] M., Cn.** Dichter des frühen 1. Jh. v. Chr., von dem Fr. einer ›Ilias‹-Übers. sowie von Mimiamben (in Hinkiamben) erh. sind. M. ist einer der wenigen lat. Vertreter dieser von dem hell. Dichter → Herodas geprägten Gattung. Die wenigen Bruchstücke (Fr. 14–17 aus ländlichem Milieu, ein Komödienmotiv Fr. 11) lassen in ihrer sprachlichen Experimentierfreudigkeit (Neologismen *albicasco, columbulatim* etc.) und ihren reizvollen Bildern (Fr. 12/13) den Verlust dieses Werkes bes. bedauern. Daß M. mit der ›Ilias‹-Übers. zurückschaut, andererseits seine Metrik Züge der → Neoteriker vorwegnimmt, verbindet ihn mit dem Zeitgenossen → Laevius [2]. Er wird zit. von Varro (›Ilias‹, fr. 1f.) und v.a. von Gellius (fr. 3, 7–13), der ihn wegen seiner Wortschöpfungen immer wieder preist (vgl. auch Ter. Maur. 2416ff. = GL 6,397).

FR.: A. TRAGLIA, Poetae Novi, [2]1974, 1–4, 35–40, 115–119 • COURTNEY, 99–106 • FPL, 111–117.
LIT: A. TRAINA, Poeti latini 1, [2]1986, 47–68 (Fr. 6/7) • G. COLOMBO, Cneo Mazio e la sua versione dell'Iliade, in: RIL 115, 1981, 141–159. P.L.S.

**Matralia.** Am 11. Juni gefeiertes röm. Fest für → Mater Matuta (Paul. Fest. 113,2 L.; InscrIt 13,2 p. 468ff.). Daß die → *Fasti Antiates maiores* (InscrIt 13,2, p. 12) den Zusatz »für Mater Matuta und → Fortuna« enthalten, bezieht sich offenbar auf den gemeinsam gefeierten Geburtstag (→ *natalis templi*) des röm. Doppeltempels der beiden Göttinnen am → Forum Boarium. Das Fest war in It. weit verbreitet [2. 308]. Die ausführlichste Schilderung verdanken wir Ovid (Ov. fast. 6,473–562) [1. 371–376].

Teilnehmerinnen am Fest waren ausschließlich verheiratete Frauen; nach Tertullian (de monogamia 17) durften nur *matronae univirae* (»die nur einmal verheiratet waren«) Kränze stiften. Der Ausschluß von Sklavinnen wurde rituell durch das Schlagen und Hinausjagen einer Magd inszeniert (Ov. fast. 6,481f.; 551–558; Plut. qu. R. 16; Plut. Camillus 5,2). Jede Frau buk als Festgabe einen Kuchen (*testuacium*: Varro ling. 5,106) in einem altertümlichen Tongefäß. Ihr Gebet galt primär den Kindern ihrer Schwestern (Ov. fast. 6,559; Plut. qu.R. 17; Plut. Camillus 5,2); sie trat also am Fest als *matertera* (Tante mütterlicherseits) auf, d.h. in einer Rolle, die ähnlich wie z.B. das Patenschaftswesen ein wichtiges soziales Netzwerk schuf.

Göttl. Vorbild der feiernden Tante war Mater Matuta selbst, die der griech. Ino → Leukothea gleichgesetzt wurde (Ov. fast. *passim*; Plut. Camillus 5,2; zu den arch. Zeugnissen [3. 152ff.]). Diese hatte dem Mythos nach den → Dionysos-Knaben nach dem Tod seiner Mutter aufgezogen (→ Kurotrophos). Auch für die weiteren bekannten Ritualelemente gibt der interkulturelle Vergleich Interpretationshilfen: Die Züchtigung der Sklavin in der Rolle einer Ehebrecherin unterstreicht als Teil einer rituellen Inszenierung des Mater Matuta/Leukothea-Mythos die Stellung der rechtmäßigen Ehefrau. Das Kuchenbacken, bei dem die Frauen in der Nachfolge der Göttin ihre Verantwortung für die Zubereitung des Konsumgetreides demonstrieren, verweist (bes. im kalendarischen Zusammenhang mit den Vestalia, → Vesta) auf die Einordnung der M. in einen Zyklus von Festen mit agrarischer Bed. [4. 165ff.]. Der myth. Hintergrund, sprachliche Assoziationen sowie arch. Funde deuten überdies auf Beziehungen des Rituals zur Jugend-Initiation [4. 173ff.].

1 F. BÖMER, P. Ovidius Naso. Die Fasten, Bd. 2: Komm., 1958 2 J. CHAMPEAUX, Fortuna: Recherches sur le culte de la Fortune à Rome et dans le monde romain des origines à la mort de César, Bd. 1: Fortuna dans la rel. archaïque, 1982, 308ff. 3 SIMON, GR 4 M. TORELLI, Il culto romano di Mater Matuta, in: Mededelingen van het Nederlands Instituut te Rome, Antiquity 56, 1997, 165–176. D.B.

**Matratze** (τύλη/*týlē*; lat. *culcita, torus*). M. bildeten das Auflager der griech. und röm. → Kline (auf den Haltegurten der Kline liegend, Petron. 97,4) oder wurden unmittelbar auf den Boden gebreitet (Athen. 15,675a; Alki. 4,13,14; χαμεύνη/*chameúnē*: Theokr. 7,133; 13, 33). Die Füllung der M. bestand aus Wolle, Stroh, Schilf, Seegras, Heu, Haaren, Federn, wobei die Federn germanischer Gänse bes. geschätzt waren (Plin. nat. 10,54, vgl. Ov. met. 8,655 zu Binsen). Daneben gab es das κνέφαλλον/*knéphallon* (Poll. 10,42) und das τυλεῖον/*tyleíon*, das feine Unterbett aus der von den Walkern beim Tuchscheren abgekratzten Wolle. In der griech. und röm. Kunst sind M. bes. bei Symposien- oder Hochzeitsszenen als Klinen-Auflage abgebildet. R.H.

**Matres/Matronae.** Mütterlich-fertile, kanonisch in Dreizahl dargestellte kelt. Göttinnen. Beide lat. Appellationen sind inhaltlich identisch. Die in Gallien, Nordspanien, It., in den NW- und NO-Provinzen des röm. Reiches flächig gestreuten Matres-Belege setzen in Südgallien frühestens ab der Mitte des 1. Jh. n. Chr. ein. Die Matronae-Belege teilen sich in zwei Gruppen: Beinamenlose Matronae konzentrieren sich seit dem 1. Drittel des 1. Jh. n. Chr. in der *Gallia Cisalpina*, die polynomen Matronae nach der Mitte des 2. Jh. n. Chr. mit über 800 Weihungen in Niedergermanien auf ubischem Gebiet links des Rheins. Während die ubischen Matronen durch eigene Tracht mit großen Mantelfibeln, Lunula-Anhängern oder Halstorques und großen Hauben ausgezeichnet sind, lehnen sich die übrigen Triaden in Tracht und Bildtypus an die hell.-röm. Trad. der *Mḗtēr*-Darstellungen (→ Kybele) an. Die Segens- und Schutzfunktion der M./M.-Triaden zeigen ihre Attribute: Füllhörner, Baum- und Feldfrüchte, Toilettengeräte, Tiere, anthropomorphe Beifiguren, wasserspendende Gefäße und Muscheln. Eine kinderhegende Funktion mit entsprechenden Attributen (→ Kurotrophos) findet sich nur bei den Matres. Baumdarstellungen auf Altären der rhein. Matronen weisen auf einen urspr. einheimischen Baumkult. Männlicher Partner der Matronen ist → Mercurius.

Die Fülle von lat., kelt. und german. Beinamen der M./M. leiten sich von top. Bezeichnungen, Gewässer- und Stammesnamen ab oder formulieren Eigenschaften der Göttinnen. Einige Beinamen der ubischen Matronen werden auf Curien zurückgeführt, deren basilikale Kultgebäude in M.-Heiligtümern nachgewiesen wurden; andere Beinamen weisen auf Familienverbände. Mit etwa 70 Votiven sind die *Matronae Aufaniae* mit dem Stammort Bonn die stärkste Gruppe der ubischen M. und durch ranghohe Dedikanten die bedeutendste der Triaden überhaupt. Die übrigen M./M. wurden überwiegend von unteren Gesellschaftsgruppen verehrt. Bei der Dreizahl der M./M. handelt es sich wohl nicht um eine echte Pluralisierung; vielmehr ist diese als Symbol der Universalität der verehrten Gottheit zu verstehen. → Muttergottheiten

F. Heichelheim, s. v. M., RE 14, 2213–2250 • G. Bauchhenss, G. Neumann, Matronen und verwandte Gottheiten (Beih. BJ 44), 1987 • T. Derks, Gods, Temples and Ritual Practices: the Transformation of Religious Ideas and Values in Roman Gaul, 1998, 119–130. M. E.

**Matriarchat** s. Gynaikokratie; Matriarchat

**Matrica.** Auxiliarkastell am rechten Ufer der Donau an der Straße Aquincum – Intercisa in → Pannonia Inferior, h. Százhalombatta in Ungarn. Das Lager wurde etwa im 2. Jh. errichtet (Itin. Anton. 245,5; *Matrice*, Not. dign. occ. 33,36). Unter Commodus wurden in seiner Nähe → *burgi* errichtet, die ›das heimliche Übersetzen von Räubern‹ (CIL III 3385) vermeiden sollten. Vorhanden sind noch Reste von *canabae* und Thermen (z. T. restauriert).

TIR L 34 Budapest, 1968, 78–79 • Zs. Visy, Der pannonische Limes in Ungarn, 1988, 91–93. J. BU.

**Matrimi** s. Amphithaleis Paides

**Matrimonium.** Neben → *nuptiae* der röm. Begriff für die → Ehe. Mit dem Wortstamm *mater* (»Mutter«), von dem *m.* abgeleitet ist, wird das *m.* (»Mutterschaft«) verbunden. Sprachlich wird daher die Frau in ein *m.* geführt oder gegeben, und der Mann hat die Frau *in matrimonio*. Auch rechtlich hat das *m.* vor allem wegen der Mutterschaft Bedeutung: *iustum* (rechtlich anerkanntes) oder *legitimum* (gesetzmäßiges) *m.* ist eine Ehe unter röm. Bürgern oder eines Römers mit einer Frau, der das → *conubium* zustand. Die Kinder aus einer solchen Ehe sind röm. Bürger, und ihre Stellung zum Vater folgt dem *ius civile* (→ *ius*), also den für röm. Bürger geltenden Rechtsgrundsätzen (s. → *patria potestas*). Den Gegensatz dazu bilden *m. non legitimum* oder *m. iuris gentium* (»nach dem gemeinsamen Recht der Völker«) unter Nicht-Römern oder mit einer Frau ohne *conubium*. Solche Ehen haben nicht die Wirkungen des röm. Rechts, werden aber als Ehen im Sinne einer rechtsgültigen Lebensgemeinschaft anerkannt. G. S.

**Matrize** s. Terrakotten

**Matron** (Μάτρων) von Pitane. Parodistischer griech. Berufsdichter (→ Gastronomische Dichtung), Ende 4. Jh. v. Chr. Abgesehen von sechs kurzen Fr. (SH 535–540) ist durch Athenaios das *Deípnon Attikón* erh. (SH 534), ein Gedicht von 122 Hexametern, die ein üppiges Bankett beschreiben: eine endlose Aufzählung von Speisen (v. a. von Fischen), die durch episch-mil. Bilder wirkungsvoll belebt wird, welche der Dichter in gewandter, an die → Cento-Technik erinnernder »Einlegearbeit« Homer entlehnt (vgl. Eust. 1665,33). Wie in den Centonen fehlt es nicht an Widersprüchlichkeiten und dunklen Stellen; dies scheint wohl seine Wertschätzung in der Ant. nicht beeinträchtigt zu haben (vgl. Athen. 4,134d). Die Abhängigkeit der *Cena rustica* des → Lucilius [I 6] von M. (so [1]) bleibt reine Hypothese.

1 L. R. Shero, Lucilius's *Cena rustica*, in: AJPh 50, 1929, 64–70

Ed. und Komm.: P. Brandt, Corpusculum poesis epicae Graecae ludibundae, 1, 1888.
Lit.: E. Degani, La poesia gastronomica greca (II), in: Alma Mater Studiorum 4/1, 1991, 147–155 • Ders., On Matro's Atticon Deipnon, in: J. Wilkins u. a. (Hrsg.), Food in Antiquity, 1995, 413–438 • Ders., in: H.-G. Nesselrath (Hrsg.), Einleitung in die griech. Philol., 1997, 245.
O. M./Ü: T. H.

**Matrona**

**[1]** Im röm. Recht der republikanischen Zeit wurde die *matrona* als rechtmäßige Ehefrau zunächst von der *mater familias*, der Ehefrau, die sich in der → *manus* ihres Ehemannes befand und damit zu seiner Familie gehörte, unterschieden (Gellius 18,6,8–9); mit dem Verschwinden der Manus-Ehe (→ Ehe) fiel diese Unterscheidung, und seit Augustus ist in den Rechtstexten *m.* und *mater familias* austauschbar.

Gesellschaftlich drückt der Begiff *m.* die Funktion der ehrbar verheirateten Ehefrau in der Öffentlichkeit aus, die in der Frühzeit möglicherweise den Funktionen des → *patronus* entsprach. Schon daraus geht hervor, daß die *matronae* der reichen Oberschicht angehörten. In der frühen Republik wurden die *m.* für Goldspenden vom Senat durch Ehrungen belohnt: So wurde ihnen nach Livius 395 v. Chr. das Vorrecht gewährt, mit einem vierrädrigen Wagen (*pilentum*) zu Opferhandlungen und zu Spielen zu fahren und an Festtagen sowie anderen Tagen das *carpentum*, einen zweirädrigen Wagen, zu benutzen (Liv. 5,25,9); weiterhin wurde 390 v. Chr. bestimmt, ›daß ihnen nach dem Tode eine feierliche Leichenrede wie den Männern gehalten werden sollte‹ (Liv. 5,50,7). Die *m.* stand dem Hause ihres Ehemannes vor und nahm dort an allen Veranstaltungen teil.

In der Republik waren die *m.* offenbar zu einem → *ordo* zusammengeschlossen (Val. Max. 5,2,1). Darauf weisen auch einige öffentliche Demonstrationen der *m.*

hin, so etwa 195 v. Chr. anläßlich der tribunizischen Initiative, die *lex Oppia* aufzuheben (Liv. 34,1,5), und 42 v. Chr. gegen die Maßnahmen der Triumvirn (App. civ. 4,32–34); ant. Autoren haben allerdings ein derartiges Auftreten von Frauen in der Öffentlichkeit als nicht angemessen verurteilt. Auch Senatsbeschlüsse fassen die *m.* als Kollektiv auf (Liv. 5,25,8–9; 27,37,7–10; vgl. Plin. nat. 7,120: *matronarum sententia*). In der Kaiserzeit wird ein *conventus matronalis* erwähnt (Suet. Galba 5,1; SHA Heliog. 4,3–4), der Moral und Etikette der Frauen der röm. Oberschicht kontrollierte und regelte.

Standesabzeichen der *m.* war ihre → Kleidung: die → *stola* (Festus 112L: *matronas appellabant eas fere, quibus stolas habendi ius est*) und die in das Haar geflochtenen *vittae* (Haarbänder), die zu tragen die *m.* in der Kaiserzeit verpflichtet war (→ Haartracht). Seit Vespasianus blieb die *stola* ebenso wie die purpurgesäumte *palla* (Mantel) Senatorenfrauen vorbehalten und kennzeichnete nun den höchsten gesellschaftl. Rang.

In der röm. Rel. hatten die *m.* wichtige Aufgaben, so bei den → Matralia, → Matronalia, Cerialia (→ *ludi*), Vestalia und allen → Iuno-Kulten. In republikanischer Zeit wurden die *m.* mehrmals aufgefordert, im Dienste der Stadt Bitt- und Dankfeste durchzuführen. In der Prinzipatszeit nahmen sie an den *ludi saeculares* teil. Seit Beginn der Republik gab es den *luctus matronarum*, eine einjährige Staatstrauer um Männer, die sich um die Stadt verdient gemacht hatten. Auch die Einrichtung einiger Kulte geht auf die Initiative der *m.* zurück: Der nach der Versöhnung mit Coriolanus eingerichtete Kult der → *Fortuna muliebris* erhielt eine eigene Weihung der *m.*, ebenso wurde der Kult der *Pudicitia Plebeia* von *m.* gestiftet.

→ Familie; Frau; Geschlechterrollen

**1** J. Gagé, Matronalia. Essai sur les dévotions et les organisations cultuelles des femmes dans l'ancienne Rome, 1963 **2** P. Grimal, Matrona (les lois, les mœurs et le langage), in: R. Braun (Hrsg.), Hommage à J. Granarolo, 1985, 195–203 **3** B. Holtheide, Matrona stolata – femina stolata, in: ZPE 38, 1980, 127–134 **4** Kaser, RPR **5** B. I. Scholz, Unt. zur Tracht der röm. Matrona, 1992 **6** J. L. Sebesta, L. Bonfante (Hrsg.), The World of Roman Costume, 1994 **7** S. Treggiari, Roman Marriage. Iusti Coniuges from the Time of Cicero to the Time of Ulpian, 1991 **8** G. Wissowa, Rel. und Kultus der Römer, 1902.

M. D. M.

**[2]** Nebenfluß der Sequana (Seine), h. Marne. Bildete z.Z. Caesars die Grenze zw. Belgae und Celtae (Caes. Gall. 1,1,2; Amm. 15,11,3; Auson. Mos. 462; Sidon. panegyricus maior 208; Geogr. Rav. 4,26, *Maderna*). Eine Weihung an M. wurde bei Belasmes (6 km südl. von Langres) nahe den Quellen der M. gefunden (CIL XIII 5674). Y. L.

**[3]** Paßhöhe der Straße Segusio – Brigantium (Itin. Burdig. 556; Amm. 15,10,6), h. Mont Genèvre in den frz. Alpen. F. SCH.

**Matronae** s. Matres

**Matronalia** A. Die wichtigsten Bezeugungen B. Bedeutung des Festes

A. Die wichtigsten Bezeugungen

Der ps.-acronische Komm. zu Hor. carm. 3,8,1 vermerkt, daß man die Kalenden des März M. nannte und es sich um einen speziellen Festtag für die röm. Ehefrauen und Mütter (*matronae*, s. B.) handelte (*Kalendis Martiis Matronalia dicebantur, ..., et erat dies proprie festus matronis*). Ovid ordnet den Ursprung des Festes zeitlich in die Epoche der Kriege zw. den Römern und den Sabinern (→ Sabini) ein. Den Bericht über seine Entstehung legt er dem Gott Mars in den Mund, der selbst den ersten Tag des ihm geweihten Monats erläutert: Die meisten der von Romulus und seinen Gefährten entführten Sabinerinnen waren, so der Dichter, bereits Mütter, und der Krieg zog sich in die Länge; daher versammelten sie sich im Heiligtum der Iuno und beschlossen, sich zw. die beiden Armeen zu stellen. Mars kommentiert den Erfolg dieser Aktion wie folgt: ›Nach rechtem Brauch begehen die Mütter meine Zeremonien und meinen Festtag‹ (*rite colunt matres sacra diemque meum* ...); ›ganz zu Recht ehren die Mütter Latiums diese Zeit der Fruchtbarkeit, gelten doch ihr Dienst und ihre Wünsche dem Gebären‹ (*tempora iure colunt Latiae fecunda parentes / quarum militiam votaque partus habet*, Ov. fast. 3,234 und 243–244). Er fügt hinzu, daß an der Stelle, an der Romulus Wache hielt, d. h. auf dem Esquilin, an diesem Tag offiziell von den jungen latinischen Frauen ein Tempel für Iuno errichtet wurde (Ov. fast. 3,247); dabei handelt es sich um den Tempel der Geburtsgöttin Iuno → Lucina.

Plutarch schreibt, das Fest habe zu denjenigen gehört, die man unmittelbar nach der Vereinigung der Römer und Sabiner ins Leben rief (Plut. Romulus 21,1, 30f.). Festus bestätigt das kalendarische Datum der Zeremonie und ihre Verbindung mit Iuno Lucina (Fest. 131 L.).

B. Bedeutung des Festes

Der 1. März ist ein wichtiges Datum, denn im sog. Kalender des Romulus stellte er den Jahresanfang dar (Macr. Sat. 1,12,3). Darüber hinaus waren in den Augen der Römer ›die Kalenden des März diejenigen der Frauen‹ (*Martias Kalendas esse feminarum* ..., Serv. Aen. 8,638), und in der Tat lassen die uns verfügbaren Informationen erkennen, daß man zu dieser Gelegenheit die *matronae* in doppelter Eigenschaft feierlich ehrte:

a) Die → *matrona* als Mutter: Die Römerin ist *per definitionem* dazu berufen, Mutter zu sein; das Wort *matrona* selbst ist von *mater* abgeleitet (*matrona ... dicta a matris nomine*, Gell. 18,6,8). Ovid betont zu Recht den durch das Datum gegebenen Fruchtbarkeitskontext: Die Bäume schlagen wieder aus, die Knospen schwellen, das Samenkorn ist zum fruchtbaren Schößling geworden (Ov. fast. 3,237–240; vgl. 3,253–258 zu Iuno → Lucina).

b) Die *matrona* als Ehefrau des *pater familias*: Die Mutter der Familie hatte in Rom einen bedeutenden sozialen Status. In dieser Eigenschaft hatte sie ein Recht auf Beachtung und erhielt an den M. wertvolle Geschenke. Wir wissen, daß Töchter ihren Müttern (Plaut. Mil. 691) und ganz bes. die Ehemänner ihren Frauen – wie zum Geburtstag – Geschenke machten (Suet. Vesp. 19; Tert. de idololatria 14,4; Pomp. Dig. 24,1,31,8; vgl. Iuv. 9,53). Die Männer beteten für den Bestand der Ehe (*pro conservatione coniugii*, Ps.-Acro zu Hor. carm. 3,8,1). Die Frauen selbst bedienten ihre Sklaven am Tisch, um – so Macrobius – ›deren Eifer anzustacheln‹ (Macr. Sat. 1,12,7). Dieser Vermerk zeigt die Rolle, die den Matronen in der Führung des Hauses zugestanden wurde.

R. Schilling, Janus, le dieu introducteur, le dieu des passages, in: MEFRA 72, 1960 = Ders., Rites, cultes, dieux de Rome, 1979, 233–239 • St. Weinstock, s. v. M., RE 14, 2306–2309 • Dumézil, 1966, 291–292. G.F./Ü: S.U.

**Matta** (ψίαθος/*psíathos*). Matte oder grobe Decke aus Binsen und Stroh, in Ägypten auch aus Papyrus (vgl. Theophr. h. plant. 4,8,4). Sie diente den Bauern, Reisenden und armen Leuten zum Lagern auf dem Boden; in einer att. Inschr. auch unter dem Hausmobilar aufgeführt [1]. Nach Augustinus (contra Faustum 5,5) ist jemand, der auf der M. schläft, ein Anhänger einer Lehre, die Bedürfnislosigkeit predigt (*mattarius*). Die Schlafmatte konnte auch χαμεύνη/*chameúnē* genannt werden (Poll. 6,11).

1 Hesperia 5, 1936, 382 Nr. 6 A. R.H.

**Mattathias** (hebr. *mattityah*), aus Modeïn, der jüd. Priesterklasse Joarib zugehörig, Stammvater der → Hasmonäer. M. leistete dem Religionsedikt → Antiochos' [6] IV. Widerstand und eröffnete von der Wüste Juda aus den Partisanenkrieg gegen die jüd. Loyalisten, nachdem sich ihm die ebenfalls in die Wüste geflohenen Frommen (griech. Ἀσιδαῖοι/*Asidaíoi*, hebr. *Ḥ^esīdīm*) angeschlossen hatten. Nach seinem Tod (167/166 v. Chr.) wurde sein Sohn → Judas [1] Makkabaios Führer des jüd. Aufstandes (1 Makk 2,1–70).

Schürer, Bd. 1. K.BR.

**Matthaios** (lat. Matthaeus), der Evangelist.
A. Aufbau und Inhalt B. Entstehung
C. Theologische Grundüberzeugungen

M. war – wohl aufgrund von Mt 9,9 (Zöllner M. statt Levi in Mk 2,13) – nach kirchl. Überl. der Verf. des anonym überl. ersten Evangeliums (= Mt), das in der europ. Geistesgesch. wirkungsvoll wie kaum ein anderes Buch gewesen ist. Der Verfassername M. entspricht dem Prinzip, daß christl. kanonische Schriften (→ Kanon V.) einen Apostel als Verf. haben müssen.

A. Aufbau und Inhalt

Das Mt beginnt mit einer programmatischen Einleitung (1,1–4,22) sowie dem Lehren und Heilen → Jesu, des Davidssohns und → Messias Israels, in seinem Volk (4,23–25; 8,1–9,35), erzählt von zunehmenden Spannungen mit den Führern des Volkes (12,1–16,20) und »Rückzügen« Jesu von ihnen (z. B. 12,15; 14,13). Dann schließt ein Erzählabschnitt über die nun in Israel entstandene Jüngergemeinschaft an (16,21–17,27; 19–20). Es folgt in Jerusalem die Abrechnung Jesu mit Israels Führern, sein Auszug aus dem Tempel (21,1–24,2) und die Passions- und Ostergeschichten (26–28). Dem Gang der Erzählung sind fünf Reden Jesu (vgl. fünf Bücher Mose) zugeordnet: Bergpredigt (5–7), Jüngerrede (10), Gleichnisrede (13), Gemeinschaftsrede (18), Rede vom letzten Gericht (24 f.). Sie wenden sich, ähnlich wie etwa das Dt und anders als die Reden bei griech. Historikern, direkt an die Lesergemeinde in der Gegenwart.

B. Entstehung

Das Mt – nach verbreiteter Überzeugung zw. 80 und 90 n. Chr. in Syrien entstanden – wurde von einem uns unbekannten Judenchristen für gesetzestreue (vgl. 5,17–19) judenchristl. Gemeinden geschrieben, welche sich nach der Tempelzerstörung (70 n. Chr.) und der Trennung von der Synagoge (vgl. bes. 23,1–24,2) neu orientieren mußten und sich in die heidenchristl. Großkirche integrierten. In ihrer Mitte geschieht bereits Mission auch der paganen Bevölkerung (24,9–14), zu der der Auferstandene den Weg öffnet (28,19). Als Hauptquellen für sein Buch benutzte der Verf. höchstwahrscheinlich das Markusevangelium (→ Markos [1]) und die verlorengegangene »Spruchquelle« Q (eine Slg. von Jesusworten), daneben einzelne kürzere schriftliche Slgg. (5,21 f.; 27 f.; 33–37; 6,2–6; 16–18) und mündlich überl. Materialien. Die Sprache des Mt ist ein stark von der → Septuaginta geprägtes Griechisch.

C. Theologische Grundüberzeugungen

Der Bruch mit der Mutterreligion, dem Judentum, spiegelt sich in den harten, wahrscheinlich noch innerjüdischen Polemiken (Mt 23; 27,24 f.: vermutlich auf die Zerstörung des Jerusalemer Tempels bezogen) sowie in den sog. »Erfüllungszitaten« (z. B. 1,23; 2,15; 18; 23; Erfüllung biblischer Prophetien im Leben Jesu). M. betont auch die Gesetzestreue Jesu (5,17–19), der allerdings die Tora vom Liebesgebot als wichtigstem Gebot her auslegt (22,34–40). Nach innen trägt das Mt einen stark »ethischen« Akzent: Die auf den Eingang ins Himmelreich vorbereitenden Gebote sollen alle Völker halten (28,20; vgl. 5–7: Bergpredigt). Jesus ist nicht nur eine vergangene Gestalt, sondern »Immanuel«, »Gott-mit-uns« (1,23), d. h. die Präsenz Gottes, welcher die Gemeinde begleiten und ihr in ihrem »Kleinglauben« helfen wird (14,28–31) bis ans Ende der Welt (28,20). Zugleich ist Jesus Modell für die von der Gemeinde geforderte »bessere Gerechtigkeit« (5,20) und den Gehorsam gegenüber dem Vater (3,13; 4,1–11).

→ Bibel; Evangelium; Iohannes [1]; Lukas; Markos [1]

W. Davies, D. Allison, A Critical and Exegetical Commentary on Matthew, 3 Bde., 1988, 1991, 1997 • U. Luz, Das Evangelium nach Mt, bisher 3 Bde., 1985, 1990, 1997 • G. Stanton, A Gospel for a New People, 1992 • G. Strecker, Der Weg der Gerechtigkeit, 1962 • W. E. Mills, The Gospel of Matthew, Bibliographies for Biblical Research (New Testament Series 1), 1993. U.L.

**Matthias** (Ματθίας; Nebenform des EN Mattathias, hebr. *Mattityah*, »Gottesgabe«). Vater des Historikers → Iosephos [4] Flavios, über den außer den Aussagen des Sohnes in seiner *vita* (Ios. vita 1) wenig bekannt ist. Er lebte von 6 n. Chr. bis nach 70 n. Chr., da Iosephos über das Schicksal seiner Eltern während des jüd.-röm. Krieges berichtet (vita 41; Ios. bell. Iud. 5,13,1). M. gehörte dem Priestergeschlecht der Yehoyarib an (1 Chr 24,7), und seine Urgroßmutter war vermutlich eine Tochter des → Alexandros [16] Iannaios und somit → Hasmonäerin (vita 1,4; krit. [3], affirmativ [2]).

1 M. RADIN, The Pedigree of Josephus, in: CPh 24, 1929, 193–196 2 T. RAJAK, Josephus. The Historian and His Society, 1983, 11–45, bes. 15 f. 3 SCHÜRER 1, 45 f. I.WA.

**Mattiaci.** Ein in der röm. Kaiserzeit in Wetterau und Taunus siedelnder Stamm. Der kelt. Name wird mit *Mattium*, dem Hauptort der → Chatti (vgl. Ptol. 2,11,14: Ματτικόν), in Verbindung gebracht. Diskutiert wird, ob die M. ein Teilstamm der german. Chatti waren, der sich schon in augusteischer Zeit von diesen gelöst und mit röm. Zustimmung im gen. Siedlungsgebiet niedergelassen hatte (ältere Forschung, vgl. [1; 2. 52–57; 3], ob es sich bei den M. um die aus Anlaß der Zerstörung von Mattium 15 n. Chr. gen. (Tac. ann. 1,56,4) Überläufer handelt (wenig überzeugend, vgl. [4. 20–22]) oder ob die Chatti nur den ON Mattium beibehielten, als sich die M. aus ihren Wohngebieten vor andrängenden Germanen zum Rhein zurückzogen [3. 198–200, 241–248]. Damit wäre ihre Zugehörigkeit zu den Germanen in Frage gestellt. Um so ungewisser ist es, ob Funde german. Keramik in der Wetterau unmittelbar mit den M. zu verbinden sind.

Die Versuche der Römer, um 47 n. Chr. im Land der M. – vermutlich nördl. des Taunus im Gebiet der Lahn – Silberadern zu erschließen, waren wenig ergiebig (Tac. ann. 11,20,3). Bei der Rebellion des Iulius [II 43] Civilis belagerte 69 n. Chr. ein Verband aus Chatti, Usipetes und M. → Mogontiacum, mußte aber unter Verlusten wieder abziehen (Tac. hist. 4,37,3). Zw. Rom und den M. bestand grundsätzlich ein gutes Verhältnis, so daß diese frei von Abgaben und nur zum Kriegsdienst verpflichtet waren (Tac. Germ. 29,1 f.). Eine *cohors Mattiacorum* ist bereits für 78 n. Chr. in Moesia belegt (CIL XVI 22), die *cohors II Mattiacorum* seit 99 n. Chr. in Moesia Inferior (CIL XVI 44). Mit Gründung der *civitas U(lpia) Mattiacorum* (der Beiname bislang nur CIL XIII 7061 und ergänzt) wohl unter Traianus wurden die M. ins röm. Verwaltungssystem einbezogen. → Aquae [III 4] Mattiacae (h. Wiesbaden) und Castellum Mattiacorum (h. → Kastel) sind nach ihnen benannt. *Pilae Mattiacae*, Seifenkügelchen zum Färben der Haare, erwähnt Mart. 14,27,2. In späten Quellen (Inschr. und Not. dign. occ.) werden in Italia und Gallia *numeri Mattiacorum seniorum* bzw. *iuniorum* gen. [1].

1 M. SCHÖNFELD, s. v. M., RE 14, 2320–2322 2 H.-G. SIMON, in: D. BAATZ, F.-R. HERRMANN (Hrsg.), Die Römer in Hessen, ²1989, 38–65 3 A. BECKER, Rom und die Chatten, 1992 4 W. CZYSZ, Wiesbaden in der Römerzeit, 1994. RA.WI.

**Mattiarii.** Die *m.* waren mit kurzschäftigen Wurfgeschossen (*plumbatae*, *mattiobarbuli*) ausgerüstete röm. Soldaten (Veg. mil. 1,17; 2,16; 3,14; 4,29). Die in der → *Notitia dignitatum* belegten *legiones palatinae m. seniores* (Not. dign. or. 6,42) bzw. *m. iuniores* (ebd. 5,47) scheinen aus zwei tetrarchischen *legiones* im Illyricum (Veg. mil. 1,17) hervorgegangen zu sein. Daneben sind *legiones comitatenses* der *m. constantes* (Not. dign. or. 9,31) und *m. iuniores* (ebd. 5,232) sowie der *m. Honoriani Gallicani* (Not. dign. occ. 5,220) nachgewiesen. Die *m.* wurden von Constantius II. 361 n. Chr. zusammen mit den → *lancearii* in den Westen geschickt; 378 nahmen sie an der Schlacht von Adrianopel teil (Amm. 21,13,16; 31,13,8).

1 D. HOFFMANN, Das spätröm. Bewegungsheer und die Notitia Dignitatum, 1969 2 P. SOUTHERN, K. R. DIXON, The Late Roman Army, 1996 3 M. C. BISHOP, J. C. N. COULSTON, Roman Military Equipment from the Punic Wars to the Fall of Rome, 1993. P.H.

**Matuccius.** L. Matuccius Fuscinus. Praetorischer Legat der *legio III Augusta* im J. 158 n. Chr.; damals auch schon zum Consul designiert. Am 21.6.159 ist er zusammen mit M. Pisibanius Lepidus als Consul bezeugt. PIR² M 374.

THOMASSON, Fasti Africani, 151 f. • P. WEISS, in: Chiron 29, 1999 (im Druck). W.E.

**Matunas.** Etr. Familienname einer bedeutenden Gens aus → Caere (h. Cerveteri; 4./3. Jh. v. Chr.), bekannt durch die Inschr. von zwei Kammergräbern ebendort, der Tomba dei Tarquini und der Tomba dei Rilievi. Letzteres das am reichsten ausgestattete etr. Kammergrab in der Form eines → Atriums mit 13 die Cubicula repräsentierenden Nischen. Die dort den Bestatteten beigeschriebenen Namen ergeben einen Stammbaum über vier Generationen, wobei der Name des Grabstifters Vel Matunas, Sohn des Lars, auf einem → Cippus am Grabeingang eingeritzt ist.
→ Grabbauten (III. C. 1.)

J. HEURGON, Die Etrusker, 1971, 230–234 • M. CRISTOFANI, Le iscrizioni della tomba »dei Rilievi« di Cerveteri, in: SE 34, 1966, 221–238. F.PR.

**Matusia.** Beiname (möglicherweise aus √*mātu-*; **mā-*, »gut«: [1. 206]) der → Minerva in Sentinum (Ancona) in Umbrien (CIL XI 5740), die aufgrund des Namensausganges *-usia* als Gentilgöttin angesehen wurde [2], was fraglich ist [1. 16 f.].

1 RADKE 2 SCHULZE, 200. W.-A.M.

**Matuta** s. Mater Matuta

**Mauerbau** s. Mauerwerk; Städtebau

## Mauerwerk

A. Definition B. Griechenland C. Rom

A. Definition

Unter M. werden im folgenden die verschiedenen Konstruktions- und Gestaltungstechniken des Aufbaus von Gebäudewänden, Terrassierungsmauern und Schutz-Architekturen (Stadtmauern usw.) im antiken Steinbau verstanden, nicht jedoch die verschiedenen Anwendungsbereiche des Holzbaus; vgl. → Bautechnik; → Materiatio; zur röm. Zementbauweise vgl. auch → Opus Caementicium.

B. Griechenland

1. Einfaches Mauerwerk 2. Vollstein- und Schal-Mauerwerk 3. Quader-Mauerwerk 4. Ästhetische Wirkung

1. Einfaches Mauerwerk

Die Wände einfacher frühgriech. Bauten bestanden zunächst aus Holz- bzw. Flechtwerk-Konstruktionen, seit dem 8. Jh. v. Chr. dann zunehmend aus einer Kombination von luftgetrockneten Lehmziegeln und darin längs oder quer eingelegten Holzankern (Lefkandi, Eretria, Sparta); echte Fachwerkmauern, die sich bis h. nicht haben nachweisen lassen, waren aber wohl ebenfalls gängig, wie Transformationen dieses Konstruktionsprinzips in Stein an lykischen Gräbern zeigen (Xanthos). Die in den östl. Hochkulturen lange bekannten und nachgewiesenen massiven Mauern aus Lehmziegeln waren in der griech. Architektur bis ins 3. Jh. v. Chr. hinein weit verbreitet, haben sich jedoch nur selten erh. Lehmziegel-M. fand sich in praktisch allen Bereichen des Bauwesens (Wohnhaus, Tempel, Stadtmauern etc.); im Wohn- und Nutzbau blieb diese Technik bis in den Hell. hinein vorherrschend. Lehmziegel-Mauern konnten, je nach Verwendung, bis zu 9 m Stärke und entsprechend erhebliche Stabilität aufweisen. Die Ziegel wurden in üblicher, überlappender Anordnung versetzt, mit Lehmmörtel als Binder fixiert und zum Schutz vor Nässe verputzt; ein weiter Dachüberstand schützte ebenfalls vor Feuchtigkeit. Lehmziegel-M. erhob sich zudem, ebenfalls als Schutz vor Nässe/Stau-Wasser, meist auf einer aus dem Erdreich herausgehobenen, mindesten ca. 0,5 m hohen Lage von sorgsam gefügten Bruch- oder Quadersteinen (vgl. die klass. Stadmauer von Athen im Bereich des → Kerameikos).

2. Vollstein- und Schal-Mauerwerk

Bereits in myk. Zeit finden sich verschiedene Formen des massiven Vollstein-M. wie auch des zweischaligen M., hier wie dann bis ins 3. Jh. v. Chr. hinein jedoch vornehmlich an Wehr- und Schutzbauten (Stadt- bzw. Burgmauern) sowie an Repräsentationsarchitekturen. Polygonales »Zyklopen«-M. dominiert die bronzezeitlichen Burgen von → Tiryns und → Mykene; das M. war entweder massiv geschichtet (Tiryns) oder aber zweischalig angelegt und mit Bruchstein aufgefüllt (Mykene, Schutzmauer vor den Schachtgräbern). Die Technik der unregelmäßig geschichteten, massiven oder zweischaligen Bruchsteinmauer hatte im histor. Griechenland bes. bei Fortifikationsbauten bis in den Hell. hinein Bestand (zahlreiche Beispiele an Stadtmauern aus dem 4.–2. Jh. v. Chr.). Wichtig war bei der Errichtung ein möglichst enger und fugenloser Versatz der Bruchsteine, um einerseits maximale Stabilität zu bewirken, andererseits ein Herausbrechen einzelner Steine und damit eine mögliche Demontage einer Stadtmauer etwa während einer Belagerung zu erschweren. Hierzu wurden in verbliebene Fugen solange kleinere Steine hineingetrieben, bis eine maximale Glättung entstanden war (»auszwicken«). Eine Alternative zum »zyklopischen« Bruchstein-M. waren geschichtete Mauern aus flachem Bruchstein mit einzelnen größeren Quadern dazwischen, wie für Milet bezeugt.

Eine kunstvolle Variante des groben Bruchstein- bzw. des myk. Zyklopen-M. ist das Polygonal-M.: Vieleckige Steine wurden hier in präzise auf Passung gearbeiteter Form so übereinander und ineinander geschichtet, daß maximaler Fugenschluß und damit Haltbarkeit und Unangreifbarkeit des nach außen geglätteten Steinverbundes erreicht wurde. Polygonales M. konnte entweder durchgängig vieleckig gestaltet sein, d. h. mit lediglich einem horizontalen Abschluß am oberen Ende der Mauer, oder aber in mehreren übereinandergesetzten Lagen mit mehrfachem horizontalen Schichtenabgleich konstruiert sein (z. B. Larisa am Hermos). Echtes Polygonal-M. findet sich gehäuft vom späten 7. bis ins frühe 5. Jh. v. Chr., dann im späten 4./3. Jh. v. Chr. Es ist in Spätklassik und Hell. nicht selten Bestandteil eines dekorativ-retrospektiven Verständnisses von als altehrwürdig-nobilitierend empfundenen, jedoch nicht mehr im Sinne ihrer einstigen fortifikatorischen Funktionalität verwendeten Architekturformen (vgl. diverse Temenos-Mauern; polygonale Stütz-Mauer als Inschriftenträger im Apollonheiligtum von Delphi; Polygonal-M. auch in ziviler Verwendung im 4./3. Jh. v. Chr. in NW-Griechenland, z. B. Kassope).

3. Quader-Mauerwerk

Den verschiedenen Gestaltungsformen des Quader-M. in der griech. Architektur ist ihr mörtelloser Versatz und, im Gegensatz zum Wehrbau, zumindest im Gebäude-Bau das Prinzip der Verbindung der Quader mit Metallklammern gemeinsam (zu Versatz und Fugengestaltung → Anathyrose; → Bautechnik); Quader.-M. konnte einreihig-isodom (Überlappung der Fugen zwingend notwendig) oder zweireihig-isodom (isodom = Schichtung aus gleichhohen Lagen) angeordnet sein, wobei bei letzterem die der Mauerflucht folgenden Läufer und die quer zur Flucht zur Stabilisierung eingesetzten Binder verschiedenartig kombiniert werden konnten. Neben exakt rechtwinkligem findet sich häufig trapezoider oder schräger Fugenschnitt; geläufig war auch eine pseudo-isodome Ausführung, bei welcher einzelne Quaderlagen von flachen, plattenför-

## Beispiele antiker Mauertechniken

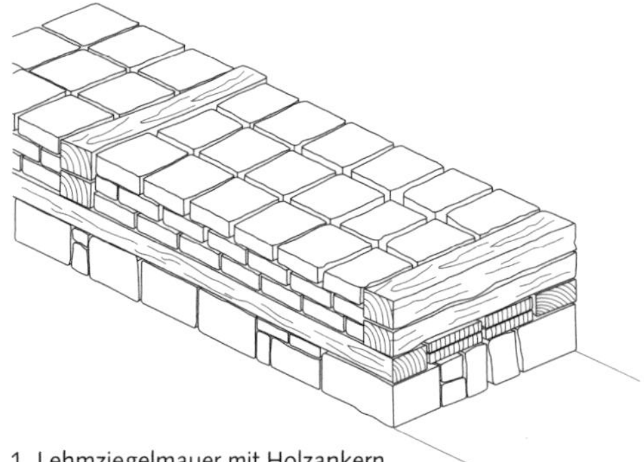

1. Lehmziegelmauer mit Holzankern

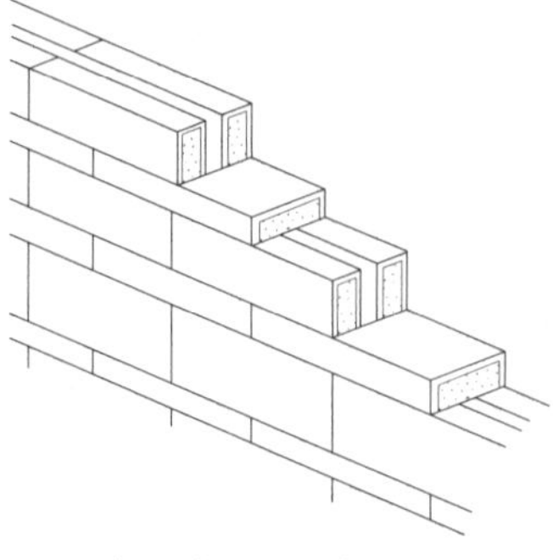

5. Pseudo-isodome Quadermauer

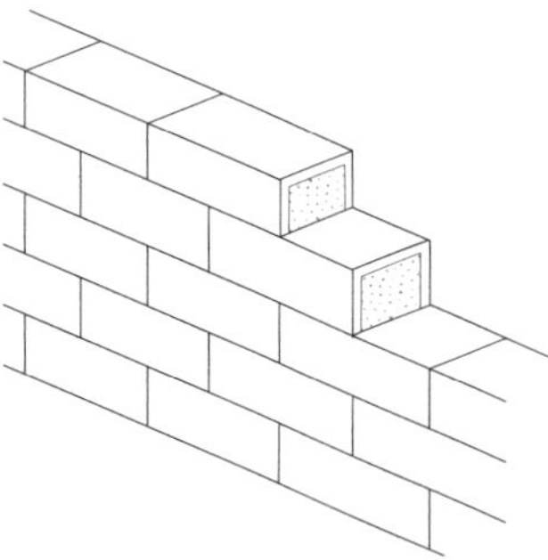

2. Einreihiges-isodomes Quadermauerwerk

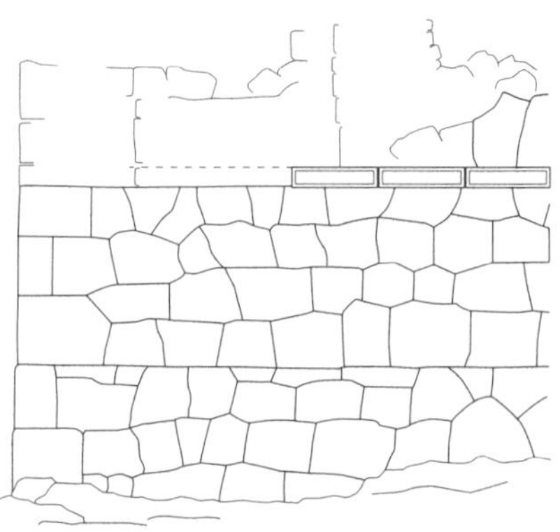

6. Polygonalmauer mit horizontalem Schichtausgleich (Larisa/Hermos)

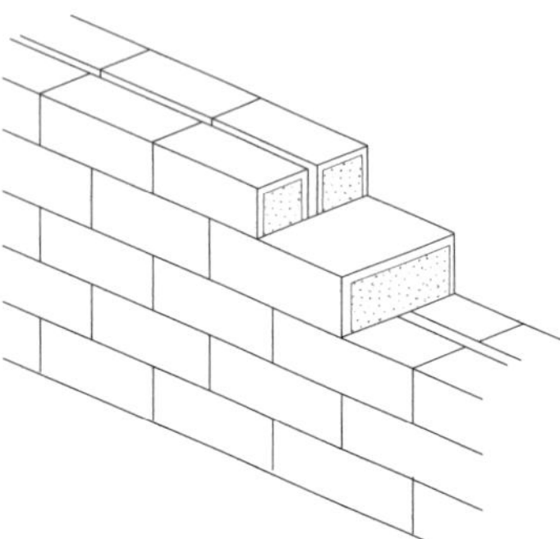

3. Isodome Quadermauer mit wechselnden Läufer- und Binderschichten

7. Verbundkonstruktion (byz. Landmauer von Konstantinopel)

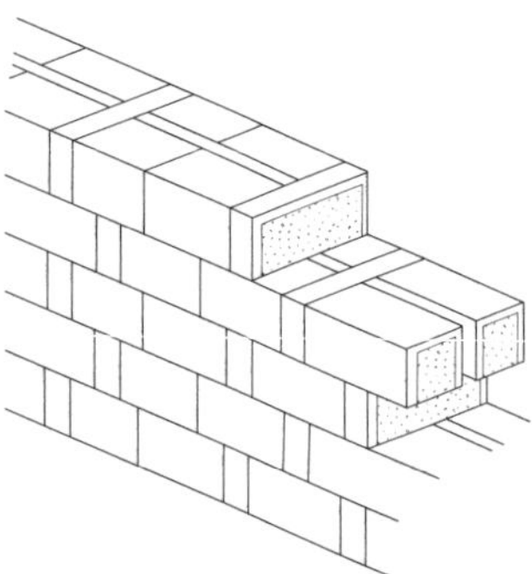

4. Isodome Quadermauer mit unregelmäßig verteilten Bindern

migen Schichten getrennt wurden (pseudo-isodom = Schichtung aus unterschiedlich hohen Lagen, z. B. Pergamon). Eine »genetisch« begründete Entwicklungslinie vom Polygonal-M. über M. aus Horizontallagen mit schrägen Stoßfugen hin zum »echten« Quader-M. als der »Ideal-Form« läßt sich indessen insgesamt nicht nachvollziehen.

4. Ästhetische Wirkung

Die Außenflächen von polygonalem, isodomem wie auch pseudo-isodomem M. sind vielfach Gegenstand bes. aufwendiger, weithin sichtbarer (= demonstrativer) Formgebung gewesen; nur scheinbar evidente »Unfertigkeiten« gehörten hierzu ebenso wie kunstvoll gestaltete Polsterwölbungen der Quadermauern (Magnesia am Mäander), Bossenquader (Priene) oder Spiegelquader (Selinunt), die ebenso Zeugnis ästhetischer Überlegungen jenseits aller funktionalen Aspekte waren wie etwa die Spitzeisenpickungen an der Befestigungsmauer von Eleusis. Isodomes M. mit optimal ausgeführter Paßgenauigkeit vermittelte bei Fernsicht wegen der nunmehr haarfeinen, kaum mehr wahrnehmbaren Fugen das Bild einer monolithischen, hochgradig artifiziell gestalteten Mauer – auch dies Ausweis der Kompetenz und des ästhetischen Impetus der Erbauer (→ Könnensbewußtsein). Im Hell. wird dekoratives M. dann zunehmend zum Hintergrund aufwendiger Fassadengestaltungen (→ Fenster; → Giebel).

C. Rom

Röm. M. nutzt zunächst die tradierten griech. Formen und Verfahrensweisen, kombiniert diese aber mit technischen Innovationen, wobei bes. dem im späten 4. Jh. v. Chr. in Griechenland entwickelten gebrannten, damit witterungsunempfindlichen Ton-Ziegel (→ Ziegel; frühe Verwendungen in Ephyra am sog. »Nekromanteion« und in Kassope am »Katagogeion/Marktbau«), aber auch dem in Kampanien erstmals bezeugten → Opus caementicium, dem Zement-Guß, große Bed. zukam. Jenseits des Quader- oder Vollstein-M. griech. Prägung, das im Imperium Romanum zunehmend selten wurde und allein sakral-repräsentativen Zwecken vorbehalten blieb, war das röm. M. ein Element der Verkleidung eines Beton-Kerns, diente dessen optischer Gestaltung bzw. seiner »Unsichtbar-Machung«; Ziel des röm. Verkleidungs-M. war die Suggestion einer in Wahrheit konstruktiv nicht existenten kleinteiligen Struktur. Die camouflierende und zugleich nobilitierende Bed. des M. in der röm. Architektur zeigt Vitruvs umfassende Beschreibung der Möglichkeiten und Techniken in der Gestaltung des M. sowie der jeweiligen Vor- und Nachteile eines einmal gewählten Verfahrens (Vitr. 2,8).

Als M. vortäuschende Materialien der Verkleidung eines Zementkerns dienten verschiedene Tuff-, Kalkstein- und Ziegelsorten in insgesamt großer Variation; zur ebenfalls gängigen Verblendung von Zementmauern mit großflächigen Marmor- oder Travertinplatten s. → Inkrustation. Tuffsteine oder Ziegel wurden keil- bzw. pyramidenförmig zubereitet und anschließend mit Mörtel auf den Zementkern aufgesetzt (vgl. → Bautechnik mit Abb.: Römische Bautechnik); horizontale Ziegellagen konnten dabei mit netz-, rauten- oder rhombusförmigen Tuff-Verkleidungen abwechseln. Inwieweit ein »Entwicklungsmodell« für die formale Gestaltung der Zementverkleidungen durch Tuff-Steine (z. B.: Opus incertum = unregelmäßige Setzung = früh; Opus quasi-reticulatum = annähernd netzförmige Setzung = fortgeschritten; Opus reticulatum = exakt netzförmige Setzung = ideale Form) zutrifft, ist ebenso umstritten wie relevant für die Datier. einzelner Bauphasen röm. Architekturen mit ihrer häufig langwierigen und verästelten Baugeschichte.

Massives Ziegel-M. wird seit dem 1. Jh. n. Chr. zunehmend bedeutend und gewinnt in der Spätant. mittels Variation von Läufer- und Binder- bzw. Ziegel- und Mörtelschichten und darin eingebundenen Verzierungselementen einen ganz eigenen Schmuck-Charakter (z. B. Stadtmauer von Konstantinopel), der seinen Höhepunkt im geziegelten »Dekorativismus« des byz. Kirchenbaus erreichte.

→ Bautechnik

J. P. Adam, La construction romaine. Matériaux et techniques, 1984 • M. E. Blake, Roman Construction in Italy from Tiberius through the Flavians, 1959 • Ders., Roman Construction in Italy from Nerva through the Antonines, 1973 • A. C. Brookes, Stoneworking in the Geometric Period at Corinth, in: Hesperia 50, 1981, 285–302 • R. Ginouvès, R. Martin, Dictionnaire méthodique de l'architecture grecque et romaine, Bd. 1, Matériaux, techniques, 1985 • T. L. Heres, Paries. A Proposal for a Dating System of Late-Antique Masonry Structures in Rome and Ostia, 1982 • W. Hoepfner, E. L. Schwandner, Haus und Stadt im klass. Griechenland, [2]1994, s. v. M.; s. v. Mauertechnik, 354 • T. E. Kalpaxis, Hemiteles. Akzidentelle Unfertigkeit und 'Bossen-Stil' in der griech. Baukunst, 1986 • H. Lauter, Die Architektur des Hell., 1986, 48–49, 253–257 • C. Mango, Byzanz, 1986, 8–19 • R. Martin, Manuel d'architecture greque, Bd. 1: Matériaux et techniques, 1965, 371–385 • M. Miller, Befestigungsanlagen in It. vom 8. bis 3. Jh. v. Chr., 1994 • W. Müller-Wiener, Griech. Bauwesen in der Ant., 1988, 64–80 • A. K. Orlandos, Les matériaux de construction et la technique architecturale des anciens Grecs, Bd. 1, 1966, Bd. 2, 1968 • F. Rakob, Hellenismus in Mittelitalien: Bautypen und Bautechnik, in: P. Zanker (Hrsg.), Hellenismus in Mittelitalien, 1976, 366–376 • C. J. Ratté, Lydian Masonry and Monumental Architecture at Sardis, 1989 • R. C. Vann, A Study of Roman Construction in Asia Minor. The Lingering Role of a Hellenistic Trad. in Ashlar Masonry, 1982 • V. A. Walsh, W. A. McDonald, Greek Late Bronze Age Domestic Architecture. Toward a Typology of Stone Masonry, in: Journal of Field Archaeology 13, 1986, 493–499.

C. HÖ.

**Maulbeerbaum** (ἡ oder ὁ συκάμινος/*sykáminos* mit der Frucht συκάμινον/*sykáminon*; σ. Αἰγυπτία/s. *Aigyptía* = Sykomore, der Maulbeerfeigenbaum: Theophr. h. plant. 4,2,1–2 = Plin. nat. 13,56, aus hebr. *šiqmah*, vgl. Dioskurides 1,27 WELLMANN = 1,181 BERENDES; oder μορέα/*moréa*, μόρον/*móron*; bei den Alexandrinern nach Athen. 2,51b als μῶρον/*mōron* bezeichnet; lat. *morus, morum*, wie auch der → Brombeerstrauch gen. wurde). Der Baum aus der Familie der Moraceae mit weißen Blütenkätzchen wurde aus Vorderasien nach Griechenland eingeführt und nach den Zit. bei Athen. 2,51c-d zuerst von Aischylos (fr. 116 und 264) und Sophokles (fr. 363 NAUCK[2]), dann von anderen griech. Dichtern erwähnt. Theophr. h. plant. nennt viele Einzelheiten: Blüte wollig (1,13,1), in der Mitte mit dem Perikarp verbunden (1,13,4); das Holz ist »heiß« (5,3,4; = Plin. nat. 16,207) und dauerhaft (5,4,2), zäh und durch seine leichte Krümmbarkeit u.a. für Girlanden und anderen Holzschmuck geeignet (5,6,2; vgl. Plin. nat. 16,227); das Holz dient für die gebogenen Teile beim Schiffsbau (5,7,3); nackte, schnellreifende Frucht (Theophr. c. plant. 1,17,1); sein Geschmack wirkt erst adstringierend und danach bitter und süß (6,6,4). Sullas charakteristisches Erröten veranlaßte einen witzigen Athener zu dem Vergleich mit der bei der Reifung von weiß nach rot wechselnden M.-Beere (Plut. Sulla 2,2: Sulla sei eine mit Mehl bestreute M.-Frucht).

Bei den Römern scheinen den M. erst Vergil (ecl. 6,22), Horaz (s.u.) und Ovid (met. 4,90 und 127: Umfärbung der weißen Beere zur dunkelroten durch das aufspritzende Blut des sterbenden Pyramus) zu kennen. Plinius bietet viele Einzelheiten, z.B.: Pfropfung eines Apfelreises auf einen M. als Unterlage erzeuge blutlose Äpfel (Plin. nat. 15,52); spätes, aber rasantes Austreiben mit schneller Fruchtreife (ebd. 16,102 nach Theophr. c. plant. 1,17,2; vgl. Plin. nat. 15,96f.); Vermehrung durch Stecklinge, *taleae* (Plin. nat. 17,124). Bekannt war in der Ant. nur der schwarze M., Morus nigra L., dessen süßsäuerliche Beere trotz ihrer schnellen Reifung und Fäulnis am Morgen gepflückt als leichtverdauliche und gesunde Erfrischung (Hor. sat. 2,4,22; Athen. 2,51f, vgl. Gal. de alimentorum facultatibus 2,11) beliebt war. Sie galt in frischem Zustand als Heilmittel, z.B. bei Mandelentzündung. Die Rinde der Wurzel des M. benutzte man zum Abtreiben des Bandwurms (Dioskurides 1,126 WELLMANN = 1,180 BERENDES), den Saft daraus innerlich gegen Skorpionstiche (Plin. nat. 23,139), die Blätter zur Gewinnung von Farbstoffen und Medikamenten (z.B. als Auflage auf Schlangenbisse: Plin. nat. 23,139).

A. STEIER, s.v. M., RE 14, 2331–2338 • V. HEHN, Kulturpflanzen und Haustiere (ed. O. SCHRADER), [8]1911, Ndr. 1963, 387–393. C.HÜ.

**Maulesel** s. Maultier

**Maultier** A. EINFÜHRUNG B. DAS MAULTIER IN DER WIRTSCHAFT C. VERWENDUNG IM HEERWESEN UND REISEVERKEHR D. MAULTIERTREIBER E. DAS MAULTIER IN KULTUR UND RELIGION

A. EINFÜHRUNG

Die Hybriden aus Eselshengst und Stute (Maultier: ἡμίονος/*hēmíonos*; lat. *mulus/mula*; auch ὀρεύς/*oreús* – von ὄρος, »Berg«) sowie aus Hengst und Eselin (Maulesel: γίννος/*gínnos*; lat. *hinnus/hinna*) werden in der ant. Lit. häufig erwähnt. Das M. besaß in der Ant. ebenso wie im MA und noch in der frühen Neuzeit große Bed. für → Landwirtschaft und Transportwesen. Neben dem Pferd, das im westeurop. Raum seit dem 11. Jh. bis zum Beginn des 20. Jh. intensiv wirtschaftlich genutzt wurde, war das M. in vorindustriellen Gesellschaften ein hervorragendes Zugtier, wenn eine schwere Last befördert, eine lange Strecke zurückgelegt oder eine bestimmte Geschwindigkeit erreicht werden mußte. Für den Transport von Personen und Lasten gab es kein vergleichbares Transportmittel. Schneller als der Ochse (→ Rind), »edler« und leistungsfähiger als der → Esel, widerstandsfähiger und weniger anfällig als das → Pferd, vereint das M. zahlreiche Qualitäten, die bereits in der Ant. erkannt wurden. Pferd und Esel vererben insbesondere dem M. wertvolle Eigenschaften, so etwa die beträchtliche Größe, die geschmeidige Muskulatur, den schönen geraden Rücken, die festen Hufe, den sicheren Tritt, den sanftmütigen Charakter und die hervorragende Ausdauer. Die Last auf seinem Rücken kann die Hälfte seines Gewichtes betragen, und vor einen leichten Wagen gespannt, ist sein Trab gleichmäßig und für die Reisenden angenehm; als Reittier ist das M. in schwierigem Gelände sicherer als das Pferd. Eine Unt. der Leistungsfähigkeit des M. sowie anderer wichtiger Zugtiere ergab bei einem Arbeitstag von 6 bis 8 Stunden vor dem Pflug für das M. den Mittelwert von 260 Newton bei einer Geschwindigkeit von 1,1 m/s. Dies ist die Hälfte der Leistung eines Pferdes (520 N) bei gleicher Geschwindigkeit oder das Doppelte der Leistung eines Esels (130 N) bei einer Geschwindigkeit von weniger als 1 m/s.

Für die Paläozoologie bleibt es selbst bei Berücksichtigung von odontologischen und osteologischen Kriterien schwierig, das M. klar von kleineren Pferden oder größeren Eseln zu unterscheiden. Außerdem ist nicht leicht zu klären, ob in bestimmten Regionen (wie etwa den nw Prov. des Imperium Romanum) M. gezüchtet wurden oder ob sie importiert wurden. Die Behauptung, die M. seien im röm. Heer verwendet worden, trifft zumindest für die Prov. Belgica nicht zu, in der keine Legion stationiert war, aber Reliefs mit Abb. von M. gefunden wurden. Es kann sich dabei um ausgemusterte Tiere des röm. Heeres handeln, aber auch um Tiere, die in der Region gezüchtet wurden.

B. Das Maultier in der Wirtschaft

Das M. wird bereits bei Homer beiläufig erwähnt: So ziehen M., die die Myser Priamos geschenkt haben, einen vierrädrigen Wagen, und einer der Freier der Penelope züchtet in Elis M. (Hom. Il. 24,277f.; 24,324; Hom. Od. 4,635ff.). Längere Ausführungen über das M. und den Maulesel finden sich in naturkundlichen Schriften (Aristot. hist. an. 577b; Aristot. gen. an. 748a; Plin. nat. 8,167; 8,170–175) sowie in veterinärmedizinischen Abh. (Vegetius, Mulomedicina). Für M.-Gespanne wurden oft hohe Preise gezahlt (Isaios 6,33: 800 und 550 Drachmen; vgl. Mart. 3,62,6). M. wurden in verschiedenen Bereichen der ant. Wirtschaft eingesetzt; nach Plinius war das M. ein hervorragendes Arbeitstier (*animal viribus in labores eximium*, Plin. nat. 8,171). In der Landwirtschaft wurde das M. für die Bodenbearbeitung und für den Transport von Agrarerzeugnissen verwendet (Hom. Il. 10,351ff.; 24,782f.; Hom. Od. 8,125). Auch für den Transport von Baumstämmen im Gebirge und von Brennholz wurden M. gebraucht (Hom. Il. 17,742–744; 23,120f.). In der röm. Dichtung finden sich für städtische Kontexte ähnliche Beschreibungen: M. transportierten in Rom Marmorblöcke und trugen die Jagdbeute heim (Mart. 5,22,7; Hor. epist. 2,2,72; 1,6,58ff.). Esel, M. und alte Pferde drehten die Getreidemühlen (Apul. met. 9,10–13). Auf dem Kanal an der Via Appia in der Nähe von Terracina wurden Boote mit Hilfe von M. getreidelt (Strab. 5,3,6; Hor. sat. 1,5,13ff.). Das M. ist als Arbeitstier sowohl auf sf. att. Vasen als auch auf röm. Mosaiken (Ostia) und Grabreliefs (vor allem in Gallien und Germanien, etwa in Igel) gut bezeugt.

Bei den röm. → Agrarschriftstellern steht der Aspekt der Verwendung in der Landwirtschaft und für den Transport im Vordergrund. So betont Columella, daß bei der Aufzucht von M. auf die Festigkeit der Hufe geachtet werden solle, damit das Tier später lange Strekken zurücklegen könne; das männliche Tier eigne sich besser als Tragtier, beide Geschlechter gleichermaßen seien aber zum Transport und Pflügen brauchbar; nur bei schweren Böden sei der Ochse hierfür vorzuziehen (*annicula mula recte a matre repellitur, et amota montibus aut feris locis pascitur, ut ungulas duret, sitque postmodum longis itineribus habilis. Nam clitellis aptior mulus. Illa quidem agilior: sed uterque sexus et viam recte graditur, et terram commode proscindit; nisi si pretium quadrupedis rationem rustici onerat, aut campus gravi gleba robora boum deposcit*; Colum. 6,37,11). Bei Varro wird klar zwischen *mulus* (M.) und dem kleineren *hinnus* (Maulesel) unterschieden (Varro rust. 2,8,6); M. und Maulesel glichen nach Columella jeweils eher dem Muttertier (Colum. 6,37,5).

Die Zucht von M. war ein wichtiger Zweig der Viehwirtschaft, der in der Fachlit. ausführlich beschrieben wurde (Varro rust. 2,8; Colum. 6,36–38; 7,1). Obgleich die zoologischen Voraussetzungen für die Kreuzung von Pferden und Eseln nicht bekannt waren, existierten doch umfassende praktische Erfahrungen. Als bes. gut für die Zucht von M. geeignet galten die Eselshengste aus Reate und Arkadien; für solche Deckhengste (*admissarii*) wurden oft hohe Preise bezahlt (Varro rust. 2,1,14; 2,6,1; 2,8,3). Das Decken der Stute für die M.-Zucht war Gegenstand der Aufmerksamkeit der Agronomen und wurde von ihnen ausführlich beschrieben (Varro rust. 2,8,2ff.; Colum. 6,37,8ff.).

C. Verwendung im Heerwesen und Reiseverkehr

Die ant. Heere hatten großen Bedarf an M. für den Transport von Versorgungsgütern; hier ist an die 600 M. und 300 Kamele, die mit dem Schatz des Dareios [3] III. beladen waren, und an die 7000 M., die Alexandros [4] d.Gr. erbeutete, zu erinnern (Curt. 3,3,24; 3,13,16; vgl. 8,7,11). Im röm. Heer wurden M. als Tragtiere eingesetzt und vor Wagen mit Waffen, Versorgungsgütern und Katapulten gespannt (Liv. 7,14,7; 10,40,8; 10,41,6; 25,36,7; 42,1,9; Caes. Gall. 7,45,2; Abb. sind auf der Traians-Säule und der Säule des Marcus Aurelius erhalten; → Säulenmonumente).

Auch für den ant. Reiseverkehr besaßen M. große Bed. (Sen. epist. 87,4; 87,7f.). Auf einer röm. Inschr. aus Aesernia wird ein M. als Reittier erwähnt und mit Sattel abgebildet (CIL IX 2689 = ILS 7478). Der → *cursus publicus* nutzte für öffentliche Zwecke von M. gezogene Wagen (Cod. Theod. 8,5,8); es wurden bis zu 8 M. im Sommer und bis zu 10 M. im Winter vor einen vierrädrigen Wagen (*raeda*) gespannt, wobei das Gewicht der Ladung auf 1000 *librae* (röm. Pfund) begrenzt wurde. Ein zweirädriger Wagen, der von 3 M. gezogen wurde, beförderte eine Ladung bis zu 200 *librae*. Diese Beschränkung der Ladung sollte nicht auf eine technische Schwäche des Landtransportes, sondern eher auf logistische Überlegungen zurückgeführt werden.

M. waren normalerweise mit einem Joch, das auf dem Rücken oder dem Hals auflag, angespannt; aufgrund der Reliefs kann nicht immer genau zwischen beiden Formen der Anschirrung unterschieden werden (→ Landtransport).

D. Maultiertreiber

Die M.-Treiber (*muliones*) waren im Bereich des Transports, der Vermietung und sogar des An- und Verkaufs von M. tätig; sie sind für Pompeii durch eine Wandinschr. belegt (ILS 6412a) und waren in Potentia gemeinsam mit den *asinarii* (Eseltreibern) Mitglieder eines *collegium* (CIL 10143 = ILS 7293; vgl. auch das *collegium mulionum* in Sarsina); der *mulio* des Claudius Maximus widmete der Epona in Carnuntum eine Weihinschr. Ein Gedicht Vergils (Verg. catal. 10) beschreibt detailreich das Leben eines *mulio*; vielleicht ist dieses Gedicht auf P. Ventidius Bassus zu beziehen, der in seiner Jugend mit M. gehandelt haben soll (Gell. 15,4).

E. Das Maultier in Kultur und Religion

M. spielten auch bei Leichenzügen eine wichtige Rolle. In spätarcha. Zeit hat → Exekias ein M.-Gespann auf einer Tontafel eines Grabbaus dargestellt (Berlin, SM; Beazley, ABV 146,22), und auf Mz. des Jahres 37 n. Chr. ist der von M. gezogene Wagen, mit dem Agrippinas [2] Asche nach Rom gebracht wurde, abgebildet.

Wie der Esel, so wurde auch das M. mit → Dionysos/Bacchus in Verbindung gebracht, aber auch mit → Selene, die eine M.-Stute ritt (Paus. 5,11,8).

In der Ant. wurde das M. ähnlich wie der Esel allgemein gering geschätzt und verachtet; die Sterilität des M. war sprichwörtlich (*cum mula pepererit*; Suet. Galba 4,2). Es galt als schlechtes Vorzeichen, wenn eine M.-Stute ein Fohlen warf (Hdt. 3,151–155; Liv. 26,23,5). Es gibt allerdings auch Hinweise auf eine positive Wahrnehmung der M.; nach Varro konnte der Anblick eines M.-Gespanns durchaus erfreuen (*ut oculos aspectu delectare queant*; Varro rust. 2,8,5; vgl. Sen. epist. 87,8). Bei den griech. Wettkämpfen gab es M.-Rennen (ἀπήνη/*apḗnē*); sie wurden im Verlauf der 70. Olympiade (500 v. Chr.) eingeführt, in der 84. Olympiade (444 v. Chr.) aber wiederum eingestellt, weil ihnen die εὐπρέπεια (*euprépeia*, »Würde«) fehlte (Pind. O. 5; 6; Paus. 5,9,1–2). In Rom fanden die Wagenrennen der M. am 15. Dezember im Circus Maximus statt.

**1** PH. ARMITAGE, H. CHAPMAN, Roman Mules, in: London Archaeologist 3, 1979, 339–346 **2** R. BARONCINI, L'asino, il mulo et il bardotto, 1987 **3** N. BENECKE, Archäozoologische Studien zur Entwicklung der Haustierhaltung, 1994 **4** W. ECK, Superiumentarii et muliones, in: ZPE 90, 1992, 207–210 **5** A. E. HANSON, P. J. SIJPESTEIJN, P.Oxy XVI 1919 and Mule-Breeding, in: ZPE 87, 1991, 268–274 **6** J. LABARBE, Les mulets des Mysiens, in: AC 57, 1988, 40–45 **7** R. H. MEADOW, H. P. UERPMANN (Hrsg.), Equids in the Ancient World, Bd. 2, 1991 **8** M. MOLIN, Une production à l'origine des progrès dans les transports à l'époque romaine: la mulasserie, in: D. GARCIA, D. MEEKS (Hrsg.), Techniques et économie antiques et médiévales, 1997 **9** G. RAEPSAET, Attelages antiques dans le nord de la Gaule, in: TZ 45, 1982, 215–273 **10** S. TRAMONTI, Trasporti terrestri nell'Appennino in epoca romana, in: Rivista storica dell'antichità 20, 1990, 69–96 **11** P. VIGNERON, Le cheval dans l'Antiquité gréco-romaine, 1968. G. R./Ü: C. P.

**Maulwurf** (ἀσπάλαξ/*aspálax* oder ἀσφάλαξ/*asphálax* und σπάλαξ/*spálax*, σφ-/*sph-* oder σκάλωψ/*skálōps*, Hesych. s. v., nach Schol. Lykophr. 121 auch σιφνεύς/*sifneús*, nach Alexandros Trallianos 2,575 PUSCHMANN παλαμίς/*palamís*; lat. mask. und fem. *talpa*). Es handelt sich tatsächlich um den Insektenfresser M., nicht um die im nördlichen Griechenland vorkommende Westblindmaus (Microspalax leucodon), ein Nagetier. Das von Aristot. hist. an. 4,8,533a 3–12 (vgl. hist. an. 1,9,491b 28 und Plin. nat. 11,139) beschriebene äußerlich unsichtbare und als Entwicklungsstörung interpretierte Auge des M. wird von [1. 2340] – verm. richtig – als das der mittelmeerischen Art Talpa caeca Savi gedeutet. In der dicken Hornhaut über den Augen befindet sich bei dieser Art nämlich nur eine winzige Öffnung.

In der ant. Lit. wird häufig seine angebliche Blindheit als Strafe für die Schädlichkeit (als Pflanzenfresser) gedeutet (Stesichoros fr. 95 BERGK 3,233, vgl. Verg. georg. 1,183; Isid. orig. 12,3,5). Hesych s. v. und Diogenianos 8,25 bieten das Sprichwort: ›blinder als der M.‹ (τυφλότερος ἀσπάλακος). Opp. kyn. 2,612–628 behauptet als einziger, daß der thrakische König → Phineus von Phaethon geblendet sowie von den Harpyen gequält und schließlich nach der Vertreibung dieser Quälgeister durch die beiden Boreassöhne → Kalaïs und Zetes von Phaethon in den blinden und unersättlichen M. verwandelt worden sei.

Daß der M. unter der Erde geradezu sprichwörtlich gut hört und atmet, wußte Plinius (nat. 10,191 und 9,17). Nur bei Aristot. mir. 176 werden die M. in Aitolien als Heuschreckenfresser bezeichnet. Als angeblichen Pflanzenschädling, der etwa die Wurzeln der Kulturpflanzen zerbeißt, fing man den M. mit Roßhaarschlingen und ließ ihn von Katzen und zahmen Wieseln jagen (Pall. agric. 4,9,4) oder vertrieb ihn z. B. mit Ölschaum (*amurca*, Plin. nat. 17,266) oder einer Räucherung ihres Ganges mit einer mit Stroh, Zedernöl und Schwefel gefüllten brennenden Nuß (Pall. agric. 1,35,10). Die Schädlichkeit seines Wühlens wurde z. T. sehr übertrieben (Plin. nat. 8,226 über Vernichtung der Äcker in Orchomenos; vgl. 8,104 und Diod. 3,30). Sein vorzügliches Fell, das in Athen auf dem Markt verkauft wurde (Aristoph. Ach. 887; Antigonos von Karystos, Mirabilia 10) wurde zu Decken verarbeitet (Plin. nat. 8,226).

Wegen seiner Herkunft aus der Erde (αὐτόχθων/*autóchthōn*, Opp. kyn. 2,612) wurde der M. – wahrscheinlich als ganzer aufgelegt – gegen die Bisse der Spitzmaus (*mus aranea*) verordnet, gegen Zahnschmerzen sollte ein dem lebenden M. ausgerissener Zahn als Amulett wirken (Plin. nat. 30,20; vgl. auch u. a. 30,38). Die Besprengung mit M.-Blut wurde von Magiern benutzt, um Wahnsinnige wieder zur Vernunft zu bringen (Plin. nat. 30,84). Mit seinem Schulterblatt berührtes Saatgut sollte reichen Ertrag bringen (Plin. nat. 18,158). Gegenüber der Behauptung der Magier, das Verschlukken seines lebenden und noch zuckenden Herzens verleihe Sehergabe und Erfolg bei Unternehmen, äußert Plinius (nat. 30,19) jedoch Skepsis. Bildliche Darstellungen, z. B. auf Vasen [2. 1,21], sind selten.

**1** A. STEIER, s. v. M., RE 14, 2338–2342 **2** KELLER. C. HÜ.

**Mauretania** (Μαυρουσία).
I. NAME II. GEOGRAPHIE
III. GESCHICHTE IV. ARCHÄOLOGIE

I. NAME

Etwa das Gebiet Marokkos und West-Algeriens umfassend, hieß M. im 2. Jh. v. Chr. – nach griech. Vorbild – wohl Maurusia (vgl. Coelius Antipater, HRR 1,175 fr. 55). Die gleiche Form der Namensbildung in M. (Ἐρπεδιτανοί) und in Iberia (z. B. Turdetani, Cassetani) und die Existenz der *Nektíbēres* (Νεκτίβηρες) in M. sprechen für eine libysch-iberische Verwandtschaft.

II. GEOGRAPHIE

Geologisch ist M. weithin durch die Gebirgszüge des Rif-Atlas, des Mittleren Atlas und des Hohen Atlas geprägt, die das Gebiet der Meseta umschließen. In der Ant. erntete man am fruchtbaren mittelmeerischen Küstenstrich, im Tal des Mulucha und in der Ebene von Volubilis und Sala Getreide von guter Qualität (Strab. 17,3,11; Mela 3,104). Ertragreich war auch der Anbau von Wein und Gemüse, daneben der von Oliven (Strab. 17,3,4; Plin. nat. 5,3; 13; Paus. 1,33,5). Die im Atlas und in den Bergen von Septem (h. Ceuta) lebenden Elefanten wurden mil. und ökonomischen Zwecken dienstbar gemacht (Strab. 17,3,4; 6; Mela 3,104; Plin. nat. 5,18; 8,15; 32; Iuv. 11,122–125). Löwen und Panther wurden vielfach (für die Circus-Spiele) nach Rom exportiert (Strab. 17,3,4; Plin. nat. 8,53). Die Pferde dieser Gegend wurden von den berühmten maurischen Kavalleristen eingesetzt (Strab. 17,3,7; Paus. 8,43,3). Für die Wirtschaft des Landes waren schließlich auch Rinder und Schafe, Fische, Purpurschnecken, Zitrushölzer, Salinen und Bodenschätze (Kupfer, Marmor und Edelsteine) von Bed. (Vitr. 8,2,6f.; Mela 3,104; Plin. nat. 5,12; 6,201; 13,91–95; Ptol. 4,2,17; CIL VIII Suppl. 3, 21848).



### A. Vorrömische Geschichte

Die Gesch. von M. wurde nachhaltig von Phöniziern und Puniern beeinflußt [1. 31–33, 70f.]. → Lix [1] und → Tingis (h. Tanger) waren uralte phöniz. Stützpunkte, und spätestens seit der 2. H. des 7. Jh. v. Chr. besuchten phöniz. Kaufleute → Mogador. Vielleicht errichteten bereits Phönizier – nicht erst Karthager – auf Kerne einen Stützpunkt, der im Hinblick auf den Handel mit Guinea-Gold von Bed. war. Im J. 406 v. Chr. kämpften maurische Verbände auf karthagischer Seite (Diod. 13,80,3). In der Mitte des 4. Jh. v. Chr. wurde der Revolutionär Hanno von maurischen Truppen unterstützt (Iust. 21,4,7). Hamilkar [3] Barkas bestrafte maurische Soldaten, die im J. 256 v. Chr. M. Atilius [I 21] Regulus unterstützt hatten (Oros. 4,9,9). Im 2. → Punischen Krieg kämpften maurische Kavalleristen und Infanteristen auf karthagischer Seite (Pol. 3,33,15; 15,11,1). Im J. 204 v. Chr. stellte jedoch König Baga 4000 Kavalleristen dem → Massinissa, dem Feind Karthagos, zur Verfügung (Liv. 29,30,1f.). Im Iugurthinischen Krieg (111–105 v. Chr.) unterstützte der ostmaurische König → Bocchus [1] I. zunächst seinen Schwiegervater → Iugurtha, um ihn dann aber den Römern auszuliefern. Er erhielt dafür die ehemals westmasaisylischen Gebiete (→ Masaesyli), die zw. dem Fluß Mulucha und der Stadt Saldae lagen (Sall. Iug. 80,3; 111,1).

Im J. 81 v. Chr. schloß sich Bogudes [1] I., der Sohn Bocchus' I., Pompeius an, der gegen den numidischen Thronprätendenten → Hiarbas [2], den Rivalen des ostmassylischen (→ Massyli) Königs → Hiempsal [2] II., kämpfte (Oros. 5,21,14). M. geriet mehr und mehr in den Sog innerröm. Parteikämpfe. Im J. 81 v. Chr. ging Q. Sertorius von Spanien nach M. hinüber, befreite Tingis – dorthin hatte sich der westmaurische, von Sulla gestützte König Askalis zurückgezogen – und kehrte auf Bitten der Lusitani mit 700 maurischen Kavalleristen nach Spanien zurück (Plut. Sertorius 9–12). Der Catilinarier P. Sittius floh im J. 63 v. Chr. nach M. und kämpfte als Söldnerführer des ostmaurischen Königs → Bocchus [2] II. gegen den ostmassylischen König → Iuba [1] I. Während Iuba I. sich Pompeius anschloß, hielten der ostmaurische König Bocchus II. und der westmaurische König Bogudes [2] II. seit dem J. 49 v. Chr. zu Caesar. Bocchus II. erhielt im J. 46 v. Chr. die ehemals ostmasaisylischen Gebiete, die zw. Saldae und der Mündung des Ampsaga lagen, und die westmassylischen Gebiete, die sich zw. der Mündung des Ampsaga und der Stadt → Chullu erstreckten. M. bis zur Mündung des Mulucha gehörte spätestens seit dieser Zeit Bogudes II. Die Gegend um → Cirta fiel – vielleicht etwas später – an P. Sittius.

Als Bogudes II. im J. 38 v. Chr. für M. Antonius [I 9] Partei ergriff, besetzte Bocchus II. im Einvernehmen mit dem nachmaligen Augustus M. westl. des Mulucha und vereinigte beide »mauretanischen« Reiche. M. reichte nun vom Atlantik bis nach Chullu. Doch starb Bocchus II. bereits im J. 33 und hinterließ keine Erben. Der (nachmalige) Augustus gründete in den folgenden J. (33–25 v. Chr.) zwölf *coloniae* im Lande: an der Küste Igilgili, Saldae, Rusazus, Rusguniae, Gunugu, Cartennae und Zulil, im Landesinnern Tubusuctu, Aquae Calidae, Zucchabar, Babba und Banasa [2. 332–358]. Im J. 25 »belehnte« er den ostmassylischen Prinzen → Iuba [2] II., den Sohn Iubas I., mit M. (Plin. nat. 5,16; Cass. Dio 53,26,2). Iuba II., der um das Jahr 20 v. Chr. → Kleopatra [II 13] Selene heiratete, baute → Caesarea [1] (h. Cherchel) zu einer der bedeutendsten Städte Nordafrikas aus. Im J. 24 n. Chr. schlug Ptolemaios (23–40 n. Chr.), der Sohn Iubas II., einen Aufstand des Numiders → Tacfarinas nieder (Tac. ann. 4,23–26).

### B. Im römischen Reich

Im J. 40 n. Chr. jedoch ließ Caligula, der Urenkel des M. Antonius, Ptolemaios, den Enkel des M. Antonius, ermorden [3. 467–487]. M. wurde noch im selben J. als Prov. installiert und erhielt eine eigene Provinzial-Ära [4. 843–861]. Zwei Jahre später teilte Claudius die Prov. in die *M. Tingitana* (mit der Hauptstadt Tingis) und die *M. Caesariensis* (mit der Hauptstadt Caesarea). Beide Prov. wurden einem *procurator Augusti* im Rang eines *ducenarius* unterstellt. In den beiden M. standen nur Auxiliareinheiten, um das J. 70 n. Chr. 19 *cohortes* und 5 *alae*, etwa 15000 Mann (Tac. hist. 2,58,1). Zum Schutz der Südgrenze wurde ein → Limes errichtet. Unruhen gab es häufig, so unter Domitianus, Hadrianus, M. Aurelius und Commodus (vgl. [5]). Maurische Scheichs erreichten hohe, ja höchste Stellungen, z.B. Lusius Quietus (118 als wirklicher oder vermeintlicher Gegner des Hadrianus hingerichtet), M. Opellius Macrinus (der erste Kaiser aus dem Ritterstand, 217–218) und M. Aemilius Aemilianus (Kaiser, 253–254). Vor 288 n. Chr. wurde die Prov. *M. Sitifensis* (Sitifis) installiert. In der

Zeit zw. 295 und 303 n.Chr. wurden die beiden Prov. *M. Caesariensis* und *M. Sitifensis* der Diözese Africa zugeschlagen. Die *M. Tingitana* kam dagegen zur Diözese Hispaniae.

Während der constantinischen und nachconstantinischen Zeit spielte die donatistische Richtung des Christentums (→ Donatus [1]) in M. eine beträchtliche Rolle. So revoltierte im J. 372 der Scheich Firmus mit donatistischer Unterstützung gegen die Regierung, bis ihn im J. 374 oder 375 der *magister equitum* Theodosius niederrang (Amm. 29,5,2–56 [6. 148–150]). Seit dem J. 429 schlossen sich die Mauren dem Vandalen Geiserich (→ Geisericus) an und noch im J. 533 unterstützten sie den Vandalen → Gelimer gegen den oströrm. Feldherrn → Belisarios. Ende des 6. Jh. zählten nur noch die ehemalige *M. Sitifensis*, einige Städte der *M. Caesariensis* und die Festung → Septem zum Reich. In den J. 708 bis 711 geriet M. unter arab. Herrschaft. Inschr.: CIL VIII 2; [7; 8].

→ Masaesyli; Massyli

1 Huss 2 N.K. Mackie, Augustan Colonies in M., in: Historia 32, 1983 3 D. Fishwick, The Annexation of M., in: Historia 20, 1971 4 G. Di Vita-Evrard, La dédicace des Horrea de Tubusuctu et l'ère de la province dans les Maurétanies, in: A. Mastino (Hrsg.), L'Africa romana. Atti del IX convegno di studio 2, 1992 5 M. Rachet, Rome et les Berbères (Coll. Latomus 110), 1970 6 E.L. Grasmück, Coercitio (Bonner Histor. Forsch. 22), 1964 7 L. Galand, J. Gascou (ed.), Inscriptions antiques du Maroc, 2 Bde., 1966/1982 8 L. Chatelain (ed.), Inscriptions latines du Maroc, 1942.

P. Leveau, S. Lancel, M. Ponsich, M.P. Speidel, in: ANRW II 10.2, 1982, 683–738, 739–786, 787–816, 817–849, 850–860 • G. Camps, Remarques sur la toponymie de la Maurétanie césarienne occidentale, in: Y. Le Bohec (Hrsg.), L'Afrique, la Gaule, la Religion à l'époque romaine. FS M. Le Glay (Coll. Latomus 226), 1994, 81–94 • J. Carcopino, Le Maroc antique, [2]1947 • S. Gsell, Histoire ancienne de l'Afrique du Nord 7, [2]1930; 8, 1928 • F. López Pardo, Mauritania Tingitana, 1987 • J. Mazard, Corpus nummorum Numidiae Mauretaniaeque, 1955 • P. Romanelli, Storia delle province romane dell'Africa, 1959 • B. Thomae, Praesides provinciarum ..., in: OpRom 7, 1969, 163–211, bes. 191–202 • B.E. Thomasson, s.v. M., RE Suppl. 13, 307–316 • St. Weinstock, s.v. M., RE 14, 2344–2386. W.HU.

### IV. Archäologie

Die in M. bis weit in die röm. Kaiserzeit als Nomaden lebenden Stämme sind zuerst durch die phöniz. Niederlassungen am Atlantik und an der Mittelmeerküste mit den entwickelten mediterranen Kulturen in Berührung gekommen. Das nach der Überl. bereits um 1100 v.Chr. gegründete, arch. aber erst seit dem 8. Jh. sicher bezeugte → Lix(os) [1] hat dabei nach den Quellen eine Vorreiterrolle gespielt. Zu einer tiefgreifenden Akkulturation kam es jedoch nicht, und nur das unmittelbare Hinterland der wenigen phöniz. und pun. Faktoreien – u.a. auf der Insel Mogador (das ant. Kerne?), in Tanger (Tingis) und östl. der Meerenge von Gibraltar auf der Insel Rachgoun (vor der Mündung des Oued Tafna) [1] sowie in Tipasa – war von deren Ausstrahlung betroffen. Der unklar überl. → Periplus des Karthagers → Hanno [1], zu Anf. des 5. Jh. v. Chr., berichtet über die Neu-Ansiedlung von »Liby-Phoinikes«; sie sollte offenbar auch der Verstärkung der städtischen Bevölkerung dienen. Einzelne städtische Zentren entwickelten sich im Hinterland, z.B. → Banasa, offenbar erst später → Volubilis. Tauschhandel mit der einheimischen Bevölkerung blieb schwierig (aufschlußreich der Ber. bei Hdt. 4,196).

Das kulturelle Profil dieser Zeit ist geprägt von der engen Nachbarschaft des phöniz.-pun. Südens der Iberischen Halbinsel (→ Hispania mit Karte), der wegen seiner reichen Erzvorkommen auch ökonomisch erheblich potenter war. M. war wirtschaftlich im wesentlichen auf Weinanbau und die etwa seit dem 5. Jh. v. Chr. in Lix nachgewiesene Produktion von Fischsaucen (*garum*, → *liquamen*) angewiesen [3].

Das von der kurzlebigen Dynastie → Iubas [2] II. in augusteischer Zeit zu einer prachtvollen Residenz- und Großstadt ausgebaute und in → Caesarea [1] umbenannte, urspr. pun. Iol blieb an der nordafrikan. Küste im Hinblick auf die Ausstattung mit öffentlichen Bauten und mit Skulpturen im hauptstädtischen Geschmack ein Sonderfall [4]. Nach der Einverleibung M.s in das Röm. Reich zog auch hier mit verstärkter Urbanisierung in den Ebenen die mehr oder weniger standardisierte Provinzialkultur ein.

→ Kolonisation (III., mit Karte)

1 G. Vuillemot, Reconnaissances aux échelles puniques d'Oranie, 1965, 55–130 2 J. Desanges, Recherches sur l'activité des Méditerranéens aux confins de l'Afrique, 1978, 39–85 3 M. Ponsich, M. Tarradell, Garum et industries antiques de salaison dans la Méditerranée occidentale, 1965 4 K. Fittschen, Juba II. und seine Residenz Jol-Caesarea (Cherchel), in: Die Numider. Kat. der Ausst. Bonn 1979, 227–242.

M.C. Sigman, The Romans and the Indigenous Tribes of M. Tingitana, in: Historia 26, 1977, 415–439 • J. Spaul, The Roman Frontier in Morocco, in: Bull. of the Institute of Archaeology, Univ. College London 30, 1993, 105–119 • P. Rouillard, Maroc; S. Lancel, Algérie, in: V. Krings (Hrsg.), La civilisation phénicienne et punique. Manuel de recherche (HbdOr I 20), 776–785, 786–795. H.G.N.

**Mauricius/Maurikios** (Μαυρίκιος). Flavius M. Tiberius, oströrm. Kaiser (582–602 n.Chr.), geb. 539 in Arabissos (Kappadokia), gest. am 27.11.602 in Kalchedon. M. löste 574 den Caesar und späteren Kaiser → Tiberius II. als Gardechef ab und wurde 577 als *magister militum per Orientem* mit der Fortsetzung des Perserkrieges beauftragt. Nach Siegen bei Kallinikos 580 und bei Konstantina 581 wurde er 582 in Konstantinopolis triumphal empfangen. Tiberius, seit 578 Kaiser, verlobte ihn mit seiner Tochter Konstantina und verlieh ihm den Caesartitel; nach dessen Tod im August 582 wurde M. Kaiser und beging seine Hochzeit mit Konstantina in einer glänzenden Feier.

Zu dieser Zeit war das Territorium des Reiches im Osten noch weitgehend intakt; im Westen waren von den Rückeroberungen → Iustinianus' [1] I. in Italien und Nordafrika nur noch Teilgebiete verblieben. M. organisierte sie als → Exarchate mit den Zentren Ravenna und Karthago und plante trotz des reduzierten Territoriums eine Aufteilung des Reiches in einen Ost- und Westteil unter der Herrschaft seiner beiden ältesten Söhne.

Aber im Osten wie im Westen wurde das Reich von auswärtigen Mächten bedroht. Der Perserkrieg dauerte unter → Chosroes' [5] I. Sohn und Nachfolger Hormisdas [6] IV. (seit 579) an. Erst als dessen Sohn → Chosroes [6] II., König seit 590, mit byz. Hilfe 591 den Usurpator → Wahram besiegen konnte, kam es zum Friedensschluß, und unter M. blieben die Beziehungen fortan freundlich. Doch hatte der Krieg im Osten die Verteidigung der Donaugrenze allzulange behindert. Bereits vor der Zeit des M. waren hier Avaren (→ Avares) und Slaven mehrfach in das Reichsgebiet eingefallen. 584 bedrohten slav. Angreifer Konstantinopolis, 586 die Avaren Thessalonike. Erst nach langen Kämpfen konnte 598 ein Vertrag mit den Avaren geschlossen und 602 ein entscheidender Sieg über die Slaven errungen werden. Aber die Bevölkerung war nicht mehr bereit, die ständigen Kriege und entsprechende finanzielle Einschränkungen hinzunehmen. Eine Revolte brach aus, und → Phokas, ein Offizier mittleren Ranges, wurde zum Kaiser ausgerufen, der alsbald M. und seine sechs Söhne, später auch seine Gattin und seine drei Töchter mit dem Schwert enthaupten ließ.

Die Verfasserschaft des Kaisers von einem strategischen Handbuch (→ *Stratēgikón* des Pseudo-M.) ist unsicher.

P. Schreiner (Übers. und Erl.), Theophylaktos Simokates, Geschichte, 1985 (Hauptquelle) • ODB 2, 1318 und 3, 1962 f. • PLRE 855–860 Nr. 4 • M. Whitby, The Emperor Maurice and His Historian, 1988 • P. Schreiner, s. v. Maurikios, LMA 6, 411. F. T.

**Mauropus, Iohannes.** Byz. Gelehrter und Bischof, geb. um 990 in → Paphlagonia, gest. um 1092 (?). M. verfaßte Epigramme, Briefe und Reden und hatte als Gründer einer Rechtsschule und Redaktor der Novellen Konstantinos' IX. bis Mitte des 11. Jh. großen Einfluß am Hof von Konstantinopel. Seine Beförderung zum Metropoliten von Euchaïta war hingegen eine versteckte Verbannung. Wichtig ist er als Lehrer und Vorgänger des → Psellos.

A. Karpozilos, s. v. M., LMA 4, 414 f. J. N.

**Mauryas.** Angehörige der von Tschandragupta Maurya (→ Sandrakottos) am E. des 4. Jh. v. Chr. gegründeten indischen Dyn., deren Gebiet bald ganz Nord-Indien umfaßte (s. Karte). Ein Kriegszug des → Seleukos I., der Alexandros' [4] d.Gr. indische Eroberungen zurückgewinnen wollte, scheiterte; in einem Abkommen wurden Tschandragupta alle sö Satrapien (einschließlich Arachosien) zugestanden, Seleukos erhielt dafür 500 Kriegselefanten. Der Gesandte des Seleukos bei Tschandragupta war → Megasthenes, dessen in zahlreichen Fr. erh. *Indiká* (FGrH 715) das maßgebliche Werk über Indien werden sollten. Über den Sohn und Nachfolger Tschandraguptas, Bindusāra-Amitrochates, ist wenig bekannt. An seinem Hof war → Daimachos [2] von Plataiai (FGrH 716) Gesandter des → Antiochos [2].

Berühmt ist dagegen → Aśoka (269/268–233/232 v. Chr.), der Sohn des Bindusāra, wegen seiner sog. Edikte, Monumentalinschr. auf Felsen und Säulen, die der Verbreitung buddhistischer Moral dienten. Überall in seinem Reich, das sich von Afghanistan (→ Arachosia) bis nach Karnataka und Andhra Pradesh, doch ohne die Südspitze Indiens, erstreckte, finden sich diese Inschr. Meistens sind sie in mittelind. Dialekten, im NW auch in aram. und griech. Sprache abgefaßt.

Nach Aśokas Tod verfiel das Reich bald, und die späteren Mauryas, die auch in indischen Quellen unbedeutend erscheinen, sind kaum in griech.-röm. Quellen genannt (etwa Sophagasenos bei Pol. 11,34,11). Vermutlich gab es enge Beziehungen zwischen den M. und den frühen hell. Reichen (auch der Handel muß geblüht haben), doch sind sie in den Quellen nur sehr lückenhaft faßbar.

→ India

K. Karttunen, India and the Hellenistic World, 1997, 253 ff. • F. F. Schwarz, Die Griechen und die Maurya-Dyn., in: F. Altheim, R. Stiehl (Hrsg.), Gesch. Mittelasiens im Alt., 1970, 267–316 • F. F. Schwarz, Herrschaftslöwe und Kriegselefant. Lit.-vergleichende Beobachtungen zu Pompeius Trogus, in: M. B. de Boer, T. A. Edridge (Hrsg.), Hommages à M. J. Vermaseren 3, 1978, 1116–1142 • R. Thapar, Aśoka and the Decline of the Mauryas, 1963. K. K.

Karten-Lit.: J. Seibert, Vorderer Orient. Das Alexanderreich (336–323 v. Chr.), TAVO B V 1, 1985 • H. Waldmann, Vorderer Orient. Die hell. Staatenwelt im 3. Jh. v. Chr., TAVO B V 3, 1983.

**Maus** (ὁ μῦς/*mýs*, in Dialekten σμῦς/*smýs*, σμίς/*smís*, σμίνθος/*sminthos*, σμίνθα/*smíntha*; lat. *mus*, Dimin. *musculus*; dazu [4. 2,132]), Vertreter der artenreichen Familie Muridae der Nagetiere (Rodentia) mit ständig nachwachsenden Nagezähnen. Mit den gen. Bezeichnungen sind meistens die Langschwanzmäuse Haus-M. (Mus musculus L.), Wald-M. (Apodemus sylvaticus L.), die oberirdische Grasnester bauende Zwerg-M. (Micromys minutus Pallas) sowie die zu der Familie der Wühl-Mäuse (Arvicolidae) gehörende Feld-M. (Microtus arvalis Pallas) gemeint. Unter dem Namen ἐχινέες/*echinées* oder ἐχῖνες/*echínes* (vgl. *echínos*, »Igel«) erwähnen Hdt. 4,192 (vgl. Aristot. hist. an. 6,37,581a 1 f.) und Ail. nat. 15,26 auch die ägypt. Stachel-M. (Acomys cahirinus Geoffr.). Beachtet wurde auch der Vertreter der Familie der Dipodidae, die Wüstenspring-M. (Jaculus jaculus) mit verlängerten Hinterbeinen (Hdt. 4,192; Aristot. hist. an. 6,37,581a 3–5;

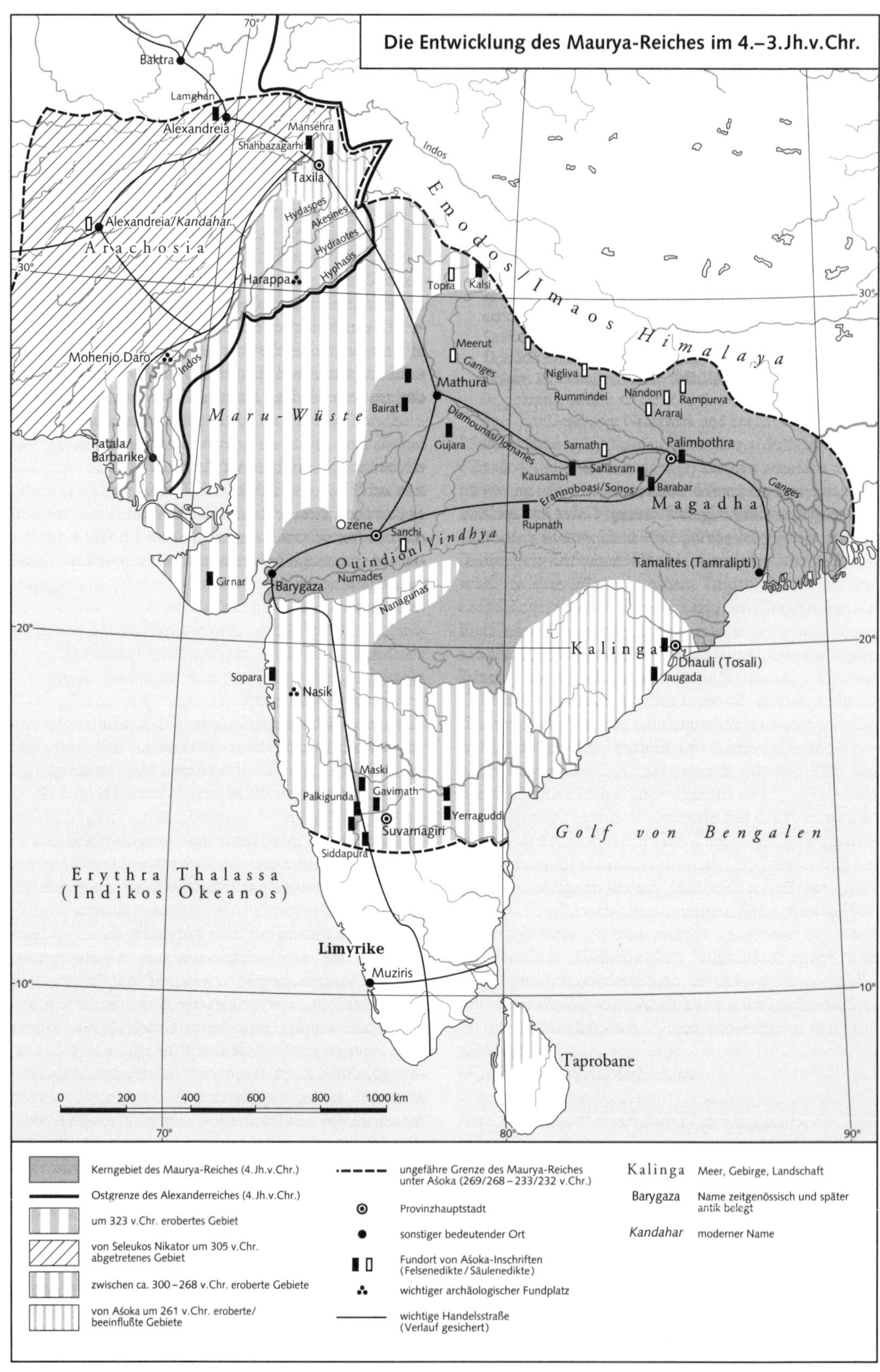

Die Entwicklung des Maurya-Reiches im 4.–3. Jh. v. Chr.
Baktra
Lamghan
Alexandreia
Mansehra
Shahbazagarhi
Taxila
Alexandreia/Kandahar
Arachosia
Hydaspes
Akesines
Hydraotes
Hyphasis
Harappa
Indos
Emodos/Imaos
Himalaya
Topra
Kalsi
Meerut
Ganges
Mathura
Nigliva
Rummindei
Nandon
Rampurva
Araraj
Mohenjo Daro
Maru-Wüste
Bairat
Diamounasi/Iomanes
Gujara
Sarnath
Palimbothra
Patala/Barbarike
Kausambi
Sahasram
Barabar
Erannoboasi/Sonos
Magadha
Rupnath
Ozene
Sanchi
Ouindion/Vindhya
Numades
Tamalites (Tamralipti)
Girnar
Barygaza
Nanagunas
Kalinga
Dhauli (Tosali)
Jaugada
Sopara
Nasik
Maski
Gavimath
Palkigunda
Yerragudi
Suvarnagiri
Golf von Bengalen
Siddapura
Erythra Thalassa (Indikos Okeanos)
Limyrike
Muziris
Taprobane
0 200 400 600 800 1000 km
70°
80°
90°
30°
20°
10°
Kerngebiet des Maurya-Reiches (4. Jh. v. Chr.)
Ostgrenze des Alexanderreiches (4. Jh. v. Chr.)
um 323 v. Chr. erobertes Gebiet
von Seleukos Nikator um 305 v. Chr. abgetretenes Gebiet
zwischen ca. 300–268 v. Chr. eroberte Gebiete
von Aśoka um 261 v. Chr. eroberte/beeinflußte Gebiete
ungefähre Grenze des Maurya-Reiches unter Aśoka (269/268–233/232 v. Chr.)
Provinzhauptstadt
sonstiger bedeutender Ort
Fundort von Aśoka-Inschriften (Felsenedikte/Säulenedikte)
wichtiger archäologischer Fundplatz
wichtige Handelsstraße (Verlauf gesichert)
Kalinga Meer, Gebirge, Landschaft
Barygaza Name zeitgenössisch und später antik belegt
Kandahar moderner Name

Theophr. fr. 174,8; Timotheus Gazaeus 38,1 [1. 40] und Plin. nat. 8,132).

Richtig sind folgende ant. Beobachtungen: Die M. haben ein vollständiges Gebiß und eine Plazenta (κοτυληδόνας ἐν τῇ ὑστέρᾳ, »Saugnäpfe an der Gebärmutter«, Aristot. hist. an. 3,1,511a 29–31), wie andere furchtsame Tiere ein großes Herz (Aristot. part. an. 3,4,667a 19–22; Plin. nat. 11,183), ernähren sich u. a. von Bucheckern (Plin. nat. 16,18), werden von Eulen (Aristot. hist. an. 8(9),34,619b 21f.) und Greifvögeln (Ail. nat. 17,17) gejagt und vermehren sich stark (Aristot. hist. an. 6,37,580b 10–14; Plin. nat. 10,185 u. a.). Sagenhaft und damit irrtümlich sind folgende Behauptungen: Einige Arten hätten keine Galle (Aristot. part. an. 4,2,676b 29–31; Plin. nat. 11,191), ihre Leber wüchse und schwinde mit den Mondphasen (Lucil. 1201 M.; Cic. div. 2,14 als Meinung der Stoiker; Plin. nat. 2,109; 11,196 und 29,59; Ail. nat. 2,56), einige hätten sich in Afrika im Sommer das Trinken so sehr abgewöhnt, daß sie bei Wassergenuß sterben würden (Aristot. hist. an. 7(8),28,606b 27–607a 1; Plin. nat. 10,201); sie würden durch Fressen von Salz trächtig (Aristot. hist. an. 6,37,580b 31–581a 1; Plin. nat. 10,185; Ail. nat. 9,3) und befruchteten einander durch gegenseitiges Belecken (Aristot. und Plin. l.c.). In Persien seien sogar die Embryonen im Mutterleib bereits wieder trächtig (Aristot. l.c. 580b 29–31; Plin. nat. 10,185; Ail. nat. 17,17). Ihre Entstehung wird im Orient aber auch als ungeschlechtlich angegeben, nämlich aus der Erde (Strab. 13,1,48, bes. aus Nilschlamm (Plin. nat. 9,179; vgl. Diod. 1,10,2; Varro rust. 1,8,5; Mela 1,52 und Ov. met. 1,422–429 ohne Namensnennung). Falsch ist auch, daß die Elefanten vor den M. zurückschrecken (Plin. nat. 8,29; Ambr. hexaemeron 6,6,37).

Haus- und Feld-M. wurden als zwar kleine Tiere (Verg. georg. 1,181f.), aber große Schädlinge gefürchtet. Die Haus-M. erwähnen u. a. Plaut. Capt. 77 und Pers. 58. Die Feld-M. fiel bes. in Trockenperioden durch ihre periodische Massenvermehrung auf, die eine große Plage darstellte, aber auch – angeblich durch Wurmbefall im Kopf – leicht wieder zusammenbrach (Theophr. fr. 174,7 und Plin. nat. 10,186). Man traf sie in Weinbergen (Varro rust. 1,8,5; Geop. 4,15,5) und Gemüsegärten (Aristoph. Ach. 762; Geop. 12,39,8). M. verbreiteten angeblich auch Seuchen, so daß als Pest- und M.-Gott → Apollon Smintheus bekannt wurde [5. 534f.].

Im Haus wurde die M. auf unterschiedliche Art verfolgt: durch zuschnappende Fallen (*págē*, *mýagra*, lat. *muscipulum*: Varro rust. 1,8,5 empfiehlt diese, die auch in den Weingärten von Pandateria eingesetzt wurden) oder Schlaghölzer (*aneíktēs*, *ípos*), Gifte wie die schwarze Nieswurz (Helleborus nigra: Pall. agric. 1,35,9), durch Wiesel und Katzen (vgl. Manuel Philes, De proprietatibus animalium 1909ff.) oder magische Mittel. In der Natur bekämpfte man sie durch Ausräuchern, Ausgraben und Jagd mit zahmen Füchsen, Wieseln und sogar Schweinen (Aristot. hist. an. 6,37,580b 25–27) sowie Schlangen. Geop. 13,5,4ff. überl. eine Zauberformel zur Vernichtung.

Das Hineinfallen der M. in Flüssigkeiten ist ein häufiges Motiv im ant. Sprichwort, z. B. in Pech (Herondas 2,62; Schol. zu Theokr. 14,51; Makarios 2,36), in Brühe bzw. Suppe (Eust. in Hom. Od. 1828,17 und Babr. 60) oder sogar in einen Nachttopf (*matella*: Petron. 58, vgl. Sen. apocol. 7,1). Auch die Kleinheit des Tieres (Hor. epist. 2,3,139; vgl. Athen. 14,616 d) und die Geilheit v. a. der weißen M. (u. a. Kratinos 53; Epikrates 9; vgl. Ail. nat. 12,10) waren sprichwörtlich. Die Redensart vom »Mäusetod« (μυὸς ὄλεθρος/*myós ólethros*) steht für einen kläglichen Tod (Philemon 211; Men. Thaïs fr. 219 Körte Ail. nat. 12,10). In der Epos-Parodie → *Batrachomyomachia* (›Frosch-Mäuse-Krieg‹) treten M. mit charakteristischen Beinamen auf, u. a. zwei Ritter namens »Schinkenhöhler« (*Pternoglýphos*) und »Schinkennager« (*Pternotrṓktēs*; vgl. [2. 1,199]). Auch in der Fabel wird die M. vom Wiesel verfolgt (Aisop. 50 und 182; Phaedr. 4,2,6; Babr. 31), sie trotzt jedoch auch großen Tieren (Aisop. 151 und 155; Babr. 112). Die Fabel von der reichen, aber gefährdeten Stadt-M. und ihrer armen, aber relativ sicher lebenden Verwandten vom Land wurde berühmt (Hor. sat. 2,6,80–117; Babr. 141, Aphthonius 26 H.).

Im Wesen galt die M. als unheimlich und mit dämonischer und mantischer Kraft ausgestattet (Plin. nat. 8,221; Ail. var. 1,11; Iambl. de myst. 10), was Cic. div. 1,99 und 2,59 bezweifelt. Die häufige Behauptung des Fressens von Gold und Eisen (Theophr.; Plin. nat. 8,222; Herondas 3,75f.; vgl. Sen. apocol. 7,1) ist ungeklärt. Ihr Nagen an kultischen und sonstigen wertvollen Gegenständen (Plin. nat. 8,222; Liv. 17,23,2 und 30,2,9 u. a.) galt als schlechtes Vorzeichen, in wenigen Fällen jedoch als positiv (Schol. Hom. Il. 1,39; Hdt. 2,141; Strab. 13,1,48 als Zeichen, in Chrysa zu siedeln). Aus bald einstürzenden Häusern flieht die M. rechtzeitig (Plin. nat. 8,103; Ail. nat. 6,41 und 11,19 sowie Ail. var. 1,11; vgl. Cic. Att. 14,9,1). Ihr Pfeifen (τρίζειν) und Tanzen sagt einen Sturm voraus (Theophr. de signis tempestatum 41; Geop. 1,3,13), ebenso ihr Eintragen von Spreu in den Bau nach dem Kampf darum (Theophr. ebd. 49). Zahlreich sind die volksmedizinischen Verwendungen bei Plin. nat. (B. 28–30). Von Menschen wurde die M. nur bei äußerstem Hunger verzehrt (Liv. 23,19,13; Val. Max. 7,6,3; Plin. nat. 8,222; Frontin. strat. 4,5,20).

Auch in der Kunst wurde die M. häufig dargestellt, bes. auf Gemmen [3. Taf. 16,16–23] und auf Mz. [3. Taf. 2,6–9], aber auch in der Plastik als Attribut des Apollon (Smintheus, z. B. nach Strab. 13,1,48 zu Füßen des von → Skopas gefertigten Standbildes in Chrysa) und der → Aphrodite. Die Beziehung einer M. auf einem gallo-röm. Altar in Reims [2. 1,195 und Abb. 63] zum Gott darunter ist ungeklärt.

**1** F. S. Bodenheimer, A. Rabinowitz, Timotheus of Gaza on Animals, 1950 **2** Keller 1,193–203 **3** F. Imhoof-Blumer, O. Keller, Tier- und Pflanzenbilder auf Mz. und

Gemmen, 1889, Ndr. 1972 4 WALDE/HOFMANN 5 NILSSON, GGR $1^2$.

A. STEIER, s. v. M., RE 14, 2396–2408. C. HÜ.

**Mausoleum Augusti.** Nach Sueton (Augustus 100,4; vgl. Strab. 5,3,8) eines der frühesten unter Augustus auf dem → *Campus Martius* in Rom (→ Roma) errichteten Gebäude, wohl 28 v. Chr. unter formaler und inhaltlicher Bezugnahme auf das → Maussolleion und das Grabmal Alexandros' [4] d. Gr. begonnen und um 23 v. Chr. vollendet. Das kreisrunde Bauwerk mit insgesamt 87 m Dm bestand aus einer bis h. nicht völlig geklärten Anzahl konzentrisch ineinander gefügter und mehrstöckig aufgebauter Tuffmauern, die durch strahlenförmig angelegte Zwischenmauern miteinander verbunden waren. Das Ganze bildete einen kunstvoll konstruierten → Tumulus, der zwar von Beginn an als Grabstätte für → Augustus gedacht gewesen war, zunächst

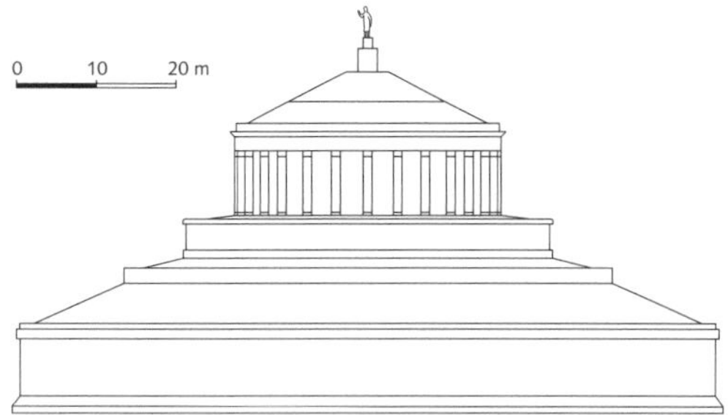


Rom, Mausoleum Augusti (schematischer Aufriß).

jedoch als Bestandteil einer öffentlichen Parkanlage ausgestaltet und aufwendig bepflanzt wurde. Im Zentrum des M. A. befand sich die Grabstätte, die über einen Zugang an der Südseite im Basisgeschoß zugänglich war. Dieser Zugang wurde von zwei h. auf der Piazza del Quirinale und der Piazza Esquilino in Rom aufgestellten ägypt. → Obelisken gesäumt; an Pfeilern daneben waren Bronzetafeln befestigt, die die offizielle Autobiographie des Kaisers – die *Res gestae Divi Augusti*, die an den Eingangswänden des Roma- und Augustus-Tempels in Ankyra als → *Monumentum Ancyranum* am vollständigsten überl. sind – dem stadtröm. Publikum zugänglich machten.

Das M. A. diente als Familiengrab der Gens Iulia; als erster wurde hier 23 v. Chr. Claudius [II 42] Marcellus, später dann Agrippa [1], Nero Claudius [II 24] Drusus, L. Iulius [II 33] und C. Iulius [II 32] Caesar, schließlich 14 n. Chr. Augustus selbst beigesetzt. Es folgten Drusus [II 1] Minor, Livia [2] und Tiberius. Ausgeschlossen wurde aus polit. Gründen die Bestattung der Iulia [6], Tochter des Augustus, sowie des Nero; Caligula ließ hier hingegen trotz Protest die Asche seiner Mutter Agrippina [2] und seiner Brüder Nero und Drusus [II 2] Caesar beisetzen (zum Problem einer dynastischen Konzeption der verschiedenen augusteischen Bauten auf dem Campus Martius s. → Horologium Augusti).

Das M. A. war seit seiner Errichtung bis in die Neuzeit durchgehend bekannt und ein top. Fixpunkt für das ant. Rom; die rekonstruktive Zeichnung von Étienne DUPÉRAC, in *Speculum romanae magnificentiae* von Alfonse LAFRÉRY (1575) erschienen, prägt bis h. die Vorstellung von der einstigen Gestalt des Bauwerks. Grabungen seit dem 18. Jh.; großflächige Freilegung unter MUSSOLINI (→ FASCHISMUS) zw. 1927 und 1938.

→ Ara Pacis; Ustrinum; MAUSOLEUM

RICHARDSON, s. v. M. A., 247–249 (mit Lit.) • G. DAVIES, s. v. Mausoleum of Augustus, in: N. THOMSON DE GRUMMOND (Hrsg.), An Encyclopedia of the History of Classical Archaeology 2, 1996, 733–736. C. HÖ.

**Mausoleum Hadriani.** Vermutlich um 130 n. Chr. unter → Hadrianus begonnenes, 139 n. Chr. durch Antoninus Pius vollendetes und mit der Überführung und feierlichen Beisetzung des zuvor in Puteoli provisorisch bestatteten Leichnams des Hadrian eingeweihtes Grab-Monument am Westufer des Tibers; eigentlich in den *Horti Domitiae* gelegen, aber mit dem → *Campus Martius* über die neuerbaute *Pons Aelius* (134 n. Chr. eingeweiht) unmittelbar verbunden. Der zweigeschossige Rundbau des M. H. (Dm: ca. 64 m; einstige Höhe: ca. 21 m) erhob sich auf einem quadratischen Unterbau mit massiven Eck-Risaliten (Kanten-L: ca. 87 m; H: ca. 10 m). Der geziegelte Sockel war mit Marmorplatten

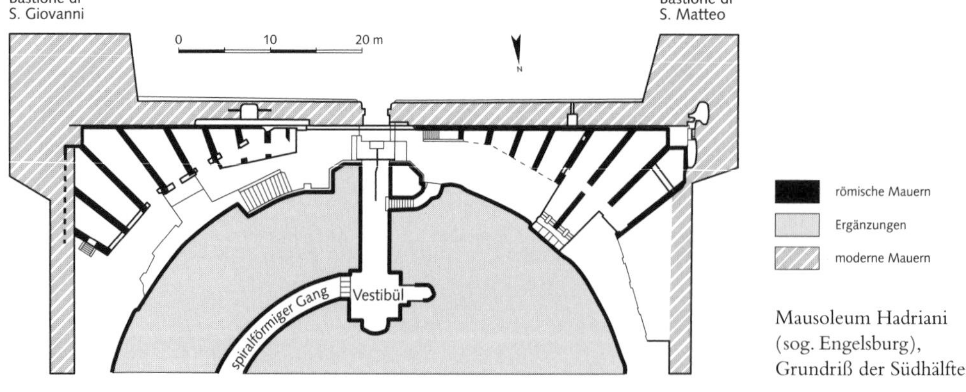


Mausoleum Hadriani (sog. Engelsburg), Grundriß der Südhälfte.

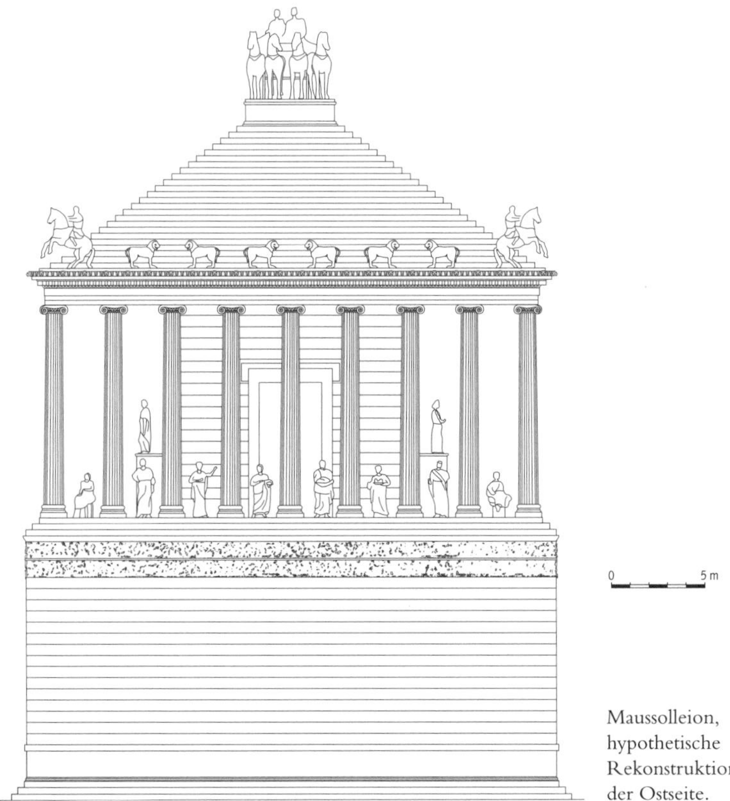


Maussolleion, hypothetische Rekonstruktion der Ostseite.

verblendet; die daran befestigten Tafeln enthielten die Grabinschriften. Das eigentliche Rund-Mausoleum, zugänglich über ein Vestibül und einen von hier aus spiralförmig nach oben hin ansteigenden Gang, barg in einem quadratischen, 8×8 m messenden, gänzlich mit Marmor ausgekleideten Zentralraum die sterblichen Überreste aller röm. Kaiser von Hadrian bis zu den Severern.

Die nachant. Verwendungsgesch. des M. H. ist kompliziert; mannigfach griffen Umbauten in die ant. Bausubstanz ein, so daß es erhebliche Schwierigkeiten bereitet hat, ant. von nachant. Bauphasen zu trennen und eine rekonstruktive Vorstellung der einstigen ant. Gestaltung der Anlage zu gewinnen. Im 4. Jh. wurde das M. H. als Vorwerk in die Aurelianische Stadtmauer einbezogen und seitdem als Kastell genutzt (Prok. BG 1,22,12–25), seit der Zeit des Theodosius bereits schon als Gefängnis. Im 10. Jh. wurde der Bau diesen Funktionen entsprechend erheblich umgestaltet. Seit 1277, unter Papst Nikolaus III., wurde der nach einer kleinen, eingebauten Kapelle nun Castel Sant'Angelo (»Engelsburg«) gen. Komplex Teil der Befestigung des Vatikan; eine im Codex Escurialensis überl., um 1500 entstandene Zeichnung verdeutlicht den wehrhaften Charakter und die massiven nachant.-ma. Umbauten.

Richardson, s. v. M. H., 249–251 (mit weiterer Lit.) • N. Thomson de Grummond (Hrsg.), s. v. Castel Sant'Angelo, in: N. Thompson de Grummond (Hrsg.), An Encyclopedia of the History of Classical Archaeology 1, 1996, 253–255. C. HÖ.

**Maussolleion** (Μαυσ(σ)ωλεῖον, lat. *Mausoleum*). Das wohl erst in der Alexander-Zeit vollendete, monumentale Grabmal für den 353 v. Chr. verstorbenen Satrapen → Maussollos von Karien und seine Frau Artemisia [2] (gest.: 351 v. Chr.) nahe der Stadt → Halikarnassos in Lykien zählte zum Kanon der → Weltwunder und wurde zum eponymen, typusprägenden Beispiel des repräsentativen → Grabbaus.

Das in der ant. Lit. vielbeachtete und beschriebene Denkmal (Strab. 14,656 ff.; Diod. 16,45; Plin. nat. 36, 30–31 u. a. m.) hat die mod. Arch. in hohem Maße beschäftigt; die in Details insgesamt sehr widersprüchlichen ant. Beschreibungen haben, verbunden mit den geringen arch. Grabungsbefunden vor Ort, zu einer großen Zahl von untereinander z. T. erheblich divergierenden Rekonstruktionsvorschlägen geführt. Das Grabmal, für das die prominenten Architekten → Pytheos und → Satyros überl. sind (Vitr. 7 praef. 12–13), erhob sich mit einer H von fast 50 m innerhalb eines großen Peribolos auf einem dreistufigen Sockel, der mit ca. 32×26 m deutlich rechteckig und nicht, wie wenig später entstandene Adaptionen (z.B. das Mausoleum von Belevi, Abb. s.v. → Grabbauten, Bd. 4, 1175f.), eher quadratisch angelegt war; der Bau folgt dabei im Grundsatz dem Typus früherer lykischer Grabmäler, etwa denen von → Xanthos (vgl. bes. das um 400 v. Chr. entstandene »Nereiden«-Monument des lykischen Fürsten Perikles, h. in London, BM), steigerte diese jedoch in bis dahin unvorstellbare Dimension und Ausstattungspracht.

Das hoch herausgehobene Hauptgeschoß bestand aus einer ion. Ringhalle mit 11 × 9 Säulen, die eine Schein-Cella umzog; darüber erhob sich ein Pyramidendach aus 24 Stufen. Die eigentliche Grabkammer lag, wie dänische Ausgrabungen der 1960er-Jahre nachgewiesen haben, nicht in der Schein-Cella, sondern, aus der Mitte versetzt, im Sockel des Bauwerks. Der Bau war mit Skulptur reich dekoriert: drei Relieffriese umspannten ihn, Freiplastik erhob sich zw. den Säulen und auf dem Dach (Löwen und Pferde als → Akrotere, Quadriga mit Figuren des Maussollos und der Artemisia auf der Dachspitze). Überl. ist die Tätigkeit der vier prominenten Bildhauer → Bryaxis, → Leochares, → Skopas und → Timotheos, ohne daß es indessen bis h. gelungen ist, die erh. einzelnen Platten der Relieffriese und Rundplastiken diesen Bildhauern widerspruchsfrei zuzuschreiben.

Wohl im Früh-MA durch Erdbeben zerstört, wurden im 15. und 16. Jh. große Teile des M. in die Kreuzritterburg von Bodrum verbaut. Seit dem frühen 19. Jh. wurden verschiedene Reste des M. durch Stratford Canning nach London ins BM verbracht; eine hiervon angeregte Expedition unter Charles Newton konnte, z.T. mit Hilfe von tiefgehenden und großflächigen Ausgrabungen, zw. 1856 und 1865 erhebliche Teile der Bauplastik (zahlreiche Friesplatten, Quadriga mit Maussollos und Artemisia) bergen und ebenfalls nach London verbringen. Die Folge dieses schatzgräberischen Tuns war eine weitgehende Vernichtung arch. Befunde und damit der Möglichkeiten, den Baukomplex in begründeter Weise zu rekonstruieren.

→ Mausoleum

W. Ekschmitt, Die sieben Weltwunder, 1984 • A. von Gerkan, Grundlagen für die Herstellung des M. von Halikarnassos, in: MDAI(R) 72, 1965, 217–225 • W. Hoefner, Zum M. von Halikarnass, in: AA 1996, 95–114 • K. Jeppesen u.a. (Hrsg.): The M. at Halikarnassos: Reports of the Danish Archaeological Expedition to Bodrum, Bd. 1ff., 1981ff. • Ders., Tot operum opus. Ergebnisse der dänischen Forsch. zum M. von Harlikanass seit 1966, in: JDAI 107, 1992, 59–102 • F. Krischen, Weltwunder der Baukunst in Babylonien und Jordanien, 1956, passim • L.E. Roller, s.v. M. of Halikarnassos, in: N. Thomson de Grummond (Hrsg.), An Encyclopedia of the History of Classical Archaeology, 1996, 736–737 • R.W.H. Stückle, Halikarnassos und das M. Zwei übersehene Abb. des 16. Jh., in: MDAI(Ist) 39, 1989, 561–568. C.HÖ. u. H.KA.

**Maussolos** (Μαύσσωλος, inschr. auch Μαύσσωλλος). → Satrap von Karien (377–353 v.Chr.), Sohn des → Hekatomnos. Der Name M. ist → karisch, seiner Bildung nach indeur.-altanatolischen Ursprungs; die Etym. ist aber unklar. M. muß als Bewahrer und Förderer der altanatolisch-karischen Kultur gelten, v.a. auf dem Gebiet der Rel. (vgl. [1. 57–64; 591–644]); es ist wenig Nähe zu griech. Kulten feststellbar. Er öffnete sich dennoch dem griech. Einfluß, so daß er neben → Perikles von Limyra als Begründer des Hell. in Anatolien gelten kann. Er verlegte seine Residenz von Mylasa an das Meer nach → Halikarnassos, einer Stadt mit karischer, aber auch ion. und dor. Trad., vergrößerte sie mittels eines → Synoikismos (Kallisthenes FGrH 124 F 25) und verschönerte sie durch Bauten. Auf hell. Brauch weist auch die → Geschwisterehe mit seiner Schwester → Artemisia [2], die kinderlos blieb.

Am Satrapenaufstand der 60er J. nahm er zwar teil, fügte sich aber wieder der pers. Oberhoheit, als größere Opfer abverlangt wurden. Er schwenkte um und verfolgte pers. Interessen in der Ägäis, natürlich auch eigene. Im → Bundesgenossenkrieg [1] 357–355 zwischen Athen und Mitgliedern des → Attischen Seebundes ergriff er Partei für Chios, Rhodos und Kos – Inseln, die er später beherrschte (Demosth. 15; Diod. 16,7). Auf dem Festland verleibte er sich Herakleia [5] am Latmos und Iasos [5] ein und gründete vielleicht Priene neu. Da er die städtischen Institutionen wohl bestehen ließ (in Iasos existierten → *bulḗ* und → *dḗmos* weiter), wurde er geschätzt: Verschwörungen gegen ihn ahndete man (in Iasos) mit Verbannung (Syll.[3] 169 = [2. Nr. 1]); in Kaunos [2] schmückten Standbilder von M. und seinem Vater das Hauptheiligtum der Stadt. M.' polit. Einfluß reichte weit über sein Herrschaftsgebiet hinaus bis Erythrai im Norden, Kreta im Westen und Phaselis im Osten. An seinem Grabmal, dem → Maussolleion (mit Abb.), arbeiteten bed. griech. Künstler.

→ Karia C.; Kleinasien IV. E.

1 A. Laumonier, Les cultes indigènes en Carie, 1958
2 W. Blümel (Hrsg.), Die Inschr. von Iasos, 1985.

P. Briant, Histoire de l'Empire Perse, 1996, 686–689 • P. Frei, Zentralgewalt und Lokalautonomie, in: Transeuphratène 3, 1990, 157–171 • S. Hornblower, Mausolus, 1982. PE.HÖ.

**Mavia.** Arabische Fürstin, die um 372 n.Chr. in Palästina und Phönizien Plünderungszüge unternahm. 378 schloß sie mit → Valens Frieden und erbat von ihm den Eremiten Moses als Bischof für ihr Volk (Sokr. 4,36,1–12; Soz. 6,38,1–9; Theod. hist. eccl. 4,23). Nach der Schlacht bei Hadrianopolis [3] unterstützte sie die Römer mit Truppen (Amm. 31,16,5; Soz. 7,1,1). Ihre Tochter verheiratete sie mit dem *magister equitum* Victor (Sokr. 4,36,12). Nach Theophanes (annus mundi 5869 = 1,64,12 deBoor) war sie eine gebürtige Römerin, die in die Gefangenschaft der Sarakenoi geraten war. PLRE 1, 569. W.P.

**Mavors** s. Mars

**Mavortius**
**[1] Vettius Agorius Basilius M.** Consul 527 n. Chr. M. lebte im Ostgotenreich und machte sich um die Tradierung lit. Texte verdient. Editionstätigkeit bei → Horatius und → Prudentius bezeugt. Wohl Autor des *Iudicium Paridis* (Anth. Lat. 1,10), vielleicht auch des *Cento de ecclesiis* (Anth. Lat. 1,16). PLRE 2, 736f. H.L.
**[2]** s. Lollianus [7]

**Maxentius.** M. Valerius M., herrschte vom 28.10.306 bis zum 28.10.312 als von den übrigen Teilherrschern der 3. → Tetrarchie nicht anerkannter Kaiser über Italien und Africa. Als Sohn des West-Augustus → Maximianus [1] und der Eutropia [1] konnte er urspr. als Thronfolger gelten (Paneg. 10,14,1), zumal er durch die (sicher nicht schon 293 erfolgte) Heirat mit Valeria → Maximilla [1], der Tochter des → Galerius [5] und (über Valeria) Enkelin des → Diocletianus, auch mit den im Osten herrschenden Ioviern (→ Tetrarchie) verbunden war (Lact. mort. pers. 18,9). Im Thronwechsel von 305 wurde jedoch statt des natürlich-dyn. Prinzips das System der Tetrarchie angewendet, durch das die leiblichen Söhne tetrarchischer Teilherrscher von der Thronfolge ausgeschlossen wurden.

Wie → Constantinus [1] I. akzeptierte auch M. dieses Prinzip nicht und ließ sich einige Monate nach Constantinus im Oktober 306 in seiner 16 km vor den Toren Roms gelegenen Villa ([Aur. Vict.] Epit. Caes. 40,2; Eutr. 10,2,3; ILS 666; 667) von der durch Galerius und Severus in ihrer Existenz bedrohten Praetorianergarde und von dem durch Steuerpläne beunruhigten stadtröm. Volk zum Kaiser ausrufen (vgl. Lact. mort. pers. 26,1–3; Zos. 2,9,2–3; Aur. Vict. Caes. 40,5; Eutr. 10, 2,3). Weil M. auf nachträgliche Sanktionierung dieser Erhebung durch das tetrarchische Collegium hoffte, verzichtete er auf den Augustus-Titel und bezeichnete sich selbst nur als *princeps*. Galerius [4] verweigerte aber die Anerkennung und beauftragte den zum West-Augustus avancierten → Severus, mil. gegen M. vorzugehen (Zos. 2,10,1; Lact. mort. pers. 26,5). In dieser Situation suchte M. seine Herrschaft zu legitimieren, indem er seinen in Campanien weilenden Vater Maximianus zur Wiederaufnahme der Kaiserherrschaft bewegte (Lact. mort. pers. 26,7). Diesem gelang es, die bis unmittelbar vor Rom gelangten Truppen des Severus zum Überlaufen zu bewegen. Den nach Ravenna geflohenen Severus überredete er dazu, den Widerstand aufzugeben und sich in der Nähe Roms internieren zu lassen. Severus wurde kurze Zeit später umgebracht, als Galerius nach Italien einmarschierte und ihn zu befreien suchte (Anon. Vales. 10; anders Lact. mort. pers. 26,10–27,1). Der Vormarsch des Galerius wurde durch M., der nun einen Ausgleich durch Verhandlungen ablehnte (Anon. Vales. 7), aus eigener Kraft zurückgewiesen, während sein Vater bei Constantinus weilte. Durch diesen Erfolg selbstbewußt geworden, beanspruchte M. gegenüber seinem aus Gallien zurückgekehrten Vater einen Vorrang, da er als Urheber von dessen Kaiserwürde gelten konnte (Lact. mort. pers. 28,1). In einer Versammlung von Soldaten und Angehörigen der stadtröm. Bevölkerung versuchte Maximianus, das Verhältnis zw. seiner eigenen Kaisergewalt und derjenigen seines Sohnes in seinem Sinne zu klären, indem er M. den Purpurmantel von den Schultern riß (Lact. mort. pers. 28,3–4; Eutr. 10,3,1). Die Absetzung mißlang jedoch, und Maximianus mußte aus Italien fliehen. Wenig später (November 308) traf er sich mit Diocletianus und Galerius in Carnuntum (bei Wien), wo der zum Augustus erhobene → Licinius [II 4] den Auftrag erhielt, M. zu bekämpfen (Zos. 2,11,1; Anon. Vales. 13); doch erlaubten es die geringen Mittel, die Licinius zur Verfügung standen, nicht, diesen Auftrag auszuführen.

Bedroht wurde die Position des M. in dieser Zeit freilich durch den vorübergehenden Verlust der afrikanischen Provinzen nach der Usurpation des → Domitius [II 4] Alexander. Doch konnte M. bald einen Triumph (Zos. 2,14,4) in Rom feiern, nachdem die Usurpation durch das Expeditionskorps des Praetorianerpraefekten → Ceionius [8] in Karthago brutal niedergeschlagen worden war (Aur. Vict. Caes. 40,17–19; Zos. 2,12,1–3; 2,14,2–4), vermutlich im Herbst 310. Ob Constantinus mit Domitius Alexander gegen M. verbündet war, ist umstritten. Aber der Konflikt zw. beiden Herrschern wurde propagandistisch seit 310 vorbereitet, indem M. seinen durch Constantinus umgebrachten Vater Maximianus demonstrativ konsekrieren ließ (CIL IX 4516; VIII 20989; RIC 6, 382; → *consecratio*). Militärisch scheint sich M. dagegen durch Maßnahmen in Raetia eher auf einen Konflikt mit Licinius vorbereitet zu haben, indem er einen Einfall nach Illyricum plante (Zos. 2,14,1).

Der Tod des Galerius setzte eine Serie von Kämpfen zw. den restlichen Teilherrschern in Gang, zu denen der Angriffskrieg (Eutr. 10,4,3; Eus. HE 9,9,1) des Constantinus gegen M. gehörte. Im Frühjahr 312 überschritt Constantinus mit einer kleinen Elitearmee die Alpen. M. überließ die Verteidigung Oberitaliens seinen Generälen, insbesondere dem Praetorianerpraefekten Ruricius Pompeianus. Die mil. Begegnung mit Constantinus suchte M. erst, nachdem dieser in den Schlachten bei Susa, Turin und Verona Oberitalien gewonnen hatte und in unmittelbarer Nähe Roms stand. Aufgrund der Erfahrungen in den Kämpfen mit Severus und Galerius hatte M. zunächst geplant, den Angriff Constantinus' an der Festung Rom abprallen zu lassen und auf diese Weise die Truppen des Rivalen zu demoralisieren. Aus diesem Grunde wurde die Milvische Brücke (→ Pons Milvius) über den Tiber eingerissen. Als Constantinus einen Tagesmarsch von Rom entfernt war, änderte M. seine Pläne jedoch und ließ seine Truppen über eine Schiffsbrücke ausmarschieren. Sie wurden bei Saxa Rubra von Constantinus geschlagen und bei der eiligen Flucht über die Schiffsbrücke aufgerieben. Dabei fand M. selbst im Tiber den Tod (Lact. mort. pers. 44,9; [Aur. Vict.] Epit. Caes. 40,7; Zos. 2,16,4; Anon. Vales. 12).

Sein Kopf wurde auf eine Lanze gespießt und in Rom umhergetragen (Zos. 2,17,1; FGrH 219 Praxagoras T 1,4).

Der Sieger Constantinus begnügte sich nicht damit, die familiären Verbindungen zwischen ihm und M. durch die Version von der angeblich illegitimen Geburt des M. in Abrede zu stellen (Paneg. 9,4,3; Anon. Vales. 12; [Aur. Vict.] Epit. Caes. 40,13), sondern ließ den unterlegenen Rivalen M. als Tyrannen denunzieren (vgl. z.B. ILS 694; Paneg. 9,4,4; 14,5; 10,8,3; 9,4), was eine Würdigung der Innenpolitik des M. erschwert.

Da M. außerhalb der Tetrarchie stand, fühlte er sich durch deren Religionspolitik nicht gebunden, beendete in seinem Reichsteil die Christenverfolgungen (Eus. HE 8,14,1; Optatus Milevitanus 1,18), erlaubte in Rom wieder Bischofswahlen und erstattete Kirchenbesitz zurück (→ Toleranz). In Verbindung mit der Nachricht, M. habe gegenüber Vater und Schwiegervater die Proskynese (→ *proskýnēsis*) verweigert (Lact. mort. pers. 18,9), hat man die Kirchenpolitik als Zeichen eines christl. Bekenntnisses des M. sehen wollen; doch spricht schon die Konsultation altröm. Riten unmittelbar vor der Schlacht an der Milvischen Brücke gegen diese Annahme. Diese Konsultation ordnet sich in eine allg., an der Rom-Idee orientierte Herrschaftsideologie des Kaisers ein, wie sie sich auch in der Namensgebung seines nach 305 (?) geb., 308 zum Consul erhobenen und 309 verstorbenen und divinisierten Sohnes Valerius Romulus, in der forcierten Bautätigkeit (Aur. Vict. Caes. 40,26), die v.a. in den Ruinen der Maxentius-Basilika ihre Spuren hinterlassen hat, und in der Münzpropaganda widerspiegelt. Die stadtröm. Akzentuierung dieser Propaganda erklärt sich damit, daß M. in der Auseinandersetzung mit den kaiserl. Rivalen den Besitz der Hauptstadt als Legitimationshilfe nutzen wollte. Das Verhältnis zur stadtröm. Bevölkerung, die während der Usurpation des Domitius Alexander unter Getreidemangel zu leiden hatte, scheint freilich v.a. wegen der seit langem ungewohnten Konzentration von Militär in Rom schwierig gewesen zu sein. In einem blutigen Konflikt mit dem Militär verloren 6000 Römer ihr Leben (Chron. Min. I, p. 148,28–29; Zos. 2,13; Eus. HE 8,14,3.6).

B. Bleckmann, Konstantin der Große, 1996 • M. Cullhed, Conservator urbis suae. Studies in the Politics and Propaganda of the Emperor Maxentius, 1994 • D. De Decker, La politique religieuse de Maxence, in: Byzantion 38, 1968, 472–562 • Th. Grünewald, Constantinus Maximus Augustus, 1990 • Kienast, 291–292 • H. Leppin, Maxentius, in: M. Clauss (Hrsg.), Die röm. Kaiser, 1997, 302–305.

B.BL.

## Maximianus

**[1] M. Aurelius Valerius M. Herculius,** röm. Kaiser 286–305 n.Chr. bzw. 310; am 13. Dez. 285 (?) von → Diocletianus zum Caesar ernannt und im Kampf gegen die → Bagauden (Eutr. 9,22,1; Paneg. 7,8,3) eingesetzt; nach Bewährung ab 1. April (Chron. Min. I, p. 229f.) oder 1. Mai 286 zum Augustus erhoben (vgl. [1. 22]). Damit nahm M., der als Bruder in die Familie des Diocletianus aufgenommen worden war, auch den Beinamen Herculius an, während Diocletianus zum Iovius wurde (→ Tetrarchie).

Als Augustus übernahm M. weitherhin mil. Operationen im Westen des Reichs, etwa die Abwehr eines Einfalls von Burgunden, Alamannen, Chaibonen und Herulern nach Gallien (Paneg. 10,5; 11,7,2), oder Feldzüge in das rechtsrheinische Gebiet und gegen die fränkische Piraterie (Paneg. 11,7,2). Nicht bewältigen konnte M. freilich das Problem der Usurpation des → Carausius, der 286 oder 287 [2. 39–45] zum Kaiser erhoben worden war und Britannien sowie Teile der gallischen Nordseeküste beherrschte. Ein 289 in einem Treffen zwischen Diocletianus und M. in Raetia (Paneg. 10,9,1) erwogener und durch ein Flottenbauprogramm (Pan. 10,12) vorbereiteter Plan von Seeoperationen gegen Carausius (Paneg. 10,12,8 und 13,5) wurde nicht ausgeführt. Um den Kampf gegen Carausius zu einem Erfolg zu führen, entschloß sich Diocletianus letztlich, dem M. den → Constantius [1] als Caesar an die Seite zu geben (Aur. Vict. Caes. 39,20–24; Eutr. 9,22,1; → Tetrarchie). Der neue Caesar wurde mit seiner Erhebung am 1. März 293 als Adoptivsohn des M. in die Familie der Herculier aufgenommen und war (vielleicht schon vor seiner Erhebung) mit Theodora, der Tochter oder Stieftochter des M., verheiratet.

M. hielt sich nach 293 großenteils in Raetia oder in Nord-It. auf (am 31. März 296 in Aquileia, Fragmenta Vaticana 313). 296 eilte M. während der Operationen des Constantius und Asclepiodotus gegen → Allectus, den Nachfolger des Carausius, an die Rheingrenze (Paneg. 8,13,2). Mehrfach führte M. auch Kämpfe in Afrika, vor dem 1. März 297 (Paneg. 9,21,1–3) vermutlich in dem zur Diözese Hispaniae gehörenden Teil Mauretaniens (PArgentoratensis 480). Mit dem Spanienaufenthalt des Kaisers könnte der Bau einer tetrarchischen Residenz in Corduba zu erklären sein [3]. 297 [vgl. 4] war M. gegen die → Quinquegentanei in der Mauretania Sitifensis (Aur. Vict. Caes. 39,22f.; Eutr. 9,22–23; Paneg. 7,8,6; AE 1949,258) aktiv; 298 kämpfte er von Karthago aus, wo er sich am 10. März 298 (Fragmenta Vaticana 41) aufhielt, gegen die Ilaguas (Coripp. Johannis 1,478f.; 7,530f.). E. 298/9 kam er von Afrika nach Rom (CIL VI 1130 [ergänzt]), vermutlich sein erster Besuch (Paneg. 7,8,7). Im Nov. 303 besuchte er Rom erneut, um gemeinsam mit Diocletianus anläßlich der Vicennalien zu triumphieren (Paneg. 7,8,8; Lact. mort. pers. 17,1; Eutr. 9,27,2). Bei dieser Gelegenheit verabredeten beide Kaiser den am 1. Mai 305 vollzogenen Rückzug aus der aktiven Politik. M. wurde damit Senior Augustus und zog sich nach Lukanien zurück.

Die Erhebung seines Sohnes → Maxentius im Okt. 306 brachte M. wieder in die aktive Politik zurück; er trug insbesondere zur Gefangennahme des Severus bei (Anonyma Valesiana 10). Zum Zeitpunkt des Angriffs des → Galerius [5] gegen Maxentius (307) begab sich M.

zu Constantinus, der über Constantius Adoptivenkel des M. war (Paneg. 7,3,3). M. festigte das Bündnis innerhalb der herculischen Familie, indem er Constantinus seine Tochter → Fausta zur Frau gab. Constantinus nutzte dieses Bündnis, um ab 307 die vom Oberhaupt der Herculier verliehene Augustuswürde in Anspruch zu nehmen, setzte sich aber nicht weiter für M. ein. M. kehrte Ende 307 nach It. zurück, wo Maxentius inzwischen allein den Angriff des Galerius zurückgeschlagen hatte. Der Versuch, den Sohn aus der Kaiserstellung zu verdrängen, scheiterte und M. mußte wieder zu Constantinus fliehen (Lact. mort. pers. 29,1). Ebenso fruchtlos blieb das wenig später in der Konferenz von Carnuntum (Nov. 308) betriebene Unterfangen, Diocletianus zur gemeinsamen Rückkehr zum Oberkaisertum zu bewegen, so daß M. erneut zu Constantinus zurückkehren mußte (Lact. mort. pers. 29; Zos. 2,10,4–5). Dem Senior Augustus wurde → Arelate als Residenz zugewiesen. Die Abwesenheit seines Schwiegersohns während eines Frankenfeldzugs nutzte M. zu einem weiteren Versuch, die Macht an sich zu reißen, indem er Donative (→ *donativum*) an die in Arelate verbliebenen Truppenteile ausgab (Lact. mort. pers. 29,3–5). Vom rasch zurückkehrenden Constantinus wurde M. in Massilia belagert. Wenig später wurde er von seinen Soldaten ausgeliefert (Lact. mort. pers. 29,6–8). Nach einem rasch aufgedeckten angeblichen Attentatsplan gegen Constantinus wurde M. zum Selbstmord gezwungen (Lact. mort. pers. 30,1–5). Über ihn verhängte Constantinus die → *damnatio memoriae* (Lact. mort. pers. 42,1), während Maxentius aus propagandistischen Gründen den von ihm selbst vertriebenen Vater konsekrieren ließ (Lact. mort. pers. 43,4f.; Zos. 2,14f.; RIC 6, 382). Als Vater der Fausta gewann M. in der späteren Propaganda des constantinischen Hauses wieder an Bedeutung. → Constantius [2] II. betonte v.a. im Kampf gegen Magnentius seine Abstammung von M. und von anderen Kaisern (ILS 730; 732).

**1** F. Kolb, Chronologie und Ideologie der Tetrarchie, in: Antiquité Tardive 3, 1995, 21–31 **2** P.J. Casey, Carausius and Allectus: The British Usurpers, 1994 **3** R. Hidalgo, A. Ventura Villanueva, Sobre la cronología e interpretación del palacio de Cercadilla en Córduba, in: Chiron 24, 1994, 221–237 **4** R. Rebuffat, Maximien en Afrique, in: Klio 74, 1992, 171–179.

J. Arce, Un relieve triunfal de Maximiano Herculeo en Augusta Emerita y el Pap. Argent. Inv. 480, in: Madrider Mitt. 23, 1982, 359–371 • T.D. Barnes, The New Empire of Diocletian and Constantine, 1982 • F. Kolb, Diokletian und die Erste Tetrarchie, 1987 • A. Pasqualini, Massimiano Herculius. Per un' interpretazione della figura e dell' opera, 1979 • Kienast, 272–275. B.BL.

**[2]** s. Galerius [6] Maximianus

**[3] M. aus Pola.** Bischof von Ravenna seit 546 n. Chr. Der bedeutende Kirchenmann stand im sog. Dreikapitelstreit (Streit um die Hauptvertreter der antiochenischen Christologie [Theodoros von Mopsuestia, Theodoretos von Kyrrhos, Ibas von Edessa] im Umfeld des 5. ökumenischen Konzils von Konstantinopel 553) auf seiten Kaiser Iustinians. Er erbaute zahlreiche Kirchen, weihte San Vitale und S. Apollinare in Classe, stiftete liturgische Geräte und förderte den Reliquienkult; ein elfenbeinerner Thron (M.-Kathedra) trägt sein Monogramm. Durch den *Liber Pontificalis* (Buch der Bischöfe von Ravenna; ähnlich dem stadtröm. → *Liber Pontificalis*) des Agnellus (Anf. 9. Jh.) ist er auch bekannt als Verf. exegetischer und liturgischer Bücher sowie einer Chronik (zu M. [1. 136–146; 2. Bd. 1, 300–337]). Um M. entstanden Legenden, bes. über sein Verhältnis zu Kaiser Iustinian.

**1** D. Mauskopf-Deliyannis (ed.), The Liber Pontificalis ecclesiae Ravennatis, 1994 **2** C. Nauerth, Agnellus von Ravenna, Liber Pontificalis, Bischofsbuch, Fontes Christiani 21/1.2 (Übers. und Einl.), 1996. CL.NA.

**[4]** Röm. Elegien-Dichter des 6. Jh. n. Chr. Seine 6 chiastisch angeordneten ([15. 365]; vgl. [4. 65 ff.]) Elegien sehr verschiedenen Umfangs, vollständig zuerst in Hss. des 11./12. Jh. überl. [12], z.T. mit einem Anh. kürzerer Gedichte (sog. *Appendix Maximiani*), wurden trotz ausdrücklicher Namensnennung des M. (4,26 *M.*) vom 15. bis ins 18. Jh. dem Cornelius [II 18] Gallus zugeschrieben [3. 15 ff.; 8. 277 f.]. M. gibt sich zu Beginn (1,1 ff.) als alter Mann zu erkennen (kaum berechtigte Zweifel am biographischen Gehalt: [2; 11]): In seiner Jugend will er, gebürtiger »Etrusker« (5,5; 5,40), in Rom (1,37; 1,63) Dichter und weltberühmter Redner gewesen sein (1,9–14). Erwähnt wird eine (nicht sicher datierbare) Friedensmission ins oström. Reich (5,1–3) und die frühere Freundschaft mit dem (524 gest.) → Boëthius (3,47). Die originellen, wenn auch prosodisch nicht tadellosen, sprachlich v.a. nach → Ovidius gestalteten Gedichte [14; 9] vereinen die Thematik der spezifisch röm. Liebeselegie [6; 10] mit dem – in der Ant. der urspr. → Elegie zugeschriebenen – Charakter der Klage [3. 84 f.]. Diese betrifft im allg. die detailliert beschriebenen Leiden des Alters (1; 6), im speziellen, daß sich M. von seiner langjährigen Lebensgefährtin verlassen sieht (2) und daß ihm beim Liebesabenteuer mit einer Griechin die Manneskraft versagt (5). Kurioser Höhepunkt des Zyklus, dessen Held einst konnte, aber nicht wollte (s. bes. 1,73 ff.), jetzt will, aber nicht mehr kann, ist ein obszöner Hymnus auf die *mentula* (Penis), die von der enttäuschten Griechin als kosmische Urkraft wie *amor* bei Boëthius [14. 112 f.] gefeiert wird (5,87 ff.).

Die Gesamtdeutung dieses letzten röm. Elegikers (Satire [13], allegorische Weisheitsbelehrung [3], oder gar ›Protreptik zum monastischen Ideal‹ [11]) ist höchst umstritten. Das MA machte M., weil er vom törichten Wunsch nach langem Leben abhalte [7. 25], zum *ethicus* und Schulautor. Noch [15], ein Vater der neuzeitlichen Gerontologie, zit. ihn ausgiebig als Autorität. Eine mod. dt. Übers. bleibt ebenso Desiderat (vgl. [5]) wie eine befriedigende kritische Ausgabe.

→ Elegie

ED.: 1 PLM, Bd. 5, 1883, 313–348 2 R. WEBSTER, 1900 (mit Komm.) 3 T. AGOZZINO, 1970 (Komm., Text nach PLM) 4 F. SPALTENSTEIN, 1983 (Komm., Text nach PLM).
BIBLIOGR.: 5 CH. SEQUI, Appendice bibliografica, in: P. MASTANDREA u. a. (Hrsg.), Concordantia in Maximianum, 1995, 177–196.
LIT.: 6 A. FO, Significato, tecniche e valore della racolta elegiaca di M., in: Hermes 115, 1987, 348–371 7 R. B. C. HUYGENS (Hrsg.), Accessus ad auctores, 1970
8 U. JAITNER-HAHNER, M. und der Fucus Italicus, in: M. BORGOLTE (Hrsg.), Litterae medii aevi, FS J. Autenrieth, 1988, 277–292 9 P. MASTANDREA, Loci similes, in: Concordantia, s. [5], 125–176 10 P. PINOTTI, M. elegiaco, in: G. CATANZARO (Hrsg.), Tredici secoli di elegia latina, 1989, 183–203 11 CH. RATKOWITSCH, Maximianus amat, 1986 (Nachträge in: WS 103, 1990, 207–239)
12 W. SCHETTER, Stud. zur Überl. und Kritik des Elegikers M., 1970 13 J. SZÖVÉRFFY, M. a Satirist?, in: HSPh 72, 1967, 351–367 14 F. WILHELM, M. und Boethius, in: RhM 62, 1907, 601–614 15 GABRIELE ZERBI, Gerontocomia, 1489.
W. STR.

## Maximilla

**[1] Valeria M.**, Tochter des → Galerius [5] und Gemahlin des → Maxentius. Aus der Ehe stammen zwei Söhne, Valerius Romulus (gest. 309?) und ein weiterer, der noch für 312 zusammen mit ihr erwähnt wird (Paneg. 12,16,5). PLRE 1, 576. B. BL.

**[2]** M. begründete mit Montanus und → Priskilla Mitte des 2. Jh. n. Chr. die christl. Erweckungsbewegung des → Montanismus. Von ihrer schriftstellerischen Tätigkeit (Hippolytos, Refutatio omnium haeresium 8,19,1) sind nur wenige prophetische Sprüche erh. (gesammelt bei [1. 145 f.]). M. verstand sich als letzte Prophetin vor dem Weltende (Epiphanios [1] von Salamis, Panarion 48,2,4).

1 K. ALAND, Bemerkungen zum Montanismus und zur frühchristl. Eschatologie, in: Ders., Kirchengesch. Entwürfe, 1960, 105–148. M. HE.

## Maximinus

**[1] M. Daia.** Röm. Kaiser 305–313 n. Chr. Als Sohn der Schwester des → Galerius [5] und wie dieser in der Dacia ripensis geboren, vielleicht in Šarkamen (h. Serbien), stieg er vom *protector* zum *tribunus* auf (Lact. mort. pers. 19,6) und wurde Caesar im Thronwechsel von 305 als Adoptivsohn des Galerius (seither: Galerius Valerius Maximinus). Als Teilherrscher über die Diözese Oriens führte er die Christenverfolgung fort (Eus. HE 8,14,9). Wie → Constantinus [1] gab sich M. nicht mit dem Titel eines Caesar zufrieden und ließ sich schließlich 310 zum Augustus ausrufen, da ihm der von Galerius als Kompromiß angebotene Titel *filius Augustorum* nicht genügte (Lact. mort. pers. 32,5).

Nach dem Tod des Galerius (Mai 311) setzte sich M. in den Besitz von Kleinasien und rückte bis zum Bosporus vor. Eine mil. Konfrontation zw. → Licinius [II 4] und M. wurde knapp verhindert (Lact. mort. pers. 36,1–2). M. hatte als dienstältester Kaiser zunächst den ersten Rang im neuen Herrschaftskollegium inne (MAMA I 19; VII 8) und beabsichtigte, als Haupt der Iovier (s. → Diocletianus B.) das tetrarchische Erbe fortzuführen (→ Tetrarchie). Aus diesem Grund versuchte er, Valeria, die Witwe des Galerius und Tochter des Diocletianus, zu heiraten, verlobte seine Tochter mit Canidianus, dem Adoptivsohn der Valeria (Lact. mort. pers. 50,6), und bemühte sich auch, die tetrarchische Religionspolitik fortzusetzen: Er ließ Gesuche von Gemeinden gegen das von ihm vorübergehend akzeptierte Toleranzedikt des Galerius organisieren (Eus. HE 9,7; CIL III 12132; [1]), ging mit den gefälschten Pilatus-Akten propagandistisch gegen das Christentum vor (Eus. HE 9,5,9; → Toleranz) und setzte in Nachahmung der christl. Episkopalordnung auf Polis- und Provinzialebene pagane Oberpriester ein (Lact. mort. pers. 36, 4–5). Diese auf die Religionspolitik des Iulianus [11] verweisenden Maßnahmen erklären das günstige Urteil über M. in der paganen Lit. ([Aur. Vict.] Caes. 40,18–19), während die übrigen Quellen ein sehr negatives Bild des zu Exzessen neigenden Kaisers zeichnen (Lact. mort. pers. 37–38; Eus. HE 8,14,8–18).

Kurz nach dem Heiratsbündnis zwischen Licinius und Constantinus (s. → Constantia [1]) und nach der vom Senat sanktionierten Verdrängung des M. vom ersten Platz im Herrschaftskollegium brach im Frühjahr 313 der Bürgerkrieg zw. Licinius und M. aus. M. starb auf der Flucht in Tarsos im Juli 313 an einer Krankheit (Aur. Vict. Caes. 41,1; Eutr. 10,4,4; Zos. 2,17,3, anders Lact. mort. pers. 49,2–7), nachdem er sich unmittelbar nach seiner mil. Niederlage im thrak. Campus Ergenus (Lact. mort. pers. 46,10) die von Constantinus und Licinius bei Mailand verabredete Religionspolitik zu eigen gemacht hatte, um die Loyalität der Christen in seinem Reichsteil zu gewinnen. Familie und wichtige Gefolgsleute des M. wurden von Licinius umgebracht (Eus. HE 9,10,3–11,8).

1 S. MITCHELL, Maximinus and the Christians in A. D. 312. A New Latin Inscription, in: JRS 78, 1988, 105–124.

H. CASTRITIUS, Studien zu Maximinus Daia, 1969 • I. POPOVIĆ, M. TOMOVIĆ, Golden Jewellery from the Imperial Mausoleum at Sarkamen (Eastern Serbia), in: Antiquité tardive 6, 1998, 287–312. B. BL.

**[2] M. Thrax.** Imperator Caesar C. Iulius Verus M. Augustus, röm. Kaiser 235–238 n. Chr. Geb. 3 n. Chr. (Zon. 12,16; Chr. Pasch. I, p. 501 D.) in → Thracia, von niederer Herkunft (Herodian. 6,8,1; fiktiv: SHA Maximini duo (= Max.) 1,5 und Iord. Get. 15,83); der Beiname *Thrax* (»der Thraker«) ist erst am E. des 4. Jh. bezeugt.

Unter → Septimius Severus absolvierte M. die *militae equestris*, darunter bei der Kavallerie; die einzelnen Stationen sind allerdings nicht bekannt. M. heiratete um 215 Caecilia Paulina (Herodian. 6,8,1; SHA Max. 2,2 ff.; Iord. Get. 15,84–87; [1. 86 f.]).

Während des Perserkrieges kommandierte M. 231–233 erfolgreich Truppen in Mesopotamien (Herodian. 7,8,4; Iord. Get. 15,88) und wurde 234 von Severus

Alexander an den Rhein beordert, um als *praefectus tironibus* die Armee auf einen Feldzug gegen die Germanen vorzubereiten [1. 86f.]. Im Febr./März 235 erhoben ihn die Soldaten zum Kaiser, ohne daß er den Senatorenrang erreicht hatte, und ermordeten Severus Alexander (Herodian. 6,8,4–5; 9,6; SHA Max. 8,1; Aur. Vict. Caes. 25,1; Eutrop. 9,1; CIL VI 2001; 2009; IGR 3, 1213). M. führte die Armee gegen die Germanen, verwüstete deren Wohnsitze (Herodian. 7,2; Aur. Vict. Caes. 26,1; SHA Max. 11,7–12,6) und nahm den Siegertitel *Germanicus maximus* an. Er erhob seinen Sohn Iulius [II 145] zum Caesar und bekleidete 236 den ordentlichen Konsulat (CIL XIII 8954; RIC 4,2,143f.; Aur. Vict. Caes. 25,2). Danach kämpfte er offenbar erfolgreich gegen Sarmaten und Daker an der Donau (Beinamen *Dacicus* und *Sarmaticus maximus*: CIL II 4757; 4826; 4853; 4870). Bereits seit 235 ließ M. den christl. Klerus aus polit. Gründen mit allerdings nur lokalen Auswirkungen verfolgen (Eus. HE 6,28).

Infolge des großen Finanzbedarfs v.a. für das Heer bildete sich rasch eine breite Opposition gegen M. (Herodian. 7,3), die 238 zur Erhebung der Gordiane (→ Gordianus [1–2]) in Africa führte und durch die Initiative einer M. feindlich gesonnenen Senatsmehrheit auf It. übergriff [2. 197]. Diese erklärte M. und seinen Sohn etwa Mitte Jan. 238 zu *hostes publici* (»Staatsfeinde«) und rief die Statthalter zum Abfall auf (Herodian. 7,7,2; 7,7,4–6; SHA Max. 15,2). Von der Donau marschierte M. nach Oberitalien und belagerte das gut verteidigte Aquileia erfolglos. Schließlich meuterten die Soldaten und erschlugen M. und seinen Sohn etwa Mitte 238. M.' Name verfiel der *damnatio memoriae* (Herodian. 7,8; 7,12,8; 8,1–5; SHA Max. 21–23; SHA Max. Balb. 11,2; Zos. 1,15).

1 A. Lippold, Der Kaiser M. Thrax und der röm. Senat, in: Bonner Historia Augusta Colloquium 1966/7, 1968
2 T. Kotula, L'insurrection des Gordiens et l'Afrique romaine, in: EOS 50, 1959/1960.

A. Bellezza, Massimo il Trace, 1964 • Dietz • Kienast, 138ff. • X. Loriot, Les premières années de la grande crise du III^e siècle ..., in: ANRW II.2, 1975, 657–787 • M. Peachin, Roman Imperial Titulature, 26f. • PIR² M 619. T.F.

[3] Hoher Beamter in der Regierungszeit des → Valentinianus I.; aus Sopianae in der Prov. Valeria, von Beruf Advokat. Zwischen ca. 364 und 368 n. Chr. verwaltete er nacheinander die Prov. Corsica, Sardinia und Tuscia. 368/370 war er *praefectus annonae*, 370–371 *vicarius urbis*, 371–376 *praefectus praetorio Galliarum*. Einige an ihn gerichtete Gesetze sind erhalten (Cod. Theod. 9,24,3; 9,6,1f.; 9,19,4 usw.). Er verfolgte den senatorischen Adel in Rom wegen Magie, Giftmischerei und Ehebruchs mit zahlreichen Prozessen (Amm. 28,1,5–57; Symm. or. 4,11, Symm. epist. 10,2). → Gratianus [2] ließ ihn enthaupten (Amm. 28,1,57). PLRE 1, 577f. Nr. 7. W.P.

[4] Oström. Offizier aus angesehener Familie, 449 n. Chr. Gesandter → Theodosius' II. bei → Attila, kämpfte 450 in Isaurien und 453, wohl als *comes rei militaris*, in der ägypt. Thebaïs. Hier handelte er mit den Nobaden und Blemmyern einen »100jährigen« Frieden aus, der aber, da er bald darauf starb, wirkungslos blieb. PLRE 2, 743 Nr. 11. F.T.

[5] Bischof von Trier (Augusta [6] Treverorum), † nach 346, Berater des Kaisers Constans, Anhänger des → Athanasios, den er seit dessen erstem Exil kannte (336/7; Hier. chron. ad annum 343). Auf dem Konzil von Serdica 342/3, dessen Einberufung er zusammen mit → Iulius [III 1] von Rom und → Ossius von Corduba erreichte, an dem er selbst aber nicht teilnehmen konnte, wurde er von den östlichen Bischöfen mit dem Bann belegt (Hil. Collectanea antiariana A 4,1,27; Sokr. 3,11,7). Die Beschlüsse Serdicas hatte er in Gallien nachträglich ratifiziert, wahrscheinlich am 12.5.346, nicht aber auf der fiktiven Synode von Köln.
→ Arianismus

G. Isselstein, E. Sauser, s.v. M., LTHK³ 7, 8 (Lit.).

[6] Arianischer Bischof got. Herkunft (wahrscheinlich Illyrien); Lebensdaten umstritten (zwischen 365/70–450). Er schrieb in der 1. H. des 5. Jh. einen Komm. zu den Akten des Konzils von Aquileia (381) und zum Brief des Bischofs Auxentius von Mailand (Vorgänger von Ambrosius), der neben einem arian. Glaubensbekenntnis biographische Angaben zum Gotenbischof → Ulfila enthält. Es werden ihm eine *Dissertatio contra Ambrosium* sowie verschiedene homiletische Traktate zugeschrieben. 427/8 debattierte er wohl in seiner Eigenschaft als got. Militärbischof mit Augustinus (Aug. c. Maximinum Arrianum PL 42,743–814; Aug. c. Sermonem Arrianorum PL 42,683–708).

Werke: SChr 267, 1980 • CCL 87, 1982.
Bibliogr.: R. Kany, s.v. M., Gotenbischof, in: S. Döpp, W. Geerlings (Hrsg.), Lex. der ant. christl. Lit., 1998, 432f. O.WER.

**Maximos** (Μάξιμος).
[1] **M. von Tyros**, 2. Jh. n. Chr., Autor von 41 kurzen *dialéxeis* (Vorlesungen), nach dem wichtigsten Ms. (Cod. Parisinus graecus 1962) in Rom gehalten (die Suda datiert einen Besuch auf die Regierungszeit des Commodus, 180–191 n. Chr.). Zu seinen Themen, die einfach konzipiert, aber rhet. ausgefeilt vorgebracht werden (häufiger Gebrauch von Vergleichen, Zitaten aus der Dichtung, myth. und histor. Beispielen), zählt vorrangig die Ethik, dazu treten auch Physik, Theologie und Epistemologie, z.B. die Lust (*hēdonḗ*, 29–33), sokratische Liebe (18–21), platonische Theologie (11), *daímones* (8–9), Gebet (5), Weissagung und freier Wille (13), das Böse (41) und Wiedererinnerung (10). Bemerkenswert sind auch die Bewertungen der verschiedenen Formen der Erörterung (Dichtung, Rede, Geschichtsschreibung) im Bezug zur Philos. (1, 4, 17, 22, 25, 26). Obwohl M. eine deutliche Anhängerschaft zu Platon

vermeidet (er verachtet nur Epikur), ist er im Grunde ein (Mittel-)Platoniker mit bes. Interesse an Platons Sokrates. Als philos. Redner kann er mit Dion Chrysostomos, Favorinus und Apuleius verglichen werden. M. wurde von den Humanisten des 15. Jh. sowie deren Lehrern und Schülern gelesen (LANDINO, FICINO, POLIZIANO; BESSARION, LASCARIS; REUCHLIN), erfuhr aber seither wenig Beachtung.
→ Mittelplatonismus; Zweite Sophistik

ED.: M. TRAPP, 1994 • G. KONIARIS, 1995.
KOMM.: A. F. SCOGNAMILLO, 1997 (nur 18).
ÜBERS.: M. TRAPP, 1997.
LIT.: G. SOURY, Aperçus de philos. réligieuse, 1942 • G. KONIARIS, On M. of Tyre: Zetemata 1, in: Classical Antiquity 1, 1982, 87–121 • Ders., On M. of Tyre: Zetemata 2, in: Classical Antiquity 2, 1983, 212–250 • J. PUIGGALI, Étude sur les Dialexeis de M. de Tyre, 1983.
M. T./Ü: L. S.

**[2]** Verf. eines astrologischen Lehrgedichts, von dem insgesamt ca. 615 Hexameter und eine Prosaparaphrase erhalten sind. Nicht vor dem 2. Jh. n. Chr., kaum identisch mit dem Neuplatoniker → M. [4] von Byzantion. Das Gedicht Περὶ καταρχῶν (›Über die Wahl des rechten Zeitpunktes‹) behandelt in 12 Abschnitten, von denen die ersten 3½ verloren sind: 1. Geburt, 2. Sklavenkauf, 3. Seefahrt und Handel, 4. Reisen, 5. Ehe, 6. Krankheit, 7. chirurgische Eingriffe, 8. entlaufene Sklaven, 9. Unterricht der Kinder, 10. Landarbeit, 11. Gefangenschaft, 12. Diebstahl. Bestimmend sind nicht wie sonst die vier Kardinalpunkte der täglichen Rotation, sondern die Stellung des Mondes im Tierkreis; hinzu kommen die Planeten und einige → Paranatellonten. M. schöpft aus → Dorotheos [5] von Sidon und wird seinerseits von → Nonnos benutzt.
→ Astrologie; Lehrgedicht

ED.: A. LUDWICH, 1877 (neue Ausg. von D. PINGREE geplant).
LIT.: W. und H. G. GUNDEL, Astrologumena, 1966, 234f.
W. H.

**[3] M. aus Lykien** (Lib. epist. 1384). Der Neuplatoniker, der in Athen lehrte, ist nur durch Libanios bekannt. Severus von Lykien, mit ihm verwandt und ein Freund des Libanios, war einer seiner Schüler (Lib. epist. 309; 659; 665; 1384; 1451). M. starb vor 361 n. Chr. (Lib. epist. 665; 1451).

**[4]** Geb. in Byzantion, laut Sokr. 3,1,16,327a Vater eines Eukleides. Die Suda (s. v. Μάξιμος, 3, 322.1–4 ADLER) schwankt zw. Epeiros und Byzantion als Herkunftsort, wohl in Verwechslung mit M. [5] von Ephesos (dem Mitschüler des Priskos) und dem Rhetor M. [1] (wohl Verf. einer Schrift Περὶ τῶν ἀληθῶν ἀντιθέσεως). M. ist vielleicht mit dem Christen M. zu identifizieren, dem Adressaten eines Briefes des Basileios (Basil. epist. 9) vor 361/2 n. Chr. Einige der M. von der Suda zugesprochenen Schriften (Περὶ καταρχῶν vgl. M. [2]; Περὶ ἀριθμῶν; Ὑπόμνημα εἰς Ἀριστοτέλην) könnten tatsächlich von ihm stammen.

**[5] M. von Ephesos.** Neuplatoniker des 4. Jh. n. Chr. Die wichtigsten Informationen über M. stammen von Eunapios (Eun. vit. soph. 7,1–8,1), der ihm in seiner Jugendzeit (wohl 369 n. Chr.) begegnet sein will. Dieses ausführliche, rhet. übersteigerte Zeugnis in einer für Eunapios typischen romanhaften Darstellung macht M. zu einem Märtyrer der → Theurgie, wenn es ihm auch vorwirft, gegenüber den Christen allzu provokant aufgetreten zu sein.

M. war Schüler des → Aidesios [1] (dies ermöglicht die Datierung) und folgte der Richtung des Neuplatonikers → Iamblichos [2], der der Theurgie den Vorrang in seiner Philos. einräumte. Diese philos. Orientierung vermittelte M. dem Kaiser → Iulianus [11]. Indem M. Unglück für Griechenland und die althergebrachte Rel. ankündigte, veranlaßte er Iulianus, die pagane Rel. unter platonischer Inspiration zu erneuern.

Von Iulianus 362 nach Konstantinopel berufen, gewann M. großen Einfluß am Hof, hatte dort jedoch zahlreiche Gegner. 363 begleitete er den Kaiser auf seinem Perserfeldzug und war (zusammen mit Priscus) bei den letzten Lebensmomenten des tödlich verwundeten Iulianus zugegen (Amm. 25,3,23). Unter Iovianus blieb M. in kaiserlicher Gunst; unter Valentinianus und Valens begannen jedoch die Schwierigkeiten: Er wurde gleichzeitig mit Priscus verhaftet, kam jedoch 367 auf Betreiben des *vicarius Asiae* Clearchus wieder frei. Er ging zurück nach Konstantinopel, wo er seine Deklamationen mit mäßigem, den philos. Unterricht jedoch mit großem Erfolg wiederaufnahm. Als er 371 Valens einen »Tod ohne Bestattung« voraussagte, wurde M. verhaftet und nach Antiocheia [1] zum Prozeß geschickt. Der Schuldspruch führte zum Rücktransport nach Ephesos und zur Hinrichtung unter dem Proconsul Festus im J. 372.

An M. gerichtet sind Iul. epist. 26, 190 und 191, sowie Lib. epist. 694. Richtig ist wohl Simplikios' Aussage in seinem Kategorien-Komm. (Simpl. in Aristot. cat. CAG VIII, p. 1,14–16 KALBFLEISCH), M. habe ein analoges Werk verfaßt, in dem dieser in fast allem mit Alexandros [26] von Aphrodisias übereingestimmt habe. Denn auch Iamblichos, ein leidenschaftlicher Theurg, verfaßte einen Kategorien-Komm., den Simplikios erklärtermaßen zum Vorbild nahm. Suda s. v. Μάξιμος, 3, 322,1–4 ADLER scheint M. mit M. [4] zu verwechseln.
→ Neuplatonismus; Theurgie

J. BOUFFARTIGUE, L'empereur Julien et la culture de son temps (Collection des Études augustiennes, Série antiquité 133), 1992 • R. GOULET, Sur la chronologie de la vie et des Œuvres d'Eunape de Sardes, in: JHS 100, 1980, 60–72.
L. BR./Ü: J. DE.

**[6]** Christl. Kyniker aus Alexandreia. 379 unterstützte er → Gregorios [3] von Nazianz beim Aufbau der orthodoxen Gemeinde zu Konstantinopel; 380 wurde er auf Betreiben von Petros, dem Bischof von Alexandreia, dort als Bischof installiert. Die Wahl fand Unterstützung im Westen, jedoch weder die Zustimmung → Theodosius' d.Gr. noch die des Konzils von Konstantinopel, das sie 381 für ungültig erklärte. H.L.

**[7] M. Homologetes** (M. Ὁμολογητής, »der Bekenner«).
I. LEBEN II. WERK/THEOLOGIE

I. LEBEN
Die Historizität der griech. M.-Vita, die enkomiastische Züge trägt, wurde durch den Nachweis ihrer späteren Kompilation [2] und durch die syr. Vita [3], die trotz ihrer monophysitischen Polemik (→ Monophysitismus) zuverlässig berichtet, relativiert. Demnach wurde M. als Sohn eines samaritischen Kaufmanns und einer pers. Sklavin um 580 n. Chr. in Hesfin (Palaestina) unter dem Namen Moschion (Μοσχίων) geb. Als Waise wurde er dem Laura-Kloster des Hl. Chariton bei Tekoa übergeben. Dort erhielt er den Namen M. und wurde von Abt Pantaleon erzogen. Während der Belagerung von Konstantinopel durch die Perser (626) ging er nach Nordafrika. Von dort stellte er sich gegen monenergetische und monotheletische Positionen (→ Monotheletismus) der Patriarchen → Sergios und Pyrrhos. Er wies die promonotheletischen Bemühungen des Beschlusses (ψῆφος) von 634 und des Erlasses (ἔκθεσις) des → Herakleios [7] von 638 zurück. 649 nahm er unter Papst Martin I. an der Lateransynode in Rom teil, die den Monotheletismus verurteilte, und wirkte bei der Niederschrift der Akten mit. 653 wurde er nach → Bizye in Thrakien verbannt. Nach dem Scheitern der Wiederaufnahme seines Falles 662 in Konstantinopel, nach Folter und Verstümmelung (Verlust der Zunge und der Hand) folgte die Verbannung nach → Lazika, wo er am 13.8. desselben J. starb. 680 rehabilitierte ihn die 3. ökumenische Synode von Konstantinopel und kanonisierte seine Lehre über die zwei Willen in Christus. Er erhielt den Beinamen »Bekenner« (*Confessor* bzw. *Homologētḗs*).

II. WERK/THEOLOGIE
M. ist der bedeutendste und scharfsinnigste theologische Schriftsteller des 7. Jh. Seine Schriften entfalten eine mystische Theologie, deren Zentrum die Lehre von der Vergöttlichung des Menschen ist, wobei der absolute Vorrang Gottes in der Einheit betont wird. Sein Denken bildet eine Synthese ant. und patristischer Überlieferung (→ Gregorios [3] von Nazianzos und (Ps.-)→ Dionysios [54] Areopagita). Die Bekämpfung des → Monotheletismus war ein Ringen um die apophatische Theologie, die Erhaltung des Gegenüber von Gott und Mensch. Im Abendland wurde M. wirksam durch die Übers. des Iohannes Scotus Eriugena und des → Anastasios [3] Apokrisiarios.

1 CPG 3, Nr. 7688–7711, 7715–7721 2 W. LACKNER, Zu Quellen und Datier. der Maximusvita (BHG3 1234), in: Analecta Bollandiana 85, 1967, 285–316 3 S. BROCK, An Early Syriac Life of Maximus the Confessor, in: Analecta Bollandiana 91, 1973, 299–346 4 K. SAVVIDIS, Die Lehre von der Vergöttlichung des Menschen bei M. dem Bekenner und ihre Rezeption durch Gregor Palamas, 1997.
K.SA.

**Maximus.** Röm. Cogn., das urspr. wohl bes. Verdienste (etwa Plut. Pompeius 13,11) oder Reihenfolge in der Geburt (*maximus natus*) bezeichnet. Erblich in republikanischer Zeit in den patrizischen Familien der Valerii und (seit den → Samnitenkriegen) der Fabii (Fabius [I 21–30; II 13–14]), später auch in weiteren Gentes (→ Carvilius [3–4]; Übersicht über die Namensträger [1. 2539]). S. auch → Maximos.

1 F. MÜNZER, M. FLUSS, s. v. M., RE 14, 1930 2 KAJANTO, Cognomina, 71–74, 275f. 3 J. REICHMUTH, Die lat. Gentilicia, 1956, 47.
K.-L. E.

**[1]** Senator, der nach Plinius (epist. 8,24,7) von → Traianus nach Achaia gesandt wurde, um den polit. Status der freien Städte zu ordnen (*ad ordinandum statum liberarum civitatum*). Wohl identisch mit S. Quintilius Valerius Maximus (PIR² Q s. v. Quintilius, im Druck).
**[2]** Consularer Befehlshaber in Traianus' → Partherkrieg; wurde vom Partherkönig Arsakes im J. 116 n. Chr. besiegt und fand dabei den Tod (Cass. Dio 68,30,1 f.). Bei Fronto wird ein Appius Santra in gleichem Zusammenhang erwähnt. Ob beide identisch sind oder ob der Name bei Fronto (p. 212, 20ff. VAN DEN HOUT) richtig gelesen ist, bleibt umstritten (PIR² A 950); vielleicht mit T. Iulius [II 97] Maximus identisch (vgl. [1]).

1 SYME, RP 1, 249; 5, 567ff.

**[3]** Freigelassener des → Traianus und *procurator* in Pontus-Bithynien unter Virdius Gemellinus (Plin. epist. 10,27; 28; 85). Da Virdius Gemellinus wohl eher nur Patrimonial- und nicht allgemeiner Fiskalprocurator war, müßte auch M. nur für das → *patrimonium* tätig gewesen sein.
**[4]** Freigelassener des → Parthenius, des *a cubiculo* Domitians. Im Auftrag seines Patrons tötete er zusammen mit dem *cornicularius* Clodianus Domitian im J. 96 n. Chr. PIR² M 429.
**[5]** Unter diesem Namen sind zahlreiche Adressaten in → Plinius' Briefsammlung überl. Die Trennung der Informationen auf verschiedene Personen und die Identifizierung ist weithin umstritten (vgl. zuletzt [1. 708]).

1 SYME, RP 2.

**[6]** Verteidigte im J. 248 n. Chr. Marcianupolis in Thrakien gegen die Goten. PIR² M 427.

CHR. HABICHT, Beiträge zur Prosopographie der altgriech. Welt, in: Chiron 2, 1972, 129ff.
W.E.

**[7] Magnus M.** Usurpator 383–388 n. Chr. Spanier, sein Geburtsdatum ist unbekannt. M. diente sich unter Theodosius, dem Vater des Kaisers, hoch und nahm 369 an dessen Feldzug nach Britannien teil. Später wurde er dort *comes Britanniarum*, und im Frühjahr 383 von den

Truppen gegen → Gratianus [2] zum Kaiser ausgerufen (Paneg. 2,23; 38). M. setzte rasch nach Gallien über, wo sich ihm das Heer des Gratianus anschloß; dadurch dehnte sich sein Herrschaftsbereich auf Britannien, Gallien und Spanien aus. Gratianus wurde von seinen eigenen Truppen in einen Hinterhalt gelockt und ermordet.

Von seiner Residenz Trier (Augusta [6] Treverorum) aus nahm M. Verhandlungen mit → Valentinianus II. und → Theodosius I. auf. Er versuchte, den jungen Kaiser des Westens dazu zu bewegen, zu ihm nach Trier zu kommen; dies konnte → Ambrosius in einer ersten Gesandtschaft (Ambr. epist. 30,3–7) zu M. zunächst hinauszögern, bis It. gegen einen Einfall gesichert war. Dennoch blieb Valentinianus und Theodosius nur die de-facto-Anerkennung des Usurpators übrig. Im Frühjahr 387 unternahm Ambrosius eine zweite Gesandtschaft nach Trier, um die Herausgabe des Leichnams des Gratianus zu erlangen, was M. jedoch verweigerte (Ambr. epist. 30). Im Sommer 387 fiel M. ohne Vorwarnung in It. ein, besetzte es, ohne auf nennenswerten Widerstand zu stoßen, und nahm Residenz in → Aquileia [1] (Zos. 4,42–43; Sokr. 5,11–12); Valentinian II. floh nach Osten. Im Frühjahr 388 begann Theodosius einen Gegenfeldzug und besiegte M. in einer See- und mehreren Landschlachten (Poetovio, Siscia; vgl. Paneg. 2,34–35, die Seeschlacht unter Führung des Valentinianus bei Sizilien). Zwar wollte Theodosius M. schonen, doch wurde dieser von wütenden Soldaten am 28. August getötet. M.' Familie und Anhänger wurden milde behandelt.

M. war Christ, Anhänger des Nicaenum, was er immer wieder zur Einmischung in die Politik des Valentinianus nutzte (Avell. 39). Von gallisch-spanischen Bischöfen ließ er sich zu einem rigorosen Vorgehen gegen die Priscillianisten (→ Priskilla) bewegen, gegen die es 384/5 zu einem Prozeß kam, der mit mehreren Todesurteilen endete (Paneg. 2,29; Sulp. Sev. 2,49–50).

H.R. Baldus, Theodosius der Große und die Revolte des Magnus Maximus – das Zeugnis der Mz., in: Chiron 14, 1984, 175–192 • K. Gross-Albenhausen, Imperator christianissimus, 1999, 94–99. K.G.-A.

**[8] Flavius Petronius M.** Angehöriger einer reichen senator. Familie. Geb. 396 n. Chr., machte er eine glänzende Karriere: ca. 415–417 *comes sacrarum largitionum*, 420/421 und ein zweites Mal (433?) *praefectus urbi*, 433 und 443 Consul, muß vor 439 *praef. praet.* gewesen sein, 439/441 als *praef. praet. II* bezeugt, *patricius*. M. soll Hintermann der Ermordung des → Aetius [2] 454 und → Valentinianus III. im J. 455 gewesen sein. Am 17.3.455 wurde M. als Kaiser anerkannt. Er versuchte, durch eine Ehe mit → Eudoxia [2] sowie die Verheiratung seines Sohnes und Caesars Palladius mit einer Tochter Valentinianus' eine dyn. Legitimation herzustellen. Beim Angriff des Vandalen → Geisericus auf Rom 455 versuchte er zu fliehen und wurde am 31.5.455 gelyncht. M. scheint bei Soldaten kein Ansehen gewonnen zu haben. Christ.

PLRE II 749–751 • Delmaire, 190–194.

**[9]** 361 n. Chr. Gesandter des röm. Senats an → Constantius [2] II., traf nach seinem Aufenthalt in Antiochia zu Naissus (h. Niš) auf → Iulianus [11] I., von ihm dank dem Einfluß des Vulcacius → Rufinus zum röm. Stadtpräfekten ernannt (Symm. rel. 34,5). Paganer. PLRE I 582.

**[10]** M. aus Raphia in Palaestina; 359/62 n. Chr. *praeses Armeniae*, 362/3 Statthalter in Galatien, förderte Ankyra durch Bauwerke, 364 *praefectus Aegypti*; mit → Libanios befreundet; kein Christ. PLRE I 583.

**[11]** 409 n. Chr. von → Gerontius [3] zum Gegenkaiser gegen → Constantinus [3] III. erhoben, floh 411 nach Spanien. Vermutlich identisch mit dem dort 418 ausgerufenen Usurpator, der bald darauf von kaiserlichen Truppen gefangen und 422 in Ravenna hingerichtet wurde. PLRE II 744 f.

**[12] Flavius M.** Consul 523 n. Chr., *primicerius domesticus* 535, *patricius*, heiratete eine ostgotische Prinzessin. → Belisarios entfernte ihn 537 als einen der verdächtigen Senatoren aus Rom. Die Goten ermordeten M. 552 in Campanien. PLRE II 748 f. H.L.

**[13] M. von Madaura.** Briefpartner des → Augustinus und *grammaticus* in Madaura in der 2. H. des 4. Jh. Von ihm ist ein Brief erh. (Aug. epist. 16), geschrieben um 390, mit der Antwort des Augustinus (epist. 17). M., der höchstwahrscheinlich der Lehrer des heranwachsenden Augustinus war, wendet sich an den ehemaligen, nunmehr berühmten Schüler und verteidigt zwar den röm. Polytheismus, erkennt jedoch Kontaktpunkte mit dem christl. Kult. M. bittet außerdem um Erklärungen über den Gott der Christen und fordert Augustinus zu einer versöhnlichen Haltung und zu gegenseitigem Verständnis auf. Augustinus' Antwort ist entschieden kühl und in apologetischem Ton verfaßt.

A. Goldbacher (ed.), CSEL 34,1895 • C. Wendel s. v. M. (42), RE 14, 2571 • P. Mastandrea, Massimo di Madauros, Padua 1985 (mit Ed.). P.G./Ü: TH.G.

**[14] M. Taurinensis.** M. war spätestens seit 398 Bischof von Turin und starb zw. 408 und 423 (Gennadius, vir. ill. 40); er stammte offenbar nicht aus Turin (sermo 33,1). Von ihm sind 111 meist echte *sermones* (Predigten) erh. (CPL 221; PL 57, 221–760 enthält auch Predigten des Bischofs Maximus II. von Turin, ca. 451–465, und Fälschungen nach [Ps.-]Augustinus und Leo I. von Rom; zur Echtheitskritik von [1] vgl. [4; 7; 8; 9]). Die Kürze der authentischen Predigten des M. hat mehrfach zur Vermutung geführt, daß lediglich Auszüge der gehaltenen Originale überl. sind [10. 290; 5]. Da M. seine Predigten eher thematisch denn exegetisch anlegte, beschäftigen sich viele *sermones* mit aktuellen Themen, den Festen des Kirchenjahres, biblischen Gestalten und Heiligen, aber z. B. auch mit den Resten paganer Religiosität in Norditalien, etwa auf den Landgütern (serm.

30f., 98, 107f.). M. rezipiert auch → Ambrosius (serm. 95f.), den er verm. nicht mehr persönlich kennengelernt hatte. In seinen Predigten zeigt sich M. v.a. als Seelsorger seiner Gemeinde; er möchte sie vor theologischer Verwirrung und ethischem Fehlverhalten bewahren.

Ed.: 1 A. Mutzenbecher, CCL 23, 1962.
Lit.: 2 G. Banterle, Massimo di Torino, I sermoni, 1992 3 D. Devoti, Massimo di Torino e il suo pubblico, in: Augustinianum 21, 1981, 153–167 4 H.J. Frede, Kirchenschriftsteller, 1995, 636–640 5 O. Heggelbacher, Das Gesetz im Dienste des Evangeliums, 1961 6 M. Modemann, Die Taufe in den Predigten des hl. M. von Turin (Europ. Hochschulschriften. Theologie 537) 1995 7 A. Mutzenbecher, Zur Überl. des M.T., in: Sacris erudiri 6, 1954, 343–372 8 Dies., Bestimmung der echten Sermones des M.T., in: ebd. 1,2 1961, 197–293 • Dies., Der Festinhalt von Weihnachten und Epiphanie in den echten Sermones des M.T. (Studia Patristica 95 = TU 80), 1962, 109–116 10 H.G. Opitz, s.v. M. (26), RE Suppl. 6, 289f.

C.M.

**Maxula** (Μαξοῦλα). Stadt in der Prov. Africa proconsularis (→ Afrika [3]), östl. von Tynes, h. Radès. Belege: Ptol. 4,3,7 (Μαξοῦλα); 4,3,34 (Μαξοῦλα παλαιά); Itin. Anton. 57,3 (*M. Prates*); 58,1 (*M. Civitas*); Tab. Peut. 6,1; Stadiasmus Maris Magni 122f. (GGM 1,471); Geogr. Rav. 88,38. Vielleicht wurde das am Meer gelegene M. von Griechen zeitweise (auch) *Leukós Týnes* (Λευκὸς Τύνης, Diod. 20,8,7) gen. [1. 66–68]. Der Ort war pun. beeinflußt [2. 292–295]. Bei Plinius (nat. 5,24) und in Inschr. (CIL VIII Suppl. 1, 12253; 4, 24328; AE 1949, 175) wird M. – wahrscheinlich irrtümlich [3. 45] – als *colonia* bezeichnet. Inschr.: CIL VIII Suppl. 1, 12458–12461; 4, 24328–24330.

1 W. Huss, Neues zur Zeit des Agathokles, in: ZPE 39, 1980, 63–71 2 C.G. Picard, Cat. du Musée Alaoui. Nouvelle série, Bd. 1,1, o.J. (= Cb 1072–1074) 3 L. Teutsch, Das Städtewesen in Nordafrika..., 1962.

AATun 050, Bl. 21, Nr. 2 • M. Schwabe, s.v. M., RE 14, 2576.

W.HU.

**Mazaios** (Μαζαῖος). Vornehmer, am achäm. Hofe hoch angesehener Perser (Curt. 5,1,18; Plut. Alexander 39), Vater von Antibelos, Artiboles und Hydarnes. Unter → Artaxerxes [3] III. Satrap von Kilikien und pers. Befehlshaber im Kampf gegen die aufständischen Phoiniker (Diod. 16,42,1f.), verwaltete M. unter → Dareios [3] III. → Koile Syria und »Syrien zwischen den Strömen«. Er räumte 331 v.Chr. seine Stellung bei Thapsakos und ermöglichte Alexandros [4] d.Gr. damit den Übergang über den Euphrat (Arr. an. 3,7,1–2; Curt. 4,9,7–8,12; Diod. 17,55,1), befehligte mit großem Einsatz und zunächst auch Erfolg den pers. rechten Flügel bei → Gaugamela (Arr. an. 3,14,6ff.; Curt. 4,16,1ff.; Diod. 17,58,2; 17,60,5ff.), floh dann aber nach Babylon (seine Gattin war wohl Babylonierin) und übergab den Makedonen schließlich, zusammen mit den städtischen Autoritäten und nach babylon. Zeremoniell, die Stadt (Curt. 5,1,17). Von Alexander gnädig aufgenommen, wurde er bald darauf zum Satrapen von Babylonien ernannt (Arr. an. 3,16,4; Curt. 5,1,44) und verwaltete diese Prov. bis zu seinem Tode 328 (Arr. an. 4,18,3; Curt. 8,3,17). Von M. sind auch Mz. bekannt [3. 850–854; 4].

1 H. Berve, Das Alexanderreich auf prosopographischer Grundlage, 1926, 243–245 2 Briant, s.v. M. 3 G. Le Rider, Histoire économique et monétaire de l'Orient hellénistique, in: Annuaire du Collège de France 1995–1996, 1996, 829–860 4 A. Lemaire, Remarques sur certaines légendes des monnaies ciliciennes, in: O. Casabonne (Hrsg.), Mécanismes et innovations monétaires dans l'Anatolie achéménide. Numismatique et histoire, 1998.

J.W.

**Mazara.** Stadt an der sizilischen Südküste 20 km südöstl. von Marsala an der Mündung des gleichnamigen Flusses, h. Mazara del Vallo, wohl phöniz. Gründung. Nach der Gründung von Selinus bildete der Fluß M. die Grenze gegen Motya (bzw. Lilybaion) und Segesta, war daher viel umkämpft. Im J. 409 v.Chr. von → Hannibal [1] auf dem Marsch auf Selinus erobert (Diod. 13,54,6), zu Anf. des 1. → Punischen Krieges von den Römern zerstört (23,9,4), bestand aber weiter als kleiner Hafenplatz. 827 n.Chr. von Arabern zerstört, von den Normannen wieder aufgebaut. Arch. und inschr. Zeugnisse seit röm. Zeit.

BTCGI 9, 502–508.

K.Z.u.GI.F.

**Mazaros** (Μάζαρος). *Hetaíros* (→ *hetaíroi*) von → Alexandros [4] d.Gr., nach Arrianos (Arr. an. 3,16,9) 331/30 v.Chr. in Susa als Burgkommandant eingesetzt. Curtius (5,2,16) nennt dort Xenophilos. Da der Name M. iran. ist, hat Arrianos ihn wahrscheinlich mit dem pers. Vorgänger verwechselt.

A.B. Bosworth, A Historical Commentary on Arrian's History, Bd. 1, 1980, 319.

E.B.

**Mazdaismus** s. Zoroastrismus

**Mazdak.** Führer einer rel.-revolutionären Bewegung im sāsānidischen → Iran unter König Cavades [1] (488–496, 498/9–531 n.Chr.). Wesentliches Merkmal ist ein starker sozialer Egalitarismus.

Die Erforschung des Mazdakismus stößt auf die grundsätzliche Schwierigkeit, daß fast alle Nachr. aus Quellen stammen, die diesem feindlich gesinnt sind. Der einzige zeitgenössische Bericht ist in der syr. Chronik des → Iošua Stylites enthalten; aus späterer Zeit stammen byz. (Prok. BP 1,5–11; 2,9; Agathias, Historiae 4,27–30; Ioh. Mal. 465, 633 und 653 Migne) und arab. Quellen, die bes. wichtig sind, da sie teilweise die iran. Trad. bewahren (al-Šahrastānī, *Kitāb al-milal wa-l-niḥal*; Ibn al-Nadīm, *Fihrist*).

Umstritten ist die rel.-gesch. Einordung des Mazdakismus, der zwar gnostische Züge (Dualismus; → Gnosis) aufweist, im wesentlichen aber dem → Zoroastrismus näher stand als dem → Manichäismus. Vor dem Hintergrund der tiefen polit. und gesellschaftl. Krise im Iran im späten 5. Jh. kann man ihn als eine Art egalitären »Reformzoroastrismus« bezeichnen, der diese elitäre Rel. popularisieren sollte. Unterstützung gewannen die Doktrinen M.s zunächst durch König Cavades [1], der sich Verbündete in seinem Kampf gegen den einflußreichen Adel erhoffte. In der zweiten Phase seiner Regierung wandte sich Cavades [1] aber von M. ab. Entschieden bekämpft wurde der Mazdakismus unter seinem Nachfolger Chosroes [5] I. Reste des Mazdakismus überlebten als kleine Gruppen im Iran bis in islam. Zeit und beeinflußten gnostische Sekten des Islam.

→ Gnosis; Mani; Sāsāniden; Zoroastrismus

A. Christensen, Le règne du roi Kawādh I. et le communisme mazdakite, 1925 • O. Klima, M. Gesch. einer sozialen Bewegung im sassanidischen Persien, 1957 • Ders., Beitr. zur Gesch. des Mazdakismus, 1977 • E. Yarshater, Mazdakism, in: Cambridge History of Iran 3, 1983, 991–1024. I.T.-N.

**Mazippa** s. Tacfarinas

**Mazonomon** (μαζονόμον, μαζονόμιον, lat. *mazonomus*), aus μάζα/*máza* (»Gerstenbrot«) und νέμω/*némō* (»zuteilen«). Urspr. ein Teller aus Holz, um Gerstenbrot zu reichen (vgl. Athen. 5,202c), auch als Trageschüssel aus Bronze und Gold erwähnt (Athen. 4,149a; 5,197f); dann große Servierplatte für Geflügel (Hor. sat. 2,8,86; Varro rust. 3,4,3), die von den Scholiasten mit der röm. → *lanx* gleichgesetzt wird (Porph. Hor. sat. 2,8,86). In der Kunst ist das *m.* nicht sicher nachgewiesen. R.H.

**Mazyes** (Μάζυες, Μάξυες). Die M. werden zum ersten Mal bei → Hekataios [3] von Milet (FGrH 1 F 334) als »umherschweifende Libyer« (Λιβύης νομάδες) erwähnt. Stephanos s. v. M., der diese Notiz überliefert hat, fährt fort: εἰσὶ δὲ καὶ ἕτεροι Μάξυες καὶ ἕτεροι Μάχλυες (»M. und Machlyes sind verschiedene Stämme«). Nach Hdt. 4,191,1 wohnten die *Máxyes* (Μάξυες, sic!), die als »pflügende ... Libyer« (ἀροτῆρες ... Λίβυες) bezeichnet werden, westl. des Flusses Triton. Die Wurzel *maz* bzw. *max* ist libyschen Ursprungs (»adlig«). Vgl. das h. noch gebräuchliche Wort *amazigh* (Tuareg).

→ Libyes, Libye

J. Desanges, Cat. des tribus africaines ..., 1962, 111, 113 • H. Kees, s. v. Maxyes, RE 14, 2576–2580. W.HU.

**Mechane** (μηχανή) bezeichnet bei den Griechen jede mechanische Vorrichtung, im engeren Sinne jedoch die griech. Theatermaschine, einen hinter dem Bühnenhaus installierten Kran als Flugapparat, der in die Szene geschwenkt wurde, um Personen eines Dramas zu abgelegenen Schauplätzen zu bringen oder Götter in der Höhe erscheinen zu lassen. Auf die *m.* wird in Dramentexten und in späten Quellen unter vielerlei Namen angespielt: κρεμάθρα (*kremáthra*, »Aufhängevorrichtung«, Aristoph. Nub. 218), γέρανος (*géranos*, »Kranich«, »Kran«, Poll. 4,130), αἰώρημα (*aiṓrēma*, »Schaukel«, schol. Aristoph. Pax 80), κράδη (*krádē*, »Feigenzweig«, Aristoph. fr. 160 K.-A.: komische Umschreibung?). Erfunden und stillschweigend eingesetzt wurde die *m.* in der → Tragödie; die Belege für ihre Verwendung aber stammen aus der → Komödie, weil diese die Theaterrealität ins Spiel miteinbezog und für witzige Effekte nutzte. So stürmte bei Euripides Bellerophontes auf dem Pegasos hinauf zu den Göttern, was Aristophanes im ›Frieden‹ mit dem Flug seines komischen Helden auf einem Mistkäfer parodierte. Der läßt ihn dabei ängstlich dem Maschinisten (μηχανοποιός, *mēchanopoiós*, Aristoph. Pax 174; vgl. fr. 160; 192 K.-A.) zurufen, er solle vorsichtig sein. Vermutlich hat der experimentierfreudige Aischylos die *m.* zusammen mit dem festen Bühnenhaus eingeführt (Sommerstein zu Aischyl. Eum. 404 f., anders [1]); im wohl nachaischyleischen ›Prometheus‹ fliegt Okeanos auf einem Greif herbei (284–287). Sophokles verzichtet auf den Einsatz der *m.*, Euripides aber nutzt sie reichlich [2], bes. für Göttererscheinungen am Dramenschluß: → Deus ex machina.

→ Ekkyklema

1 O. Taplin, The Stagecraft of Aeschylus, 1977, 443–447
2 N. C. Hourmouziades, Production and Imagination in Euripides, 1965, 146–169.

H.-D. Blume, Einführung in das ant. Theaterwesen, [3]1991, 66–72 • D. J. Mastronarde, Actors on High: The Skene Roof, the Crane and the Gods in Attic Drama, in: Classical Antiquity 9, 1990, 247–294 • H.-J. Newiger, Ekkyklema und M. in der Inszenierung des griech. Dramas, in: WJA 16, 1990, 33–42. H.-D.B.

**Mechanik** I. Begriff und Definition, Inhalt und Umfang II. Die Anfänge der theoretischen Mechanik III. Einzelne Disziplinen der Mechanik

I. Begriff und Definition, Inhalt und Umfang

Die M. (μηχανικὴ τέχνη, *mēchanikḗ téchnē*) war nach ant. und ma. Verständnis eine Disziplin, deren Gegenstand die Anwendung künstlicher, technischer Geräte sowie Instrumente (*machinae*; in der frühen Neuzeit: »Künste«) und Verfahren zur künstlichen Erzeugung von Bewegungen ist, die in der Natur nicht von selbst und spontan (»natürlich«) ablaufen; zur M. gehörte gleichzeitig auch die theoretische Analyse solcher Instrumente und ihrer Wirkung. Die M. war in der Ant. also *nicht* Beschreibung und Erklärung natürlich verursachter Abläufe und damit keine Disziplin der »Wissenschaft von der Natur« (φυσική, Physik) – zu einer solchen sollte sie erst seit dem ausgehenden 16. Jh. (G. Galilei, J. Kepler) werden; nach neuzeitlichem Verständnis war die ant. M. vielmehr eine technische Wiss. Im Gegensatz zur → Physik, die sich dem natürlichen oder naturgemäßen und somit dem stets gleichen Verhalten der Körper widmete, betrachtete die M. Bewegungen, die von einem Körper nicht von sich aus und aufgrund seiner natürlichen Prinzipien durchgeführt werden, sondern nur durch äußere Gewalt-Einwirkung des Menschen entsprechend seinen Bedürfnissen künstlich erzeugt werden können; es handelte sich dabei insbesondere um solche Bewegungen, die der Mensch mit seiner eigenen, zu geringen Kraft nicht unmittelbar, sondern nur mit Hilfe einer List, eines Mittels (μηχανή/*mēchanḗ*) bewirken kann (Aristot. problemata mechanica 847a-b).

→ Geminos [1] (1. Jh. v. Chr.; zitiert bei Prokl. in primum Euclidis librum commentarius p. 41,3–18) und ausführlicher → Pappos (um 300; collectio 8,2; vgl. auch Vitr. 10,1) unterteilten die M. in die Disziplinen der Baukunst (→ Bautechnik mit Abb.), die Technik der Hebezeuge, den Bau von Katapulten, von Be- und Entwässerungsmaschinen, von Wunderwerken und Automaten, von Wasser- und Sonnenuhren sowie von »Sphären« (Armillarsphären, → Astrolabien, Globen, Planetarien). Pappos zählte ausdrücklich auch die geom. Konstruktion mit über Zirkel und Lineal hinausgehenden Instrumenten zur M. Als eigentliche M. erscheint bei Pappos um 300 der Bau von Be- und Entwässerungsgeräten (→ Bewässerung), die die Griechen zuerst in hell. Zeit in Ägypten kennengelernt und dann durch eine Reihe technischer Erfindungen weiterentwickelt hatten (vgl. Vitr. 10,4–5).

## II. Die Anfänge der theoretischen Mechanik

Der Begriff *mēchanḗ* bedeutete urspr. ausschließlich »Mittel« und »List«, unabhängig davon, ob ein solches Mittel geistiger oder instrumenteller Art war. Daneben hatte sich in der 2. H. des 5. Jh. v. Chr. eine speziellere Wortbedeutung entwickelt; *mēchanḗ* bezeichnete nunmehr über eine geschickte Anwendung von Werkzeugen (Aischyl. Pers. 722; Hdt. 1,94,6) und das Produkt einer solchen geschickten Anwendung (Aischyl. Pers. 114: Schiff, Brücke) hinaus das Werkzeug und die Verbindung von Werkzeugen (Hdt. 2,125,2: ein Hebegerät; vgl. Aristoph. Pax 174 für den Bereich des Theaters). Ärzte verwendeten im 5. Jh. v. Chr. bereits mechan. Instrumente wie Winde, Hebel oder Keil, deren Wirkung meist noch verbal umschrieben wurde (vgl. etwa Hippokr. de Fracturis 31).

Die älteste erhaltene Schrift zur M. sind die *Problemata mechanica* des Aristoteles [6]. Sie sind im Gegensatz zu späteren mechan. Werken noch nicht axiomatisch aufgebaut, sondern gehen ähnlich wie frühe mathematische Schriften gemäß der Problemata-Methode vor. Ausgangspunkt der Schrift ist das Phänomen verbundener, ungleich großer konzentrischer Kreise, die etwa als Räder auf einer Welle feststehen und von denen der jeweils äußere (größere) von derselben Kraft schneller bewegt wird als jeder innere, kleinere Kreis. In einer geom. Analyse werden die Bewegungen der Kreise als zusammengesetzt aus einer natürlichen (Schwere) und einer gewaltsamen, widernatürlichen Komponente erwiesen, die Resultierende damit als insgesamt (für den schweren Körper) widernatürlich und künstlich. Im Kreis an sich, der die Gegensätze in sich vereint, wird das Prinzip der Ursache für die Wirkweise verbundener konzentrischer Kreise gesehen. Durch die Rückführung auf dieses Ausgangsproblem wird dann die Wirkweise zahlreicher anderer Geräte und Instrumente erklärt, z. B. → Waage und Hebel, indem die Hebel- bzw. Waagearme mit den Radien unterschiedlich großer Kreise gleichgesetzt werden, aber auch Keil, Rolle, Winde (Wellrad), Schleuder und Segel.

Von entsprechend ihren Radien einander übertreffenden feststehenden Kreisen spricht bereits Platon um 350 v. Chr. (Plat. leg. 893cd); nach Diogenes Laërtios soll der Pythagoreer Archytas [1] aus Tarentum (4 Jh. v. Chr.) eine Schrift *Perí mēchanḗs* (Περὶ μηχανῆς) verfaßt und ›als erster mechan. Instrumente (τὰ μηχανικά/*ta mēchaniká*) unter Heranziehung mathematischer Prinzipien methodisch behandelt‹ haben. Wahrscheinlich hat Archytas damit das erste theoretische Werk zur M. verfaßt, wobei er ebenfalls von einer Analyse feststehender Kreise ausging; es werden ihm außerdem mechan. Erfindungen zugeschrieben (Gell. 10,12,9f.). Die Unterscheidung zwischen dem Pythagoreer Archytas und einem Architekten gleichen Namens bei Diogenes Laërtios wäre damit hinfällig.

## III. Einzelne Disziplinen der Mechanik

A. Die mechanische Technik B. Pneumatik C. Der Bau von Katapulten und Belagerungsgeräten

### A. Die mechanische Technik

Über einen neuen Ansatz zur Analyse feststehender Kreise (Rollen, über die Seile mit Gewichten geführt werden) überwand → Archimedes [1] die dynamische Betrachtungsweise der aristotelischen M. und ersetzte sie durch eine statische Betrachtung der Ruhe in Gleichgewichtslage. Innerhalb der *Elementa mechanica*, die aus Exzerpten in den arab. überl. *Mēchaniká* des → Heron von Alexandreia weitgehend im Wortlaut zu rekonstruieren sind, werden hierfür in streng axiomatischer Anordnung nach und nach die Grundlagen geschaffen, ausgehend von der Definition des Schwerpunktes und seiner Bestimmung in unterschiedlichen Körpern und Flächen. Die Ausführungen beginnen mit der eigentlichen Statik eines von unterschiedlich angeordneten Säulen getragenen starren Balkens (›Über Stützen‹), der in der anschließenden Abh. ›Über Waagen‹ als in der Mitte aufgehängter Waagebalken mit unterschiedlich angeordneten Aufhängepunkten für Waagschalen fungiert und schließlich zur Erklärung der festen Rolle dient. Es werden dann analytisch einzelne einfache Maschinen abgeleitet und in ihrer Wirkweise statisch erklärt: Hebel und Waage, Rolle und Welle (→ Winde), Keil und → Schraube (als gewundener Keil) sowie Flaschenzug (Vitr. 10,3); Schraube und Flaschenzug wurden wahrscheinlich von Archimedes auf dieser theoretischen Grundlage erfunden, während das

Zahnrad eine Erfindung des Ktesibios ist. Diese einfachen Maschinen, die noch durch die schiefe Ebene ergänzt wurden, wurden dann bei Heron von Alexandreia zu komplexen Maschinen mit dem Ziel, eine gegebene Last durch eine gegebene, kleinere Kraft zu heben, kombiniert. Derartige zusammengesetzte Maschinen sind vor allem Hebezeuge (→ Hebegeräte mit Abb.), Kräne (Heron, Mechanica 3; Vitr. 10,2), Zugmaschinen in der Art eines Getriebes mit Zahnradübertragung zwischen mehreren Wellen (Heron, Mechanica 1,1) und auch die verschiedenen durch fließendes Wasser oder Lebewesen angetriebenen → Mühlen und Wasserschöpfmaschinen bis hin zur Archimedischen Schraube (Vitr. 10,4–6), letztlich sogar die stehenden und fahrbaren → Automaten (Wunderwerke), bes. wenn der Antrieb aus dem Gewicht fester Körper resultiert. Eine Zusammenfassung der M. bietet nach Heron um 300 Pappos (collectio 8).

B. Pneumatik

Die → Pneumatik ist nach arab. Autoren, denen die griech. Werke noch vollständig vorlagen, die Wiss. von den pneumatischen Instrumenten, deren Konstruktion auf der Annahme beruht, daß ein leerer Raum von der Natur vermieden wird. Pneumatische Instrumente bewegen mit Hilfe der Luft Flüssigkeiten in umschlossenen Gefäßen gegen ihre Natur. Die Definition und Begründung der Pneumatik geht auf → Ktesibios [1] zurück, der die Arbeitsfähigkeit von Luft aufgrund ihrer Körperhaftigkeit entdeckte und zum Ausgangspunkt für die Konstruktion pneumatischer Geräte machte – vom einfachen Stechheber über Vexierbecher und Trinkgefäße bis hin zu komplexen Erfindungen wie der Feuerspritze (*Ctesibii machina*: Vitr. 10,7).

C. Der Bau von Katapulten und Belagerungsgeräten

Der Bau von → Katapulten begann unter Dionysios [1] I. (405–367 v.Chr.), der hierzu viele Techniker (τεχνῖται), darunter Pythagoreer aus Unteritalien, nach Syrakus berufen hatte (Diod. 14,41 ff.), und nahm eine rasche Entwicklung von einfachen zu leistungsstarken Waffen, die lange Pfeile oder mehrpfündige Steine über weite Strecken trugen und deren Konstruktion vor allem auf Vergrößerung beruhte. Die Abmessungen der Katapulte wurden im Auftrag der ersten beiden Ptolemaier in Alexandreia nach aufwendigen Versuchen von Technikern (unter ihnen Ktesibios) optimiert (Philon von Byzanz, Belopoiika; Vitr. 10,10f.). Zum Aufgabenfeld von Technikern und Mechanikern gehörte außerdem der Bau von Belagerungsmaschinen und Belagerungstürmen (→ Poliorketik), die zuerst erfolgreich auf den Feldzügen Alexanders und in den Diadochenkriegen eingesetzt wurden (Vitr. 10,13 ff.).

→ Mechanische Methode; Mechanik

1 F. De Gandt, Force et science des machines, in: J. Barnes u.a. (Hrsg.), Science and Speculation, Studies in Hellenistic Theory and Practice, 1982, 96–127 2 A.G. Drachmann, Ktesibios, Philon and Heron. A Study in Ancient Pneumatics, 1948 3 Ders., Fragments from Archimedes in Heron's Mechanics, in: Centaurus 8, 1963, 91–146 4 Ders., The Mechanical Technology of Greek and Roman Antiquity, 1963 5 B. Gille, Les mécaniciens grecs, 1980 6 G.H. Knutzen, Technologie in den hippokratischen Schriften περὶ διαίτης ὀξέων, περὶ ἀγμῶν, περὶ ἄρθρων ἐμβολῆς (AAWM 1963, 14), 1964 7 F. Krafft, Die Anfänge einer theoretischen Mechanik und die Wandlung ihrer Stellung zur Wiss. von der Natur, in: W. Baron (Hrsg.), Beitr. zur Methodik der Wissenschaftsgesch., 1967, 12–33 8 Ders., Heron von Alexandria, in: K. Fassmann (Hrsg.), Die Großen der Weltgesch. 2, 1972, 333–379 9 Ders., Dynamische und statische Betrachtungsweise in der ant. Mechanik, 1970 10 E.W. Marsden, Greek and Roman Artillery: Historical Development, 1969 11 Ders., Greek and Roman Artillery: Technical Treatises, 1971 12 H. Schneider, Das griech. Technikverständnis, 1989 13 I. Schneider, Archimedes, 1979 14 A. Schürmann, Griech. Mechanik und ant. Gesellschaft, 1991. F.KR.

**Mechanische Methode.** Aus der ›Methodenlehre‹ (Ἔφοδος) des → Archimedes [1] kennen wir seine m.M., mit deren Hilfe er geometrische Formeln herleitet. Um Flächen von zwei Figuren zu vergleichen, zerlegt er jede von ihnen in unendlich viele parallele Strecken und balanciert sie auf einer Waage. An einen Waagebalken wird die eine Fläche in einem Punkt, also als Ganzes, aufgehängt. Auf der anderen Seite der Waage wirkt die Fläche auf den ganzen Balken, d.h. jede Schicht bleibt, wo sie ist, und wirkt mit einem anderen Hebelarm ein. Wenn jedes einzelne Paar unendlich dünner Schichten (Strecken) im Gleichgewicht ist, so gilt dies auch für die Fläche als Ganzes, die als Summe der unendlich vielen parallelen Strecken gedacht wird. Analog verfährt Archimedes bei der Volumenbestimmung von Körpern, die er in unendlich dünne Flächen zerlegt. Auf diese Weise kommt er u.a. zu Formeln für die Fläche eines Parabelsegments und für das Volumen einer Kugel. Archimedes weist ausdrücklich darauf hin, daß es sich bei der m.M. lediglich um ein heuristisches Verfahren handelt, das zum Beweis nicht ausreicht. Die auf diese Weise hergeleiteten Formeln werden an anderer Stelle mit Hilfe exakter infinitesimaler Methoden bewiesen. Die m.M. des Archimedes ähnelt der Indivisibelnmethode, mit deren Hilfe B. Cavalieri und andere Mathematiker im 17. Jh. Flächen- und Volumenbestimmungen vornahmen.

→ Archimedes [1]; Mathematik

1 O. Becker, Das mathematische Denken der Ant., 1957, 109–110 2 B.L. van der Waerden, Erwachende Wissenschaft, 1956, 354–361. M.F.

**Meclodunum.** Stadt der → Senones auf einer Insel der Sequana (Seine). Caesar (Gall. 7,58,2; 6; 60,1; 61,5) kennt zwei Formen: M. (»Burg von Metlos«) und Metlosedum (»Wohnsitz von Metlos« = »der Mäher«); h. Melun. Metlosedum ist wohl die kelt., M. die lat. Form. Bei M. führte eine Brücke über die Sequana (Caes. Gall. 7,58,5). Belegstellen: Itin. Anton. 383; Tab. Peut. 2,4. Inschr.: CIL XIII 3010. Y.L.

**Meda** (Μήδα).

**[1]** Frau des → Idomeneus [1], den sie während seiner Abwesenheit mit Leukos [3] betrügt, von dem sie später mit ihrer Tochter Kleisithyra ermordet wird (Apollod. epit. 6,9; Tzetz. schol. Lykophr. 384; 1093; 1218).

TH. GANTZ, Early Greek Myth: A Guide to Literary and Artistic Sources, 1993, 607, 697–698.

**[2]** Tochter des → Ikarios [2], Schwester der Penelope (schol. Hom. Od. 4,797).

**[3]** Tochter des Phylas, von Herakles Mutter des Antiochos, des Heros der 10. attischen Phyle → Antiochis [1] (Paus. 1,5,2; 10,10,1). I. BAN.

**Medaba** (hebr. *mêdᵉbā*, moabitisch *mhdbʿ*, arab. *Mādebā*, griech. Μήδαβα, »sanft fließendes Wasser«). Ortschaft im ostjordanischen Hochland am → Königsweg, 33 km südl. von Amman. Besiedlungsspuren reichen bis in die Mittel-Brz. II zurück; in der frühen Eisenzeit sind nur Gräber bezeugt. Im 9. Jh. v. Chr. war M. in israelitischem Besitz und wurde vom Moabiterkönig Meša (→ Moab) erobert und ausgebaut (Jos 13,9; Nm 21,30; KAI 181, 7 ff., 30). Im 2. Jh. v. Chr. war M. in der Hand der *Bᵉnê ʿAmrat* (1 Makk 9,36 ff.) oder Aramäer (Ios. ant. Iud. 13,1,2 ff.) und geriet in der Folgezeit zunächst unter hasmonäische (Hyrkanos I.; Ios. ant. Iud. 13,9,1; 15,4; 14,1,4; Ios. bell. Iud. 1,2,6), ab 69 v. Chr. unter nabatäische Herrschaft. Seit 106 n. Chr. ist eine jüd. Gemeinde (mMiq 13,9,16) und die Zugehörigkeit zur röm. Provinz Arabia (Eus. On. 128,19f; 104,11) mit eigener Polisverfassung und Münzrecht bezeugt. Im 5. Jh. n. Chr. war M. Bischofssitz und entwickelte seine christl.-byz. Kultur, bes. die Mosaikkunst, bis zur Eroberung durch die Araber im 7. Jh. Eine Wiederbesiedlung erfolgte erst im späten 19. Jh. Die Ausgrabungen haben Säulenstraße, Forum, Stadtmauer, Inschr., mehrere Kirchen und zahlreiche Mosaikfußböden freigelegt. Berühmtes Zeugnis der Blütezeit ist die Mosaikkarte von M. aus der 2. H. des 6. Jh.: eine Darstellung der Geographie Palaestinas und des östl. Nildeltas auf 50 m² Fläche, die im Jahre 1884 entdeckt wurde.

H. DONNER, H. CÜPPERS, Die Mosaikkarte von Madeba 1, 1977 • M. PICCIRILLO, s. v. Medeba, Anchor Bible Dictionary 4, 1992, 656–658 • Ders., Chiese e Mosaici di Madaba, 1989 • W. ZWICKEL, s. v. Madeba, Neues Bibel-Lex. 2, 1995, 683–684. TH. PO.

**Medaillon.** Mod. t.t. zur Bezeichnung bes. schwerer und großer Mz. bzw. münzähnlicher Stücke aus Gold, Silber oder Bronze von höherer künstlerischer Qualität. Im griech. Bereich begegnen M. nur in der röm. Kaiserzeit, die Bezeichnung des → *dekádrachmon* als M. ist veraltet. M. wurden wie Mz. im Rahmen der staatlichen Münzhoheit geprägt, waren aber nicht für den Geldumlauf vorgesehen. Die in Gold geprägten M. basieren auf dem Münzfuß (→ Münzfüße) und sind Multipla des → Aureus bzw. des → Solidus. Die silbernen M. folgen nur teilweise dem Münzfuß, die bronzenen nie. Die Edelmetall-M. können somit durchaus in den Geldumlauf eingeflossen sein. Die M. dienten zu Geschenkzwecken bei bes. Anlässen, rel. Festen, zu Neujahr oder festlichen Ereignissen im Kaiserhaus wie Geburt, Heirat (Lucilla-Lucius Verus, Salonina-Gallienus) oder auch Tod (Faustina I., Gemahlin des Antoninus Pius). Andere Darstellungen beziehen sich auf die → *profectio*, *fortuna redux* (→ Fortuna) oder den → *adventus* des Kaisers, auf kaiserliche Tugenden oder Siege (*victoria Augusti*). Die Empfänger der M. waren offizielle Kreise, die rangmäßig abgestuft waren, wie die verschiedenen Größen und unterschiedlichen Metalle nahelegen. In die Zeit von Antoninus [1] Pius bis Diocletian gehören die selteneren bimetallischen M. mit einem in der Regel inneren Kern aus Kupfer und einem äußeren Rand aus Messing. Gold- und Silber-M. sind im 1. und 2. Jh. noch selten, im 3. Jh. häufiger, die meisten datieren in das 4. und 5. Jh. Eine besondere Gruppe bilden die in den Schatzfunden von Tarsos und Abukir gefundenen Gold-M. aus dem 2. und 3. Jh., die als Siegespreise bei Festspielen vergeben wurden. Auf einem Teil finden sich Darstellungen Alexanders d.Gr. Im weiteren Sinne sind auch die → Kontorniaten zu den M. zu zählen.

→ Aureus; Dekadrachmon; Kontorniaten; Münzfüße; Solidus; MEDAILLON

F. GNECCHI, I medaglioni romani, 1912 • J. M. C. TOYNBEE, Roman Medallions, 1944 • SCHRÖTTER, 382 f. • K. CHRIST, Ant. Numismatik, 1972, 86 ff. • GÖBL, Bd. 1, 30 f. GE. S.

**Meddix** (osk. *medìss*). Bezeichnung bei den Oskern (→ Osci) und Volskern (→ Volsci) für den Beamten (Fest. 123), die etym. lat. *iudex* entspricht. Wenn damit der Obermagistrat einer *touta*, »(Gesamt-)Volk«, gemeint ist, wird gelegentlich (so z. B. bei den Campanern, Liv. 24,19,2) zu dem *m.* ein *tuticus* hinzugefügt (entsprechend *magistratus populi* bzw. *publicus*). Bei → Ennius [1] (ann. 298) gibt es neben dem *summus meddix* (= *m. tuticus*?) einen *alter meddix*, möglicherweise den eines → *pagus*. Daneben scheint es Spezial-*meddices* mit Beinamen gegeben zu haben (vgl. [1] s. v.).

Normalerweise dürfte es sich um ein einstelliges Amt gehandelt haben, das – im Gegensatz zur röm. Dictatur, mit der es des Titels wegen verglichen wurde – ein reguläres und in manchen Orten (z. B. Capua) auch eponymes Jahresamt war. Neben der Rechtsprechung und dem Oberbefehl im Krieg waren die *m.* nach den Inschr. auch für die Bauten verantwortlich. In späteren Inschr. wie dem Stadtgesetz von → Bantia ist die Terminologie deutlich von der röm. beeinflußt [2. 24].

**1** J. UNTERMANN, Osk. Wörterbuch (im Druck)
**2** M. CRAWFORD (Hrsg.), Roman Statutes, 1996, Bd. 1.

ST. WEINSTOCK, s. v. *m.*, RE 15, 26–29 • Ders., Zur osk. Magistratur, in: Klio 24, 1931, 235–246 • E. T. SALMON, Samnium and the Samnites, 1967, 84–101. H. GA.

**Medeia** (Μήδεια, lat. Medea). In → Aia/Kolchis (M. Αἰαίη: Apoll. Rhod. 3,1136) als Tochter des Helios-Sohnes und Kirke-Bruders → Aietes und der Okeanide → Idyia (Hes. theog. 956ff., 992ff., Apollod. 1,129) oder der → Hekate (Diod. 4,45,3) geboren; Schwester von → Chalkiope [2] und → Apsyrtos [1] (Apollod. 1,83.132); Verlobte des Styrus (Val. Fl. 5,257f.), Frau → Iasons [1] und von ihm Mutter des Medeios (Hes. theog. 1001) oder des → Mermeros und Pheres (Apollod. 1,146). Danach Frau des → Aigeus und Mutter des Medos (Apollod. 1,147); auf den Inseln der Seligen Gattin des → Achilleus [1] (Apollod. epit. 5,5; Ibykos fr. 291; Sim. fr. 558 PMG; Lykophr. 174; Apoll. Rhod. 4,811ff.) [1].

M. ist eng mit dem Argonauten-Mythos verbunden. Von Hera mit Hilfe Aphrodites in Liebe zu Iason versetzt (Pind. P. 4,213ff.; schol. Eur. Med. 527; Apoll. Rhod. 3,7ff. 275ff.; Val. Fl. 6,455ff.), hilft M. ihm dafür, daß er ihr die Ehe verspricht, bei den für die Herausgabe des Goldenen Vlieses von Aietes gestellten Aufgaben (Apollod. 1,129–131; → Iason) und flieht mit ihm aus Kolchis. Um die Verfolger aufzuhalten, zerstückelt M. ihren Bruder Apsyrtos (Pherekydes FGrH 3 F 32; Apollod. 1,133 [2. 83ff.]; bei Apoll. Rhod. 4,421ff. lockt sie ihn in eine tödliche Falle). Wegen des Grolles des Zeus müssen M. und Iason durch → Kirke vom Mord entsühnt werden (Apollod. 1,134; Apoll. Rhod. 4,557ff.). Vor der Auslieferung an ihre Verfolger wird M. durch eine List der Phaiakenkönigin → Arete [1] bewahrt: die sofortige Heirat M.s mit Iason (Apollod. 1,137f.; Apoll. Rhod. 4,1004ff.). M. bezwingt den ehernen → Talos (Apollod. 1,140f.; Apoll. Rhod. 4,1638ff.).

Nach der Rückkehr in Iasons Heimat → Iolkos rächt M. sowohl Hera durch Verführung der Pelias-Töchter zum Vatermord (Apollod. 1,144; Soph. Rizotomoi fr. 534ff. TrGF 4; Eur. Peliades fr. 601ff. TGF) als auch Iason, dessen Eltern und Bruder von → Pelias in den Tod getrieben worden sind (nach Nostoi fr. 7 PEG I; Ov. met. 7,162ff. verjüngt M. → Aison [1], bei Pherekydes FGrH3 F 113, Sim. fr. 548 PMG Iason). Daraufhin vertreibt → Akastos M. und Iason aus Iolkos (Apollod. 1,14f.; Diod. 4,50ff.). Die beiden müssen nach Korinth ins Exil gehen. M. hat von Iason zwei Söhne.

Hier setzen die frühen, noch in das mythograph. Hdb. des Pherekydes/Apollod. eingeflossenen Epen an: Schon Kreophylos (PEG I 161: 7. Jh.) fr. 9 kennt M. als Mörderin des korinth. Königs → Kreon [2], ihre Flucht ohne ihre Kinder und Iason nach Athen (vgl. Hdt. 7,62,1: voreuripideisch [3. 114 Anm. 1]), d. h. ein Zerwürfnis mit Iason wohl wegen seiner Verbindung mit der Königstochter, die Tötung der Kinder durch die Korinther sowie das Gerücht von M.s Kindermord (vgl. Apollod. 1,145f.). Der korinth. Epiker → Eumelos [5] (PEG I 108: 8. Jh.) machte Aietes gar zu einem gebürtigen Korinther (fr. 3; Pind. O. 13,53f.), so daß M. als Thronerbin mit Iason aus Iolkos nach Korinth gehen konnte (fr. 5; Sim. fr. 545 PMG; Apollod. 1,145f.). Aber da außer den beiden Söhnen Mermeros und Pheres keine weitere korinth. Nachkommenschaft von Iason und M. belegt ist, mußte im Epos das Brüderpaar wieder aus Korinth entfernt werden: So kommen die Kinder bei M.s oder (aus Dank für das von M. abgewiesene Liebeswerben des Zeus, schol. Pind. O. 13,74g) Heras Versuch, sie im Tempel der Hera → Akraia [2] unsterblich zu machen, ums Leben (Eumelos fr. 5 PEG); eine andere Version besagt, die Korinther hätten die von M. bei der Flucht im Tempel zurückgelassenen Kinder getötet (Apollod. 1,146; Parmeniskos schol. Eur. Med. 264; vgl. Eur. Med. 1379ff.). M. flieht aus Korinth auf dem von Schlangen gezogenen Wagen ihres Großvaters Helios (Apollod. 1,147); in Athen wird sie Frau des → Aigeus und Mutter des Medos (Apollod. 1,147; vgl. Eur. Med. 663ff.; bei Diod. 4,54,7 flieht M. zuerst nach Theben zu Herakles). Nach mißglücktem Mordanschlag auf Aigeus' Sohn → Theseus (Eur. Aigeus fr. 1ff. TGF) kehrt M. mit Medos in die Heimat zurück, wo sie nach Tötung des → Perses Aietes wieder in die Herrschaft einsetzt (Apollod. 1,147) und die Meder nach sich benennt (Hdt. 7,62,1). Nach ihrem irdischen Dasein wird M. als Göttin Frau des Achilleus auf den Inseln der Seligen (Apollod. epit. 5,5).

M. ist eine Schöpfung für den thessal. Argonautenmythos [4. 18ff.]. Ihr Wesen erklärt sich aus ihrer Herkunft aus Kolchis, dem Zauberland *par excellence*, sowie der Tatsache, daß die Helios-Deszendenz generell mit → Magie verbunden ist; Homer formt seine Kirke nach M. (Strab. 1,2,40). Das Märchen von der hilfreichen Königstochter, die dem fremden Jüngling gegen den eigenen Vater beisteht [2. 149ff.; 5. 167; 6. 325ff.], liegt schon der ältesten Fassung nur bedingt zugrunde, da M. hier allein als Werkzeug der Rache Heras an Pelias dient (zwischen diesem als rechtmäßigem Herrscher und Iason besteht keine Feindschaft; Pherekydes FGrH 3 F 105; Apollod. 1,109; Pind. P. 4,250; Apoll. Rhod. 3,66ff. 1134ff.; schol. Eur. Med. 527 [4. 12ff.]), M. zudem selbst Göttin ist (Hes. theog. 956ff., fr. 376; Alkm. fr. 163 PMG; Apollod. 1,129; Musaios 455 F 2 [7. 234f.]), deren Verbindung mit einem Sterblichen durch den nach ihr benannten Sohn Medeios offenbar wird [4. 25ff.] und die nach dem irdischen Dasein im → Elysion lebt. So sind auch eine »*M. initiatrix*« [2. 39ff.] sowie Gründungsheroine [2. 71ff.] bzw. Prophetin/Muse M. [2. 103ff.] nicht belegbar, denn Pind. P. 4 prophezeit M. die Gründung Kyrenes nur in Vertretung Delphis [4.262f.].

Lit. nicht belegt, zudem ökonomisch überflüssig ist die Aufspaltung der M.-Gestalt in eine thessal. (bzw. aiaiisch-kolch.) und eine korinth. Heroine [1. 48ff.], an deren Stelle eine kindertötende Hera als »*reproductive demon*« getreten sei [2. 57ff.]; die Verpflanzung der von Anfang an mit Hera verbundenen M. nach Korinth war begünstigt durch den dortigen Kult der Hera Akraia und ihre Tempellegende mit den Gräbern von zweimal 7 Heroen [2. 46ff.; 5. 173ff.; 7. 230f., 240ff., 322f.] sowie den Helioskult [8. 64].

Den Kindermord haben dann Neophron (TrGF 1 Nr. 15) und (gemäß Dikaiarchos fr. 63 WEHRLI; Aristot. fr. 635) nach ihm vor allem → Euripides (Med. 1271 ff.) auf die att. Bühne gebracht, von wo er untrennbar mit M.s Namen in die röm. (Sen. Med. 969ff.; Val. Fl. 5,442ff.; vgl. aber Ov. met. 7,1–424; Ov. epist. 12) und in die Welt-Lit. einging [2. 297ff.; 6; 9], bis hin zum Roman Christa WOLFS [10]. Zu M. in der Kunst s. [1. 56–64; 2. 253ff.; 10. 127ff.; 11; 12. 91–100; 13; 14]. → Argonautai; Euripides [1] (B. 2.; D. 2.)

**1** A. LESKY, s. v. M./Medeios, RE 15, 29–65 **2** J.J. CLAUSS, S.I. JOHNSTON (Hrsg.), Medea: Essays on Medea in Myth, Literature, Philosophy, and Art, 1997 **3** U. v. WILAMOWITZ-MOELLENDORFF, Die griech. Heldensage, (SPrAW 1925), in: KS 5.2, 85–126 **4** P. DRÄGER, Argo pasimelousa, Bd. 1, 1993 **5** U. v. WILAMOWITZ-MOELLENDORFF, Griech. Trag., III, [7]1926 **6** K. v. FRITZ, Die Entwicklung der Iason-Medea-Sage und die Medea des Euripides, in: Ant. und mod. Trag., 1962, 322–429 **7** U. v. WILAMOWITZ-MOELLENDORFF, Hell. Dichtung, Bd. 2, [2]1962 **8** O. JESSEN, s. v. Helios, RE 8, 58–93 **9** W.-H. FRIEDRICH, Medeas Rache, in: E.-R. SCHWINGE (Hrsg.), Euripides, 1968, 177–237 **10** M. HOCHGESCHURZ (Hrsg.), Christa Wolfs Medea, 1998 **11** H. MEYER, Medea und die Peliaden, 1980 **12** M. VOJATZI, Frühe Argonautenbilder, 1982 **13** M. SCHMIDT, s. v. M., LIMC 6.1, 386–398 **14** E. KEPETZIS, Medea in der Bildenden Kunst vom MA zur Neuzeit, 1997.

A. LESKY, s. v. M./Medeios, RE 15, 29–65 • J.J. CLAUSS, S.I. JOHNSTON (Hrsg.), Medea: Essays on Medea in Myth, Literature, Philosophy, and Art, 1997. P.D.

**Medeios** s. Medeia

**Medeon**

**[1]** (Μεδεών; Ethnikon Μεδεώνιος). Phokische Stadt im Ostteil des Golfes von Antikyra [2] (Strab. 9,2,26; Paus. 10,36,6; Hdt. 1,38,21; Steph. Byz. s. v. M.), lokalisiert in dem befestigten Zentrum, von dem auf dem Hügel von h. Hagioi Theodoroi (Akropolis von M.) und im umliegenden Gebiet ansehnliche Überreste existieren: ein Teil des Mauerrings mit drei Türmen; außerhalb der Mauer, im NO am Hang des Hügels, Nekropole mit etwa 100 Gräbern. Ihre Datierung läßt eine Überprüfung der Besiedlung des Ortes von der FH-Zeit bis zum 2. Jh. n. Chr. zu: Unterbrechung in der Brz., Expansionsphase zw. dem 9. und 8. Jh. v. Chr., seit dem 7. Jh. v. Chr. andauernder Niedergang (sicher im Zusammenhang mit dem gleichzeitigen Aufstieg von → Delphoi; vgl. die spärlichen Zeugnisse für das 5. Jh. v. Chr., das Urteil bei Paus. 10,3,2). Gefunden hat sich außerdem ein Tholos-Grab aus myk. Zeit, das vom 8. bis zum 6. Jh. v. Chr. als Kultstätte verwendet wurde [1. 29f.; 2. 219–221; 3]. Im 2. Jh. v. Chr. durch → *sympoliteía* mit → Stiris vereinigt (IG IX,1,32; Syll.[3] 647). Seit dem 1. Jh. v. Chr. war M. verlassen, Pausanias sah die Ruinen (10,36,6). Es fanden sich auch Reste von Thermen (3. Jh. n. Chr.), die wohl zu der im 6. Jh. n. Chr. zerstörten röm. *villa* (mit Fußbodenmosaiken) in der Ebene unterhalb der Akropolis gehörten. Im 9. Jh. wurde das Gebiet von M. durch einen Klosterkomplex überbaut.

**1** C. VATIN, Médéon de Phocide, 1969 **2** P. G. THEMELIS, in: ASAA 61, 1983, 213–255 **3** C. MORGAN, Athletes and Oracles, 1990, 118–126, bes. 123f.

F. SCHOBER, Phokis, 1924, 36f. • W. KROLL, s. v. M, in: RE 15, 65f. • C. VATIN u. a., Médéon de Phocide, 1976 • N. D. PAPACHATZIS, Παυσανίου Ἑλλάδος Περιήγησις 5, 1981, 444–446 • J. M. FOSSEY, The Ancient Topography of Eastern Phokis, 1986, 11, 26–29 • K. BRAUN, s. v. M., in: LAUFFER, Griechenland, 410f. G.D.R./Ü: H.D.

**[2]** (Μεδεών). Schon bei Hom. Il. 2,501 gen. boiot. Stadt (Plin. nat. 4,26; Dionysios Kalliphontos 99, GGM 1; Stat. Theb. 7,260; Nonn. Dion. 13,66; Steph. Byz. s. v. M.); zeitweilig nach dem Berg Phoinikis (h. Phagas oder Sphingion) benannt, an dessen Nordseite M. in der Nähe von Onchestos im Grenzgebiet zw. Thebai und Haliartos auf einem h. Kastraki gen. Hügel beim h. Davlosis lokalisiert wird (Strab. 9,2,26; 3,13); Siedlungsspuren und Reste der Befestigung noch sichtbar.

FOSSEY, 312–314 • E. KIRSTEN, s. v. Phoinikis, RE 20, 1308f. • S. LAUFFER, M., in: MDAI(A) 63/4, 1938/9, 177–185 • P. W. WALLACE, Strabo's Description of Boiotia, 1979, 109. P.F.

**[3]** s. Medion

**Meder** (Μῆδοι, altpers. *Māda*, lat. *Medi*). Ethnolinguistisch als westiran. zu definierende Bevölkerung, deren nw.-iranische Sprache nur indirekt durch Lw. und Namen in der Nebenüberl. (achäm. Königsinschr., neubabylon. und neuassyr. Keilschrifttexte) vom 9. Jh. an bezeugt ist. Zuerst 835 v. Chr. als Feinde der Assyrer in den Annalen → Salmanassars III. erwähnt, machten die offenbar polit. nur locker verbundenen Stämme der M. bzw. deren Fürsten, von denen nur die im Westen Mediens lebenden zeitweilig unterworfen werden konnten, ihren mesopot. Nachbarn immer wieder zu schaffen und gaben unter ihrem »König« → Kyaxares [1] dem Assyrerreich Ende des 7. Jh. v. Chr. (zusammen mit den Babyloniern) schließlich gar den Todesstoß. In Kämpfen gegen die Lyder dehnten die M. bis 585 ihr Territorium bis zum → Halys aus (Hdt. 1,79). Als jedoch einige Jahrzehnte später Astyages dem Perser Kyros [2] unterlag, wurden die M. Untertanen der → Perser.

Angesichts der nur begrenzten Informationen der mesopot. Zeugnisse über die ›fernen M.‹ – denen der ausführliche Bericht Herodots über die med. Reichsbildung (1,95–106) gegenübersteht – und des gleichfalls bislang nur unzureichenden arch. Befundes (Godīntappe, Tappe Nūš-e Ǧān, Bāb Ǧān aus dem 7. Jh.) wird in der Forschung heftig über die polit. Ordnung der M. (Stammesföderation oder Reichsbildung) sowie über das Ausmaß des Erbes med. Institutionen im Perserreich gestritten [1; 2; 5. 60–62; 7; 8]. Nicht einig ist man sich auch über die Gründe für die Benutzung der Bezeichnung M. für die Perser (vgl. τὰ Μηδικά, Μηδισμός) in

der griech. Lit. [5; 9]. Methodisch und inhaltlich unterschiedlich fallen auch die Definitionen der »med. Kunst« aus [4; 6. 62–64]. Die Tracht der M. (Hosen; enganliegendes, fast knielanges Ärmelgewand; Akinakes; weiche, leicht nach vorn geneigte Tiara mit hochgebundenen Ohrenklappen) kennzeichnete auch Nicht-M. sowie den pers. Großkönig (im Kriege?; allerdings mit »aufrechter Tiara«) [3].
→ Media

1 S. Brown, The Medikos Logos of Herodotus and the Evolution of the Median State, in: AchHist 3, 1988, 71–86 2 Ders., Media and Secondary State Formation in the Neo-Assyrian Zagros, in: JCS 38, 1986, 107–119 3 P. Calmeyer, s. v. M., Tracht der, RLA 7, 615–617 4 Ders., s. v. M., Kunst, RLA 7, 618–619 5 D. F. Graf, Medism, in: JHS 104, 1984, 15–30 6 O. W. Muscarella, Miscellaneous Median Matters, in: AchHist 8, 1994, 57–64 7 H. Sancisi-Weerdenburg, Was There Ever a Median Empire?, in: AchHist 3, 1988, 197–212 8 Dies., The Orality of Herodotus' *Medikos Logos* or: the Median Empire Revisited, in: AchHist 8, 1994, 39–55 9 Ch. Tuplin, Persians as Medes, in: AchHist 8, 1994, 235–256. J. W.

**Medesikaste** (Μηδεσικάστη).
**[1]** Tochter des troianischen Königs → Priamos von einer Nebenfrau (Apollod. 3,153), Gemahlin des Imbrios von Pedaion (Hom. Il. 18,171 ff.). M. wird auf Bildern in der → Lesche in Delphi unter den gefangenen Troerinnen dargestellt (Paus. 10,25,9 f.).
**[2]** Tochter des → Laomedon [1], Schwester des Priamos. Als Kriegsgefangene auf der Fahrt nach Griechenland stecken M. und ihre Schwestern Aithylla und Astyoche die Schiffe in Brand (Apollod. epit. 6,15c; Tzetz. schol. Lykophr. 921; 1075).

Th. Gantz, Early Greek Myth: A Guide to Literary and Artistic Sources, 1993, 701. I. BAN.

**Media.** In neuassyr. Zeugnissen als KUR *Ma-da-a-a* bezeichnete Region in NW-Iran mit geogr. nicht exakt zu beschreibenden und histor. wechselnden Grenzen, als deren polit. Zentrum → Ekbatana hervortritt. M. war in histor. Zeit vor allem von ethnolinguistisch als iran. zu beschreibenden Bevölkerungsgruppen (→ Medoi) bewohnt. Von den klass.-griech. Zeugnissen eher vernachlässigt, gerät die Geographie von M. seit der Alexanderzeit stärker in den westl. Blick. Polybios rühmt die strategisch bes. günstige Lage, Größe, Ressourcen sowie Bevölkerungsreichtum und Tüchtigkeit der Bewohner dieser ›bedeutendsten Prov. Asiens‹ und erwähnt in diesem Zusammenhang auch die berühmte nisäische Pferdezucht (→ Nisa; Pol. 5,44 f.; 10,27; vgl. Diod. 17,110,6; Arr. an. 7,13,1; Strab. 11,13,7). Die Menschen werden als in Städten und Hunderten von Dörfern lebend sowie Ackerbau und Viehzucht betreibend vorgestellt (Diod. 19,32,1–3; 37,2; 39,1; 44,4; Strab. 11,9,1); nach Strab. 11,13,8 soll allein M. Atropatene (in NW-M.; zu seiner Zeit von »Groß-M.« getrennt), zusätzlich zu den Abgaben in Silber, dem Großkönig jährlich 4000 Maultiere, 3000 Pferde und 100000 Schafe geliefert haben, die mil. Ressourcen von M. Atropatene sind mit 10000 Reitern und 40000 Infanteristen angegeben (Strab. 11,13,2).

Auch wenn die administrative Ordnung M.s in achäm. Zeit unklar bleibt (Satrap Miturna/Hydarnes [1] unter Dareios I.: [3. PFa 18]; Oxydates (Arr. an. 3,20,3) und Atropates (Arr. an. 4,18,3) unter Alexander d.Gr.), spricht doch viel dafür, daß damals M. Atropatene (und Rhagai?: Diod. 19,44,4) satrapale Bezirke gewesen sind. Nicht nur in der Nähe von Ekbatana, sondern etwa auch in → Bīsutūn (im Distrikt von Kampanda: [3. DB II 27]) und an anderen Plätzen an den großen Heeresstraßen befanden sich *parádeisoi* (→ *parádeisos*) bzw. *stathmoí basilikoí* (Plut. Artoxerxes 25,1; → Königsstraße). Die wichtigste *via militaris* (Curt. 5,8,5) nach Osten verlief von Ekbatana aus über Rhagai, die »Kaspischen Pforten« und Hekatompylos nach Baktrien und Zentralasien (Arr. an. 3,19,1–2; 20,2 u.ö.); vom Zentralort aus bestanden aber auch Verbindungen nach Babylonien, Armenien und Kappadokien (Plut. Eumenes 16,1–2), in die Persis (durch die Gabiene) sowie nach Nordmesopot. (Arr. an. 3,16,1). M., genauer Groß-M., war eines der Kernländer des → Seleukiden- und des → Parther-Reiches (seleukid. und parth. Denkmäler in → Bīsutūn). M. Atropatene (h. Āẕarbaiǧān) mit ihrem Hauptort Gazaka, die seit 323 (Atropates) zumeist selbständig gewesen war, wurde wohl um 120 v. Chr. arsakidischer »Vasall«. In sāsānidischer Zeit war die Region Mād in verschiedene Prov. aufgeteilt, von denen Mād (mit den Distrikten/Diözesen Vastān [= Bīsutūn]/Bēṯ Madāyē und Nēmāvand [Nehāvand]/Nehāvand) sowie Hamadān (mit den Distrikten H./Diözese H. und Abhar) am besten bezeugt sind; in M. Atropatene lag mit Ādur ī Gušnasp eines der drei Hauptheiligtümer der Sāsāniden (mit gesonderter Verwaltung gegenüber der Prov. Ādurbādagān).

1 Briant, 757–761 2 R. Gyselen, La géographie administrative de l'empire sassanide, 1989, s. v. Mād 3 R. Kent, Old Persian, 1953 4 M. Schottky, M. Atropatene und Gross-Armenien in hell. Zeit, 1989 5 Ders., Quellen zur Gesch. von M. Atropatene und Hyrkanien in parth. Zeit, in: J. Wiesehöfer (Hrsg.), Das Partherreich und seine Zeugnisse, 1998, 435–472. J. W.

**Media Atropatene** s. Atropates; Media

**Medias teichos** s. Medische Mauer

**Medicina Plinii.** Lat. abgefaßte heilkundliche Slg., die in den Hss. einem sonst unbekannten Plinius Secundus Iunior zugewiesen wird. Von → Marcellus [8] Empiricus erwähnt, geht sie nach allg. Ansicht auf den Anf. des 4. Jh. n. Chr. oder etwas früher zurück.

Die Slg. beginnt mit der Absichtserklärung des Verf., Fälschungen von Medikamenten zu vermeiden, deren Bestandsliste er dann mit der jeweiligen Zusammensetzung vorlegt. Das Werk besteht aus drei B. B. 1–2: Medikamente, angeordnet nach den betreffenden Organen (die »von Kopf bis Fuß« inventarisiert sind), ohne Beschreibung der pathologischen Befunde, auf die sich die Medikamente beziehen; B. 3: Medikamente für den ganzen Organismus betreffende Krankheiten.

Hauptquelle ist die *Historia naturalis* des jüngeren → Plinius (v. a. B. 20–33), deren Material mit persönlichen Anm. des Verf. und Zusätzen angereichert wird. Das Werk zeichnet sich durch seine Öffnung gegenüber der Volksmedizin aus, die damit der Tendenz der Zeit entsprechend zur Kodifikation gelangt. Es berücksichtigt auch magische Formeln und andere Heilverfahren, die nicht strikt pharmakologischer Natur sind.

Das Werk wurde von Marcellus Empiricus, wahrscheinlich auch von Ps.-Apuleius und in den *Additamenta* zu → Theodorus Priscianus herangezogen. Eine Erweiterung liegt in der *Physica Plinii* vor, die in mehreren Versionen bekannt sind, die älteste wohl vom Anf. des 6. Jh. n. Chr.

H. Gertler, Über den medizinisch-pharmazeutischen Gehalt der Medicina Plinii Secundi Junioris, in: Beitr. der Univ. Erfurt 14, 1968/9, 49–53 • A. Önnerfors, Plinii Secundi Iunioris qui feruntur De medicina libri tres, 1964 • Ders., In Medicinam Plinii studia philologica, 1963.

A. TO./Ü: T. H.

**Medicus**

**[1]** Siegerbeiname (Sieg über die Meder = Perser), der zuerst bei → Marcus [2] Aurelius und Lucius → Verus begegnet, offenbar wegen eines siegreichen Feldzuges 165/6 n. Chr. gegen die → Media Atropatene. Der Beiname begegnet dann erst wieder bei Probus, Diocletian und seinen Mitherrschern, sodann bei Constantin, jeweils mit dem Zusatz *maximus*. Gelegentliche Erwähnungen bei anderen Herrschern beruhen auf irrtümlicher Zuweisung.

P. Kneissl, Die Siegestitulatur der röm. Kaiser, 1969, 99 ff.; 211; 247.

W. E.

**[2]** s. Medizin

**Medimnos** (μέδιμνος, *médimnos*) ist die griech. Bezeichnung der größten Maßeinheit für Trockenes im Volumen von 6 Hekteis (→ Hekteus), entsprechend 48 Choinikes (→ Choinix) und 192 Kotylai (→ Kotyle [2]). Die Umrechnung liegt nach Hultsch bei ca. 52,5 l, nach Nissen bei ca. 51,8 l mit größeren regionalen Abweichungen.

→ Hohlmaße

**1** F. Hultsch, Griech. und röm. Metrologie, $^2$1882, 108, 703 Tab. X **2** M. Lang, M. Crosby, Weights, Measures and Tokens (The Athenian Agora 10), 1964, 41 ff. **3** H. Nissen, Griech. und röm. Metrologie, in: HdbA I$^2$, 834–890, bes. 842 Tab. X.

H.-J. S.

**Medina** s. Yaṯrīb

**Mediolan(i)um** (Μεδιολάν[ι]ον).

**[1]** Das h. Milano. Anf. des 4. Jh. v. Chr. Gründung durch Insubres (Liv. 5,34,9) an der Mündung mehrerer Alpentäler in der Ebene des Padus/Po (Pol. 2,34,10); 222 v. Chr. Eroberung durch Cn. Scipio; später wichtigste Stadt des Gebiets (Pol. 2,34,15). Nach einem Aufstand im zweiten → Punischen Krieg kam M. 194 v. Chr. unter röm. Herrschaft. 89 v. Chr. erhielt M. das latinische Recht, 49 v. Chr. das röm. Bürgerrecht. Seit augusteischer Zeit war die Stadt wichtiger Verkehrsknotenpunkt, aber auch als Bildungszentrum bedeutsam (Plin. epist. 4,13,3). Tac. hist. 1,70,1 rechnet M. zu den stark befestigten *municipia* der Region. Später *colonia* (inschr. Beleg: CIL V 634). Während der Tetrarchie des → Diocletianus avancierte M. als Münzstätte und aufgrund seiner günstigen strategischen Lage zur zeitweiligen Kaiserresidenz. 313 vereinbarten Constantinus [1] d. Gr. und Licinius [II 4] in M. die Duldung des Christentums und aller übrigen Religionen (Lact. mort. pers. 48,2 ff.; »Mailänder Toleranzedikt«, → Christentum). Auch das Wirken des Bischofs Ambrosius (374–397) dokumentiert die kirchenpolit. Bed. der Stadt, die Ausonius an siebter Stelle seines *ordo urbium nobilium* nennt und deren bauliche Ausstattung er rühmt. 402 wurde die Residenz nach Ravenna verlegt; 452 eroberten die Hunnen M. Danach erlebte M. nochmals eine kurze Blüte, bevor es in der Gotenzeit vollkommen zerstört wurde (Prok. BG 2,21,1 ff). Ant. Überreste: Stadtmauer, Circus, Horreum, Mausoleum, Theater, Amphitheater, Badeanlage, verschiedene Basiliken.

A. Calderini, Storia di Milano 1, 1953 • Atti del convegno »Milano Capitale dell'Impero Romano«, Milano 8–11 Marzo 1990, 1992 • M. Mirabella Roberti, s. v. M., PE 561.

C. HEU.

**[2]** Ort der Bituriges Cubi (Tab. Peut. 2,3; CIL XIII 8922) in Aquitania I, h. Châteaumeillant (Cher) zw. Argentomagus (Argenton-sur-Creuse) und Aquae Neri (Néris-les-Bains). Spätlatènezeitliches *oppidum*, kaiserzeitlicher *vicus*.

J.-F. Chevrot, J. Troadec, Carte Archéologique de la Gaule 18 (Cher), 1992, 190–199.

MI. PO.

**[3]** Ortschaft bei Geldern/Nordrhein-Westfalen an der Straße von Colonia Traiana nach Atuatuca (Itin. Anton. 375,3), h. Mylen. F. SCH.

**[4] M. Santonum** (Strab. 4,2,1; Ptol. 2,7,6; Itin. Anton. 459,3; Geogr. Rav. 4,40; CIL XIII 8899; 8901), Vorort der Santoni in Aquitania II, h. Saintes (Charente-Maritime).

Chr. Verno, J.-F. Buisson, Saintes-M., Civitas Santonum, in: L. Maurin (Hrsg.), Villes et agglomérations urbaines antiques du Sud-Ouest de la Gaule (= 6$^e$ suppl. à Aquitania), 1992, 154–162.

MI. PO.

**[5]** (Μεδιολάνιον, *Mediolanum*). Es handelt sich wohl um Whitchurch, Shropshire, wo ein röm. Kastell des 1. Jh. n. Chr. von einer Zivilsiedlung abgelöst wurde; vgl. aber Ptol. 2,3,11, der M. bei den Ordovices in Wales lokalisiert.

G.D.B. JONES, P.V. WEBSTER, M.: Excavations at Whitchurch, 1965–66, in: AJ 125, 1968, 193–254.

M.TO./Ü: I.S.

**[6]** Spätant. Kastell in Moesia Superior (Cod. Theod. 10,1,8); als Garnison sind *milites Dacisci* gen. (Not. dign. or. 40,21). J.BU.

**[7] M. Aulercorum** (Μεδιολάνιον, Ptol. 2,8,9; Itin. Anton. 384,4; Tab. Peut. 2,2; Amm. 15,11,12). Hauptort der → Aulerci Eburovices; h. Evreux (Eure). In späterer Zeit wird M. *civitas Ebroicorum* gen. (Notitia Galliarum 2,4). Ruinen eines röm. Theaters (CIL XIII 3200); Ringmauer, Schmiedewerkstatt, Töpferei, Gräber. In Le Vieil-Evreux (6 km südöstl. von Evreux) war eine Kultstätte.

J. MATHIÈRE, La civitas des Aulerci Eburovices, 1925. Y.L.

**Mediomatrici.** Volk in der Gallia → Belgica; Hauptort ihrer *civitas* war → Divodurum (h. Metz). Ihr Herrschaftsgebiet im h. Lothringen umfaßte die oberen Stromgebiete von Maas, Mosel und Saar (Strab. 4,3,4; Ptol. 2,9,7) und reichte urspr. im Osten bis an den Rhein (Caes. Gall. 4,10,3; Strab. l.c.). Im Gallischen Krieg (→ Caesar) traten sie kaum in Erscheinung, unterstützten 52 v.Chr. den in → Alesia belagerten Vercingetorix mit 5000 Mann (Caes. Gall. 7,75,3); ihre linksrheinischen Gebiete im Unterelsaß zw. Vogesen und Rhein mußten sie an die german. Triboci abtreten. Im Süden waren die Leuci ihre Nachbarn, im Westen die Remi und im Norden die Treveri (Ptol. 2,9,7). Für die röm. Armee hatten die M. offenbar nur wenige Soldaten und keine geschlossene Truppenformation zu stellen. Sie waren bekannt für ihre Salz- (in Saulnois) und Eisengewinnung.

Die verkehrsgünstige Lage bes. des Hauptknotenpunktes Divodurum in einem verhältnismäßig engmaschigen Straßennetz und Anbindungen an die Verwaltungszentren → Durocortorum und → Augusta [6] Treverorum sowie an die Mosel als schiffbaren Fluß (*nautae Moselici*: CIL XIII 4335; Ven. Fort. 10,9,1) förderten die Blüte von Handel und Gewerbe. Hervorzuheben sind Tuchverarbeitung (CIL V 5929; XIII 4564; Not. dign. occ. 11,59; 12,27), Kreidehandel (CIL III 4336; 4481) und Bierbrauerei (CIL XIII 597). Handelsniederlassungen befanden sich in Augusta Treverorum (Trier), Burdigala (Bordeaux), Lugdunum (Lyon), Autessiodurum (Auxerre), in Britannia, in Germania Superior und auf dem Großen St. Bernhard. Seit claudischer Zeit entstanden immer mehr *vici* (z.B. Bodatius, *Marosallum/ Marsal, Savarus, Pons Savari/Saarburg, Bliesbruck, Le Hérapel) und *villae rusticae* (z.B. Nilvange, Grémecey, Eply), einige sogar im Ausmaß von »Latifundiengütern« (St. Ulrich, Rouhling). Die für das Gebiet der M. typischen Mare oder Mertel (franz. *mardelles*) – kreisförmige oder längliche Wohngruben – zeigen jedoch, daß die Masse der vorwiegend bäuerlich geprägten Bevölkerung bis ins 4. nachchristl. Jh. in alten kelt. Trad. verharrte. Auf dem Donon befand sich ein kelt. Heiligtum überregionalen Charakters (CIL XIII 4548; ESPÉRIANDIEU, Rec. 6,4569–4603). Neben den üblichen röm. und kelt. Gottheiten sind die Totenstelen in Form von Häusern eine für die M. typische Erscheinung.
→ Divodurum

B. BEAUJARD, Les vici des Médiomatriques au Bas-Empire, in: Caesarodunum 11, 1976 (Sonderband), 296–306 • Y. BURNAND, Histoire de la Lorraine 1, 1990 • G. COLLOT, La civilisation gallo-romaine dans la cité des Médiomatriques 1, ¹1964 (²1981); 2, ¹1974 • J.-M. DEMAROLLE, Les importations de produits céramiques en pays médiomatrique en 1^er^ siècle après J.-C., in: Ktema 13, 1988, 109–120 • F. PETRY, Vici, villas et village, in: Caesarodunum 17, 1982, 211–227. F.SCH.

**Medion** (Μεδιών; Μεδεών, Thuk. 3,106). Stadt im Inneren von → Akarnania, südl. des h. Dorfes Katouna, an der wichtigen Verkehrsverbindung vom Ambrakischen Golf zur aitolisch-akarnanischen Binnenebene. 231 v.Chr. vergeblich von den Aitoloi belagert (Pol. 2,2f.), 191 auf Seiten Antiochos' III. (Liv. 36,11,10–12,12). Mehrfach in Theorodokenlisten gen. (IG IV 1², 95 Z. 13; [1. 157 Z. 2]; SEG 36, 331 Z. 44–46). Inschr.: IG IX 1²,2, 387f.; SEG 25, 633; [2. 229]. Mz.: [3].

1 BCH 90, 1966 2 BE 1973 3 BMC, Gr (Thess.-Aetolia) 188.

PRITCHETT 7, 83–90 • D. STRAUCH, Röm. Politik und griech. Trad., 1996, 303. D.S.

**Medios**

**[1]** (Μήδιος in Hss.; besser Medeios, Μήδειος, inschr.). Dynast von Larisa [3], aus der Familie der → Aleuadai, Nachfolger des Aristippos; schloß sich im J. 395 v.Chr. im Kampf gegen den Tyrannen → Lykophron [2] von Pherai der neugegründeten antispartanischen Allianz an und eroberte Pharsalos, in dem eine spartan. Besatzung lag (Diod. 14,82,5f.; vgl. Aristot. hist. an. 618b).

H.-J. GEHRKE, Stasis, 1985, 191. HA.BE.

**[2]** Sohn des Oxythemis von Larisa, wahrscheinlich Enkel von M. [1], Hetairos (→ *hetaíroi*) von → Alexandros [4] d.Gr.; M. nahm an dessen asiatischem Feldzug teil, aber nicht beim Heer. Er erscheint erst 326 v.Chr. als einer der *triērarchoi* der → Hydaspes-Flotte (Arr. Ind. 18,7). Am 18. Daisios (Mai-Juni) 323 lud M. Alexandros zu einem Gelage ein, das hauptsächlich im → Alexanderroman beschrieben ist. Alexandros' übermäßiges Trinken bei dem Gelage führte zu seinem Tod (ob auch durch Gift, läßt sich nicht feststellen). Die von → Arrianos benützten Ephemerides (→ Ephemeris; jedoch nicht die von Plutarch) bringen M. mit Alexandros in dessen letzten Tagen oft zusammen. Nach dessen Tod kämpfte M. zuerst unter → Perdikkas, dann sehr erfolgreich als Flottenkommandeur unter → Antigonos [1] (Diod. 19,69,3; 75; 77,2–5; 20,50,3: Schlacht bei → Salamis auf Kypros, 307 v.Chr.). Er wurde in Athen geehrt (Syll.³ 342). Er schrieb über Alexandros; der Charakter des Werkes ist unklar (Fr. bei FGrH 129).

BERVE 2, Nr. 521. E.B.

**[3]** Stoischer Philosoph des 3. Jh. n. Chr., älterer Zeitgenosse des Neuplatonikers → Longinos [1] (Porph. vita Plotini 20), gegen den er die traditionelle stoische Teilung der Seele in acht Teile verteidigte (Prokl. in Plat. rep. 1,233,29–234,30 KROLL). B.I./Ü: J.DE.

**Medische Mauer.** Die Medische Mauer (Μηδίας τεῖχος, *Mēdías teíchos*) wird unter diesem Namen nur von Xenophon in der *Anábasis* erwähnt, zunächst beiläufig in Zusammenhang mit einem auf Befehl von Artaxerxes [2] II. angelegten Sperrgraben am Euphrat (Xen. an. 1,7,15); ausführlich beschreibt Xenophon die Mauer in dem Bericht über die Ereignisse nach der Schlacht bei → Kunaxa 401 v. Chr. (an. 2,4,12): Sie soll 20 Fuß (ca. 6 m) breit, 100 Fuß (ca. 30 m) hoch und 20 Parasangen (ca. 80 km) lang und aus in Asphalt eingelegten gebrannten Ziegeln errichtet worden sein. Die nächste große Stadt am Tigris war nach Xenophon (an. 2,14,13) → Sittake; weitere 80 Parasangen entfernt soll die Stadt → Opis am Fluß Physkon gelegen haben (an. 2,4,25). Mit dieser Befestigung ist das bei Strabon als »Mauer der Semiramis« (Σεμιράμιδος διατείχισμα) bezeichnete Bauwerk in der Nähe des Dorfes Opis wahrscheinlich identisch (Strab. 2,1,26; 11,14,8). Auch Ammianus Marcellinus berichtet von Resten einer Mauer, die die Truppen des Iulianus [11] 363 n. Chr. beim Ort Macepracta angetroffen haben (Amm. 24,2,6).

Die Identifikation der M. M. und der genannten Orte war umstritten; namentlich scheint Xenophon Sittake und Opis verwechselt zu haben. Das Bauwerk wird h. mit dem teilweise noch sichtbaren Ḥabl aṣ-Ṣaḫr (»Linie aus Steinen«) etwa 20 km sw von Baghdad gleichgesetzt. Arch. Befunde zum Ḥabl aṣ-Ṣaḫr ergeben eine etwa 5,5 m hohe, 1,75 bis 1,4 m breite Mauer aus mit Asphalt vermörtelten Lehmziegeln, die bei einer Gesamtlänge von 15 km zunächst parallel zum Euphrat nach SO, nach 8 km nach NO und weiteren 2,4 km schließlich in östl. Richtung verlief. Sie wurde wohl von → Nebukadnezar (605–562) als Teil eines Befestigungssystems zum Schutze Babylons vor allem gegen die Meder zwischen dem ant. Sippar (mod. Abū Ḥabba) und Upe (griech. Opis, mod. Tulūl al-Muǧailiʿ) errichtet, wo sich Euphrat und Tigris am nächsten kommen, und war schon zur Zeit Xenophons nicht mehr intakt.

1 R. D. BARNETT, Xenophon and the Wall of Media, in: JHS 83, 1963, 1–26 2 O. LENDLE, Komm. zu Xenophons Anabasis, 1995, 112–115. LE.BU.

**Medismos** (μηδισμός). Der Begriff *m.* bezeichnet die freiwillige Kollaboration einzelner Griechen oder ganzer Städte mit den Persern, die von den Griechen auch »Meder« genannt wurden. Das Verb *mēdízein* schließt neben aktiver polit.-mil. Zusammenarbeit mit dem → Großkönig auch die Übernahme pers. Sitten und Gebräuche und eines luxuriösen Lebensstils ein. *M.* galt als ein gravierenderes Vergehen als der Verrat der Heimatstadt an eine andere griech. Stadt, da dabei neben den Interessen einzelner Poleis auch immer gesamtgriechische Interessen im Spiel waren. Spektakuläre Fälle waren etwa die Kollaboration des thessal. Geschlechts der → Aleuadai mit → Xerxes, die ihm für die Schlacht bei Plataiai (479 v. Chr.) ein Heereskontingent zur Verfügung stellten (Hdt. 9,1; 31; 58), sowie das Verhalten des spartan. Regenten → Pausanias, der sich nicht nur pers. kleidete und mit einer pers. Leibwache reiste, sondern dem Großkönig sogar die Herrschaft über ganz Griechenland angeboten haben soll, wenn dieser ihm seine Tochter zur Frau gebe (Thuk. 1,128,5 ff.; Diod. 11,44,3). Daß der Vorwurf des *m.* auch in der Innenpolitik des demokrat. Athen eine Rolle spielte, zeigen vier Ostraka (→ Ostrakismos) vom Kerameikos, auf denen Kallias [4] als *ho Mḗdos* (»der Meder«) bezeichnet wird.

→ Barbaren; Perserkrieg

D. F. GRAF, Medism: The Origin and Significance of the Term, in: JHS 104, 1984, 15–30. E.S.-H.

**Mediterrane Sprachen.** Unter m.S. versteht man diejenigen Sprachen, die vor der Einwanderung idg. und semit. Völker im Mittelmeergebiet gesprochen wurden und die nur indirekt bezeugt sind, d. h. durch Spuren, die sie (als Substratsprachen) in belegten Sprachen hinterlassen haben. Eine Reihe von griech.-lat. lexikalischen Entsprechungen, die weder auf die idg. Grundsprache noch auf andere uns bekannte Quellen zurückführbar sind, lassen sich als Entlehnungen aus unbekannten m.S. erklären: vgl. griech. σῦκον, lat. *ficus* »Feige«; griech. (F)οἶνος, lat. *vīnum* »Wein«; griech. κυπάρισσος, lat. *cupressus* »Zypresse«; griech. ὄνος, lat. *asinus* »Esel« (?). Viele dieser lexikalischen Reihen erscheinen im Mittelmeerraum weit verbreitet und schließen mehrere Sprachen der idg. (z. B. → Albanisch, → Hethitisch) oder der semit. Sprachfamilie (→ Semitische Sprachen) ein. Die mediterranen Wörter haben sich in bestimmten Gebieten des Lexikons bes. gut erh., wie bei Pflanzen-, Tier- (Beispiele oben) oder Ortsnamen. Bei der Unt. der Toponymie, nicht nur an der mediterranen Küste, sondern auch im Alpen- und Pyrenäengebiet (→ Vorromanisch) sind (nicht immer mit dem nötigen Vorbehalt) eine Reihe von mediterranen Basen und Suffixen erschlossen worden, z. B. die ägäisch-anatolischen -σ(σ)- und -νθ-Suffixe (wie Παρνασσός, Κόρινθος usw., auch in Appellativen wie ἀσάμινθος »Badewanne« oder κυπάρισσος).

Die Möglichkeit, kleine Fr. verlorener m.S. dank ihres Überlebens in späteren Sprachschichten zu rekonstruieren, hat das Interesse (und die Phantasie) von Indogermanisten und Romanisten seit Ende des 19. Jh. angeregt; man hat versucht, einerseits bestimmte Sprachzüge der m.S. zu erschließen (was z. B. Vokalismus, Konsonantismus, Wortstruktur betrifft), andererseits verschiedene mediterrane Sprachfamilien (ägäisch-anatolisch, afro-iberisch-sardisch, tyrrhenisch) festzustellen. Viele Fragen bleiben aber ohne Antwort; das Studium der m.S. teilt sowohl die Unsicherheiten

als auch den Reiz jeder Unt. über die Sprachvorgeschichte.
→ Vorgriechische Sprachen; Griechenland, Sprachen; Italien, Sprachen; Hispania II. Sprachen; Vorromanisch

V. Bertoldi, Colonizzazioni nell'antico Mediterraneo occidentale alla luce degli aspetti linguistici, 1950 • G. Devoto, Storia della lingua di Roma, 1940 (dt.: Gesch. der Sprache Roms, 1968) • J. Hubschmid, Mediterrane Substrate, 1960 • A. Meillet, Aperçu d'une histoire de la langue grecque, [4]1935 • L. R. Palmer, The Latin Language, [2]1961 • D. Silvestri, La teoria del sostrato, 3 Bde., 1977–1982 • B. Terracini, L'héritage indo-européen et les substrats méditerranéens, in: Actes du I[er] congrès de la Fédération internationale des Associations d'ét. classiques (ACEC 1), 1951, 31–41. M.B.C.

**Meditrinalia.** Das röm. Fest der M. wurde am 11. Okt. (InscrIt 13,2, p. 519) mit der Verkostung und Libation (→ Trankopfer) des neuen Mostes begangen. Dabei wurde dieser mit eingekochtem Most des vorangegangen Jahres gemischt; dies galt als Methode, ihn haltbar zu machen (Colum. 12; Pall. agric. 11, 14 und 17–19; [1. 916–919]). Die M. wurden von lat. *mederi*, »heilen«, abgeleitet: Wie das Mischen des Weines dessen Qualität bewahren sollte, so sah man im Verkosten und im Trankopfer einer Mischung aus neuem und einjährigem Wein eine Vorkehrung gegen alte wie neue Krankheiten (Varro ling. 6,21; Paul. Fest. 110 L.; [3. 98–105]). Aus den M. schuf wahrscheinlich die antiquarische Lit. die Göttin Meditrina. Zur Zeit der Weinlese erhielt → Liber ein Most-Opfer (Paul. Fest. 423 L.; Colum. 12,18,4), doch der Zusatz zum 11. Okt. *feriae Iovi* in den → Fasti Amiternini und Fasti fratrum Arvalium hat zur Deutung der M. als Fest für → Iuppiter geführt ([2; 3. 105–107]; ablehnend: [4. 75]).
→ Vinalia; Wein; Weinbau

**1** W. Abel, s.v. Mustum, RE 16, 912–926 **2** F. Bömer, Iuppiter und die röm. Weinfeste, in: RhM 90, 1941, 30ff. **3** G. Dumézil, Fêtes d'été et d'automne, 1975 ([2]1986), 98–107 **4** Latte, 74–76. A.MAS.

**Medizin** I. Mesopotamien II. Ägypten III. Jüdische Medizin IV. Klassische Antike

I. Mesopotamien

Magische Formen – wie Beschwörungen, Apotropaea und Prophylakteria – und rationale Elemente, d.h. empirisch gewonnene Behandlungsmethoden mit pflanzlichen, mineralischen und tierischen Substanzen, bestimmen das Bild altmesopot. M. Die Behandlung von Krankheiten, welche man als von Dämonen hervorgerufen, als von den Göttern gesandte Strafe und als Folge von Behexung verstand oder auch auf natürliche Ursachen zurückführte, oblag zwei Experten, dem eher kräuterkundigen *asû*, der bereits Mitte des 3. Jt. v. Chr. bezeugt ist, und dem Beschwörungsexperten *(w)āšipu* (für beide s. [3]).

A. Bestand, Alter, Überlieferung

Als älteste Zeugen medizinisch(= med.)-therapeutischen Schrifttums liegen zwei Tontafeln mit Rezepten in sumer. Sprache vor (Ende 3. Jt.; [4]). Daneben sind sumer. Beschwörungen gegen Skorpion- und Schlangenbisse aus der Mitte des 3. Jt. v. Chr. bekannt [12]. Ein relativ kleines Corpus med. Texte mit mehr als 100 Tontafeln ist in altbabylon. Sprache verfaßt (Anfang 2. Jt. v. Chr.). Der Großteil der Texte (mehr als tausend Tontafeln u.a. aus Assur, Ninive, Sippar, Babylon und Uruk) stammt jedoch aus dem 9.–4. Jh. v. Chr. und reflektiert eine sehr viel ältere Praxis. Es handelt sich teils um Bibliotheksexemplare (Bibliothek des → Assurbanipal), teils um Texte von Einzelpersonen, welche laut → Kolophon [2] oft Rezepte nur für einen bestimmten Einzelfall kopierten. Über die Ausbildung der Ärzte (→ Arzt) ist wenig bekannt. Allgemein nimmt man an, daß sich eines der Zentren in Isin, im Tempel der Gula befand.

B. Art und Inhalt der Texte

Das med. Schrifttum läßt sich in eine med.-therapeutische und eine prognostisch-diagnostische Kategorie teilen. Bei der ersten Gruppe handelt es sich um eine umfangreiche Slg. von Rezepten gegen Krankheiten von Kopf, Augen, Ohren und Zahn, sowie innere, Fuß- und Gelenkkrankheiten. Diese Slg. wurde im 1. Jt. v. Chr. zu einem Hdb. von 44 Tafeln mit dem Titel ›Wenn der Kopf eines Menschen fieberheiß ist‹ zusammengefaßt [10]. Neben rein med.-therapeutischen Vorschriften enthält dieses Corpus auch viele Elemente magischer Natur. Die Texte sind nach dem Schema ›Wenn bei einer Person ...-Symptome auftreten, dann sollst du ...‹ aufgebaut. Auffällig ist das Fehlen magischer Praktiken als Mittel der Heilung bei den Texten aus altbabylon. Zeit (18./17. Jh. v. Chr.).

Die Texte der zweiten Gruppe stehen in der Trad. babylon. → Divination. Einer Beschreibung der Symptome folgt die Prognose über den Ausgang der Krankheit (z.B. der Kranke wird gesund werden/sterben), oder die Diagnose lautet ›Hand der Gottheit NN‹ [14], womit eine bestimmte Krankheit angezeigt wird. Die Texte sind zu einem Hdb. von 40 Tafeln mit dem Titel ›Wenn der Beschwörungsexperte zum Haus des Kranken geht‹ zusammengestellt [13]. Späte Keilschrifttafeln med. Inhalts zeigen, daß man diese beiden Hdb. miteinander zu verbinden suchte [8]. Bemerkenswert ist ein später Text aus Uruk, in dem der Sitz von Krankheiten auf Körperorgane zurückgeführt wird [10].

Eine weitere wichtige Quelle med. Wissens liegt in der Form von Herbarien vor. Eines dieser Pharmakopöen weist mehr als 1200 Einträge auf. Ekelerregende Substanzen (z.B. menschliche Exkremente) können diesem Hdb. nach als Decknamen für Pharmaka angesprochen werden, um das Berufsgeheimwissen zu wahren. Eine Zuordnung zur »Dreckapotheke« ist nicht mehr haltbar [11]. Daß offensichtlich auch chirurgische Eingriffe unternommen wurden, geht aus § 215–220 des Rechtsbuches des → Ḫammurapi hervor, wonach dem *asû* für den Fall eines mißlungenen Eingriffs Strafe droht. Es ist vorstellbar, daß einfachere Operationen vorgenommen wurden, etwa Wundbehandlung auf dem Schlachtfeld oder Verarztung von durch Tiere zugefügten Verletzungen – die erh. Texte enthalten jedoch keinen Hinweis darauf. Briefe aus dem 18., 14./13. bzw. 7. Jh. v. Chr. dokumentieren aktuelle Krankheitsfälle an den Höfen u. a. in Mari [3], Hattusa [6], Ugarit [3], Babylon [14] und Assyrien [15].

Belege für Beziehungen zur klass. griech. M. fehlen, vgl. Hdt. 1,197.

→ Amulett; Dämonen; Heilgötter, Heilkult; Krankheit; Magie

**1** R. D. Biggs, Medicine, Surgery, and Public Health in Ancient Mesopotamia, in: J. M. Sasson (Hrsg.), Civilizations of the Ancient Near East, Bd. 3, 1995, 1911–1924 **2** Ders., G. Beckmann, s. v. M., RLA 7, 623–631 **3** A. L. Oppenheim u. a. (Hrsg.), Chicago Assyrian Dictionary, Bd. 1/2, 1968, s. v. *asû*, *āšipu*; Bd. 10, 1977, s. v. *marāṣu*, *murṣu* **4** M. Civil, Préscriptions médicales sumériennes, in: RA 54, 1960, 57–72 **5** E. Dion, Medical Personnel in the Ancient Near East in Aramaic Garb, in: ARAM 1, 1989, 206–216 **6** E. Edel, Äg. Ärzte und äg. M. am hethit. Königshof, 1976 **7** I. Finkel, On TDP Tablets XXIX and XXXI, in: JCS 46, 1994, 87 f. **8** F. Köcher, Die babylon.-assyr. M., Bd. 1–6, 1963–1980 **9** Ders., Spätbabylon. med. Texte aus Uruk, in: C. Habrich u. a. (Hrsg.), Med. Diagnostik in Gesch. und Gegenwart, 1978, 17–39 **10** Ders., Ein Text med. Inhalts aus dem neubabylon. Grab 405, in: R. M. Boehmer u. a. (Hrsg.), Uruk: Die Gräber, 1995, 203–217 **11** M. Krebernik, Die Beschwörungen aus Fara und Ebla, 1984 **12** R. Labat, Traité akkadien de diagnostics et prognostics médicaux, 1953 **13** S. Parpola, Letters from Assyrian Scholars (AOAT 5/2), 1983 **14** M. Stol, Epilepsy in Babylonia, 1993 **15** H. Waschow, Babylon. Briefe aus der Kassitenzeit, 1936.

## II. Ägypten

Auch in der äg. M. sind magisch-rel. und empirisch-rationale Elemente miteinander vereint. Krankheit, die als Störung der Ordnung galt, wurde auf übernatürliche wie auch auf natürliche Ursachen zurückgeführt. Die für den Heilprozeß zuständigen Experten gliedern sich in Arzt, Priester und Zauberer, wobei die Grenze zwischen diesen Berufen fließend sein konnte.

### A. Bestand, Alter, Überlieferung

Mehr als ein Dutzend med. Texte von unterschiedlicher Länge und Qualität sind bekannt. Das eigentliche med. Schrifttum datiert in das MR und NR (zwischen 2000–1200 v. Chr.), doch geht die Abfassung einiger Papyri auf das AR zurück. Die Abschrift med. Texte erfolgte im »Lebenshaus«, wo auch die Ausbildung der Ärzte stattfand. Im Unterschied zu Mesopot. gab es Fachärzte (seit dem AR); bekannt sind der »Arzt des Bauches«, der »Hirt des Afters« sowie der Augen- und Zahnarzt. Die äg. M. stand in so hohem Ansehen, daß Ärzte in die Nachbarländer geschickt wurden oder fremde Herrscher zur Behandlung nach Ä. kamen. Sowohl Hom. Od. 4,229 ff. als auch Hdt. 2,84 rühmen die äg. M.

### B. Art und Inhalt der Texte

Nach Clemens von Alexandreia (Clem. Al. strom. 6, 35–37; um 200 n. Chr.) besaßen die Ägypter sechs Bücher med. Inhalts (Bau des Körpers, Krankheiten, Geräte des Arztes, Heilmittel, Augen- und Frauenkrankheiten). Doch decken sich diese Angaben nicht mit den erh. Texten. Den Fachbüchern wie dem PSmith (chirurgisches Lehrbuch, AR), dem PKahun (gynäkologisches Lehrbuch, MR), dem PRamesseum V (Rezepte gegen Muskel- und Gelenkkrankheiten, MR) oder dem PChester Beatty IV (Rezepte für das Leibesinnere) stehen die Sammel-Hss. gegenüber. Die größte Sammel-Hs. liegt mit dem PEbers vor (über 100 Kolumnen auf 20 m Länge), andere sind der PHearst, der Pap. med. Berlin und der Pap. med. London. Die Sprache der Texte ist Mitteläg. in Hieratischer Schrift. Die Rezepte sind in der Regel nach dem Schema ›Wenn du untersuchst ... und du findest ..., dann sollst du ...‹ formuliert.

Wechselseitige Beziehungen zw. äg. und griech. M. sind im Hinblick auf Medikamente bekannt [2], unklar bleibt jedoch, ob die Lehre von der Verwesung oder die anatomischen Praktiken der Einbalsamierer einen Einfluß auf griech. Ärzte hatten. Mehrere Heilmittel aus alten äg. Texten wurden noch im 4. Jh. n. Chr. in der kopt. M. und gar noch später in griech. Arzneirezepten verwendet.

**1** W. Westendorf, Hdb. der altäg. M., 1998
**2** M. H. Marganne, Links between Egyptian and Greek Medicine, in: Forum 3,4, 1993, 35–43 **3** T. Bardinet, Les Papyrus médicaux de l'Egypte pharaonique, 1995
**4** H. Grapow, Grundriß der Medizin der alten Ägypter, 9 Bd., 1954–1973 **5** J. Nunn, Ancient Egyptian Medicine, 1996.

BA.BÖ.

## III. Jüdische Medizin

Obwohl die Vorstellung von Jahwe als dem Heiler seines Volkes im AT verbreitet ist, sind Berichte über körperliche Heilung relativ selten [7]. Ärzten (*rofʾīm*) wird vorgeworfen, daß sie ineffizient sind und einen Verlust des Vertrauens in Gottes Gnade bewirken (z. B. 2 Chr 16,11–13). In hell. Zeit hat sich das Urteil über die M. zum Positiven hin verschoben (Sir 38,1–15). König Salomon galt als Vorbild medizinischer (= med.) Gelehrsamkeit (Ios. ant. Iud. 8,44), und Gruppen wie die → Essener (ibid. 8,136) oder die *therapeutaí* (→ Therapeuten) zeigten großes Interesse an der M. Grundlage med. Behandlung waren größtenteils Kräuter [8], doch wurden viele Krankheiten, zumindest von hell. Zeit an, dem Wirken von Dämonen zugeschrieben und waren daher durch → Exorzismus und rel. Mittel zu heilen. Charismatische Propheten und Heiler, zu denen manche auch Jesus zählten, heilten ebenfalls Kranke [9].

IV. Klassische Antike
A. Quellen der klassischen Medizin
B. Vorhippokratische Medizin
C. Hippokratische Medizin
D. Religion und Medizin E. Hellenismus
F. Griechische Medizin im republikanischen Rom G. Kaiserzeit H. Spätantike
J. Christentum K. Zusammenfassung

A. Quellen der klassischen Medizin

Lit. Texte der griech. und lat. M. weisen eine sehr ungleichmäßige zeitliche Verteilung auf. Zw. dem *Corpus Hippocraticum* (ca. 430–370 v.Chr., → Hippokrates [6]) und dem 1. Jh. n. Chr. sind originale Werke nur von → Nikandros aus Kolophon und → Apollonios [16] von Kition erh. Im 1. Jh. n. Chr. entstanden die großen lat. Synthesen des → Celsus [7] und des → Plinius d. Ä., zusammen mit den Schriften des Pharmakologen → Scribonius Largus und denen der griech. Autoren → Pedanios Dioskurides, → *Anonymus Parisinus*, → Rufus aus Ephesos und → Soranos. Aus dem 2. Jh. n. Chr. stammen → Aretaios, der → *Anonymus Londinensis* und v. a. → Galenos, dessen spätere Autorität dazu beitrug, alternative Sichtweisen zu verdrängen und die hippokratische Trad. als die einzig wahre Form der M. durchzusetzen. Vom 4. Jh. n. Chr. an sind wichtige Abh. in lat. Sprache erh., bes. → Caelius [II 11] Aurelianus, daneben auch kurze praktische Anleitungen und Rezeptsammlungen. Ähnliche kurze Texte einschließlich *probl̄ēmata physiká* (»Problemsammlungen«) findet man im Griech. neben größeren Überblicken wie denen des → Alexandros [29] von Tralleis und des → Paulos von Aegina. Die gelehrte Trad. des Komm. zum Hippokratestext wurde auch auf Galen ausgedehnt, dessen Werk schließlich auch in den griech. Enzyklopädien des → Oreibasios und des Ateios dominieren sollte. Eine Konsequenz dieser zeitlichen Verteilung der Quellen besteht darin, daß wir für einen großen Teil der Ant. auf Fr. und → Doxographien angewiesen sind, die oft viele Jh. später und in Galens Fall oft in polemischer Absicht kompiliert wurden [10]. Da diese Texte größtenteils präskriptiver Natur sind, muß man Belege für die tatsächliche medizinische (= med.) Praxis aus lit. Ber. über Behandlungen aus Papyri oder arch. Zeugnissen sowie aus der Paläopathologie (→ Krankheiten) schöpfen [11]. Epigraphische Belege für Laufbahn, Familie und gelegentlich auch die med. Tätigkeit von Ärzten sind in beträchtlicher Zahl vorhanden, doch ist den alten Repertorien von Oehler und Gummerus viel hinzuzufügen [12; 13]. Visuelle Informationen zur med. Praxis sind vergleichsweise spärlich [14].

B. Vorhippokratische Medizin

Arch. Funde bestätigen das Zeugnis der homer. Epen von der gründlichen Kenntnis der Wundchirurgie (→ Chirurgie), und auch mykenische Tafeln zeigen, daß Arzneimittel existierten (→ Pharmakologie; [15]). → Machaon, Arzt und Sohn des Asklepios, wird für seine Dienste gepriesen (›denn ein ärztlicher Mann wiegt viele andere auf‹: Hom. Il. 11,514; der folgende Vers erklärt dieses Lob), zu denen Heilkräuter und Verbände gehören. Vorstellungen von Krankheit sind – im Hinblick auf Entstehung wie auch auf Heilung – regelmäßig mit Göttern verbunden. Viele Heiler (*iatroí*) gehören zu Familien, welche Herkunft von den Göttern, bes. von → Asklepios, für sich beanspruchen, und manche ihrer Heilverfahren weisen Parallelen zu denen von Schamanen anderer Kulturen auf [16]. Eine ähnliche Trad. innerhalb der Pharmakologie führt Heilkompetenzen auf den Kentauren → Chiron zurück. Mehrere → Vorsokratiker wie etwa → Alkmaion [4] erörterten die M. und die Zusammensetzung des menschlichen Körpers innerhalb des Kontexts der Erklärung des Kosmos oder übten den Heilberuf selbst aus wie etwa → Empedokles [1]. Sie entwickelten ihre Theorien, die sich z.T. auf ältere Vorstellungen von Gegensätzen gründeten [17], im Rahmen einer offenen Debatte und auf spekulative Weise; dabei wurden rel. Erklärungen des Heilungsgeschehens durch nicht-rel. Berufung auf das Wirken der Natur ergänzt und oft auch ersetzt.

C. Hippokratische Medizin

Um 450 v. Chr. waren Heilungen durch *iatroí* in Griechenland üblich geworden; ein Teil dieser Ärzte reiste von Stadt zu Stadt, andere gehörten alteingesessenen Familien an. Manche Städte, bes. Kos und Knidos, genossen wegen ihrer Ärzte einen guten Ruf, doch wäre es übertrieben, von einer scharfen Trennung zw. koischer und knidischer M. zu reden [18; 19]. *Iatroí* standen in heftigem Wettbewerb mit anderen Anbietern von Heilverfahren wie Exorzisten, Wurzelschneidern, Wundärzten (doch konnten *iatroí* auch selbst chirurgische Eingriffe durchführen) und → Hebammen (*maíai*). → Hippokrates [6] von Kos, der um 420 v. Chr. in Athen M. lehrte und späterer Legende nach während der großen »Pest von Athen« (→ Epidemische Krankheiten) gewirkt haben soll, war der berühmteste Arzt seiner Zeit, auch wenn sich keines der Werke innerhalb des *Corpus Hippocraticum* (=*CH*; s. → Hippokrates [6] mit Schriftenverzeichnis) gesichert als seines identifizieren läßt.

Dieses Textcorpus weist, zumal wenn man die doxographischen Informationen des → *Anonymus Londinensis* hinzunimmt, eine Vielzahl med. Theorien in einer ganzen Reihe von Gattungen auf [20; 21]. Eine offizielle Linie liegt in med. Hinsicht nicht vor, auch wenn es generelle Ähnlichkeiten darin gibt, wie die Autoren einen Fall erörtern, übernatürliche Ursachen ablehnen und mit Hilfe von Logik und Dialektik oft sehr kluge Beobachtungen entwickeln, wie z.B. die Anzeichen des Todes im »Hippokratischen Gesicht« (spitze Nase, tiefliegende Augen, eingesunkene Schläfen, kalte Ohren, spröde Gesichtshaut usw.) oder die Beziehung zw. einem Schlag auf die eine Seite des Kopfs und dem Schaden an der entgegengesetzten Seite des Körpers. Einige Autoren des *CH* glaubten nach Anonymus Londinensis 4,3 an Rückstände als Krankheitsursache, wobei der schädliche Stoff aus unverdauter Nahrung hervorgehe (z. B. Hippokr. *De flatibus*). Die Mehrheit der Autoren im *CH* verstand Gesundheit als eine Art von Gleichgewicht, bes. von Körperflüssigkeiten. Auch wenn in der späteren hippokratischen Trad. die Theorie von den vier Säften Blut, gelbe Galle, schwarze Galle und Schleim, deren Gleichgewicht ständigem Wandel unterworfen war, dominierte, wurde sie von der Mehrzahl der Verfasser im *CH* nicht vertreten; sie zogen andere Kombinationen von Flüssigkeiten vor oder hoben nur die gelbe Galle und Schleim als Ursachen von Krankheiten hervor. Andere Autoren, bes. derjenige von *De locis in homine*, arbeiteten mit schädlichen Ausflüssen, die um den Körper herumschweifen. Zustände von Ungleichgewicht im Körper waren zunächst durch sorgfältige Beobachtung des Patienten, der Umgebung und, wo möglich, der Vorgeschichte zu korrigieren, durch die sich eine Prognose erstellen ließ, welche sowohl die Ursache als auch den künftigen Verlauf der Krankheit bei Unterlassung eines Eingriffs bestimmte. Zur Wiederherstellung des Gleichgewichts wurden allopathische Heilmittel, hauptsächlich Diät (→ Diätetik) und Heilkräuter, eingesetzt [22].

Malariafieberanfälle (→ Malaria) mit ihrem rekurrenten Verlauf boten ein Modell für das Verständnis akuter Krankheiten, die man ausschließlich aufgrund externer Manifestationen diagnostizierte, da anatomische und pathologische Unt. des menschlichen Körpers noch nicht durchgeführt wurden: Beschwerden entwickelten sich, bis eine Krise erreicht wurde, deren Lösung zum Tod, zur Gesundung oder zur Remission führte. Die Lösung konnte die Form eines Kochens im Körper oder der Evakuation annehmen. Krisen konnten so regelmäßig sein, daß sie sich mathematisch als Zwei- oder Drei-Tage-Fieber ausdrücken ließen. In den *Epidēmíai* und dem *Prognōstikón* zeigte die Länge der Zeitspanne zw. den Krisen auch Grade der Schwere an [23].

Mentale Störungen (→ Geisteskrankheiten) wurden, bes. in *De morbo sacro*, nicht durch göttlichen Eingriff, sondern durch physische Veränderungen im Körper erklärt und gehörten zu den Symptomen, die bei der Unt. eines Krankheitsfalls berücksichtigt wurden. Chronische Beschwerden erscheinen im *CH* weniger häufig, obwohl der Verf. von *De aëre, aquis, locis* langfristigen Umweltfaktoren Aufmerksamkeit schenkte. Einige Autoren der *Epidēmíai* in den sog. »Verfassungen« stellen eine Reihe von Informationen zu einzelnen Patienten zusammen, um ein Bild von den Krankheiten zu geben, an denen eine ganze Gemeinschaft über ein Jahr hin litt. Diese werden häufig auf klimatische Faktoren zurückgeführt, die sich auf die Atemluft auswirken.

Patienten kamen, wo dies angegeben wird, aus allen Ges.-Schichten. Frauen wurden auf derselben Grundlage wie Männer behandelt, wenn auch unter Zugrundelegung einer fehlerhafteren Physiologie (→ Gynäkologie). Informationen über Frauenkrankheiten wurden von den Ärzten auch aus weiblichen Zwischenquellen geschöpft, und Frauen konnten stets bei anderen Frauen Hilfe suchen, die sich speziell in Frauenfragen auskannten, einschließlich → Hebammen. Die ganze Ant. hindurch wurden aber med. Texte zur Gynäkologie von Männern für Männer geschrieben. Platons Einteilung von Ärzten in Sklaven, die nur Sklaven behandeln, und Freie, die freie Bürger versorgen (leg. 720a–e), entspricht eher seinen Vorstellungen von Politik und wahrem Wissen als der Wirklichkeit [24].

Das *CH* zeigt, wie Ärzte allein und in Gruppen arbeiten, indem sie zuweilen in der Öffentlichkeit sprechen und debattieren (*De arte*) und zuweilen in beinahe orakelhafter Prosa für ein spezialisiertes Publikum schreiben (*Aphorismi*, *De dentitione*). Man ist sich generell bewußt, daß M. im öffentlichen Raum stattfindet, wo nicht nur der Patient oder die Patientin und seine bzw. ihre Familie zusehen oder zuhören können, sondern auch interessiertes Publikum. Die »Therapie durch das Wort«, die Herstellung einer Vertrauensbeziehung zum Patienten, dient auch als Versicherung, als Warnung vor einem tödlichen Ausgang und, bei günstigem Ausgang, als Werbung [25]. »Ärzte« (*iatroí*) unterscheiden sich von anderen Heilern auch durch eine Berufung auf ethische Standards, nach denen eine ethische M. mit effektiver Behandlung gleichgesetzt wird und alles, was zur Wiederherstellung der Gesundheit beiträgt, akzeptabel ist (→ medizinische Ethik). Der → Hippokratische Eid ist in seiner starken rel. Färbung ungewöhnlich und reflektiert auch den Übergang von der Bewahrung med. Wissens innerhalb der Familie zu dessen Weitergabe an eine Gruppe von Schülern, die sich in der Lehre befinden.

Neben der Behandlung von Einzelpersonen stellten Ärzte auch die med. Versorgung der Streitkräfte Athens sicher, und vom späten 6. Jh. v. Chr. an sind »öffentliche Ärzte« bezeugt (→ Demokedes). Ihnen wurde für ihre Niederlassung in einer Gemeinde ein Pauschalhonorar gezahlt, doch konnten die genauen Details ihrer übrigen Verpflichtungen von Stadt zu Stadt variieren. Manche behandelten Bürger kostenlos oder traten als Zeugen in Fällen von Totschlag oder Körperverletzung auf [26].

D. Religion und Medizin

→ Heilgötter (bes. → Apollon) und Heilkulte hatten schon vor der Verbreitung des Kults des → Asklepios innerhalb Griechenlands im späten 5. Jh. v. Chr., vielleicht als Folge der großen »Pest von Athen« (Thuk. 2, 47–54,58; 3,87), eine lange Geschichte. Rel. Heilung stellte eine Alternative zur säkularen Heilung dar, bes. bei chronischen Beschwerden oder Geistesstörungen, und scheint mit dem Bau größerer Tempel in Athen und Epidauros gerade zur Zeit des Hippokrates (der selbst Asklepiade war) an Popularität zugenommen zu haben. Diejenigen, die sich wie Ailios → Aristeides [3] in der Frage körperlicher Heilung nur auf göttliche Intervention verließen, waren stets in der Minderheit, und der Rückgriff darauf muß – wie Heilungen durch Zauberer und Hexenmeister – immer als komplementär zur Heranziehung von Ärzten gesehen werden [27; 28]. Explizite Ablehnung einer Möglichkeit rel. Heilung durch *iatroí* ist auf die viel späteren → Methodiker beschränkt.

Auseinandersetzungen in der Frage nach der größeren Effektivität von rel. bzw. nicht-rel. Heilung bestimmter Beschwerden mag es gegeben haben. Viele Ärzte nahmen jedoch am Asklepioskult teil, und von manchen weiß man, daß sie sich als großzügige Wohltäter gegenüber Heiligtümern von Heilkulten erwiesen haben. Spätestens in röm. Zeit waren manche Heilkulte, bes. die des Asklepios, des Herakles und des → Sarapis, über das ganze Imperium verbreitet, während viele andere einen eher lokal begrenzten Ruf hatten (→ Nodens; Deae Matronae, → Matres). Größe und Reichtum von Heiligtümern wie denjenigen von → Pergamon oder → Aigeai zeigen, daß sie ihren Ruf bis weit in die späte Kaiserzeit halten konnten [29].

### E. Hellenismus

Med. Theorien aus der Zeit nach Hippokrates müssen ganz aus späteren Ber. rekonstruiert werden. Manche Ärzte, die sog. → Dogmatiker [2], stellten auch weiterhin Spekulationen über die Ursachen von Krankheit an und favorisierten eine Art Ungleichgewicht, um eine Behandlung durch Beseitigung der Ursache zu versuchen. Andere, v.a. die → Empiriker, welche eine genauer definierte Schule darstellten, lehnten eine Betonung der Ursachen zugunsten eines detaillierten Vergleichs von Fällen ab, der eine Therapie auf Grundlage dessen erlaubte, was in einem ähnlichen Fall Wirkung gezeigt hatte. Obwohl der Ruf des Hippokrates anhielt und das *CH* in Alexandreia zusammengestellt und studiert wurde, war die hippokratische Vier-Säfte-Lehre weit von einer dominierenden Position entfernt.

Alexanders Eroberungen brachten griech. Ärzte in engeren Kontakt zu Heilern und Heilmitteln einer viel weiteren Welt. Neue Pflanzen und mineralische Heilmittel aus Asien und Ostafrika waren nun erhältlich, doch bleibt eine Übernahme nichtgriech. Theorien durch Griechen zweifelhaft, evtl. unter Ausnahme eines Glaubens an → Dämonen. Das breite Spektrum von Heilern blieb bestehen, doch implizierte die weite Verbreitung hell. Poleis auch eine Vereinheitlichung. Vieles läßt auf eine vergleichbare Rolle der Ärzte in der Öffentlichkeit in den Städten des gesamten östl. Mittelmeerraumes schließen: Vielerorts finden sich nunmehr Berichte z.B. von öffentlichen med. Vorträgen, der Anwesenheit von Ärzten bei öffentlichen Festen, von Stadtärzten, von der Ausbildung in »medizinischen Schulen« oder der »Lehre« in einem medizinischen Haushalt und bes. Privilegien von Ärzten, bes. dem der Steuerbefreiung [30].

Das Zentrum med. Gelehrsamkeit verlagerte sich von Griechenland an die Höfe der hell. Monarchen, bes. nach → Alexandreia [1]. Das Museion, die Bibliothek und das Interesse der Könige an den Naturwiss. boten Ärzten, die aus der griech. Welt dorthin strömten, interessante Möglichkeiten [31]. Das Verständnis des menschlichen Körpers wurde um 280 v.Chr. durch die anatomischen Forsch. des → Herophilos [1] und des → Erasistratos vorangetrieben (→ Anatomie), in deren Rahmen die Sektion von Menschen und wohl auch die Vivisektion erstmalig angewandt wurden [32]. In der Chirurgie gab es große Verbesserungen durch neue Instrumente und neue Techniken, bes. in der Behandlung von potentiell chronischen Beschwerden (→ Chirurgie), ebenso in der → Pharmakologie [33]. Erasistratos entwickelte für das Verständnis des Körpers einen eher mechanistischen Ansatz, für den er zahlreiche Gedanken aus der zeitgenössischen Naturwiss. heranzog; humorale Theorien lehnte er ab.

### F. Griechische Medizin im republikanischen Rom

Belege für med. Aktivitäten bei den Etruskern beschränken sich auf einige Namen von Ärzten aus dieser Region, die aus dem 1. Jh. v. Chr. stammen. An anderer Stelle in It. genossen die → Marsi einen Ruf als Kräutersammler und Schlangenbändiger, während man in griech. Kolonien, bes. in Elea (→ Velia) und Tarentum, *iatroí* antreffen konnte – zuweilen auch in großen Zahlen, so z.B. in Metapontum (SEG 30,1175) in einer Relation von etwa 1 *iatrós* pro 6000–7000 Einwohner. → Cato [1] hat in seiner Schrift *De agricultura* mehrere Beschwörungsformeln und med. Rezepte erh., die für eine ländliche Gemeinde typisch sind. Selbsthilfe, persönliche Kenntnis von vor Ort verfügbaren Heilmitteln und ein Repertoire von Heilmitteln, für deren Einsatz kein bes. Heiler erforderlich ist, sind Kennzeichen einer bes. von Plin. nat. 29,6,12–21 repräsentierten Trad., die den praktischen → *pater familias* der Römer dem theoretischen, betrügerischen und gefährlichen Griechen gegenüberstellte. Die auf Cato zurückgehende Polemik gegen die griech. M. ist eine Kombination von Wahrheit, Politik und lit. Stereotypen (der lüsterne, inkompetente Quacksalber war schon Aristophanes geläufig), hat aber anhaltenden Einfluß ausgeübt, bes. im Hinblick auf die Implikation, daß griech. M. in röm. Zeit zweitrangig war [34]. M. in lat. Sprache wird auch in die enzyklopädische Trad. der *artes* von → Varro und → Celsus [7] bis zu → Isidorus [9] aufgenommen (vgl. → *artes liberales*, → Enzyklopädie).

Ob der Chirurg → Archagathos [3] im Jahr 219 v.Chr. der erste griech. Arzt (*medicus*) in Rom war, wie Cassius Hemina fr. 26 Peter behauptet, ist ungewiß, doch zeigt seine Ankunft, bei der ihm das Bürgerrecht verliehen und ein Sprechzimmer auf öffentl. Kosten zur Verfügung gestellt wurde, gewiß, daß der röm. Senat bei der Anstellung eines öffentl. Arztes wie eine griech. *bulḗ* handelte. Wie viele ihm folgten, ist unbekannt – Erwähnungen von Ärzten in der röm. Komödie sind als Zeugnis zweifelhaft. Polybios' Feindseligkeit gegenüber »theoretischen« Ärzten, die den Kranken nicht heilen können (12,25d 2–7), reflektiert vielleicht eher eine griech. als eine röm. Situation [35]. In republikanischer Zeit und in Rom selbst bis ins 3. Jh. n. Chr. tragen die meisten *medici* griech. Namen und sind sehr häufig Sklaven und Freigelassene, was unvermeidlicherweise eine Auswirkung auf den Status der ärztlichen Kunst gehabt haben muß, selbst nachdem Iulius Caesar allen Ärzten in Rom das Bürgerrecht verliehen hatte (Suet. Iul. 42)

[36]. Ciceros Lob der M. als einer ›ehrenvollen Kunst‹ (off. 1,42,151) wird durch den Nachsatz ›für diejenigen ehrenvoll, deren Stand sie entspricht,‹ beträchtlich modifiziert.

Zwei med. Theorien lassen sich mit Griechen in Verbindung bringen, die in der späten Republik und der frühen Kaiserzeit tätig waren. Die von → Athenaios [6] von Attaleia gegründete Schule der → Pneumatiker nahm die Säftelehre der Hippokratiker auf und stülpte ihr den Begriff des → *pneúma* als der kontrollierenden und organisierenden Kraft über. Weit mehr weiß man über die → Methodiker, deren Lehren sich teilweise über → Thessalos von Tralleis und → Themison von Laodikeia bis zu → Asklepiades [6] von Bithynien in den ersten Jahren des 1. Jh. v. Chr. zurückverfolgen lassen. Asklepiades besaß einen hervorragenden Ruf als nahezu wunderwirkender Mann und behandelte viele röm. Senatoren. Seine Theorie, eine Kombination von → Atomismus und der mechanistischen Lehre des Eristratos, erfreute sich beträchtlichen Erfolgs, bes. in der vereinfachten Umformulierung durch Thessalos, und hielt sich bis weit ins 5. Jh. n. Chr. Sie betonte die Ursächlichkeit von Krankheit und die Notwendigkeit einer Behandlung nicht einfach der Symptome, sondern der Ursachen. Indem die Methodiker nur ein schmales Spektrum von »gemeinsamen Zuständen« innerhalb eines atomistischen Universums betrachteten, sahen sie eine einfache Korrelation zw. wahrnehmbaren Symptomen und deren Ursache und zw. Ursache und allopathischer Behandlung. Sie modifizierten auch die Behandlung chronischer Beschwerden, um Veränderungen berücksichtigen zu können, wie sie sich in den jeweiligen Symptomen manifestierten (während dogmatische Ärzte, → Dogmatiker [2], dieselbe Behandlung weiterführten, bis die anfängliche Ursache beseitigt war).

G. Kaiserzeit

Griech. M. läßt sich, ob sie nun von Griechen, Trägern griech. Namen oder Anhängern griech. Theorien vertreten wurde, über das ganze röm. Imperium hin antreffen, vom Hadrianswall in Nordengland bis nach Südägypten. Ärzte standen auf einunddemselben med. Markt in Wettbewerb mit Spezialisten (→ Augenheilkunde), Arzneimittelverkäufern, Chirurgen, Heilerinnen und med. Propheten wie → Alexandros [27] aus Abonuteichos. Ihr Status war von Ort zu Ort verschieden und hing weitgehend von ihren Patienten ab: Diejenigen, die die kaiserliche Familie oder Senatoren behandelten, genossen ein gewisses Prestige und verdienten wohl mehr Geld als ein einfacher Arzt (und gelegentlich eine einfache Ärztin) vor Ort [37]. Manche, bes. in Kleinasien wie z. B. → Statilius Criton, gehörten Familien an, die in ihrem Ort zur Prominenz zählten. Sklavenfamilien in Rom wurden oft von Ärzten behandelt, die selbst Sklaven waren. In It. waren viele Ärzte wie etwa → Galenos Einwanderer, die darauf aus waren, in der Hauptstadt des Imperium Geld zu verdienen, doch besaßen auch griech. Zentren wie Ephesos und Alexandreia blühende med. Berufsstände.

M. war eine individuelle Angelegenheit, an der der Staat wenig Anteil hatte. → Krankenhäuser waren nur für Sklaven oder in größeren Militärlagern und -festungen vorhanden, wo es ein komplexes System med. Organisation gab [38]. Die Kaiser setzten die hell. Trad. der städtischen Steuerbefreiung für alle med. Berufe fort, doch führte Antoninus Pius' (Mitte 2. Jh. n. Chr.) Begrenzung der Zahl der Anspruchsberechtigten zu einer Gesetzgebung, die eine partielle Definition der erforderlichen Kompetenz enthielt, die Auswahl solcher Ärzte (→ *archiatrós*) aber der örtlichen Ratsversammlung überließ [39].

Die Schriften des → Plinius d.Ä., → Rufus, → Soranos und bes. des → Galenos führen eine Vielzahl von Ärzten vor, deren Behandlungen in manchen Fällen an → Magie und Betrug grenzten (auch wenn die Grenze zu diesen Kategorien nie festgelegt oder gesetzlich definiert wurde) [40]. Galen berichtet von einer Renaissance der Anatomie unter → Marinos [2] um 110 n. Chr. sowie von einer Trad. der Hippokratesexegese, die von seinen eigenen Lehrern und anderen in Alexandreia entwickelt worden war. Hippokratische M. war jedoch immer noch Sache einer Minderheit; und auch Galens Ideal des philos. Arztes war nicht so weit verbreitet, wie spätere Generationen dachten. Aus ägypt. Pap. sind Ärzte bekannt, die das Heilgewerbe neben anderen Tätigkeiten ausübten, bes. neben der Landwirtschaft – eine Verbindung, die sich in Europa bis weit ins 20. Jh. hinein beobachten läßt. Zugleich gab es in Städten wie Tarsos oder Beneventum Gruppen oder Collegien von Ärzten, die zweifellos Zugang zu Abschriften eines Teils der reichen med. Lit. hatten, die sich im 2. Jh. n. Chr. in Umlauf befand [41]. In Ephesos gab es jährliche Wettbewerbe für Ärzte, deren Ergebnisse für die Öffentlichkeit inschr. festgehalten wurden (IK Ephesos 1161–1167).

H. Spätantike

Vom 4. Jh. n. Chr. an hatte der Galenismus in der griech. Welt den Rang der dominierenden med. Theorie, auch wenn er einen geringeren Einfluß auf die lat. M. ausübte als die Schule der → Methodiker (→ Caelius [II 11] Aurelianus). M. wurde immer mehr als schriftliches Wissen definiert, ob in Gestalt eines Auszugs (→ Oreibasios) oder eines Hdb., das oft ausdrücklich für diejenigen gedacht war, die nur mit Mühe einen *medicus* erreichen konnten, oder in Gestalt umfassender Gesamtausgaben, insbes. derer des Galen und des Hippokrates [42].

Eine ähnliche Starrheit läßt sich in gesetzlichen Regelungen für Ärzte beobachten, unter denen der *Codex Theodosianus* (13,3) die Privilegien verschiedener Ärztegruppen definiert; an der Spitze einer festgelegten Anzahl von Ärzten befanden sich die Hofärzte, die spätestens im 6. Jh. n. Chr. zumindest theoretisch die Oberaufsicht über den gesamten med. Berufsstand innehatten (Cassiod. var. 6,19). *Medici* lassen sich auch weiterhin über das ganze Imperium hin verzeichnen, auch wenn sie immer mehr auf größere Städte beschränkt waren. Darüber hinaus herrschten Selbsthilfe und die ländliche M. des Cato und des Plinius vor. Im lat. Westen werden um 600 n. Chr. med. Bücher und selbst Kompendien von Heilmitteln seltener. Das intensive Netzwerk med. Intelligenz in Nordafrika wurde von kurzen Zusammenfassungen praktischen Wissens, wie von Cassiod. inst. 1,31 definiert, abgelöst. Im Gegensatz dazu blühte in der M. des Ostens bis zu den arab. Eroberungen und darüber hinaus, in griech. wie in syr. Sprache, ein kritischer, theorieorientierter med. Ansatz.

J. Christentum

Durch das Aufkommen des Christentums veränderte sich die M. in verschiedener Hinsicht [43]. Die Betonung der allg. Barmherzigkeit führte zur Vermehrung von → Krankenhäusern, in denen Bedürftige gepflegt wurden, und gelegentlich zur Verbreitung med. Behandlung. Einige Theologen assoziierten Krankheit mit Sünde und schworen menschlichen Heilmitteln zugunsten christl. Heilung durch Gebet, Beichte, Glauben und Handauflegen ab (Jak 5,14–16). Doch blieben sie wie diejenigen, die die Bedürfnisse des Körpers zugunsten der Bedürfnisse der Seele verleugneten, stets in der Minderheit. Die Mehrzahl der Christen folgte → Basileios [1] in der Argumentation, daß ein vorsehender Gott Heilmittel auf der Erde sein läßt, damit der Mensch Gebrauch davon macht. Gelegentlich führte der Verdacht, herausragende Ärzte seien Sympathisanten des »Heidentums« (→ Gesios), zu Feindseligkeiten ihnen gegenüber, und → Augustinus war besorgt, daß seine Gemeinde sich die rel. Magie der Paganen zu eigen machen könnte [44]. Die Heilungen durch Heilige (→ Kosmas und Damianos) boten, insbes. mit der Austreibung von → Dämonen, eine Alternative zu säkularer Behandlung, doch im allg. gab es eher Kooperation als Konflikt. Die teleologische Betonung von Gottes Absicht in der Schaffung einer geordneten Welt, die den Galenismus kennzeichnete, trug gewiß zur Sicherung seiner Vorherrschaft bei.

K. Zusammenfassung

Viele wesentliche Fragen zur M. der Ant. lassen sich nicht beantworten. Obwohl man im 2. Jh. n. Chr. in der gesamten röm. Welt Ärzte antreffen kann, sind wir nicht in der Lage, das Ausmaß der Medikalisierung abzuschätzen. Die Lösung von Problemen der öffentl. Gesundheit überließ man, auch wenn sie von Ärzten erörtert wurden, anderen. Auch können wir im Hinblick auf das Ausmaß oder die Bed. der Professionalisierung des Gesundheitswesens keine Gewißheit erlangen. Die wichtigste Frage bleibt jedoch die nach der Effektivität ant. M. Die Paläopathologie zeigt, daß Patienten nach größeren chirugischen Eingriffen genasen, und komplexe Operationen wie Lithotomien und Herniotomien werden oft erwähnt [45]. Arzneien auf Kräuterbasis mögen in mehr als 10 % aller Fälle, in denen sie angewandt wurden, Wirkung gezeigt haben, doch wurden sie selten in toxischen Dosen verabreicht, und Arzneien auf mineralischer Grundlage wurden nicht intern, sondern extern appliziert. Die Mehrzahl der Arzneimittel wird nur geringe direkte Wirkung gezeigt haben, doch ist der Placeboeffekt nicht auszuschließen [46]. Ant. Heilmittel mögen oft ohne Heileffekt geblieben sein, dürften aber in den Händen eines kompetenten Arztes den Zustand selten verschlechtert haben. Ein ant. Meister der Diagnose wie Rufus oder Galen wird mit seinen intellektuellen und praktischen Fähigkeiten mindestens ebenso erfolgreich gewesen sein wie ein Arzt in der ersten H. des 20. Jh.

→ Aristeides [3], P. Ailios; Anatomie; Antidotarium; Archiatros; Asklepios; Augenheilkunde; Ausbildung, medizinische; Chirurgie; Diätetik; Dogmatiker [2]; Empiriker; Epidemische Krankheiten; Erasistratos; Galenos; Geisteskrankheiten; Gynäkologie; Hebamme; Hippokrates [6]; Krankenhäuser; Krankheiten; Malaria; Medizinische Ethik; Medizinische Instrumente (mit Abb.); Methodiker; Pedanios Dioskurides; Pharmakologie; Pneumatiker; Sarapis; Scribonius Largus; Soranos; Statilius Criton; Medizin

**1** A. H. Gardiner, The House of Life, in: JEA 24, 1938, 157–179 **2** M. H. Marganne, Links between Egyptian and Greek Medicine, in: Forum 3,5, 1993, 35–43 **3** E. Reiner, Astral Magic in Babylonia, 1995 **4** M. Stol, Epilepsy in Babylonia, 1993 **5** F. Köcher, Die babylon.-assyr. M., 1–6, 1963–1980 **6** R. Labat, Traité akkadien de diagnostics et prognostics médicaux, 1951 **7** H. C. Kee, Medicine, Miracle and Magic in New Testament Times, 1988 **8** I. und W. Jacob, The Healing Past, 1993 **9** G. Vermes, Jesus the Jew, 1973 **10** P. J. van der Eijk (Hrsg.), Nobilium medicorum historia. Essays in Medical Doxography and Historiography in Classical Antiquity, 1999 **11** A. Krug, Heilkunst und Heilkult, 1985 **12** J. Oehler, Epigraphische Beitr. zur Gesch. des Ärztestandes, in: Janus 14, 1909, 111–123 **13** H. Gummerus, Der Ärztestand im röm. Reiche, 1932 **14** A. Hillert, Ant. Ärztedarstellungen, 1990 **15** S. Laser, M. und Körperpflege (ArchHom 3,2), 1983 **16** F. Kudlien, Der Beginn des medizinischen Denkens bei den Griechen, 1967 **17** G. E. R. Lloyd, Polarity and Analogy, 1971 **18** W. D. Smith, Galen on Coans versus Cnidians, in: BHM 47, 1973, 569–578 **19** J. Jouanna, Hippocrate. Pour une Archéologie de l'École de Cnide, 1974 **20** Ders., Hippocrate, 1992 **21** G. E. R. Lloyd, The Revolutions of Wisdom, 1987 **22** Edelstein, AM, 65–111 **23** V. Langholf, Medical Theories in Hippocrates, 1990 **24** A. W. Nightingale, Plato's Lawcode in Context, in: CQ 49, 1999, 100–122 **25** P. Lain Entralgo, The Therapy of the Word in Classical Antiquity, 1970 **26** L. Cohn-Haft, The Public Physicians of Ancient Greece, 1956 **27** G. E. R. Lloyd, Magic, Reason, and Experience, 1979 **28** Ders., Science, Folklore, and Ideology, 1983 **29** Edelstein, Asclepius **30** F. Kudlien, Der griech. Arzt im Zeitalter des Hell., in: AAWM, 6, 1979 **31** P. M. Fraser, Ptolemaic Alexandria, 1972 **32** Staden **33** M. Michler, Die hell. Chirurgie, 1, 1968 **34** Nutton, vii, 30–58 **35** E. D. Rawson, Intellectual Life in the Late Roman Republic, 1985, 171–184 **36** J. Korpela, Das Medizinalpersonal im ant. Rom, 1987 **37** F. Kudlien, Die Stellung des Arztes in der röm. Ges., 1986 **38** J. C. Wilmanns, Der Sanitätsdienst im röm. Reich, 1995 **39** Nutton, v, 191–226 **40** V. Nutton, From Medical Certainty to Medical Amulets, in: Clio Medica 22, 1991, 13–22 **41** O. M. van Nijf, The Civic World of Professional Associations in the

Roman East, 1997 **42** J. SCARBOROUGH (Hrsg.), Symposium on Byzantine Medicine, in: Dumbarton Oaks Papers 38, 1984 **43** O. TEMKIN, Hippocrates in a World of Pagans and Christians, 1991 **44** R. MACMULLEN, Christianity and Paganism in the Fourth to Eighth Centuries, 1997 **45** R. JACKSON, Doctors and Diseases in the Roman Empire, 1988 **46** J. M. RIDDLE, Quid pro quo. Stud. in the History of Drugs, 1992.

T. BARDINET, Les Papyrus médicaux de l'Egypte pharaonique, 1995 • L. I. CONRAD, M. NEVE, V. NUTTON, R. PORTER, A. WEAR, The Western Medical Trad., 800BC-AD 1800, 1995 • EDELSTEIN, AM • V. J. FLINT, The Rise of Magic in Early Medieval Europe, 1993 • D. GOUREVITCH, Le Triangle hippocratique dans le Monde gréco-romain: Le Malade, sa Maladie, et son Médecin, 1984 • H. GRAPOW, Grundriß der M. der alten Ägypter, 9 Bde., 1954–1973 • M. D. GRMEK (Hrsg.), Western Medical Thought from Antiquity to the Middle Ages, 1998 • ANRW Band 37,1–3, 1993–1996 • J. NUNN, Ancient Egyptian Medicine, 1996 • V. NUTTON, Healers in the Medical Marketplace, in: A. WEAR (Hrsg.), Medicine in Society, 1992, 15–58 • J. PREUSS, Biblisch-Talmudische M., 1911 • P. J. VAN DER EIJK, H. F. J. HORSTMANSHOFF, P. H. SCHRIJVERS (Hrsg.), Ancient Medicine in its Socio-Cultural Context, 1995 • W. WESTENDORF, Hdb. der altägypt. M., 1999.

V. N./Ü: T. H.

**Medizinische Ethik** A. EINLEITUNG
B. ETHIK IN DER HIPPOKRATISCHEN MEDIZIN
C. ETHIK IN DER RÖMISCHEN MEDIZIN
D. ETHIK IN DER CHRISTLICHEN MEDIZIN

A. EINLEITUNG

M. E. läßt sich definieren als das Verhalten von Heilkundigen gegenüber denjenigen, die sie heilen wollen. Wie es sich im einzelnen darstellt, variiert je nach Gruppenzugehörigkeit des Heilkundigen bzw. der Ges., in der er tätig ist. Zudem können Heilende und zu Heilende durchaus unterschiedliche Ansichten zur m.E. haben. Ein Verhalten im gen. Sinne läßt sich gesetzlich bzw. standesrechtlich oder außerrechtlich durch die sanktionierende Kraft der öffentlichen Meinung oder der Meinung einzelner Gruppen regeln.

B. ETHIK IN DER HIPPOKRATISCHEN MEDIZIN

In der griech. Ant. zielt m.E. in zwei Richtungen: Zum einen ist es ihr um den Gruppenzusammenhalt der Heilkundigen zu tun, bes. dadurch, daß Heilen als etwas Heiliges und Geheimes definiert wird (z. B. Hippokrates, *Iusiurandum*, *Lex*) [1], das nur Kollegen enthüllt werden darf. Zum zweiten geht es ihr im Hinblick auf den Behandlungserfolg um das Vertrauen des Patienten [2]. Die pragmatischen Abh. *De decenti ornatu* und *Praeceptiones* aus dem *Corpus Hippocraticum*, die beide aus hell. Zeit stammen, geben dem Arzt Vorschriften für ein angemessenes Verhalten an die Hand und reglementieren seine Sprache, Kleidung und sein Verhalten bei der Honorarforderung mit dem Ziel, sein Ansehen zu heben und den Heilungsprozeß zu unterstützen. Der hippokratische Eid (→ Hippokrates [6]) betont die Verpflichtungen gegenüber dem eigenen Lehrer wie auch gegenüber dem Patienten, z. B. zu schweigen und sich nicht auf sexuelle Beziehungen einzulassen, doch stehen diese Pflichten in dem größeren rel. Zusammenhang der Heiligkeit des persönlichen Lebens. Den im Eid niedergelegten Bemerkungen zur Euthanasie und zum Schwangerschaftsabbruch (→ Abtreibung) wird durch Erklärungen und Praktiken an anderen Stellen innerhalb der hippokratischen Schriftensammlung widersprochen. Die Hippokrates-Legenden stellen Hippokrates als ein Vorbild der Moral dar, nicht zuletzt wegen seiner Weigerung, den persischen König Artaxerxes I. zu behandeln, mit der Begründung, er sei ein Feind der Griechen [3].

C. ETHIK IN DER RÖMISCHEN MEDIZIN

Diskussionen unter den Stoikern über Fachethos, z. B. unter Richtern, dürfte die Selbstwahrnehmung des Ärztestandes geschärft haben [4]. Ebenso dürfte auch die Verbreitung ärztlicher Kollegien zur Entstehung von lokalen Vorschriften, z. B. hinsichtlich der Honorarfrage (Inschr. Ephesos 385), geführt haben. Doch wurde in der röm. Trad. der medizinischen Selbstversorgung und einer volkstümlichen m.E., wie sie Cato mit *De agri cultura* und Plinius d. Ä. verkörperten, das potentielle Unheil beschworen, das von griech. Ärzten ausging, und die Notwendigkeit unterstrichen, daß sich jede Familie selbst um ihre Mitglieder zu kümmern habe [5]. → Scribonius Largus (*Compositiones*, praef.) stellt den hippokratischen Eid in einen röm., militärmedizinischen Kontext, in dem die Entscheidung zum Arztberuf Verpflichtungen nach sich zieht, die denen des hippokratischen Eides entsprechen [6]. Inschr. Zeugnisse bestätigen ebenfalls, daß der Eid als medizinethisches Manifest weithin bekannt war, auch wenn man seinen stark frömmelnden Ton nicht immer akzeptierte [7].

In den meisten Medizinethiken wird gute Medizin jedoch mit erfolgreicher Praxis gleichgesetzt, so daß das moralische Verhalten zu einer Art berufsständischer Etikette wurde, wie z. B. bei Galens ausführlicher Darlegung des angemessenen ärztlichen Verhaltens in seinem Komm. zu Epidemien 4,4,7 (CMG 5,10,2,2, p. 197–217). In *Quod optimus medicus* empfiehlt Galen eine regelrechte Philos. der Medizin als integralen Bestandteil eines erfolgreichen Heilkonzepts, das jedoch auch ohne bewußte Übernahme einer solchen Philos. denkbar ist. Galens eigene Wertschätzung des sittlichen Arztes läßt sich am besten an seiner Beschreibung einer Asklepiosstatue ablesen, in der sich Moral, Urteilsvermögen und Philanthropie vereinen [8]. Formulierungen in Ehrendekreten für Ärzte heben seit hell. Zeit ebenfalls auf das sittliche und wohltätige Verhalten des jeweiligen Heilkundigen ab.

Röm. Rechtsbestimmungen (Dig. 27,1,6,2; 50,9,1; Cod. Theod. 10,53,9) für zivile Ärzte verlangen, daß man die Kandidaten auf ihre ärztliche Befähigung und ihre Sittlichkeit hin prüft, auch wenn es den jeweiligen Prüfungskommissionen überlassen bleibt, letztere zu definieren. Im 6. Jh. n. Chr. geht Cassiodorus (variae 6,19) davon aus, daß die Zählung der *archiatri* (→ *arch-*

*iatrós*) Vorfälle wie die von Ärzten in aller Öffentlichkeit über ihre Fälle geführten Streitgespräche eindämmen würde. Das röm. Gesetz sah die Bestrafung gewisser Übertretungen vor, z. B. des Giftmords oder der Verabreichung von Liebestränken, griff ansonsten aber nicht in die Arzt-Patient-Beziehung ein [9]. Öffentlicher Unmut über ärztliches Versagen, ob gerechtfertigt oder nicht, könnte ebenfalls zur Qualitätssicherung in der ärztlichen Praxis beigetragen haben (Gal. in Hippokr. Epid. II: CMG 5,10,2,1, p. 401). Fragen nach der Angemessenheit sowohl der Therapie als auch der Reaktion der Patienten wurden ebenfalls öffentlich diskutiert, wenn auch ohne konsensfähiges Resultat (z. B. Lukianos, Bis accusatus; Libanios, Progymnasma 8).

D. Ethik in der christlichen Medizin

Die christl. Medizin übernahm zahlreiche jüd. Einstellungen gegenüber Gesundheit und Krankheit, nicht zuletzt die kommunale, philanthropische Verpflichtung, den Kranken und Armen zu helfen [10]. Dabei spielte der hippokratische Eid eine große Rolle, zumindest als Symbol; sein paganer Eröffnungssatz wurde in christl. Sinne modifiziert. Die im Eid formulierte ablehnende Haltung zum Schwangerschaftsabbruch wurde beibehalten, wenn nicht sogar durch die christl. Moraltheologie bekräftigt (→ Abtreibung). Jüngere ethische Eide und Erklärungen spielen auf Einzelaussagen des hippokratischen Eides an oder formulieren ihn im Hinblick auf die unterschiedlichsten rel. Kontexte um, wie etwa der bislang undatierte hebr. Eid von Asaph zeigt, doch geht es auch dabei im allg. um eine effizientere medizinische Praxis. Die hippokratische Klage, daß das Unglück anderer den Arzt mit Trauer erfülle (Corpus Hippocraticum, De flatibus 1), wurde zum Sinnbild des guten Arztes, der das Leiden der anderen auf sich nimmt [11]. Die Ethik christl. Nächstenliebe und christl. Mitleids mit allen Menschen führte dazu, daß die hippokratische Vorstellung vom Dienst am eigenen Patienten und an der eigenen medizinischen Zunft auf die ganze Menschheit ausgeweitet wurde. Dennoch stellten christl. Theologen gelegentlich in Frage, ob sich die Aktivitäten des Arztes mit dem Leben eines Geistlichen vereinbaren ließen. Die rel. Notwendigkeit, die unsterbliche Seele zu retten, kollidierte gelegentlich mit dem ärztlichen Bemühen um den kranken Körper. In pseudonymen Texten wie dem *Testamentum Hippocratis* und ähnlichen in griech. und oriental. Sprachen verfaßten Schriftstücken sind ältere nützliche Ratschläge in leicht zugänglicher Weise systematisch aufgezeichnet [12; 13].

→ Ethik; Hippokrates; Medizin; Hippokratischer Eid; Hippokratismus; Medizin

**1** J. Jouanna, Un témoin inconnu de la trad. hippocratique, in: A. Garzya (Hrsg.), Storia e ecdotica dei testi medici greci, 1996, 253–272 **2** H. Flashar, J. Jouanna (Hrsg.), Médecine et morale dans l'Antiquité (Entretiens de la Fondation Hardt 43), 1997 **3** J. Rubin Pinault, Hippocratic Lives and Legends, 1992 **4** L. Edelstein, Ancient Medicine, 1969, 319–368 **5** F. Kudlien, Medical Ethics and Popular Ethics, in: Clio Medica 5, 1970, 91–121 **6** K. Deichgräber, Professio medici. Zum Vorwort des Scribonius Largus, in: AAWM 9, 1950, 855–879 **7** H. von Staden, Character and Competence, in: [2], 158–195 **8** F. Rosenthal, Science and Medicine in Islam, 1990, Kap. 3, 52–87 **9** K. H. Below, Der Arzt im röm. Recht, 1953, 122–134 **10** D. W. Amundsen, Medicine, Society and Faith in the Ancient and Medieval Worlds, 1996 **11** O. Temkin, Hippocrates in a World of Pagans and Christians, 1991 **12** K. Deichgräber, Medicus gratiosus, in: AAWM 29, 1970, 194–309 **13** L. C. MacKinney, Medical Ethics and Etiquette in the Early Middle Ages: the Persistence of Hippocratic Ideals, in: BHM 26, 1952, 1–31 **14** D. Gourevitch, Le triangle hippocratique dans le monde gréco-romain, 1984 **15** H. Koelbing, Arzt und Patient in der ant. Welt, 1977 **16** F. Kudlien, s. v. Gesundheit, RAC 10, 902–945 **17** C. Lichtenthaeler, Der Eid des Hippokrates, 1984 **18** E. Wenkebach, Der hippokratische Arzt als das Ideal Galens, in: Quellen und Stud. zur Gesch. der Naturwiss. und der Medizin 3, 1933, 169–175.

V. N./Ü: L. v. R.-B.

**Medizinische Instrumente.** Wenig ist von mesopot. und ägypt. m.I. bekannt. Etr. Grabfunde sind selten (Chiusi; Volterra). Drei kelt. Gräber des 3./2. Jh. v. Chr. (München-Obermenzing; Batina/Ungarn; Galaţii Bistriţei/Rumänien) enthalten Trepanationssägen (zur Durchbohrung der Schädeldecke). Hell. Import war der metallene Krontrepan (kelt. Gräber mit trepanierten Schädeln aus Katzelsdorf und Guntramsdorf/Österreich).

Die griech. m.I. sind mangelhaft publiziert (myk. Grab in Nauplia; Slg. Lambros, Athen, NM). Gut bekannt sind griech. Schröpfköpfe (Gräber: Ialysos; Theben; Tanagra; Korinth). Der sog. Diokleslöffel der Slg. Meyer-Steineg Jena ist verm. nicht antik.

Die meisten ant. m.I. stammen aus der röm. Prinzipatszeit des 1. bis 3. Jh. n. Chr. Ihre Typen sind gut bekannt (Arztgräber des 1.–3. Jh.; Siedlungsfunde, bes. aus den Vesuvstädten bis 79 n. Chr.; Schiffswracks). Erste datierbare Funde stammen von der röm. Armee in Germanien.

Wichtigste Schriftquellen, auch zu Spezialärzten (Dentisten, Ophthalmologen, Gynäkologen, Veterinären, Lithotomisten, kosmetischen Chirurgen): Celsus [7] (1. Jh. n. Chr.) und Paulos von Aigina (6./7. Jh. n. Chr.); ferner: *Corpus Hippocraticum* (→ Hippokrates [6]); Fragmente der hell. Chirurgen; Rufus; Soranos; Galenos. – Herstellerstempel sind rar. Das Material ist fast immer Bronze/Messing; das Eisen ist meistens korrodiert.

Typologie: Skalpell (σμίλη; *culter, scalper, scalpellus*): myrtenblattförmiger stumpfer Spatel (s. Abb. Nr. 1 f.); die Klinge konnte ersetzt werden. Daneben gab es einfache Messerformen. Variabel war die Lanzette (Phlebotom). Pinzette (λαβίς, μύδιον; *vulsella, volsella*; s. Abb. Nr. 16 f.): zur Kosmetik seit prähistor. Zeit in Gebrauch. Zahn- und Knochenzange (*forceps*, s. Abb. Nr. 4): seit dem späten 1. Jh. n. Chr. nachweisbar; Bajonettform (Zahnzange); Knochenzange mit gebogenen Backen

## Medizinische Instrumente aus römischer Zeit

1 2 3 4 5

6 7 8 9

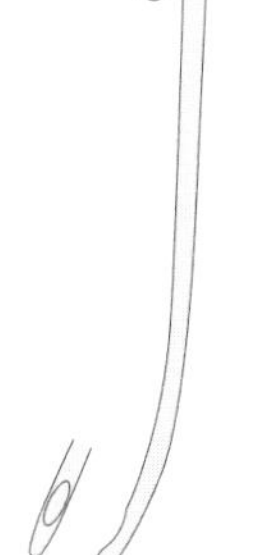


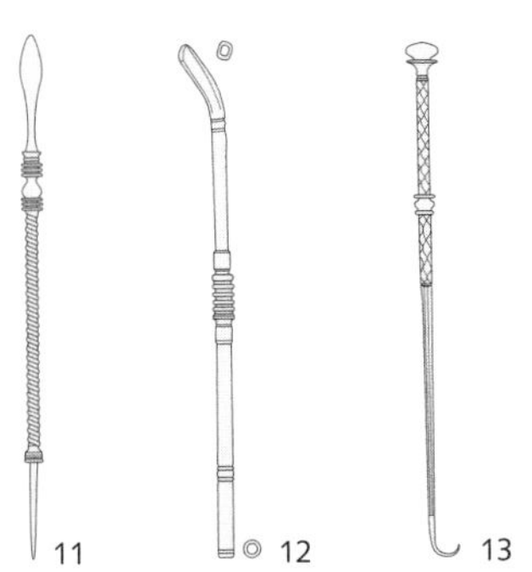


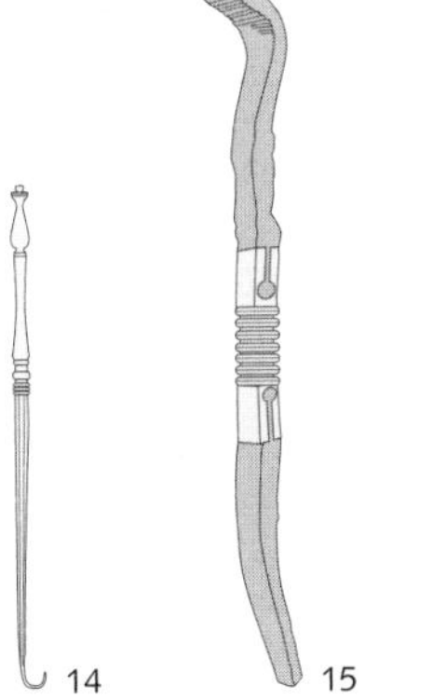


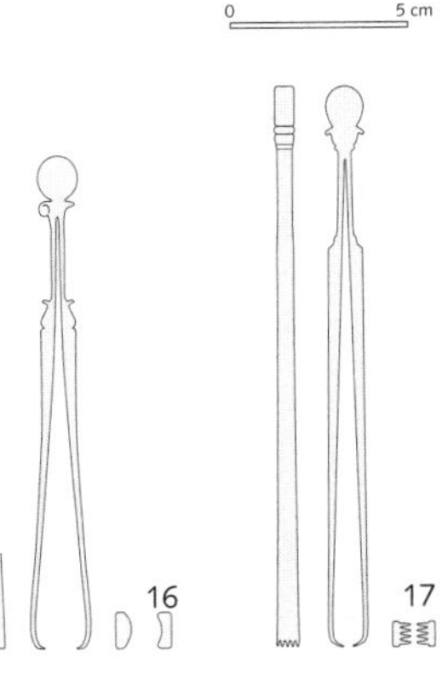


1–2 Skalpell
3 Blasenstein-skalpell

4 Zahnzange
5 Knochenzange
6 Speculum

7 Meißel
8 Zäpfchenzange
9 Schröpfkopf

10 Katheter
11 Starnadel
12 Starnadelhalter

13-14 Wundhaken
15 Knochenheber
16-17 Pinzetten

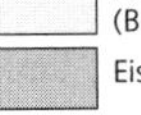

Kupferlegierung (Bronze, Messing)

Eisen

(s. Abb. Nr. 5); Spezialform: Mandel- oder Zäpfchenzange (λαβίς; *forceps*; s. Abb. Nr. 8). Knochenheber (ἀναβολεύς; *elevatorium*; s. Abb. Nr. 15): früheste Typen aus dem röm. Okkupationsgebiet in Germanien (Haltern; Kalkriese). Haken (ἄγκιστρον; *hamus*; s. Abb. Nr. 13f.): Stumpf oder spitz. Säge (πρίων; *serrula*): Amputationsinstrument, kaum erh., ebenso wie größere Messer. Feile (ξυστήρ; *raspatorium*): kaum erh. Meißel (ἐκκοπεύς; *scalper, scalprum planum*; s. Abb. Nr. 7): Funde aus Italien und aus Xanten; scharfe Eisenklinge. Metallener Krontrepan (*modiolus*): zwei Funde im Grab von Bingen/Deutschland; Trepanationsbögen etwas häufiger belegt. Analspecula und gynäkologische Specula (δίοπτρα, διόπτριον; *speculum, speculum magnum matricis*): auffälligste m.I., teilweise mit Schraubgewinden (s. Abb. Nr. 6). Kauterium, Brenneisen (καυτήριον; *ferrum candens*): kaum erh. Nadel (βελόνη; *acus*): kaum gebogene Wundnadeln erh.; Starnadel: solide Starnadel oft erh. (s. Abb. Nr. 11); zwei Hohlnadeln zur Extraktion des Grauen Stars sind belegt (Montbellet/Frankreich). Katheter (αὐλίσκος; *fistula*; s. Abb. Nr. 10): männliche und weibliche Formen. Schröpfkopf (σικύα; *ventosa*): scharfer Wandknick s. Abb. Nr. 9). – Zahlreiche Sonden (μήλη, σπαθομήλη, μηλωτίς; *spathomela, cyathiscomela, auriscalpium*) und Salbenreibplatten für Medizin, Pharmazie und Kosmetik.

Arzneibehälter (*theca*): aus Holz, Glas und Metall; runde Büchsen sowie rechteckige Kästchen mit Schiebedeckel. Okulistenstempel (steinerne Augensalbenstempel; *signacula oculariorum*, s. → Augenheilkunde): 2./3. Jh., fast nur aus den german., gallischen und britannischen Prov., vermutlich wegen des röm. Zollbetriebs.

Die byz. und frühislamischen m.I. zeigen vom 4. Jh. n. Chr. an nur leicht veränderte Formen; Funde u. a. aus Syrien, Griechenland und Ägypten. Die Masse der byz. Funde stammt aus dem 6. und 7. Jh. n. Chr. (vor dem Bildersturm ab 717).

L. J. Bliquez, Roman Surgical Instruments and Other Minor Objects in the National Archaeological Museum of Naples. With a Catalogue of the Surgical Instruments in the »Antiquarium« at Pompeii by Ralph Jackson, 1994 • M. Feugère, E. Künzl, U. Weisser, Die Starnadeln von Montbellet (Saône-et-Loire). Ein Beitrag zur ant. und islamischen Augenheilkunde in: JRGZ 32, 1985, 436–508 • R. Jackson, Roman Doctors and their Instruments: Recent Research into Ancient Practice, in: Journal of Roman Archaeology 3, 1990, 5–27 • E. Künzl, M. I. aus Sepulkralfunden der röm. Kaiserzeit (Kunst und Alt. am Rhein 115), 1983 • Ders., Spätant. und byz. m.I., in: PACT 34, 1992, 210–244 • Ders., Forsch.-Ber. zu den ant. m.I., in: ANRW II 37.3, 1996, 2433–2639 • J. St. Milne, Surgical Instruments in Greek and Roman Times, 1907 (Ndr. 1970).

E. KÜ.

**Medma** (Μέδμα). Lokrische Kolonie (Thuk. 5,5,3; Skymn. 308; Strab. 6,1,5; Etym. m. 581,15), gegr. Anf. des 6. Jh. v. Chr. an der ital. Westküste (Hekat. FGrH 1 F 81; Μέσμα/*Mésma*, Skyl. 12; Plin. nat. 3,73) bei gleichnamiger Quelle, südl. des gleichnamigen Flusses (h. Mesima) [1; 4. 114ff.] mit eigenem Emporion, h. Rosarno. E. 6./Anf. 5. Jh. siegreich mit Hipponion und Lokroi gegen Kroton verbündet, 422 mit Hipponion gegen Lokroi (Thuk. 5,5,3). 396 siedelte Dionysios I. 4000 Bürger von M. nach → Messana um (Diod. 14,78,5) und gab ihr Land an Lokroi. Aus M. stammte der Sokratiker und Platonschüler Philippos von Opus. Br.-Mz. des 4.–3. Jh. mit Legende ΜΕΔΜΑ oder ΜΕΣΜΑ [3]. Rechteckige Stadtanlage des 5.–4. Jh. v. Chr.; eine reiche Produktion von Dach- und Votivterrakotten (Statuetten, *pínakes*) für den Persephone-Kult [2; 4; 5] (→ Persephone).

1 H. Rix, M., Ort und Fluß in Bruttium, in: Beitr. zur Namenforsch. 3, 1951, 243–251 2 M. Paoletti, S. Settis (Hrsg.), M. e il suo territorio, 1981 3 G. Gorini, Per uno studio della monetazione di M., in: Numismatica e antichità classiche 14, 1985, 127ff. 4 S. Settis, Archeologia in Calabria, 1987 5 Ders., s. v. M., EAA Suppl. 2, 1995, 580–582.

M. L.

**Medobriga** (oder *Medubriga*; kelt. [1. 526] »Burg des Medus«). Stadt in Lusitania (→ Lusitani), 48 v. Chr. von Q. → Cassius [I 16] Longinus erobert, zusammen mit dem *Herminius mons* (h. Sierra de la Estrella), auf den sich die Bewohner geflüchtet hatten (Bell. Alex. 48,2). Nach CIL II 760 waren die *Meidobrigenses* z.Z. des Traianus am Bau der Tajobrücke von Alcántara beteiligt. Nach Plinius wurden die Einwohner von M. auch *Plumbari* gen. (*qui et Plumbari*, nat. 4,118) – offenbar verfügte M. über Bleibergwerke [2. 254f.].

1 Holder 2 2 Tovar 2.

F. Russel Cortez, A localizaçao dos Meidobrigenses, in: Zephyrus 4, 1953, 503–506.

P. B.

**Medoi** s. Meder

**Medokos** (Μήδοκος). Auf Silber- und Br.-Mz. Μήτοκος, in ant. und mod. Lit. auch Ἀμά- bzw. Ἀμήδοκος (*Amá-* oder *Amēdokos*; I. oder d. Ä., Isokr. or. 5,6; Harpokr. s. v. Ἀμάδοκος). Odrysischer König (Xen. an. 7,2,32; 7,3; 7,11) ca. 410/05 bis ca. 387 v. Chr. (Diod. 14,94,2), Nachfolger von → Seuthes I., Herrschaftssitz vermutlich am Oberlauf des Hebros (Xen. an. 7,3,16–17). Freund des → Alkibiades [3] (Diod. 13,105,3). M. unterstützte den Nebenherrscher → Seuthes II. (Xen. an. 7,2,32–34), der sich später gegen ihn auflehnte (Aristot. pol. 1312a). Beide wurden 389 von → Thrasybulos versöhnt und schlossen ein Bündnis mit Athen (Xen. hell. 4,8,26; Diod. 14,94,2; IG II/III$^2$ 21 und 22; StV II 238).
→ Odrysai

Z. H. Archibald, The Odrysian Kingdom of Thrace, 1998, 122–125 • U. Peter, Die Mz. der thrak. Dynasten (5.–3. Jh. v. Chr.), 1997, 89–99.

U. P.

**Medon** (Μέδων).
[1] Unehelicher Sohn des Oileus und der Rhene, der nach der Aussetzung des → Philoktetes die Führung von dessen Leuten nach Troia übernimmt (Hom. Il. 2,726ff.). Er hat einen Verwandten seiner Stiefmutter Eriopis getötet und mußte deshalb seine Heimat verlassen, worauf er sich nach Phylake (Thessalien) begab (ebd. 13,695ff.). M. wird von Aineias getötet (ebd. 15,332).

W. KULLMANN, Die Quellen der Ilias (Hermes ES 14), 1960, 113; 122f.; 162f. • F. PRINZ, Gründungsmythen und Sagenchronologie (Zetemata 72), 1979, 59f.

[2] Herold im Palast des → Odysseus, der → Penelope den geplanten Anschlag der Freier auf → Telemachos verrät (Hom. Od. 4,696ff.). Auf dessen Bitten verschont Odysseus M. beim Freiermord (ebd. 22,356ff.). In Hom. Od. 24,439 versucht M., die Ithakesier von ihrem Zorn gegen Odysseus abzubringen. Apollod. epit. 7,27 und Ov. epist. 1,91 erwähnen M. unter Penelopes Freiern.
[3] Einer der tyrrhenischen Seeräuber, die → Dionysos auf der Fahrt nach Naxos entführen, von diesem aber in Delphine verwandelt werden (Ov. met. 3,671; Hyg. fab. 134).
[4] Sohn des → Pylades und der → Elektra [4]; zusammen mit seinem Bruder Strophios soll er Aristodemos ermordet haben (Paus. 2,16,7; 3,1,6). Identisch mit Medeon, dem Namensgeber einer boiotischen (oder phokischen) Stadt (Steph. Byz. s. v. Μεδεών).
[5] Sohn des → Kodros, der sich mit seinem Bruder Neileus um die Herrschaft über Athen streitet, bis das delphische Orakel zugunsten des M. entscheidet (Paus. 7,2,1; Hellanikos FGrH 4 F 125). J.STE.
[6] Bildhauer aus Sparta, dessen Name von Pausanias bei der Beschreibung der Weihgeschenke im Schatzhaus (→ Thesauros) der Megarer in Olympia auch als → Dontas angegeben wird. Eine Verschreibung aus μεδον[τας/*me Dontas* wird vermutet. R.N.
[7] (Μήδων). Makedone aus Beroia, hochrangiger Königsfreund des → Perseus und Truppenführer im 3. → Makedonischen Krieg (vgl. Liv. 42,58,7); ergab sich 168 v. Chr. dem L. → Aemilius [I 32] Paullus und bewog → Pydna zur Kapitulation gemeinsam mit → Pantauchos (Liv. 44,45,2;7), mit dem er 171 auch als maked. Unterhändler zu P. → Licinius [I 14] Crassus geschickt worden war (Pol. 27,8,5). Identisch [1. 159f.; 2. 114f.] mit dem Kommandanten der Bergfestungen Pythion und Petra, der 168 von P. → Cornelius [I 83] Scipio Nasica besiegt wurde (Liv. 44,32,9: Midon; Pol. 29,15; Plut. Aemilius Paullus 16,2–3: Μίλων).

1 E. OLSHAUSEN, Prosopographie der hell. Königsgesandten, 1974 2 S. LE BOHEC, Les »philoi« des rois Antigonides, in: REG 98, 1985, 93–124. L.-M. G.

**Medontidai** (Μεδοντίδαι). Athen. Adelsgeschlecht, dessen Stammvater → Medon [5] 1069 v. Chr. auf die Königswürde verzichtet und als erster das lebenslange Archontat (→ *árchontes*) bekleidet haben soll. Dieses wurde dann angeblich in seiner Familie erblich, bis die Amtsperiode im J. 753 auf zehn Jahre begrenzt wurde. Auch das zehnjährige Archontat sollen bis 713 nur M. ausgeübt haben (Aristot. Ath. pol. 3,3; Paus. 4,5,10). Eine solche jahrhundertelange Machtstellung ist jedoch nicht durch authentische Zeugnisse belegt; es handelt sich wohl um eine Konstruktion des 5. Jh.

RHODES, 98ff. • K.-W. WELWEI, Athen, 1992, 53f., 67f., 101f. E.S.-H.

**Medos** s. Medeia

**Meduacus.** Name zweier Flüsse des problematischen hydrographischen Netzes im mittleren Veneto. Nach Tab. Peut. 4,4 bzw. 4,5 ist der M. maior die h. Brenta, die in die Adria mündet, der M. minor der h. Bacchiglione, der sich bei → Patavium gabelte (Plin. nat. 3,121) und dort einen Hafen bildete (Liv. 10,2,6).

NISSEN 2, 219. A.SA./Ü: H.D.

**Medulli.** Von Augustus unterworfenes Alpenvolk (CIL V 7817 = Plin. nat. 3,137), das östl. der Vocontii und südl. der Allobroges (Strab. 4,1,11; 4,6,5; Ptol. 2,10,7) am Oberlauf des Arc beim h. Modane lebte und laut Vitr. 8,3,20 bes. oft an Kropf litt. Es gehörte zu den Völkern des → Cottius [1] (CIL V 7231) und später zur *prov. Alpes Cottiae*.

TIR L 32,92 • G. BARRUOL, Les peuples préromains du sud-est de la Gaule, 1975, 334–337. K.DI.

**Medullia.** Stadt der *prisci Latini*, von Alba Longa nördl. des → Anio gegr. (Liv. 1,33,4; 38,4; *Medullum*, Plin. nat. 3,68). M. wurde von den Römern im Krieg gegen die Latini (340–338 v. Chr.) erobert. Zu E. der röm. Republik verlassen; genaue Lage unbekannt.

NISSEN 2, 563. G.U./Ü: V.S.

**Medusa** (Μέδουσα). Myth. Ungeheuer, eine der drei Gorgonen (s. → Gorgo [1]): Ihre beiden Schwestern Sthenno und Euryale sind unsterblich, sie selbst ist sterblich. L.K.

**Meer.** Der Lebensraum der griech.-röm. Ant. war wesentlich bestimmt von seinem geogr. Zentrum, dem → Mare Nostrum mit seinen großen Neben-M. → Ionios Kolpos, → Aigaion Pelagos, → Pontos Euxeinos; die peripheren M. – → Mare Germanicum, → Mare Suebicum, → Kaspisches Meer, → Erythra Thalatta mit den Neben-M. Arabios Kolpos (h. das Rote M.) und dem Pers. Golf, sowie dem → Okeanos – bildeten grundsätzlich eigene Welten (bes. der Pers. Golf z.Z. der vorderoriental. Großreiche), die sich von Zeit zu Zeit unterschiedlich auf die Mittelmeerwelt auswirkten (vgl. den Pontos Euxeinos z.Z. der milesischen → Kolonisation im 7./6. Jh. v. Chr.). Die Eigengesetzlichkeiten des M. waren den seefahrenden Anrainern – bei aller rel. Scheu vor dem M. (→ Poseidon; vgl. auch das Thema des »Erfinders« der Seefahrt etwa bei Hor. carm. 1,3,9 ff.) – seit Anf. des Mesolithikums vertraut. Die ion. Wiss. befaßte sich auch mit dem M. und entwickelte für die verschiedenen M.-Erscheinungen eigene Entstehungs- bzw. Ablaufsmodelle. Man konstatierte richtungsbeständige → Winde (vgl. auch [5]), jahreszeitlich bedingte Wetterlagen ([4]; → Meteorologie), Untiefen (zu den Tiefenverhältnissen der verschiedenen M. vgl. Aristot. meteor. 351a 11 f.; 354a 11 ff.), Gezeiten – eine im Mare Nostrum außer in den Meerengen (→ Fretum Siculum, → Euripos [1], → Hellespontos, → Bosporos) sowie in der nördl. Adria und vor Massalia seltene Erscheinung (früheste Berichte über diese bei Hdt. 2,11; 7,198; Autopsie von der Indus-Mündung bei Nearchos FGrH 133 F 33, bei Arr. an. 6,19,1 f.; vgl. [6]) –, Flauten (Aristot. meteor. 354a 22 f.), Salzgehalt (als Grund für die Tragfähigkeit des M.-Wassers bei Aristot. meteor. 357b 6 f.; 359a 5 f.).

Die immer höher entwickelten technischen Möglichkeiten der → Schiffahrt (vgl. auch [3]) befähigten die Ägypter (seit dem 3. Jt.), → Phoiniker (seit Mitte 2. Jt.), Karer (1. H. 1. Jt.), Griechen und Karthager zu weltumfassenden Seefahrten. Lit. überl. sind etwa die Umsegelung von Afrika unter dem Pharao Necho, 610–595 v. Chr.; die Fahrt des → Kolaios bis Gibraltar, 7. Jh.; des → Euthymenes bis nach Senegal, 6./5. Jh.; des → Sataspes über Ra's al-Baddūzah/Marokko südwärts Anf. 5. Jh., sowie des Hanno [1] in dieselbe Gegend, Anf. 5. Jh.; die Umsegelung der Halbinsel Arabia durch → Skylax, 519/512 v. Chr.; die Fahrt des → Himilkon [6] nach Britannia, Anf. 5. Jh., und des → Pytheas nach Britannia und ins Mare Germanicum, E. 4. Jh.; des → Patrokles ins Kaspische M., Anf. 3. Jh.; des → Hippalos [2] nach India um 100 v. Chr. (→ Forschungsreisen). Sublit. Seehandbücher, aus denen sich später die → Periplus-Literatur entwickelte, gaben Hinweise auf seefahrtsrelevante Routenbedingungen bes. der Küstengestaltung (M.-Enge, Insel, Bucht, Flußmündung, Wasserstelle, Anlegestelle, Hafen, Kultplatz).

Da das M. als Verkehrsweg – billiger als der Landweg, was längst bekannt war – einen beachtlichen Wirtschaftsfaktor darstellte, wuchs sich das Seeräuberunwesen (→ Seeraub) zu einem bes. Problem aus. Sicherheit zur See konnten letztlich nur Staaten garantieren, die mit Hilfe überlegener Flotten (→ Flottenwesen) über die Seeherrschaft verfügten. Wirtschafts- und machtpolit. Interessen verleiteten solche Seemächte vielfach zu → Seekriegen [2], die mit taktisch raffinierter Technik ausgetragen wurden.

→ Hafenanlagen; Meergottheiten; Schiffahrt; Schiffbau

1 W. Capelle, s. v. Gezeiten, RE Suppl. 7, 208–220
2 F. Miltner, s. v. Seekrieg, RE Suppl. 5, 864–905 3 Ders., s. v. Seewesen, RE Suppl. 5, 906–962 4 W. Capelle, s. v. Meteorologie, RE Suppl. 6, 315–358 5 G. Schmidt, R. Böker, H. Gundel, s. v. Winde, RE 8 A, 2211–2387
6 F. Sauerwein, s. v. Gezeiten, in: H. Sonnabend (Hrsg.), Mensch und Landschaft in der Ant., 1999, 184 f. E. O.

**Meeraal** s. Conger

**Meeresfrüchte** s. Fischspeisen

**Meeresstil** s. Tongefäße

## Meergottheiten

A. Generelles B. Griechisch C. Römisch

A. Generelles

Die mod. Kategorie der M. hat keine unmittelbare ant. Entsprechung. Sie wird dadurch nicht automatisch unbrauchbar, ist aber als ein Versuch der Klassifizierung und Systematisierung rel. Strukturen dem Verständnis ant. polytheistischer Systeme (→ Polytheismus) unangemessen. Darüber hinaus tendiert die Forsch. dazu, sich v. a. auf den griech. Befund zu konzentrieren. Mögliche röm. Entsprechungen werden als sekundäre Ableitungen von griech. M. angesehen, ihnen bleibt somit häufig eigenständige Behandlung verwehrt.

B. Griechisch

Die bekannteste Auflistung besteht aus sieben sog. M. [1]: 1) → Poseidon; 2) → Amphitrite; 3) Tritonen (→ Triton); 4) → Nereiden; 5) der sog. »Meergreis« (Hes. theog. 1003; Nereus: Hes. theog. 233; Proteus: Hom. Od. 4,365); 6) → Proteus; 7) → Phorkys. Hierbei fehlt z. B. → Keto, Tochter des Pontos und u. a. von Phorkys Mutter der → Graien (Hes. theog. 270–336) und der Erybie (Hes. theog. 239), für welche außer als Beiname z. B. Poseidons (Pind. O. 6,58) keine weiteren Zeugnisse vorliegen. Berührungspunkte gibt es mit der Gruppe der → Flußgötter, die nach der frühen Trad. (Hom. Il. 21,196 f.; Hes. theog. 337–370) von → Okeanos und → Tethys abstammen. Während sich die Bed. einzelner Flußgötter im Kult der griech. Poleis nachweisen läßt, stammt ein Großteil der Informationen zur Klassifizierung einzelner Gottheiten als M., Poseidon ausgenommen, aus dem epischen (Homer), theogonischen (Hesiod), mythographisch-lit., dagegen nur in geringerem Maße aus dem kultischen Kontext. So erhielt zwar z. B. Amphitrite einen Kult auf Tenos (bezeichnenderweise gemeinsam mit Poseidon) [2], aber es muß unklar bleiben, inwieweit sie dort in einer Funktion als »M.« verehrt wurde.

Die Überl. zu den M. spiegelt beständige Spekulation im Rahmen des ant. Polytheismus als eines offenen rel. Systems wider. Die Griechen benötigten nie eine feste Theologie der M.; diese Kategorie war daher stets durchlässig. Obwohl Poseidon traditionell als Herr des Meeres gilt (Hom. Il. 15,185–193) und regelmäßig entsprechende Beinamen erhält (*ennálios*: Pind. P. 4,204; *pelágios*: Syll.³ 289,17 f.; Paus. 7,21,7; *pórthmios*: Syll.³ 586,12), deutet die Spannbreite seiner Funktionen auf die oben erwähnte Durchlässigkeit der Kategorie der M. hin. Er wird mit Stürmen zur See (Hom. Od. 5,282–381; Hdt. 7,192) und Erdbeben (Hom. Od. 4,505–510; Thuk. 1,128,1) in Verbindung gebracht. Aus dem Fels des Poseidon Petraios entspringt ein Pferd (daher Poseidon Hippios: schol. Pind. P. 4,246; Paus. 7,21,7), das durch die Quelle → Hippokrene mit Wasser assoziiert ist [3. 1855f.]. Der Gott bringt in Euripides' ›Hippolytos‹ einen Stier aus der See hervor (Eur. Hipp. 1201–1217; vgl. Hes. scut. 104; Poseidon Taureios: Hesych. s.v. ταῦρος), die Tragödie hat trotz Verwendung einer maritimen Bildsprache von Salz- und Süßwasser [5] aber nicht Poseidon, sondern Aphrodite und Artemis zum Mittelpunkt und legt nicht nahe, daß es sich bei ihm um eine M. handelt. Aber auch Zeus kann Seestürme hervorrufen (Sol. 13,17–24 WEST) und wird, neben Poseidon, als Enalios angerufen (Aischyl. TGrF 3 F 46a); Dionysos verwandelt frevelnde Seeleute in Delphine und fährt bei den athen. → Anthesteria auf einem Schiff im Umzug durch die Stadt (Hom. h. ad Bacchum 7; Philostr. soph. 1,25,1; [4. 102–111]). Weihinschr. und Votivgaben aus dem Kontext der Seefahrt können an die unterschiedlichsten Gottheiten adressiert sein [6].

Das griech. Interesse für mit dem Meer assoziierbare Gottheiten ist also weniger systematisiert als häufig angenommen. Gleichfalls kommt das Interesse für die myth. bzw. kult. Dimension des Meeres nicht überraschend, sondern spiegelt seine Rolle in den myk. Handels- und mil. Aktivitäten (→ Handel) oder der griech. → Kolonisation des Mittelmeerraumes wider. Bezeichnenderweise sind bei den Stadtstaaten mit geringerem Engagement für die Seefahrt, wie z.B. Sparta, die nicht auf das Meer bezogenen kultischen Aspekte der Poseidonverehrung stärker ausgeprägt.

C. RÖMISCH

Die Klassifikation des → Neptunus als M. ist das Resultat seiner Identifizierung mit Poseidon und der Übertragung griech. Myth. auf den röm. Gott. Was man über ihn vor griech. Einflußnahme weiß, deutet dagegen nicht auf eine M.: Das Fest der Neptunalia wurde am 23. Juli gefeiert, zu einem Zeitpunkt also, als die Flüsse wenig Wasser führten. Lat. *Neptunus* ist wahrscheinlich von Sanskrit *apām nápāt*, »Abkömmling der Gewässer«, abgeleitet [8], der Gott demnach nicht in erster Linie M. Erst spätere röm. antiquarische Spekulation untermauert die Verbindung mit Poseidon: → Salacia wird nach lat. *salum*, »Meereswoge«, Venilia aus der Ableitung von »die Welle, die an den Strand kommt (*venit*)« zur mit Neptunus assoziierten Meeresnymphe (Varro, antiquitates rerum divinarum fr. 257 CARDAUNS). Die hier aufscheinenden Theogonien sind für uns erst mit dem 2./1.Jh.v.Chr. faßbar. Die frühesten röm. Quellen zur röm. Rel. enthalten dagegen keine Theogonien. Es ist daher müßig, nach griech. Muster eine Verbindung zw. Neptunus und anderen Wassergottheiten zu erzwingen.

Dagegen existieren zahlreiche röm. Flußgötter, deren Bed. regional begrenzt bleibt: Die → Fasti Antiates maiores notieren ein Fest für → Tiberinus am 8. Dezember (InscrIt 13,2, p. 534f.); der Gott wurde während Dürreperioden angerufen (Serv. Aen. 8,72) und war Bestandteil der *piscatorii ludi* am 7. Juni (InscrIt 13,2, p. 466). → Portunus hatte einen Tempel *in portu Tiberino* (am »Tiber-Hafen«, Varro ling. 6,19); sein Fest, die Portunalia am 17. August, scheint mehr mit der Einfahrt in den Hafen als mit Wasser *per se* zu tun gehabt zu haben; lat. *portus* (= »Tür«) erscheint schon in den Zwölftafelgesetzen (Fest. 262 und 514 L.; [7. Bd. 2,343]) und deutet, wie möglicherweise auch ein *flamen* (→ *flamines*; Fest. 238,8f.), auf hohes Alter hin. Die Volturnalia für → Volturnus wurden am 27. August gefeiert; auch dieser Gott hatte einen eigenen *flamen* (Varro ling. 7,45) und war möglicherweise alt. Sein Name wurde mit einem Wind (Liv. 22,43,10) und einem Fluß gleichen Namens (Cn. Gellius fr. 7 PETER; Liv. 8,11,13) bzw. mit einem etr. Eigennamen in Verbindung gebracht [9. 1653].

Die meisten dieser Feiern fallen auf die Sommermonate und haben, wie schon die Neptunalia, engen Bezug zur Mehrung des Wassers und den mit diesem in Verbindung stehenden Aktivitäten. Es verwundert hingegen nicht, daß sie mit der Kategorie der M. nicht verbunden werden können: Anders als die Griechen erscheinen die Römer relativ spät in ihrer Gesch. zur Zeit des 1. Pun. Krieges als Seefahrer; aus diesem Grund waren die rel. Beziehungen zu Flüssen wichtiger. Dies schließt Weihungen an Gottheiten, deren Wirkungsbereich das Meer umfaßte, nicht aus, ohne diese auf die Funktion als M. einzuengen: z.B. der Tempel für die Tempestates, »Seestürme«, 259 v.Chr. (InscrIt 13,2, p. 462) oder zahlreiche Weihungen für Neptunus vor bzw. nach erfolgter Seefahrt.

**1** W. PÖTSCHER, s.v. M., KlP 3, 1136f. **2** R. ÉTIENNE, J.P. BRAUN, Ténos, Bd. 1: le sanctuaire de Poseidon et d'Amphitrite, 1986 **3** E. SITTIG, s.v. Hippokrene, RE 8, 1853–1856 **4** DEUBNER **5** C.P. SEGAL, The Tragedy of the *Hippolytus*: the Waters of Ocean and the Untouched Meadow, in: HSPh 70, 1965, 117–169 **6** D. WACHSMUTH, Pompimos ho daimon, 1967 **7** WALDE/HOFMANN **8** J. PUHVEL, Comparative Mythology, 1987, 277–282 **9** E. FRAENKEL, s.v. Namenwesen, RE 16, 1611–1670.

A. LESKY, Thalatta, 1947 • L.R. PALMER, Poseidon and the World of Water, 1984.

C.R.P.

**Meerzwiebel** (σκίλλη/*skíllē*, lat. *scilla*). Liliacee Urginea maritima, die im Mittelmeergebiet im Herbst vor der Blätterbildung (Theophr. h. plant. 7,13,6) aus der großen Knolle ihre meterhohen Blütenschäfte mit zahlreichen weißen und roten Einzelblüten austreibt [1. 114f. und Abb. 190–192]. Die scharf schmeckende Zwiebel wurde nach Dioskurides 2,171 WELLMANN = 2,202 BERENDES mit Lehm oder Weizenteig umhüllt im Feuer durchgebraten oder in einem Topf mit Deckel geschmort. Dann zerschnitt und trocknete man sie im Schatten portionsweise auf Leinen. Sie wurde zerrieben und mit Honig in Getränken z.B. zur Förderung der Verdauung bei Magenkranken und Wassersüchtigen, aber auch gegen Asthma, Gelbsucht und Blutspucken verordnet. Ihre Inhaltsstoffe sind Schleim und Bitterstoffe, aber auch herzaktive Glykoside. Auch der von Plin. nat. 20,97f. (vgl. Colum. 12,34; Pall. agric. 8,8) in seiner Herstellung beschriebene, noch h. offizinelle M.-Essig (Dioskurides 5,17 WELLMANN = 5,25 BERENDES) bzw. M.-Wein (5,18 = 5,26; vgl. Colum. 12,33; Pall. agric. 8,6) wurde u.a. gegen Mundfäule und zur Verbesserung der Sehschärfe empfohlen. Nach Plin. nat. 19,94 schrieb angeblich → Pythagoras über ihre Heilkräfte ein Buch. Plinius selbst bietet nat. 20,97–101 zahlreiche Anwendungen gegen unterschiedliche Krankheiten. Über die Tür gehängt preist sie Dioskurides 2,171 WELLMANN = 2,202 BERENDES (= Theophr. h. plant. 7,13,4; Pythagoras nach Plin. nat. 20,101) als universales Abwehrmittel gegen Vergiftungen.

1 H. BAUMANN, Die griech. Pflanzenwelt, 1982.

A. STEIER, s.v. Skilla (Meerzwiebel), RE 3 A, 522–526.

C.HÜ.

**Mefitis.** Der Name der Göttin M. ist osk. *mefitis*, »stikkige, schwefelige Ausdünstung« nachgebildet (vgl. Verg. Aen. 7,83 f.; Serv. Aen. 7,84). Die ersten Zeugnisse des M.-Kultes finden sich denn auch auf osk. Gebiet: Aeclanum (VETTER 162), Pompeii (VETTER 32) und Rossano di Vaglio. Dort gab es seit dem 4. Jh. v. Chr. einen Tempel, in dem M. neben → Iuppiter und → Mars verehrt wurde [1; 2]. Verehrung genoß M. auch im nahen röm. Potentia im 1. Jh. v. Chr. (CIL X 130–133 und p. 961; vgl. ebd. 3811, aus Capua). Ihr bekanntester Tempel lag am *lacus Ampsanctus* (Valle d'Ansanto, Rocca S. Felice: [3; 4]), mit einer Quelle und einem See, dessen schwefelhaltige Ausdünstungen niemand einatmen konnte. Die zu opfernden Tiere wurden von dem Stickgas getötet. Hier war der *umbilicus Italiae* lokalisiert (Serv. Aen. 7,563). M. wurde auch in Grumentum (CIL X 203: M. Fisica; vgl. Venus Fisica, CIL IV 1520; X 928), in Atina (CIL X 5047; [5]) und Aequum Tuticum (CIL IX 1421) verehrt. Einen Tempel und Hain der M. gab es auf dem Esquilin in Rom (Varro ling. 5,49; Paul. Fest. 476 L.), einen Tempel auch bei Cremona (Tac. hist. 3,33; vgl. CIL V 6353, aus Lodi).

M. wurde mit → Venus identifiziert (VETTER 182); Servius (Aen. 7,84) kennt eine Identifizierung mit → Iuno. Zweifelhaft ist die Existenz eines mit → Leucothea bzw. Albunea verbundenen Gottes M. (Serv. Aen. 7,84).

→ Italia

1 D. ADAMESTEANU, M. LEJEUNE, Il santuario lucano di Macchia di Rossano di Vaglio, 1971 2 M. LEJEUNE, M. d'après les dédicaces lucaniennes de Rossano di Vaglio, 1990 3 A. BOTTINI u.a., Valle d'Ansanto, in: NSA 30, 1976, 359–524 4 I. RAININI, Il santuario di Mefite in Valle d'Ansanto, 1985 5 W. v. SYDOW, Arch. Funde und Grabungen im Bereich der Soprintendenzen Latium und Ostia 1957–1975, in: AA 1976, 372.

R. MAMBELLA, s.v. M., LIMC 6.1, 400–402 · P. POCCETTI, M., in: AION 4, 1982, 237–260.

A.MAS.

**Megabates** (Μεγαβάτης). Name einer Anzahl vornehmer Perser, darunter:

**[1]** Der Vater des Megabazos [2] (Hdt. 7,97), Vetter Dareios' [1] I. und des Satrapen Artaphernes [2], Befehlshaber der erfolglosen Unternehmung gegen Naxos (500 v. Chr.; Hdt. 5,30–35). Möglicherweise sind der 477 von Xerxes als Satrap des Hellespontischen Phrygien abgelöste (Thuk. 1,129,1) und der in [1. 8,5–7] als »Admiral« gekennzeichnete M. mit ihm identisch.

1 G. G. CAMERON, Persepolis Treasury Tablets, 1948.

**[2]** Der von Agesilaos [2] geliebte schöne Sohn des Spithridates, der sich 396/5 mit seinem Vater zum Spartanerkönig begab (Xen. hell. 3,4,10; 4,1,6; 4,28; Xen. Ag. 5,4–5; Hell. Oxyrh. 21,4; Plut. Agesilaos 11; Plut. mor. 31C; 81A; 209D; Max. Tyr. 19,5). J.W.

**Megabazos** (Μεγαβάζος). Name einer Anzahl vornehmer Perser.

**[1]** Feldherr Dareios' [1] I., Vater des Oibares (Hdt. 6,33) und des Bubares (7,22); vom König nach dessen Skythenfeldzug 513 in Europa zurückgelassen, um Thrakien zu erobern (Hdt. 5,2). Er unterwarf alle bis dahin den Persern noch nicht untergebenen Bewohner am Hellespont (Hdt. 4,144), Perinth (5,2), Thrakien (ebd.) sowie die Paionen (5,15) und erreichte durch Gesandte die Unterwerfung des maked. Königs → Amyntas [1] (Hdt. 5,17 f.; Iust. 7,3,7).

**[2]** Flottenführer Xerxes' I., Sohn des → Megabates [1] (Hdt. 7,97).

**[3]** Pers. Gesandter, der 458 v. Chr. die Spartaner vergeblich gegen Athen aufzuwiegeln versuchte (Thuk. 1,109,2–3). J.W.

**Megabyzos** (auch Μεγάβυξος/*Megábyxos*, Hdt. Μεγάβυζος < altpers. *Bagabuxša*, elam. *Ba-ka-bu-uk-šá*).

**[1]** Vornehmer Perser, Sohn des Dātūvahya (nach Hdt. 3,153 Vater des → Zopyros), Mitverschwörer Dareios [1] I. gegen → Gaumāta/Smerdis ([2. DB IV 85], Hdt. 3,70 u.ö.).

**[2]** Nach Hdt. Sohn des → Zopyros (und damit Enkel von M. [1]) und Feldherr des → Xerxes beim Griechenlandzug (Hdt. 7,82; 121). Später war er Gegenspieler der Athener in Ägypten (Thuk. 1,109,3; Diod. 11,74,6 u.ö.) und im Kampf um Zypern (Diod. 12,3,2–4). Ktesias (FGrH 688 F 14,34 ff.) beschreibt romanhaft die besonderen Beziehungen der Familie des M. zum Herrscherhaus.

1 BRIANT, Index s.v. M. 2 R. KENT, Old Persian, 1953.

J.W.

**Megaira** (Μέγαιρα, »die Neidische«; lat. Megaera). Name einer der Erinyen (→ Erinys; Apollod. 1,3 f.; Cornutus 10; Verg. Aen. 12,845–847; Lucan. 1,572–577, 6,730; Stat. Theb. 1,712; weiteres in [1. 123]), vielleicht auch ein Name für die zerstörerische Macht des personifizierten Neids im allg. sowie des bösen Blicks im bes. (Orph. Lithika 224 f., vgl. Orph. Lithika kerygmata 2,4).

Ein Altar aus dem 3. Jh. n. Chr. mit einer Weihinschr. für M. ist in Pergamon gefunden worden; Weihegaben wurden vielleicht mit der Absicht dargebracht, Neid abzuwenden [2].

**1** E. Wüst, s.v. Erinys, RE Suppl. 8, 82–166 **2** W. Radt, Ein Altärchen aus Pergamon für die Erinys, in: R. M. Boehmer, H. Hauptmann (Hrsg.), Beitr. zur Altertumskunde Kleinasiens. FS K. Bittel, 1983, Bd. 1, 449–453.

S.I.J.

**Megakleia** (Μεγάκλεια). Nach der *Vita Ambrosiana* (1,3,3–4 Drachmann) Gattin des → Pindaros, Tochter des Lysitheos und der Kalline. Eustathios gibt in seiner Versbiographie, die im Prooimion zu seinem verlorenen Pindar-Komm. erh. ist, Timoxeine als Namen von Pindars Frau an (Τιμοξείνη, 3,302,1 Drachmann). Die Kinder heißen in beiden Quellen Protomache, Eumetis und Daiphantos; für ihn dichtete Pindar ein → Daphnephorikon (fr. 94c Snell-Maehler).

E.R./Ü: T.H.

**Megakleides** (Μεγακλείδης). Peripatetischer Homerexeget, Zeitgenosse von → Ephoros, → Philochoros und → Chamaileon (vgl. Tatianos, Oratio ad Graecos 31,2; Eus. Pr. Ev. 10,11,3). Er wird also in der 2. H. des 4. Jh. v. Chr. gelebt haben. M.' Homer-Interpretationen, die sich neben Kritik (vgl. schol. Hom. Il. 22,36) und Fragen der Komposition (vgl. ebd. 16,140) vor allem mit Sachproblemen beschäftigen, sind nur noch in Fr. erh., die wohl aus einem mindestens zweibändigen (vgl. schol. Hom. Il. 16,140(A)), ›Ilias‹ und ›Odyssee‹ kommentierenden Werk ›Über Homer‹ (Περὶ Ὁμήρου; vgl. Suda s. v. Ἀθηναίας) stammen. M.' Texte sowie Informationen Dritter über seine Arbeit sind an mehreren Stellen überl., von denen sich die gesicherten (ungesichert: Aristot. poet. 24,1460a 1 ff. [2. 410]; Ail. var. 4,26; in Hypothesis A zu Hes. scut. [3. 442]) in vier Gruppen aufteilen lassen: 1. In den Homerscholien sind einige von M.' Stelleninterpretationen erh.: a. Scholien zur ›Ilias‹ (10,275(B); 16,140 (AT); 21,195(G); 22,36(B); 22,205(BT); unsicher: 5,640(B)), b. Scholien zur ›Odyssee‹ (6,106; unsicher: 9,5f.). 2. Laut Athen. 12,512e ff. greift M. die »philos.« Darstellung des Odysseus durch die Kyniker (→ Antisthenes) sowie das zeitgenössische Bild des Herakles an. 3. Die Suda (s. v. Ἀθηναίας) und Hesychios (s. v. Ἀθηναία) berichten von einer Notiz des M. über den Namen der Athenerinnen (vgl. Eust. in Hom. Il. 1,84,18); ferner finden sich Stellen zu M. bei Pausanias, Photios und Ailios Dionysios und 4. im Ammonios-Papyrus (POxy. 221, col. 9,3).
→ Philologie

**1** E. Bux, s. v. M., RE 15, 124–125 **2** A. Gudeman (Hrsg.), Aristoteles, Περὶ ποιητικῆς, 1934 **3** M. van der Valk, Researches on the Text and Scholia of the Iliad, 2 Bde., 1963 und 1964.

GR.DA.

**Megakles** (Μεγακλῆς). Im Athener Alkmaionidenhaus (→ Alkmaionidai) vom 7.–5. Jh. v. Chr. zunehmend häufiger Name.

**[1]** Der erste histor. M.; Plutarch (Solon 12,1) bezeichnet ihn mit Namen und als *árchōn* (632/1?), der für die Niederschlagung des kylonischen Putsches (→ Kylon [1]) und den daraus folgenden Alkmaionidenfluch (Hdt. 5,71; Thuk. 1,126) verantwortlich sei.
→ Peisistratidai

Develin, 30f. • PA 9688 • Traill, PAA 636340.

**[2]** Enkel des M. [1], Sohn Alkmaions [3], der (trotz → Kleisthenes' [2] Bed.) herausragendste → Alkmaionide; im Athen des 6. Jh. v. Chr. über Jahrzehnte tonangebender Politiker und Machtmensch, gegenüber dem andere, bes. → Peisistratos, sich nur schwer halten konnten. Führte von den drei »Parteien« Herodots (Hdt. 1,59,3; Aristot. Ath. pol. 13,4) die »Küstler« (παράλιοι); M.' Basis reichte wohl von Athen gegen Süden und SO (mod. Glifada und um die Südspitze des Mavrovouni bis Hagios Dimitrios), aber kaum bis Anavissos (vgl. [1. 5–8]; anders [2. 372]). 575 oder erst 555 (so trotz Hdt. 1,61,2; [3. 40[18]]) dynastische Heirat mit Agariste [1], Tochter des Kleisthenes [1] von Sikyon, gegen → Hippokleides' Konkurrenz (Hdt. 6,126–130). Dominant bis zum kurzen [3. 33f.; 4. 11–13] Exil nach der gewaltsamen Rückkehr der → Peisistratidai 546, dann Teilnahme am Adelsregime der »Dritten Tyrannis« des Peisistratos. Todesjahr unbekannt, sein ältester Sohn Kleisthenes [2] (Archon 525/4) wurde sein Nachfolger. M. war dank Familienreichtum und -macht stärker bau- und kulturengagiert als meist angenommen.

**1** K. H. Kinzl, Regionalism in Classical Athens?, in: American Historical Bull. 3, 1989, **2** Davies **3** K. H. Kinzl, Betrachtungen zur älteren griech. Tyrannis, in: AJAH 4, 1979, 23–45 **4** Ders., Note on the Exiles of the Alkmeonidai, in: RhM 119, 1976, 311–314 **5** PA 9692 **6** Traill, PAA 636345.

**[3]** Sohn von M. [2]. Seine Enkelin Isodike wurde Kimons Frau (Plut. Kimon 4,10; 16,1).

Davies, 9688 • PA 9693 • Traill, PAA 636450.

**[4]** Sohn des Hippokrates [2], Enkel des M. [2], Bruder von Perikles' Mutter Agariste [2], aus Alopeke. Exil durch → Ostrakismos (über 4000 Ostraka vom Kerameikos [1. 153]) 487/6 v. Chr. (Aristot. Ath. pol. 22,5); im J. 486 pythischer Viergespannsieg (Pind. P. 7). Rückkehr 480 nach Athen nicht belegt. Zweiter Ostrakismos der 480er Jahre ([2. 137–145]; vgl. Lys. 14,39) bleibt Hypothese.

**1** F. Willemsen, S. Brenne, Verzeichnis der Kerameikos-Ostraka, in: MDAI(A) 106, 1991, 147–156
**2** Ders., Ostraka einer Meisterschale, in: MDAI(A) 106, 1991, 137–145.

Davies, 9688 • PA 9695 • Traill, PAA 636455.

**[5]** Sohn von M. [4]. Olympischer Viergespannsieg 436 v. Chr.; zuletzt 425 erwähnt (Aristoph. Ach. 614 f.); polit. unbedeutend.

DAVIES, 9688 · PA 9697 · TRAILL, PAA 636460.

**[6]** Syrakusaner, Bruder des → Dion [I 1]. K.KI.

**[7]** Bei Pausanias (6,19,7) erwähnter Architekt, der zusammen mit einem Pothaios und einem Antiphilos in → Olympia ein *de facto* nicht existentes Schatzhaus der Karthager errichtet haben soll. Es handelt sich dabei wohl um das in den Jahren nach 480 v. Chr. erbaute Schatzhaus von Syrakus.

H. SVENSON-EVERS, Die griech. Architekten archaischer und klass. Zeit, 1996, 363–368 (mit weiterer Lit.). C. HÖ.

**Megaklo** (Μεγακλώ). Tochter des lesbischen Königs → Makar; der lesb. Lokalhistoriker → Myrsilos von Methymna stellt sie (FGrH 477 F 7, vgl. Arnob. 3,37) in rationalistischer Deutung als Stifterin der sieben lesbischen → Musen dar: Sie lehrte sieben Sklavinnen, die Taten der alten Zeit zur Leier zu besingen; so besänftigten sie den Groll, den der König gegen seine Frau hegte; zum Dank stellte M. eherne Statuen von ihnen in einem Heiligtum auf und ordnete kult. Verehrung an. H. A. G.

**Megale Polis** (Μεγάλη πόλις, lat. *Megalopolis*).
A. LAGE UND BAUBESTAND B. GESCHICHTE

A. LAGE UND BAUBESTAND

M. P. liegt mitten in der von vielen Bächen zerschnittenen westarkad. Hochebene (22 km × 10 km, 427 m H) nördl. vom h. Megalopolis (ehemals Sinanou), beiderseits des Unterlaufs des Helisson [1], etwa 4 km vor der Mündung in den Alpheios, wo sich die wichtigsten Straßen nach Arkadia, Messenia und Lakonia kreuzen. Der nur in sehr geringen Spuren feststellbare Mauerring aus Lehmziegeln auf Steinsockel hat einen Umfang von ungefähr 8,4 km, was den 50 Stadien (8,85 km) bei Pol. 9,26a entspricht. Die Mauer ist den das Stadtgebiet umgebenden Hügelzügen angepaßt. Daß sie für die Einwohnerzahl viel zu groß war, sagt Pol. 2,55,2. Südl. des Helisson liegt das große Theater, das Pausanias (8,32,1) als das größte Griechenlands bezeichnet, nördl. unmittelbar an die Skene anschließend der 52 × 66 m große, säulengestützte Sitzungssaal der 10 000 der arkad. Bundesversammlung, das Thersilion. Am Nordufer des Helisson lag die große Agora, in ihrem Südteil das Heiligtum des Zeus Soter [1. 225 f.], an der Ostseite die von dem Tyrannen → Aristodemos [6] erbaute Halle Myropolis (Paus. 8,30,7), an der Nordseite die 156 m lange Säulenhalle Philippos' II. mit drei Flügeln [2. 122–126].

B. GESCHICHTE

Die Gründung der »Großen Stadt«, in der mit Unterstützung von Thebai der größte Teil der westl. Arkadia zusammengefaßt wurde, gehört wohl in die J. 368/7 v. Chr. (Diod. 15,72,4) [3; 4; 5; 6]. Die Zahl der einzugemeindenden Orte, die trotzdem z. T. selbständig oder als Dörfer bestehen blieben, beziffert Pausanias (8,27,3 f. dazu 27,5 ff.; Strab. 8,8,1) auf vierzig. Eine Geldsammlung für die Gründung ist inschr. belegt (IMagn. 38 = Syll.[3] 559,28 f.). Die Umsiedlung ging teilweise gewaltsam vor sich (vgl. Diod. 15,94). Als Stadt erscheint M. P. zuerst 362 bei Xen. hell. 7,5,5 in der Schlacht von → Mantineia auf seiten von Tegea und damit von Thebai. Sparta versuchte wiederholt, die Neugründung zu beseitigen, so im J. 352. M. P. schloß sich deswegen bes. an Philippos II. an und erhielt durch ihn die Grenzlandschaft der Belminatis zugewiesen.

Weitere wichtige Daten: 331 Belagerung durch Agis [3], Sieg des Antipatros [1] über Agis [3], der in der Schlacht fiel, dann auf seiten des Kassandros. 318 Belagerung durch Polyperchon. Weiterhin unter Oberhoheit des Antigonos [2]. Um 270 Alleinherrschaft des Aristodemos als Anhänger des Antigonos. Siegreiche Abwehr eines spartan. Angriffs unter Akrotatos [2]. Tyrannis des → Lydiadas; etwa 249/8 neuer gescheiterter spartanischer Angriff. Lydiadas schloß M. P. dann an den Achaiischen Bund (→ Achaioi, mit Karte) an, in dem er mehrfach das Strategenamt bekleidete (235/4). Zu neuen Spannungen und offenem Krieg mit Sparta kam es unter Kleomenes III., in dem die Stadt sehr zu leiden hatte und Lydiadas fiel. 223 eroberte Kleomenes die Stadt und plünderte sie; danach Wiederaufbau und neue Verfassung. In einer Nomotheten-Kommission des Achaiischen Bundes war M. P. mit drei Mitgliedern vertreten (IG IV 1[2], 13,24 ff.); weiter mehrfach spartanische und aitolische Angriffe. Spenden für den Mauerbau sind inschr. belegt (IG V 2, 434; 440 f.), auch von Antiochos [6] im J. 174 (Liv. 41,20,6). Durch die Reformen des → Philopoimen wurden die bisher abhängigen Orte selbständige Mitglieder des Bundes (Plut. Philopoimen 13,5). Grenzregelung mit Thuria (IvOl 46) und mit Sparta (IvOl 47 = Syll.[3] 665).

Das Dichterwort von der ›großen Einöde‹ (μεγάλη ἐρημία, Strab. 8,8,1; 16,1,5) ist übertrieben, die Inschr. zeigen ein wenn auch bescheidenes Weiterleben in der Kaiserzeit [7], neben Ruinen und Aufgabe von Gebäuden zeigten die Ausgrabungen auch Reparaturen und Neubauten röm. Zeit; unter Augustus wurde eine Brücke, unter Domitianus eine Halle errichtet (IG V 2, 456 f.), auch Pausanias' Schilderung gibt kein allzu schlechtes Bild. In der Severerzeit (193–235) wieder Mz.-Prägung. Ein Bruchstück des Preisedikts des Diocletianus (CIL III p. 1920 f.) wurde in Megalopolis gefunden. Aus M. P. stammten → Philopoimen, der Historiker → Polybios und der Dichter → Kerkidas [3]. Belegstellen: Paus. 8,27,1–16; 30–33; Plin. nat. 4,20; Ptol. 3,16,19; Steph. Byz. s. v. M.; Geogr. Rav. 5,22. Inschr.: IG V 2, 431–494; Mz.: HN[2] 418; 444; 450 f.; Arch.: [8].

1 JOST, 220–233 2 T. SPYROPULOS u. a., M. Vorber. 1991–1993, in: AA 110, 1995, 119–128 3 M. MOGGI, Il sinecismo di Megalopoli, in: ASNP Ser. 3, 4, 1974, 71–107 4 Ders., I sinecismi interstatali greci 1, 1976, 293–325 5 S. HORNBLOWER, When Was Megalopolis Founded?, in:

ABSA 85, 1990, 71–77 6 N. H. DEMAND, Urban Relocation in Archaic and Classical Greece, 1990, 111–118 7 J. ROY u. a., M. under the Roman Empire, in: S. WALKER, A. CAMERON (Hrsg.), The Greek Renaissance in the Roman Empire (BICS Suppl. 55), 1989, 146–150 8 T. SPYROPULOS u. a., M. 2. Vorber. 1994–1995, in: AA 111, 1996, 269–286.

F. CARINCI, s. v. Arcadia, EAA², 1994, 337f. • A. PETRONITIS, Ἡ Μεγάλη πόλις τῆς Ἀρκαδίας (Ancient Greek Cities 23), 1973 • W. F. WYATT, s. v. Megalopolis, PE, 564f. E. MEY. u. Y. L.

**Megaleas** (Μεγαλέας). Makedone, von → Antigonos [3] Doson 222 v. Chr. testamentarisch zum Kanzleichef (*epí tu grammateíu*) des → Philippos V. berufen (Pol. 4,87,8); mit → Apelles [1] und → Leontios [2] widersetzte sich M. der antiaitolischen Westpolitik des jungen Königs und griff im J. 218 → Aratos [2] tätlich an, wofür er vom Heeresgericht verurteilt wurde; gegen eine Bürgschaft des Leontios freigelassen, floh M. nach Theben, wo er sich vor seiner Auslieferung das Leben nahm (Pol. 5,2,8; 15f.; 25,1f.; 26–28) [1. 170].

1 ERRINGTON. L.-M. G.

**Megalesia** s. Kybele; Mater Magna

**Megaloi/-ai Theoi/-ai**
s. Theoi Megaloi, Theai Megalai

**Megalophanes** (Μεγαλοφάνης; eigentlich: Demophanes, Δημοφάνης [1. 228–233]), aus Megalopolis. Schüler des → Arkesilaos [5] wie sein Freund → Ekdemos, mit dem gemeinsam er um 250 v. Chr. in → Kyrene eine freiheitliche Verfassung etablierte [2. 431] und später Lehrer des → Philopoimen wurde. Beider Ruf der unerbittlichen Tyrannenfeindschaft war nicht nur akademisch, sondern rührte aus ihrer Beteiligung an der Ermordung des → Aristodemos [6] (um 253) und am Sturz des → Nikokles von Sikyon im Bunde mit → Aratos [2] her (Pol. 10,22,2f.; Plut. Philopoimen 1,3–5) [2. 395f., 401].

1 K. ZIEGLER, Plutarchstudien, in: RhM 83, 1934, 211–250 2 H. BERVE, Die Tyrannis bei den Griechen, 1967. L.-M. G.

**Megalopolis** s. Megale polis

**Megapanos** (Μεγάπανος). Nach Hdt. 7,62 Befehlshaber der Hyrkanier auf dem Griechenlandzug des → Xerxes, später angeblich Statthalter von Babylon, vielleicht mit dem Bakabana der PFT [1. 672] identisch. Ein *Ba-ga-a-pa-ʾ* erscheint zwar in babylon. Texten als Satrap von Babylonien und Ebir Nāri oder Gouverneur von Babylon, allerdings bereits für das Jahr 503 v. Chr.

1 R. T. HALLOCK, Persepolis Fortification Tablets [PFT], 1969 2 A. KUHRT, Babylonia from Cyrus to Xerxes, in: CAH², Bd. 4, 1988, 131, 136. J. W.

**Megapenthes** (Μεγαπένθης, »schmerzreich«).
**[1]** Sohn des Königs → Proitos von Argos (Apollod. 2,29), Vater des Argeios und Großvater des Anaxagoras (Paus. 2,18,4) oder Vater des Anaxagoras und der Iphianeira (Diod. 4,68,4; vgl. auch → Iphianassa [1]). Mit → Perseus tauscht M. die Herrschaft, so daß er über Argos und Perseus über Tiryns regiert. Nach Hyginus (fab. 244) soll er Perseus wegen des Mordes an seinem Vater getötet haben.
**[2]** Sohn des → Menelaos [1] und einer Sklavin. Es ist die Hochzeit von M. mit der Tochter des Spartaners → Alektor [1] und die der Tochter des Menelaos mit dem Sohn des Achilleus, die gerade gefeiert wird (Hom. Od. 4,1ff.), als Telemachos auf der Suche nach Informationen über seinen Vater Odysseus in Sparta eintrifft. Weil M. und sein Bruder Nikostratos unehelich sind, werden sie von der Thronfolge ausgeschlossen, die Orestes, Enkel des → Tyndareos, antritt (Paus. 2,18,6). Nach rhod. Sage, die von der spartan. abweicht, sollen M. und sein Bruder nach dem Tod des Menelaos → Helene [1] aus Sparta vertrieben haben, die sich nach Rhodos zu → Polyxo (Paus. 3,19,9f.) flüchtet. Auf dem Thron von → Amyklai [1] sind M. und sein Bruder auf einem Pferd sitzend dargestellt (Paus. 3,18,13). AL. FR.

**Megara**
**[1]** (Μεγάρα, Μεγάρη). Tochter des Kreon [1] von Theben, Gattin des → Herakles [1] (Hom. Od. 11,269–270), der sie zum Dank für die Befreiung Thebens vom Tribut an → Erginos zur Frau bekommen hat, und Mutter von → Herakleidai. Während die Thebaner nach Paus. 9,11,2 vom Kindermord des wahnsinnigen Herakles (sein Wahnsinn schon Kypria p. 40,28f. PEG) ›nicht anders als Stesichoros (= 230 PMGF) und Panyassis (= fr. 1 PEG)‹ erzählten, überliefert Pherekydes (FGrH 3 F 14), daß Herakles seine fünf Söhne ins → Feuer warf, wohl im Sinne eines Unsterblichkeitsrituales. Entsprechend dazu schildert Pind. I. 4,61–68 ein nächtliches Feuerfest in Theben, das am Vorabend der Herakleia zu Ehren der Söhne der M. und des Herakles, der Alkaïdai (= Alkeídai; schol. Pind. I. 4,104g. 110a), stattfand. In Euripides' *Herakles* bringt der Held dagegen, von Hera in Wahn versetzt, nicht nur seine drei Kinder, sondern auch M. mit Keule und Bogen um (danach mit Varianten Seneca, *Hercules furens*; nur die Kinder z. B. Diod. 4,11,1). Während Paus. 9,11,2 und schol. Pind. I. 4,104a–110c die verschiedenen Fassungen harmonisieren, wie evtl. schon ein Kelchkrater aus Paestum ([1], um 350–325 v. Chr.), auf dem Herakles eines seiner Kinder unter den Augen der → Mania [1] zum Scheiterhaufen trägt, nimmt man heute meist zwei oder drei Parallelversionen an. In dem → Moschos zugeschriebenen Gedicht *Megára* spielt M. eine seltene Hauptrolle.

1 TRENDALL, Paestum, 84, Nr. 127 Abb. 46.

E. KRUMMEN, Pyrsos Hymnon, 1990, 33–97 • M. SCHMIDT, s. v. Herakleidai, LIMC 4.1, 723–728; 4.2, 442–444 • S. WOODFORD, s. v. M. (1), LIMC 8.1, 828–829 (Suppl.). T. H.

[2] (Μέγαρα, spätantik auch Μάγαρα, Ethnikon Μεγαρεύς).
I. Lage II. Stadt III. Geschichte

I. Lage

Hauptort der Megaris, einer schmalen Landbrücke, die Attika mit der Korinthia verbindet. Das nur schwer zugängliche und sich wie ein Riegel über den → Isthmos ziehende → Geraneia-Gebirge ist im Süden beherrschend. Im Osten sperren → Kerata, Pateras und → Kithairon den Zugang nach Mittelgriechenland. Zw. Geraneia und Pateras liegt ein ca. 15 km breites jungtertiäres Schollenland. Das Gebiet nordöstl. der Geraneia ist hügelig mit teils steinigem, teils sandigem Boden. Im SO erstreckt sich die fruchtbare Ebene von M. Mit → Nisaia am Saronischen, → Pagai und → Aigosthena am Korinthischen Golf existierten drei Häfen in der Megaris, weitere kleinere Orte wie Tripodiskos [1], Aigeiros, Ereneia und Kynosura [4] lagen im Landesinneren. Die Natur trennt die Megaris von den Nachbarn durch Gebirgsketten; polit. bildeten diese nicht immer unüberwindliche Grenzen [2]. Vor Ausbruch der Territorialkonflikte mit den Nachbarn verfügte M. über die Halbinsel Perachora, Gebiete südwestl. der Geraneia und zeitweise über → Salamis. Eine Küstenstraße am Saronischen Golf, der Skironische Weg, führte von Korinthos nach Eleusis, im Westen verlief eine Straße über einen Geraneia-Paß, über Ausläufer des Pateras und über den Kithairon nach → Plataiai. Ein beschwerlicher Küstenweg am Golf von Korinth verband Pagai und Aigosthena mit Boiotia.

Das Gebiet von M. war nach den Territorialverlusten in archa. Zeit klein, zudem gab es bis auf die Ebene um M. nur wenige landwirtschaftlich nutzbare Flächen. In den bergigen Regionen wurde Viehzucht und Viehhaltung betrieben, in den Ebenen Gartenbau intensiviert, in den Küstengewässern ging man dem Fischfang nach. Die geringe agrarische Basis führte zu einer verstärkten Hinwendung zur See und zum Handel, v. a. mit Wolle und Textilien. Salz wurde in den Salinen am Saronischen Golf gewonnen (Aristoph. Ach. 521–528; 760f.; Isokr. or. 8,117; Xen. mem. 2,7,6; Theophr. h. plant. 2,8,1; Diod. 11,18; Diog. Laert. 6,41; [3. 141]).

II. Stadt

Das städtische Zentrum von M. lag 2 km von der Küste entfernt im SW der Ebene. Die Stadt dehnte sich von zwei Akropolen Karia und Alkathoos nach Süden hin aus. Im 5. Jh. v. Chr. wurde das städtische Zentrum von einer Mauer umgeben [4]. Im Süden verbanden zwei unter athenischer Anleitung Mitte des 5. Jh. gebaute Schenkelmauern M. mit seinem Haupthafen Nisaia. Diese wurden 424/3 v. Chr. von Megarern selbst zerstört und erst um 340 v. Chr. wieder errichtet. Über die Grabungsergebnisse (eine nicht mit dem von Paus. 1,40,1 und 1,41,2 erwähnten Brunnenhaus des Theagenes identische Brunnenanlage [5], zahlreiche Baukomplexe) berichtet P. Zorides in der Zeitschrift AD regelmäßig.

III. Geschichte
A. Frühgeschichte B. Vom Ende des 6. Jh. bis zur Einnahme durch die Römer
C. Römische Zeit D. Byzantinische Zeit

A. Frühgeschichte

Die Megaris war schon in der Brz. besiedelt [6]. Die vordorische Bevölkerung unterhielt wohl enge Beziehungen zu Athen und Boiotia. Sie ist im homer. Schiffskatalog nicht erwähnt. Ob Nisa (Hom. Il. 2,508 [7. 279f.]) mit M. identifiziert werden kann, ist umstritten. Dor. wurde M. unter dem Einfluß von → Argos [II 1]. Fünf Orte sollen vor dem → Synoikismos in der Megaris existiert haben, deren Bewohner sich Herais, Piraeis, Megareis, Kynosureis und Tripodiskioi (Plut. qu. Gr. 18) nannten. Im 7. Jh. liegen die Anfänge der Spannungen mit Korinth, die zum Verlust der Perachora-Halbinsel führten. Bevölkerungswachstum, die Suche nach Ackerland und der Zustrom von Flüchtlingen führten u. a. zu Kolonisationszügen (→ Kolonisation) von M. zuerst nach Sizilien (ca. 730 v. Chr. M. [3], 650 v. Chr. Selinus [8]), 675 bis 625 in den Propontis-Schwarzmeerraum (Kalchedon, Selymbria, Astakos, Byzantion, Herakleia [7] Pontike, vgl. [9]). Nach 650 herrschte in M. Theagenes als Tyrann (Aristot. pol. 5, 1305a 24–26) [10. 225–230]. Nach seinem Sturz (Plut. qu. Gr. 18) gab es weitere Konflikte mit Korinth und den Athenern, die schließlich nach spartanischem Schiedsspruch Salamis endgültig erhielten. Im Bevölkerungsverband herrschten fortwährende innere Spannungen [11. 98–111]. Für die polit. und ges. Verhältnisse in archa. Zeit sind die Gedichte des → Theognis (nach Plat. leg. 1,630a 4 Bürger der sizilischen Stadt M., schilderte aber die Verhältnisse der Mutterstadt; vgl. aber Didymos, schol. Plat. l.c.) aufschlußreich [12].

B. Vom Ende des 6. Jh. bis zur Einnahme durch die Römer

Seit E. des 6. Jh. war M. Mitglied im → Peloponnesischen Bund. 480 v. Chr. beteiligte sich M. mit jeweils 20 Schiffen an den Seeschlachten gegen die Perser bei Artemision und Salamis (→ Perserkriege). 479 v. Chr. führte → Mardonios einen Streifzug in die Megaris (Hdt. 9,14; Paus. 1,40,2f.). An der Schlacht bei Plataiai 479 v. Chr. nahmen 3000 megarische → *hoplítai* teil, die schwere Verluste beklagen mußten. Ob das Grabepigramm für Pollis auf diese Kämpfe zu beziehen ist, ist umstritten [13]. Nach erneuten Grenzkriegen mit Korinth verließ M. 461 v. Chr. den Peloponnesischen Bund (Thuk. 1,103,4; Diod. 11,79,1f.). Die »Langen Mauern« (→ Befestigungswesen) nach Nisaia wurden errichtet. Im 1. → Peloponnesischen Krieg (460–446 v. Chr.) mehrfach Kriegsschauplatz, schloß sich M. bald wieder dem Peloponnesischen Bund an, aber erst 446 verzichteten die Athener auf Pagai und Nisaia. Die Sperrung der att. Märkte durch das »Megarische Psephisma« trug zum Ausbruch des 2. Peloponnesischen Krieges bei [14], der M. schwer in Mitleidenschaft zog [15]. 427 v. Chr. wurde → Minoa von Athenern besetzt.

424 fand ein demokratischer Umsturz statt mit dem Versuch, M. auf die Seite der Athener zu ziehen. Diese Umorientierung mißlang nach heftigen Kämpfen [16. 106–109]. Athen konnte aber den Hafen Nisaia besetzen, der erst 410 wieder in den Besitz von M. überging. In diese Zeit gehört eine Gefallenenliste aus M. (SEG 39, 1989, 411).

Im 4. Jh. stand M. durch eine kluge Politik meist abseits mil. Konflikte (vgl. Isokr. or. 8,117; Xen. mem. 2,7,6), konnte sich 394 von Sparta lösen und eine demokratische Verfassung einführen. Münzprägung setzte im 4. Jh. ein (HN 393 f.). 343 scheiterte der Versuch Philippos' II., sich M.s zu bemächtigen, am Widerstand der Athener [16. 110]. Unter → Stilpon blühte die von Eukleides [2] gegr. Megarische Philosophenschule (→ Megariker). Nach dem → Lamischen Krieg zuerst unter dem Einfluß des Kassandros, wurde M. 308 v. Chr. von Ptolemaios I. erobert, fiel aber ein Jahr darauf an Demetrios [2] Poliorketes. Nach 286 war M. autonom, geriet dann unter maked. Einfluß; 243 v. Chr. Mitglied im Achaiischen Bund (→ Achaioi, mit Karte), dem die Hafenorte Pagai und Aigosthena als autonome Städte beitraten. 224 trat M. zum Boiot. Bund (→ Boiotia, mit Karte) über, kehrte aber 192 zum Achaiischen Bund zurück.

C. Römische Zeit

146 v. Chr. kapitulierte eine achaiische Garnison in M. vor den Römern; M. entging der Zerstörung (Paus. 7,15,7–11). Cornelius [I 90] Sulla benutzte M. als Stützpunkt für die Belagerung von Athen. Im Bürgerkrieg auf seiten des Pompeius, wurde M. von Legaten Caesars erobert und weitgehend zerstört. In der Kaiserzeit war M. eine Kleinstadt, die – wie der Bericht des Pausanias (l.c.) zeigt – einen Bestand an alten Bauwerken bewahrt hatte. Plin. nat. 4,23 nennt M. eine röm. Kolonie. Mehrere Ehreninschr. für röm. Kaiser sind vorhanden, nach Hadrianus wurde eine Phyle benannt (IG VII 72; 74; 101). Verwaltungstechnisch zu Boiotia gehörig, stellte M. in dieser Zeit → Boiotarchen (IG VII 24; 106). Einer Bauinschr. zufolge wurde 259 n. Chr. eine Stoa errichtet [17]. 395 wurde M. durch die Goten zerstört (Zon. 5,6,3), aber wieder aufgebaut (IG VII 26; 93).

**1** K.J. Rigsby, M. and Tripodiscus, in: GRBS 28, 1987, 93 ff. **2** C. Antonetti, I confini della Megaride, in: E. Olshausen, H. Sonnabend (Hrsg.), Stuttgarter Kolloquium zur histor. Geogr. des Alt. 4 (1990), 1994, 539–551 **3** Gehrke **4** P. Zorides, Τὰ ἀρχαῖα τείχη τῶν Μεγάρων, in: ArchE 1985, 217–236 **5** Travlos, Attika, 258–287 **6** R. Hope Simpson, O. T. P. Dickinson, A Gazetteer of Aegean Civilization in the Bronze Age 1, 1979, 74 ff. **7** E. Visser, Homers Kat. der Schiffe, 1997 **8** P. Danner, M., M. Hyblea and Selinus, in: H. D. Andersen u. a. (Hrsg.), Urbanization in the Mediterranean, 1997, 143–165 **9** C. Antonetti, Megare e le sue colonie, in: Dies. (Hrsg.), Il dinamismo della colonizzazione greca, 1997, 83–94 **10** L. de Libero, Die archa. Tyrannis, 1996 **11** U. Walter, An der Polis teilhaben, 1993 **12** T.J. Figueira (Hrsg.), Theognis of M., 1985 **13** J. Ebert, Neue griech. Epigramme, in: J. H. M. Strubbe u. a. (Hrsg.), Energia, FS H. W. Pleket, 1996, 19–25 **14** B. R. MacDonald, The Megarian Decree, in: Historia 32, 1983, 385–410 **15** T. E. Wick, M., Athens and the West in the Archidamian War, in: Historia 28, 1979, 1–14 **16** H.-J. Gehrke, Stasis, 1985 **17** M. Heil, Zwei spätant. Statthalter aus Epirus und Achaia, in: ZPE 108, 1995, 162 ff.

F. Bohringer, Mégare. Traditions mythiques, espace sacré et naissance de la cité, in: AC 49, 1980, 5–22 • K. Hanell, Megarische Studien, 1934 • R. P. Legon, M., the Political History of a Greek City-State, 1981 • E. Meyer, s. v. M., RE 29, 152–205 • A. Muller, Megarika I-VIX, in: BCH 104, 1980, 83–89; BCH 105, 1981, 203–225; BCH 106, 1982, 379–407; BCH 107, 1983, 157–179; BCH 108, 1984, 249–264 • L. Piccirilli (Hrsg.), Megarika. Testimonianze e frammenti, 1975. K.F.

D. Byzantinische Zeit

Außer der Plünderung durch die Goten (395) und der Bedrängung durch die → Slaven verlief die Gesch. M.s in byz. Zeit bis zu den Kreuzzügen ereignisarm. Vom 4. bis 6. Jh. ist ein Bistum bezeugt, das – erst wieder im Zusammenhang mit der Frankenherrschaft nach 1204 gen. – 1222 mit Athen zusammengelegt wurde. Trotz geringer arch. Funde ist das Weiterbestehen M.s als bescheidenes Landstädtchen im Umfeld Athens gesichert; eine gewisse Bed. kam ihm stets durch seine Lage am Weg nach → Korinthos und durch seine Akropolis, das κάστρον/*kástron*, zu. Die albanische Landnahme des Spät-MA, die → Attika ethnisch grundlegend veränderte, ging an M. vorbei.

TIB s. v. M., 215 ff. J.N.

**[3]** (Μέγαρα, Μέγαρες Ὑβλαῖοι; Megara Hyblaia ist modern; lat. *Megara, -orum* und *Megara, -ae*; das Gebiet τὸ Μεγαρικόν oder Μεγαρίς). Eine der ältesten, wenn nicht gar die älteste dor. Kolonie (→ Kolonisation) an der sizilischen Ostküste. Nach der wenigstens grundsätzlich zuverlässigen Trad. bei Thuk. 6,4,1 (d. h. wohl durch → Antiochos [19] von Syrakusai) wurde M. 245 J. vor der Aufhebung durch → Gelon [1] (484/481) gegr., also 729/726 v. Chr. → Lamis siedelte mit Kolonisten aus dem mutterländischen M. [2] zuerst in Trotilon über dem Pantakyas, dann gemeinsam mit Chalkideis in Leontinoi, danach, von diesen vertrieben, auf Thapsos, und endlich, im Einvernehmen mit dem Sikulerkönig Hyblon, in dem nahen Hybla an einem Platz im Innersten des flachen Meerbusens zw. dem h. Augusta und Syrakusai.

Sicher ist nach dem arch. Befund (überreiche keramische Ausbeute vom 8. bis Anf. 5. Jh. v. Chr.), daß M. seit der 2. H. des 8. Jh. (nach einigen Forschern schon in der 1. H.) bestanden hat. 553 v. Chr. beteiligte sich M. am Kampf zw. Syrakusai und Kamarina (Philistos FGrH 556 F 5). Verläßlich ist wohl die Angabe bei Thuk. l.c., daß M. 100 J. nach der eigenen Gründung unter Führung des aus der Mutterstadt herbeigerufenen Pammilos → Selinus gründete, was aber wohl weniger einen Beweis der Macht, vielmehr Zeichen der Übervölkerung auf schmalem, durch mächtige Grenznachbarn (Syrakusai, Leontinoi, Katane) eingeengtem Siedlungsraum darstellt. Ebendies verursachte wohl auch die sozialen Spannungen, die nach Hdt. 7,156 Gelon [1] Gelegenheit gaben, M. zu erobern und zu zerstören, die Aristokraten nach → Syrakusai zu verpflanzen und den *dēmos* in die Sklaverei zu verkaufen.

Im J. 415 lag M. wüst (Thuk. 6,49,4). Im folgenden Winter errichtete Syrakusai auf dem Boden von M. ein Fort, das die Athener bei ihrer Landung im Frühjahr nicht einnehmen konnten (Thuk. 6,75,1; 94,2; → Peloponnesischer Krieg). M. lag weiter wüst (auch der arch. Befund beweist es), wird aber 309 im Zusammenhang mit der Belagerung von Syrakusai durch die Karthager wieder als *pólis* gen. (Diod. 20,32,3 ff.). Als solche war M. wohl bei der großen Restauration der freien griech. Gemeinden durch → Timoleon (um 340) wiedererstanden. Dazu stimmt der hell. Mauerring, der freilich nur einen kleinen Teil des Areals der ehemaligen Stadt umfaßte. M. gehörte im J. 263 zum Reich → Hierons [2] (Diod. 23,4,1), war 214 mit Syrakusai verbündet und wurde von → Claudius [I 11] Marcellus erobert und zerstört (Liv. 24,35,2; Plut. Marcellus 18,2). Von da an bis h. existierte M. nur als Ankerplatz und dörfliche Siedlung.

Der arch. Befund reicht bis ins Neolithikum zurück (Siedlung mit Schanzen). Siedlung archa. und klass. Zeit; bemerkenswerte Funde von Keramiken aus der orientalisierenden Periode und von archa. Skulpturen; drei Nekropolen (Belege seit Anf. 7. Jh. v. Chr.), von Portiken und Kultgebäuden (Antentempel, Tempel mit zentraler Kolonnade, Heroon (?) und Wohnbezirke) umgebene Agora. Belege für die Existenz der verkleinerten Stadt unter Timoleon sind Befestigungsanlagen, Agora mit Portikus, Kultgebäude, Thermenanlagen, Wohnbezirke; nach der Zerstörung durch die Römer landwirtschaftliche Anlagen (Späthell. und Kaiserzeit).

G. VALLET, s. v. M. Hyblaia, EAA Suppl. 3, 1995, 584–587 • Ders., s. v. M. Hyblaia, PE 565 f. GI. F. u. K. Z./Ü: H. D.

**Megareus** (Μεγαρεύς).

**[1]** Sohn des Poseidon (Hyg. fab. 157), Vater des Hippomenes (Ov. met. 10,605). M. kommt mit einem Heer dem → Nisos gegen → Minos zu Hilfe und fällt im Kampf. Nach M. wird die Stadt Nisa in → Megara [2] umbenannt (Paus. 1,39,5). Nach anderen ist M. mit Nisos' Tochter Iphinoe verheiratet und folgt diesem in der Herrschaft (ebd. 1,39,6; s. auch 1,41,3).

**[2]** Sohn des → Kreon [1] und der Eurydike; rettet Theben durch Opferung des eigenen Lebens im Krieg (Aischyl. Sept. 474; Soph. Ant. 1303 mit schol.). J. STE.

**Megariker** (Μεγαρικοί). Als M. wurden nach der Heimatstadt des Sokratesschülers → Eukleides [2] diejenigen Philosophen bezeichnet, die man in die von diesem herkommende Trad. einordnete. Wieviel sie außer der gemeinsamen Schülerschaft bei Eukleides miteinander verband, ist schwer zu sagen. Wie es scheint, gab es weder eine wie auch immer geartete institutionelle Organisation, die sie zusammengehalten hätte, noch eine feste Lehrstätte. Daß sie ihren Wohnsitz in Megara hatten, ist allein für Eukleides und → Stilpon bezeugt; andere M. lebten und lehrten nachweislich zumindest für eine gewisse Zeit an anderen Orten (→ Eubulides [1], Alexinos, Diodoros [4]). Soweit erkennbar, gab es auch keine von allen Nachfolgern des Eukleides anerkannten Dogmen. Als Gemeinsamkeit läßt sich neben der Herleitung von Eukleides am ehesten ein starkes Interesse an dialektischen Fragestellungen erkennen, welches dazu führte, daß die M. auch als Eristiker und → Dialektiker bezeichnet wurden. SEDLEY [7] hat den Beweis zu führen versucht, daß innerhalb der sich von Eukleides herleitenden Trad. eine megarische und eine dialektische Schule voneinander zu trennen seien, und viele haben sich dieser Auffassung angeschlossen. Die Argumente, die gegen eine solche Trennung sprechen, hat DÖRING [3] zusammengestellt. Das früheste Zeugnis, in dem die M. als Gruppe erwähnt werden, ist eine Stelle in der ›Metaphysik‹ (9,3,1046b 29–32), in der Aristoteles die Ansicht derer zurückweist, ›die wie die M. behaupten, nur wenn etwas tätig sei, habe es das Vermögen (sc. in dem betreffenden Sinne tätig zu sein), wenn es aber nicht tätig sei, habe es das Vermögen nicht‹. Ob Theophrasts Schrift mit dem Titel *Megarikós* (Diog. Laert. 5,44; 6,22) etwas mit den M. zu tun hatte, ist unbekannt. Näheres zu den M. s. → Alexinos, Bryson, Diodoros [4], Dionysios [9], Eubulides [1], Eukleides [2], Ichthyas, Kleinomachos, Philippos aus Megara, Philon [7], Stilpon.

→ Dialektiker; Logik; Sokratiker

ED.: 1 K. DÖRING, Die M., 1972 2 SSR II A-S.

LIT.: 3 K. DÖRING, Gab es eine Dialektische Schule?, in: Phronesis 34, 1989, 293–310 4 Ders., Eukleides aus Megara und die M., in: GGPh² 2.1, § 17 5 K. VON FRITZ, s. v. M., RE Suppl. 5, 707–724 6 R. MULLER, Introduction à la pensée des mégariques, 1988 7 D. SEDLEY, Diodorus Cronus and Hellenistic Philosophy, in: PCPhS 203, 1977, 74–130.

K. D.

**Megarische Becher** s. Reliefkeramik

**Megaron** (μέγαρον). Im homer. Epos mehrfach (u. a. Hom. Od. 2,94; 19,16; 20,6) gen. Bautrakt; offenbar der Hauptraum des Palastes bzw. des Hauses mit dem Gemeinschaftsherd in der Mitte. Zu späteren Erwähnungen des M. in der griech. Lit. (bes. Hdt. 7,140 f.) vgl. → Tempel.

Über das Verständnis des Begriffs M. und dementsprechend die Herleitung der jeweils damit verbundenen Bauform bestehen in der arch. Forsch. erhebliche Auffassungsunterschiede: Zum einen wurde unter M., analog den Homerpassagen, ein Bautrakt, also ein Raum oder eine Raumgruppe innerhalb eines umfassenderen architektonischen Komplexes (vgl. → Haus; → Palast), zum anderen ein Baukomplex insgesamt verstanden. Während sich ein bauliches Phänomen, das mit dem Begriff M. hinreichend präzise erfaßbar wäre, in der Architektur des histor. Griechenland kaum mehr findet, begegnet ein rechteckiger Zentralraum bzw. eine rechteckig angelegte zentrale Raumgruppe mit Hauptraum und antengefaßtem Vorraum in den spätneolithischen und bronzezeitlichen Kulturen Griechenlands und Kleinasiens in großer Zahl (→ Troia, Dimini, → Sesklo, → Poliochni; kleinasiatisch-oriental. Beispiele gesammelt bei [1]). Die an Homer orientierte Vorstellung vom M. als dem Hauptraum eines Palastes oder Herrscherhauses fand ihre vermeintliche Entsprechung im arch. Befund myk. Paläste, bes. derjenigen von → Mykene, → Tiryns und → Pylos. Strittig ist – entsprechend dem fehlenden Konsens über den Begriff – auch die dem M. zugemessene Funktion; die Idee eines im Grundsatz profanen Herd-Raumes im Sinne eines → Versammlungsbaus kontrastiert mit der Idee eines solitären Kultbaus (→ Tempel). Baulichkeiten aus histor. Zeit (1. Jt. v. Chr.), die mit dem Begriff M. verbunden wurden, fanden sich in Kleinasien, u. a. in Gordion.

1 B. Hrouda, s. v. M., RLA 8, 1993/1997, 11 f.

A. Mazarakis Ainian, From Ruler's Dwellings to Temples: Architecture, Religion and Society in Early Iron Age Greece, 1997 • B. C. Dietrich, A Religious Function of the M., in: Rivista storica dell'antichità 3, 1973, 1–12 • G. Hiesel, Späthelladische Hausarchitektur. Stud. zur Architekturgesch. des griech. Festlandes in der späten Brz., 1990, 237–239 • C. Hopkin, The M. of the Mycenaean Palace, in: Studi miceni ed egeo-anatolici 6, 1968, 45–53 • B. Hrouda, Die M.-Bauten in Vorderasien, in: Anadolu 14, 1970, 1–14 • S. Lauffer, M., in: Stele. FS N. Kontoleon, 1980, 208–215 • T. Schulz, Die Rekonstruktion des Thronpodestes im ersten großen M. von Tiryns, in: MDAI(A) 103, 1988, 11–23 • K. Werner, The M. during the Aegean and Anatolian Bronze Age, 1993. C. HÖ.

**Megas Logariastes** s. Logariastes

**Megasthenes** (Μεγασθένης). Diplomat und Historiker (um 350–290 v. Chr.). Unter Seleukos I. zw. 302 und 291 mehrfach Gesandter, u. a. nach Nordindien, wo Chandragupta (→ Sandrakottos) das Maurya-Reich begründete.

Sein nur in Fr. erh. geogr. und ethnograph. Werk *Indiká* in drei oder vier B. beruht auf Autopsie und durch Dolmetscher übermittelten, von M. unkritisch übernommenen Angaben. Es war lange die ausführlichste Darstellung von India und wurde u. a. von → Diodoros [18], → Strabon und → Plinius d. Ä. genutzt, v. a. aber von → Arrianos [2] als Hauptquelle für dessen eigene *Indikḗ*. FGrH 715.
→ India

A. B. Bosworth, The Historical Setting of M.' Indica, in: CPh 91, 1996, 113–127 • K. Karttunen, India in the Hellenistic World, 1998. K. BRO.

**Meges** (Μέγης). Sohn des Phyleus, der von Dulichion mit 40 Schiffen nach Troia fährt (Hom. Il. 2,625 ff.), wo er mehrere Feinde tötet (z. B. ebd. 5,69; Q. Smyrn. 1,276 ff.). Er gehört zu den Leuten des Odysseus, die aus Agamemnons Zelt die Versöhnungsgeschenke für → Achilleus holen (Hom. Il. 19,238 ff.), und zur Besatzung des hölzernen Pferdes (Q. Smyrn. 12,326). M. ist auch als einer der Freier der Helene genannt (Apollod. 3,129). Nach Apollod. epit. 6,15a geht er mit vielen anderen auf der Rückfahrt bei Euboia zugrunde. J. STE.

**Megiddo** (Tall al-Mutasallim in der Jesreelebene) war vom Neolithikum bis in die Perserzeit (6./4. Jh. v. Chr.) besiedelt. Neben Tempeln und Palästen sowie der Anlage zur Wasserversorgung ragen unter den Funden Elfenbeinarbeiten und ein Tontafel-Frg. des Gilgameš-Epos (14. Jh. v. Chr.) hervor. Die frühesten namentlichen Erwähnungen von M. (äg. *m-k-t*) stammen aus der Zeit Thutmosis III. (15. Jh. v. Chr.) und aus Briefen, die der Stadtfürst Biridiya von M. (akkad. $^{\mathrm{URU}}$*Ma-gi-id-da*$^{\mathrm{ki}}$) an den Pharao schickte (14. Jh. v. Chr.; → Amarna-Briefe). Der urspr. kanaanäische Ort (Ri 1,27; vgl. Jos 12,21) war seit → Salomo (1 Kg 4,12; 9,15) eine wichtige israelitische Garnisonsstadt, die im 10. Jh. v. Chr. von Pharao Schoschenk (vgl. 1 Kg 14,25 f.) erobert und 733 v. Chr. von Tiglatpilesar III. zum Zentrum der assyr. Provinz Magidû gemacht wurde. Die Bed. von M. und der angrenzenden Ebene könnte sich im Namen Harmagedon (»Gebirge von M.«) als Ort einer letzten endzeitlichen Schlacht in Apk 16,16 widerspiegeln.

Y. Aharoni, Y. Shilo, s. v. M., NEAEHL, Bd. 3, 1003–1024. R. L.

**Megillos** (Μέγιλλος). Spartiat, Mitglied einer Dreiergesandtschaft, die 408/7 v. Chr. in Athen über die Freilassung von Kriegsgefangenen verhandelte (Androtion FGrH 324 F 44; [1. 50; 2. 395]); wohl identisch mit dem gleichnamigen Mitglied einer 396 von → Agesilaos [2] II. zu → Tissaphernes geschickten Gesandtschaft (Xen. hell. 3,4,6) und einem Gesprächspartner bei Platon (epin. passim und leg. 642b), der hier als Gastfreund der Athener bezeichnet wird.
→ Peloponnesischer Krieg

1 D. J. Mosley, Envoys and Diplomacy in Ancient Greece, 1973 2 B. Bleckmann, Athens Weg in die Niederlage, 1998. K.-W. WEL.

**Megiste** (Μεγίστη). Insel vor der lyk. Küste nahe der Stadt Antiphellos; seit dem 4. Jh. v. Chr. rhodischer Flottenstützpunkt (Ps.-Skyl. 100; Liv. 37,24,1; 45,2), der von Strab. 14,3,7 *pólis* und Plin. nat. 5,131 ›ehemalige *civitas*‹ gen. wird. Inschr. belegen bisher nur rhodische Militärpräsenz in einer Festung (*pýrgos*) unter einem *hagemṓn* oder *epistátēs* (SEG 14, 719; SGDI III 1, 4332). MA. ZI.

**Megisto** (Μεγιστώ). Frau eines Timoleon, in → Plutarchos' ›Frauentugenden‹ – wohl aus → Phylarchos' »trag. Gesch.-Schreibung« schöpfend – moralisches Vorbild und Anführerin im weiblichen Widerstand gegen

→ Aristotimos, der 271/270 v. Chr. für sechs Monate Tyrann von Elis war (Plut. mor. 252b–e), und einsame Heldin im Eintreten für dessen junge Töchter gegen die wütende Brutalität der Menge nach dem Tyrannenmord (Plut. mor. 253c–e). J.CO.

**Megistonus** (Μεγιστόνους). Spartiat, unterstützte die Reformen seines Stiefsohnes → Kleomenes [3] III. (Plut. Kleomenes 7,1; 11,1), wurde zu einem nicht genau bestimmbaren Zeitpunkt nach dem sog. Staatsstreich des Kleomenes (227 v. Chr.) als spartan. Befehlshaber bei Orchomenos (Arkadien) von → Aratos [2] von Sikyon geschlagen und gefangengenommen (Plut. Aratos 38,1) und von diesem als Unterhändler zu Kleomenes gesandt (Plut. Kleomenes 19,5; Plut. Aratos 41,5). M. fiel 224 bei dem Versuch, Argos vor dem Zugriff des Aratos und des Antigonos [3] Doson zu sichern (Plut. Kleomenes 21,1–3; [1. 374f.]).

1 S. Le Bohec, Antigone Dôsôn, 1993. K.-W. WEL.

**Meherdates** s. Mithradates

**Mehl** (griech. ἄλευρον/*áleuron*, lat. *farina*). Feinkörniges bis pulvriges Produkt, das beim Zermahlen, Zerreiben oder Zerstoßen bestimmter Körner oder Samen entsteht. Das wichtigste Ausgangsprodukt war in griech. Zeit Gerste (Athen. 3,111e–112a), in röm. Zeit Weizen (Plin. nat. 18,74; 85–90); je nach Region wurde M. auch aus Hirse (Gal. de alimentorum facultatibus 1,15) und Roggen (Plin. nat. 18,141) und in Gebieten ohne Getreideanbau oder in Notzeiten sogar aus stärkehaltigen Früchten wie Bohnen oder Eicheln erzeugt (Plin. nat. 16,15; 18,117).

M. wurde nach dem Grad seiner Feinheit und Reinheit unterschieden. So kannte man z. B. in der röm. Kaiserzeit Fein-M. mit nur geringen Kleieanteilen (*flos*; *pollen*), mittelfeines, relativ reines M. (*siligo*; *similago*) und grobes Speise-M. mit hohen Kleieanteilen (*cibarium*, Plin. nat. 18,86–90). Da die Mühlen- und Siebetechnik nicht weit fortgeschritten war, entsprach die Qualität des M. nicht der heutigen; es verdarb schnell, weil das stärkehaltige Innere des Kornes nicht ganz von den ölreichen Randschichten getrennt werden konnte. Selbst Fein-M. hatte einen relativ hohen Kleieanteil und war von eher dunkler Farbe. Außerdem war M. immer mit leichtem Abrieb von den Steinmühlen verunreinigt.

In der Küche wurde M. hauptsächlich zum Backen verwendet. Aus den feineren M. entstanden Kuchen und feines Brot, während das grobe M. Grundlage des »Brotes minderer Qualität« (*panis secundarius*; vgl. Suet. Aug. 76,1) war. Mit M. wurden zudem breiartige Mischgetränke hergestellt (Hom. Il. 11,640) und Saucen angedickt (Apicius 3,11,1). Im Kult hatte M. als Speiseopfer große Bed.; in der Heilkunde wurde es vorwiegend für Umschläge gegen Entzündungen und Schwellungen genutzt (Cels. artes 4,6; 5,27,13; Dioskurides, De materia medica 2,85–86 Wellmann).

→ Bäckereien; Getreide; Mühle

J. André, Essen und Trinken im alten Rom, 1998 • A. Dalby, Essen und Trinken im alten Griechenland, 1998 • A. Mau, s. v. Bäckerei, RE 2, 2734–2743 • L. A. Moritz, Grain-Mills and Flour in Classical Antiquity, 1958. A.G.

**Mehrsprachigkeit** I. Begriff II. Griechenland und Rom III. Alter Orient

I. Begriff

»M.« bezeichnet zwei verschiedene Dinge: zum einen die Fähigkeit des Individuums, sich mehrerer Sprachen zu bedienen, zum anderen eine Situation, in der innerhalb einer gesellschaftl. Gruppe mehrere Sprachen verwendet werden (→ Sprachkontakt). Dementsprechend kann sich M.-Forsch. mit dem mehrsprachigen Individuum oder der mehrsprachigen Ges. befassen; je nach Sichtweise ergeben sich Berührungspunkte zur Psycho- und Neurolinguistik einerseits oder zur Soziolinguistik und histor. Linguistik (deskriptiv) bzw. Sprachpolitik (normativ) andererseits. Die heikle und oft auch polit. brisante Frage, wie Sprache und Dialekt voneinander abzugrenzen sind, soll hier außer Betracht bleiben. Was das mehrsprachige Individuum angeht, wäre grundsätzlich zu fragen, welche Art von Sprachbeherrschung vorliegen soll, damit wir von M. sprechen können. Im allg. Sprachgebrauch versteht man unter einem zweisprachigen Individuum eine Person mit zwei im Idealfall gleich gut beherrschten Muttersprachen; demgegenüber stellt die Sprachkontakt-Forsch. im Gefolge von U. Weinreich auf das tatsächliche Sprachverhalten ab und bezeichnet den als mehrsprachig, der regelmäßig mehrere Sprachen benutzt. Damit muß auch eine Typologie der Sprachbeherrschung entwickelt werden; man unterscheidet v. a. danach, ob Sprachfertigkeiten gesteuert (also durch gezielten Sprachunterricht) oder ungesteuert erworben wurden, und weiter danach, wie weit die Sprachbeherrschung geht: aktiv und/oder passiv, mündlich und/oder schriftlich. Die Psycho- und Neurolinguistik fragt, ob beide Sprachsysteme innerhalb des Individuums getrennt nebeneinander existieren (was sich ggf. auch auf neuronaler Ebene festmachen ließe) oder ob sie auf ein gemeinsames etwa semantisches Repertoire Zugriff haben (koordinierte vs. kompakte, »compound« M.).

Analog liegt gesellschaftl. M. dann vor, wenn innerhalb einer Gruppe mehrere Sprachen verwendet werden. Verschiedene Szenarien kommen in Frage, z. B. Ziehung polit. Grenzen ohne Rücksicht auf die Sprachenlandschaft, autochthone oder zugewanderte Minderheiten, Eroberungs- oder Kolonisationsereignisse. Zumeist sind Status und Prestige der beiden (oder mehreren) betr. Sprachen voneinander verschieden. Wenn innerhalb der Gruppe unabhängig von der sprachl. Herkunft der einzelnen Mitglieder Konsens darüber besteht, welche der beiden Sprachen das höhere Prestige genießt und für gehobene Kommunikationsbedürfnisse (offizieller Diskurs, v. a. aber Domänen der → Schriftlichkeit) adäquat ist, ferner zw. beiden ein komplementäres Verhältnis besteht (etwa Sprache A als Amtssprache, Sprache B als Familiensprache), wäre nach J. FISHMAN von Diglossie zu reden (vgl. aber → Diglossie zu anderen Bestimmungen des Terminus); dies wäre die häufigste Form von gesellschaftl. M. Damit ist aber über individuelle Sprachbeherrschung noch nichts ausgesagt; es ist denkbar, daß eine große Anzahl von Personen innerhalb einer solchen Ges. mehrsprachig ist (nach FISHMAN: ›Diglossie mit Bilinguismus‹), aber auch, daß die sprachl. Gruppen innerhalb einer Ges. streng separiert bleiben und nur mittels Dolmetschern/ → Übersetzern miteinander kommunizieren (›Diglossie ohne Bilinguismus‹) – oder auch, daß ein asymmetrisches Verhältnis besteht, also eine Gruppe zweisprachig ist, die andere aber nicht. Dies ist v.a. in Kolonisationssituationen häufig: Die fremde Oberschicht etabliert ihre Sprache als die offizielle, die indigene Bevölkerung behält ihre Sprache bei und erwirbt zusätzlich die der Eroberer (→ Hellenisierung, → Latinisierung, → Romanisierung).

II. GRIECHENLAND UND ROM
A. ALLGEMEINES B. KONTAKTPHÄNOMENE
C. SPRACHBUND D. PIDGINSPRACHEN?

A. ALLGEMEINES

Im Röm. Reich liegt eine außergewöhnliche Situation insofern vor, als sowohl das Griech. als auch das Lat. anerkannte, entwickelte Schrift- und Lit.-Sprachen mit hohem Prestige waren. Daß für einen gebildeten Römer Griech.-Kenntnisse in Wort und Schrift zum unverzichtbaren kulturellen Rüstzeug zählten, ist bekannt: → Ennius war von Haus aus dreisprachig (Lat., Griech., Oskisch), die lat. senatorische Geschichtsschreibung bediente sich des Griech., die lat. Lit. ruht auf dem Fundament der griech. Gattungen. Plautus und Terenz sind ohne Menander, Vergil ohne Homer, Horaz ohne Archilochos nicht denkbar. So wurden auf seiten der Römer keine ernsthaften Versuche unternommen, Lat. als einzige Reichssprache zu etablieren – im Osten diente das Griech. als Verwaltungssprache, Inschr. wurde oft eine griech. Übers. beigegeben (vgl. das → Monumentum Ancyranum: die einzige erh. rein lat. Fassung ist für die röm. Kolonie Antiochia bestimmt). Für spezifisch röm. offizielle Termini wurden Standardwiedergaben eingeführt (z. B. Σεβαστός für lat. *Augustus*).

Für Sprecher des Griech. galt dies nicht in dieser Weise; zwar wissen wir von etlichen, daß sie Lat. beherrschten (Plutarch, Dionysios [18] von Halikarnassos), aber Kenntnisse röm. Lit. sind nur spät und selten nachweisbar (z. B. Nonnos). Nicht wenige Römer schrieben Griech., der umgekehrte Fall ist selten (Claudianus, Ammianus Marcellinus). Auch das Zeugnis der bilinguen Glossare auf Papyrus weist darauf, daß mehr Römer zumindest die griech. Schrift beherrschten als Griechen die lateinische. Jedoch besteht eine Ges. nicht nur aus Literaten; es darf vorausgesetzt werden, daß für einen Sprecher des Griech., der eine Karriere innerhalb der röm. Administration oder des röm. Militärs anstrebte, Lateinkenntnisse durchaus von Nutzen waren und in der Praxis auch bis zu einem gewissen Grad vorhanden gewesen sein werden. Anders wäre auch das Auftreten zahlreicher lat. Lehnwörter im griech. Alltagswortschatz gar nicht zu erklären (σπέκλον, μανίκιον, λάρδος). Man wird also sagen können, daß zwei Prestigesprachen vorlagen, die unterschiedliche Domänen beanspruchten. Diesen beiden steht eine ganze Reihe lokaler Sprachen gegenüber, die aber z. T. nur spärlich bezeugt sind und langfristig zumeist ausstarben; ein gewisser Aufschwung läßt sich aber seit dem 3./4. Jh. n. Chr. erkennen (Erst- bzw. Neuverschriftung z. B. des Koptischen, Aramäischen und Gotischen als Sprachen des Christentums).

B. KONTAKTPHÄNOMENE

In mehrsprachigen Ges. lassen sich eine ganze Reihe von Phänomenen beobachten und linguistisch beschreiben (z. T. auch ihre Wirkungen vorhersagen: Interferenzen, etwa »Sprechen mit Akzent«; reduzierte Sprachbeherrschung, »code-switching«, also Wechsel von Sprachen innerhalb einer Äußerung); von Belang für die histor. Sprachwissenschaft sind Sprachkontaktphänomene v.a. aber dann, wenn sie nicht auf der Ebene der *parole* (der okkasionellen Augenblicksäußerung) bleiben, sondern habituell werden, also eine Sprache eine andere beeinflußt. Je nach soziologischer Situation unterscheidet man traditionell zwischen Substrat-, Superstrat- und Adstrateinflüssen; Substrateinflüsse wären solche, bei denen die verdrängte Sprache der Eroberten Spuren in der Sprache der Eroberer hinterläßt; als Substratwörter gelten z. B. die nicht indeur. verwurzelten Wörter auf -ινθος/*-inthos* im Griech. (etwa ἀσάμινθος/*asáminthos*, »Badewanne«); für mehrere phonetische Eigenarten roman. Sprachen, die sich distinktiv vom Lat. abheben (/u/ > /ü/ z. B. im Frz., /f/ > /h/ > /Ø/ z. B. im Span. usw.), werden gleichfalls (keltische bzw. baskische) Substrateinflüsse vermutet. Superstratspuren wären dementsprechend Fälle, in denen sich die Eroberer sprachl. ihren Untertanen assimiliert hätten, aber einige Elemente ihrer früheren Sprache in die neue übergegangen wären; als Beispiele seien die frz.- (genauer: anglonormannisch-)sprachigen Normannen in England gen., in gewisser Weise und mit Einschränkungen auch die Römer im griech.-sprachigen Osten. Gelegentlich wird ein kulturelles Superstrat unterschieden; so wären etwa die lat. Wörter im Dt., die auf die Zeit der röm. Eroberung zurückgehen (wie etwa »Pfund« < *pondus*), Superstratwörter, die aber, die z.Z. des Humanismus aus lit. Latein übernommen wurden – z. B. Universitätstermini wie »immatrikulieren« – Wörter des kulturellen Superstrats. Entsprechendes findet sich auch im Lat., vgl. Termini wie *philosophia*, für das sich keine lat. Lehn-Übers. durchsetzen konnte, anders als bei grammat. Termini wie *casus* für πτῶσις. Für Adstrateinflüsse bleiben Einflüsse aufgrund räumlicher Nachbarschaft übrig.

Diese etwas schematische Dreiteilung ist freilich zu grob, um den vielfältigen histor.-sozialen Situationen des Sprachkontakts Rechnung zu tragen, hat sich aber in der Praxis als heuristisches Hilfsmittel bewährt. Fragt man nach den sprachl. Ebenen, auf denen Einfluß anderer Sprachen wirken kann, so ist zu sagen, daß hier v. a. der Wortschatz in Frage kommt und demzufolge auch grundsätzlich wie einzelsprachlich am intensivsten erforscht ist. Doch kommen Einflüsse auch auf anderen Ebenen bis hin zur Übernahme von Elementen der Wortbildung vor (ngr. –αρης wie dt. *-er* zur Bildung von Nomina agentis aus lat. *–arius*).

C. Sprachbund

Ein Extremfall ist die Entstehung eines Sprachbunds – prominentes Beispiel ist der Balkansprachbund, dessen »Mitglieder« (nach communis opinio das Rumänische, Albanische, Makedonische und mit Einschränkungen das Neugriech.), wiewohl unterschiedlicher Abstammung (roman., slawisch etc.), Gemeinsamkeiten aufweisen, die sie von anderen nahe verwandten Sprachen, soweit vorhanden, und ihren Vorfahren, soweit bekannt, unterscheiden: z. B. die Nachstellung des Artikels (nicht im Ngr.), den Zusammenfall des Genetivs und des Dativs, den Verlust des Infinitivs, die Futurbildung mit dem Verb für »wollen« usw. Ein solches Gebilde kann sich kaum anders als unter Bedingungen weitverbreiteter individueller M. entwickeln; histor. ist die Entstehung des Balkansprachbunds verm. einem lat.-griech. Sprachbund zu verdanken.

D. Pidginsprachen?

Eine noch weiter reichende Folge einer M.-Situation kann gar die Entstehung neuer Sprachen sein, nämlich von Kreolsprachen aus Pidgins. Unter Pidgin versteht man eine Sprache, die niemandes Muttersprache ist, aber für Sprecher verschiedener, untereinander nicht verständlicher Sprachen als Verständigungsmedium fungiert, so etwa ein in Grammatik und Ausdrucksmöglichkeiten stark reduziertes Englisch, Französisch, Portugiesisch oder Niederländisch, das sich als *lingua franca* zw. den entsprechenden seefahrenden Nationen und der autochthonen Bevölkerung etwa in Afrika oder im pazifischen Raum herausbildete. Kommen spezifische histor. Umstände hinzu (Verschleppung dieser Bevölkerung in die Sklaverei), können sich aus solchen Pidgins eigene Sprachen entwickeln, die Kreolsprachen gen. werden; sie können sekundär zu Muttersprachen werden und pflegen rapide eine Gramm., unterschiedliche Stilebenen und kommunikatives Potential zu entfalten. Sowohl für das Neugriech. (J. Frösén) als auch für die roman. Sprachen (H. Schuchardt) ist die Frage aufgeworfen worden, ob ihrer Entstehung ein Pidginisierungsprozeß zugrundeliegt, sie also als altgriech.- bzw. lat.-basiertes Kreol zu fassen wären: Neugriech. wäre dann etwa ein stark reduziertes Griech. »in slawischem Munde«. Da aber kein so fundamentales Abreißen sprechsprachlicher Kontinuität nachzuweisen ist, sich ferner die Anf. der sprachlichen Neuerungen, die vom Alt- auf das Neugriech. bzw. vom Lat. auf die roman. Sprachen vorausweisen, in beiden Sprachen schon früh und keineswegs nur in Kolonialgebieten nachweisen und außerdem auf natürliche typologische Tendenzen innerhalb der Ausgangssprachen zurückführen lassen, müssen diese Sichtweisen nach heutigem Kenntnisstand als unhaltbar zurückgewiesen werden.

→ Bilinguen; Lehnwort; Sprachkontakt; Sprachwechsel; Übersetzung; Übersetzer

E. Banfi, Linguistica balcanica, 1985 • J. Bechert, W. Wildgen, Einführung in die Sprachkontaktforsch., 1991 • V. Binder, Sprachkontakt und Diglossie (im Druck) • A. Budinszky, Die Ausbreitung der lat. Sprache über It. und die Prov. des röm. Reiches, 1881, Ndr. 1973 • E. Coseriu, Das Problem des griech. Einflusses auf das Vulgärlatein, in: G. Narr (Hrsg.), Griech. und Roman., 1971, 1–15 • W. Dietrich, Griech. und Roman. Parallelen und Divergenzen in Entwicklung, Variation und Strukturen, 1995 (= Münstersche Beiträge zur Roman. Philol. 11) • C. Ferguson, Diglossia, in: Word 15, 1959, 325–340 • J. Fishman, Bilingualism with and without Diglossia, Diglossia with and without Bilingualism, in: Journal of Social Issues 23, 1967, 29–38 • J. Frösén, Prolegomena to a Study of the Greek Language in the First Centuries A. D., 1974 • H. Glück, Schriften im Kontakt, in: H. Günther, O. Ludwig (Hrsg.), Schrift und Schriftlichkeit/Writing and its Use, Bd. 1 (Hdb. zur Sprach- und Kommunikationswissenschaft 10.1), 1994, 745–766 • H. Kloss, Über 'Diglossie', in: Dt. Sprache 4, 1976, 313–323 • J. Kramer (ed.), Glossaria bilinguia in papyris et membranis reperta, 1983 • Ders., Der kaiserzeitl. griech.-lat. Sprachbund, in: N. Reiter (Hrsg.), Ziele und Wege der Balkanlinguistik (= Balkanologische Veröffentlichungen 8), 1983, 115–131 • G. Kremnitz, Diglossie/Polyglossie, in: U. Ammon, N. Dittmar, K. J. Mattheier (Hrsg.), Sociolinguistics I (= Handbücher zur Sprach- und Kommunikationswissenschaft 3.1), 1987, 208–218 • G. Kremnitz, Diglossie, in: H. Goebl u. a. (Hrsg.), Kontaktlinguistik I (= Handbücher zur Sprach- und Kommunikationswissenschaft 12.1), 1996, 245–257 • P. Mühlhäusler, Pidgin and Creole Linguistics, 1986 • G. Neumann, J. Untermann (Hrsg.), Die Sprachen im röm. Reich der Kaiserzeit, 1981 • P. v. Polenz, Fremdwort und Lehnwort sprachwiss. betrachtet, in: P. Braun (Hrsg.), Fremdwortdiskussion, 1979, 9–31 • B. Rochette, Le latin dans le monde grec, 1997 • U. Weinreich, Sprachen in Kontakt, 1977.

V. BI.

III. Alter Orient

A. Mesopotamien/Syrien/Palästina
B. Ägypten C. Kleinasien

A. Mesopotamien/Syrien/Palästina

Zweisprachigkeit ist eines der wesentlichen Kennzeichen der Kultur Babyloniens. Schon Texte des 26./25. Jh. v. Chr. zeugen von einer Koexistenz sumer.- und akkad.-sprachiger Bevölkerungsteile, wobei das Akkad. im nördl. Babylonien zu dominieren scheint. Interferenzerscheinungen zwischen → Sumerisch und → Akkadisch lassen auf eine enge, dauerhafte Kontaktsituation schließen. Die sumer. Keilschrift, die bald neben Wort- auch Silbenzeichen verwendet, wird bereits im 26./25. Jh. zur Verschriftlichung des Akkad. genutzt. Dabei kann der umfangreiche Einsatz sumer. Wortzeichen und -formen (Sumerogramme) die sprachl. Zugehörigkeit weitgehend verdecken. Die Verbindung zwischen dem Sumer. und der Schriftkultur tritt in der zweisprachigen Ausbildung der babylon. → Schreiber zutage (→ Schule) und befördert dessen Verbreitung weit über die urspr. Sprachgrenzen hinaus (→ Ebla); im Bereich von Wissenschaften (Lexikographie, → Liste) und Lit. wird das seit dem frühen 2. Jt. nicht mehr als lebendige Sprache gesprochene Sumer. bis zum Ende der keilschriftlichen Überl. Ende des 1. Jt. v. Chr. gepflegt.

Die Etablierung des Akkad. als Verkehrs-, Verwaltungs- und Urkundensprache in ganz Vorderasien führte vielfach zu Situationen des Sprachkontakts und der M. – nicht nur in Schreiberkreisen; Verbreitung und Grad der individuellen Bilinguität sind unterschiedlich und bedürfen gesonderter Unt. (→ amoritisch/akkad., → hurritisch/akkad., → kanaanäisch/akkad.). Der babylon. Dial. des Akkad. gewinnt – ähnlich wie zuvor das Sumer. – als Lit.-Sprache großes Prestige; die assyr. Königsinschr. werden babylon. verfaßt; analog bedienen sich die frühen urartäischen Inschr. (→ Urartäisch) des Assyr. Die akkad. Dial. des 1. Jt. zeigen begrenzt Einflüsse des → Aramäischen, das sich in ganz Vorderasien verbreitet und auch als Verwaltungssprache neben das Neuassyr./Spätbabylon. tritt. Die Achaimeniden bedienen sich des seit alters verschrifteten → Elamischen als Verwaltungssprache; der für das Altpers. (→ Iranische Sprachen) entwickelte neue Keilschrifttyp (→ Altpersische Keilschrift) bleibt auf offizielle Inschr. beschränkt (→ Trilingue). Das in weiten Teilen des Reiches verständliche Aram. setzt sich endlich als Verkehrs- und Kanzleisprache durch; die bleibende Verbindung zwischen Schriftlichkeit und aram. Sprache dokumentiert die Verwendung aram. »Logogramme« in den mitteliran. Dial.

→ Amarna-Briefe; Bilingue; Keilschrift; Rosettastein

L. Cagni (Hrsg.), Il Bilinguismo a Ebla, 1984 • H. Koch, Es kündet Dareios der König ..., 1992, 13–28 • M. Krebernik, Die Texte aus Fara und Tell Abū Ṣalābīḫ, in: P. Attinger, M. Wäfler (Hrsg.), Mesopotamien. Späturuk-Zeit und Frühdynast. Zeit, 1998, 235–427 • W. von Soden, Zweisprachigkeit in der geistigen Kultur Babyloniens, 1960. DA. SCH.

B. Ägypten

M. zumindest einiger Personen ist angesichts der äg. Praxis der Ansiedlung ausländischer Bevölkerungsgruppen schon früh anzunehmen, doch fehlen konkrete Textzeugen für deren (z. B.) nubische, libysche oder Seevölkersprache. Lediglich gelegentliche sprachliche Besonderheiten äg. Dokumente aus derartigem Milieu können vage Hinweise auf nicht muttersprachliche Schreiber des Äg. geben. Konkreter faßbar wird M. erst in der Perserzeit, aus der man z. B. Personen mit äg. Namen sowie einzelne äg. Lexeme in aram. Urkunden kennt. Die reichhaltigste Dokumentation bietet die Ptolemäerzeit mit öfters gemischt griech./demot. Urkundenarchiven. Mehrsprachig sind besonders magische Hss. der Römerzeit mit demot., altkopt. und griech. Elementen im selben Fundzusammenhang.

→ Hellenisierung; Nubisch

H. D. Betz, The Greek Magical Papyri in Translation, 1992 • M. Depauw, A Companion to Demotic Studies, 1997. JO. QU.

C. Kleinasien

Die Quellen geben uns in bezug auf M. im hethiterzeitlichen Kleinasien v. a. Einblick in die Verhältnisse am Königshof von Ḫattusa und in den Archiven der Stadt. Der Umgang mit akkad. und hurrit. Texten war Bestandteil der Gelehrsamkeit der hethit. Schreiber und spiegelt sich in den → Bilinguen und in der Übersetzungslit. (Übersetzung mesopot. Texte ins Hethit.) wider. Für die korrekte Durchführung von Ritualen wie für ihre Tradierung waren Kenntnisse des → Hattischen, → Hurritischen und → Luwischen notwendig; v. a. aus diesen Sprachen stammen zahlreiche Fachtermini. Hattische Ausdrücke haben sogar Eingang in das Protokoll am hethit. Königshof gefunden. Nachhaltig hat jedoch allein das Luw. die hethit. Sprache beeinflußt. Es ist anzunehmen, daß der Anteil der luw.-sprachigen Bevölkerung im Laufe der Zeit zunahm und in der 2. H. des 13. Jh. schließlich stark überwog. So weisen auch offizielle hethit.-sprachige Dokumente dieser Zeit eine Vielzahl von z. T. sogar luw. flektierten Wortformen auf. Dieses Phänomen tritt in einigen weniger offiziellen Texten, z. B. den Schwangerschaftsbeschwörungen KUB 44.4+ und Bo(ghazköy) 1391 (unpubl.), in noch stärkerem Maße auf.

E. Neu, Zum Wortschatz des Hethit. aus synchroner und diachroner Sicht, in: W. Meid (Hrsg.), Stud. zum idg. Wortschatz, 1987, 167–88 • Ders., M. im Alten Orient – Bilinguale Texte als besondere Form sprachl. Kommunikation, in: G. Binder et al. (Hrsg.), Kommunikation durch Zeichen und Wort (Bochumer Altertumswissenschaftl. Colloquium 23), 1995, 11–39 • J. Tischler, Calque-Erscheinungen im Anatolischen, in: J. Jasanoff et al. (Hrsg.), Mír Curad. Studies in Honor of C. Watkins, 1998, 677–84. E. RI.

**Meidias** (Μειδίας).

**[1]** Athenischer Demagoge, über dessen Rolle in der Politik nichts Sicheres bekannt ist (Plat. Alk. 1,120a-b). Zw. 420 und 400 v. Chr. wurde er wegen Unterschlagung öffentlicher Gelder, als → Sykophant und Prahler und wegen seiner Wachtel- und Hahnenzucht von Komikern verspottet (Aristoph. Av. 1297f.; Metagenes fr. 12; Phryn. fr. 4; 43; Plat. fr. 85; 116 PCG).

PA 9714 • Traill, PAA 637170. W. S.

**[2]** Athenischer Rhetor, Sohn des Kephisodoros aus Anagyros, geb. ca. 400 v. Chr., gest. vor 330; reicher (Bergbau s. Agora XIX P 26, 211 und Landbesitz 249) Anhänger des → Eubulos [1] (Demosth. 21,206f.) und

Gegner des → Demosthenes [2]. M. übernahm Trierarchien (IG II² 1629d 770; 1631b 132) und andere Ehrenämter (→ *tamías* der Paralos-Triere 358/7: Demosth. or. 21,171–174; IG II² 1612d 291), war Mitglied der → *híppeis* und 349/8 Antragsteller von Gesetzen über die athen. Reiterei (Demosth. or. 21,173). Vor 348/7 *epimelētḗs* (→ *epimelētaí*) der Mysterien (→ Mysteria; Demosth. or. 21,171), stiftete er eine Weihung für Amphiaraos (SEG 15, 284). M., zuvor selbst *chorēgós* (Demosth. or. 21,156), versuchte die freiwillige Choregie des Demosthenes zu behindern und versetzte ihm während der Dionysien von 349/8 im Theater eine Ohrfeige (Demosth. or. 21; Plut. Demosthenes 12,3–6; Plut. mor. 844d). Eine mit persönlichen Angriffen (*diabolḗ*) gegen M. durchsetzte, vor Gericht nicht gehaltene demosthenische Rede (or. 21) ist unsere Hauptquelle über M. Der Streit zw. Demosthenes und M. endete mit einem außergerichtlichen Vergleich (Aischin. Ctes. 52); denn 340/339 zählt er zu den athen. Pylagoren (→ *Pylagóras*) in Delphi.

DAVIES, 385–87 · DEVELIN, Nr. 1921 · D.M. MACDOWELL, Demosthenes, Against M. (Oration 21), 1990 · PA 9719 · TRAILL, PAA 637270.

**[3]** Sohn von M. [2] aus Anagyros, beantragte ein Ehrendekret für → Phokion, dessentwegen er von → Hypereides (oder erst 305/4 v. Chr. (?) von dessen Sohn Glaukippos) erfolgreich angeklagt wurde (Plut. Phokion 4,2; Plut. mor. 850b; POxy. 3360). M. war 304/3 Mitglied des Rates der 500 (Agora XV 61, 177) und machte nach 322 eine Weihung für Amphiaraos (SEG 24, 351).

DAVIES, 387 · DEVELIN, Nr. 1922 · J. ENGELS, Stud. zur polit. Biographie des Hypereides, 1993², 215 Anm. 444 · PA 9720 · TRAILL, PAA 637280. J.E.

**[4]** Griech. Bronzebildner. Nach Aussage eines Dekrets und erh. Basen schuf M. in Delphi vor 202/201 v. Chr. mindestens eine überlebensgroße Statue des Antiochos [5] III. und eine Statue für den *dḗmos* von Antiocheia in Karien. Eine frg. erh. Signatur auf einer Basis von der Athener Akropolis wird hypothetisch zu seinem Namen ergänzt.

LIPPOLD, 339 · J. MARCADÉ, Recueil des signatures de sculpteurs grecs, 1, 1953, 77 · G.A. MANSUELLI, s. v. M. (2), EAA 4, 1961, 978 · B. HINTZEN-BOHLEN, Herrscherrepräsentation im Hell., 1992, 104, 213. R.N.

**Meidias-Maler.** Att. rf. Vasenmaler, um 420–405 v. Chr. tätig. Seinen Namen trägt er nach dem Töpfer der großen Kalpis (→ Gefäße) in London, BM (E 224). Man schreibt ihm nur drei Dutzend Vasen und Frg. der unterschiedlichsten Formen zu; dennoch ist er der einflußreiche Exponent des »Reichen Stils«. Seine Vasenbilder sind überreich an Figuren, die ihrerseits sich in reich bestickte Kleider hüllen, deren Schmuck, in Ton erhöht und vergoldet, zur Feinheit der Reliefinien anmutig kontrastiert. Kaum ein anderer Zeitgenosse versah seine Gestalten so oft mit Beischriften; durch ihn kennen wir eine ganze Reihe von Personifikationen (Eutychia oder Eudaimonia). Auch der Auswahl seiner Bildthemen gab er eine für den »Reichen Stil« bezeichnende Wendung: Im Zentrum stehen ausnahmslos sterbliche oder göttliche Frauen; Männer kommen nur als deren Entführer, Geliebte, Bewunderer vor oder, wie → Pentheus (Athen, Kerameikos 2712), als ihr Opfer. → Adonis oder → Phaon liegen im Schoß ihrer Göttin und lassen sich von → Eros in all seinen Erscheinungsformen umschwirren (Florenz, AM 81947–8). Auch → Musaios oder → Thamyris genießen gelöst die Gesellschaft Aphrodites und der Musen (New York, MMA 37.11.23; Ruvo, Mus. Jatta 1538). Der M. verläßt diese paradiesisch zeitlose Welt nie wirklich, auch nicht in den Darstellungen von der Geburt des → Erichthonios [1] (Cleveland, Mus. Art 82.142) oder vom kleinen → Asklepios, der auf dem Arm der personifizierten Epidauros die Welt in sich aufnimmt (Leuven, Univ. 4615). Ein Bild einer → Choenkanne in New York (MMA 75.2.11) führt in ein Haus, in dem für die → Anthesterien festlich gewandete Frauen auf den Besuch der → Basilinna warten, während im Choenbild in Athen (Kerameikos 4290) → Amymone theatergleich von Satyrn überrascht wird. – Eine Vielzahl von Malern versuchte, den Meister in Inhalt und Form, etwa der Darstellung auf mehreren Ebenen, zu kopieren. Doch bleibt letztlich der Exkurs in diese kleinteilige, honigsüße Welt ohne Folgen.

BEAZLEY, ARV², 1312–1314 · BEAZLEY, Paralipomena, 477 · BEAZLEY, Addenda², 361 f. · L. BURN, The Meidias Painter, 1987. A.L.-H.

**Meilanion** s. Melanion

**Meilensteine** A. FUNKTION UND FORM
B. REPUBLIK C. KAISERZEIT
D. MEILENSTEINE ALS PROPAGANDAMITTEL
E. VERBREITUNG

A. FUNKTION UND FORM

M. waren als Distanzanzeiger ein charakteristisches Merkmal röm. Reichsstraßen. Das Aufstellen von Distanzanzeigern an überregional bedeutsamen Straßen war bereits vor den Römern, u. a. in Assyrien, im Perserreich und vereinzelt in Griechenland bekannt.

Der Begriff M. (lat. *miliarium*) ist erstmals 132 v. Chr. belegt (CIL I² 638). Als eine Sonderform der → Bauinschriften wurden die meist zylindrischen Säulen in der Ant. als *miliarium* (ThlL VIII, Sp. 946–949), oft auch schlicht als *lapis* (»Stein«, ThlL VII, Sp. 951 f.) bezeichnet. Die Höhe der republikanischen M. lag zw. 1,1 und 1,9 m, wovon ca. 0,5 m als Sockel im Boden eingelassen waren.

B. REPUBLIK

Die sich auf M. befindende Inschr. nannte in republikan. Zeit den jeweiligen bauleitenden Magistrat (in den frühesten Fällen Aedilen, sonst Consuln, Praetoren und Proconsuln) mit seiner Amtsbezeichnung, sowie im Idealfall den Ausgangspunkt (*caput viae*) mit einer Entfernungsangabe in *milia passuum* (»1000 [Doppel-] Schritten«; 1 mp = 1481 m). Der älteste bekannte M. (253 v. Chr.?) stammt von der Via Appia (CIL I² 21: *P. Claudio(s) A[p. f.] / C. Fourio(s) / aidiles / (a Roma milia passuum) LIII / (a Foro Appii milia passuum) X*). Nach Plutarch (Plut. C. Gracchus 7) sollen der Straßenbau sowie auch die Aufstellung von M. durch C. → Sempronius Gracchus einen deutlichen Schub erfahren haben. Diese Aussage wird vordergründig dadurch gestützt, daß die M. des M. → Aemilius [I 10] Lepidus (CIL I² 617–619) nicht aus dem Jahr der Erbauung der Via Aemilia (187 v. Chr.) stammen, sondern erst aus der 2. H. des 2. Jh. v. Chr. Auch in den Prov. finden sich seit der Mitte des 2. Jh. v. Chr. erste M. (z. B. AE 1957, 172; AE 1992, 1532; CIL I² 647–651; 823; 840; CIL XVII 2, 294), was auf eine allg. Entwicklung im Straßenwesen hindeutet. Hiermit hat Plutarch (im 2. Jh. n. Chr.) die Vermessungstätigkeit bei den gracchischen Agrarreformen wohl fälschlich kombiniert. Die geringe Anzahl der heute bekannten republikanischen M. (30 Exemplare) erklärt sich daraus, daß M. wohl nur an markanten Punkten aufgestellt wurden.

C. Kaiserzeit

Unter Augustus, der 20 v. Chr. die Aufsicht über das Straßenwesen (*cura viarum*; → *cura, curatores*) übernahm, ist ein grundlegender qualitativer Wandel im Straßenwesen festzustellen. Er fand in der Setzung des »Goldenen M.« (*miliarium aureum*) auf dem Forum sichtbaren Ausdruck (Cass. Dio 54,8,4) und führte zu einer verstärkten Aufstellung von M.; heute sind ca. 6000 kaiserzeitl. Exemplare bekannt. Diese M. zeigen auch eine neuartige Ämterfülle (z. B. CIL II 4868: *Imp(erator) Caesar divi f. Aug(ustus) / pont(ifex) maximus imp(erator) XV consul / XIII trib(unicia) potest(ate) XXXIV pa/ter patriae (a) Brac(ara) / (milia passuum) IIII*). In den östl. Prov. tragen M. bisweilen bilinguale Inschr. Heute fehlende Angaben auf M. – sehr oft die Entfernungsangaben – waren wahrscheinlich aufgemalt. Die M. des 1./2. Jh. n. Chr. sind deutlich größer dimensioniert (H: 2,5–3 m, Dm: 0,4–0,5 m).

D. Meilensteine als Propagandamittel

Bereits unter Augustus und Tiberius wurden die M. als propagandistisches Medium monopolartig genutzt: Fortan erscheinen auf den M. die Principes als oberste Bauherren allein bzw. an erster Stelle. Lediglich aus Africa kennen wir noch bis 10 n. Chr. Ausnahmen mit der alleinigen Nennung des Statthalters, z. B. A. Caecina Severus (AE 1987, 992). Gelegentlich – und mit deutlichen regionalen Unterschieden – stehen Statthalter an zweiter Stelle. Diese Statthaltersubskriptionen zeugen dann meist von einer konkreten Baubetreuung. Die ital. *curatores viarum* werden bis ins 4. Jh. hinein nie auf M. genannt. Auch während der Kaiserzeit verändern sich die M.-Inschr. weiter, da die Principes neben den klass. Ämtern zunehmend Siegertitulaturen führen. Die Kaisertitulatur steht im 1. Jh. meist im Nominativ. Dies weist den Princeps grundsätzlich als Auftraggeber des Straßenbaus bzw. der Reparaturarbeiten aus, doch ist die direkte, persönliche Einflußnahme aufgrund der Quellenlage nur schwierig nachzuweisen. Seit Caligula (37–41 n. Chr., vgl. CIL II 4639f.), verstärkt mit den → Adoptivkaisern, treten auch Inschr., in denen die Namen der Kaiser in den Dativ gesetzt sind, auf, womit die M.-Inschr. den Charakter einer Weihinschrift annehmen. Seit dem E. des 1. Jh. n. Chr. steigt die Zahl der M., die ohne Bezug zu Bau- oder Ausbesserungsarbeiten dediziert wurden, stetig an. Seit dem E. des 2. Jh. werden die Titulaturen zudem mit deutlichen Devotionsformeln versehen (z. B. CIL VIII 10307), die im 3. und 4. Jh. breiten Raum einnehmen.

Einzig aus der Verwendung des Kasus in den Inschr. ist jedoch keine sichere Bewertung des M. als Bauzeugnis oder Dedikation möglich (vgl. CIL XVII 2, 572; 574). Gerade in den Prov. scheint sich vom 1. zum 3. Jh. ein Mentalitätswandel vollzogen zu haben: Die Gemeinden verwendeten als bauausführende Instanzen immer öfter Dativformulare, um die eigene Rolle zu betonen, ohne dabei die Position des Kaisers als obersten Bauherrn anzutasten. Die zeitliche Einordnung der M.-Setzungen ist daher von großer Bedeutung.

E. Verbreitung

Anscheinend waren nicht an allen Reichsstraßen M. aufgestellt. So finden sich z. B. an der Via Domitia (zw. dem Pyrenäenübergang bei Le Perthus und der Rhône) M.-Serien einzelner Kaiser (CIL XVII 2,204–296), während sonst an Küstenstraßen nur sehr selten M. anzutreffen sind. Gerade im 2. und 3. Jh. vermerken M. auch Reparaturmitteilungen (z. B. *restituit, refecit*), die ausführliche Informationen bieten können (vgl. AE 1951, 208; CIL VIII 10335; CIL III 14110).

Eine Besonderheit der gall.-german. Prov. ist das Aufkommen der → *leuga* (= 1,5 mp), die jedoch nicht zur Bezeichnung »Leugenstein« führte (vgl. CIL XIII 4549). Sie erscheint erstmals auf einem M. des Traianus (CIL XVII 2,426) in → Aquitania und breitet sich bis in die Regierungszeit des Septimius Severus (193–211 n. Chr.) weiter aus. Die Prov. Gallia Narbonensis bleibt jedoch mit einigen angrenzenden Gebieten bei der Meilenzählung. Die Ursachen hierfür sind ungeklärt, doch dürften sie in regionalen Eigenarten liegen.

In der Spätant. wurden M. häufig mehrfach beschriftet. Dabei wurde z. T. die alte Inschr. nicht gelöscht, sondern der M. gedreht oder auf den Kopf gestellt, so daß vereinzelt bis zu vier Inschr. feststellbar sind. Die Praxis, M. aufzustellen, ließ im 4. Jh. deutlich nach und brach im 5. Jh. völlig ab.

→ Straßen; Straßen- und Brückenbau

I. König, Zur Dedikation röm. M., in: Chiron 3, 1973, 419–427 • K. Schneider, s. v. Miliarium, RE Suppl. 6, 395–431 • G. Walser, Meilen und Leugen, in: Epigraphica 31, 1969, 84–103 • Ders., Bemerkungen zu den gallisch-german. M., in: ZPE 43, 1981, 385–402.

M. RA.

**Meilichios, Meilichioi Theoi** (Μειλίχιος, μειλίχιοι θεοί). Das göttl. Epitheton M. wurde in der griech. Ant. sicherlich mit einer Reihe griech. Wörter (μειλίχιος, μείλιχος, μειλίσσομαι, μείλιγμα, in Etym. m. 582,35 f. sogar mit μέλι/*méli*, »Honig«) in Verbindung gebracht, die den Gedanken von Freundlichkeit, Begütigung, Besänftigung vermitteln. Diese Worte implizieren oft einen vorausgegangenen Zorn, der zu beschwichtigen ist. Anspielungen auf das Epitheton M. zeigen ein ähnliches Fluktuieren zw. dem Gedanken, daß der Beiname einem Gott eigen sei, der sich besänftigen läßt (Cornutus 11), und der Vorstellung, der Gott sei einfach freundlich (Plut. de superstitione 4,166d; Plut. Is. 48,370c). Die Annahme, daß es sich bei dem Epitheton um die Anwendung des Adj. μειλίχιος/*meilíchios*, »freundlich«, »gewogen«, auf einen Gott handelt, wirft keine ernsthaften Probleme auf. Wenn man den Beinamen dagegen mit dem semit. Radikal *mlk* (→ Moloch) in Verbindung bringt, bleibt die Beziehung zu dem Adj. im Dunkeln.

Im Kult wurde das Epitheton angewandt auf: Dionysos in Naxos (Athen. 78c = FGrH 499 F 4); Athene in Epidauros (IG IV 1², 282 – neben Zeus M.) und Metapontum (SEG 38,997); Hera, neben Zeus M., in Hierapytna auf Kreta (Inscr. Creticae III 3,14); eine anonyme Gruppe von (θεοὶ) μειλίχιοι/(*theoí*) *meilíchioi* im ozolischen Lokris (Paus. 10,38,8) und im phthiotischen Theben (IG IX 2, 1329); vielleicht die → Nymphen in Astypalaia (IG XII 3, 199 – die Lesung ist unsicher). In der Lit. erhalten einige wenige weitere Mächte (Leto, Hypnos, die Musen, Tyche) das Epitheton. Dort finden sich auch weitere Verweise auf *theoí meilíchioi* als eine Klasse von Göttern (ein Orakel in Phlegon FGrH 257 F 37 p. 1190,26) und auf Aphrodite Meilichia. Details über die Formen des jeweiligen Kultes sind, abgesehen von der Information, daß das Opfer für die *meilíchioi* im ozolischen Lokris nachts stattfand und vor Tagesanbruch beendet sein mußte, nicht bekannt.

Von ganz anderer Bed. ist der Kult des → Zeus M., der durch Hunderte von Belegen in beinahe jeder Region der griech. Welt bezeugt ist. Die übrigen *meilíchioi* sind vielleicht allesamt an das Vorbild des Zeus M. angelehnt. In → Weihungen wird Zeus oft einfach als M. oder (wie in → Lebadeia) gar als δαίμων μειλίχιος/*daímōn meilíchios* [1] (→ Dämonen) angesprochen und auf Weihreliefs zuweilen als riesige Schlange dargestellt (z. B. [2. Bd. 1 Abb. 27,2]). Ein Votiv aus → Thespeia verbindet ihn mit einer weiblichen *Meilíchē* (IG VII 1814). Zeus M. ist somit ein Musterbeispiel dafür, wie die Kombination von Gott und Epitheton eine quasi-autonome Identität annehmen konnte. Sein Kult weist mehrere unverkennbare Charakteristika auf: Ihm geweihte Tempel sind eine Seltenheit. Auch Feste sind, mit Ausnahme der *Diásia* in Athen, nahezu unbekannt; selbst diese wurden, obwohl sich Teilnehmer aus ganz Attika dazu versammelten, nicht von der Polis finanziert und vielleicht von einer großen Zahl kleinerer Gruppen zwar an derselben Stelle, jedoch voneinander getrennt gefeiert [3. 78 Anm. 41]. Gegenstände, die sich durch eine Beschriftung wie »Zeus M. der Kleulidai« oder gar »Zeus M.« eines Individuums ausweisen, wurden in Selinunt (→ Selinus) [4] und anderswo gefunden: Offenkundig wurde Zeus M. von Familien oder familienähnlichen Gruppen verehrt, die sich an dem Ort ihres eigenen M. versammelten, wobei jeder einzelne M. klar von den übrigen unterschieden wurde.

Zeus M. ist mit der Reinigung insbes. von Blutschuld verbunden (Paus. 2,20,1; Plut. Theseus 12,1; Suda s. v. Διὸς κώδιον), vielleicht weil diese Aufnahme bzw. Wiederaufnahme in eine soziale Gruppe erlaubte und erforderte. Auf Weihreliefs trägt er, wenn er in menschlicher Gestalt erscheint, oft ein Füllhorn, ein Symbol des Wohlstands (z. B. [2. Bd. 1 Abb. 28,1]); bei Xenophon (an. 7,8,1–6) wird er ausdrücklich als Bringer von Reichtum bezeichnet. Für ihn bestimmte → Opfer wichen oft von dem strikten olympischen Muster ab: Holocaustopfer (Xen. an. 7,8,1–6), teilweise Gaben ohne Wein (LSCG 18 A 37–43), vielleicht vegetarische Gaben (Thuk. 1,126,6; [5]). Das Ritual der *Diásia* wurde »mit einer gewissen Grimmigkeit« (schol. Lukian. 107,15; 111,27f. Rabe) vollzogen. Zuweilen ist Zeus M. mit Mächten der Unterwelt wie den Eumenides (SEG 9,327; 20,723; → Erinys), der Enodia (IG IX 2, 578; → Hekate) oder den → Tritopatores (SEG 43,630) verbunden, jedoch selbst kein Gott des Todes oder der Toten. Sein athen. Fest, die *Diásia*, wurde im Demos Agrai gefeiert, wo man auch die »Mutter in Agrai« verehrte; in einem anderen att. Kult war er mit Ge (IG I³ 1084; → Gaia) verbunden, und im offiziellen Opferkalender erhält ein mysteriöser »Melichos« (möglicherweise = Meilichos; offenbar ein Heros) inmitten einer Anzahl eleusinischer Heroen Gaben ([6]; → Heroenkult). Viele der hier festgestellten Züge – der Zusammenhang mit dem Reinigungsritual, mit der Unterwelt, der Erde und dem Reichtum; seine Schlangengestalt; von der Norm abweichende Opferformen – lassen Zeus M. als ein typisches Beispiel für eine »chthonische« Gottheit erscheinen – eine Kategorie, die in der neueren Forsch. jedoch sehr kontrovers diskutiert wird (→ chthonische Götter).

→ Polytheismus; Zeus

1 J. Janoray, Nouvelles inscriptions de Lébadée, in: BCH 64–65, 1940–41, 36–59 2 Nilsson, GGR 3 R. Parker, Athenian Rel., 1996 4 L. Dubois, Inscriptions grecques dialectales de Sicile, 1989, 55–60 5 M. H. Jameson, Notes on the Sacrificial Calendar from Erchia, in: BCH 89, 1965, 159–172 6 F. Graf, Zum Opferkalender des Nikomachos, in: ZPE 14, 1974, 139–144.

A. B. Cook, Zeus, Bd. 2, 1925, 1091–1160; Bd. 3, 1940, 1183–1189 • M. H. Jameson u. a., A Lex Sacra from Selinous, 1993, 81–103, 114–116 • F. Pfister, s. v. Meilichioi Theoi, RE 15, 340–345. R. PA./Ü: T. H.

**Meilichos** (Μείλιχος). Mythischer König von Spanien, Sohn eines → Satyrs und der Nymphe Myrike; mit gehörntem Haupt (Sil. 3,103–105). L. K.

## Meineid

I. Griechenland

→ Eid [2]; Pseudomartyrias dike

II. Rom

Der → Eid wurde, obwohl seine Anwendung im röm. Recht weit verbreitet war (vgl. etwa → *iusiurandum in iure*), überwiegend dem Sakralbereich zugerechnet. Die Bestrafung des M. (*periurium*; dazu die Verben *periurare, peierare*) galt daher als Sache der Götter. Eine weltliche Strafe gab es zunächst nur, wenn der M. ein → *testimonium falsum* (Falschaussage) darstellte; an dessen Behandlung blieb der M. vor Gericht auch weiterhin gebunden. Im Rahmen der kaiserzeitlichen → *cognitio extraordinaria* wurde dann die Bereicherung durch M. als → *stellionatus* (Betrug) geahndet. Eine Möglichkeit der Verfolgung wegen Verletzung der → *maiestas* des Kaisers eröffnete sich, als es in der Kaiserzeit üblich wurde, den Eid unter Berufung auf den *Genius principis* (→ Genius A.) zu leisten. Auch wenn sich die Kaiser dagegen aussprachen und Ulpian (Dig. 12,2,13,6) nur von einer Bestrafung durch Auspeitschung weiß, scheint der M. in den Prozessen wegen Majestätsverbrechen keine untergeordnete Rolle gespielt zu haben, doch endete diese Entwicklung mit der Bedeutungslosigkeit des Kaisereides. Unter christl. Einfluß wird der M. als Verbrechen gegen die Rel. betrachtet: Die jenseitige Höllenstrafe, auf die einzelne Gesetze ausdrücklich hinweisen, wird zunehmend durch weltliche Sanktionen, die nach Art und Inhalt des M. variieren – z.B. Ehrlosigkeit (→ *infamia*), Rechtsverlust, Strafe des vierfachen Wertes u.a. –, ergänzt.

K. Latte, s.v. M., RE 15, 353ff. • B. Biondi, Il diritto romano cristiano, Bd. 3, 1954, 406ff.

A.VÖ.

## Meinung

(δόξα/*dóxa*, οἴησις/*oíēsis*; lat. *opinio*).
A. Definition B. Philosophiegeschichtliches

A. Definition

Das Wort M. hat, wie seine griech. Entsprechungen, mehrere Bedeutungen, die aber miteinander zusammenhängen. Gemeinsam ist allen Bed., daß der Inhalt einer M. propositional ist, d.h. sich durch einen daß-Satz ausdrücken läßt. Darüber hinaus wird mit dem Ausdruck M. gesagt, daß derjenige, der eine M. hat, deren propositionalem Inhalt zustimmt (Unterschied zu bloßem Sich-Vorstellen); die Wahrheit des propositionalen Inhalts ist aber keine notwendige Bedingung für den Gebrauch von M. (Unterschied zu Wissen). Ein Bedeutungsunterschied ist zu beachten: M. kann sowohl die Einstellung eines Meinenden bezeichnen (sein Meinen) als auch den propositionalen Inhalt (das Gemeinte); das Griech. hat für die letztere Bed. neben *dóxa* auch Bildungen auf *-ma* zur Verfügung (*dógma, dóxasma*). Kein Unterschied der Bed., sondern der Art liegt dagegen bei der Unterscheidung von bewußter und bloßer M. (Wähnen) vor: Im ersten Fall weiß der Meinende, daß er meint, im zweiten meint er, daß er weiß. Im Griech. treten für den zweiten Fall auch Formen des Wortes *oíesthai* bzw. *oíēsis* auf. Im Unterschied zur dt. M. bezeichnet das griech. *dóxa* aber auch die M., die man von einer Person hat, ihren (guten) Ruf. Während das dt. »Meinung« durch seine Wortform eher den Resultatcharakter betont, wird bei dem griech. Wort durch die Nähe zu Ausdrücken mit dem Suffix *-sis* (*oíēsis* als Synonym: Plat. Krat. 420b; Parallelität mit *prótasis*: Aristot. rhet. 2,1,1377b 18; Klassifizierung als *hypólēpsis*: Ps.-Plat. def. 414c), die urspr. *nomina actionis* sind, der Prozeßaspekt unterstrichen; daher kann Aristoteles die *dóxa* als eine Art Bewegung (*kínēsis*, vgl. Aristot. phys. 8,3,254a 29–30) charakterisieren; bei Demokrit existiert die Nebenform *dóxis* (Demokr. fr. 2 DK).

B. Philosophiegeschichtliches

Das griech. *dóxa* ist schon bei Homer (Hom. Il. 10,324; Hom. Od. 11,344) im Sinne von »Erwartung« belegt; die Bed. von »bloßer M.« findet sich bei Hdt. 8,132. Für die Philos. wird zunächst die bloße M. als Gegenbegriff zu Wissen wichtig: Parmenides stellt der Wahrheit (*alḗtheia*) die *dóxai brotṓn* (Meinungen der Sterblichen) als irrtümliche Ansichten über die Welt gegenüber (Parmenides fr. 1,29–30); obwohl der Sinn der beiden anschließenden letzten Verse des Proömiums im einzelnen umstritten ist, scheint doch soviel klar, daß die Aufgabe des Philosophen nicht die bloße Zurückweisung der *dóxai* ist, sondern die Einsicht in die Bedingungen ihrer Entstehung.

Der von Parmenides geprägte Gegensatz von Wissen und bloßer M. findet sich dann wieder bei Plat. rep. 5–7. In Plat. rep. 5,476ff. wird der Meinende (*doxázōn*) zunächst als derjenige bestimmt, der wie ein Träumender Ähnliches nicht von dem unterscheidet, dem es nur ähnlich ist, während der Wissende (*gignṓskōn*) zu dieser Unterscheidung fähig ist (Plat. rep. 476c-d). Im Anschluß daran nimmt dann Glaukon eine Unterscheidung von M. und Wissen als unterschiedlichen Vermögen mit zugeordneten Gegenstandsbereichen (ebd. 477d 7–e 9) vor. Sokrates hatte als ausschließliche Kriterien für die Unterschiedlichkeit von Vermögen Unterschiedlichkeit von Gegenstandsbereich und Leistung angegeben (vgl. ebd. 477c 6–d 5); wenn Glaukon dann als Gründe für die Klassifizierung von M. (*dóxa*) und Wissen (*epistḗmē*) als unterschiedlicher Vermögen die Stärke (des Wissens) und die Fehlerhaftigkeit (der M.) (ebd. 477d 9; e 6–7) anführt, so entspricht das nicht den von Sokrates angegebenen Kriterien. Da die Auffassung von M. und Wissen als Vermögen mit jeweils unterschiedlichen Gegenstandsbereichen (Erscheinungswelt bzw. Ideen) weder dem Plat. rep. 5,476c-d dargestellten Verhältnis von Traum und Wachen entspricht noch dem Vergleich mit dem Augenlicht, das bei unterschiedlichen Lichtverhältnissen unterschiedlich gut sieht (ebd. 6,508c-d; *doxázein* wird dort dem Sehen bei Nacht verglichen), scheint es fraglich, ob man in der Vermögensauffassung der *dóxa* eine Ansicht Platons sehen kann.

Neben dem Typ der bloßen M., die ihren Status als M. selbst nicht durchschaut, diskutiert Platon auch das Verhältnis der wahren M. zum Wissen: Sie ist, was das Handeln angeht, keine schlechtere Führerin als das Wissen (Plat. Men. 97a-b), aber ihr fehlt dessen Unumstößlichkeit, da sie nicht durch die »Berechnung des Grundes« (*aitías logismós*) gebunden ist (ebd. 97e–98a). Ganz analog wird auch im ›Theaitetos‹ das Verhältnis von wahrer M. und Wissen bestimmt: Der Augenzeuge eines Vorfalls hat ein Wissen, während die Richter darüber nur eine wahre M. haben können (Plat. Tht. 201a-c).

Aristoteles diskutiert den Unterschied von M. und Wissen in an. post. 1,33; dabei erörtert er auch die Frage, inwieweit etwas zugleich Gegenstand der M. wie des Wissens sein kann. Diese Möglichkeit wird verneint in dem Sinne, daß der Inhalt einer (wahren) Aussage nicht zugleich gewußt und gemeint werden kann; sie wird zugestanden in dem Sinne, daß von demselben Gegenstand sowohl kontingente wie auch notwendige Prädikate ausgesagt werden können: Im ersten Fall ergibt sich eine Aussage als Inhalt einer *dóxa*, im zweiten eine Aussage als Inhalt eines Wissens. Diese Ansicht des Aristoteles ist nicht sehr plausibel; wenn er sich darauf beruft, daß jemand, der glaubt, daß etwas nicht anders sein kann, nicht zu meinen glaubt, sondern zu wissen (an. post. 1,33,89a 6–8), so ist dem entgegenzuhalten, daß das nicht ausschließt, daß derjenige, der zu wissen glaubt, in den Augen anderer zu Recht nur ein Meinender sein kann. Dieser Meinende kann dann aber dem Gegenstand seines vermeintlichen Wissens auch notwendige Prädikate zusprechen (etwa Quadratseite und -diagonale für kommensurabel halten). Möglicherweise stellt die Bemerkung in Aristot. eth. Nic. 3,4,1111b 31–33, daß M. sich auf alles beziehen kann, auch auf Ewiges, eine Korrektur der Position in an. post. 1,33 dar. Wo Aristoteles das Wort nicht in Opposition zu Wissen benutzt, ist es häufig frei von negativen Konnotationen und bezeichnet etwa auch wiss. Ansichten, die zu diskutieren sind (metaph. 1,9,990b 22; meteor. 2,9,370a 17).

Die Stoiker unterscheiden zwei Arten der M.: Im einen Fall ist die M. die Zustimmung zu nicht Erfaßtem (*akatalḗptō synkatáthesis*), im anderen eine schwache Annahme (*hypólēpsis asthenḗs*; vgl. SVF III, 147,4–5). Es scheint, daß dem ersten Typ die bloße M., dem zweiten die bewußte M. entspricht. Der stoische Weise hat an keiner der beiden Anteil.

Bei den lat. Autoren wird *dóxa* als *opinio* wiedergegeben (z.B. Cic. ac. 2,1,42).

K. Reinhardt, Parmenides und die Gesch. der griech. Philos., ²1959 • E. Tielsch, Die platonischen Versionen der griech. Doxalehre, 1970 • Th. Ebert, M. und Wissen in der Philos. Platons, 1974. T.E.

**Meise** (αἰγίθαλ(λ)ος/*aigíthal(l)os*, αἰγιθάλος/*aigithálos*; lat. *vitiparra*). Die Singvogelfamilie der Paridae, von der Aristot. hist. an. 7(8),3,592b 17–21 drei würmerfressende (σκωληκοφάγα/*skōlēkophága*) Arten mit vielen Eiern (8(9),15,616b 2f.) als Feinde der Bienen (8(9),40,626a 8; Ail. nat. 1,58) unterscheidet: 1. die Kohl-M. (Parus maior) von Finkengröße (σπιζίτης/*spizítēs*), 2. eine mittelgroße M. mit langem Schwanz (ὀρεινός/*oreinós*), vielleicht die Schwanz-M. (Aegithalos caudatus), und 3. eine unbestimmbare kleine ohne bes. Namen, vielleicht die Trauer-M. (Parus lugubris) [1. 22]. Bei Plinius (nat. 10,96) bezeichnet *vitiparra* alle M.-Arten, das kugelförmige Nest könnte sich auf die Schwanz-M. beziehen. In der Spätant. begegnet in Glossen der neue Name *parrus*. Ob die bei Aristot. hist. an. 7(8),3,592b 22 erwähnte μελαγκόρυφος/*melankóryphos*, der »Schwarzkopf«, mit der Sumpf-M. (Parus palustris) identisch ist [2. Bd. 2, 121], bleibt unsicher.

1 D'Arcy W. Thompson, A Glossary of Greek Birds, 1936, Ndr. 1966 2 Keller. C.HÜ.

**Mekionike** s. Euphemos

**Mekisteus** (Μηκιστεύς). Sohn des mythischen Königs → Talaos von Argos, Bruder des → Adrastos [1]. In der ›Ilias‹ wird er nur als Sieger im Faustkampf bei Oidipus' Leichenspielen erwähnt (Hom. Il. 23,678–680; so auch Paus. 1,28,7). Eine Herodot-Stelle (Hdt. 5,67), wonach er zusammen mit → Tydeus von → Melanippos getötet wurde, deutet darauf hin, daß sein Name unter denen der → »Sieben gegen Theben« aufgeführt war; Aischyl. Sept. 488 nennt allerdings an seiner Stelle den → Hippomedon [1], ebenfalls einen Talaos-Sohn (so auch Apollod. 3,63). M.' Sohn → Euryalos [1] nimmt als Anführer der Argiver am Troianischen Krieg teil und gehört zu den sog. → Epigonoi [2], die später Theben erobern.

J. Tamborino, s.v. M., RE 15, 363. E.V.

**Mekka** (*Makka*; Μακόραβα, Ptol. 6,7,32). Bedeutendste der nur Muslimen zugänglichen hl. Städte des → Islam im h. Saudi-Arabien. M., Geburts- und Wirkungsort des Propheten → Mohammed bis zu seiner Auswanderung (→ Hedschra) nach Medina (→ Yaṯrib), ist Gebetsrichtung und Ziel der Wallfahrt (→ Kaaba). Schon in vorislam. Zeit war M. ein wichtiges Handelszentrum. Die ersten koranischen Offenbarungen (→ Koran) sind v.a. eine Kritik an der materialistischen Einstellung sowie dem Unglauben der mekkanischen Kaufleute.
→ Makoraba

W. M. Watt et al., s.v. Makka, EI 6, 142a–170b. H.SCHÖ.

**Mekyberna** (Μηκύβερνα). Das 20 Stadien östl. von → Olynthos an der Nordküste des Golfs von Torone gelegene M. ist erstmals bei Hekat. FGrH 1 F 150 sowie im Rahmen des Xerxeszuges (Hdt. 7,122) erwähnt und dann ab 446 v. Chr. in den Athener Tributquotenlisten verzeichnet. 432 fiel M. von Athen ab, wurde als *pólis* aufgelöst und verlor seine Bevölkerung an Olynthos, wurde aber noch vor 425 zurückerobert. Im »Nikiasfrieden« (→ Peloponnesischer Krieg) wurde die Unabhängigkeit der Stadt von Olynthos festgelegt, doch bemächtigte sich Olynthos ihrer im folgenden Winter. Bis zur Eroberung durch Philippos II. 349 diente M. als Hafen dieser Stadt. Nach Ausweis der Ausgrabungen wurde M. nicht zerstört. Erst die Gründung von Kassandreia (→ Poteidaia) brachte das Ende von M., das als Siedlung aufgegeben wurde; die Einwohner siedelten in die Neugründung um.

F. PAPAZOGLOU, Les villes de Macedoine à l'époque romaine, 1988, 427 • M. ZAHRNT, Olynth und die Chalkidier, 1971, 203 f. M.Z.

**Melaina Akra** (Μέλαινα Ἄκρα). Bithynisches Vorgebirge östl. vom Nordausgang des Bosporos, h. Kara Burun.

W. RUGE, s.v. M. (2), RE 15, 387. K.ST.

**Melaineai** (Μελαινεαί, lat. *Melaenae*). Ort in Westarkadia nördl. des Alpheios, 40 Stadien (ca. 7 km) westl. von Buphagion; zu Pausanias' Zeit verlassen (Paus. 5,7,1; 8,3,3; 26,8), evtl. beim h. Kokkora südl. von Kakouraeika (Kakouraei); geringe Reste eines Gutshofs röm. Zeit. Belegstellen: Plin. nat. 4,20; Tab. Peut. 7,5; Steph. Byz. s.v. Μελαιναί.

JOST, 74–77 • E. MEYER, Peloponnesische Wanderungen, 1939, 101–106. Y.L.

**Melambion** (Μελάμβιον). Am Tag vor der Schlacht von Kynoskephalai 197 v. Chr. erreichte Philippos V. bei M. das Gebiet von → Skotussa. Der nur bei Pol. 18,20,6 und Liv. 33,6,11 gen. Platz wird östl. von Skotussa vermutet.

J.-CL. DECOURT, La vallée de l'Enipeus en Thessalie, 1990, 109 ff. • F. STÄHLIN, s.v. M., RE 15, 390 f. HE.KR.

**Melammu** s. Nimbus

**Melampodie** (Μελαμποδία). Frühgriech. hexametrisches Epos in mindestens drei (fr. 277) B. In den ant. Bezeugungen → Hesiodos zugeschrieben, nur von Paus. 9,31,5 für ps.-hesiodeisch erklärt. Entstanden im 6. Jh. v. Chr., wahrscheinlich in Korinth [2. 59]. Erh. sind zehn Fr., davon acht wörtliche mit insgesamt 24 Hexametern (fr. 270–279 bei [1]). Der Verf. benutzt Homer, Hesiod, den → Epischen Zyklus (Troia- und Thebanische Sagen inklusive → Alkmaionis [2. 58]). Er stellte die griech. Vorgesch. (Theben-Sage, → Troia-Sage, korinth. Sagenkreis) als Triumph der Klugheit griech. Seher dar, die überwiegend von → Melampus [1] (Adrastos, Amphiaraos, Kalchas), daneben von → Teiresias (Mopsos) abstammen sollten (Genealogie als roter Faden; daher Hesiod zugeschrieben; der Verf. der M. war wohl selbst Melampodide). Die M. war wohl Quelle für die meisten späteren »Seher-Nachrichten«.

ED.: 1 R. MERKELBACH, M. L. WEST, Fragmenta Hesiodea, 1967.
LIT.: 2 I. LÖFFLER, Die M. Versuch einer Rekonstruktion des Inhalts, 1963. J.L.

**Melampus**

**[1]** (Μελάμπους). Myth. Seher; Sohn des → Amythaon, Bruder des → Bias [1], Gatte der → Iphianassa [1], Vater des → Mantios, Großvater des → Amphiaraos; geboren in Pylos. Er erhält als Kind die Gabe, Vogelstimmen zu deuten, und zwar dadurch, daß Schlangen ihm die Ohren lecken. Apollon verleiht ihm weitere Sehergaben. Er gilt als Seher, Wunderheiler und Sühnepriester, auch als Begründer des → Dionysos-Kultes in Griechenland (Hdt. 2,48 f.). Als sein Bruder Bias um → Pero wirbt, erfüllt M. mit Bias die gestellte Aufgabe, die der Mutter Peros entwendeten Rinder zurückzuholen, indem er die Rinder → Iphikles entreißt und diesen von seiner Impotenz heilt. Außerdem heilt er die Töchter des → Proitos (→ Proitides), die für ihre Widerspenstigkeit gegen den Kult des Dionysos (so Hes. fr. 131 M.-W.) oder für ihre Mißachtung von Heras Kultbild (so Akusilaos FGrH 2 F 28) mit Wahnsinn geschlagen sind. Als Lohn erhält er ein Drittel der Herrschaft über → Argos; Bias erhält ein weiteres Drittel. Seitdem ist die Herrschaft über Argos dreigeteilt (Hdt. 9,34; zur Aitiologie: schol. Pind. N. 9,13(30b)). Die Mythen sind angedeutet bei Hom. Od. 15,225 ff.; 15,238 ff.; 11,291; ausführlich berichtet wurden sie in der → Melampodie [1], zusammengefaßt bei Apollod. 1,96 ff.; 2,25 ff. (vgl. schol. Apoll. Rhod. 1,118; Eust. zu Hom. Od. 11,292 p. 1685; Plin. nat. 10,137; zu den Proitiden bes. Diod. 4,68; Paus. 2,18,4; Pherekydes FGrH 3 F 114; Bakchyl. 11; Pind. Paean 4,28–30 [2; 3]). Vielleicht war M. einer der histor. ›Wundermänner, Sühnepriester, Seher, wie es sie in archa. Zeit gegeben hat‹ [4] (vgl. Diod. 4,68: Datier. des M. in die Zeit des Anaxagoras). M. hatte in Aigosthena ein Heiligtum und ein Fest [5].

1 I. LÖFFLER, Die Melampodie, 1963 2 L. KÄPPEL, Paian, 1992, 129–133 3 H. MAEHLER (Hrsg.), Bakchylides, Siegeslieder I.2, 1982, 196–202 4 NILSSON, GGR 1, 613 ff. 5 NILSSON, Feste, 460 f.

E. SIMON, s.v. M., LIMC 6.1, 405–410 • TH. GANTZ, Early Greek Myth 2, 1993, 185–188, 312 f. L.K.

**[2]** Byz. Grammatiker und Kommentator der *Téchnē grammatikḗ* des → Dionysios [17] Thrax. Von seinen Schol. sind nur einige Teile (zu den §§ 1–11 und 19–20 der *Téchnē*) erh. [2], die von einer Gruppe der Hss. auch einem sonst unbekannten Diomedes zugeschrieben werden. Die Erklärung, Diomedes habe M. wortgetreu kopiert [3. 18–26], ist weniger plausibel als die Annahme, daß die Schol. des M. und des Diomedes unabhängig voneinander entstandene Abschriften einer Vorlage darstellen, die ihrerseits als Exzerpt einer älteren Quelle die Lücke der §§ 12–18 bereits aufwies [1. 403].

1 A. GUDEMAN, s.v. M. (8), RE 15, 399–404 2 A. HILGARD, in: Grammatici Graeci 3, 1901 (Ndr. 1965), 10–67 (Commentarius Melampodis seu Diomedis)
3 W. HOERSCHELMANN, De Dionysii Thracis interpretibus veteribus 1, 1884. GR.DA.

**Melampyges** s. Kerkopen

**Melanchlainoi** (Μελάγχλαινοι). Griech. Bezeichnung (»die Schwarzbekleideten«) eines Stammes, dessen Siedlungsgebiet 20 Tagereisen vom → Pontos Euxeinos entfernt lag (Hdt. 4,101), südl. an die ›königlichen‹ Skythai (Hdt. 4,20), westl. an die Androphagoi (Hdt. 4,100) und östl. an die Gelonoi und Budinoi angrenzend, nördl. von ihnen angeblich nur Sümpfe und Seen. Obwohl sie keine Skythai gewesen sein sollen (Hdt. 4,20, gegen Hekat. FGrH 1 F 185), sollen sie nach skythischer Sitte gelebt haben (Hdt. 4,108). Genauere Lokalisierung und ethnische Zugehörigkeit sind unbekannt.

I. v. B. u. S. R. T.

**Melancholie** (μέλαινα χολή/*mélaina cholḗ*, »schwarze Galle«). Der vierte Körpersaft in der durch Hippokrates (*De natura hominis*, Kap. 4) und später durch Rufus von Ephesos und Galen repräsentierten hippokratischen Trad. Man glaubte, er überwiege im Herbst; er wurde mit dem Element Erde sowie mit den Qualitäten kalt und trocken assoziiert. Wegen seiner angeblich zahlreichen tödlichen Eigenschaften sah man in ihm den Gegenspieler des Bluts [1]. Galen zufolge (De atra bile 5,104–148 K.) entstand er in der Milz und wirkte in reinster Form höchst zerstörerisch auf alles, womit er in Berührung kam. Aber nicht jeder im *Corpus Hippocraticum* (→ Hippokrates [6]) vertretene Autor, der an die Säfte glaubte, teilte die Auffassung von einem eigenständigen Körpersaft »schwarze Galle«. Doch nachdem sie einmal im »Viererschema« einen festen Platz eingenommen hatte, wurden weder ihr hippokratischer Ursprung noch ihre Existenz in Frage gestellt [2].

Wie es zu der Vorstellung von der »schwarzen Galle« kam, ist unklar. Körperliche Ursachen könnten sämtliche Formen »schwarzer« Ausscheidungsprodukte, z. B. Erbrochenes oder den schwarzen Urin beim tödlichen Schwarzwasserfieber, umfaßt haben. Aber »schwarz« bezeichnet in medizinischen Zusammenhängen oft auch etwas Tödliches oder Bösartiges, ohne daß damit auf eine humorale Ursache abgehoben würde [3]. Da sich der Autor von *Hippokr. de natura hominis* auf die sog. »schwarze Galle« bezieht, dürfte der medizinische Begriff erst kurze Zeit vorher geprägt und von den bereits existierenden Wörtern μελαγχολάω/*melancholáō*, -χολίη/*-cholíē*, μελάγχολος/*meláncholos* abgeleitet worden sein. Obwohl diese Begriffe als Krankheitsbezeichnungen in der hippokratischen Schriften-Slg. (z. B. Hippokr. aphorismi 3,22) vorkommen, beschränkt sich ihre Verwendung nicht auf medizinische Schriftsteller. Erinnert sei an Aristoph. Av. 14; Aristoph. Eccl. 251; Soph. Trach. 573, wo ein unverkennbarer Zusammenhang mit einer Seelenverfassung, sei es Wut oder Wahnsinn, besteht [4].

Aristoteles (probl. 30,1; 953a 10–954a 41) fragte, warum in Philos., Politik oder in den Künsten herausragende Männer melancholisch seien und leicht von Krankheiten der schwarzen Galle befallen würden [5]. Seine Antwort, sie hätten von Natur aus einen Überschuß an schwarzer Galle, eine Mischung von Heiß und Kalt, wobei sie leicht von einem Extrem ins andere fielen, war weniger bedeutsam als seine Ausgangsfrage, mit der er das Genie mit der M. verknüpfte und damit eine Idee schuf, der eine lange Wirkungsgesch. in der europ. Kultur beschieden war [6]. Einem anderen Verständnis folgend wurde die M. mit hohem Alter, Traurigkeit, Depression und Halluzination in Verbindung gebracht, wie die ausführliche Diskussion in einer Schrift des Rufus von Ephesos zeigt, die nur in arab. Zit. überl. ist [7]. Galen (De locis affectis 3,10 = Bd. 8, 179–193 K.) fügte Rufus' Theorie, die M. entstehe durch einen Überschuß an schwarzer Galle im Hypochondrium, zwei weitere Erklärungen hinzu: Nach der einen verwandelt sich Blut im ganzen Körper in schwarze Galle, nach der anderen findet sich verwandeltes Blut nur im Gehirn. Wer an diesen M.-Formen leide, zeige physische und mentale Symptome und müsse daher mit einer analogen Mischung aus körperlichen und psychologischen Therapien behandelt werden.

→ Geisteskrankheiten; Hippokrates [6]; Säftelehre; MELANCHOLIE

**1** H. FLASHAR, M. und Melancholiker, 1966 **2** E. SCHÖNER, Das Viererschema in der ant. Humoralpathologie, 1964 **3** F. KUDLIEN, Der Beginn des medizinischen Denkens bei den Griechen, 1967, 76–86 **4** V. LANGHOLF, Medical Theories in Hippocrates, 1990, 46–50, 267–269 **5** PH. J. VAN DER EIJK, Aristoteles über die M., in: Mnemosyne 43, 1990, 33–72 **6** R. KLIBANSKY, E. PANOWSKY, F. SAXL, Saturn and Melancholy, 1964 **7** M. ULLMANN, Islamic Medicine, 1978, 36–38 **8** J. PIGEAUD, La maladie de l'âme, 1981.

V. N. / Ü: L. v. R.-B.

**Melanchros** (Μέλαγχρος) konnte sich während der inneren Konflikte in → Mytilene um 600 v. Chr. als Tyrann etablieren. Dabei stützte er sich wahrscheinlich auf eine → *hetairía.* Einer anderen dieser aristokratischen Gruppierungen, der Pittakos und die Brüder des Dichters → Alkaios [4] angehörten, gelang es jedoch schon bald, ihn wieder zu stürzen (Alk. fr. 331 VOIGT; Strab. 13,2,3; Diog. Laert. 1,74).

H. BERVE, Die Tyrannis bei den Griechen, 1967, Bd. 1, 91 f.; Bd. 2, 572 • L. DE LIBERO, Die archa. Tyrannis, 1996, 315.

E. S.-H.

**Melanditai** (Μελανδῖται). Griech. Bezeichnung eines thrak. Volksstammes nördl. von → Perinthos (Xen. an. 7,2,32; vgl. den Gebietsnamen bei Steph. Byz. s. v. Μελανδία). Nördl. von ihnen lag das Stammesgebiet der Thynoi, im Osten das »Thrakische Delta« von Byzantion. Ihr Gebiet gehörte zur hell. Strategie Astike.

T. SPIRIDONOV, Istoriceska geografija na trakijskite plemena, 1983, 40 f., 111 f.

I. v. B.

**Melaneus** (Μελανεύς). Sohn des Apollon (bei Pherekydes FGrH 3 F 82a des Arkesilaos), Vater von Eurytos [1] und Ambrakia; guter Bogenschütze, der über die Dryoper herrscht und Epeiros durch Krieg erobert (Antoninus Liberalis 4,3). Nach Paus. 4,2,2 berichteten die Messenier, daß er von Perieres, dem Herrscher von Messenien, das Oichaliagebiet zugewiesen bekommen habe; die Stadt Oichalia soll ihren Namen von der Frau des M. erhalten haben. Eretria auf Euboia hieß früher nach M. *Melaneís* (Strab. 10,1,10). J.STE.

**Melangeia** (Μελαγγεία). Ort im Gebiet von → Mantineia in Arkadia am Ausgang des Klimaxpasses; von hier wurde das Trinkwasser nach Mantineia geleitet. Beim h. Pikerni zu suchen (Paus. 8,6,4). Y.L.

**Melania**

**[1]** M. die Ältere, röm. christl. Aristokratin, Witwe, Asketin, verließ Rom im Herbst 373, gründete auf dem Ölberg in Jerusalem zusammen mit → Rufinus eine Klostergemeinschaft; sie war auch mit → Euagrios [1] Pontikos befreundet; im J. 400 kehrte sie nach Rom zurück.

**[2]** M. die Jüngere (*383 in Rom), Enkelin von M. [1], verwandt mit → Marcella, setzte ihren Reichtum für Wohltätigkeit ein; Heirat mit Pinianus (396), nach dem Tod zweier Kinder im Säuglingsalter Hinwendung zum asketischen christl. Ideal; Aufenthalte in Süditalien, Nordafrika, Konstantinopel und Jerusalem, wo sie am 31.12.439 starb.

→ Askese; Frau (IV. Christentum); Mönchtum; Vita Sanctae Melaniae

D. GORCE, Vie de Sainte Mélanie (SChr 90), 1962 • N. MOINE, M., in: Recherches augustiniennes 15, 1980, 3–79. S.L.-B.

**Melanion** (Μελανίων, Μειλανίων; lat. Milanion; PN zu μέλας, »schwarz«). Arkader, Sohn des Amphidamas, in der »arkadischen« Version des Mythos Freier der → Atalante (nach Ps.-Apollod. 3,105 ihr Cousin), mit der er den Sohn → Parthenopaios hat (Hellanikos FGrH 4 F 99; Ps.-Apollod. 3,109; Paus. 3,12,9; unter den alternativen Vätern des Melanion jedoch nie der → Hippomenes [1] der »boiotischen« Version). Als Teilnehmer an den Spielen zu Ehren des Pelias war M. auf der → Kypseloslade zu sehen (um 600 v. Chr., nach Paus. 5,17,10; 19,2), als Teilnehmer an der Kalydonischen Jagd (→ Meleagros [1]) zeigt ihn der François-Krater (um 570 v. Chr., h. in Florenz). Ein aristophanisches Chorlied (Aristoph. Lys. 781–796) stilisiert ihn zum misogynen »Schwarzen Jäger« vom → Hippolytos [1]-Typ (nach [3] ein ephebischer Referenzmythos). In der Jagd Schüler des Chiron (Xen. kyn. 1,2), gewinnt M. → Atalante durch seine Dienstfertigkeit (*philoponía*: Xen. kyn. 1,7; Prop. 1,1,9–16; Ov. ars 2,185–192; in Umkehrung des Motivs in Eur. Hipp. 215–222), die ihm auch eine Verwundung durch den Kentauren → Hylaios einträgt (Prop. 1,1,13; Ov. ars 2,191). Konflation der beiden Mythenversionen liegt offenbar vor, wenn M. anstelle von Hippomenes [1] das Wettrennen mit Atalante gewinnt (Ps.-Apollod. 3,105–108; vgl. schon Palaiphatos, Perí apístōn 13).

1 J. BOARDMAN, s. v. M., LIMC 6.1, 404–405; 6.2, 205
2 J. FONTENROSE, Orion: The Myth of the Hunter and the Huntress, 1981, 176–181 3 P. VIDAL-NAQUET, Le chasseur noir et l'origine de l'ephébie athénienne (1968), in: Ders., Le chasseur noir, [3]1991, 151–175 (dt. in: Der Schwarze Jäger, 1989, 105–122). T.H.

**Melanippe** (Μελανίππη).

**[1]** Tochter des → Aiolos [1], des Sohnes des → Hellen, und der → Hippe [2], der Tochter des Kentauren → Chiron. Von Poseidon Mutter der Zwillinge → Aiolos [3] und → Boiotos. M. war Hauptfigur in zwei fragmentarisch erh. Trag. des Euripides: M. ἡ σοφή (›Die weise M.‹; TGF 479–487) und M. ἡ δεσμῶτις (›Die gebundene M.‹; TGF 488–514). In der älteren ›Weisen M.‹ (Schauplatz: Thessalien) wird erzählt, daß M. in Abwesenheit ihres Vaters Aiolos von Poseidon Mutter zweier Söhne wird. Obwohl sie die Kinder aussetzt, überleben sie und werden entdeckt, weshalb man sie als *térata* (»Wunder«, die gegen die Naturgesetze verstoßen und deshalb als schlechte Vorzeichen gelten) töten will. M. versucht vergeblich, ihre Kinder zu retten, indem sie eine lange Rede hält, in der sie beweist, daß es keine Durchbrechung der Naturgesetze gibt. Schließlich bekennt sie sich als Mutter und soll bestraft werden. Ihre Mutter Hippe kommt ihr jedoch zu Hilfe und rettet M. und ihre Söhne, die Stammväter der Aioler und Boioter werden. In der ›Gebundenen M.‹ (Schauplatz: Metapontion) wird M. vom erzürnten Vater eingekerkert, ihre Kinder ausgesetzt. Diese werden jedoch gerettet, weil die kinderlose Gattin des Metapontios sie als ihre eigenen Söhne ausgibt. Als sie selbst Zwillinge bekommt, will sie die fremden Kinder töten, was jedoch mißlingt. Diese befreien mit Hilfe des Poseidon ihre Mutter M., die Gattin des Metapontios wird. Sie gründen die Städte Boiotia und Aiolia in der Propontis. Nach Diod. 4,67,4–6 ist Arne Mutter von Aiolos und Boiotos (zu weiteren Genealogien vgl. Diod. 19,53,6 und schol. Hom. Od. 10,2).

**[2]** → Amazone, Schwester der Königin → Antiope [2]. M. wird von Herakles auf seinem Amazonenzug gefangen und gegen den Gürtel der Königin, den Herakles beschaffen soll, freigegeben (Diod. 4,16,3; Iust. 2,4,21–26; vgl. auch Apoll. Rhod. 2,966–979).

**[3]** Tochter des → Oineus und der → Althaia [1]; in ein Perlhuhn verwandelt: Antoninus Liberalis 2.

W. LUPPE, Das neue Fragment aus der Hypothesis zu Euripides' »M. Sophe«, in: ZPE 89, 1991, 15–18 • W. RUGE, s. v. M., RE 15, 418–422 • H. W. STOLL, s. v. M., ROSCHER 2, 2576–2577. K.WA.

**Melanippides** (Μελανιππίδης). Dithyrambendichter von Melos, dessen Hauptschaffenszeit in die 2. H. des 5. Jh. v. Chr. fällt. Ein Großvater gleichen Namens, ebenfalls Dichter, wird in der Suda erwähnt: Von diesem M. d. Ä., der nach Auskunft des → *Marmor Parium* 494/93 in Athen einen Sieg errang, ist kein Fr. erhalten. Im *Cheírōn* des Pherekrates (PCG VII 155) wird M. d. J., der erheblichen Einfluß auf den neuen musikalischen

Stil ausübte, von der personifizierten Musik gerügt, weil er sie als erster mißbraucht habe. Es werden ihm verschiedene Innovationen einschließlich der astrophischen → *anabolḗ* zugeschrieben (Aristot. rhet. 1409b). Erh. sind Fr. aus den *Danaídes*, einem *Marsýas* und einer *Persephónē*.

D. A. Campbell (Hrsg.), Greek Lyric, Bd. 5, 1993 • M. L. West, Ancient Greek Music, 1992 • B. Zimmermann, Dithyrambos, 1992. E.R./Ü: T.H.

**Melanippos** (Μελάνιππος, lat. Melanippus).
**[1]** Sohn des Astakos, Gegner des → Tydeus (Aischyl. Sept. 407–414). Bei der Verteidigung Thebens gegen die → Sieben erschlägt er → Mekisteus (Hdt. 5,67; Paus. 9,18,1) und verwundet Tydeus tödlich. Tydeus selbst (Stat. Theb. 8,716–766; Apollod. 3,6,8, vielleicht interpoliert; Tempelfront aus Pyrgi, Rom, Villa Giulia [1. 43–45; 2]) oder → Amphiaraos (schol. Hom. Il. 5,126; schol. Pind. N. 10,12; Paus. l.c.) tötet M., Tydeus verlangt dessen Haupt und schlürft das Hirn aus, wodurch er sich um die ihm von Athene zugedachte Unsterblichkeit bringt. Nach Apollodor verleitet Amphiaraos aus Rache Tydeus zu diesem kannibalischen Akt. Das Grab des M. lag an der Straße von Theben nach Chalkis (Paus. l.c.). Sein Kult wurde aus polit. Gründen später nach → Sikyon verpflanzt (Hdt. l.c.).
**[2]** Einer der Söhne des → Agrios [1], welche zugunsten ihres Vaters dessen Bruder → Oineus, den König von Kalydon, stürzen und gefangen halten, wofür sie von → Diomedes [1], dem Enkel des Oineus, später getötet werden (Apollod. 1,8,6).
**[3]** Sohn des Theseus und der → Perigune, der Tochter des Fichtenbeugers Sinis; Sieger im Wettlauf bei den von den Epigonoi abgehaltenen Nemeischen Spielen (Plut. Theseus 8,3; Paus. 10,25,7). Er besaß ein Heroon im att. Demos → Melite [5] (Harpokr. s.v. Μελανίππειον; [3. 146f.; 4. 184]).
**[4]** Sohn des Hiketaon, von → Priamos wie ein Sohn geehrt, im Kampf bei den griech. Schiffen von Antilochos getötet (Hom. Il. 15,546–583). Apollod. 3,12,5 nennt unter den Kindern des Priamos einen M. Denselben Namen tragen zwei gefallene Troianer (Hom. Il. 8,276; 16,695).
**[5]** Einer der Griechen, die aus Agamemnons Zelt die Versöhnungsgeschenke für Achilleus holen (Hom. Il. 19,240).
**[6]** Geliebter der Artemispriesterin → Komaitho [2]. Als beider Eltern die Hochzeit verbieten, schändet das Paar den Tempel und wird zur Sühne geopfert. Aitiologische Legende für ein jährliches mythisches Doppelmenschenopfer in Patrai, welchem → Eurypylos [5] ein Ende macht (Paus. 7,19,2).

**1** I. Krauskopf, Der thebanische Sagenkreis und andere griech. Sagen in der etr. Kunst, 1974 **2** G. Giangrande, Tideo, Melanippo ed il Frontone di Pyrgi, in: Siculorum Gymnasium 42, 1989, 41–45 **3** U. v. Wilamowitz-Moellendorff, Aus Kydathen, 1880 **4** E. Kearns, The Heroes of Attica (BICS Suppl. 57), 1989.

M. Delcourt, Tydée et Mélanippe, in: SMSR 37, 1966, 139–188 • A. Kossatz-Deissmann, s.v. M., LIMC 6.1, 410–11. CL.K.

**Melankomas** (Μελαγκόμας). Eponymer Alexanderpriester 166/5 v. Chr.; Sohn des Aitolers Philodamos, amtierte 180/145 als Garnisonskommandant und Priester der *theoí euergétai* (→ *euergétēs*) in Kition; Vater des Garnisonskommandanten M. (PP VI 15119). PP III/IX 5194 (VI 15120?).

W. Clarysse, G. van der Veken, The Eponymous Priests of Ptolemaic Egypt, 1983, 24. W.A.

**Melanopos** (Μελάνωπος), Sohn des Laches aus Aixone. Mitglied der athen. Gesandtschaft nach Sparta 372/1 v. Chr. (Xen. hell. 6,3,2), Antragsteller eines Ratsdekretes 364/3 (IG II² 145,11–14) sowie Gesandter (evtl. als Stratege IG II² 150,5) 355 zu → Maussollos von Halikarnassos und evtl. auch nach Naukratis in Ägypten (Demosth. or. 24,12). M. wurde mehrfach u.a. durch → Demosthenes [2] wegen Bestechlichkeit angeklagt (Demosth. or. 24,127; vgl. Aristot. rhet. 1,14,1 p. 1374b 25) und war ein polit. Gegner des → Kallistratos [2] von Aphidnai, dessen Anträge er jedoch aus polit. Überlegungen oder durch Kallistratos bestochen als Sprecher in der Volksversammlung teilweise unterstützte (vgl. Plut. Demosthenes 13,3 und Anaxandrides fr. 41 PCG).

Develin, Nr. 1933 • PA 9788 • Traill, PAA 638765. J.E.

**Melanthion.** Östl. von Ordu in den → Pontos Euxeinos mündender Fluß, h. Melet Irmağı (Plin. nat. 6,11). E.O.

**Melanthios** (Μελάνθιος).
**[1]** (auch Μελανθεύς). Sohn des Dolios [2], Bruder der Melantho [2], treuloser Ziegenhirt des → Odysseus; negatives Gegenbild zu den Hirten → Eumaios und → Philoitios (Hom. Od. 17,212–22,479).

G. Ramming, Die Dienerschaft in der Odyssee, 1973, 15–17; 74–77; 142–145. T.H.

**[2]** Athen. Stratege, der 499/8 das Hilfskorps zur Unterstützung der aufständischen Ionier leitete (Hdt. 5,97). → Ionischer Aufstand

PA 9764 • Traill, PAA 638260. E.S.-H.

**[3]** Athener, war als Strategos 411 v. Chr. an der Befestigung der → Eetioneia beteiligt. Da dies angeblich dazu diente, die Spartaner in die Stadt einzulassen, wurde sie auf Veranlassung des Theramenes zerstört (Xen. hell. 2,3,46; Thuk. 8,90–92).

PA 9768 • Traill, PAA 638280. W.S.

**[4] M. aus Athen.** Tragiker und Elegiker des ausgehenden 5. Jh. v. Chr. (TrGF I 23), häufig von den Komikern verspottet (T 3–5), als ein Titel ist aus Aristoph. Pax 1012 ›Medeia‹ erschließbar; ein eleg. Distichon ist überliefert (fr. II 70–73 Gentili-Prato). B.Z.

**[5] (auch Melanthos).** Angesehener Vertreter aus der zweiten Generation (ca. 370–330 v. Chr.) der sikyonischen Malschule; → Apelles [4], der auch bei dem M. zugeschriebenen Herrscherporträt des Aristratos als Sieger im Wagenrennen mitwirkte, war sein Mitschüler bei dem geschätzten Lehrmeister → Pamphilos. Andere Bildtitel sind nicht überl., doch gelangten wohl etliche Werke des zu erschließenden reichen und allseits geschätzten Œuvres schon seit dem frühen 3. Jh. v. Chr. in die repräsentativen Slgg. der Ptolemäer in Alexandreia (Plut. Aratos 12 f.; Athen. 196a). M.' auf vier → Farben beschränkte Gemälde werden der besonderen Kompositionsweise wegen gerühmt (Plin. nat. 35,50; 80). Sie bestand in der ausgewogenen Anordnung und sinnfälligen Gruppierung einzelner Bildpartikel. M. verfaßte auch eine h. verlorene theoretische Abh. über die Malerei (Diog. Laert. 4,18); darin wurden Selbstbewußtsein und Härte vom Künstler gefordert – ob und wie diese Eigenschaften seine Werke prägten, muß Spekulation bleiben.

N. Hoesch, Bilder apul. Vasen und ihr Zeugniswert für die Entwicklung der griech. Malerei, 1983, 45 ff. • N. Koch, De Picturae Initiis, 1996 • I. Scheibler, Griech. Malerei der Ant., 1994. N. H.

**[6] M. von Athen,** 4. Jh. v. Chr., Verf. einer → *Atthís*, von der nur ein fr. überl. ist (F. 1), sowie einer Schrift ›Über die Mysterien in Eleusis‹ (F. 2–4). F. 3 (bei schol. Aristoph. Plut. 845) enthält das → *psḗphisma* gegen den »Atheisten« Diagoras [2] im Wortlaut.

FGrH 326 mit Komm. • F. Jacoby, Atthis, 1949 • PA 9770 • Traill, PAA 638285. K. MEI.

**[7] M. von Rhodos**. Akad. Philosoph des 2. Jh. v. Chr. aus dem Kreis um → Karneades [1] (Philod. Academicorum index 23,14; vgl. auch Cic. ac. 2,16), der vor seiner Hinwendung zur Philos. als tragischer Dichter erfolgreich war. Vielleicht kennen wir einen trag. Trimeter aus seiner Feder: τὰ δεινὰ πράσσει τὰς φρένας μετοικίσας (TrGF I 131 F 1). Dieser wurde auf die Auseinandersetzung um die → Affekte zw. Akademie und Stoa bezogen [1. 90–94]. Nach Diog. Laert. 2,64 war M. auch der Lehrer und Liebhaber des Aischines [4] von Neapolis.
→ Akademeia

1 U. v. Wilamowitz-Moellendorff, Der Tragiker M., in: Ders., KS 2, 90–94.

T. Dorandi, Filodemo, Storia dei filosofi, 1991, 74 f. K.-H. S.

**Melantho** (Μελανθώ).
**[1]** Tochter → Deukalions, gebiert dem → Poseidon → Delphos, den Eponymen von Delphi (Tzetz. Lykophr. 208).

F. Bömer, P. Ovidius Naso, Metamorphosen, B. 6–7, 1976, 42 f.

**[2]** Treulose Dienerin → Penelopes (Hom. Od. 18,320–340; 19,65–95), Geliebte des → Eurymachos (vgl. Diog. Laert. 2,79), sucht dreist die Auseinandersetzung mit dem Bettler Odysseus; von Penelope zurechtgewiesen.

O. Touchefeu-Meynier, s. v. M., LIMC 6.1, 412. B. GY.

**Melanthos** (Μέλανθος).
**[1]** M. aus Messenien, Nachkomme des → Neleus von Pylos (Hdt. 1,147; 5,65), Sohn des Andropompos und der Henoche (Paus. 1,3,3; 19,5; 2,187 ff.; 7,1,9), Vater des → Kodros (ebd. 8,18,7). Aus Messenien vertrieben, kommt er nach Attika (Eleusis), wo er für den König Thymoites einen Zweikampf mit Xanthos, dem König von Boiotia, übernimmt. Durch die Mithilfe des Dionysos Melanaigis und eigene List erringt er den Sieg. Dieser erhält zum Dank ein Heiligtum, M. wird König von Athen.
**[2]** Myth. tyrrhen. Seeräuber, von Dionysos in einen Delphin verwandelt (Ov. met. 3,617; Hyg. fab. 134; vgl. Hom. h. 7). L. K.
**[3]** Spartiat, wurde mit Alkamenes im Winter 413/2 v. Chr. von → Agis [2] II. beauftragt, 300 → Neodamodeis nach Euboia zur Unterstützung einer Erhebung gegen Athen zu führen (Thuk. 8,5). Die Truppe kam indes infolge anderer dringlicher Aufgaben dort nicht zum Einsatz [1. 60].

1 P. Hunt, Slaves, Warfare, and Ideology in the Greek Historians, 1998. K.-W. WEL.

**[4]** s. Melanthios [5]

**Melantias** (Μελαντιάς, *Melantiana*). Nicht lokalisierte, letzte Station vor Konstantinopolis (150 Stadien davon entfernt) an der → *Via Egnatia*, an der Mündung des Athyras in die → Propontis (Agathias 5,14,20; Itin. Anton. 138; 230). Kaiser Valens besaß hier eine *villa*, in der er sich 378 n. Chr. mehrere Tage vor der Schlacht bei Adrianopolis aufhielt (Amm. 31,11,1; 12,1). Im J. 558 n. Chr. wurde M. von den hunnischen Kutriguroi angegriffen (Agathias 5,13). I. v. B.

**Melas** (Μέλας).
**[1]** Sohn des → Porthaon (Portheus) und der Euryte in Kalydon [3], Bruder des → Oineus, → Agrios [1], → Alkathoos [2], Leukopeus und der Sterope (vgl. Hom. Il. 14,115 ff.; Apollod. 1,63). Die acht Söhne des M. werden von → Tydeus erschlagen, da sie ihrem Onkel Oineus nachstellen (Apollod. 1,76 = Alkmaionis fr. 4 EpGF).
**[2]** Sohn des → Phrixos und der → Chalkiope [2], der Tochter des → Aietes, Bruder des → Argos [I 2], Phrontis und Kytis(s)oros (Apollod. 1,83). Im älteren Mythos ist wie Argos wohl auch M. aus → Aia vor dem → Argonauten-Zug nach Hellas zurückgekehrt, denn sein und Eurykleias Sohn Hyperes gilt als → Eponym von Hypereia (Pherekydes FGrH 3 F 101) [1. 213 f.]. Bei Apollonios Rhodios dagegen machen die Brüder sich im Auftrag des Phrixos unmittelbar nach dessen Tod auf

die Reise nach Orchomenos und erleiden bei der Ares-Insel Dia Schiffbruch, aus dem sie von den Argonauten gerettet und nach Kolchis zurückgebracht werden (Apoll. Rhod. 2,1093 ff. 1141 ff.; Hyg. fab. 3,17–21) [1. 320 f.].

**[3]** Sohn des Ops, aus dem arkadischen Teuthis, in dessen Gestalt → Athena vor der Abfahrt der griech. Flotte nach Troia in Aulis vergeblich versucht, den Führer der Arkader, Teuthis oder Ornytos, wegen eines Streites mit Agamemnon von der Rückkehr nach Hause abzuhalten (Paus. 8,28,4 ff. aus Kall. fr. 667 [2. 244]).

**1** P. Dräger, Argo pasimelousa, Bd. 1, 1993 **2** U. v. Wilamowitz, Paus.-Schol., in: Hermes 29, 1894, 240–248.

P. D.

**[4]** Fälschlich von Plinius als Vater des → Mikkiades und Ahnherr der chiotischen Bildhauerschule eingeführt. Auf einem erh. Epigramm in Delos, der verm. Quelle des Plinius, wird jedoch nicht der Vater des Mikkiades gen., sondern die Herkunft mittels des mythischen Gründers von Chios, des Poseidonsohns M., umschrieben.

Fuchs/Floren, 335 • L. Guerrini, s. v. M. (1), EAA 4, 1961, 983 • Loewy, Nr. 1 • J. Marcadé, Recueil des signatures de sculpteurs grecs, 2, 1957, 66; 75 • Overbeck, Nr. 314 (Schriftquellen). R. N.

**[5]** Boiot. Fluß (h. Mavropotamos). Vom Quellgebiet am Nordfuß des Akontion bei → Orchomenos floß der M. am Nordrand des Kopaisbeckens entlang und mündete in den großen Katavothren am Ostrand; h. zu Be- und Entwässerungszwecken kanalisiert. Angeblich färbte das Wasser Schafe schwarz. Belege: Theophr. c. plant. 5,12,3; Theophr. h. plant. 4,11,8; Vitr. 8,3,14; Strab. 9,2,41; Plin. nat. 2,230; Sen. nat. 3,25,3; Plut. Pelopidas 16,3–6; Plut. Sulla 20,6 f.; Paus. 9,38,6; Solin. 7,27.

J. Knauss u. a., Die Wasserbauten der Minyer in der Kopais, 1984, 17–20 • S. Lauffer, Kopais 1, 1986, 148 ff. • N. D. Papachatzis, Παυσανίου Ελλάδος Περιήγησις 5, [2]1981, 242 f. (Karte) • Philippson/Kirsten 1,2, 475 f., 480–486 • P. W. Wallace, Strabo's Description of Boiotia, 1979, 78 f.

P. F.

**[6]** Zufluß zum → Spercheios von Süden aus der Oite, floß an Trachis (Hdt. 7,198) und Herakleia [1] vorbei (Liv. 36,22,8), h. Mavroneria oder Mavropotamos.

F. Stählin, Das hellen. Thessalien, 1924, 196 f. HE. KR.

**[7]** Fluß, h. Kavak Deresi, der in den → Melas Kolpos mündet. Lysimacheia [1] lag an seinem Ufer (Liv. 38,40,3). M. war wohl Grenzfluß zw. Apsinthioi und Dolonkoi (Hdt. 7,58; Skyl. 67; Strab. 7, fr. 52). Bei Ov. met. 2,247 in geogr. inkorrekter Alliteration als *Mygdonius Melas* bezeichnet.

**[8]** Kleiner Fluß westl. von Byzantion, h. Karasu, der mit dem Athyras zusammenfließt und in den See von Büyükçekmece mündet; nur in byz. Quellen erwähnt (Niketas Choniates 85,20 C Niebuhr). I. v. B.

**[9]** Nebenfluß des Halys bei Kaisareia in Kappadokia, h. Karasu; von Ariarathes IV. aufgestaut, bei Dammbruch Überschwemmungskatastrophe (Strab. 12,2,8).

**[10]** Nebenfluß des Sangarios in Bithynia, aus dem h. Sapanca Gölü kommend, h. Çark Dere.

W. Ruge, s. v. M. (19–20), RE 15, 440 • Hild/Restle, 233.

K. ST.

**Melas Kolpos.** Heute der Golf von Saros zw. der Thrak. Chersonesos [1] und der Mündung des Hebros (Strab. 7, fr. 52). Vom Süden aus konnte er von Alopekonnesos, vom Norden von Ainos her überwacht werden. I. v. B.

**Melde** (ἀδράφαξυς/*adráphaxys*: Theophrastos, ἀνδράφαξυς/*andráphaxys*: Dioskurides, ἀνδράφαξις/*andráphaxis*: Hippokr.; lat. *atriplex*), eine spinatähnliche Gemüsepflanze aus der Familie der Gänsefußgewächse (Chenopodiaceae), die nur in einer Art (Theophr. h. plant. 7,4,1 = Plin. nat. 19,123), nämlich Atriplex rosea L., in Griechenland kultiviert wurde. Nach Theophr. h. plant. 1,14,2 und 7,3,4 bildete sie ihre blattartigen, breiten und nur zwei bis drei Jahre keimfähigen (Theophr. h. plant. 7,5,5 = Plin. nat. 19,181) Samen in einer Fruchthülle (Theophr. h. plant. 7,3,2 = Plin. nat. 19, 119) an der Spitze und an den Seiten der Scheinähre, wurde nach Theophr. h. plant. 7,1,2–3 im Januar ausgesät und lief bereits in acht Tagen (= Plin. nat. 19,117) auf. Ihre Pfahlwurzel (7,2,6) verholzte (7,2,8). Für It. empfahl Palladius (agric. 5,3,3) die Aussaat nach Bewässerung im April sowie von Juli (vgl. 8,2,1) bis zum Herbst und das Zurückschneiden gegen die frühe Blüte. Colum. 11,3,42 säte sie in kälteren Gegenden nach dem 13. Februar. Aus mehreren Autoritäten wie Hippokrates und Diokles referiert Plin. nat. 20,219–221 die medizinische Wirkung des wenig magenfreundlichen Gemüses und seines gegen Gelbsucht (*morbus regius* = ἴκτερος/*ikteros* Dioskurides 2,119 Wellmann = 2,145 Berendes) mit Honig eingenommenen Samens. Hippokr. de victu 2,54 [1. 4, 330] charakterisiert die M. als feucht und schwer verdaulich.

**1** W. H. S. Jones (ed.), Hippocrates, Regimen, Bd. 4, 1931, Ndr. 1992.

A. Steier, s. v. M., RE 15, 442–444. C. HÜ.

**Meldi.** Volk der Gallia → Lugdunensis an der unteren → Matrona (Strab. 4,3,5; Plin. nat. 4,107; Ptol. 2,8,11). Hauptort war Iatinon (Ἰάτινον, Ptol. 2,8,15; = *Fixtinnum*, Tab. Peut. 2,4), später *civitas Meldorum* (Not. Galliarum 4,7) oder Meldis (Ven. Fort. 3,27) gen., h. Meaux. Bei den M. ließ Caesar 55/4 v. Chr. Schiffe für die Expedition nach Britannia bauen (Caes. Gall. 5,5,2); evtl. gab es aber an der Meeresküste noch ein anderes Volk dieses Namens. Arch. Befund: Mz.; Wasserleitung. Inschr.: CIL XIII 3023 f.; ein Theater (1993 entdeckt) [1. 197 f.] wurde seinen Mitbürgern von dem gall. [*flamen*] *Aug*(*usti*) Orgetorix gelobt und von seinen Söhnen im 1. Jh. n. Chr. gebaut (CIL XIII 3024).

**1** J.-P. Laporte, Meaux gallo-romain, in: R. Bedon (Hrsg.), Les villes de la Gaule lyonnaise (Caesarodunum 30), 1996, 179–224. Y. L.

**Meleager-Maler.** Einer der repräsentativsten, aber auch aktivsten att. rf. Vasenmaler vom Anf. des 4. Jh. v. Chr. Ihm werden über 110 Werke zugeschrieben, wobei sich in seinem Umkreis weniger bedeutende Maler befanden, die seinem Stil folgten. Er bemalte große Gefäße, Kratere von jeder Form, Amphoren, Peliken und Hydrien, aber auch Schalen. Unter seinen Themen heben sich die dionysischen und myth. hervor, wie das des → Meleagros [1] (daher sein Name) und der → Atalante, v. a. aber behandelt er in seinen Werken die idyllische Welt des Symposion und der Hochzeit. Bes. bekannt sind der Volutenkrater Wien 158 sowie die Schale London E 129 mit Dionysos und Ariadne als Paar auf dem Innentondo. In seinem stilistischen Habitus entstammt er der Generation der Vasenmaler am Übergang vom 5. zum 4. Jh. v. Chr. (→ Pronomos-Maler, → Talos-Maler, Suessula-Maler). Er ist an den reichen pflanzlichen Ornamenten seiner Gefäße zu erkennen; der gleiche Reichtum an Verzierungen ist auch bei den Gestalten zu beobachten, ebenfalls ein Kennzeichen, das sich von der vorangehenden Vasenmalergeneration herleitet. Als bes. bedeutend erweisen sich die Kompositionen mit wenigen Figuren in den Tondi der Schalen, die mit den einfachen Szenen auf der Außenseite kontrastieren.

BEAZLEY, ARV², 1408 ff. • BEAZLEY, Paralipomena, 490 • BEAZLEY, Addenda², 374 ff. S.DR.

**Meleagros** (Μελέαγρος, lat. *Meleager*).

**[1]** Myth. Held aus der Generation vor dem Troianischen Krieg, aus → Kalydon [3], der Hauptstadt der Aitoler. Als Argonaut (→ Argonautai) nimmt M. an den Leichenspielen für → Pelias teil (Stesich. PMG 179; Diod. 4,48,4). Als Bruder der → Deianeira ist er auch mit dem Herakles-Zyklus verbunden (Bakchyl. 5,170–175; Pind. fr. 70b). In erster Linie wird er jedoch mit der Lokalsage von Kalydon assoziiert.

In der archa. Epoche gab es zwei Varianten des Mythos. Der einen zufolge wird M., der Sohn des → Ares, von Apollon getötet, als er vor Pleuron gegen die → Kureten kämpft (Hes. fr. 25,1–13 M.-W.; vgl. Apollod. 1,65; Hyg. fab. 171); diese Version findet sich auch im → *Minýas*-Epos (Paus. 10,31,3, vgl. Hes. fr. 280,10). Die zweite Variante wurde durch Homer und Euripides zur bekannteren. Bei Homer (Il. 9,528–599) ist M. der Sohn des → Oineus, des Königs von Kalydon, und → Althaia [1], der Tochter des → Thestios, des Königs von Pleuron. Oineus verärgert Artemis, weil er ihr das übliche Opfer verweigert. Zur Strafe schickt diese den kalydonischen Eber, den M. schließlich tötet. Daraufhin bricht ein Krieg zw. Kalydon und Pleuron um die Eber-Trophäen aus, in dessen Verlauf M. Althaias (namenlosen) Bruder tötet. Nachdem diese ihren eigenen Sohn verflucht hat, verläßt M. die Schlacht und kehrt nur durch die Einwirkung seiner Frau Kleopatra zurück, um Kalydon zu retten. Die versprochene Belohnung bekommt er nicht, sondern stirbt infolge Althaias Fluch. Man nimmt im allg. an, daß Homer sich auf eine bekannte Gesch. bezieht, die er veränderte, um eine genauere Parallele zur Situation des Achilleus [1] schaffen zu können [1].

Homers Version thematisiert den problematischen Status einer Ehefrau und ihrer Loyalität in einer patrilinearen, patrilokalen Gesellschaft. Diese Problematik taucht aber in dem archa. ikonographischen Material nicht auf. Hier, z. B. auf dem bekannten François-Krater (Florenz 4209), wird der Mythos ausschließlich durch die Eberjagd, d. h. als eine heroische Waffentat, dargestellt [2]. Stesichoros' *Syothḗrai*, ›Die Eber-Jäger‹, hatte wahrscheinlich dieselbe Zielsetzung (Stesich. PMG 221 f.). In späteren Versionen tritt ein weiteres Motiv zur Gesch. hinzu, und zwar das Motiv des Holzscheits, an das die → Moira Atropos (Hyg. fab. 171) das Leben des M. geknüpft hat. Durch das Verbrennen dieses Holzscheits, das die Mutter seinerzeit aus dem Feuer gerettet und verwahrt hat, löscht sie nun das Leben ihres Sohnes aus. Das Motiv des Holzscheits, von dem M.' Leben abhängt, kam zuerst in Phrynichos' *Pleurṓniai* vor, allerdings in einer Weise, die seine Bekanntheit schon vorauszusetzen schien (Paus. 10,31,4 = TrGF I 65). Der erste erh. Text, der das Motiv benutzt (Bakchyl. 5,124–154, ca. 475 v. Chr.), präsentiert M. als das unschuldige Opfer von Althaias Bösartigkeit. Als Rahmen benutzt Bakchylides Herakles' Begegnung mit M. im Hades; wie in Pind. I. 7,31 f. repräsentiert der Held den jung sterbenden Krieger. → Polygnotos hingegen stellte ihn in der knidischen → Lesche in Delphi ca. 450 v. Chr. als einen bärtigen Mann dar (Paus. l.c.).

Es wird allg. angenommen, daß J. G. FRAZER [3] Recht hatte, als er das Holzscheit als »externe Seele« identifizierte. Jedoch erfolgt der Tod des M. nicht automatisch: Althaia führt ihn durch eine Beschwörung herbei, während das Holz verbrennt (Bakchyl. 5,140–144). Das Holzscheit wurde später oft als direktere Repräsentation von M.' Leben verstanden, indem seine Brenndauer mit M.' Lebenszeit gleichgesetzt wurde (Sen. Med. 779; Dion Chrys. 67,7).

Obwohl → Atalante in manchen archa. Darstellungen der Eberjagd vorkommt, tritt sie dort gemeinsam nicht mit M., sondern mit dem Arkader → Melanion auf. Sie wurde zur Schlüsselfigur der Erzählung erst in Euripides' verlorener Trag. *M.* (TGF 515–539; [4. 27]), deren Handlung, Althaias Anspruch auf das Eberfell und M.' Streit mit den beiden Thestios-Söhnen (Thestiadai: die Namen variieren) in den meisten späteren Versionen nur kleinere Abweichungen aufweist (Diod. 4,4,4 f.; Ov. met. 8,267–546; Apollod. 1,65–71). Eine Ausnahme bildet Antoninus Liberalis 2, dessen Darstellung auf den verlorenen *M.* des Sophokles (vgl. TrGF III 401) zurückzugehen scheint. Das Motiv des Krieges zw. Kalydon und Pleuron und M.' Frau Kleopatra treten zurück; das Hauptinteresse gilt der psychologischen Handlungsmotivation. In einigen Versionen haben M. und Atalante ein gemeinsames Kind → Parthenopaios (Hyg. fab. 70; 99; 270). Adaptationen von Euripides' Drama haben Pantomimenvorführungen zur Prinzipatszeit

(Lukian. de saltatione 50, vgl. Sen. Med. 643–646) sowie die vielen Darstellungen auf Sarkophagen beeinflußt. Hier sind die Motive des Mythos von ihrem narrativen Kontext abgetrennt und fungieren als Embleme, z.B. eines edlen Todes, des zu frühen Todes (*mors immatura*) oder der *vita activa*.

**1** J. N. Bremmer, La plasticité du mythe: Méléagre dans la poésie homérique, in: C. Calame (Hrsg.), Métamorphoses du mythe en Grèce antique, 1988, 37–56 **2** J. Boardman, G. Arrigoni, s.v. Atalante, LIMC 2.1, 940–950 **3** J. G. Frazer, The Golden Bough (abridged ed.), 1922, 874–917 **4** D. L. Page, Greek Literary Papyri, 1942.

T. Gantz, Early Greek Myth, 1993, 328–335 • S. Woodford, I. Krauskopf, s.v. M., LIMC 6.1, 414–435.

R.GOR.

**[2]** Kommandierte bei → Gaugamela eine Ile (*ilḗ*) der → *hetairoi* des → Alexandros [4] d.Gr. (Arr. an. 3,11,8; Curt. 4,13,27). Vielleicht identisch mit M. [3].

**[3]** Freund des → Peithon (Sohn des Krateuas) und nach dessen Hinrichtung 316 v.Chr. durch → Antigonos [1] Führer des von Peithon geplanten Aufstandes, fiel im Kampf gegen überlegene maked.-pers. Streitkräfte (Diod. 19,47).

**[4]** Sohn des Neoptolemos, 334 v.Chr. einer der Jungvermählten (Arr. an. 1,24,1), die im Winter in die Heimat zurückgeschickt wurden und dann eine Anzahl neu ausgehobener Truppen in das Lager von → Alexandros [4] d.Gr. zurückführten. Als unbedeutendster der → Taxis-Führer kämpfte M. im getischen Feldzug, am → Granikos, bei → Issos und bei Gaugamela, dann vor den pers. Pässen, in Sogdiana, Baktria und am Hydaspes, wo er an der eigentlichen Schlacht nicht teilnahm. Weiterhin wird er nur beim Rückmarsch aus Indien unter → Krateros [1] und bei dem Gelage des → Medios [2] erwähnt. Nach Alexandros' Tod warf M. sich zum Anführer der → Phalanx auf, bezichtigte → Perdikkas, den Sohn des Orontes, des Abzielens auf die Nachfolge und förderte die Wahl des → Arridaios [4]. Nach dessen Anerkennung verlor M. allmählich die Unterstützung der Phalanx, wurde von Perdikkas in eine Falle gelockt und zusammen mit 300 seiner Anhänger getötet.

Berve 2, Nr. 494.

E.B.

**[5]** Sohn → Ptolemaios' I. und der Eurydike [4], Bruder des → Ptolemaios Keraunos und als dessen Nachfolger König von Makedonien im Februar/März 279 v.Chr.; nach einer Niederlage gegen die Kelten von den Makedonen wegen Unwürdigkeit abgesetzt; über sein weiteres Leben ist nichts Sicheres bekannt.

PP VI 14535 • F. W. Walbank, A History of Macedonia 3, 1988, 253f.

W.A.

**[6]** Milesier, wohl Bruder des seleukidischen Gesandten Apollonios [1. 480], diente → Antiochos [6] IV. im 6. → Syrischen Krieg 170 und 169 v.Chr. mehrfach als Gesandter nach Rom (Pol. 27,19; 28,1,1–6; 22; [2. 213f.]; vgl. [3. 176,17]).

**1** F. Geyer, s.v. M. (4), RE 15, 479f. **2** E. Olshausen, Prosopographie der hell. Königsgesandten, 1974 **3** P. Herrmann, Milesier am Seleukidenhof, in: Chiron 17, 1987, 171–190.

**[7]** Sohn des Apollonios und Neffe von M. [6], lebte wie seine Brüder Menestheus und Apollonios in Rom als *sýntrophos* (»Ziehbruder«) des seleukidischen Prinzen → Demetrios [7], den er 162 v. Chr. bei Flucht und Herrschaftsergreifung unterstützte (Pol. 31,11–14, bes. 13,2) [1. 176].

**1** P. Herrmann, Milesier am Seleukidenhof, in: Chiron 17, 1987.

L.-M.G.

**[8] M. von Gadara**. Herausragender Epigrammatiker und Verf. verlorener → Satiren im Stil seines Landsmanns → Menippos [4] (vgl. Athen. 4,157b; 11,502c), als dessen Nachfolger er sich verstand; M. lebte etwa zw. 130 und 70 v.Chr. Laut einigen autobiographischen Epigrammen (Anth. Pal. 7,417–419; 421) wurde er in Gadara geb., erhielt seine Ausbildung jedoch in Tyros; schließlich zog er sich nach Kos zurück, wo er vielleicht seinen »Kranz« kompilierte (vgl. → Anthologie C.) und das Bürgerrecht erhielt. Syrer, Phönizier und Grieche zugleich, also nach einem kosmopolitischen Ideal kynischer Prägung ein »Weltbürger« (Anth. Pal. 7,417,5f.). Weitere Spuren des → Kynismus sind in seinen Gedichten nicht zu bemerken, die sich in vielem nicht von denen seines epikureischen Landsmanns → Philodemos unterscheiden (dessen Epigramme M. nicht gesammelt hat). Von der eigenen Dichtung gibt M. eine treffende Definition, wenn er sich rühmt, daß er ›Eros, der süße Tränen fließen läßt, und die Musen mit den lächelnden Chariten‹ zu vereinen wußte (Anth. Pal. 7,419,3f.), d.h. die verschiedensten Aspekte der Liebe mit Anmut und Humor besungen habe.

Der ›griech. Ovid‹, wie man ihn genannt hat (vgl. [1]), nimmt seinen Platz zw. den größten und meistvertretenen Dichtern der griech. ›Anthologie‹ (132 Epigramme) auch aufgrund anderer Charakteristika ein: Abgesehen von der Eleganz eines fließenden, wenn auch in eiserne Versifikation eingewobenen Stils ist M. mit herausragender Phantasie und Findigkeit begabt: Mimische Szenen (5,182; 184), Autobiographien, Epitaphien (vgl. 7,207, eine witzige Verkehrung von Tierepitaphien), Rätsel (7,428), Anklänge an myth. Gesch. in dramatischem (16,134) oder geistreichem (9,331) Ton. Doch weiß M. sich v.a. im Liebesepigramm feinfühlig und brutal, scherzhaft und melancholisch, sentimental und rachsüchtig, züchtig und obszön (gegenüber zahlreichen Hetären, bes. Zenophila und Heliodora, und Knaben) auszudrücken (Myiskos, der ›Sonne, die mit ihrem Glanz die Sterne verlöschen läßt‹, 12,59). Die konventionelle Liebesthematik, die aus Begierde und Verrat, Seufzern und Tränen besteht, wird mit der geistreichen Kontamination traditioneller Elemente (5,149; 7,195 usw.) oder mit Rückgriff auf neue Bilder wieder aufgefrischt. Die grausamsten Töne bleiben regelmäßig den Knaben vorbehalten (12,95 usw.), die zartesten der

Heliodora, auf deren Tod M. sein berühmtestes Gedicht (7,476) schrieb, in dem ein neues und intensives Pathos zum Ausdruck kommt, trotz des pathetischen und redundanten Stils. Dieser herrscht bei M. vor, der selten auf eine kühle und gekünstelte Patina verzichtet (vgl. 5,57; 163; 176) oder sich einfach und konzis erweist (vgl. 5,96; 172; 180; 12,70). M. ist ein Künstler, der in außergewöhnlichem Maße über Ausdruckmittel verfügt, doch vor allem ein Virtuose der Form, unter anderem auch Schöpfer verschiedener *hapax legomena* (verbaler und adjektivischer Komposita).
→ Satire

1 F. SUSEMIHL, Gesch. der griech. Litt. in der Alexandrinerzeit, Bd. 2, 1892, 556.

GA I 1, 214–253; 2, 591–680 • J. CLACK (ed.), Meleager. The Poems, 1992 • A. CAMERON, The Greek Anthology from Meleager to Planudes, 1993 • K.J. GUTZWILLER, Poetic Garlands. Hellenistic Epigrams in Context, 1998.

M. G. A./Ü: T. H.

**Meles** (Μέλης, auch Μέλητος). Athener, der den in ihn verliebten Metoiken Timagoras in den Tod treibt, weil er ihn nicht erhört; nach dessen Tod folgt ihm M. aus Trauer nach: Aition für den Altar des → Anteros, den die → Metoiken in der Stadt aufgestellt hatten und in Erinnerung daran verehrten, daß Anteros den Timagoras gerächt hatte (Paus. 1,30,1). Eine ähnliche Gesch. findet sich bei Ailianos (fr. 72 DOMINGO-FORASTÉ = Suda s. v. Μέλητος μ 497): Meletos und Timagoras sind beide athen. Bürger aus Adelsfamilien. Meletos, der in Timagoras verliebt ist, erfüllt alle schwierigen Aufträge des Geliebten, u. a. muß er ihm seltene Vögel beschaffen. Timagoras läßt sich aber nicht erweichen, worauf sich Meletos von der Akropolis hinabstürzt. Timagoras folgt ihm mit den Vögeln in den Tod. Aition für eine Statue eines schönen und nackten Knaben, der sich mit zwei Hähnen unter dem Arm in die Tiefe stürzt.

AL. FR.

**Melesippos** (Μελήσιππος). Spartiat, Sohn des Diakritos, Mitglied der letzten spartan. Gesandtschaft nach Athen 431 v. Chr. vor Ausbruch des → Peloponnesischen Krieges (Thuk. 1,139,3). Er wurde in demselben J. während des Anmarsches der Armee des → Archidamos [1] erneut zu Verhandlungen nach Athen geschickt, jedoch vor der Stadt abgewiesen. Beim Verlassen Attikas soll er prophezeit haben, daß mit diesem Tag großes Unglück für Hellas beginne (Thuk. 2,12). K.-W. WEL.

**Melete** s. Exercitatio

**Meletios von Antiocheia** stammte aus einer vermögenden Familie aus der → Melitene/Armenia Minor (Greg. Nyss. in Meletium, p. 444 SPIRA; Philostorgios, Hist. eccl. 5,5 = GCS 69,11 BIDEZ/WINKELMANN), genoß eine sorgfältige Ausbildung und lebte dann offenbar als Asket. Zum Nachfolger des abgesetzten Homöusianers → Eustathios [6], des Bischofs von Sebaste, gewählt, vertrat er seit 357 n. Chr. eine Theologie in der Trad. des → Eusebios [7] von Kaisareia und unterstützte die Kirchenpolitik von dessen Nachfolger → Akakios [2]. M. konnte sich freilich in Sebaste nicht halten. Er lebte eine Weile in Beroia und nahm von dort aus an der Synode von Seleukeia/Isaurien 359 teil. 360 wurde er als Nachfolger des Eudoxios Bischof im syr. Antiocheia und vertrat dort zunächst den reichskirchlichen homöischen Kurs (Philostorgios, Hist. eccl. 5,1 = GCS 67,1 f.). Ein Zeugnis seiner damaligen theologischen Orientierung (und zugleich sein einziger vollständig erh. Text) ist eine vor Kaiser → Constantius [2] gehaltene Predigt über Spr 13,22 (Epiphanios, Adversus haereses 73,29–33 = GCS Epiphanius 3, 303–308 HOLL/DUMMER bzw. CPG 2, 3417). Nach vier Wochen Amtszeit wurde M. abgesetzt (die Gründe bleiben unklar), in seine Heimat exiliert und durch einen alten Mitstreiter des Areios, Euzoios, ersetzt. Dem exilierten Bischof blieb eine nicht geringe Gruppe der Gemeinde treu ergeben, die sog. Meletianer (Ioh. Chrys. hom. in sanctum Meletium = PG 50, 520 C/D; aus dieser Gruppe stammen die Bekenntnistexte CPG 2, 3415 und 3416).

Als Kaiser → Iulianus [11] den exilierten Bischöfen die Rückkehr erlaubte, weihte vor der Rückkehr des M. → Lucifer [2] von Calaris Paulinus zum Bischof von Antiocheia; damit begann das außerordentlich folgenreiche Schisma der antiochenischen Gemeinde, das erst 415 beigelegt werden konnte. Der Versuch des → Athanasios, im Frühjahr 362 Meletianer und die Anhänger des bereits 330/1 nizänisch orientierten Bischofs → Eustathios [5] von Antiocheia zu versöhnen (*Tomus ad Antiochenos*, PG 26, 796–909), scheiterte; allerdings akzeptierte der alexandrinische Bischof das neunizänische Bekenntnis des M. und der Meletianer. Unter → Valens wurde M. 365 wieder nach Armenien verbannt, kehrte 367 auf eigene Verantwortung zurück und wurde 371/2 erneut exiliert (Greg. Nyss. in Meletium, p. 449 SPIRA). Seit dem Tod des Athanasios im J. 373 war M. die kirchenpolit. Zentralfigur im Osten, im Westen galt er dagegen einzelnen Nizänern als »Arianer« (Basil. epist. 266,2; → Arianismus); in den folgenden J. entwickelte er sich zum unumstrittenen Führer der neunizänischen Bischöfe, wie v. a. sein Briefwechsel mit → Basileios [1] dokumentiert. Erst 378 kehrte M. an seinen Bischofssitz zurück und wurde nun vollends zum mächtigsten Kirchenführer des Ostens. M. leitete 379 eine wichtige antiochenische Synode und amtierte als Präsident des Reichskonzils von Konstantinopel 381 (Greg. Naz. de vita sua 1514–1524).

QUELLEN: CPG 2, 3415–3418 • A. SPIRA (ed.), Gregor von Nyssa, Oratio funebris in Meletium Episcopum (Opera 9), 343–416, 439–457 • CH. JUNGCK (ed.), Gregor von Nazianz, De vita sua, 1974.
LIT.: H.CH. BRENNECKE, Erwägungen zu den Anfängen des Neunizänismus, in: D. PAPANDREOU u. a., Oecumenica et Patristica. FS für W. Schneemelcher, 1989, 241–257 • W. ENSSLIN, s. v. Meletius (3), RE 15, 500–502 • F. LOOFS, s. v. Meletius von Antiochien, Realencyclopädie für

protestantische Theologie und Kirche 12, 1903 (Ndr. 1971), 552–558 • A.M. RITTER, Das Konzil von Konstantinopel und sein Symbol (Forsch. zur Kirchen- und Dogmengesch. 15), 1965, 41–56. C.M.

**Meletos** (Μέλητος).

**[1]** Athener. Im J. 415 v.Chr. als Beteiligter an der → Mysterien-Profanation und Hermenverstümmelung denunziert (→ Hermokopidenfrevel), floh M. aus Attika und wurde in Abwesenheit zum Tode verurteilt (And. 1,12f.; 35; 63). Vielleicht identisch mit M., dem Urenkel des Alkmaioniden → Megakles [4] (IG II² 1579,19).

PA 9825 • TRAILL, PAA 639290.

**[2]** Athener, erhielt mit → Sokrates und anderen im J. 404 v.Chr. von den 30 Tyrannen (→ *triákonta*) den Auftrag, Leon von Salamis zu verhaften, um ihn zu töten. Nur Sokrates mißachtete den Auftrag. 400 war M. einer der Ankläger des → Andokides [1] (Plat. apol. 32c-d; And. 1,94). Vielleicht identisch mit M., der nach dem Sturz der 30 Tyrannen an Verhandlungen mit Sparta teilnahm (Xen. hell. 2,4,36), sowie mit M. [3].

D. FURLEY, Andokides and the Herms, 1996 • D. MACDOWELL, Andokides: On the Mysteries, 1962 • TRAILL, PAA 639292. W.S.

**[3]** Tragiker der 2. H. des 5. Jh. v. Chr. (TrGF I 47), häufig von Aristophanes verspottet (Aristoph. Ran. 1302, fr. 156,10 PCG), angeblich thrak. Herkunft (fr. 453 PCG); Liebhaber des → Kallias [5] (Aristoph. fr. 117 PCG); vermutlich identisch mit M. [2].

**[4]** Sohn des M. (verm. [3]) aus dem Demos Pitthos (Plat. Euthyphr. 2b), Ankläger des → Sokrates als Vertreter der Dichter (Plat. apol. 23e), wahrscheinlich Verf. einer Oidipus-Tetralogie. Er wurde nach Diog. Laert. 2,43 von den Athenern zum Tode verurteilt.

D.M. MACDOWELL, Andokides. On the Mysteries 1962, 208–10 • TrGF I 48. B.Z.

**Melia** (Μελία). Nach Hekat. (FGrH 1 F 11, bei Steph. Byz. s. v. M.) Stadt in Karia, nach Vitr. 4,1,4–6 eine der altion. Städte. Von diesen um 700 v. Chr. zerstört, das Landgebiet zw. Samos und Priene aufgeteilt (IPriene Nr. 37). Seit [1. 78–167] gilt der spätgeom./früharcha. Ringwall auf dem Kale Tepe bei Güzel Çamlı nördl. der Mykale (h. Samsun Dağı) als M., das jedoch eher an einer 1999 entdeckten Ruinenstätte auf der → Mykale (ebd. auch das archa. → Panionion? [2. 137¹]) zu lokalisieren ist.

1 G. KLEINER, P. HOMMEL, W. MÜLLER-WIENER, Panionion und Melie, 23. Ergh. JDAI, 1967 2 U. WILAMOWITZ, Panionion, in: Ders., Kleine Schriften 5,1, 1971, 128–151.

F. LANG, Archa. Siedlungen in Griechenland, 1996, Index s. v. M., bes. 196f. Abb. 69f. H.LO.

**Meliai** (Μελίαι, Μελιάδες). Baum-, bes. Eschennymphen, die mit den Dryaden bzw. → Hamadryaden zu verbinden sind [1; 2]. Nach Hes. theog. 176–187 stammen sie wie die Erinyen und Giganten aus den Blutstropfen, die bei der Entmannung des → Uranos auf die Erde (→ Gaia) fallen und diese befruchten. Hes. erg. 145 beschränkt die Abkunft des Menschen von den Baumgottheiten auf das dritte, eherne Geschlecht (→ Zeitalter). Einzelne dieser Nymphen sind in Lokalsagen mit Heroen verknüpft: (1) Theban. Nymphe, Tochter des → Okeanos, Mutter des Ismenios und des → Teneros (Pind. P. 11,3–10; Lykophr. 1211; Paus. 9,10,5 und 26,1). (2) Argiv. Nymphe, Tochter des → Okeanos, von → Inachos [1] Mutter des ersten Menschen → Phoroneus (Apollod. 2,1). (3) Bithyn. Nymphe, von Poseidon Mutter des → Amykos [1] (Apoll. Rhod. 2,4; Hyg. fab. 17). (4) Kyziken. Nymphe, von Seilenos Mutter des Dolion, des Stammvaters der → Doliones, und des Kentauren Pholos (Strab. 14,681; Apollod. 2,5,4).
→ Nymphen

1 WILAMOWITZ 1, 186 2 M.L. WEST, Hesiod: Theogony, 1966, 221.

NILSSON, GGR 1, 246. K.v.S.

**Meliboia** (Μελίβοια, lat. *Meliboea*).

**[1]** Heroine, die im Letokult in Argos als → Chloris [2] bekannt ist (zum Aition: Paus. 2,21,9f.). Im Demeterkult von → Hermion(e) trägt Kore (→ Persephone) den Beinamen M. (Athen. 14,624e, die Stelle ist textkritisch umstritten). Zum ersten Mal erscheint M. bei Hom. Od. 11,281–287 als Tochter des → Amphion [1], dann auch als Tochter der → Niobe (Apollod. 3,47) und Gattin des → Neleus (Pherekydes FGrH 3 F 117). Athen. 13,557a erwähnt sie als Gattin des → Theseus.

R. CARDEN, The Papyrus Fragments of Sophokles, 1974, 231–235 • P. LINANT DE BELLFONDS, s. v. Chloris (1), LIMC 3.1, 271 • J. TAMBORINO, s. v. M. (1), RE 15, 509–511.
ABB.: P. LINANT DE BELLFONDS, s. v. Chloris (1), LIMC 3.2, 218. R.HA.

**[2]** Stadt an der Ostküste der Halbinsel → Magnesia [1], wird schon bei Homer als Stadt des → Philoktetes gen. (Hom. Il. 2,717). In der Nähe strandete 480 v. Chr. ein Teil der pers. Flotte (Hdt. 7,188). M. war bekannt durch seine Purpur-Erzeugung (Verg. Aen. 5,251). Im 4. Jh. v. Chr. stand M. unter der Herrschaft von → Pherai, dessen Tyrann Alexandros [15] viele Bürger ermorden ließ (Plut. Pelopidas 29). 344/3 wurde M. mit ganz Magnesia maked. Die Eingemeindung in die um 290 gegr. Stadt Demetrias [1] ist anzunehmen. 169 widersetzte sich M. der röm. Belagerung und wurde nach der Schlacht bei Pydna geplündert (Liv. 44,13,1 ff.; 46,3). Die Lokalisierung ist nicht gesichert. Verm. gab es einen befestigten Hafen bei h. Agiokampos, während die Ruine der Stadt landeinwärts nicht beim h. M. (ehemals Athanatou) zu suchen ist, sondern ca. 6,5 km südwestl. Dort liegt bei Skiti eine Stadtruine, die Kaiser Iustinianus als Kentauropolis neu befestigen ließ (Prok. aed. 4,3,13).

F. Stählin, s. v. M. (2), RE 15, 511 ff. • Koder/Hild, 186 • A. Tziafalias, Αναζητώντας την αρχαία Μελίβοια, in: La Thessalie. Actes du colloque international 1990, 1994, 143 ff.

**[3]** Nur bei Liv. 36,13,6 unter anderen gen. Ort in West-Thessalia, die 191 v. Chr. vom maked. und röm. Heer gemeinsam erobert wurden. Existenz bzw. Lage werden angezweifelt.

J.-Cl. Decourt, La vallée de l'Enipeus en Thessalie, 1990, 119 • F. Stählin, s. v. M. (3), RE 15, 514. HE.KR.

**Melikertes** (Μελικέρτης). Myth. Sohn des → Athamas und der Ino. Als Ino von Athamas bedroht wird, springt sie mit M. von einem Felsen ins Meer (Eur. Med. 1284 ff.; Ov. met. 4,481 ff.; schol. Lykophr. 229). Sie wird zu → Leukothea, M. zu Palaimon. → Sisyphos, der König von Korinth, findet seine Leiche am Isthmos von Korinth und begräbt ihn. Fortan gelten Leukothea und Palaimon als Retter in Seenot. M./Palaimon genoß in Korinth Kult; die isthmischen Spiele (→ Isthmia) sollen ihm zu Ehren eingerichtet sein (Paus. 2,1,3). Ob M. die griech. Form von → Melqart ist, ist höchst zweifelhaft. L.K.

**Melingen** s. Slaven

**Melinno** (Μελιννώ). Griech. Dichterin eines Hymnos an die Göttin Roma in fünf sapphischen Strophen. Stobaios (ecl. 3,7,12), der sie zitiert, gibt Lesbos als ihren Herkunftsort an; wohl wegen des Versmaßes, da der aiol. Dial. nur in leichten Spuren präsent ist. Ihre Datier. ist umstritten: Die meisten sprechen sich für die Zeit der röm. Republik aus, da sie trotz ähnlicher Bilder und Gedanken von lat. Dichtung unbeeinflußt sei, und weil der *princeps* nicht erwähnt wird [1]; andere setzen sie mit dem Hinweis auf ihren schwülstigen Stil und metrische Eigenheiten, die sie mit Statius gemein hat, ins 2. Jh. n. Chr.
→ Literaturschaffende Frauen

1 C. M. Bowra, Melinno's Hymn to Rome, in: JRS 47, 1957, 21–28 2 SH 541. E.R./Ü: T.H.

**Melinophagoi** (Μελινοφάγοι, »Hirseesser«). Griech. Bezeichnung eines thrak. Stammes, der zw. Salmydessos und Byzantion zu lokalisieren ist. Nach Xen. an. 7,2 siedelten die M. östl. der Melanditai, Thynoi und Tranipsioi (vgl. Theop. FGrH 115 F 223).

T. Spiridonov, Istoriceska geografija na trakijskite plemena, 1983, 41, 108 f. I.v.B.

**Melissa** (Μέλισσα, »Biene«). Beiname von Priesterinnen, Bezeichnung von Nymphen und Eigenname in z. T. aitiolog. Mythen.
**[1]** *Mélissai* sind die Priesterinnen der → Demeter (Pind. fr. 158; Kall. h. 2,110; [1. Nr. 91]; Apollod. FGrH 244 F 89, auf Paros), in schol. Theokr. 15,94 auch der → Persephone. Der Name ergibt sich vermutlich aus der Assoziation der Bienen und ihres als bes. reinlich empfundenen Tuns (Aristot. hist. an. 4,535a 2 f.; schol. Pind. P. 4,106a) mit idealer Weiblichkeit (Semonides fr. 7,83–93) und insbes. sexueller Enthaltsamkeit (Aristot. gen. an. 759a 8–761b 2; Verg. georg. 4,197–209; Porph. de antro 18), die u.a. das Ritual der → Thesmophoria kennzeichnen [2]. Nach Apollodor sind M. auch die an dem Fest beteiligten Frauen. Es ist unklar, ob die Priesterinnen der → Artemis, speziell in → Ephesos, oder gar die Göttin selbst ebenfalls als M. bezeichnet wurden (Aischyl. TrGF 3 fr. 87; [3. 99 f.] zur Biene im Kult der ephesischen Artemis). Pindars »delphische M.« (Pind. P. 4,60 f.: → Pythia) spiegelt die Vorstellung von den mantischen Fähigkeiten der Bienen wider; so finden sich Bienen auch häufig in Verbindung mit Delphi (Hom. h. 4,552–563; Paus. 10,5,9; Plut. de Pyth. or. 17; Philostr. Ap. 6,10) und anderen Orakelkulten (Pind. O. 6,45–47; Paus. 9,40,1 f.). Ebenfalls M. heißen die Priesterinnen der → Rhea, ferner trägt → Selene den Beinamen M. (Porph. de antro 18).

M. sind außerdem → Nymphen, deren Dasein als ähnlich unbefleckt gilt wie das der Bienen. Auch tragen nach ant. Vorstellung einige Bienen selbst Wasser (Aristot. hist. an. 9,625b 19; Ail. nat. 5,11; 1,10), dessen Reinheit der des → Honigs vergleichbar ist (Mnaseas von Patara, FHG 3 p. 150, fr. 5; Porph. de antro 17; Hesych. s. v. ὀροδεμνιάδες). Schließlich können als M. auch die Seelen der Toten bezeichnet werden (Soph. TrGF Suppl. fr. 879; [4. 111–114] zu Bienen im Sepulkralkontext).

Im Mythos ist M. eine der beiden Töchter des kretischen Königs → Melisseus und nährt das neugeborene Zeuskind mit Honig (Zeus Melissaios: Hesych. s. v. Μελισσαῖος), während ihre Schwester → Amaltheia [1] ihm Milch einflößt; M. wird anschließend Priesterin der Megala Mater/Rhea (Lact. inst. 1,22,19–21; vgl. Colum. 9,2,2–5). In peloponnesischer Lokaltrad. heißt M. eine der im Dienste der Demeter tätigen Frauen, die erstmals Honig zu gewinnen und zu nutzen weiß; sie gibt auch den Bienen ihren Namen (Mnaseas von Patara l.c.). M. heißt auch eine der Demeter bes. ergebene Verehrerin aus der Gegend des Isthmos (Serv. Aen. 1,430). Schließlich ist M. der Name der Tochter des Epidamnos, des eponymen Heros von → Dyrrhachion/Epidamnos (Philon FHG 3 p. 574, fr. 15; Steph. Byz. s. v. Δυρράχιον). M., die Gattin des → Periandros von Korinth, hat möglicherweise ebenfalls legendären Charakter (Hdt. 3,50; 5,92; Diog. Laert. 1,94; Paus. 2,28,8); vgl. jedoch LGPN s. v. für M. als histor. Eigennamen. Zu als M. bezeichneten Dichtern s. → Biene.

1 D. L. Page, Greek Literary Papyri, 1942 2 M. Detienne, Orphée au miel, in: J. LeGoff, P. Nora, Faire de l'histoire, Bd. 3, 1974, 56–75 3 R. Fleischer, Artemis von Ephesos und verwandte Kultstatuen aus Anatolien und Syrien, 1973 4 R. Lullies, Zur Bed. des Kranzes von Armento, in: JDAI 97, 1982, 91–117.

L. BODSON, ἹΕΡΑ ΖΩΙΑ, 1978, 20–43 • A. B. COOK, The Bee in Greek Mythology, in: JHS 15, 1895, 1–24 • M. DAVIES, J. KATHIRITHAMBY, Greek Insects, 1987, 43–83 • F. DIEZ PLATAS, s. v. M., LIMC 6.1, 444–446 • W. ROBERT-TURNOW, De apibus mellisque apud veteres significatione, 1893. B.K.

**[2]** Schwer datierbarer, aber der Sprache nach eher späterer Autor (100 n. Chr.?) eines vorgeblich pythagoreischen, äußerst banalen, an eine Frau gerichteten Briefes im dor. Dial. über die »Zierde« der Frau (*eukosmía*). Diese liege nicht im Putz, in reicher Kleidung und Schmuck, sondern in Sittsamkeit, ordentlicher Haushaltsführung und Gehorsam gegenüber dem Mann, dessen Wünsche ungeschriebenes Gesetz seien.

R. HERCHER, Epistolographi Graeci, 1873, 607–608 • H. THESLEFF, The Pythagorean Texts, 1965, 115–116. M.FR.

**[3]** Die »Lebensgefährtin« des Philosophen → Karneades [1] (vgl. Val. Max. 8,7,5: *uxoris loco habebat*), die man auch mit der von Diog. Laert. 4,63 f. erwähnten *pallakḗ* (»Geliebten«) gleichzusetzen pflegt, welche der Karneades-Schüler Mentor verführt haben soll; er wurde daraufhin öffentlich von den Vorlesungen seines Lehrers ausgeschlossen (vgl. auch Eus. Pr. Ev. 14,8,13). K.-H.S.

**[4]** Dorf in Zentralphrygia in der bewaldeten Region Arginusa (Aristot. hist. an. 578b 27 f.), gen. nach ihrem charakteristischen weißen Tuff, zw. Synnada und Metropolis im Norden. Hier wurde Alkibiades 404 v. Chr. auf Befehl des Pharnabazos (Plut. Alkibiades 39) getötet. Auf seinem Grab ließ Hadrianus eine Alkibiades-Statue aus parischem Marmor errichten (Athen. 13,34,22–29 KAIBEL).

L. ROBERT, A travers l'Asie Mineure, 1980, 257–299. T.D.-B./Ü: I.S.

**Melisseus** (Μελισσεύς). Mythischer König von Kreta, Vater der Nymphen → Adrasteia und → Ide [2] (Apollod. 1,5; Hyg. fab. 182) oder → Amaltheia [1] und → Melissa [1] (Didymos bei Lact. inst. 1,22,19 f.). Als → Rhe(i)a den → Zeus in einer Höhle des kret. Berges Dikte zur Welt bringt, übergibt sie ihn diesen Nymphen zur Erziehung, die das Kind mit Ziegenmilch und Honig aufziehen. Die Namen von M. und Melissa lassen sich von griech. *méli* (Honig) ableiten. Nach Didymos (l.c.) hat M. als erster den Göttern geopfert, Riten und rel. Feste eingeführt und seine Tochter Melissa als erste Priesterin der → Mater Magna eingesetzt. AL.FR.

**Melissos** (Μέλισσος).

**[1]** M. aus Theben, Sohn des Telesiades, Adressat von Pind. I. 3 und 4 (→ Pindaros). Zwei Siege werden erwähnt, der eine im Pferde- oder Wagenrennen in Nemea (ebd. 3,9–13), der andere im → Pankration (ebd. 4,44). Die beiden metrisch identischen Gedichte sind nicht in allen Hss. voneinander getrennt. Wahrscheinlich war der Sieg im Rennen später und I. 3 wurde dem längeren Gedicht I. 4 im Hinblick auf eine einzige Feier hinzugefügt [1. 202–203]. Der Vater gehörte zur Familie der Kleonymiden, die Mutter zu derjenigen der Labdakiden. Die Familie hatte kurz zuvor vier Mitglieder in einer Schlacht verloren (ebd. 4,17), möglicherweise in der von Plataiai.

1 A. TURYN, Pindari Carmina cum Fragmentis, ²1952. E.R./Ü: T.H.

**[2] M. von Samos.** Eleatischer Philosoph des 5. Jh. v. Chr., erfolgreicher Stratege der samischen Kriegsmarine, der 441 v. Chr. einen heftigen Angriff der Athener unter der Leitung des → Perikles vereitelte (30 A 3 DK = Plut. Perikles 26 ff.). Welche Kontakte M. zu → Parmenides unterhielt, ist unbekannt.

M. legte seine philos. Prinzipien in einer Prosa-Abh. dar, die wahrscheinlich ›Über die Natur oder Über das Seiende‹ hieß. Das Werk enthält einige Auslassungen und Neuerungen im Vergleich zu Parmenides. M.' Ausgangsargumentation ist die grundlegende eleatische Einsicht, daß nur das Seiende (τὸ ὄν) ist. Da es durch nichts beeinträchtigt werden kann, folgert M., daß das Seiende sowohl räumlich als auch zeitlich unbegrenzt ist (vgl. 30 B 3; B 4 DK). Aristoteles [6] legte dieses Argument dahingehend aus, daß M. die räumlich unbegrenzte Ausdehnung des Seienden aus seiner zeitlich unbegrenzten Dauer ableitete, und brandmarkte dies als einen (elementaren) Denkfehler des M. Er verurteilte zudem mehrfach M.' Ableitung von unbegrenzter räumlicher Ausdehnung: M. konstruiere fehlerhafte Umkehrschlüsse, weil er »wenn q dann p« von »wenn p dann q« ableite (z. B. Aristot. soph. el. 167b 13 ff.). Zwei weitere Modifikationen wurden von modernen Interpreten kritisiert: a) daß M. die Temporalität des parmenideischen Seienden in der gröberen Auffassung einer Omnitemporalität verwässerte (B 1; B 2 DK); b) daß M. die monistische These von der räumlichen Unbegrenztheit des Seienden ableitete (B 5; B 6 DK), daher dürfe dieses Attribut nicht auf das parmenideische Seiende zutreffen (s. aber 28 B 8,6 DK). Beide Auslegungen beruhen jedoch auf zweifelhafter Interpretation des Parmenides.

Aus den Fr. lassen sich auch weitere Leitgedanken des M. rekonstruieren. Bemerkenswert ist, daß M. in der negativen Definition des Seienden betont, daß diesem psychischer und physischer Schmerz fremd sei, weil dieser einen Wechsel und daher »Nicht-Existenz« und Mangel impliziere (B 7,4–6 DK). Diese Aussage steht in pointiertem Kontrast zum parmenideischen Seienden, das niemals – auch nicht negativ – anhand einer Seele/Körper-Unterscheidung definiert wird. Eine weitere erhellende Erkenntnis des M. besteht darin, daß das Seiende wegen seiner Einzigartigkeit nicht-körperlich ist (B 9 DK). M.' (kontrafaktische) Formulierung, daß, selbst wenn es mehr als Eines geben sollte, diese den Anforderungen des eleatischen Denkens zu entsprechen hätten, ähneln überraschend den Darlegungen der → Atomisten über die unteilbaren, unveränderlichen und gefühllosen Körper (B 8 DK); doch muß keine direkte Abhängigkeit bestehen, da M. und die Atomisten

aus den eleatischen Prämissen auch unabhängig voneinander zu ähnlichen Ableitungen gekommen sein können, als sie ihre völlig entgegengesetzten philos. Gedankengebäude errichteten.
→ Eleatische Schule

FR.: DIELS/KRANZ 1, 258–276 • G. REALE, Melisso, 1970.
LIT.: J. BARNES, Parmenides and the Eleatic One, in: AGPh 61, 1979, 1–21 • F. SOLMSEN, The »Eleatic One« in Melissus, in: Mededeeligen der koninklijke Nederlandsche Akademie van Wetenschapen, Afdeeling Letterkunde 32, 1969, 221–233. I.B./Ü: C.WA.

**Melissus, C. Maecenas.** Röm. Grammatiker der augusteischen Zeit aus Spoletium, Vertrauter und Freigelassener des → Maecenas [2], später in der Gunst des → Augustus, der ihn etwa 23 v. Chr. zum Bibliothekar der Bibl. der *porticus Octaviae* machte (Suet. gramm. 21, danach Hier. chron. p. 168 H. zu 4 v. Chr.). Sein Versuch, die nationalröm. Komödie (→ *togata*) im Milieu des Ritterstandes (*trabeata*, vgl. Ov. Pont. 4,16,30; Suet. l.c., danach Ps.-Acro, Ars 288) zu erneuern, blieb offenbar ohne Erfolg; weder Fr. noch Spuren einer Wirkung sind nachweisbar. Auch von den *Ineptiae* oder *Ioci* (Suet. l.c.), einer Anekdoten-Slg. in 150 B. (?), fehlen sichere Zit., vgl. aber Macr. Sat. 2,4 und die Nennung des M. bei Plin. nat., Index zu den B. 7, 9–11 und 35, obwohl hier die Benutzung eines naturwiss. Werkes nicht auszuschließen ist (Serv. Aen. 7,66: *De apibus*). Vielleicht hat M. auch einen *Aeneis*-Komm. verfaßt (Fr. 2/3 FUNAIOLI, vgl. noch Serv. Aen. 10,304); auf eine gramm. Schrift deuten Fr. 4/5, auf eine weitere über die rhet. *actio* (Sprechweise) Fr. 1 und 6, sowie Plin. nat. 28,62 [3. 215 f.].

FR.: 1 GRF, 537–540.
LIT.: 2 J. CHRISTES, Sklaven und Freigelassene als Grammatiker, 1979, 86–91 3 R. KASTER (Hrsg.), Suetonius, De grammaticis et rhetoribus, 1995, 214–222. P.L.S.

**Melitaia** (Μελιταία, Μελιτεία). Stadt der Achaia Phthiotis am Nordabhang des → Othrys, Lage bei Avaritsa (h. amtlich M.) inschr. gesichert. Die einwandernden Thessaloi verlegten die Vorgängerstadt Pyrrha aus dem Enipeustal als M. an die histor. Stelle (Strab. 9,5,6). 426 v. Chr. hielt sich → Brasidas dort auf (Thuk. 4,78,1). Einer der beiden → *hieromnḗmones* der Achaia Phthiotis stammte meist aus M. (Syll.$^3$ 314,5; 444,5). Im → Lamischen Krieg war M. eine Festung der Griechen (Diod. 18,15,1). Seit ca. 260 gehörte M. zum Bund der → Aitoloi, für welchen M. ebenfalls öfter einen *hieromnḗmōn* in Delphoi stellte (Syll.$^3$ 523,4; 538,6; 553,6). 217 mißglückte eine Belagerung durch Philippos V., weil die Sturmleitern zu kurz waren (Pol. 5,97,5 f.; 9,18,5). Nach dem röm. Sieg über die Aitoloi kam M. spätestens 189 zu Thessalia, dessen Stadtverfassung (Verwaltung durch → *tágoi*) M. um 146 übernahm. 86/5 hielt sich Sulla in M. auf (Plut. Sulla 20). Auch unter den Römern blühte M., führte den Ehrennamen *Sebastḗ*. Zahlreiche Inschr. bezeugen die Regelung von Grenzfragen und Beziehungen mit Nachbarorten, bes. Narthakion, Pereia, Peuma, Xyniai (IG IX,2, 89; 205 add.). M. existierte bis in byz. Zeit.

J.-CL. DECOURT, La vallée de l'Enipeus en Thessalie, 1990, 84 f. • G. DAUX, P. DE LA COSTE-MESSELIÈRE, De Malide en Thessalie, in: BCH 48, 1924, 343 ff. • A. JOANNIDOU, Trial Excavations at Melitaea in Phthiotis, in: Archaiologika Analekta ex Athenon 5, 1972, 47 ff. • E. MEYER, s.v. Kyrsilida, RE Suppl. 10, 355 ff. • F. STÄHLIN, s.v. M., RE 15, 534 ff. • KODER/HILD, 218. HE.KR.

**Melite** (Μελίτη).
**[1]** → Okeanide, Gespielin Persephones (Hom. h. 2, 419).
**[2]** → Nereide (Hom. Il. 18,42; Hes. theog. 247; Verg. Aen. 5,825). Auf att. Vasen ist sie beim Kampf zwischen Peleus und Thetis zugegen [1].
**[3]** Naiade (→ Nymphen), Tochter des Flußgottes Aigaios. Als Herakles ins Land der Phaiaken kommt, um sich vom Mord an seinen Kindern zu entsühnen, zeugt er dort mit M. den Sohn → Hyllos [2] (Apoll. Rhod. 4,537 ff.).
**[4]** Tochter des Myrmex oder des Dios, nach der der att. Demos M. [5] benannt ist (Harpokr. s.v. M.). M. ist Geliebte des → Herakles, der in diesem Demos in die kleinen Mysterien eingeweiht wird und ein Heiligtum erhält (schol. Aristoph. Ran. 501) [2. 99, 184].

1 N. ICARD-GIANOLIO, s.v. M. (1), LIMC 6.1, 446
2 KEARNS. J.STE.

**[5]** Großer att. Asty-Demos der Phyle Kekropis, von 307/6 bis 201/0 v. Chr. der Demetrias, mit sieben *buleutaí*. Innerhalb der Mauern von Athen westl. der Akropolis gelegen, urban geprägt [4. 26], umfaßte M. auch den Kolonos Agoraios und die Pnyx und grenzte an die Demoi Kollytos (Eratosth. bei Strab. 1,4,7; [2. 55; 4. 28]) und Kerameis. Für M. sind neben einem *oíkos* der Demoten und Häusern des Antiphon (Plat. Parm. 126bc), Epikur, Kallias [5], Phokion und Themistokles mehr → *métoikoi* als für jeden anderen → *dḗmos* [2] bezeugt [4. 83], ferner mehrere Kulte und Heiligtümer, u.a. des Eurysakes [3. 261 f.], des Melanippos (Harpokration s.v. Eurysakeion, Melanippeion), der Artemis Aristobule (Plut. Themistokles 22,2; SEG 22,116 [3. 121 ff. Abb. 164–167, 219]; [4. 79[54], 177]), des Hermes Alexikakos (schol. Aristoph. Ran. 504; [3. 274 ff. Abb. 351–355]), mit Statue des → Ageladas, sowie Thesmophorien [4. 80]. Demendekrete: [4. 384 Nr. 77–80].

1 E. HONIGMANN, s.v. M. (9), RE 15, 541 f. 2 H. LOHMANN, Atene, 1993 3 TRAVLOS, Athen 4 WHITEHEAD, Index s.v. M.

W. JUDEICH, Top. von Athen, $^2$1931, 196, 390 f., 396 f. • TRAILL, Attica, 11, 50, 67, 111 Nr. 87 Tab. 7, 12 • J.S. TRAILL, Demos and Trittys, 1986, 4 f., 11, 14, 24, 110, 134. H.LO.

**[6]** Insel in der Adria südöstl. von → Korkyra [2] Melaina nahe der dalmatischen Küste, h. Mljet (Kroatien, 99 km²). Wahrscheinlich griech. Besiedlung (Skyl. 23), im Illyr. Krieg vom nachmaligen Augustus wegen angeblicher Seeräuberei 35–33 v. Chr. (App. Ill. 16) erobert und entvölkert. Kallimachos (fr. 579; bei Plin. nat. 3,152) erwähnt Hundezucht.

J. J. Wilkes, Dalmatia, 1969, 11, 49f. D.S.

**[7]** (Μελίτη Skyl. 111; Diod. 5,12,2f.; lat. *Melita*, Cic. Verr. 2,4,103f.; Itinerarium Maritimum 518), h. die Insel Malta. Große Bed. hatten M. und seine Nachbarinsel Gaudos, h. Gozzo, in der jüngeren Stein- und Bronzezeit, in der Großsteinbauten, unterirdische Grabanlagen und oberirdische Kultstätten entstanden. Die bedeutendsten sind Hal Tarxien bei La Valetta, Hagar Quim und der etwa 500 m davon entfernt liegende Tempel von Mnajdra im Süden der Insel, sowie Ggigantja auf Gozzo. Die phöniz. Niederlassung (8./7. Jh. v. Chr.) konzentrierte sich im Raum des h. Rabat (Nekropole von Mtarfa); in Tas-Silġ im SO der Insel wurde in einem brz. Tempel ein offenbar bedeutenderes Astarte-Heiligtum errichtet [1]. M. stand später unter karthagischer Herrschaft und wurde 218 v. Chr. röm., der Prov. Sicilia zugeteilt. Bei M. strandete der Apostel → Paulus und hielt sich einige Zeit auf der Insel auf (Apg 27,27–28,12). Ausgedehnte Katakomben bei Rabat aus dem 3.–6. Jh. n. Chr. lassen auf eine große frühchristl. Gemeinde schließen. Reste ant. Villen. Um 870 eroberten die Araber die Insel. M. wurde zum Zentrum des Sklavenhandels; Baumwolle und Zitrusfrüchte wurden angebaut, und noch h. ist der arab. Einfluß in Sprache und ON erkennbar. Inschr.: CIS I 1, 122–132; IG XIV 600–604; CIL X 7494–7511; SEG 17, 438; Mz.: HN 883.

1 A. Ciasca, Malte, in: V. Krings (Hrsg.), La civilisation phénicienne et punique (HbdOr 1,20), 1995, 698–711.

Th. Ashby, Roman M., in: JRS 5, 1915, 23–49 • G. Hölbl, Äg. Kulturgut auf den Inseln Malta und Gozo in phönik. und pun. Zeit, 1989 • M. Cagiano de Azevedo u. a., Missione archeologica italiana a Malta, 8 Bde., 1964ff. • Ch. Seltman, The Ancient Coinage of M., in: NC 6, 1946, 81–90. H.KAL. u. H.G.N.

**Melitene** (Μελιτηνή; lat. *Melitene*). Stadtname und Landschaftsbezeichnung im östl. Kappadokien. M. kontrollierte den Zugang nach Elbistan und den nahen Euphratübergang bei Tomisa. Reste der ant. Stadt befinden sich auf dem Ruinenfeld von Eski Malatya, die altoriental. Siedlung (besiedelt seit dem Chalcolithikum) auf dem Arslantepe. Textlich ist M. ab der Mitte des 2. Jt. v. Chr. belegt, hethit. *Mal(i)dija*, assyr.-babylon. *Mi/elid(i)*, urartäisch *Melite/ia*, aram. *mlz*, luw. *Malizi*. Der neu-hethit. Kleinstaat M. (1. Jt. v. Chr.; → Kleinasien III. C.1.b), dessen Territorium auch *Kammānu* genannt wird, wurde zeitweilig von → Urartu und Assyrien (→ Assyria) kontrolliert. 712 v. Chr. kam es zur kurzzeitigen assyr. Besetzung (Palast Sargons II.). Strab. 12,2,6 berichtet, daß zu seiner Zeit in der M. keine Polis existierte. Ab 70/1 n. Chr. war M. Legionslager der *Legio XII Fulminata* (Ios. bell. Iud. 7,18), unter Traian wurde sie Metropolis. Seit Diocletian gehörte M. zu Armenia Minor, ab 386 n. Chr. zur Prov. Armenia II, später zu Armenia III. 575 n. Chr. wurde sie durch Chosroes niedergebrannt. Der Bischofssitz M. wurde von Iustinian stark befestigt (Prok. aed. 3,4,12).
→ Armenia; Cappadocia

J. D. Hawkins, M. Frangipane, s. v. Melid, RLA 8, 35–52 • E. Honigmann, s. v. Malaṭya, EI 6, 230f. • T. B. Mitford, Cappadocia and Armenia Minor, in: ANRW II 7,2, 1980, 1169–1228 • W. Ruge, s. v. M., RE 15, 548f. K.KE.

**Melitios von Lykopolis.** Bischof des mittelägypt. Lykopolis († um 327 n. Chr.), Urheber eines Schismas in der ägypt. Kirche z.Z. der diocletianischen Verfolgung (→ Toleranz). Infolge häufiger Sedisvakanzen nahm M. um 305/6 eigenmächtig Weihen in vakanten Bistümern vor. Zusätzliche Konflikte mit Bischof → Petros von Alexandreia über die Behandlung der → *lapsi*, verbunden mit dem latenten Gegensatz zw. Alexandreia und dem Rest Ägyptens [2. 297], führten schließlich zu seiner Absetzung. Die zahlenmäßig bed. Kirche der Melitianer (Übersicht bei [2. 303–319]) wurde erst nach dem Konzil von Nikaia im J. 325 unter Auflagen wieder in die ägypt. Kirche integriert.

1 S. T. Carroll, The Melitian Schism, 1991 2 A. Martin, Athanase d'Alexandrie et l'Église d'Égypte au IVᵉ siècle (328–373), 1996, bes. 215–319 3 T. Vivian, St. Peter of Alexandria, 1988. J.RI.

**Meliton** (Μελίτων).

**[1]** M. aus Athen (?). Nach fr. 1 (= Harpokr. s. v. κάθετος) Verf. einer Schrift *Perí tōn Athḗnēsi génōn* (›Über die Geschlechter in Athen‹). Datier. unsicher, jedenfalls vor → Harpokration [2], der im 1. oder 2. Jh. n. Chr. lebte.

PA 9842 • Traill, PAA 639945. K.MEI.

**[2]** Griech. Tragiker des 1. Jh. n. Chr. (TrGF I 182); als Titel ist ›Niobe‹ bezeugt. B.Z.

**[3] M. von Sardeis.** Von den weitgehend verlorenen Werken des M., der als Bischof von → Sardeis während der Antoninenzeit (2. Jh. n. Chr.) wirkte, ist durch Pap.-Funde des 20. Jh. (Pap. Chester Beatty XII/Mich. inv. 5553/Bodmer XIII/Oxy. 13.1600) eine Predigt zum Passafest wieder ans Licht gekommen; der rhet. durchgestaltete Text mit zahlreichen biblischen Zit. und Anspielungen zählt zu den wichtigsten Quellen für die in Kleinasien verbreitete (lunar-)quartadezimanische Praxis (d. h. Feier des Ostertermins am 14. Nisan des jüd. Kalenders). Ein Kat. verlorener Schriften und Zitate aus der erwähnten Predigt (Περὶ τοῦ πάσχα bzw. πρὸς τὸν αὐτοκράτορα sc. Ἀντωνῖνον) finden sich bei → Eusebios [7] von Kaisareia (HE 4,26,2–14); unecht ist die unter M.s Namen laufende syr. Apologie [1], die freilich mit Sicherheit vorkonstantinischen Ursprungs ist.

1 W. Cureton (ed.), Spicilegium Syriacum, 1855, kb-la/41–51.

Quellen: CPG 1, 1092/1093 (mit Nachträgen im Suppl., 1998, 10f.).
Lit.: H. Lietzmann, s. v. M. (4) von Sardes, RE 15, 553f. • H. Drobner, 15 Jahre Forschung zu M. (1965–1980), in: Vigiliae Christianae 36, 1982, 313–333. C. M.

**Meliuchos** s. Totenkult; Zauberpapyri

**Melkiten** I. Begriff II. Geschichte

I. Begriff

Arab. *al-malakiyyūn* von aram. *malkā*, »König«, was im Sinne von griech. βασιλεύς/*basileús* gebraucht wurde. Syrer und Araber bezeichnen damit (pejorativ) die Anhänger des Konzils von → Kalchedon (451 n. Chr.), das die Monophysiten (→ Monophysitismus) des Nahen Ostens (Syrer, Kopten, Armenier) bis h. nicht anerkennen. Eigenbezeichnung ist h. *Rūm* (arab. für »Byzanz«, »Byzantiner«). Die Verwendung von M. im Sinne von »Unierte des Syr. Raumes« ist hingegen jung (nicht vor dem Schisma von 1724).

II. Geschichte

Vgl. [1; 2]. Die hellenisierte Schicht von byz. Verwaltungsbeamten (→ *árchontes* [III] u. a.), die dem *basileús* treu blieben, stand in der Spätant. in stetem Konflikt mit den Monophysiten, was nicht bedeutet, daß auf dem Lande monophysitische »Aramäer« den »Griechen« in den Städten gegenübergestanden hätten; daß die Lage komplizierter war, beweist die Existenz → christlich-palästinischer Literatur. Das Phänomen gehört somit in den weiteren Zusammenhang der → Hellenisierung des Vorderen Orients. Nach der arab. Eroberung (d. h. nach 634 n. Chr.) der Levante geriet diese Gruppe in eine völlig neue Situation: Als kaisertreu war sie dem islam. Regime *a priori* suspekt. Schon an der Wende vom 7. zum 8. Jh. (Damaszener Psalmenfragment, vgl. [6]) machte sich daher bei den M. die Tendenz bemerkbar, in einer neuen, jetzt arab. Identität aus ihrer Isolation auszubrechen: In der Tat sind die M. die Schöpfer des christl. Arabisch, während Syrer und Kopten noch lange an den alten Sprachen festhielten [3; 4]. In Zentren wie Damaskos, Mar Saba, später Jerusalem und Alexandreia waren es daher die M., denen die Überführung des hell. Erbes in ihre christl.- arab. Literatur gelang [5]. Wie schon bei → Iohannes [33] von Damaskos erkennbar, fungierte diese *middlemen minority* (neben Monophysiten und v. a. Nestorianern, → Nestorianismus) als wichtiges Bindeglied zw. der entstehenden islam. Lit. auf Arab. und den Trad. der hellenisierten Levante.

1 T. E. Gregory, s. v. Melchites, ODB 2, 1332 2 E. Chr. Suttner, s. v. M., LMA 4, 499f. 3 G. Graf, Gesch. der christl.-arab. Lit., 5 Bde., 1944–1953 4 J. Nasrallah, Histoire du mouvement littéraire dans l'église melchite du V^e au XX^e siècle, 4 Bde., 1979ff. 5 S. Griffith, The Monks of Palestine and the Growth of Christian Literature in Arabic, in: The Muslim World 78, 1988, 1–28 6 B. Violet, in: OLZ 4, 1901, 384ff. J. N.

**Mella.** Kleines Flußsystem [2. 473f.] in den zentralen Voralpen mit dem Nebenfluß Ollius, h. Mella mit seinem Nebenfluß Garza. Bei Catull. 67,32 poetisch *flavus* (»blond«) genannt. Nach Verg. georg. 4,277f. durchquert er bei Brixia (Serv. georg. ad l.c.) Schafweiden. Bei Geogr. Rav. 4,36 irrtümlich Nebenfluß des Padus.

1 Nissen 2, 196 2 P. Tozzi, L'antico corso del f. Garza e Cat. c. 67, 32–3, in: RIL 107, 1973, 473–498. A. SA./Ü: H. D.

**Mellaria** (Μελλαρία). Name zweier Städte (nach [3] fraglich, ob iberisch, kelt. oder lat., nach [1; 2. Bd. 8, 352] lat. »Honigstadt«).

**[1]** Im Westen der Meerenge von Gibraltar zw. Traducta (bei h. Tarifa) und Baelo, bekannt durch die Landung des → Sertorius 80 v. Chr. nahe bei M. (Plut. Sertorius 12; [2. Bd. 4, 169]; vgl. Strab. 3,1,8; Mela 2,96; Plin. nat. 3,7; Ptol. 2,4,6; Itin. Anton. 407,2).

**[2]** M. (Baeturiae) beim h. Fuente Ovejuna (CIL II 2344–2346).

1 A. Schulten, s. v. M., RE 15, 557 2 Ders. (Hrsg.), Fontes Hispaniae Antiquae 4, 1937; 8, 1959 3 Holder, s. v. M.

C. F. Konrad, Plutarchs Sertorius 1994, 129 • A. Schulten, Sertorius, 1926, 54f. • Tovar 2, 213f. P. B.

**Mellona** s. Nahrungsmittel

**Melobios** (Μηλόβιος). Athener. Im Verlauf des oligarchischen Umsturzes von 411 v. Chr. hielt M. die Rede, die das → *psḗphisma* des → Pythodoros betreffend u. a. die Erhöhung der Zahl der bevollmächtigten Kommissare von 10 (Thuk. 8,67,1) auf 30 (Androtion FGrH 324 F 43; Philochoros 328 F 136) vorstellte (Aristot. Ath. pol. 29,1). 404 einer der »Dreißig« (→ *triákonta*; Xen. hell. 2,3,2; Hyp. fr. 61); an Lysias' [1] Verhaftung beteiligt (Lys. 12,12).

A. W. Gomme, A. Andrewes, K. J. Dover, A Historical Commentary on Thucydides, Bd. 5, 1981, 212 (zu Aristot. Ath. pol.) • P. Krentz, The Thirty at Athens, 1982, 51ff. • PA 10102 • Rhodes, 370f. • Traill, PAA 648210. K. KI.

**Melon** (Μέλων). Thebaner, bereitete von Athen aus mit → Pelopidas und anderen Verschworenen den Sturz der Oligarchie in Theben 379 v. Chr. vor. Heimlich zurückgekehrt, töteten sie die → *polémarchoi* und → Leontiades [2], einen der führenden Köpfe der Oligarchen (Xen. hell. 5,4,2–9; Plut. Pelopidas 8–12; Plut. de genio Socratis 576a; 587d; 596d; 597a). Sie befreiten die polit. Gefangenen und proklamierten die Freiheit, wurden in der Volksversammlung geehrt und zu → Boiotarchen gewählt (Plut. Pelopidas 12,7–13,1). Ihnen gelang die Vertreibung der spartan. Besatzung von der Kadmeia [1. 177–180; 2. 72–80].

→ Thebai

1 H.-J. Gehrke, Stasis, 1985 2 R. J. Buck, Boiotia and the Boiotian League, 432–371 B. C., 1994. W. S.

**Melone.** Pflanze aus der Familie der Gurkengewächse (Cucurbitaceae) mit zwei Arten, der länglichen goldgelben Honig-M. (Cucumis melo L.) und der rundlichen Wasser-M. (Citrullus vulgaris Schrad.) mit rötlichem Fruchtfleisch. Ihre frühe Kultur in Ägypten und Griechenland steht fest. Die griech. Zeugnisse bieten jedoch, abgesehen von den eher beiläufigen Beschreibungen, wechselnde Namen (πέπων/*pépōn*, σίκυος πέπων/*síkyos pépōn*, σικύα/*sikýa*). Nach Plinius (nat. 19,67) soll die von ihm als → Gurke bezeichnete goldgelbe (*aureus*) Honig-M. *melopepo* zuerst in Campanien aufgetreten sein. Von ihr unterscheidet er (nat. 19,65) die bes. große Wasser-M. *pepo*. Dioskurides (2,135 Wellmann = 2,163 Berendes) bezeichnet das Fleisch des *pépōn* als harntreibend und seine mit Honigmet (ὑδρόμελι/*hydrómeli*) getrunkene trockene Wurzel als Brechmittel. Als Umschlag heile das Fleisch Augenentzündungen, seine Haut aber diene z. B. bei triefenden Augen als Verband. Plin. nat. 20,11 f. bestätigt diese Angaben und fügt u. a. ihre kühlende Wirkung als Speise und die reinigende Wirkung auf die Gesichtshaut hinzu. Als *melones* (daher der dt. Name) sollen die Samen nach Pall. agric. 4,9,6 im März (bzw. im April: ebd. 5,3,5 oder Mai: ebd. 6,5) in gut gedüngten Boden ausgesät werden. Durch dreitägiges Einlegen in Honigmet und Milch würden die späteren Früchte süß und durch eine längere Lagerung zw. Rosenblättern sogar wohlriechend.

A. Steier, s. v. M., RE 15, 562–567 • V. Hehn, Kulturpflanzen und Haustiere (hrsg. von H. Schrader), [8]1911, Ndr. 1963, 318 f., 321–325. C. HÜ.

## Melos

**[1]** (Μῆλος, dor. Μᾶλος; lat. *Melos*, h. Milos). Name der westlichsten, mit 161 km² fünftgrößten Kykladeninseln. Zur Inselgruppe von M. gehören Kimolos an der NO-Spitze, Polaigos (h. Polivo) im Osten und Erimomilos westl. von M., dazu noch eine Anzahl kleinster Inseln und Klippen.

M. ist die Caldera eines pliozänen Vulkans, als dessen Relikte h. noch die schwefelhaltigen Thermen im NO und SO vorhanden sind. Das Meer hat durch einen Einschnitt im NW Zugang zum Kraterkessel – einem der besten Häfen des Mittelmeers. Der Norden von M. ist flacher und fruchtbarer als der bergige SW (Profiti Elias 51 m). Nur im Süden tritt der nicht vulkanische kristalline Sockel der Kykladen mit eingelagerten Kalken und Mergeln an die Oberfläche. Nur schwache Fumarolen und Thermen (Athen. 2,43a) sind von der ehemaligen vulkanischen Tätigkeit zurückgeblieben. Von bes. Bed. war in der Vorgesch. das reiche Obsidianvorkommen (→ Obsidian), für das M. Hauptlieferant war [1], dazu kamen Schwefel, Ton, Bimsstein und Alaun, Honig, Wein und Öl. Der flache Ostteil ist in Alt. und Neuzeit das Siedlungsgebiet der Insel, im felsigen unwirtlichen Westteil liegen keine Siedlungen; wenig Niederschlag, wenig Wasser.

Wegen der Obsidianvorkommen war die Insel schon in prähistor. Zeit dicht besiedelt. Die älteste dauerhafte Besiedlung ist für die frühkykladische Zeit nachgewiesen, bes. in Pelos an der Ostküste. Die wirtschaftlich und kulturell bedeutendste brz. Kykladenstadt bei Phylakopi an der NO-Küste unterlag im 2. Jt. v. Chr. minoischen und myk. Einfluß und wurde trotz starker Befestigung um 1100 v. Chr. zerstört. Danach gründeten dor. Einwanderer aus Lakonia im Ostteil der Insel die *pólis* M. über der engsten Stelle der Einfahrt in die Bucht, siedelten aber auch im SW-Teil um den h. Profiti Elias. Die geom. Keramik zeigt ostgriech.-ion. Einfluß, ion.-kykladisch geprägt erscheint auch die archa. Plastik. Die Reste der ant. Stadt stammen jedoch zum größten Teil aus röm. Zeit (Theater, Nekropolen mit vielen Felsgräbern, christl. Katakomben [2]). Isokr. or. 12,89 spricht von πολίχνια (»Städtchen«) außerhalb der Stadt. Unter den zahlreichen Einzelfunden ist die in der ant. Stadt aufgefundene Aphrodite bedeutend (h. im Louvre; → Venus von Milo).

Die im 8.–6. Jh. v. Chr. bes. wohlhabende Insel prägte eigene Mz. mit dem Apfel (griech. *mē̆lon/málon*, vgl. Bed. des ON) als Mz.-Bild und galt allg. als spartan. Kolonie (Hdt. 8,48; Thuk. 5,84,2; 112,2; Xen. hell. 2,2,3; Diod. 12,65,2). M. war an den Schlachten von Salamis und Plataiai beteiligt (→ Perserkriege), blieb weiterhin mit Sparta verbündet und trat auch dem → Attisch-Delischen Seebund nicht bei, was der Feldzug des Nikias 426 v. Chr. nicht ändern konnte. Die Veranlagung zu einem Tribut von 15 Talenten im J. 425/4 war fiktiv (ATL 1, 341; [3]). 416 eroberte Athen die Insel und bestrafte die Bewohner hart (vgl. den »Melierdialog« bei Thuk. 5,85–113). Auf der weitgehend entvölkerten Insel wurden att. → *klērúchoi* angesiedelt. Im J. 405 befreite Lysandros die Insel und gab sie den überlebenden Bewohnern zurück. Die Wirtschaftskraft der Insel führte schon im 4. Jh. zu einem neuerlichen Aufschwung, der auch unter röm. Herrschaft (ab ca. Mitte 2. Jh. v. Chr.) andauerte. Im 1. Jh. n. Chr. ließen sich jüd. Kaufleute auf der Insel nieder. So fand hier das Christentum Eingang (Ios. ant. Iud. 17,12,327; Ios. bell. Iud. 2,7,1,103; christl. Inschr.: IG XII 3, 1237–1239). Weitere Quellen: Skyl. 48; Strab. 10,5,1; Ptol. 3,15,8; Plin. nat. 4,70; Solin. 11,32; Fest. 111 L; Isid. orig. 14,6,8; Inschr.: IG XII 3, 1073–1258 mit add.; 1267 f. und p. 230; Suppl. 335 f. Nr. 1661–1670; SGDI 3, 4871–4939; Schwyzer, Dial. 207–213; CIL III 490; 14203; SEG 3, 737–739; 12, 366; 14, 523; Mz.: HN² 486; 892; [4].

→ Ägäische Koine; Minoische Kultur und Archäologie

**1** C. Renfrew u. a., Obsidian in the Aegaean, in: ABSA 60, 1965, 225 ff. **2** D. Mackenzie, Ancient Sites in M., in: ABSA 3, 1896/7, 71 ff. **3** M. Treu, Athen und M. und der Melierdialog des Thukydides, in: Historia 2, 1953/4, 253–273; Nachtrag dazu in: Historia 3, 1954/5 **4** J. G. Milne, The M. Hoard, in: Numismatic Notes and Monographs 62, 1934, 1 ff.

S. Casson, The Baptistery at Kepos in M., in: ABSA 19, 1912/13, 118 ff. • A. Chaniotis, Vier kretische Staatsverträge. Verträge zw. Aptera und Kydonia, einer ostkret. Stadt und M., Olus und Lyttos, Chersonesos und

Rhodes, in: Chiron 21, 1991, 241–264 • R. COOK, Greek Painted Pottery, ²1972, 29, 31, 106, 112ff., 294, 301, 304, 309f. 319, 327, 342f. • A. CORSO, A Short Note about the Aphrodite of M., in: Xenia Antiqua 1995, 27–32 • R. M. DAWKINS, J. P. DROOP, The Excavations at Phylakopi in M., in: ABSA 17, 1910/1, 1ff. • D. FIMMEN, Die kret.-myk. Kultur, ²1924, 15 • S. IMMERWAHR, Aegaean Painting in the Bronze Age, 1991, 4, 13, 18, 24, 33, 47f., 51, 54, 62, 80, 102, 159, 206 Anm. 4 • H. KALETSCH, s. v. M., in: LAUFFER, Griechenland, 418–421 • D. PAPASTAMOS, Melische Amphoren, 1970 • PHILIPPSON/KIRSTEN 4, 185f. • A. E. RAUBITSCHEK, War M. tributpflichtig?, in: Historia 12, 1963, 78–83 • C. RENFREW, M. WAGSTAFF (Hrsg.), An Island Polity, 1982 • Ders., The Archaeology of Cult: The Sanctuary at Phylakopi (ABSA Suppl. 18), 1985 • M. G. SEAMAN, The Athenian Expedition to M., in: Historia 46, 1997, 385–418 • R. A. SONDER, Zur Geologie und Petrographie der Inselgruppe von M., in: Zschr. für Vulkanologie 8, 1924/5, 181ff. H. KAL.

**[2]** (Μέλος). Griech. Lied, Weise oder Melodie. Das Wort *m.* wird von Homer im Plural in der Bedeutung »Glieder« gebraucht; der Sg. ist in der musikalischen Bedeutung ebenfalls früh belegt (Hom. h. 19,16; Alkm. 3,5 PMGF; Archil. 120 IEG). Im späteren Griech. hält sich *m.* nur in der musikalischen Bedeutung. Die konstituierenden Teile des Liedes – Worte, Melodie und Rhythmus (vgl. Plat. rep. 398d) – wurden in »Glieder« geteilt; diese Verbindung zwischen »Glied« und »Lied« liegt auch in anderen indeur. Sprachen vor [1]. Die Herstellung einer etym. Beziehung zu μέλπειν/μολπή (*mélpein/molpḗ*, »Singen/Gesang«, vgl. etwa Eur. Alc. 454) entbehrt jeder Grundlage. Mit dem Begriff »melische« Dichtung bezeichnet man bisweilen die griech. → Lyrik, da die Lyra nicht das einzige Instrument war, das zur Begleitung von Liedern eingesetzt wurde.

1 FRISK 2, 204. E. R./Ü: T. H.

**Melpeia** (Μέλπεια). Ort im Nomia-Gebirge mit einem Heiligtum des Pan Nomios, südl. von → Lykosura (Arkadia). Genaue Lage unbekannt. (Paus. 8,38,11).

JOST, 178f. • K. KURUNIOTIS, Ἀνασκαφαὶ ἐν Νομίου Πανός, in: Praktika 1902, 1903, 72–75. Y. L.

**Melpis.** Nordöstl. von Atina entspringender Fluß im Gebiet der Volsci (Latium), der zw. Fabrateria und Aquinum in 4 Meilen Entfernung in den Liris mündet, von der *via Latina* gekreuzt (*Melfel*, Tab. Peut. 6,2), h. Melfa.

NISSEN 2, 669 • MILLER, 330. G. U./Ü: H. D.

**Melpomene** (Μελπομένη, lat. *Melpomena*; sprechender Name: »singend«; vgl. Diod. 4,7: M. wegen der Melodie, die auf die Hörer einwirkt). Eine der neun → Musen (Hes. theog. 77). Von → Acheloos [2] ist sie die Mutter der → Sirenen (Apollod. epit. 7,18). Über lange Zeit ist M. die unspezifischste und am seltensten erwähnte Muse. Sie wird als Patronin der Trag., bes. der lyrischen Chorpartien, angesehen und mit Theatermaske u. ä. abgebildet (vgl. Anth. Lat. 664). Bei Horaz (Hor. carm. 1,24; 3,30; 4,3) jedoch spielt sie eine zentrale Rolle als erhabenste der Musen, als Inspiratorin der großen Totenklagen und lyrischen Gesänge [1].

1 M. T. CAMILLONI, Le Muse, 1998, 156–166. C. W.

**Melpum.** Wohlhabende, wohl etr. Stadt in Oberitalien (Nep. fr. 56 HALM bei Plin. nat. 3,125), erobert und zerstört von einer kelt. Koalition angeblich am selben Tag, an dem auch → Veii fiel (386 v. Chr.). Nicht genau lokalisierbar [1. 154], allg. mit Melzo, wenig wahrscheinlich mit Marzabotto identifiziert [2. 247].

1 M. PALLOTTINO, Etruscologia, 1984 2 G. A. MANSUELLI, in: M. PALLOTTINO u. a. (Hrsg.), Popoli e Civiltà dell' Italia antica 3, 1974. A. SA./Ü: V. S.

**Melqart.** Phöniz. Gottheit; urspr. **mlk qrt* (»König der Stadt«), Titel des Stadtgottes von → Tyros. Der älteste Beleg findet sich in der Bar-Hadad-Inschrift (KAI 201) um 800 v. Chr. aus Brēdsch (Buraiǧ) bei Aleppo. Erstmals für Tyros belegt ist er im 7. Jh. v. Chr. in den keilschriftl. Verträgen Asarhaddons [5. 27, IV 14] und Aššur-nēraris V. [5. 13, VI 22] als ᵈ*Mi-il-qar-tu*. Der Titel setzt älteste Vorstellungen eines sakralen und Gottkönigtums voraus. In ihm vereinen sich Züge einer mythischen und deifizierten Gründungsfigur mit denen einer Schutz- und Stadtgottheit. Ab dem 5. Jh. v. Chr. trägt M. deutlich Züge von → Herakles [1]. Als seine Titel finden sich in einer phöniz.-griech. Bilingue des 2. Jh. v. Chr. aus Malta (KAI 47,1) auch *bʿl Ṣr* (»Herr von Tyros«) und αρχηγος/*archēgos* (»Gebieter, Schutzgott«). Die kult. Verehrung des Gottes fand über Syrien-Palaestina hinaus weite Verbreitung bes. an die nordafrikan. Küste (→ Karthago), aber auch bis zur iberischen Halbinsel, nach Ibiza, Italien und seiner Inselwelt, Zypern und Griechenland.

Die wenigen bildl. Darstellungen zeigen M. wie auf der Bar-Hadad-Stele nach syr. Vorbild als schreitenden Gott mit konischer Mütze, Streitaxt in der linken und *anch*-Zeichen / Lotosblüte (?) in der rechten Hand oder aber als Herakles-Gestalt (mit Keule und Löwenfell), vor allem auch auf Mz. (Adler-, Löwensymbol). Nach Eus. Pr. Ev. 1,10,10; CIS I, 122 ist M. anikonisch in Form von (Doppel-)Säulen (KAI 47) verehrt worden. In spätant. Quellen werden Feierlichkeiten zur Auferwekkung des mit Herakles identifizierten M. im Monat Peritios (Frühjahrsäquinoktium) genannt (Ios. c. Ap. 1,119; Ios. ant. Iud. 8,146), so daß Verbindungen zum Kult des → Adonis vermutet wurden. Ios. ant. Iud. 8,5,3 beruft sich auf eine Notiz des Menandros [5] von Ephesos, wonach schon → Hiram von Tyros im 10. Jh. v. Chr. Auferweckungsriten für M. durchgeführt habe. Genealogisch erscheint Herakles-Melqart als Sohn des → Hadad-Demaros und Nachfahre des → Uranos (Philo von Byblos, Eus. Pr. Ev. 1,10,27). Im AT könnten in 1 Kg 16,31ff. Erinnerungen an M. bewahrt sein, sofern der von der tyrischen Prinzessin Isebel verehrte Bēl als M.-Epitheton aufzufassen ist. Ez 26,11 (Säulen) und das Orakel gegen den König von Tyros (Ez 28,14ff.) enthalten zahlreiche Anspielungen auf M.

1 C. BONNET, M.: cultes et mythes de L'Héraclès Tyrien en Méditerranée, 1988 2 M. KREBERNIK, s. v. M., RLA 8, 52f. 3 H. NIEHR, Religionen in Israels Umwelt. Einführung in die nordwestsemit. Religionen Syrien-Palästinas, 1998 4 S. RIBICHINI, Poenus Advena. Gli dei fenici e l'interpretazione classica, 1985 5 S. PARPOLA, K. WATANABE (Hrsg.), Neo-Assyrian Treaties and Loyalty Oaths (State Archives of Assyria 2), 1988. TH.PO.

**Meltas** (Μέλτας). Name nur von Pausanias (2,19,2) genannt: Sohn des (»Königs«; Plut. mor. 89e) Lakedas, 10. Nachfahre des Medon, des Enkels des Temenos, letzter Argeierkönig (meist mit dem namentlich nicht gen. letzten Temenidenkönig bei Diod. 7,13,2 identifiziert). Unhistor. Gestalt, weder Sohn des bei Hdt. 6,127,3 genannten Leokedes oder Sohn des → Pheidon (ca. 1. H. 6. Jh. v. Chr.) noch der Magistrat (*basileús*) Melantas ca. 450 v. Chr. (ML 42, Z. 43).

T. KELLY, History of Argos, 1976, 107f. • M. WÖRRLE, Unt. zur Verfassungsgesch. von Argos im 5. Jh. v. Chr., 1964, 86ff. K.KI.

**Membliaros** (Μεμβλίαρος, auch Βλίαρος/*Blíaros*). Myth. phoinikischer Kolonist, der als Mitglied der Suchexpedition, die → Kadmos [1] nach seiner Schwester → Europe [2] unternimmt, auf der Insel Thera zurückbleibt und von dort die nahe Insel → Anaphe besiedelt (Hdt. 4,147; Paus. 3,1,7f.). L.K.

**Membrana** s. Pergament

**Memmius.** Röm. plebeischer Gentilname, dessen Träger vielleicht aus dem Gebiet der Volsker stammten und im 2. und 1. Jh. v. Chr. (in mehreren Zweigen) hervorgetreten sind. Sie ereichten wohl erst mit M. [I 4] das Consulat. Spätrepublikanische Konstruktion ist die Herkunft der Gens vom Troianer Mnestheus (Verg. Aen. 5,117). Ein Aedil M. soll die Cerealia eingerichtet haben (vor 211 v. Chr.; RRC 427).

A. BIEDL, De Memmiorum familia, in: WS 48, 1930, 98–111 • Ders., Nochmals zur Familiengeschichte der Memmier, in: WS 49, 1931, 107–114 • SCHULZE, 424 • T. P. WISEMAN, Legendary Genealogies in Late Republican Rome, in: G&R 21, 1974, 157 • Ders., L. Memmius and His Family, in: CQ 17, 1967, 164–167. K.-L.E.

I. REPUBLIKANISCHE ZEIT

**[I 1] M., C.** Popularer Politiker am Ende des 2. Jh. v. Chr.; die meist angenommene Identität mit dem gleichnamigen *tr. mil.*, der 134 vor → Numantia stand (Frontin. strat. 4,1,1; Plut. mor. 201D), ist chronologisch problematisch [1. 85]. 112 mobilisierte M. als designierter Volkstribun die Plebs gegen die Numidien-Politik der Nobilität und setzte die Kriegserklärung gegen → Iugurtha durch (Sall. Iug. 27,2–5), 111 kritisierte er bes. L. Calpurnius [I 1] Bestia und M. Aemilius [I 37] Scaurus wegen ihres übereilten Friedens mit Iugurtha und sorgte dafür, daß dieser zum Verhör nach Rom geholt wurde (Sall. Iug. 32f.). 109 klagte er Bestia erfolgreich vor dem Sondergericht nach der *lex Mamilia* an (Cic. de orat. 2,283), war wahrscheinlich 104 Praetor und verwaltete im nächsten Jahr mit *imperium proconsulare* Macedonia (MRR 1,564). Anschließend nach dem Repetundengesetz angeklagt, erreichte er trotz belastender Aussage des Scaurus einen Freispruch (Val. Max. 8,5,2; Cic. Font. 24; vgl. [2. 174–6]). 100 v. Chr. wurde er als Kandidat für das Consulat des J. 99 auf Betreiben des L. Appuleius [I 11] Saturninus und des C. → Servilius Glaucia bei den Wahlcomitien erschlagen (Liv. per. 69; App. civ. 1,142).

Nach Sallust war die Beredsamkeit des M. hervorragend (Sall. Iug. 30,4 *clara pollensque*); Cicero schränkt das insofern ein, als er ihn nur für einen mittelmäßigen Verteidiger hält (Cic. Brut. 136). Die Rede in Sall. Iug. 31 ist natürlich nicht authentisch [3].

1 G. V. SUMNER, The Orators in Cicero's Brutus, 1973, 85f. 2 E. S. GRUEN, Roman Politics and the Criminal Courts, 1968 3 R. SYME, Sallust, 1975, 151. W.K.

**[I 2] M., C.** 81 v. Chr. Statthalter seines Schwagers Pompeius in Sizilien (Plut. Pompeius 11,2); kämpfte seit 79 in Spanien gegen → Sertorius, 75 (76?) als Quaestor bei Sagunt gefallen (Plut. Sertorius 21,2; Oros. 5,23,12; Cic. Balb. 5). MRR 3,141.

**[I 3] M., C.** Geb. um 98 v. Chr.; Praetor 58, dem → Lucretius [III 1] im J. 56 das Lehrgedicht *De rerum natura* widmete (u. a. Lucr. 1,24–27; 5,8: *inclute Memmi*). M.' Position im Geflecht der → *factiones* schien durch die Heirat (72?) mit Cornelia [I 5] Fausta, Sullas Tochter, festgelegt, seine seit dem Volkstribunat (66) praktizierten schroffen Wendungen überraschen daher; er scheiterte ebenso mit der Anklage des in Sullas Machtapparat verstrickten M. Licinius [I 27] Lucullus wie mit dem Versuch, den Triumph des L. Licinius [I 26] Lucullus zu hintertreiben (Plut. Lucullus 37,1f.; Plut. Cato min. 29,3), erzielte allerdings als Liebhaber der Ehefrauen beider Brüder einigen Skandalerfolg (Cic. Att. 1,18,3). Als Praetor war er Gegner Caesars (Cic. Att. 2,12,2; Cic. ad Q. fr. 1,2,16). Während der Propraetur in Bithynien (57) wurde M. zum Imperator akklamiert (Mz. des Neffen C. M. [I 4]: RRC 427), seine Amtsführung galt gleichwohl als offenes Ärgernis (sogar für die jungen Poeten seiner *entourage*, vgl. Catull. 10; 28).

Ins Jahr der offiziellen Trennung von Cornelia (55) fiel ein neuerlicher Parteiwechsel des M., dessen Bewerbung um das Consulat für 53 Caesar mittels einer horrenden Bestechungskampagne betrieb (Cic. Att. 4,15,7; 16,6; Cic. ad Q. fr. 2,14,4; Suet. Iul. 73); zur Enthüllung der untragbar gewordenen Korruption von Pompeius genötigt, wurde M. dann von Caesar fallengelassen (Cic. Att. 4,17,2f.). Die Verurteilung (52) wegen → *ambitus* (Cic. ad Q. fr. 3,2,3; App. civ. 2,90) markierte das Ende seiner polit. Karriere. M. genoß nun eine luxuriöse Verbannung in Athen (Plan, das Gartenrefugium des Epikur mit einer Villa zu überbauen: Cic. fam. 13,1). Die Spur des finanzkräftigen, polit. skrupellosen, gerne in Künstlerkreisen verkehrenden Lebemanns und Kenners griech. Literatur, der auch selbst als Dichter dilettierte (Ov. trist. 2,433 f.; Plin. epist. 5,3,5), verliert sich in den ersten Bürgerkriegsjahren (Tod vor 46: Cic. Brut. 247).

MRR 2,203 • SCHANZ/HOSIUS 1,310f. • J.H. NICHOLS, Epicurean Political Philosophy, 1976, 41 ff. • J.D. MINYARD, Lucretius and the Late Republic, 1985, 25, 36f., 74ff.

**[I 4] M., C.** Volkstribun 54 v.Chr.; Ankläger im Repetundenprozeß gegen Pompeius; Parteigänger des A. Gabinius [I 2] (Cic. ad Q. fr. 2,11,3; 3,1,15; 3,2,1) und gegen den von Cicero verteidigten C. Rabirius Postumus (Cic. Rab. Post. 7). Wahrscheinlich ist dieser C.M. auch der Münzmeister von 56 und (zus. mit Paullus Aemilius [I 16] Lepidus) Suffektconsul 34 (Fasti Venusini = CIL I² p.66). MRR 3,141; RRC 427. T.FR.

II. KAISERZEIT

**[II 1] Senecio M. Afer.** Senator, vielleicht aus Africa stammend. Proconsul in Sizilien und kaiserlicher Legat in Aquitanien in spätdomitianischer Zeit und unter Nerva; *cos. suff.* 99 n.Chr. Bei Tibur bestattet (CIL XIV 3597 = ILS 1042). PIR² M 457.

**[II 2] C.M. Fidus Iulius Albius.** Senator, aus Bulla Regia in Africa stammend. Eine längere senator. Laufbahn führte ihn zum Prokonsulat in Hispania Baetica ca. 183 n.Chr.; danach *praefectus Miniciae* in Rom, *curator viae Flaminiae* in It., kaiserlicher Legat in Noricum, *cos. suff.* entweder E. 191 oder im J. 192. Consularer Legat in einer unbekannten Prov. M.' Tochter ist Memmia Aemiliana Fida. PIR² M 462.

M. CORBIER, in: EOS 2, 715.

**[II 3] C.M. Regulus.** Sohn von M. [II 4]. M. begleitete noch recht jung seinen Vater in die Prov. Moesia, Macedonia und Achaia, wo er neben seinem Vater öfter mit Statuen geehrt wurde. Im J. 63 n.Chr. *cos. ord.*; im J. 65 *magister* der *sodales Augustales Claudiales*. PIR² M 467.

**[II 4] P.M. Regulus.** Senator, wohl → *novus homo* (Tac. ann. 14,47), aber kaum Patrizier, vgl. [2. 340ff.]. Quaestor des Tiberius, Praetor; das Amt eines *tr. pl.* oder *aedilis* muß wohl in [1. 633] ergänzt werden. Am 1.10.31 n.Chr. Suffektconsul zusammen mit Fulcinius [II 4] Trio. Dem M. vertraute Tiberius die Aufgabe an, den Praetorianerpraefekten → Aelius [II 19] Seianus zusammen mit Sutorius Macro zu Fall zu bringen. Am 18.10.31 verlas er den Brief des Tiberius im Senat und ließ Seianus, nachdem ein Senator den Antrag gestellt hatte, verhaften. Am folgenden Tag leitete er wohl die Senatssitzung, in der Seianus zum Tode verurteilt wurde. M. begab sich zu Tiberius auf Capri, um ihn nach Rom zu begleiten, wurde aber ohne Erfolg zurückgesandt. Er geriet in heftige Auseinandersetzungen mit seinem Konsulatskollegen, der ihn beschuldigte, die Anhänger des Seianus nicht energisch genug zu verfolgen; der Streit zog sich bis ins J. 32 hin (Tac. ann. 5,11; 6,4,3 f.).

Im J. 35 wurde M. mit einem Sonderauftrag Nachfolger des Poppaeus Sabinus als Legat in Moesia, Achaia und Macedonia, wo er bis zum J. 44 blieb, als Achaia und Macedonia wieder proconsularische Prov. wurden. 38 rief → Caligula M. kurzzeitig nach Rom zurück und zwang ihn, Lollia [1] Paulina, die M. frühzeitig geheiratet hatte, ihm zur Frau zu geben; obwohl der Kaiser sie bald wieder verstieß, durfte sie nicht wieder mit M. zusammenleben. Im J. 39 oder Anf. 40 kehrte M. in sein Prov.-Kommando zurück. Er wurde in Achaia und Macedonia in zahlreichen Städten geehrt, was wohl auf sein Ansehen schließen läßt. Als Caligula ihm befahl, die Statue des Zeus von Olympia nach Rom zu bringen, verzögerte er den Auftrag und verhinderte damit die Durchführung, da Caligula inzwischen ermordet wurde. M. war Proconsul von Asia wohl im J. 48/9. Er gehörte den Priesterkollegien der *VIIviri epulonum*, der *sodales Augustales* und der → *Arvales fratres* an; deren Akten zeigen, daß er sich in neronischer Zeit wohl durchgehend in Rom aufhielt, sich aber an der Politik aktiv nur noch wenig beteiligte. Tacitus (ann. 14,47) spricht von der politischen Untätigkeit (*quies*), die er verfolgte; dennoch gehörte er zu den »elder statesmen« der claudisch-neronischen Zeit. PIR² M 468.

1 VOGEL-WEIDEMANN 2 M.E. ESPÉRANDIEU (ed.), Inscriptions latines de Gaule (Narbonnaise), 1929.

E. GROAG, s.v. M. (29), RE 15, 626ff. • SCHEID, Recrutement, 213 ff.

**[II 5] M. Rufus.** Er wird zw. 102 und 113 n.Chr. (Traian ist bereits Dacicus, aber noch nicht Optimus) auf einer stadtröm. *fistula aquaria* (s. → Wasserleitungen) mit der Formel *sub cura Memmi Rufi* zusammen mit Silius Decianus und einem anderen Memnius (sic) Rufus genannt. Die Funktion ist nicht mit der *cura aquarum* zu verbinden; vermutlich bekleideten die Senatoren ein stadtröm. Amt, auf Grund dessen sie Gebäude errichten und auch die zugehörigen Wasserleitungen verlegen ließen. PIR² M 471.

W. ECK, Überl. und histor. Realität: Ein Grundproblem prosopograph. Forsch., in: Ders. (Hrsg.), Prosopographie und Sozialgeschichte, 1993, 387ff.

**[II 6] L.M. Tuscellianus.** Genannt in CIL VI 37326. Verm. senatorischen Ranges. PIR² M 475.

**[II 7] L.M. Tuscillus Senecio.** Sohn von M. [II 1]. Ob identisch mit M. [II 6], muß offen bleiben. PIR² M 475. W.E.

**Memnon** (Μέμνων).

**[1]** Mythischer König der Äthioper, Sohn des → Tithonos und der → Eos, Bruder des Emathion (Hes. theog. 984–5). Sein Eintreffen in Troia als Verbündeter der Troer nach dem Tod der Penthesileia, der erfolgreiche Zweikampf mit Antilochos, der Tod durch Achilleus und die ihm von Zeus auf Bitten der Eos verliehene Unsterblichkeit wurden, wie die Inhaltsangabe des Proklos (chrestomatheia 172) zeigt, in dem uns verlorenen kyklischen Epos → *Aithiopís* dargestellt. Auf seinen

Zweikampf mit Antilochos beziehen sich auch Hom. Od. 4,187–8 und Pind. P. 6,28–39, auf seinen Tod durch Achilleus Pind. N. 6,49–53. Mehrfach erwähnt Pausanias Darstellungen dieses Kampfes in der bildenden Kunst (so Paus. 3,18,12 auf dem Apollonthron in → Amyklai [1] und 5,19,2 auf der → Kypseloslade im Heraion zu Olympia). Diesem Duell war, so wie der Kampf zwischen Achilleus und Hektor durch eine vorher erfolgte Wägung der Schicksalslose (Hom. Il. 22,209–13) entschieden wurde, in der *Psychostasía* (→ ›Seelenwägung‹) des Aischylos (Aischyl. fr. 279–280a RADT = TrGF III 374–6) eine Wägung der Seelenlose vorangegangen (Plut. mor. 17a-b). Zu derselben Trilogie des Aischylos gehörte vielleicht auch der *M.* (fr. 127–130 RADT), dazu noch einige nicht eindeutig einem Stück zuzuordnende Fr. (fr. 300; 328–329 und 405 RADT). Welchen Stoff Sophokles in seinen *Aithíopes* (frg. 28–33 RADT) behandelte, wissen wir nicht; von einem *M.* ist nur der Titel überliefert. M. besitzt (wie Achilleus) von Hephaistos gefertigte Waffen (Prokl. chrestomatheia 172), die nach seinem Tode Aias erhält (Q. Smyrn. 4,456–459). Mit Aias hat M. vielleicht einen Zweikampf geführt (worauf Alkman fr. 68 PMGF weisen könnte). Laut Paus. 3,3,8 wurde M.s Schwert im Asklepiostempel zu Nikomedeia gezeigt.

Spätere Facetten des Stoffes bieten v. a. Diod. 2,22 (= Ktesias FGrH 688 F 1,22), der von einem Hinterhalt der Thessalier berichtet, dem M. zum Opfer fällt; Dion Chrys. 11,116–7, der Antilochos dem M. noch eine tödliche Wunde beibringen läßt; und Q. Smyrn. 2,300–38 mit einem Rededuell zw. M. und Nestor, in dem er den Kampf mit dem Älteren ablehnt. M.s geographischer Verortung im ägypt. Äthiopien (so Aischyl. fr. 300 RADT oder Plin. nat. 6,182) steht der mehrfach genannte enge Bezug zum pers. → Susa entgegen: Schon Aischylos (fr. 405 RADT = Strab. 15,3,2 p. 728) bezeichnet M.s Mutter als Kissierin (d. h. Susierin); Hdt. 5,44 nennt Susa die M.-Stadt, Paus. 4,31,5 erwähnt die dortigen »memnonischen Mauern«. Nach Paus. 1,42,3 soll M. aus Äthiopien gegen Ägypten und dann bis nach Susa gezogen sein, und so bricht M. folgerichtig nicht aus Äthiopien, sondern aus Susa nach Ilion auf (Paus. 10,31,5–7).

So ist auch die unterschiedliche Lokalisierung seines Grabes nicht verwunderlich: Auf das Grab am → Aisepos bezieht sich schon Hes. fr. 353 M.-W., dann auch Strab. 13,1,11 p. 587 oder Q. Smyrn. 2,585–587 (»wohin die Winde den M. tragen«), doch auch in Syrien (am Fluß Badas: Sim. fr. 539 PMG = Strab. 15,3,2 p. 728) oder Belas (Aristot. fr. 641,62 ROSE; nach Plin. nat. 6,182 habe Äthiopien über ganz Syrien geherrscht) oder in Susa (Diod. 2,22) wird es vermutet. Philostr. Ap. 6,4 berichtet gar, M. sei in Ägypten als König verstorben, und so erfolgt auch eine Trennung eines troischen vom ägypt. M. (vgl. M. [2]; Philostr. heroikos 26,16–18). Nach Philostr. imag. 1,7,2 befindet sich sein Grab nirgendwo, nach Ail. nat. 5,1 ist das Grab am Aisepos nur ein Kenotaph; dies ergibt sich aus der Trad. der von Zeus dem M. verliehenen Unsterblichkeit (Prokl. chrestomatheia 172).

A. KOSSATZ-DEISSMANN, s. v. M., LIMC 6.1, 448–61 (mit Lit.); Abb.: LIMC 6.2, 230–239. JO.S.

**[2] Memnonskoloß.** Vor dem (h. zerstörten) Totentempel Amenhoteps III. (→ Amenophis [3]) im Westen von Theben stehen zwei urspr. 21 m hohe Sitzstatuen (»Kolosse«) des Königs aus Quarzit; über ihren Transport aus dem Steinbruch von Heliopolis gibt es einen Bericht des Architekten. Neben den Beinen des Königs sind Figuren seiner Mutter und seiner Frau Teje angebracht. Aufgrund des ähnlich klingenden Thronnamens Amenhoteps (ägypt. *Nb-mꜣꜥt-Rꜥ*, babylon. als *Nib/mmu(a)rea* vokalisiert) wurde er von den Griechen mit dem homer. Memnon [1] gleichgesetzt; der Totentempel wurde daher als Memnon(e)ion, das ganze thebanische Westufer (schon in ptolem. Zeit) als Memnon(e)ia bezeichnet – entsprechend geht die Benennung des Totentempels Sethos' I. in Abydos als Memnonion (Strab. 17,813) auf eine Umdeutung seines Thronnamens (*Mn-mꜣꜥt-Rꜥ*, babylon. *Minmuarea*) zurück. Wie die Graffiti zeigen, galt das Königsgrab Ramses' VI. (dessen Thronname gleichfalls *Nb-mꜣꜥt-Rꜥ* lautete) im Tal der Könige als Grab des M. Die nördl. Statue wurde zu unbekannter Zeit schwer beschädigt (ob durch das Erdbeben im J. 27 v. Chr. ist ungesichert, vielleicht schon früher) und gab seit dieser Zeit in der Morgendämmerung bestimmte Töne von sich (erste Erwähnung bei Strab. 17,816), die als Begrüßung der Morgenröte durch ihren Sohn M. gedeutet wurden. Die genauere Natur des akustischen Phänomens ist ungeklärt, es ist aber durch eine Vielzahl von griech. und lat. Graffiti bezeugt (z. B. die Gedichte der → Iulia [10] Balbilla; → Literaturschaffende Frauen B.). In der Kaiserzeit war der Memnonskoloß die Hauptsehenswürdigkeit Thebens, u. a. von Germanicus (Tac. ann. 2,61) und Hadrian besucht, dessen Gefolge 27 Graffiti hinterließ. Die Statue wurde unter Septimius Severus restauriert und verstummte daraufhin.
→ Thebai

**1** A. und E. BERNAND, Les inscriptions greques et latines du Colosse de Memnon, 1960 **2** R. S. BIANCHI, s. v. M., LÄ 4, 23–24 **3** A. H. GARDINER, The Egyptian M., in: JEA 47, 1961, 91–99. K.J.-W.

**[3]** Rhodier, Bruder des → Mentor [3], Schwager des pers. Satrapen → Artabazos [4], nach Mentors Tod mit dessen Witwe → Barsine vermählt. Die Brüder erhielten von Artabazos in der Troas ein Lehen, verhalfen ihm im Streit mit dem Rivalen → Ariobarzanes [1] zur Freilassung aus dessen Gefangenschaft und nahmen an seinem Aufstand gegen → Artaxerxes [3] teil. Nach seinem Scheitern floh M. mit Artabazos um 353 v. Chr. nach Pella in Makedonien. Sein Bruder Mentor erwirkte als Lohn für seine Hilfe bei der Eroberung Ägyptens (343 v. Chr.) bei Artaxerxes ihre Rückkehr mit Amnestie. Sie brachten wichtige Nachrichten über die Pläne → Philippos' II. (s. → Hermias [1]).

Nach Mentors Tod erbte M. sein Lehen, doch wagte → Dareios [3] nicht, ihm auch den Oberbefehl anzuvertrauen. Ein Handstreich auf Kyzikos mißlang (Polyain. 5,44,5), doch konnte M. Philippos' Invasionsarmee 335 zurückdrängen und in Abydos [1] einschließen. Die Invasion → Alexandros' [4] d.Gr. (334 v.Chr.) wollte M. durch Verwüstung der bedrohten Gebiete lahmlegen, konnte das aber gegen die Satrapen nicht durchsetzen. Es folgte die Vernichtung des pers. Heeres durch Alexandros am → Granikos. Nun sandte M. seine Familie als Geiseln an den pers. Hof, erhielt das Oberkommando im Westen und versuchte, im festen Halikarnassos Widerstand zu organisieren. Doch wurde die Lage hoffnungslos und er entkam mit dem Gros der Armee. Jetzt plante er, da Alexandros seine Flotte entlassen hatte, nach Wiedereroberung der Inseln nach Griechenland überzusetzen und nahm mit → Agis [3] Kontakt auf. Doch starb er bei der Belagerung von Mytilene (Frühjahr 333) – »ein unschätzbares Glück« [1. 253] für Alexandros.

1 Berve 2, Nr. 497.

**[4]** *Stratēgós* von Thrakien unter → Antipatros [1]; er lehnte sich M. 331 v.Chr. gegen → Alexandros [4] auf und zwang so Antipatros zum Eingreifen, gerade als → Agis [3] seinen Krieg gegen Alexandros auf der Peloponnes eröffnete. Antipatros schloß mit M. einen ungünstigen Frieden, um sich dem gefährlichen Agis-Krieg zu widmen (Diod. 17,62,4–63,1). M. behielt sein Amt, sicher mit weiteren Zugeständnissen. E. 327 führte er Alexandros nach Indien Truppen zu. Da der Name M. zu dieser Zeit nur in der Familie von M. [3] vorkommt, muß er ihr angehört haben (vgl. Diod. 16,52,4) und ist wohl mit dem im Herbst 327 in Athen geehrten Enkel (?) von → Artabazos [4] identisch (s. Tod 2, 199). Wahrscheinlich wollte er noch vor dem Abmarsch zu Alexandros Athen besuchen.

E. Badian, Agis III., in: Hermes 95, 1967, 170–192 • Berve 2, Nr. 498 (falsch), 499. E.B.

**[5] M. aus Herakleia** [7] am Pontos, schrieb eine Lokal-Gesch. über Herakleia (*Perí Hērakleías*). Durch das Referat des Photios (Phot. bibl. 224) sind davon die B. 9–16 erhalten: Sie reichten vom Beginn der Tyrannis in Herakleia 364/3 v.Chr. bis zur Rückkehr Caesars nach Rom 47 v.Chr.; da Photios (ebd. p. 240a 9–11) unbestimmt von »den Büchern nach dem 16.« spricht, sind Gesamtumfang und Endpunkt unbekannt. Mit Sicherheit gehört M. der Kaiserzeit an, wobei aus stilistischen Gründen – Photios (ebd. p. 240 a 2) spricht vom ›nüchternen Charakter‹ (*ichnós charaktḗr*) des Werkes – nur die Zeit bis zum 2. Jh. n. Chr. in Frage kommen dürfte.

Der erste Teil war eine reine Stadtchronik, dagegen wurden seit ca. 335 v.Chr. die Ereignisse im gesamten Osten stärker berücksichtigt. Mit B. 14 trat auch die röm. Gesch. mehr und mehr in den Vordergrund, nicht zuletzt dank des Quellenwechsels, da M.s bisherige Hauptvorlage, → Nymphis von Herakleia, mit dem J. 247/6 abbrach. Die röm. Gesch. wurde mit einem Exkurs eingeführt, der von den Anfängen bis zur Schlacht von Magnesia [3] 190 v.Chr. reichte (M., cap. 18,1–5). Histor. bes. wertvoll ist die Darstellung des Dritten → Mithradatischen Krieges (cap. 27–37). Angesichts des vollständigen Verlustes der hell. Lokal-Lit. ist M. als einziger Vertreter dieses Typus von großer Bedeutung.

FGrH 434 mit Komm. • H. Bengtson, Röm. Gesch., ³1982, 206 • M. Janke, Histor. Unt. zu M. von Herakleia, 1963 • K. Meister, Die griech. Geschichtsschreibung, 1990, 127f. K.MEI.

**Memnonsvögel** (Μεμνονίδες; lat. *Memnoniae aves*). Eng mit dem Grab → Memnons [1] am Aisepos ist die Sage von den M. verknüpft. Nach Paus. 10,31,6 hatte schon → Polygnotos im Hadesbild der Knidier-Lesche in Delphi Memnon in einem mit Vögeln bemalten Gewand dargestellt, die uns erh. Versionen gehen wohl auf alexandrinische Gelehrtenpoesie zurück: Nach Q. Smyrn. 2,642–655 sind es die von → Eos in Vögel verwandelten Gefährten des Memnon (so auch Serv. Aen. 1,751, allerdings mit Kampfmotiv), die das Grab ihres Anführers mit Staub bedecken; nach Ov. am. 1,13,3–4 und Ov. met. 13,600–622 entstehen jährlich aus der Asche des Memnon zwei sich über dem Grab zerfleischende Vogelgruppen; das Verwandlungselement fehlt bei Paus. 10,31,6 (nur Grabpflege), Plin. nat. 10,74 und Ail. nat. 5,1 (hier jeweils mit dem ovidischen Kampfelement).

A. Kossatz-Deissmann, s.v. Memnonides, LIMC 6.1, 461–462 (mit Lit.). JO.S.

**Memoiren** s. Autobiographie

**Memor.** Der Maure M. war unter → Gallienus mit der Getreidebeschaffung in Äg. beauftragt und plante offenbar einen Umsturz. Auf Befehl des Theodotus wurde er um 262 n.Chr. von den Soldaten getötet, ohne zum Imperator ausgerufen worden zu sein (Zos. 1,38,1; Petros Patrikios, Excerpta de sententiis, p. 264 Nr. 160 Boissevain). PIR² M 490. T.F.

**Memoria (Mnemotechnik).** A. Memoria im rhetorischen System B. Mnemotechnik

A. Memoria im rhetorischen System

In der griech.-röm. Ant. gehörte es zu einem guten Vortrag, ihn auswendig, d.h. ohne schriftliche Vorlage, zu halten (Ausnahme: Ciceros Rede vor dem Senat nach der Rückkehr aus dem Exil, der er lediglich improvisierte Dankesworte voranstellte: Cic. Planc. 74). Auch war für den Redner das Erinnern von Phrasen, Gedanken, Argumenten des rhet. Systems unabdingbar: Die *m.*, das »Schatzhaus der Erinnerung«, ist Grundlage jeder Form von Rhet. (Cic. inv. 1,9; Rhet. Her. 3,28). Insofern ist die *m.* eine der fünf → *partes orationis* (Bearbeitungsphasen der Rede; z.B. Quint. inst. 3,3,1). Diese hohe theoret. Position des Erinnerungsvermögens führte dazu, daß die Rhetoriker sich auch mit dem

Gedächtnis sowie den Methoden und Hilfsmitteln des Auswendiglernens befaßten. Die so entstandenen Mnemotechniken (= Mn.), die bis in die heutige Zeit nachwirken (→ MNEMOTECHNIK), führen ein ›geschlossenes, technisch durchgebildetes System der Einprägung und der Wiedererinnerung vor, welches das zu merkende Material vollständig und durchgehend der Gedächtnisform adaptiert‹ [1. 1].

B. MNEMOTECHNIK

Griech. Vorstufen der Mn. werden → Simonides von Keos, → Hippias [5] und bes. → Theodektas zugeschrieben [1. 38–104]; ausführlichere theoret. Texte finden sich jedoch erst bei den röm. Rhetorikern (Rhet. Her. 3,28–40; Cic. de orat. 2,350–360; Quint. inst. 11,2,1–26). Alle unterscheiden zwischen *m. naturalis* (natürlichem Gedächtnis) und *m. artificiosa* (künstlichem Gedächtnis). Eine weitere Gemeinsamkeit der Darlegungen ist die Vorstellung von einer »Topographie« des Gedächtnisses, so daß beim Auswendiglernen *loci* (Orte) und *imagines* (Bilder) unterschieden werden. Der Dichter Simonides soll als erster den Zusammenhang zw. Ordnung und Gedächtnis erkannt haben (Cic. de orat. 2,351; Quint. inst. 11,2,11): Die einer bestimmten Ordnung gehorchenden, in Einheiten aufgebrochenen Orte sind gleichsam das bei jedem Vorgang des Memorierens wiederverwendbare Hilfsgerüst. Man stellt sich etwa ein Haus mit verschiedenen Zimmern oder Teile einer Stadt vor, wobei die *loci* einem dem Redner durch und durch bekannten realen (also durch die *m. naturalis* fixierten) Ort entsprechen sollten. Doch ist auch die Erfindung eines solchen Ortes möglich (was das Auswendiglernen aber kompliziert).

Auf diese *loci* werden die selbst geschaffenen, eindeutigen und auffälligen Bilder verteilt, die symbolhafter, emblematischer Ausdruck eines bestimmten Sachverhalts sind (z. B. ein Anker für die Seefahrt, ein Schwert für den Krieg). Diese Bildproduktion (deren Strategie bis in die mod. Werbung weiterverfolgt werden kann) nutzt alle Vorzüge und Mechanismen der Tropen (→ *tropus*) und wird auch Etym. und Phonetik als Hilfsmittel heranziehen. In der Erinnerung werden *loci* und *imagines* kombiniert, indem die Bilder an den Orten visuell aufgesucht werden, so daß eine sprachliche und visuelle Synästhesie der Erinnerung entsteht. Die Schwierigkeit dieser Methode besteht darin, daß das Gedächtnis zugleich das Hilfsmittel des Gedächtnisses ist, weshalb die Vergleiche mit schriftlicher Aufzeichnung (z. B. Rhet. Her. 3,30) nicht stichhaltig sind. Auch wenn diese Methode prinzipiell der Erinnerung von Worten und Inhalten nachhelfen soll, scheint die hochkomplizierte Anwendung der Mn. auf das Memorieren von Einzelversen, wie sie die Rhet. Her. 3, 34 empfiehlt, auf einem Mißverständnis des anon. Autors zu beruhen. Quint. inst. 11,2,23 ff. hingegen empfiehlt die Mn. primär zum Auswendiglernen von Reihenfolgen; beim eigentlichen Text solle man aber erst einmal auf das natürliche Gedächtnis und konventionelle Praktiken des Memorierens (lautes Lesen, Abschreiben, etc.) zurückgreifen. Auch wenn für Rom verschiedene Spitzenleistungen des Gedächtnisses verbürgt sind (Hortensius, Seneca d. Ä.: Sen. contr. 1, pr. 2; pr. 19) und die Mn. auch in den Rhet. einen prominenten Raum einnehmen, ist ihr Verbreitungsgrad nicht abschätzbar. Zusammenstellungen von Gedächtniskünstlern bei Sen. contr. 1, pr. passim; Quint. inst. 11,2,50f.; Plin. nat. 7,88–90.

→ Partes orationis; Rhetorica ad Herennium; Rhetorik; MNEMOTECHNIK

1 H. BLUM, Die ant. Mn., 1969 2 F. L. MÜLLER, Kritische Gedanken zur ant. Mn. und zum Auctor ad Herennium, 1996. C. W.

**Memoriales.** Kanzleibeamte in der ersten Abteilung der *sacra scrinia*, der kaiserlichen Büros, die im Röm. Reich seit dem späteren 3. Jh. n. Chr. nachweisbar sind und seit ca. 310 dem → *magister officiorum*, später dem *quaestor sacri palatii* unterstellt waren. Es war generell die Aufgabe der drei *scrinia* (*memoriae*, *epistolarum* und *libellorum*), den Kontakt zw. der Zentralverwaltung des Reiches und den Prov. zu organisieren. Die *m.* unter dem *magister memoriae*, bezeugt v. a. für den Ostteil des Reiches, waren nach dem Zeugnis der → *Notitia Dignitatum* insbes. zuständig für die Bearbeitung von Bittschriften, die sie durch Ausstellung von *adnotationes* im Namen des Kaisers beantworteten, doch wurden seit dem späteren 5. Jh. die Kompetenzen der drei *scrinia* nicht mehr deutlich voneinander unterschieden, und so wurden fortan deren Beamte generell als *m.* bezeichnet.

→ Scrinium

M. CLAUSS, Der magister officiorum in der Spätant. (4.–6. Jh.), 1980. F. T.

**Memphis.** Stadt in Äg., auf dem westl. Nilufer ca. 30 km südl. der Deltaspitze gelegen. Der Name M. (griech. Μέμφις; assyr. *Mempi*) ist aus dem Namen der Pyramidenstadt König Pepis I. (um 2300) entstanden, äg. *Mn-nfr-(Ppj)*. Der ältere Name »Weiße Mauer« (äg. *Jnb-ḥḏ*; *leúkon teíchos*/λευκὸν τεῖχος bei Hdt. 3,91 und Thuk. 1,104), wohl den bes. befestigten Kern der Siedlung bezeichnend, wird bis in späteste Zeit parallel zu M. gebraucht. Ab dem NR wird die Stadt auch nach dem Hauptheiligtum des Ptah als *Ḥwt-kꜣ-Ptḥ* (»Haus der Seele des Ptah«, babylon. *Ḫikuptah*) benannt, was später zum Namen des ganzen Landes (»Ägypten«) geworden ist.

Nahe M. gibt es einige Fundplätze vorgesch. Kulturen (Maʿādī, Ḥalwān); die Stadt selbst wurde nach Hdt. 2,99 von → Menes [1] gegr., dem mythischen ersten König Äg.s, der auch den ersten Ptahtempel errichtete. Sicher ist, daß M. schon in der Frühzeit Königsstadt war: In der Nähe liegt der Königsfriedhof der 1. Dyn., und die ersten Könige der 2. Dyn. waren dort begraben. Einige schon früh bezeugte Riten des äg. Königtums sind mit M. verbunden. Fraglich ist aber, ob im AR (3.–6. Dyn.) M. oder die jeweilige Pyramidenstadt die wirkliche Residenz war. Auf jeden Fall liegen alle königlichen Friedhöfe dieser Zeit in der näheren Umgebung von M. Auch in der Folgezeit war M. meist Hauptstadt Äg.s. Im MR lag die Residenz (*Jtj-tȝwj*) unweit von M., im NR war M. neben Theben (→ Thebai) und später der Ramsesstadt wichtigstes Zentrum, ebenso in der 25. Dyn., in der Saitenzeit (neben → Sais) und in der Perserzeit, als der Satrap in M. residierte. Durch die Gründung von Alexandreia wurde M. als Residenzstadt ersetzt, aber es blieb die Hauptstadt des eigentlichen Äg. Erst in röm. Zeit, v.a. nach Beginn der Christianisierung, verlor M. rasch an Bedeutung. Aufgrund seiner zentralen Lage war M. zu allen Zeiten bevorzugtes Verwaltungszentrum mit einem der wichtigsten Häfen, Ausgangspunkt der Feldzüge nach Asien und Libyen, größte Festung des Landes und Schlüssel zum Besitz ganz Äg.s. Während der gesamten pharaonischen Zeit war M. die Königsstadt schlechthin, ebenso die Stadt mit den ausgedehntesten Nekropolen.

Hauptgott von Memphis war Ptah (Schöpfergott und Patron der Handwerker), dessen Kult schon in der 1. Dyn. nachzuweisen ist. Ebenso alt ist die Verehrung des → Apis-Stieres, dessen Heiligtum nahe dem Ptahtempel liegt. Besonders prominent sind auch der Erdgott Sokar und in der Spätzeit der Kult des vergöttlichten Weisen Imhotep (→ Imuthes [2] (Ἰμούθης), z. T. mit Asklepios gleichgesetzt). Vom NR bis in ptolem. Zeit war M. eine ausgeprägt multiethnische Stadt; hier wurden schon früh auch fremde Götter wie Baal, Rešep, Astarte oder Qadeš verehrt.

Ausdehnung und Umfang von M. sind arch. nicht mehr festzustellen; es gibt Maßangaben bei Hdt. 2,99, Diod. 1,50, Strab. 17,807–8 und in ma. arab. Beschreibungen, aber alle ohne Bezugspunkt. Unsicher ist auch, ob sie die Nekropolen einschließen oder nicht. Von der Stadt ist nur sehr wenig erhalten; der Großteil des Steinmaterials ist beim Ausbau von Kairo verwendet worden. Die noch vorhandenen Ruinenfelder, v.a. der Bereich des Ptahtempels und der Palast des Apries im Norden, liegen h. weit westl. des Nils, der sein Bett seit dem NR ständig nach Osten verlagert hat. Die hauptsächlichen arch. Relikte sind die ausgedehnten Nekropolenbezirke, die sich im Westen der Stadt weit nach Süden und Norden erstrecken.

**1** H. Kees, s. v. M., RE 15, 660–688 **2** D. Thompson, M. under the Ptolemies, 1988 **3** Ch. Zivie, s. v. M., LÄ 4, 24–41.

K.J.-W.

**Memphites** s. Ptolemaios Memphites

**Memra** (*mēmrā*). Name einer syr. Gedichtform in isosyllabischen Reimpaaren, gewöhnlich als Kombination von 7 + 7 oder 12 + 12 Silben verwirklicht; erstere Kombination ist mit dem Namen → Ephraems des Syrers, letzere mit dem → Jakobs [3] von Sarūḡ verbunden. Viele *mēmrē* sind der Form nach Vershomilien, ein charakteristisches Genre der syr. Lit., das hauptsächlich durch → Narsai, Jakob von Sarūḡ und → Isaak [2] von Antiocheia, alles Autoren des 5.–6. Jh. n. Chr., vertreten ist.

A. Baumstark, Gesch. der syr. Lit., 1922, 40 (Ndr. 1968).

S.BR./Ü: A.SCH.

**Men.** Mondgott, bekannt vor allem aus ant. Inschr., Münzen und Bildwerken; wenige lit. Nachrichten [2. Bd. 3, 115–118].

A. Name
B. Zeitliche und geographische Stellung
C. Bildliche Darstellungen
D. Allgemeines

A. Name

Griech. Μείς/*Meís* bzw. Μήν/*Mḗn*, lat. *Mensis* und → *Luna* [1] (abgekürzt *L*). Oft kombiniert mit Epitheta folgenden Inhalts (soweit erkennbar): Kultgründer, z. B. M. Φαρνάκου/*Pharnáku* (»M., dessen Kult auf Pharnakes zurückgeht«, Strab. 12,3,31); geograph. und andere Attribute, z. B. Μοτελλείτης/*Motelleítēs* (»aus Motella«), Σωτήρ/*Sōtḗr* (»Retter«); Prädikationen, z. B. εἷς (»[M. ist] einzigartig«), μέγας (»[M. ist] groß«). Über die bei Lane [2. Bd. 3, 67–80] besprochenen Epitheta hinaus sind nachzutragen: M. Ἀκραῖος (»Burg-M.«, SEG 28,1168); M. Ἀξιοττηνὸς Περκον βασιλεύων (»M. Axiottenos, über Perkos (-on) als König herrschend«, [6. Nr. 6]); M. (ἐξ) Ἀρτεμιδώρου Ἀξιοττα κατέχων bzw. Ἀξιοττηνός (»M., dessen Kult auf Artemidoros zurückgeht und der Axiotta beherrscht«, [6. zu Nr. 79,1–2]); M. ἐξ Ἀττάλου (»M., dessen Kult auf Attalos zurückgeht«, EA 28, 1997, 70); M. Βασιλεύς (?, »König M.«, IK 9 [Nikaia], Nr. 43); M. Γαλληνός (ETAM 23, 1999, 89, Nr. 86); M. Κεραειτων (SEG 38,1321); M. Να[ν?]νῳ (Dativ; SEG 38, zu 1310; 44,1061); M. Ουαραθῳ (Dativ; unpubl.); M. Πετραείτης Ἀξετηνός [6. Nr. 38]; M. Πετραείτης ἐν Περευδῳ (»M. Petraeites in Pereudos (-on)«, SEG 34,1219); M. Πλονεάτης (SEG 34,1216).

B. Zeitliche und geographische Stellung

Elemente, die der persischen und der M.-Rel. gemeinsam sind, mögen Hinweise auf persische Herkunft sein [2. Bd. 3, 113 f.]. Ob die Gründung eines Filialkultes im pontischen Kabeira um 600 v. Chr. durch Pharnakes (s.o.) [2. Bd. 3, 67] histor. ist, bleibt unsicher. Aus dem 4./3. Jh. v. Chr. stammt eine kolchische Regelung, über deren Einhaltung u. a. »die Erdgöttin, der Sonnengott und der Mondgott«, [ἡ] Γῆ καὶ ὁ Ἥλιος καὶ ὁ Μείς, wachen sollen (SEG 45,1876,19). Weitere Monumente, bes. aus Attika, und Mz., die M. darstellen oder nennen, sind hell. Datums. Die Masse der Zeugnisse gehört der Kaiserzeit an [2. Bd. 1, Nr. 25: 383 n. Chr.]. Der Kult hinterließ die meisten Spuren in Kleinasien, bes. in Lydien und Phrygien; → Antiocheia [5] bei Pisidien, mit zahlreichen Resten der Kultstätte des M. *Askaenos* [2. Bd. 1; Bd. 4; 4. Bd. 2, 14, 24 f.; 5. 37–90], eines der zwei dort von Strabon (12,3,31; 8,14) erwähnten M.-Heiligtümer, und → Sillyon (Mz.); dort oder in → Perge ein Heiligtum des M. mit Asylrecht (IK 54, S. 27 Anm. 29). Kolchis (s.o.), Rom, Dakien und → Laodikeia [2] am Libanon markieren die Grenzen der Verbreitung des Kultes.

C. Bildliche Darstellungen

Dazu ausführlich [10]. Charakteristisch ist die Mondsichel, die über M.s Schultern emporragt. Sie allein symbolisiert oft den Gott, z. B. auf Stelen oder als Zeichen vor Prozessionen bei Mysterienfeiern (IK 17,1,3252,7–11). Fast immer trägt M. eine manchmal mit Sternen oder Kranz verzierte phrygische Kappe, dazu Ärmel- und Hosengewand, Chiton und Mantel; er ist auch langgewandet. Seine Hände halten ein Szepter (zur Bed. vgl. [6. zu Nr. 3,2–4]) bzw. einen in der Mondsichel endenden Stab, Thyrsos oder Fackel, Doppelaxt (EA 11, 1988, 27 Anm. 51), Pinienzapfen, Schale (*patera*), Früchteteller. Als Reittiere dienen ihm Pferd, Widder, Hahn (ihm geheiligt [2. Bd. 3, 116, T 7f.]). Wie → Kybele kann er von Löwen flankiert sein. Bei Darstellungen mit einem Stier stellt er oft einen Fuß auf den Kopf des überwundenen Tieres.

D. Allgemeines

M. herrscht über Orte (s.o.; vgl. M. *Týrannos*), wacht über das Recht [7. 21 Anm. 33], straft und rächt ([6]; IK 52, Nr. 49; 57; 339–342; 351f. u.ö.), spendet aber auch Reichtum (z. B. als Flußgott [2. Bd. 3, 107]) und Heil. Er ist Gott des Himmels (*Uránios*) und der Unterwelt (s.u.). Man verehrte ihn in Verbindung mit griech., ägypt. und einheim. Gottheiten; eine »Mutter des M.« sowie gemeinsamer Kult mit → Anaitis sind bezeugt ([2. Bd. 3, 81–98]; SEG 28,1232: mit → Leto). Kombinationen mehrerer Hypostasen, etwa M. *Petraeitēs* und M. *Labanas* [6. Nr. 35], werden genannt, auch neun Μῆνες/*Mēnes* der Unterwelt (IK 52, zu Nr. 351,4); der Gott erscheint auch im Zusammenhang mit einem → Zwölfgötter-Gremium (IK 52, zu Nr. 51). M. offenbarte sich in → Epiphanien, durch Boten [7. 9–14], → Orakel und Träume. Für seine Heiligtümer sind sakrale Würdenträger und Sklaven bezeugt. Gläubige wandten sich als Einzelpersonen oder im Familien- bzw. Kultverband (*Meniastaí* auf Rhodos [2. Bd. 1, Nr. 16f.], δοῦμος/*dúmos* u. a.) an den Gott. In dem vom lykischen Sklaven Xanthos auf Weisung des M. *Týrannos* in Attika gegründeten Kultverein (2./3. Jh. n. Chr.) unterlagen die Beobachtung der Reinheit sowie die Organisation der Opfer genauen Regeln (Syll.$^{3}$ 1042; LSCG 55; [2. Bd. 1, 7–10; Bd. 3, 7–16]). Man feierte gemeinsam M.-Mysterien (s.o.).

→ Mondgottheit

**1** W. Drexler, s. v. M., Roscher 2, 2687–2770 **2** E. Lane, Corpus Monumentorum Religionis Dei Menis, Bd. 1–4 (EPRO 19), 1971–1978 **3** Ders., M.: A Neglected Cult of Roman Asia Minor, in: ANRW II 18.3, 1990, 2161–2174 **4** S. Mitchell, Anatolia, Bd. 1–2, 1993 **5** Ders., M. Waelkens, Pisidian Antioch, 1998 **6** G. Petzl, Die Beichtinschr. Westkleinasiens (EA 22), 1994 **7** Ders., Die Beichtinschr. im röm. Kleinasien und der Fromme und Gerechte Gott (Nordrh.-Westf. Akad. Wiss., Vorträge G 355), 1998 **8** D. Salzmann, Neue Denkmäler des Mondgottes M., in: MDAI(Ist) 30, 1980, 261–290 **9** Ders., E. Lane, Nachlese zum Mondgott M., in: MDAI(Ist) 34, 1984, 355–370 **10** R. Vollkommer, s. v. M., LIMC 6.1, 462–473; 6.2, 239–255.

G. PE.

**Mena.** Laut Varro, Antiquitates rerum divinarum fr. 95 und 273 Cardauns (bei Aug. civ. 7,2–3; vgl. ebd. 4,11) eine Tochter des → Iuppiter und röm. Göttin der Menstruation. Die sonst nicht nachweisbare M. scheint griech. μήνη, *Mond* (personifiziert als *Ménē*/→ *Sēlēnē*), oder sprachlich wie inhaltlich verwandtem griech. μήν, lat. *mēnsis*, »(lunarer) Monat«, nachgebildet und greift die gebräuchliche Verbindung der Menstruation mit Monatszyklus und Mondeinfluß auf. M.s Wirkungsbereich überschneidet sich mit dem anderer Göttinnen (Iuno → Lucina oder Flu(vi)onia, Paul. Fest. 82,4f. L.). Realer Kult dürfte bei diesem gelehrten Konstrukt unwahrscheinlich sein.

→ Antiquare; Menstruation A. BEN.

**Menaḥem ben Yehuda.** Sohn (oder Enkel) des Judas Galilaios, der (wie auch sein Vater Hesekias) gegen Rom und Herodes kämpfte (Ios. ant. Iud. 18,1,6; 14,9,2) [2]. Judas wird von → Iosephos [4] Flavios als Begründer der sog. vierten (namenlosen, später mit dem negativen Begriff Sikarier, »Dolchträger« = »Mörder«, belegten [1. 50]) philos. Schule bezeichnet, die sich von den → Pharisaioi hauptsächlich durch ihre Freiheitsliebe und den Kampf für die absolute Herrschaft Gottes unterschied (Ios. ant. Iud. 18,1,1; 18,1,6) [3. 599; 1. 85–93]. Diesen Überzeugungen verpflichtet, war M. einer der Anführer der im jüd.-röm. Krieg (66–74 n. Chr.) gegen die röm. Besatzungsmacht kämpfenden Partei der → Zeloten. Er eroberte zu Beginn des Krieges die Festung → Masada und leitete die Kriegshandlungen in → Jerusalem, wobei er mit messianischem Anspruch auftrat (Ios. bell. Iud. 2,17,8; babylon. Talmud Sanhedrin 98b; Jerusalem. Talmud Ḥagiga 2,2 (77d) [1. 296–307]; Identifizierung in den rabbinischen Quellen umstritten [1. 339f.]). Nach der geglückten Einnahme des Herodespalastes, der Ermordung der sich ergebenden röm. Truppen sowie des auf Frieden und Ausgleich hinwirkenden Hohenpriesters Ananias durch M.s Truppen (66 n. Chr.) wurde er selbst durch die Anhänger des → Eleazaros [9], des Sohnes des Ananias, ermordet (Ios. bell. Iud. 2,17,9). Die Festung Masada verblieb in den Händen seiner Anhänger und wurde bis zum Schluß des Krieges von → Eleazaros [12], einem Verwandten M.s, verteidigt (Ios. bell. Iud. 7,9,1).

→ Zeloten

**1** M. Hengel, Die Zeloten. Unt. zur jüd. Freiheitsbewegung in der Zeit von Herodes I. bis 70 n. Chr., 1961 ($^{2}$1976) **2** F. Loftus, The Anti-Roman Revolts of the Jews and the Galileans, in: Jewish Quarterly Journ. 68, 1977, 78–98 **3** Schürer 2, 598–606.

I. WA.

**Menaichmos** (Μέναιχμος).

**[1] M. von Sikyon,** griech. Historiker und Antiquar des 4. Jh. v. Chr. Verf. einer Pythischen Gesch. (*Pythi-*

*kós*), die durch eine von Aristoteles verfaßte Liste der Sieger an den Pythischen Spielen in Delphoi verdrängt wurde (T 3) und deshalb zu Beginn der 330er Jahre vorgelegen haben muß (vgl. Syll.[3] 275). Eine Alexandergeschichte (*Historía hē katá ton Makedóna Aléxandron*) ist vollständig verloren (T 1), von einer Lokalgeschichte Sikyons (*Sikyōniká*) sind geringe Reste erh. Fr. einer Schrift ›Über Künstler‹ (*Perí technítōn*, F 3–6; 9) bebehandeln vornehmlich Probleme der Musikgeschichte.

FGrH 131 mit Kommentar • B. Meissner, Historiker zwischen Polis und Königshof, 1992, 206f. K. MEI.

**[2]** s. Manaichmos

**[3]** Der Mathematiker M. war Schüler des → Eudoxos [1] und Freund Platons. Er soll zu Alexander d.Gr. gesagt haben, es gebe keinen Königsweg zur Geometrie (Stobaios, Anthologium 2,228 Wachsmuth). M. gilt als Begründer der Lehre von den Kegelschnitten. Seine Beschäftigung mit ihnen hängt mit seiner Lösung des Problems der Würfelverdopplung (des »Delischen Problems«) zusammen: Er zeigte, daß man diese Lösung entweder durch den Schnitt von zwei Parabeln oder von einer Parabel mit einer Hyperbel erhalten kann. Dies trifft zu, da sich aus der Proportion $a : x = x : y = y : b$, auf die das Problem der Würfelverdopplung führt (→ Hippokrates [5] von Chios), die drei Gleichungen $x^2 = ay$, $y^2 = bx$, $xy = ab$ ergeben. Die beiden ersten stellen Parabeln, die letzte eine rechtwinklige Hyperbel dar. Der Schnittpunkt der beiden Parabeln oder einer Parabel mit der Hyperbel liefert also die Lösung $x$ des »Delischen Problems«. Zu M.s Verfahren s. [1] und [3. Bd. 1, 253–255].
→ Mathematik

1 O. Becker, Das mathematische Denken der Ant., 1957, 82–85 2 I. Bulmer-Thomas, s. v. Menaechmus, in: Gillispie, Bd. 9, 1974, 268–277 3 T. L. Heath, A History of Greek Mathematics, Bd. 1, 1921, 251–255; Bd. 2, 1921, 110–116. M. F.

**[4]** Bildhauer aus Naupaktos. Mit Soidas schuf M. eine Goldelfenbeinstatue der → Artemis Laphria in Kalydon, die Augustus nach Patrai versetzte. Laut Pausanias 7,18,9–10 wurde sie in das frühe 5. Jh. v. Chr. datiert, weshalb sie nicht in einer stilistisch jüngeren Artemis auf lokalen Münzbildern zu erkennen ist. Möglich ist Identität mit dem Bildhauer gleichen Namens, der laut Plinius ein bronzenes Stierkalb schuf und über sein Werk geschrieben habe; da auch → Athenaios [3] (2,65b; 14,635b) die Schrift eines M. von Sikyon ›Über Künstler‹ zit., muß nicht zwingend Verwechslung mit dem gleichnamigen Historiker M. [1] vorliegen.

G. Cressedi, s. v. M., EAA 4, 1961, 1013 • Overbeck, Nr. 479. R. N.

**Menainon, Menai** (Μέναινον, Μέναι). 459 v. Chr. von → Duketios auf Sizilien gegr. *pólis* (Diod. 11,78,5), h. Mineo, 15 km östl. von Caltagirone. 396 v. Chr. von → Dionysios [1] I. eingenommen (Diod. 14,78,7). Nach der röm. Eroberung *civitas decumana* (Cic. Verr. 2,3,102), dann *stipendiaria* (Plin. nat. 3,91). In spätant. Zeit war M. Stützpunkt des sizil. *théma*. 830 von den Arabern erobert. – Kleine Br.-Funde aus der Zeit nach der röm. Eroberung, ebenso Mz.

G. V. Gentili, Fontana-ninfeo di età ellenistica nella zona detta Tomba Gallica, in: NSA 1965, 192ff. • A. Messina, s. v. Menai, PE 571. AL. MES./Ü: H. D.

**Menalippos** (Μενάλιππος; lat. *Menalippus*). Bruder des → Tydeus, von diesem bei der Jagd unabsichtlich getötet (Hyg. fab. 69; schol. Stat. Theb. 1,402; 2,113; TRF I, 190ff., dort als Variante auch »Melanippus«). CL. K.

**Menalkas** (Μενάλκας). Bukolischer Dichter, zusammen mit Daphnis Protagonist von Theokr. 8. Von seiner nicht erwiderten Liebe zu Daphnis sprechen schon → Hermesianax (fr. 2 und 3 Powell) und → Sositheos (fr. 1a–3 Snell). Der Name kehrt in → Vergilius' *Bucolica* häufig wieder, gewiß als *alter ego* des Dichters und auch als Figur, die auf eine tragische Liebesgeschichte verweist. Die Person des M. ist wohl nicht historisch.

F. Michelazzo, s. v. Menalca, Enciclopedia Virgiliana, 3, 1987, 477–480 (mit Lit.). S. FO./Ü: T. H.

**Menalkidas** (Μεναλκίδας). Spartaner radikal-proröm. Ausrichtung, der 168 v. Chr. in Alexandreia wegen Eigentumsdelikten inhaftiert, aber als Günstling des C. → Popillius Laenas begnadigt worden war (Pol. 30,16,2). 151/0 betrog M. als Stratege des Achaierbundes (→ Achaioi mit Karte) in der Korruptionsaffäre um das achaiische Engagement für Oropos den → Kallikrates [11], bestach → Diaios und floh, in dem eskalierenden achaiisch-spartan. Konflikt zum Tod verurteilt, nach Rom (149/8); dort förderte M.' Agitation den Ausbruch des Achaiischen Krieges (Paus. 7,11,7–12,9; vgl. Pol. 38,18,6), in dessen Verlauf er von seinen spartan. Gegnern zum Selbstmord gezwungen wurde (Paus. 7,13,7f.).

P. Cartledge, A. Spawforth, Hellenistic and Roman Sparta, 1989, 87–89 • J. Deininger, Der polit. Widerstand gegen Rom in Griechenland, 1971, 220–222. L.-M. G.

**Menambis.** Nach Ptol. (6,7,38; 8,22,13, Μενάμβις βασίλειον) Hauptstadt in → Arabia Felix, nach der Ptol.-Karte nordwestl. vom Κλῖμαξ ὄρος/*Klímax óros* gelegen und eine Tagesreise von → Magulaba. Es könnte sich um eine königliche Grenzfestung der Ḥaḍramiten (→ Ḥaḍramaut) gegen die Ḥimyār (Homeritai) und Sabäer (→ Saba) gehandelt haben. Möglicherweise hängt der Name mit den dort laut arab. Quellen (Hamdānī, Ǧazīra 167 Müller) in islam. Zeit siedelnden Banū Munabbih zusammen.

H. v. Wissmann, M. Höfner, Beitr. zur histor. Geogr. des vorislam. Südarabien (AAWM, Geistes- und Sozialwiss. Klasse), 1952, Nr. 4, 37, 40, 114 • H. v. Wissmann, Zur Gesch. und Landeskunde von Altsüdarabien (SAWW, Phil.-histor. Klasse 246), 1964, 416, 417 (Karte). I. T.-N.

**Menandros** (Μένανδρος).

**[1]** Die Athener M. und Euthydemos [1], die sich bereits in Sizilien befanden, wurden gegen E. 414 v. Chr. während der »Sizilischen Expedition« zu Mitstrategen des → Nikias gewählt, um ihn bis zur Ankunft der Hilfsexpedition des Demosthenes [1] (413) zu unterstützen (Thuk. 7,16,1; Plut. Nikias 20,2); wiedergewählt 413/12 (Plut. Nikias 20,6–8; Thuk. 7,69,4; Diod. 13, 13,2). Vielleicht identisch mit dem M., der 409 in Abydos kämpfte (Xen. hell. 1,2,16). Mit → Tydeus *stratēgós* (405/4) bei der Niederlage von → Aigos potamoi (Xen. hell. 2,1,16; 26; Plut. Alkibiades 36,6); Todesart unbekannt.

Develin 152f. • PA 9857 • Traill, PAA 641065. K.KI.

**[2]** *Hetaíros* von → Alexandros [4] d.Gr. M. führte anfangs die griech. Söldner und wurde 333 v. Chr. Satrap (→ *satrápēs*) von Lydia; doch erstreckte sich sein Gebiet bis nach Mysia (Syll.[3] 302). 324/3 wurde er abberufen und führte Alexandros in Babylon Truppen zu (Arr. an. 7,23,1; 24,1). Er soll am Gelage des → Medios [2] teilgenommen haben. Nach Alexandros' Tod erhielt M. Lydia zurück, schloß sich aber 321, als → Antigonos [1] in Asien landete, diesem an und diente ihm als Offizier gegen → Eumenes [1] (Plut. Eumenes 9; Diod. 18,59,1). M. ließ sich von → Apelles [4] porträtieren (Plin. nat. 35,93).

**[3]** *Hetaíros* von → Alexandros [4] d.Gr. M. soll, als er sich weigerte, ein Garnisonskommando anzunehmen, von diesem getötet worden sein (nur Plut. Alexandros 57,3). Die Anekdote kann kaum wahr sein. E.B.

**[4]** Menander, der bedeutendste Dichter der Neuen Komödie in Athen.

A. Leben und Werdegang B. Werk
C. Charakteristik D. Nachleben

A. Leben und Werdegang

M. wurde 342/1 v. Chr. geboren [1. test. 2] und starb, 52 Jahre alt [1. test. 2, 3, 46], 291/0 [27], angeblich durch Ertrinken im Piräus [1. test. *23]. Er soll den Militärdienst der Epheben (→ Ephebeia) gemeinsam mit → Epikuros absolviert haben [1. test. 7]; ob der Komödiendichter → Alexis, sein Lehrer [1. test. 3], auch sein Onkel war [1. test. 6], bleibt zweifelhaft. Bezeugt sind Verbindungen zum → Peripatos: → Theophrastos wird als M.' Lehrer genannt [1. test. 8], und das Wohlwollen des → Demetrios [4] von Phaleron [1. test. 10] soll M. nach dessen Sturz sogar in polit. Gefahr gebracht haben [1. test. 9]. Mit etwas mehr als 20 Jahren führte er sein erstes Stück, *Orgḗ* (›Der Zorn‹), auf (321; 1. test. 3, 49), seinen ersten Wettkampfsieg (an den Dionysien?) errang er 315 [1. test. 48]; andererseits ist für den wahrscheinlich 316 aufgeführten *Dýskolos* ein Sieg an den Lenäen bezeugt [1. test. 50]. Wohl 312 und 311 wurde er mit *Hēníochos* bzw. *Paidíon* nur fünfter [1. test. *51]. Nur wenige weitere Stücke lassen sich annähernd datieren (*Méthē*: vor 318; *Olynthía*: bald nach 314/3). Insgesamt soll M. 105 [1. test. 46], 108 [1. test. 1, 3, 63] oder 109 [1. test. 46] Stücke geschrieben, aber nur achtmal gesiegt haben [1. test. 46; vgl. test. 98]; der größere Erfolg seines Rivalen → Philemon erregte schon in der Ant. Befremden [1. test. 71, 101, 114].

B. Werk

Aufgrund der wenigen Nachrichten zur Chronologie orientiert sich der folgende Überblick am Stand der Wiederentdeckung von M.' Dramen. Ganz oder großenteils sind derzeit folgende Stücke bekannt:

1) Ἀσπίς (*Aspís*, ›Der Schild‹; etwa die ersten 60 % erh.): Ein treuer Sklave verteidigt mit Witz und Einfallsreichtum die Schwester seines scheinbar auf dem Schlachtfeld als Söldner umgekommenen Herrn vor ihrem habgierigen Onkel, der sie als reiche Erbin heiraten möchte.

2) Δύσκολος (*Dýskolos*, ›Der Griesgram‹, einziges bisher fast ganz erh. Stück): Einen menschenfeindlichen Bauern (Titelfigur) bringen die (zunächst eher erfolglosen) Bemühungen mehrerer Personen, vor allem aber ein eigener Unfall dazu, seine Tochter einem reichen Stadtjüngling, der sich durch Einwirkung des Gottes Pan (Prologfigur) in sie verliebt hat, zur Frau zu geben.

3) Ἐπιτρέποντες (*Epitrépontes*, ›Das Schiedsgericht‹; erh. fast der ganze 2. und Teile des 1. und 3. bis 5. Aktes): Ehekrise bei einem jungverheirateten Paar, hervorgerufen durch des Ehemanns Annahme, das fünf Monate nach der Hochzeit geborene Kind stamme von einem anderen, bis sich – vor allem durch das Wirken einer »guten« Hetäre – herausstellt, daß der Mann selbst der Erzeuger war; das Kind ist der Streitpunkt der glänzenden Schiedsgerichtsszene im 2. Akt, die dem Stück den Namen gab.

4) Κόλαξ (*Kólax*, ›Der Schmeichler‹; erh. etwa 140 V. oder Versteile aus verschiedenen Szenen): Ein Soldat (unterstützt von der Titelfigur) und ein junger Mann (vielleicht unterstützt von einem Parasiten) rivalisieren um eine Hetäre, die in der Gewalt eines Bordellwirts ist.

5) Μισούμενος (*Misúmenos*, ›Der Gehaßte‹; dank zahlreicher Papyri aus dem 1. bis 5./6. Jh. n. Chr., die die Popularität des Stücks belegen, sind inzwischen über 590 V. ganz oder teilweise vorhanden): tiefes Zerwürfnis zw. einem Soldaten (Titelfigur) und seiner (kriegsgefangenen) Konkubine, die ihn für den Mörder ihres Bruders hält, bis dieser lebend erscheint.

6) Περικειρομένη (*Perikeiroménē*, ›Die Geschorene‹; erh. etwa 450 V. aus allen fünf Akten): Ein eifersüchtiger Soldat hat seiner Gefährtin die Haare abgeschnitten, weil sie scheinbar mit einem anderen erwischt wurde, der sich aber als ihr Zwillingsbruder herausstellt.

7) Σαμία (*Samía*, ›Die Frau aus Samos‹, mit über 730 vorhandenen Versen das am zweitbesten erh. Stück): Mißverständnisse zw. Vater und Sohn retardieren die (von allen Personen des Stücks gewünschte!) Hochzeit des Sohnes mit der Nachbarstochter, die dieser während des Vaters Abwesenheit geschwängert hat; die hilfreiche Konkubine (Titelfigur) des Vaters wird fast ein unschuldiges Opfer der Krise.

8) Σικυώνιος/-οι (*Sikyṓnios/-oi*, ›Der/Die Sikyonier‹; etwa 420 z. T. sehr fragmentarische V. erh., darunter eine lange quasi-tragische Botenrede mit deutlichen Bezügen zu Eur. Or. 866ff.): Thema ist Identität und Liebesglück eines Offiziers (Titelfigur), der sich als Athener und Bruder desjenigen herausstellt, der ihm die Geliebte streitig machen will.

Einzelne Szenen oder Szenenteile sind bisher von folgenden Stücken ans Licht gekommen: 1) *Geōrgós* (›Der Bauer‹); 2) *Dís exapatṓn* (›Der zweimal Betrügende‹: POxy. 4407 enthält 113 z. T. allerdings sehr zerstörte Verse, die Plaut. Bacch. 494–562 entsprechen); 3) *Hḗrōs* (›Der Schutzpatron‹); 4) *Theophoruménē* (›Die von einem Gott Besessene‹); 5) *Karchēdónios* (›Der Mann aus Karthago‹); 6) *Kitharistḗs* (›Der Kithara-Spieler‹); 7) *Kōneiazómenai* (›Die Schierlingstrinkerinnen‹); 8) *Leukadía* (›Das Mädchen aus Leukas‹); 9) *Perinthía* (›Das Mädchen aus Perinthos‹; laut Ter. Andr. 9–14 war die von ihm nachgebildete *Andría* M.' diesem Stück in vielem ähnlich); 10) *Phásma* (›Das Gespenst‹).

C. Charakteristik

M. kann als Höhepunkt und Vollender der Neuen → Komödie bezeichnet werden: Er beherrscht alle ihre Konventionen und kann daher mit ihnen – und den Erwartungen seines Publikums – spielen. Die in den Stücken auftretenden Figuren mit ihren typischen Eigenschaften wurden vor M. entwickelt, von ihm aber souverän eingesetzt und dabei zum Teil individualisiert; hier gibt es nicht nur bramarbasierende, sondern auch edel empfindende und treu liebende Soldaten (*Misúmenos, Perikeiroménē, Sikyṓnios/-oi*) und nicht nur geldgierig-egoistische, sondern auch gutmeinend-einfallsreiche Hetären (*Epitrépontes, Samía*). Die große Lebensnähe, mit der M. das bürgerliche Leben Athens (auch mit seinen oft subtilen juristischen Seiten) auf die Bühne bringt [28. 94–141], wurde bereits in der Ant. gerühmt [1. test. 83]. Auch wies schon Quintilian darauf hin, wie stark M. sich offensichtlich von → Euripides [1] inspirieren ließ [1. test. 101]; das Neben- und teilweise Ineinander von komischen und tragischen Situationen ist für M.' Komödien typisch. Auch seine Sprache wurde sehr bewundert [1. test. 101, 103f.]: Sie ist einheitlicher als die des → Aristophanes [3], zeigt aber zugleich bei der Charakterisierung individueller Sprecher großen Nuancenreichtum [30. 201–251].

Bei M. findet sich zum ersten Mal (wenn auch wohl nicht von ihm erfunden) das feste Fünf-Akt-Schema, das für die weitere europ. Theater-Gesch. verbindlich wurde. Bemerkenswert ist die flexible Gestaltung der Exposition: Eigentliche Prologe (z. T. von Göttern, die damit eine »höhere« Perspektive ins Geschehen bringen) finden sich oft (*Aspís, Epitrépontes?, Hḗrōs?, Misúmenos?, Perikeiroménē, Phásma*) erst nach einer dialogischen Eingangsszene. Vor Aktschlüssen werden gern neue dramatische Entwicklungen eingeleitet; gegen Stückende finden sich verstärkt farcenhafte Elemente [28. 59].

D. Nachleben

Die literarhistor. Beschäftigung mit M. begann früh: Dem eher anekdotischen Werk (in 2 B.) seines jüngeren Zeitgenossen → Lynkeus [1. test. 75] folgte die wichtige Studie des → Aristophanes [4] von Byzanz, der M. als Darsteller des menschlichen Lebens hoch schätzte [1. test. 83] und seine Beziehungen zu Vorgängern offenbar genau untersuchte [1. test. 76]. Von Timachides (= Timachidas von Rhodos) ist ein Komm. zum *Kólax* des M. bezeugt [1. test. 77], von → Didymos [1] Chalkenteros [1. test. 78] und von Soteridas [1. test. 79] Gesamtkommentare, Zusammenfassungen der Stücke von Homeros Sellios [1. test. 80], von → Latinus [4] 6 B. über Anleihen des M. bei anderen Dichtern [1. test. 81], von Nikadios (?) und Harmatios (?) ein Komm. zur *Theophoruménē* [1. test. 82].

Mehr als 70 bildliche Darstellungen des Dichters sind noch erh.; ihr Archetyp wurde zu Beginn des 3. Jh. v. Chr. im athenischen Dionysostheater errichtet [1 test. 25]. Ebenso gibt es bemerkenswert viele Abbildungen zu M.' Stücken; Wandgemälde und Mosaiken (in Oescus, Pompeii, Mytilene, Kydonia, Ephesos) zeigen Szenen aus *Achaioí, Encheirídion, Epitrépontes, Theophoruménē, Kybernḗtai, Leukadía, Messēnía, Misúmenos, Perikeiroménē, Plókion, Samía, Sikyṓnios/-oi, Synaristṓsai, Phásma.*

Diese Darstellungen belegen auch M.' nunmehr großen Bühnenerfolg, denn obwohl er zu Lebzeiten Philemon oft unterlag (vgl. oben), galten seine Stücke später als »dramatischer« [1. test. 84]. Eine Wiederaufführung des *Phásma* 262 oder 258 errang einen 2. Platz [1. test. 53], eine weitere ist für 167 bezeugt [1. test. 55], eine des *Misogýnēs* für 193 [1. test. 54]. M.' Stücke wurden beliebte Vorlagen für röm. Dramatiker [1. test. 62]: für → Plautus (*Adelphoí α'/Stichus, Dís exapatṓn/Bacchides* [29], *Synaristṓsai/Cistellaria; Ápistos* oder *Thēsaurós?/Aulularia*), → Caecilius [III 6] Statius (*Andría?, Andrógynos, Dárdanos, Ímbrioi, Karínē?, Naúklēros?, Plókion, Progamṓn, Pōlúmenoi, Synaristṓsai, Synéphēboi, Títyē?, Hymnís, Hypobolimaíos?, Chalkeía*), → Turpilius (*Dēmiurgós, Epíklēros, Thrasyléōn, Kanēphóros, Leukadía*), → Luscius [I 2] Lanuvinus (*Thēsaurós?, Phásma*), → Atilius [I 1] (*Misogýnēs*), → Terentius (*Adelphoí β', Andría, Hautón timōrúmenos, Eunúchos*; außerdem verwendete er Teile des *Kólax* und der *Perinthía*), → Afranius [4] (*Thaís*; vgl. auch [1. test. 66f.]). Aus der Kaiserzeit sind als Nacheiferer → Vergilius Romanus [1. test. 68] und → Pomponius Bassulus [1. test. 69] bezeugt.

Den röm. Dichtern Ovid [1. test. 90–92], Manilius [1. test. 94], Martial [1. test. 98] gilt M. als Inbegriff der griech. Komödie, ebenso vielen Vertretern der kaiserzeitlichen Rhet. (Theon [1. test. 108], Quintilian [1. test. 100f.], Dion [I 3] von Prusa [1. test. 102], Apuleius [1. test. 114], Hermogenes [1. test. 116], Themistios [1. test. 126]). Klar den Vorzug vor Aristophanes erhält M. bei Plutarch [1. test. 103f.]; bei Ausonius steht er auf einer Stufe mit Homer [1. test. 128]. Wie eifrig M. bis ans Ende der Ant. gelesen wurde (im Westen las noch Sidonius die *Epitrépontes* im Original [3. I p. xxiii], im

Osten ist M.-Lektüre bis ins 7. Jh. nachweisbar [3. ebd.]), zeigt die Fülle der Papyrusfunde, die nur hinter Homer und Euripides zurücksteht. Mit der Durchsetzung des strengen sprachlichen → Attizismus (2. Jh. n. Chr.) aber beginnt M.' Stern zu sinken: Der Grammatiker → Phrynichos zieht gegen die Hochschätzung M.' bei den Gebildeten seiner Zeit zu Felde [1. test. 119]; auch → Iulius [IV 17] Pollux akzeptiert ihn nur bedingt als sprachliches Vorbild [1. test. 120]. Diese Kritik führt dazu, daß M. aus dem höheren Unterricht herausfällt und deshalb nach den »Dunklen Jh.« in Byzanz kein Text mehr vorhanden ist, der für die Transliteration in die Minuskel zur Verfügung gestanden hätte. Erh. bleiben lediglich eine Slg. von Sentenzen (Monosticha) aus M.' Stücken [24], an die sich viel Unechtes angelagert hat, und etwa 900 (meist kurze) Zitat-Fr., davon ein großer Teil wegen ihres moralisierenden Inhalts in der Anthologie des Iohannes → Stobaios. 1844 gab es erste bescheidene Neufunde, und seit 1905 (Entdeckung des Kairoer Codex) sind durch Papyri immer größere Teile von M.' Werk zurückgewonnen worden (Einzelheiten bei [3. I p. xxvi-xxix]).

→ Komödie; Komödie

Ed.: Testimonia und Zitat-Fr.: **1** PCG VI 2, 1998.
Texte auf Papyrus: **2** F. H. Sandbach, ²1990
**3** W. G. Arnott, Bd. I: *Aspís – Epitrépontes*, 1979;
Bd. 2: *Hḗrōs – Perinthía*, 1996.
Komm. der auf Papyrus erh. Texte:
**4** A. W. Gomme, F. H. Sandbach, 1973.
Kommentierte Einzelausg.:
Aspís: **5** C. Austin, 1969–70 **6** F. Sisti, 1971
**7** A. Borgogno, 1972 **8** J.-M. Jacques, 1998.
Dýskolos: **9** E. W. Handley, 1965 **10** J.-M. Jacques, ²1976 **11** St. Ireland, 1995.
Epitrépontes: **12** U. v. Wilamowitz, 1925 **13** F. Sisti, 1991 **14** A. Martina, 1997.
Misúmenos: **15** F. Sisti, 1985.
Perikeiroménē: **16** M. Lamagna, 1994.
Samía: **17** C. Austin, 1969–70 **18** J.-M. Jacques, 1971
**19** F. Sisti, 1974 **20** D. M. Bain, 1983 **21** M. Lamagna, 1998.
Sikyṓnios/-oi: **22** R. Kassel, 1965 **23** A. M. Belardinelli, 1994.
Menandri Monosticha: **24** S. Jaekel, 1964.
Lit.: **25** A. G. Katsouris, Menander Bibliography, 1995
**26** H.-D. Blume, Menander, 1998 **27** St. Schröder, Die Lebensdaten Menanders, in: ZPE 113, 1996, 35–48
**28** N. Zagagi, The Comedy of Menander: Convention, Variation and Originality, 1994 **29** O. Zwierlein, Zur Kritik und Exegese des Plautus 1, 1990, 24–40; 2, 1992
**30** M. Krieter-Spiro, Sklaven, Köche und Hetären: Das Dienstpersonal bei Menander, 1997. H.-G. Ne.

**[5] M. aus Ephesos,** angeblich Schüler des → Eratosthenes [2] (T 1), ca. 200 v. Chr. M. beschrieb nach Iosephos (c. Ap. 1,116 = T 3c) ›die Ereignisse bei Griechen und Barbaren unter den einzelnen Königen nach den einheimischen Quellen‹ und verfaßte somit eine Universalchronik auf chronographischer und dokumentarischer Grundlage. Dank seiner ›Übersetzung der alten Aufzeichnungen der Tyrier‹ (so T 3 a und b) war er speziell für die Gesch. von Tyros ein wichtiger Gewährsmann. Von den sieben erh. fr. ist bes. F 4 aufschlußreich.

Ed.: FGrH 783.
Lit.: O. Lendle, Einführung in die griech. Geschichtsschreibung, 1992, 202–205 • L. Troiani, Osservazioni sopra l'opera storiografica di Menandro d'Efeso, in: S. F. Bondì u. a. (Hrsg.), Studi in onore di E. Bresciani, 1985, 521 ff. K. Mei.

**[6] M. I. Soter,** einer der wichtigsten indogriech. Könige, etwa in der Mitte des 2. Jh. v. Chr., sowohl in der griech. und röm. als auch in der indischen Lit. bekannt. Nach Strabon (11,11,1), der Apollodoros von Artemita folgte, war er zusammen mit → Demetrios [10] der eigentliche Eroberer Indiens. Pompeius Trogus (41) behandelt indische Gesch. während der Zeit des → Apollodotos und des M. Das Reich des M. erstreckte sich vom Hindukusch bis an den Pandschab, wurde aber nach seinem Tod geteilt: Im Osten herrschten seine Witwe → Agathokleia [4] und sein Sohn Straton. Nach M.' Tod wurde seine Asche auf mehrere Städte verteilt (Plut. mor. 821). In seinen zahlreichen Mz. ist M. als mittelindischer Menaṃdra Tratara, in Inschr. als Mine(ṃ)dra bekannt. Sein Ruhm lebt in Indien im *Milindapañha* fort, einem buddhistischen Werk, das Dialoge zwischen M. (Milinda) und dem buddhist. Heiligen Nagasena enthält.

→ India

Bopearachchi, 76–88, 226–247 • O. Bopearachchi, Ménandre Sôter, un roi indo-grec. Observations chronologiques et géographiques, in: Studia Iranica 19, 1990, 39–85 • G. Fussman, L'indo-grec Ménandre ou Paul Demiéville revisité, in: Journal Asiatique 281, 1993, 61–138. K. K.

**[7]** Sohn des Melas, Bildhauer aus Athen, tätig in Delos im späteren 2. Jh. v. Chr. Neben Weihungen an Sarapis schuf er für das Vereinshaus der Berytier eine verlorene Poseidonstatue. Seine Signatur an der Basis der dort erh. Roma-Statue bezieht sich vielleicht nicht auf diese, da die Basis zu späterem Zeitpunkt verändert oder wiederverwendet wurde.

L. Guerrini, s. v. M. (1), EAA 4, 1961, 1016 • A. Linfert, Kunstzentren hell. Zeit, 1976, 114 • J. Marcadé, Recueil des signatures de sculpteurs grecs, 2, 1957, 67 f. • Ders., Au musée de Délos, 1969, 128–133 • H. Meyer, Zur Chronologie des Poseidoniastenhauses in Delos, in: MDAI(A) 103, 1988, 203–220 • A. Stewart, Attika, 1979, 65. R. N.

**[8] M. II. Dikaios.** Indogriech. König in → Arachosia und → Gandaritis, etwa im 1. Jh. v. Chr., nur durch seine Mz. belegt. Von seinem großen Namensgenossen und Vorgänger M. [6] I. Soter ist er durch seinen Beinamen und ganz verschiedene Münztypen getrennt. Auf seinen Mz. ist M. als mittelindischer Menaṃdra Dhramika bekannt.

→ India

Bopearachchi, 108 f., 313–316. K. K.

**[9]** M. aus Laodikeia, Kavallerie-Offizier → Mithradates' VI., mit Taxiles und Diophantos [2] im Gefolge des gleichnamigen Königssohns, als dieser im 1. → Mithradatischen Krieg 85 v. Chr. gegen C. Flavius [I 6] Fimbria am → Rhyndakos bei Miletopolis in Bithynia kämpfte (Memnon FGrH 434 F 1,24,4; [1. 175]). Im 3. Mithradat. Krieg wurde M. 71 von Sornatius, einem Legaten des Licinius [I 26] Lucullus, bei → Kabeira in Pontos geschlagen (Plut. Lucullus 17,1) und auf dem Triumphzug des → Pompeius am 28./29.9.61 mitgeführt (App. Mithr. 573; [2. 409 f.]).

1 L. Ballesteros Pastor, Mitrídates Eupátor, 1996 2 Th. Reinach, Mithradates Eupator, 1895 (Ndr. 1975).

E. Olshausen, Zum Hellenisierungsprozeß am Pontischen Königshof, in: AncSoc 5, 1974, 153–170. E.O.

**[10]** Sohn des Diogenes, Bildhauer aus Dokymeion. Eine spätheil. Sitzstatue des Zeus aus Antiocheia in Pisidia trägt seine Signatur.

H. Buckler, Monuments from Iconium, Lycaonia and Isauria, in: JRS 14, 1924, 30 f. Nr. 9 • L. Guerrini, s. v. M. (2), EAA 4, 1961, 1016. R.N.

**[11]** Gnostiker aus Samaria (Kapparetaia), lehrte um die Wende vom 1. zum 2. Jh. n. Chr. im syr. Antiocheia. Iust. Mart. apol. 1,26,4 bezeichnet ihn als Schüler → Simons und als Magier. Nach Irenaeus (adv. haereses 1,23,5) versprach er, über die weltschöpferischen Engel Macht ausüben zu können. Er selbst sei der von der ersten Kraft gesandte Heiland (*salvator*); wer sich auf ihn taufe, erlange Unsterblichkeit; seine Schüler seien → Satornil und Basilides. Alle diese Nachrichten verdienen wenig Vertrauen, da sie dem Versuch entspringen, einen Stammbaum der Häretiker (→ Häresie) zu bilden. Spätere Quellen sind von Iustinos [6] und Irenaeus (= Eirenaios [2]) abhängig.
→ Gnosis

C. S. Clifton, Menander the Samaritan, in: Encyclopedia of Heresies and Heretics, 1992, 95. J.HO.

**[12] M. Rhetor.** Griech. Rhetor des späten 3. Jh. n. Chr. aus Laodikeia am Lykos. Die ihm in der Suda zugeschriebenen Schriften (Komm. zu Hermogenes, Minukianos, wohl auch zu Demosthenes u. a.) sind verloren, überl. sind unter seinem Namen zwei Traktate über Typen der epideiktischen Rede: Der erste behandelt u. a. solche auf Götter, Länder und Städte, der zweite gibt Vorschriften für Ansprachen vor hohen Würdenträgern und zu bes. Anlässen (erstmals auch für die Geleitrede). Aufgrund sprachlich-stilistischer Unterschiede schließen manche [2] die Autorschaft derselben Person aus, eine Überl.-Variante des Titels der ersten Schrift im Cod. Parisinus 1741 deutet vielleicht auf → Genethlios als Verf.; andere [3] weisen beide Traktate dem M. zu.

Ed. mit Übers. und Komm.: 1 D. A. Russell, N. G. Wilson, 1981.
Lit.: 2 L. Pernot, Les topoi de l'éloge chez M. le rhéteur, in: REG 99, 1986, 33–53 3 J. Soffel, Die Regeln Menanders für die Leichenrede, Diss. Mainz, 1974. M.W.

**[13] M. Protektor.** Byz. Historiker in der 2. H. des 6. Jh. n. Chr., Jurist, lebte als Offizier der Palastgarde der *protectores* in Konstantinopel und verfaßte als Fortsetzung des → Agathias, den er auch stilistisch imitierte, seine *Historíai* (›Geschichte‹) über die Zeit von 558 bis 582. Erh. sind davon gut 70 Exzerpte bei → Konstantinos [1] VII. Porphyrogennetos und in der → Suda; einige anon. Exzerpte in der Suda lassen sich wohl ebenfalls M. zuschreiben. M. bevorzugte in seiner Darstellung offenbar den Osten des Reichs; er bemühte sich u. a. durch Heranziehung von Gesandtschaftsberichten (Fr. 6,1 über die Friedensverhandlungen von 561 zw. Kaiser Iustinianus I. und Chosroes I. von Persien) und von Urkunden um Objektivität und fügte zahlreiche geogr. und ethnologische Exkurse ein. Als einzige ausführliche zeitgenössische Quelle über den Berichtszeitraum wurde das Werk von späteren byz. Historikern häufig verwendet. M. ist auch der Verf. des Epigramms Anth. Pal. 1,101.

Ed.: R. C. Blockley, The History of Menander the Guardsman, 1985.
Lit.: O. Veh, Beitr. zu Menander Protektor, 1955 • B. Baldwin, Menander Protector, in: Dumbarton Oaks Papers 32, 1978, 99–125. AL.B.

**Menapii.** Volk an der Nordseeküste im h. Flandern, urspr. auch jenseits des Rheindeltas (Caes. Gall. 4,4,2; Strab. 4,3,4). 56/5 v. Chr. überschritten die german. → Usipetes und → Tencteri den Rhein und vertrieben die M. aus ihrer rechtsrhein. Heimat (Caes. Gall. 4,4). Die Grenze der nach der Unterwerfung unter Rom 53 v. Chr. (Etappen der Eroberung: im J. 58, Caes. Gall. 2,4,9; im J. 56, Caes. Gall. 3,9,10; 3,28 f.; Cass. Dio 39,44; im J. 55, Caes. Gall. 4,22,5; 38,3; im J. 53, Caes. Gall. 6,5,6) gebildeten *civitas Menapiorum* verlief im Norden und Westen die Küste entlang von der Maasmündung bis zur Aa, diese aufwärts bis östl. St. Omer, um südl. auf die Leie zu stoßen, diese abwärts bis zur Mündung der Deule, diese aufwärts nach Süden bis nach Carvin und über Orchie zur Scarpe; nach deren Mündung in die Schelde, deren Hauptarm in der Ant. nicht direkt ins Meer, sondern in die Maas mündete, bildete diese die Grenze [1].

Vor der röm. Herrschaft waren die M. eine verstreute, sozial egalitäre Ges., was arch. bestätigt wird. Bemerkenswert ist aber die Kontinuität indigenen Materials in röm. Zeit. Statt der Entstehung gallo-röm. *vici* oder *villae rusticae* überlebten die autochthonen, nach Familienverbänden gegliederten Siedlungseinheiten, entwickelten sich kleinere dörfliche Strukturen (z. B. Asper, Eke, Sint-Martens-Latem). In vielen kulturellen Bereichen verharrten die M. in vorröm. Trad. [2]. Kommerzielle Aktivitäten entfalteten sie in der Salzgewinnung, im Salzhandel (CIL XI 390 [3]) und in der Vermarktung ihres berühmten Schinkens (Mart. 13,54;

Edictum Diocletiani 4,8). Spärliche Reste des Hauptorts Castellum (Ptol. 2,9,5; Tab. Peut. 2,2; Itin. Anton. 376; CIL XIII 9158; h. Cassel, Dep. Nord), in der Spätant. verlassen [4], sind erh. Stärker romanisiert war der südl. Teil der *civitas* zw. Leie und Schelde bzw. Deule und Scarpe, die h. Pévèle, mit den röm. *vici* Cortoriacum (h. Kortrijk), Gent (Ganda?), Kruishoutem und Turnacum; in diocletianisch-constantinischer Zeit war Turnacum Hauptort, die *civitas* wurde in *civitas Turnacensium* umbenannt (vgl. Not. Gall. 6,8).

1 S.J. DE LAET, Les limites des cités des Ménapiens et des Morins, in: Helinium 1, 1961, 20–34 2 F. VERMEULEN, Moderate Acculturation in the Fringe Area of the Roman Empire..., in: Bull. de l'institut historique belge de Rome 62, 1992, 5–41 3 E. WILL, Le sel des Morins et des Ménapiens, in: M. RENARD (Hrsg.), Hommages à A. Grenier 3, 1962, 1649–1657 4 P. LEMAN, Chef-lieu de la cité des Ménapiens, in: Les villes de la Gaule Belgique au Haut-Empire, Actes du colloque Saint Riquier 1982, 1984, 139–147. F.SCH.

**Menas** (Μηνᾶς).

**[1]** Einer der Spartiaten, die 421 v. Chr. den → Nikias-Frieden und die Symmachie mit Athen beschworen (Thuk. 5,19,2; 5,24,1); in der Zeit zwischen den Verträgen war er einer der Gesandten, die vertragsgemäß die Übergabe von → Amphipolis an Athen garantieren sollten, aber infolge des Widerstandes des dortigen Kommandanten → Klearidas keinen Erfolg hatten (Thuk. 5,21). K.-W. WEL.

**[2]** s. Menodoros [1]

**[3]** Sohn des Aias, Bildhauer aus Pergamon. Laut erh. Signatur schuf M. um die Mitte des 2. Jh. v. Chr. die aus Magnesia am Sipylon (Istanbul, AM) stammende Statue Alexandros' [4] d.Gr., deren Vorbild in Pergamon stand.

L. GUERRINI, s. v. M. (1) (Abb.), EAA 4, 1961, 1016 · LIPPOLD, 271, 359 · B.S. RIDGWAY, Hellenistic Sculpture, 1, 1990, 144. R.N.

**[4]** Ägypt. Märtyrer (?), † 295 (296) n. Chr. in Kotyaion (Phrygien). M. zog sich aus dem röm. Militärdienst in die Wüste zurück und verkündigte im Circus von Kotyaion seinen christl. Glauben. Er soll nach einem Prozeß hingerichtet worden sein. Legenden – aus dem Kopt. ins Griech. und über das Arab. ins Äthiop. übersetzt – berichten von reger Wundertätigkeit um seine Kultstätte in der Mareotis/Unterägypten. Der Kult des Heiligen verbreitete sich über Alexandreia [1] nach Rom.

F. JARITZ, Die arab. Quellen zum hl. M., 1993. K.SA.

**Menches** oder mit griech. Namen Asklepiades (*ho kai Asklēpiádēs héllēn enchṓrios tōn katoíkōn*), Sohn des Petesouchos bzw. griech. Ammónios (*tu kai Ammoníu*), Enkel des Asklepiades (PTebtunis I 164), ist ein typisches Beispiel für graeco-ägypt. Doppelnamen im ptolem. Äg., die je nach Kontext benutzt werden konnten. M. wurde im August 119 v. Chr. als → *kōmogrammateús* von Kerkeosiris wieder ernannt und amtierte bis 111 v. Chr. M.' »Archiv« (PTebt I; IV) ist die wichtigste Quelle für das Amt des *kōmogrammateús* in ptolem. Zeit. Die notwendigen Zahlungen zur Amtsernennung des M. wurden von einem Dorion, *tōn prṓtōn phílōn* in Alexandreia, geleistet, ohne daß wir etwas über die dahinterstehende Absicht oder die Verbreitung des Brauches sagen könnten.

A. VERHOOGT, M., Komogrammateus of Kerkeosiris, 1998. W.A.

**Mende** (Μένδη). Ortschaft an der Westküste der → Pallene beim h. Kalandra (Chalkidische Halbinsel), eine Kolonie von Eretria [1], die ihre im 6. Jh. v. Chr. beginnende Blüte ihrem berühmten Wein und dem Gewinn aus dessen Export verdankte; auf den Wein nehmen auch die Abb. auf den Mz. der Stadt, deren Prägung noch im 6. Jh. einsetzte, Bezug. In den Athener Tributquotenlisten ist M. mit einem zw. fünf und neun Talenten schwankenden Tribut verzeichnet. Nach Ausbruch des → Peloponnesischen Krieges im J. 431 blieb M. anfangs auf der Seite der Athener und trat erst 423 auf Betreiben der Oligarchen zu den Spartanern über, konnte aber kurz darauf zurückgewonnen werden. In der 1. H. des 4. Jh. konnte M. seine Autonomie bis zur Eroberung durch Philippos II. weitgehend wahren; der Niedergang begann erst mit der Gründung der Stadt Kassandreia (→ Poteidaia), zu deren Territorium es in der Folgezeit gehörte. In der Lit. wird M. für das J. 199 v. Chr. ein letztes Mal als *maritimus vicus* von Kassandreia genannt.

F. PAPAZOGLOU, Les villes de Macedoine à l'époque romaine, 1988, 427–429 · M. ZAHRNT, Olynth und die Chalkidier, 1971, 200–203. M.Z.

**Mendes** (äg. *ʿnp.t* oder *(Pr-bꜣ-nb)-Ḏd.t*; mod. Tall al-Rubʿ). Stadt im nö Nildelta, Metropole des 16. unteräg. Gaues und Kultort des Widdergottes *Bꜣ-nb-Ḏd.t* (»Widder, Herr von M.«). Neuere Grabungen haben ausgedehnte Befunde schon des AR, u.a. einen Beamtenfriedhof der 6. Dyn. (2290–2157 v. Chr.) und der 1. Zwischenzeit (2154–2040) aufgedeckt. Bauteile belegen den Tempel des NR. Eine bes. Blüte erlebte M. in der Spätzeit und Ptolemäerzeit (8.–1. Jh. v. Chr.); in der röm. Kaiserzeit ging die Bed. von M. auf das benachbarte → Thmuis (Tell Timai) über.

H. DE MEULENAERE, s. v. M., LÄ 4, 43–45. S.S.

**Mene** s. Selene

**Menedaios** (Μενεδάϊος). Spartiat, 426 v. Chr. in Akarnanien im Kriegsrat des Eurylochos [2], nach dessen Niederlage und Tod bei Olpai Kommandeur der dortigen peloponnes. Truppen. Der athen. Befehlshaber Demosthenes [1] gewährte ihm nach geheimer Absprache freien Abzug unter Preisgabe der Ambrakiotai (Thuk. 3,100,2; 109,1–3; [1. 30].

1 J. ROISMAN, The General Demosthenes and His Use of Military Surprise, 1993. K.-W. WEL.

**Menedemos** (Μενέδημος).

**[1]** wurde 329 v. Chr. von → Alexandros [4] d.Gr. mit 1500 Mann Söldnerinfanterie, zusammen mit Karanos und dessen 800 berittenen Söldnern und Andromachos mit 60 → Hetairoi zum Entsatz der von → Spitamenes belagerten Burg von → Marakanda geschickt. → Pharnuches, ein lykischer (doch sicher von pers. Ansiedlern abstammender) Dolmetscher, wurde ihnen beigegeben, da er mit den Einwohnern und ihrer Sprache vertraut war (Arr. an. 4,3,7). Durch die Inkompetenz der Offiziere und mangelnde Koordination geriet die Truppe in einen Hinterhalt und wurde von Spitamenes und seinen skythischen Verbündeten aufgerieben (Arr. an. 4,5,3–9: aus Ptolemaios (?); anders 6,1: aus → Aristobulos [7]). Pharnuches wird von Arrianos (nur an. 4,5,5; die anderen Stellen sind zweideutig) als Oberbefehlshaber bezeichnet; in gleichem Sinne zitiert er Aristobulos (Arr. an. 6,1 ff.), der jedoch den Pharnuches leugnen läßt, den Oberbefehl zu haben. Wahrscheinlich sollte er, wie er dabei sagt und Arrianos andeutet, nur Führer und Unterhändler sein, doch wurde dann dieses schwerste Debakel des Feldzugs zur Entlastung der maked. Offiziere ihm zugeschrieben. Curtius (7,6,24.7,31–39) nennt nur M. und erzählt romanhaft.

A. B. Bosworth, A Historical Commentary on Arrian's History 2, 1995, 23–25; 32–35 (mit anderer Interpretation).

E.B.

**[2]** aus Kroton, besiegte und vernichtete als Stratege 317 v. Chr. die von dort vertriebenen Aristokraten, wurde dann Tyrann und fiel bei der Eroberung der Stadt 295 durch → Agathokles [2] (Diod. 19,10,3 f.; 21,4).

K.MEI.

**[3]** Rhodier, der 304 v. Chr. mit drei Trihemiolen erfolgreich Seekrieg gegen → Demetrios [2] führte, viele Proviantschiffe und eine Tetrere erbeutete und den Erlös verkaufte bzw. an Ptolemaios I. schickte.

H. Hauben, Het Vlootbevelhebberschap in de vroege Diadochentijd, 1975, 69 f.

W.A.

**[4] M. aus Pyrrha**. Schüler Platons, der 339/8 v. Chr. bei der Wahl zum Scholarchen der → Akademeia wie Herakleides [16] Pontikos mit nur wenigen Stimmen gegen → Xenokrates unterlag (Philod. Academicorum index 6,37–7,9 = T 7 L.). Er zog sich neben Platon selbst und Speusippos den Spott des Komikers Epikrates [4] zu (T. 5 L. = Epikrates fr. 5 PCG). Wie viele Platonschüler wirkte er polit.: Nach Plut. adv. Colotem 32 (= T 6 L.) hat er für seine Heimatstadt eine Staatsverfassung ausgearbeitet.

F. Lasserre, De Léodamas de Thasos à Philippe d'Oponte, 1987, 91–96, 305–309, 523–529.

K.-H.S.

**[5] M. aus Eretria**, geb. 350/45, gest. 265/60. Seit dem gemeinsamen Studium zunächst bei → Stilpon in Megara, dann bei → Anchipylos und → Moschos in Elis in lebenslanger Freundschaft mit → Asklepiades [3] aus Phleius verbunden, später, nachdem die beiden Mutter und Tochter geheiratet hatten, auch durch familiäre Beziehungen (Diog. Laert. 2,126; 137). Dank den bei Diog. Laert. (2,129–132; 137–138) erh. Exzerpten aus dem ›Leben des M.‹ des → Antigonos [7] aus Karystos kennen wir eine Reihe von Details aus dem Zusammenleben der beiden in Eretria und andernorts. Seit dem Beginn des 3. Jh. spielte M. im polit. Leben Eretrias eine führende Rolle. Später unterhielt er enge persönliche Beziehungen zu Antigonos Gonatas. 274/73 und 268 hatte er in Delphi die Funktion eines Hieromnemon inne. Bald darauf mußte er Eretria aus polit. Gründen verlassen. Er begab sich zunächst nach Oropos, dann an den Hof des Antigonos [2] Gonatas in Pella. Dort soll er sein Leben selbst beendet haben (Diog. Laert. 2,140–143). M. war mit den Dichtern → Aratos [4], → Lykophron und → Antagoras befreundet (Diog. Laert. 2,133). In einem nach ihm benannten Satyrspiel des Lykophron war dargestellt, wie der Chor der Satyrn in eines der Symposien des M. eindrang, bei denen der Reichtum der Gespräche die Kärglichkeit der Kost ausglich (TrGF 100, 2–4).

Antigonos aus Karystos berichtet (bei Diog. Laert. 2,136), M. habe keinerlei Schriften verfaßt und sich auch auf keine bestimmte Lehrmeinung festgelegt, sei jedoch ein äußerst streitbarer Debattierer gewesen. Diog. Laert. 2,135 zufolge ›hob M. die verneinenden Aussagen auf und setzte an ihre Stelle bejahende; und von diesen akzeptierte er die einfachen, die nicht einfachen aber hob er auf‹. Unklar ist, worauf M. mit dieser Doktrin hinauswollte. Wahrscheinlich war sie von ihm ebensowenig ernst gemeint wie jene andere, die er von seinem Lehrer → Stilpon übernahm, daß man nichts von etwas anderem aussagen, sondern nur reine Identitätsaussagen machen dürfe, weil man andernfalls voneinander verschiedene Dinge durch das Wörtchen »ist« fälschlicherweise miteinander identifiziere (Simpl. in Aristot. phys. 91,28–31). Auf dem Gebiet der Ethik vertrat M. wie → Eukleides [2] aus Megara die Auffassung, daß es nur ein einziges Gutes bzw. eine einzige Tugend gebe und daß das, was man als einzelne Güter bzw. einzelne Tugenden bezeichne, nur unterschiedliche Namen für das eine Gute bzw. die eine Tugend seien (Plut. de virt. mor. 440e). Cicero (ac. 2,129) schreibt M. die Ansicht zu, daß dieses eine Gute ›im Denken begründet sei und in der Schärfe des Denkens, mit der das Wahre erkannt werde.‹

→ Elisch-eretrische Schule

Ed.: 1 D. Knoepfler, La vie de Ménédème d'Erétrie de Diogène Laërce, 1991 2 B. A. Kyrkos, Ὁ Μενέδημος καὶ ἡ Ἐρετρικὴ σχολή, 1980 3 SSR III F.
Lit.: 4 K. Döring, M. aus Eretria, in: GGPh², 1998, 2.1, § 18 B.

K.D.

**[6]** 3. Jh. v. Chr.; Schüler des Epikureers → Kolotes (Diog. Laert. 6,102), dann des Kynikers Echekles von Ephesos (ebd. 6,95). Nach einem Interpretationsvorschlag von [1] bezieht sich der ihm gewidmete Abschnitt bei Diog. Laert. 6,102 in Wirklichkeit auf → Menippos [4], der in den Abschnitten 6,99–101 behandelt wird, wobei die Verwechslung infolge einer falschen Interpretation der Abkürzung Μεν entstanden sei. Diese Hypothese wird von dem in der Suda s.v. Φαιός (4,180, p. 710, Z. 13–19 ADLER) bestätigt. Bei dem M., von dem Athenaios (4, 162 E) und Eus. Pr. Ev. 14,5,13) sprechen, handelt es sich sehr wahrscheinlich um M. [5] von Eretria.

PHercul. 208 und 1032 bewahren Auszüge aus zwei Werken des Kolotes (*In Plat. Lys.*; *In Plat. Euthyd.*), in denen dieser gegen einen gewissen M. polemisiert. Dabei handelt es sich wohl eher um den Kyniker [2; 5] als um den Philosophen M. [5] aus Eretria [3], von dem es heißt, er habe keine Schriften hinterlassen (Antigonos von Karystos in Diog. Laert. 2,136).
→ Epikureische Schule; Kynismus

ED.: 1 W. CRÖNERT, Kolotes und M., 1906 (Ndr. 1965), 1–4, 167–170 2 SSR II 588f.; IV 581–583.
LIT.: 3 A. CONCOLINO MANCINI, Sulle opere polemiche di Colote, in: CE 6, 1976, 61–67 4 K. DÖRING, Sokrates, die Sokratiker und die von ihnen begründeten Traditionen, GGPh² 2.1, 1998, 305 5 M. ERLER, Zur Polemik des Epikureers Kolotes gegen M., GGPh² 4.1, 1994, 236–238 6 M. GIGANTE, Cinismo e Epicureismo, 1992, 74–78.
M.G.-C./Ü: S.P.

**[7] M. aus Alabanda,** Offizier → Antiochos' [5] III., war 218 v. Chr. als Führer eines Truppenteils am Durchbruch durch die ptolem. Stellungen am Fluß Lykos [15] bzw. an dem schmalen Küstensaum bei Berytos und 217 als Anführer von Thrakern bzw. Leichtbewaffneten an der Schlacht von → Raphia beteiligt (Pol. 5,69,4; 5,79,6f.; 5,82,10f.). S. auch M. [8].

H. H. SCHMITT, Unt. zur Gesch. Antiochos' d.Gr., 1964, 19.

**[8]** M., identisch mit M. [7]?, ist 193 v. Chr. als Stratege → Antiochos' [5] III. für Medien und als Generalstatthalter für die Oberen Satrapien inschr. erwähnt [1. 5–8; 2. 469–471].

1 L. ROBERT, Hellenika. Recueil d'épigraphie, de numismatique et d'antiquités grecques, in: Hellenica 7, 1949, 5–8 2 ROBERT, OMS 5, 1989, 469–471 3 H. H. SCHMITT, Unt. zur Gesch. Antiochos' d.Gr., 1964, 19.
A.ME.

**[9]** Nach Caes. civ. 3,34,4 mächtigster Mann (*princeps*) des sog. freien westl. Makedonien (*pars, quae libera appellatur*). Er bekundete Caesar 48 v. Chr. die Loyalität seiner Landsleute und erhielt dafür das röm. Bürgerrecht (Cic. Phil. 13,33). Nach Übernahme der Prov. ließ ihn der Republikaner M. Iunius [I 10] Brutus E. 44 wegen (befürchteter) Illoyalität hinrichten (Cic. Phil. 13,33).
W.W.

**Menekleidas** (Μενεκλείδας). Thebanischer Redner und Politiker des 4. Jh. v. Chr. Die Hauptquelle (Plut. Pelopidas 25, 290f–291d) beschreibt ihn als zwar wortgewaltigen, aber intriganten Mann, der → Epameinondas aus der Boiotarchie drängte und → Pelopidas u.a. dadurch herabzusetzen suchte, daß er Charon gegen ihn ausspielte. In einem Paranomieprozeß (Anklage wegen eines gesetzwidrigen Beschlußantrages) wurde M. zu einer hohen Geldstrafe verurteilt, was ihn nicht an weiterem Agitieren gegen Thebens Staatsordnung hinderte. Nepos (Epaminondas 5,2) überl. zwei Beispiele für Anfeindungen des M. gegen Epameinondas und dessen schlagfertige Antworten (vgl. auch Plut. mor. 542b), Plut. mor. 805c nennt M. als Musterbeispiel für einen, der aus Neid einen verdienten Staatsmann herabsetzt.
M.W.

**Menekles** (Μενεκλῆς).
**[1]** Athener, war 350 und 347 v. Chr. → *synḗgoros* für Boiotos (→ Mantitheos [3]) und seine Mutter → Plangon in zwei Gerichtsverfahren (Demosth. or. 39,2; 40,9f.; 32). Angeblich ein Sykophant, wurde M. selbst vom Sohn der Ninos angeklagt. Die Anklagerede (Deinarch. fr. 33 CONOMIS) wurde → Deinarchos zugeschrieben.

SCHÄFER, Beilagen 1885, 211–226 · PA 9908 · TRAILL, PAA 643135.
J.E.

**[2]** M. aus Barka in Nordafrika, griech. Historiker und Antiquar des 2. Jh. v. Chr. Von seiner ›Geschichte Libyens‹ (*Libykaí historíai*) in vier B. sind nur wenige Angaben (über Kyrene) erhalten. Ferner schrieb M. wohl ein Sammelwerk (*Synagōgḗ*) ethnographischen Inhalts und ein Werk mit Erklärungen seltener Wörter (*Glōssókomon*). Die Identifizierung mit → M. [3] ist unsicher. FGrH 270.

**[3]** Autor oder Bearbeiter eines periegetischen Werkes *Perí Athēnō̂n* (›Über Athen‹), das vor der Zerstörung der Stadt durch Sulla 86 v. Chr. entstanden sein muß. Erh. sind aus einem einzigen Buch entnommene Fr., die mit ›M. und Kallikrates‹ oder aber ›Kallikrates oder M.‹ eingeführt sind; welcher der beiden Autor, welcher Bearbeiter ist, muß ebenso offen bleiben wie die Identifizierung mit M. [2] aus Barka. FGrH 370.
K.BRO.

**[4]** Rhetor des 2. und 1. Jh. v. Chr. aus Alabanda in Karien (Strab. 14,2,26=661), zu dessen Schülern die später nach Rhodos übergesiedelten Redelehrer → Apollonios [5] und → Molon zählten (Strab. 14,2,13=655). Cicero, der letzteren 78 auf Rhodos hörte, charakterisiert die von M. und seinem Bruder → Hierokles [2] gepflegte Richtung des asianischen Stiles: Vorliebe für brillant formulierte, aber oft überflüssige und nicht zweckdienliche Sentenzen (Cic. Brut. 325f.), mangelnde Variation bei Rhythmisierung (→ Prosarhythmus) der Klauseln (Cic. orat. 231); insgesamt hält er aber M. und Hierokles für die am ehesten positiv zu bewertenden Vertreter des → Asianismus (ebd.) und betont ihre Breitenwirkung (de orat. 2,95). Das auf Pap. gefundene Fr. einer nach dem Vorbild des Arginusenprozesses (→ Arginusai) gestalteten Anklage gegen einen Schiffskommandanten [1] könnte dem M. zuzuweisen sein.

1 K. JANDER (Hrsg.), Oratorum et Rhetorum Gr. fragmenta nuper reperta, 1913, 26–30.
M.W.

**Menekrates** (Μενεκράτης).

**[1]** Att. Komödiendichter des 5. Jh. v. Chr., von dem noch zwei Stücktitel, Ἑρμιονεύς (oder Ἑρμιόνη?) und Μανέκτωρ (wohl ›Manes als Hektor‹), überliefert sind [1. test. 1] sowie aus letzterem ein anapästischer Tetrameter (fr. 1). Ob M. einmal an den Dionysien gewann, ist unsicher [1. test. *2].

1 PCG VII, 1989, 1–2. H.-G.NE.

**[2]** Griech. Tragiker, siegte an den Großen Dionysien 422 v. Chr. (TrGF 35 T 1), vielleicht identisch mit dem viermal an den Dionysien (nach 430) und einmal an den Lenäen (ca. 431) erfolgreichen Schauspieler. B.Z.

**[3] M. aus Syrakus.** Griech. Arzt, wirkte um 350 v. Chr.; er glaubte, der Körper sei aus vier Elementen aufgebaut, Blut, Galle (beide heiß) sowie Pneuma und Phlegma (beide kalt; Anon. Londinensis 19) (→ Säftelehre). Ein (angeblich erfolgloser) Behandlungsversuch eines Epilepsiekranken wird von Caelius [II 11] Aurelianus (Morb. chron. 1,140) erwähnt, doch behauptet Athenaios (7,289) daß M. diejenigen, die er von der Krankheit geheilt hatte, zu seinen Sklaven machte und ihnen Götternamen gab. Man nannte ihn Zeus, entweder wegen seiner wundergleichen Heilungen (Plut. Agesilaos 21) oder wegen seiner eigenen verrückten Selbsteinschätzung oder seiner Theomanie (Ail. var. 12,51) [1]. Über sein merkwürdiges Verhalten in Gegenwart von (oder in Verbindung mit) Agesilaos [2] oder Philippos von Makedonien waren noch Jahrhunderte nach seinem Tod Witze in Umlauf (Ail. var. 21; Athenaios 7,289; Plut. Agesilaos 21; Plut. apophthegmata regum 5; Plut. apophthegmata Laconica 59). Der Respekt, den medizinische Schriftsteller späterer Zeiten seinen Ansichten zollten, spricht allerdings dafür, daß er nicht immer der verrückte Hanswurst war, als der er oft karikiert wurde.

1 O. Weinreich, M. Zeus und Salmoneus, 1933. V.N./Ü: L.v.R.-B.

**[4] von Xanthos,** griech. Historiker des 4. Jh. v. Chr. M. schrieb in ion. Dial. eine ›Lykische Gesch.‹ (*Lykiaká*) in mind. zwei B. Erh. sind einige auf die mythische Zeit bezogene fr. (F 2: Lykische Bauern; F 3 Aineiassage mit Stilprobe!). FGrH 769. K.MEI.

**[5]** M. zwang zu unbekanntem Zeitpunkt – wenn in den Diadochenkämpfen, dann spätestens 295/4 v. Chr. – bei einer Belagerung der kyprischen Stadt Salamis seine zur Flucht geneigten Soldaten durch eine List zum Sieg (Polyain. 5,20). Die Identität mit M. [7] ist ungewiß.

A. Mehl, Seleukos Nikator, 1986, 293 f. A.ME.

**[6]** Lehrer des → Aratos [4], 3. Jh. v. Chr., Verf. von *Érga* nach hesiodeischer Manier in zwei oder mehr B., in denen er Landwirtschaft und Bienenzucht behandelte (wenn letzteres nicht ein unabhängiges Gedicht war wie die *Melissurgiká* des → Nikandros, den M. imitiert). M. war auch Grammatiker. Er gehört zu den Quellen von → Varro d. Ä. und → Plinius d. Ä.
→ Lehrgedicht

1 SH 542–550 2 H. Diels, Poetarum Philosophorum Fragmenta, 1901, 171–172 3 M. Geymonat, Spigolature nicandree, in: Acme 23, 1970, 140–151. S.FO./Ü: T.H.

**[7]** M. führte in Ephesos nach Lysimachos' [2] Niederlage und Tod im Kampf gegen → Seleukos I. 281 v. Chr. einen Aufstand und tötete eine Frau, die er für L.' Witwe Arsinoë hielt (Polyain. 8,57). Die Identität mit M. [9] ist ungewiß.

A. Mehl, Seleukos Nikator, 1986, 293 f. A.ME.

**[8]** Sohn des Menekrates, Griech. Bildhauer. Laut erh. Signatur arbeitete er am großen Fries in → Pergamon (um 180 v. Chr.), doch ist eine Zuweisung seines Anteils nicht möglich. → Apollonios [18] und → Tauriskos bezeichnen sich als seine Schüler und Adoptivsöhne.

EAA 4, s. v. M. (2), 1961, 1017 • C. Börker, M. und die Künstler des Farnesischen Stieres, in: ZPE 64, 1986, 41–49 • P. Moreno, Scultura ellenistica, 1994, 437 • D. Thimme, The Masters of the Pergamon Gigantomachy, in: AJA 50, 1946, 345–357. R.N.

**[9]** Feldherr (*stratēgós*) und Unterhändler des → Perseus im 3. → Makedonischen Krieg, der 169 v. Chr. bei Demetrias [1] die Bereitschaft des pergamenischen Königs Eumenes [3] II. zur Neutralität sondierte (Pol. 29,61; Liv. 44,24,9).

E. Olshausen, Prosopographie der hell. Königsgesandten, 1974, 160 f. L.-M.G.

**[10]** Sohn des Sopatros, Bildhauer aus Theben, später in Delphi angesiedelt. Nach Ausweis zweier erh. Basen mit Signaturen schuf er dort zusammen mit seinem Sohn Sopatros um 140 v. Chr. die Statue eines Knabensiegers und um 110–106 v. Chr. eine Statue für Minucius Rufus nach dessen Sieg über die Gallier.

L. Guerrini, s. v. M. (3), EAA 4, 1961, 1017 • Lippold, 340 • J. Marcadé, Recueil des signatures de sculpteurs grecs, 1, 1953, 82 f. R.N.

**[11]** Freigelassener des Cn. Pompeius Magnus (Vell. 2,73,3) oder von dessen Sohn Sex. Pompeius (Plin. nat. 35,200; Cass. Dio 48,46,1), unter dem M. als Flottenführer um 40 v. Chr. Karriere machte. M. behielt 38 in einer Seeschlacht zwischen Ischia und Cumae gegen den zu Octavian übergelaufenen Admiral Menodoros [1] zunächst die Oberhand, wurde dann im Gefecht mit dem verhaßten einstigen Kollegen schwer verwundet, mußte sein Flaggschiff aufgeben und stürzte sich über Bord (App. civ. 5,343–350; Oros. 6,18,21). T.FR.

**[12]** Epigrammatiker des »Kranzes« des Meleagros [8] (Anth. Pal. 4,1,28), dem drei Gedichte zugeschrieben werden: einem ›M. aus Samos‹ (M. Σάμιος) die Epigramme Anth. pal. 9,54 (= Stob. 4,50,62) und 55 (die alternative Zuschreibung an → Lukillios könnte richtig sein), zwei Distichen über das Alter; einem ›M. aus Smyrna‹ (M. Σμυρναίος) das Gedicht 9,390 (mit der pathetischen Beschreibung eines Kindermordes). Auf welchen M. sich Meleagros bezieht, läßt sich unmöglich sagen: die Häufigkeit des Namens spricht eher gegen eine Gleichsetzung, die eine Verderbnis in den Ethnika annimmt.

GA I.1, 139f.; 2, 398f. M.G.A./Ü: T.H.

**[13]** Homerinterpret aus Nysa bei Tralleis (vgl. Strab. 14,1,48), Verf. einer vergleichenden ›Gegenüberstellung von Odyssee und Ilias‹ (Σύγκρισις Ὀδυσσείας καὶ Ἰλιάδος; vgl. schol. B T Hom. Il. 24,804; FHG II 344–345). Wahrscheinlich nutzten der Auctor περὶ Ὕψους (→ Ps.-Longinos) oder → Caecilius [III 5] von Kale Akte die Schriften des M. (vgl. [1]).

1 E. Hefermehl, M. von Nysa und die Schrift vom Erhabenen, in: RhM 61, 1906, 283–303. GR.DA.

**Menelaïs** (Μενελαΐς). Ort in Dolopia (→ Dolopes), den Philippos V. 185 v.Chr. als ehemals maked. zurückforderte (Liv. 39,26,1). M. ist evtl. am Nordhang des Itamos in einer Ruine bei Kasthanaia zu lokalisieren.

B. Helly, Incursions chez les Dolopes, in: I. Blum (Hrsg.), Top. antique et géographie historique en pays grec, 1992, 60, 81f. • F. Stählin, s. v. M., RE 15, 806. HE.KR.

**Menelaos** (Μενέλαος, att. Μενέλεως; lat. Menelaus).
**[1]** Bedeutende Figur im Mythenzyklus vom Troianischen Krieg (→ Troia: Sagenkreis). Als jüngerer Bruder des → Agamemnon, der in Mykene den myth. bedeutendsten griech. Herrschersitz innehat, wird M. durch Heirat mit der Zeustochter → Helene [1] (einziges Kind ist die Tochter → Hermione) König über das Gebiet im Eurotas-Tal mit seinem Hauptort → Sparta und dem in vordorischer Zeit bedeutenden → Amyklai [1] (Beschreibung seines Herrschaftsgebiets in Hom. Il. 2,581–590 [1]). Als Sohn des → Atreus (bei Bakchyl. fr. 15, 48, Aischyl. Ag. 1569 und Serv. Aen. 1,458 auch als Abkömmling des → Pleisthenes bezeichnet [2]) gehört M. zur Tantalidenfamilie (→ Tantalos); er wird, wie sein Bruder Agamemnon, als Atreus-Sohn (»Atride«) bezeichnet, wobei dieses Patronymikon beide Brüder durch die Dualform Ἀτρείδα (*Atreída*) zu einer Einheit verbindet. Aus der Verbindung mit seinem »großen Bruder« Agamemnon erwächst wesentlich die Rolle, die M. in der Auseinandersetzung um Troia einnimmt: nachdem er von seiner Frau Helene wegen des troischen Königssohns → Paris verlassen wurde, ist es sein Bruder, der eine Allianz griech. Fürsten gegen die Heimat des Paris und deren Herrscher Priamos zusammenbringt und nach Troia führt.

Der Iliasdichter läßt M. in seiner Darstellung dieser Auseinandersetzung zw. Griechen und Troern als eine Persönlichkeit agieren, deren Ansprüche größer sind als ihre Fähigkeiten: Seine Stimme spielt in der Versammlung eine wenig bedeutende Rolle, er zeichnet sich in der Schlacht nur wenig aus, behält mehrfach die Oberhand nur dank seiner guten Rüstung (Hom. Il. 3,346–349; 13,601–617; 17,43–45), weicht als einziger der griech. Vorkämpfer zurück, als er sich einer Übermacht gegenübersieht (ebd. 3,89–108) [3]. Lediglich bei der Rettung von → Patroklos' Leichnam kann er sich als Krieger auszeichnen (ebd. 17). In der ›Odyssee‹ erfährt dieses Bild eine gewisse Veränderung: Nachdem er zusammen mit Helene nach Sparta zurückgekehrt ist, wird er im 4. B. nahezu genrehaft als würdiger Hausherr und Repräsentant einer alt gewordenen Heroengeneration in seinem Palast charakterisiert. Allerdings erfährt M. durch die umfangreiche Darstellung seiner Irrfahrten, speziell seines Aufenthalts in Ägypten, auch eine positivere Charakterisierung, zumal er in dieser Darstellung Odysseus' Heimkehr gleichsam präludiert [4].

In der kyklischen Ausgestaltung (→ Epischer Zyklus) des Troia-Mythos und im lyrischen Genos tritt M., abgesehen von seiner Verbindung zu Helene, wenig hervor; dagegen spielt er in der att. Tragödie wieder eine recht bedeutende Rolle. In sechs von den 31 erh. Dramen ist die Figur des M. vertreten: im Zusammenhang mit der Opferung der → Iphigeneia (Eur. Iph. A.), mit dem Selbstmord des Telamon-Sohnes → Aias [1] (Soph. Ai.), mit der Rückgewinnung seiner Frau Helene (Eur. Hel.; Eur. Tro.) [5], schließlich noch als letzter großer Troiakämpfer, der nach seiner Rückkehr mit den Auswirkungen des gewonnenen Krieges in Griechenland konfrontiert wird (Eur. Andr.; Eur. Or.). In allen diesen Dramen werden M.' in der ›Ilias‹ angelegten Charakterzüge weiter zum Negativen hin ausgestaltet: Sophokles zeigt ihn in seiner Reaktion auf Aias' Attacke als rachsüchtig und neidisch, Euripides generell als verräterisch, feige, unentschlossen und opportunistisch; ein Extrem in dieser Hinsicht bildet das Agieren des M. im ›Orestes‹. Daß die Charakterzeichnung dieses spartan. Königs bei Euripides nicht ohne Verbindung zu den polit. Verhältnissen während der Abfassungszeit (→ Peloponnesischer Krieg) ist, wurde bereits in der Ant. vermutet (schol. Eur. Andr. 445).

Das M.-Bild wandelt sich in der hell. und lat. Lit.; es geht nun in den poetischen Darstellungen nicht mehr um M. als Troiakämpfer, sondern ausschließlich um seine Liebe zu Helene und seine Rolle im Verhältnis zu Paris (Theokr. 18: Brautlied für die eben in M.' Palast eingezogene Helene; Ov. epist. 13; 16; 17).

Wohl abgeleitet aus seiner prominenten Rolle im Troia-Mythos und intensiviert durch die Bed. der homer. Gedichte in Griechenland, genoß M. in Sparta die Verehrung als Heros (→ Heroenkult): In → Therapne gab es ein Heroon, urspr. für Helene und die → Dioskuroi, in das auch M. einbezogen wurde (Alkm. fr. 7 Page); seit der hell. Zeit wurde dieses Heroon als Menelaion bezeichnet [6]). Aus dieser Funktion ergibt sich vermutlich auch M.' Erwähnung in Simonides' Elegie auf die Schlacht von Plataiai, wo er neben den Dioskuren als Symbol für Spartas mil. Stärke bereits in der Heroenzeit genannt wird (Sim. fr. 11 West).

Die Ikonographie des M. wird von zwei Themenbereichen dominiert: zum einen von M.' Taten als Troiakämpfer, hier vor allem seinem Zweikampf gegen Paris und seiner Bergung von Patroklos' Leichnam (bes. bedeutend die vermutl. hell. sog. Pasquino-Gruppe, die M. zeigt, wie er den Oberkörper des toten Patroklos emporhebt [7]); zum anderen M.' Aktionen gegen Helene, die er zunächst verfolgt und zu töten droht, nachdem er sie von den Troern zurückerlangt hat.

**1** E. Visser, Homers Katalog der Schiffe, 1997, 479–507
**2** E. Fraenkel, Aeschylus, Agamemnon, 1950, 740
**3** B. Fenik, Stylization and Variety. Four Monologues in the Iliad, in: Ders., Homer: Trad. and Invention, 1978, 68–90
**4** S. Olson, The Stories of Helen and Menelaus (Odyssey 4, 240–289) and the Return of Odysseus, in: AJPh 110, 1989, 387ff. **5** D. Harbsmeier, Die alten Menschen bei Euripides: Mit einem Anhang über M. und Helena bei Euripides, 1968, 132–165 **6** F. Bölte, s. v. Menelaion, RE 15, 803–806
**7** R. Wünsche, Pasquino, in: Münchner Jb. der Bildenden Kunst 42, 1991, 7–38.

W. van de Wijnpersse, M. (Odyssee 4 en Ilias passim), in: Hermeneus 37, 1966, 270–281 · C. Barck, M. bei Homer, in: WS 84 (= N. F. 5), 1971, 5–28 · I. M. Hohendahl-Zoetelief, Manners in the Homeric Epic, 1980, 143–183 · L. Kahil, s. v. M., LIMC 6.1, 834–841. E. V.

**[2]** Sohn Amyntas' [3] III. von Makedonien und seiner ersten Frau Gygaia sowie Halbbruder → Philippos II. Auf der Flucht vor diesem gelangte er zusammen mit seinem Bruder Arridaios [3] spätestens 349 v. Chr. nach Olynthos. Philippos nahm dies als Vorwand zum Krieg gegen die Stadt und ließ nach ihrer Einnahme die beiden Brüder hinrichten (Iust. 7,4,5; 8,3,10; Harpokr. s. v. M.; Oros. 3,12,19f.).
→ Argeadai (mit Stemma)

N. G. L. Hammond-G. T. Griffith, A History of Macedonia II, 1979, 699–701.

**[3]** Pelagone, Sohn des Arrabaios, der in nicht näher bekannter Funktion 363/2 v. Chr. wegen seiner Hilfeleistung gegen die Chalkidier und Amphipolis als *euergétēs* (›Wohltäter‹) der Athener geehrt wird (Syll.³ 174). Er scheint vertrieben worden, nach Athen gegangen und wenig später in Ilion als Athener geehrt worden zu sein (Syll.³ 188).

N. G. L. Hammond, G. T. Griffith, A History of Macedonia II, 1979, 19f.; 186; 207. M. Z.

**[4]** Sohn des → Lagos [1], Bruder des → Ptolemaios I. M. wurde 315 v. Chr. in mil. Mission nach Zypern (→ Kypros) geschickt. Er blieb mit → Nikokreon als Vertreter ptolem. Interessen auf der Insel (als *stratēgós*?). 310 wirkte M. an der Beseitigung Nikokreons mit und wurde sein Nachfolger als Stadtkönig von Salamis [2] (und mehr?; s. die Belege bei [1. 61f.]). 306 wurde er von → Demetrios [2] vor Salamis besiegt und belagert, schickte nach Ägypten um Hilfe, konnte aber die Niederlage Ptolemaios' I. nicht verhindern und mußte Zypern an Demetrios übergeben (Diod. 20,47–52). M. war 284/3 eponymer Alexanderpriester. Nach ihm ist eine Stadt und ein Gau im nw. Delta benannt (PP III/IX 5196; VI 14537).

**1** O. Mørkholm, Early Hellenistic Coinage, 1991.

R. Bagnall, The Administration of the Ptolemaic Possessions Outside Egypt, 1976, 40ff. W. A.

**[5]** Jüd. Hohepriester am Jerusalemer Tempel zw. 171 und 163 v. Chr. (seine Herkunft ungeklärt: nach 2 Makk 4,23–27 nichtpriesterlicher Herkunft [4. 149]; anders nach altlat. und armen. Hss. [2. 508f.], nach denen M. zwar priesterlicher Abstammung gewesen sein könnte, aber nicht dem hohepriesterlichen Geschlecht der → Zadokiden angehörig). Das Hohepriesteramt erkaufte sich M. vermutlich in seiner Funktion als Finanzverwalter des Tempels (bzw. als dessen Bruder) an den Hof → Antiochos' [6] IV. und löste den Oniaden Iason (→ Onias) ab. M.' Amtsantritt leitete die Hochphase der Hellenisierungspolitik ein, die in der von M. unterstützten Plünderung des Jerusalemer Tempels und seiner Umwandlung in ein Zeus-Heiligtum sowie der Errichtung der Akra, einer griech. befestigten Polis innerhalb Jerusalems [2. 514], gipfelte. Unterstützt wurde er dabei wohl durch die mit den pro-ptolem. Oniaden verfeindete, der Laienaristokratie angehörige → Tobiaden-Familie (Ios. bell. Iud. 1,1,1; Ios. ant. Iud. 12,5,1; [4. 151], vgl. [2. 526ff.]). Die genaue Rolle des M. aber bei der »Hellenisierung« des Tempels, der makkabäischen Erhebung und der Neueinweihung (Ḥanukka) des Tempels 164 v. Chr. kommt in den Quellen nicht zur Sprache. M. wurde 163 v. Chr. nach dem Friedensschluß zw. → Lysias [6] (Vormund des Antiochos V. Eupator) und → Judas [1] Makkabaios abgesetzt und in Aleppo/→ Beroia [3] hingerichtet (2 Makk. 13,4–8; Ios. ant. Iud. 12,9,7 [385]). Iosephos und 2 Makk stimmen in ihrer Beurteilung des M. – und damit auch der ihn stützenden Tobiaden – als des Urhebers der Religionsverfolgung unter Antiochos IV. überein [2.527]. Da die Quellen aber dürftig und polemisch sind, bleibt die Frage, ob es sich bei der Religionsverfolgung um ›einen innerjüdischen Vorgang‹ (Hellenistenpartei unter M. contra Traditionalisten, d. h. *Asidaíoi*, Ḥ$^{a}$sīdīm = »Fromme«) oder um ›eine von den Seleukiden ausgehende polit. Maßnahme‹ handelte [3. 59] (unbeantwortet bei [1. 12f.]).

**1** K. Bringmann, Hell. Reform und Religionsverfolgung in Judäa. Eine Unt. zur jüd.-hell. Gesch. (175–163 v. Chr.), 1983 **2** M. Hengel, Judentum und Hellenismus, ²1973, 508–532 **3** P. Schäfer, Gesch. der Juden in der Ant. Die Juden Palästinas von Alexander dem Großen bis zur arab. Eroberung, 1983, 52–62 **4** Schürer 1, 137–163
**5** V. Tcherikover, Hellenistic Civilization and the Jews, 1959. I. WA.

**[6] M. von Alexandreia.** Griech. Mathematiker und Astronom. Er lebte um 98 n. Chr., da zwei seiner Beobachtungen aus diesem Jahr von Ptolemaios (Almagest 7,3) erwähnt werden. M. tritt als Gesprächspartner in Plutarchs *De facie in orbe lunae* auf. Sein Hauptwerk ist die ›Sphaerik‹, die (abgesehen von einigen Lehrsätzen, die Pappos zitiert) auf griech. verloren, aber in arab. Fassungen erhalten ist. Sein Buch über spezifische Gewichte, das al-Ḫāzinī (12. Jh.) erwähnt, ist wahrscheinlich in der Hs. Escorial 960 erhalten (dt. Übers. in [4]). Proklos zitiert den von M. stammenden Beweis eines Lehrsatzes von Euklid (Eukleides [3], Elementa 1,25). Werke über Sehnenberechnung, über Untergänge der Zeichen des → Tierkreises und über eine transzendente Kurve sind nur aus Zitaten bekannt.

Die ›Sphaerik‹ besteht (in den lat. und in arab. Fassungen) aus 3 Büchern. Die folgende Einteilung nach der Fassung von Gerhard von Cremona (s. u.): B. 1 überträgt die Dreieckslehre Euklids in die Kugelebene, B. 2 gibt einige bedeutende Sätze der sphärischen Geometrie, in B. 3 wird die sphärische Trigonometrie behandelt. Am Anf. von B. 3 steht der sog. »Satz des Menelaos« (auch: »Transversalensatz«): crd 2 CE : crd 2 EA = (crd 2 CZ : crd 2 ZD) × (crd 2 DB : crd 2 BA). Dabei bedeutet »crd« die Sehne (crd 2α = 2 sin α), und alle Bögen sind Teile von Großkreisen.

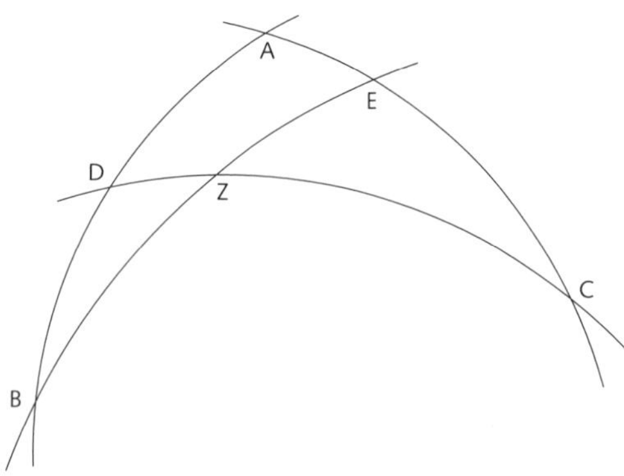


Dieser Satz, den Ptol. Almagest 1,13 übernahm, bildete bis zum Ende des 10. Jh. die Grundlage der sphärischen Astronomie und wurde auch später noch viel benutzt. Ṯābit ibn Qurra († 901) schrieb einen Traktat über den Transversalensatz, in dem er u. a. einen neuen Beweis brachte. Von der ›Sphaerik‹ gibt es mindestens zwei unabhängige arab. Fassungen: von al-Harawī (10. Jh.), der den Text von al-Māhānī (9. Jh.) bearbeitete, und von Abū Naṣr ibn ʿIrāq (11. Jh.), der vermutlich eine andere Übers. benutzte. Die lat. Übers. von Gerhard von Cremona († 1187) und die hebr. Übers. von Jakob b. Maḫir (13. Jh.) gehen auf einen Mischtext dieser beiden Versionen zurück.

1 A. A. Björnbo, Stud. über M.' Sphärik, in: Abh. zur Gesch. der mathematischen Wissenschaften 14, 1902, 1–154 2 T. L. Heath, A History of Greek Mathematics, Bd. 2, 1921, 260–273 3 M. Krause, Die Sphärik von M. aus Alexandrien in der Verbesserung von Abū Naṣr b. ʿAlī b. ʿIrāq, 1936 4 J. Würschmidt, Die Schrift des Menelaus über die Bestimmung der Zusammensetzung von Legierungen, in: Philologus 80, 1925, 377–409. M. F. u. RI. L.

**[7]** Griech. Tragiker, Sohn des Ariston, 2. H. 1. Jh. v. Chr., Gesandter an König Ariarathes V. von Kappadokien (163–130 v. Chr.) und Festgesandter der athenischen Techniten nach Delphi 127 v. Chr. (TrGF I 137). B. Z.

**[8]** Kollege des → Kallimandros als Gesandter der Alexandriner, der einem seleukidischen Prinzen im J. 56 v. Chr. das äg. Königtum antragen sollte. W. A.

**[9] M. von Aigai** (welcher Ort dieses Namens gemeint ist, bleibt unbekannt), Verf. einer ep. *Thēbaís* in 11 B., von denen Stephanos von Byzanz vier Fr. von je einem oder zwei Wörtern überliefert (allesamt Toponyme). Die Datierung ist unklar. Wahrscheinlich handelt es sich um denselben M., den der Rhetor → Longinos [1] als Beispiel für den untadeligen, aber talentlosen Dichter anführt. Vielleicht war M. auch Verf. von Sotadeen.

1 SH 551–557 2 FGrH 384 3 M. Fantuzzi, Epici ellenistici, in: K. Ziegler, L'epos ellenistico, 1988, LXXII-LXXIII (mit Lit.). S. FO./Ü: T. H.

**[10]** Griech. Bildhauer, Schüler des → Stephanos. Er schuf laut Signatur die frühkaiserzeitliche eklektische Gruppe von Orestes und Elektra (Rom, TM) und ist verm. identisch mit einem M. Cossutius Menelaos einer verschollenen Signatur.

G. Cressedi, s. v. Cossutius M. (Abb.), EAA 2, 1959, 871 • Lippold, 386 • Loewy, Nr. 375 • P. Moreno, Scultura ellenistica, 1994, 758 • B. Palma, Museo nazionale romano. Le sculture, 1, 5, 1983, 84–89. R. N.

**[11]** Stadt im nw Nildelta, Hauptort des Gaues Menelaites (Μενελαίτης), der zu Beginn der Ptolemäerzeit westl. des Nilarms von Rosetta auf dem Gebiet des alten unteräg. 7. Gaues neu gegründet und nach dem Bruder Ptolemaios' I. benannt wurde (Strab. 17,801). Die Angabe bei Ptol. 4,5,4, die Hauptstadt des Gaues sei → Kanobos, ist wohl Irrtum. Nach Bernand ist M. mit Schedia (Strab. 17,800–803) beim h. al-Karyūn zu identifizieren.

A. Bernand, Le delta égyptien d'après les textes grecs, 1, 1970, 381–442. K. J.-W.

**Menemachos** (Μενέμαχος).

**[1]** Pontischer Feldherr. Als sich 71 v. Chr. → Mithradates [6] VI. und Licinius [I 26] Lucullus am Lykos in Nordbithynien gegenüberstanden, ließ Mithradates eine röm. Proviantkolonne unter M. Fabius Hadrianus durch eine Abteilung unter M. und Myron angreifen. Seine schwere Niederlage (die beiden Anführer und fast alle ihre Leute fielen in dem Gefecht) suchte der König mit der mangelnden Erfahrung der Feldherrn zu erklären (Plut. Lucullus 17; Sall. fr. IV 8 M.).

**[2]** Reiterführer → Tigranes' II. von Armenien, ging 67 v. Chr. zu Marcius [I 23] Rex, dem Statthalter von Cilicia über (Cass. Dio 36,17; Sall. fr. V 16 M.). M. SCH.

**[3]** Reicher Bürger von Sardeis, dem → Plutarchos seine Schriften ›Polit. Ratschläge‹ (*Politiká parangélmata*, Plut. mor. 798a–825f) und ›Über die Flucht‹ (*Perí phygḗs*,

599a–607f), vielleicht auch die ›Anweisungen für einen Neureichen‹ (*Protreptikós pros néon plúsion*) widmete.

K.MEI.

**Menenius.** Name einer patrizischen Gens, jedoch sind auch plebeische Träger des Names (gesichert M. [2]) belegt; nach ihr ist die *tribus Menenia* benannt. Im 5. Jh. v.Chr. brachte sie eine Reihe von Oberbeamten hervor, starb aber schon im 4. Jh. v.Chr. aus. Auffällig ist die Verwendung des Praen. Agrippa, das später nur noch als Cogn. erscheint [1. 19f.].

1 Salomies.

**[1] M., Agrippa.** 442 v.Chr. führte M. als *triumvir coloniae deducendae* (MRR I 54) eine *colonia* nach Ardea. Nach Livius (4,11,5f.) blieb er wegen seiner in Rom unpopulären Amtsführung und einer drohenden Klage dort, doch ist er vermutlich identisch mit dem *cos.* 439.
**[2] M., L.** *Tr. pl.* 357 v.Chr. Mit seinem Kollegen M. Duilius brachte M. ein Gesetz durch, das – möglicherweise in Erneuerung einer Bestimmung der *XII tabulae* (vgl. Tac. ann. 6,16) – einen jährlichen Zinssatz von 8⅓% (*fenus unicarium*) festlegte.
**[3] M., M.** Als *tr. pl.* 410 v.Chr. brachte er nach Livius (4,53,2–13) ein Ackergesetz zur Rückgabe widerrechtlich okkupierten Landes ein. Vermutlich unhistorisch.
**[4] M., M.** Nach Livius (6,19,4–20,1; 20,12) betrieb er als *tr. pl.* 384 v.Chr. mit seinem Kollegen Q. Publilius die Anklage und Verurteilung des T. Manlius [I 20] Capitolinus und vollzog seine Hinrichtung.
**[5] M. Lanatus, Agrippa.** Consul und Triumphator über die Sabiner (oder Aurunker?) 503 v.Chr. (MRR I 8). Seine Prominenz beruht auf der Rolle, die ihm die Überl. bei der ersten → *secessio* auf den → Mons sacer 494 zuwies, wo er die über Verschuldung und patrizische Willkür aufgebrachte Plebs durch die Fabel vom Streit der Glieder mit dem Magen zur Rückkehr bewegt haben soll (Liv. 2,32,8–12; Dion. Hal. ant. 6,86; Florus 1,23; Plut. Coriolanus 6,2–5; Cass. Dio 4,17,10–13 [vgl. Zon. 7,14]; Vir. ill. 18,1–5). Vorbilder der Fabel, die spätestens im 2. Jh. v.Chr. (möglicherweise in gracchischer Zeit: Idealbild der → *concordia*) in die röm. Überl. gelangte, finden sich im griech. Staatsdenken (organischer Aufbau des Staates) und in der stoischen Philos. 493 soll M. angeblich so verarmt gestorben sein, daß ihm ein Begräbnis auf Staatskosten ausgerichtet wurde (Liv. 2,33,10f.; Dion. Hal. ant. 6,96,1–4).

M. Hillgruber, Die Erzählung des M. Agrippa. Eine griech. Fabel in der röm. Geschichtsschreibung, in: A&A 42, 1996, 42–56 • D. Peil, Der Streit der Glieder mit dem Magen, 1985.

**[6] M. Lanatus, T.** Sohn von M. [5]; *cos.* 477 v.Chr. (MRR I 26f.). Nach Liv. 2,51,1f.; 52,3–5 und Dion. Hal. ant. 9,23; 9,27 (vgl. auch Cass. Dio fr. 21,3) erlitt M. nach dem Untergang der Fabier an der → Cremera selbst eine Niederlage gegen die Etrusker. Er wurde im folgenden Jahr verurteilt, weil er, obgleich mit seinem Heer in der Nähe, den Fabiern nicht geholfen habe (widersprüchlich Liv. 2,52,1; Dion Hal. ant. 9,18,5, wonach M. von der Niederlage der Fabier erst vor dem Ausrücken erfahren hätte), und starb aus Scham hierüber.
**[7] M. Lanatus, T.** *Cos.* 452 v.Chr. (MRR I 44f.). Aufgrund einer Krankheit soll er seinem Kollegen P. Sestius Capitolinus Vaticanus die Führung der Amtsgeschäfte überlassen haben (Dion. Hal. ant. 10,54,5; 55,3; Fest. p. 237 L.). Livius (3,33,4) zeichnet M. als Gegner der Einsetzung der → *decemviri* [2].

C.MÜ.

**Menerva, Menrva** s. Minerva

**Menes**
**[1]** Seit der 19. Dyn. (13. Jh. v.Chr.) nennen die äg. Königslisten einen König M. (äg. *Mnj*; Manetho: Μήνης) als ersten Herrscher der 1. Dyn., und die Autoren der klass. Ant. gestalteten sein Bild zu dem des Gründers schlechthin aus. Die Anlage der Residenzstadt → Memphis und ihres Tempels (Hdt. 2,99; Ios. ant. Iud. 8,155), die Erfindung der → Schrift (Plin. nat. 7,56), die schriftl. Fixierung der Gesetze (Diod. 1,94) und überhaupt die Einführung zivilisierter Lebensformen (Diod. 1,43.45, Plut. Is. 8) wurden ihm zugeschrieben.

Die Identifikation dieses Herrschers in den zeitgenössischen Quellen der Frühzeit, die stets Thron-, aber keine Geburtsnamen nennen, bleibt kontrovers. Die größte Wahrscheinlichkeit spricht für die Identifikation mit dem Horus *ʿḥꜣ* (»der Kämpfer«), dessen Grabanlage im Königsfriedhof von → Abydos [2] bekannt ist, dem Nachfolger und wahrscheinlich Sohn des Königs Narmer. Die Quellen erlauben es, die Reihe äg. Könige sogar noch weiter zurückzuverfolgen; dennoch ist die Regierung des Horus *ʿḥꜣ* als signifikanter Moment in der polit., sozialen und kulturellen Entwicklung zu erkennen; so fällt nach den arch. Zeugnissen die Verlagerung der Residenz nach Memphis tatsächlich in seine Zeit, wie auch das Ausmaß des Schriftgebrauches in der Verwaltung damals deutlich zunahm.

H. Brunner, s.v. Menes, LÄ 3, 46–48. S.S.

**[2]** Sohn des Dionysios aus Pella; M. wurde nach der Schlacht bei → Issos (333 v.Chr.) unter die → *sōmatophýlakes* Alexandros' [4] d.Gr. aufgenommen (Arr. an. 2,12,2). In Susa (Arr. an. 3,16,9; bei Curt. 5,1,43: Babylon) soll er 331 v.Chr. zum *hýparchos* von Syria, Phoinikia und Kilikia ernannt worden sein (bei Diod. 17,64,5: *stratēgós*). Er wurde mit 3000 Talenten Silber ausgestattet (eine Eskorte mußte den Zug begleiten, Arr. an. 4,7,2), die → Antipatros [1] für den Krieg gegen → Agis [3] zur Verfügung gestellt wurden. Daß M. Satrap des ganzen Gebietes war, ist kaum möglich: 329 wird ein Satrap von Syria genannt (Arr. an. 4,7,2: der Name ist verderbt). Eher hatte er wohl ein neben den Satrapen laufendes Sonderkommando über die Verbindungslinien. So mußte er z.B. 330 die Einschiffung der in Ekbatana entlassenen Kontingente nach Griechenland überwachen (Arr. an. 3,19,6).

J. E. Atkinson, A Commentary on Q. Curtius Rufus' *Historiae Alexandri Magni* B. 5 to 7.2, 1994, 51–53 (mit Lit.). E. B.

**Menesaichmos** (Μενέσαιχμος). Att. Redner des 4. Jh. v. Chr., wurde von → Lykurgos [9] erfolgreich verklagt (Ps.-Plut. mor. 843d) wegen Verletzung seiner Pflichten als Führer der Festgesandtschaft nach Delos (Fr. in [1. 115–118]), trat die Nachfolge des Lykurgos als Leiter der Finanzverwaltung Athens an (Dion. Hal. de Dinarcho 11), verklagte diesen erfolglos kurz vor seinem Tod (ebd. 842f) und nachher dessen Söhne, die vorübergehend inhaftiert wurden (ebd. 842e). M. gehörte auch zu den Anklägern des → Demosthenes [2] im Harpalos-Prozeß (Ps.-Plut. mor. 846c). Dion. Hal. de Dinarcho 11 weist ihm drei unter dem Namen des → Deinarchos damals noch vorliegende Reden zu, u. a. wegen stilistischer Defizite (»wäßrig, kraftlos, zerfahren, frostig«) und überl. die beiden einzigen bekannten wörtlichen Zitate.

1 N. C. Conomis (ed.), Lycurgi Oratio in Leocratem cum ceterarum Lycurgi orationum Fragmentis, 1970. M. W.

**Menestheus** (Μενεσθεύς).

**[1]** Sohn des Peteos, Urenkel des → Erechtheus. M. führt vor Troia das Kontingent der Athener mit fünfzig Schiffen; nur Nestor kommt ihm darin gleich, Pferde und Krieger zur Schlacht zu ordnen (Hom. Il. 2,552 ff.). Während → Theseus im Hades zurückgehalten wird, erobern die Dioskuren Aphidna und setzen M. in Athen als König ein. Die Söhne des Theseus fliehen nach Euboia. Da M. die Gunst der Athener gewinnt, weisen sie Theseus bei seiner Rückkehr ab (Paus. 1,17,5 f.). Nach Plut. Theseus 32 f. bringt M. als erster Demagoge die Athener gegen den abwesenden Theseus auf und läßt die Dioskuren (→ Dioskuroi) in die Stadt ein. → Lykomedes soll schließlich dem M. zu Gefallen Theseus auf Skyros getötet haben (ebd. 35). M. wird bei Apollod. 3,10,8 und Hyg. fab. 81 im Katalog der Freier der → Helene [1] genannt (vgl. Hes. cat. 200). Vor Troia beteiligt sich M. an den Kämpfen gegen → Glaukos [4] und → Sarpedon (Hom. Il. 12,331) und gehört zur Besatzung des hölzernen Pferdes (vgl. Paus. 1,23,8). Mit den ihn begleitenden Athenern gründet er in der Aiolis die Stadt Elaia (Strab. 13,3,5). Nach der Zerstörung Troias kommt M. nach Melos, wo er nach dem Tod des Polyanax als König herrscht (Apollod. epit. 15b). Diktys 6,2 zufolge kehrt M. in Begleitung von → Aithra nach Athen zurück, wo er auch stirbt (sein Grabepigramm bei Ps.-Aristot. peplos [fr. 640,34 Rose]).

W. Kullmann, Die Quellen der Ilias (Hermes ES 14), 1960, 74–79 • E. Simon, s. v. M., LIMC 6.1, 473–75. J. STE.

**[2]** Sohn des athenischen Strategen → Iphikrates aus Rhamnus und einer Tochter (oder Schwester) des Königs Kotys [I 1] (Nep. Iphicrates 3,4), heiratete eine Tochter des Strategen Timotheos (Demosth. or. 49,66). Nach Ende seiner Strategie im → Bundesgenossenkrieg [1] 356/55 v. Chr. wurde M. in Athen angeklagt, aber freigesprochen (Isokr. 15,129; Dion. Hal. Deinarchos 13). M. übernahm noch ca. 333 als Stratege ein Kommando im Hellespont, als die Makedonen Kornschiffe bei Tenedos festhielten (Demosth. or. 17,20). Er leistete mehrere Trierarchien (IG II² 1622b 199; e 723 und 731 f.; 1623a 47 f.); gest. vor 325 (seine Erben sind in IG II² 1629, 486 f. genannt).

Davies, 250–251 • Develin, Nr. 1969 • PA 9988 • Traill, PAA 645115. J. E.

**[3]** Att. Komödiendichter des 3. Jh. v. Chr., der mit einem Sieg auf der Lenäensiegerliste hinter → Diodoros [10], → Eumedes und → Pandaites verzeichnet ist [1]. Weiteres ist nicht bekannt.

1 PCG VII, 1989, 3. H.-G. NE.

**Menesthios** (Μενέσθιος).

**[1]** Sohn des Areïthoos und der Philomedusa, aus Arne in Boiotia, im Troianischen Krieg von → Paris getötet (Hom. Il. 7,9; Tzetz. ad Hom. Il. 132).

**[2]** Myrmidone, einer der Heerfürer des → Achilleus im Troianischen Krieg; Sohn der Polydora und des Flußgottes Spercheios oder des Giganten Pelor (Hom. Il. 16,173; Strabo 9,433; Apollod. 3,168: dort verschiedene Abstammungs- und Verheiratungsvarianten der Polydora). L. K.

**Menestor** (Μενέστωρ). Dieser Pythagoreer aus Sybaris, ein Zeitgenosse des Empedokles (5. Jh. v. Chr.), soll nach Iambl. v. P. 267 der älteste griech. Botaniker sein. Seine drei Zit. bei Theophr. h. plant. und vier Zit. bei c. plant, [1. 375 f.] lassen erkennen, daß er warme Pflanzen, nämlich immergrüne wie → Efeu und → Lorbeer, und Wasserpflanzen wie Schilf oder Rohr (→ Kalamos [2]) von den übrigen kalten unterschied und bereits ökologische Faktoren wie verschiedene Standorte, Klima (s. bes. Theophr. c. plant. 1,21,6) und Reifezeiten berücksichtigte.

1 Diels/Kranz Nr. 32 (22), Fr. 1–7.

A. Steier, s. v. M., RE 15, 853–855 • W. Capelle, Zur Gesch. der Botanik, in: Philologus 69, 1910, 278 ff. • C. Viano, Théophraste, Ménestor de Sybaris et la »symmetria« de la chaleur, in: REG 105, 1992, 584–592. C. HÜ.

**Menestratos** (Μενέστρατος).

**[1]** Einer der Söhne der → Niobe (Hellanikos FGrH 4 F 21 mit Komm. von Jacoby).

**[2]** M. aus Thespiai. Opfert sich für seinen Geliebten Kleostratos, indem er sich an seiner Stelle dem Drachen vorwerfen läßt, dem alljährlich auf Weisung des Zeus ein junger Mann als Fraß dargeboten wird. Widerhaken an seinem Panzer bringen das Ungeheuer zu Tode (Paus. 2,26,7 f.) L. K.

**[3]** Athener; einer der 18 von Teukros im Zusammenhang mit dem → Hermokopidenfrevel 415 v. Chr. Denunzierten (And. 1,35); floh oder wurde hingerichtet.

PA 9993 • Traill, PAA 645405.

**[4]** Athener aus Amphitrope, 403 von → Agoratos denunziert. Von den »Dreißig« (→ *triákonta*) freigesetzt, wurde er 400/399 als Mörder festgenommen, zum Tode verurteilt und ›abgepaukt‹ (ἀπετυμπανίσθη, Lys. 13,55–57).

PA 10002 • TRAILL, PAA 645570.

**[5]** Bekannt aus einer Rede des → Lysias [1] gegen ihn, deren Echtheit schon in der Ant. angezweifelt wurde (fr. 89 TH., aus Harpokration). Beliebige zwei oder alle drei M. [3–5] können identisch sein.

TRAILL, PAA 645410.

**[6]** Eretrischer *dynástēs* (»Machthaber«; → *dynasteía*) 352 v.Chr. (Demosth. 23,124). K.KI.

**[7]** Bildhauer aus Athen. Er schuf ein verlorenes Porträt einer Learchis und gerühmte Marmorstatuen von Herakles und Hekate am Artemision in → Ephesos (mit Lageplan). Von demselben oder einem gleichnamigen Bildhauer stammte eine Bronzestatue des Heros Ptoios in → Akraiphia, deren Basis mit Signatur erh. ist.

L. GUERRINI, s.v. M. (1), EAA 4, 1961, 1022 f. • OVERBECK, Nr. 1610. 1611. R.N.

**Menetekel.** Eigentlich *Mene-tekel-ufarsin*; aram. Rätselschrift im lit. Kontext von Dan 5,25–28 (innerhalb einer aram. Apokalypse in Dan 2–7), die während eines Banketts des babylon. Kronprinzen → Belsazar eine unheimliche Menschenhand an die Palastwand schreibt. Die Elemente der Schrift wurden als keilschriftl. Wortzeichen für Gewichte (neubabyl. *manû* »Mine«; *šiqlu* »Schekel«; *mišlu/zūzu* »Hälfte«/»verteilen«) oder als aram. Begriffe in Keilschrift gedeutet, und zwar in der Abfolge Mine, Schekel, Halbschekel. Daniel deutet die Schrift als Wortspiel mit *manû* »zählen« und *šaqālu* »wiegen« und bildet daraus ein Orakel gegen Belsazars Regentschaft. Möglich sind aber auch Deutungen, denen seleukid. Rechnungsformulare zugrunde liegen.

A. ANGERSTORFER, s.v. Mene-tekel-ufarsin, Neues Bibel Lex. 2, 1995, 759–760. TH.PO.

**Menexenos** (Μενέξενος).

**[1]** Einer von → Sokrates' Söhnen, beim Tod des Vaters noch ein Kind (Plat. apol. 34d; Phaid. 116b; Diog. Laert. 2,26); → Sokratiker.

A.-H. CHROUST, A Comment On Aristotle's On Noble Birth, in: WS 85 N.F. 6, 1972, 19–32 • PA 9975 • TRAILL, PAA 644865.

**[2]** Schüler des mit ihm verwandten Sophisten Ktesippos und des Sokrates, bei dessen Tod er zugegen war (Plat. Lys. 206d; 211c; Plat. Phaid. 59b). Nach ihm hat Platon den Dialog ›M.‹ benannt; → Sokratiker.

PA 9973 • TRAILL, PAA 644855. W.S.

**Meninx** (Μῆνιγξ). Insel (h. Djerba) und Stadt (h. al-Kantara) in der Prov. Africa Tripolitana (→ Afrika [3]). Eratosthenes (fr. p. 308 BERGER, bei Plin. nat. 5,41) bezeichnet die Insel als ›lotosfressende‹ (λωτοφαγῖτις). Belegstellen: Ps.-Skyl. 110 (GGM 1,85–89); Pol. 1,39,2; 34,3,12; Strab. 3,4,3; Mela 2,105; Ptol. 4,3,35; 8,14,13; Stadiasmus Maris Magni 103; 104; 112; 124 (GGM 1,465 f.; 468; 471). Im J. 253 v.Chr. geriet die röm. Flotte bei M. in Bedrängnis (Pol. 1,39,2). Im J. 217 v.Chr. wurde die Insel von den Römern verwüstet (Liv. 22,31,2). Marius [I 1] landete auf ihr bei seiner Flucht nach Afrika (Plut. Marius 40,4). Entgegen [Aur. Vict.] epit. Caes. 30,1–31,1 war M. nicht die Heimat der Kaiser Trebonianus Gallus und Volusianus (251–253).

S. CHAKER u.a., s.v. Djerba, EB, 2452–2460 • S. LANCEL, E. LIPIŃSKI, s.v. Djerba, DCPP, 134. W.HU.

**Menios** (Μήνιος). Kleiner Nebenfluß des → Peneios im Stadtgebiet von Elis, den Herakles zur Reinigung der Ställe des → Augeias abgeleitet haben soll; nicht sicher mit einem der h. Revmata zu identifizieren. Belegstellen: Paus. 5,1,10; 6,26,1; Theokr. 25,15. C.L.

**Menippe** (Μενίππη).

**[1]** Eine der → Nereiden (Hes. theog. 260) oder → Okeaniden (Hyg. fab. praef.). Wird nicht unter den Nereiden genannt bei Hom. Il. 18,35 ff. und Apollod. 1,11–12.

**[2]** Tochter des → Thamyris, Mutter des → Orpheus (Tzetz. chil. 1,306; 8,9).

**[3]** Tochter des → Orion. M. und ihre Schwester Metioche lernen von → Athena die Webkunst. Sie opfern sich für → Aonia, das von der Pest befallen ist, und das nach dem Apollonorakel in → Gortyn nur von zwei Jungfrauen erlöst werden kann. Zur Besänftigung der Unterweltsgötter reißen sie sich mit ihren Weberschiffchen die Kehlen auf. Ihre Leichen werden unsichtbar; es entstehen zwei Sterne, die von den Menschen Kometen genannt werden (Antoninus Liberalis 25). Nach Ov. met. 13,685 ff. opfern sie sich für Theben. Damit das Geschlecht nicht untergeht, entstehen aus ihrer Asche zwei Jünglinge, die *Coronae* genannt werden.

PRELLER/ROBERT I[4] 556; II[4] 410 Anm. 2; I[4] 454. I.BAN.

**Menippeische Satire**

s. Menippos [4] aus Gadara; Satire

**Menippos** (Μένιππος).

**[1]** Bei Plut. Perikles 13,10 (vgl. Plut mor. 812d) als Freund und Unterfeldherr des → Perikles erwähnt (wohl zw. 443 und 430 v.Chr.). Wie dieser war er Zielscheibe des Komödienspotts. Ob M. tatsächlich als Stratege tätig war, ist ungewiß. Plutarchs Bezeichung für ihn (*hypostratēgōn*) ist die griech. Entsprechung zum lat. Begriff *legatus* (DEVELIN, 103). Aristoph. Av. 1294 erwähnt einen M., den die Scholien als Pferdehändler identifizieren.

PA 10033 • TRAILL, PAA 646185 (vgl. 646190 und 646195). W.W.

**[2]** Feldherr → Philippos' V. im 1. → Makedonischen Krieg; 209 v. Chr. in der Peloponnes, 208 in Euboia bezeugt (Pol. 10,42,2; Liv. 27,32,10; 28,5,11). L.-M.G.

**[3] M. »der Makedone«.** M. führte im Auftrag Antiochos [5] III. 193 v. Chr. eine Gesandtschaft nach Rom (zusammen mit → Hegesianax) und eine weitere 192 nach Aitolien. 191 eroberte er als Truppenführer einige Städte der Perrhaibia und führte Soldaten nach Stratos (Syll.³ 601; Diod. 28,15; Liv. 34,57–59; 35,32,8–14; 50,7; 51,4; 36,10,5; 11,6; App. Syr. 6,23 ff.).

E. Bevan, The House of Seleucus, 1902. A. ME.

**[4] M. aus Gadara** (Syrien). Kynischer Philosoph, erste H. des 3. Jh. v. Chr. Die kurze anekdotenreiche Lebensbeschreibung bei Diog. Laert. 6,99–101, nach der er zunächst Sklave in Sinope, später thebanischer Bürger, außerdem ein Scharlatan und Geldverleiher gewesen sein soll, ehe er sich aus Geldnot erhängte, ist in großen Teilen unglaubwürdig und der des → Diogenes [14] von Sinope nachempfunden [1]. Innerhalb des → Kynismus wird M. teils in die Nähe von Krates [4], teils von Metrokles gestellt und gilt als einer seiner Hauptvertreter (Eun. vit. soph. 454,5; Varro Men. 516).

Von M.' Schriften ist außer vier kurzen Fr. (Athen. 14,629e-f; 14,664e; 1,32e; Diog. Laert. 6,29) nichts erh. Diogenes [17] Laertios schreibt ihm 13 Werke zu, von denen er einige Titel nennt (6,101): *Nékyia* (wohl eine Parodie der Unterweltsfahrt in Anlehnung an Hom. Od. 11 und Aristophanes' ›Frösche‹), woraus die Suda eine auf M. übertragene Personenbeschreibung gibt (vgl. Suda s. v. Φαιός); *Diathḗkai* (›Testamente‹); Ἐπιστολαὶ κεκομψευμέναι ἀπὸ τοῦ τῶν θεῶν προσώπου (fingierte Götterbriefe); eine oder mehrere Schriften ›Gegen die Naturphilosophen, Mathematiker und Grammatiker‹ (Πρὸς τοὺς φυσικοὺς καὶ μαθηματικοὺς καὶ γραμματικούς); zwei gegen die Epikureer gerichtete Schriften: ›Über den Geburtstag Epikurs‹ (Γονὰς Ἐπικούρου) und ›Über die von ihnen gefeierten Zwanzigsten‹ (Τὰς θρησκευομένας ὑπ' αὐτῶν εἰκάδας), womit auf den im Testament Epikurs geforderten Brauch angespielt wird, daß sich seine Schüler an jedem 20. eines Monats versammeln sollten (Diog. Laert. 10,18; → Epikureische Schule). Ergänzt wird der Katalog von M.' Werken (ebd. 6,29) um eine Διογένους πρᾶσις (›Verkauf des Diogenes‹) [2], und Athen. 14,664e berichtet von der Schrift ›Arkesilaos‹ (Ἀρκεσίλαος), die wohl gegen den gleichnamigen Leiter der Akademie und Zeitgenossen des M., → Arkesilaos [5], gerichtet war, sowie von einem *Sympósion* (Athen. 14,629e) [3].

M.' Werke liefen nicht auf bloße Kritik und kynischen Spott über die verschiedensten Nichtigkeiten der Welt hinaus (Diog. Laert. 6,99; M. Aur. 6,47), sondern mit dem Epitheton *spudogéloios* wird ihm eine Verbindung von »Ernstem und Heiterem« bescheinigt (Strab. 16,2,29). Auch Lukianos [1], der die Person des M. in vielen seiner Dialoge zum Sprecher macht, knüpft an diese Charakteristik des Kynikers an [4].

Lit. Bedeutung erlangten M.' Schriften vor allem durch die ihnen zugeschriebene eigentümliche Mischung von Prosaabschnitten und Verspassagen in verschiedenen Metren (Lukian. Bis Accusatus 33; Prob. in Verg. ecl. 6,31). Dieses Prosimetrum [5] wurde zum Gattungsmerkmal der sog. »Menippeischen → Satire« [1; 6; 7]. Erste Nachahmungen dieser Form finden sich bereits bei → Meleagros [8] von Gadara (Anth. Pal. 7,417,3–4.; 7,418,5–6), später bei → Varro, dessen Satiren als *saturae Menippeae* betitelt waren, sowie in → Senecas *Apocolocyntosis* und Lukians satirischen Dialogen [8]. Zur Gattungsentwicklung der Menippeischen Satire bei Petronius, Apuleius, Boethius, Martianus Capella bis zur Renaissance vgl. [1; 9; 10; 11].

→ Kynismus; Satire

**1** J. C. Relihan, Ancient Menippean Satire, 1993, 39–44 **2** R. Helm, Lukian und Menipp, 1906, 231–253 **3** J. Martin, Symposion. Die Geschichte einer lit. Form, 1931, 211–240 **4** J. C. Relihan, Vainglorious Menippus in Lucian's Dialogues of the Dead, in: Illinois Classical Studies 12, 1987, 185–206 **5** D. Bartonková, Prosimetrum, the Mixed Style, in Ancient Literature, in: Eirene 14, 1976, 65–92 **6** H. K. Riikonen, Menippean Satire as a Literary Genre with Special Reference to Seneca's Apocolocyntosis, 1987 **7** J. C. Relihan, On the Origin of »Menippean Satire« as the Name of a Literary Genre, in: CPh 79, 1984, 226–229 **8** J. Hall, Lucian's Satire, 1981, 64–150 **9** F. J. Benda, The Tradition of Menippean Satire in Varro, Lucian, Seneca and Erasmus, Diss. Austin 1979 **10** E. P. Kirk, Menippean Satire: An Annotated Catalogue of Texts and Criticism, 1980 **11** J. C. Relihan, Menippus in Antiquity and the Renaissance, in: R. Bracht Branham, M.-O. Goulet-Cazé (Hrsg.), The Cynics, 1996, 265–293. M.B.

**[5] M. Rhetor** Griech. Rhetor des 2. und 1. Jh. v. Chr. aus Stratonikeia in Karien (Strab. 14,2,25=660; Diog. Laert. 6,101) mit dem Beinamen Katokas (Strabo, ebd.). Cicero, der ihn während seiner Bildungsreise hörte, stellte ihn über alle zeitgenössischen Rhetoren (Brut. 315; vgl. Plut. Cicero 4,862 f.). M.W.

**[6] M. aus Pergamon,** Geograph. → Markianos (GGM 1,566,6) nennt ihn nach Artemidoros [3] und Strabon, was seine Datierung in die 2. H. des 1. Jh. v. Chr. nahelegt. *Terminus post quem* für seinen 3 B. umfassenden ›Periplus des inneren Meeres‹ (GGM 1,566,42) dürften die J. 37 v. Chr. und danach sein, in denen Polemon I. von Antonius [I 9] das Königreich Pontos erh. und Polemonion gegr. hatte ([5. 1218], vgl. jedoch [6. 427 f.]), in dem auf M. zurückgehenden *Anonymi Periplus Ponti Euxini* (GGM 1,409,13) erwähnt. Vollendet war das Werk vor 26/5 v. Chr., dem Datum der zweiten Gesandtschaft des → Krinagoras von Mytilene zu Augustus ([2. 863], zögernd [8. 573]); in einem Epigramm (Anth. Pal. 9,559) erbat sich Krinagoras für seine Reise von M., der eine ›Gelehrte Rundfahrt‹ (ἵστωρ κύκλος) verfaßt habe, einen → Periplus. Das Werk des M. behandelte (so Markianos, GGM 1,566,42) die Küsten des Pontos Euxeinos, der Propontis und des Hellespontos (B. 1), die Mittelmeerküsten von Europa bis zu den »Säulen des

Herakles« (B. 2), dann die von Afrika und des übrigen Asien (B. 3). Überl. ist es zu einem geringen Teil und nur in Exzerpten: 1) in der *Epitomḗ* des Markianos (GGM 1,63–573) – sie ist bis auf geringe Reste aus den anderen B. nur von B. 1 und auch da nur teilweise erh. – mit der Beschreibung der asiat. Küste bis zum Fluß Chadision, 170 Stadien östl. von → Amisos; 2) in Fr. dieser *Epitomḗ* bei Steph. Byz. (s.v. Χαδισία, Ἑρμώνασσα, Χαλδία, Ἀχίλλειος δρόμος, Πόρθμιον – beide in der Maiotis –, Χερρόννησος, Χαλκηδών an der Propontis); 3) im Werk des *Anonymus Ponti Euxini* (GGM 1,402–423; [1. 118–146], → Arrianos [3]; [7. 68 f.]), abgefaßt wohl nach 576 n. Chr. [1. 102–106], dessen Verf. sich neben → Arrianos [2] bes. auf M. stützt. Weitere möglicherweise auf M. zurückverweisende Traditionsstränge bei → Agathemeros [7. 65 f.] und bes. im anon. *Stadiasmós tḗs thalássēs* (GGM 1,427–514; [1. 149 f., 154–156]), dessen Inhalt älter als das 1. Jh. v. Chr. ist, bieten kaum mit größerer Wahrscheinlichkeit dem M. Eigenes [5. 1218; 4. 88 f.].

So können wir uns nur von B. 1 (nach der Textgestalt bei [1. 151–156]) ein Bild machen; es beginnt mit der Beschreibung des → Pontos Euxeinos beim Heiligtum des Zeus Urios auf dem asiat. Ufer des → Bosporos und widmet sich zuerst → Bithynia (seine Grenze ist hier der Fluß Billaios, nach anderen Geographen der Fluß Parthenios), → Paphlagonia bis zum Grenzfluß Euarchos, den ›beiden [späteren] Prov. Pontos‹ (τῶν δύο Πόντων [1. 154,36]) bis zum Grenzfluß Ophius. Die Darstellung folgt dann den Küsten ›verschiedener barbarischer Völker‹ bis in die → Maiotis mit Achilleion, das an der Mündung des Tanais liegt, der Asien von Europa trennt, dann weiter zur Mündung des Istros und nach Thrakia (→ Thrake) am Pontos Euxeinos bis Therai, der NW-Grenze des Gebiets von Byzantion, endlich die Küste dort entlang bis wieder zur Einfahrt in den Bosporos. Die Binnengliederung geschieht durch Überschriften wie z. B. *Períplus tḗs Paphlagonías* (Περίπλους τῆς Παφλαγονίας, ›Küstenbeschreibung von Paphlagonia‹). Der zweite Teil des 1. B., der auch seinerseits wiederum am Bosporos beginnend → Propontis und → Hellespontos beschrieb [1. 163; 4. 89], ist so gut wie ganz verloren.

Der *Períplus* des M. war, das ist auch in der *Epitomḗ* des Markianos noch erkennbar, v. a. von nautischem Interesse [3; 5. 1219] und einer ›Mastkorbperspektive‹ bestimmt, die M. von seinen Vorlagen übernommen haben dürfte [4. 91 f.]; in dem überl. Zustand beschränkt er sich auf die Küsten, beschreibt die Qualität von Ankerplätzen, gibt die Entfernungen zw. markanten Küstenpunkten (Flußmündungen, Kaps), aber auch unter Weglassen von Zwischenstationen größere Distanzen an (so die vom Heiligtum des Zeus Urios bis Amisos mit 4520 Stadien). M. spricht auch vom *diáplus* (διάπλους, »Durchfahrt«; [1. 154,25]), wenn an einem Meerbusen außen vorbeigefahren wird; nach Markianos (GGM 1,566,6 f.) hat M. auch Fahrten von Küste zu Küste über das offene Meer beschrieben [4. 87 f.]. Von den von Markianos (GGM 1,566,43 f.) berichteten histor. und geogr. Ansprüchen des M. findet sich in der *Epitomḗ* allerdings wenig, höchstens die Erwähnung von Einwohnern, Grenzen und Flußmündungen. Man kann so (mit [5. 1219]) nur vermuten, daß in der Verbindung dieses eigentlich geogr. Aspekts mit dem nautischen die Originalität des Werkes beruht habe. Unter den sicher zahlreich zum Pontos Euxeinos verfügbaren Quellen des M. hat man bes. an Artemidoros gedacht [5. 1219].

→ Geographie II.; Oikumene; Periplus; Schiffe, Schiffswesen

1 A. Diller, The Trad. of the Minor Greek Geographers, 1952 (mit Textrekonstruktion des M., Komm. und ausführlicher Bibliogr.) 2 F. Gisinger, s. v. M. (9), RE 15, 862–888 3 R. Güngerich, Die Küstenbeschreibungen in der griech. Lit., 1950 4 G. Hartinger, Die Peripluslit., Diss. Salzburg 1992 5 F. Lasserre, s. v. M. (6), KlP 3, 1217–1219 6 E. Olshausen, s. v. Polemion, RE Suppl. 14, 1974, 427 f. 7 Ders., Einf. in die histor. Geogr. der Alten Welt, 1991 8 H. Stadtmüller (Hrsg.), Anthologia Graeca, 3,1, 1906.

H. A. G.

**[7]** Griech. Komödiendichter unbekannter Zeit, lediglich in der Suda bezeugt [1], die als Titel eines Stücks Κέρκωπες »neben anderen« nennt. Versuche, den Namen in ›Hermippos‹ zu ändern oder M. mit dem kynischen Schriftsteller → M. [4] gleichzusetzen, bleiben unsicher.

1 PCG VII, 1989, 3.

H.-G. NE.

**Mennige** s. Minium

**Mennis.** Nur Curtius Rufus (5,1,16) berichtet, daß Alexandros [4] d. Gr. auf dem Weg von Arbela [1] nach Babylon nach vier Tagen die Stadt M. erreichte. Bei ihr soll sich aus einer Höhle eine starke Naphtaquelle ergossen haben. Mit dem Asphalt aus M. war angeblich die Stadtmauer von Babylon erbaut worden. M. lag wohl in der Erdölregion von Kirkūk.

F. H. Weissbach, s. v. Mennis, RE 15, 896.

K. KE.

**Menodoros** (Μηνόδωρος).

**[1]** M. (so Appianos; sonst Mena(s), Μηνᾶς), Freigelassener, vorher vielleicht kilikischer Pirat, um 40 v. Chr. Admiral des S. → Pompeius im Tyrrhenischen Meer. Als Gegner des Ausgleichs mit den Triumvirn (Plut. Antonius 32,6 f.) verteidigte M. Sardinien und Corsica. Als Pompeius ihn auf Betreiben seines Rivalen Menekrates [11] zu entmachten drohte, spielte M. 38 die Inseln dem Octavianus zu (App. civ. 5,78–80,330–337; ein Bezug zu CIL X 8034 ist umstritten). M., jetzt röm. Ritter, setzte als Legat des C. Calvisius [6] Sabinus den Pompeianern zu und tötete Menekrates. Von → Agrippa [1] in den Schatten gestellt, lief M. jedoch 36 wieder zu Pompeius über (App. civ. 5,96,400; Cass. Dio 48,54,7). Das Mißtrauen, mit dem M. dort behandelt wurde, trieb ihn bald zum dritten Verrat (App. civ. 5,102,422–426); Octavianus begnadigte M., versetzte ihn aber nach Illyrien, wo er 35 in einem Flußkampf bei Siscia den Tod fand (Cass. Dio 49,37,6).

JÖ. F.

[2] Mehrfacher griech. Bildhauername. M., Sohn des Phainandros, aus Mallos schuf laut Basisinschriften in Delos zw. 103 und 96 v. Chr. nicht erh. Weihgeschenke an Sarapis, an Apollon und an Pistis. In Thespiai sah Pausanias (9,27,4) von M. aus Athen eine Nachahmung des Eros des → Praxiteles, der nach Rom verbracht worden war. Plinius führt diesen Bildhauernamen in einer Liste (nat. 34,91) an.

LOEWY Nr. 306, 307 • G. A. MANSUELLI, L. GUERRINI, s. v. M. (1.3), EAA 4, 1961, 1024f. • J. MARCADÉ, Recueil des signatures de sculpteurs grecs, 2, 1957, 69 • OVERBECK, Nr. 2259, 2260 • C. PICARD, Manuel d'archéologie grecque: La sculpture, 3.2, 1948, 441 f. R.N.

**Menodotos** (Μηνόδοτος).

**[1] M. von Perinthos,** um 200 v. Chr., verfaßte eine ›Griech. Gesch.‹ (*Hellenikaí pragmateíai*) in 15 B., die wohl das Werk des Psaon von Plataiai (FGrH 78) fortsetzte und die Ereignisse ab 218/7 behandelte (Diod. 26,4). Vielleicht identisch (so [1]) mit M. von Samos (das als Pflanzstadt von Perinthos galt). Letzterer war Autor einer Perihegese (→ *periēgētḗs*) über ›Die Sehenswürdigkeiten von Samos‹ (*Tōn katá tēn Sámon endóxon anagraphḗ*), aus der Athenaios (15, 671–699) eine umfangreiche Partie zur vorgriech. Gesch. der Insel überl.

1 FGrH 82 und 541 mit Komm. 2 O. LENDLE, Einführung in die griech. Geschichtsschreibung, 1992, 143. K.MEI.

**[2] M. von Nikomedeia.** Griech. Arzt, der um 125 n. Chr. wirkte; führendes Mitglied der → Empiriker-Schule und Lehrer des → Herodotos [3] (Diog. Laert. 9,115). M. schrieb Bücher von beträchtlichem Umfang, darunter ein einem sonst unbekannten Severus gewidmetes, das Galen kommentierte (Gal., de libris propriis 9; 19,38 K.). Die Ansicht, er habe den Anstoß zu Galens *Protreptikós* gegeben, beruht auf einer Textverderbnis (vgl. CMG 5,1,1, S. 70). Er wandte sich entschieden gegen die → Methodiker, allen voran Asklepiades [6], und bekämpfte sie mit unflätigen Worten. Ebenso waren ihm diejenigen ein Dorn im Auge, die in ihrer Heiltätigkeit lediglich ihrer Routine folgten [1]. Offen bekannte er, der Arzt solle auf Ruhm und Profit aus sein (fr. 293 DEICHGRÄBER). Er änderte die Theorie der Empiriker in einigen Punkten ab und vertrat die Meinung, daß die Analogie lediglich ein Schlüssel zum Möglichen, nicht zum Wirklichen sei und daß die ursprüngliche einfache Erfahrung durch nachfolgende, weiterführende Erfahrungen modifiziert werden solle. Diese Denkungsart hielt er neben Gedächtnis und Sinneswahrnehmung für den dritten Teil der Medizin. In seinen therapeutischen Schriften wollte er den Aderlaß Fällen von Plethora vorbehalten wissen (fr. 294–296 DEICHGRÄBER).

1 DEICHGRÄBER, 213. V.N./Ü: L.v.R.-B.

[3] Mehrere griech. Bildhauer gleichen Namens, deren Familienstammbaum rekonstruiert wird. Nach Ausweis erh. Signaturen auf Basen verlorener Werke war M. aus Tyros, Sohn des Artemidoros, mit seinem Vater und mit seinem Bruder Charmolas um 130–85 v. Chr. in Rhodos und Halikarnassos tätig; in Athen arbeitete er mit an einer umfangreichen Gruppe für den Athleten Menodoros. Von seinem Neffen M., Sohn des Charmolas, sind vier Signaturen zw. 85 und 50 v. Chr. aus Rhodos erh. Einer der beiden M. hinterließ im Inneren der Bronzestatue des Apollon von Piombino (Paris, LV) ein Bleiettikett mit Signatur. Noch in der Kaiserzeit signierte ein M. in Aphrodisias eine Porträtstatue. Der Fälschung verdächtig ist eine verschollene Heraklesstatue mit Signatur eines M., Sohn des Boethos, aus Nikomedeia.

V. C. GOODLETT, Rhodian Sculpture Workshops, in: AJA 95, 1991, 669–681 • L. GUERRINI, A. DI VITA, s. v. M. (1–3), EAA 4, 1961, 1025 • LIPPOLD, 371 • LOEWY, Nr. 308, 309, 521 • J. MARCADÉ, Recueil des signatures de sculpteurs grecs, 2, 1957, 72 • B. S. RIDGWAY, The Bronze Apollo from Piombino in the Louvre, in: AntPl 7, 1967, 43–75 • R. R. R. SMITH, Hellenistic Sculpture, 1991, 272 • A. STEWART, Attika, 1979, 119. R.N.

**Menogenes** (Μενογένης). Griech. Grammatiker. Bei Eust. 2,494 (zu Hom. Il. 2,494) wird er neben Porphyrios und → Apollodoros [7] als Kommentator des homer. Schiffskatalogs genannt. Von seinem Werk, das 23 B. umfaßt haben soll, ist nichts erhalten. Ebensowenig ist seine Lebenszeit bekannt: [1] setzt ihn zw. Apollodoros und Porphyrios.

1 A. GUDEMAN, s. v. M., RE 15, 917. M.B.

**Menoikeus** (Μενοικεύς; lat. *Menoeceus*).

[1] Vater des → Kreon [1] (Soph. Ant. 156 u.ö.).

[2] Sohn des Kreon [1], der nach dem Seherspruch des Teiresias für den Sieg Thebens gegen das Heer der Sieben dem Mars geopfert werden muß (→ Sieben gegen Theben). M. täuscht Kreon, der ihn zur Flucht überreden will, und tötet sich selbst (Eur. Phoen. 834ff.; 1090ff.; 1310ff.; pathetisch ausgeschmückt bei Stat. Theb. 10,610ff., wo M. von der Göttin Virtus zur Tat angespornt und, nachdem er sich von der durch Capaneus bestürmten Mauer gestürzt hat, von ihr und Pietas aufgefangen wird und zum Himmel steigt). Pausanias (9,25,1) kennt das Grab des M. am Neïtischen Tor.

[3] Freund des → Epikuros und Adressat dessen 3. Briefes. CL.K.

**Menoites** (Μενοίτης). Myth. Hirte des → Hades, der auf der Insel → Erytheia am Eingang zur Unterwelt dessen Herden hütet. M. meldet dem benachbarten Hirten → Geryoneus den Raub eines seiner Rinder durch Herakles und wird im Ringkampf von Herakles getötet (Apollod. 2,108; 125). L.K.

**Menoitios** (Μενοίτιος).

[1] Sohn des → Aktor [1] und der Aigina, der sich in Opus ansiedelt (Pind. O. 9,69f.); Gemahl der Sthenele (oder der Periopis oder Polymele), Vater des → Patro-

klos und der Myrto (Apollod. 3,13,8; Plut. Aristeides 20,7). In der *Ilias* wird M. als *hērōs* genannt (Hom. Il. 11,771; 18,325). Als Patroklos im Streit Kleitonymos, den Sohn des Amphidamas, tötet, flieht M. mit ihm aus Opus zu → Peleus nach Phthia; von dort entsendet er seinen Sohn nach Troia, damit er → Achilleus [1] unterstützt (Hom. Il. 23,83ff.; 11,765ff.). Er selbst bleibt während des Krieges in Phthia. M. ist Teilnehmer an der Fahrt der → Argonautai (Apoll. Rhod. 1,69f.; Apollod. 1,9,16) und Freund des → Herakles, dessen Kult er in Opus gründet (Diod. 4,39,1). J.STE.

**[2]** Dem → Menelaos [4] unterstellter Flottenkommandant Ptolemaios' I., *naúarchos* in Zypern (→ Kypros) 306 v. Chr (Diod. 20,52,5); evtl. identisch mit [1. Nr. 511] (PP V 13775).

1 BERVE 2.

H. HAUBEN, Het Vlootbevelhebberschap in de vroege Diadochentijd, 1975, 70f. Nr. 25. W.A.

**Menologion** (Μηνολόγιον). Sammlung von Hl.-Viten der orthodoxen Kirche, die nach dem Fest des jeweiligen Hl., dem Kirchenjahr entsprechend (→ Kalender) angeordnet sind. Im Gegensatz zum → Synaxarion, das zu jedem Hl. nur kurze Notizen bietet, und zum Menaion, das in der Regel liturgische Gesänge und Gebete zum Fest des Hl. enthält, sind die βίοι (»Lebensbeschreibungen«) des M. normalerweise länger. Erste Erwähnung vielleicht bei → Theodoros Studites [1. Bd. 1, 21], sind die ersten Exemplare aus dem 9. Jh. n. Chr. erh. Das maßgebende M. wurde jedoch das des → Symeon Metaphrastes (10. Jh. n. Chr.).

→ Heilige, Heiligenkult; Märtyrer

1 A. ERHARD, Überl. und Bestand der hagiographischen und homiletischen Lit. der griech. Kirche, 3 Bde., 1936–1939 2 G. BOTTEREAU, s. v. M., Dictionnaire de spiritualité, 1024–1027 2 N. P. ŠEVČENKO, s. v. M., ODB 1340f. J.N.

**Menon** (Μένων).

**[1]** M. aus Pharsalos wurde wegen Unterstützung der Athener beim Angriff auf → Eion [1] am Strymon nach Demosthenes (or. 13,23) → *atéleia* bzw. (or. 23,199) das attische Bürgerrecht verliehen [1. 20–23].

**[2]** M. aus Pharsalos, der wie seine Vorfahren in enger Beziehung zur thessal. Dyn. der → Aleuadai stand (M. war *erṓmenos*, »Geliebter«, des Aristippos) und den väterliche Gastfreundschaft mit dem pers. Herrscherhaus verband (Plat. Men. 70b; 78d). M. führte dem jüngeren Kyros [3] beim Kriegszug gegen → Artaxerxes [2] 401 v. Chr. bei Kolossai in Phrygien 1000 Hopliten und 500 Peltasten zu (Xen. an. 1,2,6; Diod. 14,19,8), ermöglichte Kyros den Einmarsch in Kilikien, setzte mit seinen Truppen zuerst über den Euphrat, wofür ihn Kyros reich beschenkte, und führte bei der Schlacht von → Kunaxa den linken Flügel (Xen. an. 1,2,20f.; 1,4,13–17; 1,7,1; 1,8,4). Laut Xenophon übte er Verrat an den griech. Heerführern, die gefangengenommen und von Artaxerxes hingerichtet wurden (Xen. an. 2,1,5; 2,2,1; 2,5,31; 2,5,38; Ktesias FGrH 688 F 27f.; Athen. 11, 505a-b). Anfangs geschont, soll M. ein Jahr später auf Befehl des Großkönigs getötet worden sein (Xen. an. 2,6,29). Bei Xenophon (an. 2,6,21–29) und Suda (s. v.) ist M. als habsüchtig, ehrsüchtig und machtgierig, hinterhältig und verlogen charakterisiert. Kritisch ist auch das Bild Platons im Dialog ›M.‹ [2; 3; 4; 5].

1 M. J. OSBORNE, Naturalization in Athens 3, 1983 2 T. S. BROWN, M. of Thessaly, in: Historia 35, 1986, 387–404 3 O. LENDLE, Kommentar zu Xenophons Anabasis, 1995 4 D. P. ORSI, Il tradimento di Menone, in: Quaderni di Storia 16, 1990, 139–145 5 J. HOLZHAUSEN, M. in Platons ›M.‹, in: WJA 20, 1994/95, 129–149. W.S.

**[3]** Sohn des Kerdimmas, soll E. 333 v. Chr. von → Alexandros [4] d.Gr. zum Satrapen von → Koile Syria ernannt worden sein (Arr. an. 2,13,7). Von Äg. aus wurde aber ein Arimmas [1. Nr. 114] mit Vorbereitungen für den Marsch zum Euphrates betraut und später wegen unzulänglicher Vollziehung des Befehls abgesetzt (Arr. an. 3,6,8: Asklepiodoros wurde sein Nachfolger). Curtius (4,5,9; 8,9–11) erzählt das alles ganz anders: → Parmenion übertrug – nach der Eroberung von Tyros oder bereits nach dem Sieg bei Issos – das Kommando an Andromachos, der in einem Aufstand in Samaria getötet wurde; Alexandros nahm an den Tätern Rache und macht *Mémnōn* (Arr. an 4,8,11; dieser M. gemeint?) zu seinem Nachfolger. Die Quellen sind unvereinbar.

1 BERVE 2.

J. E. ATKINSON, A Commentary on Q. Curtius Rufus' *Historiae Alexandri Magni* B. 3 and 4, 1980, 370f. (mit Bibl.) • A. B. BOSWORTH, A Historical Commentary on Arrian's History 1, 1980, 224–5 (methodisch nicht einwandfrei).

**[4]** 330 v. Chr. Satrap von Arachosia (Arr. an. 3,28,1; nach Curt. 7,3,4–5 mit einer starken Garnison). Er starb 325. Sibyrtios wurde sein Nachfolger. E.B.

**[5]** Athener aus dem Demos Potamos, 362 v. Chr. als Stratege an den Hellespont geschickt, dann abberufen und in Athen mit einer → *eisangelía* angeklagt (Demosth. or. 36,53; 50,4 und 12–14); M. war jedoch 357 erneut Stratege auf Euboia (IG II² 124,10 und 21).

DEVELIN, Nr. 1994 • P. M. FRASER, E. MATTHEWS, s. v. M. (2), A Lexicon of Greek Personal Names 2, 1994 • PA 10085 • TRAILL, PAA 647070.

**[6]** aus Pharsalos, bewährte sich mil. im → Lamischen Krieg 323/2 v. Chr. als thessal. Reiterführer und 322 als Hipparch des Hellenenbundes; versuchte vergeblich, Friedensverhandlungen des Hellenenbundes mit Antipatros [1] einzuleiten (Diod. 18,17,6); M. fiel als Anführer der Aitoler im Kampf gegen → Polyperchon (Diod. 18,38,5–6). M.s Tochter Phthia war die Mutter des → Pyrrhos von Epiros (Plut. Pyrrhos 1,7).

J. ENGELS, Stud. zur polit. Biographie des Hypereides, 1993², 357f. J.E.

[7] aus Segesta, wurde anläßlich der Einnahme seiner Vaterstadt 307 v. Chr. Sklave des → Agathokles [2] und führte 289/8 auf Anstiften des → Archagathos [2] angeblich den Tod des Tyrannen herbei, indem er ihm einen vergifteten Zahnstocher reichte. Danach versuchte er, die Herrschaft über Syrakus an sich zu reißen, ließ Archagathos umbringen und übernahm die Führung der Söldner. Zusammen mit den Karthagern kämpfte er anschließend gegen → Hiketas [2]. Danach verlautete nichts mehr von ihm (Diod. 21,16).

H. Berve, Die Tyrannis bei den Griechen 1, 1967, 456, 458. K. MEI.

**Menophanes** (Μηνοφάνης).

[1] Feldherr → Mithradates' VI. Er schlug im 1. → Mithradatischen Krieg 88 v. Chr. röm. Truppen unter M'. → Aquillius [I 4] (Memnon FGrH 434 F 1,22,7). Ob es sich hier um die von Appian (Mithr. 72) erwähnte Schlacht bei Proton Pachion handelt, ist fraglich [3. 1101[27]]. Nach Pausanias (3,23,3–5) habe M. noch im selben J. auf Befehl des Königs oder gar auf eigene Faust → Delos erobert, geplündert und zerstört, die Fremden dort und die Delier getötet, ihre Frauen und Kinder versklavt. Im Dienst göttlicher Rache hätten Kaufleute, die sich retten konnten, M. anschließend überfallen und mitsamt seinem Schiff versenkt (Paus. 3,23,3–5; Diskrepanz zu App. Mithr. 108, demzufolge Archelaos [4] Delos überfallen habe). Nach Appian (Mithr. 524) hat ein M., ein Feldherr des Mithradates VI., am Ende des 3. → Mithradatischen Krieges 64 v. Chr. diesem zur Schonung des → Pharnakes geraten. Zur Diskussion der Identifikationsprobleme vgl. [1. 135; 2. 46–48; 3. 1101[27]; 4. 271 f.; 5. 118, 137].

1 L. Ballesteros Pastor, Mitrídates Eupátor, 1996
2 M. Janke, Histor. Unt. zu Memnon von Herakleia, 1963
3 Magie 4 D. Musti, M. Torelli, Pausania, Guida della Grecia 3, 1991, 271 f. 5 Th. Reinach, Mithradates Eupator, 1895 (Ndr. 1975). E. O.

[2] Grammatiker aus unbestimmter Zeit, der von → Photios ἀρχαῖος und οὐκ εὐκαταφρόνητος genannt wird (Phot. bibl. 120a 11–12). M. soll sich nach Photios mit den Werken des Historikers → Theopompos von Chios befaßt und die These aufgestellt haben, das 12. B. von dessen Historien sei verloren. Dieses Buch kannte Photios allerdings noch.

FGrH 115 T 18. GR. DA.

**Menophantos.** Griech. Bildhauer. Eine Aphroditestatue (Rom, TM) trägt seine Signatur mit dem Zusatz, das Vorbild befinde sich in der Troas. Das Werk, eine Variante des Typus der Kapitolinischen Venus, entstand im 1. Jh. v. Chr.

G. Cressedi, s. v. M., EAA 4, 1961, 1026 · Loewy, Nr. 377 · B. S. Ridgway, Hellenistic Sculpture, 1, 1990, 356 · O. Vasori, Museo nazionale romano. Le sculture, 1, 1, 1979, 109–111, Nr. 81. R. N.

**Menophilos** von Damaskos, nur durch 15 von Stobaios zitierte Hexameter aus seinem Gedicht ›Locken‹ (Πλοκαμῖδες) bekannt, einem Gesang auf die Schönheit der Locke seiner Geliebten.

SH 558. S. FO./Ü: T. H.

**Mens.** Röm. Personifikation der »Besonnenheit«, zu Unrecht als »gestaltloses → Numen« [1. 478] eingestuft. Die → *Sibyllini libri* ordneten die Einführung ihres Kultes 217 v. Chr. an (Liv. 22,9,8): Ihr Tempel wurde als Resultat der röm. Niederlage gegen → Hannibal am Trasimenischen See vom Praetor T. Otacilius Crassus gelobt (Liv. 22,10,10; Ov. fast. 6,241–248) und 215 v. Chr. auf dem Capitol neben dem Tempel der → Venus Erycina dediziert (Liv. 23,31,9). Er wurde von M. Aemilius [I 37] Scaurus (*cos.* 115 v. Chr.: Cic. nat. deor. 2,61) erneuert. Die frühkaiserzeitl. → Fasti notieren den 8. Juni als → *natalis templi* (InscrIt 13,2 p. 467; Ov. fast. 6,247 f.). Die Weisung der griech. *libri Sibyllini*, die Verbindung von M. zu Venus Erycina (Liv. 22,9,10; Serv. Aen. 1,720) sowie ihr Auftreten als griech. *Eubulía/Gnṓmē* (Plut. mor. 318e, 322c) haben zu der falschen Annahme griech. Einflusses geführt. Inschr. Belege beginnen in spätrepublikan. Zeit (z. B. [2. 9 Nr. 12]: *Bonai Menti*, Ende 2. Jh. v. Chr., vgl. [3. 65–76]; AE 1975, 237: *Menti Bonae*); sie stammen, als Weihungen von Sklaven und Freigelassenen, großteils aus der frühen Kaiserzeit [4. 937]. M. wurde typischerweise als sitzende, anthropomorphe Figur dargestellt [1. 478 f.].
→ Personifikation

1 E. Simon, s. v. M., LIMC 6.1, 477–479 2 G. B. Brusin, Inscr. Aquileiae 1, 1991 3 F. Fontana, I culti di Aquileia repubblicana, 1997 4 E. Marbach, s. v. M., RE 15, 936 f.

Latte, 239 f. · M. Mello, M. Bona, 1968 · Ch. Reusser, s. v. M., LTUR 3, 240 f. C. R. P.

**Mensa** s. Tisch

**Mensarius.** Der *m.* übte als städtischer Magistrat die Funktionen eines Geldwechslers oder Bankiers aus und nahm v. a. Ein- und Auszahlungen für die Stadt vor. Einige griech. Städte – z. B. Tenos im 1. Jh. v. Chr. (Cic. Flacc. 44) – verfügten ständig über solche öffentlichen Bankiers, die δημόσιοι τραπεζῖται (*dēmósioi trapezítai*) genannt wurden. In Rom bestand dieses Amt nur in Ausnahmesituationen, so im 4. Jh. v. Chr. während einer Schuldenkrise (352 v. Chr., Liv. 7,21,5 ff.) und im 2. Pun. Krieg (*triumviri mensarii*, Liv. 23,21,6; 24,18,12; 26,36,8). Außerdem bezeichnete das Wort *m.* bisweilen auch Bankiers, die private Geldgeschäfte tätigten (Suet. Aug. 4,2), da für die Ausübung ihres Berufes der Zahltisch (*mensa*) charakteristisch war.
→ Argentarius [2]; Banken

1 J. Andreau, La vie financière dans le monde romain, 1987, 224–246 2 R. Bogaert, Banques et banquiers dans les cités grecques, 1968, 401–408 3 A. Storchi Marino, Quinqueviri mensarii. Censo e debiti nel IV secolo, in: Athenaeum, 81, 1993, 213–250. J. A./Ü: C. P.

**Menschenbild** s. Anthropologie

## Menschenopfer

I. Begriffs- und Wirkungsgeschichte
II. Altes Testament und Syrien/Palästina
III. Klassische Antike

### I. Begriffs- und Wirkungsgeschichte

A. Begriff B. Gebrauch
C. Wirkungsgeschichte

#### A. Begriff

Das M. ist eine nicht als rechtswidrig angesehene Tötung, vergleichbar dem Töten im Krieg, der Todesstrafe, der Blutrache; es steht jedoch im Rahmen von Darbringungs-Ritualen, die (a) in der jeweiligen Rel. und Kultur allgemein akzeptiert sind und (b) ähnlich für die Tötung anderer Lebewesen gebraucht werden. Kein M. ist die Tötung von Menschen in anderen als nicht rechtswidrig angesehenen Ritualen, etwa im Rahmen von Totenkult (→ Gladiator) oder → *devotio* in der Schlacht. Einen in der Forsch. umstrittenen Grenzfall (s.u.) stellt die Tötung von Menschen im Kontext der reinigenden Sühnung von Vorzeichen (→ Divination; *procuratio*; → *prodigium*; → Sühneriten) dar. Vorsätzliche, rechtswidrige Tötungen in nicht akzeptierten Ritualen (→ Magie; Zauber; Zukunftsschau) sind Totschlag oder ggf. (Ritual-)Mord. Die Differenzierung dieser Tatbestände ist bes. nötig, weil der Ausdruck M. im Kontext des westl. Christentums entwickelt und verallgemeinert worden ist. Eindrucksvolle *imaginaires* in Kunst, Lit., Myth. der Griechen, Etrusker, Römer sowie die Berichte von Missionaren und Ethnologen über sog. Kannibalismus in amerikan. und afrikan. Kulturen haben den Ausdruck M. zu einer Chiffre des *horrendum et fascinosum* aufgeladen.

#### B. Gebrauch

Der wiss. wie umgangssprachl. Gebrauch des Wortes M. teilt die Ambiguitäten des Begriffs → Opfer. Durch das Verbot der griech.-röm. und das Aufhören der jüd. Opferpraxis, später auch der kelt., german., slaw., wird die Opferterminologie »frei«; es entwickelt sich eine neue Opfersprache: (Fach-)Wörter werden verallgemeinert, metaphorisiert, verunklärt. Wichtigster Faktor ist die Lehre von der »Aufhebung« aller Opfer im Kreuzesopfer Jesu (Hebr 9,11–14; 24–26; Aug. trin. 4,14,19) und dessen Kommemoration bzw. Repräsentation im »Meßopfer«. Es entsteht ein Vorstellungskomplex mit theolog., ethischen, sozialen und polit. Elementen, in dem die histor. Tatsachen ebenso verschwinden wie die ant. Diskurse, v.a. die teils als Ablehnung (griech.-röm. Kultur), teils als Spiritualisierung (hebr. Bibel) der »blutigen Opfer« formulierte ant. Kritik. Seither kann jede Tötung von Menschen – Todesstrafe, Tyrannenmord, angeblicher oder tatsächlicher Ritualmord mit oder ohne Anthropophagie, Soldatentod, die Vernichtung der Juden aus Protest oder zur Legitimation – als M. (vgl. Holocaust) bezeichnet werden. In Kunst, Alltagssprache und Wiss. werden die christl. vermittelten Vorstellungen auf die Ant. re-projiziert. Dabei entstehen Paganismen, die mit christl. Konzepten konkurrieren. Legitimation durch Sakralisierung wirkt auch in der Alltagssprache fort [5; 6; 7]; sie wird auch in der Religionswiss. eher wenig reflektiert [3. 68ff.]. Mod. Diskurse über M. oszillieren zw. Faszination, Empörung und Provokation. Begriffsklärung und histor.-krit. Prüfung der Tendenzen unserer Quellen ist daher eine notwendige Voraussetzung für die Frage nach der histor. Faktizität der M. [1. 222ff.; 8; 10; 11].

#### C. Wirkungsgeschichte

Die M.-Metapher hat reiche Wirkung entfaltet: Als »Opferer, nicht Schlächter« versteht sich Shakespeares Caesarmörder (Julius Caesar, 2. Akt, V. 166). Im Plädoyer des Juristen Cesare Beccaria (1738–1794) gegen die Todesstrafe ist der Verurteilte ein »Schlachtopfer« (*vittima*) bestimmt zur »Opferung« (*sacrificio*) für den »unersättlichen Götzen des Despotismus« [2]. Dieses Pathos verdankt sich christl. Polemik gegen die Opfer der »Heiden«. Zugleich haben christl. Theologen noch im 20. Jh. die »Sühnewirkung« der Todesstrafe mit dem Kreuzesopfer Jesu begründet und damit implizit das M. affirmiert [4]. Nietzsche fordert das M. »zum Besten der Gattung« und verwirft gleichzeitig das christl. »concedierte« Selbstopfer [12. Bd. 13, 218ff.; 469–471].

Die Namen Isaak und Iphigenie (→ Iphigeneia) bezeichnen die wohl bekanntesten Paradigmen der M.-Diskurse. Sie sind der Neuzeit durch »große Erzählungen« vermittelt, durch die Bibel (Gn 22) und eher durch Goethe als → Euripides. Die Absage an das M. wird dargestellt als reinere Form der Gottesverehrung (die »Bindung Isaaks« in der jüd. Theologie) [9] oder als Sieg der Humanität (Goethe, Iphigenie auf Tauris, 1787). Gerhart Hauptmann konstruiert archaisierend eine düster-blutrünstige Ant.: Die gerettete Iphigenie ist dem Tod verfallen, dem »Opfertod« durch Sturz in die Phädriadenschlucht (Iphigenie in Delphi, 1941). Daß Euripides' Figuren zwar von Opferritualen sprechen, aber Mord und Rache als treibende Kräfte erkennen, wird in der Nietzsche verhafteten Rezeption ausgeblendet. Anders Christa Wolfs Kassandra: ›Er (sc. Agamemnon) habe sie (sc. Iphigenie) opfern müssen. Das war nicht, was ich hören wollte, aber Wörter wie »morden«, »schlachten« sind ja den Mördern und Schlächtern unbekannt‹ [13. 68].

**1** G. Baudy, Der kannibalische Hirte, in: A. Keck u.a. (Hrsg.), Verschlungene Grenzen. Anthropophagie in Lit. und Kulturwiss., 1999, 221–242 **2** C. Beccaria, Dei delitti e delle pene, 1764 ([2]1774) **3** W. Burkert, Kulte des Altertums. Biolog. Grundlagen der Rel., 1998
**4** H. Cancik, Christentum und Todesstrafe, in: H. v. Stietencron (Hrsg.) Angst und Gewalt, 1979, 213–242
**5** H. Cancik-Lindemaier, Opferphantasien. Zur imaginären Ant. der Jh.wende in Deutschland und Österreich, in: AU 30.3, 1987, 90–104 **6** Dies., Opfer. Rel.wiss. Bemerkungen zur Nutzbarkeit eines rel. Ausdrucks, in: H.-J. Althaus u.a. (Hrsg.), Der Krieg in den Köpfen, 1989, 109–120 **7** Dies., s.v. Eucharistie, HrwG 2,

347–356 **8** J. DREXLER, Die Illusion des Opfers, 1993 **9** J. EBACH, Theodizee, in: Ders., Gott im Wort, 1997, 1–25 **10** P. HASSLER, M. bei den Azteken? Eine quellen- und ideologiekrit. Studie, 1992 **11** A. HENRICHS, Human Sacrifice in Greek Rel., in: Le sacrifice dans l'antiquité (Entretiens sur l'Antiquité Classique 27), 1981, 195–235 **12** F. NIETZSCHE, Sämtliche Werke. Krit. Stud.ausgabe, 1980 **13** CHR. WOLFF, Kassandra, 1983. H.C.-L.

II. ALTES TESTAMENT UND SYRIEN/PALÄSTINA

Menschenopfer sind nicht im Zusammenhang des at. → Moloch-Kults zu verstehen, sondern erscheinen im AT nur in extremen Notlagen. Äg. Reliefs, die anläßlich der Eroberung kanaanäischer Städte die Übergabe von Kindern an die Eroberer zeigen, sind nicht als M., sondern im Sinne von Huldigung und Loyalität zu deuten. Die wenigen Belege für die Opferung von Kindern in 2 Kg 3,27 (Meša); Ri 11,30ff. (Jiftachs Tochter); Gn 22,1 ff. (Abrahams Sohn Isaak) können aufgrund lit. und paradigmatischer Gestaltung die Annahme von M. nicht unterstützen; in einen anderen Zusammenhang als den des M. gehört die Auslösung der menschlichen Erstgeburt in Ex 13,13; 34,20; Nm 3,45; 18,15. M. als Bauopfer sind in Palästina nicht nachgewiesen.
→ Opfer

W. ZWICKEL, s.v. M., Neues Bibel Lexikon 2, 1995, 765–766. TH.PO.

III. KLASSISCHE ANTIKE
A. GENERELLES B. GRIECHISCH
C. RÖMISCH D. KELTISCH

A. GENERELLES

Der Begriff M. wird im folgenden im Anschluß an die ant. Quellen nur auf solche Rituale bezogen, in der einer Gottheit ein menschliches Wesen in gleicher Weise dargebracht wird wie ein Tieropfer (→ Opfer). Dadurch soll der mod. Nivellierung des Begriffes, seiner Anwendung auf jede rituelle Tötung, entgegengewirkt und das M. von anderen Handlungen wie z.B. der *sacratio* (der Überführung eines Menschen in den Besitz einer Gottheit) in Rom oder der Hinrichtung abgegrenzt werden (s.o. I.). Allerdings macht es wenig Sinn, eine allg. Theorie des M. zu entwerfen, denn wie die Opferbräuche im allg. sind auch die Modalitäten des M. (rituelles Schlachten, Begraben, Verbrennung, Erstikkung oder Ertränken, Aufbewahrung und Zurschaustellung der Opferreste) in den einzelnen ant. Kulturen verschieden. Ein Opfermahl ist für gewöhnlich nicht Teil des M.; kommt ein solches vor, dient es der Illustration des Abnormen der geschilderten Handlung und ihrer Träger, in Verschwörungen (Diod. 22,5,1; Sall. Catil. 22,1 f.; Plut. Cicero 10,4; Cass. Dio 37,30,3; [1]) oder bei »Banditen« (Ach. Tat. 3,15).

M. wurden in der Ant. häufig anderen zugeschrieben: anderen Völkern – für gewöhnlich den Gegnern: Karthager (Plin. nat. 7,16; 36,39; Min. Fel. 30,1), Kelten (s.u.), Germanen (Tac. Germ. 9,1; 39,2) –, → »Barbaren«, polit. Aufrührern (s.o.), Juden (Ios. c.Ap. 2,92–96; 2,121), Christen (Min. Fel. 9,5; Eus. HE 5,1,26; vgl. Plin. epist. 10,96,7) [2]. Schon in der vedischen Lit. ist das M. (*puruṣamedha*) bezeugt; gleichzeitig wird dort aber eine Entwicklungsgesch. des Opfers vom M. über das Tier- und Vegetalopfer zum spirituellen Selbstopfer dargestellt [3]. Angesichts dieser Trad. hat die Forsch. das Vorkommen von M. in den ant. Hochkulturen häufig verneint und diese entweder in die Frühzeit oder zu den barbarischen Nachbarkulturen verwiesen; ant. Nachrichten über M. wird ein symbolischer, die kulturellen Standards des jeweiligen Sprechers vor dem negativen Hintergrund des M. affirmierender oder problematisierender, Wert beigemessen, auch wenn in manchen Fällen der lit. oder arch. Befund eine gegenteilige Deutung zuläßt. So findet sich im AT neben Zeugnissen über den *ḥerem* (die Tötung der Kriegsgefangenen) die Beschreibung (und Kritik) des Erstgeborenen- oder Kinderopfers in höchster Gefahr (Quellen: s.o. II.) in narrativen Kontexten, die möglicherweise gegen eine bestehende Praxis des M. polemisieren [4; 5. 52f.]. In ähnlicher Weise werden die Kindergräber des *tofet* in Karthago (wie auch in anderen pun. und phöniz. Städten des Mittelmeerraums) nicht als Opferplätze, sondern als Kinderfriedhöfe gedeutet, obgleich die Inschr. des *tofet* auf Opfer bezogen werden können ([5. 53–56] mit Lit.) und den Karthagern auch andere M. nachgesagt wurden (s.o.).

B. GRIECHISCH

M. in der griech. Rel. werden von der Forsch. häufig geleugnet, in eine griech. Vorgesch. verlegt, den »Barbaren« zugeschrieben – ein Beispiel sind die M. für die taurische → Artemis (Hdt. 4,103,1; Eur. Iph. T.; Min. Fel. 30,1), obschon diese in den Quellen als durchaus »griech.« erscheint – oder in den symbolischen Rahmen von Initiationsriten (→ Initiation) verwiesen [6]. Allerdings ist in den lit., historiograph. wie myth., Quellen häufig die Rede von M., die von den griech. Göttern – Zeus, Kore und Persephone, Athena, Artemis, Ares, Poseidon oder Amphitrite und den Nereiden, von Heroen wie Patroklos, Achilleus – gefordert werden; v.a. der Gott von → Delphoi, Apollon (→ Orakel), schreibt den Sterblichen das M. als einen möglichen Ausweg aus Krisen vor. In diesen Texten sind die Götter meist erzürnt über eine Beleidigung von seiten der Sterblichen und fordern nicht das übliche Tieropfer, sondern das Opfer eines Wesens, das den Menschen am liebsten ist, vor allem (aber nicht nur) junge Mädchen und Knaben, die dazu noch wohlgeboren sein sollen. Diese M. werden weder als ein Rückfall in eine grausame Vorzeit oder als Verletzung der rechten Frömmigkeit, sondern als ein notwendiges und bes. wirksames Opfer in Notsituationen porträtiert, dem ein durchaus positiver Wert zugeschrieben wird (Quellen: [7]). In diesen Texten ist das M. also nicht lediglich negativer Bestandteil eines Diskurses über griech. Kultur und Rel. Auch die Darstellungen myth. M. (z.B. → Polyxena) in der griech. Kunst oder der etr. Grabmalerei [8] spiegeln dies wider, selbst wenn keine einfachen Entsprechungen zw. künstlerischer Darstellung und kultischer Realität bestehen.

C. Römisch

In Rom wurde das M., das Iuppiter von → Numa Pompilius erfolglos gefordert haben soll (Ov. fast. 3,329–357; Plut. Numa 15,5–10), als unröm. rituelle Praxis (*minime Romanum sacrum*: Liv. 22,57,6) angesehen und 97 v.Chr. verboten (Plin. nat. 30,3,12). In Rom zelebrierte man jedoch seit 228 v.Chr. (Plut. Marcellus 3,3f.; Zon. 8,20; Oros. 4,13,3) wiederholt (216 v.Chr.: Liv. 22,57,2–6; 114/3 v.Chr.: Plut. q.R. 83) und anscheinend bis in die Zeit des älteren Plinius (nat. 28,12) ein von den → *Sibyllini libri* in höchster Gefahr vorgeschriebenes, als außergewöhnlich verstandenes öffentliches Ritual: Dabei wurden zwei Paare von Griechen und Galliern auf dem Forum Boarium lebendig begraben. Die Deutung als M. ist umstritten (Diskussion: [5. 41–46; 9; 10]), findet in den lit. Quellen (Opferterminologie: *sacrificium, hostiae*, θύειν/*thýein*) aber Rückhalt: die beiden Paare wurden möglicherweise den *di* → *inferi* als *pars pro toto* der Feinde dargebracht. Ein außergewöhnliches M. soll auch der spätere Augustus an seinen Gegnern vollzogen haben (41 v.Chr.: Suet. Aug. 15; Cass. Dio 48,14,4).

D. Keltisch

Auch die M., die in den ant. Quellen als ein Zeichen der Alterität der Kelten und Germanen (s.o.) beschrieben werden, stellen die Forsch. vor Probleme. Die unterschiedlichen Zeugnisse für keltische M. sind als eine Art »Bestrafung« oder »Hinrichtung« gedeutet worden [11. 132f.]. Möglicherweise lassen sich die Berichte über M. (Caes. Gall. 6,16f.; Lucan. 1,444–446; Strab. 4,4,5; Diod. 5,31,3f.) aber durch die neueren arch. Funde in den kelt. Heiligtümern der Picardie und der Champagne sowie den Opferschächten im gesamten kelt. Europa stützen ([12] mit Lit.). Auch wenn in vielen Fällen die Verbindung zu M. nicht definitiv geklärt ist, besteht die Möglichkeit, daß das M. bei den Kelten nicht minder als bei anderen ant. Völkern eine zwar außergewöhnliche, unter bestimmten Umständen jedoch als notwendig erachtete reale rituelle Handlung, kein nur hypothetischer Gegensatz zur Norm war.

→ Kannibalismus; Opfer; Sühneriten

1 G. Marasco, Sacrifici umani e cospirazioni politiche, in: Sileno 7, 1981, 167–178 2 J. Rives, Human Sacrifice among Pagans and Christians, in: JRS 85, 1995, 65–85
3 Ch. Malamoud, Modèle et réplique. Remarques sur le paradigme du sacrifice humain dans l'Inde védique, in: Archiv für Religionsgesch. 1.1, 1999, 27–40 4 Th. Römer, Le sacrifice humain en Juda et Israël, in: ebd. [3], 17–26
5 C. Grottanelli, Ideologie del sacrificio umano: Roma e Cartagine, in: ebd. [3], 41–59 6 P. Bonnechère, Le sacrifice humain en Grèce ancienne, 1994 7 S. Georgoudi, À propos du sacrifice humain en Grèce ancienne, in: Archiv für Religionsgesch. 1.1, 1999, 61–82 8 D. Steuernagel, M. und Mord am Altar. Griech. Mythen in etr. Gräbern, 1998
9 A. M. Eckstein, Human Sacrifice and Fear of Military Disaster in Republican Rome, in: AJAH 7, 1982 (1985), 69–95 10 D. Briquel, Des propositions nouvelles sur le rituel d'ensevelissement de Grecs et de Gaulois au Forum Boarium, in: REL 59, 1981, 30–37 11 J. L. Brunaux, Les religions gauloises. Rituels celtiques de la Gaule indépendante, 1996 12 F. Marco-Simón, Sacrificios humanos en la Céltica antigua, in: Archiv für Religionsgesch. 1.1, 1999, 1–15.

A. Henrichs, Human Sacrifice in Greek Rel.: Three Case Studies, in: J. Rudhardt, O. Reverdin (Hrsg.), Le sacrifice dans l'antiquité, 1981, 195–242 • D. D. Hughes, Human Sacrifice in Ancient Greece, 1991 • F. Schwenn, Die M. bei den Griechen und Römern (RGVV 15,3), 1915. J.S.

**Menschenrechte** A. Einleitung
B. Naturrecht und andere Spekulationen
C. Innerstaatlich D. Überstaatlich
E. Rezeption

A. Einleitung

Ant. Autoren, Inschr. und Institutionen enthalten Normen, die den modernen M. – etwa der »Allg. Erklärung der M.« durch die Vereinten Nationen (UN) am 10.12.1948 – entsprechen. (Im Folgenden werden die Artikel jener Erklärung mit ihrer Nr. und davorgesetzten »UN-§« zitiert; Text der M.-Erklärung z.B. bei [4. 271–76]). Nach Tertullian (ad Scapulam 2) ›ist es M. und angeborene Entscheidungsbefugnis jedes einzelnen, das zu verehren, woran er glaubt. ... Es widerspricht dem Wesen der Rel., eine Rel. zu erzwingen‹ ... *Humani iuris et naturalis potestatis est unicuique, quid putaverit, colere ... nec religionis est cogere religionem*: Hier ist das M. auf Rel.-Freiheit (UN-§18) wie im heutigen Sinn als *ius humanum* bezeichnet (nicht als Gegensatz zu *ius divinum*) und erweist die ant. Existenz auch des Begriffes »M.« (vgl. Sen. benef. 3,18,2). Nach Ulpian (Dig. 1,1,4) ist gemäß dem *ius naturale* die Sklaverei nicht gerechtfertigt, da alle Menschen frei geboren sind (vgl. UN-§§ 1; 4); doch nach dem übereinstimmenden Recht der Völker (*ius gentium*) war die Sklaverei allg. verbreitet und galt als legitim.

Damit sind M. in der Ant. nach Rechtskraft und Geltungsbereich unterscheidbar: 1) M. aufgrund philos. und theolog. Spekulation (Naturrecht), die ungeschrieben, ewig und überall gültig seien und von den Göttern oder aus der Natur, Vernunft oder Würde des Menschen stammen. 2) Innerstaatliche Grundrechte, etwa der Athener oder Römer, z.B. Recht auf Privateigentum und Schutz desselben, auf ein faires Gerichtsverfahren oder auf polit. Mitsprache (UN-§§ 17; 10; 21). V.a. im innerstaatl. Bereich kollidierten Staatsgewalt und Freiheitsrechte des Individuums (z.B. »ungerechter« Machtgebrauch von Tyrannen, Caesaren, Christenverfolgern), was in der ant. wie in der mod. Gesch. zu konkreten Gedanken über Abwehrrechte der Bedrohten oder Opfer antrieb. 3) M. im überstaatlichen Bereich, die das Verhältnis zu Fremden, z.B. zu Kriegsgegnern oder → Barbaren, und die übereinstimmenden Rechte verschiedener Staaten oder Völker betreffen. In ihnen gehen Verletzungen der M., z.B. durch Sklaverei oder Kindesaussetzung, nicht vom Staat, sondern von der Ges. aus. Die Rechtsanthropologie berührt, wie aus

Ulpian (s.o.) ersichtlich wird, das Problem der universellen Geltung der M. in anderer Weise als im Naturrechtsdenken. Insgesamt setzen M. die Erfahrung von Unrecht voraus, das die Staatsgewalt begeht oder in der Ges. duldet.

B. Naturrecht und andere Spekulationen

Homer nennt Zeus ›Vater der Götter und Menschen‹ (Hom. Od. 18,137), womit keine Abstammung, sondern seine patriarchalische Macht gemeint sein dürfte. Doch knüpfte → Epiktetos [2] (dissertationes 1,3) daran die stoische Vorstellung von Verwandtschaft aller Menschen als Kinder des Zeus und die Verpflichtung zur Brüderlichkeit (UN-§ 1) als Glieder einer großen Familie. → Sophokles' Antigone (Soph. Ant. 449–55) rechtfertigt ihren Widerstand gegen die ungerechte Staatsgewalt mit dem ›ungeschriebenen, unveränderlichen, ewigen Recht der Götter‹. Cicero (Cic. rep. 3,22) definiert das (stoische) Naturrecht als göttliches, der vernünftigen Weltordnung entsprechendes, universal geltendes, im menschlichen Gewissen sich offenbarendes Recht, das kein Staat verändern darf.

Das Frühchristentum vertieft den Begriff von der Würde des Menschen (UN-§ 1) mit der Lehre seiner Ebenbildlichkeit mit seinem Schöpfer und der Menschwerdung Christi [2. 280–283].

C. Innerstaatlich

Die Athener schworen in ihrem archa. Ephebeneid, Befehlen und zukünftigen Gesetzen nur zu gehorchen, wenn sie »vernünftig« (*émphronos*) gegeben wurden (Tod 204, 12; 14) [7. 34f.], was polit. Widerstand, etwa gegen einen Tyrannen, rechtfertigt (UN-§ Präambel). → Solons Maßnahmen enthalten verschiedene M.: das Recht auf Vereinsfreiheit (Sol. fr. 76a Ruschenbusch; UN-§ 20); Rechtsgleichheit für Adel und Nicht-Adel (fr. 36, 18–20 West; UN-§ 7); polit. Mitsprache aller Bürger bei Beamtenwahl und Volksgericht (Aristot. Ath. pol. 7,3; UN-§ 21); Schutz der Ehre vor Verleumdung (fr. 32 R.; UN-§ 12) und der menschlichen Würde durch ein Gesetz, das die Tötung eines Verbrechers erlaubte, aber seine Mißhandlung verbot (fr. 16 R.; UN-§ 5). v.a. hat Solon die rechtsstaatliche Bindung der Staatsgewalt wohl erstmals formuliert (fr. 36,16 West: βίην τε καὶ δίκην συναρμόσας, ›Gewalt und Recht in eins gebunden‹, vgl. UN-§ Pr.).

Konzentriert enthält → Perikles' Gefallenenrede bei Thukydides moderne M. [7. 36–38]: polit. Mitwirkung der Bürger (2,37,1; UN-§ 21); Toleranz gegenüber privater Lebensgestaltung (2,37,2; UN-§ 12, vgl. § 26,2); Erholung von der Arbeit (2,38; UN-§ 24); Informationsfreiheit (2,39,1; UN-§ 19); Teilnahme am Kulturleben (2,40,1; UN-§ 27); vielseitige, den Anlagen entsprechende Ausbildung (2,41,1; UN-§ 26,2). Trotz ihres Bezuges auf die männlichen Bürger offenbart diese idealisierende Beschreibung der athenischen Verfassung, Ges. und Gesinnung Einsichten in die Grundbedürfnisse des kultivierten Individuums in seiner Gemeinschaft. In der röm. Republik waren dem Bürger Freiheit, Recht auf Leben und Unversehrtheit, polit. Mitsprache, Gleichheit vor dem Gesetz, Versammlungs- und Vereinsfreiheit (UN-§§ 1; 3; 21; 7; 20) weitgehend gewährleistet und dienten den modernen Staatstheoretikern als Vorbild [3. 97–112].

D. Überstaatlich

Owohl die Trojaner gegen die Griechen einen (mythischen) Krieg führten, werden sie von Homer nicht diskriminiert (UN-§ 2); das gleiche gilt von der Darstellung der Perser unter Xerxes bei Aischylos (*Die Perser*) und Herodot. Die Pflicht, den Fremden zu ehren (schon Hom. Od. 14,56–58), gehört zu den ungeschriebenen, allg. gültigen Geboten der Hellenen; sie sind ab Aischylos (Aischyl. Eum. 269–272) mehrfach bezeugt [8. 629]. Als weiteres »Gesetz der Hellenen« gilt es, im Kampf den sich ergebenden Gegner nicht zu töten (Thuk. 3,58,3; Eur. Heraclid. 961–966; 1009–1011, UN-§ 3). Nach der Schlacht von Plataiai lehnte der Feldherr → Pausanias den Vorschlag, die Leiche des Persers Mardonios zu schänden, was jener an dem gefallenen Spartanerkönig → Leonidas [1] begangen hatte, als barbarisch ab (Hdt. 9,79), wohl weil es den Toten erniedrigt hätte (vgl. UN-§ 5). Ein anderer Spartanerkönig, Agesilaos [2], forderte die Soldaten auf, an → Kriegsgefangenen keine Rache zu nehmen, sondern sie »als Menschen« zu behandeln (Xen. Ag. 1,21, ähnlich Rhet. Her. 4,16,23), was über das polit. Kalkül eines Friedensschlusses hinaus auf Vorstellungen von Menschenwürde bei Heerführern hinweist. Den für die meisten Rechtsordnungen geltenden Grundsatz, daß das legitime Freiheits-, Macht- und Gewinnstreben des einen durch dieselben Ansprüche des anderen begrenzt werden, was auch für die Menschenrechte gilt (UN-§ 29,2), haben Demokritos (68 B 245 DK) und Cicero (Cic. off. 3,5,22) formuliert.

E. Rezeption

Ant. M. gelangten über Naturrechtslehren, Kirchenväter, das röm. Recht und klass. Autoren zu den Staatstheoretikern des MA und der Neuzeit [1; 2; 5; 6].

→ Gerechtigkeit/Recht; Humanitas; Menschenwürde; Menschenrechte

**1** O. Behrends, M. Diesselhorst (Hrsg.), Libertas. Grundrechtliche und rechtsstaatliche Gewährungen in Ant. und Gegenwart. Symposion aus Anlaß des 80. Geburtstages von F. Wieacker, 1991 **2** H. Cancik, Die Würde des Menschen ist unantastbar, in: H. Funke (Hrsg.), Trad. und Utopie, 1987, 73–107 (Ndr. in: Ders., Antik – Modern, 1998, 267–291; danach zitiert) **3** M. Fuhrmann, Grundrechte im Strafprozeß der röm. Republik und ihr Widerhall im 18. und 19. Jh., in: [1], 97–112
**4** W. Heidelmeyer (Hrsg.), Die M.-Erklärungen, Verfassungsartikel, Internationale Abkommen, [3]1982
**5** H. Jones (Hrsg.), Le monde antique et les droits de l'homme, 1998 **6** G. Oestreich, Gesch. der M. und Grundfreiheiten im Umriß, [2]1978 **7** P. Siewert, Zur Frage der Universalität der M. bei ant. Autoren, in: L. Aigner Foresti u. a. (Hrsg.), L'ecumenismo politico nella coscienza dell' Occidente, 1998, 31–42 **8** G. Tènèkidès, La cité d'Athènes et les droits de l'homme, in: F. Matscher, H. Petzold (Hrsg.), Protecting Human Rights: The

European Dimension: Studies in Honor of G.J. Wiarda, 1988, 605–637. P.SI.

**Menschenwürde** A. Griechisch-römisch B. Jüdisch-christlich C. Modern

A. Griechisch-römisch

Der sprachliche Ausdruck für M. wurde von der stoischen Anthropologie und Ethik gebildet und überl. (→ Stoizismus); die Vorstellung selbst ist in der griech. und röm. Ant. weit verbreitet und vielfältig begründet. → Cicero (off. 1,30,106; Herbst 44 v. Chr.) vergleicht Tier und Mensch und erkennt, ›welche Erhabenheit und Würde in (unserer; sc. der menschlichen) Natur liegt‹: *quae sit in natura* <*nostra* – erg. Toupius; *hominis* – erg. cod. 14. Jh., J. Sturm, 1553 u.a.> *excellentia et dignitas*. Diese Würde beruht auf der Vernunft und der Fähigkeit zu freier sittlicher Entscheidung. Die (All-) Natur selbst hat dem Menschen diese → »Person« (*persona* – Maske, Rolle) aufgesetzt (Cic. off. 1,30,107). Diese »erste persona« und die daraus resultierende Würde ist allen Menschen gemeinsam (*communis*). Andere »Rollen« begründen die Besonderheit des Individuums auf Veranlagung (*propria natura*), gesch. Situation (*casus et tempus*) und die eigene Entscheidung (*iudicium*). Quelle für das 1. Buch von Ciceros Schrift ›Über die Pflichten‹ und damit wohl auch für seine Lehre von Natur, Vernunft, Würde der Person – ist → Panaitios' verlorene Abh. ›Über die angemessenen Handlungen‹ (*Perí kathēkóntōn*; vermutlich 138/128 v. Chr.) [1].

Die stoische Lehre von der M. ist universal; sie argumentiert philos., nicht theologisch. Andererseits ist die Metaphorik (Maske, Rolle) und der Begriff *dignitas* selbst kulturspezifisch. »Würde« ist bei Cicero eine konkrete, sichtbare Qualität einer Person, des röm. Volkes, seiner Regierung, des Staates; sie verleiht Glanz, strahlt aus, ist Schmuck (*decus, decorum*). Die kollektive Würde zu mindern (*maiestatem minuere*) ist schweres Vergehen. Das Wort *dignitas* ist sehr häufig bei Cicero; der Ausdruck »Würde der (menschlichen) Natur« singulär.

B. Jüdisch-christlich

In der hebr. und griech. Bibel (vgl. Ps. 8) ist der Ausdruck M. nicht belegt. Erst um die Mitte des 4. Jh. n. Chr. wurde im westl. Christentum das Fest der »Geburt des Herrn« geschaffen, das am Tag der Wintersonnenwende die »Einfleischung« (*in-carnatio*) Gottes feiert. Für dieses Fest wurde ein eigenes Gebet formuliert: ›Gott, der du die Würde der menschlichen Substanz wunderbar geschaffen und wunderbarer erneuert hast: gib uns ...‹ (*Deus qui humanae substantiae dignitatem mirabiliter condidisti et mirabilius reformasti: Da nobis* ...; Sacramentum Leonianum: Slg. um 540, Hs. 7. Jh.; PL 55, 146f.). Diese Lehre von der M. beruht auf theologischen Sätzen über Schöpfung, Inkarnation und Erlösung. In Hss. des 12. Jh. ist die Übernahme der Weihnachtsoration in das feste Schema der Messe (*ordo Missae*; → Missa) nachweisbar [2]. Die Mysterien der Eucharistie gewähren »Teilhabe an der Göttlichkeit« des menschgewordenen Gottessohnes. Die Verbreitung des Ausdrucks innerhalb der ant. und ma. christl. Lit. ist, im Vergleich zur Neuzeit, sehr begrenzt (vgl. Thomas von Aquin, Summa Theologica II II q. 64.2: *humana dignitas*).

C. Modern

Ciceros Schrift über die ›Angemessenen Handlungen‹ wurde in der Renaissance breit rezipiert: etwa 700 Hss. im 14.–15. Jh; Erstdruck Mainz 1465; die erste dt. Übers. wurde 1488 in Augsburg gedruckt, eine reich bebilderte von Johann Neuber (und Johann v. Schwarzenberg, gest. 1528) in Nürnberg 1531. Hier erscheint die ›wyrde menschlicher Natur‹ zum ersten Mal in der dt. Literatur. Der Ausdruck wurde im Quattrocento als Titel gebraucht (Gianozzo Manetti, *De dignitate et excellentia hominis*, 1452) und nachträglich jener Oratio hinzugefügt, die Giovanni Pico della Mirandola 1486 in Rom halten wollte [3; 4; 5; 6].

Für die Entwicklung des frühneuzeitlichen Natur- und Vernunftrechtes durch die neustoischen Philosophen, Juristen, Politiker spielte die bei Cicero (*De legibus*; *De natura deorum*; *De officiis*) tradierte Anthropologie eine erhebliche Rolle. Samuel Pufendorf (1632–1694), Jurist und Humanist, bringt den Ausdruck M. zum ersten Mal in einen juristischen Kontext [4]. John Wise (1652–1725) benutzt Pufendorfs Werk in der engl. Übers. von 1710, um die Verfassung der Kirchen Neu-Englands durch Naturrecht und ›Dignity of Humane Nature‹ zu begründen [7]. In der Anthropologie I. Kants erhält der Ausdruck M. einen untergeordneten Platz; Kant bezieht sich ausdrücklich auf die ant. Stoa [8; 9].

Zentrale Bedeutung erhält der Ausdruck erst in der mod. Lehre von den Menschenrechten. Die Formel »Freiheit und M.« erscheint in antifaschistischen Texten (1943: Manifest des National-Komites »Freies Deutschland«; Grundsätze des Kreisauer Kreises). Die Präambel der Charta der Vereinten Nationen (26.6.1945) verkündet den »Glauben an die Grundrechte des Menschen, an Würde und Wert der menschlichen Persönlichkeit«; vgl. Allg. Erklärung der Menschenrechte (10.12.1948), Präambel und Art. 1. Der Ausdruck wird in die frühen Verfassungen der dt. Länder (Bayern: 2.12.1946; Bremen: 21.10.47 u.a.) der künftigen Bundesrepublik Deutschland und als unmittelbar geltendes Recht in das Grundgesetz der BRD übernommen: ›Die Würde des Menschen ist unantastbar‹ (Art. 1 GG). Die Zusammenhänge dieser Erklärungen und Verfassungen untereinander und mit der älteren philos. und juristischen Trad. sind unklar.

→ Humanitas; Menschenrechte

1 A.R. Dyck, A Commentary on Cicero, de Officiis, 1996, 17ff. 2 A. Ebner, Missale Romanum, 1896 (Ndr. 1957), 51, 300 u.ö. 3 Gian Francesco Pico, Bologna 1496 (Erstausg.; Neuausg. mit Vorwort: Jacob Wimpfeling, Straßburg 1504) 4 H. Welzel, Die Naturrechtslehre Samuel Pufendorfs, Diss. Jena 1928, 1958 (Ndr. 1986) 5 G. Pico della Mirandola, Über die Würde des Menschen (übers.

H. W. RÜSSEL), 1988 6 G. VON DER GÖNNA (Hrsg.), G. F. Pico, Oratio de hominis dignitate (auf der Grundlage der Ed. princeps), 1997 7 J. WISE, A Vindication of the Government of New-England Churches, 1717, ²1772 (Ndr. 1958), 67f. 8 H. THOMAE (Hrsg.), Immanuel Kant, Von der Würde des Menschen, 1941 (Stellensammlung) 9 C. MELCHES GIBERT, Der Einfluß von Christian Garves Übers. Ciceros de officiis auf Kants Grundlegung zur Metaphysik der Sitten, 1994.

E. BLOCH, Naturrecht und menschliche Würde, 1961 • H. CANCIK, Die Würde des Menschen ist unantastbar (1987), in: Ders., Antik – Modern, 1998, 267–291 • Ders., Persona and Self in Stoic Philosophy, in: A. BAUMGARTEN (Hrsg.), Self, Soul and Body, 1998, 335–346 • CH. ENDERS, Die M. in der Verfassungsordnung. Zur Dogmatik des Art. 1 GG, 1997 • M. FORSCHNER, Über das Handeln im Einklang mit der Natur, 1998 • E. PICKER, M. und Menschenleben, in: FS W. Flume, 1998, 155–263. HU.C.

**Mensis** s. Kalender

**Mensor** war die lat. Berufsbezeichnung für Techniker, die Vermessungen im weitesten Sinne durchführten. *Mensores agrarii* (*agrimensores*, *geometrae*, *gromatici*, → Feldmesser) waren im zivilen wie im mil. Bereich u. a. für das Abstecken von Flächen, die Anlage von → Straßen, → Wasserleitungen sowie Lagerbauten zuständig. Die Tätigkeit gewann im Gefolge der Landzuweisungen an Veteranen während des 1. Jh. v. Chr. große Bedeutung. Hauptarbeitsinstrument war nach der Darstellung auf dem Grabstein des L. Aebutius Faustus die → Groma (CIL V 6786 = ILS 7736). *M. aedificiorum* begegnen im Bereich des Hausbaus und der Bauaufsicht (Plin. epist. 10,17b; 10,18,3). Der Grabaltar des *m. aedificiorum* Titus Statilius Aper zeigt den Verstorbenen, der eine Wachstafel mit einer Vermessungsskizze in Händen hält (CIL VI 1975 = ILS 7737).

*M. frumentarii* waren unter dem *praefectus annonae* in der stadtröm. Getreideversorgung (→ *cura annonae*) tätig (CIL XIV 172 = ILS 1429; CIL XIV 303 = ILS 6169; CIL XIV 309 = ILS 6163; CIL XIV 409 = ILS 6146) sowie im mil. Bereich für die Lebensmittelversorgung der Truppen zuständig (ILS 9091). Zur Vermessungstechnik gehörte auch das Nivellieren, das mit dem Chorobat durchgeführt wurde (Vitr. 8,5; zum → *librator* im röm. Heer vgl. ILS 2059; 2422; 5795). Ein für die Einhaltung der korrekten → Maße und → Gewichte auf Märkten zuständiger *m. sacomarius* ist ebenfalls inschr. belegt (CIL X 1930 = ILS 7739).

1 O. BEHRENDS, L. C. COLOGNESI (Hrsg.), Die röm. Feldmeßkunst (AAWG), 1992 2 K. BRODERSEN, Terra cognita, 1995 3 E. FABRICIUS, s. v. M., RE 15, 956–960 4 K. GREWE, Planung und Trassierung röm. Wasserleitungen, ²1992, 13–23 5 ZIMMER, Katalog, Nr. 141–142, 1982. H.-J.S.

**Menstruation.** In der hippokratischen Medizin galt die M. als wesentlich nicht nur im Hinblick auf die Gesundheit der Frau (*gyné*), sondern auch im Hinblick auf ihren Reifungsprozeß. Die M. wurde als ›der wichtigste Beleg für den fundamentalen Unterschied zw. Mann und Frau‹ angesehen [1. 234]; deshalb lautet ein griech. Wort für M. *gynaikeía*. Andere Begriffe – wie z. B. *katamēnia* und *epimēnia* – betonen den im Normalfall monatlichen Rhythmus der Blutung. Wegen der loseren Textur ihres Fleisches und ihrer sitzenden Lebensweise resorbieren Frauen, so glaubte man, mehr Flüssigkeit aus ihrer Nahrung, als es Männer tun, so daß sie das Blut, das daraus gebildet wird, regelmäßig ausscheiden müssen, um ihr inneres Säftegleichgewicht aufrechtzuerhalten (z. B. Hippokr. de muliebribus 1,1; 8,10–14 L.; vgl. → Gynäkologie). Als Alter für die Menarche wurde das 14. Lebensjahr angenommen, in dem das Netzwerk von Kanälen im Körperinneren eines Mädchens als so weit entwickelt galt, daß es das Blut sammeln konnte. Aus Hippokr. de natura pueri 15 (7,492–494 L.) gewinnt man den Eindruck, daß sich die gesammelte Blutmenge »auf einmal« auf die Gebärmutter zubewegt. Die Menge des über zwei bis drei Tage ausgeschiedenen Blutes sollte bei einem halben Liter liegen (Hippokr. de muliebribus 1,6; 8,30 L.). Falls das Blut im Körper bleibe, könne es auf lebenswichtige Organe Druck ausüben und zunächst Schmerzen, dann Krankheit (Hippokr. de muliebribus 1,3; 8,22 L.) und schließlich, wenn Versuche, dem Körper das Blut durch Arzneimittel, Pessare und Räucherungen zu entziehen, scheiterten, den Tod verursachen (Hippokr. de muliebribus 1,2; 8,16–18 L.).

In Aristoteles' [6] Modellvorstellung vom weiblichen Körper wurde die M. deutlicher als zuvor zum Zeichen für Unvollkommenheit; nur den männlichen Körper hielt er für warm genug, um Blut zu Samen kochen zu können (z. B. Aristot. gen. an. 775a 14–20). Dagegen waren Parmenides und andere anscheinend davon überzeugt, daß Frauen wärmer als Männer seien, und zwar mit dem Argument, Frauen hätten mehr Blut als diese; Blut galt säftetheoretisch als »warm« und »feucht« (Aristot. part. an. 648a 28–30; Aristot. gen. an. 765b 19). Aristoteles, Diokles [6] und Empedokles [1] glaubten, daß alle Frauen zu derselben Zeit des Mondmonats menstruierten, nämlich mit abnehmendem Mond (Aristot. gen. an. 767a 2–6). Was die Beschaffenheit des M.-Blutes betrifft, so glaubten griech. Autoren im allg., daß es sich nicht von sonstigem Blut unterscheide, auch wenn einige der Meinung waren, daß es eine kalte und verdorbene Blutsorte sei (z. B. Plut. mor. 651c-e). Medizinisch betrachtet, konnte man die M. als Zeichen der Empfängnisfähigkeit begrüßen, da sie zeigte, daß die Gebärmutter ausreichend offen war, um den männlichen Samen aufzunehmen. Das bedeutete, daß im Gegensatz zur christl. Trad. Geschlechtsverkehr gegen E. der M. nicht als verunreinigend angesehen, sondern sogar nachdrücklich als optimale Empfängnismöglichkeit empfohlen wurde. Denn die Gebärmutter sei noch offen, es gebe noch genügend Blut als Rohstoff, aus dem sich ein Fötus bilden ließ, doch es gab nicht mehr so viel Blut, daß der männliche Samen hätte ausgewaschen werden können (Hippokr. de natura muliebri 8; 7,324

L.; de muliebribus 1,17; 8,56 L.; Aristot. gen. an. 727b 12–25).

Wir finden bei den Griechen aus klass. Zeit keinerlei Hinweis, daß man einer menstruierenden Frau irgendeine unheilvolle Wirkung zugeschrieben hätte: Im Gegensatz zu vielen anderen Kulturen glaubten die Griechen nicht, daß man eine menstruierende Frau absondern, ihr z. B. das Kochen für die Männer untersagen sollte oder daß sie magische Kräfte besitze. Später allerdings zählen Tempelvorschriften und die sog. *leges sacrae* aus hell. Zeit menstruierende Frauen zu denjenigen, die den hl. Bezirk nicht betreten dürfen [2. 74–103]. Plinius d. Ä. (nat. 7,64–5; 17,266; 28,77–86) nennt zahlreiche unheilvolle Kräfte des Menstrualblutes, wie z. B. die Kraft, Messer stumpf und Wein sauer zu machen. Columella zählt die Wirkungen der M., insbes. des Menarcheblutes, auf die Natur auf; diese können zum Guten genutzt werden, etwa zur Abwendung von Hagel oder zur Vernichtung von Raupen und anderen Getreideschädlingen (Colum. 10,357–363; 11,3,64; vgl. Plut. mor. 700e). Sogar der Blick einer menstruierenden Frau wird gelegentlich mit magischen Kräften (→ Magie) in Verbindung gebracht: Columella (11,3,50) berichtet, daß dieser Blick bei Gurken und Kürbissen Trockenfäule verursachen könne, während Aristoteles (de insomniis et de divinatione per somnum 459b 24–460a 23) behauptet, daß er einen Spiegel mit einer blutigen Trübung belege, die schwer zu entfernen sei (diese Stelle ist aber vielleicht ein nachträglicher Einschub, da sie mit Aristoteles' sonstigen Ansichten über die M. nicht übereinstimmt [1. 229 f.]).

Da das Thema M. nur in medizinischen Texten ausführlich behandelt wird, wissen wir aus dem Alltagsleben gewöhnlicher Frauen wenig über den Umgang mit ihr. Gefaltete Lumpen (*rhákea*) scheinen zum Schutz während der M. verwendet worden zu sein (z. B. Plut. mor. 700e; Hippokr. de muliebribus 1,11; 8,42 L.); sie waren auch unter der Bezeichnung »(Hygiene-)Schutz« (*phylakía*) bekannt [2. 102 Nr. 113]. In dem Lebensabriß der Philosophin → Hypatia, wie er sich in der Suda findet, wird behauptet, daß sie einmal einen solchen »Schutz« nach einem unliebsamen Freier warf [3. 77 f.]. Mommsen glaubte, das Vorkommen des Begriffs *rhákos* im Inventar der Artemis von Brauron müsse als Beleg dafür verstanden werden, daß der Gottheit mit dem Eintritt der Pubertät M.-Lumpen geweiht wurden [4. 343–347]; doch wahrscheinlich ist damit vielmehr gemeint, daß Gewänder, die geopfert wurden, mit der Zeit »lumpiger« geworden waren [5. 58 f.].

→ Frau; Geschlechterrollen; Gynäkologie

1 L. A. Dean-Jones, Women's Bodies in Classical Greek Science, 1994 2 R. Parker, Miasma, 1983 ([2]1996) 3 G. Clark, Women in Late Antiquity, 1993 4 Th. Mommsen, Rhakos auf att. Inschr., in: Philologus 58, 1899 5 T. Linders, Studies in the Treasury Records of Artemis Brauronia Found in Athens, 1972.

P. Diepgen, Die Frauenheilkunde der alten Welt, 1937 • D. Gourevitch, Le mal d' être femme, 1984 • H. Grensemann, Hippokratische Gynäkologie, 1982 • A. E. Hanson, Hippocrates: Diseases of Woman I, in: Signs 1, 1975, 567–584 • H. King, Hippocrates' Woman, 1998 • G. E. R. Lloyd, Science, Folklore and Ideology, 1983 • P. Manuli, Donne mascoline, femmine sterili, vergini perpetue, in: S. Campanese u. a. (Hrsg.), Madre Materia, 1983, 147–192 • H. von Staden, Women and Dirt, in: Helios 19, 1992, 7–30. H. K./Ü: L. v. R.-B.

**Mentes** (Μέντης).
**[1]** Myth. Heerführer der → Kikones im Troianischen Krieg. In seiner Gestalt stachelt Apollon Hektor zum Kampf an (Hom. Il. 17,13).
**[2]** Myth. Fürst der Taphier. In seiner Gestalt erscheint Athene dem Telemachos (Hom. Od. 1,105; 1,180; → Mentor [2]). L. K.

**Mentesa.** Name zweier Städte (Name vielleicht iberisch [1. 549]).
**[1] M. Bastitanorum** (CIL II 3377 f.; 3380), h. La Guardia im SO von → Castulo (Plin. nat. 3,9; 19; 25; Itin. Anton. 402,4). In der Westgotenzeit Münzstätte und Bischofssitz.
**[2]** (Μέντισα). Wohl beim h. Villanueva de la Fuente nahe der Quelle des Guadiana menor, im *conventus* von → Carthago Nova (CIL II p. 434 f.; Plin. nat. 3,25; Ptol. 2,6,59; CIL XI 3281–3284).

1 Holder 2.

A. Schulten (Hrsg.), Fontes Hispaniae Antiquae 8, 59; 9, 451 • Tovar 2, 151 f. und 178. P. B.

**Mentor** (Μέντωρ).
**[1]** Vater des → Imbrios aus Pedaion (Hom. Il. 13,171).
**[2]** M. aus Ithaka, Sohn des Alkimos (Hom. Od. 22,235), Gefährte des → Odysseus; dieser überträgt M. bei seiner Abfahrt nach Troia die Aufsicht über sein Haus (ebd. 2,225 ff.). M. tritt in der Volksversammlung energisch gegen das Verhalten der Freier auf (ebd. 2,224 ff.). Die Göttin → Athena nimmt oft seine Gestalt an, um → Telemachos mit ihrem Rat zu helfen (ebd. 2,267 ff.; 3,22 ff.; 240 ff.; 4,654 ff.) oder um Odysseus beizustehen (ebd. 24,502 ff., 545 ff.; → Mentes [2]). AL. FR.
**[3]** Rhodier, Bruder von → Memnon [3], mit dem er sich um den Satrapen → Artabazos [4] verdient machte. Beide wurden mit einem Lehen in der Troas belohnt. M. nahm am Aufstand Artabazos' gegen → Artaxerxes [3] teil und fand bei → Nektanebos II. in Äg. Zuflucht. Mit 4000 Söldnern zur Unterstützung des gegen Artaxerxes revoltierenden → Tennes nach Sidon gesandt, half er diesem jedoch bei dem Plan, Sidon an Artaxerxes zu verraten, und wurde dafür vom Perserkönig in Dienst genommen. Er leistete ihm 343 v. Chr. in Äg. wertvolle Dienste und schloß sich an → Bagoas [1] an, der ihn bei Hofe unterstützte. Artaxerxes belohnte ihn großzügig, übertrug ihm das Oberkom-

mando in Kleinasien und ließ Memnon und Artabazos mit voller Amnestie zurückkommen (vgl. → Memnon [3]). Von ihnen über die Pläne → Philippos' II. informiert, verhaftete er → Hermias [1], besetzte kampflos dessen Territorium und bewirkte mit Bagoas seine Hinrichtung (Didymos, In Demosth. comm. 6,8f.). Bald danach starb er (Diod. 16,42,2; 47,4; 49,7–50,8; 52,1–7). E.B.

**[4]** Griech. Toreut (→ Toreutik). Die ausschließlich röm. Überl. [3] zu M. galt stets dem Sammlerwert seiner Werke und läßt seine Schaffenszeit im Unklaren. Die Nachrichten zum tatsächlichen oder eingebildeten Besitz von Werken des M. sind in das 1. Jh. v. und n. Chr. datiert. In der Kaiserzeit seien originale Stücke kaum mehr auffindbar gewesen. Vier Paare von Gefäßen seien vor ihrer Vernichtung als Votive in Ephesos gewesen. Neben Silbergefäßen werden auch Statuetten des M. erwähnt. Seine Kunst lag in der Erfindung neuer Gefäßtypen und Reliefbilder.

**1** G. BECATTI, Arte e gusto negli scrittori latini, 1951 **2** L. GUERRINI, s. v. M., EAA 4, 1961, 1028 **3** OVERBECK, Nr. 607, 1189, 1612, 2160–2181 **4** M. PFROMMER, Griech. Originale und Kopien unter röm. Tafelsilber, in: The J. P. Getty Museum Journal 11, 1983, 135–146. R.N.

**Mentores.** Volksstamm in der nördl. Adria-Region (Dalmatia), bei Hekat. FGrH 1 F 62 Nachbarn, bei Plin. nat. 1,139 Teil der → Liburni (wie die Himani, Enchelaeae, Peucetii). Später standen die M. unter der Herrschaft der → Iapodes.

G. ALFÖLDY, Bevölkerung u. Ges. der röm. Prov. Dalmatia, 1965 · J. J. WILKES, Dalmatia, 1969. H.SO.

**Menyllos** (Μένυλλος).

**[1]** M. wurde nach der athenischen Niederlage im → Lamischen Krieg von → Antipatros [1] 322 v. Chr. als Kommandant der maked. Garnison in der → Munychia-Festung des Piräus eingesetzt (Diod. 18,18,5; Plut. Phokion 28,1 und 7). Mit → Phokion, dem damaligen Leiter der athenischen Politik, stand er in guten Beziehungen. Nach dem Tode des Antipatros wurde M. von → Kassandros durch → Nikanor ersetzt.

W. S. FERGUSON, Hellenistic Athens, 1911, 20. J.E.

**[2]** M. aus Alabanda befand sich 163/2 v. Chr. als Gesandter Ptolemaios' VI. gegen Ptolemaios VIII. in Rom, wo er seinem alten und vertrauten Freund, dem Historiker → Polybios, half, die Flucht Demetrios' [7] I. Soter zu arrangieren (Pol. 31, 12,8f.; 14,8). 162/1 war M. wieder in Rom, allerdings ohne Erfolg für seinen König zu erzielen.

E. OLSHAUSEN, Prosopographie der hell. Königsgesandten, Bd. 1, 1974, 74f. Nr. 51. W.A.

**Menysis** (μήνυσις). Eine »Anzeige« oder »Meldung« in bestimmten Strafverfahren: Die griech. Polis funktionierte auf Initiative von Privatleuten. Auch im Strafrecht galt der Akkusationsgrundsatz: wo kein Kläger, dort kein Richter. In Hochverratsfällen und bei Religionsfreveln, welche die Existenz des Staates gefährdeten, fanden die Athener gleichwohl Wege, um das Fehlen einer beamteten Staatsanwaltschaft auszugleichen: So wurden einerseits in Sonderfällen staatliche Untersuchungskommissäre (ζητηταί, *zētētaí*) bestellt, andererseits wurde unter Aussetzen von Geldprämien zur *m.* aufgerufen (vgl. And. 1,14). Mitschuldige ließen sich vor einer *m.* Straflosigkeit (→ *aídesis*) zusichern. Die Fälle der *m.* decken sich weitgehend mit den Tatbeständen der → *eisangelía* (wörtlich ebenfalls »Anzeige, Meldung«), doch kann man die Verfahren in keiner Weise in Parallele setzen: Der Denunziant verschafft durch seine *m.* dem Staat (dem Rat oder der Volksversammlung) erst die Möglichkeit, ein förmliches Verfahren zu eröffnen. Die *eisangelía* konnte nur ein anklageberechtigter Bürger erheben, durch *m.* denunzieren konnte jedermann, auch Sklaven (denen als Prämie oft die Freiheit versprochen wurde).

BUSOLT/SWOBODA, 544 · D. M. MACDOWELL, Andokides on the Mysteries, 1962. G.T.